CIMA

Diccionario
de la lengua
española

www.everest.es

Dirección editorial:
Raquel López Varela

Coordinación editorial:
Ana Rodríguez Vega

Redacción:
Equipo lexicográfico Everest

Maquetación:
Mercedes Fernández Caballero

Revisión y corrección de contenidos:
Patricia Martínez Fernández
Ana Rodríguez Vega

Diseño de cubierta:
FORMA diseño gráfico

© EDITORIAL EVEREST, S. A.
Carretera León-A Coruña, km. 5 - LEÓN
ISBN: 978-84-441-1060-8
Depósito legal: LE.: 578-2012
Printed in Spain - Impreso en España

EDITORIAL EVERGRÁFICAS, S. L.
Carretera León-A Coruña, km. 5
LEÓN (España)

Atención al cliente: 902 123 400

Presentación

El *Diccionario Cima de la lengua española* se ofrece como instrumento indispensable para el nivel de consulta lexicológica que se lleva a cabo en la enseñanza.

En las más avanzadas orientaciones metodológicas para la enseñanza del idioma español, se señala el diccionario como auxiliar imprescindible y se da por sentado que su uso ha de ser habitual al alumno, el cual debe estar familiarizado con su manejo desde que empieza a estudiar Gramática y a dar los primeros pasos en el estudio de la Lengua. Por otra parte, el uso del diccionario es fundamental en la formación de la inteligencia del niño. Padres y profesores deben tratar de conseguir que, desde muy pronto, el alumno se habitúe al manejo del diccionario y que este sea para él como un maestro bueno y leal que le orientará en el camino de la lengua y del pensamiento.

Con el deseo de atender a esta necesidad, real y tangible, hemos elaborado el *Diccionario Cima de la lengua española* que entre sus páginas cuenta con 50 000 voces y 100 000 acepciones. Figuran, además, en el mismo numerosos extranjerismos y neologismos que han adquirido carta de naturaleza en el español así como las últimas actualizaciones de la Real Academia Española. La ordenación alfabética de todo este registro de vocablos se ha llevado a cabo según los criterios internacionales, establecidos por el conjunto de las Academias de la Lengua de los países hispanohablantes. Por otra parte, se ha incluido un apéndice de Gramática donde no faltan los cuadros de verbos irregulares.

Las más de 800 páginas que conforman el *Diccionario Cima de la lengua española* con los apartados anteriormente mencionados, han sido elaboradas con el mayor esmero para contribuir al enriquecimiento de la obra cuyo fin es difundir y elevar el conocimiento de nuestro fecundo idioma, el español.

EDITORIAL EVEREST

Abreviaturas

A

a. C.	antes de Cristo
adj.	adjetivo
adj. comp.	adjetivo comparativo
adj. dem.	adjetivo demostrativo
adj. excl.	adjetivo exclamativo
adj. indef.	adjetivo indefinido
adj. int.	adjetivo interrogativo
adj. num.	adjetivo numeral
adj. pl.	adjetivo plural
adj. pos.	adjetivo posesivo
adj. rel.	adjetivo relativo
adj. sup.	adjetivo superlativo
adv.	adverbio, adverbial
adv. afirm.	adverbio afirmativo
adv. c.	adverbio de cantidad
adv. dud.	adverbio de duda
adv. excl.	adverbio exclamativo
adv. int.	adverbio interrogativo
adv. l.	adverbio de lugar
adv. lat.	adverbio latino
adv. m.	adverbio de modo
adv. neg.	adverbio de negación
adv. ord.	adverbio de orden
adv. rel.	adverbio relativo
adv. t.	adverbio de tiempo
Albac.	Albacete
Alic.	Alicante
Alm.	Almería
amb.	ambiguo
amer.	americanismo
Amér. C.	América Central
Amér. del N.	América del Norte
Amér. del S.	América del Sur
And.	Andalucía
ant.	antiguo, anticuado
Ant.	Antillas
apóc.	apócope
Ar.	Aragón
Arg.	Argentina
art.	artículo
art. det.	artículo determinado
art. indet.	artículo indeterminado
Ast.	Asturias
Áv.	Ávila

B

Bad.	Badajoz
Bras.	Brasil
Burg.	Burgos

C

Các.	Cáceres
Các.	Cádiz
Can.	Canarias
Cant.	Cantabria
Cat.	Cataluña
cg	centigramo
Chil.	Chile
Col.	Colombia
com.	común
conj.	conjunción
conj. advers.	conjunción adversativa
conj. caus.	conjunción causal
conj. conces.	conjunción concesiva
conj. cond.	conjunción condicional
conj. consec.	conjunción consecutiva
conj. cop.	conjunción copulativa
conj. distrib.	conjunción distributiva
conj. disy.	conjunción disyuntiva
conj. ilat.	conjunción ilativa
conj. sust.	conjunción sustantiva
conj. temp.	conjunción temporal
contracc.	contracción
Córd.	Córdoba
C. Real	Ciudad Real
C. Ric.	Costa Rica
Cub.	Cuba
Cuen.	Cuenca

D

d. C.	después de Cristo
dg	decigramo
dm	decímetro
desp.	despectivo
desus.	desusado

E

Ec.	Ecuador
El Salv.	El Salvador
expr.	expresión
Extr.	Extremadura

F

f.	femenino
fam.	familiar
fig.	figurado
Filip.	Filipinas
fra.	frase

G

Gal.	Galicia
Gran.	Granada
Guad.	Guadalajara
Guat.	Guatemala
Guin. Ec.	Guinea Ecuatorial
Guip.	Guipúzcoa

H

Hond.	Honduras
Huesc.	Huesca

I

interj.	interjección

L

lat.	latín, latino, latina
Le.	León
Lev.	Levante
loc.	locución
LOC.	locuciones y frases hechas

M

m.	masculino
Mál.	Málaga
m	metro
Méx.	México
mm	milímetro
Murc.	Murcia

N

Nav.	Navarra
neg.	negación
Nic.	Nicaragua
n. p.	nombre propio

O

onomat.	onomatopeya

P

Pal.	Palencia
Pan.	Panamá
Par.	Paraguay
Per.	Perú
pl.	plural

poét.	poético
Por antonom.	Por antonomasia
Por ext.	Por extensión
prep.	preposición
P. Ric.	Puerto Rico
pron. dem.	pronombre demostrativo
pron. excl.	pronombre exclamativo
pron. indef.	pronombre indefinido
pron. int.	pronombre interrogativo
pron. num.	pronombre numeral
pron. pers.	pronombre personal
pron. pos.	pronombre posesivo
pron. rel.	pronombre relativo
p. us.	poco usado
P. Vasco	País Vasco

R

Rep. Dom.	República Dominicana
Rioja	La Rioja

S

s.	sustantivo
Sal.	Salamanca
Seg.	Segovia
Sev.	Sevilla
sing.	singular
Sor.	Soria

T

Ter.	Teruel
Tol.	Toledo

U

Ur.	Uruguay

V

v.	verbo
v. aux.	verbo auxiliar
v. cop.	verbo copulativo
v. impers.	verbo impersonal
v. intr.	verbo intransitivo
v. prnl.	verbo pronominal
v. tr.	verbo transitivo
Val.	Valencia
Vall.	Valladolid
Ven.	Venezuela
Viz.	Vizcaya
vulg.	vulgar, vulgarismo

Z

Zam.	Zamora
Zar.	Zaragoza

a¹ *s. f.* Primera letra del abecedario español y primera de sus vocales.

a² *prep.* **1.** Une al verbo con el complemento indirecto y con el directo cuando este es de persona determinada o está personificado. **2.** Indica dirección, distancia, etc.

ab *prep.* Se emplea en algunas locuciones latinas utilizadas en nuestro idioma.

aba *s. m.* Tejido poco fino de lana propio para mantas.

abab *s. m.* Marinero turco libre que se empleaba en las galeras a falta de forzados.

ababán *s. f.* Arbolillo leguminoso de América del Sur con fruto comestible.

ababillarse *v. prnl., Méx. y Chil.* Enfermar un animal de la babilla.

ababol *s. m.* **1.** Amapola. **2.** *fig.* Persona distraída, simple.

ababuy *s. m., amer.* Arbusto silvestre espinoso, especie de ciruelo.

abacá *s. m.* Planta tropical musácea, variedad de plátano.

abacería *s. f.* Tienda donde se venden al por menor comestibles.

abacero, ra *s. m. y s. f.* Persona que tiene una abacería.

abacía *s. f., amer.* Planta dicotiledónea de América ecuatorial.

abacial *adj.* Relativo al abad, abadesa o abadía.

ábaco *s. m.* **1.** Tablero contador. **2.** Parte superior del capitel.

abacorar *v. tr.* **1.** *Cub.* Avasallar, supeditar. **2.** *Ven. y P. Ric.* Acosar, perseguir.

abad *s. m.* Título ordinario del superior de un monasterio o de una colegiata.

abada *s. f.* Rinoceronte.

abadejo *s. m.* Bacalao salado y prensado.

abadengo *s. m.* Abadía, señorío, territorio y bienes del abad.

abadernar *v. tr.* Sujetar con badernas.

abadesa *s. f.* Superiora de ciertos conventos de religiosas.

abadía *s. f.* Iglesia o monasterio regido por un abad o abadesa.

ab aeterno *loc. lat.* Desde la eternidad.

abajadero *s. m.* Terreno que está en declive.

abajar *v. intr., fam.* Bajar. También tr. y prnl.

abajo *adv. l.* En lugar o parte inferior.

abalanzar *v. tr.* **1.** Lanzar con violencia. **2.** Igualar, equilibrar.

abalar *v. tr.* Llevar o conducir.

abalaustrado, da *adj.* Balaustrado.

abaldonar *v. tr.* Ofender o deshonrar.

abaleadura *s. f.* **1.** Acción y efecto de abalear. ‖ *s. f. pl.* **2.** Granzas o residuos que quedan después de abalear.

abalear *v. tr.* Separar con una escoba apropiada del grano ya aventado los granzones y paja gruesa que han caído con él.

abaleo *s. m.* **1.** Acción de abalear. **2.** Escoba de abalear.

abalizar *v. tr.* Señalar con balizas algún paraje en aguas navegables.

aballar *v. tr.* **1.** Debilitar, desvanecer o esfumar los colores de una pintura. **2.** *Sal.* Echar abajo, abatir. **3.** *Sal.* Mullir la tierra.

aballestar *v. tr.* Tirar del medio de un cabo ya tenso y sujeto, a fin de atirantarlo así todavía más.

abalón *s. m., amer.* Planta de la familia de las liliáceas con propiedades medicinales purgantes.

abalorio *s. m.* **1.** Cuentecillas de vidrio agujereadas para hacer sartas. **2.** Cualquier adorno ostentoso, pero de poco valor.

abaluartar *v. tr.* Fortificar con baluartes.

abanar *v. tr.* Hacer aire con el abano.

abancalar *v. tr.* Desmontar un terreno y formar bancales en él.

abanderado, da *s. m. y s. f.* Persona que lleva la bandera.

abanderar *v. tr.* Matricular o registrar bajo la bandera de un Estado un buque extranjero. También prnl.

abanderizar *v. tr.* Dividir en banderías. También prnl.

abandonado, da *adj.* Se aplica al que no atiende debidamente la limpieza o el arreglo de su persona o de sus cosas.

abandonar *v. tr.* Dejar desamparada a una persona o cosa.

abandonismo *s. m.* Tendencia a abandonar sin resistencia el derecho a algo o sobre algo.

abandono *s. m.* Acción de abandonar o abandonarse.

abanicar *v. tr.* Dar aire con el abanico. También prnl.

abanico *s. m.* Instrumento para hacer o hacerse aire.

abanillo *s. m.* Abanico para hacer aire.

abanino *s. m.* Adorno de gasa blanca.

abaniqueo *s. m.* Acción de mover repetidamente el abanico.

abano *s. m.* Abanico, instrumento para hacer o hacerse aire.

abantar *v. intr.* **1.** Derramarse un líquido al hervir. ‖ *v. prnl.* **2.** Vanagloriarse, jactarse.

abanto *s. m.* Ave rapaz parecida al buitre.

abañar *v. tr.* Seleccionar la simiente con un cribado especial.

abarajar *v. tr.* **1.** *Arg., Par. y Ur.* Parar con el cuchillo golpes de un adversario. **2.** *amer.* Coger al vuelo.

abaratamiento *s. m.* Acción y efecto de abaratar.

abaratar *v. tr.* Disminuir o bajar el precio de un producto. También intr. y prnl.

abarca *s. f.* Calzado rústico de cuero o de caucho.

abarcar *v. tr.* Rodear algo con los brazos o con las manos.

abarcón *s. m.* Aro de hierro que en los coches antiguos afianzaba la lanza dentro de la punta de la tijera.

abarloar *v. tr.* Situar un barco con el costado casi pegado al de otro o a un muelle. También prnl.

abarquillado, da *adj.* De figura de barquillo.

abarquillar *v. tr.* Encorvar una superficie plana y delgada. También prnl.

abarracar *v. intr.* Acampar en chozas o barracas. También prnl.

abarrado, da *adj.* Barrado, dicho del paño, defectuoso.

abarraganarse *v. prnl.* Amancebarse.

abarrajado, da *adj.* **1.** Pendenciero, de vida airada. También s. m. y s. f. **2.** *Chil. y Per.* Libertino, audaz, desvergonzado.

abarrajar *v. tr.* **1.** Atropellar, arrojar, acometer, destrozar. ‖ *v. prnl.* **2.** *Chil. y Per.* Envilecerse.

abarrancadero *s. m., fig.* Negocio o lance del que no se puede salir fácilmente.

abarrancar *v. tr.* Meter en un barranco. También prnl.

abarrar *v. tr.* Arrojar con violencia.

abarredera *s. f.* Escoba.

abarrer *v. tr.* Barrer, llevárselo todo.

abarrotamiento *s. m.* Acción de abarrotar.

abarrotar *v. tr.* **1.** Equilibrar con abarrotes. **2.** Llenar completamente un lugar. **3.** *Cub., Chil, Guat. y P. Ric.* Monopolizar un género de comercio. **4.** *Chil.* Proveer, abastecer.

abarrote *s. m.* Cada fardo con el que se abarrotaba el barco.

abarse *v. prnl.* Apartarse, quitarse del paso.

abasia *s. f.* Afección nerviosa caracterizada por la imposibilidad de andar.

abastanza *s. f.* Abundancia, copia.

abastar *v. tr.* Abastecer. También prnl.

abastardar *v. intr.* Bastardear.

abastecedor *s. m.* Acaparador, almacenista.

abastecer *v. tr.* Proveer de bastimentos o de otras cosas indispensables. También prnl.

abastecimiento *s. m.* Acción y efecto de abastecer o abastecerse.

abastero *s. m.* **1.** *Chil.* Persona que se dedica a comprar reses vivas y a vender la carne al por mayor. **2.** *Cub.* Abastecedor.

abastionar *v. tr.* Fortificar con bastiones.

abasto *s. m.* Provisión de bastimentos, y especialmente de víveres.

abatanar *v. tr.* Batir el paño en el batán.

abate *s. m.* Clérigo de órdenes menores.

abatí *s. m.* **1.** *Amér. del S.* Maíz. **2.** *Arg. y Ur.* Bebida alcohólica destilada del maíz.

abatidero *s. m.* Cauce de desagüe.

abatido, da *adj.* **1.** Hundido, tirado. **2.** Despreciable, ruin. ‖ *s. m.* **3.** Manojo de tablas o duelas. ‖ *s. f.* **4.** Obstáculo formado con árboles inclinados o cortados.

abatimiento *s. m.* **1.** Acción y efecto de abatir o abatirse. **2.** Humillación, bajeza. **3.** Postración física o moral de una persona.

abatir *v. tr.* Derribar. También prnl.

abatojar *v. tr., Ar.* Batojar o batir las alubias u otras legumbres para separar el grano.

abayado, da *adj.* Parecido a la baya.

abazón *s. m.* Bolsa que tienen algunos mamíferos, particularmente los monos, en los carrillos.

abdicar *v. tr.* Renunciar a una alta dignidad o empleo.

abdomen *s. m.* Vientre, cavidad del cuerpo de los animales vertebrados.

abdominal *adj.* Perteneciente o relativo al abdomen.

abdominia *s. f.* Gula insaciable.

abdominoscopia *s. f.* Exploración del abdomen.

abducción *s. f.* **1.** Movimiento por el cual un miembro u otro órgano se aleja del plano medio del cuerpo. **2.** Silogismo en que la premisa mayor es evidente y la menor probable, pero esta última es más creíble o más fácilmente demostrable que la conclusión.

abducir *v. tr.* **1.** Argumentar con o por abducción. **2.** Desechar, eliminar alguna proposición.

abductor *adj.* Se dice del músculo capaz de ejecutar una abducción. También s. m.

abecé *s. m., fig.* Rudimentos de un saber.

abecedario *s. m.* Serie ordenada de las letras de un idioma.

abedul *s. m.* Árbol betuláceo, de corteza plateada y ramas flexibles y colgantes.

abeja *s. f.* Insecto himenóptero que vive en enjambres y segrega cera y miel.

abejaruco *s. m.* Ave trepadora de plumaje de vistoso colorido, de unos 15 cm, que abunda en España y se alimenta de abejas.

abejorro *s. m.* Insecto himenóptero largo y velludo, que zumba mucho al volar.

abellacado, da *adj.* Bellaco, vil.

abellacar *v. tr.* **1.** Envilecer. ‖ *v. prnl.* **2.** Hacerse bellaco.

abellotado, da *adj.* Que tiene forma de bellota.

abellotar *v. tr.* Dar a una cosa la forma de bellota.

abemolar *v. tr.* **1.** Suavizar la voz. **2.** Poner bemoles.

abencerraje *s. m.* Miembro de una familia árabe granadina del s. XV rival de los Cegríes.

abéndula *s. f.* Pala del rodezno del molino.

abenuz *s. m.* Ébano.

aberenjenado, da *adj.* De color o figura de berenjena.

aberenjenar *v. tr.* Dar la figura o el color de la berenjena. También prnl.

aberia *s. f.* Arbusto que sirve para formar setos vivos.

abernardarse *v. prnl.* Encolerizarse, irritarse.

aberración *s. f.* **1.** Grave apartamiento de lo que es normal, justo, lógico, etc. **2.** Desvío aparente de los astros.

aberrar *v. intr.* Desviarse, perderse, andar errante.

abertal *adj.* Se dice del terreno agrietado por la sequía.

abertura *s. f.* Cualquier separación entre dos partes de una cosa.

abesana *s. f.* Besana.

abesón *s. m.* Eneldo.

abestiado, da *adj.* Que parece bestia, o de bestia.

abéstola *s. f.* Aguijada, vara larga que usan los labradores cuando aran.

abetal *s. m.* Sitio poblado de abetos.

abete *s. m.* Hierrecillo con un gancho en cada extremidad, que sirve para asegurar en el tablero la parte de paño que se tunde de una vez.

abetinote *s. m.* Resina líquida que fluye del abeto.

abeto *s. m.* Árbol de tronco alto y recto, cuya madera es apreciada por su tamaño y blancura.

abetunado, da *adj.* Semejante al betún.

abetunar *v. tr.* Embetunar.

abey *s. m.* Árbol de las Antillas.

abiar *s. m.* Manzanilla loca.

abieldar *v. tr.* Beldar.

abierto, ta *adj.* **1.** Dilatado, llano, raso. **2.** No murado o cercado. **3.** Espontáneo, sincero, franco. **4.** Claro, patente, indudable.

abietáceo, a *adj.* Se dice de árboles como el abeto, el pino y el cedro. También s. f.

abiético, ca *adj.* Se dice de algunos cuerpos ácidos y resinosos extraídos de la trementina.

abietina *s. f.* Materia cristalizada que se extrae de la trementina.

abietíneo, a *adj.* Abietáceo.

abigarrado, da *adj.* **1.** De varios colores mal combinados. **2.** Heterogéneo o reunido sin concierto.

abigarrar *v. tr.* **1.** Dar o poner a una cosa varios colores mal combinados. **2.** Desarreglar, turbar.

abigeato *s. m.* Hurto de ganado o bestias.

abigeo *s. m.* Ladrón de ganado o bestias.

abigotado, da *adj.* Bigotudo.

ab intestato *loc. lat.* Sin testamento.

abiología *s. f.* Ciencia que trata de la vida inorgánica, por oposición a la biología.

abioquímica *s. f.* Química inorgánica.

abiotrofia *s. f.* Degeneración de vitalidad, sin causa aparente, que da por resultado la pérdida de resistencia específica.

abirritar *v. tr.* Degeneración de vitalidad, sin causa aparente, que da por resultado la pérdida de resistencia específica.

abisagrar *v. tr.* Poner bisagras en las puertas y sus marcos, o en otros objetos.

abisal *adj.* Abismal, perteneciente al abismo.

abiselar *v. tr.* Hacer biseles.

abísico, ca *adj.* Se dice del terreno del fondo del mar.

abismado, da *adj.* Abatido, arruinado, hundido.

abismal *adj.* **1.** Perteneciente o relativo al abismo. **2.** Profundo, insondable, incomprensible.

abismar *v. tr.* **1.** Hundir en un abismo. También prnl. ‖ *v. prnl.* **2.** Entregarse plenamente a pensar, contemplar, sentir, etc.

abismo *s. m.* Profundidad inmensa y peligrosa.

abitaque *s. m.* Cuartón, madero de ciertas medidas.

abitar *v. tr.* Sujetar el cable del ancla a las bitas. También prnl.

abitón s. m. Madero vertical que sirve para amarrar o sujetar algún cabo.

abizcochar v. tr. Dar a una cosa la forma o el gusto del bizcocho.

abjurable adj. **1.** Que se puede o debe abjurar. **2.** Erróneo, falaz.

abjuración s. f. Acción y efecto de abjurar.

abjurar v. tr. Retractarse con juramento.

ablación s. f. Extirpación o separación de una parte cualquiera del cuerpo.

ablactación s. f. Cesación de la lactancia materna.

ablandar v. tr. Poner blanda una cosa.

ablandecer v. tr. Ablandar, poner una cosa blanda.

ablano s. m., Ast. Avellano.

ablaqueación s. f. Cava que se hace alrededor de las cepas o de un árbol, para retener el agua.

ablativo s. m. Caso de la declinación latina, que expresa relaciones de procedencia, situación, modo, tiempo, etc.

ablefaria s. f. Falta congénita de los párpados.

ablegación s. f. Destierro impuesto por el padre al hijo en el derecho romano.

ablegar v. tr. Despachar, despedir.

ablepsia s. f. Pérdida de la vista.

ablución s. f. **1.** Lavatorio. **2.** Acción de purificarse por medio del agua, según ritos de las religiones judaica, mahometana.

abluir v. tr. Limpiar los pergaminos, documentos u otros escritos, para avivar la tinta borrada por el tiempo.

abnegación s. f. Cualidad o actitud del que arrostra peligros, sufre privaciones o realiza cualquier clase de sacrificios por otras personas, por un ideal, etc.

abnegado, da adj. Se aplica al que obra con abnegación.

abnegar v. tr. Renunciar al propio interés en beneficio de otro. Se usa más como prnl.

abobado, da adj. Se aplica al que no se entera de las cosas, no entiende o no discurre.

abobar v. tr. Hacer bobo a alguien. También prnl.

abocadear v. tr. Morder.

abocado, da adj. Se dice del jerez que tiene mezcla de vino dulce y seco. También s. m.

abocar v. tr. Aproximar la boca de una vasija, saco, etc., a la de otro recipiente, a la vez que se inclina para trasvasar su contenido. También prnl.

abocardado, da adj. Se aplica especialmente a las armas de fuego que tienen la boca ensanchada hacia el exterior.

abocardar v. tr. Ensanchar la boca de un tubo o de un agujero.

abocardo s. m. Barrena que sirve para labrar los tubos de minas.

abocelado, da adj. Semejante a un bocel.

abocelar v. tr. **1.** Abocinar, dar a una cosa forma de bocina. ‖ v. intr. **2.** Abocinar, dar a un arco más ensanche o elevación por una parte que por otra. **3.** Caer de bruces. También tr.

abocetar v. tr. Ejecutar un boceto o dar el carácter de tal a las obras artísticas.

abochornar v. tr. Producir bochorno el exceso de calor. También prnl.

abocinado, da adj. De figura semejante a la de la bocina.

abocinar[1] v. tr. **1.** Dar a algo forma de bocina. **2.** Dar a un arco más ensanche o elevación por una parte que por otra.

abocinar[2] v. intr., fam. Caer de bruces.

abofetear v. tr. Dar bofetadas a alguien.

abogacía s. f. Profesión y ejercicio de abogar.

abogadear v. intr., fam. Ejercer la profesión de abogado con poca dignidad.

abogado, da s. m. y s. f. Licenciado en Derecho que, como profesión, defiende ante los tribunales de justicia los intereses de sus clientes.

abogador s. m. Muñidor, criado de una cofradía.

abogar v. intr. **1.** Defender en un juicio, por escrito o de palabra. ‖ v. tr. **2.** fig. Interceder, hablar en favor de alguien.

abohetado, da adj. Hinchado.

abolaga s. f. Aulaga, planta leguminosa.

abolengo s. m. Ascendencia de abuelos o antepasados.

abolición s. f. Anulación, cancelación, derogación.

abolicionismo s. m. Doctrina de los abolicionistas.

abolicionista adj. Se dice del que procura dejar sin fuerza ni vigor un precepto o costumbre. También com.

abolir v. tr. Derogar, dejar sin vigor en el futuro un precepto o costumbre. MORF. Utilizado antes como defect., el uso ha extendido su empleo a todas las formas de la conjug.

abolladura s. f. **1.** Acción y efecto de abollar o abollarse. **2.** Labor de realce que se hace en las piezas de metal.

abollar v. tr. **1.** Hacer un bollo o depresión con un golpe. También prnl. **2.** Adornar con bollos o abolladuras.

abollón s. m. Abolladura grande.

abollonar v. tr. **1.** Repujar una pieza de metal formando bollones o bultos en ella. ‖ v. intr. **2.** Echar bollones las plantas.

abolsado, da adj. Que hace o forma bolsas.

abolsarse v. prnl. **1.** Tomar figura de bolsa. **2.** Ahuecarse las paredes.

abomaso s. m. Cuajar, parte del estómago de los rumiantes.

abombar v. tr. Dar figura convexa.

abominable adj. Digno de ser abominado.

abominación *s. f.* **1.** Acción y efecto de abominar. **2.** Cosa abominable.

abominar *v. tr.* Condenar, maldecir a personas o cosas por malas o perjudiciales.

abonado, da *s. m. y s. f.* Persona que disfruta de cierta cosa mediante el pago del abono correspondiente.

abonador, ra *s. m. y s. f.* Persona que abona al fiador y se obliga a responder por él.

abonanzar *v. intr.* Calmarse la tormenta.

abonar *v. tr.* **1.** Acreditar, calificar de bueno. **2.** Echar en la tierra materias fertilizantes.

abonaré *s. m.* Documento de crédito expedido en equivalencia de una partida de cargo sentada en cuenta.

abono *s. m.* **1.** Sustancia que mejora la calidad de una tierra. **2.** Derecho del que se abona.

aboquillado, da *adj.* Que tiene forma de boquilla.

aboquillar *v. tr.* Poner boquilla a algo.

abordaje *s. m.* Choque de una embarcación con otra.

abordar *v. tr.* **1.** Juntarse una embarcación a otra o chocar con ella. También intr. **2.** *fig.* Dirigirse a alguien para hablarle.

aborigen *adj.* Que es originario del suelo en que vive.

aborio *s. m.* Madroño

aborrajarse *v. prnl.* Secarse las mieses antes de tiempo y no llegar a granar por completo.

aborrascarse *v. prnl.* **1.** Ponerse el tiempo borrascoso. **2.** *fig.* Ponerse una persona enfadada, de mal humor o disgustada.

aborrecer *v. tr.* Tener aversión a alguien o a algo.

aborrecimiento *s. m.* Acción y efecto de aborrecer.

aborregarse *v. prnl.* Cubrirse el cielo de nubes blanquecinas y revueltas a modo de vellones de lana.

aborricar *v. tr., fig. y fam.* Embrutecer. También prnl.

abortar *v. tr.* **1.** Parir antes de que el feto pueda vivir fuera del claustro materno. También intr. ǁ *v. intr.* **2.** *fig.* Fracasar, malograrse alguna empresa o proyecto. **3.** *fig.* Interrumpirse favorablemente el proceso de una enfermedad.

abortivo, va *adj.* Que hace abortar. También s. m.

aborto *s. m.* **1.** Acción de abortar. **2.** Engendro. **3.** Interrupción del proceso del embarazo por causas naturales o artificiales, que ocasiona la expulsión del feto antes de las 28 semanas.

aborujar *v. intr.* **1.** Hacer que una cosa forme borujos. ǁ *v. prnl.* **2.** Arrebujarse, cubrirse con ropa.

abotagarse *v. prnl.* Hincharse el cuerpo o una parte de él.

abotargarse *v. prnl., fam.* Abotagarse.

abotinado, da *adj.* De figura de botín.

abotonar *v. tr.* **1.** Pasar un botón por su ojal. También prnl. ǁ *v. intr.* **2.** Echar botones o yemas las plantas.

abovedado, da *adj.* Corvo, combado.

abovedar *v. tr.* **1.** Cubrir un local o edificio con bóveda. **2.** Dar forma de bóveda.

aboyado, da *adj.* Se dice de la finca que se arrienda con los bueyes para labrarla.

aboyar *v. tr.* **1.** Poner boyas. ǁ *v. intr.* **2.** Boyar o flotar un objeto en el agua.

abozalar *v. tr.* Poner bozal.

abra *s. f.* **1.** Bahía pequeña. **2.** Espacio amplio entre dos montañas. **3.** Grieta.

abracadabra *s. m.* Palabra cabalística, a la que se le atribuía la propiedad de curar ciertas enfermedades.

abracijo *s. m., fam.* Abrazo.

abrahonar *v. tr., fam.* Ceñir o abrazar con fuerza a otro por los brahones.

abrandecosta *s. m.* Árbol silvestre de Cuba, de madera compacta y de color parecido a la caobilla.

abrasar *v. tr.* **1.** Reducir a brasa, quemar. **2.** *fig.* Consumir a uno una pasión, especialmente el amor. También prnl.

abrasión *s. f.* **1.** Acción y efecto de arrancar o desgastar por fricción. **2.** Irritación producida por los purgantes enérgicos.

abraxas *s. m.* Palabra simbólica entre los gnósticos, que expresaba el curso del Sol en los 365 días del año.

abrazadera *s. f.* Pieza de metal o madera que sirve para asegurar una cosa a otra, ciñéndola.

abrazar *v. tr.* **1.** Ceñir con los brazos. También prnl. **2.** Estrechar entre los brazos como señal de afecto. **3.** Rodear ciñendo. **4.** Comprender, contener, incluir. **5.** *fig.* Aceptar una doctrina.

abrazo *s. m.* Acción y efecto de abrazar o abrazarse, ceñir o estrechar entre los brazos.

abrefácil *s. m.* Sistema de apertura fácil que se incorpora a la tapa de algunos envases de cierre hermético.

ábrego *s. m.* Viento sur o sudoeste.

abrelatas *s. m.* Instrumento metálico utilizado para abrir latas de conserva.

abrenuncio *expr.* que se usa familiarmente para dar a entender que se rechaza algo.

abretonar *v. tr.* Trincar o amarrar los cañones al costado del buque en dirección popa a proa.

abrevadero *s. m.* Sitio natural con agua, o pila, donde beben los animales.

abrevar *v. tr.* Dar de beber al ganado.

abreviado, da *adj.* Escaso, compendioso.

abreviar *v. tr.* **1.** Acortar el tiempo o el espacio. **2.** Acelerar, apresurar. También intr.

abreviatura *s. f.* Representación abreviada de una palabra en la escritura.

abriboca *com.* **1.** *amer.* Persona simple y fácil de engañar, papanatas. ǁ *s. f.* **2.** *Arg. y Cub.* Planta tintórea.

abridero *s. m.* Variedad de melocotonero, cuyo fruto se abre fácilmente y deja suelto el hueso.

abridor *s. m.* Instrumento que se usa para abrir latas o botellas.

abrigada *s. f.* Lugar protegido de los vientos

abrigadero *s. m.* Paraje resguardado de los vientos.

abrigaño *s. m.* Abrigo, paraje defendido de los vientos.

abrigar *v. tr.* **1.** Resguardar del frío. También prnl. **2.** *fig.* Amparar.

abrigo *s. m.* **1.** Protección contra el frío. **2.** Prenda exterior utilizada para abrigar. **3.** Lugar defendido de los vientos.

abril *s. m.* Cuarto mes del año.

abrillantador *s. m.* Instrumento o sustancia con que se abrillanta.

abrillantar *v. tr.* **1.** Dar o sacar brillo. **2.** Labrar las piedras preciosas en facetas como las de los brillantes.

abrir *v. tr.* **1.** Descorrer la cerradura. **2.** Hacer que un cajón corra por sus guías hacia afuera. **3.** Separar la tapa de una caja, vasija, etc. **4.** Comenzar, inaugurar.

abrismo *s. m.* Intoxicación por el abro.

abro *s. m.* Planta de la familia de las leguminosas, de cuyas hojas se hacen infusiones pectorales.

abroarse *v. prnl.* Meterse, empeñarse en una broa.

abrocalar *v. tr.* Poner brocales.

abrocar *v. tr.* Quitar las brocas.

abrochar *v. tr.* Ajustar con botones o broches. También prnl.

abrogación *s. f.* Acción y efecto de abrogar.

abrogar *v. tr.* Dejar nulo, abolir.

abrojal *s. m.* Lugar poblado de abrojos.

abrojín *s. m.* Especie de caracol de mar.

abrojo *s. m.* Planta cigofilácea, de tallos largos y rastreros, de fruto esférico y espinoso perjudicial para la agricultura.

abroma *s. m.* Arbusto tropical de cuya corteza fibrosa se hacen cuerdas muy resistentes.

abromado, da *adj.* Oscurecido con vapores o nieblas.

abroncar *v. tr.* **1.** Aburrir, disgustar, enfadar. **2.** Avergonzar, abochornar. **3.** Reprender ásperamente.

abroquelado, da *adj.* De forma de broquel.

abroquelar *v. tr.* **1.** Disponer el velamen de forma que reciba el viento de proa. || *v. prnl.* **2.** Resguardarse con el broquel.

abrótano *s. m.* Planta herbácea de olor suave, cuya infusión se emplea para hacer crecer el cabello.

abrotoñar *v. intr.* Brotar, echar renuevos, hojas, etc.

abrumador, ra *adj.* Que abruma.

abrumar *v. tr.* **1.** Oprimir con un gran peso. **2.** *fig.* Agobiar. También prnl. || *v. prnl.* **3.** Saturarse de bruma la atmósfera.

abrupto, ta *adj.* Escarpado.

abrutarse *v. prnl.* Adquirir maneras toscas.

ABS *s. m.* Sistema electromecánico que regula la presión enviada al sistema de frenado para evitar su bloqueo.

absceso *s. m.* Formación de pus en los tejidos orgánicos.

abscisa *s. f.* Coordenada horizontal del sistema cartesiano. Es la distancia de un punto en un plano a la coordenada vertical, llamada eje de ordenadas o de las íes, medida en la dirección del eje horizontal, llamado de abscisas o de las equis.

abscisión *s. f.* Separación de una parte pequeña de un cuerpo, hecha con instrumento cortante.

abselafasia *s. f.* Abolición de la sensibilidad del tacto para las quemaduras.

absenta *s. f.* Ajenjo, bebida alcohólica.

absentismo *s. m.* Ausencia habitual de un propietario del lugar donde posee bienes inmuebles.

ábside *s. m. y s. f.* Parte abovedada que se proyecta hacia el exterior en la parte posterior del altar mayor de un templo.

absidial *adj.* Relativo al ábside.

absidiola *s. f.* Cada una de las capillas levantadas en la parte interior del ábside.

absintemia *s. f.* Presencia del ajenjo en la sangre.

absíntico, ca *adj.* Relativo al ajenjo.

absintina *s. f.* Principio amargo tóxico del ajenjo.

absolina *s. f.* Materia oleosa que se halla en el hollín.

absolución *s. f.* Acción de absolver.

absolutismo *s. m.* Sistema del gobierno absoluto, en el que el soberano o cuerpo dirigente no tiene limitación en sus facultades.

absoluto, ta *adj.* Lo que no puede ser afectado por ninguna condición, influencia o relación y, por tanto, es inmutable, totalmente independiente, invariable.

absolutorio, ria *adj.* Se dice del fallo, sentencia, declaración, etc., que absuelve.

absolver *v. tr.* **1.** Liberar de una obligación o de un cargo. **2.** Perdonar los pecados.

absorbencia *s. f.* Acción de absorber.

absorbente *adj.* **1.** Dominante. || *s. m.* **2.** Sustancia que tiene elevado poder de absorción.

absorción *s. f.* Acción de absorber.

absorber *v. tr.* Sorber, chupar.

absortar *v. tr.* Suspender, arrebatar el ánimo con alguna cosa extraordinaria. También prnl.

absorto, ta *adj.* **1.** Que tiene el pensamiento totalmente fijo en algo. **2.** Que queda admirado ante una noticia, suceso, etc.

abstemio, mia *adj.* Que no bebe vino ni otros licores alcohólicos.

abstención *s. f.* Acción y efecto de abstenerse.

abstencionismo *s. m.* Táctica política que considera como mejor medida para el logro de un objetivo el no votar en unas elecciones o no colaborar en determinados asuntos.

abstenerse *v. prnl.* Prescindir de algo.

abstergente *adj.* Se dice del remedio que purifica y limpia.

absterger *v. tr.* Desinfectar, purificar.

abstersión *s. f.* Acción y efecto de absterger.

abstersivo, va *adj.* Que tiene virtud para absterger.

abstinencia *s. f.* Privación de ciertos apetitos, como los sexuales y la consumición de la carne.

abstracción *s. f.* **1.** Acción y efecto de abstraer o abstraerse. **2.** Proceso mental a través del cual se atiende a algún atributo, característica o faceta, independientemente de otras del conjunto en el que se halla inserta.

abstracto, ta *adj.* **1.** Genérico, no concreto. **2.** Que significa alguna cualidad con exclusión del sujeto.

abstraer *v. tr.* **1.** Separar mentalmente algo de algo. || *v. prnl.* **2.** Apartar alguien la atención de los objetos sensibles para concentrarla en su pensamiento.

abstraído, da *adj.* **1.** Distraído, absorto. **2.** Retirado del trato de las gentes.

abstruso, sa *adj.* De difícil comprensión.

absurdo, da *adj.* **1.** Contrario y opuesto a la razón. || *s. m.* **2.** Disparate, desatino, incoherencia.

abubarse *v. prnl.* Llenarse de bubas.

abubilla *s. f.* Pájaro insectívoro dotado de un típico penacho de plumas en la cabeza.

abubo *s. m., Ar.* Variedad de pera.

abuchear *v. tr.* Censurar públicamente con ruidos o murmullos algo o a alguien.

abucheo *s. m.* Acción de abuchear.

abuelastro, tra *s. m. y s. f.* **1.** Respecto de una persona, padre o madre de su padrastro o de su madrastra. **2.** Respecto de una persona, segundo o ulterior marido de su abuela, o segunda o ulterior mujer de su abuelo.

abuelo, la *s. m. y s. f.* **1.** Padre o madre de la madre o del padre. **2.** *fam.* Anciano.

abuhado, da *adj.* **1.** Hinchado o abotargado. **2.** Pálido, de mal color.

abuhardillado, da *adj.* Con buhardilla, o en forma de buhardilla.

abulia *s. f.* Falta de voluntad.

abúlico, ca *adj.* Que padece abulia.

abultado, da *adj.* Voluminoso, grueso.

abultamiento *s. m.* Hinchazón, bulto, prominencia.

abultar *v. tr.* **1.** Aumentar la cantidad, grado, etc. **2.** Aumentar, exagerar algo.

abundancia *s. f.* Gran cantidad o número de cierta cosa.

abundante *adj.* Copioso, en gran cantidad.

abundar *v. intr.* **1.** Tener gran cantidad de una cosa. **2.** Adherirse a una opinión.

abuñolar *v. tr.* Freír los huevos y algún otro manjar de modo que queden redondos, esponjosos y dorados.

abur *interj., fam.* que se usa para despedirse.

aburar *v. tr.* Abrasar, quemar.

aburguesarse *v. prnl.* Adquirir costumbres, hábitos y convencionalismos de la sociedad burguesa.

aburrarse *v. prnl.* Volverse alguien tosco y grosero.

aburrido, da *adj.* Que causa aburrimiento.

aburrimiento *s. m.* Cansancio, tedio.

aburrir *v. tr.* Cansar, molestar, fastidiar.

aburujar *v. tr.* Aborujar. También prnl.

abusador, ra *adj.* Que abusa. También s. m. y s. f.

abusar *v. intr.* Usar excesiva o indebidamente de alguna cosa.

abusión *s. f.* **1.** Abuso. **2.** Contrasentido, absurdo, engaño. **3.** Superstición, agüero.

abusionero, ra *adj.* Supersticioso.

abusivo, va *adj.* **1.** Que se introduce por abuso. **2.** Que abusa.

abuso *s. m.* Acción realizada excediéndose en lo que se considera normal o legal.

abusón, na *adj.* Se dice de la persona que es propensa al abuso.

abuzarse *v. prnl.* Echarse de bruces.

abyección *s. f.* Envilecimiento.

abyecto, ta *adj.* Despreciable, vil.

acá *adv. l.* Indica proximidad.

acabado, da *adj.* **1.** Perfecto, consumado. || *s. m.* **2.** Perfeccionamiento o retoque de un trabajo.

acabalar *v. tr.* Completar, igualar.

acaballar *v. tr.* **1.** Cubrir el caballo o el asno a la yegua o burra. **2.** Poner o montar parte de una cosa sobre otra, encaballar.

acaballerar *v. tr.* Dar a alguien la consideración de caballero.

acabar *v. tr.* **1.** Dar fin a una cosa, terminarla. También prnl. || *v. intr.* **2.** Rematar, terminar, finalizar.

acabildar *v. tr.* Congregar, unir a muchos en un dictamen para conseguir algún intento.

acabose *s. m.* Último extremo, desastre, ruina. Suele aparecer siempre con artículo.

acabronado *adj.* Parecido al cabrón.

acachetar *v. tr.* Rematar al toro con el cachete o puntilla.

acacia *s. f.* Árbol leguminoso, de madera dura.

academia *s. f.* **1.** Sociedad científica o literaria establecida con autoridad pública. **2.** Centro docente.

académico, ca *adj.* **1.** Estudios o títulos con efectos legales. || *s. m. y s. f.* **2.** Miembro de una academia.

academismo *s. m.* Copia servil de las obras antiguas, en oposición al arte verdadero inspirado en la naturaleza.

academizar *v. tr.* Dar carácter académico a las obras de arte.

acaecer *v. intr.* Suceder.

acaecimiento *s. m.* Suceso.

acafresna *s. f.* Serbal.

acajú *s. m., amer.* Anacardo.

acalabazado, da *adj.* Parecido o semejante a la calabaza.

acalabrotar *v. tr.* Formar un cabo con tres cordones, compuesto a su vez cada uno de ellos de otros tres.

acalaca *s. m.* Hormiga americana del tamaño de la langosta silvestre.

acalambrarse *v. prnl.* Contraerse los músculos a causa del calambre.

acalefo, fa *adj.* Se dice de ciertos celentéreos marinos de la clase de las medusas.

acalenturarse *v. prnl.* Empezar a tener calentura.

acalia *s. f.* Malvavisco, planta malvácea.

acalicino, na *adj.* Que no tiene cáliz.

acallar *v. tr.* **1.** Hacer callar. **2.** *fig.* Aplacar, aquietar.

acaloramiento *s. m.* **1.** Encendimiento, ardor, arrebato de calor. **2.** *fig.* Arrebatamiento de una pasión violenta.

acalorar *v. tr.* **1.** Dar o causar calor. || *v. prnl.* **2.** Fatigarse.

acaloro *s. m.* Acaloramiento.

acamar *v. tr.* Hacer los agentes atmosféricos que las mieses u otros vegetales se echen o recuesten.

acamastronarse *v. prnl.* Hacerse holgazán.

acampada *s. f.* Campamento, lugar al aire libre, dispuesto para alojamiento.

acampanado, da *adj.* De forma de campana.

acampanar *v. tr.* Dar forma de campana. También prnl.

acampar *v. intr.* Detenerse temporalmente en el campo, alojándose en tiendas o barracas.

acampo *s. m.* Dehesa.

acampsia *s. f.* Imposibilidad de doblar una articulación.

ácana *s. f.* Árbol sapotáceo, cuya madera fuerte y compacta es excelente para la construcción.

acanaca *s. f.* Planta medicinal de las Indias, que se utiliza como sudorífico.

acanalado, da *adj.* De figura larga y abarquillada.

acanalar *v. tr.* **1.** Hacer canales o estrías en un objeto. **2.** Dar a algo forma de canal.

acanallado, da *adj.* Se dice de la persona que participa de los defectos de la gente ruin.

acancerar *v. intr.* Cancerar. También prnl.

acandilado, da *adj.* **1.** De forma de candil. **2.** Erguido.

acanelado, da *adj.* De color o sabor de la canela.

acanelonar *v. tr.* Azotar con disciplinas.

acanillado, da *adj.* Se aplica al paño u otra tela que forma canillas.

acansinarse *v. prnl.* Cansarse, volverse perezoso.

acantabolo *s. m.* Instrumento en forma de tenaza que sirve para extraer la piedra de la vejiga.

acantáceo, a *adj.* Se dice de las plantas con tallos y ramas nudosos, caja membranosa, semillas sin albumen, hojas opuestas y flores de cinco pétalos.

acantalear *v. intr., Ar.* Caer granizo muy grueso.

acantarar *v. tr.* Medir por cántaras.

acantear *v. tr.* Tirar piedras a alguien.

acantilado *s. m.* Terreno que cae verticalmente en el mar.

acantilar *v. tr.* Dragar un fondo para que quede acantilado.

acantio *s. m.* Cardo borriquero.

acanto *s. m.* **1.** Planta acantácea, perenne, de hojas espinosas, cuyo cocimiento se utiliza luego como emoliente. **2.** Adorno del capitel corintio que imita la hoja del acanto.

acantocarpo *adj.* Se dice de plantas cuyos frutos están cubiertos de espinas.

acantocéfalo, la *adj.* Se dice de los nematelmintos que carecen de aparato digestivo y tienen en el extremo anterior de su cuerpo una trompa con ganchos con los que el animal, parásito, se fija a las paredes del intestino de su huésped.

acantófago, ga *adj.* Que se alimenta de cardos.

acantolis *s. m.* Reptil que tiene el lomo lleno de tubérculos puntiagudos.

acantonamiento *s. m.* Sitio en que hay tropas acantonadas.

acantonar *v. tr.* Alojar las tropas en diversos poblados. También prnl.

acantopterigio, gia *adj.* Se dice de peces teleósteos, casi todos marinos, de aletas espinosas, como el atún.

acañaverear *v. tr.* Herir con cañas cortadas en punta a modo de saetas; género de suplicio usado antiguamente.

acañonear *v. tr.* Cañonear.

acaparador, ra *adj.* Que acapara. También s. m. y s. f.

acaparamiento *s. m.* Acción y efecto de acaparar.

acaparar *v. tr.* Reunir y retener cosas en un número excesivo.

acaparrarse *v. prnl.* Ajustarse o convenirse con alguien.

acaparrosado, da *adj.* De color de caparrosa.

acápite *s. m.* Párrafo, especialmente en textos legales.

acaponado, da *adj.* Que parece de capón, o sea, de hombre castrado.

acaracolado, da *adj.* De figura de caracol.

acaramelar *v. tr.* **1.** Bañar de azúcar en punto de caramelo. || *v. prnl.* **2.** Mostrarse alguien extraordinariamente galante, obsequioso.

acardenalar *v. tr.* Causar cardenales a alguien.

acarear *v. tr.* **1.** Carear. **2.** Hacer cara, arrostrar.

acariasis *s. f.* Sarna.

acariciar *v. tr.* Hacer caricias.

acárido, da *adj.* Ácaro.

acarminado, da *adj.* De color de carmín.

acarnerado, da *adj.* Se dice del caballo o yegua que tiene arqueada la parte delantera de la cabeza, como el carnero.

ácaro *s. m.* Arácnido de abdomen sentado y diminuto. Muchos de estos animales son parásitos de vegetales o animales.

acaroideo, a *adj.* Que tiene la forma de los ácaros.

acarón *s. m.* Mirto silvestre.

acarpelado, da *adj.* Se dice de la flor sin carpelo.

acarpo, pa *adj.* Que no da fruto.

acarralarse *v. prnl.* **1.** Encoger un hilo, o dejar un claro entre dos, en los tejidos. **2.** Desmedrarse los racimos de uvas a causa de las heladas tardías.

acarrarse *v. prnl.* Resguardarse el ganado del sol en verano, juntándose una res con otra para procurarse sombra.

acarrear *v. tr.* **1.** Transportar en carro. **2.** Ocasionar, causar.

acarreo *s. m.* **1.** Acción de acarrear. **2.** Precio cobrado por lo que se acarrea.

acartonamiento *s. m.* Estado de lo acartonado.

acartonarse *v. prnl.* Adquirir una consistencia y apariencia semejantes al cartón.

acaserarse *v. prnl.* **1.** *Chil. y Per.* Hacerse parroquiano de una tienda. **2.** *Chil. y Per.* Aquerenciarse. **3.** *Chil. y Per.* Quedarse en casa.

acaso *adv. m.* Por casualidad.

acastañado, da *adj.* Que tira a color castaño.

acatalepsia *s. f.* **1.** Doctrina que no admite certeza en el conocimiento. **2.** Alteración de las facultades intelectuales.

acatamiento *s. m.* **1.** Acción y efecto de acatar. **2.** Obediencia, respeto.

acatar *v. tr.* Tributar homenaje de sumisión y respeto a alguien.

acatarrarse *v. prnl.* Contraer un catarro.

acates *s. m.* Persona muy fiel.

acaudalado, da *adj.* Que tiene mucho caudal.

acaudalar *v. tr.* Reunir gran riqueza.

acaudillar *v. tr.* **1.** Mandar gente de guerra. **2.** Guiar, conducir.

acaule *adj.* Se aplica a una planta de tallo tan pequeño que parece no tenerlo.

acautelarse *v. prnl.* Precaverse.

acayura *s. f., Bras. y Ven.* Palmera cuyas hojas se emplean como abanicos.

acceder *v. intr.* Consentir de buen grado en lo que otro solicita, cediendo a veces de la propia voluntad.

accesibilidad *s. f.* Calidad de accesible.

accesible *adj., fig.* De fácil acceso o trato.

accesión *s. f.* **1.** Acción y efecto de acceder. **2.** Cada uno de los ataques de las fiebres intermitentes durante los cuales se suceden, por lo regular, los tres estados de frío, calor y sudor.

accésit *s. m.* En certámenes científicos, literarios o artísticos, recompensa inferior inmediata al primer premio.

acceso *s. m.* **1.** Camino de entrada. **2.** Golpe de tos.

accesorio, ria *adj.* **1.** Que depende de lo principal o se le une por accidente. **2.** Secundario.

accidentado, da *adj.* Se dice de la persona que ha sufrido un accidente.

accidental *adj.* **1.** No esencial. **2.** Casual.

accidentar *v. tr.* Producir un accidente a alguien.

accidente *s. m.* Suceso fortuito del que normalmente resulta un daño.

acción *s. f.* **1.** Operación y resultado de una fuerza o potencia. **2.** Efecto de hacer. **3.** Operación o impresión de cualquier agente en el paciente. **4.** Además de una persona al hablar. **5.** Cada una de las partes que integran el capital de una sociedad anónima. **6.** Desarrollo de los hechos que integran el contenido de una obra literaria o de una película y constituyen su trama o argumento. **7.** Combate, batalla.

accionar *v. intr.* Hacer movimientos y gestos.

accionista *s. m. y s. f.* Dueño de acciones en una sociedad comercial.

acebeda *s. f.* Sitio poblado de acebos.

acebo *s. m.* Árbol aquifoliáceo, poblado todo el año de hojas de color verde oscuro, duras y con espinosas.

acebollado, da *adj.* Que tiene acebolladura.

acebolladura *s. f.* Defecto de ciertas maderas por desunión de dos capas contiguas de las varias anuales que componen el tejido leñoso del árbol.

acebrado, da *adj.* Cebrado.

acebuche *s. m.* Olivo silvestre.

acebuchina *s. f.* Fruto del acebuche, especie de aceituna.

acechamiento *s. m.* Acecho.

acechanza *s. f.* Acecho, espionaje, persecución llevada a cabo con gran cautela.

acechar *v. tr.* Observar, aguardar.

acecho *s. m.* **1.** Acción de acechar. **2.** Lugar desde el que se acecha.

acecinado, da *adj.* Acartonado, seco.

acecinar *v. tr.* Salar las carnes y ponerlas al humo y al aire para que se conserven.

acedar *v. tr.* Poner agria alguna cosa.

acedera *s. f.* Planta cuyas hojas se emplean como condimento.

acederaque *s. m.* Cinamomo.

acederón *s. m.* Planta de la familia de las poligonáceas, perenne, parecida a la acedera, de hojas anchas y flor hermafrodita.

acedía[1] *s. f.* Resultado de la acidificación de la comida en el estómago.

acedía[2] *s. f.* Platija, pez.

acedo, da *adj.* **1.** Ácido. || *s. m.* **2.** Agrio.

acefalía *s. m.* Calidad de acéfalo.

acéfalo, la *adj.* Falto de cabeza.

aceguero *s. m.* Leñador que recoge las leñas muertas o arranca las vivas sin ayuda de herramienta.

aceifa *s. f.* Expedición militar sarracena que se hacía en verano.

aceitar *v. tr.* Untar con aceite.

aceite *s. m.* Líquido graso que se extrae de la aceituna, de otros frutos o semillas y de algunos animales como la ballena.

aceiteras *s. f. pl.* Vinagreras, conjunto de dos recipientes para el aceite y el vinagre.

aceitón *s. m.* **1.** Aceite gordo y turbio. **2.** Impurezas que deja el aceite en el fondo de las vasijas.

aceitoso, sa *adj.* **1.** Que tiene aceite o parecido a él. **2.** Grasiento.

aceituna *s. f.* Fruto del olivo.

aceitunado, da *adj.* Verdoso, del color de la aceituna antes de madurar.

aceituní *s. m.* **1.** Tela rica de Oriente, muy usada en la Edad Media. **2.** Cierto adorno de los edificios árabes.

aceitunillo *s. m.* Árbol de las Antillas, de fruto venenoso y madera muy dura.

acelajado, da *adj.* Que tiene celajes.

aceleración *s. f.* Aumento de la velocidad en la unidad de tiempo.

acelerado, da *adj.* Precipitado.

acelerador *s. m.* Mecanismo del automóvil, accionado mediante un pedal, cuyo objeto es permitir momentáneamente que el motor trabaje a más velocidad que la normal.

aceleramiento *s. m.* **1.** Aceleración. **2.** Prisa.

acelerar *v. tr.* **1.** Dar celeridad. También prnl. **2.** Accionar el mecanismo acelerador de un automóvil.

aceleratriz *adj.* Se dice de la fuerza que aumenta la velocidad de un movimiento.

acelga *s. f.* Planta de hojas radicales muy anchas, lisas y jugosas, con tallo grueso y acanalado.

acémila *s. f.* Mula o macho de carga.

acemita *s. f.* Pan hecho de acemite.

acemite *s. m.* Salvado mezclado con harina.

acendón *s. m.* Gladiador romano supernumerario, que excitaba en el circo a los que combatían.

acendrado, da *adj.* Sin mancha ni defecto.

acendrar *v. tr.* Depurar los metales en la cendra por medio del fuego.

acensuar *v. tr.* Imponer un censo.

acento *s. m.* **1.** Mayor intensidad con que se pronuncia una palabra. **2.** Signo ortográfico que indica la sílaba destacada.

acentuación *s. f.* Acción y efecto de acentuar.

acentuado, da *adj.* Exagerado, prominente.

acentuar *v. tr.* **1.** Dar acento prosódico a las palabras. **2.** Ponerles acento ortográfico. **3.** *fig.* Recalcar.

aceña *s. f.* Molino harinero de agua situado dentro del cauce de un río.

acepción *s. f.* Significado o sentido en que se toma una palabra o frase.

acepilladura *s. f.* Viruta.

acepillar *v. tr.* Alisar con el cepillo la madera o los metales.

aceptabilidad *s. f.* Calidad de aceptable.

aceptable *adj.* Capaz, susceptible de ser aceptado.

aceptación *s. f.* **1.** Acción y efecto de aceptar. **2.** Aprobación, éxito.

aceptar *v. tr.* Recibir o admitir voluntariamente lo que se da, ofrece o encarga.

acepto, ta *adj.* Agradable.

acequia *s. f.* Zanja por donde se conduce el agua para el riego u otros usos.

acera *s. f.* Orilla pavimentada, algo más alta que el piso de la calle, situada junto al paramento de las casas y destinada al tránsito de peatones.

aceración *s. f.* Acción y efecto de acerar el hierro.

acerado, da *adj.* Parecido al acero.

acerar *v. tr.* Dar al hierro las propiedades del acero.

acerbidad *s. f.* Calidad de acerbo.

acerbo, ba *adj.* Áspero al gusto.

acerca *adv. l.* Cerca.

acerca, de *loc. adv.* Sobre lo que se trata, en orden a ello.

acercamiento *s. m.* Acción y efecto de acercar o acercarse.

acercar *v. tr.* Poner cerca. También prnl.

ácere *s. m.* Arce.

acerería *s. f.* Fábrica de acero.

acerico *s. m.* Almohadilla para clavar en ella alfileres o agujas.

acerino, na *adj., poét.* Acerado.

acernadar *v. tr.* Aplicar o poner cernadas o cataplasmas de ceniza a las bestias.

acero *s. m.* Aleación de hierro y carbono, que adquiere con el temple gran dureza y elasticidad.

acerola *s. f.* Fruto del acerolo, que es redondo, encarnado o amarillo, carnoso y agridulce, con tres huesecillos juntos en su interior muy duros.

acerolo s. m. Árbol rosáceo, de ramas cortas y frágiles, con espinas en el estado silvestre y sin ellas en el de cultivo, hojas pubescentes y flores blancas.

acérrimo, ma adj. sup., fig. de acre. Muy fuerte, vigoroso o tenaz.

acerrojar v. tr. Poner bajo cerrojo.

acertado, da adj. Que tiene acierto.

acertar v. tr. Dar en el punto a que se dirige algo.

acertijo s. m. Especie de enigma o adivinanza propuesta como entretenimiento.

aceruelo s. m. **1.** Especie de albardilla para cabalgar. **2.** Acerico, almohadilla para los alfileres o agujas.

acervo s. m. Montón de cosas menudas.

acescencia s. f. Disposición a acedarse o agriarse.

acescente adj. Que se agria o está para agriarse.

acetábulo s. m. Cavidad de un hueso en que encaja otro.

acetato s. m. Sal formada por la combinación del ácido acético con una base.

acético, ca adj. Se dice de un ácido que se produce oxidando el alcohol vínico.

acetificar v. tr. Convertir en ácido acético. También prnl.

acetileno s. m. Hidrocarburo gaseoso, obtenido por la acción del agua sobre el carburo de calcio, que arde con llama muy brillante y se emplea en el alumbrado.

acetilo s. m. Radical orgánico correspondiente al ácido acético.

acetímetro s. m. Aparato para medir la fuerza del vinagre o su contenido de ácido acético.

acetín s. m. Agracejo, arbusto berberidáceo.

acetona s. f. Líquido incoloro, volátil e inflamable.

acetosa s. f. Acedera.

acetoso, sa adj. **1.** Ácido. **2.** Perteneciente o relativo al vinagre.

acetre s. m. Caldero pequeño en el que se lleva agua bendita para las aspersiones.

acetrinar v. tr. Poner de color cetrino.

acezar v. intr. **1.** Jadear. **2.** Sentir anhelo o codicia de algo.

acezo s. m. Acción y efecto de acezar.

achabacanarse v. prnl. Hacerse chabacano.

achacable adj. Que puede imputarse a alguien.

achacana s. f., Bol. y Per. Alcachofa de raíz comestible.

achacar v. tr. Atribuir, imputar.

¡achachay! interj. **1.** Ec. Expresa la sensación de frío. **2.** Col. Expresa aplauso o aprobación.

achacoso, sa adj. **1.** Que padece algún achaque o enfermedad habitual. **2.** Indispuesto o levemente enfermo.

achaflanado, da adj. Que tiene chaflanes.

achaflanar v. tr. Hacer chaflanes.

achagrinado, da adj. Se dice de la piel curtida a imitación del chagrín.

achampañado, da adj. Se dice de la bebida que imita al vino de Champaña.

achantar v. tr. **1.** Acoquinar, apabullar, achicar a otro. ‖ v. prnl., fam. **2.** Aguantarse, agazaparse mientras dura un peligro. **3.** Conformarse.

achaparrado, da adj. Se dice de las cosas bajas y extendidas.

achaparrarse v. prnl., fam. Quedarse rechoncha una persona.

achaque s. m. **1.** Indisposición habitual. **2.** fig. Defecto habitual de una persona.

acharolado, da adj. Semejante al charol.

achatado, da adj. Aplanado, aplastado.

achatar v. tr. Poner chata una cosa. También prnl.

achicado, da adj. **1.** Aniñado. **2.** Reducido a menor tamaño.

achicar v. tr. **1.** fig. Humillar, acobardar. También prnl. **2.** Extraer el agua.

achicharrar v. tr. **1.** Freír demasiado. También prnl. **2.** Calentar mucho. También prnl.

achicoria s. f. Planta de hojas y raíces amargas.

achiguarse v. prnl., Arg. y Chil. Combarse una cosa, echar panza una persona.

achiote s. m. **1** amer. Árbol cuya semilla tiene un polvillo medicinal. **2.** amer. Pasta tintórea.

achique s. m. Acción y efecto de achicar el agua.

achira s. f., amer. Planta de la familia de las alismatáceas de América del Sur, de tallo nudoso y flor colorada.

achispar v. tr. Poner casi ebria a una persona. También prnl.

achocar v. tr. **1.** Arrojar o tirar a alguna persona contra la pared u otra superficie dura. **2.** Herir a una persona con una piedra, palo, etc.

achocharse v. prnl., fam. Comenzar a chochear.

achocolatado, da adj. Del color del chocolate.

acholar v. tr. **1.** Chil., Per. y Ec. Correr, avergonzarse, amilanar. ‖ v. prnl. **2.** amer. Parecerse alguien al cholo.

achubascarse v. prnl. Cargarse la atmósfera de nubarrones que traen aguaceros y viento.

achuchar v. tr., fam. Aplastar, estrujar.

achucharrar v. tr. **1.** Col., Chil. y Hond. Achuchar, aplastar. ‖ v. prnl. **2.** Méx. Amilanarse, acobardarse.

achuchón s. m. Acción y efecto de achuchar o aplastar.

achucuyar v. tr., Amér. C. Abatir, acobardar.

achulado, da adj., fam. Que tiene aire o modales de chulo.

achulaparse v. prnl. Achularse.

achularse v. prnl. Adquirir aire y modales de chulo.

achunchar v. tr., Bol., Chil., Ec, y Per. Avergonzar.

achupalla s. f., amer. Planta de la familia de las bromeliáceas de América del Sur, de tallos gruesos y escamosos, flores en espiga. Se utiliza para obtener de ella una bebida refrescante.

achura s. f., Amér. del S. Despojos o intestino de una res.

achurar v. tr., Amér. del S. Quitar las achuras a la res.

acial s. m. Instrumento con que oprimiendo un labio, el hocico o una oreja de las bestias se las hace estar quietas mientras las hierran, curan o esquilan.

aciago, ga adj. Infeliz, desgraciado.

aciano s. m. Planta de tallo erguido y ramoso, de flores en cabezuelas grandes y redondas con receptáculo pajoso.

acíbar s. m. **1.** Áloe. **2.** fig. Amargura, disgusto.

acibarar v. tr., fig. Turbar el ánimo con algún pesar o desazón.

aciberar v. tr. Moler, reducir a polvo algo.

acicalado, da adj. Extremadamente pulcro.

acicalar v. tr. Limpiar, alisar, bruñir.

acicate s. m. Especie de espuela para montar a la jineta con solo una punta de hierro.

acicatear v. tr. Incitar, estimular.

aciche s. m. Herramienta de solador con dos bocas, en forma de azuela.

acicular adj. De figura de aguja.

acidalio, lia adj. Perteneciente o relativo a la diosa Venus.

acidez s. f. **1.** Calidad de ácido. **2.** Exceso de iones de hidrógeno en una solución.

acidia s. f. Pereza, flojedad.

acidificar v. tr. Hacer ácida una cosa.

acidímetro s. m. Aparato para graduar la acidez de un líquido.

ácido, da adj. **1.** Con sabor parecido al del vinagre o del limón. **2.** Áspero, desabrido. ‖ s. m. **3.** Compuesto químico que contiene hidrógeno con capacidad de sustitución por elementos o radicales positivos para formar sales.

acidología s. f. Ciencia de los apósitos quirúrgicos.

acidosis s. f. Exceso de ácidos en los tejidos o en la sangre.

acidular v. tr. Poner acídula una sustancia. También prnl.

acídulo, la adj. Que está ligeramente ácido.

acierto s. m. **1.** Acción y efecto de acertar. **2.** Habilidad o destreza en lo que se ejecuta. **3.** Cordura, prudencia, tino.

aciesia s. f. Esterilidad de la mujer.

aciguatar v. tr. **1.** And. Atisbar, acechar. **2.** And. Asir. ‖ v. prnl. **3.** fig. y fam., C. Ric. Entristecerse.

acije s. f. Caparrosa.

acilia s. f. Carencia de pestañas.

ácimo adj. Ázimo.

acimut s. m. Ángulo que forma con el meridiano de un lugar el plano vertical que pasa por un punto de la esfera celeste o del globo terráqueo.

acinesia s. f. Falta, pérdida o cesación de movimiento.

acinturar v. tr. Ceñir, estrechar.

ación s. f. Correa que pende del estribo en la silla de montar.

acipado, da adj. Se dice del paño que está muy tupido.

acirate s. m. Loma o caballón, que se hace en las heredades y sirve de lindero.

acirología s. f. Impropiedad en el uso de las palabras.

acistia s. f. Carencia de vejiga de la orina.

acitara s. f. En algunas partes de Castilla, cada una de las partes gruesas que forman los costados de una casa.

acitrón s. m. Cidra confitada.

aclamación s. f. Acción y efecto de aclamar.

aclamar v. tr. Dar voces la multitud en aplauso de alguien.

aclaración s. f. **1.** Acción y efecto de aclarar. **2.** Enmienda del texto de una sentencia.

aclarar v. tr. **1.** Explicar, manifestar. ‖ v. intr. **2.** Disiparse las nubes o la niebla.

aclarecer v. tr. Hacer más claro de luz y de color.

acle s. m., Filip. Árbol de la familia de las mimosáceas, de tronco recto, grueso y muy alto, de flores blanquecinas en cabezuela y fruto en legumbre leñosa. Su madera pardo rojiza, es muy buena para la construcción de edificios y buques.

acleido, da adj. Se dice del animal mamífero que no tiene clavículas, como los cetáceos, o que las tiene muy rudimentarias como los carnívoros.

aclimatación s. f. Acción y efecto de aclimatar o aclimatarse.

aclimatar v. tr. Hacer que un ser orgánico se acostumbre a clima diferente del que le era habitual. También prnl.

aclínico, ca adj. Se dice del lugar donde es nula la inclinación magnética.

aclorhidria s. f. Deficiencia de ácido clorhídrico en los jugos digestivos.

acmé s. f. Periodo de mayor intensidad de una enfermedad.

acné s. m. Erupción pustulosa en la piel de la cara y parte superior del tórax, muy frecuente en la adolescencia. También s. f.

aco s. m. **1.** Col. Harina de cebada tostada. **2.** Ven. Árbol leguminoso.

acobardar v. tr. Amedrentar. También prnl. y intr.

acobijar v. tr. Abrigar las cepas y los plantones con acobijos.

acobijo s. m. Montón de tierra que se apisona alrededor de las vides y de los plantones para dar estabilidad y abrigo a las raíces.

acocarse v. prnl. Agusanarse los frutos.

acocear v. tr. **1.** Dar coces. **2.** fig. y fam. Hollar, abatir, ultrajar.

acocharse v. prnl. Agazaparse, agacharse.

acochinarse v. prnl. Adquirir hábitos contrarios a la limpieza.

acocotar v. tr. **1.** Acogotar. **2.** Dar golpes en el cogote.

acodado, da adj. Doblado en forma de codo.

acodalar v. tr. Dar golpes en el cogote.

acodar v. tr. **1.** Apoyar el codo. **2.** Enterrar el vástago de una planta sin separarlo del tronco para que eche raíces.

acoderar v. tr. Presentar en determinada dirección el costado de un barco, valiéndose de coderas.

acodiciar v. tr. Encender en deseo o codicia de algo.

acodillar v. tr. Doblar algo, generalmente objetos de metal, formando codo.

acodo s. m. Vástago acodado.

acogedor, ra adj. **1.** Que acoge. **2.** Se dice de una habitación o casa agradable, confortable.

acoger v. tr. **1.** Admitir en su casa o compañía. **2.** Proteger, amparar. También prnl. ‖ v. prnl. **3.** Refugiarse, ampararse. **4.** Valerse de pretextos para disimular algo.

acogeta s. f. Sitio a propósito para acogerse al huir de un peligro.

acogido, da s. m. y s. f. **1.** Persona desvalida a la que se admite en un centro de beneficencia. ‖ s. f. **2.** Recibimiento u hospitalidad que ofrece una persona o un lugar. **3.** Protección o amparo. **4.** Aceptación o aprobación.

acogimiento s. m. Acogida, como protección, hospitalidad o aceptación.

acogollar v. tr. Cubrir las plantas para defenderlas de los agentes externos.

acogombrar v. tr. Acohombrar, aporcar las plantas.

acogotar v. tr. Matar a una persona o animal con herida en el cogote.

acohombrar v. tr. Cubrir con tierra las plantas.

acojinamiento s. m. Entorpecimiento en las máquinas de vapor debido a la interposición de este gas entre el émbolo y la tapa del cilindro.

acojinar v. tr. Acolchar, poner algodón, etc. entre dos telas.

acolada s. f. Abrazo que, acompañado del espaldarazo, se daba al nuevo caballero.

acolar v. tr. Unir, juntar, combinar escudos de armas.

acolchar v. tr. Poner algodón, seda cortada, lana, etc., entre dos telas y bastearlas.

acolchonar v. tr., amer. Acolchar.

acolitado s. m. De las cuatro órdenes menores, la superior.

acolitar v. tr., fig. y fam. Acompañar o ayudar a alguien.

acólito s. m. **1.** Clérigo que ha recibido la orden del acolitado. **2.** Monaguillo.

acollar v. tr. Cobijar con tierra el pie de los árboles, y en especial el tronco de las vides.

acollarado, da adj. Se dice de los pájaros y otros animales que tienen el cuello de distinto color que el resto del cuerpo.

acollarar v. tr. Poner collar a un animal.

acollonar v. tr. Acobardar. También v. prnl.

acombar v. tr. Combar. También prnl.

acomedirse v. prnl., amer. Ofrecerse a prestar un servicio gratis.

acometer v. tr. **1.** Atacar con ímpetu. **2.** Emprender, intentar.

acometida s. f. Lugar por el que la línea de conducción de un fluido enlaza con la principal.

acometimiento s. m. Ramal de cañería que desemboca en la alcantarilla o conducto general de desagüe.

acomodación s. f. Acción y efecto de acomodar.

acomodado, da adj. **1.** Apto, conveniente. **2.** Rico, abundante en medios económicos. **3.** Que está cómodo o a gusto.

acomodador, ra s. m. y s. f. En los teatros, etc., persona que indica a los concurrentes el lugar donde deben sentarse.

acomodamiento s. m. **1.** Transacción, ajuste o convenio sobre algo. **2.** Comodidad o conveniencia.

acomodar v. tr. **1.** Ajustar una cosa a otra. **2.** Disponer, preparar de modo conveniente. **3.** Colocar o poner en un lugar conveniente o cómodo. ‖ v. prnl. **4.** Ponerse a gusto.

acomodo s. m. **1.** Acción de acomodar o acomodarse. **2.** Empleo, ocupación o conveniencia. **3.** Aderezo, arreglo.

acompañado, da adj. **1.** fam. Pasajero, concurrido. **2.** fam. Se dice de la persona que acompaña a otra. También s. m. y s. f.

acompañamiento s. m. **1.** Acción y efecto de acompañar. **2.** Gente que acompaña a alguien.

acompañar v. tr. **1.** Estar o ir en compañía de otro u otros. También prnl. **2.** Ejecutar el acompañamiento. También prnl.

acompasado, da adj. **1.** Hecho o puesto a compás. **2.** Que suele hablar pausadamente o andar y moverse con lentitud.

acompasar v. tr. Medir por medio del compás.

acomplejar v. tr. Producir a una persona un complejo psíquico.

acomunarse v. prnl. Coligarse, confederarse con un fin común.

aconchabarse v. prnl., fam. Conchabar.

aconchar v. tr. Proteger y defender a alguien arrimándole a un lugar. También prnl.

acondicionador, ra adj. **1.** Que acondiciona. ‖ s. m. **2.** Aparato que acondiciona o climatiza un espacio limitado.

acondicionamiento s. m. Acción y efecto de acondicionar.

acondicionar v. tr. Dar cierta condición o calidad.

acongojar v. tr. Oprimir, fatigar, afligir. También prnl.

aconitina s. f. Principio activo del acónito. Es veneno muy violento.

acónito s. m. Planta ranunculácea, venenosa; es medicinal y crece en las montañas altas y en los jardines.

aconsejar *v. tr.* **1.** Dar consejo. ‖ *v. prnl.* **2.** Tomar consejo o pedirlo a otros.

aconsonantar *v. tr.* Utilizar la rima consonante.

acontecer *v. intr.* Suceder, ocurrir.

acontecimiento *s. m.* Suceso.

acopar *v. intr.* Formar copa las plantas y árboles.

acopetar *v. tr.* Formar copetes.

acopiar *v. tr.* Juntar, reunir en gran cantidad.

acopio *s. m.* Acción y efecto de acopiar.

acoplado *s. m., Amér. del S.* Vehículo sin motor destinado a ir remolcado.

acoplamiento *s. m.* Acción y efecto de acoplar o acoplarse.

acoplar *v. tr.* **1.** Unir entre sí dos piezas de modo que ajusten exactamente. **2.** *fig.* Encontrar acomodo u ocupación para una persona. ‖ *v. prnl.* **3.** *fig. y fam.* Encariñarse dos personas.

acoquinar *v. tr.* Acobardar. También prnl.

acorar *v. tr.* Afligir, acongojar. También prnl.

acorazado *s. m.* Buque de guerra blindado y de grandes dimensiones.

acorazar *v. tr.* Blindar con planchas de hierro o acero barcos de guerra, fortificaciones, etc. También prnl.

acorchado, da *adj.* Se dice de lo que es fofo y esponjoso como el corcho.

acorcharse *v. prnl.* Ponerse una cosa fofa como el corcho.

acordada *s. f.* Orden expedida por un tribunal para que el inferior ejecute alguna cosa.

acordar *v. tr.* Determinar o resolver de común acuerdo o por mayoría de votos.

acorde *adj.* En armonía y consonancia.

acordelar *v. tr.* **1.** Medir con cuerda o cordel. **2.** Señalar con cuerdas.

acordeón *s. m.* **1.** Instrumento musical de viento, compuesto de lengüetas de metal, un pequeño teclado de válvulas y un fuelle. **2.** Apunte para usarlo disimuladamente en los exámenes.

acordonado, da *adj.* Dispuesto en forma de cordón.

acordonamiento *s. m.* Acción y efecto de acordonar.

acordonar *v. tr.* Sujetar con un cordón.

acores *s. m. pl.* Enfermedad de la piel, semejante a la tiña, que los niños suelen padecer en la cabeza o en la cara.

acoria *s. f.* **1.** Carencia de pupila. **2.** Hambre canina.

acornar *v. tr.* Acornear.

acornear *v. tr.* Dar cornadas.

ácoro *s. m.* Planta de flores de color verde claro, raíces blanquecinas y olor suave, que forman maraña a flor de tierra.

acorralar *v. tr.* Encerrar el ganado en el corral. También prnl.

acorrer *v. tr.* **1.** Acudir corriendo. **2.** Socorrer a alguien.

acorro *s. m.* Socorro.

acortar *v. tr.* Disminuir la longitud, cantidad o duración de una cosa. También intr. y prnl.

acorullar *v. tr.* Meter los remos sin desarmarlos, de forma que los guiones queden bajo crujía.

acorvar *v. tr.* Encorvar.

acosar *v. tr.* Perseguir sin descanso a un animal o a una persona.

acoso *s. m.* Acto de acosar.

acostado, da *adj.* Inclinado, recostado.

acostamiento *s. m.* Acción de acostar o acostarse.

acostar *v. tr.* **1.** Echar o tender a alguien para que duerma o descanse. También prnl. **2.** Arrimar. También prnl.

acostumbrar *v. intr.* Tener costumbre de algo. También prnl.

acotación *s. f.* **1.** Acotamiento. **2.** Comentario que se pone en la margen de un escrito o impreso.

acotamiento *s. m.* Acción y efecto de acotar.

acotar *v. tr.* **1.** Poner coto. **2.** Poner o escribir al margen.

acote *s. m., amer.* Acotamiento.

acotiledóneo, a *adj.* Se dice de las plantas cuyo embrión carece de cotiledones.

acotillo *s. m.* Martillo grueso de herrero.

acotolar *v. tr., Ar.* Acabar con alguna cosa.

acoyundar *v. tr.* Uncir, poner la coyunda.

acoyuntar *v. tr.* Reunir dos labradores caballerías sin pareja para formar yunta y labrar a medias.

acrania *s. f.* Carencia de cráneo.

ácrata *adj.* Partidario de la supresión de toda autoridad.

acre[1] *adj.* Áspero, picante al gusto y olfato.

acre[2] *s. m.* Medida inglesa de superficie.

acrecencia *s. f.* **1.** Acrecentamiento. **2.** Derecho de acrecer.

acrecentamiento *s. m.* Acción y efecto de acrecentar.

acrecentar *v. tr.* Aumentar. También prnl.

acrecer *v. tr.* **1.** Aumentar. **2.** Aumentar las cuotas de una herencia por renuncia o pérdida de la de algún partícipe.

acreción *s. f.* Crecimiento por yuxtaposición de las concreciones calculosas.

acreditación *s. f.* Documento que da fe sobre la cualificación, créditos o méritos de una persona.

acreditado, da *adj.* Se dice del agente diplomático que ha obtenido autorización para ejercer su cargo.

acreditar *v. tr.* **1.** Afamar, dar crédito o reputación. También prnl. **2.** Abonar una partida en el libro de cuentas.

acreedor *adj.* **1.** Que tiene derecho o mérito para obtener algo. **2.** Que tiene derecho a que se le satisfaga una deuda.

acrescente *adj.* Se dice del cáliz o la corola que sigue creciendo después de fecundada la flor.

acrianzar *v. tr.* Educar o criar.

acribar *v. tr.* Cribar.

acribillar v. tr. **1.** Abrir muchos agujeros en algo. **2.** Molestar mucho.

acrídido adj. Se dice del insecto ortóptero saltador con antenas cortas y tres artejos en los tarsos, como los saltamontes.

acriminación s. f. Acción de acriminar.

acriminar v. tr. Acusar de un delito.

acrimonia s. f. **1.** Aspereza de las cosas, sobre todo al gusto o al olfato. **2.** Condición de los humores acres. **3.** Agudeza del dolor.

acriollarse v. prnl., Amér. del S. Adquirir un extranjero los usos y costumbres de la gente del país.

acrisolado, da adj. Dicho de personas, intachable.

acrisolar v. tr. **1.** Purificar los metales en el crisol. **2.** fig. Purificar, apurar. **3.** fig. Aclarar, probar. También prnl.

acristianar v. tr. Hacer cristiano.

acritud s. f. **1.** Acrimonia. **2.** Calidad de mordaz, aspereza de carácter.

acrobacia s. f. Profesión y ejercicio del acróbata.

acróbata com. Persona que hace diversos ejercicios gimnásticos en los espectáculos públicos.

acrocéfalo, la adj. Que tiene el cráneo puntiagudo.

acrofobia s. f. Horror a las alturas.

acrología s. f. Investigación de lo absoluto.

acromado, da adj. Se dice de lo que se asemeja a un cromo y en especial de las obras pictóricas.

acromático, ca adj. Se dice del cristal que está exento de cromatismo.

acromatizar v. tr. Corregir total o parcialmente el cromatismo al fabricar prismas o lentes.

acromion s. m. Parte más alta del omóplato, articulada con la extremidad externa de la clavícula.

acrónico, ca adj. Se aplica al astro que nace al ponerse el sol, o se pone cuando este sale.

acrónimo s. m. Palabra constituida por las iniciales de un grupo de palabras.

acrópolis s. f. El lugar más alto y fortificado en las ciudades griegas.

acróstico, ca adj. Se aplica a la composición poética cuyas letras iniciales, medias o finales de los versos forman un vocablo o una frase. También s. m.

acrotera s. f. Pedestal que sirve de remate en los frontones, y sobre el cual suelen colocarse estatuas o adornos.

acroterio s. m. Pretil que se hace sobre los cornisamentos para ocultar la altura del tejado.

acta s. f. Relación escrita de lo tratado en una junta.

actea s. f. Yezgo, especie de saúco.

acteografía s. f. Descripción de los peces.

actinia s. f. Anémona marina.

actinio s. m. Cuerpo radiactivo hallado en algún mineral de uranio.

actinismo s. m. Acción química de las radiaciones luminosas.

actinometría s. f. Parte de la física que estudia la intensidad de las radiaciones y mide su acción química.

actinómetro s. m. Instrumento para medir la intensidad de las radiaciones y su acción química.

actinomices s. m. Hongo parásito que produce una enfermedad infecciosa común a diversas especies animales.

actinomorfo, fa adj. Se dice de la flor que queda dividida en dos partes simétricas por dos planos distintos, como la rosa.

actitud s. f. **1.** Postura. **2.** fig. Disposición de ánimo manifestada externamente.

activar v. tr. Avivar, acelerar una cosa.

actividad s. f. **1.** Facultad de obrar. **2.** Prontitud en el obrar.

activista adj. Se dice del individuo perteneciente a un grupo social o político, dedicado a hacer propaganda y a promover actividades.

activo, va adj. **1.** Que obra o puede obrar. **2.** Eficaz. **3.** Que obra prontamente. ‖ s. m. **4.** Importe total del haber de una persona natural o jurídica.

acto s. m. **1.** Hecho público o solemne. **2.** Parte de un drama.

actor, ra s. m. **1.** Hombre que representa en el teatro, en el cine o en la televisión. **2.** Hombre que exagera o finge. ‖ s. m. y s. **3.** Demandante o acusador. **4.** Participante en una acción o suceso.

actora s. f. Mujer que demanda en un juicio.

actriz s. f. Mujer que representa en el teatro, en el cine o en la televisión.

actuación s. f. **1.** Acción y efecto de actuar. **2.** Autos o diligencias del procedimiento judicial.

actual adj. Que existe o sucede en el tiempo de que se habla.

actualidad s. f. **1.** Tiempo presente. **2.** Cosa o suceso que atrae la atención de la sociedad.

actualizar v. tr. **1.** Poner en acto. **2.** Hacer actual una cosa.

actuar v. tr. **1.** Poner en acción. ‖ v. intr. **2.** Ejercer una persona actos propios de su cargo u oficio. **3.** Proceder judicialmente.

actuaria adj. Se dice de cierta embarcación ligera, de remo y vela, usada por los antiguos romanos.

actuario s. m. Auxiliar judicial que da fe en los autos procesales.

acuadrillar v. tr. **1.** Juntar en cuadrilla. También prnl. **2.** Mandar una cuadrilla.

acuantiar v. tr. Fijar la cuantía de una cosa.

acuaplano *s. m.* Vehículo acuático para deportistas, consistente en una plancha lisa de madera con reborde en uno de sus extremos, tirada por una canoa automóvil.

acuarela *s. f.* **1.** Pintura sobre papel o cartón con colores diluidos en agua. ‖ *s. f. pl.* **2.** Colores con los que se realiza esta pintura.

acuario *s. m.* Depósito de agua donde se tienen vivos animales o vegetales acuáticos.

acuartar *v. tr.* **1.** *Le.* Encuartar. ‖ *v. prnl.* **2.** *Cub.* Dar por terminado un incidente personal.

acuartelamiento *s. m.* **1.** Acción y efecto de acuartelar o acuartelarse. **2.** Lugar donde se acuartela.

acuartelar *v. tr.* Poner la tropa en cuarteles. También prnl.

acuartillar *v. tr.* **1.** Doblar con exceso las caballerías las cuartillas al andar, por sobrecarga de peso o debilidad. **2.** Dar forma de cuartilla o partir el papel en cuartillas.

acuático, ca *adj.* **1.** Que vive en el agua. **2.** Perteneciente o relativo al agua.

acuátil *adj.* Acuático.

acubado, da *adj.* De figura de cubo.

acubilar *v. tr.* Recoger el ganado en el cubil.

acuchillar *v. tr.* Herir, cortar o matar con el cuchillo.

acucia *s. f.* **1.** Diligencia, solicitud, prisa. **2.** Deseo vehemente.

acuciar *v. tr.* Estimular, dar prisa.

acucioso, sa *adj.* **1.** Diligente. **2.** Movido por deseo vehemente.

acuclillarse *v. prnl.* Ponerse en cuclillas.

acudir *v. intr.* **1.** Ir al sitio donde conviene a uno o adonde es llamado. **2.** Ir en socorro de alguien. **3.** Recurrir a alguien.

acueducto *s. m.* Conducto por donde se lleva el agua a alguna parte.

ácueo, a *adj.* **1.** De agua. **2.** De naturaleza parecida a la del agua.

acuerdo *s. m.* **1.** Unión entre dos o más personas. **2.** Resolución tomada en una junta.

acuernar *v. tr.* Dirigir el toro los cuernos hacia un sitio determinado.

acuidad *s. f.* Agudeza de los sentidos y del dolor.

acuitar *v. tr.* **1.** Poner en apuro. **2.** Afligir. También prnl.

aculado, da *adj.* **1.** *fam.* Arrinconado, aproximado. **2.** Se aplica al caballo que se presenta en el escudo levantado del cuarto delantero y posado sobre sus ancas con las patas encogidas.

acular *v. tr.* **1.** Hacer que un animal, carro, etc., quede arrimado por detrás a alguna parte. También prnl. **2.** *fam.* Arrinconar. Se usa más como prnl.

aculebrar *v. tr.* Sujetar una vela a su palo o un cabo a otro.

aculebrinado, da *adj.* Se aplica al cañón parecido por su longitud a la culebrina.

aculebrinar *v. tr.* Dar la forma de culebrina en la fundición de los cañones.

aculeiforme *adj.* Que tiene forma de aguijón.

acúleo *s. m.* Aguijón.

acullá *adv. l.* En lugar opuesto o distante al que habla.

acumulación *s. f.* Acción y efecto de acumular.

acumulador, ra *adj.* **1.** Que acumula. ‖ *s. m.* **2.** Aparato que sirve para regularizar el trabajo de una máquina, recogiendo la fuerza sobrante a fin de poder aprovecharla cuando falte. **3.** Aparato destinado a recibir electricidad, desarrollada artificialmente, y retenerla en depósito para su consumo posterior.

acumular *v. tr.* Amontonar, juntar.

acunar *v. tr.* Mecer en la cuna.

acuñar[1] *v. tr.* **1.** Imprimir y sellar una pieza de metal por medio de cuño o troquel. **2.** Fabricar la moneda.

acuñar[2] *v. tr.* Meter cuñas.

acuosidad *s. f.* Cualidad de acuoso.

acuoso, sa *adj.* Abundante en agua.

acupuntura *s. f.* Operación quirúrgica que consiste en introducir agujas finísimas en diversas partes del cuerpo, con el fin de curar ciertas enfermedades.

acure *s. m.* Pequeño roedor de América, de carne comestible.

acurrucarse *v. prnl.* Encogerse.

acusación *s. f.* **1.** Acción de acusar o acusarse. **2.** Escrito o discurso en que se acusa.

acusado, da *s. m. y s. f.* Persona a quien se acusa.

acusar *v. tr.* **1.** Denunciar, delatar. También prnl. **2.** Notificar.

acusativo *s. m.* Caso de la declinación del nombre, que indica el complemento directo del verbo.

acusatorio, ria *adj.* Perteneciente o relativo a la acusación.

acuse *s. m.* **1.** Acción y efecto de acusar, avisar el recibo de una carta. **2.** Naipe con que se acusa en ciertos juegos para ganar ciertos tantos.

acusica *adj.* Se dice del escolar que delata a sus compañeros.

acusma *s. f.* Alucinación auditiva.

acústico, ca *adj.* **1.** Perteneciente o relativo a la acústica. ‖ *s. f.* **2.** Perteneciente o relativo a la acústica.

acutángulo *adj.* Se dice del triángulo que tiene los tres ángulos agudos.

acutí *s. m., Arg. y Par.* Acure.

adacilla *s. f.* Planta, variedad de la adaza, con simiente más pequeña que esta.

adáctilo, la *adj.* Que no tiene dedos.

adafina *s. f.* Olla que los hebreos colocan al anochecer del viernes en un anafe, cubriéndola con brasas y rescoldo, para comerla el sábado.

adagio[1] *s. m.* Sentencia breve, frecuentemente moral, que estimula a proceder conforme a su enseñanza.

adagio[2] *s. m.* Composición musical que se ha de ejecutar en todo o en parte con movimiento lento.

adaguar *v. intr.* Beber el ganado.

adalid *s. m.* Caudillo de gente de guerra.

adamado, da *adj.* Fino, elegante.

adamadura *s. f.* Fineza, prenda de cariño.

adamantino, na *adj.* Perteneciente o relativo al diamante.

adamar *v. tr.* **1.** Cortejar, requebrar. || *v. prnl.* **2.** Afeminarse el hombre.

adamascado, da *adj.* Parecido al damasco.

adamascar *v. tr.* Dar a las telas aspecto parecido al damasco.

adámico, ca *adj.* Perteneciente o relativo a Adán.

adán *s. m.*, *fig. y fam.* Hombre desaliñado, sucio, haraposo.

adaptabilidad *s. f.* Calidad de adaptable.

adaptable *adj.* Capaz de ser adaptado.

adaptación *s. f.* **1.** Acción y efecto de adaptar o adaptarse. **2.** Proceso por el que un animal se acomoda al medio ambiente.

adaptar *v. tr.* Ajustar una cosa a otra. También prnl.

adaraja *s. f.* Diente que se deja sobresaliendo en un edificio o construcción.

adarce *s. f.* Costra de sal que forman las aguas del mar en los objetos que mojan.

adarga *s. f.* Escudo de cuero.

adargar *v. tr.* **1.** Cubrir con la adarga para defenderse. **2.** Defender, proteger, resguardar. También prnl.

adarme *s. m.* Decimosexta parte de una onza.

adarvar *v. tr.* Pasmar, aturdir. También prnl.

adarve *s. m.* Camino detrás de un muro y en lo alto de una fortificación.

adatar *v. tr.* Datar. También prnl.

adaza *s. f.* Zahína.

adecenar *v. tr.* Ordenar por decenas, dividir en decenas.

adecentar *v. tr.* Poner decente. Se usa más como prnl.

adecuación *s. f.* Acción de adecuar o adecuarse.

adecuado, da *adj.* Apropiado, proporcionado.

adecuar *v. tr.* Acomodar. También prnl.

adefagia *s. f.* Voracidad.

adefesio *s. m.* **1.** *fam.* Despropósito. Se usa más en pl. **2.** *fam.* Traje, prenda de adorno extravagante.

adefina *s. f.* Adafina.

adehala *s. f.* **1.** Lo que se da de gracia o se fija como obligatorio sobre el precio de lo que se compra o arrienda. **2.** Lo que se agrega de gajes al sueldo de un empleado o comisión.

adehesar *v. tr.* Hacer dehesa alguna tierra. También prnl.

adelantado, da *adj.* **1.** Precoz. **2.** *fig.* Atrevido, imprudente.

adelantamiento *s. m.* Acción y efecto de adelantar o adelantarse.

adelantar *v. tr.* **1.** Mover, llevar hacia delante. También prnl. **2.** Anticipar. || *v. intr.* **3.** *fig.* Aventajar a alguien.

adelante *adv. l.* **1.** Más allá. **2.** Hacia la parte opuesta a otra.

adelanto *s. m.* Adelantamiento, acción de adelantar.

adelfa *s. f.* Arbusto apopináceo, muy ramoso, de hojas persistentes y flores blancas, rosáceas o amarillas.

adelgazamiento *s. m.* Acción y efecto de adelgazar.

adelgazar *v. tr.* Poner delgado.

adema *s. f.* Madero para apuntalar.

ademán *s. m.* Actitud que denota algún afecto del ánimo.

ademar *v. tr.* Apuntalar.

además *adv. c.* A más de esto o aquello.

ademe *s. f.* **1.** Madero utilizado para entibar. **2.** Cubierta de madera con que se aseguran los pilares, tiros y otras obras en los trabajos subterráneos.

adenia *s. f.* Hipertrofia de los ganglios linfáticos.

adenitis *s. f.* Inflamación de alguna glándula y de los ganglios linfáticos.

adenofora *s. f.* Planta de la familia de las campanuláceas, de raíces comestibles, que se cría en Europa Oriental y en Asia.

adenoideo, a *adj.* Se aplica a los tejidos ricos en formaciones linfáticas.

adenología *s. f.* Parte de la anatomía que trata de las glándulas.

adenoma *s. m.* Tumor de estructura glandular.

adentellar *v. tr.* Hincar los dientes.

adentrarse *v. prnl.* Penetrar en el interior de algo.

adentro *adv. l.* **1.** A o en lo interior. || *s. m. pl.* **2.** Lo interior del ánimo.

adepto, ta *adj.* Afiliado en alguna secta.

aderezar *v. tr.* **1.** Componer, adornar, hermosear. También prnl. **2.** Disponer o preparar. También prnl.

aderezo *s. m.* Lo que se utiliza para aderezar una persona o cosa.

aderno *s. m.* Árbol, de madera muy apreciada para ebanistería, que se cría en las islas Canarias.

aderra *s. f.* Maromilla con que se aprieta el orujo.

adestrar *v. tr.* Adiestrar.

adeudar *v. tr.* **1.** Deber, tener deudas. También prnl. **2.** Satisfacer impuesto.

adeudo *s. m.* **1.** Deuda. **2.** Cantidad que se debe pagar en las aduanas.

adherencia *s. f.* Unión física de cosas.

adherente *adj.* **1.** Anexo, pegado a una cosa. ‖ *s. m.* **2.** Adhesivo, sustancia que sirve para unir otras.

adherir *v. tr.* Pegar una cosa a otra.

adhesión *s. f.* **1.** Adherencia, unión física. **2.** Acción y efecto de adherir o adherirse.

adhesividad *s. f.* Calidad de adhesivo.

adhesivo, va *adj.* Capaz de adherirse.

ad hoc *expr. lat.* que se aplica a lo que se dice o hace para un determinado fin.

ad hóminem *expr. lat.* que se aplica al argumento filosófico que consiste en atacar al contrario apoyándose en sus propios actos, expresiones o argumentos.

adiabático, ca *adj.* Se dice de los cuerpos impenetrables al calor.

adiado, da *adj.* Se dice del día preciso y fijado para ejecutar una cosa.

adiafa *s. f.* Regalo o refresco que se daba a los marineros al llegar al puerto.

adiáfano, na *adj.* Que no es transparente, opaco.

adiaforesis *s. f.* Supresión de la transpiración cutánea.

adiamantado, da *adj.* Parecido al diamante.

adiar *v. tr.* Señalar o fijar día para hacer algo.

adición *s. f.* Operación de sumar.

adicional *adj.* Se dice de aquello que se añade a una cosa.

adicto, ta *adj.* **1.** Dedicado, muy inclinado. También s. m. y s. f. **2.** Partidario.

adiestrador, ra *adj.* Que adiestra. También s. m. y s. f.

adiestramiento *s. m.* Acción y efecto de adiestrar o adiestrarse.

adiestrar *v. tr.* Enseñar, instruir. También prnl.

adietar *v. tr.* Poner a dieta. También prnl.

adinamia *s. f.* Debilidad o postración física debida a enfermedad.

adinámico, ca *adj.* Que padece adinamia.

adinerado, da *adj.* Que tiene mucho dinero.

adinerarse *v. prnl., fam.* Hacerse rico.

adintelado, da *adj.* Que tiene forma de dintel.

¡adiós! *interj.* que denota saludo o despedida.

adipoblasto *s. m.* Célula del tejido adiposo que almacena gotas de grasa.

adipocira *s. f.* Grasa cadavérica, sustancia untuosa, constituida por una especie de jabón amoniacal, producido por la descomposición de materias animales bajo la acción del agua o de la humedad.

adiposidad *s. f.* Calidad de adiposo.

adiposo, sa *adj.* Grasiento, cargado de grasa.

adipsia *s. f.* Falta de sed por largo plazo.

adir *v. tr.* Aceptar una herencia o sucesión.

aditamento *s. m.* Añadidura.

aditivo *s. m.* Sustancia que se agrega a otras para darles cualidades de que carecen o para mejorar las que poseen.

adiva *s. f.* Adive.

adivas *s. f. pl.* Inflamación de la garganta en las bestias.

adive *s. m.* Mamífero carnívoro, parecido a la zorra. Abunda en los desiertos de Asia y es domesticable.

adivinación *s. f.* Acción y efecto de adivinar.

adivinanza *s. f.* **1.** Adivinación. **2.** Acertijo.

adivinar *v. tr.* Predecir lo futuro o descubrir un enigma.

a divinis *loc. lat.* De las cosas divinas.

adivino, na *s. m. y s. f.* Persona que adivina.

adjetivación *s. f.* Conjunto de adjetivos o modo de adjetivar peculiar de un escritor, un estilo, etc.

adjetivar *v. tr.* Aplicar adjetivos.

adjetivo *s. m.* Parte de la oración que se aplica a un sustantivo y expresa una cualidad de la cosa designada por dicho sustantivo o lo determina o limita en su extensión.

adjudicación *s. f.* Acción y efecto de adjudicar.

adjudicar *v. tr.* **1.** Declarar que una cosa corresponde a una persona. ‖ *v. prnl.* **2.** Apropiarse alguien algo.

adjunción *s. f.* **1.** Especie de accesión que se verifica al juntarse dos cosas muebles de dueños diferentes, pero de modo que puedan separarse. **2.** Añadidura, agregación.

adjuntar *v. tr.* Acompañar, enviar adjunta alguna cosa.

adjunto, ta *adj.* **1.** Que está unido con otra cosa. **2.** Se dice de la persona que acompaña a otra para entender con ella en algún asunto o negocio.

adjutor, ra *adj.* Que ayuda a otro. También s. m. y s. f.

adlátere *com.* Persona que subordinadamente acompaña a otra hasta parecer que es inseparable de ella.

ad líbitum *loc. lat.* que significa «a gusto» o «a voluntad».

ad litteram *loc. lat.* que significa «al pie de la letra» o «textualmente».

adminicular *v. tr.* Ayudar con unas cosas a otras para dar a estas mayor eficacia.

adminículo *s. m.* Lo que ayuda para un intento.

administración *s. f.* **1.** Acción de administrar. **2.** Empleo de administrador. **3.** Casa donde el administrador y dependientes ejercen su empleo.

administrador, ra *adj.* **1.** Que administra. ‖ *s. m. y s. f.* **2.** Persona que administra los bienes ajenos.

administrar *v. tr.* Gobernar, regir, cuidar.

administrativo, va *adj.* Perteneciente o relativo a la administración.

admirable *adj.* Digno de admiración.

admiración *s. f.* **1.** Acción de admirar. **2.** Sorpresa. **3.** Signo ortográfico que, en español, se pone antes y después de cláusulas o palabras para expresar admiración, queja, lástima, etc.

admirado, da *adj.* Asombrado, extrañado, atónito.

admirador, ra *adj.* Que admira.

admisibilidad *s. f.* Calidad de lo admisible.

admirar *v. tr.* Causar admiración.

admisible *adj.* Que puede admitirse.

admisión *s. f.* **1.** Acción de admitir. **2.** Recepción de un agente diplomático. **3.** Trámite previo en que se decide si se atienden o no ciertos recursos o reclamaciones.

admitir *v. tr.* Recibir, aceptar.

admixtión *s. f.* Mezcla o unión de diversas sustancias que no tienen acción química entre sí.

admonición *s. f.* **1.** Amonestación. **2.** Reconvención.

admonitor, ra *s. m. y s. f.* **1.** Religioso o religiosa que, en algunas comunidades, tiene por cargo amonestar o exhortar al cumplimiento de la regla. **2.** Monitor, el que amonesta.

adnata *s. f.* Membrana de la parte anterior del ojo.

adnato, ta *adj.* Que nace y crece con otra cosa a la que está adherida.

adobado *s. m.* Carne puesta en adobo.

adobar *v. tr.* **1.** Aderezar, componer. **2.** Curtir las pieles.

adobe *s. m.* Masa de barro moldeada en forma de ladrillo y secada al aire.

adobo *s. m.* Salsa para sazonar y conservar las carnes.

adobón *s. m., Amér. del S.* Parte de una tapia que se hace de una vez.

adocenado, da *adj.* Vulgar y de escaso mérito.

adocenar *v. tr.* **1.** Ordenar por docenas o dividir en docenas. **2.** Estancarse una persona, hacerse vulgar y conformista.

adoctrinar *v. tr.* Enseñar.

adolecer *v. intr.* Caer enfermo o padecer alguna enfermedad.

adolescencia *s. f.* Edad que sucede a la niñez.

adolescente *adj.* Que está en la adolescencia. También com.

adomiciliar *v. tr.* Domiciliar. También prnl.

adonde *adv. rel.* A la parte que, al lugar que.

adondequiera *adv. l.* **1.** A cualquier parte. **2.** Dondequiera.

adonis *s. m., fig.* Mancebo hermoso.

adonizarse *v. prnl.* Embellecerse como un adonis.

adopción *s. f.* Acción de adoptar.

adoptar *v. tr.* **1.** Recibir como hijo, con los requisitos legales, al que no lo es por naturaleza. **2.** Recibir, admitir alguna opinión o doctrina.

adoptivo, va *adj.* **1.** Se aplica a la persona adoptada. **2.** Se dice de la persona que adopta.

adoquín *s. m.* Piedra labrada en forma de prisma rectangular para empedrados, etc.

adoquinado *s. m.* Suelo empedrado con adoquines.

adoquinar *v. tr.* Empedrar con adoquines.

ador *s. m.* Tiempo señalado a cada uno para regar.

adorable *adj.* Digno de adoración.

adoración *s. f.* Acción de adorar.

adorar *v. tr.* **1.** Honrar con culto religioso. **2.** *fig.* Amar con extremo.

adoratorio *s. m.* Retablillo portátil con estatuillas, relieves, etc.

adormecedor, ra *adj.* Que adormece.

adormecer *v. tr.* **1.** Dar o causar sueño. También prnl. **2.** *fig.* Calmar.

adormecimiento *s. m.* Acción y efecto de adormecer o adormecerse.

adormidera *s. f.* Planta de la familia de las papaveráceas, procedente de Oriente, de hojas abrazadoras, color garzo, flores grandes y terminales. De su zumo se extrae el opio.

adormilarse *v. prnl.* Dormirse a medias.

adormir *v. tr.* Adormecer. También prnl.

adormitarse *v. prnl.* Dormirse a medias.

adornar *v. tr.* Engalanar con adornos. También prnl.

adorno *s. m.* Lo que se pone para la hermosura o mejor parecer de persona o cosa.

adorote *s. m., Amér. del S.* Angarillas aovadas.

adosado, da *adj.* Se dice de la columna que está arrimada a los muros o a otra parte de la edificación.

adosar *v. tr.* Poner una cosa, por su espalda o envés, contigua a otra.

adovelado, da *adj.* Construido con dovelas.

ad pédem lítterae *loc. lat.* que significa «al pie de la letra» o «textualmente».

adquirir *v. tr.* Ganar, coger, empezar a poseer.

adquisición *s. f.* **1.** Acción de adquirir. **2.** La cosa adquirida.

adquisitivo, va *adj.* **1.** Que sirve para adquirir. **2.** Se dice del poder de compra de una moneda, determinado por la cantidad de bienes que puede procurar o procurarse la unidad escogida.

adra *s. m.* **1.** Turno, vez. **2.** División del vecindario de un pueblo. **3.** Prestación personal.

adragante *adj.* Se aplica a la goma procedente del tragacanto.

adraganto *s. m.* Tragacanto.

adral *s. m.* Cada uno de los zarzos o tablas que se ponen en los costados de los carros.

adrede *adv. m.* Con intención deliberada.

ad referendum *loc. lat.* que significa «a condición de ser aprobado por quien tenga atribuciones para ello».

adrenalina *s. f.* Hormona segregada principalmente por las glándulas suprarrenales, alcaloide y cristalizable. Se usa como medicamento hemostático.

adrián *s. m.* **1.** Juanete. **2.** Nido de urracas.

adrizar *v. tr.* Enderezar o levantar la nave. También prnl.

adrolla *s. f.* Jugarreta, trapaza.

adrollero *s. m.* Hombre que compra o vende con engaño.

adscribir *v. tr.* Inscribir, asignar algo a una persona o cosa.

adscripción *s. f.* Acción y efecto de adscribir o adscribirse.

adsorbente *s. m.* Sustancia sólida, con una gran capacidad de adsorción, que suele tener estructura porosa.

adsorber *v. tr.* Concentrar un cuerpo en su superficie sustancias disueltas.

adsorción *s. m.* Concentración o retención de una sustancia disuelta sobre la superficie de un sólido o alrededor de las partículas de un coloide en suspensión.

adstrato *s. m.* Lengua cuyo territorio es contiguo al de otra, sobre la cual influye. Por ext., se llama así a la lengua que ejerce su influencia sobre otra, aunque no exista entre ambas contigüidad territorial.

adstringir *v. tr.* Astringir.

aduana *s. f.* Oficina pública donde se registran, en el tráfico internacional, los géneros y mercaderías que se importan y exportan, y se cobran los derechos de aduana.

aduanar *v. tr.* Registrar en la aduana.

aduar *s. m.* Pequeña población de beduinos formada de tiendas o cabañas.

adúcar *s. m.* Seda que rodea el capullo del gusano de seda y que es más basta.

aducción *s. f.* Movimiento por el que un miembro u órgano cualquiera del cuerpo se acerca al plano medio del cuerpo.

aducir *v. tr.* Presentar, alegar pruebas, razones, etc.

aductor *adj.* Se dice del músculo que sirve para producir aducción. También s. m.

adueñarse *v. prnl.* Hacerse alguien dueño de una cosa o apoderarse de ella.

adufe *s. m.* Pandero morisco.

adufre *s. m.* Adufe.

aduja *s. f.* Cada vuelta que hace el cable, cuerda, etc., recogidos.

adujar *v. tr.* Recoger en adujas un cabo, cadena o vela enrollada.

adula *s. f.* Dula.

adulación *s. f.* Acción y efecto de adular.

adulador, ra *adj.* Que adula. También s. m. y s. f.

adular *v. tr.* Halagar a alguien servilmente para ganar su voluntad con fines egoístas.

adularia *s. f.* Variedad de feldespato, transparente y de ordinario incoloro.

adulete *adj., amer.* Adulón. También com.

adulón, na *adj., fam.* Adulador servil. También s. m. y s. f.

adulteración *s. f.* Acción y efecto de adulterar o adulterarse.

adulterar *v. intr.* **1.** Cometer adulterio. || *v. tr.* **2.** *fig.* Falsificar algo. También prnl. **3.** *fig.* Alterar intencionalmente un documento o una sustancia mezclándola con otra extraña. También prnl.

adulterio *s. m.* Unión carnal ilegítima de hombre con mujer, siendo uno de los dos casados o ambos.

adúltero, ra *adj.* Que comete adulterio.

adulto, ta *adj.* Llegado al término de la adolescencia. También s. m. y s. f.

adulzar *v. tr.* **1.** Endulzar. **2.** Hacer dulce el hierro u otro metal.

adumbración *s. f.* Parte menos iluminada de la figura u objeto.

adumbrar *v. tr.* Sombrear.

adunar *v. tr.* Unir, juntar.

adunco, ca *adj.* Corvo, combado.

adunia *adv. m.* En abundancia.

adustez *s. f.* Calidad de adusto.

adusto, ta *adj., fig.* Austero, rígido, melancólico.

ad valórem *loc. lat.* que significa «con arreglo a su valor».

advenedizo, za *adj.* Extranjero o forastero.

advenimiento *s. m.* **1.** Venida o llegada. **2.** Exaltación a gran dignidad.

advenir *v. intr.* Venir, ocurrir.

adventicio, cia *adj.* Extraño, que sobreviene.

adventista *adj.* Se dice de una secta americana que espera un nuevo advenimiento de Cristo.

adveración *s. f.* Acción y efecto de adverar.

adverar *v. tr.* Certificar, asegurar, dar por cierta alguna cosa o por auténtico un documento.

adverbio *s. m.* Parte invariable de la oración que modifica la significación del verbo, del adjetivo o de otro adverbio con sentido calificativo o atributivo. Los adverbios pueden ser de lugar de tiempo, de modo, de cantidad, de orden, de afirmación, de negación, de duda, etc.

adversario, ria *s. m. y s. f.* Persona contraria o enemiga.

adversativo, va *adj.* **1.** Que implica o denota oposición o contrariedad de concepto. **2.** Se dice de la conjunción que indica contrariedad u oposición de carácter exclusivo o restrictivo.

adversidad *s. f.* Situación desgraciada en la que se encuentra una persona.

adverso, sa *adj.* Contrario, enemigo.

advertencia *s. f.* **1.** Acción y efecto de advertir. **2.** Escrito breve en el que se advierte algo al lector, especialmente en periódicos, libros, etc.

advertido, da *adj.* Experto, avisado.

advertir *v. tr.* Fijar en algo la atención, reparar, observar. También intr.

adviento *s. m.* Tiempo del año litúrgico que comprende las cuatro semanas precedentes a la fiesta de la Natividad de Cristo.

advocación *s. f.* Título que se da a un templo, capilla o altar.

adyacencia *s. f.* Contigüidad, proximidad de algo.

adyacente *adj.* Situado en la proximidad de otra cosa.

adyuvante *adj.* Que ayuda.

aechar *v. tr.* Ahechar.

aeda *s. m.* Aedo.

aedo *s. m.* Cantor épico o poeta de la antigua Grecia.

aeración *s. f.* Acción sanificadora del aire atmosférico.

aéreo, a *adj.* **1.** De aire. **2.** *fig.* Sin solidez ni fundamento.

aerífero, ra *adj.* Que lleva o conduce el aire.

aerificar *v. tr.* Transformar en vapor un cuerpo cualquiera.

aeriforme *adj.* De estado físico semejante al aire.

aeróbic o aerobic *s. m.* Serie de ejercicios físicos, realizados con acompañamiento musical, que potencian la actividad respiratoria.

aerobio, bia *adj.* Se aplica al ser vivo que necesita del aire para subsistir.

aerobús *s. m.* Ómnibus aéreo; avión para transportar viajeros.

aerocisto *s. m.* Conjunto de órganos huecos, cerrados y llenos de aire, que poseen varias algas para flotar.

aeroclub *s. m.* Sociedad formada por aviadores y personas que sienten interés por las cosas de aviación o que están relacionadas con ellas.

aerodinámica *s. f.* Parte de la mecánica, que estudia el movimiento de los gases.

aeródromo *s. m.* Terreno con servicios anexos preparado para la entrada y salida de aviones, etc., y sus maniobras.

aerofagia *s. f.* Deglución espasmódica del aire, que se observa en algunas neurosis.

aerofobia *s. f.* Enfermedad nerviosa en la que se siente horror al aire.

aerófobo, ba *adj.* Que padece aerofobia.

aeróforo, ra *adj.* Aerífero.

aerógrafo *s. m.* Instrumento para lanzar pintura en forma de aerosol.

aerograma *s. m.* Carta en papel especial para enviarla por correo aéreo.

aerolínea *s. f.* Organización o compañía de transporte aéreo.

aerolito *s. m.* Fragmento de un bólido, que cae sobre la Tierra.

aeromancia *s. f.* Adivinación supersticiosa por las señales e impresiones del aire.

aerómetro *s. m.* Instrumento para medir la densidad del aire y de otros gases.

aeromodelismo *s. m.* Arte y escuela práctica de construcción de modelos de aeroplanos.

aeromóvil *s. m.* Aeronave o avión.

aeronauta *com.* Persona que navega por el aire.

aeronáutica *s. f.* Ciencia o arte de la navegación aérea.

aeronaval *adj.* **1.** Perteneciente o relativo a la navegación aérea. **2.** Perteneciente o relativo a la parte de la aeronáutica que está en relación con la Marina de guerra.

aeronave *s. f.* Vehículo dirigible que, lleno de un gas más ligero que el aire, se emplea en la aerostación.

aeroplano *s. m.* Avión, vehículo aéreo más pesado que el aire.

aeropostal *adj.* Relativo al correo aéreo.

aeropuerto *s. m.* Estación o lugar de parada y arranque para los vehículos aéreos.

aeroscopia *s. f.* Arte de investigar el aire y de estudiar las variaciones de la atmósfera.

aerosol *s. m.* Suspensión en un medio gaseoso de una sustancia medicamentosa pulverizada, que se aplica por inhalación y actúa como coloide.

aerostación *s. f.* Navegación aérea mediante aerostatos.

aerostática *s. f.* Parte de la mecánica, que estudia el equilibrio de los gases.

aerostato o aeróstato *s. m.* Aeronave provista de uno o más recipientes llenos de un gas más ligero que el aire atmosférico.

aerotecnia *s. f.* Arte o ciencia que trata de las aplicaciones industriales del aire.

aerovía *s. f.* Ruta fijada para el vuelo de aviones comerciales.

afabilidad *s. f.* Calidad de afable.

afable *adj.* Agradable, suave en la conversación y el trato.

afabulación *s. f.* Moralidad o explicación de una fábula.

áfaca *s. m.* Planta leguminosa, arvense, parecida a la lenteja.

afamado, da *adj.* Famoso.

afamar *v. tr.* Hacer famoso, dar fama. También prnl.

afán *s. m.* **1.** Trabajo excesivo, solícito y congojoso. **2.** Anhelo vehemente.

afanado, da *adj.* Lleno de afán, afanoso.

afanar *v. prnl.* **1.** Entregarse al trabajo con solicitud excesiva. || *v. tr.* **2.** *vulg.* Hurtar.

afaníptero, ra *s. m.* Se dice de insectos del orden de los dípteros, que carecen de alas y tienen metamorfosis complicadas. También s. m.

afanita *s. f.* Anfibolita.

afanoso, sa *adj.* **1.** Muy penoso o trabajoso. **2.** Que se afana.

afarolarse *v. prnl., Cub., Chil. y Per.* Enojarse, exaltarse, hacer aspavientos.

afasia *s. f.* Pérdida del habla a consecuencia de desorden cerebral.

afásico, ca *adj.* Que tiene afasia, propio de ella.

afatar *v. tr., Ast. y Gal.* Aparejar una caballería.

afear *v. tr.* **1.** Hacer o poner fea a una persona o cosa. También prnl. **2.** *fig.* Tachar, vituperar.

afeblecerse *v. prnl.* Adelgazarse, debilitarse.

afección *s. f.* **1.** Afición, inclinación de una persona a otra por afecto. **2.** Impresión.

afectación *s. f.* **1.** Acción y efecto de afectar. **2.** Extravagancia.

afectado, da *adj.* **1.** Aparente, fingido. **2.** Aquejado por algo.

afectar *v. tr.* **1.** Poner demasiado cuidado en las palabras, movimientos, etc., de forma que pierdan su sencillez y naturalidad. **2.** Fingir algo.

afectividad *s. f.* **1.** Calidad de tener afecto. **2.** Conjunto de los fenómenos afectivos.

afectivo, va *adj.* **1.** Perteneciente o relativo al afecto. **2.** Perteneciente o relativo a la sensibilidad.

afecto, ta *adj.* **1.** Inclinado a alguna persona o cosa. ‖ *s. m.* **2.** Cualquiera de las pasiones del ánimo.

afectuosidad *s. f.* Calidad de afectuoso.

afectuoso, sa *adj.* Amoroso, cariñoso.

afeitado *s. m.* Acción y efecto de afeitar.

afeitar *v. tr.* **1.** Adornar, componer. También prnl. **2.** Esquilar.

afeite *s. m.* **1.** Aderezo, compostura. **2.** Cosmético.

afelio *s. m.* Punto que en la órbita de un planeta dista más del Sol.

afelpado, da *adj.* Hecho o tejido en forma de felpa.

afelpar *s. m.* Dar a la tela aspecto de felpa o de terciopelo.

afeminado, da *adj.* Se dice del que en su aspecto y modales externos se parece a las mujeres. También s. m.

afeminar *v. tr.* Hacer a alguien perder su energía varonil o inclinarle a que en sus modales y aspecto exterior se parezca a las mujeres. Se usa más como prnl.

aferente *adj.* **1.** Que trae. **2.** Se dice del vaso conductor de sangre que entra en un órgano.

aféresis *s. f.* Supresión de una o más letras en principio de palabra.

aferrador, ra *adj.* Que aferra.

aferrar *v. tr.* **1.** Agarrar o asir fuertemente. También intr. **2.** Asegurar la embarcación echando las anclas. ‖ *v. intr.* **3.** Insistir tenazmente en alguna opinión o dictamen. También prnl.

aferruzado, da *adj.* Ceñudo, iracundo.

afestonado, da *adj.* Labrado en forma de festón.

afianzamiento *s. m.* Acción y efecto de afianzar o afianzarse.

afianzar *v. tr.* **1.** Dar fianza por alguien para la seguridad del cumplimiento de una obligación. **2.** Afirmar o asegurar con puntales, clavos, etc. **3.** Asir, fijar, consolidar. También prnl.

afición *s. f.* **1.** Inclinación a alguna persona o cosa. **2.** Ahínco.

aficionado, da *adj.* **1.** Inclinado, afecto, adicto. **2.** Que trabaja sin remuneración alguna; se aplica por oposición a profesional. **3.** Se dice de la persona que cultiva algún arte o deporte, sin tenerlo por oficio.

aficionar *v. tr.* Inclinar, inducir a otro a que guste de alguna persona o cosa.

afijo, ja *adj.* Se dice de los pronombres personales que se unen al verbo, y también de las preposiciones y partículas que se emplean en la formación de palabras derivadas y compuestas. Se usa más como s. m.

afiladera *adj.* Se dice de la piedra de afilar. También s. f.

afilador, ra *s. m. y s. f.* Persona que por oficio afila instrumentos cortantes.

afilar *v. tr.* **1.** Sacar filo o hacer más delgado o agudo el filo de un arma o instrumento. **2.** Aguzar.

afiliación *s. f.* Acción y efecto de afiliar.

afiliar *v. tr.* **1.** Juntar, unir. ‖ *v. prnl.* **2.** Asociar una persona a otras que forman una corporación. También tr.

afiligranar *v. tr.* **1.** Hacer filigrana. **2.** Pulir.

áfilo, la *adj.* Que no tiene hojas.

afilón *s. m.* **1.** Correa impregnada de grasa, que sirve para afinar, suavizar o asentar el filo. **2.** Chaira, cilindro para avivar el filo de los cuchillos.

afín *adj.* **1.** Próximo, contiguo. **2.** Que tiene afinidad con otra cosa.

afinar *v. tr.* **1.** Perfeccionar. También prnl. **2.** Hacer fino, delicado. **3.** Poner en tono los instrumentos, acordándolos entre sí.

afincar *v. intr.* Fincar, adquirir fincas. También prnl.

afinidad *s. f.* **1.** Analogía o semejanza de una cosa con otra. **2.** Parentesco que se establece mediante el matrimonio entre cada cónyuge y los deudos del otro.

afirmación *s. f.* Acción y efecto de afirmar o afirmarse.

afirmado *s. m.* Firme, pavimento.

afirmar *v. tr.* **1.** Poner firme, dar firmeza. También prnl. **2.** Asegurar o dar una cosa por cierta.

afirmativo, va *adj.* **1.** Que denota la acción de afirmar. **2.** Se dice de la oración, proposición o juicio que establecen la conformidad del sujeto con el predicado, es decir, que aquel está contenido en la extensión de este.

afistular *v. tr.* Hacer que una llaga pase a ser fístula.

aflamencado, da *adj.* Achulado, que imita a los flamencos.

aflato *s. m.* Soplo, viento.

aflautado, da *adj.* De sonido semejante al de la flauta.

aflautar *v. tr., amer.* Adelgazar, afinar la voz o un sonido cualquiera.

aflicción *s. f.* Congoja, pena.

aflictivo, va *adj.* Se dice de lo que causa aflicción.

afligido, da *adj.* Que padece aflicción.

afligir *v. tr.* Causar molestia o sufrimiento físico. También prnl.

aflojamiento *s. m.* Acción de aflojar o aflojarse.

aflojar *v. tr.* **1.** Disminuir la presión. También prnl. **2.** *fig.* Perder fuerza una cosa.

afloramiento *s. m.* Efecto de aflorar.

aflorar *v. intr.* Asomar a la superficie del terreno un filón o capa mineral.

afluencia *s. f.* Acción y efecto de afluir.

afluente *adj.* **1.** Abundante en palabras. || *s. m.* **2.** Arroyo o río secundario que desemboca en otro principal.

afluir *v. intr.* Concurrir en abundancia, en gran número, a un sitio determinado.

aflujo *s. m.* Afluencia excesiva de líquidos a un tejido orgánico.

afogarar *v. tr.* Asurar. También prnl.

afollado *s. m.* **1.** Fuelle, arruga del vestido. **2.** Follado, especie de calzones.

afollar *v. tr.* Soplar con los fuelles.

afondar *v. tr.* **1.** Echar a fondo. || *v. intr.* **2.** Hundirse. También prnl.

afonía *s. f.* Falta de voz.

afónico, ca *adj.* Falto de voz o de sonido.

áfono, na *adj.* Afónico.

aforado, da *adj.* Se aplica a la persona que goza de fuero.

aforar *v. tr.* **1.** Dar o tomar a foro alguna heredad. **2.** Otorgar fueros. **3.** Valuar mercancías para el pago de los derechos.

aforisma *s. f.* Tumor debido a la relajación o rotura de alguna arteria.

aforismo *s. m.* Sentencia breve y doctrinal que se propone como regla en alguna ciencia o arte.

aforístico, ca *adj.* Perteneciente o relativo al aforismo.

aforo *s. m.* Capacidad total de las localidades de un teatro, cine, etc.

aforrar *v. tr.* **1.** Forrar. || *v. prnl.* **2.** Ponerse mucha ropa interior.

aforro *s. m.* Forro.

a fortiori *loc. lat.* Con mayor razón.

afortunado, da *adj.* **1.** Que tiene fortuna o buena suerte. **2.** Feliz, que hace feliz.

afortunar *v. tr.* Hacer afortunada, dichosa a una persona.

afosarse *v. prnl.* Defenderse haciendo algún foso.

afoscarse *v. prnl.* Cargarse la atmósfera de vapores, haciendo confusa la visión de los objetos.

afrancesar *v. tr.* Hacer tomar carácter francés. También prnl.

afranjado, da *adj.* Con franjas.

afrecho *s. m.* Salvado, cáscara del grano.

afrenillar *v. tr.* Amarrar o sujetar con frenillos.

afrenta *s. f.* **1.** Vergüenza y deshonor que resulta de algún dicho o hecho afrentoso. **2.** Deshonra que se sigue de la imposición de penas por determinado delito.

afrentar *v. tr.* **1.** Causar afrenta a alguien. **2.** Humillar. || *v. prnl.* **3.** Avergonzarse, sonrojarse.

afrentoso, sa *adj.* Se dice de lo que causa afrenta.

afretar *v. tr.* Fregar, limpiar la embarcación y quitarle la broma.

africado, da *adj.* Se dice del sonido consonante que resulta de la articulación mixta de oclusión y fricación; como la *ch* en *ocho*.

afrisonado, da *adj.* Parecido al caballo frisón por lo grande y peludo.

afrodisia *s. f.* Exageración enfermiza del apetito venéreo.

afrodisíaco, ca *adj.* Se dice de la sustancia que excita el apetito sexual.

afrodita *adj.* Se dice de las plantas que se reproducen de modo asexual.

afronitro *s. m.* Espuma del nitro.

afrontado *adj.* Se dice del escudo con figuras de animales que se miran mutuamente.

afrontamiento *s. m.* Acción y efecto de afrontar.

afrontar *v. tr.* **1.** Poner una cosa frente a otra. **2.** Carear. **3.** Hacer frente al enemigo. **4.** Arrostrar trabajos y calamidades con energía.

afta *s. f.* Úlcera pequeña, blanquecina, que se forma en la mucosa bucal o en la membrana del tubo digestivo.

aftoso, sa *adj.* Que padece aftas.

afuera *adv. l.* Fuera del sitio en que uno está.

afufa *s. f., fam.* Fuga, huida.

afufar *v. intr., fam.* Huir. También prnl.

afusión *s. f.* Acción de verter agua fría desde lo alto sobre todo el cuerpo o parte de él, como acción terapéutica.

afuste *s. m.* En los primeros tiempos de la artillería, cureña, armazón del cañón de dos gualderas.

agá *s. m.* Oficial del ejército turco.

agabanado, da *adj.* Se dice de la prenda de vestir que por su forma se parece al gabán.

agachada *s. f.* Disimulo, subterfugio, rodeo, pretexto.

agachadiza *s. f.* Ave zancuda, pequeña, que vuela bajo y se esconde en sitios pantanosos.

agacharse *v. prnl., And. y Cant.* Agazapar.

agacharse *v. prnl., fam.* Encogerse, inclinarse.

agalbanado, da adj. Galbanoso.

agalla[1] s. f. Excrecencia redonda que se forma en algunos vegetales por la picadura de ciertos insectos al depositar sus huevos.

agalla[2] s. f. **1.** Órgano de la respiración de los peces, branquia. Se usa más en pl. ‖ s. f. pl. **2.** fig. y fam. Ánimo esforzado.

agallón s. m. Cuenta de rosario muy abultada y de madera.

agáloco s. m. Árbol euforbiáceo, cuyo leño contiene un jugo acre y se emplea en ebanistería.

agamí s. f. Ave zancuda, del tamaño de una gallina y de plumaje gris con reflejos azules y grisáceos. Habita en Sudamérica y es comestible.

agamitar v. tr. Imitar la voz del gamo pequeño.

ágamo, ma adj. Se aplica a la planta sin órganos reproductores.

agamuzar v. tr. Curtir las pieles, dándoles el aspecto de la gamuza.

agangrenarse v. prnl. Gangrenarse.

ágape s. m. Convite de caridad entre los cristianos primitivos.

agarabatado, da adj. De forma de garabato.

agarbado, da adj. Garboso.

agarbanzado, da adj., fig. Adocenado, vulgar. Se dice especialmente del estilo literario o de las costumbres.

agarbarse v. prnl. Agacharse, doblarse, encogerse, acurrucarse.

agarbillar v. tr. Hacer gavillas.

agaricina s. f. Principio activo del agárico que se emplea para calmar la tos y combatir el sudor de los tísicos.

agárico s. m. Hongos que viven parásitos en los troncos de determinados árboles; tienen sombrerillo membranoso y son de muy diversas especies, algunas comestibles y otras venenosas.

agarrada s. f., fam. Altercado, riña.

agarradero s. m. **1.** Asa o mango de cualquier cosa. **2.** Protección.

agarrado, da adj. Mezquino, tacaño.

agarrador s. m. Almohadilla para coger la plancha caliente.

agarrafar v. tr. Agarrar a alguien con fuerza al reñir.

agarrar v. tr. **1.** Asir fuertemente con la mano o de cualquier modo. **2.** Coger, tomar.

agarrochar v. tr. Herir con garrocha a los toros.

agarrón s. m., amer. **1.** Acción de agarrar y tirar con fuerza. **2.** amer. Riña, diputa.

agarrotamiento s. m. Acción y efecto de agarrotar.

agarrotar v. tr. Apretar fuertemente los fardos retorciendo las cuerdas con un palo.

agasajar v. tr. **1.** Tratar con atención cariñosa. **2.** Halagar con regalos u otras muestras de afecto o consideración.

agasajo s. m. Regalo o muestra de afecto o consideración.

ágata s. f. Variedad del cuarzo duro, translúcido, de colores generalmente dispuestos en franjas.

agauchar v. tr., amer. Imitar al gaucho, parecerse a él, ostentarse adepto o admirador suyo con exceso. También prnl.

agavanzo s. m. Escaramujo, rosal silvestre y su fruto.

agave s. amb. Pita, planta.

agavillar v. tr. **1.** Hacer gavillas. **2.** fig. Acuadrillar. También prnl.

agazapar v. tr. **1.** fig. y fam. Agarrar o prender a alguien. ‖ v. prnl. **2.** Agacharse para no ser visto.

agencia s. f. **1.** Diligencia. **2.** Oficio de agente. **3.** Despacho del agente.

agenciar v. tr. Procurar o conseguir con maña o diligencia una cosa. También prnl. y como intr.

agenda s. f. Libro o cuaderno en el que se anota lo que se ha de recordar.

agenesia s. f. Impotencia de engendrar.

agente adj. **1.** Que obra o tiene la virtud de obrar. ‖ com. **2.** Persona que obra con poder de otra.

agerasia s. f. Estado del que conserva el vigor de su juventud en edad avanzada.

agerato s. m. Planta de la familia de las compuestas, perenne, de jardín, de hojas lanceoladas y flores pequeñas y amarillas en corimbo.

agermanarse v. prnl. Entrar a formar parte de una germanía.

agestarse v. prnl. Poner un gesto determinado.

agestión s. f. Agregación de materia.

ageustia s. f. Pérdida parcial o total del sentido del gusto.

agibílibus s. m., fam. Industria, maña para lograr alguien lo que le conviene.

agible adj. Factible, hacedero.

agigantado, da adj. Se dice de quien tiene mucha estatura.

agigantar v. tr. Dar a alguna cosa proporciones gigantescas.

ágil adj. Ligero, pronto, expedito.

agilidad s. f. Calidad de ágil.

agilitar v. tr. Hacer ágil a uno, darle facilidades para ejecutar alguna cosa. También prnl.

agio s. m. Especulación sobre los fondos públicos en sus alzas y bajas.

agiotaje s. m. **1.** Agio. **2.** Especulación abusiva, con perjuicio de un tercero.

agiotista com. Persona que se emplea en el agiotaje.

agitación s. f. Acción y efecto de agitar o agitarse.

agitado, da *adj.* Lleno de agitación.

agitador *s. m.* **1.** Varilla de vidrio utilizada para revolver líquidos. **2.** *fig.* Revoltoso, en política.

agitar *v. tr.* **1.** Mover con frecuencia y violentamente. También prnl. **2.** *fig.* Inquietar, turbar el ánimo. También prnl.

aglomeración *s. f.* Acción y efecto de aglomerar o aglomerarse.

aglomerado, da *adj.* Se dice de los seres que están muy próximos unos a otros, formando una masa apretada.

aglomerar *v. tr.* Amontonar, juntar.

aglutinación *s. f.* Acción y efecto de aglutinar o aglutinarse.

aglutinar *v. tr.* Poner en contacto, por medio de un emplasto, las partes cuya adherencia se quiere lograr. También prnl.

aglutinina *s. f.* Anticuerpo que produce la aglutinación de bacterias.

agnación *s. f.* Parentesco de consanguinidad entre agnados.

agnado, da *adj.* Se dice del pariente por consanguinidad, respecto de otro, cuando ambos descienden de un tronco común por línea masculina.

agnaticio, cia *adj.* Perteneciente o relativo al agnado.

agnición *s. f.* Reconocimiento de una persona en una obra dramática.

agnomento *s. m.* Cognomento.

agnominación *s. f.* Paronomasia, figura retórica.

agnosticismo *s. m.* Doctrina filosófica y teológica que declara inaccesible al conocimiento humano toda noción de lo absoluto y, especialmente, de la naturaleza y existencia de Dios, cuya existencia no niega. Reduce la ciencia al conocimiento de lo fenoménico y relativo.

agnóstico, ca *adj.* Partidario del agnosticismo.

agobiado, da *adj.* **1.** Cargado de espaldas o inclinado hacia adelante. **2.** Fatigado, rebajado, abatido.

agobiar *v. tr.* **1.** Inclinar o encorvar la parte superior del cuerpo hacia la tierra. Se usa más como prnl. **2.** *fig.* Causar gran molestia y fatiga.

agobio *s. m.* Sofocación.

agogía *s. f.* Canal o reguero por donde sale el agua de las minas.

agolar *v. tr.* Recoger velas.

agolpar *v. tr.* Juntar de golpe en un lugar.

agonal *adj.* Perteneciente o relativo a los certámenes, luchas y juegos públicos.

agonía *s. f.* Angustia y congoja del moribundo.

agónico, ca *adj.* **1.** Que se halla en la agonía. **2.** Propio de la agonía.

agonista *s. m. y s. f.* Luchador.

agonística *s. f.* **1.** Arte de los atletas. **2.** Ciencia de los combates.

agonizar *v. intr.* Luchar entre la vida y la muerte.

ágono, na *adj.* Que no tiene ángulos.

ágora *s. f.* **1.** Plaza pública en las antiguas ciudades griegas. **2.** Asamblea que se reunía en ellas.

agorafobia *s. f.* Sensación enfermiza de angustia ante los espacios despejados y extensos.

agorar *v. tr.* Predecir lo futuro.

agorero, ra *adj.* **1.** Que adivina por agüeros o cree en ellos. **2.** Que predice sin fundamento males o desdichas. **3.** Se dice del ave que, según la superstición, anuncia algún mal o suceso futuro.

agorgojarse *v. prnl.* Criar gorgojo las semillas.

agostar *v. intr.* Pastar el ganado en rastrojeras o dehesas durante el verano.

agostero *s. m.* Obrero que trabaja en las faenas de las eras durante la recolección.

agostía *s. f.* Empleo de agostero y tiempo durante el que sirve.

agosto *s. m.* Octavo mes del año.

agotador, ra *adj.* Que agota.

agotamiento *s. m.* Acción y efecto de agotar o agotarse.

agotar *v. tr.* **1.** Extraer todo el líquido que hay en un sitio. También prnl. **2.** Gastar del todo, consumir. También prnl.

agovía *s. f.* Alborga.

agra *s. f.* **1.** Madera aromática de la China. ‖ *s. m.* **2.** Insecto coleóptero del Brasil.

agracejina *s. f.* Fruto del agracejo.

agracejo *s. m.* **1.** Uva que queda muy pequeña y no llega a madurar. **2.** Arbusto berberidáceo, de flores amarillas y bayas comestibles, cuya madera se utiliza en ebanistería.

agraceño, ña *adj.* Agrio como el agraz.

agracero, ra *adj.* Se dice de la cepa o del viñedo cuyo fruto no llega a madurar. ‖ *s. f.* **2.** Vasija en que se conserva el zumo del agraz.

agraciar *v. tr.* **1.** Conceder alguna gracia o merced a alguien. ‖ *v. intr.* **2.** Agradar.

agracillo *s. m.* Agracejo, arbusto.

agradable *adj.* **1.** Que agrada. **2.** Que tiene complacencia o gusto.

agradar *v. intr.* Complacer, gustar. También prnl.

agradecer *v. tr.* Sentir gratitud.

agradecimiento *s. m.* Acción y efecto de agradecer.

agrado *s. m.* **1.** Afabilidad. **2.** Voluntad o gusto.

agrafia o agrafía *s. f.* Pérdida de la facultad de escribir, debida a lesión cerebral.

agramadera *s. f.* Máquina para agramar.

agramado *s. m.* Acción y efecto de agramar.

agramar *v. tr.* Majar el cáñamo o el lino para separar la fibra del tallo.

agramilar *v. tr.* Cortar y raspar los ladrillos para igualarlos en grueso y ancho.

agramiza *s. f.* Caña quebrantada que queda como desperdicio después de haber agramado el cáñamo o el lino.

agrandar *v. tr.* Hacer más grande alguna cosa. También prnl.

agranitar *v. tr.* Imitar al granito en el color o forma.

agranujado, da *adj.* Que tiene modales de granuja.

agrario, ria *adj.* Perteneciente o relativo al campo.

agravante *adj.* Se dice de la circunstancia legal que recarga la pena del reo.

agravar *v. tr.* **1.** Aumentar el peso de alguna cosa. **2.** Oprimir con tributos o gravámenes. || *v. prnl.* **3.** Hacerse una cosa más grave o molesta de lo que ya era.

agravatorio, ria *adj.* Se aplica al despacho judicial en que se reitera lo mandado y se compele a su ejecución.

agraviado, da *adj.* Gravioso.

agraviar *v. tr.* **1.** Hacer agravio a alguien. || *v. prnl.* **2.** Agraviarse una enfermedad.

agravio *s. m.* Ofensa que se hace a alguien en su honra o fama.

agravioso, sa *adj.* Que implica o causa agravio.

agraz *s. m.* **1.** Uva sin madurar. **2.** Zumo sacado de la uva no madura.

agrazada *s. m.* Bebida compuesta con agraz, agua y azúcar.

agrazar *v. intr.* Tener gusto agrio, saber a agraz.

agrazón *s. m.* **1.** Uva silvestre. **2.** Grosellero silvestre.

agredir *v. tr.* Acometer a alguien para matarle, herirle o hacerle algún daño. MORF. Utilizado antes como defect., el uso ha extendido su empleo a todas las formas de la conjug.

agregación *s. m.* Acción y efecto de agregar o agregarse.

agregado *s. m.* **1.** Conjunto de cosas homogéneas que forman un cuerpo. **2.** Empleado adscrito a un servicio del que no es titular.

agregar *v. tr.* Unir unas personas o cosas a otras. También prnl.

agremán *s. m.* Labor de pasamanería, en forma de cinta, usada para adornos y guarniciones.

agremiar *v. tr.* Reunir en gremio. También prnl.

agresión *s. f.* **1.** Acción y efecto de agredir. **2.** Acto contrario al derecho ajeno. **3.** Ataque armado de una nación contra otra, con violación del derecho.

agresividad *s. f.* Propensión a acometer o reñir.

agresivo, va *adj.* Propenso a ofender o provocar al prójimo.

agresor, ra *adj.* **1.** Que comete agresión. **2.** Se dice de la persona que viola o quebranta el derecho de otra. **3.** Se aplica a la persona que da motivo a una riña, injuriando, desafiando a otra de cualquier manera.

agreste *adj.* **1.** Campesino o perteneciente al campo. **2.** Áspero. **3.** Rudo, tosco.

agriar *v. tr.* **1.** Poner agria alguna cosa. Se usa más como prnl. **2.** *fig.* Exasperar.

agrícola *adj.* Concerniente a la agricultura o al que la ejerce.

agricultor, ra *s. m. y s. f.* Persona que cultiva la tierra.

agricultura *s. f.* Arte de cultivar la tierra.

agridulce *adj.* Que tiene mezcla de agrio y dulce.

agrietar *v. tr.* Abrir grietas. Se usa más como prnl.

agrifolio *s. m.* Acebo.

agrillarse *v. prnl.* Grillarse.

agrimensor, ra *s. m. y s. f.* Persona perita en agrimensura.

agrimensura *s. f.* Arte de medir tierras.

agrimonia *s. f.* Planta de la familia de las rosáceas, de hojas largas y ásperas, y flores amarillas.

agrio, gria *adj.* **1.** Ácido. **2.** Áspero, abrupto, difícilmente accesible.

agripalma *s. m.* Planta perenne, de la familia de las labiadas, indígena de España, cuadrangular en su tallo, hojas en tres lóbulos y flores purpurinas, dispuestas en verticilos en las extremidades de los ramos.

agripnia *s. f.* Insomnio.

agrisado, da *adj.* De color gris.

agro *s. m.* Campo, tierra de labranza.

agrología *s. f.* Parte de la agronomía que se ocupa del estudio del suelo en sus diversas relaciones con la vegetación.

agronomía *s. f.* Conjunto de conocimientos aplicables al cultivo de la tierra.

agrónomo, ma *s. m. y s. f.* Persona que profesa la agronomía.

agropecuario, ria *adj.* Que tiene relación con la agricultura y la ganadería.

agrostide *s. f.* Planta forrajera de la familia de las gramíneas.

agrumar *v. tr.* Hacer que se formen grumos en un líquido.

agrupación *s. f.* **1.** Acción y efecto de agrupar o agruparse. **2.** Conjunto de personas agrupadas para algún fin.

agrupamiento *s. m.* Acción y efecto de agrupar.

agrupar *v. tr.* Reunir en grupo, apiñar. También prnl.

agrura *s. f.* Sabor ácido que tienen algunas cosas.

agua *s. f.* Líquido formado por la combinación de un volumen de oxígeno y dos de hidrógeno. Es inodoro, insípido e incoloro en cantidad pequeña.

aguacal *s. m.* Lechada de cal con algo de yeso.

aguacate *s. m.* Árbol lauráceo, con hojas siempre verdes y fruto parecido a una pera grande.

aguacatillo *s. m., amer.* Árbol de América, de la familia de las lauráceas, de madera blanquecina, corteza rojiza, flores pequeñas y amarillentas, fruto negruzco cuando está maduro, que comen los cerdos.

aguacero *s. m.* **1.** Lluvia repentina, impetuosa y de corta duración. **2.** *fig.* Sucesos y cosas molestas que caen en gran cantidad y repentinamente sobre una persona.

aguacha *s. f.* Agua encharcada y corrompida.

aguachar *s. m.* **1.** Charco. ‖ *v. tr.* **2.** Enaguachar. También prnl. ‖ *v. prnl.* **3.** *Chil. y Arg.* Engordar el caballo por haber estado pastando ocioso una temporada larga.

aguacharnar *v. tr.* Enaguazar.

aguachirle *s. f., fig.* Cualquier licor sin fuerza ni sustancia.

aguacibera *s. f.* Agua con que se riega una tierra sembrada en seco.

aguada *s. f.* Sitio donde hay agua potable.

aguadero *s. m.* Abrevadero.

aguadija *s. f.* Humor que se forma en grandes llagas de color claro y parecido al agua.

aguado, da *adj.* **1.** *Ec. y Guat.* Débil, desfallecido. **2.** *Méx. y Ven.* Se dice de las frutas jugosas, pero desabridas.

aguador, ra *s. m. y s. f.* **1.** Persona encargada de llevar o vender agua. ‖ *s. m.* **2.** Cada uno de los palos o travesaños horizontales que unen los dos aros de que se compone la rueda vertical de la noria.

aguaducho *s. m.* Avenida impetuosa de agua.

aguafiestas *com.* Persona que turba cualquier diversión o regocijo.

aguafuerte *s. amb.* Lámina obtenida por el grabado al agua fuerte.

aguagoma *s. f.* Disolución de goma arábiga en agua que usan los pintores.

aguatar *v. tr.* **1.** *Arg.* Vulgarismo provincial por pelear muchos contra uno. **2.** *Col.* Acechar, esperar.

aguajaque *s. m.* Resina del hinojo de color blancuzco.

aguaje *s. m.* Creciente impetuosa del mar.

aguají *s. m.* Pez acantopterigio de los mares de las Antillas, de casi 1 m de largo, rojizo, con manchas oscuras y una sola aleta dorsal. Su carne es poco apreciada.

agualoja *s. f., amer.* Aloja.

aguamanil *s. m.* Jarro para echar agua en la palangana y para lavarse las manos.

aguamanos *s. m.* Aguamanil, jarro.

aguamar *s. m.* Medusa.

aguamarina *s. f.* Variedad de berilo, transparente, de color verde mar y muy apreciada en joyería.

aguamelado, da *adj.* Mojado o bañado con aguamiel.

aguamiel *s. f.* Agua mezclada con una porción de miel.

aguanieve *s. f.* Agua nieve.

aguanosidad *s. f.* Humor acuoso en el cuerpo.

aguanoso, sa *adj.* Lleno de agua o demasiado húmedo.

aguantable *adj.* Que se puede aguantar.

aguantaderas *s. f. pl.* Tolerancia, aguante, paciencia. De ordinario se toma en sentido despectivo.

aguantar *v. tr.* **1.** Contener. **2.** Admitir a disgusto algo molesto o desagradable. **3.** Resistir alguien con fortaleza.

aguante *s. m.* **1.** Sufrimiento, tolerancia, paciencia. **2.** Fuerza, vigor para resistir cargas físicas o morales.

aguañón *adj.* Se aplica al maestro constructor de las obras hidráulicas.

aguapé *s. m.* Camalote, planta acuática.

aguapié *s. m.* Vino muy bajo que se obtiene echando agua en el orujo pisado y apurado en el lagar.

aguar *v. tr.* **1.** Mezclar agua con vino u otro licor cualquiera. También prnl. **2.** *fig.* Turbar, interrumpir cosas agradables.

aguará *s. m.* Zorro del que hay varias especies en Argentina, Paraguay, Uruguay y Brasil.

aguardar *v. tr.* **1.** Estar esperando que llegue algo o alguien, o que suceda algo. También prnl. **2.** Tener esperanza de que llegará o sucederá algo. **3.** Estar reservado algo a una persona para lo futuro.

aguardentoso, sa *adj.* Se dice de la voz áspera y bronca.

aguardiente *s. m.* Bebida alcohólica que se obtiene por destilación del vino y de otras sustancias.

aguardo *s. m.* Sitio escondido desde el que se acecha la caza, para poder disparar sobre ella con seguridad.

aguarrás *s. m.* Esencia volátil de trementina. Se utiliza en barnices y como medicina.

aguasarse *v. prnl., Arg. y Chil.* Tomar los modales y costumbres del guaso.

aguasol *s. m.* Rabia, enfermedad del garbanzo.

aguatero, ra *s. m. y s. f., amer.* Aguador.

aguatocha *s. f.* Bomba hidráulica.

aguaturma *s. f.* Planta de la familia de las compuestas, de raíz tuberculosa, feculenta y comestible, flores redondas y amarillas, con el tallo de 2 m de largo.

aguavientos *s. m.* Planta perenne, de la familia de las labiadas, de hojas gruesas y felpudas, y flores terminales encarnadas.

aguavilla *s. f.* Gayuba.

aguaza *s. f.* **1.** Humor acuoso que se produce en algunos tumores animales. **2.** Humor que destilan algunas plantas y frutos.

aguazal *s. m.* Sitio bajo donde se detiene el agua llovediza.

aguazar *v. tr.* Encharcar.

aguazo *s. m.* Pintura hecha con colores disueltos en agua que se aplica sobre papel o tela. Se distingue de la acuarela en que el blanco se pone con el pincel.

aguazur *s. m.* Algazul.

agudeza *s. f.* Perspicacia de la vista, olfato y oído.

agudizar *v. tr.* **1.** Hacer aguda una cosa. ‖ *v. prnl.* **2.** Tomar carácter agudo una enfermedad.

agudo, da *adj.* **1.** Delgado, sutil. **2.** Se dice del corte o punta de armas, instrumentos, etc. **3.** *fig.* Sutil, perspicaz. **4.** *fig.* Se aplica al dolor vivo y muy penetrante. **5.** *fig.* Vivo, gracioso y oportuno.

agüera *s. f.* Zanja hecha para encaminar el agua de lluvia a las heredades.

agüero *s. m.* **1.** Presagio de una cosa futura. **2.** Pronóstico.

aguerrido, da *adj.* Ejercitado en la guerra.

aguerrir *v. tr.* Acostumbrar a los soldados nuevos a los peligros de la guerra. También prnl.

aguijada *s. f.* Vara larga con una punta de hierro en el extremo con la que los boyeros pican a la yunta.

aguijar *v. tr.* Picar con la aguijada u otra cosa a los bueyes, mulas, caballos, etc., para que anden aprisa.

aguijatorio, ria *adj.* Se dice del despacho que libraba el juez superior al inferior para que cumpliera lo mandado con anterioridad.

aguijón *s. m.* Punta de la aguijada.

aguijonada *s. f.* Punzada de aguijón.

aguijonear *v. tr.* Aguijar, estimular.

águila *s. f.* Ave rapaz diurna, falcónida, con pico recto en la base y corto en la punta, de vista perspicaz, fuerte musculatura y vuelo muy rápido.

aguilera *s. f.* Peña en la que anida el águila.

aguileño, ña *adj.* **1.** Se dice del rostro largo y delgado, y de la persona que lo tiene así. **2.** Perteneciente o relativo al águila.

aguilucho *s. m.* **1.** Pollo del águila. **2.** Águila bastarda.

aguín *s. m.* Arbusto conífero, de uno a 2 m de altura, con ramas entrelazadas que surgen desde la base, caídas y elevadas en la punta.

aguinaldo *s. m.* Regalo que se da en Navidad o Epifanía.

agüista *com.* Persona que acude a tomar aguas minerales.

aguja *s. f.* **1.** Barrita de metal, madera, hueso, etc., con un extremo que acaba en punta y el otro provisto de un ojo por donde se pasa un hilo, cuerda, etc., para coser, bordar o tejer. **2.** Cada uno de los dos rieles movedizos que en los ferrocarriles y tranvías sirven para que los vagones vayan por una vía determinada de entre dos o más que concurren en un punto. **3.** Obelisco. **4.** Pez teleósteo de hocico alargado en forma de aguja.

agujal *s. m.* Agujero que queda en las paredes al sacar las agujas de los tapiales.

agujerear *v. tr.* Hacer uno o varios agujeros en alguna cosa.

agujero *s. m.* **1.** Abertura hecha en una cosa. **2.** Alfiletero.

agujeta *s. f.* **1.** Correa o cinta con un herrete en cada extremo, que se utiliza para sujetar algunas prendas de vestir. **2.** Dolores que se sienten en los músculos después de algún ejercicio desacostumbrado o violento.

aguosidad *s. f.* Humor o linfa que se cría en el cuerpo y se parece, por lo suelto y claro, al agua.

aguoso, sa *adj.* Acuoso.

¡agur! *interj.* que se usa para despedirse.

agusanarse *v. prnl.* Criar gusanos alguna cosa.

agustino, na *adj.* Se aplica al religioso o religiosa de la Orden de san Agustín. También s. m. y s. f.

agutí *s. m.* Animal parecido al cobayo o conejillo de Indias, propio de América Central y del Sur, que vive en regiones de bosque.

aguzado, da *adj.* Que tiene forma aguda.

aguzanieves *s. f.* Pájaro insectívoro, de color negro, blanco y ceniciento, que vive en parajes húmedos.

aguzar *v. tr.* **1.** Hacer o sacar punta a un arma u otra cosa. **2.** *fig.* Incitar, estimular.

¡ah! *interj.* con la que se denota estados o movimientos del ánimo, en especial de sorpresa, pena, admiración, etc.

ahacado *adj.* Se dice del caballo que se parece a la jaca por la cabeza o por la alzada.

ahebrado, da *adj.* Compuesto de partes en forma de figura o de hebras.

ahechar *v. tr.* Limpiar con la criba el trigo u otras semillas.

ahecho *s. m.* Acción de ahechar.

ahelear *v. tr.* **1.** Poner una cosa amarga como hiel. **2.** Entristecer.

ahelgado, da *adj.* Helgado.

ahembrado, da *adj.* Afeminado.

aherrojar *v. tr.* **1.** Poner a alguien grilletes de hierro. **2.** *fig.* Oprimir, subyugar.

aherrumbrar *v. tr.* **1.** Dar a una cosa color o sabor de hierro. || *v. prnl.* **2.** Cubrirse de herrumbre.

ahervorarse *v. prnl.* Calentarse el trigo y otras semillas por efecto de la fermentación.

ahí *adv. l.* **1.** En ese lugar o a ese lugar. **2.** En esto o en eso.

ahidalgado, da *adj.* Se dice de la persona que muestra en todo generosidad y nobleza.

ahigadado, da *adj.* Valiente, esforzado.

ahijado, da *s. m. y s. f.* Cualquier persona respecto de sus padrinos.

ahijar *v. tr.* **1.** Adoptar el hijo ajeno. **2.** Acoger la oveja u otro animal el hijo ajeno para criarlo.

¡ahijuana! *interj., Arg. y Chil.* que expresa admiración o insulto.

ahilado, da *adj.* Se dice del viento suave y continuo.

ahilar *v. intr.* **1.** Ir en fila. || *v. prnl.* **2.** Adelgazarse por causa de enfermedad.

ahilo *s. m.* Acción y efecto de ahilar o ahilarse.

ahincado, da *adj.* Eficaz, vehemente.

ahincar *v. tr.* **1.** Instar con ahínco y eficacia. ‖ *v. prnl.* **2.** Apresurarse, darse prisa.

ahínco *s. m.* Eficacia, empeño o diligencia con que se solicita una cosa o se ejecuta.

ahitar *v. tr.* **1.** Señalar los lindes de un terreno con mojones. **2.** Causar ahíto.

ahíto, ta *adj.* **1.** Se aplica al que padece alguna indigestión. **2.** *fig.* Cansado, enfadado de alguna persona o cosa.

ahobachonado, da *adj.* Apoltronado, entregado al ocio.

ahocicar *v. intr.* Meter el buque la proa en el agua por llevar la carga mal estibada.

ahocinarse *v. prnl.* Correr los ríos por angosturas o quebraderas.

ahogadero *s. m.* Cuerda de la cabezada que ciñe el pescuezo de la caballería.

ahogado, da *adj.* Se dice de la persona que muere por falta de respiración, especialmente en el agua.

ahogamiento *s. m.* Acción y efecto de ahogar o ahogarse.

ahogar *v. tr.* Quitar la vida a alguien impidiéndole respirar. También prnl.

ahogo *s. m.* **1.** Opresión, fatiga en el pecho que impide respirar bien. **2.** *fig.* Aprieto, congoja o aflicción grande.

ahoguío *s. m.* Opresión y fatiga en el pecho, que impide respirar con libertad.

ahombrado, da *adj., fam.* Se dice de la mujer o del niño cuyos actos o cualidades se parecen a las del hombre.

ahondamiento *s. m.* Acción y efecto de ahondar.

ahondar *v. tr.* **1.** Hacer una cosa más honda. **2.** Escudriñar lo más profundo y recóndito de un asunto. También intr.

ahonde *s. m.* Acción de ahondar.

ahora *adv. t.* En este momento, en el tiempo actual o presente.

ahorcado, da *s. m. y s. f.* Persona ajusticiada en la horca.

ahorcar *v. tr.* Quitar a alguien la vida por estrangulación, colgándolo de una cuerda pasada alrededor del cuello. También prnl.

ahorita *adv. t., fam.* Ahora mismo, muy recientemente.

ahormar *v. tr.* Ajustar algo a su horma.

ahornagarse *v. prnl.* Abochornarse o abrasarse la tierra y sus frutos por el excesivo calor.

ahornar *v. tr.* **1.** Enhornar. ‖ *v. prnl.* **2.** Quemarse el pan por fuera sin cocerse bien por dentro.

ahorquillado, da *adj.* Que tiene forma de horquilla.

ahorquillar *v. tr.* **1.** Afianzar con horquillas las ramas de los árboles para evitar que se desgajen con el peso de la fruta. **2.** Dar a una cosa la figura de horquilla.

ahorrar *v. tr.* **1.** Cercenar y reservar alguna parte del gasto ordinario. También prnl. **2.** Evitar algún trabajo, riesgo, etc.

ahorrativo, va *adj.* Se dice de aquel que ahorra de su gasto más de lo debido.

ahorría *s. f.* Calidad de ahorro.

ahorro *s. m.* **1.** Acción de ahorrar. **2.** Lo que se ahorra.

ahoyar *v. intr.* Hacer hoyos.

ahuata *s. m.* Árbol de la familia de las apocináceas. Su fruto cura la mordedura de la serpiente de cascabel.

ahuate *s. m., Hond. y Méx.* Espina muy pequeña que, a modo de vello, tienen algunas plantas, como la caña de azúcar y el maíz.

ahuchar *v. tr.* Guardar en hucha.

ahuchear *v. tr., fam.* Chiflar, silbar.

ahuecador *s. m.* Miriñaque.

ahuecar *v. tr.* Poner hueca o cóncava alguna cosa.

ahuehuete *s. m.* Árbol de la familia de las cupresáceas, de casi 40 m de altura, originario de América del Norte, que, por su elegancia, se cultiva en los jardines de Europa.

ahuesado, da *adj.* Parecido al hueso en la dureza o el color.

ahuesarse *v. prnl., Chil. y Per.* Se dice del artículo de comercio que no se vende por haber pasado de moda o haberse averiado.

ahuizote *s. m.* **1.** Nombre que se aplica a un batracio que, según creencia vulgar, es animal mágico. **2.** *Amér. C.* Brujería.

ahulado *s. m., Amér. C.* Tela impermeable, untada con hule.

ahuevar *v. tr.* **1.** Dar limpidez a los vinos con claras de huevo. **2.** Dar forma de huevo a algo.

ahumado, da *adj.* **1.** Se dice de los cuerpos transparentes que tienen color sombrío. **2.** Se dice del alimento, especialmente pescado, que se ha sometido a la acción del humo para curarlo. ‖ *s. m.* **3.** Acción y efecto de ahumar.

ahumar *v. tr.* **1.** Poner al humo una cosa. ‖ *v. intr.* **2.** Echar humo. ‖ *v. prnl.* **3.** Ennegrecerse.

ahurragado, da *adj.* Aurragado.

ahusado, da *adj.* De figura de huso.

ahusarse *v. prnl.* Irse adelgazando alguna cosa en figura de huso.

ahuyentar *v. tr.* Hacer huir a alguien.

aijada *s. f.* Aguijada.

ailanto *s. m.* Árbol de la familia de las simarubáceas, originario de las Molucas, de más de 20 m de altura, de hojas compuestas y flores en panojas, verduscas y de olor desagradable. Su madera es dura y compacta.

aíllo *s. m., Bol. y Per.* Se dice de las boleadoras hechas con bolas de cobre, usadas por los indígenas.

aindamáis *adv. c.* A más, además.

aindiado, da *adj.* Que se parece en el color, facciones, costumbres, etc., a la raza india.

airado, da *adj.* Enfadado, enojado.

airampo *s. m., Arg. y Per.* Planta tintórea, especie de cacto, cuya semilla da un color carmín con el que se colorean los helados.

airar *v. tr.* Agitar, alterar violentamente.

aire *s. m.* **1.** Fluido transparente, inodoro e insípido, formado por una mezcla en cantidades diversas de oxígeno y nitrógeno principalmente, en unión de otros gases, como el argón, anhídrido carbónico, vapor de agua y corpúsculos orgánicos. **2.** *fig.* Garbo.

aireación *s. f.* Ventilación.

airear *v. tr.* Poner al aire o ventilar algo.

aireo *s. m.* Acción de airear.

airón *s. m.* **1.** Garza real. **2.** Penacho de plumas que tienen en la cabeza algunas aves. **3.** Adorno de plumas, o de cosa que procure imitarlas, en sombreros, gorras, etc., o en el tocado femenino.

airosidad *s. f.* Buen aire, garbo, especialmente en lo físico.

airoso, sa *adj.* **1.** Se aplica al tiempo o lugar donde hace mucho aire. **2.** *fig.* Garboso, gallardo.

aislacionismo *s. m.* Tendencia opuesta al intervencionismo en la política internacional.

aislado, da *adj.* Solo, suelto, individual.

aislador, ra *adj.* Se aplica a los cuerpos que interceptan el paso a la electricidad y al calor. También s. m.

aislamiento *s. m.* Incomunicación, desamparo.

aislante *adj.* Se aplica a los cuerpos que interceptan el paso a la electricidad y al calor.

aislar *v. tr.* **1.** Cercar de agua por todas partes algún sitio o lugar. **2.** Dejar una cosa sola y separada de otras. También prnl.

¡ajá! *interj. fam.* que denota complacencia o aprobación.

ajabeba *s. f.* Flauta morisca.

ajada *s. f.* Salsa de pan desleído en agua, ajos machacados y sal para preparar el pescado y otras viandas.

ajado, da *adj.* Que está deteriorado, marchitado.

ajamonarse *v. prnl., fam.* Hacerse jamona una mujer.

ajaquecarse *v. prnl.* Sentirse acometido de jaqueca.

ajar *v. tr.* **1.** Maltratar una cosa o deslucirla. También prnl. **2.** *fig.* Tratar mal de palabra a alguien para humillarle.

ajaraca *s. f.* En la ornamentación árabe y mudéjar, lazo, adorno de líneas y florones.

ajarafe *s. m.* **1.** Terreno alto y extenso. **2.** Azotea o terrado.

ajaspajas *s. f. pl., fam.* Cosa baladí, insignificante.

aje *s. m.* Achaque, enfermedad. Se usa más en pl.

ajea *s. f.* Artemisa pegajosa.

ajear *v. intr.* Repetir la perdiz su chillido típico al verse acosada.

ajebe *s. m.* Jebe.

ajedrea *s. f.* Planta de la familia de las labiadas, de unos tres dm de altura, muy olorosa, que se cultiva para adorno en los jardines y se usa en infusión como estomacal.

ajedrecista *com.* Persona diestra en el juego de ajedrez.

ajedrez *s. m.* Juego entre dos personas, cada una de las cuales dispone de 16 piezas movibles según ciertas reglas sobre un tablero de 64 escaques. El objeto del jugador es llegar a atacar, sin que el contrario tenga posibilidad de defensa o escape, la pieza más importante que es el rey.

ajedrezado, da *adj.* Que forma cuadros de colores alternados con las casillas o escaques del ajedrez.

ajenabe *s. m.* Mostaza.

ajenjo *s. m.* Planta medicinal, amarga y un poco aromática.

ajeno, na *adj.* **1.** Que pertenece a otro. **2.** *fig.* Extraño.

ajenuz *s. m.* Arañuela.

ajeo *s. m.* Acción de ajear.

ajerezado, da *v. tr.* Se aplica al vino parecido al jerez.

ajete *s. m.* **1.** Ajo tierno. **2.** Salsa con ajo.

ajetrearse *v. prnl.* Fatigarse.

ajetreo *s. m.* Acción de ajetrearse.

ají *s. m.* Variedad de pimiento muy picante.

ajiaceite *s. m.* Composición hecha de ajos machacados y aceite.

ajiaco *s. m., Amér. del S. y Cub.* Especie de olla podrida con caldo, legumbres, carne en pedazos y ají.

ajicero *s. m.* Vaso en que se pone el ají en la mesa.

ajicola *s. f.* Cola hecha de retazos de piel cocidos con ajos.

ajicomino *v. tr.* Salsa cuyos ingredientes principales son el ajo y el comino.

ajilimójili *s. m.* **1.** Especie de salsa o pebre para los guisados. || *s. m. pl.* **2.** *fam.* Revoltijo, confusión de cosas mezcladas.

ajimez *s. m.* Ventana arqueada u ojival, dividida en el centro por una columna.

ajipuerro *s. m.* Puerro silvestre.

ajironar *v. tr.* Hacer jirones.

ajo *s. m.* Planta cuyo bulbo se utiliza mucho como condimento.

ajobar *v. tr.* Llevar a cuestas; cargar con alguna cosa.

ajobilla *s. f.* Molusco lamelibranquio, muy común en los mares de España, con valvas casi triangulares y los bordes dentados.

ajobo *s. m.* Trabajo, molestia.

ajolín *s. m.* Insecto hemíptero, de unos 8 cm de largo, especie de chinche de color negro.

ajomate *s. m.* Alga pluricelular formada por filamentos muy delgados de color verde intenso. Abunda en las aguas dulces de España.

ajonje *s. m.* Sustancia viscosa que se saca de la raíz de la ajonjera.

ajonjera *s. f.* Planta perenne, de raíz fusiforme, hojas puntiagudas y espinosas, y flores amarillentas.

ajonjolí *s. m.* Planta herbácea, anual, de la familia de las pedaliáceas, de hojas pecioladas, serradas y casi triangulares, fruto elipsoidal con cuatro cápsulas y muchas semillas amarillentas, oleaginosas y comestibles. Se llama también alegría y sésamo.

ajonuez *s. m.* Salsa de ajo y nuez moscada.

ajorar *v. tr.* Llevar por fuerza gente o ganado de una parte a otra.

ajorca *s. f.* Especie de argolla de oro, plata u otro metal, que traían como adorno las mujeres en las muñecas, brazos o en la garganta de los pies.

ajordar *v. intr., Ar.* Levantar o esforzar la voz; gritar mucho hasta fatigarse o enronquecer.

ajornalar *v. tr.* Ajustar a alguien para que trabaje o sirva por un jornal. También prnl.

ajorrar *v. tr.* **1.** Remolcar, arrastrar. **2.** *P. Ric.* Molestar, atosigar.

ajotar *v. tr., Le., Sal., Amér. C. y Ant.* Hostigar.

ajote *s. m.* Escordio.

ajuar *s. m.* **1.** Conjunto de muebles, enseres y ropas de uso común en la casa. **2.** Conjunto de muebles, alhajas y ropas que aporta la mujer al matrimonio.

ajuglarado, da *adj.* Que posee las condiciones del juglar.

ajuiciar *v. tr.* Juzgar o enjuiciar.

ajustado, da *adj.* Justo, recto.

ajustador *s. m.* Jubón que se ajusta al cuerpo.

ajustar *v. tr.* **1.** Adaptar una cosa de modo que venga justo con otra. También prnl. **2.** Conformar, acomodar una cosa a otra de forma que no haya discrepancias. **3.** Arreglar, moderar, pactar. **4.** Concertar el precio de alguna cosa.

ajuste *s. m.* Medida proporcionada de las partes de alguna cosa para el efecto de ajustar o cerrar.

ajusticiado, da *s. m. y s. f.* Reo en el que se ha ejecutado ya la pena de muerte.

ajusticiar *v. tr.* Castigar al reo con pena de muerte.

al *contracc.* de la preposición *a* y el artículo *el.*

ala *s. f.* **1.** Parte del cuerpo de algunos animales, de que se sirven para volar. **2.** Tropa formada en cada uno de los extremos de un orden de batalla. **3.** Paleta de hélice.

Alá *n. p.* Nombre que dan a Dios los mahometanos y los cristianos orientales.

alabancero, ra *adj.* Lisonjero, adulador.

alabandina *s. f.* Mineral poco común, de color negro y brillo metálico, formado por el sulfuro de manganeso.

alabanza *s. f.* **1.** Acción de alabar o alabarse. **2.** Expresión o serie de expresiones con las que se alaba.

alabar *v. tr.* Elogiar, celebrar con palabras. También prnl.

alabarda *s. f.* Arma ofensiva, formada por un asta de madera y una moharra con cuchilla transversal, en figura de media luna por una parte y aguda por la otra.

alabardero *s. m.* **1.** Soldado armado de alabarda. **2.** Soldado especial del cuerpo de infantería que daba guardia de honor a los reyes de España, y cuya arma distintiva era la alabarda.

alabastrino, na *adj.* **1.** De alabastro. **2.** Semejante a él. || *s. f.* **3.** Hoja o lámina delgada de alabastro yesoso, que por su translucidez suele usarse en las claraboyas de los templos en lugar de vidrieras.

alabastro *s. m.* Mármol translúcido, generalmente con visos de colores, formado por sulfato cálcico.

álabe *s. m.* **1.** Rama de árbol combada hacia la tierra. **2.** Estera que se pone a los lados del carro.

alabear *v. tr.* **1.** Dar a una superficie la forma alabeada. || *v. prnl.* **2.** Torcerse o combarse la madera labrada.

alabeo *s. m.* Vicio que toma una tabla u otra pieza de madera al alabearse.

alabiado, da *adj.* Se aplica a la moneda o medalla que por no estar bien acuñada sale con rebabas.

alacena *s. f.* Hueco hecho en la pared, con puertas y anaqueles para guardar cosas.

alacha *s. f.* Boquerón.

alaciarse *v. prnl.* Ponerse lacio.

alaco *s. m.* **1.** *Amér. C.* Trasto. **2.** *Amér. C.* Harapo, guiñapo. **3.** *Amér. C.* Persona o animal de poco valer, escuálido.

alacrán *s. m.* Arácnido con la parte posterior del abdomen que se prolonga en forma de cola y termina en un aguijón curvo y venenoso que clava en el cuerpo de sus presas.

alacranado, da *adj., fig.* Se aplica a la persona que está inficionada de algún vicio, enfermedad o peste.

alacridad *s. f.* Alegría y presteza de ánimo para hacer algo.

aladar *s. f.* Porción de cabellos que cae sobre cada una de las sienes. Se usa más en pl.

aladierna *s. f.* Arbusto perenne, de flores blancas y fruto en baya negra y jugosa cuando está madura.

alado, da *adj.* **1.** Que tiene alas. **2.** Ligero, veloz. **3.** De figura de ala. || *s. f.* **4.** Movimiento que hacen las aves al subir y bajar rápidamente las alas.

aladrada *s. f.* En algunas partes, surco de tierra al arar.

aladrar *v. tr.* Arar.

aladrero *s. m.* Carpintero que labra las maderas para la entibación de las minas.

aladro *s. m.* Arado.

aladroque *s. m.* Boquerón.

alafia s. f., fam. Gracia, perdón.

álaga s. f. Especie de trigo que produce un grano largo y amarillento.

alagar v. tr. Llenar de lagos o charcos. También prnl.

alagartarse v. prnl., C. Ric., Guat. y Nic. Hacerse avaro u obrar con avaricia, usurear, tacañear.

alajor s. m. Tributo que se pagaba antiguamente por los solares de edificios.

alajú s. m. Pasta de almendras, nueces, piñones, pan rallado y tostado, especia fina y miel bien cocida.

alalá s. m. Canto popular de algunas provincias del norte de España.

alamar s. m. Presilla y botón.

alambicado, da adj., fig. Dado con escasez y muy poco a poco.

alambicar v. tr. **1.** Destilar. **2.** fig. Examinar atentamente alguna cosa hasta apurar su verdadero sentido o utilidad.

alambique s. m. Aparato de metal, vidrio, etc., para destilar.

alambor s. m. **1.** Falseo de una piedra o de un madero. **2.** Escarpa o declive áspero. **3.** Variedad del naranjo.

alambrada s. f. Red de alambre grueso, sujeta al suelo con piquetes.

alambrar v. tr. Cercar un lugar o terreno con alambre.

alambre s. m. Hilo tirado de cualquier metal.

alambrera s. f. Red de alambre que se pone en las ventanas y otras partes.

alameda s. f. Lugar poblado de álamos.

alamín s. m. Juez de riegos.

álamo s. m. Árbol salicáceo, propio de lugares húmedos, que se eleva a bastante altura, de hojas anchas con largos pecíolos.

alampar v. intr. **1.** Enardecer el paladar las sustancias picantes. || v. prnl. **2.** Sentir ansiedad grande por el logro de una cosa.

alamud s. m. Barra de hierro que, como pasador o cerrojo, servía para asegurar puertas o ventanas.

alancear v. tr. **1.** Dar lanzadas, herir con lanza. **2.** Zaherir.

alandrearse v. prnl. Ponerse tiesos, secos y blancos los gusanos de seda.

alangiáceo, a adj. Se dice de las plantas dicotiledóneas, de flores axilares, con hojas alternas y enteras, fruto en drupa aovada con semillas carnosas. También s. f.

alano, na adj. Se dice del perro de raza cruzada de dogo y lebrel.

alantoides adj. Se dice de una bolsa membranosa que comunica con la cavidad intestinal del embrión de los reptiles, aves y mamíferos. También s. m.

alanzar v. tr. Dar lanzadas.

alaqueca s. f. Cornalina.

alar s. m. Alero, del tejado.

alarde s. m. **1.** Ostentación y gala. **2.** Visita que a los presos hace el juez.

alardear v. intr. Hacer alarde.

alardoso, sa adj. Ostentoso.

alargadera s. f. Pieza que sirve para alargar una cosa.

alargador s. m. Pieza o instrumento que sirve para alargar.

alargamiento s. m. Acción y efecto de alargar o alargarse.

alargar v. tr. **1.** Dar a una cosa mayor longitud. **2.** Llevar los límites más allá. **3.** Hacer que una cosa dure más tiempo. También prnl. **4.** Alcanzar algo y darlo a otro que está apartado.

alarguez s. m. Nombre que se da a ciertas plantas espinosas.

alaria s. f. Chapa de hierro, con las dos puntas dobladas a escuadra, en sentido inverso. La utilizan los alfareros para pulir y hacer adornos.

alarido s. m. Grito lastimero de dolor, espanto o pena.

alarife s. m. Arquitecto o maestro de obras.

alarije adj. Se dice de una variedad de uva de color rojizo.

alarma s. f. **1.** Aviso o señal que se da para preparse a la defensa. **2.** Inquietud, susto causado por algún riesgo o mal.

alarmar v. tr. **1.** Incitar a tomar las armas. **2.** fig. Asustar. También prnl.

alarmista adj. Se dice de la persona que difunde una noticia alarmante. También com.

alaroz s. m. Larguero fijo que divide el hueco de una puerta o ventana.

alastrarse v. prnl. Pegarse el animal contra la tierra para evitar ser descubierto.

a látere loc. lat. Expresión latina con que se designa la persona que acompaña constante o frecuentemente a otra.

alaterno s. m. Aladierna.

alatinado, da adj. Dicho con pulcritud afectada o al modo latino.

alatrón s. m. Espuma de nitro.

alavesa s. f. Lanza corta usada antiguamente.

alazán, na[1] adj. Se dice del color muy parecido al de la canela.

alazán, na[2] adj. Se dice especialmente del caballo o de la yegua que tienen el pelo alazán.

alazor s. m. Planta cuyas flores, de color de azafrán, se usan para teñir, y cuyas semillas se dan a las aves para cebarlas.

alba s. f. Primera luz del día, antes de salir el Sol.

albacara *s. f.* Torreón saliente de fortaleza antigua, con salida al campo y en la que se solía guardar ganado vacuno.

albacea *com.* Persona designada por el testador o por el juez para asegurar el cumplimiento de la última voluntad del finado.

albaceazgo *s. m.* Cargo de albacea.

albacora *s. f.* Pez parecido al atún y al bonito.

albada *s. f.* Alborada o música al amanecer.

albahaca *s. f.* Planta anual de la familia de las labiadas, muy olorosa, de hojas pequeñas y verdes, y de flores blancas, algo purpúreas.

albahío *adj.* Se dice de las reses vacunas de color blanco, amarillento o pajizo.

albaida *s. f.* Planta de la familia de las papilonáceas, muy ramosa, con las hojas y las ramas blanquecinas por el tomento que las cubre, y de flores pequeñas y amarillas.

albalá *s. amb.* Carta o cédula real en la que se concedía o se proveía alguna cosa.

albanega *s. f.* **1.** Especie de cofia o red para recoger el pelo, o para cubrir la cabeza. **2.** Manga cónica, usada para cazar conejos y otros animales cuando salen de la madriguera. **3.** Enjuta de arco de forma triangular.

albañal *s. m.* Canal que da salida a las aguas inmundas.

albañil *s. m.* Maestro u oficial de albañilería.

albañilería *s. f.* **1.** Arte de construir edificios u obras en que se empleen piedra, ladrillo, cal, etc., según casos. **2.** Obra de albañilería.

albaquía *s. f.* Resto de alguna cuenta o renta que queda sin pagar.

albar *adj.* **1.** Blanco. Se aplica solo a algunas cosas. ‖ *s. m.* **2.** Terreno de secano y especialmente tierra blanquizca en altos y lomas.

albarán *s. m.* Recibo que firma el destinatario de una mercancía cuando la recibe.

albarazo *s. m.* Especie de lepra o herpes.

albarca *s. f.* Zueco.

albarda *s. f.* Pieza principal del aparejo de las caballerías de carga.

albardado, da *adj., fig.* Se dice del animal que tiene el pelo del lomo de color diferente al del resto del cuerpo.

albardán *s. m.* Bufón, truhan.

albardar *v. tr.* Enalbardar.

albardear *v. tr., Méx. y Amér. C.* Domar caballos salvajes.

albardela *s. f.* Albardilla, silla para domar potros.

albardilla *s. f.* **1.** Silla para domar potros. **2.** Lana muy tupida que las reses lanares crían a veces en el lomo.

albardín *s. m.* Mata de la familia de las gramíneas muy parecida al esparto y con las mismas aplicaciones que este.

albarejo *adj.* Candeal, dicho del pan o trigo. También *s. m.*

albareque *s. m.* Red parecida al sardinal.

albarico *adj.* Candeal. También *s. m.* y *s. f.*

albaricoque *s. m.* Fruto del albaricoquero, de sabor agradable y con hueso liso de almendra amarga.

albaricoquero *s. m.* Árbol rosáceo, de hojas brillantes y acorazonadas, flores grandes de corola blanca y cáliz rojo, cuyo fruto es el albaricoque.

albarillo *s. m.* Especie de tañido o son en compás muy acelerado, que se tocaba en la guitarra, para bailar y acompañar jácaras y romances.

albarino *s. m.* Afeite usado antiguamente por las mujeres para blanquearse el rostro.

albariza *s. f.* Laguna salobre.

albarizo, za *adj.* Blanquecino. Se aplica al terreno.

albarrada *s. f.* **1.** Pared de piedra seca. **2.** Parata sostenida por una pared de esa clase.

albarsa *s. f.* Canasta en que lleva el pescador su ropa y los utensilios de oficio.

albatoza *s. f.* Especie de embarcación pequeña y cubierta.

albatros *s. m.* Ave palmípeda, de color blanco, muy voraz y buena voladora, mayor que el ganso, con alas y cola muy largas. Vive en el océano Pacífico.

albayalde *s. m.* Carbonato básico de plomo, de color blanco, empleado en la pintura.

albazano, na *adj.* De color castaño oscuro. Se aplica comúnmente a los caballos y yeguas.

albear *v. intr.* Blanquear.

albedo *s. m.* Potencia reflectoria de un cuerpo iluminado. Se aplica especialmente a la de los astros.

albedrío *s. m.* Potestad de elegir.

albéitar *s. m.* Veterinario.

albeitería *s. f.* Veterinaria.

albeldar *v. tr.* Beldar.

albellón *s. m.* Albollón.

albenda *s. f.* Colgadura antigua de lienzo blanco con encajes, cuyas labores representaban figuras de flores y animales.

albengala *s. f.* Tejido muy fino usado por los moros en España para adornar sus turbantes.

albéntola *s. f.* Especie de red de hilo muy fino para pescar peces pequeños.

alberca *s. f.* **1.** Depósito artificial de agua. **2.** *Méx.* Piscina deportiva.

alberchiguero *s. m.* Árbol, variedad del melocotonero, cuyo fruto es el albérchigo.

albérchigo *s. m.* **1.** Fruto del alberchiguero. **2.** En algunas partes albaricoque.

albergar *v. tr.* Dar hospedaje.

albergue *s. m.* Sitio donde una persona encuentra hospedaje o resguardo.

albero, ra *adj.* **1.** Blanco. || *s. m.* **2.** Paño para secar y limpiar los platos.

albicante *adj.* Que albea.

albihar *s. m.* Manzanilla.

albillo, lla *adj.* Se dice de una uva de hollejo tierno y muy buen sabor, y del vino que se hace con ella.

albín *s. m.* Carmesí oscuro utilizado para pintar al fresco.

albinismo *s. m.* Calidad de albino.

albino, na *adj.* Se dice de los seres vivos con la piel, el pelo, el iris, etc., más o menos blancos.

albita *s. f.* Feldespato blanco formado por silicato de alúmina y sosa.

albitana *s. f.* Cerca con que los jardineros resguardan las plantas.

albo, ba *adj.* Blanco.

alboaire *s. m.* Labor de adorno con azulejos hecha en las bóvedas esféricas.

albogón *s. m.* Instrumento parecido a la gaita gallega.

albogue *s. m.* Instrumento musical pastoril de viento compuesto por dos cañas.

alboguear *v. intr.* Tocar el albogue.

albohol *s. m.* Correhuela, planta.

albollón *s. m.* Desaguadero de estanques, corrales, patios, etc.

albóndiga *s. f.* Cada una de las bolas que se hacen de carne o pescado picado muy menudo.

albor *s. m.* **1.** Luz del alba. Se usa más en pl. **2.** *fig.* Comienzo o principio de una cosa. **3.** *fig.* Infancia o juventud.

alborada *s. f.* Tiempo de amanecer.

albórbola *s. f.* Vocería o algazara. Se usa más en pl.

alborear *v. intr.* Amanecer o rayar el día.

alborga *s. f.* Calzado rústico, que se hace a manera de alpargata.

albornía *s. f.* Vasija grande de barro vidriado, de forma de taza.

albornoz *s. m.* **1.** Tela hecha con estambre muy torcido y fuerte. **2.** Especie de capa o capote con capucha.

alboronía *s. f.* Vasija grande de barro vidriado, de forma de taza.

alboroque *s. m.* Agasajo que hacen el comprador o el vendedor, o ambos, a los que intervienen en la venta.

alborotado, da *adj.* Que, por demasiada viveza, obra sin reflexión.

alborotador, ra *adj.* Que alborota. También s. m. y s. f.

alborotar *v. tr.* **1.** Inquietar, alterar. También prnl. *v. intr.* **2.** Causar alboroto.

alboroto *s. m.* **1.** Vocerío. **2.** Desorden, tumulto.

alborozado, da *adj.* Regocijado, alborotado.

alborozar *v. tr.* Causar un regocijo, placer o alegría extraordinarios. También prnl.

alborozo *s. m.* Extraordinario regocijo, placer o alegría.

albriciar *v. tr.* Dar una noticia agradable.

albricias *s. f. pl.* Regalo que se da a la persona que trae la primera noticia de una buena nueva.

albudeca *s. f.* Sandía de mala calidad.

albufera *s. f.* Laguna formada en las playas bajas por el agua del mar. Su boca está cerrada por un banco de arena.

albugíneo, a *adj.* Se dice de la membrana fibrosa, blanca y brillante que rodea el tejido propio del testículo. También s. f.

albugo *s. m.* Mancha blanca de la córnea o de las uñas.

albuhera *s. f.* Depósito artificial de agua.

álbum *s. m.* Libro en blanco para escribir en él poesías, piezas de música, etc., o coleccionar fotografías, grabados, etc.

albumen *s. m.* Tejido que en algunas semillas rodea el embrión y que está destinado a servirle de primer alimento.

albúmina *s. f.* Cualquiera de las numerosas sustancias albuminoides que forman principalmente la clara del huevo.

albuminar *v. tr.* Preparar con albúmina los papeles o placas para la fotografía.

albuminoide *s. m.* Nombre dado a muchas sustancias orgánicas nitrogenadas de composición complicada, que son constituyentes principales de la materia viva.

albuminuria *s. f.* Presencia de albúmina en la orina.

albur[1] *s. m.* Pez teleósteo de río.

albur[2] *s. m.* Contingencia a que se fía el resultado de un cometido o empresa.

albura *s. f.* **1.** Blancura perfecta. **2.** Clara de huevo.

alburno *s. m.* Capa blanda que se halla debajo de la corteza de algunos vegetales.

alcabala *s. f.* Tributo que el vendedor pagaba al fisco con el contrato de compraventa y ambos contratantes en el de permuta.

alcabalatorio, ria *adj.* Se aplica a la lista o padrón que servía para el repartimiento de las alcabalas.

alcacer *s. m.* Cebada verde y en hierba.

alcachofa *s. f.* Planta hortense con cabezuelas que forman una especie de piña y son en parte comestibles.

alcachofar *v. tr.* Poner como una alcachofa; engreír, hinchar.

alcací *s. m.* Alcaucil.

alcadafe *s. m.* Lebrillo que los taberneros ponen debajo del grifo de las botas, para que el vino que se derrame caiga en él.

alcahaz *s. m.* Jaula grande para encerrar aves.

alcahazar *v. tr.* Encerrar o guardar aves en el alcahaz.

alcahuete, ta *s. m. y s. f.* **1.** Persona que procura, encubre o facilita un amor ilícito. **2.** Persona que sirve para encubrir lo que se desea ocultar.

alcahuetería *s. f.* **1.** Oficio de alcahuete. **2.** *fig. y fam.* Encubrimiento de los actos reprobables de una persona.

alcaicería *s. f.* Lugar en que se vende la seda cruda o en rama, u otras mercaderías.

alcaide *s. m.* Hombre que tenía a su cargo la guardia y defensa de una fortaleza.

alcaldada *s. f.* Acción imprudente e inconsiderada que ejecuta un alcalde o cualquier otra persona abusando de su autoridad.

alcalde *s. m.* Hombre que preside el ayuntamiento de cada municipio.

alcaldesa *s. f.* Mujer que preside el ayuntamiento de cada municipio.

alcaldía *s. f.* **1.** Oficio o cargo de alcalde. **2.** Territorio de su jurisdicción.

alcalescencia *s. f.* Alteración de los componentes de un cuerpo orgánico, por la cual este se hace alcalino.

álcali *s. m.* Nombre dado a los óxidos metálicos que por su gran solubilidad en el agua pueden actuar como bases energéticas.

alcalificar *v. tr.* Convertir en álcali.

alcalimetría *s. f.* Procedimiento por el que se determina la cantidad de álcali que contiene una sustancia.

alcalímetro *s. m.* Instrumento usado en la alcalimetría.

alcalinidad *s. f.* Calidad de alcalino.

alcalino, na *adj.* De álcali.

alcalización *s. f.* Acción y efecto de alcalizar.

alcaller *s. m.* **1.** Alfarero. **2.** Obrador de alfarero.

alcallería *s. f.* Conjunto de vasijas de barro.

alcaloide *s. m.* Cualquiera de las sustancias nitrogenadas, de propiedades alcalinas o básicas que existen naturalmente en células vegetales, casi siempre combinados con ácidos orgánicos.

alcamar *s. m., amer.* Especie de ave de rapiña del Perú.

alcamonías *s. f. pl.* Semillas que se emplean en condimentos; como anís, alcaravea, cominos, etc.

alcaná *s. f.* Calle o sitio donde estaban las tiendas de los mercaderes.

alcance *s. m.* **1.** Seguimiento, persecución. **2.** Distancia a que llega el brazo de una persona. **3.** *fig.* Capacidad o talento. Se usa más en pl.

alcancía *s. f.* Vasija cerrada, con una hendidura por donde se echan las monedas para guardarlas.

alcándara *s. f.* Percha o varal en la que se ponían las aves de cetrería o donde se colgaba la ropa.

alcandora *s. f.* Hoguera que se utilizaba para hacer señales con el humo de su llama.

alcanfor *s. m.* Sustancia blanca, sólida, cristalina, volátil, de sabor ardiente y olor característico.

alcanforar *v. tr.* Componer o mezclar con alcanfor alguna cosa.

alcanforero *s. m.* Árbol lauráceo, de hojas alternas y coriáceas, flores pequeñas y blancas, y fruto en baya negra. De sus raíces y ramas se extrae el alcanfor.

alcántara *s. f.* En los telares de terciopelo, caja grande de madera en forma de baúl, que sirve para guardar la tela que se va labrando.

alcantarilla *s. f.* Acueducto subterráneo o sumidero.

alcantarillado *s. m.* Conjunto de alcantarillas.

alcantarillar *v. tr.* Hacer alcantarillas.

alcanzadura *s. f.* Contusión o herida que se hacen las caballerías en el pulpejo o algo más arriba de las manos.

alcanzar *v. tr.* **1.** Llegar a juntarse con una persona o cosa que va delante. **2.** *fig.* Llegar a tocar algo con la mano.

alcaparra *s. f.* **1.** Mata ramosa, de tallos tendidos y espinosos, hojas alternas y flores axilares. **2.** Botón de la flor de esta planta que se usa como condimento y como entremés.

alcaparrado, da *adj.* Aderezado con alcaparras.

alcaparrón *s. m.* Fruto de la alcaparra, que es una baya carnosa parecida en la forma a un higo pequeño.

alcaraván *s. m.* Ave zancuda, de cuello muy largo y cola pequeña, de alas blancas y negras, y cuerpo rojo.

alcaravea *s. f.* Planta umbelífera, de flores blancas, cuyas semillas tienen propiedades estomacales y sirven para condimento.

alcarraza *s. f.* Vasija de arcilla porosa poco cocida, que deja rezumar cierta cantidad de agua, cuya evaporación enfría la de dentro.

alcarria *s. f.* Terreno alto y, por lo común, raso y de poca hierba.

alcatifa *s. f.* Tapete o alfombra fina.

alcatraz *s. m.* Pelícano americano.

alcaucil *s. m.* Alcachofa silvestre.

alcaudón *s. m.* Pájaro dentirrostro, carnívoro, de alas y cola negras, manchadas de blanco, que se usó como ave de cetrería.

alcayata *s. f.* Escarpia de hierro.

alcayatar *v. tr.* Poner en los marcos y hojas de las puertas las alcayatas de las que las puertas han de colgarse.

alcazaba *s. f.* Recinto fortificado.

alcázar *s. m.* **1.** Fortaleza. **2.** Palacio real.

alcazuz *s. m.* Regaliz.

alce *s. m.* Anta, rumiante parecido al ciervo.

alcino, na *s. m.* Planta indígena de España de la familia de las labiadas, ramosa, con hojas menudas, aovadas y dentadas, flores pequeñas y de color azul violáceo, y olor desagradable.

alción *s. m.* Antozoo del grupo de los celentéreos alcionarios, de pólipos carnosos en forma digitada.

alcionio *s. m.* Colonia de antozoos parecidos a los alciones.

alcista *com.* **1.** Persona que juega al alza en la bolsa. ‖ *adj.* **2.** Perteneciente o relativo al alza de los valores en la bolsa.

alcoba *s. f.* Aposento para dormir.

alcocarra *s. f.* Gesto, coco, mueca.

alcohol *s. m.* Líquido incoloro, diáfano, inflamable y de olor fuerte, que arde con llama azulada.

alcoholado, da *adj.* Se aplica al animal que tiene el pelo de junto a los ojos más oscuro que el resto.

alcoholar *v. tr.* Obtener alcohol de una sustancia por destilación.

alcoholato *s. m.* Un compuesto cualquiera formado por la sustitución del hidrógeno del alcohol por un metal.

alcoholera *s. f.* **1.** Fábrica en que se produce el alcohol. **2.** Vasija para poner el alcohol usado como afeite por las mujeres.

alcohólico, ca *adj.* **1.** Que contiene alcohol. **2.** Referente al alcohol o producido por él. **3.** Alcoholizado.

alcoholímetro *s. m.* Areómetro que sirve para medir la cantidad de alcohol existente en un líquido.

alcoholismo *s. m.* Enfermedad ocasionada por abuso de bebidas alcohólicas.

alcoholización *s. f.* Acción y efecto de alcoholizar.

alcoholizado, da *adj.* Se dice del que por abusar de las bebidas alcohólicas padece los efectos de la saturación del organismo por alcohol.

alcoholizar *v. tr.* **1.** Echar alcohol en otro líquido. **2.** Alcoholar.

alcolla *s. f.* Ampolla grande de vidrio.

alconcilla *s. f.* Color arrebol utilizado como afeite.

alcor *s. m.* Colina o collado.

Alcorán *n. p.* Corán.

alcorcí *s. m.* Especie de joyel.

alcornoque *s. m.* Árbol cupulífero, de hoja persistente y madera muy dura, cuya corteza, gruesa y fofa, constituye el corcho.

alcorque *s. m.* Chanclo con suela de corcho.

alcorza *s. f.* Pasta muy blanca de azúcar y almidón, con la cual se suelen cubrir diversas clases de dulces y se hacen variadas figurillas.

alcorzar *v. tr.* **1.** Cubrir de alcorza. **2.** *fig.* Pulir, asear.

alcotán *s. m.* Ave rapaz diurna, semejante al halcón.

alcotana *s. f.* Herramienta de albañilería.

alcrebite *s. m.* Azufre.

alcribís *s. m.* Tobera.

alcubilla *s. f.* Arca de agua.

alcucero, ra *adj.* **1.** Golososo. ‖ *s. m. y s. f.* **2.** Persona que hace o vende alcuzas.

alcurnia *s. f.* Linaje, ascendencia.

alcuza *s. f.* Vasija para contener aceite.

alcuzada *s. f.* Porción de aceite que cabe en una alcuza.

alcuzcuz *s. m.* Pasta de harina y miel.

aldaba *s. f.* Pieza de hierro o bronce que se pone en las puertas para llamar o cerrar.

aldabada *s. f.* **1.** Golpe de aldaba. **2.** *fig.* Temor repentino.

aldabear *v. tr.* Dar aldabadas.

aldabía *s. f.* Cada uno de los maderos que sostienen la armazón de un tabique colgado.

aldea *s. f.* Pueblo de poco vecindario y sin jurisdicción propia.

aldeano, na *adj.* Natural de una aldea. También s. m. y s. f.

aldehído *s. m.* Nombre genérico de los cuerpos resultantes de la deshidrogenación de un alcohol primario.

aldorta *s. f.* Ave zancuda, que tiene en la cabeza un penacho formado de tres plumas blancas y eréctiles, de pico negro y muy largo.

ale *s. f.* Especie de cerveza fabricada en Inglaterra.

aleación *s. f.* Producto homogéneo, de propiedades metálicas, compuesto de dos o más elementos, uno de los cuales, al menos, debe ser un metal.

alear[1] *v. tr.* **1.** Mover las alas. **2.** Mover los brazos como alas.

alear[2] *v. tr.* Mezclar dos o más metales, fundiéndolos.

aleatorio, ria *adj.* Dependiente de algún suceso eventual.

alebrarse *v. prnl.* Echarse en el suelo pegándose a él como las liebres.

aleccionamiento *s. m.* Acción y efecto de aleccionar.

aleccionar *v. tr.* Dar lecciones, enseñar. También prnl.

alece *s. m.* **1.** Boquerón. **2.** Guisado del hígado del salmonete.

alechugar *v. tr.* Doblar o disponer alguna cosa en figura de hoja de lechuga.

alecrín *s. m.* Árbol de la familia de las verbenáceas de América del Sur, de madera semejante a la caoba, pero más pesada aún y de color más hermoso.

alectomancia *s. f.* Adivinación por el canto del gallo o por la piedra de su hígado.

aleda *s. f.* Cera con la que untan las abejas sus colmenas.

aledaño, ña *adj.* Lindante.

alefangina *s. f.* Píldora purgante, compuesta de varias drogas.

alefriz *s. m.* Ranura que se abre a lo largo de la quilla, roda y codaste, de un buque.

alegación *s. f.* **1.** Acción de alegar. **2.** Alegato.

alegamar *v. tr.* Abonar las tierras con légamo.

alegar *v. tr.* Citar algo que sirve de prueba o abona una pretensión.

alegato *s. m.* Escrito en que el abogado expone los fundamentos de su defensa.

alegoría *s. f.* Figura que traduce una idea a imagen poética, de manera que haya correspondencia entre los elementos del término real y los de la imagen.

alegórico, ca *adj.* Perteneciente o relativo a la alegoría.

alegorizar *v. tr.* Interpretar o dar sentido alegórico a alguna cosa.

alegrar *v. tr.* **1.** Causar alegría. **2.** *fig.* Avivar, hermosear. **3.** *fig.* Avivar la luz o el fuego. || *v. prnl.* **4.** Recibir o sentir alegría.

alegre *adj.* **1.** Que siente alegría. **2.** De colores vivos.

alegreto *adv. m.* Con movimiento menos vivo que el alegro.

alegría *s. f.* Movimiento del ánimo grato y vivo, originado generalmente por una viva satisfacción del alma.

alegro *adv. m.* Con movimiento moderadamente vivo.

alegrón *s. m., fam.* Alegría intensa y repentina.

alejado, da *adj.* Distante, lejano.

alejamiento *s. m.* Acción y efecto de alejar.

alejandrino, na *adj.* Se dice del verso de catorce sílabas.

alejar *v. tr.* Poner lejos o más lejos. También prnl.

alejur *s. m.* Alajú.

alelar *v. tr.* Poner lelo. También prnl.

alelí *s. m.* Alhelí.

aleluya *s. m.* Canto religioso de júbilo, especialmente en tiempo de Pascua.

alema *s. f.* Porción de agua de regadío que se reparte por turnos.

alenguar *v. tr.* Tratar del ajuste o arrendamiento de una dehesa.

alentada *s. f.* Respiración ininterrumpida.

alentado, da *adj.* Animoso, valiente.

alentador, ra *adj.* Que infunde aliento, ánimo.

alentar *v. intr.* **1.** Respirar. || *v. tr.* **2.** Infundir aliento, dar vigor. También prnl.

alentoso, sa *adj.* Alentado, animoso.

alepín *s. m.* Tela muy fina de lana.

alerce *s. m.* Árbol conífero, muy alto, de tronco derecho y alisado, ramas abiertas y hojas blandas, cuyo fruto es una piña menor que la del pino.

alergia *s. f.* **1.** Conjunto de fenómenos respiratorios, nerviosos o eruptivos, producidos por la absorción de ciertas sustancias que dan al organismo una sensibilidad especial ante una nueva acción de tales sustancias, aun en mínimas cantidades. **2.** Por ext., sensibilidad extremada y contraria respecto a ciertos temas, personas o cosas.

alérgico, ca *adj.* Perteneciente o relativo a la alergia.

alero *s. m.* Parte inferior del tejado, que sobresale de la pared.

alerón *s. m.* Parte movible del ala de algunos aeroplanos que permite la inclinación o el enderezamiento lateral del aparato.

alerta *adv. m.* Con vigilancia.

alertar *v. tr.* Poner alerta.

alesna *s. f.* Lezna.

alesnado, da *adj.* Puntiagudo, a manera de lezna o punta.

aleta *s. f.* Membranas externas a manera de alas que tienen los peces.

aletada *s. f.* Movimiento de las alas.

aletargamiento *s. m.* Acción y efecto de aletargar.

aletargar *v. tr.* Causar letargo.

aletazo *s. m.* Golpe de ala o de aleta.

aletear *v. intr.* Mover frecuentemente las alas sin empezar el vuelo.

aleteo *s. m.* **1.** Acción de aletear. **2.** Acción de palpitar acelerada y violentamente el corazón.

aleto *s. m.* Halieto.

aleudar *v. tr.* Leudar. También prnl.

aleurona *s. f.* Sustancia existente en algunas semillas.

aleve *s. m.* Alevoso.

alevosía *s. f.* Traición, perfidia.

alevoso, sa *adj.* Se dice del que comete alevosía. También s. m. y s. f.

alexifármaco, ca *adj.* Se dice de la sustancia o medicamento preservativo o correctivo de los efectos del veneno.

aleya *s. f.* Versículo del Alcorán.

aleznado, da *adj.* En forma de lezna.

alezo *s. m.* Pedazo de lienzo en forma de faja con que se sujeta el vientre a las recién paridas.

alfa *s. f.* Primera letra del alfabeto griego, correspondiente a la *a* de nuestro abecedario.

alfaba *s. f.* Pedazo de tierra de área variable.

alfábega *s. f.* Albahaca.

alfabético, ca *adj.* Perteneciente o relativo al alfabeto.

alfabeto *s. m.* **1.** Alfabeto. **2.** Conjunto de los símbolos empleados en un sistema de comunicación.

alfaguara *s. f.* Manantial copioso que surge con violencia.

alfajor *s. m.* **1.** Alajú. **2.** *Arg. y Chil.* Golosina compuesa de dos piezas de masa más o menos fina, adheridas una a otra con dulce de leche u otra especie de dulce. **3.** *Rep. Dom. y Ven.* Pasta hecha de harina de yuca, papelón, piña y jengibre.

alfalfa *s. f.* Mielga común que se cultiva para forraje.

alfalfar *s. m.* Tierra sembrada de alfalfa.

alfana *s. f.* Caballo corpulento, fuerte y brioso.

alfandoque *s. m., amer.* Pasta hecha con melado, queso y anís o jenjibre.

alfaneque *s. m.* Ave rapaz de plumaje oscuro, con la cola en listas de gris claro.

alfanjado, da *adj.* De figura de alfanje.

alfanje *s. m.* Sable corto, corvo y con filo solamente por un lado.

alfaque *s. m.* Banco de arena en las desembocaduras de los ríos. Se usa más en pl.

alfaqueque *s. m.* Hombre que era designado por la autoridad como redentor o liberador de cautivos o prisioneros de guerra.

alfaquí *s. m.* Doctor o sabio de la ley entre los musulmanes.

alfar *s. m.* **1.** Alfarería. **2.** Arcilla.

alfaraz *s. m.* Caballo usado por los árabes para las tropas ligeras.

alfarda[1] *s. f.* Cierta contribución que pagaban los moros y judíos en los reinos cristianos.

alfarda[2] *s. f.* Par de una armadura.

alfardilla[1] *s. f.* Cantidad corta que se paga, además de la alfarda, por la limpieza de las acequias menores.

alfardilla[2] *s. f.* Galón o trencilla de hilo de oro o plata.

alfardón *s. m.* **1.** Arandela, anillo metálico. **2.** Azulejo alargado, hexagonal, cuya parte central es un rectángulo.

alfareme *s. m.* Toca semejante al almaizar, usada por los árabes.

alfarería *s. f.* Arte de fabricar vasijas de barro.

alfarero, ra *s. m. y s. f.* Persona que fabrica vasijas de barro.

alfargo *s. m.* Viga del molino de aceite utilizada para exprimir las aceitunas.

alfarje *s. m.* **1.** Piedra inferior del molino de aceite. **2.** Pieza o sitio donde está el alfarje.

alfarjía *s. f.* Madero de sierra que se emplea para cercos de puertas y ventanas.

alfazaque *s. m.* Insecto coleóptero, parecido al escarabajo común, de color negro, con visos azulados, antenas cortas y élitros estriados. Abunda en España.

alféizar *s. m.* Vuelta que hace una pared en el corte o vuelta de una puerta o ventana.

alfeñicarse *v. prnl.* Afectar delicadeza y ternura remilgándose.

alfeñique *s. m.* Pasta de azúcar, cocida y estirada en barras delgadas y retorcidas.

alferecía *s. f.* Enfermedad de la infancia, caracterizada por convulsiones y pérdida del conocimiento.

alférez *s. m.* Oficial del Ejército en el grado y empleo inferior de la carrera.

alferraz *s. m.* Ave rapaz diurna que se empleó en la cetrería.

alfil *s. m.* Pieza del ajedrez que se mueve diagonalmente.

alfiler *s. m.* Clavillo de metal muy fino, con punta en uno de sus extremos, que sirve para prender alguna parte de los vestidos, tocados y otros adornos personales.

alfilerillo *s. m.* **1.** *Arg. y Chil.* Planta herbácea y forrajera con un apéndice en forma de alfiler en el centro de sus hojas. **2.** *Méx.* Nombre común a varias plantas de las cactáceas.

alfiletero *s. m.* Cañuto para alfileres y agujas.

alfitete *s. m.* Composición de masa, a modo de sémola.

alfolí *s. m.* **1.** Granero. **2.** Almacén de sal.

alfombra *s. f.* Tejido de lana u otras materias, con diversos dibujos y colores, con que se cubre el piso de las habitaciones, escaleras, etc.

alfombrar *v. tr.* Cubrir el suelo con alfombra.

alfombrilla *s. f.* Erupción cutánea parecida al sarampión, del que se distingue por la ausencia de síntomas catarrales.

alfóncigo *s. m.* Árbol anacardiáceo, de hojas compuestas y color verde oscuro.

alforfón *s. m.* Planta poligonácea, con tallos nudosos, hojas grandes y acorazonadas, y fruto negruzco del que se hace pan.

alforja *s. f.* Especie de talega, abierta por el centro y cerrada por los extremos, formando dos bolsas grandes, donde se pone lo que se quiere trasladar.

alforza *s. f.* Parte del vestido que se pliega en la parte inferior de una ropa talar.

alforzar *v. tr.* Hacer alforzas.

alfoz *s. amb.* **1.** Arrabal, término de algún distrito, o que depende de él. **2.** Distrito con diferentes pueblos, que forman una jurisdicción sola.

alga *s. f.* Planta talofita, unicelular o pluricelular, con tallos de figura de cintas filamentosas.

algaba *s. f.* Bosque, selva.

algaida *s. f.* Sitio o bosque lleno de matorrales.

algalia *s. f.* **1.** Sustancia untuosa de consistencia de miel, de olor fuerte y sabor acre. Se emplea en perfumería. **2.** Sonda para las operaciones de vejiga.

algaliar *v. tr.* Perfumar con algalia.

algara *s. f.* Tropa a caballo que hacía irrupciones para robar, etc., en el campo enemigo.

algarabía *s. f.* **1.** Lengua árabe. **2.** Griterío de varias personas que hablan a un tiempo.

algarada[1] *s. f.* Vocería grande causada por algún tropel de gente.

algarada[2] *s. f.* Máquina de guerra.

algarrada[1] *s. f.* Máquina de guerra usada en lo antiguo para disparar piedras.

algarrada[2] *s. f.* Fiesta en la que se echa al campo un toro para correrlo con vara larga.

algarroba *s. f.* Fruto del algarrobo, que es una vaina azucarada y comestible.

algarrobo *s. m.* Árbol leguminoso, propio de regiones templadas, de hojas persistentes, cuyo fruto es una vaina azucarada, denominada algarroba.

algavaro *s. m.* Insecto coleóptero, negro, muy común en España, con las antenas más largas que el cuerpo.

algazara *s. f.* Vocerío de una tropa, sobre todo morisca, al atacar al enemigo.

algazul *s. m.* Planta ficoidea, de hojas crasas y verde amarillentas.

álgebra *s. f.* Parte de las matemáticas que trata de la cantidad considerada en general, valiéndose para representarla de letras u otros símbolos.

algebraico, ca *adj.* Perteneciente o relativo al álgebra.

algebrista *com.* Persona que estudia, profesa o sabe el álgebra.

algente *adj., poét.* De temperatura fría.

algidez *s. f.* Frialdad glacial.

álgido, da *adj.* **1.** Muy frío. **2.** Acompañado de frío glacial. **3.** Instante o período culminante de un proceso.

algo *pron. indef.* **1.** Expresa una cosa que no se quiere o no se puede nombrar. **2.** Cantidad indeterminada. ‖ *adv. c.* **3.** Un poco, no completamente o del todo, hasta cierto punto.

algodón *s. m.* Planta vivaz, con tallos verdes al principio y rojos al tiempo de florecer. Su fruto es una cápsula con semillas envueltas en una borra muy blanca y larga.

algodonal *s. m.* Terreno poblado de plantas de algodón.

algodonar *v. tr.* Estofar o rellenar de algodón una cosa.

algodonero, ra *s. m. y s. f.* Persona que trata con algodón.

algodonosa *s. f.* Planta de la familia de las compuestas, de flores amarillas en corimbo, que se cubre de una pelusa blanca parecida al algodón. Crece espontáneamente en el litoral del Mediterráneo.

algol *s. m.* Lenguaje artificial, orientado a la resolución de problemas científicos, con el que se pueden traducir directamente los lenguajes utilizados por todas las computadoras electrónicas.

algorfa *s. f.* Sobrado, cámara alta para guardar el grano.

algorín *s. m.* Cada uno de los departamentos del molino de aceite en el que se deposita por separado la aceituna de cada uno de los cosecheros.

algoritmia *s. f.* Ciencia del cálculo aritmético y algebraico; teoría de los números.

algoritmo *s. m.* Método y notación en las diversas formas del cálculo.

alguacil *s. m.* Oficial inferior de justicia que ejecuta las órdenes del tribunal.

alguacilillo *s. m.* Jinete vestido de alguacil que en las plazas de toros precede a la cuadrilla durante el paseo y recibe del presidente la llave del toril.

alguien *pron. indef.* Persona indeterminada.

algún *adj. indef.* Apócope de alguno.

alguno, na *adj.* Se aplica indeterminadamente a una persona o cosa con respecto a varias o muchas.

alhaja *s. f.* Joya, pieza de oro o plata.

alhajar *v. tr.* **1.** Adornar con alhajas. **2.** Amueblar.

alhamega *s. f.* Alharma.

alhamí *s. m.* Poyo o banco de piedra más bajo que los ordinarios y revestido comúnmente de azulejos.

alharaca *s. f.* Demostración extraordinaria con que por ligero motivo se manifiesta la vehemencia de algún afecto. Se usa más en pl.

alharaquiento, ta *adj.* Que hace alharacas.

alhárgama *s. f.* Alharma.

alharma *s. f.* Planta rutácea, de hojas laciniadas y flores blancas, muy olorosas.

alhelí *s. m.* Planta crucífera, de flores sencillas o dobles, de varios colores y olor agradable.

alheña *s. f.* Arbusto oleáceo, de flores pequeñas y olorosas, cuyas hojas reducidas a polvo se usan para teñir.

alheñar *v. tr.* Teñir con polvos de alheña. También prnl.

alhoja *s. f.* Alondra.

alholva *s. f.* Planta de la familia de las papilionáceas, de dos a tres dm de altura, con hojas agrupadas de tres en tres, semillas amarillentas, duras y de olor desagradable.

alhóndiga *s. f.* Local público destinado para la venta, compra y depósito de granos y otros comestibles.

alhorma *s. f.* Real o campo de moros.

alhorre *s. m.* **1.** Excremento de los niños recién nacidos. **2.** Erupción cutánea de los recién nacidos; es poco duradera.

alhucema *s. f.* Espliego.

alhuceña *s. f.* Planta de la familia de las crucíferas, de hojas hendidas y vellosas, flores blancas y fruto comestible.

alhumajo *s. m.* Hojas de los pinos.

aliabierto, ta *adj.* Abierto de alas.

aliacán *s. m.* Ictericia.

aliáceo, a *adj.* Perteneciente o relativo al ajo o que tiene su olor o sabor.

aliado, da *adj.* Se dice de la persona con quien uno se ha unido y coligado. También s. m. y s. f.

alianza *s. f.* **1.** Acción de aliarse dos o más naciones, gobiernos o personas. **2.** Pacto o convención. **3.** Conexión o parentesco contraído por casamiento. **4.** Anillo de esponsales.

aliarse *v. prnl.* **1.** Unirse o coligarse los príncipes o Estados para defenderse del peligro común o para atacar. **2.** Unirse o coligarse con otro.

aliara *s. f.* Cuerna, vaso.

aliaria *s. f.* Planta de la familia de las crucíferas, de hojas acorazonadas, flores muy pequeñas en espiga terminal, con simientes que sirven para condimento. Despide un olor parecido al del ajo.

alias *adv. m.* De otro modo, por otro nombre.

aliblanca *s. f.* **1.** *Col.* Pereza, desidia, modorra. **2.** *Ant.* Especie de paloma salvaje.

alible *adj.* Capaz de nutrir o alimentar.

álica *s. f.* Puches que se hacían de varias legumbres.

alicaído, da *adj.* **1.** Caído de alas. **2.** Débil, falto de fuerzas por edad o indisposición.

alicantina *s. f., fam.* Treta, astucia con la que se procura engañar.

alicántara *s. f.* Alicante.

alicante *s. m.* Especie de víbora muy venenosa. Se cría en todo el mediodía de Europa.

alicanto *s. m.* Arbusto de América septentrional, muy cultivado en los jardines de Chile por su flor olorosa.

alicatado *s. m.* Obra de azulejos, generalmente de estilo árabe.

alicatar *v. tr.* **1.** Azulejar. **2.** Cortar o raer los azulejos para darles la forma conveniente.

alicates *s. m. pl.* Tenacillas de acero con brazos encorvados y puntas cuadrangulares, que sirven para coger objetos menudos, torcer alambres, etc.

aliciente *s. m.* Atractivo o incentivo.

alícuota *adj.* Se dice de cada una de las partes iguales de un todo.

alidada *s. f.* Regla para dirigir visuales, propia de algunos instrumentos de topografía.

alidona *s. f.* Piedra que se suponía encontrarse en el vientre de las golondrinas y es simplemente veta.

alienación *s. f.* **1.** Término genérico que comprende todos los trastornos intelectuales, temporales o permanentes. **2.** Estado de ánimo, individual o colectivo, en el que el hombre se siente ajeno a su trabajo o a su vida auténtica.

alienado, da *adj.* **1.** Loco, demente. **2.** Que no toma conciencia de su realidad y vive supeditado a una serie de normas y relaciones sociales, que le imponen otros para preservar sus intereses, considerándolas como normales.

alienar *s. m.* **1.** Enajenar. También prnl. **2.** Perder o hacer perder conciencia de la propia realidad y someter a cualquier relación social sin crítica alguna. También prnl.

alienígeno, na *adj.* **1.** Extranjero. **2.** Extraño, no natural.

alienista *adj.* Se dice del médico especialista en enfermedades mentales. También com.

aliento *s. m.* Respiración.

alifafe *s. m., fam.* Achaque leve.

aligación *s. f.* Ligazón, trabazón.

aligeramiento *s. m.* Acción y efecto de aligerar o aligerarse.

aligerar *v. tr.* **1.** Hacer ligero o menos pesado algo. También prnl. **2.** Abreviar, acelerar.

alígero, ra *adj.* **1.** Alado, que tiene alas. **2.** *fig. y poét.* Rápido, veloz.

aligustre *s. m.* Alheña.

alijar[1] *v. tr.* **1.** Descargar parcial o totalmente una embarcación. **2.** Separar la borra del algodón de sus semillas.

alijar[2] *s. m.* Terreno inculto.

alijarar *v. tr.* Repartir las tierras incultas para su cultivo.

alijo *s. m.* Conjunto de géneros de contrabando.

alimaña *s. f.* Animal peligroso para la caza menor.

alimentación *s. f.* **1.** Acción y efecto de alimentar o alimentarse. **2.** Conjunto de lo que se toma o se proporciona como alimento.

alimentador, ra *adj.* Que alimenta. También s. m. y s. f.

alimentar *v. tr.* Dar alimento. También prnl.

alimenticio, cia *adj.* **1.** Que alimenta o tiene la propiedad de alimentar. **2.** Referente a los alimentos o a la alimentación.

alimento *s. m.* La comida y bebida que el ser humano y los animales toman para subsistir.

alimoche *s. m.* Abanto.

alimón, al *loc. adv.* Se dice de cualquier cosa que realizan dos personas conjuntamente o en colaboración.

alimonarse *v. prnl.* Enfermar ciertos árboles de verdura perenne, tomando sus hojas color amarillento.

alindar *v. tr.* **1.** Señalar los lindes. || *v. intr.* **2.** Lindar.

alineación *s. f.* Acción y efecto de alinear o alinearse.

alinear *v. tr.* Poner en línea recta. También prnl.

aliñar *v. tr.* Aderezar, componer, adornar.

aliño *s. m.* **1.** Condimento con que se aderexa una comida. **2.** Limpieza de cosas y lugares y en el atuendo de las personas.

alioli *s. m.* Salsa hecha de ajos machacados y aceite.

alípede *adj., poét.* Que lleva alas en los pies.

aliquebrar *v. tr.* Quebrar las alas. También prnl.

alisaduras *s. f. pl.* Partes menudas que quedan en la madera, piedra u otra cosa que se ha alisado.

alisar[1] *s. m.* Sitio poblado de alisos.

alisar[2] *v. tr.* Poner lisa alguna cosa. También prnl.

aliseda *s. f.* Alisar.

alisios *adj. pl.* Se dice de los vientos fijos de la zona tórrida que soplan con inclinación al noreste o sureste, según el hemisferio en que dominan.

alisma *s. f.* Planta perenne alismatácea, que crece en terrenos pantanosos, con hojas acorazonadas, ovales o lanceoladas; sus flores son blanquecinas, el fruto, seco, y la semilla sin albumen.

alismáceo, a *adj.* Alismatáceo.

alismatáceo, a *adj.* Se dice de plantas angiospermas monocotiledóneas, acuáticas, por lo común perennes, con rizoma feculento, hojas radicales, flores solitarias o en umbela, racimo, verticilo o panoja, y frutos secos, con semillas sin albumen. También s. f.

aliso *s. m.* Árbol betuláceo propio de los terrenos húmedos, de tronco limpio y rollizo, corteza pardusca, copa redonda y bien poblada, flores blancas en corimbos colgantes y frutos comprimidos, pequeños y rojizos. Su madera se emplea en la construcción de instrumentos de música y otros muchos objetos.

alistamiento *s. m.* Acción y efecto de alistar o alistarse, inscribirse alguien en lista.

alistar *v. tr.* **1.** Poner en lista. También prnl. ‖ *v. prnl.* **2.** Inscribirse como soldado. ‖ *v. intr.* **3.** Espabilar alguien.

aliteración *s. f.* Repetición del mismo o de los mismos sonidos, sobre todo consonánticos, en una frase.

aliviadero *s. m.* Vertedero de aguas sobrantes embalsadas o canalizadas.

aliviar *v. tr.* Aligerar, hacer menos pesado.

alivio *s. m.* Acción y efecto de aliviar o aliviarse.

alizar *s. m.* Cinta o friso de azulejos de diferentes labores en la parte inferior de los aposentos.

alizarina *s. f.* Materia colorante que se extrae de la raíz de la rubia.

aljaba *s. f.* Caja portátil para flechas o saetas.

aljafana *s. f.* Jofaina.

aljama[1] *s. f.* **1.** Junta de moros y judíos. **2.** Morería, judería. **3.** Sinagoga.

aljama[2] *s. f.* Mezquita.

aljamía *s. f.* Nombre que daban los moros a la lengua castellana.

aljamiado, da *adj.* Escrito en aljamía.

aljecería *s. f.* Yesería.

aljerife *s. m.* Red muy grande que se usaba antiguamente para pescar.

aljez *s. m.* Mineral de yeso.

aljibe *s. m.* **1.** Cisterna. **2.** Barco en cuya bodega se lleva el agua a las embarcaciones.

aljibero *s. m.* Hombre que cuida de los aljibes.

aljofaina *s. f.* Jofaina.

aljófar *s. m.* Perla pequeña de figura irregular.

aljofarar *v. tr.* Cubrir o adornar con aljófar alguna cosa.

aljofifa *s. f.* Pedazo de paño basto de lana para fregar el suelo.

aljofifar *v. tr.* Fregar con aljofifa.

aljonjolí *s. m.* **1.** Ajonjolí. **2.** Semilla de esta planta.

aljuba *s. f.* Vestidura morisca, especie de gabán, con mangas cortas que usaron también los cristianos españoles.

allá *adv. l.* **1.** Indica lugar alejado del que habla. ‖ *adv. t.* **2.** Denota tiempo pasado o futuro.

allanamiento *s. m.* Acto de conformación con una demanda o decisión.

allanar *v. tr.* **1.** Poner llana o igual la superficie de un terreno, suelo o cualquier cosa. También prnl. e intr. **2.** *fig.* Pacificar, aquietar.

allegado, da *adj.* **1.** Cercano, próximo. **2.** Pariente. También s. m. y s. f.

allegar *v. tr.* **1.** Recoger, juntar. **2.** Arrimar, acercar una cosa a otra. También prnl.

allende *adv. l.* **1.** De la parte de allá. ‖ *adv. c.* **2.** Además.

allí *adv. l.* **1.** En aquel lugar. ‖ *adv. t.* **2.** Entonces, en tal ocasión.

alloza *s. f.* Almendruco.

allozo *s. m.* Almendro silvestre.

alma *s. f.* Sustancia espiritual e inmortal que, con el cuerpo, constituye la esencia del ser humano.

almacén *s. m.* **1.** Edificio donde se guardan géneros. **2.** Local en el que se vende al por mayor.

almacenaje *s. m.* Derecho que se paga por guardar las cosas en un almacén.

almacenamiento *s. m.* Acción de almacenar.

almacenar *v. tr.* **1.** Guardar en almacén. **2.** Reunir muchas cosas.

almacenista *com.* **1.** Dueño de un almacén. **2.** Persona que despacha los géneros que en él se venden.

almacería *s. f.* Habitación única encima de una tienda o taller, y a la que se subía por una escalerilla independiente.

almáciga[1] *s. f.* Resina amarillenta y aromática que se extrae de una variedad de lentisco.

almáciga[2] *s. f.* Lugar donde se siembran las semillas de las plantas para transplantarlas después a otro sitio.

almacigar *v. tr.* Perfumar con almáciga.

almádena *s. f.* Mazo de hierro de mango largo, para romper piedras.

almadía *s. f.* **1.** Especie de canoa usada en la India. **2.** Armadía, conjunto de maderos unidos para conducirlos flotando.

almadiar *v. tr.* Marearse. Se usa más como v. prnl.

almadraba *s. f.* Red o cerco de redes con que se pescan los atunes.

almadreña *s. f.* Calzado de madera de una pieza.

almagesto *s. m.* Libro antiguo de astronomía.

almagra *s. f.* Almagre, óxido de hierro.

almagral *s. m.* Terreno en que abunda almagre, óxido de hierro.

almagrar *v. tr.* **1.** Teñir de almagre. **2.** Mancillar.

almagre *s. m.* Óxido rojo de hierro, abundante en la naturaleza.

almajara s. f. Terreno abonado con estiércol para que germinen las semillas rápidamente.

almanaque s. m. Registro de todos los días del año, con indicaciones astronómicas, meteorológicas, etc.

almanta s. f. Porción de tierra que se señala con dos surcos grandes para dirigir la siembra.

almarada s. f. Puñal agudo de tres aristas y sin corte.

almarbatar v. tr. Ensamblar dos piezas de madera.

almarcha s. f. Población situada en vega o tierra baja.

almarjal s. m. Terreno poblado de almarjos.

almarjo s. m. Cualquiera de las plantas que dan barrilla.

almarrá s. m. Cilindro delgado de hierro utilizado para alijar el algodón oprimiéndolo contra una tabla.

almarraja s. f. Vasija de vidrio que servía para rociar o regar.

almártaga s. f. Especie de cabezada que se ponía a los caballos sobre el freno para tenerlos asidos cuando los jinetes se apeaban.

almartigón s. m. Almártaga tosca que sirve para atar las caballerías al pesebre.

almástiga s. f. Almáciga.

almatroque s. m. Red parecida al sabogal, usada antiguamente.

almazara s. f. Molino de aceite.

almea s. f. **1.** Azúmbar, planta. **2.** Corteza del estoraque después de haberse sacado la resina.

almeja s. f. Nombre que se da a varios moluscos lamelibranquios de carne comestible.

almejía s. f. Manto pequeño de tela basta, que entre los moros usaba la gente del pueblo.

almena s. f. Cada uno de los prismas que coronan los muros de las antiguas fortalezas.

almenar[1] s. m. Pie de hierro rematado en arandela erizada de púas donde se clavaban teas.

almenar[2] v. tr. Guarnecer o coronar con almenas un edificio.

almenara s. f. **1.** Fuego que se hace en las atalayas o torres en la costa o tierra adentro para dar avisos diversos. **2.** Candelero sobre el que se ponían candiles de mechas para alumbrar todo el aposento.

almendra s. f. Fruto del almendro.

almendrada s. f. Bebida compuesta de leche de almendras y azúcar.

almendrado s. m. Pasta hecha con almendras, harina y miel.

almendral s. m. Sitio poblado de almendros.

almendrar v. tr. Adornar con almendras.

almendro s. m. Árbol rosáceo, de madera dura y hojas aserradas, flores blancas o rosadas, cuyo fruto es la almendra.

almendruco s. m. Fruto del almendro, con el mesocarpio todavía verde, el endocarpio aún blando y la semilla a medio cuajarse.

almete s. m. Pieza de la armadura antigua, que cubría la cabeza.

almez s. m. Árbol ulmáceo, de copa ancha, hojas lanceoladas y dentadas de color verde oscuro, flores solitarias, cuyo fruto es la almeza.

almeza s. f. Fruto del almez.

almiar s. m. Pajar al descubierto, con un palo largo en el centro, alrededor del cual se va apretando la mies, la paja o el heno.

almíbar s. m. Azúcar disuelto en agua y cocido al fuego hasta que tome consistencia de jarabe.

almibarado, da adj. Meloso, excesivamente halagüeño y dulce.

almibarar v. tr. **1.** Cubrir con almíbar. **2.** fig. Suavizar con arte y dulzura las palabras.

almicantarat s. f. Cualquiera de los círculos de la esfera paralelos al horizonte, mediante los que se determina la altura o depresión de los astros.

almidón s. m. Fécula, especialmente la de las semillas de los cereales; es una sustancia hidrocarbonada, blanca, inodora, insípida y granular.

almidonado, da adj., fig. y fam. Se dice de la persona compuesta o ataviada con pulcritud excesiva.

almidonar v. tr. Mojar la ropa blanca en almidón desleído en agua, y a veces cocido.

almilla s. f. Especie de jubón con mangas o sin ellas, ajustado al cuerpo.

almimbar s. m. Púlpito de las mezquitas.

alminar s. m. Torre de las mezquitas, por lo común elevada y poco gruesa.

almirantazgo s. m. Alto tribunal o consejo de la Armada.

almirante s. m. El que tiene el cargo superior de la Armada, equivalente al de teniente general en el Ejército de Tierra.

almirez s. m. Mortero de metal, pequeño y portátil.

almizcate s. m. Patio entre dos fincas urbanas, para el uso común de paso, luz y agua.

almizclar v. tr. Aderezar con almizcle.

almizcle s. m. Sustancia olorífera formada de grumos secos y fáciles de aplastar, de sabor amargo, color pardo rojizo y untuosa al tacto.

almizcleño, ña adj. Que huele a almizcle.

almizclero s. m. Mamífero rumiante, sin cuernos, parecido en el tamaño y figura al cabrito; tiene en el vientre una especie de bolsa ovalada en la que segrega el almizcle. Vive en los bosques del Tíbet y del Tonquín.

almo, ma adj., poét. Criador, alimentador, vivificador.

almocadén *s. m.* En la antigua milicia, caudillo o capitán de tropa de a pie.

almocafre *s. m.* Instrumento que sirve para escardar y limpiar la tierra de malas hierbas, y para transplantar plantas pequeñas.

almocárabe *s. m.* Labor formada por la combinación geométrica de prismas acoplados, cuya parte inferior se corta en forma de superficie cóncava. Se usa como adorno en bóvedas, cornisas, etc.

almocarbe *s. m.* Almocárabe. Se usa más en pl.

almoceda *s. f., Nav.* Derecho de tomar agua por días para regar algún término.

almocrí *s. m.* Lector del Alcorán en las mezquitas.

almodón *s. m.* Harina de trigo humedecido y después molido de la que se hacía pan.

almodrote *s. m.* **1.** Salsa compuesta de aceite, ajo, queso y otras cosas parecidas, con la cual se sazonan las berenjenas. **2.** *fig. y fam.* Mezcla confusa de varias cosas o especies.

almófar *s. m.* Parte de la armadura, especie de cofia o malla, sobre la que se ponía el capacete.

almofía *s. f.* Jofaina.

almofrej *s. m.* Funda en la que se llevaba la cama de camino.

almogama *s. f.* Redel.

almogávar *s. m.* En la milicia antigua, soldado de una tropa escogida y muy diestro en la guerra, que se empleaba en hacer entradas y correrías en las tierras de los enemigos.

almogavarear *v. intr.* Hacer correrías por tierra de enemigos.

almohada *s. f.* Colchoncillo para reclinar la cabeza en la cama o para sentarse.

almohadilla *s. f.* Cojín sobre el que cosen las mujeres y que suele estar unido a la tapa de una cajita en que se guardan los avíos de coser.

almohadillar *v. tr.* Labrar los sillares de modo que tengan la almohadilla.

almohadón *s. m.* Colchoncillo a manera de almohada utilizado para recostarse, sentarse o apoyar los pies en él.

almohatre *s. m.* Sal compuesta de ácido clorhídrico y amoniaco.

almohaza *s. f.* Instrumento hecho de una chapa de hierro con cuatro o cinco serrezuelas de dientes menudos y romos, y de un mango de madera, que sirve para limpiar las caballerías.

almohazar *v. tr.* Estregar a las caballerías con la almohazas.

almojábana *s. f.* **1.** Torta de queso y harina. **2.** Especie de bollo, buñuelo o fruta de sartén.

almojarifazgo *s. m.* Derecho que se pagaba por las mercaderías que se introducían en España, o de ella salían, o por aquellas con que se comerciaba de un puerto a otro del reino.

almojarife *s. m.* Ministro real que recaudaba las rentas y derechos del rey, y guardaba el producto de ellos como tesoro real.

almojaya *s. f.* Madero cuadrado y fuerte que, asegurado en la pared, sirve para sostener andamios y para otros usos.

almona *s. f.* Pesquería o sitio donde se pescan sábalos.

almoneda *s. f.* Venta pública de bienes muebles con licitación y puja.

almonedear *v. tr.* Vender en almoneda.

almoradux *s. m.* Mejorana.

almorejo *s. m.* Planta gramínea, que crece en los campos cultivados; tiene flores en espiga, algo separadas y cubiertas de pelos.

almorí *s. m.* Masa de harina, sal, miel y otras cosas, con que se hacen tortas que se cuecen en el horno.

almorrana *s. f.* Tumorcillo sanguíneo que se forma en la parte exterior del ano o en la extremidad del intestino recto.

almorta *s. f.* Planta papilionácea con tallo herboso y ramoso, su fruto es comestible con cuatro semillas en forma de muela.

almorzada *s. f.* Porción de cualquier cosa suelta, que cabe en el hueco que se forma con las manos juntas.

almorzar *v. intr.* **1.** Tomar el almuerzo. ‖ *v. tr.* **2.** Comer en el almuerzo una cosa u otra.

almotacén *s. m.* Hombre encargado oficialmente de contrastar las pesas y medidas.

almud *s. m.* Medida de áridos.

almudada *s. f.* Espacio de tierra en el que cabe un almud.

almuecín *s. m.* Almuédano.

almuédano *s. m.* Musulmán que desde el alminar convoca en voz alta al pueblo para que acuda a la oración.

almuérdago *s. m.* Muérdago.

almuerzo *s. m.* Comida que se toma por la mañana, o durante el día, antes de la principal.

almunia *s. f.* Huerto, granja.

alnado, da *s. m. y s. f.* Hijastro.

alobunado, da *adj.* Parecido al lobo, especialmente en el color del pelo.

alocado, da *adj.* **1.** Que tiene cosas de loco o parece loco. **2.** Se dice de las acciones que revelan poca cordura.

alocar *v. tr.* Causar locura o perturbación en los sentidos.

alocución *s. f.* Discurso breve.

alodial *adj.* Se dice de los bienes libres de todo derecho o carga señorial.

alodio *s. m.* Heredad, patrimonio o cosa alodial.

áloe *s. m.* Planta con hojas largas y carnosas de las que se extrae un jugo resinoso y muy amargo empleado en medicina.

aloético, ca *adj.* Perteneciente o relativo al áloe.

aloja *s. f.* Bebida compuesta de agua, miel y especias.

alojamiento *s. m.* Lugar donde está alguien alojado o aposentado.

alojar *v. tr.* Hospedar o aposentar. También intr. y prnl.

alojero, ra *s. m. y s. f.* Persona que hace o vende aloja.

alomar *v. tr.* Arar la tierra dejando entre los surcos un espacio mayor al ordinario, de manera que quede formando lomos.

alón *s. m.* Ala entera de cualquier ave, quitadas las plumas.

alondra *s. f.* Pájaro insectívoro que anida en las mieses.

alongar *v. tr.* **1.** Alargar. **2.** Alejar. También prnl.

alópata *adj.* Que profesa la alopatía.

alopatía *s. f.* Sistema terapéutico cuyos medicamentos producen en el estado sano fenómenos diferentes de los que caracterizan las enfermedades en que se emplean.

alopecia *s. f.* Caída o pérdida del pelo.

aloque *adj.* Se aplica especialmente al vino tinto claro o a la mixtura del tinto y blanco. También s. m.

aloquecer *v. intr., Ast.* Enloquecer. También tr.

aloquín *s. m.* Cerco de piedra que se emplea en el sitio donde se cura la cera al sol, para protegerla.

alosa *s. f.* Sábalo.

alosna *s. f.* Ajenjo.

alotar *v. tr.* Arrizar.

alotropía *s. f.* Diferencia que en las propiedades físicas o químicas puede presentar un mismo cuerpo simple, debido a la distinta agrupación de los átomos que constituyen sus moléculas.

alpaca[1] *s. f.* **1.** Rumiante, variedad doméstica de la vicuña, propio de América del Sur. **2.** *fig.* Tela gruesa de algodón abrillantado.

alpaca[2] *s. f.* Metal blanco, parecido a la plata.

alpamato *s. m.* Arbusto de Argentina de la familia de las mirtáceas, de hoja aromática y medicinal, que la gente campesina usa en vez del té.

alpañata *s. f.* **1.** Tierra gredosa de color rojo. **2.** Instrumento de alfarero para pulir las piezas de barro antes de cocerlas.

alpargata *s. f.* Calzado de cáñamo, en forma de sandalia.

alpargatería *s. f.* Tienda donde se venden alpargatas.

alpargatero, ra *s. m. y s. f.* Persona que hace o vende alpargatas.

alpartaz *s. m.* Trozo de malla de acero que, pendiente del borde inferior del almete, defendía su unión con la coraza.

alpechín *s. m.* Líquido oscuro y fétido que sale de las aceitunas apiladas antes de la molienda y cuando, al extraer el aceite, se las exprime con el auxilio del agua hirviendo.

alpende *s. m.* Casilla para guardar herramientas de las obras.

alpestre *adj.* **1.** Alpino. **2.** *fig.* Montañoso, silvestre.

alpinismo *s. m.* Deporte consistente en la ascensión a los Alpes o a otras altas montañas.

alpinista *com.* Persona aficionada al alpinismo.

alpino, na *adj.* **1.** Perteneciente o relativo a los Alpes y, en general, a las montañas altas. **2.** Perteneciente o relativo al alpinismo.

alpiste *s. m.* Planta gramínea que sirve para forraje, cuyas semillas, muy pequeñas, se dan de comer a los pájaros.

alpistera *s. f.* Torta pequeña de harina, huevos y alegría.

alquequenje *s. m.* Planta solanácea, con tallo empinado y fruticoso, hojas ovaladas y puntiagudas, flores agrupadas de color blanco verdoso y fruto encarnado del tamaño de un guisante.

alquería *s. f.* Casa de labranza o granja lejos de poblado.

alquermes *s. m.* Licor de mesa, muy agradable, pero excitante.

alquez *s. m.* Medida de vino de doce cántaras.

alquibla *s. f.* Punto del horizonte o lugar de la mezquita hacia el que los musulmanes dirigen la vista cuando rezan.

alquicel *s. m.* Vestidura morisca a modo de capa y comúnmente blanca y de lana.

alquifol *s. m.* Sulfuro de plomo empleado en alfarería para el vidriado de las vasijas.

alquila *s. f.* Pieza de metal fija en el extremo de una varilla, con que en los taxis se indicaba cuándo estaban libres u ocupados.

alquilar *v. tr.* Dar o tomar alguna cosa por un tiempo determinado y mediante el pago de una cantidad convenida.

alquiler *s. m.* **1.** Acción de alquilar. **2.** Precio en que se alquila alguna cosa.

alquimia *s. f.* Preciencia, desarrollada durante la Edad Media, que trataba de buscar la clave para la interpretación del universo, a la que llamaban *piedra filosofal*.

alquimila *s. f.* Pie.

alquimista *s. m.* Hombre que profesaba la alquimia.

alquinal *s. m.* Toca o velo que usaban como adorno las mujeres.

alquitara *s. f.* Alambique.

alquitarar *v. tr.* Destilar.

alquitira *s. f.* Tragacanto.

alquitrán *s. m.* Sustancia untuosa, compuesta de resina y aceites esenciales.

alquitranar *v. tr.* Dar de alquitrán a alguna cosa.

alrededor *adv. l.* **1.** Denota la situación de personas o cosas que circundan a otras. ‖ *s. m.* **2.** Contorno de un lugar. Se usa más en pl.

alrota *s. f.* **1.** Desecho que queda de la estopa después de rastrillada. **2.** Estopa que cae del lino cuando se lo espada.

álsine *s. f.* Planta cariofilácea, con hojas pequeñas y aovadas, y flores blancas.

alta *s. f.* Orden que se comunica al enfermo para que deje el hospital, pues se le da por curado.

altabaca *s. f.* Olivarda.

altabaque *s. m.* Tabaque.

altamisa *s. f.* Artemisa.

altanería *s. f.* **1.** Caza hecha con aves de alto vuelo. **2.** *fig.* Altivez, soberbia.

altanero, ra *adj.* **1.** Se aplica al halcón y otras aves de rapiña de vuelo alto. **2.** *fig.* Altivo, soberbio.

altano *adj.* Se dice del viento que alternativarnente sopla del mar a la tierra, y viceversa. También s. m.

altar *s. m.* **1.** Monumento para ofrecer el sacrificio. **2.** Mesa para celebrar la misa.

altaricón, na *adj., Cant., Le. y Nav.* Se dice de la persona de gran estatura y corpulencia.

altavoz *s. m.* Aparato que produce en voz alta los sonidos transmitidos por medio de la electricidad.

altea *s. f.* Malvavisco.

altear *v. tr.* **1.** *Gal. y Ec.* Elevar, dar mayor altura. ‖ *v. prnl.* **2.** Elevarse, formar altura o eminencia el terreno.

alterable *adj.* Que puede alterarse.

alteración *s. f.* Acción de alterar o alterarse.

alterar *v. tr.* **1.** Cambiar la esencia o forma de una cosa. También prnl. **2.** Perturbar, trastornar, inquietar. También prnl.

altercado *s. m.* Alteración.

altercar *v. intr.* Disputar, porfiar.

álter ego *com.* Persona en quien otra tiene absoluta confianza, o que puede hacer sus veces sin restricción alguna.

alternancia *s. f.* Acción y efecto de alternar.

alternador *s. m.* Máquina dinamo eléctrica, generadora de corriente alterna. El más usado es el trifásico.

alternar *v. tr.* **1.** Variar las acciones diciendo o haciendo cosas diversas y repitiéndolas sucesivamente. ‖ *v. intr.* **2.** Sucederse unas cosas a otras repetidamente. **3.** Tener trato entre sí las personas.

alternativa *s. f.* **1.** Acción o derecho que tiene cualquier persona o comunidad para ejecutar alguna cosa o gozar de ella alternando con otra. **2.** Opción entre dos cosas.

alternativo, va *adj.* Que se dice, hace o sucede con alternación.

alterno, na *adj.* **1.** Alternativo. **2.** Se dice de las hojas de las plantas situadas a ambos lados de un tallo o rama, de manera que cada una ocupe en su lado la parte opuesta correspondiente a la que queda libre en el lado opuesto.

alteza *s. f.* **1.** Altura, elevación, sublimidad. **2.** *fig.* Tratamiento de príncipes.

altibajo *s. m.* **1.** Tela antigua, al parecer la misma que la llamada hoy terciopelo labrado. ‖ *s. m. pl.* **2.** Desigualdades o altos y bajos de un terreno.

altica *s. f.* Nombre genérico de varios insectos coleópteros perjudiciales para la agricultura.

altillo *s. m.* Cerrillo o sitio algo elevado.

altilocuencia *s. f.* Grandilocuencia.

altílocuo, cua *adj.* Grandilocuente.

altimetría *s. f.* Parte de la topografía que enseña a medir las alturas.

altímetro *adj.* **1.** Perteneciente o relativo a la altimetría. ‖ *s. m.* **2.** Instrumento destinado a medir la altura sobre el nivel del mar.

altiplanicie *s. f.* Meseta de mucha extensión y gran altitud.

altisonancia *s. f.* Calidad de altisonante.

altisonante *adj.* Altísono.

altísono, na *adj.* Altamente sonoro, de alto sonido. Se dice del lenguaje o estilo muy elevado y del escritor que emplea tal estilo.

altitonante *adj., poét.* Que truena de lo alto.

altitud *s. f.* Altura de un punto de la tierra con relación al nivel del mar.

altivecer *v. tr.* Causar altivez. También prnl.

altivez *s. f.* Orgullo, soberbia.

altiveza *s. f.* Altivez.

altivo, va *adj.* Orgulloso, soberbio.

alto, ta *adj.* Levantado, elevado sobre la tierra.

altor *s. m.* Altura, dimensión de un cuerpo perpendicular a su base.

altozano *s. m.* Cerro o monte de poca altura en terreno llano.

altramuz *s. m.* Planta papilionácea, de flores en espigas terminales, y semillas duras, redondas y achatadas, que se comen después de remojadas en agua.

altruismo *s. m.* Esmero y complacencia en el bien ajeno, aun a costa del propio, y por motivos puramente humanos.

altruista *adj.* Que profesa el altruismo. También com.

altura *s. f.* **1.** Elevación que tiene cualquier cuerpo sobre la superficie de la tierra. **2.** *fig.* Cumbre de los montes. **3.** *fig.* Dimensión de los cuerpos perpendiculares a su base.

alubia *s. f.* Judía.

aluciar *v. tr.* **1.** Dar lustre a alguna cosa material; ponerla lúcida y brillante. ‖ *v. prnl.* **2.** Pulirse, acicalarse.

alucinación *s. f.* **1.** Acción de alucinar o alucinarse. **2.** Sensación subjetiva que no va precedida de impresión en los sentidos.

alucinar *v. tr.* **1.** Engañar haciendo que se tome una cosa por otra. También prnl. ‖ *v. intr.* **2.** Confundirse, ofuscarse, desvariar.

alucón *s. m.* Especie de mochuelo.

alud *s. m.* Gran masa de nieve que se derrumba de los montes con violencia.

aluda *s. f.* Hormiga con alas.

aludel *s. m.* Cada uno de los caños de barro cocido, semejantes a una olla sin fondo, que, unidos con otros en fila, se emplean para sublimar.

aludir *v. intr.* Referirse a una persona o cosa, sin nombrarla.

alumbrado *s. m.* Conjunto de luces de un pueblo o ciudad.

alumbramiento *s. m.* **1.** Acción y efecto de alumbrar. **2.** Expulsión de la placenta y membranas después del parto.

alumbrar *v. tr.* **1.** Llenar de luz y claridad. ‖ *v. intr.* **2.** Parir la mujer.

alumbre *s. m.* Sulfato doble de alúmina y potasa: sal blanca y astringente que se encuentra en varias rocas y tierras. Se emplea mucho en el campo de la medicina y también de la industria.

alumbrera *s. f.* Mina o cantera de donde se saca el alumbre.

alúmina *s. f.* Óxido de aluminio.

aluminato *s. m.* Compuesto formado por la alúmina en combinación con ciertas bases.

aluminífero, ra *adj.* Que contiene alúmina o alumbre.

aluminio *s. m.* Metal maleable que destaca por su ligereza y resistencia a la oxidación.

aluminita *s. f.* Roca de la que se extrae el alumbre.

aluminoso, sa *adj.* Que tiene calidad o mezcla de alúmina.

alumnado *s. m.* Conjunto de alumnos de un centro docente.

alumno, na *s. m. y s. f.* Persona que asiste a un centro de enseñanza para recibir instrucción.

alunado, da *adj.* Se dice del caballo o yegua que padece algún género de constipación o encogimiento nervioso.

alunarse *v. prnl.* Pudrirse el tocino sin criar gusanos.

alunizaje *s. m.* Acción y efecto de alunizar.

alunizar *v. intr.* Posarse en la superficie de la luna un aparato astronáutico.

alusión *s. f.* **1.** Acción de aludir. **2.** Figura que consiste en aludir a una persona o cosa.

alusivo, va *adj.* Que alude o implica alusión.

alustrado, da *adj.* De color parecido al de la lutria.

alustrar *v. tr.* Lustrar, dar brillo.

aluvial *adj.* De aluvión.

aluvión *s. m.* Avenida de agua muy fuerte, inundación.

alveario *s. m.* Conducto auditivo externo donde se acumula la cerilla producida en el oído.

álveo *s. m.* Madre del río o arroyo.

alveolar *adj.* Se dice del sonido que se pronuncia acercando o aplicando la lengua a los alveolos de los incisivos superiores.

alveolo *s. m.* **1.** Celdilla del panal. **2.** Cada una de las cavidades en que están engastados los dientes.

alverja *s. f.* Arveja.

alvino, na *adj.* Perteneciente o relativo al bajo vientre.

alza *s. f.* **1.** Aumento de precio que toma alguna cosa. **2.** Regla graduada que sirve para graduar la puntería. **3.** Cada uno de los maderos que sirven para formar una presa movible.

alzacuello *s. m.* Prenda suelta del traje eclesiástico, como una especie de corbatín.

alzada *s. f.* **1.** Estatura del caballo medida desde el rodete del talón de la mano hasta la parte más elevada de la cruz. **2.** Recurso de apelación en lo gubernativo.

alzadera *s. f.* Especie de contrapeso que servía para saltar.

alzadero *s. m., Ast. y Gal.* Vasar o anaquel en cocinas y tiendas.

alzado, da *adj.* **1.** Se dice de la persona que quiebra fraudulentamente. **2.** Se dice del ajuste o precio fijado en determinada cantidad. ‖ *s. m.* **3.** Diseño que representa la fachada de un edificio. **4.** Diseño de un edificio, máquina, aparato, etc., en su proyección geométrica y vertical sin atender a la perspectiva.

alzador *s. m.* **1.** En la imprenta, pieza o sitio para alzar los impresos. **2.** Operario encargado de esto.

alzafuelles *com., fig.* Persona aduladora.

alzamiento *s. m.* **1.** Acción y efecto de alzar o alzarse. **2.** Puja llevada a cabo en la subasta. **3.** Levantamiento o rebelión.

alzapaño *s. m.* Cada una de las piezas de hierro, bronce u otra materia que sirven para tener recogida la cortina hacia los lados del balcón o puerta.

alzapié *s. m.* Lazo o artificio para prender y cazar por el pie cuadrúpedos o aves.

alzaprima *s. f.* **1.** Palanca. **2.** Pedazo de madera o metal que se pone como cuña para realzar una cosa.

alzaprimar *v. tr.* Levantar alguna cosa con la alzaprima.

alzar *v. tr.* **1.** Levantar. **2.** Elevar la hostia y el cáliz después de la consagración. También intr. ‖ *v. prnl.* **3.** Rebelarse, sublevarse.

alzo *s. m., Amér. C.* Alzado, hurto o robo.

ama *s. f.* **1.** Cabeza o señora de la casa o familia. **2.** Dueña o poseedora de alguna cosa.

amabilidad *s. f.* Calidad de amable.

amable *adj.* **1.** Digno de ser amado. **2.** Complaciente, afectuoso.

amacayo *s. m., amer.* Flor de lis, planta de la familia de las amarilidáceas.

amachetear *v. tr.* Dar machetazos.

amachinarse *v. prnl., Can., Amér. C., Col. y Méx.* Amancebarse.

amacigado, da *adj.* De color amarillo o de almáciga.

amacollar *v. intr.* Formar macolla las plantas. También prnl.

amado, da *s. m. y s. f.* Persona amada.

amador, ra *adj.* Que ama. También s. m. y s. f.

amadrigar *v. tr.* **1.** Acoger bien a uno que no lo merece. ‖ *v. prnl.* **2.** Meterse en la madriguera. **3.** No dejarse ver en público sino rara vez.

amadrinar *v. tr.* **1.** Unir dos cosas para reforzar una de ellas o para que ofrezcan mayor resistencia. **2.** Apadrinar.

amadroñado, da *adj.* Parecido al madroño.

amaestrado, da *adj.* Dispuesto con arte y astucia.

amaestramiento *s. m.* Acción y efecto de amaestrar o amaestrarse.

amaestrar *v. tr.* **1.** Adiestrar. También prnl. **2.** Domar, enseñar a los animales.

amagar *v. tr.* **1.** Dejar ver la intención o disposición de ejecutar próximamente alguna cosa. También intr. ‖ *v. intr.* **2.** Estar próximo a sobrevenir. **3.** Empezar a manifestarse algunos síntomas de ciertas enfermedades.‖ *v. prnl.* **4.** *fam.* Esconderse. También tr.

amago *s. m.* **1.** Acción de amagar. **2.** Señal o indicio de alguna cosa.

amainar *v. tr.* **1.** Recoger en todo o en parte las velas de una embarcación. ‖ *v. intr.* **2.** Aflojar, perder su fuerza el viento.

amaine *s. m.* Acción y efecto de amainar.

amaitinar *v. tr.* Observar y mirar con cuidado, acechar, espiar.

amajadar *v. tr.* Meter el ganado en el redil.

amalgama *s. f.* **1.** Aleación de mercurio con otro metal. **2.** *fig.* Unión o mezcla de cosas de naturaleza contraria o distinta.

amalgamación *s. f.* Acción y efecto de amalgamar o amalgamarse.

amalgamar *v. tr.* **1.** Combinar el mercurio con otros metales. También prnl. **2.** *fig.* Unir o mezclar cosas de naturaleza contraria o distinta. También prnl.

amamantamiento *s. m.* Acción y efecto de amamantar.

amamantar *v. tr.* Dar de mamar.

amancebamiento *s. m.* Relación sexual ilícita y habitual de hombre y mujer.

amancebarse *v. prnl.* Unirse en amancebamiento.

amancillar *v. tr.* **1.** Manchar la fama o linaje. **2.** Deslucir, afear, ajar.

amanear *v. tr.* Manear.

amanecer *v. intr.* **1.** Empezar a aparecer la luz del día. ‖ *s. m.* **2.** Tiempo durante el cual amanece.

amanecida *s. f.* Amanecer, tiempo en que amanece.

amanerado, da *adj.* Que adolece de amaneramiento.

amaneramiento *s. m.* Acción de amanerarse.

amanerarse *v. prnl.* **1.** Dar cierta afectación y monotonía el escritor, el artista, etc. a sus obras lenguaje, vestidos, etc. También tr. **2.** Adoptar una persona, por afectación, ademanes repetidos en el modo de accionar, de hablar, etc.

amanita *s. f.* Hongo semejante al agárico.

amanitina *s. f.* Sustancia especial que constituye el principio tóxico de la mayor parte de los hongos venenosos.

amanojar *v. tr.* Juntar en manojo.

amansador, ra *adj.* **1.** Que amansa. También s. m. y s. f. ‖ *s. m.* **2.** *Chil. Ec. y Méx.* Picador.

amansamiento *s. m.* Acción y efecto de amansar o amansarse.

amansar *v. tr.* Hacer manso a un animal, domesticarlo. También prnl.

amantar *v. tr., fam.* Cubrir con manta o con ropa sin ajustar.

amante *s. m. y s. f.* **1.** Persona con la que se tienen relaciones sexuales periódicas, al margen del matrimonio civil o religioso. **2.** Hombre o mujer que se aman.

amantillar *v. tr.* Halar los amantillos.

amantillo *s. m.* Cada uno de los cabos que sirven para asegurar la posición de una verga cruzada.

amanuense *com.* Persona que escribe al dictado.

amañado, da *adj.* Mañoso, hábil.

amañar *v. tr.* **1.** Componer algo mañosamente. ‖ *v. prnl.* **2.** Darse maña, acomodarse con facilidad a hacer alguna cosa.

amaño *s. m.* Disposición para hacer con maña alguna cosa.

amapola *s. f.* Planta papaverácea, de flores rojas abundante en los sembrados.

amar *v. tr.* Tener cariño o aprecio a personas, animales o cosas.

amáraco s. m. Mejorana.

amaraje s. m. Acción de amarar un avión.

amarantáceo, a adj. Se dice de las matas y arbolitos angiospermos dicotiledóneos, apétalos, de hojas alternas u opuestas, de flores diminutas dispuestas en espigas o cabezuelas terminales, y fruto en cápsulas. También s. f.

amaranto s. m. Planta amarantácea, de hojas alternas, flores en espiga aterciopelada a manera de cresta y fruto de muchas semillas negras y relucientes.

amarar v. intr. Posarse en el agua el hidroavión.

amargaleja s. f. Endrina, fruto del endrino.

amargar v. intr. **1.** Tener alguna cosa sabor desagradable al paladar, parecido al de la hiel acíbar, etc. También prnl. ‖ v. tr. **2.** fig. Causar aflicción o disgusto. También prnl.

amargo, ga adj. **1.** Que amarga. **2.** fig. Que causa aflicción o disgusto. **3.** fig. Áspero y de genio desabrido. **4.** fig. Que demuestra o implica amargura.

amargor s. m. Sabor o gusto amargo.

amarguera s. f. Planta perenne de la familia de las umbelíferas, de tallo ramoso y flores amarillas, notable porque toda ella es de sabor amargo.

amarguillo s. m. Dulce seco de pasta de almendras amargas.

amargura s. f. **1.** Amargor. **2.** Pena. **3.** Dolor.

amaricado, da adj., fam. Afeminado.

amariconado, da adj. Afeminado.

amarilidáceo, a adj. Se dice de las plantas angiospermas monocotiledóneas, vivaces, bulbosas, de flores hermafroditas y fruto comúnmente en cápsulas, con semillas de albumen carnoso, como el narciso, el nardo, etc. También s. f.

amarilídeo, a adj. Amarilidáceo.

amarilis s. f. Planta amarilidácea, bulbosa, de adorno, de hermosas flores de colores muy vivos.

amarilla s. f. **1.** fig. y fam. Moneda de oro, y en especial la onza. **2.** fig. y fam. Enfermedad del ganado lanar, que procede de la alteración del hígado.

amarillear v. intr. **1.** Tirar a amarillo. **2.** Palidecer.

amarillecer v. intr. Ponerse amarillo.

amarillento, ta adj. Que tira a amarillo.

amarillo, lla adj. De color semejante al del oro, limón, etc. También s. m.

amarinar v. tr. Marinar, acostumbrar a la vida de marino.

amariposado, da adj. De figura semejante a la de la mariposa.

amaritud s. f. Amargor.

amaro s. m. Planta de la familia de las labiadas, muy ramosa, con hojas grandes, flores en verticilo, blancas con visos morados y de olor nauseabundo. Se utiliza como tónico para las úlceras.

amaromar v. tr. Atar con maromas.

amarra s. f. Cable para asegurar la embarcación en el paraje donde da fondo.

amarraco s. m. Tanteo de cinco puntos en el juego del mus.

amarradero s. m. Sitio donde se amarran los barcos.

amarradijo s. m., Guat. y Hond. Nudo mal hecho.

amarrado, da adj., fig. y fam. Tacaño, agarrado.

amarraje s. m. Impuesto que se paga por el amarre de las naves en un puerto.

amarrar v. tr. **1.** Atar, sujetar. **2.** Sujetar el buque en el puerto o fondeadero.

amarre s. m. Acción y efecto de amarrar.

amarrido, da adj. Afligido, melancólico, triste.

amartelar v. tr. Atormentar a uno, en especial con celos.

amartillar v. tr. **1.** Martillar. **2.** Poner en el disparador un arma de fuego, como escopeta o pistola.

amarulencia s. f. Resentimiento, amargura.

amasadera s. f. Artesa en que se amasa.

amasar v. tr. Hacer masa mezclando harina, yeso, tierra, etc. con agua u otro líquido.

amasijo s. m. **1.** Porción de harina amasada para hacer pan. **2.** fig. y fam. Obra o tarea. **3.** fig. y fam. Mezcla o unión de ideas diferentes que causan confusión.

amate s. m., amer. Higuera de México. También com.

amateur adj. Aficionado, no profesional. También com.

amatista s. f. Variedad de cuarzo cristalizado de color violeta que se usa en joyería como piedra fina.

amatorio, ria adj. **1.** Relativo al amor. **2.** Que induce a amar.

amaurosis s. f. Ceguedad más o menos completa y transitoria, debida a una afección del nervio óptico o de los centros nerviosos.

amauta s. m. **1.** amer. Sabio, entre los peruanos de la antigüedad. **2.** Bol. y Per. Persona anciana y experimentada que, en las comunidades indígenas, dispone de autoridad moral y de ciertas facultades de gobierno.

amayorazgar v. tr. Vincular bienes fundando con ellos mayorazgo a favor de ciertas líneas y personas.

amayuela s. f. Almeja de mar.

amazacotado, da adj. Pesado, compuesto groseramente a manera de mazacote.

amazona s. f. Mujer de alguna de las razas guerreras que suponían los antiguos haber existido y que no admitían ningún hombre en sus filas.

amazonita s. f. Variedad de feldespato ortosa, de color verde, que se encuentra en las riberas del río Amazonas.

ambages s. m. pl. Rodeos de palabras o circunloquios.

ambagioso, sa adj. Lleno de ambigüedades, sutilezas y equívocos.

ámbar *s. m.* Resina fósil de color amarillo algo oscuro, translúcida, electrizable por fricción y susceptible del pulimento. Se emplea en cuentas de collares, boquillas para fumar, etc.

ambarino, na *adj.* Perteneciente o relativo al ámbar, o. que se le parece.

ambición *s. f.* Pasión por conseguir poder, dignidades, riquezas, etc.

ambicionar *v. tr.* Desear ardientemente una cosa.

ambicioso, sa *adj.* **1.** Que tiene ambición. **2.** Que tiene ansia o deseo vehemente de una cosa.

ambidextro, tra *adj.* Que usa igualmente de la mano izquierda que de la derecha.

ambientar *v. tr.* Dar a una cosa el ambiente adecuado al fin que se persigue.

ambiente *adj.* Lo que rodea a las personas o cosas.

ambigú *s. m.* Local de un edificio destinado a reuniones o espectáculos públicos, en el que se sirven manjares.

ambigüedad *s. f.* Calidad de ambiguo.

ambiguo, gua *adj.* **1.** Que puede entenderse de varios modos o admitir distintas interpretaciones. **2.** Incierto, dudoso.

ámbito *s. m.* Espacio comprendido dentro de determinados límites.

ambivalencia *s. f.* Carácter del que tiene dos aspectos radicalmente diferentes, aun siendo opuestos.

ambivalente *adj.* Que pertenece o tiene relación con la ambivalencia; que tiene dos valores diferentes.

amblador, ra *adj.* Se dice del animal que ambla.

amblar *v. intr.* Andar moviendo al mismo tiempo el pie y la mano de un mismo lado, en lugar de moverlos en cruz.

ambleo *s. m.* **1.** Cirio de kilogramo y medio de peso, usado en determinados servicios de Iglesia. **2.** Candelero para este cirio.

ambligonio *adj.* Se dice del triángulo obtusángulo.

ambliopía *s. f.* Debilidad o disminución de la vista, sin lesión orgánica del ojo.

ambo *s. m.* En la antigua lotería, suerte favorable para quien llevaba dos números iguales a los que salían premiados.

ambón *s. m.* Cada uno de los púlpitos que están a ambos lados del altar mayor para cantar la epístola y el evangelio.

ambos, bas *adj. pl.* El uno y el otro; los dos.

ambrosía *s. f.* Manjar o alimento de los dioses.

ambulación *s. f.* Acción de ambular.

ambulacro *s. m.* **1.** Terreno plantado de árboles con simetría. **2.** En los animales equinodermos, órganos que les sirven para la locomoción.

ambulancia *s. f.* Coche con camilla para transportar heridos y enfermos.

ambulante *adj.* Que va de un lugar a otro sin tener asiento fijo.

ambular *v. intr.* Andar, ir de una parte a otra.

ambulatorio *s. m.* Dispensario en que se presta atención médica.

ameba *s. f.* Protozoo unicelular microscópico; vive parásito o en terrenos húmedos y se mueve mediante pseudópodos.

amébido, da *adj.* Se dice del orden de protozoos rizópodos que emiten pseudópodos.

amechar *v. tr.* Poner mecha en velones, candiles, etc.

amedrentar *v. tr.* Infundir miedo, atemorizar. También prnl.

amelar *v. tr.* Fabricar las abejas su miel.

amelcochar *v. tr.* **1.** *amer.* Dar a un dulce el punto espeso de la melcocha. También prnl. ‖ *v. prnl.* **2.** *Cub.* Acaramelarse, derretirse amorosamente.

amelga *s. f.* Faja de terreno que el labrador señala en un haza para esparcir la simiente con igualdad y proporción.

amelgado, da *adj.* Se dice del sembrado que ha nacido con cierta desigualdad.

amelgar *v. tr.* Hacer surcos distanciándolos regularmente para sembrar el terreno con igualdad.

amelonado, da *adj.* **1.** De figura de melón. **2.** *fig. y fam.* Muy enamorado.

amembrillado, da *adj.* Que se parece en algo al membrillo.

amén *expr.* que se dice al final de las oraciones de la Iglesia. También s. m.

amenaza *s. f.* **1.** Acción de amenazar. **2.** Dicho o hecho con que se amenaza.

amenazar *v. tr.* Dar a entender con actos o palabras que se quiere hacer algún mal a alguien.

amenguar *v. tr.* **1.** Disminuir, menoscabar. También intr. **2.** Deshonrar, infamar.

amenidad *s. f.* Calidad de ameno.

amenizar *v. tr.* Hacer amena alguna cosa.

ameno, na *adj.* Grato, placentero, deleitable por su frondosidad y hermosura.

amenorrea *s. f.* Enfermedad que consiste en la supresión del flujo menstrual.

amentáceo, a *adj.* Se aplica a las plantas que tienen inflorescencias en amento. También s. f.

amentar *v. tr.* Atar o tirar con amiento.

amento *s. m.* Espiga articulada por su base y compuesta por muchas flores masculinas, como la del avellano.

amerarse *v. prnl.* Recalarse la humedad o introducirse el agua en una tierra, edificio, etc.

amerengado, da *adj.* **1.** Semejante al merengue. **2.** *fig.* Se dice de la persona empalagosa.

americana *s. f.* Chaqueta de hombre.

americanismo *s. m.* **1.** Giro o modo de hablar propio de los americanos y particularmente de los que hablan la lengua española. **2.** Dedicación al estudio de las cosas de América.

americanista *com.* Persona que estudia las lenguas y antigüedades de América.

amestizado, da *adj.* Que tira a mestizo, semejante a él en el color y facciones.

ametalado, da *adj.* **1.** Semejante al latón. **2.** De sonido metálico.

ametralladora *s. f.* Especie de fusil que dispara muy rápidamente gran número de proyectiles.

ametrallar *v. tr.* Disparar metralla.

ametropía *s. f.* Anomalía de refracción del ojo que da lugar a la hipermetropía, miopía y astigmatismo. Consiste en que el foco principal del sistema óptico no está colocado exactamente sobre la retina.

amezquindarse *v. prnl.* Hacerse mezquino.

amia *s. f.* Lamia, especie de tiburón.

amianto *s. m.* Mineral que se presenta en fibras blancas y flexibles, de aspecto sedoso.

amiba *s. f.* **1.** Ameba, protozoo que vive en las aguas estancadas y tierras húmedas, o parásito de otros animales. **2.** Célula libre, sin membrana de secreción, como un leucocito.

amida *s. f.* Compuesto que resulta de la sustitución del amoniaco por un radical ácido.

amiento *s. m.* Correa con que se aseguraba la celada, se ataba el zapato o se ataban las lanzas o flechas para arrojarlas.

amigable *adj.* **1.** Afable, que convida a la amistad. **2.** Dicho de cosas, amistoso. **3.** *fig.* Que tiene unión o conformidad con otra cosa.

amigar *v. tr.* Amistar. También prnl.

amígdala *s. f.* Órgano formado por la reunión de numerosos nódulos linfáticos.

amigdaláceo, a *adj.* Se dice de arbustos o árboles de la familia de las rosáceas, lisos o espinosos, hojas alternas, flores precoces, solitarias o en corimbo, y fruto drupáceo con una almendra por semilla, como el almendro. También s. f.

amigdalitis *s. f.* Inflamación de las amígdalas.

amigo, ga *adj.* Que tiene amistad.

amigote *s. m., desp.* Compañero habitual de francachelas y diversiones, poco recomendables.

amiláceo, a *adj.* Que contiene almidón.

amilanado, da *adj.* Cobarde, perezoso, flojo.

amilanar *v. tr.* **1.** *fig.* Causar tal miedo a alguien que quede aturdido y sin acción. ‖ *v. prnl.* **2.** Caer de ánimo, abatirse.

amilasa *s. f.* Fermento que convierte el almidón en azúcar.

amílico *s. m., fig.* Aguardiente o vino malo.

amillarar *v. tr.* Regular los caudales y granjerías de los vecinos de un pueblo para repartir entre ellos las contribuciones.

aminoácido *s. m.* Sustancia química orgánica en cuya composición molecular entran un grupo amínico y otro carboxílico. Un total de 20 de estas sustancias son los componentes básicos de las proteínas.

aminoración *s. f.* Minoración.

aminorar *v. tr.* Disminuir una cosa. También prnl.

amir *s. m.* Príncipe o caudillo árabe.

amistad *s. f.* **1.** Afecto personal que nace y se fortalece con el trato. **2.** Merced, favor.

amistar *v. tr.* Unir en amistad. También prnl.

amistoso, sa *adj.* Perteneciente o relativo a la amistad.

amito *s. m.* Lienzo fino, cuadrado y con una cruz en medio, que el sacerdote se pone sobre sus espaldas, debajo del alba.

amitosis *s. f.* Modalidad de división de la célula, consistente en la división del núcleo y citoplasma en dos porciones iguales.

amnesia *s. f.* Pérdida de la memoria, a consecuencia de lesiones en determinados centros de la corteza cerebral.

amnios *s. m.* Membrana que envuelve la parte dorsal del embrión de los reptiles, mamíferos y aves.

amniótico, ca *adj.* Perteneciente o relativo al amnios.

amnistía *s. f.* Olvido de los delitos políticos, otorgado por la ley ordinariamente a cuantos reos tengan responsabilidades análogas entre sí.

amnistiar *v. tr.* Conceder amnistía.

amo *s. m.* **1.** Cabeza o señor de la casa o familia. **2.** Dueño de alguna cosa.

amoblar *v. tr.* Amueblar.

amodorrado, da *adj.* Soñoliento o que tiene modorra.

amodorramiento *s. m.* Acción y efecto de amodorrarse.

amodorrarse *v. prnl.* Adormilarse.

amodorrecer *v. tr.* Modorrar, causar modorra.

amodorrido, da *adj.* Que padece modorra.

amohecer *v. tr.* Enmohecer. También prnl.

amohinar *v. tr.* Causar mohína. También prnl.

amojamar *v. tr.* Hacer mojama una cosa. También prnl.

amojonar *v. tr.* Señalar con mojones los linderos de una propiedad o de un término jurisdiccional.

amol *s. m., Guat. y Hond.* Planta sarmentosa, de la familia de las sapindáceas, que, machacada, se usa para envarbascar.

amoladera *s. f.* Piedra de afilar.

amolar *v. tr.* **1.** Sacar corte o punta a un arma o instrumento en la muela. **2.** *fig. y fam.* Molestar con pertinacia.

amoldar *v. tr.* Ajustar una cosa al molde. También *prnl.*

amole *s. m.* Nombre con que se designan en México varias plantas de diversas familias, cuyos bulbos y rizomas se usan como jabón.

amollar *v. intr.* **1.** Ceder, aflojar, desistir. **2.** En ciertos juegos de naipes, jugar una carta inferior a la que va jugada, teniendo otra superior con que poder cargar.

amollentar *v. tr.* Ablandar, hacer muelle alguna cosa.

amondongado, da *adj., fam.* Se aplica a la persona gorda, tosca y desmadejada.

amonedación *s. f.* Acción y efecto de amonedar.

amonedar *v. tr.* Reducir a moneda algún metal.

amonestación *s. f.* Acción y efecto de amonestar.

amonestar *v. tr.* Hacer presente algo para que se considere, procure o evite.

amoniacal *adj.* Perteneciente o relativo al amoniaco.

amoniaco o amoníaco *s. m.* Gas incoloro, compuesto de ázoe e hidrógeno, que, unido con el agua, sirve de base para la formación de ciertas sales.

amonita[1] *s. f.* Concha fósil en espiral, perteneciente a un cefalópodo ya extinguido.

amonita[2] *s. f.* Mezcla explosiva cuyo principal componente es el nitrato amónico.

amontar *v. tr.* **1.** Ahuyentar. ‖ *v. intr.* **2.** Huir, hacerse al monte.

amontillado *adj.* Se dice del jerez fino que se asemeja a una clase del vino de Montilla. Su color suele ser más oscuro.

amontonamiento *s. m.* Acción y etecto de amontonar o amontonarse.

amontonar *v. tr.* **1.** Poner unas cosas sobre otras sin orden. También *prnl.* **2.** Apiñar personas o animales. También *prnl.* ‖ *v. prnl.* **3.** *fig.* Amancebarse.

amor *s. m.* **1.** Afecto por el cual el ánimo busca el bien verdadero o imaginado y apetece gozarlo. **2.** Blandura, suavidad. **3.** Persona amada.

amoral *adj.* **1.** Se aplica a la persona desprovista de sentido moral. **2.** Se aplica también a las obras artísticas, en las que de propósito se prescinde de lo moral.

amoralidad *s. f.* Condición, calidad de amoral.

amoralismo *s. m.* Doctrina filosófica ideada por Stirner y Nietzsche, según la cual la moral solo existe como creencia, pero está totalmente desprovista de fundamento objetivo y universal.

amoratado, da *adj.* Que tira a morado.

amoratarse *v. prnl.* Ponerse morado.

amorcillo *s. m.* Figura de niño con que se representa a Cupido, dios mitológico del amor.

amordazamiento *s. m.* Acción y efecto de amordazar.

amordazar *v. tr.* Poner mordaza.

amorecerse *v. prnl.* Entrar en celo las ovejas.

amorfía *s. f.* **1.** Calidad de amorfo. **2.** Deformidad orgánica.

amorfo, fa *adj.* Sin forma determinada.

amorgar *v. tr.* Dar morga a los peces para atontarlos o matarlos.

amorío *s. m.* Enamoramiento.

amormado, da *adj.* Se dice de la bestia que padece muermo.

amormío *s. m.* Planta perenne de cebolla pequeña y con flores blancas.

amoroso, sa *adj.* **1.** Que siente amor. **2.** Que denota o manifiesta amor. **3.** *fig.* Blando, fácil de labrar o cultivar. **4.** *fig.* Templado, apacible.

amorrar *v. intr.* **1.** *fam.* Bajar o inclinar la cabeza. También *prnl.* **2.** Hacer que el barco cale mucho la proa.

amortajamiento *s. m.* Acción de amortajar.

amortajar *v. tr.* Poner la mortaja al difunto.

amortecer *v. tr.* **1.** Amortiguar. También *intr.* ‖ *v. prnl.* **2.** Quedar como muerto.

amortiguación *s. f.* Amortiguamiento.

amortiguador *s. m.* Resorte o mecanismo destinado a disminuir o evitar el efecto de los choques, balanceos o sacudidas bruscas, en los barómetros marinos y en las carrocerías de los automóviles.

amortiguamiento *s. m.* **1.** Acción y efecto de amortiguar o amortiguarse. **2.** Disminución progresiva de la intensidad de un fenómeno periódico.

amortiguar *v. tr.* **1.** Dejar como muerto. También *prnl.* **2.** *fig.* Templar, hacer menos vivos los dolores.

amortizable *adj.* Que puede amortizarse.

amortización *s. f.* Acción y efecto de amortizar.

amortizar *v. tr.* Redimir o extinguir el capital de un censo, préstamo u otra deuda.

amoscarse *v. prnl., fam.* Enfadarse.

amostazar *v. tr., fam.* Irritar, enojar. También *prnl.*

amotinar *v. tr.* **1.** Alzar en motín a una multitud. También *prnl.* **2.** Turbar las potencias del alma o los sentidos. También *prnl.*

amover *v. tr.* Remover.

amovible *adj.* Que puede ser quitado del lugar que ocupa, o separado del puesto o del cargo que tiene. Se dice también del cargo o beneficio del que puede ser libremente separado el que lo ocupa.

amovilidad *s. f.* Calidad de amovible.

amparar *v. tr.* Favorecer, proteger.

amparo *s. m.* Abrigo o defensa.

ampelídeo, a *adj.* Se dice de plantas del tipo de la vid.

ampelita *s. f.* Pizarra blanda, aluminosa y muy manchada de antracita. Suele usarse para hacer lápices de carpintero.

ampelografía *s. f.* Descripción de las variedades de la vid y conocimiento de los modos de cultivarlas.

ampere *s. m.* Nombre del amperio en la nomenclatura internacional.

amperímetro *s. m.* Aparato que sirve para medir el número de amperios de una corriente eléctrica.

amperio *s. m.* Unidad de intensidad de la corriente eléctrica, equivalente al paso de un culombio por segundo.

amplexicaulo, la *adj.* Se dice de los órganos que abrazan el tallo de una planta.

ampliable *adj.* Que puede ampliarse.

ampliación *s. f.* Acción y efecto de ampliar.

ampliar *v. tr.* **1.** Extender, dilatar. **2.** Reproducir una fotografía en tamaño mayor del que tenga.

amplificación *s. f.* Acción y efecto de amplificar.

amplificador, ra *adj.* **1.** Que amplifica. ‖ *s. m.* **2.** Aparato o sistema mediante el cual, utilizando energía externa, se aumenta la amplitud o intensidad de un fenómeno físico.

amplificar *v. tr.* **1.** Ampliar. **2.** Utilizar la amplificación.

amplio, plia *adj.* Extenso, espacioso.

amplitud *s. f.* Extensión, dilatación.

ampo *s. m.* **1.** Blancura resplandeciente. **2.** Copo de nieve.

ampolla *s. f.* **1.** Vejiga que se forma por la elevación de la epidermis. **2.** Vasija de vidrio o cristal, de cuello largo y angosto, y de cuerpo ancho y redondo en la parte inferior.

ampollar *v. tr.* Hacer ampollas. También prnl.

ampolleta *s. f.* Reloj de arena.

ampón, na *adj.* Amplio, ahuecado, repolludo.

ampulosidad *s. f.* Calidad de ampuloso.

ampuloso, sa *adj.* Se dice del estilo o lenguaje hinchado y redundante.

amputación *s. f.* Acción y efecto de amputar.

amputar *v. tr.* Cortar y separar enteramente del cuerpo un miembro o porción de él.

amuchachado, da *adj.* **1.** Se aplica al que en su aspecto, acciones o genio, se parece a los muchachos. **2.** Se dice también de las cosas que tienen esta semejanza.

amueblar *v. tr.* Dotar de muebles un edificio, habitación, etc.

amuelar *v. tr.* Recoger el trigo ya limpio en la era.

amugronar *v. tr.* Acodar un sarmiento para hacerle retoñar.

amujerado, da *adj.* Afeminado.

amular *v. intr.* **1.** Ser estéril. ‖ *v. prnl.* **2.** Inhabilitarse la yegua para criar, por haberla cubierto el mulo.

amuleto *s. m.* Figura a la que se le atribuye alguna virtud sobrenatural para alejar daños o peligros.

amunicionar *v. tr.* Proveer de municiones.

amura *s. f.* Parte de los costados del buque donde este se estrecha para formar la proa.

amurada *s. f.* Cada uno de los costados del buque por el interior.

amurallar *v. tr.* Murar, fortificar.

amurar *v. tr.* Tirar por la amura, sujetando con ella los puños de las velas.

amurcar *v. tr.* Dar al toro una cornada.

amurco *s. m.* Golpe que da el toro con las astas.

amurriñarse *v. prnl.* Entristecerse, acongojarse.

amusco *adj.* Musco, de color pardo oscuro.

amusgar *v. tr.* Echar hacia atrás las orejas el caballo, el toro, etc., en ademán de querer morder, embestir, etc. También intr.

amuso *s. m.* Superficie plana que lleva una rosa de los vientos.

amustiar *v. tr.* Poner mustio. También prnl.

ana *s. f.* Medida de longitud equivalente al metro, más o menos.

anabaptista *adj.* Seguidor de una secta protestante, nacida en Alemania en el s. XVI, que consideraba ineficaz el bautismo administrado antes de llegar al uso de razón. También com.

anabí *s. m.* Nabí.

anabolismo *s. m.* Fase del metabolismo en que se produce la síntesis de las materias constitutivas del protoplasma.

anacarado, da *adj.* Parecido al nácar.

anacardiáceo, a *adj.* Se dice de las plantas angiospermas dicotiledóneas, de hojas alternas y estipuladas, flores dioicas en racimos, fruto en drupa o seco, con una sola semilla.

anacardina *s. f.* Confección o preparación hecha de anacardos, a la cual se atribuía la virtud de restituir la memoria.

anacardo *s. m.* Árbol anacardiáceo, con tronco grueso, flores pequeñas, cuyo pedúnculo se hincha en forma de pera comestible, algo ácida y muy suculenta.

anaco *s. m., amer.* Tela que a modo de manteo rodean a la cintura las indias del Ecuador y Perú.

anacoluto *s. m.* Solecismo que consiste en la inconsecuencia en el régimen o construcción de una frase.

anaconda *s. f.* Serpiente americana de la familia de las boas.

anacoreta *com.* Persona que vive en lugar solitario, retirada del trato humano.

anacrónico, ca *adj.* Que adolece de anacronismo.

anacronismo *s. m.* Error que consiste en atribuir a sucesos, costumbres, etc., una fecha o época que no les corresponde.

ánade *s. m.* Pato.

anadear *v. intr.* Andar una persona, a semejanza del ánade.

anadiplosis *s. f.* Figura consistente en la repetición de la última parte de un grupo sintáctico o de un verso, al comienzo del siguiente.

anadón *s. m.* Pollo del ánade.

anaerobio, bia *adj.* Se aplica al ser que puede vivir y desarrollarse sin aire, y en especial sin oxígeno. También s. m.

anafe *s. m.* Hornillo portátil de hierro, barro, etc.

anafilaxia *s. f.* Impresionabilidad excesiva de algunas personas a la acción de ciertas sustancias alimenticias o medicamentosas.

anafilaxis *s. f.* Anafilaxia.

anáfora *s. f.* Repetición de la misma palabra al principio de una frase.

anafrodisia *s. f.* Disminución o falta del apetito venéreo.

anafrodita *adj.* Se dice de la persona que por temperamento o virtud se abstiene de placeres sensuales. También com.

anaglífico, ca *adj.* Que tiene relieve abultado.

anaglifo *s. m.* Vaso u obra tallada, de relieve abultado.

anagnórisis *s. f., poét.* Agnición.

anagoge *s. f.* Anagogía.

anagogía *s. f.* **1.** Sentido místico de la Sagrada Escritura, encaminado a dar idea de la bienaventuranza eterna. **2.** Elevación y enajenamiento del alma en la contemplación de las cosas divinas.

anagrama *s. m.* Transformación de una palabra o sentencia en otra por medio de la transposición de sus letras.

anagramatista *com.* Persona que encubre su nombre bajo un seudónimo anagramático.

anal *adj.* Perteneciente o relativo al ano.

analectas *s. f. pl.* Florilegio.

analepsia *s. f.* Convalecencia.

analéptico, ca *adj.* Se dice del régimen alimenticio que tiene por objeto restablecer las fuerzas.

anales *s. m. pl.* Relaciones de sucesos por años.

analfabetismo *s. m.* Falta de instrucción elemental en un país.

analfabeto, ta *adj.* Que no sabe leer.

analgesia *s. f.* Falta o supresión de toda sensación dolorosa, sea natural o provocada.

analgésico, ca *adj.* **1.** Perteneciente o relativo a la analgesia. || *s. m.* **2.** Medicamento o droga que produce analgesia.

análisis *s. m.* **1.** Distinción o separación de las partes de un todo. **2.** Examen químico o bacteriológico de los humores, secreciones o tejidos con un fin diagnóstico.

analista[1] *com.* Autor de anales.

analista[2] *com.* **1.** Persona que hace los análisis químicos o médicos. **2.** Persona que se dedica al estudio del análisis matemático.

analítico, ca *adj.* **1.** Perteneciente o relativo al análisis. **2.** Que procede descomponiendo, o que pasa del todo a las partes.

analizar *v. tr.* Hacer análisis de alguna cosa.

analogía *s. f.* Relación de semejanza entre dos o varias cosas.

análogo, ga *adj.* Que tiene analogía con otra cosa.

anamorfosis *s. f.* Pintura o dibujo que ofrece a la vista, en dependencia del ángulo de visión, una imagen deforme y confusa o regular y acabada.

anamú *s. m., Cub. P. Ric. y Ven.* Planta silvestre de las fitolacáceas, con flores blancas de ocho estambres alargados. La planta huele a ajo, como la leche de las vacas que la comen.

ananás *s. m.* Planta exótica de hojas glaucas, espinosas, flores de color morado, y fruto grande en forma de piña, carnoso y amarillento.

anapelo *s. m.* Acónito.

anapéstico, ca *adj.* Perteneciente o relativo al anapesto.

anapesto *s. m.* Pie de las métricas griega y latina formado por tres sílabas: dos primeras breves y la tercera larga.

anaquel *s. m.* Cada una de las tablas puestas horizontalmente en los muros, o en armarios, alacenas, etc., para colocar sobre ellas libros, piezas de vajilla, etc.

anaranjado, da *adj.* De color semejante al de la naranja.

anarquía *s. f.* **1.** Ausencia de todo gobierno y autoridad en un Estado. **2.** *fig.* Desorden, confusión.

anárquico, ca *adj.* Perteneciente o relativo a la anarquía.

anarquismo *s. m.* Doctrina política que defiende como meta de la evolución humana una sociedad sin Estado, en la cual la equidad sería la ley única para el ser humano.

anarquista *com.* Persona que profesa el anarquismo.

anarquizar *v. intr.* Propagar el anarquismo.

anasarca *s. f.* Hidropesía general del tejido celular.

anascote *s. m.* Tela de lana, asargada por ambos lados, que usan para sus hábitos varias órdenes religiosas.

anastasia *s. f.* Artemisa.

anastigmático, ca *adj.* Se dice de los objetivos aplanéticos en los que se ha corregido esmeradamente el astigmatismo.

anastosmosis *s. f.* Unión de unos elementos anatómicos con otros de la misma planta o del mismo animal.

anástrofe *s. f.* Posposición de la preposición al sustantivo que rige.

anata *s. f.* Renta, frutos o emolumentos que produce en un año cualquier beneficio o empleo.

anatema *s. amb.* **1.** Excomunión. **2.** Maldición, imprecación.

anatematizar *v. tr.* Imponer el anatema.

anatomía *s. f.* Ciencia que trata de la estructura, número, situación y relaciones de las diferentes partes del cuerpo de los animales o de las plantas.

anatómico, ca *adj.* Se dice de cualquier objeto construido para que se adapte o ajuste perfectamente al cuerpo humano o a alguna de sus partes.

anatomizar *v. tr.* Hacer o ejecutar la anatomía de algún cuerpo.

anay *s. m.* Comején.

anca *s. f.* Cada una de las dos mitades laterales de la parte posterior de algunos animales.

ancado, da *adj.* Se dice de la caballería que tiene encorvado hacia adelante el menudillo de las patas traseras.

ancestral *adj.* **1.** Perteneciente o relativo a los antepasados remotos o procedente de ellos. **2.** Tradicional y de origen remoto.

ancestro *s. m.* Antepasado.

anchar *v. tr., fam.* Ensanchar. También prnl.

ancheta *s. f.* Negocio generalmente pequeño o malo.

anchicorto, ta *adj.* Ancho y corto.

ancho, cha *adj.* Holgado.

anchoa *s. f.* El boquerón, desangrado y curado en salmuera.

anchura *s. f.* **1.** Latitud. **2.** *fig.* Libertad, desenvoltura.

anchuroso, sa *adj.* Muy espacioso.

ancianidad *s. f.* Último periodo de la vida ordinaria del hombre.

anciano, na *adj.* Se dice de la persona que tiene muchos años. También s. m. y s. f.

ancla *s. f.* Instrumento de hierro en forma de arpón o anzuelo doble, compuesto de una barra, llamada caña, que lleva unas uñas dispuestas para aferrarse al fondo del mar y sujetar la nave.

ancladero *s. m.* Fondeadero.

anclaje *s. m.* Acción de anclar la nave.

anclar *v. intr.* Quedar sujeta la nave por medio del ancla.

anclón *s. m.* Cada una de las dos ménsulas colocadas a uno y otro lado de un vano para sostener la cornisa.

anconada *s. f.* Ensenada.

áncora *s. f.* **1.** Ancla. **2.** *fig.* Lo que sirve o puede servir de amparo en un peligro.

ancorar *v. intr.* Anclar.

ancorca *s. f.* Ocre, arcilla muy pura, utilizada para pintar.

ancorel *s. m.* Piedra que sirve de ancla a la boya de una red.

ancusa *s. f.* Lengua de buey.

ancuviña *s. f., amer.* Sepultura de los indígenas chilenos.

andada *s. f.* Pan que se pone muy delgado y llano para que al cocer quede muy duro y sin miga.

andaderas *s. f. pl.* Aparato utilizado para que el niño aprenda a andar, sin caerse.

andadura *s. f.* **1.** Acción y efecto de andar. **2.** Paso llano de caballería.

andalucismo *s. m.* Giro o modo de hablar propio de los andaluces.

andalucita *s. f.* Silicato natural de alúmina.

andamiada *s. f.* Conjunto de andamios.

andamiaje *s. f.* Andamiada.

andamio *s. m.* Armazón de tablones pa trabajar en la construcción.

andana *s. f.* Orden de algunas cosas puestas en línea.

andanada *s. f.* Descarga cerrada de toda una andana o batería de un buque.

andancio *s. m.* Enfermedad epidémica leve.

andante *adv. m.* Con movimiento moderadamente lento.

andantino *adv. m.* Con movimiento más vivo que el andante, pero menos que el alegro.

andanza *s. f.* Acontecimiento o suceso.

andar[1] *v. intr.* Ir de un lugar a otro.

andar[2] *s. m.* Acción o modo de andar.

andaraje *s. m.* Rueda de la noria.

andariego, ga *adj.* Que anda mucho.

andarín, na *adj.* Se dice de la persona andadora, y en especial de la que lo es por oficio. También s. m. y s. f.

andarivel *s. m.* Maroma tendida entre las dos orillas de un río o canal para dirigir el paso de una barca.

andarríos *s. m.* Aguzanieves.

andas *s. f. pl.* Tablero que sirve para conducir efigies, personas o cosas.

andel *s. m.* Rodada que deja un vehículo a campo traviesa.

andén *s. m.* Corredor o sitio para andar, a lo largo de una calle, un muelle, la vía de un ferrocarril, etc.

andero *s. m.* Cada uno de los que llevan en hombros las andas.

andino, na *adj.* Perteneciente o relativo a la cordillera de los Andes.

ándito *s. m.* Corredor o andén que rodea del todo o en gran parte un edificio.

andolina *s. f.* Golondrina.

andorga *s. f., fam.* Vientre, barriga.

andorrero, ra *adj.* Que todo lo anda, amigo de callejear.

andosco, ca *adj.* Se aplica a la res de ganado menor que tiene dos años. También s. m. y s. f.

andrajo *s. m.* **1.** Pedazo o jirón de ropa muy usada. **2.** *fig. y desp.* Persona o cosa muy despreciable.

andrajoso, sa *adj.* Cubierto de andrajos.

andriana *s. f.* Especie de bata muy ancha y no ajustada al talle.

andrina *s. f.* Endrina, fruto del endrino.

andrino *s. m.* Endrino.

androceo *s. m.* Tercer verticilo de la flor, formado por los estambres.

andrógino, na *adj.* Monoico

androide *s. m.* Autómata de figura de hombre.

andrómina *s. f., fam.* Embuste, enredo. Se usa más en pl.

andulario *s. m.* Faldulario.

andullo *s. f.* **1.** Hoja larga de tabaco arrollada. **2.** *Cub.* Pasta de tabaco para mascar. **3.** *Amér. del S.* Cualquier hoja grande destinada a envolver.

andurrial *s. m.* Paraje alejado y de difícil tránsito. Se usa más en pl.

anea *s. f.* Planta tifácea, que crece en sitios pantanosos, cuyas hojas se emplean para hacer asientos de sillas, cestas, etc.

aneaje *s. f.* Acción de anear o medir por anas.

anear *v. tr.* Medir una cosa por anas.

aneblar *v. tr.* **1.** Cubrir de niebla. También prnl. **2.** Anublar, marchitar. También prnl.

anécdota *s. f.* Relación breve de algún suceso notable.

anecdotario *s. m.* Colección de anécdotas.

anecdótico, ca *adj.* Perteneciente o relativo a la anécdota.

aneciarse *v. prnl.* Hacerse necio.

anegable *adj.* Que puede ser anegado o inundado.

anegación *s. f.* Acción y efecto de anegar o anegarse.

anegadizo, za *adj.* Que se anega con frecuencia.

anegar *v. tr.* Inundar, ahogar. También prnl.

anejar *v. tr.* Anexar.

anejir *s. m.* Refrán o sentencia popular puesta en verso y cantable.

anejo *adj.* Anexo.

anélido *adj.* Se dice de animales pertenecientes al tipo de los gusanos, de cuerpo segmentario y sangre roja.

anemia *s. f.* Empobrecimiento de la sangre; en especial, disminución de los glóbulos rojos o de la hemoglobina.

anémico, ca *adj.* **1.** Perteneciente o relativo a la anemia. **2.** Que padece anemia.

anemografía *s. f.* Parte de la meteorología que trata de la descripción de los vientos.

anemómetro *s. m.* Instrumento para medir la velocidad o la fuerza del viento.

anémona *s. f.* Anémone.

anémone *s. f.* Planta herbácea, vivaz, de la familia de las ranunculáceas, que tiene en la raíz un bulbo o cebolla, pocas hojas y las flores de seis pétalos, grandes y vistosas. Se cultiva en los jardines.

anemoscopio *s. m.* Instrumento que sirve para indicar los cambios de dirección del viento.

aneroide *adj.* Se dice del barómetro compuesto de una cajita metálica en que se ha hecho el vacío y cuya tapa se comba o se deprime según varía la presión atmosférica. También s. m.

anestesia *s. f.* Privación total o parcial de la sensibilidad.

anestesiar *v. tr.* Privar total o parcialmente de la sensibilidad por medio de un anestésico.

anestésico, ca *adj.* **1.** Perteneciente o relativo a la anestesia. **2.** Que produce o causa anestesia. También s. m.

aneurisma *s. amb.* Dilatación localizada de una arteria o vena.

anexar *v. tr.* Unir o agregar una cosa a otra con dependencia de ella.

anexión *s. f.* Acción y efecto de anexar.

anexionar *v. tr.* Anexar.

anexo, xa *adj.* Unido, agregado a otra cosa con dependencia de ella.

anfibio, bia *adj.* Que puede vivir dentro y fuera del agua.

anfíbol *s. m.* Mineral compuesto de sílice, magnesia, cal y óxido ferroso, de color, por lo común, verde o negro, y brillo anacarado.

anfibolita *s. f.* Roca compuesta de anfíbol y algo de feldespato, cuarzo o mica. Es de color verde más o menos oscuro, dura y tenaz. Se emplea en la fabricación de objetos de lujo.

anfibología *s. f.* Doble sentido, vicio de la palabra, frase, o manera de hablar, a que puede darse más de una interpretación.

anfíbraco *s. m.* Pie de la poesía griega y latina, compuesto de tres sílabas, una larga entre dos breves.

anficción *s. m.* Cada uno de los diputados de la anfictionía.

anfictionía *s. f.* Confederación de las antiguas ciudades griegas, para asuntos de interés general.

anfímacro *s. m.* Pie de la poesía griega y latina, compuesto de tres sílabas: la primera y última, largas, y la segunda, breve.

anfión *s. m.* Opio.

anfípodo *adj.* Se dice de crustáceos acuáticos de tamaño pequeño, casi todos marinos, con el cuerpo comprimido lateralmente y encorvado hacia abajo; tienen antenas largas.

anfipróstilo *s. m.* Edificio con pórtico y columnas en dos de sus fachadas.

anfisbénido, da *s. f.* Se dice de los reptiles saurios, sin patas, semejantes a una pequeña culebra; con la piel sin escamas, dividida en compartimentos cuadriláteros, dispuestos en anillos.

anfiscio, cia *adj.* Se dice del habitante de la zona tórrida, cuya sombra, al mediodía, mira ya al Norte, ya al Sur, según las estaciones del año.

anfiteatro *s. m.* Edificio de figura redonda u oval con gradas alrededor, y en el cual se celebraban varios espectáculos como los combates de gladiadores o de fieras.

anfitrión, na *s. m. y s. f., fig. y fam.* Persona que tiene convidados a su mesa y les regala con esplendidez.

ánfora *s. f.* **1.** Cántaro alto con dos asas. || *s. f. pl.* **2.** Jarras para consagrar los óleos.

anfractuosidad *s. f.* Calidad de anfractuoso.

anfractuoso, sa *adj.* Quebrado, sinuoso, escabroso, desigual.

angaria *s. f.* Antigua servidumbre o prestación personal.

angarillar *v. tr.* Poner angarillas a una cabalgadura.

angarillas *s. f. pl.* Armazón para llevar a mano materiales para edificios y otras cosas.

angaripola *s. f.* Lienzo ordinario estampado en listas de varios colores, que usaron las mujeres del s. XVII para hacerse guardapiés.

ángaro *s. m.* Almenara, fuego que se hace en atalayas, etc.

angazo *s. m.* Instrumento para pescar mariscos.

ángel *s. m.* Espíritu celeste, querubín.

angélica *s. f.* Planta herbácea de aplicación en farmacia.

angelical *adj.* Parecido a los ángeles por su hermosura, candor o inocencia.

angelote *s. m.* **1.** Figura grande de ángel. **2.** *fig. y fam.* Persona sencilla y apacible.

ángelus *s. m.* Oración en honor del misterio de la Encarnación y que se reza tres veces al día.

angina *s. f.* Inflamación de las amígdalas y de las regiones contiguas a ellas.

angiografía *s. f.* Descripción del aparato circulatorio.

angioma *s. m.* Tumor de tamaño variable, generalmente congénito, formado por acumulación de vasos eréctiles y a veces pulsátiles.

angiospermo, ma *adj.* Se dice de las plantas fanerógamas, cuyos carpelos forman una cavidad cerrada u ovario, dentro de la cual están los óvulos. También s. f.

angla *s. f.* Cabo, lengua de tierra que avanza en el mar.

anglesita *s. f.* Sulfato de plomo natural.

anglicanismo *s. m.* Conjunto de las doctrinas de la religión reformada predominante en Inglaterra.

anglicano, na *adj.* Que profesa el anglicanismo.

anglicismo *s. m.* Giro o modo de hablar propio y privativo de la lengua inglesa.

angolán *s. m.* Árbol alangiáceo de la India. Su fruto es comestible y la raíz se usa como purgante.

angorra *s. f.* Pieza de cuero o de tela gruesa, destinada en ciertos oficios para proteger las partes del cuerpo expuestas a rozamientos o quemaduras.

angostar *v. tr.* Hacer angosto, estrechar.

angosto, ta *adj.* Estrecho o reducido.

angostura *s. f.* Estrechura o paso estrecho.

angra *s. f.* Ensenada.

angrelado, da *adj.* Se dice de las piezas de heráldica, de las monedas y de los adornos de arquitectura que rematan en forma de picos o dientes menudos.

anguarina *s. f.* Gabán de paño burdo y sin mangas.

anguila *s. f.* Pez teleósteo, fisóstomo, sin aletas abdominales, de cuerpo largo y cilíndrico; es comestible y remonta los ríos, pero para criar desciende al mar.

angula *s. f.* Cría de la anguila, de color fusco, que, cocida, se vuelve blanca y es un sabroso pescado.

angulado, da *adj.* Anguloso.

angular *adj.* De figura de ángulo.

angulema *s. f.* Lienzo de cáñamo o estopa.

ángulo *s. m.* Abertura formada por dos líneas que parten de un mismo punto.

anguloso, sa *adj.* Que tiene ángulos o esquinas.

angurria *s. f., fam.* Estangurria, micción dolorosa.

angustia *s. f.* Aflicción, congoja.

angustiar *v. tr.* Causar angustia, afligir, acongojar. También prnl.

angustioso, sa *adj.* **1.** Lleno de angustia. **2.** Que la causa o que la padece.

anhelación *s. f.* Acción y efecto de anhelar o respirar con dificultad.

anhelar *v. intr.* **1.** Respirar con dificultad. **2.** Tener ansia de conseguir algo. También tr.

anhélito *s. m.* Respiración corta y fatigosa.

anhelo *s. m.* Deseo vehemente.

anheloso, sa *adj.* Se dice de la respiración frecuente y fatigosa.

anhídrido *s. m.* Cuerpo formado por una combinación del oxígeno con un elemento no metal y que, al reaccionar con el agua, da un ácido.

anhidrita *s. f.* Roca de mayor densidad y dureza que el yeso, formado por un sulfato de cal anhidro.

anhidro, dra *adj.* Se aplica a los cuerpos en cuya formación no entra para nada el agua, o que la han perdido si la tenían.

anhidrosis *s. f.* Disminución o supresión del sudor.

anidar *v. intr.* Hacer nido las aves o vivir en él. También prnl.

anilina *s. f.* Alcaloide líquido, artificial, obtenido por transformación de la bencina procedente del carbón de piedra.

anilla *s. f.* Argolla.

anillar *v. tr.* **1.** Dar forma de anillo. **2.** Sujetar con anillos.

anillo *s. m.* Aro pequeño.

ánima *s. f.* Alma que pena en el purgatorio.

animación *s. f.* Viveza.

animador, ra *adj.* Que anima.

animadversión *s. f.* **1.** Enemistad. **2.** Crítica o advertencia severa.

animal *s. m.* Ser orgánico que vive, siente y se mueve por propio impulso.

animalada *s. f., fam.* Dicho o hecho de la persona brutal.

animalizar *v. tr.* **1.** Convertir los alimentos, particularmente los vegetales, en materia animal por medio de la asimilación. || *v. prnl.* **2.** Embrutecerse.

animar *v. tr.* Infundir ánimo, vigor.

animero *s. m.* El que pide limosna para sufragio de las ánimas del purgatorio.

anímico, ca *adj.* Psíquico.

ánimo *s. m.* **1.** Alma o espíritu. **2.** Valor, energía.

animosidad *s. f.* **1.** Valor. **2.** Ojeriza.

animoso, sa *adj.* Que tiene ánimo, valeroso.

aniñado, da *adj.* Se aplica al que en el aspecto o genio se parece a los niños.

aniñarse *v. prnl.* Hacerse el niño quien no lo es.

aniquilación *s. f.* Acción y efecto de aniquilar o aniquilarse.

aniquilar *v. tr.* Reducir a la nada. También prnl.

anís *s. m.* Planta de semillas aromáticas y de sabor agradable.

anisado *s. m.* Aguardiente anisado.

anisar *s. m.* **1.** Tierra sembrada de anís. || *v. tr.* **2.** Echar anís o espíritu de anís a algo.

anisete *s. m.* Licor compuesto de aguardiente, azúcar y anís.

anisodonte *adj.* De dientes desiguales.

anisófilo, la *adj.* De hojas desiguales.

anisómero *adj.* Se dice del órgano formado por partes desiguales.

anisopétalo, la *adj.* Se dice de la corola que tiene pétalos desiguales y de la flor que tiene esta clase de corola.

aniversario, ria *adj.* **1.** Anual. || *s. m.* **2.** Oficio y misa que se celebran en sufragio de un difunto el día en que se cumple el año de su fallecimiento. **3.** Día en que se cumplen años de algún suceso.

anjeo *s. m.* Especie de lienzo basto.

ano *s. m.* Orificio en que remata el tubo digestivo y por el cual se expele el excremento.

anoa *s. f.* Especie de búfalo que vive en estado salvaje en las islas Célebes.

anoche *adv. t.* En la noche de ayer.

anochecer *v. intr.* Empezar a faltar la luz del día, venir la noche.

anochecida *s. f.* Anochecer, tiempo en que anochece.

anodinia *s. f.* Falta de dolor.

anodino, na *adj.* Insustancial.

ánodo *s. m.* Polo positivo de un generador de electricidad.

anofeles *s. m.* Mosquito propagador del paludismo.

anomalía *s. f.* Irregularidad.

anomalístico *adj.* Se dice del año solar.

anómalo, la *adj.* Irregular, extraño.

anona[1] *s. f.* Provisión de víveres.

anona[2] *s. f.* Arbolito de tronco ramoso, hojas grandes y lanceoladas, flores blancas, y fruto carnoso cubierto de escamas.

anonáceo, a *adj.* Se dice de árboles y arbustos angiospermos, dicotiledóneos, que tienen hojas alternas, simples y enteras, flores axilares, solitarias o en manojos, y fruto seco o carnoso con pepitas duras y frágiles. También s. f.

anonadamiento *s. m.* Acción y efecto de anonadar o anonadarse.

anonadar *v. tr., fig.* Humillar, abatir. También prnl.

anónimo, ma *adj.* Que no ostenta nombre de su autor.

anopluro *adj.* Se dice de insectos ápteros, que viven como ectoparásitos en el cuerpo de algunos mamíferos. También s. m.

anorak *s. m.* Prenda de vestir a modo de chaqueta de tejido ligero e impermeable, forrada, con capucha incorporada o separable.

anorexia *s. f.* Falta anormal de ganas de comer.

anoria *s. f.* Noria.

anormal *com.* Persona cuyo desarrollo físico o intelectual es inferior al que corresponde a su edad.

anormalidad *s. f.* Calidad de anormal.

anotación *s. f.* Acción y efecto de anotar.

anotar *v. tr.* **1.** Poner notas en un escrito, cuenta o libro. **2.** Apuntar alguna cosa.

anquialmendrado, da *adj.* Se dice de la caballería que tiene las ancas muy estrechas.

anquiboyuno, na *adj.* Se dice de la caballería que tiene, como el buey, muy salientes los extremos anteriores de las ancas.

anquilosar *v. tr.* **1.** Producir anquilosis. || *v. prnl.* **2.** *fig.* Detenerse una cosa en su progreso.

anquilosis *s. f.* Disminución o imposibilidad de movimiento en una articulación de ordinario móvil.

anquirredondo, da *adj.* Se dice de la caballería que tiene las ancas muy carnosas y convexas.

anquiseco, ca *adj.* Se dice de la caballería que tiene las ancas descarnadas.

ánsar *s. m.* Ave palmípeda cuyas plumas sirven para rellenar colchones y para escribir.

ansarino *s. m.* Pollo del ánsar.

ansia *s. f.* **1.** Congoja. **2.** Angustia o aflicción del ánimo. **3.** Anhelo.

ansiar *v. tr.* Desear con ansia.

ansiedad *s. f.* Estado de agitación, inquietud o zozobra del ánimo.

ansioso, sa *adj.* Que tiene ansia o deseo vehemente de algo.

anta *s. f.* Mamífero rumiante, parecido al ciervo, de color gris oscuro, astas en forma de pala con recortaduras profundas en los bordes.

antagónico, ca *adj.* Que denota o implica antagonismo.

antagonismo *s. m.* **1.** Oposición sustancial o habitual en doctrinas y opiniones. **2.** Estado de lucha o rivalidad.

antagonista *s. m. y s. f.* El personaje principal que se opone al protagonista en el conflicto esencial de una obra literaria, cinematográfica, etc.

antaño *adv. t.* En tiempo antiguo.

antañón, na *adj.* Muy viejo.

antártico, ca *adj.* Se dice del polo opuesto al Polo Ártico.

ante[1] *s. m.* **1.** Anta, rumiante parecido al ciervo. **2.** Piel de ante adobada y curtida.

ante[2] *prep.* En presencia de, delante de.

antealtar *s. m.* Espacio contiguo a la demarcación del altar.

anteanoche *adv. t.* En la noche de anteayer.

anteayer *adv. t.* En el día que precedió inmediatamente al de ayer.

antebrazo *s. m.* Parte del brazo desde el codo hasta la muñeca.

antecama *s. f.* Alfombrilla colocada delante de la cama.

antecámara *s. f.* Pieza delante de la sala o salas principales de un palacio o casa grande.

antecedente *s. m.* Acción dicho o circunstancia anterior que sirve para juzgar hechos posteriores.

anteceder *v. tr.* Preceder.

antecesor, ra *s. m. y s. f.* Persona que precedió a otra en una dignidad, empleo, ministerio, obra o encargo.

anteco, ca *adj.* Se aplica a los moradores del globo terrestre que están bajo un mismo meridiano y a igual distancia del ecuador, pero en distinto hemisferio.

antecolumna *s. f.* Columna aislada.

antecoro *s. m.* Pieza que da ingreso al coro.

antedata *s. f.* Fecha falsa de un documento anterior a la verdadera.

antedatar *v. tr.* Poner antedata a un documento.

antedecir *v. tr.* Predecir.

antedía *adv. t.* En el día precedente o pocos días antes.

antediluviano, na *adj.* Anterior al diluvio universal.

antefirma *s. f.* Fórmula del tratamiento que corresponde a una persona o corporación y que se pone antes de la firma en el oficio, memorial o carta que se le dirige.

anteguerra *s. f.* Periodo inmediatamente anterior a una guerra.

antehistórico, ca *adj.* Prehistórico.

anteiglesia *s. f.* Atrio, pórtico o lonja delante de la iglesia.

antejuicio *s. m.* Juicio previo y necesario para la incoación de una causa contra jueces y magistrados.

antelación *s. f.* Anticipación con que, en orden al tiempo, sucede una cosa respecto a otra.

antemano, de *adv. t.* Con anticipación, anteriormente.

antemeridiano, na *adj.* Anterior al mediodía.

antemural *s. m.* **1.** Fortaleza. **2.** *fig.* Reparo o defensa.

antena *s. f.* **1.** Mástil del telégrafo para recoger y emitir ondas eléctricas. **2.** Apéndices articulados de los artrópodos.

antenombre *s. m.* Nombre o calificativo que se pone antes del nombre propio.

antenupcial *adj.* Que precede a la boda o se hace antes de ella.

anteojera *s. f.* Caja en que se tienen o guardan anteojos.

anteojo *s. m.* Instrumento óptico para ver objetos lejanos.

antepagar *v. tr.* Pagar con anticipación.

antepasado, da *adj.* **1.** Se dice del tiempo anterior a otro tiempo ya pasado. ‖ *s. m.* **2.** Ascendiente. Se usa más en pl.

antepecho *s. m.* Pretil que se suele poner en parajes altos para evitar caídas.

antepenúltimo, ma *adj.* Inmediatamente anterior al penúltimo.

anteponer *v. tr.* **1.** Poner delante. También prnl. **2.** Preferir.

anteportada *s. f.* Hoja que precede a la portada de un libro y en la que ordinariamente se pone solo el título de la obra.

anteposición *s. f.* Acción de anteponer.

anteproyecto *s. m.* Conjunto de trabajos preliminares para redactar el proyecto de una obra de arquitectura o de ingeniería.

antepuerta *s. f.* Repostero o cortina que se pone delante de una puerta para abrigo o adorno.

antepuerto *s. m.* Parte avanzada de un puerto artificial.

antera *s. f.* Parte del estambre de las flores que contiene el polen.

anterior *adj.* Que precede en lugar o tiempo.

anterioridad *s. f.* Precedencia temporal de una cosa con respecto a otra.

anterozoide *s. m.* Cada una de las células reproductoras masculinas de las plantas criptógamas.

antes *adv. t. y l.* Denota prioridad de tiempo o lugar.

antesala *s. f.* Pieza delante de la sala.

antestatura *s. f.* Especie de trinchera hecha precipitadamente con estacas, etc.

antetemplo *s. m.* Pórtico de un templo.

antevenir *v. intr.* Venir antes o preceder.

antever *v. tr.* Prever.

antevíspera *s. f.* Día inmediatamente anterior al de la víspera.

antiácido, da *adj.* Que neutraliza el exceso de acidez anormal en ciertas partes del organismo.

antiaéreo, a *adj.* Perteneciente o relativo a la defensa contra los aviones.

antibiótico *s. m.* Sustancia química que impide la actividad de otros microorganismos.

anticatarral *adj.* Que combate el catarro.

anticiclón *s. m.* Área de gran presión barométrica.

anticipación *s. f.* Acción y efecto de anticipar o anticiparse.

anticipar *v. tr.* **1.** Hacer que ocurra o tenga lugar una cosa antes del tiempo señalado. || *v. prnl.* **2.** Adelantarse una persona a otra en la ejecución de alguna cosa.

anticipo *s. m.* **1.** Anticipación. **2.** Dinero anticipado.

anticlerical *adj.* Contrario al clericalismo o al clero.

anticonstitucional *adj.* Contrario a la constitución o ley fundamental de un Estado.

anticresis *s. f.* Contrato en que el deudor consiente que su acreedor goce de los frutos de la finca que le entrega, hasta que sea cancelada la deuda.

anticristo *s. m.* Nombre que da el evangelista san Juan al misterioso adversario, individual o colectivo, que, antes de la segunda venida de Cristo, intentará seducir a los cristianos y apartarlos de su fe.

anticuado, da *adj.* Que no está en uso hace mucho tiempo.

anticuar *v. tr.* Graduar de antigua y sin uso alguna cosa.

anticuario, ria *s. m. y. s. f.* **1.** Persona que hace profesión o estudio particular del conocimiento de las cosas antiguas. **2.** Persona que hace profesión o estudio particular del conocimiento de las cosas antiguas.

anticuerpo *s. m.* Sustancia que se produce en el organismo por un proceso espontáneo o provocado, y que se opone a la acción de otros elementos tales como bacterias, toxinas, etc.

antideportivo, va *adj.* **1.** Que va contra las normas de la deportividad. **2.** Se aplica también al público que asiste a los encuentros y no observa en ellos la debida imparcialidad.

antidoral *adj.* Remuneratorio.

antidotario *s. m.* Libro que trata de la composición de los medicamentos.

antídoto *s. m.* Contraveneno.

antiemético, ca *adj.* Que sirve para contener el vómito.

antiespasmódico, ca *adj.* Que sirve para calmar los espasmos o desórdenes nerviosos. También s. m.

antiestético, ca *adj.* Contrario a la estética.

antifascismo *s. m.* Tendencia contraria al fascismo.

antifaz *s. m.* Velo, máscara, etc., con que se cubre la cara.

antifebril *adj.* Que es eficaz contra la fiebre.

antiflogístico, ca *adj.* Que sirve para calmar la inflamación.

antífona *s. f.* Breve pasaje, tomado de ordinario de la Sagrada Escritura, que se canta o reza antes y después de los salmos y de los cánticos en las horas canónicas, y guarda relación con el oficio propio del día.

antifonario *adj.* Se dice del libro de antífonas. También s. m.

antífrasis *s. f.* Figura que consiste en designar personas o cosas con voces que signifiquen lo contrario de lo que debiera decir.

antigualla *s. f.* Obra u objeto de arte de antigüedad remota.

antigüedad *s. f.* **1.** Calidad de antiguo. **2.** Tiempo antiguo. **3.** (ORT.: may. inicial) Antigüedad clásica.

antiguo, gua *adj.* Que existe desde hace mucho tiempo.

antihelmíntico, ca *adj.* Que sirve para extinguir las lombrices.

antihemorroidal *adj.* Que combate las hemorroides.

antihigiénico, ca *adj.* Contrario a la higiene.

antihistamínico, ca *adj.* Se dice del fármaco que inhibe la acción de la histamina. También s. m.

antijurídico, ca *adj.* Que es contra derecho.

antilogía *s. f.* Contradicción entre dos textos o expresiones.

antílope *s. m.* Cualquiera de los mamíferos rumiantes que forman un grupo intermedio entre las cabras y los ciervos, como la gacela y la gamuza.

antimilitarismo *s. m.* Oposición a las instrucciones militares.

antimonio *s. m.* Metal blanco azulado y brillante, de estructura laminosa, quebradizo, muy agrio e insoluble en el ácido nítrico. Aleado con el plomo, sirve para fabricar los caracteres de imprenta.

antimoral *adj.* Contrario a la moral.

antinatural *adj.* Contranatural.

antinomia *s. f.* Contradicción entre dos leyes o principios que son de igual fecha o están declarados vigentes.

antipapa *s. m.* El que no está canónicamente elegido papa y pretende ser reconocido como tal, contra el verdadero y legítimo.

antipara *s. f.* **1.** Biombo. **2.** Polaina.

antiparras *s. f. pl., fam.* Anteojos o gafas.

antipatía *s. f.* Repugnancia natural o instintiva que se siente hacia alguna persona o cosa.

antipático, ca *adj.* Que causa antipatía.

antipendio *s. m.* Velo o tapiz de tela preciosa que tapa los soportes y la parte delantera de algunos altares entre la mesa y el suelo.

antiperistáltico, ca *adj.* Se aplica al movimiento de contracción del estómago y los intestinos, contrario al peristáltico.

antiperístasis *s. f.* Acción de dos cualidades contrarias, una de las cuales excita por su oposición el vigor de la otra.

antipirético, ca *adj.* Medicamento eficaz contra la fiebre. También s. m.

antipirina *s. f.* Base oxigenada que se presenta ordinariamente en forma de polvo blanco y se usa en medicina para rebajar la calentura y los dolores nerviosos.

antípoda *adj.* Se dice de cualquier habitante del globo terrestre con respecto a otro que more en lugar diametralmente opuesto.

antiquísimo *adj. sup.* de antiguo.

antirrábico, ca *adj.* Se dice del medicamento utilizado para combatir la rabia.

antirreglamentario, ria *adj.* Que se hace o se dice contra lo que dispone el reglamento.

antiscio *adj.* Se dice de cada uno de los habitantes de las zonas templadas que, por vivir sobre el mismo meridiano y en hemisferios opuestos, proyectan al mediodía la sombra en dirección contraria.

antisepsia *s. f.* Método que consiste en combatir o prevenir los padecimientos infecciosos, destruyendo los microbios que los causan.

antiséptico, ca *adj.* Que sirve para impedir la putrefacción.

antisocial *adj.* Contrario, opuesto a la sociedad, al orden social.

antítesis *s. f.* Oposición o contrariedad de dos juicios o afirmaciones.

antitético, ca *adj.* Que denota o implica antítesis.

antitóxico, ca *adj.* Se dice de la sustancia que sirve para neutralizar una acción tóxica. También s. m.

antitoxina *s. f.* Cualquiera de los anticuerpos que destruyen los efectos de las toxinas y sirve para neutralizar ulteriormente nuevos ataques de la misma toxina.

antitrago *s. m.* Prominencia de la parte inferior del pabellón de la oreja, opuesta al trago.

antocianina *s. f.* Cualquiera de los pigmentos que se encuentran disueltos en el protoplasma de las células de algunos órganos vegetales, y a los cuales deben su color las corolas de todas las flores azules y violadas, y la mayoría de las rojas.

antófago, ga *adj.* Se dice de los animales que se alimentan principalmente de flores.

antojarse *v. prnl.* Hacerse objeto de vehemente deseo de alguna cosa.

antojera *s. f.* Pieza de guarnición que cubre por los lados los ojos de las caballerías.

antojo *s. m.* Deseo vivo y pasajero de alguna cosa.

antología *s. f.* Florilegio, colección de poesías, etc.

antonimia *s. f.* Calidad de antónimo.

antónimo, ma *adj.* Se dice de las palabras que expresan ideas opuestas o contrarias. También s. m.

antonomasia *s. f.* Sinécdoque que consiste en poner el nombre apelativo por el propio, o el propio por el apelativo.

antorcha *s. f.* Mecha hecha de esparto y alquitrán para que resista al viento sin apagarse.

antorchar *v. tr.* Entorchar.

antozoo *adj.* Se dice de ciertos celentéreos que en el estado adulto viven fijos sobre el fondo del mar, no presentan nunca la forma de medusa y están constituidos, ya por un solo pólipo, ya por una colonia de muchos pólipos que frecuentemente están unidos entre sí por un polipero.

antracita *s. f.* Carbón fósil y brillante que arde con poca llama y sin humo ni olor.

ántrax *s. m.* Inflamación confluente de varios folículos pilosos, con abundante formación de pus y, a veces, complicaciones locales y generales graves, sobre todo si la padecen personas diabéticas.

antro *s. m.* Caverna, cueva, gruta.

antropocéntrico, ca *adj.* Perteneciente o relativo al antropocentrismo.

antropocentrismo *s. m.* Doctrina que supone que el hombre es el centro y medida de todas las cosas y el fin absoluto de toda la naturaleza.

antropofagia *s. f.* Costumbre de algunos salvajes de comer la carne humana.

antropófago, ga *adj.* Se dice del salvaje que come carne humana. También s. m. y s. f.

antropoide *adj.* Se dice de los animales que por sus caracteres externos se asemejan al hombre, se aplica en especial a los monos que no tienen cola. También s. m.

antropología *s. f.* Ciencia que trata del hombre considerado física y moralmente.

antropólogo, ga *s. m. y s. f.* Persona versada en la antropología.

antropometría *s. f.* Tratado de las proporciones y medidas del cuerpo humano.

antropomórfico, ca *adj.* Perteneciente o relativo al antropomorfismo.

antropomorfismo *s. m.* Conjunto de creencias o de doctrinas que atribuyen a la divinidad la figura o las cualidades del hombre.

antropomorfo, fa *adj.* Se aplica a lo que tiene forma o apariencia humana.

antropopiteco *s. m.* Animal que vivió en el periodo pleistoceno y al que los partidarios de la doctrina transformista consideran como uno de los antepasados del hombre.

antruejo *s. m.* Los tres días de carnestolendas, carnaval.

antuvión *s. m.* Golpe repentino.

anual *adj.* Que sucede o se repite cada año.

anualidad *s. f.* Importe anual de una renta o carga periódica.

anuario *s. m.* Libro que se publica de año en año.

anubarrado, da *adj.* Nubloso, cubierto de nubes.

anublar *v. tr.* **1.** Ocultar las nubes el azul del cielo o la luz de un astro. También prnl. **2.** *fig.* Oscurecer. También prnl.

anudadura *s. f.* Acción y efecto de anudar o anudarse.

anudar *v. tr.* Hacer uno o más nudos. También prnl.

anuencia *s. f.* Consentimiento.

anuente *adj.* Que consiente.

anulación *s. f.* Acción y efecto de anular o anularse.

anular *v. tr.* Dar por nulo.

anuloso, sa *adj.* Compuesto de anillos.

anunciación *s. f.* Acción y efecto de anunciar.

anunciar *v. tr.* Dar noticia o aviso de algo, proclamar, hacer saber una cosa.

anuncio *s. m.* Pronóstico.

anuo, nua *adj.* Anual.

anuria *s. f.* Supresión de la secreción urinaria.

anuro, ra *adj.* Que carece de cola.

anúteba *s. f.* Llamamiento a la guerra.

anverso *s. m.* En las monedas y medallas, haz que se considera principal.

anzuelo *s. m.* Arponcillo pequeño que sirve para pescar.

añacal *s. m.* Tabla en que se lleva el pan al horno.

añada *s. f.* Temporal bueno o malo que hace durante un año.

añadido *s. m.* Postizo.

añadidura *s. f.* Lo que se añade a alguna cosa.

añadir *v. tr.* **1.** Agregar, incorporar una cosa a otra. **2.** Aumentar, acrecentar.

añafea *s. f.* Papel de estraza.

añafil *s. m.* Trompeta recta morisca.

añagaza *s. f.* **1.** Señuelo para coger aves. **2.** *fig.* Artificio para atraer con engaño.

añal *adj.* Se dice del cordero, becerro o macho cabrío que tiene un año cumplido.

añalejo *s. m.* Especie de calendario para los eclesiásticos que señala el orden y rito del rezo y oficio divino de todo el año.

añascar *v. tr., fam.* Juntar o recoger poco a poco cosas menudas y de poco valor.

añasco *s. m.* Enredo, embrollo.

añejar *v. tr.* Hacer añeja alguna cosa. También prnl.

añejo, ja *adj.* Se dice de ciertas cosas que tienen uno o más años.

añicos *s. m. pl.* Trocitos en que se divide una cosa al romperse.

añil *s. m.* Arbusto perenne papilionáceo, de hojas compuestas y flores en racimo o espiga, y legumbre con granillos lustrosos y muy duros, de cuyos tallos y hojas se saca una materia colorante.

añilar *v. tr.* Dar o teñir de añil una cosa.

añino *s. m.* Cordero de un año.

año *s. m.* **1.** Tiempo transcurrido durante una revolución real de la Tierra alrededor del Sol. **2.** Periodo de doce meses.

añojal *s. m.* Pedazo de tierra que se cultiva algunos años y luego se deja erial durante cierto tiempo.

añojo, ja *s. m. y s. f.* Becerro de un año cumplido.

añoranza *s. f.* Melancolía por la pérdida o separación de una persona o cosa.

añorar *v. tr.* Recordar con pena la pérdida o ausencia de una persona o cosa muy querida. También intr.

añoso, sa *adj.* De muchos años.

añublar *v. tr.* Anublar. También prnl.

añublo *s. m.* Honguillo parásito perjudicial de los cereales.

añudar *v. tr.* Anudar. También prnl.

añusgar *v. intr.* **1.** Atragantarse. **2.** *fig.* Enfadarse.

aojar[1] *v. tr.* Hacer mal de ojo.

aojar[2] *v. tr.* Ojear la caza.

aojo *s. m.* Acción y efecto de aojar[1].

aónides *s. f. pl.* Las musas.

aonio, nia *adj., fig.* Perteneciente o relativo a las musas.

aoristo *s. m.* Cada uno de ciertos pretéritos indefinidos de la conjugación griega.

aorta *s. f.* Arteria principal que arranca del ventrículo izquierdo del corazón.

aórtico, ca *adj.* Perteneciente o relativo a la aorta.

aortitis *s. f.* Inflamación de la aorta.

aovado, da *adj.* De figura de huevo.

aovar *v. intr.* Poner huevos las aves y otros animales.

aovillarse *v. prnl., fig.* Encogerse mucho, hacerse un ovillo.

apabilar *v. tr.* Preparar el pabilo de las velas para que fácilmente se encienda.

apabullar *v. tr.* Dejar a alguien confuso y sin saber qué hablar o responder.

apacentadero *s. m.* Sitio en que se apacienta el ganado.

apacentar *v. tr.* Dar pasto a los ganados.

apache *adj.* Se dice del indígena nómada de las llanuras de Nuevo México. También com.

apacibilidad *s. f.* Calidad de apacible.

apacible *adj.* **1.** Dulce y agradable en la condición y en el trato. **2.** De buen temple, tranquilo.

apaciguamiento *s. m.* Acción y efecto de apaciguar o apaciguarse.

apaciguar *v. tr.* Poner en paz, aquietar.

apacorral *s. m., amer.* Árbol gigantesco de Honduras, cuya corteza, muy amarga, se emplea como remedio medicinal.

apadrinamiento *s. m.* Acción y efecto de apadrinar.

apadrinar *v. tr.* Acompañar o asistir como padrino a una persona.

apagado, da *adj.* De genio muy sosegado y apocado.

apagar *v. tr.* **1.** Extinguir el fuego o la luz. También prnl. **2.** Echar agua a la cal viva. **3.** Aplacar, disipar, extinguir. También prnl.

apagón *s. m.* Extinción pasajera y accidental del alumbrado eléctrico.

apainelado *adj.* Se dice del arco formado por otros tangentes entre sí de radio diferente.

apaisado, da *adj.* Se dice de lo que es más ancho que alto.

apalabrar *v. tr.* Concertar de palabra dos o más personas alguna cosa.

apalancar *v. tr.* Levantar, mover alguna cosa con palanca.

apaleamiento *s. m.* Acción y efecto de apalear o dar golpes.

apalear[1] *v. tr.* Dar golpes a una persona o cosa con un palo.

apalear[2] *v. tr.* Aventar con pala el grano para limpiarlo.

apanalado, da *adj.* Que forma celdillas como el panal.

apandar *v. tr., fam.* Pillar, atrapar, coger algo para apropiárselo.

apandillar *v. tr.* Hacer pandilla. Se usa más como prnl.

apaniaguarse *v. prnl., Col., P. Ric. y Ven.* Confabularse.

apanojado, da *adj.* Se dice del tallo de algunas plantas y también de la flor dispuesta en forma de panoja.

apantanar *v. tr.* Llenar de agua algún terreno, dejándolo hecho un pantano. También prnl.

apañado, da[1] *adj.* Se aplica a tejidos semejantes al paño.

apañado, da[2] *adj.* Hábil, mañoso.

apañar *v. tr.* **1.** Coger con la mano o coger en general. || *v. prnl.* **2.** *fam.* Darse maña para hacer alguna cosa.

apaño *s. m.* **1.** Apañadura. **2.** *fam.* Compostura.

apañuscar *v. tr., fam.* Apañar, apoderarse de algo ilícitamente.

aparador *s. m.* **1.** Mueble donde se guarda o contiene lo necesario para el servicio de la mesa. **2.** Taller de un artífice.

aparar *v. tr.* **1.** Aparejar, preparar, adornar una cosa. **2.** Coser las piezas de que se compone el calzado antes de ponerle la suela.

apararse *v. prnl.* Prepararse, disponerse.

aparatero, ra *adj., Arg. y Chil.* Aparatoso, exagerado.

aparato *s. m.* **1.** Apresto, prevención. **2.** Instrumento o conjunto de ellos que sirven para determinado objeto.

aparatoso, sa *adj.* Que tiene mucho aparato.

aparcamiento *s. m.* Acción y efecto de aparcar los vehículos y lugar destinado a este efecto.

aparcar *v. tr.* Colocar transitoriamente en un lugar público señalado al efecto, coches u otros vehículos.

aparcería *s. f.* Trato o convenio de los que llevan en común una granjería.

aparcero, ra *s. m. y s. f.* Persona que tiene aparcería con otra u otras.

apareamiento *s. m.* Acción y efecto de aparear o aparearse.

aparear *v. tr.* **1.** Arreglar o ajustar una cosa con otra formando par. También prnl. **2.** Juntar las hembras de los animales con los machos para que críen. También prnl.

aparecer *v. intr.* Manifestarse, dejarse ver, por lo común repentinamente. También prnl.

aparecido *s. m.* Espectro de un difunto.

aparejador, ra *s. m. y s. f.* Perito ayudante de un arquitecto.

aparejar *v. tr.* **1.** Preparar, prevenir, disponer. También prnl. **2.** Poner el aparejo a las caballerías.

aparejo *s. m.* Conjunto de palos, vergas, jarcias y velas de un buque.

aparentar *v. tr.* Manifestar o dar a entender lo que no es o no hay.

aparente *adj.* Que parece y no es.

aparición *s. f.* Visión de un ser sobrenatural o fantástico, fantasma.

apariencia *s. f.* **1.** Aspecto exterior de una persona o cosa. **2.** Probabilidad.

aparragarse *v. prnl., Chil. y Hond.* Agazaparse las personas o animales.

aparrar *v. tr.* Hacer que un árbol extienda sus ramas horizontalmente.

aparroquiarse *v. prnl.* Hacerse feligrés de una parroquia.

apartadero *s. m.* Lugar en los caminos ferrocarriles y canales, donde se apartan las personas, las caballerías, los carruajes, etc., para que quede libre el paso.

apartado, da *adj.* **1.** Retirado, remoto. **2.** Diferente, distinto.

apartamento *s. m.* Vivienda de pequeñas dimensiones, compuesta de varios aposentos, habitada por una familia y situada en un edificio donde existen otras viviendas análogas.

apartar *v. tr.* Separar, desunir, dividir. También prnl.

aparte *adv. l.* **1.** En otro lugar. **2.** A distancia, desde lejos.

apartidar *v. tr.* Alzar o tomar partido.

aparvar *v. tr.* Hacer parva.

apasionado, da *adj.* Poseído de alguna pasión o afecto.

apasionamiento *s. m.* Acción y efecto de apasionar o apasionarse.

apasionar *v. tr.* Causar, excitar alguna pasión. También prnl.

apaste *s. m., Guat., Hond. y Méx.* Lebrillo hondo de barro y con asas.

apatanado, da *adj.* Rústico, tosco.

apatía *s. f.* Impasibilidad, dejadez.

apático, ca *adj.* Que adolece de apatía.

apátrida *adj.* Se dice de quien carece de nacionalidad.

apatusco *s. m., fam.* Adorno, aliño, arreo.

apayasarse *v. prnl.* Proceder alguien como un payaso.

apea *s. f.* Soga con una muletilla en un extremo y un ojal en el otro, propia para trabar las caballerías.

apeadero *s. m.* En los ferrocarriles, sitio de la vía preparado para el servicio público, pero sin apartadero ni estación.

apear *v. tr.* **1.** Desmontar, bajar a uno de una caballería o carruaje. **2.** Calzar algún coche o carro. **3.** Cortar un árbol por el pie y derribarlo.

apechar *v. intr., fig.* Apechugar.

apechugar *v. intr.* Aguantar.

apedazar *v. tr.* Remendar.

apedernalado, da *adj.* Duro como el pedernal.

apedreado, da *adj.* Manchado, salpicado de varios colores.

apedreamiento *s. m.* Acción y efecto de apedrear.

apedrear *v. tr.* Tirar o arrojar piedras a una persona o cosa.

apegarse *v. prnl.* Tomar afecto a alguien o algo.

apego *s. m., fig.* Afición o inclinación particular a una persona o cosa.

apegualar *v. intr., Arg. y Chil.* Hacer uso del pegual.

apelación *s. f.* Acción de apelar.

apelado, da *adj.* Se dice del litigante que ha obtenido sentencia favorable contra la cual se apela.

apelambrar *v. tr.* Meter los cueros en pelambre o en depósito de agua y cal viva, para que pierdan el pelo.

apelar *v. intr.* Recurrir una sentencia.

apelativo *adj.* Se dice del nombre común a todos los individuos de la misma especie. También s. m.

apeldar *v. intr., fam.* Escapar, huir.

apelde *s. m.* En los conventos de franciscanos, toque de campana antes de amanecer.

apellar *v. tr.* Untar y adobar la piel sobándola, para que reciba bien los ingredientes del color que se le quiere dar.

apellidarse *v. prnl.* Tener tal nombre o apellido.

apellido *s. m.* Nombre de familia con que se distinguen las personas.

apelmazado, da *adj., fig.* Dicho de obras literarias, falto de amenidad.

apelmazar *v. tr.* Hacer que una cosa esté menos esponjosa o hueca de lo que requiere para su uso. También prnl.

apelotonar *v. tr.* Formar pelotones. También prnl.

apenar *v. tr.* Causar pena. También prnl.

apenas *adv. t.* Luego que, al punto que.

apencar *v. intr., fam.* Apechugar venciendo la repugnancia.

apéndice *s. m.* **1.** Cosa adjunta o añadida a otra. **2.** Prolongación del intestino ciego.

apendicitis *s. f.* Inflamación del apéndice.

apendicular *adj.* Perteneciente o relativo al apéndice.

apensionar *v. prnl., Arg. y Chil.* Entristecerse, apesadumbrarse.

apeñuscar *v. tr.* Apiñar, agrupar, amontonar. También prnl.

apeonar *v. intr.* Andar a pie y aceleradamente.

apepsia *s. f.* Falta de digestión.

aperar *v. tr.* Componer carros y aparejos para el acarreo y trajín del campo.

apercibir *v. tr.* **1.** Disponer todo lo necesario para alguna cosa. También prnl. **2.** Amonestar, advertir.

apercollar *v. tr., fam.* Coger o asir por el cuello a alguien.

aperdigar *v. tr.* Perdigar.

apergaminarse *v. prnl., fam.* Acartonarse.

aperitivo, va *adj.* Que sirve para abrir el apetito. También s. m.

apernar *v. tr.* Asir o agarrar el perro por las piernas alguna res.

apero *s. m.* Conjunto de instrumentos y demás cosas necesarias para la labranza.

aperreado, da *adj.* Trabajoso, molesto.

aperrear *v. tr.* Echar perros a alguien para que lo maten y despedacen.

aperreo *s. m., fig. y fam.* Acción y efecto de aperrear o fatigar.

apersogar *v. tr.* Atar a un animal, especialmente del cuello, para que no huya.

apersonado, da *adj.* De buena o mala presencia.

apersonarse *v. prnl.* Personarse.

apertura *s. f.* Acto de dar o volver a dar principio a las funciones de una asamblea, teatro, curso académico, etc.

apesadumbrar *v. tr.* Causar pesadumbre, afligir. Se usa más como prnl.

apesarar *v. tr.* Apesadumbrar. También prnl.

apesgar *v. tr.* **1.** Hacer peso o agobiar a alguien. **2.** Agravarse, ponerse muy pesado.

apestar *v. tr.* **1.** Causar o comunicar la peste. También prnl. || *v. intr.* **2.** Arrojar o comunicar mal olor.

apestillar *v. tr., Arg. y Chil.* Asir a alguien de tal forma que no se pueda escapar.

apestoso, sa *adj.* **1.** Que da mal olor, que apesta. **2.** Que causa hastío.

apétalo, la *adj.* Se dice de la flor que carece de pétalos.

apetecer *v. tr.* **1.** Tener gana de alguna cosa, o desearla. También prnl. || *v. intr.* **2.** Gustar, agradar una cosa.

apetecible *adj.* Digno de apetecerse.

apetencia *s. f.* Apetito, gana de comer.

apetito *s. m.* Gana de comer.

apetitoso, sa *adj.* Gustoso, sabroso.

ápex *s. m.* Punto de la esfera celeste hacia el cual se dirige el Sol arrastrando a los planetas.

apezuñar *v. intr.* Hincar los animales en el suelo sus pezuñas o cascos.

apiadar *v. tr.* **1.** Causar piedad. **2.** Mirar o tratar con piedad. || *v. prnl.* **3.** Tener piedad.

apianar *v. tr.* Disminuir sensiblemente la intensidad de la voz o del sonido. También prnl.

apiaradero *s. m.* Cómputo que el ganadero hace del número de cabezas de que se compone cada rebaño o piara.

apical *adj.* Se dice de los sonidos en los que uno de los órganos productores es la punta de la lengua. También s. f.

apicararse *v. prnl.* Adquirir modales o proceder de pícaro.

ápice *s. m.* **1.** Extremo superior o punta de una cosa. **2.** Parte pequeñísima, nonada.

apícola *adj.* Perteneciente o relativo a la apicultura.

apículo *s. m.* Punta corta, aguda y poco consistente.

apicultor, ra *s. m. y s. f.* Persona que se dedica a la apicultura.

apicultura *s. f.* Arte de criar abejas para aprovechar sus productos.

apilar *v. tr.* Amontonar, poner una cosa sobre otra formando pila.

apimpollarse *v. prnl.* Echar pimpollos las plantas.

apiñado, da *adj.* De figura de piña.

apiñar *v. tr.* Juntar o agrupar estrechamente personas o cosas. También prnl.

apio *s. m.* Planta umbelífera, de hojas largas y hendidas, y flores muy pequeñas y blancas.

apiolar *v. tr.* **1.** Poner correas a los halcones o caballerías. **2.** Prender.

apiparse *v. prnl., fam.* Atracarse de comida o bebida.

apirético, ca *adj.* Perteneciente o relativo a la apirexia.

apirexia *s. f.* Falta de fiebre.

apiri *s. m., amer.* Operario que transporta mineral en las minas.

apisonadora *s. f.* Automóvil pesado montado sobre tambores, usado para apelmazar el firme de las carreteras.

apisonar *v. tr.* Apretar con pisón la tierra u otra cosa.

apitonado, da *adj.* Quisquilloso, cojijoso, puntilloso.

apitonar *v. intr.* **1.** Echar pitones los animales que crían cuernos. **2.** Empezar los árboles a brotar.

apizarrado, da *adj.* De color de pizarra, o sea negro azulado.

aplacar *v. tr.* Amansar. También prnl.

aplacer *v. intr.* Agradar, contentar.

aplacerado, da *adj.* Se dice del fondo del mar, llano y poco profundo.

aplacible *adj.* Agradable.

aplacimiento *s. m.* Complacencia, placer, gusto.

aplanadera *s. f.* Instrumento de piedra, madera u otra materia, con que se aplana el suelo, terreno, etc.

aplanadora *s. f., amer.* Apisonadora.

aplanar *v. tr.* **1.** Allanar. **2.** *fig. y fam.* Dejar a alguien pasmado. || *v. prnl.* **3.** Perder el vigor por enfermedad u otra causa.

aplanchar *v. tr.* Planchar.

aplanético *adj.* Se dice del espejo cóncavo, lente u objetivo exentos de aberración esférica.

aplantillar *v. tr.* Labrar piedra u otro material con arreglo a plantilla o patrón.

aplastamiento *s. m.* Acción y efecto de aplastar o aplastarse.

aplastar *v. tr.* Deformar una cosa con presión o golpe disminuyendo su grueso o espesor. También prnl.

aplaudir *v. tr.* Palmotear en señal de aprobación o entusiasmo.

aplauso *s. m.* Acción y efecto de aplaudir.

aplayar *v. intr.* Salir el río de madre, extendiéndose por los campos.

aplazable *adj.* Que puede aplazarse.

aplazamiento *s. m.* Acción y efecto de aplazar.

aplazar *v. tr.* Diferir un acto.

aplebeyar *v. tr.* Envilecer los ánimos o los modales.

aplicable *adj.* Que puede o debe aplicarse.

aplicación *s. f.* **1.** Acción y efecto de aplicar o aplicarse. **2.** *fig.* Afición y asiduidad con que se hace algo. **3.** *fig.* Ornamentación sobrepuesta.

aplicado, da *adj., fig.* Que tiene aplicación.

aplicar *v. tr.* **1.** Poner una cosa sobre otra o en contacto de otra. **2.** *fig.* Adaptar, apropiar.

aplique *s. m.* Candelabro adosado a la pared.

aplomar *v. tr.* Examinar con la plomada si las paredes u otras partes que se están construyendo están verticales o a plomo. También intr.

aplomo *s. m.* Gravedad, serenidad, circunspección.

apnea *s. f.* Falta o supresión de la respiración.

apoastro *s. m.* Punto en que un astro secundario se halla a mayor distancia de su principal.

apocado, da *adj.* De poco ánimo.

Apocalipsis *n. p.* Último libro canónico del Nuevo Testamento, que contiene las revelaciones escritas por el apóstol san Juan, referentes a los últimos días del mundo.

apocalíptico, ca *adj.* **1.** Perteneciente o relativo al Apocalipsis. **2.** *fig.* Terrorífico, espantoso.

apocamiento *s. m.* Cortedad o encogimiento de ánimo.

apocar *v. tr.* **1.** Minorar, reducir a poco. **2.** *fig.* Limitar, estrechar.

apócema *s. f.* Pócima.

apocináceo, a *adj.* Se dice de las plantas angiospermas dicotiledóneas, de hojas persistentes, flores hermafroditas y regulares, fruto capsular o folicular y semilla con albumen carnoso o córneo, como la adelfa. También s. f.

apocopar *v. tr.* Cometer apócope.

apócope *s. f.* Supresión de algún sonido al fin de algún vocablo. También s. m.

apócrifo, fa *adj.* Fabuloso, supuesto o fingido.

apocromático, ca *adj.* Se dice del objetivo exento de espectro secundario.

apodar *v. tr.* Poner o decir apodos.

apodencado, da *adj.* Semejante al podenco.

apoderado, da *adj.* Se dice del que tiene poderes de otro para representarle.

apoderar *v. tr.* **1.** Dar poder una persona a otra para que la represente. ‖ *v. prnl.* **2.** Hacerse alguien dueño de alguna cosa.

apodíctico, ca *adj.* Demostrativo, conveniente, que encierra una verdad necesaria.

apodo *s. m.* Nombre que suele darse a una persona, tomado de sus defectos corporales o de otra circunstancia.

ápodo, da *adj.* Falto de pies.

apódosis *s. f.* Segunda parte del periodo en que se completa el sentido de la primera, llamada prótasis.

apófige *s. f.* Cada una de las pequeñas partes curvas que enlazan las extremidades del fuste de la columna con su base o capitel.

apófisis *s. f.* Parte saliente de un hueso.

apofonía *s. f.* Alteración de vocales en palabras de la misma raíz.

apogeo *s. m.* Grado superior que puede alcanzar una cosa, como el poder, la virtud, la gloria, etc.

apógrafo *s. m.* Copia de un escrito original.

apolillar *v. tr.* Roer la polilla las ropas u otras cosas. Se usa más como prnl.

apolinar *adj., poét.* Apolíneo.

apolíneo, a *adj., poét.* Perteneciente o relativo a Apolo.

apolítico, ca *adj.* Ajeno a la política.

apologética *s. f.* Ciencia que expone los fundamentos y pruebas de la verdad de la religión católica.

apología *s. f.* Discurso de palabra o por escrito, en defensa o alabanza de personas o cosas.

apólogo *s. m.* Fábula.

apoltronarse *v. prnl.* Hacerse poltrón.

apomazar *v. tr.* Estregar o alisar con la piedra pómez una superficie.

aponeurosis *s. f.* Membrana formada por tejido conjuntivo fibroso cuyos hacecillos colágenos están entrecruzados y que sirve de envoltura a los músculos.

apontocar *v. tr.* Sostener una cosa o darle apoyo con otra.

apoplejía *s. f.* Suspensión súbita y más o menos completa de la acción cerebral, debida comúnmente a derrames sanguíneos en el encéfalo o las meninges.

apoplético, ca *adj.* **1.** Perteneciente o relativo a la apoplejía. **2.** Que padece apoplejía.

apoquinar *v. tr., vulg.* Entregar alguien, mal de su grado, lo que le corresponde pagar.

aporcadura *s. f.* Acción y efecto de aporcar.

aporcar *v. tr.* Cubrir con tierra ciertas plantas para que se pongan más tiernas y blancas.

aporisma *s. f.* Tumor que se forma entre piel y carne por derrame sanguíneo.

aporismarse *v. prnl.* Hacerse aporisma.

aporrar *v. intr., fam.* Quedarse alguien sin responder ni hablar en ocasión en que debía hacerlo.

aporrarse *v. prnl.* Hacerse pesado o molesto.

aporrear *v. tr.* **1.** Golpear con porra o palo. **2.** Dar golpes, aunque no sea con porra o palo.

aporrillarse *v. prnl.* Hincharse las articulaciones con abscesos que dificultan el movimiento.

aportación *s. f.* Conjunto de bienes aportados.

aportadera *s. f.* Cada una de las dos cajas grandes, colocadas sobre el aparejo de la caballería para transportar algo.

aportadero *s. m.* Paraje donde se puede o suele aportar.

aportar *v. intr.* Tomar puerto o arribar a él.

aporte *s. m.* **1.** Aportación, bienes aportados. **2.** *fig.* Contribución, participación, ayuda.

aportillar *v. tr.* Romper una muralla o pared para poder entrar por la abertura que se haga en ella.

aposentamiento *s. m.* **1.** Acción y efecto de aposentar o aposentarse. **2.** Aposento, cuarto.

aposentar *v. tr.* Dar habitación y hospedaje.

aposento *s. m.* **1.** Cuarto o pieza de una casa. **2.** Posada, hospedaje.

aposición *s. f.* Efecto de poner, consecutivamente sin conjunción, dos o más sustantivos que denoten una misma persona o cosa.

apósito *s. m.* Remedio que se aplica exteriormente.

aposta *adv. m.* Adrede.

apostadero *s. m.* Paraje o lugar donde hay personas o gente apostada.

apostar *v. tr.* **1.** Hacer apuesta. **2.** Poner determinado número de personas en un sitio o paraje para algún fin. También *prnl.*

apostasía *s. f.* Acción y efecto de apostatar.

apóstata *com.* Persona que comete apostasía.

apostatar *v. intr.* Negar la fe de Jesucristo recibida en el bautismo.

apostema *s. f.* Postema, absceso.

a posteriori *loc. lat.* Después de examinar el asunto de que se trata.

apostilla *s. f.* Acotación que interpreta, aclara o completa un texto.

apostillar *v. tr.* **1.** Poner postillas. || *v. prnl.* **2.** Llenarse de postillas.

apóstol *s. m.* **1.** Cada uno de los doce principales discípulos de Cristo. **2.** Propagador de una doctrina cualquiera.

apostolado *s. m.* Oficio de apóstol.

apostólico, ca *adj.* **1.** Perteneciente o relativo a los apóstoles. **2.** Perteneciente o relativo al papa o que dimana de su autoridad.

apostrofar *v. tr.* Dirigir apóstrofes.

apóstrofe *s. amb.* Figura consistente en cortar el orador el discurso para dirigir la palabra con vehemencia, a una o varias personas o cosas personificadas.

apóstrofo *s. m.* Signo ortográfico en figura de vírgula, que indica la oclusión de una vocal.

apostura *s. f.* **1.** Gentileza, buena disposición en la persona. **2.** Actitud, ademán, aspecto.

apotegma *s. m.* Dicho breve y sentencioso, dicho feliz. Se llama así al que tiene celebridad por haberlo proferido o escrito algún hombre ilustre.

apotema *s. f.* Perpendicular trazada desde el centro de un polígono regular a uno cualquiera de sus lados.

apoteósico, ca *adj.* Perteneciente o relativo a la apoteosis.

apoteosis *s. f.* **1.** Ensalzamiento de una persona con grandes honores o alabanzas. **2.** Éxito total.

apoyadura *s. f.* Raudal de leche que acude a los pechos de las hembras cuando dan de mamar.

apoyar *v. tr.* Hacer que una cosa descanse sobre otra.

apoyatura *s. f.* Nota pequeña y de adorno que, puesta delante de otra, hace que esta retarde un poco su sonido para apoyarse en el de ella.

apoyo *s. m.* **1.** Lo que sirve para sostener. **2.** *fig.* Protección, auxilio, favor.

apreciabilidad *s. f.* Calidad de apreciable.

apreciable *adj.* Digno de aprecio.

apreciación *s. f.* Acción y efecto de apreciar.

apreciar *v. tr.* **1.** Poner precio o tasa a las cosas vendibles. **2.** *fig.* Reconocer y estimar el mérito de alguien o algo.

apreciativo, va *adj.* Perteneciente o relativo al aprecio o estimación que se hace de alguna persona o cosa.

aprecio *s. m.* Acción y efecto de apreciar o hacer estimación de alguna persona o cosa.

aprehender *v. tr.* **1.** Coger, asir, prender. **2.** Concebir las especies de las cosas sin hacer juicio de ellas o sin afirmar ni negar.

aprehensión *s. f.* Acción y efecto de aprehender.

aprehensivo, va *adj.* Que es capaz o perspicaz para aprehender las cosas.

apremiar *v. tr.* **1.** Dar prisa, compeler a alguien a que haga pronto una cosa. **2.** Oprimir, apretar.

apremio *s. m.* Acción y efecto de apremiar.

aprender *v. tr.* Adquirir el conocimiento de alguna cosa por medio del estudio o de la experiencia.

aprendiz, za *s. m. y s. f.* **1.** Persona que aprende algún arte u oficio. **2.** Persona que, a efectos laborales, se halla en el primer grado de una profesión manual, antes de pasar a oficial. U. t. la forma en m. para designar el f.

aprendizaje *s. m.* **1.** Acción de aprender algún arte u oficio. **2.** Tiempo que en ello se emplea.

aprensar *v. tr.* Prensar.

aprensión *s. f.* Opinión, figuración, idea infundada o extraña. Se usa más en pl.

aprensivo, va *adj.* Se dice de la persona muy pusilánime, que ve peligros para su salud en todo, o imagina que son graves sus dolencias más leves.

apresamiento *s. m.* Acción y efecto de apresar.

apresar *v. tr.* **1.** Asir. **2.** Tomar por fuerza alguna nave o apoderarse de ella.

aprestar v. tr. Aparejar, disponer lo necesario para alguna cosa. También prnl.

apresto s. m. Preparación para alguna cosa.

apresuramiento s. m. Acto de apresurar.

apresurar v. tr. Dar prisa, acelerar. También prnl.

apretadera s. f. Cinta, correa o cuerda que sirve para apretar alguna cosa.

apretadizo, za adj. Que por su calidad se aprieta o comprime fácilmente.

apretado, da adj., fig. y fam. Mezquino.

apretar v. tr. **1.** Estrechar ciñendo. **2.** fig. Acosar, estrechar a alguien persiguiéndole o atacándole.

apretón s. m. Apretadura muy fuerte y rápida.

apretujar v. tr. **1.** fam. Apretar mucho o reiteradamente. || v. prnl. **2.** Oprimirse un grupo de personas en un recinto demasiado estrecho para contenerlas.

apretura s. f. **1.** Opresión causada por la excesiva concurrencia de gente. **2.** Sitio o paraje estrecho.

aprieto s. m. **1.** Apretura. **2.** fig. Apuro.

aprimar v. tr. Afinar, intensar, perfeccionar.

a priori loc. lat. Antes de examinar el asunto de que se trata.

apriorismo s. m. Método en que se emplea sistemáticamente el razonamiento a priori.

aprisa adv. m. Con celeridad.

apriscar v. tr. Recoger el ganado en el aprisco.

aprisco s. m. Paraje donde los pastores recogen el ganado para resguardarlo de la intemperie.

aprisionar v. tr. **1.** Meter en prisión. **2.** fig. Atar, sujetar.

aproar v. intr. Volver el buque la proa a alguna parte.

aprobación s. f. Acción y efecto de aprobar.

aprobado s. m. En los exámenes, calificación mínima de aptitud o idoneidad.

aprobar v. tr. Calificar o dar por bueno.

aproches s. m. pl. Conjunto de trabajos que van haciendo los que atacan una plaza para acercarse a batirla, como son las trincheras, baterías, etc.

aprontar v. tr. Prevenir, disponer con prontitud.

apropiación s. f. Acción y efecto de apropiar o apropiarse.

apropiado, da adj. Acomodado o proporcionado para el fin a que se destina.

apropiar v. tr. **1.** Hacer propia de alguien cualquier cosa. || v. prnl. **2.** Tomar para sí alguna cosa haciéndose dueño de ella.

apropincuación s. f. Acción y efecto de apropincuarse.

apropincuarse v. prnl. Acercarse.

aprovechable adj. Que se puede aprovechar.

aprovechado, da adj. Se dice del que saca provecho de todo, y más aún del que utiliza lo que otros suelen desperdiciar o despreciar.

aprovechamiento s. m. Acción y efecto de aprovechar o aprovecharse.

aprovechar v. intr. **1.** Servir de provecho alguna cosa. || v. prnl. **2.** Sacar utilidad de alguna cosa.

aprovisionar v. tr. Abastecer.

aproximación s. f. Acción y efecto de aproximar o aproximarse.

aproximar v. tr. Arrimar, acercar. También prnl.

aproximativo, va adj. Que se aproxima o acerca.

ápside s. m. Cada uno de los dos extremos del eje mayor de la órbita trazada por un astro. Se usa más en pl.

apsiquia s. f. Pérdida del conocimiento.

áptero, ra adj. Que carece de alas.

aptitud s. f. Capacidad y disposición.

apto, ta adj. Idóneo, hábil, a propósito para hacer alguna cosa.

apuesta s. f. Cosa que se apuesta.

apuesto, ta adj. Ataviado, adornado.

apulgarar v. intr. Hacer fuerza con el dedo pulgar.

apulgararse v. prnl. Llenarse la ropa de manchas menudas.

apulso s. m. Contacto del borde de un astro con el hilo vertical del retículo del anteojo con el que se le observa.

apunarse v. prnl., Amér. del S. Padecer puna o soroche.

apunchar v. tr. Abrir los peineros las púas del peine, especialmente las gruesas.

apuntación s. f. Notación.

apuntador, ra adj. **1.** Que apunta. || s. m. y s. f. **2.** Persona que en el teatro va apuntando a los actores lo que tienen que decir.

apuntalar v. tr. Poner puntales.

apuntar v. tr. **1.** Dirigir un arma arrojadiza o de fuego hacia un objetivo. **2.** Señalar hacia el sitio u objeto determinado. **3.** Tomar nota de alguna cosa.

apunte s. m. Nota que se hace por escrito de alguna cosa.

apuntillar v. tr. Acachetar, rematar al toro con la puntilla.

apuñalar v. tr. Dar de puñaladas.

apuñar v. tr. Asir o coger algo con la mano, cerrándola.

apuracabos s. m. Pieza cilíndrica con una púa metálica, donde se aseguran los cabos de vela para que ardan hasta consumirse.

apuración s. f. Acción y efecto de apurar o apurarse.

apurado, da adj. **1.** Pobre, falto de caudal y de lo que necesita. **2.** Dificultoso, peligroso, angustioso. **3.** Esmerado, exacto.

apurar v. tr. **1.** Purificar, santificar. **2.** Acabar, agotar. **3.** Apremiar, dar prisa. En América se usa más como prnl.

apuro s. m. **1.** Aprieto, escasez grande. **2.** Aflicción, conflicto. **3.** Apremio, prisa.

aquejar *v. tr.* **1.** Acongojar, afligir, fatigar. **2.** Hablando de enfermedades, vicios, defectos, etc., afectar a una persona o cosa, causarles daño.

aquejoso, sa *adj.* Afligido, acongojado.

aquel, lla, llo *pron. dem.* Designa una persona o cosa que está lejos del hablante y del oyente.También adj. en m. y f.

aquelarre *s. m.* Conciliábulo de brujas o sitio donde se celebra.

aquende *adv. l.* De la parte de acá.

aquenio *s. m.* Fruto seco, indehiscente, con una sola semilla y con pericarpio no soldado a ella, como el del girasol.

aquerenciarse *v. prnl.* Tomar querencia a un lugar.

áqueta *s. f.* Cigarra.

aquí *adv. l.* En este lugar.

aquiescencia *s. f.* Consentimiento.

aquiescente *adj.* Que consiente, permite o autoriza.

aquietar *v. tr.* Sosegar, apaciguar. También prnl.

aquifoliáceo, a *adj.* Se dice de las plantas dicotiledóneas, siempre verdes, de hojas esparcidas, flores axilares, pequeñas y blancas, y fruto en drupa abayada. También s. f.

aquilatamiento *s. m.* Acción y efecto de aquilatar.

aquilatar *v. tr.* Examinar y graduar los quilates del oro y de las piedras preciosas.

aquilino *adj., poét.* Aguileño.

aquillado, da *adj.* **1.** De figura de quilla. **2.** Se aplica al buque muy largo de quilla.

aquilón *s. m.* **1.** Norte. **2.** Viento que sopla de esta parte, cierzo.

aquistar *v. tr.* Conseguir, adquirir, conquistar.

ara *s. f.* **1.** Altar en que se ofrecen sacrificios. **2.** Piedra consagrada.

arabesco *s. m.* Dibujo de adorno compuesto de tracerías, follajes, volutas, etc., y que se emplea comúnmente en frisos, zócalos y cenefas.

arabismo *s. m.* Giro o modo de hablar propio de la lengua árabe.

arabista *com.* Persona que se ocupa en estudiar la lengua y literatura árabes.

arabización *s. f.* Acción y efecto de arabizar.

arabizar *v. intr.* Imitar la lengua, estilo o costumbres árabes.

arabo *v. tr.* Árbol de los trópicos de la familia de las eritroxiláceas, cuya madera dura, resistente y fibrosa se emplea para hacer horcones.

aracari *s. m.* Especie de tucán, ave americana.

aráceo, a *adj.* Se dice de las plantas monocotiledóneas, herbáceas, algunas leñosas, con rizomas o tubérculos,

hojas alternas, que envuelven un bohordo con flores en espádice y frutos en bayas indehiscentes; como el aro. También s. f.

arácnido, da *adj.* Se dice de los artrópodos sin antenas de respiración aérea, con cuatro pares de patas y con cefalotórax. Carecen de ojos compuestos y tienen dos pares de apéndices bucales variables por su forma y función. También s. m.

aracnoides *adj.* Se dice de la meninge situada entre la duramáter y la piamáter, y formada por un tejido claro y seroso. También s. f.

aracnología *s. f.* Parte de la zoología que trata de los arácnidos.

arada *s. f.* Cultivo y labor del campo.

arado *s. m.* Instrumento de agricultura con que se labra la tierra abriendo surcos en ella.

arador *s. m.* Ácaro parásito y casi microscópico que produce la sarna.

aragonesismo *s. m.* Giro o modo de hablar propio de los aragoneses.

aragonito *s. m.* Carbonato de calcio nativo que difiere de la calcita por su cristalización en prismas hexagonales.

araguato *s. m., Col. y Ven.* Mono con pelaje de color leonado oscuro, pelo hirsuto en la cabeza y barba grande.

aralia *s. f.* Arbusto araliáceo, con tallo leñoso lleno de espinas, hojas grandes, gruesas y recortadas, flores en corimbo y frutos negruzcos.

araliáceo, a *adj.* Se dice de las plantas angiospermas dicotiledóneas, generalmente tropicales, de hojas alternas, flores en umbela y fruto drupáceo, como la hiedra. También s. f.

arambel *s. m., fig.* Andrajo o trapo que cuelga del vestido.

aramio *s. m.* Campo o tierra de labor que después de tener una o dos rejas se deja en barbecho.

arana *s. f.* Embuste, trampa, estafa.

arancel *s. m.* Tarifa oficial que determina los derechos que se han de pagar en varios ramos, como el de costas judiciales, aduanas, ferrocarriles, etc.

arancelario, ria *adj.* Perteneciente o relativo al arancel.

arándano *s. m.* Planta de las ericáceas, de hojas alternas aovadas y aserradas, flores solitarias, axilares y fruto en baya dulce y comestible.

arandela *s. f.* Corona o anillo metálico de uso frecuente en las máquinas y artefactos, para evitar el roce entre dos piezas.

arandillo *s. m.* Pájaro insectívoro que habita en los cañaverales en los que le gusta mecerse. Se alimenta de semillas e insectos.

aranero, ra *adj.* Embustero, tramposo, estafador. También s. m. y s. f.

araniego, ga adj. Se dice del gavilán que se caza con la red llamada araña o arañuelo.

aranzada s. f. Medida de tierra que equivalía casi a la fanega.

araña s. f. Arácnido pulmonado con cuatro pares de patas.

arañar v. tr. Raspar, rasgar, herir ligeramente el cutis con las uñas u otra cosa. También prnl.

arañazo s. m. Rasgadura ligera hecha en el cutis con las uñas, un alfiler u otra cosa.

arañuela s. f. Planta ranunculácea de jardín, de hermosas flores.

arañuelo s. m. Larva de insectos que destruyen los plantíos.

arar v. tr. Remover la tierra haciendo en ella surcos con el arado.

araucaria s. f. Árbol conífero, de gran altura, de hojas verticiladas y siempre verdes, flores dioicas y fruto drupáceo. Es originario de América.

arauja s. f. Planta trepadora de Brasil, de la familia de las asclepiadáceas, de hojas oblongas, blanquecinas por el envés, y flores blancas y olorosas.

aravico s. m., amer. Poeta de los antiguos peruanos.

arbitraje s. m. **1.** Acción o facultad de arbitrar. **2.** Juicio arbitral.

arbitral adj. Perteneciente o relativo al arbitrador o al juez árbitro.

arbitrar v. tr. **1.** Proceder alguien libremente, usando de su facultad y arbitrio. **2.** Juzgar como árbitro.

arbitrariedad s. f. Acto o proceder contrario a la justicia, la razón o las leyes, dictado solo por la voluntad o el capricho.

arbitrario, ria adj. Que procede con arbitrariedad.

arbitrio s. m. **1.** Facultad que tenemos de adoptar una resolución con preferencia a otra. **2.** Sentencia del juez árbitro.

arbitrista com. Persona que inventa planes o proyectos disparatados, para aliviar la hacienda pública o remediar males políticos.

árbitro, tra adj. Que puede obrar por sí solo, con plena independencia.

árbol s. m. Planta leñosa y elevada que se ramifica a diversa altura.

arbolado, da adj. Se dice del sitio poblado de árboles.

arboladura s. f. Conjunto de árboles y vergas de un buque.

arbolar v. tr. **1.** Poner los árboles a una embarcación. ‖ v. intr. **2.** Elevarse mucho las olas del mar.

arboleda s. f. Sitio poblado de árboles, principalmente el sombrío y ameno.

arbollón s. m. Desaguadero de un estanque y albañal.

arborecer v. intr. Hacerse árbol una planta.

arbóreo, a adj. Relativo al árbol.

arborescencia s. f. Crecimiento o calidad de las plantas arborescentes.

arborescente adj. Se dice de las plantas que tienen caracteres parecidos a los del árbol.

arboricultor, ra s. m. y s. f. Persona que se dedica a la arboricultura.

arboricultura s. f. Cultivo de los árboles.

arbotante s. m. Arco que se apoya en un botarel y contrarresta el empuje de algún arco o bóveda.

arbusto s. m. Planta leñosa de poca altura, perenne y ramificada desde la base.

arca s. f. Caja, generalmente de madera sin forrar y con tapa llana.

arcabucero s. m. Soldado armado de arcabuz.

arcabuco s. m. Monte muy espeso y cerrado.

arcabuz s. m. Arma antigua de fuego, semejante al fusil.

arcada s. f. Movimiento molesto y violento del estómago que excita a vómito. Se usa más en pl.

arcaduz s. m. **1.** Caño por donde se conduce el agua. **2.** Cangilón de una noria.

arcaico, ca adj. **1.** Perteneciente o relativo al arcaísmo. **2.** Anticuado.

arcaísmo s. m. **1.** Voz, frase o modo de decir antiguo. **2.** Empleo de voces, frases o maneras de decir anticuadas.

arcaizar v. intr. Usar arcaísmos.

arcángel s. m. Espíritu angélico bienaventurado.

arcano, na adj. **1.** Secreto, recóndito. ‖ s. m. **2.** Misterio, cosa oculta y muy difícil de conocer.

arcar v. tr. **1.** Dar figura de arco. **2.** Sacudir la lana con arco.

arce s. m. Árbol de madera muy dura, hojas sencillas, flores en corimbo o en racimo y fruto de dos sámaras unidas.

arcediano s. m. En lo antiguo, el primero o principal de los diáconos. Hoy es dignidad en el cabildo catedralicio.

arcén s. m. Margen u orilla a lo largo de la carretera para detenerse momentáneamente los vehículos.

archidiácono s. m. Arcediano.

archiduque s. m. Antiguamente, duque revestido de autoridad superior a la de otros duques.

archiduquesa v. tr. Princesa de la casa de Austria.

archilaúd s. m. Instrumento de música antiguo, algo mayor que el laúd.

archimandrita s. m. En la Iglesia griega, dignidad eclesiástica del estado regular, inferior al obispo.

archipámpano s. m., fam. Persona de gran dignidad o autoridad imaginaria.

archipiélago *s. m.* Parte del mar poblada de islas.

architriclino *s. m.* Entre griegos y romanos, encargado de ordenar los banquetes y de dirigir el servicio.

archivador *s. m.* **1.** Mueble de oficina para archivar documentos u otros papeles. **2.** Carpeta dispuesta para tales fines.

archivar *v. tr.* Poner y guardar papeles o documentos en un archivo.

archivero, ra *s. m. y s. f.* Persona que tiene a su cargo un archivo, o sirve como técnico en él.

archivística *s. f.* Tratado que versa sobre la estructuración y empleo del material de los archivos.

archivo *s. m.* Local en que se custodian documentos.

archivolta *s. f.* Arquivolta.

arcilla *s. f.* Sustancia mineral ordinariamente blanca, combinación de sílice y alúmina.

arcillar *v. tr.* Mejorar el terreno silíceo echándole arcilla.

arcilloso, sa *adj.* Que tiene arcilla o que abunda en ella.

arción *s. m.* Dibujo de líneas enlazadas que, imitando las mallas de una red, se usaba en la Edad Media.

arciprestazgo *s. m.* Dignidad o cargo de arcipreste.

arcipreste *s. m.* Antiguamente, el primero de los presbíteros de una iglesia. Hoy es dignidad en el cabildo catedralicio.

arco *s. m.* **1.** Porción de curva. **2.** Arma que sirve para disparar flechas.

arcosa *s. f.* Roca detrítica compuesta de granos de cuarzo mezclados con otros de feldespato. Se emplea en construcción y pavimentación.

arcuación *s. f.* Curvatura de un arco.

arder *v. intr.* Estar encendido.

ardid *s. m.* Artificio, medio utilizado hábil y mañosamente para el logro de algún intento.

ardido, da *adj.* Valiente, intrépido.

ardiente *adj.* **1.** Que causa ardor o parece que abrasa. **2.** Vehemente, apasionado.

ardilla *s. f.* Pequeño mamífero roedor de régimen arborícola.

ardimiento *s. m.* Valor, intrepidez.

ardínculo *s. m.* Absceso que se presenta en las heridas de las caballerías cuando se declara la gangrena.

ardiondo, da *adj.* Lleno de ardor o coraje.

ardite *s. m.* Moneda de poco valor que hubo antiguamente en Castilla.

ardor *s. m.* **1.** Calor grande. **2.** Valentía, ansia.

ardora *s. f.* Fosforescencia del mar que indica la presencia de un banco de sardinas.

ardorada *s. f.* Oleada de rubor que pone encendido el rostro.

ardoroso, sa *adj., fig.* Ardiente, vigoroso.

arduidad *s. f.* Calidad de arduo.

arduo, a *adj.* Muy difícil.

área *s. f.* Espacio de tierra ocupada por un edificio, campo, etc.

areca *s. f.* Palma cuyo fruto es una especie de nuez fibrosa con almendra dura y sirve para hacer buyo.

arefacción *s. f.* Secamiento, acción y efecto de secar o secarse.

arel *s. m.* Criba para limpiar el trigo en la era.

arelar *v. tr.* Limpiar el trigo en la era.

arena *s. f.* Conjunto de partículas desagregadas de las rocas.

arenación *s. f.* Operación que consiste en cubrir con arena caliente una parte enferma del cuerpo o todo el cuerpo.

arenal *s. m.* Extensión grande de terreno arenoso.

arencar *v. tr.* Salar y secar sardinas al modo de los arenques.

arenal *s. m.* Terreno cubierto de arena.

arenga *s. f.* Discurso enardecedor y frecuentemente solemne.

arengar *v. intr.* Decir una arenga. También prnl.

arenilla *s. f.* Arena menuda que se echa en los escritos recientes para secarlos y que no se borren.

arenisco, ca *adj.* Se aplica a lo que tiene mezcla de arena.

arenoso, sa *adj.* **1.** Que tiene arena. **2.** Que participa de las cualidades y naturaleza de la arena.

arenque *s. m.* Pez teleósteo, fisóstomo, que se come fresco, salado o desecado al humo.

areola o aréola *s. f.* Círculo algo moreno que rodea el pezón.

areómetro *s. m.* Instrumento que sirve para determinar las densidades relativas a los pesos específicos de los líquidos y de los sólidos, por medio de los líquidos.

areóstilo *adj.* Se dice del monumento o edificio adornado con columnatas, cuyos intercolumnios son de ocho módulos o rara vez más. También s. m.

arepa *s. f., amer.* Torta hecha de maíz, huevos y manteca.

arestín *s. m.* **1.** Planta de color azulado, con las hojas partidas en tres gajos y llenas de púas en los bordes, así como el cáliz de la flor. **2.** Excoriación que sufren los cuadrúpedos en las cuartillas.

arete *s. m.* Arillo de metal que como adorno se lleva atravesado en el lóbulo de cada una de las orejas.

arfar *v. intr.* Cabecear el buque.

argado *s. m.* Enredo, travesura, dislate.

argallera *s. f.* Serrucho curvo para labrar canales en redondo.

argamandijo *s. m., fam.* Conjunto de cosas menudas que sirven para algún arte u oficio o para otro fin.

argamasa *s. f.* Mezcla de cal, arena y agua, que se emplea en las obras de albañilería.

argamasar *v. tr.* Hacer argamasa.

árgana *s. f.* Máquina a modo de grúa para subir piedras o cosas de mucho peso.

arganel *s. m.* Círculo pequeño de metal, parte del astrolabio.

arganeo *s. m.* Argolla de hierro en el extremo superior de la caña del ancla.

argavieso *s. m.* Turbión recio de agua con aire tempestuoso y truenos.

argayo *s. m.* Abrigo de paño burdo que usaban los dominicos.

argel *adj.* Se dice del caballo o yegua que solo tiene blanco el pie derecho.

argemone *s. f.* Planta papaverácea. En Europa se cultiva como planta de adorno y se emplea en medicina. Su jugo se usa como antídoto contra la mordedura de las culebras venenosas.

argén *s. m.* Color blanco o de plata.

argentado, da *adj.* Plateado.

argentar *v. tr.* Platear.

argénteo, a *adj.* De plata.

argentífero, ra *adj.* Que contiene plata.

argentinismo *s. m.* Locución, giro o modo de hablar propio de los argentinos.

argila *s. f.* Arcilla.

argolla *s. f.* Aro grueso de metal, que afirmado debidamente sirve para amarre o de asidero.

árgoma *s. f.* Aulaga, aliaga o tojo, planta leguminosa.

argón *s. m.* Cuerpo simple, gaseoso, existente en el aire, del cual no se conoce ningún compuesto.

argonauta *s. m.* Cada uno de los héroes griegos que, según la mitología, fueron a la conquista del vellocino de oro a Colcos.

argos *s. m., fig.* Persona muy vigilante.

argot *s. m.* **1.** Jerga, lenguaje de germanía. **2.** Lenguaje especial de personas que tienen el mismo oficio.

argucia *s. f.* Sutileza, sofisma, argumento falso presentado con agudeza.

árguenas *s. f. pl.* Alforjas.

argüir *v. tr.* Descubrir, probar.

argumentación *s. f.* **1.** Acción de argumentar. **2.** Argumento, razonamiento.

argumentar *v. intr.* Argüir.

argumento *s. m.* Razonamiento que se emplea para demostrar una proposición.

aria *s. f.* Composición musical sobre cierto número de versos para que la cante una sola voz.

aricar *v. tr.* Arar muy superficialmente.

aridez *s. f.* Calidad de árido.

árido, da *adj.* **1.** Seco, estéril. **2.** *fig.* Falto de amenidad.

ariete *s. m.* Máquina militar antigua que se empleaba en batir murallas.

arietino, na *adj.* Semejante a la cabeza del carnero.

arigue *s. m., Filip.* Madero usado en la construcción de edificios.

arije *adj.* Se dice de la uva de color rojo de ciertas cepas.

arijo, ja *adj.* Se dice de la tierra delgada y fácil de cultivar.

arilo *s. m.* Envoltura exterior de ciertas semillas casi siempre carnosa y de colores vivos, como las del trigo.

arimez *s. m.* Resalto de los edificios, como refuerzo o adorno.

ario, ria *adj.* Se dice del individuo de una raza o pueblo primitivo que habitó en el centro de Asia en época muy remota, y del cual proceden, según la opinión más general, todos los pueblos indoeuropeos.

arísaro *s. m.* Planta viscosa, de olor desagradable, muy acre; pero, después de cocida, se come sobre todo la raíz, de la que se extrae fécula abundante.

ariscarse *v. prnl.* Enojarse, ponerse arisco.

arisco, ca *adj.* Áspero, intratable.

arista *s. f.* Línea de intersección de dos planos.

aristarco *s. m., fig.* Crítico entendido, pero excesivamente severo.

aristocracia *s. f.* **1.** Gobierno en que solo ejercen el poder las personas más notables del Estado. **2.** Clase noble de una provincia, región, nación, etc.

aristócrata *s. m. y s. f.* Individuo de la aristocracia.

aristoloquia *s. f.* Planta herbácea de la familia de las aristoloquiáceas, con raíz fibrosa, tallos tenues y ramosos, hojas acorazonadas, flores amarillas y fruto esférico y coriáceo.

aristón *s. m.* Cualquier esquina de una obra de fábrica.

aritmética *s. f.* Parte de las matemáticas que estudia la cantidad discreta o discontinua.

arlequín *s. m.* **1.** Personaje cómico de la antigua comedia italiana, que llevaba mascarilla negra y traje de cuadros de distintos colores. **2.** *fig. y fam.* Persona informal, ridícula y despreciable.

arma *s. f.* **1.** Instrumento destinado a defender o defenderse. ‖ *s. f. pl.* **2.** Tropas o ejércitos de un Estado.

armada *s. f.* **1.** (ORT.: may. inicial) Conjunto de fuerzas navales de un Estado. **2.** Escuadra, conjunto de buques de guerra.

armadía *s. f.* Conjunto de vigas o maderos unidos con otros en forma plana, para poderlos conducir fácilmente a flote.

armadijo *s. m.* Trampa para cazar.

armadillo *s. m.* Mamífero del orden de los desdentados, cuyo dorso y cola están protegidos por placas córneas articuladas de manera que le permiten arrollarse en bola.

armador, ra *s. m. y s. f.* Persona que arma o avía una embarcación.

armadura *s. f.* Conjunto de armas de hierro con que se vestían para su defensa los que habían de combatir.

armamento *s. m.* **1.** Aparato y prevención de todo lo necesario para la guerra. **2.** Conjunto de armas para el servicio de un cuerpo militar o de un soldado.

armar *v. tr.* **1.** Proveer de armas. También prnl. **2.** Juntar entre sí las diversas piezas de que se compone un mueble, artefacto, etc. **3.** Aprestar una embarcación.

armario *s. m.* Mueble con puertas y anaqueles, donde se pueden guardar ropas, libros u otros objetos cualesquiera.

armatoste *s. m.* Cualquier máquina o mueble tosco, pesado y mal hecho, que sirve más de embarazo que de conveniencia.

armazón *s. amb.* **1.** Pieza o conjunto de piezas que sostienen a otra. **2.** Armadura, esqueleto.

armelina *s. f.* Piel blanca procedente de Laponia.

armella *s. f.* Anillo de metal que suele tener una espiga o tornillo para clavarlo en parte sólida.

armería *s. f.* **1.** Edificio en que se guardan diferentes clases de armas para curiosidad o estudio. **2.** Arte de fabricar armas.

armero *s. m.* Aparato para tener las armas en los puestos militares y otros puntos.

armilar *adj.* Se dice de la esfera movible que representa los círculos astronómicos.

armilla *s. f.* Astrágalo de la columna, y también espiral de esta.

armiño *s. m.* Mamífero carnívoro de piel muy suave y delicada, parda en verano y blanquísima en invierno, exceptuada la punta de la cola que es siempre negra.

armisonante *adj.* Que lleva o tiene armas que suenan al ser movidas o al chocar unas con otras.

armisticio *s. m.* Suspensión de hostilidades pactada entre pueblos o ejércitos beligerantes.

armón *s. m.* Juego delantero de la cureña de campaña.

armonía *s. f.* **1.** Combinación de sonidos simultáneos y diferentes, pero acordes. **2.** *fig.* Amistad y buena correspondencia.

armónica *s. f.* Pequeño instrumento musical de viento en el que soplando o aspirando se producen sonidos.

armónico, ca *adj.* Perteneciente o relativo a la armonía.

armonio *s. m.* Órgano pequeño, con la figura exterior semejante al piano, y al cual se da aire mediante un fuelle que se mueve con los pies.

armonioso, sa *adj.* Agradable al oído.

armonizar *v. tr.* Poner en armonía unas cosas con otras.

armuelle *s. f.* Planta anual de la familia de las quenopodiáceas, con flores en espiga y semilla negra y dura.

arna *s. f.* Vaso de colmena.

arnés *s. m.* **1.** Conjunto de armas de acero defensivas, que se vestían y aseguraban al cuerpo. || *s. m. pl.* **2.** Guarniciones de las caballerías.

árnica *s. f.* Planta compuesta, de raíz perenne, tallo hueco, velloso y áspero, de cabezuela amarilla. Las flores y la raíz tienen sabor acre, aromático y olor fuerte, que hace estornudar.

aro *s. m.* **1.** Pieza de hierro, madera, etc., en figura de circunferencia. **2.** Argolla o anillo grande de hierro.

aroma *s. f.* **1.** Flor del aromo, de olor muy fragante. **2.** Perfume, olor muy agradable.

aromar *v. tr.* Aromatizar.

aromático, ca *adj.* Que tiene aroma u olor agradable.

aromatizar *v. tr.* Dar o comunicar aroma a alguna cosa.

aromo *s. m.* Árbol mimosáceo, especie de acacia, de ramas espinosas y flores amarillas muy olorosas.

arpa *s. f.* Instrumento musical, de figura triangular, con cuerdas colocadas verticalmente y que se tocan con ambas manos.

arpadura *s. f.* Araño o rasguño.

arpar *v. tr.* Arañar o rasgar con las uñas.

arpegio *s. m.* Sucesión más o menos acelerada de los sonidos de un acorde.

arpella *s. f.* Ave rapaz diurna, que anida en tierra cercana a lugares pantanosos.

arpeo *s. m.* Instrumento de hierro con unos garfios, que sirve para rastrear o para abordarse dos embarcaciones.

arpía *s. f.* **1.** Ave fabulosa, cruel y sucia. **2.** *fig. y fam.* Mujer de mala condición.

arpillera *s. f.* Tejido de estopa muy basta, con que se cubren cosas diversas para defenderlas del polvo o del agua.

arpón *s. m.* Instrumento que se compone de astil de madera armado con una punta de hierro para herir y otras dos para hacer presa.

arponear *v. tr.* Herir con arpón.

arqueada *s. f.* Cada uno de los movimientos o golpes del arco sobre las cuerdas de un instrumento musical de esta clase.

arquear[1] *v. tr.* **1.** Dar figura de arco. También prnl. **2.** Sacudir la lana y ahuecarla con un arco de una o dos cuerdas.

arquear[2] *v. tr.* Medir la cabida de una embarcación.

arquegonio *s. m.* Órgano pluricelular femenino de los musgos.

arqueo[1] *s. m.* Cabida de una embarcación.

arqueo[2] *s. m.* Reconocimiento de los caudales que existen en la caja.

arqueología *s. f.* Ciencia que estudia todo lo que se refiere a las artes y monumentos de la antigüedad.

arqueólogo, ga *s. m. y s. f.* Persona versada en la arqueología.

arquería *s. f.* Serie de arcos.

arquero *s. m.* Soldado que peleaba con arco y flechas.

arquetipo *s. m.* **1.** Tipo supremo, prototipo ideal de todas las cosas. **2.** Modelo original y primario de un arte u otra cosa.

arquibanco *s. f.* Banco largo con uno o más cajones a modo de arcas, cuyas tapas sirven de asiento.

arquimesa *s. f.* Mueble con tablero de mesa y varios compartimientos o cajones.

arquisinagogo *s. m.* El principal de la sinagoga.

arquitecto, ta *s. m. y s. f.* Persona que profesa o ejerce la arquitectura.

arquitectónico, ca *adj.* Perteneciente a la arquitectura.

arquitectura *s. f.* Arte de proyectar o construir edificios.

arquitrabe *s. m.* Parte inferior del entablamento, que descansa inmediatamente sobre el capitel de la columna.

arquivolta *s. f.* Conjunto de molduras que decoran un arco en su paramento exterior vertical, acompañando a la curva en toda su extensión y terminando en las impostas.

arrabá *s. m.* Adorno rectangular que suele circunscribir el arco de las puertas y ventanas de estilo árabe.

arrabal *s. m.* **1.** Barrio fuera del recinto de la población a que pertenece. **2.** Población anexa a otra mayor.

arracada *s. f.* Arete con adorno colgante.

arracimarse *v. prnl.* Unirse o juntarse algunas cosas en figura de racimo.

arraclán *s. m.* Árbol ramnáceo, de hojas ovales, flores hermafroditas y madera flexible que da un carbón ligero.

arráez *s. m.* **1.** Caudillo o morisco. **2.** Capitán de embarcación árabe o morisca.

arraigar *v. intr.* **1.** Echar o criar raíces. También prnl. **2.** *fig.* Hacerse muy firme y difícil de extinguir una virtud, vicio, costumbre, etc. Se usa más como prnl.

arraigo *s. m.* Acción y efecto de arraigar o arraigarse.

arralar *v. intr.* Ralear, hacerse rala una cosa.

arramblar *v. tr.* Arrastrarlo todo, llevándoselo con violencia.

arrancada *s. f.* Partida o salida violenta.

arrancadera *s. f.* Esquila grande que llevan los mansos, y sirve, entre otras cosas, para levantar y guiar el ganado.

arrancadero *s. m.* Punto desde donde se echa a correr.

arrancadura *s. f.* Acción de arrancar.

arrancar *v. tr.* **1.** Sacar de raíz. **2.** Sacar con violencia una cosa del lugar a que está adherida o sujeta.

arrancasiega *s. f.* Acción de arrancar y segar algo.

arranchar *v. tr.* Dicho de la costa, pasar muy cerca de ella.

arranciarse *v. prnl.* Enranciarse.

arranque *s. m.* Ímpetu de cólera, piedad u otro afecto.

arranquera *s. f., Cub. y Méx.* Falta de dinero habitual o pasajera.

arrapar *v. tr.* Arrebatar.

arrapiezo *s. m.* Andrajo.

arras *s. f. pl.* **1.** Lo que se da como prenda o señal de algún contrato o concierto. **2.** Las trece monedas que, al celebrarse el matrimonio, pasan de las manos del desposado a las de la desposada y sirven para la formalidad de aquel acto.

arrasado, da *adj.* De la calidad del raso, o parecido a él.

arrasar *v. tr.* **1.** Allanar la superficie de una cosa. **2.** Echar por tierra, destruir, arruinar violentamente. **3.** Llenar una vasija hasta el borde.

arrastraculo *s. m.* Vela pequeña y cuadrada que se largaba debajo de la botavara.

arrastradero *s. m.* Camino por donde se hace, en el monte, el arrastre de maderas.

arrastrar *v. tr.* **1.** Llevar a una persona o cosa por el suelo, tirando de ella. **2.** Llevar alguien tras sí, o traer a otro a su dictamen o voluntad. || *v. prnl.* **3.** *fig.* Humillarse vilmente.

arrastre *s. m.* Acción de arrastrar una cosa de una parte a otra.

arrate *s. m.* Libra de 16 onzas.

arratonado, da *adj.* Comido o roído por los ratones.

arrayán *s. m.* Arbusto de hojas compuestas y persistentes, flores axilares, pequeñas, blancas y olorosas, y fruto en baya de color negro azulado.

¡arre! *interj.* que se emplea para arrear a los animales.

arreada *s. f., Arg. y Méx.* Robo de ganado.

arrear *v. tr.* Estimular a las bestias para que echen a andar o para que aviven el paso.

arrebañaderas *s. f. pl.* Ganchos de hierro destinados a sacar los objetos que se caen en los pozos.

arrebañar *v. tr.* Rebañar.

arrebatado, da *adj.* **1.** Impetuoso. **2.** *fig.* Color del rostro muy encendido.

arrebatamiento *s. m., fig.* Furor.

arrebatar *v. tr.* **1.** Quitar o tomar alguna cosa con violencia y fuerza. **2.** *fig.* Enfurecerse, dejarse llevar de la pasión.

arrebatiña *s. f.* Acción de recoger arrebatadamente una cosa disputada entre muchos que pretenden apoderarse de ella.

arrebato *s. m.* **1.** Arrebatamiento, furor. **2.** Éxtasis.

arrebol *s. m.* Color rojo de las nubes heridas por los rayos del Sol.

arrebolada *s. f.* Conjunto de nubes enrojecidas por los rayos del Sol.

arrebolar *v. tr.* Poner de color de arrebol. También prnl.

arrebozar *v. tr., fig.* Ocultar, encubrir mañosamente.

arrebujar *v. tr.* Coger mal y sin orden alguna cosa flexible, como ropa, etc.

arrechucho *s. m., fam.* Indisposición rápida y que dura poco.

arreciar *v. intr.* Irse haciendo cada vez más recia, fuerte o violenta alguna cosa. También prnl.

arrecife *s. m.* **1.** Afirmado o firme de un camino. **2.** Escollo en el mar.

arrecirse *v. prnl.* Entorpecerse los miembros con el frío.

arredilar *v. tr.* Meter en redil.

arredondear *v. tr.* Redondear. También prnl.

arredrar *v. tr.* **1.** Apartar, separar. También prnl. **2.** *fig.* Retraer.

arredro *adv. l.* Atrás, detrás o hacia atrás.

arregazar *v. tr.* Recoger las faldas hacia el regazo. Se usa más como prnl.

arreglar *v. tr.* **1.** Ajustar o conformar a regla, a la costumbre, a la ley. **2.** Ordenar, concertar, componer, reparar.

arreglo *s. m.* Acción de arreglar o arreglarse.

arregostarse *v. prnl., fam.* Engolosinarse, aficionarse a una cosa.

arregosto *s. m., fam.* Gusto que se toma a una cosa, hecho ya costumbre.

arrejacar *v. tr.* Romper con azadilla, etc., la costra del terreno de los sembrados ya crecidos y que tienen ya bastante raíz.

arrejada *s. f.* Aguijada de labrador.

arrejaque *s. m.* Garfio de hierro con tres puntas torcidas, que se usa en algunas partes para pescar.

arrejerar *v. tr.* Sujetar la embarcación con dos anclas por la proa y una por la popa.

arrelde *s. m.* Peso de cuatro libras. También s. f.

arrellanarse *v. prnl.* Ensancharse y extenderse en el asiento con toda comodidad y regalo.

arremangar *v. tr.* Recoger hacia arriba las mangas o la ropa. También prnl.

arremango *s. m.* Parte de ropa recogida al arremangarse.

arrematar *v. tr., fam.* Rematar, dar fin a una cosa.

arremedar *v. tr.* Remedar.

arremetedero *s. m.* Paraje por donde puede atacarse una plaza fuerte.

arremeter *v. intr.* Acometer con ímpetu.

arremetida *s. f.* Acción de arremeter.

arremetimiento *s. m.* Arremetida.

arremolinarse *v. prnl., fig.* Amontonarse desordenadamente la gente.

arrendadero *s. m.* Anillo de hierro al cual se atan las caballerías en los pesebres.

arrendajo *s. m.* Ave de la familia de los córvidos, parecida al cuervo, pero más pequeña, de color gris morado, que se alimenta principalmente de los frutos de los árboles y también de los huevos de otras aves cuyas voces imita.

arrendamiento *s. m.* Contrato por el cual se arrienda.

arrendar[1] *v. tr.* Ceder o adquirir por precio el goce o aprovechamiento temporal de cosas, obras o servicios.

arrendar[2] *v. tr.* Asegurar y atar por las riendas una caballería.

arrendatario, ria *adj.* Que toma en arrendamiento alguna cosa.

arrenquín *s. m., amer.* Caballería en que va montado el arriero.

arreo *s. m.* **1.** Atavío, adorno. ‖ *s. m. pl.* **2.** Guarniciones o jaeces de las caballerías de montar o de tiro.

arrepápalo *s. m.* Fruta de sartén, especie de buñuelo.

arrepentimiento *s. m.* Pesar de haber hecho alguna cosa.

arrepentirse *v. prnl.* Pesarle a alguien haber hecho o haber dejado de hacer alguna cosa.

arrepticio, cia *adj.* Endemoniado o espiritado.

arrequesonarse *v. prnl.* Torcerse la leche, cortarse.

arrequife *s. m.* Cada una de las dos palomillas de hierro que lleva el almarrá.

arrequive *s. m.* Guarnición que se ponía en el vestido en su borde.

arrestado, da *adj.* Audaz, arrojado.

arrestar *v. tr.* Detener, poner preso.

arresto *s. m.* Detención provisional del presunto reo.

arretranca *s. f., Col., Ec. y Méx.* Retranca, freno.

arrevesado, da *adj.* Enrevesado, difícil.

arrezafe *s. m.* **1.** Cardo borriquero. **2.** Sitio lleno de maleza.

arrezagar *v. tr.* Arremangar. También prnl.

arria *s. f.* Recua.

arriada *s. f.* Riada.

arriar *v. tr.* Bajar las velas o las banderas que están izadas.

arriate *s. m.* Era estrecha y dispuesta para tener plantas de adorno junto a las paredes de los jardines y patios.

arriaz *s. m.* Gavilán de espada.

arriba *adv. l.* **1.** A lo alto, hacia lo alto. **2.** En lo alto.

arribada *s. f.* Bordada que da un buque, dejándose ir con el viento.

arribaje *s. m.* Acción de arribar la nave al puerto.

arribar *v. intr.* **1.** Llegar la nave al puerto en que termina su viaje. **2.** *fig. y fam.* Convalecer.

arribazón *s. f.* Gran afluencia de peces a las costas y puertos en determinadas épocas.

arribeño, ña *adj., amer.* Se aplica al que procede de tierras altas. También s. m. y s. f.

arribista *com.* Persona ambiciosa que carece de escrúpulos y es capaz de todo por llegar a la cumbre del poder, de la riqueza o de la fama.

arribo *s. m.* Llegada.

arricés *s. m.* Cada una de las dos hebillas con que se sujetan las aciones de los estribos.

arridar *v. tr.* Tratándose de las jarcias muertas, tesarlas.

arriendo *s. m.* Arrendamiento.

arrieraje *s. m., amer.* Gremio o colectividad de arrieros.

arriería *s. f.* Oficio o ejercicio de arriero.

arriero, ra *s. m. y s. f.* Persona que trajina, por oficio, con bestias de carga.

arriesgado, da *adj.* **1.** Aventurado, peligroso. **2.** Osado, temerario.

arriesgar *v. tr.* Exponer a riesgo o peligro. También prnl.

arrimadero *s. m.* Cosa en que se puede estribar o a que alguien puede arrimarse.

arrimadillo *s. m.* Estera o tela a modo de friso que se pone en una habitación.

arrimadizo, za *adj.* **1.** Se aplica a lo que está hecho de propósito para arrimarlo a alguna parte. **2.** *fig.* Se dice del que interesadamente se arrima o pega a otro.

arrimadura *s. f.* Arrimo, acción de arrimar.

arrimar *v. tr.* Poner una cosa junto a otra de modo que toque con ella. También prnl.

arrimo *s. m.* **1.** Acción de arrimar o arrimarse. **2.** Apoyo, sostén. **3.** Pared medianera.

arrimón *s. m.* Arrimadizo, que interesadamente se arrima a otro.

arrinconado, da *adj.* **1.** Apartado. **2.** *fig.* Desatendido.

arrinconamiento *s. m.* Recogimiento o retiro.

arrinconar *v. tr.* Poner alguna cosa en un rincón o lugar retirado.

arriñonado, da *adj.* De figura de riñón.

arriostrar *v. tr.* Poner riostras.

arriscado, da *adj.* **1.** Atrevido, resuelto. **2.** Ágil, gallardo.

arriscamiento *s. m.* Atrevimiento, ímpetu denodado, resolución vigorosa.

arriscar *v. tr.* Arriesgar. También prnl.

arrisco *s. m.* Riesgo.

arritmia *s. f.* Falta de ritmo regular.

arrítmico, ca *adj.* Perteneciente o relativo a la arritmia.

arrizar *v. tr.* Entre la gente de mar, atar o asegurar a alguien.

arroaz *s. m.* Delfín.

arroba *s. f.* Peso equivalente a 11 kg y 502 g.

arrobamiento *s. m.* Acción de arrobarse.

arrobarse *v. prnl.* Enajenarse, quedarse fuera de sí.

arrobero, ra *s. m. y s. f.* Persona que hace pan y surte de él a una comunidad.

arrobo *s. m.* Arrobamiento, éxtasis.

arrocabe *s. m.* **1.** Maderamen colocado en lo alto de los muros de un edificio para ligarlos entre sí y con la armadura que han de sostener. **2.** Adorno a manera de friso.

arrocado, da *adj.* De figura de rueca.

arrocero, ra *adj.* Perteneciente o relativo al arroz.

arrocinar *v. tr., fig. y fam.* Embrutecer. También prnl.

arrodajarse *v. prnl., Amér. C.* Sentarse con las piernas cruzadas al estilo de los musulmanes.

arrodillarse *v. prnl.* Hincar la rodilla o ambas rodillas.

arrodrigonar *v. tr.* Poner rodrigones a las vides.

arrogación *s. f.* Acción y efecto de arrogar o arrogarse.

arrogancia *s. f.* Calidad de arrogante.

arrogante *adj.* **1.** Altanero, soberbio. **2.** Valiente, alentado. **3.** Gallardo, airoso.

arrogar *v. tr.* **1.** Adoptar o recibir como hijo al huérfano o al emancipado. ‖ *v. prnl.* **2.** Atribuirse, apropiarse una jurisdicción, facultad, etc.

arrojado, da *adj., fig.* Resuelto, osado, intrépido, inconsiderado.

arrojar *v. tr.* Echar, lanzar, tirar, despedir.

arroje *s. m.* Cada uno de los hombres que en los teatros se arrojaban desde el telar para hacer subir el telón con el peso de sus cuerpos.

arrojo *s. m., fig.* Osadía, intrepidez.

arrollar *v. tr.* **1.** Envolver una cosa de tal suerte que resulte en forma de rollo. **2.** *fig.* Atropellar.

arromanzar *v. tr.* Poner en romance o traducir de otro idioma al castellano.

arromar *v. tr.* Poner roma alguna cosa. También prnl.

arronzar *v. tr.* Ronzar una cosa pesada.

arropar¹ *v. tr.* Cubrir con ropa. También prnl.

arropar² *v. tr.* Endulzar el vino con arrope.

arrope *s. m.* Mosto cocido, con consistencia de jarabe, al que suele añadirse alguna fruta cocida.

arropea *s. f.* Traba o trabón que se pone a las caballerías.

arropía *s. f.* Melcocha, miel.

arrostrado, da *adj.* De buena o mala cara.

arrostrar *v. tr.* Hacer cara, resistir a las calamidades o peligros.

arroyada *s. f.* **1.** Valle por donde corre un arroyo. **2.** Corte o surco producido en la tierra por el agua corriente.

arroyadero *s. m.* Arroyada.

arroyar *v. tr.* Formar arroyos.

arroyo *s. m.* **1.** Caudal corto de agua, casi continuo. **2.** Cauce por donde corre.

arroz *s. m.* Planta propia de terrenos muy húmedos y climas cálidos, cuyo grano, rico en almidón, se come cocido.

arrozal *s. m.* Tierra sembrada de arroz.

arruar *v. intr.* Gruñir el jabalí cuando huye perseguido.

arrufar *v. intr.* Gruñir los perros enseñando los dientes.

arruga *s. f.* **1.** Pliegue que se hace en la piel. **2.** Pliegue deforme o irregular que se hace en la ropa o en cualquier tela o cosa flexible.

arrugar *v. tr.* Hacer arrugas. También prnl.

arrugia *s. f.* Excavación subterránea que hacían los antiguos mineros para producir el hundimiento de las tierras de aluvión que, sometidas después al lavado, daban el oro.

arruinar *v. tr.* **1.** Causar ruina. También prnl. **2.** *fig.* Destruir, ocasionar grave daño. También prnl.

arrullar *v. tr.* **1.** Atraer con arrullo el palomo o el tórtolo a la hembra, o al contrario. **2.** *fig. y fam.* Enamorar una persona a otra con frases dulces.

arrullo *s. m.* **1.** Canto grave y monótono con que se enamoran las palomas y tórtolas. **2.** Habla dulce y halagüeña con que se enamora una persona.

arruma *s. f.* División que se hace en la bodega de un buque para colocar la carga.

arrumaco *s. m., fam.* Demostración de cariño hecha con gestos o ademanes. Se usa más en pl.

arrumar *v. tr.* Distribuir y colocar la carga en un buque.

arrumazón *s. f.* Conjunto de nubes en el horizonte.

arrumbada *s. f.* Corredor que tenían las galeras en la parte de atrás a una y otra banda.

arrumbar *v. tr.* Poner una cosa como inútil en lugar apartado.

arrunflar *v. tr.* Juntar muchas cartas de un palo en el juego.

arruruz *s. f.* Fécula que se extrae de la raíz de una planta de la India.

arsenal *s. m.* Establecimiento militar o particular en que se construyen, reparan y conservan las embarcaciones.

arseniato *s. m.* Cualquier sal formada por la combinación del ácido arsénico con una base.

arsénico *s. m.* Metaloide de color, brillo y densidad semejantes a los del hierro colado, cuyos componentes son muy venenosos.

arta *s. f.* Plantaina.

arseniuro *s. m.* Combinación del arsénico con otro cuerpo simple.

arte *s. amb.* **1.** Virtud, disposición e industria para hacer algo. **2.** Cautela, maña.

artefacto *s. m.* Obra mecánica hecha según arte.

artejo *s. m.* **1.** Nudillo de los dedos. **2.** Cada una de las piezas articuladas entre sí de que están formados los apéndices segmentados de los artrópodos.

artemisa *s. f.* Planta olorosa compuesta, de hojas hendidas y flores blancas con el centro amarillo.

artera *s. f.* Instrumento de hierro con que cada uno marca su pan antes de enviarlo a un horno común.

arteria *s. f.* Cada uno de los vasos que llevan la sangre desde el corazón a las demás partes del cuerpo.

artería *s. f.* Amaño, astucia que se emplea para algún fin.

arterial *adj.* Perteneciente o relativo a las arterias.

arteriola *s. f.* Arteria pequeña.

arteriología *s. f.* Parte de la anatomía que trata de las arterias.

arteriosclerosis *s. f.* Endurecimiento de las arterias.

arterioso, sa *adj.* Abundante en arterias.

arteritis *s. f.* Inflamación de las arterias.

artero, ra *adj.* Mañoso, astuto.

artesa *s. f.* Cajón cuadrilongo que por sus cuatro lados se va angostando hacia el fondo. Sirve para amasar el pan y otros usos.

artesanía *s. f.* Arte u obra de los artesanos.

artesano, na *s. m. y s. f.* Persona que ejerce un arte u oficio mecánico.

artesiano, na *adj.* Se dice del pozo tubular muy hondo.

artesilla *s. f.* Cajón de madera que en las norias recibe el agua que vierten los arcaduces.

artesón *s. m.* Artesa redonda o cuadrada que regularmente sirve en las cocinas para fregar.

artesonado, da *adj.* Adornado con artesones.

artesonar *v. tr.* Adornar con artesones.

artético, ca *adj.* Que padece dolores en las articulaciones.

articulación *s. f.* **1.** Enlace de dos piezas o partes de una máquina o instrumento. **2.** Pronunciación clara y distinta de las palabras.

articulado, da *adj.* **1.** Que tiene articulaciones. **2.** Se dice de los animales invertebrados que tienen el cuerpo dividido en segmentos anulares.

articular *v. tr.* **1.** Unir, enlazar. También prnl. **2.** Pronunciar las palabras clara y distintamente.

articulista *s. m. y s. f.* Persona que escribe artículos para periódicos o publicaciones análogas.

artículo *s. m.* **1.** Una de las partes en que suelen dividirse los escritos. **2.** Cada una de las divisiones de un diccionario encabezado con distinta palabra. **3.** Escrito de cierta extensión e importancia inserto en un periódico. **4.** Parte de la oración.

artífice *s. m. y s. f.* **1.** Artista. **2.** Persona que ejecuta científicamente una obra artística o mecánica. También com.

artificial *adj.* Hecho por mano o arte del hombre.

artificio *s. m.* Arte, primor, ingenio o habilidad con que está hecha alguna cosa.

artificioso, sa *adj.* Hecho con artificio o arte.

artiga *s. f.* Tierra artigada.

artigar *v. tr.* Roturar un terreno para cultivarlo, quemando antes la maleza que hay en él.

artillado *s. m.* Artillería de un buque o de una plaza de guerra.

artillar *v. tr.* Armar de artillería las fortalezas o las naves.

artillería *s. f.* Arte de construir y usar las armas, máquinas y municiones de guerra.

artillero *s. m.* **1.** Persona que profesa por principios teóricos la facultad de la artillería. **2.** Individuo que sirve en la artillería del Ejército o de la Armada.

artilugio *s. m.* Aparato o mecanismo artificioso, pero de poca importancia.

artimaña *s. f.* **1.** Trampa para cazar. **2.** *fam.* Artificio o astucia.

artimón *s. m.* Una de las velas que se usaban en las galeras.

artina *s. f.* Fruto del arto o cambronera.

artiodáctilo, la *adj.* Se dice del mamífero ungulado que tiene un número par de dedos en cada pata.

artista *s. m. y s. f.* Persona dotada de las cualidades necesarias para el cultivo de un arte bello.

artístico, ca *adj.* Perteneciente o relativo a las artes, en especial a las llamadas bellas.

arto *s. m.* Cambronera.

artolas *s. f. pl.* Aparato similar a las aguaderas y con dos asientos que se coloca sobre las caballerías para que puedan ir sentadas dos personas, espalda con espalda.

artralgia *s. f.* Dolor de las articulaciones.

artrítico, ca *adj.* Concerniente a la artritis, al artritismo o a las articulaciones.

artritis *s. f.* Inflamación de las articulaciones.

artritismo *s. m.* Enfermedad general consistente en una propensión a las enfermedades originadas por el exceso de ácido úrico en la sangre. Se manifiesta por obesidad, litiasis, gota, diabetes, etc.

artrología *s. f.* Parte de la anatomía que trata de las articulaciones.

artropatía *s. f.* Enfermedad de las articulaciones.

artrópodo *adj.* Se dice de los animales invertebrados, de cuerpo con simetría bilateral, segmentado, con esqueleto exterior y patas articuladas como los insectos y las arañas. También *s. m.*

artuña *s. f.* Entre pastores, oveja parida que ha perdido su cría.

aruco *s. m., Col. y Ven.* Ave zancuda, que tiene una especie de cuerno en la frente.

árula *s. f.* Ara pequeña.

arundíneo, a *adj.* Perteneciente o relativo a las cañas.

arúspice *s. m.* Sacerdote pagano de la antigua Roma, que examinaba las entrañas de las víctimas para adivinar los sucesos.

aruspicina *s. f.* Arte supersticiosa de adivinar por las entrañas de los animales sacrificados.

arveja *s. f.* Planta leguminosa, de flores violadas o blanquecinas.

arvejera *s. f.* Algarroba.

arvejo *s. m.* Guisante.

arvense *adj.* Se dice de toda planta que crece en los sembrados.

arzobispado *s. m.* Dignidad de arzobispo.

arzobispo *s. m.* Obispo de iglesia metropolitana o que tiene honores de tal.

arzolla *s. f.* Planta compuesta, de tallo y fruto espinoso, y hojas largas y hendidas.

arzón *s. m.* Cualquiera de los fustes de la silla de montar.

as *s. m.* **1.** Unidad romana primitiva de monedas, pesos y medidas. **2.** Carta que en la numeración de cada palo de la baraja de naipes lleva el número uno.

asa *s. f.* **1.** Parte que sobresale del cuerpo de una vasija, bandeja, sartén, etc. **2.** *fig.* Asidero.

asacar *v. tr.* **1.** Sacar, inventar. **2.** Fingir, pretextar. **3.** Achacar.

asadero *s. m.* Lugar donde hace mucho calor.

asador *s. m.* Varilla puntiaguda en que se clava y se coloca al fuego lo que se quiere asar.

asadura *s. f.* Conjunto de las entrañas del animal. Se usa también en pl.

asaetear *v. tr.* **1.** Disparar saetas contra alguien. **2.** Herir o matar con saetas.

asaetinado, da *adj.* Se aplica a ciertas telas parecidas al saetín.

asainetado, da *adj.* Parecido al sainete.

asalariado, da *adj.* Que percibe un salario por su trabajo.

asalariar *v. tr.* Señalar salario a una persona.

asalmonado, da *adj.* De color rosa pálido.

asaltar *v. tr.* **1.** Acometer impetuosamente una plaza fuerte. **2.** Acometer repentinamente y por sorpresa a las personas.

asalto *s. m.* Combate simulado.

asamblea *s. f.* Reunión numerosa de personas convocadas para algún fin.

asambleísta *com.* Persona que forma parte de una asamblea.

asar *v. tr.* Hacer comestible un manjar poniéndolo al fuego para que se cueza.

asarabácara *s. f.* Ásaro.

asardinado, da *adj.* Se aplica a la obra hecha de ladrillos o adobes puestos de canto.

asargado, da *adj.* Parecido a la sarga, tela.

ásaro *s. m.* Planta perenne con rizoma rastrero, hojas radicales, flores terminales de color rojo y olor nauseabundo.

asativo, va *adj.* Se dice del cocimiento que se hace de alguna cosa con su propio zumo.

asaz *adv. c., poét.* Bastante, harto, muy.

asbesto *s. m.* Mineral de composición y caracteres semejantes a los del amianto, pero de fibras duras y rígidas comparables al cristal hilado.

asca *s. f.* Célula madre de las esporas de algunos hongos.

ascalonia *s. f.* Chalote.

ascáride *s. f.* Lombriz intestinal.

ascendencia *s. f.* Serie de ascendientes o antecesores de una persona.

ascendente *s. m.* Punto de la eclíptica en que se inicia la primera casa celeste, al observar el cielo para realizar una predicción.

ascender *v. intr.* **1.** Subir. **2.** *fig.* Adelantar en empleo o dignidad. **3.** Dar o conceder un ascenso.

ascendiente *s. m. y s. f.* Padre, madre o cualquiera de los abuelos, de quien desciende una persona.

ascensión *s. f.* Exaltación a una dignidad suprema.

ascenso *s. m.* **1.** *fig.* Promoción a mayor dignidad o empleo. **2.** Escalada.

ascensor *s. m.* Aparato para trasladar personas de unos a otros pisos.

ascensorista *com.* Persona encargada del servicio del ascensor.

asceta *com.* **1.** Persona que busca de la perfección espiritual, renunciando a los placeres del mundo y a las necesidades corporales. **2.** Persona que vive con sobriedad de forma voluntaria.

asceterio *s. m.* En el monacato oriental, colonia o agregación de anacoretas o eremitas.

ascético, ca *adj.* Se dice de la persona que se dedica particularmente a la práctica y ejercicio de la perfección cristiana.

ascetismo *s. m.* Doctrina de la vida ascética que impone al hombre una vida rigurosamente austera.

ascio, cia *adj.* Se dice del habitante de la zona tórrida donde dos veces al año, a la hora de mediodía, cae el sol verticalmente. También s. m. y en pl.

ascitis *s. f.* Acumulación anormal de humor seroso en el vientre.

asco *s. m.* Alteración del estómago causada por la repugnancia que se tiene a alguna cosa que incita a vómito.

ascomiceto, ta *adj.* Se dice de los hongos que tienen los esporidios encerrados en saquitos.

ascua *s. f.* Pedazo de cualquier materia sólida y combustible que está ardiendo sin dar llama.

aseado, da *adj.* Limpio, curioso.

asear *v. tr.* Adornar, componer con curiosidad y limpieza. También prnl.

asechanza *s. f.* Engaño o artificio para hacer daño a otro. Se usa más en pl.

asechar *v. tr.* Poner o armar asechanzas.

asedar *v. tr.* Poner alguna cosa suave como la seda.

asediar *v. tr.* **1.** Cercar un punto fortificado, para impedir que salgan los que están dentro o que reciban socorro de fuera. **2.** *fig.* Importunar a alguien sin descanso con pretensiones.

asedio *s. m.* Acción y efecto de asediar.

aseglararse *v. tr.* Relajarse un clérigo o religioso en la exigencia de su estado, adquiriendo costumbres o aspecto de seglar.

asegundar *v. tr.* Repetir un acto poco después de haberlo llevado a cabo por vez primera.

aseguración *s. f.* Seguro, contrato mercantil.

asegurado, da *adj.* Se dice de la persona que ha contratado un seguro. También s. m. y s. f.

asegurador, ra *adj.* Se dice de la persona o empresa que asegura riesgos ajenos. También s. m. y s. f.

asegurar *v. tr.* **1.** Dejar firme y seguro, establecer, fijar sólidamente. **2.** Preservar de daño a las personas o a las cosas.

aseidad *s. f.* Atributo de Dios, de existir por sí mismo o por necesidad de su misma naturaleza.

asemejar *v. tr.* Hacer una cosa con semejanza a otra.

asendereado, da *adj., fig.* Agobiado de trabajos o adversidades.

asenderear *v. tr.* **1.** Hacer sendas o senderos. **2.** Perseguir a alguien haciéndole andar fugitivo por los senderos.

asenso *s. m.* Acción y efecto de asentir.

asentaderas *s. f. pl., fam.* Nalgas.

asentado, da *adj.* **1.** Juicioso. **2.** *fig.* Estable, permanente.

asentamiento *s. m., fig.* Lugar donde se ejerce una profesión.

asentar *v. tr.* **1.** Sentar, poner en silla. Se usa más como prnl. **2.** Fundar pueblos o edificios. **3.** Aplanar, apisonar.

asentimiento *s. m.* Asenso.

asentir *v. intr.* Admitir como cierto o conveniente lo que otro ha afirmado o propuesto antes.

asentista *s. m.* Persona que contrata suministros de víveres y otros efectos.

aseo *s. m.* Limpieza, curiosidad.

asépalo, la *adj.* Se dice de la flor que carece de sépalos.

asepsia *s. f.* **1.** Ausencia de gérmenes infecciosos. **2.** Método que se propone para evitar el acceso de gérmenes patógenos.

aséptico, ca *adj.* Perteneciente o relativo a la asepsia.

asequible *adj.* Que puede conseguirse o alcanzarse.

aserción *s. f.* Proposición en que se afirma o da por cierto algo.

aserenar *v. tr.* Serenar. También prnl.

aseriarse *v. prnl.* Ponerse serio.

aserradero *s. m.* Paraje donde se asierra la madera u otra cosa.

aserrado, da *adj.* Que tiene dientes como la sierra.

aserrar *v. tr.* Serrar.

aserrín *s. m.* Serrín.

aserruchar *v. tr., Col., Chil., Hond. y Per.* Cortar o dividir con serrucho la madera u otra cosa.

asertivo, va *adj.* Afirmativo.

aserto *s. m.* Aserción, acción de afirmar.

asesar *v. tr.* **1.** Hacer que alguien adquiera seso o cordura. || *v. intr.* **2.** Adquirir seso o cordura.

asesinar *v. tr.* Matar alevosamente, por precio, o con premeditación a alguien.

asesinato *s. m.* Acción y efecto de asesinar.

asesino *adj.* Que asesina, homicida. También s. m. y s. f.

asesor, ra *adj.* **1.** Que asesora. **2.** Se dice del letrado que tiene por oficio aconsejar con su dictamen. También s. m. y s. f.

asesoramiento *s. m.* Acción y efecto de asesorar o asesorarse.

asesorar *v. tr.* **1.** Dar consejo o dictamen. || *v. prnl.* **2.** Tomar consejo una persona de otra.

asesoría *s. f.* **1.** Oficio de asesor. **2.** Oficina del asesor.

asestadura *s. f.* Acción de asestar.

asestar *v. tr.* **1.** Dirigir un arma hacia el objeto que se quiere amenazar u ofender con ella. **2.** Descargar contra un objeto el proyectil o el golpe de un arma o de cosa que haga su oficio.

aseveración *s. f.* Acción y efecto de aseverar.

aseverar *v. tr.* Afirmar o asegurar lo que se dice.

asexual *adj.* Sin sexo, ambiguo.

asfaltar *v. tr.* Revestir de asfalto.

asfalto *s. m.* Mezcla de asfalto con arena, cal, etc., utilizada para pavimentar.

asfíctico, ca *adj.* Perteneciente o relativo a la asfixia.

asfixia *s. f.* Suspensión de la respiración.

asfixiar *v. tr.* Producir asfixia. También prnl.

asfódelo *s. m.* Gamón.

así *adv. m.* De esta, o de esa suerte o manera.

asidero *s. m.* **1.** Parte por donde se ase alguna cosa. **2.** *fig.* Ocasión o pretexto.

asiduidad *s. f.* Frecuencia, puntualidad.

asiduo, dua *adj.* Frecuente, puntual, perseverante.

asiento *s. m.* Silla, taburete o cualquier clase de mueble destinado para sentarse en él.

asignación *s. f.* **1.** Acción y efecto de asignar. **2.** Cantidad señalada por sueldo o por otro concepto.

asignar *v. tr.* Señalar, fijar.

asignatorio, ria *s. m. y s. f., amer.* Persona a quien se asigna la herencia o el legado.

asignatura *s. f.* Cada uno de los tratados o materias que se enseñan en un instituto docente, o forman un plan académico de estudios.

asilado, da *s. m. y s. f.* Acogido.

asilar *v. tr.* Albergar en un asilo. También prnl.

asilo *s. m.* Establecimiento benéfico donde se recogen los pobres o indigentes.

asimetría *s. f.* Falta de simetría.

asimétrico, ca *adj.* Que no guarda simetría.

asimiento *s. m., fig.* Adhesión, apego o afecto.

asimilación *s. f.* Acción y efecto de asimilar o asimilarse.

asimilar *v. tr.* Asemejar, comparar. También prnl.

asimismo *adv. m.* De este o del mismo modo.

asíndeton *s. m.* Figura que consiste en omitir las conjunciones en la construcción de la cláusula para dar mayor energía o viveza al concepto.

asíntota *s. f.* Línea recta que, prolongada indefinidamente, se acerca de continuo a una curva, sin llegar nunca a encontrarla.

asir *v. tr.* **1.** Tomar, coger con la mano y, en general, tomar de cualquier modo. || *v. prnl.* **2.** Agarrarse de alguna cosa.

asistencia *s. f.* **1.** Acción de asistir a un lugar. **2.** Socorro, favor, ayuda. **3.** Acción de asistir a una persona.

asistenta *s. f.* Criada de una casa particular que no pernocta en ella.

asistente *adj.* **1.** Que asiste. || *s. m.* **2.** Soldado que estaba destinado al servicio personal de un general, jefe u oficial. || *com.* **3.** Persona que, en cualquier oficio o función, realiza labores de asistencia.

asistir *v. intr.* **1.** Estar o hallarse presente. || *v. tr.* **2.** Cuidar y procurar la curación de los enfermos.

asistolia *s. f.* Insuficiencia de la sístole cardíaca. Es síndrome grave.

asma *s. f.* Enfermedad de los bronquios.

asmático, ca *adj.* **1.** Perteneciente o relativo al asma. **2.** Que la padece.

asna *s. f.* Hembra del asno.

asnada *s. f., fig. y fam.* Asnería.

asnado s. m. Puntal de mina.

asnal adj. **1.** Perteneciente o relativo al asno. **2.** Bestial o brutal.

asnería s. f. **1.** Conjunto de asnos. **2.** fig. y fam. Necedad.

asnilla s. f. Pieza de madera sostenida por dos pies derechos para mantener una pared ruinosa.

asnillo s. m. Insecto coleóptero, insectívoro, muy voraz. Es muy común en España.

asno s. m. Mamífero de la familia de los équidos, que se emplea como bestia de carga.

asobinarse v. prnl. Quedar una bestia, al caer, con la cabeza metida entre las patas delanteras de modo que por sí no pueda levantarse.

asociable adj. Se dice de lo que se puede asociar a otra cosa.

asociación s. f. Conjunto de los asociados para un mismo fin y persona jurídica formada por ellos.

asociado, da s. m. y s. f. Persona que forma parte de una asociación o compañía.

asociamiento s. m. Asociación.

asociar v. tr. **1.** Dar a alguien por compañero persona que le ayude. **2.** Juntar una cosa con otra, de suerte que se hermanen o concurran a un mismo fin.

asolación s. f. Asolamiento.

asolador, ra adj. Que asuela o destruye.

asolamiento s. m. Acción y efecto de asolar o poner por el suelo.

asolanar v. tr. Dañar el viento solano alguna cosa.

asolapar v. tr. Asentar una teja, losa, etc., sobre otra, de modo que solo cubra parte de ella.

asolar v. tr. Poner por el suelo, destruir, arruinar.

asoldar v. tr. Tomar a sueldo, asalariar.

asoleada s. f. Acción y efecto de asolear o asolearse.

asolear v. tr. **1.** Tener al sol una cosa por algún tiempo. ‖ v. prnl. **2.** Ponerse moreno por haber andado mucho al sol.

asomar v. intr. **1.** Empezar a mostrarse. ‖ v. tr. **2.** Sacar o mostrar alguna cosa por una abertura.

asombrar v. tr. **1.** Hacer sombra una cosa a otra. **2.** Asustar, espantar. También prnl. **3.** Causar gran admiración. También prnl.

asombro s. m. **1.** Susto, espanto. **2.** Admiración grande.

asombroso, sa adj. Que causa asombro o gran admiración.

asomo s. m. **1.** Indicio o señal de alguna cosa. **2.** Presunción, sospecha.

asonada s. f. Reunión numerosa para conseguir tumultuaria y violentamente cualquier fin, de ordinario político.

asonancia s. f. **1.** Correspondencia de un sonido con otro. **2.** Igualdad de vocales en las terminaciones de dos palabras a contar desde la última acentuada, sin tener en cuenta para nada las consonantes.

asonantar v. tr. Emplear en la rima una palabra como asonante de otra.

asonante adj. Se dice de la misma voz con respecto a otra de la misma asonancia.

asonar v. intr. Hacer asonancia o convenir un sonido con otro.

asordar v. tr. Ensordecer a alguien con ruido o con voces, de suerte que no oiga.

asorocharse v. prnl., Amér. del S. Padecer soroche.

asosegar v. tr. Sosegar. También intr. y prnl.

asotanar v. tr. Excavar el suelo para construir en él sótanos.

aspa s. f. **1.** Conjunto de dos maderos atravesados en forma de equis. **2.** Aparato exterior del molino de viento especie de cruz de madera en cuyos brazos se colocan unos lienzos a manera de velas, que sirve para mover la máquina.

aspadera s. f. Aspa, instrumento de aspar.

aspado, da adj., fig. y fam. Se dice del que no puede manejar con facilidad los brazos por oprimirle el vestido.

aspálato s. m. Nombre común de varias plantas espinosas semejantes a la retama.

aspar v. tr. **1.** Hacer madeja el hilo en el aspa. **2.** fig. y fam. Mortificar, molestar mucho a alguien.

aspaventero, ra adj. Que hace aspavientos.

aspaviento s. m. Demostración excesiva o afectada de espanto, admiración o sentimiento.

aspecto s. m. Apariencia de las personas y los objetos a la vista.

asperear v. intr. Tener sabor áspero.

aspereza s. f. **1.** Calidad de áspero. **2.** Desigualdad del terreno que lo hace escabroso y difícil para caminar por él.

asperges s. m., fam. Rociadura o aspersión.

asperiego, ga adj. Se dice de una variedad de manzana de sabor agrio, y del manzano que la produce.

asperillo s. m. Gustillo agrio de la fruta no bien madura, o el que tiene algún manjar por su misma naturaleza.

asperjar v. tr. Rociar.

áspero, ra adj. Insuave al tacto.

asperón s. m. Arenisca de cemento silíceo o arcilloso.

aspérrimo, ma adj. sup. de áspero.

aspersión s. f. Acción de asperjar.

aspersorio s. m. Instrumento con que se asperja.

áspid s. m. Víbora muy venenosa.

aspidistra s. f. Planta de la familia de las liliáceas, con hojas persistentes y grandes, rizoma escamoso y flores solitarias. Se cultiva para adorno de habitaciones.

aspillera s. f. Abertura larga y estrecha en un muro, para disparar por ella.

aspiración s. f. Acción y efecto de aspirar.

aspirado, da adj. Se dice de la letra que se pronuncia emitiendo con cierta fuerza el aire de la garganta.

aspiradora s. f. Máquina que aspira el polvo.

aspirante com. Persona que ha obtenido derecho a ocupar un cargo, honor o título.

aspirar v. tr. Atraer el aire a los pulmones, o gases o líquidos a una máquina aspiradora.

aspirina s. f. Cuerpo blanco, cristalizado en agujas, insípido y muy poco soluble en el agua, compuesto de los ácidos acético y salicílico. Se usa como antirreumático y antipirético.

asquear v. tr. Sentir asco de alguna cosa. También intr.

asquerosidad s. f. Suciedad que mueve a asco.

asqueroso, sa adj. **1.** Que causa asco. **2.** Que tiene asco.

asta s. f. **1.** Palo de la lanza, pica, venablo, etc. **2.** Palo en cuyo extremo se iza una bandera. **3.** Cuerno.

ástaco s. m. Cangrejo de agua dulce.

astado, da adj. Provisto de asta.

astático, ca adj. dice de un sistema de agujas imantadas, dispuesto de tal modo que la acción de la Tierra no tiene influencia sobre él.

astenia s. f. Falta considerable de fuerzas.

asténico, ca adj. Que padece astenia. También s. m. y s. f.

áster s. m. Género de plantas compuestas, de cabezuelas agrupadas en panículas o corimbos.

asterisco s. m. Signo ortográfico empleado para llamada a nota, u otros usos convencionales.

asteroide adj. **1.** De figura de estrella. ‖ s. m. **2.** Cada uno de los planetas telescópicos cuyas órbitas se encuentran entre las de Marte y Júpiter.

asteroideo, a adj. Se dice de los equinodermos, de brazos triangulares y soldados por la base, como la estrella de mar.

astigmatismo s. m. Defecto del ojo o de los instrumentos dióptricos, que hace confusa la visión.

astigmómetro s. m. Instrumento que sirve para apreciar el astigmatismo y su dirección.

astil s. m. Mango, de ordinario de madera, que tienen las hachas, azadas, etc.

astilla s. f. Fragmento irregular que salta o queda de una cosa de madera que se parte.

astillar v. tr. Hacer astillas.

astillero s. m. **1.** Percha en que se ponen las astas o picas y lanzas. **2.** Establecimiento donde se construyen y reparan buques.

astilloso, sa adj. Que se rompe con facilidad soltando astillas.

astracán s. m. Piel de cordero nonato o recién nacido, muy fina y con el pelo rizado.

astracanada s. f. Farsa teatral disparatada y chabacana.

astrágalo s. m. **1.** Hueso del tarso, articulado con la tibia y el peroné. **2.** Cordón en forma de anillo que rodea la columna.

astral adj. Perteneciente o relativo a los astros.

astrapea s. f. Árbol de la familia de las malváceas que abunda en las costas del Perú.

astricción s. f. Acción y efecto de astringir.

astrictivo, va adj. Que astringe o tiene virtud de astringir.

astrífero, ra adj., poét. Estrellado o lleno de estrellas.

astringencia s. f. Calidad de astringente.

astringente adj. Se dice principalmente de los alimentos o remedios que astringen.

astringir v. tr. **1.** Contraer, estrechar una sustancia los tejidos orgánicos. **2.** fig. Sujetar, constreñir.

astro s. m. Cualquiera de los innumerables cuerpos celestes que pueblan el firmamento.

astrolabio s. m. Instrumento matemático antiguo que se usaba para observar la situación y movimiento de los astros.

astrolatría s. f. Adoración de los astros.

astrología s. f. Ciencia de los astros.

astrólogo, ga s. m. y s. f. Persona que profesa la astrología.

astronauta com. Persona que navega por los espacios interplanetarios e interestelares.

astronomía s. f. Ciencia que trata de cuanto se refiere a los astros.

astronómico, ca adj., fig. y fam. Se dice de las cantidades extraordinariamente grandes.

astrónomo, ma s. m. y s. f. Persona que profesa la astronomía o tiene en ella especiales conocimientos.

astroso, sa adj. **1.** Infausto, malhadado, desgraciado. **2.** fig. Vil, despreciable.

astucia s. f. Ardid para lograr un intento.

asturianismo s. m. Giro o modo de hablar propio de los asturianos.

astuto, ta adj. Agudo, hábil.

asueto s. m. Vacación por un día o una tarde y en especial la que se da a los estudiantes.

asumir v. tr. Atraer a sí o tomar para sí.

asunción s. f. Por excelencia, elevación de la Virgen Santísima al cielo por obra de Dios.

asunto s. m. **1.** Materia de que se trata. **2.** Tema o argumento de una obra.

asurar v. tr. Requemar los guisados en la vasija donde se cuecen, por falta de jugo o de humedad.

asurcado, da adj. Que tiene surcos o hendeduras.

asurcano, na adj. Se dice de las labores o tierras contiguas y de quienes las labran.

asurcar v. tr. Hacer surcos.

asustadizo, za adj. Que se asusta con facilidad.

asustar v. tr. Dar o causar susto. También prnl.

atabacado, da adj. De color de tabaco.

atabal s. m. **1.** Timbal. **2.** Tambor pequeño.

atabalero, ra s. m. y s. f. Persona que toca el atabal.

atabanado, da adj. Se dice del caballo o yegua de pelo oscuro y con pintas blancas en los ijares y en el cuello.

atabardillarse v. prnl. Contraer el tabardillo.

atabe s. m. Abertura que se deja en algunas cañerías para desventarlas o ver si llega hasta allí el agua.

atabillar v. tr. Plegar los paños, dejándolos sueltos por las orillas.

atabladera s. f. Tabla para allanar la tierra ya sembrada.

atablar v. tr. Allanar con la atabladera la tierra ya sembrada, tirando de ella las caballerías.

atacadera s. f. Barra para atacar la carga de los barrenos.

atacado, da adj. **1.** fig. y fam. Irresoluto. **2.** fig. y fam. Miserable.

atacar v. tr. Acometer, embestir.

atacir s. m. División de la bóveda celeste en doce partes iguales por medio de meridianos.

atadero s. m. Lo que sirve para atar.

atadijo s. m., fam. Lío pequeño y mal hecho.

atado s. m. Conjunto de cosas atadas.

atadura s. f. **1.** Hecho y resultado de atar. **2.** Lo que sirve para atar.

atafagar v. tr. Aturdir a alguien, en especial con olores fuertes.

atafago s. m. Acción y efecto de atafagar.

atagallar v. intr. Navegar un buque muy forzado de vela.

ataguía s. f. Macizo impermeable para atajar el agua mientras se construye una obra hidráulica.

ataharre s. m. Banda de cuero o cáñamo que sujeta a la silla o albarda, rodea las ancas de la caballería e impide que el aparejo se corra hacia adelante.

atahona s. f. Tahona.

atahorma s. f. Ave rapaz diurna que se alimenta especialmente de reptiles. Pertenece a las falcónidas.

ataifor s. m. Mesa redonda y pequeña usada por los musulmanes.

atairar v. tr. Hacer ataires.

ataire s. m. Moldura en las escuadras y tableros de las puertas o ventanas.

atajadero s. m. Obstáculo que se pone en las acequias, regueras, etc., para hacer entrar el agua en una finca.

atajadizo s. m. Tabique u otra cosa con que se ataja un sitio o terreno.

atajamiento s. m. Acción y efecto de atajar.

atajar v. intr. **1.** Ir o tomar por el atajo. **2.** Salir al encuentro de una persona o animal por un atajo.

atajo s. m. Senda por donde se abrevia el camino.

atalantar v. tr. Agradar, convenir.

atalaya s. f. Torre hecha comúnmente en lugar alto para descubrir o dar aviso.

atalayar v. tr. **1.** Registrar el campo o el mar desde la atalaya. **2.** fig. Espiar.

atalayero s. m. Persona que desde un puesto avanzado observaba al enemigo y avisaba sus movimientos.

ataludar v. tr. Dar talud o inclinación.

ataluzar v. tr. Ataludar.

atanasia s. f. Hierba de santa María, planta medicinal de la familia de las compuestas.

atanor s. m. Tubo o cañería para conducir el agua.

atanquía s. m. Seda exterior del capullo de seda.

atañer v. intr. Corresponder, tocar o pertenecer.

ataque s. m. **1.** Acción de atacar, acometer, embestir. **2.** Acometimiento de algún estado morboso.

ataquizar v. tr. Amugronar.

atar v. tr. Unir o sujetar con ligaduras o nudos.

ataracea s. f. Taracea.

atarantado, da adj. **1.** Picado de la tarántula. **2.** fig. y fam. Inquieto.

atarantar v. tr. Aturdir, turbar los sentidos. También prnl.

ataraxia s. f. Tranquilidad de ánimo que no se enturbia por ningún deseo ni temor.

atarazana s. f. **1.** Arsenal. **2.** Cobertizo o recinto en que trabajan los cordeleros.

atarazar v. tr. Morder o rasgar con los dientes alguna cosa.

atardecer[1] s. m. Útimo periodo de la tarde.

atardecer[2] v. intr. Anochecer.

atarear v. tr. Poner o señalar una tarea.

atarjea s. f. Caja de ladrillo con que se protegen las cañerías.

atarquinar v. tr. Llenar de tarquín, enlodar. Se usa más como prnl.

atarraga s. f. Olivarda.

atarragar v. tr. Dar con el martillo la forma conveniente a la herradura y a los clavos, para su mejor aplicación al casco de la bestia.

atarraya s. f. Esparavel, red para pescar.

atarugar v. tr. **1.** Asegurar con tarugos, cuñas o clavijas. || v. prnl. **2.** fig. y fam. Atragantarse.

atasajar v. tr. Hacer tasajos la carne.

atascadero s. m. Lodazal o sitio donde se atascan los carruajes, las caballerías o las personas.

atascar *v. tr.* **1.** Tapar con tascos o estopones un agujero o hendidura. **2.** *fig.* y *fam.* Quedarse detenido por algún obstáculo, no pasar adelante.

atasco *s. m.* Impedimento que no permite el paso.

ataúd *s. m.* Caja donde se pone el cadáver para llevarlo a enterrar.

ataudado, da *adj.* De figura de ataúd.

ataujía *s. f.* Obra de taracea moruna hecha con metales finos y esmaltes.

ataurique *s. m.* Obra de ornamentación hecha con yeso. Representaba hojas y flores.

ataviar *v. tr.* Componer, adornar. También prnl.

atávico, ca *adj.* Perteneciente o relativo al atavismo.

atavío *s. m.* Compostura y adorno.

atavismo *s. m.* Semejanza con los abuelos.

ataxia *s. f.* Perturbación de las funciones del sistema nervioso que incapacita para coordinar los movimientos musculares voluntarios.

atáxico, ca *adj.* Perteneciente o relativo a la ataxia.

atediar *v. tr.* Causar tedio. También prnl.

ateísmo *s. m.* Opinión del ateo.

ateísta *adj.* Ateo. También com.

ateje *s. m.* Nombre de varios árboles de las borragináceas de las Antillas, de fruto dulce y gomoso, en figura de racimo.

atelaje *s. m.* Tiro, conjunto de caballerías que tiran del carruaje.

atelana *adj.* Se dice de una pieza cómica de los latinos semejante al entremés o sainete. También s. f.

ateles *s. m.* Mono sudamericano, llamado también *mono araña*.

atemorizar *v. tr.* Causar temor. También prnl.

atempa *s. f., Ast.* Pastos en llanuras o en lugares bajos y escampados.

atemperación *s. f.* Acción y efecto de atemperar o atemperarse.

atemperar *v. tr.* Moderar, templar. También prnl.

atenacear *v. tr.* Arrancar con tenazas pedazos de carne de una persona.

atenazar *v. tr.* **1.** Atenacear. **2.** Poner los dientes apretados por la ira o por el dolor.

atención *s. f.* **1.** Acción de atender. **2.** Demostración de respeto u obsequio.

atender *v. tr.* **1.** Satisfacer un deseo, ruego o mandato. También intr. ‖ *v. intr.* **2.** Aplicar el entendimiento a un objeto espiritual o sensible. **3.** Tener en cuenta.

atendible *adj.* Digno de ser atendido o de atención.

atenebrarse *v. prnl.* Entenebrecerse.

ateneo *s. m.* Nombre de algunas asociaciones científicas o literarias.

atenerse *v. prnl.* Ajustarse alguien en sus acciones a alguna cosa.

atenorado, da *adj.* Se dice de la voz parecida a la del tenor.

atentado *s. m.* Delito.

atentar *v. tr.* **1.** Emprender o ejecutar alguna cosa ilegal o ilícita. **2.** Intentar un delito; cometer atentado.

atento, ta *adj.* **1.** Que tiene fija la atención en alguna cosa. **2.** Cortés, comedido.

atenuación *s. m.* Acción y efecto de atenuar.

atenuar *v. tr.* **1.** Poner tenue, sutil o delgada alguna cosa. **2.** *fig.* Disminuir.

ateo, a *adj.* Que niega la existencia de Dios. También s. m. y s. f.

atercianado, da *adj.* Que padece tercianas.

aterciopelado, da *adj.* Semejante al terciopelo.

aterecerse *v. prnl.* Aterirse.

aterimiento *s. m.* Acción y efecto de aterirse.

aterirse *v. prnl.* Pasmarse de frío.

atérmano, na *adj.* Que difícilmente da paso al calor.

aterrada *s. f.* Acción de atracar un buque a tierra.

aterrador, ra *adj.* Que aterra.

aterrajar *v. tr.* Labrar con la terraja las roscas de los tornillos o tuercas.

aterraje *s. m.* Acción de aterrar un buque o un aviador con su aparato.

aterrar[1] *v. tr.* **1.** Derribar, abatir. ‖ *v. intr.* **2.** Llegar a tierra.

aterrar[2] *v. tr.* Aterrorizar. También prnl.

aterrizaje *s. m.* Acción de aterrizar.

aterrizar *v. intr.* Descender a tierra el aviador con el aparato que dirige.

aterronar *v. tr.* Hacer terrones alguna materia suelta. Se usa más como prnl.

aterrorizar *v. tr.* Causar terror. También prnl.

atesorar *v. tr.* Reunir y guardar dinero o cosas de valor.

atestación *s. f.* Deposición de testigo o de persona que testifica.

atestado *s. m.* Documento oficial en que se hace constar alguna cosa.

atestadura *s. f.* Porción de mosto con que se atiestan las cubas.

atestar[1] *v. tr.* **1.** Henchir. **2.** Rellenar.

atestar[2] *v. tr.* Testificar, atestiguar.

atestiguar *v. tr.* Deponer, declarar, afirmar como testigo algo.

atetar *v. tr.* Dar la teta, amamantar.

atetillar *v. tr.* Hacer una excavación alrededor de los árboles, dejando algo de tierra arrimada al tronco.

atezado, da *adj.* De color negro.

atezar *v. tr.* Ennegrecer. También prnl.

atibar *v. tr.* Rellenar con zafras, tierra o escombros, las excavaciones de una mina que no debe quedar abierta.

atiborrar *v. tr.* **1.** *fig.* Atestar de algo un lugar, especialmente de cosas inútiles. **2.** *fig. y fam.* Atracarse. También prnl.

aticismo *s. m.* Delicadeza, elegancia propia de los escritores y oradores atenienses de la época clásica.

ático *s. m.* Último piso de un edificio, más bajo de techo que los inferiores.

atierre *s. m.* Escombro que por hundimiento natural llena a veces los sitios de labor de las minas.

atiesar *v. tr.* Poner tiesa una cosa. También prnl.

atifle *s. m.* Utensilio de barro de los alfareros que lo utilizan para evitar que se peguen unas contra otras las piezas al cocerse.

atigrado, da *adj.* Manchado como la piel de tigre.

atijara *s. f.* **1.** Mercancía, comercio. **2.** Merced, recompensa.

atildado, da *adj.* Pulcro, elegante.

atildar *v. tr.* **1.** Poner tildes a las letras. **2.** *fig.* Componer, asear. También prnl.

atinar *v. intr.* Acertar o dar en el blanco.

atincar *s. m.* Bórax.

atinconar *v. tr.* Asegurar las galerías de las minas provisionalmente con estemples para evitar hundimientos.

atinente *adj.* Tocante o perteneciente.

atingencia *s. f., amer.* Relación, conexión, correspondencia.

atingente *adj.* Atinente.

atiplado, da *adj.* Que participa de las cualidades de la voz de tiple.

atiparse *v. prnl.* Atracarse, hartarse.

atiplar *v. tr.* Elevar la voz o el sonido de un instrumento hasta el tono de tiple.

atirantar *v. tr.* Poner tirante.

atisbar *v. tr.* Mirar, observar con cuidado, recatadamente.

atisbo *s. m.* **1.** Acción de atisbar. **2.** Conjetura, barrunto.

atizador *s. m.* Instrumento que sirve para atizar.

atizar *v. tr.* Remover el fuego o añadirle combustible para que arda más.

atizonar *v. tr.* Trabar la obra de mampostería con piedras colocadas a tizón.

atlante *s. m.* Cada una de las estatuas de hombres que sirven como columnas.

atlas *s. m.* **1.** Colección de mapas geográficos en un volumen. **2.** Colección de láminas.

atleta *com.* **1.** Deportista. **2.** Persona muy robusta y fuerte.

atlético, ca *adj.* Perteneciente o relativo al atleta, o a los juegos públicos o ejercicios propios de él.

atletismo *s. m.* Afición a los ejercicios atléticos.

atmómetro *s. m.* Instrumento para medir el agua evaporada en un tiempo dado.

atmósfera *s. f.* **1.** Envoltura de aire que rodea el globo terráqueo. **2.** Unidad de presión.

atmosférico, ca *adj.* Perteneciente o relativo a la atmósfera.

atoar *v. tr.* Llevar a remolque una nave por medio de un cabo que se echa por la proa para que tiren de él una o más lanchas.

atocha *s. f.* Esparto, planta.

atochar *v. tr.* Llenar alguna cosa de esparto u otra materia.

atocinar *v. tr.* **1.** Partir el puerco en canal; hacer los tocinos y sacarlos. ‖ *v. prnl.* **2.** *fig. y fam.* Irritarse, amostazarse.

atojar *v. tr., Cub., C. Ric. y Guat.* Azuzar a los animales.

atol *s. m., Cub., Guat. y Ven.* Atole.

atole *s. m.* Bebida a manera de gachas, muy común en América y que se hace con harina de maíz, disuelta en agua, quitadas las partes gruesas en un cedazo y hervido hasta darle alguna consistencia.

atolillo *s. m., C. Ric., Nic. y Hond.* Gachas de harina de maíz, azúcar y huevo.

atolladero *s. m.* Atascadero, lodazal.

atollar *v. intr.* **1.** Dar en un atolladero. También prnl. ‖ *v. prnl.* **2.** Atascarse.

atolón *s. m.* Isla madrepórica de forma anular, con una laguna interior que comunica con el mar por pasos estrechos.

atolondrado, da *adj., fig.* Que procede sin reflexión.

atolondrar *v. tr.* Aturdir. También prnl.

atomicidad *s. f.* Capacidad de los átomos para combinarse.

atómico, ca *adj.* **1.** Perteneciente o relativo al átomo. **2.** Se dice de la energía que procede de la desintegración del átomo.

átomo *s. m.* Elemento que constituye la materia y que, actualmente, es divisible en las denominadas partículas elementales, descubriéndose así su complejidad; está formado por un núcleo con protones y neutrones, y una envoltura de electrones negativos.

atona *s. f.* Oveja que cría un cordero de otra madre.

atonal *adj.* Se dice de la composición en que no existe una tonalidad bien definida.

atonalidad *s. f.* Calidad de atonal.

atondar *v. tr.* Estimular el jinete con las piernas al caballo.

atonía *s. f.* Falta de tono y de vigor, o debilidad de los tejidos orgánicos.

atónito, ta *adj.* Pasmado.

átono, na *adj.* Se aplica a la vocal, sílaba o palabra que se pronuncia sin acento prosódico.

atontar *v. tr.* Aturdir o atolondrar. También prnl.

atorar *v. tr.* **1.** Atascar, obstruir. También intr. y prnl. **2.** Turbarse en la conversación.

atormentar *v. tr.* **1.** Causar dolor o molestia corporal. También prnl. **2.** Causar aflicción, disgusto o enfado. También prnl.

atornillar *v. tr.* **1.** Introducir un tornillo haciéndole girar alrededor de su eje. **2.** Sujetar con tornillos.

atorozonarse *v. prnl.* Padecer torozón las caballerías.

atortolar *v. intr., fam.* Aturdir o acobardar. También prnl.

atortujar *v. tr.* Aplanar o aplastar alguna cosa apretándola.

atosigar *v. tr.* Emponzoñar con tósigo o veneno.

atóxico, ca *adj.* **1.** Que no es tóxico. **2.** Que no es producido por un tóxico.

atrabancar *v. tr.* **1.** Pasar o saltar de prisa, salvar obstáculos. También intr. **2.** *And. y Can.* Abarrotar, llenar.

atrabiliario, ria *adj.* De genio destemplado. También s. m. y s. f.

atrabilis *s. f.* Cólera negra y acre.

atracadero *s. m.* Paraje donde pueden, sin peligro, arrimarse a tierra las embarcaciones pequeñas.

atracador, ra *s. m. y s. f.* Persona que asalta con la finalidad de robar.

atracar[1] *v. tr.* **1.** *fam.* Hartar. También prnl. **2.** *fam.* Asaltar con la finalidad de robar.

atracar[2] *v. tr.* **1.** Arrimar unas embarcaciones a otras. ‖ *v. intr.* **2.** Arrimarse una embarcación a tierra.

atracción *s. f.* Fuerza que atrae.

atraco *s. m.* Acción de atracar, asaltar o saltear.

atracón *s. m., fam.* Acción y efecto de atracarse o hartarse.

atractivo, va *adj.* **1.** Que atrae o tiene fuerza para atraer. **2.** Que gana o inclina la voluntad. ‖ *s. m.* **3.** Gracia física o moral que atrae la voluntad ajena.

atractriz *adj.* Que atrae. Es siempre adj. f.

atraer *v. tr.* **1.** Traer hacia sí alguna cosa. **2.** *fig.* Inclinar o reducir una persona a otra a su voluntad, opinión, etc.

atrafagar *v. intr.* Fatigarse o afanarse.

atragantamiento *s. m.* Acción y efecto de atragantarse.

atragantarse *v. prnl.* **1.** No poder tragar algo que se atraviesa en la garganta. **2.** *fig.* Turbarse en la conversación. Se usa alguna vez como tr.

atraillar *v. tr.* Atar con traílla a los perros.

atramentario, ria *adj.* **1.** Semejante a la tinta. ‖ *s. m.* **2.** Tintero, entre los romanos.

atrampar *v. tr.* **1.** Coger o pillar en la trampa o en lugar del que no se puede salir. ‖ *v. prnl.* **2.** Caer en la trampa.

atrancar *v. tr.* **1.** Asegurar la puerta por dentro con una tranca. **2.** Atascar o cegar un conducto. Se usa más como prnl.

atranco *s. m.* **1.** Atolladero. **2.** Apuro.

atranque *s. m.* Atranco.

atrapamoscas *s. m., amer.* Planta americana de la familia de las droseráceas, cuyas hojas tienen numerosas glándulas y seis pelos sensitivos. Cuando un insecto toca estos pelos, las dos mitades del limbo de la hoja giran sobre el nervio central y se juntan, aprisionando al insecto.

atrapar *v. tr.* **1.** Coger al que huye o va de prisa. **2.** Coger algo.

atrás *adv. l.* Hacia la parte que está o queda a las espaldas de alguien.

atrasado, da *adj.* Alcanzado, empeñado.

atrasar *v. tr.* **1.** Retardar. También prnl. ‖ *v. prnl.* **2.** Quedarse atrás.

atraso *s. m.* **1.** Efecto de atrasar o atrasarse. ‖ *s. m. pl.* **2.** Pagas o rentas vencidas y no cobradas.

atravesaño *s. m.* Travesaño.

atravesar *v. tr.* **1.** Pasar cruzando de una parte a otra. ‖ *v. prnl.* **2.** Ponerse alguna cosa entremedias de otras.

atrenzo *s. m., amer.* Conflicto, apuro, dificultad.

atresia *s. f.* Atrofia general de los recién nacidos.

atresnalar *v. tr.* Poner y ordenar los haces en tresnales.

atreverse *v. prnl.* Determinarse a algún hecho o dicho arriesgado.

atrevido, da *adj.* Que se atreve.

atrevimiento *s. m.* Acción y efecto de atreverse.

atribución *s. f.* Cada una de las facultades que a una persona da el cargo que ejerce.

atribuir *v. tr.* **1.** Aplicar hechos o cualidades a alguna persona o cosa. También prnl. **2.** Señalar alguna cosa a alguien como de su competencia.

atribular *v. tr.* **1.** Causar tribulación. ‖ *v. prnl.* **2.** Padecer tribulación.

atributivo, va *adj.* Que indica o enuncia un atributo o cualidad.

atributo *s. m.* **1.** Cada una de las propiedades de un ser. **2.** Señalar alguna cosa a alguien como de su competencia.

atrición *s. f.* Dolor de haber ofendido a Dios, por la fealdad de los pecados y miedo del castigo eterno, con propósito de la enmienda.

atril *s. m.* Mueble en forma de plano inclinado que sirve para sostener libros.

atrilera *s. f.* Cubierta que se pone al atril en que se cantan la epístola y el evangelio en las misas solemnes.

atrincheramiento *s. m.* Conjunto de trincheras, y, en general, toda obra de defensa o fortificación pasajera o de campaña.

atrincherar *v. tr.* Fortificar una posición militar con atrincheramientos.

atrio *s. m.* **1.** Espacio descubierto y por lo común cercado de pórticos. **2.** Espacio cubierto que sirve de acceso a algunos templos o palacios.

atrípedo, da *adj.* Se dice de los animales que tienen negros los pies.

atrirrostro, tra *adj.* Se dice de las aves que tienen negro el pico.

atrito, ta *adj.* Que tiene atrición.

atrochar *v. intr.* Andar por trochas o sendas.

atrocidad *s. f.* **1.** Crueldad grande. **2.** *fam.* Dicho o hecho muy necio.

atrofia *s. f.* Disminución del volumen y vitalidad de un órgano.

atrofiarse *v. prnl.* Padecer atrofia.

atrompetado, da *adj.* Abocardado.

atronado, da *adj.* Se dice del que hace las cosas precipitadamente, sin cordura.

atronador, ra *adj.* Que atruena.

atronar *v. tr.* **1.** Asordar o perturbar con ruido como el trueno. **2.** Aturdir, atontar.

atropar *v. tr.* Juntar gente en tropas o en cuadrillas, sin orden ni formación. También prnl.

atropellar *v. tr.* **1.** Pasar precipitadamente por encima de alguna persona. **2.** Derribar o empujar a alguien para abrirse paso.

atropello *s. m.* Acción y efecto de atropellar o atropellarse.

atropina *s. f.* Alcaloide venenoso usado en medicina, que se extrae de la belladona y se emplea para dilatar las pupilas de los ojos y otros usos terapéuticos.

atroz *adj.* **1.** Fiero, inhumano. **2.** Enorme.

atruchado, da *adj.* Se dice del hierro colado cuyo grano semeja a las pintas de la trucha.

atuendo *s. m.* **1.** Aparato, ostentación. **2.** Atavío, vestido.

atufar *v. tr.* **1.** Enfadar. Se usa más como prnl. ‖ *v. prnl.* **2.** Recibir o tomar tufo.

atufo *s. m.* Enfado o enojo.

atún *s. m.* Pez acantopterigio comestible.

atunara *s. f.* Almadraba, lugar donde se pescan los atunes.

atunera *s. f.* Anzuelo grande para pescar atunes.

aturar *v. tr., fam.* Tapar y cerrar muy apretadamente alguna cosa.

aturdido, da *adj.* Atolondrado.

aturdimiento *s. m.* **1.** Perturbación de los sentidos. **2.** Perturbación moral. **3.** *fig.* Torpeza, falta de sinceridad y desembarazo para ejecutar algo.

aturdir *v. tr.* Confundir, desconcertar. También prnl.

aturrullar *v. tr., fam.* Aturullar.

aturullar *v. tr., fam.* Turbar a alguien dejándole sin saber qué decir o hacer.

atusar *v. tr.* **1.** Recortar e igualar el pelo con tijeras. ‖ *v. prnl.* **2.** *fig.* Componerse con demasiada afectación y prolijidad.

atutía *s. f.* Mezcla de óxido de cinc y otros cuerpos que, en forma de costra dura, se adhiere a los conductos y chimeneas de los hornos donde se tratan minerales de cinc o se fabrica latón.

auca *s. f.* Oca.

audacia *s. f.* Osadía, atrevimiento.

audaz *adj.* Osado, atrevido.

audible *adj.* Que se puede oír.

audición *s. f.* **1.** Acción de oír. **2.** Concierto, recital o lectura en público.

audiencia *s. f.* Tribunal de justicia colegiado.

audífono *s. m.* Aparato usado por los sordos para oír mejor.

auditivo, va *adj.* **1.** Que tiene virtud para oír. **2.** Perteneciente o relativo al órgano del oído.

auditor *s. m.* Asesor jurídico de un tribunal militar o eclesiástico.

auditoría *s. f.* **1.** Empleo de auditor. **2.** Tribunal o despacho de auditor.

auditorio[1] *s. m.* Concurso de oyentes.

auditorio[2] *adj.* Auditivo.

auge *s. m.* **1.** Elevación grande en dignidad o fortuna. **2.** Apogeo.

augita *s. f.* Mineral formado por un silicato doble de cal y magnesia, brillante, de color verde oscuro o negro, que constituye una variedad del piroxeno.

augur *s. m.* Ministro de la religión gentílica, que en la antigua Roma practicaba la auguración.

auguración *s. f.* Adivinación por el vuelo y el canto de las aves.

augurar *v. tr.* Presagiar, presentir, predecir.

augurio *s. m.* Presagio, indicio de algo futuro.

augusto, ta *adj.* Se dice de lo que infunde o merece gran respeto y veneración por su majestad y excelencia.

aula *s. f.* Sala donde se enseña algún arte o facultad en las universidades, colegios, etc.

aulaga *s. f.* Planta papilionácea, de hojas lisas, terminadas en púa y flores amarillas, que se emplea como pienso.

áulico *adj.* Perteneciente o relativo a la corte o al palacio.

aulladero *s. m.* Sitio donde de noche se juntan y aúllan los lobos.

aullar *v. intr.* Dar aullidos.

aullido *s. m.* Voz triste y prolongada del lobo, el perro y otros animales.

aúllo *s. m.* Aullido.

aumentar *v. tr.* Acrecentar, dar mayor extensión, número o materia a alguna cosa. También intr. y como prnl.

aumentativo, va *adj.* Se aplica a los vocablos que aumentan y acrecientan la significación de los positivos de que proceden.

aumento *s. m.* Acrecentamiento o extensión de una cosa.

aun *adv. m.* Funciona como una conjunción con valor concesivo.

aún *adv. m.* Todavía, no obstante, sin embargo.

aunarse *v. prnl.* Unir, confederarse para algún fin.

auniga *s. f.* Ave palmípeda de Filipinas.

aunque *conj. conces.* Alude a una objeción y dificultad que puede superarse.

¡aúpa! *interj.* Se usa para animar a los niños a que se levanten.

aupar *v. tr.* **1.** *fam.* Levantar o subir a una persona. También prnl. **2.** *fig.* Ensalzar, enaltecer. También prnl.

aura *s. f.* **1.** *poét.* Viento suave y apacible. **2.** *fig.* Aplauso, aceptación general.

auranciáceo, a *adj.* Se dice de plantas dicotiledóneas siempre verdes, de hojas coriáceas y fruto en baya, carnoso y formado por cinco o más carpelos totalmente soldados.

áureo, a *adj., poét.* Parecido al oro o dorado.

aureola *s. f.* Resplandor, disco o círculo luminoso que suele figurarse detrás de la cabeza de imágenes santas.

aureolar *v. tr.* Adornar como con aureola.

áurico, ca *adj.* De oro.

aurícula *s. f.* **1.** Pabellón de la oreja. **2.** Cada una de las dos cavidades del corazón que reciben la sangre de las venas.

auricular *s. m.* En los aparatos telefónicos, el utensilio que se aplica al oído.

aurífero, ra *adj.* Que lleva o contiene oro.

auriga *s. m., poét.* Hombre que dirige las caballerías de un carruaje.

aurígero, ra *adj.* Que lleva o contiene oro.

aurívoro, ra *adj., poét.* Codicioso de oro.

aurora *s. f.* Luz sonrosada que precede inmediatamente a la salida del sol.

aurragado, da *adj.* Se aplica a la tierra mal labrada.

aurúspice *s. m.* Arúspice.

auscultación *s. f.* Acción y efecto de auscultar.

auscultar *v. tr.* Escuchar aplicando el oído inmediatamente, o por medio de instrumentos adecuados, los sonidos que se producen en el cuerpo, sobre todo en el pecho y abdomen.

ausencia *s. f.* **1.** Acción y efecto de ausentarse o de estar ausente. **2.** Tiempo en que alguien está ausente.

ausentarse *v. prnl.* Alejarse alguien, especialmente de su población.

ausente *adj.* Se dice del que está separado de alguna persona o lugar, en especial de la población en que se reside. También com.

ausentismo *s. m.* Absentismo.

auspiciar *v. tr., amer.* Patrocinar, favorecer, escudar, amparar.

auspicio *s. m.* **1.** Agüero. **2.** Protección.

auspicioso, sa *adj., amer.* Favorable, de buen augurio o indicio.

austeridad *s. f.* **1.** Calidad de austero. **2.** Mortificación de los sentidos y pasiones.

austero, ra *adj.* **1.** Agrio. **2.** Severo.

austral *adj.* Perteneciente o relativo al austro, y en general, al polo y al hemisferio del mismo nombre.

austro *s. m.* Viento que sopla de la parte del Sur.

ausubo *s. m.* Árbol de las Antillas de la familia de las sapotáceas.

autarquía[1] *s. f.* Condición de lo que se basta a sí mismo.

autarquía[2] *s. f.* Independencia económica de una nación.

autárquico, ca *adj.* Perteneciente o relativo a la autarquía económica.

auténtica *s. f.* Copia autorizada de alguna carta, orden, etc.

autenticación *s. f.* Acción y efecto de autenticar.

autenticar *v. intr.* **1.** Autorizar o legalizar alguna cosa. **2.** Dar fama, acreditar.

autenticidad *s. f.* Calidad de auténtico.

auténtico, ca *adj.* **1.** Acreditado de cierto y positivo. **2.** Autorizado o legalizado, que hace fe pública.

autentificar *v. tr.* Autenticar, autorizar o legalizar alguna cosa.

autillo *s. m.* Ave rapaz nocturna, parecida a la lechuza, pero algo mayor.

auto *s. m.* Forma de resolución judicial.

autobiografía *s. f.* Vida de una persona escrita por ella misma.

autobiográfico, ca *adj.* Perteneciente o relativo a la autobiografía.

autobombo *s. m., fam.* Elogio desmesurado y público que alguien hace de sí mismo.

autobús *s. m.* Automóvil destinado al transporte de viajeros.

autocamión *s. m.* Camión automóvil.

autocar *s. m.* Autobús para servicio de carretera y uso de turistas.

autoclave *s. f.* Aparato en forma de vasija cilíndrica para la esterilización por vapor, bajo presión y a temperaturas elevadas.

autocopista *s. f.* Aparato para sacar copias de un escrito o dibujo.

autocracia *s. f.* Forma de gobierno en la cual la voluntad de un solo hombre es la suprema ley.

autócrata *com.* Persona que ejerce por sí sola la autoridad suprema de un Estado.

autoctonía *s. f.* Calidad de autóctono.

autóctono, na *adj.* Se dice de la persona originaria del mismo país en que vive. También s. m. y s. f.

autodidacto, ta *adj.* Que se instruye por sí mismo, sin auxilio de maestro. También s. m. y s. f.

autostop *s. m.* Sistema de viaje que consiste en hacerse llevar gratis por vehículos a los que se para en la carretera.

autógeno, na *adj.* Se dice de la soldadura metálica que se hace, sin intermedio de materia extraña, fundiendo con el soplete de oxígeno y acetileno las partes por donde ha de hacerse la unión.

autogiro *s. m.* Aparato volador provisto de hélice horizontal.

autografía *s. f.* Procedimiento para reproducir escritos o dibujos hechos sobre un papel en tinta grasa, por medio de una piedra preparada para tal efecto.

autografiar *v. tr.* Reproducir un escrito por medio de la autografía.

autógrafo, fa *adj.* Se aplica al escrito de mano de su mismo autor. También s. m.

autoinducción *s. f.* Fenómeno que se manifiesta al establecer o interrumpir una corriente eléctrica por un circuito metálico.

autointoxicación *s. f.* Intoxicación del organismo por productos que él mismo elabora y que deberían ser eliminados.

autómata *s. m.* Máquina que imita la figura y movimientos de un ser animado.

automático, ca *adj., fig.* Maquinal.

automatismo *s. m.* Ejecución de actos diversos sin participación de la voluntad.

automedonte *s. m., fig.* Auriga, cochero.

autómnibus *s. m.* Autobús.

automotor, ra *adj.* **1.** Se dice de la máquina o aparato que se mueve sin intervención de una acción exterior. **2.** Se aplica especialmente a vehículos de tracción mecánica que circulan por la vía férrea.

automotriz *s. f.* Automotora.

automóvil *adj.* **1.** Que se mueve por sí mismo. || *s. m.* **2.** Cualquier vehículo movido de ordinario por motor de explosión.

automovilismo *s. m.* Utilización deportiva del automóvil.

automovilista *com.* Persona que es aficionada al automovilismo o que conduce un auto.

autonomía *s. f.* Capacidad de una provincia o región para entender y manejar su sistema económico, político, administrativo, etc., sin ingerencias del poder central.

autonómico, ca *adj.* Perteneciente o relativo a la autonomía.

autónomo, ma *adj.* Que goza de autonomía. También s. m. y s. f.

autopista *s. f.* Vía de circulación con varios carriles para el tránsito de automóviles, con circulación separada para ambos sentidos.

autopsia *s. f.* Examen anatómico del cadáver.

autópsido, da *adj.* Se dice de los minerales que tienen aspecto metálico.

autor, ra *s. m. y s. f.* Persona que es causa de alguna cosa.

autoría *s. f.* Antiguamente empleo de autor de compañía de comediantes.

autoridad *s. f.* Derecho o poder de mandar y hacerse obedecer.

autoritario, ria *adj.* **1.** Que se funda exclusivamente en la autoridad. **2.** Partidario extremado del principio de autoridad. También s. m. y s. f.

autoritarismo *s. m.* Abuso de autoridad.

autorización *s. f.* **1.** Acción y efecto de autorizar. **2.** Documento en que consta.

autorizar *v. tr.* Dar a alguien autoridad o facultad para hacer algo.

autorretrato *s. m.* Retrato de una persona hecho por ella misma.

autoservicio *s. m.* Acción de servirse una persona por sí misma. Se aplica especialmente a bares, mercados, etc.

autostop *s. m.* Autoestop.

autosugestión *s. f.* Sugestión que se produce en una persona con independencia de toda influencia extraña.

autótrofo, fa *adj.* Que se nutre por sí mismo; se dice en especial de las plantas provistas de clorofila.

autovacuna *s. f.* Vacuna bacteriana, preparada con las secreciones del mismo paciente.

autovía *s. f.* Carretera.

autumnal *adj.* Otoñal.

auxiliar[1] *s. m.* Funcionario técnico o administrativo de categoría subalterna.

auxiliar[2] *v. tr.* **1.** Dar auxilio. **2.** Ayudar a bien morir.

auxiliaría *s. f.* Empleo de auxiliar, profesor sustituto.

auxilio *s. m.* Ayuda, socorro.

avacado, da *adj.* Se dice de la caballería parecida a la vaca en que tiene mucho vientre y pocos bríos.

avadar *v. intr.* Menguar tanto los ríos y arroyos que se puedan vadear.

avahar *v. tr.* Echar vaho.

aval *s. m.* Firma puesta al pie de una letra o documento de crédito, para responder de su pago en caso de no efectuarlo la persona principalmente obligada a ello.

avalancha *s. f.* Alud.

avalar *v. tr.* Garantizar por medio de aval.

avalista *com.* Persona que avala.

avallar *v. tr.* Cerrar con valla una heredad.

avalorar *v. tr.* Dar valor o precio a alguna cosa.

avaluar *v. tr.* Valuar, valorar.

avalúo *s. m.* Valoración.

avambrazo *s. m.* Pieza del arnés que servía para cubrir y defender el antebrazo.

avance *s. m.* Anticipo de dinero.

avante *adv. l. y adv. t.* Adelante.

avantrén *s. m.* Juego delantero de los carros de artillería.

avanzada *s. f.* Partida de soldados destacada del cuerpo principal, con el fin de observar de cerca al enemigo y precaver posibles sorpresas.

avanzado, da *adj.* De ideas políticas o doctrinas atrevidas o muy nuevas. También s. m. y s. f.

avanzar *v. intr.* Ir hacia adelante especialmente las tropas.

avanzo *s. m.* **1.** Balance comercial. **2.** Presupuesto.

avaricia *s. f.* Afán desordenado de poseer y adquirir riquezas para atesorarlas.

avaricioso, sa *adj.* Avariento. También s. m. y s. f.

avariento, ta *adj.* Que tiene avaricia. También s. m. y s. f.

avaro, ra *adj.* Avariento. También s. m. y s. f.

avasallar *v. tr.* **1.** Sujetar, rendir o someter a la obediencia. ‖ *v. prnl.* **2.** Hacerse súbdito o vasallo de algún rey o señor.

avatar *s. m.* Nombre de las encarnaciones de Visnú.

ave *s. f.* Animal vertebrado, ovíparo, de respiración pulmonar y sangre de temperatura constante, pico córneo, cuerpo cubierto de plumas y extremidades torácicas en forma de alas.

avecasina *s. f., amer.* Becada.

avechucho *s. m.* **1.** Ave de figura desagradable. **2.** *fig. y fam.* Sujeto despreciable por su figura o costumbres.

avecinar *v. tr.* **1.** Acercar. Se usa más como prnl. **2.** Avecindar, dar vecindad en un pueblo. Se usa más como prnl.

avecindarse *v. prnl.* Establecerse en algún pueblo como vecino.

avefría *s. f.* Ave zancuda que vive en España, únicamente durante el otoño y el invierno tiene en la cabeza un moño de cinco o seis plumas rizadas.

avejentar *v. tr.* Poner a alguien viejo antes de serlo por edad. Se usa más como prnl.

avejigar *v. tr.* Levantar vejigas sobre alguna cosa.

avellana *s. f.* Fruto del avellano.

avellanador *s. m.* Barrena que sirve para avellanar.

avellanar *v. tr.* Ensanchar en una corta porción de su longitud los agujeros para los tornillos a fin de que la cabeza de estos quede embutida en la pieza taladrada.

avellano *s. m.* Arbusto de hojas acorazonadas y aserradas, que crece en los bosques de las regiones templadas.

avemaría *s. f.* **1.** Oración compuesta de las palabras con que el arcángel san Gabriel saludó a Nuestra Señora, de las que dijo santa Isabel y de las que añadió la Iglesia. **2.** Cada una de las cuentas pequeñas del Rosario.

avena *s. f.* Planta gramínea, de espigas colgantes, cuyo grano se da como pienso a las caballerías.

avenado, da *adj.* Que tiene vena de loco.

avenar *v. tr.* Dar salida y corriente a las aguas muertas o a la humedad excesiva de los terrenos, por medio de cañerías o zanjas.

avenate *s. m., And.* Arranque de locura.

avenencia *s. f.* **1.** Convenio, transacción. **2.** Conformidad, unión.

avenida *s. f.* **1.** Creciente impetuosa de un río o arroyo. **2.** Vía ancha con árboles a los lados.

avenimiento *s. m.* Acción y efecto de avenir o avenirse.

avenir *v. tr.* **1.** Concordar, ajustar las partes discordes. Se usa más como prnl. ‖ *v. prnl.* **2.** Componerse o entenderse bien con alguna persona o cosa.

aventador, ra *adj.* Se dice del que avienta los granos y los limpia.

aventadura *s. f.* Enfermedad de las caballerías que es una especie de tumor.

aventajado, da *adj.* Que aventaja a lo ordinario o común en su línea; notable, digno de llamar la atención.

aventajar *v. tr.* **1.** Conceder alguna ventaja. También prnl. **2.** Preferir.

aventar *v. tr.* **1.** Echar aire a alguna cosa. **2.** Impeler el viento alguna cosa.

aventura *s. f.* **1.** Acaecimiento, suceso extraño. **2.** Casualidad.

aventurar *v. tr.* Arriesgar, poner en peligro.

aventurero, ra *adj.* Que busca aventuras.

avergonzar *v. tr.* Causar vergüenza.

avería *s. f.* Daño que padecen las mercancías o géneros.

averiar *v. tr.* **1.** Producir, avería. También prnl. ‖ *v. prnl.* **2.** Echarse a perder alguna cosa.

averiguación *s. f.* Acción y efecto de averiguar.

averiguar *v. tr.* Inquirir la verdad hasta dar con ella.

averío *s. m.* Conjunto o copia de muchas aves domésticas.

averno *s. m.* Infierno.

averrugado, da *adj.* Que tiene muchas verrugas.

averrugarse *v. prnl.* Llenarse de verrugas.

aversión *s. f.* Oposición y repugnancia que se tiene a alguna persona o cosa.

avesta *s. m.* Conjunto de libros sagrados de los antiguos persas.

avestruz *s. m.* Ave corredora de gran tamaño.

avetado, da *adj.* Veteado, que tiene vetas.

avezar *v. tr.* Acostumbrar. También prnl.

aviación *s. f.* Locomoción aérea por medio de aparatos más pesados que el aire.

aviador, ra *adj.* Se dice de la persona que tripula un aparato de aviación. También s. m. y s. f.

aviar *v. tr.* **1.** Prevenir o disponer alguna cosa para el camino. **2.** *fam.* Alistar, arreglar algo. También prnl.

avícola *adj.* Perteneciente o relativo a la avicultura.

avicultor, ra *s. m. y s. f.* Persona que se dedica a la cría y fomento de aves para aprovechar sus productos.

avicultura *s. f.* Arte de criar las aves y aprovechar sus productos.

avidez *s. f.* Ansia, codicia.

ávido, da *adj.* Ansioso, codicioso.

aviejar *v. tr.* Avejentar. También prnl.

avienta *s. f.* Aventamiento del grano.

aviento *s. m.* Bieldo.

avieso, sa *adj.* Torcido, fuera de regla.

avigorar *v. tr.* Vigorar.

avilantarse *v. prnl.* Insolentarse.

avilantez *s. f.* Audacia, insolencia.

avillanar *v. tr.* Hacer que alguien degenere de su nobleza y proceda como villano. También prnl.

avinagrar *v. tr.* **1.** Poner agria una cosa. Se usa más como prnl. || *v. prnl.* **2.** *fig.* Volverse áspero el carácter de una persona.

avío *s. m.* Prevención, apresto.

avión¹ *s. m.* Pájaro, especie de vencejo.

avión² *s. m.* Vehículo aéreo más pesado que el aire.

avioneta *s. f.* Avión pequeño y de poca potencia.

avisado, da *adj.* Prudente, sagaz.

avisar *v. tr.* **1.** Dar noticia de algún hecho. **2.** Advertir o aconsejar.

aviso *s. m.* Noticia dada a alguien.

avispa *s. f.* Insecto de color amarillo con franjas negras, que tiene en la extremidad posterior del cuerpo un aguijón con el que pica.

avispado, da *adj., fig. y fam.* Vivo, despierto, agudo.

avispar *v. tr.* Aguijar, avivar a las caballerías. También prnl.

avispero *s. m.* **1.** Panal que fabrican las avispas. **2.** Conjunto de avispas.

avistar *v. tr.* Alcanzar con la vista alguna cosa.

avitaminosis *s. f.* Carencia o escasez de vitaminas.

avitelado, da *adj.* Parecido a la vitela.

avituallamiento *s. m.* Acción y efecto de avituallar.

avituallar *v. tr.* Proveer de vituallas.

avivar *v. tr.* Dar viveza, excitar, animar.

avizor *s. m.* Hombre que aviza.

avizorar *v. tr.* Acechar.

avocación *s. f.* Acción y efecto de avocar.

avocar *v. tr.* Atraer o llamar a sí un juez o tribunal superior la causa que se estaba litigando ante otro inferior.

avoceta *s. f.* Ave del orden de las zancudas de cuerpo blanco con manchas negras y pico largo, delgado y encorvado hacia arriba, cola corta y dedos palmeados.

avucasta *s. f.* Avutarda.

avugo *s. m.* Fruta del avuguero, la más temprana y pequeña de todas las peras, de color verde amarillento y sabor poco agradable.

avuguero *s. m.* Árbol, variedad del peral, cuyo fruto es el avugo.

avulsión *s. f.* Extirpación.

avutarda *s. f.* Ave zancuda, muy común en España, de vuelo bajo, cuerpo grueso, de color rojo manchado de negro, con las remeras exteriores blancas y las otras negras.

axial *adj.* Axil.

axil *adj.* Perteneciente o relativo al eje.

axila *s. f.* **1.** Ángulo formado por la articulación de un órgano o parte de una planta con la rama o tronco que lo sostiene. **2.** Sobaco.

axilar *adj.* Perteneciente o relativo a la axila.

axinita *s. f.* Borosilicato de aluminio y calcio, con cantidades pequeñas de manganeso, hierro y óxidos metálicos.

axioma *s. m.* Principio, sentencia, proposición tan clara y evidente que no necesita demostración.

axiomático, ca *adj.* Evidente.

axiómetro *s. m.* Instrumento que señala sobre cubierta la dirección que lleva el timón.

axis *s. m.* Segunda vértebra del cuello, sobre la cual se verifica el movimiento de rotación de la cabeza.

axoideo, a *adj.* Perteneciente o relativo al axis.

¡ay! *interj.* Expresa ordinariamente aflicción o dolor.

aya *s. f.* Mujer que en las casas acomodadas está encargada de custodiar niños y cuidar de su crianza.

ayacuá *s. m.* Diablillo pequeño e invisible al que algunas generaciones de indígenas argentinos atribuían sus dolencias.

ayahuasca *s. f., Ec. y Per.* Planta narcótica, que tomada en infusión embriaga y produce visiones fantásticas.

ayatolá *s. m.* Grado que se obtiene en las escuelas coránicas tras varios años de estudios y que confiere a quien lo obtiene autoridad en la interpretación del libro sagrado.

ayer *adv. t.* En el día que precedió inmediatamente.

ayermar *v. tr.* Convertir en yermo. También prnl.

ayo *s. m.* Hombre encargado en las casas de la custodia o crianza de un niño.

ayote *s. m., Amér. C.* Calabaza.

ayuda *s. f.* Acción y efecto de ayudar.

ayudante *com.* En algunos cuerpos y oficinas, oficial subalterno.

ayudantía *s. f.* **1.** Empleo de ayudante. **2.** Oficina del ayudante.

ayudar *v. tr.* Auxiliar, socorrer.

ayunar *v. intr.* Abstenerse total o parcialmente de comer y de beber.

ayuno *s. m.* Abstinencia.

ayuntamiento *s. m.* Corporación que administra los intereses de un municipio, compuesta por alcalde y concejales.

ayustar *v. tr.* Unir dos cabos por sus chicotes o las piezas de madera por sus extremidades.

ayuste *s. m.* Costura o unión de dos cabos.

azabache *s. m.* Variedad de lignito, bastante dura, de hermoso color negro de ébano y susceptible de pulimento.

azacán, na *adj.* Que se ocupa en trabajos humildes y penosos.

azacanarse *v. prnl.* Afanarse.

azache *adj.* Se dice de la seda de calidad inferior. También s. f.

azacuán *s. m., Guat. y El Salv.* Especie de milano.

azada *s. f.* Instrumento de labranza.

azadilla *s. f.* Almocafre, escardillo.

azadón *s. m.* Azada de pala algo curva y más larga que ancha.

azadonar *v. tr.* Cavar con azadón.

azafate *s. m.* Canastillo tejido ordinariamente de mimbres, llano y con borde de poca altura.

azafato, ta *s. f.* **1.** Criada de la reina. ‖ *s. m. y s. f.* **2.** Persona que presta sus servicios a bordo de un avión.

azafrán *s. m.* Planta iridácea, que se usa como condimento y para teñir de amarillo.

azafranado, da *adj.* Del color de azafrán.

azafranal *s. m.* Sitio poblado de azafrán.

azafranar *v. tr.* **1.** Teñir de azafrán. **2.** Poner azafrán en un líquido.

azagador *s. m.* Vereda o paso del ganado.

azagaya *s. f.* Dardo pequeño arrojadizo.

azahar *s. m.* Flor del naranjo, del limonero y del cidro, que es blanca y muy olorosa.

azalá *s. m.* Entre los mahometanos, oración o súplica.

azalea *s. f.* Arbolito ericáceo, originario del Cáucaso, con hojas oblongas y flores hermosas reunidas en corimbo,

con corolas divididas en cinco lóbulos desiguales, que contienen una sustancia venenosa.

azamboa *s. f.* Fruto del azamboero, variedad de cidra muy arrugada.

azamboero *s. m.* Árbol, variedad del cidro, cuya fruta es la azamboa.

azanahoriate *s. m.* **1.** Zanahoria confitada. **2.** *fig. y fam.* Cumplimiento o expresión muy afectada.

azanca *s. f.* Manantial de agua subterránea.

azar *s. m.* Casualidad, caso fortuito.

azarandar *v. tr.* Zarandar.

azarar *v. tr.* Conturbar, sobresaltar. También prnl.

azarbe *s. m.* Cauce adonde van a parar los sobrantes o filtraciones de los riegos.

azarbeta *s. f.* Cada una de las acequias o cauces que recogen los sobrantes o filtraciones de un riego y los llevan al azarbe.

azarcón *s. m.* Color anaranjado muy encendido.

azarearse *v. prnl.* **1.** *Chil., Guat. y Hond.* Turbarse, avergonzarse. **2.** *Chil y Per.* Irritarse, enfadarse.

azarja *s. f.* Instrumento que sirve para coger la seda cruda, que se compone de cuatro costillas unidas en dos rodetes agujereados por el medio, a fin de que pueda pasar el huso.

azaroso, sa *adj.* **1.** Que tiene en sí azar o desgracia. **2.** Turbado, temeroso.

azcona *s. f.* Antigua arma arrojadiza usada como dardo.

azemar *v. tr.* Sentar, alisar.

ázimo *adj.* Se dice del pan sin levadura.

azimut *s. m.* Acimut.

aznacho *s. m.* Pino rodeno, generalmente achaparrado.

aznallo *s. m.* Aznacho.

azoado, da *adj.* Que tiene ázoe. Se dice principalmente de las aguas.

azoar *v. tr.* Impregnar de nitrógeno.

azocar *v. tr.* Tratándose de nudos, trincas, ligaduras, etc., apretarlos bien.

ázoe *s. m.* Nitrógeno.

azofaifa *s. f.* Azufaifa.

azofaifo *s. m.* Azufaifo.

azófar *s. m.* Latón.

azofra *s. f.* Prestación personal.

azogar *v. tr.* Cubrir con azogue alguna cosa, como se hace con los cristales para que sirvan de espejos.

azogue *s. m.* Metal blanco y brillante como la plata y más pesado que el plomo.

azoguería *s. f.* Oficina donde se realizan las operaciones de amalgamación.

azoguero *s. m.* Jefe que dirige las tareas de amalgamación.

azoico *adj.* Nítrico.

azolar *v. tr.* Desbastar la madera con azuela.

azolvar *v. tr.* Cegar y tupir con alguna cosa un conducto.

azor *s. m.* Ave rapaz diurna.

azorar *v. tr., fig.* Conturbar, sobresaltar. También prnl.

azorrarse *v. prnl.* Quedarse como adormecido por tener la cabeza muy cargada.

azotacalles *com, fig. y fam.* Persona ociosa que anda continuamente callejeando.

azotado, da *adj.* De varios colores unidos confusamente y sin orden.

azotaina *s. f., fam.* Zurra de azotes.

azotar *v. tr.* Dar azotes a alguien. También prnl.

azotazo *s. m.* Golpe grande dado con el azote.

azote *s. m.* Instrumento de suplicio formado con cuerdas anudadas y a veces erizadas de puntas, con que se castigaba a los delincuentes.

azotea *s. f.* Cubierta llana de un edificio, dispuesta para poder andar por ella.

azotera *s. f., amer.* Látigo con varios ramales.

azotina *s. f., fam.* Azotaina.

azteca *adj.* Se dice del individuo de un antiguo pueblo dominador e invasor del territorio de México. También com.

azua *s. f.* Chicha, bebida alcohólica.

azúcar *s. amb.* Cuerpo sólido, cristalizable, perteneciente al grupo químico de los hidratos de carbono, de color blanco en estado puro, soluble en el agua y de sabor muy dulce. Se extrae especialmente de la caña de azúcar y de la remolacha, y también del jugo de otros vegetales. Según su estado de purificación se distinguen varias clases.

azucarar *v. tr.* Endulzar con azúcar.

azucarera *s. f.* Fábrica de azúcar.

azucarero *s. m.* Recipiente para el azúcar.

azucarillo *s. m.* Porción de masa esponjosa de almíbar, clara de huevo y limón.

azucena *s. f.* Planta perenne de tallo alto y flores terminales grandes, blancas y muy olorosas.

azuche *s. m.* Punta de hierro que suele colocarse en la extremidad inferior del pilote.

azud *s. amb.* Máquina con que se saca agua de los ríos para el riego de los campos.

azuela *s. f.* Herramienta de carpintero que sirve para desbastar.

azufaifa *s. f.* Fruto del azufaifo. Se usa como medicamento pectoral.

azufaifo *s. m.* Árbol de tronco tortuoso, con las ramas llenas de aguijones y hojas alternas; flores pequeñas y amarillas, y fruto en drupa elipsoidal, dulce y comestible.

azufrado, da *adj.* Parecido en el color al azufre.

azufrar *v. tr.* Sahumar con azufre.

azufre *s. m.* Metaloide amarillo, quebradizo, insípido, que se electriza fácilmente por frotación y da un olor característico.

azufrera *s. f.* Mina de azufre.

azufrón *s. m.* Mineral piritoso en estado pulverulento.

azufroso, sa *adj.* Que contiene azufre.

azul *adj.* Del color del cielo sin nubes. También s. m.

azulado, da *adj.* De color azul o que tira a él.

azulaque *s. m.* Zulaque.

azular *v. tr.* Dar o teñir de azul.

azulear *v. intr.* **1.** Mostrar alguna cosa el color azul que en sí tiene. **2.** Tirar a azul.

azulejar *v. tr.* Cubrir con azulejos.

azulejo *s. m.* Ladrillo pequeño vidriado, de varios colores.

azulenco, ca *adj.* Azulado.

azulete *s. m.* **1.** Viso de color azul dado a algunas prendas de vestir. **2.** *Ar.* Pasta de añil en bolas.

azulino, na *adj.* Que tira a azul.

azulón *s. m.* Especie de pato, de gran tamaño, muy frecuente en lagos y albuferas.

azulona *s. f.* Especie de paloma de las Antillas que tiene la cabeza y el cuello azules.

azúmbar *s. m.* Estoraque, bálsamo.

azumbrado, da *adj.* Medido por azumbres.

azumbre *s. f.* Medida de líquidos, compuesta de cuatro cuartillos y equivalente a 21 y 16 ml.

azur *adj.* Se dice del azul oscuro. También s. m.

azurita *s. f.* Malaquita azul.

azorrumbarse *v. prnl., amer.* Atolondrarse, aturdirse.

azurronarse *v. prnl.* Se dice de la espiga del trigo cuando por la sequía no puede salir del zurrón.

azut *s. m., Ar.* Azud.

azuzar *v. tr.* **1.** Incitar a los perros para que embistan. **2.** *fig.* Estimular, irritar.

b *s. f.* Segunda letra del abecedario español y primera de sus consonantes, de nombre *be*.

baba *s. f.* Saliva espesa y abundante que fluye a veces de la boca de las personas y de algunos mamíferos.

babada *s. f.* Babilla de las extremidades posteriores de los cuadrúpedos.

babador *s. m.* Babero.

babaza *s. f.* Humor viscoso que segregan algunos animales.

babear *v. intr.* Echar baba.

babel *s. amb.* Gran desorden y confusión.

babeo *s. m.* Acción de babear.

babera *s. f.* Pieza de la armadura antigua que cubría la boca, barba y quijadas.

babero *s. m.* Pedazo de tela que por limpieza se pone a los niños para comer pendiente del cuello y sobre el pecho.

baberol *s. m.* Babera.

Babia *n. p.* de la región leonesa del mismo nombre, que se usa en la expresión «estar alguien en Babia», para indicar que alguien está distraído y como ajeno a aquello de que se trata.

babieca *com., fam.* Persona floja y boba. También adj.

babilla *s. f.* En los cuadrúpedos, región de las extremidades posteriores formada por los músculos y tendones que articulan el fémur con la tibia y la rótula; en ella el humor sinovial es muy abundante y parecido a la baba.

babilonia *s. f., fig. y fam.* Babel.

babilónico, ca *adj., fig.* Fastuoso, ostentoso.

babirusa *s. m.* Cerdo salvaje, parecido al jabalí, de carne comestible, que habita en algunas regiones de Asia.

bable *s. m.* Dialecto hablado en Asturias.

babor *s. m.* Costado izquierdo de la embarcación mirando de popa a proa.

babosa *s. f.* Molusco gasterópodo pulmonado, que segrega en su marcha una baba clara y pegajosa.

babosear *v. tr.* Llenar de babas.

baboseo *s. m., fig. y fam.* Acción de babosear.

baboso, sa *adj.* Que echa muchas babas.

baboyana *s. f.* Lagarto pequeño.

babucha *s. f.* Zapato ligero y sin tacón.

baca *s. f.* **1.** Sitio en la parte superior de las diligencias y otros coches de camino, donde podían ir pasajeros y se colocaban los equipajes, resguardados por una cubierta impermeable. **2.** Artefacto en forma de parrilla que se coloca en el techo de los automóviles para llevar bultos.

bacalada *s. f.* Bacalao curado.

bacaladero *s. m.* Barco destinado a la pesca del bacalao.

bacalao *s. m.* **1.** Pez teleósteo, anacanto, con tres aletas dorsales y dos anales, de tamaño variable y cabeza muy grande. **2.** Carne de este mismo pez que se sala y se prensa para su conservación.

bacallar *s. m.* Hombre rústico, villano.

bacán *s. m.* **1.** *Cub.* Masa hecha con carne de puerco, tomate y ají, envuelta en hojas de plátano. **2.** *Arg.* Rufián.

bacanal *s. f., fig.* Orgía tumultuosa y desordenada.

bacante *s. f.* Mujer que tomaba parte en las fiestas bacanales.

bácara *s. f.* Amaro.

bacará *s. m.* Juego de naipes de origen italiano.

bácaris *s. f.* Bácara.

bacelar *s. m.* Parral.

bacera s. f. Enfermedad carbuncosa del ganado vacuno, lanar y cabrío, que ataca al bazo.

baceta s. f. Naipes que quedan sin repartir después de haber dado a cada jugador los que le corresponden.

bachata s. f., Cub. y P. Ric. Juerga, holgorio.

bachatear v. intr., Cub. y P. Ric. Divertirse, bromear.

bachatero, ra s. m. y s. f. Persona a quien le gusta bromear y divertirse.

bache s. m. Hoyo que se forma en una vía pública por el paso de vehículos.

bachear v. tr. **1.** Rellenar los baches de las vías públicas. || v. prnl. **2.** Llenarse una carretera de baches.

bachiller, ra s. m. y s. f. Persona que ha obtenido el grado que se concede al terminar la enseñanza secundaria.

bachillerato s. m. **1.** Grado que se obtiene al terminar la enseñanza secundaria que preceden a los superiores. **2.** Estudios necesarios para obtenerlo.

bacía s. f. **1.** Vasija poco honda y de borde muy ancho. **2.** La que utilizaban los barberos para mojar la barba.

baciforme adj. Que tiene forma de baya.

báciga s. f. Juego de naipes entre dos o más personas, cada una con tres cartas.

bacilar adj. Perteneciente o relativo a los bacilos.

bacilo s. m. Bacteria en forma de bastoncillo o filamento más o menos largo, recto o encorvado según las especies.

bacillar s. m. Parral.

bacilosis s. f. Estado de infección bacilar.

bacín s. m. Vaso de barro vidriado, alto y cilíndrico, que sirve para evacuar los excrementos.

bacina s. f. Bacín.

bacinada s. f. Inmundicia arrojada del bacín.

bacinero, ra s. m. y s. f. Persona que pide limosna para el culto religioso o para obras pías.

bacinete s. m. Pieza de la armadura antigua, que cubría la cabeza a modo de yelmo.

bacinilla s. f. Bacín bajo y pequeño.

bacisco s. m. Mineral menudo y tierra de la mina con que se hace barro y se moldean adobes.

baconar v. tr. Salar y cubrir el pescado.

bacteria s. f. Organismo unicelular, microscópico y sin clorofila, del que hay varias especies.

bactericida adj. Que mata las bacterias.

bacteriología s. f. Parte de la microbiología que estudia las bacterias.

bacteriosis s. f. Enfermedad bactérica.

bacterioterapia s. f. Tratamiento terapéutico por inoculación de los virus micróbicos.

báculo s. m. **1.** Palo o cayado para sostenerse las personas débiles o ancianas. **2.** Signo de dignidad episcopal.

bacuyán s. m., Filip. Árbol de los montes de Filipinas.

bada s. f. Abada.

badajada s. f., fig. y fam. Necedad, despropósito.

badajear v. intr., fig. y fam. Hablar mucho y neciamente.

badajo s. m. Pieza metálica que cuelga en el interior de la campana para hacerla sonar.

badal s. m. Balancín que, enganchado a los tirantes de las caballerías, sirve para arrastrar maderos, trillos, etc.

badán s. m. Tronco del cuerpo de un animal.

badana s. f. Piel curtida de carnero u oveja.

badano s. m. Formón usado por los carpinteros de ribera.

badea s. f. **1.** Sandía, melón o pepino de mala calidad. **2.** fig. y fam. Persona floja.

badén s. m. Zanja que deja en el terreno la corriente de las aguas llovedizas.

baderna s. f. Cabo trenzado que se emplea para sujetar el cable al virador, trincar la caña del timón, etc.

badián s. m. Árbol de Oriente de la familia de las magnoliáceas, de flores blancas y fruto capsular, estrellado, con semillas pequeñas que se emplean en medicina, como condimento y en la fabricación de anisetes.

badil s. m. Paleta para remover y recoger la lumbre en las chimeneas y braseros.

badila s. f. Badil.

badomía s. f. Despropósito, disparate.

badulaque adj. Informal, embustero.

badulaquear v. intr. Portarse como un badulaque.

bafle s. m. Soporte plano y rígido provisto de un orificio que se ajusta al cono de un altavoz para conseguir una difusión más pura.

baga s. f. Cápsula en que está la linaza o semillas del lino.

bagacera s. f. Sitio en que se tiende el bagazo de la caña de azúcar para que, secándose al sol, sirva de combustible.

bagaje s. m. **1.** Equipaje militar de una tropa en marcha. **2.** fig. Conjunto de conocimientos de que dispone una persona.

bagar v. intr. Echar el lino baga y semilla.

bagasa s. f. Ramera.

bagatela s. f. Cosa de poco valor.

bagazo s. m. En algunas partes, residuos de los frutos exprimidos.

bagre s. m. Pez teleósteo del suborden de los fisóstomos, abundante en los ríos de América.

bagual, la adj., Arg., Bol. y Ur. Bravo, indómito.

baguarí s. m., Amér. del S. Especie de cigüeña, de 1 m de longitud aproximadamente, de cuerpo blanco y alas y cola negras.

baguio s. m., Filip. Huracán en las islas Filipinas.

¡bah! interj. que denota incredulidad o desdén.

baharí *s. m.* Ave rapaz diurna de pies rojos, de unos 15 cm de altura. Es propia de Asia y África, y suele verse en España.

bahía *s. f.* Entrada de mar en la costa.

bahorrina *s. f., fig. y fam.* Conjunto de gente soez y ruin.

baila *s. f.* Perca.

bailable *adj.* Se dice de la música compuesta para bailar.

bailadero *s. m.* Lugar destinado para los bailes públicos.

bailar *v. intr.* Mover el cuerpo, los brazos y los pies a compás. También tr.

bailarín, na *s. m. y s. f.* Persona que profesa el arte de bailar.

baile *s. m.* Cada una de las maneras de bailar que reciben un nombre particular, como vals, rigodón, etc.

bailete *s. m.* Danza de corta duración introducida en una obra teatral.

bailotear *v. intr.* Bailar mucho y sin gracia.

bailoteo *s. m.* Acción y efecto de bailotear.

baivel *s. m.* Escuadra falsa usada para labrar dovelas.

baja *s. f.* **1.** Disminución del precio, valor o estimación de algo. **2.** Cese temporal de una persona en su trabajo por motivos de enfermedad, accidente, etc.

bajá *s. m.* En Turquía, título honorífico.

bajada *s. f.* **1.** Acción de bajar. **2.** Camino o senda por donde se baja.

bajamar *s. f.* **1.** Fin o término del reflujo del mar. **2.** Tiempo que dura.

bajar *v. intr.* **1.** Ir desde un lugar a otro que esté más bajo. **2.** Apear. **3.** Disminuir.

bajareque *s. m.* **1.** *Cub.* Casucha miserable. **2.** *amer.* Pared de palos entretejidos con cañas y barro. **3.** *Pan.* Llovizna menuda propia de sitios altos.

bajel *s. m.* Buque, embarcación.

bajelero *s. m.* Dueño, patrón o fletador de un bajel.

bajera *s. f.* **1.** *Arg. y Ur.* Pieza del recado de montar que consiste en una pequeña manta colocada sobre el lomo de la cabalgadura. **2.** *Amér. C., Col., Méx. y Ven.* Hojas inferiores de la planta del tabaco, que son de mala calidad.

bajero, ra *adj.* Que se usa o pone debajo de otra cosa.

bajete *s. m.* Barítono.

bajeza *s. f.* Hecho vil.

bajío *s. m.* Banco de arena en el mar.

bajista *com.* **1.** Persona que juega a la baja en la bolsa. **2.** Persona que toca el bajo.

bajo, ja *adj.* **1.** De poca altura. **2.** *fig.* Humilde, despreciable. ‖ *s. m.* **3.** Sitio o lugar hondo. **4.** Instrumento que produce los sonidos más graves de la escala general. ‖ *adv. m.* **5.** En voz baja. ‖ *prep.* **6.** En lugar inferior a, debajo de.

bajón *s. m., fig. y fam.* Disminución notable en el caudal, las facultades mentales, la salud, etc.

bajonazo *s. m., desp.* Bajón en la salud, caudal, facultades, etc.

bajorrelieve *s. m.* Relieve en que las figuras destacan poco del plano.

bajuno, na *adj.* Bajo, soez.

bajura *s. f.* Falta de elevación.

bala *s. f.* Proyectil, generalmente de plomo o de hierro, para cargar las armas de fuego.

balacera *s. f., Amér. del S.* Tiroteo.

balada *s. f.* Canción de carácter popular, de asunto amoroso y ritmo lento.

baladí *adj.* De poca sustancia y aprecio.

baladrar *v. intr.* Dar baladros.

baladro *s. m.* Grito, alarido.

baladrón, na *adj.* Fanfarrón.

baladronada *s. f.* Hecho o dicho propio de baladrones o fanfarrones.

baladronear *v. intr.* Hacer o decir baladronadas.

bálago *s. m.* Paja larga de los cereales después de quitarle el grano.

balaguero *s. m.* Montón de paja que se hace en la era cuando se limpia el grano.

balaje *s. m.* Rubí de color morado.

balalaica *s. f.* Instrumento musical de cuerda, de uso popular en Rusia.

balance[1] *s. m.* Oscilación de un cuerpo que se inclina a un lado y a otro.

balance[2] *s. m.* Cuenta comercial demostrativa del estado del capital.

balancear *v. intr.* **1.** Dar balances. También tr. y prnl. ‖ *v. tr.* **2.** Equilibrar.

balancela *s. f.* Embarcación grande utilizada en Italia y España.

balanceo *s. m.* Acción y efecto de balancear o balancearse.

balancín *s. m.* En los jardines, terrazas, etc., asiento colgante cubierto con toldo.

balancismo *s. m.* Sistema que pretende el equilibrio social.

balandra *s. f.* Embarcación pequeña y con un solo palo.

balandrán *s. m.* Vestidura talar.

balandro *s. m.* Balandra pequeña.

bálano *s. m.* **1.** Parte extrema o cabeza del miembro viril o pene. **2.** Crustáceo que se encuentra asido a las piedras.

balanza *s. f.* Instrumento que sirve para pesar equilibrando con pesos conocidos el de aquel cuerpo que se pesa.

balanzón *s. m.* Vasija, generalmente de cobre y con mango de hierro, usada por los plateros para limpiar la plata y el oro.

balao *s. m., Filip.* Árbol de la familia de las dipterocarpáceas, resinoso y de madera aromática.

balaquear *v. intr., Arg. y Bol.* Baladronear.

balar *v. intr.* Dar balidos.

balarrasa *s. m., fig. y fam.* Aguardiente fuerte.

balastar *v. tr.* Tender el balasto.

balastera *s. f.* Cantera donde se extrae el balasto.

balasto *s. m.* Capa de grava o piedra picada que se extiende sobre la explanación de los ferrocarriles para asentar y sujetar sobre ella las traviesas.

balata *s. f.* Composición poética que se cantaba antiguamente al son de la música de los bailes.

balate *s. m.* Terreno pendiente, lindazo, etc. de poca anchura.

balausta *s. f.* Fruto seco y carnoso, dividido en celdillas de un modo irregular, como la granada.

balaustra *s. f.* Árbol, variedad del granado, de flores grandes, dobles y de color vivo.

balaustrada *s. f.* Serie de balaustres, colocados entre los barandales.

balaustre o balaústre *s. m.* Cada una de las columnitas de las barandillas de balcones, escaleras, azoteas, etc.

balay *s. m., Amér. del S.* Cesta de mimbre o carrizo.

balayo *s. m., Can.* Balay.

balazo *s. m.* **1.** Golpe de bala disparada con arma de fuego. **2.** Herida causada por una bala.

balboa *s. m.* Unidad monetaria de Panamá.

balbucear *v. intr.* Balbucir. También tr.

balbuceo *s. m.* Acción de balbucear.

balbucir *v. intr.* Hablar o leer con pronunciación dificultosa, tarda y vacilante.

balcón *s. m.* Hueco abierto desde el suelo, en la pared exterior de una habitación, generalmente con barandilla saliente.

balconcillo *s. m.* Localidad situada sobre el toril en las plazas de toros.

balconear *v. tr.* **1.** *Arg. y Ur.* Observar los acontecimientos sin participar en ellos. **2.** *Ur.* Examinar una situación. ‖ *intr.* **3.** *coloq. Arg., Guat., Hond., P. Rico y Ur.* Mirar, observar con curiosidad desde un balcón o cualquier otro sitio elevado. U. t. c. tr.

balda *s. f.* Anaquel de armario o alacena.

baldaquín *s. m.* **1.** Dosel hecho de tela de seda. **2.** Pabellón que cubre un altar o trono.

baldaquino *s. m.* Baldaquín.

baldar *v. tr.* Impedir una enfermedad o accidente el uso de los miembros o de alguno de ellos. También prnl.

balde *s. m.* Cubo para sacar y transportar agua, especialmente en las embarcaciones.

balde, de *adv. m.* Gratuitamente.

balde, en *adv. m.* En vano.

baldear *v. tr.* Regar las cubiertas de los buques con baldes.

baldés *s. m.* Piel de oveja curtida, de tacto suave, que se utiliza en confección.

baldío, a *adj.* Se aplica al terreno que ni se labra ni está adehesado. También s. m.

baldo, da *adj.* Se dice de la espiga que no ha granado bien.

baldón *s. m.* Oprobio, injuria.

baldonar *v. tr.* Injuriar a alguien de palabra en su propia cara.

baldosa *s. f.* Ladrillo fino para solar.

baldosar *v. tr.* Embaldosar.

baldosín *s. m.* Baldosa pequeña y fina.

baldragas *s. f.* Hombre flojo, sin energía.

balduque *s. m.* Cinta angosta de hilo que se usa en las oficinas para atar legajos.

balea *s. f.* Escobón para barrer las eras.

balear *v. tr., amer.* Tirotear, herir o matar a balazos.

baleo *s. m.* Ruedo o felpudo.

balido *s. m.* Voz del ganado lanar.

balimbín *s. m., Filip.* Árbol de la familia de las oxalidáceas, de cuya fruta se hace un dulce muy apreciado.

balín *s. m.* Bala pequeña.

balista *s. f.* Máquina usada antiguamente para arrojar piedras de mucho peso.

balística *s. f.* Ciencia que tiene por objeto el cálculo del alcance y dirección que llevan los proyectiles.

balita *s. f., Filip.* Medida agraria de Filipinas equivalente a 27 áreas y 95 centiáreas.

balitadera *s. f.* Instrumento de caña que al tocarlo imita el balido del gamo joven y hace acudir a la madre.

balitar *v. intr.* Balar con frecuencia.

baliza *s. f.* **1.** Señal fija o flotante que se pone para guiar a los navegantes en un paso difícil. **2.** Señal terrestre destinada a indicar una pista de aterrizaje.

balizar *v. tr.* Abalizar.

ballena *s. f.* El mayor de todos los animales conocidos, cetáceo, sin dientes y con dos orificios nasales.

ballenato *s. m.* Cría de la ballena.

ballenero *s. m.* Barco especialmente preparado para la captura de ballenas.

ballesta *s. f.* **1.** Máquina antigua de guerra para arrojar piedras o saetas gruesas. **2.** Cada uno de los muelles que se utilizan en la suspensión del material rodante de los vehículos.

ballestear *v. tr.* Tirar con la ballesta.

ballestera *s. f.* Tronera o abertura en las naves o muros por donde se disparan las ballestas.

ballestería *s. m.* Arte de la caza mayor.

ballestilla *s. f.* Balancín pequeño.

ballestrinque *s. m.* Nudo marinero que se forma con dos vueltas de cabo, dadas de tal modo que quedan cruzados los chicotes.

ballet *s. m.* Espectáculo de danza escénica.

ballico *s. m.* Planta vivaz de la familia de las gramíneas, buena para pasto y para formar céspedes.

ballueca *s. f.* Especie de avena, que crece entre el trigo, al que perjudica mucho.

balneario *s. m.* Casa de baños, especialmente para los medicinales.

balón *s. m.* Pelota grande.

baloncesto *s. m.* Juego de pelota entre dos equipos de cinco jugadores cada uno. Se practica con las manos y consiste en introducir el balón el mayor número de veces posible en la canasta del contrario, situada a una altura determinada.

balonmano *s. m.* Juego de pelota entre dos equipos de siete jugadores cada uno. Se juega con las manos y consiste en introducir el balón en la portería del contrario siguiendo unas reglas determinadas.

balonvolea *s. m.* Voleibol.

balota *s. f.* Bolilla para votar que utilizan algunas comunidades.

balotada *s. f.* Salto que da el caballo alzando las patas como si fuese a tirar un par de coces.

balotar *v. intr.* Votar con balotas.

balsa[1] *s. f.* Estanque.

balsa[2] *s. f.* Maderos que unidos entre sí, forman una plataforma flotante.

balsadera *s. f.* Paraje en la orilla de un río, donde hay una balsa en que pasarlo.

balsámico, ca *adj.* **1.** Que tiene bálsamo o cualidades de tal. ‖ *s. m. pl.* **2.** Nombre común de un grupo de medicamentos que se emplean en algunas enfermedades de los aparatos respiratorios y olfativos.

balsamina *s. f.* Planta cucurbitácea, con semillas grandes en forma de almendra.

bálsamo *s. m.* **1.** Líquido aromático resinoso. **2.** Medicamento compuesto de sustancias aromáticas, que se aplica como remedio en las heridas, llagas, etc.

balsar *s. m.* Barzal.

balso *s. m.* Lazo grande para suspender pesos o elevar a los marineros a lo alto de los palos o a las vergas.

bálteo *s. m.* Cíngulo militar que se usaba antiguamente como insignia de oficial.

baluarte *s. m.* **1.** Obra de fortificación en figura de pentágono. **2.** Amparo, defensa.

baluma *s. f.* Caída de popa de las velas de cuchillo.

balumba *s. f.* Bulto que hacen muchas cosas juntas.

balumbo *s. m.* Lo que abulta mucho y es más embarazoso por su volumen que por su peso.

baluquero, ra *s. m. y s. f., Amér. del S.* Falsificador de moneda.

bamba *s. f.* Baile típico de las zonas costeras hispanoamericanas.

bambalear *v. intr.* Bambolear. También prnl.

bambalina *s. f.* Cada una de las piezas de lienzo pintado que cuelgan del telar del teatro de uno a otro lado del escenario.

bambarria *com., fam.* Persona tonta o boba.

bamboche *s. m., fam.* Persona rechoncha y de rostro abultado y encendido.

bambolear *v. intr.* Moverse de un lado a otro sin perder el sitio en que se está. Se usa más como prnl.

bamboleo *s. m.* Acción y efecto de bambolear o bambolearse.

bambolla *s. f.* Burbuja, ampolla, vejiga.

bambonear *v. intr.* Bambolear. Se usa más como prnl.

bambú *s. m.* Planta gramínea, originaria de la India, de tallo en forma de caña leñosa y muy resistente.

banal *adj.* Insustancial, trivial.

banalidad *s. f.* **1.** Trivialidad. **2.** Dicho banal.

banana *s. f.* Fruto del banano.

bananal *s. m.* Conjunto de plátanos o bananos que crecen en un lugar.

bananero, ra *adj.* Perteneciente o relativo al banano.

banano *s. m.* Plátano, planta.

banasta *s. f.* Cesto grande de mimbres.

banasto *s. m.* Banasta redonda.

banca[1] *s. f.* Asiento sin respaldo.

banca[2] *s. f.* Conjunto de organismos cuyo objetivo es facilitar la financiación de las diferentes actividades económicas.

bancable *adj.* Se dice del plazo máximo a que admiten efectos de comercio los bancos.

bancada *s. f.* Banco donde se sientan los remeros.

bancal *s. m.* Rellano de tierra que se forma en una pendiente y se aprovecha para el cultivo.

bancario, ria *adj.* Perteneciente o relativo a la banca mercantil.

bancarrota *s. f.* Quiebra de un establecimiento o entidad comercial o financiera.

bancaza *s. f.* Banco o asiento de los botes.

bance *s. m.* Palo suelto que atravesado cierra los portillos de las fincas.

banco *s. m.* **1.** Asiento largo y estrecho. **2.** Mesa de trabajo que usan algunos artesanos. **3.** Establecimiento público de crédito. **4.** Asociación constituida por numerosos peces de una especie.

bancocracia *s. f.* Influjo abusivo de la banca en un país.

banda[1] *s. f.* Cinta ancha que se lleva atravesada desde un hombro al costado opuesto.

banda[2] *s. f.* Grupo de gente armada.

bandada *s. f.* Grupo numeroso de aves que vuelan juntas.

bandarria *s. f.* Mandarria.

bandazo *s. m.* Balance repentino de una embarcación hacia un lado.

bandeado, da *adj.* Listado.

bandear *v. intr.* **1.** Vacilar en la propia opinión. || *v. prnl.* **2.** Saberse ingeniar para satisfacer las necesidades de la vida o salvar otras dificultades.

bandeja *s. f.* Pieza plana o algo cóncava, con bordes de poca altura, que sirve para llevar o presentar algo.

bandera *s. f.* **1.** Lienzo, tafetán u otro tipo de tela, generalmente de forma cuadrada o cuadrilonga, que se asegura por uno de sus lados a un asta o driza, y se utiliza como insignia o señal. **2.** Trozo de lienzo u otra tela, de uno o varios colores, que se cuelga como adorno o se usa para hacer señales.

bandería *s. f.* Bando o parcialidad.

banderilla *s. f.* Palo adornado y con una lengüeta de hierro en un extremo, que se clava en el cerviguillo de los toros.

banderillear *v. tr.* Poner banderillas a los toros.

banderillero, ra *s. m. y s. f.* Torero que pone banderillas.

banderín *s. m.* **1.** Bandera pequeña. **2.** Soldado que sirve de guía a la infantería en sus ejercicios, y lleva al efecto una bandera en la bayoneta del fusil.

banderizar *v. tr.* Abanderizar. También prnl.

banderizo, za *adj.* **1.** Que sigue un bando o facción. **2.** *fig.* Fogoso, alborotado.

banderola *s. f.* Bandera pequeña, con varios usos en topografía, marina y milicia.

bandido *s. m.* Bandolero.

bandín *s. m.* Banda corta que los condecorados con una gran cruz llevan debajo del chaleco para actos menos solemnes.

bando[1] *s. m.* Edicto o mandato publicado de orden superior.

bando[2] *s. m.* **1.** Facción. **2.** Bandada.

bandola *s. f.* Instrumento musical de cuatro cuerdas y de cuerpo combado.

bandolera *s. f.* Correa que cruza por el pecho y la espalda y que en el remate lleva un gancho para colgar un arma de fuego.

bandolerismo *s. m.* Hechos violentos propios de bandoleros.

bandolero, ra *s. m. y s. f.* **1.** Salteador de caminos. || *com.* **2.** Persona perversa.

bandolina *s. f.* Instrumento musical pequeño de cuatro cuerdas y de cuerpo curvado como el del laúd.

bandolón *s. m.* Instrumento musical de cuerda parecido a la bandurria, pero de mayor tamaño. Tiene 18 cuerdas, repartidas en seis órdenes de a tres que se tañen con una púa de carey o de cuerno.

bandoneón *s. m.* Instrumento musical parecido al acordeón pero de mayor tamaño, muy popular en Argentina.

bandujo *s. m.* Tripa grande de cerdo, carnero o vaca, llena de carne picada.

bandullo *s. m., fam.* Vientre o conjunto que forman las tripas.

bandurria *s. f.* Instrumento musical de cuerda semejante a la guitarra, pero de menor tamaño, que se toca con una púa.

bango *s. m.* Especie de cáñamo.

bangón *s. m.* Tumor que sale debajo de la mandíbula al ganado lanar.

banjo *s. m.* Banyo.

banqueo *s. m.* Desmonte de un terreno en planos escalonados.

banquero, ra *s. m. y s. f.* Persona que se dedica a operaciones bancarias.

banqueta *s. f.* Asiento de tres o cuatro pies y sin respaldo.

banquete *s. m.* **1.** Comida a la que acuden muchas personas para celebrar algo. **2.** Comida espléndida.

banquetear *v. tr.* Dar banquetes o participar en ellos asiduamente. También intr. y prnl.

banquillo *s. m.* **1.** Asiento en que se coloca al procesado ante el tribunal. **2.** Lugar donde permanecen los jugadores reservas y entrenadores durante el partido.

banyo *s. m.* Instrumento musical de cuerda de origen africano, cuya caja de resonancia se encuentra cubierta por una piel.

banzo *s. m.* Cada uno de los dos largueros paralelos o apareados que afianzan una armazón, como el respaldo de una silla, una escalera de mano, etc.

baña *s. f.* Bañadero.

bañadera *s. f., Amér. del S.* Baño, pila para tomar el baño.

bañadero *s. m.* Charco o paraje donde suelen bañarse y revolcarse los animales monteses.

bañador *s. m.* Traje para bañarse.

bañar *v. tr.* **1.** Meter el cuerpo o parte de él en un líquido, generalmente agua. También prnl. **2.** Regar o tocar el agua alguna cosa. **3.** Sumergir algo en un líquido.

bañera *s. f.* Baño, pila para bañarse.

bañil *s. m.* Charco donde se bañan las reses.

bañista *com.* Persona que concurre a tomar baños.

baño *s. m.* **1.** Acción y efecto de bañar o bañarse. **2.** Capa de materia extraña con que queda cubierta la cosa bañada.

bao *s. m.* Cada una de las piezas de la armazón de un buque que van de un costado a otro y sostienen la cubierta.

baobab *s. m.* Árbol bombacáceo tropical, de fruto carnoso y sabor agradable.

baptisterio *s. m.* Sitio donde está la pila bautismal.

baque *s. m.* Batacazo.

baquear *v. intr.* Navegar dejándose llevar por la corriente.

baquelita *s. f.* Nombre comercial de un tipo de resina sintética plástica.

baquero *adj.* Sayo. También s. m.

baqueta *s. f.* **1.** Vara delgada para atacar las armas de fuego. ‖ *s. f. pl.* **2.** Palillos que se usan para tocar el tambor.

baquetazo *s. m.* Golpe dado con la baqueta.

baqueteado, da *adj.* **1.** Acostumbrado a negocios y trabajos. **2.** *Arg. y Ur.* Se dice de la cosa o prenda muy usada.

baquetear *v. tr.* Incomodar demasiado.

baquía *s. f.* **1.** Conocimiento práctico de las sendas, atajos, caminos, etc. de un país. **2.** *Amér. del S.* Habilidad y destreza para obras manuales.

baquiano, na *adj.* Práctico de los caminos, trochas y atajos.

baquio *s. m.* Pie de las métricas griega y latina, compuesto de tres sílabas: la primera breve y las otras dos largas.

báquira *s. m.* Saíno.

bar *s. m.* **1.** Establecimiento donde se sirven bebidas y cosas ligeras para comer, que se suelen consumir de pie ante el mostrador. **2.** Por ext., se da también este nombre a ciertas cervecerías y al mueble donde se guardan las bebidas.

baraca *s. f.* En el Islam, don divino que se atribuye a los jerifes o morabitos, y que creen transmitir como bendición.

barago *s. m.* Zarzo para secar las castañas al humo.

barahúnda *s. f.* Gran ruido y confusión.

baraja *s. f.* Conjunto de naipes.

barajar *v. tr.* **1.** Mezclar los naipes antes de repartirlos. **2.** Mezclar, revolver unas personas o cosas con otras. También prnl.

baranda *s. f.* **1.** Barandilla. **2.** Borde que tienen las mesas de billar.

barandal *s. m.* **1.** Listón de hierro u otra materia en que se asientan los balaustres. **2.** El que los sujeta por arriba.

barandilla *s. f.* Antepecho compuesto de balaustres de madera, hierro u otra materia, y de los barandales que los sujetan.

barangay *s. m., Filip.* Embarcación de remos.

baraña *s. f.* Broza del monte.

baraño *s. m.* Fila de heno recién guadañado y tendido en tierra.

baratear *v. tr.* Vender una cosa por menos de su precio normal.

baratería *s. f.* Fraude en compras o ventas.

baratija *s. f.* Cosa de poco valor.

baratillo *s. m.* Conjunto de trastos de poco valor que están en venta en lugar público.

barato, ta *adj.* Vendido o comprado a bajo precio.

báratro *s. m.* Infierno.

baratura *s. f.* Bajo precio.

baraúnda *s. f.* Barahúnda.

barba *s. f.* **1.** Parte de la cara debajo de la boca. **2.** Pelo que nace en esta parte de la cara y en los carrillos. Se usa más en pl.

barbacana *s. f.* Obra avanzada de fortificación para defensa de plazas, puentes, etc.

barbacoa *s. f.* Parrilla usada para asar al aire libre carne o pescado.

barbada *s. f.* Quijada inferior de las caballerías.

barbado, da *adj.* **1.** Que tiene barbas. ‖ *s. m.* **2.** Árbol o sarmiento que se planta con raíces. **3.** Renuevo de árbol o arbusto.

barbaján *adj., Cub y Méx.* Tosco, rústico, brutal.

barbar *v. intr.* **1.** Empezar a tener barbas el hombre. **2.** Criar las abejas. **3.** Echar raíces las plantas.

barbárico, ca *adj.* Perteneciente o relativo a los bárbaros.

barbaridad *s. f.* **1.** Calidad de bárbaro. **2.** Dicho o hecho necio. **3.** Atrocidad.

barbarie *s. f.* **1.** Rusticidad. **2.** Crueldad.

barbarismo *s. m.* Vicio del lenguaje, que consiste en pronunciar o escribir mal las palabras, o en emplear vocablos impropios.

barbarizar *v. intr. fig.* Decir o hacer barbaridades.

bárbaro, ra *adj.* **1.** Cruel. **2.** Inculto.

barbear *v. tr.* **1.** Llegar con la barba a cierta altura. ‖ *v. intr.* **2.** Trabajar el barbero en su oficio.

barbechar *v. tr.* Arar o labrar la tierra disponiéndola para la siembra.

barbecho *s. m.* Tierra de labranza que no se siembra durante uno o más años.

barbería *s. f.* **1.** Tienda del barbero. **2.** Oficio del barbero.

barbero, ra *s. m. y s. f.* **1.** Persona que tiene por oficio afeitar la barba, cortar el pelo, etc. **2.** *Méx.* Adulador.

barberol *s. m.* Pieza que, con otras, forma el labio inferior de los insectos masticadores.

barbeta *s. f.* Trozo de parapeto destinado a la artillería.

barbián, na *adj.* Desenvuelto, gallardo.

barbicacho *s. m.* Cinta o toca que se echa por debajo de la barba.

barbicano, na *adj.* Que tiene cana la barba.

barbihecho *adj.* Que tiene la barba recién afeitada.

barbijo *s. m., Sal., Arg., Per. y Ur.* Barbiquejo.

barbilampiño *adj.* Se dice del varón adulto que no tiene barba o tiene poca.

barbilindo *adj.* Galancete, preciado de lindo y bien parecido.

barbilla *s. f.* Punta o remate de la barba.

barbillera *s. f.* Especie de barboquejo que se suele poner a los cadáveres para cerrarles la boca.

barbiluengo, ga *adj.* Que tiene larga la barba.

barbiquejo *s. m.* Pañuelo que, a modo de venda, se pasa por debajo de la barba y se ata por encima de la cabeza o a un lado de la cara.

barbirrucio, cia *adj.* Que tiene la barba mezclada de pelos blancos y negros.

barbitaheño *adj.* Que tiene bermeja o roja la barba.

barbitonto, ta *adj.* Que tiene la cara de tonto.

barbitúrico *s. m.* Nombre común a varios derivados de un ácido cristalino que tienen propiedades hipnóticas y sedantes.

barbo *s. m.* Pez de río, fisóstomo, comestible.

barbón *s. m.* Hombre barbado.

barboquejo *s. m.* Cinta que sujeta el sombrero por debajo de la barba.

barbotar *v. intr.* Mascullar. También tr.

barbotear *v. intr.* Barbullar, mascullar.

barboteo *s. m.* Acción y efecto de barbotear o mascullar.

barbudo, da *adj.* Que tiene mucha barba.

barbulla *s. f., fam.* Ruido, griterío de los que hablan a un tiempo atropelladamente.

barbullar *v. intr.* Hablar atropelladamente.

barbullón, na *adj.* Que habla confusa y atropelladamente.

barbusano *s. m.* Árbol de la familia de las lauráceas, de las islas Canarias. Su madera es durísima y de mucha duración.

barca *s. f.* Embarcación pequeña para pescar o para atravesar los ríos.

barcaje *s. m.* Transporte en una barca.

barcal *s. m.* Artesa en que se colocan las vasijas al medir el vino, para recoger el que se derrama.

barcarola *s. f.* Canción popular italiana.

barcaza *s. f.* Lanchón para transportar carga de los buques a tierra, o viceversa.

barceno, na *adj.* Barcino.

barceo *s. m.* Albardín.

barchilla *s. f.* Medida de capacidad para áridos, usada en las provincias de Alicante, Castellón y Valencia.

barchilón, na *s. m. y s. f., Amér. del S.* Enfermero de un hospital.

barcia *s. f.* Desperdicio, ahechaduras que se sacan al limpiar el grano.

barcina *s. f.* 1. *And. y Méx.* Herpil. 2. *And. y Méx.* Carga o haz grande de paja.

barcino, na *adj., Amér. del S.* Se dice del hijo de albarazado y mulata, o viceversa.

barco *s. m.* Vehículo dispuesto para flotar y correr por el agua, impulsado por el viento, remos, ruedas o hélices movidas por un motor.

barcolongo *s. m.* Embarcación antigua, larga y estrecha.

barda[1] *s. f.* Armadura antigua de los caballos.

barda[2] *s. f.* Cubierta que se pone sobre las tapias de los corrales, huertas y heredades para su resguardo.

bardaguera *s. f.* Arbusto de la familia de las salicáceas, muy ramoso y común. Los ramos más delgados sirven para hacer canastillas y cestas.

bardaje *s. m.* Sodomita paciente.

bardal *s. m.* Zarza, planta silvestre.

bardana *s. f.* Lampazo.

bardar *v. tr.* Poner bardas a las tapias.

bardero *s. m.* Leñador que lleva bardas o quejigos para el consumo de los hornos.

bardismo *s. m.* Estilo poético de los bardos.

bardo *s. m.* 1. Poeta heroico o lírico. 2. Barro, fango. 3. Vallado de cañas o espinos. 4. Vivar de conejos.

baremo *s. m.* 1. Lista de tarifas. 2. Conjunto de normas establecidas convencionalmente para evaluar los méritos personales, la solvencia de empresa, etc.

barga *s. f.* La parte más pendiente de una cuesta.

bargueño *s. m.* Mueble de madera con muchos cajoncitos y gavetas, adornado con labores de talla o de taracea.

baria *s. f.* En el sistema cegesimal, unidad de presión equivalente a una dina por centímetro cuadrado.

baricentro *s. m.* En geometría, punto de intersección de las tres medianas de un triángulo.

barigula *s. f.* Especie de hongo comestible.

barillo *s. f.* Seda ínfima del Oriente.

barimetría *s. f.* Tratado de la medida y peso de los cuerpos.

bario *s. m.* Metal blanco amarillento, dúctil y difícil de fundir.

barisfera *s. f.* Núcleo central del globo terrestre.

barita *s. f.* Óxido de bario, que se obtiene en el laboratorio en forma de polvo blanco.

baritel *s. m.* Malacate movido por caballerías para sacar agua o minerales.

baritina *s. f.* Sulfato de barita, de formación natural.

barítono *s. m.* 1. Voz media entre las de tenor y bajo. 2. El que tiene esta voz.

barjoleta *s. f.* 1. Barjuleta. || *adj.* 2. *Amér. del S.* Tonto.

barjuleta *s. f.* Bolsa grande de cuero que llevan a la espalda los caminantes.

barloa *s. f.* Cable utilizado para atracar.

barloar *v. tr.* Abarloar. También intr. y prnl.

barlovento *s. m.* Parte de donde viene el viento, con respecto a un lugar determinado.

barman *com.* Persona encargada de preparar y servir bebidas espirituosas en la barra de un bar.

barnabita *adj.* Se dice de los clérigos de la congregación de san Pablo, que tomaron este nombre por haber dado principio a su ejercicio en la iglesia de san Bernabé de Milán.

barnacla *s. m.* Ave anseresiforme marina que habita en las costas europeas.

barniz *s. m.* Disolución de una o más sustancias resinosas en un líquido que al aire se volatiza o se deseca. Se utiliza para dar lustre a pinturas, maderas, etc.

barnizar *v. tr.* Dar un baño de barniz.

barógrafo *s. m.* Aparato destinado a registrar gráficamente los valores de la presión atmosférica.

barometría *s. f.* Parte de la física que trata de la teoría y aplicaciones del barómetro.

barómetro *s. m.* **1.** Instrumento que sirve para determinar la presión atmosférica. **2.** Índice o exponente de una realidad.

barón *s. m.* Título de dignidad, de más o menos preeminencia, según los países.

baronesa *s. f.* **1.** Mujer del barón. **2.** Mujer que goza de una baronía.

baronet *s. m.* Título nobiliario inglés.

baronía *s. f.* Dignidad de barón.

barosanemo *s. m.* Instrumento para conocer la fuerza del viento.

baroscopio *s. m.* Balanza dispuesta para demostrar la presión atmosférica.

barotermógrafo *s. m.* Aparato que registra a la vez la presión y la temperatura de la atmósfera.

baroto *s. m., Filip.* Barca o embarcación muy pequeña que se utiliza en Filipinas y que solo se emplea en las aguas tranquilas.

barquear *v. tr.* Atravesar un río, lago, etc., con la barca.

barquero, ra *s. m. y s. f.* Persona que gobierna la barca.

barquía *s. f., Cant.* Embarcación pequeña de remo, con capacidad a lo sumo para cuatro remos por banda.

barquilla *s. f.* **1.** Molde prolongado, a manera de barca, que sirve para hacer pasteles. **2.** Cesto pendiente de un globo en el que van los tripulantes.

barquillero, ra *s. m. y s. f.* **1.** Persona que vende barquillos. ‖ *s. m.* **2.** Marino que patronea una embarcación menor en un recinto portuario.

barquillo *s. m.* Hoja delgada de pasta hecha con harina, azúcar y una esencia a la que se da forma de canuto.

barquín *s. m.* Fuelle grande que se usa en las fraguas.

barquino *s. m.* Odre.

barra *s. f.* **1.** Pieza de hierro, de forma prismática o cilíndrica, y mucho más larga que gruesa. **2.** Palanca de hierro para levantar o mover cosas de mucho peso.

barrabás *s. m., fam.* Persona mala, díscola.

barrabasada *s. f., fam.* Enredo, travesura grave, acción atropellada.

barraca *s. f.* Albergue o vivienda construida toscamente.

barracón *s. m.* Caseta construida en las ferias para diversos fines.

barrado, da *adj.* **1.** Se dice del tejido que saca alguna tira o lista que desdice del resto. **2.** Se aplica a la pieza sobre la cual se ponen barras.

barragán *s. m.* **1.** Tela de lana, impenetrable al agua. **2.** Abrigo de esta lana.

barragana *s. f.* Manceba, concubina.

barraganería *s. f.* Amancebamiento.

barraganete *s. m.* Última pieza de la cuaderna.

barrancal *s. m.* Sitio donde hay muchos barrancos.

barranco *s. m.* Despeñadero, precipicio.

barranquear *v. tr.* Conducir por arroyos la madera que se corta en los montes.

barrar *v. tr.* Embarrar con barro.

barrate *s. m.* Viga pequeña.

barrear *v. tr.* Cerrar con barreras.

barreda *s. f.* Barrera.

barredera *s. f.* Máquina usada en las grandes poblaciones para barrer las calles.

barredura *s. f.* Acción de barrer.

barrena *s. f.* Barra de acero con la punta en espiral, para taladrar madera, metal u otro cuerpo duro.

barrenar *v. tr.* Taladrar.

barrendero, ra *s. m. y s. f.* Persona que tiene por oficio barrer.

barrenillo *s. m.* Insecto coleóptero que horada la corteza de los árboles.

barreno *s. m.* **1.** Barrena grande. **2.** Agujero que se hace con la barrena.

barreño *s. m.* Vasija de barro para fregar loza y otros usos.

barrer *v. tr.* Quitar del suelo con la escoba el polvo, la basura, etc.

barrera *s. f.* **1.** Valla para atajar un camino, cercar un lugar, etc. **2.** En ciertos juegos deportivos, fila de jugadores que se coloca delante de su meta para protegerla de un lanzamiento contrario.

barrero *s. m.* Alfarero.

barretear *v. tr.* Afianzar alguna cosa con barras de metal o de madera, como se hace con los baúles, cofres, etc.

barretina *s. f.* Gorro.

barriada *s. f.* Barrio.

barrial *s. m., Amér. C. y Amér. del S.* Barrizal.

barrica *s. f.* Especie de tonel que tiene diversos usos.

barricada *s. f.* Parapeto improvisado para estorbar el paso del enemigo.

barrido *s. m.* Acción y efecto de barrer.

barriga *s. f.* Vientre.

barrigón, na *adj., fam.* Barrigudo.

barrigudo, da *adj.* Que tiene gran barriga.

barriguera *s. f.* Correa que se pone en la barriga a las caballerías de tiro.

barril *s. m.* Vasija de madera para conservar y transportar licores y géneros.

barrila *s. f. fam.* Bronca, jaleo.

barrilete *s. m.* Instrumento que usan los carpinteros para asegurar los materiales que labran.

barrilla *s. f.* Planta quenopodiácea, de cuyas cenizas se obtiene la sosa.

barrillo *s. m.* Barro, granillo rojizo.

barrio *s. m.* **1.** Cada una de las partes en que se dividen los pueblos y ciudades. **2.** Arrabal.

barrisco, a *loc. adv.* En junto, sin distinción.

barritar *v. intr.* Berrear el elefante o el rinoceronte.

barrizal *s. m.* Terreno lleno de barro.

barro[1] *s. m.* **1.** Masa que resulta de la unión de tierra y agua. **2.** Lodo que se forma en las calles cuando llueve.

barro[2] *s. m.* Cada uno de los granillos de color rojizo que salen en el rostro.

barroco, ca *adj.* Se aplica a las obras de arte en que predominan la pompa y el ornato.

barrón *s. m.* Planta perenne de la familia de las gramíneas que crece en los arenales marítimos y los consolida.

barroso, sa[1] *adj.* Se dice del terreno que tiene barro o en que se forma con facilidad.

barroso, sa[2] *adj.* Se aplica al rostro que tiene barros o es propenso a tenerlos.

barrote *s. m.* **1.** Barra gruesa. **2.** Barra de hierro que sirve para asegurar algo.

barrueco *s. m.* Perla de forma irregular.

barrumbada *s. f., fam.* Dicho jactancioso.

barruntar *v. tr.* Conjeturar, presentir por algún indicio.

barrunte *s. m.* Indicio, noticia.

bartola, a la *loc. adv.* Sin ningún cuidado, con total despreocupación.

bartolillo *s. m.* Pastel pequeño de forma triangular u ovalada relleno de crema, carne o bizcocho de almendras.

bártulos *s. m. pl.* Enseres que se manejan.

barú *s. m., Filip.* Palma de la que puede extraerse azúcar.

baruca *s. f., fam.* Enredo o artificio para impedir el efecto de alguna cosa.

barullo *s. m., fam.* Confusión, desorden.

barzal *s. m.* Terreno cubierto de zarzas y maleza.

barzón *s. m., And. y Extr.* Paseo ocioso.

barzonear *v. intr.* Andar vago y sin destino.

barzoque *s. m., fam.* Satanás, el diablo.

basa[1] *s. f.* **1.** Base, fundamento o apoyo. **2.** Parte inferior de la columna en que descansa el fuste.

basa[2] *s. f.* Balsa, hueco del terreno.

basada *s. f.* Aparato armado debajo del buque, que sirve para botarlo al agua.

basal *adj.* Situado en la base de una formación orgánica o de una construcción.

basalto *s. m.* Roca volcánica, de color negro o verdoso, compuesta ordinariamente de feldespato y piroxeno.

basamento *s. m.* Cuerpo formado por la basa y el pedestal de la columna.

basanita *s. f.* Basalto con olivino.

basar *v. tr.* **1.** Asentar algo sobre una base. **2.** Fundar, apoyar. También prnl.

basáride *s. f.* Mamífero carnívoro, propio de América, que se parece a la comadreja y tiene en la cola ocho anillos negros.

basca *s. f.* Desazón que se experimenta en el estómago cuando se quiere vomitar.

bascosidad *s. f.* Inmundicia, suciedad.

bascoso, sa *adj.* Que padece bascas.

báscula *s. f.* Aparato para medir pesos generalmente grandes.

bascular *v. intr.* **1.** Oscilar, tener un cuerpo movimiento de vaivén. **2.** Inclinarse la caja de ciertos vehículos de transporte, para que la carga resbale hacia fuera por su propio peso.

base *s. f.* Fundamento o apoyo en que estriba o descansa alguna cosa.

basicidad *s. f.* Propiedad que tiene un cuerpo de poder ser base de una combinación.

básico, ca *adj.* Fundamental, esencial.

báside *s. m.* Célula esporífera de cierta clase de hongos.

basidio *s. m.* Célula madre de los hongos basidiomicetos.

basidiomiceto *adj.* Se dice de los hongos de micelio tabicado y reproducción por basídeos.

basificar *v. tr.* Hacer compuestos básicos.

basilar *adj.* Relativo a la base.

basílica *s. f.* Iglesia notable por algún concepto.

basilicón *adj.* Se aplica al ungüento compuesto de cera, colofonia, sebo y resina. También *s. m.*

basilidión *s. m.* Ungüento contra la sarna.

basilisco *s. m.* Animal fabuloso que mataba con la vista.

basio *s. m.* Tintura de cobre y acero.

basorina *s. f.* Principio vegetal análogo a la goma.

basquear *v. intr.* **1.** Padecer bascas. ‖ *v. tr.* **2.** Producir bascas.

basquilla *s. f.* Enfermedad que padece el ganado lanar por abundancia de sangre.

basquiña *s. f.* Saya exterior, generalmente de color negro.

basta *s. f.* Hilván.

bastaje *s. m.* Ganapán.

bastante *adv. c.* **1.** Ni mucho ni poco, ni más ni menos de lo regular. **2.** No poco.

bastantear *v. intr.* Reconocer o afirmar un abogado el poder otorgado a un procurador, declarando ser bastante para el fin que expresa. También tr.

bastar *v. intr.* Ser suficiente para alguna cosa. También prnl.

bastarda *s. f.* Lima de cerrajero para pulir.

bastardear *v. intr.* Degenerar de su naturaleza los frutos y las plantas.

bastardillo, lla *adj.* Se dice de la letra cursiva. También s. f.

bastardo, da *adj.* Que degenera de su origen o naturaleza.

baste *s. m.* Especie de almohadilla que lleva la silla de montar en su parte inferior para comodidad de la caballería.

bastear *v. tr.* Echar bastas.

bastedad *s. f.* Calidad de basto.

basterna *s. f.* Litera cubierta que en la antigüedad usaban las damas romanas.

basteza *s. f.* Grosería, tosquedad.

bastida *s. f.* Se aplica a una antigua máquina militar en forma de torre que se utilizaba para batir los castillos y plazas fuertes.

bastidor *s. m.* Armazón de palos o listones en la que se fijan los lienzos o telas para pintar o bordar, y para otros usos.

bastilla *s. f.* Doblez que se hace y asegura con puntadas a los extremos de la tela.

bastillar *v. tr.* Hacer bastillas en una tela.

bastimentar *v. tr.* Proveer de bastimentos o provisiones.

bastimento *s. m.* Provisión para sustento de una ciudad, ejército, etc.

bastión *s. m.* Baluarte.

basto *s. m.* Cualquiera de los naipes del palo de bastos.

basto, ta *adj.* Grosero, tosco.

bastón *s. m.* Caña o palo que sirve para apoyarse al andar.

bastonazo *s. m.* Golpe dado con el bastón.

bastoncillo *s. m.* Elemento de una de las capas de la retina.

bastonear *v. tr.* Dar golpes con bastón o palo.

bastonera *s. f.* Mueble para colocar en él paraguas y bastones.

basura *s. f.* Inmundicia, suciedad.

basurero *s. m.* Sitio en donde se amontona la basura.

bata *s. f.* Prenda de vestir larga, con mangas y abierta por delante, que se pone para estar en casa con comodidad.

batabata *s. m., Filip.* Árbol silvestre, de la familia de las lauráceas, originario de Filipinas.

batacazo *s. m.* Golpe fuerte y con estruendo que da alguien cuando cae.

batahola *s. f.* Gran ruido, bulla, alboroto.

batalla *s. f.* Combate de un ejército con otro, o de una armada naval con otra.

batallador, ra *adj.* Se dice del renombre que se daba al que había ganado muchas batallas.

batallar *v. intr.* **1.** Pelear, reñir con armas. **2.** *fig.* Disputar, debatir.

batallón *s. m.* **1.** Unidad táctica de infantería. **2.** Grupo numeroso de gente.

batallona *adj., fam.* Se dice de la cuestión muy reñida y a la que se da mucha importancia.

batán *s. m.* Máquina para golpear, desengrasar y enfurtir los paños.

batanar *v. tr.* Abatanar.

batanear *v. tr.* Sacudir o dar golpes a alguien.

batanomo *s. m.* Especie de tela de Levante.

batata *s. f.* Planta convolvulácea, de tallo rastrero y raíces como las de la patata.

batatilla *s. f.* Planta de la familia de las convolvuláceas, de Argentina, cuya raíz echa un bulbo gomoso que, a la vez que vomitivo, es un purgante muy fuerte.

batayola *s. f.* Barandilla de madera que, colocada sobre las bordas del buque, servía para sostener los empalletados.

bate *s. m.* Palo usado en el béisbol para golpear en el aire la pelota.

batea *s. f.* Bandeja.

bateador, ra *s. m. y s. f.* Jugador que en el béisbol espera la pelota con el bate.

batear *v. tr.* En el béisbol, dar a la pelota con el bate. También intr.

batel *s. m.* Bote, barco pequeño.

batelo *s. m.* Especie de alondra.

bateo[1] *s. m., fam.* Bautizo.

bateo[2] *s. m.* Acción de golpear con el bate o de usar el bate.

batería *s. f.* **1.** Conjunto de piezas de artillería dispuestas para hacer fuego. **2.** Conjunto de instrumentos de percusión en una banda u orquesta.

batiburrillo *s. m.* Baturrillo.

batición *s. f., Cub. y Méx.* Batida, acción de batir.

baticola *s. f.* Correa sujeta al fuste trasero de la silla o albardilla, que pasa por debajo de la cola de la caballería, para evitar que la montura se mueva hacia delante.

baticulín *s. m., Filip.* Árbol bignoniáceo de Filipinas.

baticulo *s. m.* Cangrejo pequeño.

batida *s. f.* **1.** Acción de batir el monte para levantar la caza. **2.** Reconocimiento de algún paraje, en busca de alguien o algo.

batidera *s. f.* Instrumento similar al azadón, empleado para mezclar la cal con arena y agua.

batidero *s. m.* Lugar donde se golpea.

batido *s. m.* **1.** Claras, yemas o huevos batidos. **2.** Bebida refrescante.

batidor, ra *s. m. y s. f.* Instrumento utilizado para batir los ingredientes de alimentos, salsas, bebidas, etc.

batiente *s. m.* Cada una de las hojas de una puerta o ventana.

batimán *s. m.* Movimiento de danza que consiste en alzar una pierna y llevarla rápidamente hacia la otra.

batimento *s. m.* Esbatimento.

batimetría *s. f.* Arte de medir las profundidades oceánicas y estudio de la distribución de las plantas y animales en sus diversas capas o zonas.

batín *s. m.* Bata que suele llegar solo un poco más abajo de la cintura.

batintín *s. m.* Campana que llevan los chinos a bordo; es una especie de caldero compuesto de dos metales y muy sonoro, que tocan con una bola cubierta de lana y forrada, fija en el extremo de un palito.

batir *v. tr.* **1.** Dar golpes, golpear. **2.** Mover con fuerza una cosa.

batista *s. f.* Lienzo fino muy delgado.

bato *s. m.* Hombre tonto o rústico y de poca inteligencia.

batojar *v. tr.* Varear los frutos de algunos árboles.

batometría *s. f.* Arte de medir la profundidad del mar.

batómetro *s. m.* Aparato para medir la profundidad del mar.

batracio *adj.* Se dice de los animales de sangre fría, circulación incompleta y respiración branquial en la primera edad, pulmonar después.

batuda *s. f.* Serie de saltos que dan los gimnastas.

Batuecas *n. p.* Valle de la provincia de Salamanca, que se utiliza en la expresión «estar alguien en las Batuecas», estar distraído.

batuque *s. m., Amér. del S.* Confusión, gresca, barullo.

batuquear *v. tr., Col., Cub. y Guat.* Batir, mover con ímpetu alguna cosa.

batuquerio *s. m.* Mezcla.

baturrillo *s. m.* Mezcla de cosas que desdicen unas de otras.

baturro, rra *adj.* Se aplica al campesino aragonés.

batuta *s. f.* Varita con que el director de orquesta indica el compás.

baúl *s. m.* Cofre, arca.

bauprés *s. m.* Palo grueso de la proa de los barcos.

bausán, na *s. m. y s. f.* **1.** Figura de persona embutida de paja y vestida de armas. ‖ *s. m. y s. f.* **2.** *fig.* Persona boba o necia.

bautismal *adj.* Relativo al bautismo.

bautismo *s. m.* **1.** Primero de los sacramentos de la Iglesia. **2.** Bautizo.

bautista *s. m.* El que bautiza.

bautizar *v. tr.* **1.** Administrar el bautismo. **2.** *fig.* Poner nombre a una cosa.

bautizo *s. m.* Acción de bautizar y fiesta con que esta se celebra.

baya *s. f.* Fruto de ciertas plantas, carnoso y jugoso.

bayadera *s. f.* Bailarina y cantora de la India.

bayahonda *s. f., Amér. del S.* Especie de algarrobo.

bayal *adj.* Se dice de una especie de lino de tallos largos y de hilaza fina y blanca.

bayeta *s. f.* **1.** Tela de lana, floja y poco tupida. **2.** Paño que se utiliza para fregar el suelo y otras superficies.

bayo, a *adj.* De color blanco amarillento. Se aplica generalmente a los caballos y a su pelo. También *s. m.*

bayoneta *s. f.* Arma blanca que se fija en la boca del fusil.

bayuca *s. f., fam.* Taberna.

baza *s. f.* En ciertos juegos de naipes, número de cartas que recoge el que gana.

bazar *s. m.* Tienda en que se venden productos de varias industrias.

bazo *s. m.* Víscera vascular situada en el hipocondrio izquierdo.

bazofia *s. f.* **1.** Mezcla hecha con sobras de comida. **2.** Comida poco apetitosa.

bazuca *s. f.* Arma portátil, cuyo manejo corresponde a la infantería y que consiste en un tubo metálico, que dispara proyectiles de propulsión a chorro.

bazucar *v. tr.* Revolver un líquido moviendo la vasija en que se encuentra.

be *onomat.* Voz del carnero, de la oveja y de la cabra.

beata *s. f., fam.* Mujer que frecuenta mucho los templos.

beatería *s. f.* Acción de afectada virtud.

beatificación *s. f.* Acción de beatificar.

beatificar *v. tr.* Declarar el Sumo Pontífice que algún siervo de Dios goza de la eterna bienaventuranza y se le puede dar culto.

beatífico, ca *adj.* Que hace bienaventurado a alguno.

beatilla *s. f.* Lienzo delgado y ralo.

beatitud *s. f.* Bienaventuranza eterna.

beato, ta *adj.* **1.** Feliz o bienaventurado. ‖ *s. m.* **2.** *fig.* Hipócrita, santurrón.

bebe, ba *s. m. y s. f.* Arg., Hond., Perú y Ur. Bebé.

bebé *s. m.* Niño o niña de días o de pocos meses.

bebedero, ra *adj.* **1.** Se dice del agua u otro líquido que es bueno para beber. ‖ *s. m.* **2.** Vasija con agua para que beban los animales.

bebedizo *s. m.* Bebida que se da por medicina.

bebedor, ra *adj.* Que abusa de las bebidas alcohólicas.

beber *v. intr.* Hacer que un líquido pase de la boca al estómago. También tr.

bebestible *adj., fam.* Que se puede beber.

bebible *adj., fam.* Se dice de los líquidos que no son del todo desagradables al paladar.

bebida *s. f.* **1.** Acción y efecto de beber. **2.** Líquido que se bebe.

bebido, da *adj.* Embriagado.

bebistrajo *s. m., fam.* Bebida muy desagradable.

beborrotear *v. intr., fam.* Beber a menudo y en poca cantidad.

beca *s. f., fig.* Ayuda económica que percibe un estudiante.

becabunga *s. f.* Planta acuática, cuyo zumo es un antiescorbútico enérgico.

becada *s. f.* Ave de pico largo y plumaje oscuro, que vive en terrenos húmedos.

becado, da *s. m. y s. f.* Becario.

becafigo *s. f.* Oropéndola.

becar *v. tr.* Conceder a alguien una beca para que pueda realizar sus estudios.

becario, ria *s. m. y s. f.* Persona que disfruta de una beca para estudios.

becerrada *s. f.* Lidia de becerros hecha por aficionados.

becerrillo *s. m.* Piel de becerro curtida.

becerro, rra *s. m. y s. f.* Toro o vaca desde que deja de mamar hasta que cumple un año.

bechamel *s. f.* Besamel.

beche *s. m.* Macho cabrío.

becuadro *s. m.* Signo que expresa que la nota o notas a que se refiere deben recobrar su sonido natural.

bedel, la *s. m. y s. f.* Especie de celador en las universidades y otros centros docentes, que cuida del orden, anuncia la hora de entrada y salida de las clases, etc. U. t. la forma en m. para designar el f.

bedelio *s. m.* Gomorresina de color amarillo y sabor amargo, procedente de árboles burseráceos que crecen en la India, en Arabia y en la región nordeste de África. El bedelio de la India forma parte de varias preparaciones farmacéuticas.

beduino, na *adj.* Se dice de los árabes nómadas. Se usa más como s. m. y s. f.

befa *s. f.* Grosera expresión de desprecio.

befar *v. intr.* **1.** Mover los caballos el befo. ‖ *v. tr.* **2.** Burlar, escarnecer.

befo, fa *adj.* De labios abultados y gruesos.

begardo, da *s. m. y s. f.* Hereje de los siglos XIII y XIV, que creía en la impecabilidad del alma, vivía en la pobreza, rechazaba toda autoridad civil y religiosa y toda práctica de culto.

begonia *s. f.* Planta perenne begoniácea, de hojas grandes y acorazonadas y grandes flores rosadas.

begoniáceo, a *adj.* Se aplica a plantas que pertenecen al género de la begonia. También s. f.

behetría *s. f., fig.* Confusión o desorden.

beicon *s. m.* Panceta ahumada.

beige *adj.* Se dice del color natural de la lana, pajizo, amarillento. También s. m.

beilical *adj.* Relativo al bey.

beis *adj.* Beige. También s. m.

béisbol *s. m.* Juego entre dos equipos, en que los jugadores han de recorrer ciertos puestos o bases de un circuito, en combinación con el lanzamiento de una pelota desde el centro del mismo.

bejín *s. m.* **1.** Hongo semejante a una bola. **2.** Persona que se enoja con facilidad.

bejucal *s. m.* Sitio donde se crían bejucos.

bejuco *s. m.* Planta tropical, sarmentosa, de tallos leñosos, largos y delgados.

bejuquear *v. tr., Ec., Guat., Méx. y Nic.* Dar con un bejuco, varear, apalear a alguna persona o animal.

bejuquillo *s. m.* Cadenita de oro fabricada en China, usada por las mujeres para adornar su cuello.

Belcebú *n. p.* Lucifer, el diablo.

belcho *s. m.* Planta de la familia de las efedráceas que produce frutos carnosos y encarnados. Vive en los arenales.

beldad *s. f.* **1.** Belleza o hermosura. **2.** Persona muy bella.

beldar *v. tr.* Aventar con el bieldo las mieses para separar el grano de la paja.

belduque *s. m., Col., Chil. y Méx.* Cuchillo grande de hoja puntiaguda para llevar al cinto.

belemnita *s. f.* Fósil, de figura cónica o de maza, de una clase de cefalópodos.

belén *s. m.* **1.** Nacimiento. **2.** *fam.* Confusión, desorden y sitio donde lo hay.

beleño *s. m.* Planta solanácea, narcótica, de hojas vellosas y fruto capsular.

belesa *s. f.* Planta plumbaginácea, de flores purpúreas, muy menudas y en espiga.

belez *s. m.* Vasija.

belfo, fa *adj.* Befo.

belicismo *s. m.* Tendencia a provocar conflictos armados o a tomar parte en ellos.

belicista *adj.* Partidario de la guerra. También com.

bélico, ca *adj.* Perteneciente o relativo a la guerra, guerrero.

belicosidad *s. f.* Calidad de belicoso.

belicoso, sa *adj.* **1.** Guerrero, marcial. **2.** *fig.* Agresivo, pendenciero.

beligerancia *s. f.* Calidad de beligerante.

beligerante *adj.* Se aplica a la potencia, nación, etc. que está en guerra.

belígero, ra *adj., poét.* Belicoso, dado a la guerra.

belísono, na *adj.* De ruido bélico o marcial.

belitre *adj., fam.* Pícaro, ruin.

bellaco, ca *adj.* **1.** Malo, pícaro. **2.** Astuto, sagaz.

belladona *s. f.* Planta solanácea, muy venenosa y narcótica.

bellaquear *v. intr.* Hacer bellaquerías.

bellaquería *s. f.* Acción o dicho propio de bellaco.

belleza *s. f.* Conjunto de cualidades de una cosa cuya manifestación nos hace amarla, produciendo un deleite espiritual, un sentimiento de admiración.

bellico *s. m.* Variedad de la avena.

bellido, da *adj.* Bello, agraciado, hermoso.

bello, lla *adj.* **1.** Que tiene belleza. **2.** Excelente, de buen carácter.

bellorio, ria *adj.* Pardusco.

bellota *s. f.* Fruto de la encina, del roble y otros árboles del mismo género.

bellote *s. m.* Clavo de unos 20 cm de largo y uno de grueso.

bellotear *v. intr.* Comer la bellota el ganado de cerda.

belorta *s. f.* Vilorta del arado.

beluga *s. f.* Gran delfín de los mares polares.

bemba *s. f.* **1.** *Cub. y Ven.* Bembo, boca de labios gruesos y abultados. **2.** *Per.* Hocico, jeta.

bembo, ba *s. m.* **1.** *Cub.* Bezo. ‖ *adj.* **2.** *Méx.* Bobo, baboso, simple.

bemol *adj.* Se dice de la nota cuya entonación es un semitono más bajo que la de su sonido natural.

bemolar *v. tr.* Poner bemol o bemoles.

ben *s. m.* Árbol de la familia de las moringáceas, que crece en países intertropicales, de cuyo fruto se extrae un aceite que no se enrancia y se emplea en relojería y perfumería.

benceno *s. m.* Hidrocarburo inflamable, que se obtiene por destilación de la hulla.

bencina *s. f.* Mezcla de varios hidrocarburos que se obtiene por destilación del alquitrán de hulla, de los petróleos, etc.

bendecir *v. tr.* **1.** Alabar, ensalzar. **2.** Consagrar algo al culto divino. **3.** Hacer el sacerdote la señal de la cruz sobre personas o cosas, recitando oraciones.

bendición *s. f.* Acción y efecto de bendecir.

bendito, ta *adj.* **1.** Santo o bienaventurado. **2.** Dichoso, feliz.

benedicta *s. f.* Electuario de polvos de hierbas y raíces purgantes y estomacales mezclados con miel espumada.

benefactor, ra *adj.* Bienhechor. También s. m. y s. f.

beneficencia *s. f.* **1.** Virtud de hacer bien a otro. **2.** Conjunto de fundaciones benéficas y de sus servicios.

beneficiable *adj.* Que puede o merece ser beneficiado.

beneficiado, da *s. m. y s. f.* Persona en beneficio de la cual se ejecuta un espectáculo público.

beneficial *adj.* Perteneciente o relativo a beneficios eclesiásticos.

beneficiar *v. tr.* Hacer bien a alguna persona o cosa. También prnl.

beneficiario, ria *adj.* Se dice de la persona que goza de un beneficio.

beneficio *s. m.* **1.** Bien que se hace o recibe. **2.** Utilidad, provecho.

beneficioso, sa *adj.* Provechoso, útil.

benéfico, ca *adj.* **1.** Que hace bien. **2.** Perteneciente o relativo a la ayuda gratuita que se presta a las personas necesitadas.

benemérito, ta *adj.* Digno de galardón.

beneplácito *s. m.* Aprobación, permiso.

benevolencia *s. f.* Simpatía y buena voluntad hacia las personas.

benevolente *adj.* Benévolo.

benévolo, la *adj.* Que tiene buena voluntad.

bengala *s. f.* Clase especial de luces pirotécnicas.

benignidad *s. f.* Calidad de benigno.

benigno, na *adj.* **1.** Afable, benévolo. **2.** Se dice de las enfermedades no graves y de los tumores que no son malignos.

benjamín, na *s. m. y s. f.* **1.** Hijo menor. **2.** El más joven de un grupo.

benjuí *s. m.* Bálsamo aromático que se obtiene de un árbol de las Indias Orientales.

benzoato *s. m.* Sal resultante de la combinación del ácido benzoico con una base.

benzoe *s. m.* Nombre dado por los botánicos al benjuí.

benzoico, ca *adj.* Ácido obtenido por la destilación del benzol.

benzol *s. m.* Nombre que suele darse al benceno.

beodo, da *adj.* Embriagado, borracho.

beorí *s. m.* Tapir americano.

beotismo *s. m.* Idiotez, torpeza.

beque *s. m.* Obra exterior de proa.

béquico, ca *adj.* Eficaz contra la tos.

berberecho *s. m.* Molusco bivalvo, que se come crudo o guisado.

berberidáceo, a *adj.* Se dice de arbustos y matas que tienen hojas sencillas o compuestas, flores hermafroditas, por frutos bayas secas o carnosas y semillas con albumen; como el arlo.

berbí *adj.* Se dice de un paño fabricado antiguamente con trama y urdimbre sin peinar.

berbiquí *s. m.* Manubrio semicircular que puede girar alrededor de un puño ajustado en una de sus extremidades, y tener sujeta en el otro la espiga de cualquier herramienta propia para taladrar.

berceo *s. m.* Barceo.

bercial *s. m.* Sitio poblado de berceos.

bereber o beréber *s. m.* Individuo de la raza más antigua y numerosa de las que habitan en África septentrional.

berenjena *s. f.* Planta anual solanácea, hortense, de fruto aovado y comestible.

berenjenal *s. m.* **1.** Sitio plantado de berenjenas. **2.** Asunto de difícil solución.

bergama *s. f.* Especie de tapicería antigua.

bergamota *s. f.* **1.** Variedad de pera muy jugosa y aromática. **2.** Variedad de lima muy aromática.

bergamoto *s. m.* Árbol que produce la bergamota.

bergante *s. m.* Pícaro, sinvergüenza.

bergantín *s. m.* Buque de dos palos y vela cuadrada o redonda.

beriberi *s. m.* Enfermedad endemoepidémica, propia de países que se alimentan casi exclusivamente de arroz molido, cuyas manifestaciones son parálisis, edema e insuficiencia cardiaca.

berilio *s. m.* Elemento químico o metal alcalino térreo, ligero, de color blanco y sabor dulce.

berilo *s. m.* Variedad de esmeralda de color verdemar.

berlanga *s. f.* Juego de naipes en el que se gana reuniendo tres cartas iguales.

berlina *s. f.* **1.** Automóvil de cuatro puertas laterales. **2.** Coche de caballos cerrado, generalmente con dos asientos.

berlinga *s. f.* Pértiga de madera verde, con que se remueve la masa fundida en los hornos metalúrgicos.

berlingar *v. tr.* Remover con la berlinga una masa metálica incandescente.

berma *s. f.* Espacio al pie de la muralla, entre esta y el declive exterior del terraplén.

bermejear *v. intr.* **1.** Mostrar una cosa color bermejo. **2.** Tirar a bermejo.

bermejo, ja *adj.* Rojo muy encendido.

bermejuela *s. f.* Pez teleósteo, común en algunos ríos de España y de colores muy variados.

bermellón *s. m.* Cinabrio reducido a polvo, que toma color rojo vivo.

bermudas *s. m. pl.* Pantalón corto. También s. f. pl.

bernardina *s. f., fam.* Mentira que se dice fingiendo valentías o cosas extraordinarias. Se usa más en pl.

bernia *s. f.* Tejido basto de lana del que se hacían capas.

berquera *s. f.* Enrejado de alambre para secar los dulces.

berra *s. f.* Berraza.

berraña *s. f.* Planta, variedad del berro común, no comestible.

berraza *s. f.* Berro crecido y con tallo grueso.

berrea *s. f.* Brama del ciervo y de algunos otros animales.

berrear *v. intr.* **1.** Dar berridos los becerros u otros animales. **2.** Llorar o gritar desconsoladamente un niño.

berrenchín *s. m.* Vaho que expira el jabalí furioso.

berrendo, da *adj.* Manchado de dos colores por naturaleza o por arte.

berrera *s. f.* Planta de la familia de las umbelíferas, de flores blancas, que se cría en las orillas de las balsas y riachuelos.

berrido *s. m.* **1.** Voz del becerro y otros animales. **2.** Grito desaforado de una persona.

berrín *s. m.* Bejin.

berrinche *s. m., fam.* Coraje, enojo grande, sobre todo el de los niños.

berro *s. m.* Planta crucífera cuyas hojas, de gusto picante, se comen en ensalada.

berrocal *s. m.* Sitio lleno de berruecos graníticos.

berroqueña *adj.* Junto con la palabra piedra, denota la especie de roca llamada también granito, que es muy dura.

berrueco *s. m.* Tolmo granítico.

berza *s. f.* **1.** Col. ‖ *s. m. pl.* **2.** *fig. y fam.* Ignorante, simple, berzotas.

berzotas *com., fam.* Persona ingnorante o necia.

besalamano *s. m.* Esquela que se encabeza con la abreviatura B. L. M., redactada en tercera persona y sin firma.

besamanos *s. m.* Modo de saludar acercando la mano derecha a la boca y apartándola de ella una o más veces.

besamel *s. f.* Salsa blanca que se hace con harina, crema de leche y manteca.

besana *s. f.* Labor de surcos paralelos que se hacen con el arado.

besar *v. tr.* Tocar una cosa con los labios en señal de afecto.

beso *s. m.* Acción de besar o besarse.

best seller *s. m.* Libro de gran éxito editorial y de mucha venta.

bestia *s. f.* **1.** Animal cuadrúpedo. ‖ *com.* **2.** Persona ruda e ignorante.

bestiaje *s. m.* Conjunto de bestias de carga.

bestial *adj.* Brutal, irracional.

bestialidad *s. f.* Brutalidad, irracionalidad.

bestializarse *v. prnl.* Hacerse bestial, vivir o proceder como las bestias.

bestiario *s. m.* En la literatura medieval, colección de fábulas de animales reales o quiméricos.

béstola *s. f.* Aguijada del arado.

besucar *v. tr., fam.* Besuquear.

besugo *s. m.* Pez teleósteo, acantopterigio, de carne blanca y muy apreciada.

besuguera *s. f.* Cazuela apropiada para guisar besugos.

besuquear *v. tr., fam.* Besar repetidamente.

besuqueo *s. m.* Acción de besuquear.

beta *s. f.* Nombre de la segunda letra del alfabeto griego.

betel *s. m.* Planta trepadora de la familia de las piperáceas, que se cultiva en el Extremo Oriente, cuyo fruto contiene una semilla picante y cuyas hojas saben a menta.

betijo *s. m.* Palito de torvisco, que se les pone a los chivos en la boca de modo que no puedan mamar pero sí pacer.

betuláceo, a *adj.* Se dice de árboles o arbustos angiospermos dicotiledóneos, de hojas alternas, simples, dentadas o aserradas, flores monoicas en aumento y fruto a manera de nuececilla con semilla sin albumen; como el abedul y el aliso.

betún *s. m.* Mezcla de varios ingredientes que se utilizan para lustrar el calzado.

bey *s. m.* Gobernador de una ciudad o región del antiguo Imperio turco. Actualmente se emplea también como título honorífico.

bezante *s. m.* Figura redonda, de metal.

bezo *s. m.* **1.** Labio grueso. **2.** Carne que se levanta alrededor de la herida infectada.

bezoar *s. m.* Cálculo que suele encontrarse en las vías digestivas de algunos mamíferos, considerado antiguamente como antídoto y medicamento.

bezote *s. m.* Adorno que llevaban los indígenas americanos en el labio inferior.

bezudo, da *adj.* Grueso de labios.

biarca *s. m.* Oficial que en la milicia romana cuidaba especialmente de los víveres y de las pagas.

biastado, da *adj.* Que tiene astas dobles.

biatómico, ca *adj.* Se dice del cuerpo simple cuyo peso molecular es doble del peso atómico.

biauricular *adj.* Perteneciente o relativo a ambos oídos.

biaxial *adj.* Que tiene dos ejes.

bibásico, ca *adj.* Se dice del ácido que tiene dos átomos de hidrógeno reemplazables por átomos metálicos.

bibelot *s. m.* Muñeco, figurilla, juguete, etc. y, en general, objeto de adorno.

biberón *s. m.* Botella pequeña de cristal, con una tetina en uno de los extremos, para la lactancia artificial.

Biblia *n. p.* La Sagrada Escritura, que comprende los libros canónicos del Antiguo y Nuevo Testamento.

bíblico, ca *adj.* Perteneciente o relativo a la Biblia.

bibliobús *s. m.* Biblioteca ambulante de préstamo instalada en un autobús que recorre varias poblaciones.

bibliofilia *s. f.* Pasión por los libros, y especialmente por los más raros y curiosos.

bibliófilo, la *s. m. y s. f.* Persona que siente pasión por los libros.

bibliografía *s. f.* Conocimientos, descripción de libros o manuscritos.

bibliógrafo, fa *s. m. y s. f.* Persona especialmente versada en la bibliografía existente sobre una materia determinada.

bibliología *s. f.* Estudio general del libro en su aspecto histórico y técnico.

bibliomanía *s. f.* Pasión por tener muchos libros, más por manía que por instruirse.

bibliómano, na *s. m. y s. f.* Persona que tiene bibliomanía.

biblioteca *s. f.* **1.** Local donde se tienen libros en un orden determinado para su consulta o lectura. **2.** Conjunto de estos libros. **3.** Armario especial para libros.

bibliotecario, ria *s. m. y s. f.* Persona que tiene a su cargo el cuidado y servicio de una biblioteca.

biblioteconomía *s. f.* Ciencia que estudia la conservación, ordenación y administración de una biblioteca.

bica *s. f.* Torta o bollo sin levadura.

bical *s. m.* Salmón macho.

bicapsular *adj.* Se dice del fruto que tiene dos carpelos.

bicarbonato *s. m.* Sal que resulta de sustituir la mitad del hidrógeno del ácido carbónico por un metal monovalente.

bicarburo *s. m.* Carburo que contiene porción doble de carbono.

bicéfalo, la *adj.* Que tiene dos cabezas.

bíceps *adj.* Se dice de dos músculos que tienen por arriba dos porciones o cabezas.

bicerra *s. f.* Gamuza.

bicha *s. f.* **1.** *Col.* Bicho. **2.** *Sal.* Lagarta, insecto lepidóptero.

bicharraco *s. m.* Despectivo de bicho.

bichear *v. tr.* Espiar, observar a escondidas.

bichero *s. m.* Asta larga que sirve para atracar y desatracar.

bicho *s. m.* **1.** Animal pequeño. **2.** *fig.* Persona de figura ridícula o mal genio.

bichozno *s. m.* Quinto nieto, o sea hijo del cuadrinieto.

bicicleta *s. f.* Velocípedo de dos ruedas, de las cuales la posterior es motriz y se impulsa por pedales.

biciclo *s. m.* Velocípedo de dos ruedas, de las cuales la delantera es motriz.

bicípite *adj.* Que tiene dos cabezas.

bicoca *s. f.* **1.** *fam.* Cosa de poca estima y aprecio. **2.** *fig. y fam.* Ganga.

bicolor *adj.* De dos colores.

bicorne *adj., poét.* De dos cuernos o dos puntas.

bicornio *s. m.* Sombrero de dos picos.

bicromía *s. f.* Impresión de dos colores.

bidé *s. m.* Lavabo bajo y ovalado destinado a la higiene íntima.

bidente *adj., poét.* De dos dientes.

bidón *s. m.* Recipiente de hojalata que sirve para transportar líquidos.

biela *s. f.* Barra que en las máquinas sirve para transformar el movimiento de vaivén en otro de rotación, o viceversa.

bielda *s. f.* Especie de bieldo que sirve para recoger, cargar y encerrar la paja.

bieldar *v. tr.* Beldar.

bieldo *s. m.* Instrumento para aventar.

bien *s. m.* **1.** Lo que se presenta a la facultad volitiva como objeto propio para ser querido. **2.** Beneficio, utilidad. **3.** Lo que es bueno. ‖ *s. m. pl.* **4.** Riqueza. ‖ *adv. m.* **5.** Con acierto. **6.** Con buena salud.

bienal *adj.* **1.** Que sucede o se repite cada dos años. **2.** Que dura dos años.

bienandante *adj.* Feliz, afortunado.

bienandanza *s. f.* Felicidad, fortuna.

bienaventurado, da *adj.* **1.** Que goza de Dios en el cielo. **2.** Feliz, dichoso.

bienaventuranza *s. f.* **1.** Prosperidad o felicidad humana. ‖ *s. f. pl.* **2.** Las ocho felicidades que manifestó Cristo en el Sermón de la Montaña a sus discípulos para que aspirasen a ellas.

bienestar *s. m.* **1.** Comodidad. **2.** Vida holgada.

bienhablado, da *adj.* Que habla cortésmente y sin murmurar.

bienhadado, da *adj.* Bienafortunado.

bienhechor, ra *adj.* Que hace bien a otro. También s. m. y s. f.

bienintencionado, da *adj.* Que tiene buena intención.

bienio *s. m.* Tiempo de dos años.

bienmandado, da *adj.* Obediente y sumiso a sus superiores.

bienmesabe *s. m.* Dulce de claras de huevo y azúcar.

bienoliente *adj.* Fragante.

bienquerencia *s. f.* Buena voluntad.

bienquerer *v. tr.* Querer bien, estimar.

bienquistar *v. tr.* Poner a bien entre sí a dos o más personas.

bienquisto, ta *adj.* De buena fama y estimado de todos.

bienteveo *s. m., Arg. y Ur.* Pájaro de un palmo de longitud, lomo pardo, pecho amarillo y una mancha blanca en la cabeza.

bienvenida *s. f.* Parabién que se da a alguien por su feliz llegada a un lugar.

bienvivir *v. intr.* Vivir con holgura.

bies *s. m.* Trozo de tela cortado al sesgo.

bifacial *adj.* Que tiene dos caras o superficies.

bifásico, ca *adj.* Se dice del sistema de dos corrientes eléctricas alternas iguales, procedentes del mismo generador, y desplazadas en el tiempo, la una respecto de la otra, un semiperiodo.

bífero, ra *adj.* Se dice de las plantas que fructifican dos veces al año.

bífido, da *adj.* Se dice de lo que está dividido en dos partes o que se bifurca.

bifilar *adj.* Que tiene dos hilos.

bifloro, ra *adj.* Que tiene o encierra dos flores.

biforme *adj.* De dos formas.

bíforo, ra *adj.* De dos puertas o entradas.

bifronte *adj.* De dos frentes o dos caras.

bifurcación *s. f.* Punto donde un camino, vía ferrea, etc., que se divide en dos ramales o brazos.

bifurcado, da *adj.* De figura de horquilla.

bifurcarse *v. prnl.* Dividirse en dos ramales, brazos o puntas alguna cosa.

biga *s. f.* Carro de dos caballos.

bigamia *s. f.* Estado de un hombre casado con dos mujeres al mismo tiempo, o de la mujer casada con dos hombres.

bígamo, ma *adj.* **1.** Que se casa con dos personas a la vez. **2.** Casado por segunda vez. **3.** Casado con viuda, o casada con viudo.

bigardear *v. intr.* Estar alguien vago y ocioso.

bigardía *s. f.* Burla, fingimiento.

bigardo, da *adj., fig.* Vago, vicioso.

bígaro *s. m.* Caracol marino de pequeño tamaño y carne comestible. Abunda en las costas del Cantábrico.

big bang *s. m.* Gran explosión que constituye la fase inicial del universo.

bignonia *s. f.* Planta exótica y trepadora, de la familia de las bignoniáceas, de jardín, con flores grandes y encarnadas.

bignoniáceo, a *adj.* Se aplica a plantas arbóreas, angiospermas, dicotiledóneas, sarmentosas y trepadoras, con hojas generalmente compuestas, cáliz de una pieza con cinco divisiones y flores grandes, axilares, solitarias o reunidas en cortas panículas. También s. f.

bigorella *s. f.* Piedra de mucho peso que sirve para calar las collas.

bigornia *s. f.* Yunque alargado con dos puntas opuestas.

bigote *s. m.* Pelo que nace sobre el labio superior. Se usa también en pl.

bigotera *s. f.* Compás pequeño, cuya abertura se gradua mediante una rosca.

bigotudo, da *adj.* Que tiene mucho bigote.

bigudí *s. f.* Tubo pequeño, largo y estrecho, utilizado para rizar el cabello.

bija *s. f.* Árbol de la familia de las bixáceas, de poca altura, con hojas alternas, simples y anchas, flores grandes y fruto en cápsula, de cuya semilla se obtiene un colorante rojo.

bijao *s. m.* Planta americana de la familia de las musáceas, de hojas muy grandes que se usan para envolver alimentos o para cubrir los techos de las viviendas rústicas.

bilabiado, da *adj.* Se dice del cáliz o de la corola que está dividido en dos partes en su extremo superior.

bilabial *adj.* **1.** Se dice del sonido en cuya pronunciación intervienen los dos labios, como la *b* y la *p*. **2.** Se dice de la letra que representa este sonido.

bilateral *adj.* Que afecta a ambas partes o lados.

biliar *adj.* Perteneciente o relativo a la bilis.

bilingüe *adj.* **1.** Que habla dos lenguas. **2.** Escrito en dos idiomas.

bilingüismo *s. m.* Uso habitual de dos lenguas en una misma región o por la misma persona.

biliar *adj.* Perteneciente o relativo a la bilis.

bilioso, sa *adj.* **1.** Abundante en bilis. **2.** *fig.* Colérico, intratable, irritable.

bilirrubina *s. f.* Pigmento biliar producto de la degradación de la hemoglobina por destrucción de los hematíes.

bilis *s. f.* Líquido viscoso amargo de color amarillo verdoso, segregado por el hígado de los vertebrados.

bilítero, ra *adj.* De dos letras.

billar *s. m.* Juego que consiste en impulsar, por medio de tacos, bolas de marfil.

billetaje *s. m.* Conjunto o totalidad de los billetes de un teatro, tranvía, etc.

billete *s. m.* **1.** Tarjeta que da derecho para entrar u ocupar asiento en alguna parte o para viajar en un tren, autobús, etc. **2.** Papel impreso o grabado, emitido generalmente por el banco nacional de un país, que representa cantidades de dinero; papel moneda.

billetera *s. f.* Billetero.

billetero *s. m.* Cartera pequeña de bolsillo para llevar billetes, documentos, etc.

billón *s. m.* **1.** Un millón de millones; se expresa por la unidad seguida de doce ceros. **2.** En Estados Unidos, un millar de millones.

billonésimo, ma *adj.* **1.** Se dice de cada una de las partes iguales entre sí, de un todo dividido en un billón de ellas. **2.** Que ocupa el último lugar en una serie ordenada de un billón.

bilma *s. f., Cub., Chil., Méx. y El Salv.* Bizma.

bilmar *v. tr., Cub., Chil., Méx. y El Salv.* Bizmar.

bilobulado, da *adj.* Que tiene dos lóbulos.

bilocación *s. f.* Acción y efecto de bilocarse.

bilocarse *v. prnl.* Hallarse a un tiempo en dos lugares distintos.

bilocular *adj.* Se dice del fruto que tiene dos cavidades.

bimba *s. f., fam.* Chistera.

bimembre *adj.* De dos miembros o partes.

bimensual *adj.* **1.** Que se hace dos veces al mes. **2.** Que ocurre cada dos meses, especialmente las publicaciones periódicas.

bimestral *adj.* Que se hace o sucede cada bimestre.

bimestre *s. m.* Tiempo de dos meses.

bimetalismo *s. m.* Sistema monetario que admite como patrones el oro y la plata, en una proporción fijada por la ley.

bimotor *adj.* Se dice del avión provisto de dos motores. También s. m.

bina *s. f.* Acción y efecto de binar las tierras.

binadera *s. f.* De dos miembros o partes.

binador *s. m.* Instrumento que sirve para binar o cavar.

binar *v. tr.* **1.** Dar segunda labor a las tierras después del barbecho. **2.** Hacer la segunda cava en las viñas.

binario, ria *adj.* Compuesto de dos elementos, unidades o guarismos.

binazón *s. f.* Bina, labor de cava.

bingo *s. m.* **1.** Juego de azar que consiste en ir tachando cada jugador los números impresos en su cartón que coincidan con los del sorteo. **2.** Local público en que se juega.

binocular *adj.* **1.** Relativo a los dos ojos. ‖ *s. m. pl.* **2.** Anteojos con una lente para cada ojo.

binóculo *s. m.* Anteojo con luneta para ambos ojos.

binomio *s. m.* Expresión algebraica formada por la suma o la diferencia de dos términos.

bínubo, ba *adj.* Casado por segunda vez.

binza *s. f.* **1.** Película interna de la cáscara del huevo. **2.** Película exterior de la cebolla.

biodegradable *adj.* Relativo a los residuos inorgánicos que pueden descomponerse fácilmente en contacto con la tierra o con otros residuos orgánicos.

biodinámica *s. f.* Parte de la fisiología que estudia los fenómenos vitales de los organismos.

bioelemento *s. m.* Cualquier elemento químico indispensable para el desarrollo normal de una especie.

biognosia *s. f.* Estudio de los seres vivos.

biografía *s. f.* Historia de la vida de una persona.

biografiar *v. tr.* Hacer la biografía de alguna persona.

biográfico, ca *adj.* Perteneciente o relativo a la biografía.

biógrafo, fa *s. m. y s. f.* Persona que escribe una biografía.

biología *s. f.* Ciencia que trata de los seres vivos, considerándolos en su doble aspecto fisiológico o morfológico.

biológico, ca *adj.* Perteneciente o relativo a la biología.

biólogo, ga *s. m. y s. f.* Persona que profesa la biología.

biomasa *s. f.* Masa total de los seres vivos que habitan en un lugar determinado.

biombo *s. m.* Mampara plegable.

biomecánica *s. f.* Ciencia que trata de explicar todos los fenómenos vitales por medio de fuerzas mecánicas.

biometría s. f. Aplicación de los métodos estadísticos a las investigaciones biológicas.

biopsia s. f. Examen histológico que se hace de un trozo de un tejido tomado de un ser vivo, generalmente para completar un diagnóstico.

bioquímica s. f. Ciencia que estudia los fenómenos químicos en un ser vivo.

biosfera s. f. **1.** Conjunto de los medios en que se desenvuelve la vida vegetal y animal sobre la Tierra. **2.** El conjunto que forman los seres vivos con el medio en el que se desarrollan.

biótico, ca adj. Característico de los seres vivos o que se refiere a ellos.

bióxido s. m. Combinación de un radical simple o compuesto con dos átomos de oxígeno.

bipartición s. f. División de una cosa en dos partes.

bipartidismo s. m. Sistema político basado en el predominio de dos partidos que luchan por el poder o se turnan en él.

bípedo, da adj. De dos pies.

bipétalo, la adj. De dos pétalos.

bipinado, da adj. Se dice de una hoja compuesta cuyos pecíolos secundarios están dispuestos sobre el principal como las barbas de una pluma.

biplano adj. Se dice del avión con cuatro alas, que forman dos planos paralelos.

biplaza adj. Se dice del vehículo de dos plazas. También s. m.

bipolar adj. Que tiene dos polos.

biquini s. m. Conjunto de dos prendas femeninas de baño, formado por un sujetador y una braga.

birabira s. f., Arg. Chil. y Per. Flor silvestre de la que se hace una infusión parecida al té.

biricú s. m. Cinto del que cuelgan dos correas unidas por la parte inferior, en que se engancha el espadín, el sable, etc.

birimbao s. m. Instrumento musical que consiste en una barrita de hierro en forma de herradura, que lleva en el centro una lengüeta de acero que se hace vibrar con el índice de la mano derecha.

birlar v. tr., fig. y fam. Quitar alguna cosa a alguien, valiéndose de un engaño.

birlocha s. f. Cometa.

birlocho s. m. Carruaje sin cubierta, de cuatro ruedas y cuatro asientos, abierto por los costados y sin portezuelas.

birlonga s. f. Variedad del antiguo juego de naipes llamado del hombre en que el que tiene la espada está obligado a entrar.

birreactor s. m. Avión provisto de dos reactores.

birrefringencia s. f. Doble refracción de los rayos luminosos.

birreme adj. Se dice de una antigua nave de dos órdenes de remos. También s. f.

birreta s. f. Solideo encarnado de los cardenales.

birrete s. m. Gorro de forma prismática coronado por una borla de diversos colores, que usan los profesores, jueces y abogados en los actos solemnes.

birria s. f., fam. Cosa deforme o ridícula.

bis adv. c. **1.** Se usa para indicar repetición hecha o por hacer. ‖ s. m. **2.** Ejecución repetida de una pieza musical a petición del público.

bisabuelo, la s. m. y s. f. **1.** Respecto de una persona, el padre o la madre de su abuelo o de su abuela. ‖ s. m. pl. **2.** El bisabuelo y la bisabuela.

bisagra s. f. Conjunto de dos planchitas unidas por medio de cilindros huecos atravesados con un pasador, que sirve para facilitar el movimiento giratorio de las puertas y otras cosas que se abren y cierran.

bisalto s. m., Ar. y Nav. Guisante.

bisar v. tr. Repetir una actuación a petición de los oyentes.

bisbís s. m. Juego de azar muy parecido a la ruleta.

bisbisear v. tr., fam. Musitar.

biscote s. m. Rebanada de pan de molde, tostado.

bisecar v. tr. Dividir en dos partes iguales.

bisección s. f. Acción y efecto de bisecar. Se aplica generalmente a la división de los ángulos.

bisector, triz adj. Que divide en dos partes iguales. Se aplica especialmente a un plano o a una recta.

bisel s. m. Corte oblicuo en el borde de una lámina, plancha o cristal.

biselar v. tr. Hacer biseles.

biselio s. m. Silla para dos personas.

bisexual adj., fig. Se dice de la persona que tiene relaciones sexuales con individuos de ambos sexos.

bisiesto adj. Se dice del año de 366 días, en el que el mes de febrero tiene 29.

bisílabo, ba adj. De dos sílabas.

bismuto s. m. Metal muy brillante, de color blanco agrisado, muy frágil y fácil de fundir. Sus sales se emplean en medicina.

bisnieto, ta s. m. y s. f. Respecto de una persona, hijo o hija de su nieto o nieta.

bisojo, ja adj. Se dice de la persona que padece estrabismo. También s. m. y s. f.

bisonte s. m. Rumiante bóvido, parecido al toro, con la cabeza grande, la cruz formando giba, cubierto de pelo áspero y con cuernos poco desarrollados.

bisoñé s. m. Peluca que cubre solo la parte anterior de la cabeza.

bisoñería *s. f.* Dicho o hecho propio de quien no tiene conocimiento o experiencia.

bisoño, ña *adj., fig. y fam.* Nuevo e inexperto en algún oficio.

bistec *s. m.* **1.** Loncha de carne de vaca asada o frita. **2.** Por ext., cualquier loncha de carne preparada de esta manera.

bistorta *s. f.* Planta de la familia de las poligonáceas, de flores en espiga de color encarnado claro. Su raíz es astringente.

bistre *s. m.* Pigmento rojizo oscuro preparado con hollín, usado en la fabricación de tinta china.

bisturí *s. m.* Instrumento quirúrgico que sirve para sajar o hacer incisiones.

bisulco, ca *adj.* De pezuñas partidas.

bisulfato *s. m.* Sal en que el ácido sulfúrico tiene doble cantidad de oxígeno que la base.

bisulfito *s. m.* Sal formada por el ácido sulfuroso.

bisulfuro *s. m.* Combinación de un radical con dos átomos de azufre.

bisunto, ta *adj.* Sucio, grasiento, sobado.

bisutería *s. f.* Joyería de imitación, hecha de materiales no preciosos.

bit *s. m.* Unidad de información, la más pequeña de representación en el sistema binario. Se usa más en pl.

bita *s. f.* Cada uno de los postes de madera o hierro que sirven para dar vuelta a los cables del ancla cuando se fondea la nave.

bitácora *s. f.* Especie de armario, fijo a la cubierta e inmediato al timón, en que se pone la aguja de marear.

bitadura *s. f.* Porción del cable del ancla que se va a fondear.

bitonalidad *s. f.* Presencia simultánea de dos tonalidades en una composición musical.

bitoque *s. m.* Tarugo de madera con que se cierra la piquera de los toneles.

bitor *s. m.* Rey.

bituminizar *v. tr.* Convertir en betún. También prnl.

bituminoso, sa *adj.* Que tiene betún o semejanza con él.

bivalencia *s. f.* Calidad de bivalente.

bivalente *adj.* Que tiene dos valencias.

bivalvo, va *adj.* Que tiene dos valvas.

bivio *s. m.* Punto en que se juntan dos caminos.

bixáceo, a *adj.* Se dice de árboles y arbustos angiospermos dicotiledóneos, con hojas alternas, flores axilares y hermafroditas apétalas o con cinco pétalos, y fruto en cápsula.

bixíneo, a *adj.* Bixáceo.

biza *s. f.* Bonito, pez.

bizantino, na *adj., fig.* Se dice de las discusiones baldías o demasiado sutiles.

bizarrear *v. intr.* Ostentar u obrar con bizarría.

bizarría *s. f.* **1.** Gallardía, valor. **2.** Generosidad, esplendor.

bizarro, rra *adj.* **1.** Valiente, esforzado. **2.** Generoso, espléndido.

bizarrón *s. m.* Candelero grande.

bizaza *s. f.* Alforja de cuero. Se usa más en pl.

bizcar *v. intr.* Torcer la vista al mirar, debido al estrabismo que se padece.

bizco, ca *adj.* Bisojo.

bizcocho *s. m.* Masa de harina, huevos y azúcar, que se cuece en el horno.

bizma *s. f.* Emplasto para confortar, hecho de estopa, aguardiente, incienso y mirra.

bizmar *v. tr.* Poner bizmas. También prnl.

bizna *s. f.* Película que separa los cuatro gajos de la nuez.

biznieto, ta *s. m. y s. f.* Bisnieto.

bizquear *v. intr., fam.* Padecer estrabismo.

bizquera *s. f.* Estrabismo.

blanca *s. f.* Nota musical equivalente a la mitad de la redonda.

blancal *adj.* Se dice de la perdiz patiblanca que en los países fríos toma en invierno el color blanco.

blanco, ca *adj.* **1.** De color de nieve o leche. También s. m. ‖ *s. m.* **2.** Espacio en un escrito que se deja sin llenar.

blancor *s. m.* Blancura.

blancura *s. f.* Calidad de blanco.

blancuzco, ca *adj.* Que tira a blanco, o es de color blanco sucio.

blandear *v. intr.* Aflojar, ceder.

blandengue *adj.* Se dice de las personas débiles física o moralmente. También com.

blandicia *s. f.* **1.** Adulación, halago. **2.** Molicie, delicadeza.

blandir *v. tr.* Mover un arma u otra cosa haciéndola vibrar en el aire.

blando, da *adj.* **1.** Tierno y suave al tacto. **2.** *fig.* Suave, dulce, benigno. **3.** *fig.* Pusilánime, cobarde.

blandón *s. m.* Hacha de cera de un pabilo.

blandura *s. f.* **1.** Calidad de blando. **2.** Dulzura en el trato.

blanquear *v. tr.* **1.** Poner de color blanco una cosa. **2.** Convertir en dinero legal el procedente de negocios delictivos.

blanquecer *v. tr.* En las casas de moneda y entre plateros, limpiar y sacar su color al oro, plata y otros metales.

blanquecino, na *adj.* Que tira a blanco.

blanqueo *s. m.* Acción y efecto de blanquear.

blanquete *s. m.* Afeite que solían usar las mujeres para blanquearse el cutis.

blao *adj.* Azur. También s. m.

blasfemar *v. intr.* **1.** Decir blasfemias. **2.** Maldecir, vituperar.

blasfemia s. f. **1.** Palabra o expresión injuriosa contra Dios o sus santos. **2.** fig. Palabra gravemente injuriosa contra una persona.

blasfemo, ma adj. **1.** Que contiene blasfemia. **2.** Que dice blasfemia. También s. m. y s. f.

blasón s. m. Escudo de armas.

blasonar v. tr. Disponer el escudo de armas según las normas del arte.

blasonería s. f. Baladronada.

blastema s. m. Cualquiera de las aglomeraciones de células embrionarias que dan origen a un órgano determinado.

blastodermo s. m. Membrana formada por el conjunto de células procedentes de la segmentación del óvulo.

blástula s. f. Una de las primeras fases del desarrollo embrionario de los animales metazoos, que sigue a la mórula.

bledo s. m. Planta anual quenopodiácea, de hojas ovales verde oscuro y flores rojas muy pequeñas.

blefaritis s. f. Inflamación crónica de los párpados.

blenda s. f. Sulfuro de cinc. Se encuentra en la naturaleza en cristales muy brillantes, cuyo color varía desde el amarillo rojizo al pardo oscuro.

blenorragia s. f. Flujo mucoso debido a la irritación de una membrana urogenital.

blinda s. f. Cobertizo defensivo constituido por una viga gruesa de zarzos, estiércol, tierra, etc.

blindaje s. m. Conjunto de materiales que se utilizan para blindar.

blindar v. tr. Proteger exteriormente, por lo general con planchas metálicas, ciertas cosas o lugares contra los efectos de balas, fuego, etc.

bloc s. m. Conjunto de hojas de papel, para escribir o dibujar, cosidas y grapadas en forma de cuaderno y que pueden desprenderse fácilmente.

bloca s. f. Punta cónica o piramidal que ciertos escudos y rodelas tenían en el centro.

blocao s. m. Fortín de madera que puede desmontarse con facilidad.

blonda s. f. Encaje de seda.

blondo, da adj. Rubio.

bloque s. m. **1.** Trozo grande de piedra sin labrar. **2.** Sillar artificial de hormigón.

bloquear v. tr. Realizar una operación militar o naval con el fin de cortar las comunicaciones de un puerto, un territorio, un ejército, etc.

bloqueo s. m. Acción y efecto de bloquear.

blues s. m. Canto y melodía del folclore negro estadounidense, surgido a principios del s. XIX, que tuvo gran influencia en el origen y desarrollo del jazz.

blusa s. f. Prenda de vestir femenina, de tela fina, que cubre la parte superior del cuerpo.

blusón s. m. Blusa larga y suelta.

boa s. f. Serpiente americana, de piel con vistosos colores; no es venenosa, pero posee gran fuerza para estrangular a sus víctimas y devorarlas luego.

boalaje s. m. Dehesa boyal.

boardilla s. f. Buhardilla.

boato s. m. Ostentación en el porte exterior.

bobada s. f. Bobería.

bobalías com., fam. Persona muy boba.

bobatel s. m., fam. Hombre bobo.

bobático, ca adj., fam. Que se dice o hace neciamente.

bobear v. intr. Hacer o decir boberías.

bobería s. f. Dicho o hecho de necio.

bobillo s. m. Jarro vidriado, barrigudo y con asa.

bobina s. f. Carrete para devanar o arrollar en él hilo, alambre, etc.

bobinar v. tr. Devanar o arrollar hilo, cable, etc. en forma de bobina.

bobo, ba adj. **1.** De entendimiento muy corto, poco capaz. También s. m. y s. f. **2.** Extremadamente cándido.

boca s. f. **1.** Cavidad con abertura en la parte anterior de la cabeza del hombre y de muchos animales, por la cual se toma el alimento. **2.** fig. Entrada o salida.

bocabajo adv. m. Tendido con la cara hacia el suelo.

bocabarra s. f. Cada una de las muescas abiertas con el cabrestante, donde se encajan las barras para hacerlo girar.

bocacalle s. f. **1.** Entrada de una calle. **2.** Calle secundaria que da a otra.

bocacaz s. m. Abertura de una presa para que por ella salga cierta cantidad de agua destinada al riego.

bocací s. m. Tela de hilo, de color, más gorda que la holandilla.

bocadear v. tr. Partir en bocados una cosa.

bocadillo s. m. Panecillo o trozo de pan relleno con algún alimento.

bocado s. m. **1.** Una pequeña cantidad de comida. **2.** Mordedura que se hace con los dientes. **3.** Freno de las caballerías.

bocadulce s. m. Pez del mar Caribe, semejante al tiburón.

bocajarro, a loc. adv. Tratándose de un disparo, desde muy cerca.

bocal[1] s. m. Recipiente usado en laboratorios, hospitales, farmacias, etc.

bocal[2] adj. **1.** Bucal. **2.** Boquilla de un instrumento.

bocallave s. f. Parte de la cerradura, por la cual se mete la llave.

bocamanga s. f. Parte de la manga que está más cerca de la muñeca.

bocamina *s. f.* Boca que sirve de entrada a una mina.

bocanada *s. f.* Cantidad de líquido, aire o humo que de una vez se toma en la boca o se expulsa de ella.

bocarda *s. f.* Trabuco de forma de embudo.

bocarrena *s. f.* Oquedad revestida de cristalizaciones, que se halla en las piedras.

bocarte *s. m.* Boquerón.

bocateja *s. f.* Teja primera de las canales de un tejado, junto al alero.

bocatero, ra *adj., Cub., Hond. y Per.* Hablador, fanfarrón.

bocaza o bocazas *com.* Persona que habla más de lo conveniente o dice tonterías. Se usa más en pl.

bocel *s. m.* Moldura lisa convexa, de sección semicircular.

bocelar *v. tr.* Formar bocel a una pieza de plata u otra materia.

bocera *s. f.* Lo que queda pegado a la parte exterior de los labios después de haber comido o bebido.

boceto *s. m.* **1.** Borroncillo en colores que hacen los pintores antes de pintar un cuadro. **2.** Esquema general y provisional de un proyecto.

bocezar *v. intr.* Mover los labios las bestias hacia uno y otro lado.

bochas *s. f. pl.* Juego que consiste en tirar a cierta distancia con unas bolas medianas a otra más pequeña, ganando el que se acerque más a esta con las otras.

boche *s. m.* Hoyo pequeño que hacen los niños para jugar, tirando a meter dentro de él las bolas o canicas con que juegan.

bochinche *s. m.* Tumulto, alboroto.

bochorno *s. m.* **1.** Viento caliente y molesto en verano. **2.** Calor sofocante.

bochornoso, sa *adj.* Que causa o da bochorno.

bocín *s. m.* Pieza redonda de esparto que se pone alrededor de los cubos de las ruedas de los carruajes.

bocina *s. f.* **1.** Instrumento de metal con figura de trompeta, que se usa especialmente en los buques para hablar de lejos. **2.** Instrumento que se hace sonar mecánicamente haciendo vibrar una lengüeta por insuflación.

bocinar *v. intr.* Tocar la bocina o usarla para hablar.

bocinazo *s. m.* Ruido fuerte producido por una bocina.

bocio *s. m.* Aumento del volumen de la glándula tiroides.

bocón, na *adj., fig. y fam.* Que habla mucho y con amenazas.

bocoy *s. m.* Tonel grande, utilizado generalmente para conservar y transportar vino.

boda *s. f.* Casamiento y fiesta con que se solemniza.

bode *s. m.* Macho.

bodega *s. f.* **1.** Lugar donde se guarda y cría el vino. **2.** Almacén de vinos.

bodegón *s. m.* **1.** Establecimiento donde se sirven comidas. **2.** Taberna.

bodegonear *v. intr.* Andar de bodegón en bodegón.

bodeguero, ra *s. m. y s. f.* Persona que tiene a su cargo una bodega.

bodi *s. m.* Prenda de ropa interior femenina de una sola pieza.

bodijo *s. m., fam.* Boda desigual.

bodocal *adj.* Se dice de una especie de uva negra, de grano gordo, y de la vid que la produce.

bodón *s. m.* Charca que se seca en verano.

bodoque *s. m.* **1.** Bola de barro endurecida al aire que servía para tirar con ballesta. **2.** *fig. y fam.* Bordado en relieve de forma redondeada.

bodoquera *s. f.* Molde para bodoques de barro.

bodorrio *s. m., fam.* Bodijo.

bodrio *s. m.* **1.** Guiso mal aderezado. **2.** Cosa mal hecha o de mal gusto.

body *s. m.* Bodi.

bofarse *v. prnl.* Ponerse algo fofo.

bofe *s. m.* Pulmón de las reses muertas para el consumo. Se usa más en pl.

bófeta *s. f.* Cierta tela de algodón delgada y tiesa.

bofetada *s. f.* Golpe dado en la cara con la mano abierta.

bofetón *s. m.* Bofetada dada con fuerza.

bofia *s. f., fig. y fam.* Policía.

bofo, fa *adj.* Fofo.

boga[1] *s. f.* Pez teleósteo y fisóstomo, fluvial y comestible.

boga[2] *s. f., fig.* Buena aceptación, fortuna.

bogada *s. f., Ast.* Acción de colar la ropa y lejía en que se cuela.

bogar *v. intr.* Remar.

bogavante *s. m.* Crustáceo marino decápodo, comestible y parecido a la langosta, aunque con pinzas muy grandes en el primer par de patas.

bohardilla *s. f.* Buhardilla.

bohemio, mia *adj.* Se dice de la persona de vida irregular y poco organizada. También s. m. y s. f.

bohena *s. f.* Longaniza de bofes del cerdo.

bohío *s. m.* Cabaña de América, hecha de madera y ramas, cañas o paja, y sin más ventilación que la puerta.

bohordo *s. m.* **1.** Junco de la espadaña. **2.** Lanza corta que se usaba en las fiestas de caballería.

boicot *s. m.* Medida de presión contra un individuo, entidad o país mediante el bloqueo de sus relaciones sociales o comerciales.

boicotear *v. tr.* Privar a una persona o entidad de toda relación social o comercial para perjudicarla y obligarla a ceder.

boicoteo *s. m.* Boicot.

boíl *s. m.* Boyera.

bóiler *s. m.* Calentador de aire doméstico, alimentado con gas o electricidad.

boina *s. f.* Gorra sin visera, redonda, de lana y generalmente de una sola pieza.

boira *s. f.* Niebla.

boj *s. m.* Arbusto busáceo, de madera dura, amarilla y compacta.

boja *s. f.* Ampolla de la piel.

bojar *v. tr.* Medir el perímetro de una isla, cabo, etc.

boje *s. m.* Armazón de dos pares de ruedas montadas sobre sendos ejes próximos, que se colocan en los extremos de los vehículos de gran longitud que tienen que circular sobre carriles.

bojiganga *s. f.* Compañía de farsantes, que antiguamente representaba comedias y autos en los pueblos pequeños.

bojote *s. m., Col., Ec., Hond. y P. Ric.* Bulto, envoltorio, paquete.

bol *s. m.* Recipiente en forma de taza, ancha y sin asas.

bola *s. f.* Cuerpo esférico de cualquier materia.

bolada *s. f.* Tiro de bola.

bolandista *s. m.* Individuo de una sociedad formada por miembros de la Compañía de Jesús, para publicar y depurar críticamente los textos originales de las vidas de los santos.

bolantín *s. m.* Especie de cordel.

bolaño *s. m.* Bola de piedra que disparaban las bombardas.

bolar *adj.* Se dice de la tierra o arcilla utilizada para hacer el bol.

bolardo *s. m.* Poste hincado en el suelo para impedir el paso o aparcamiento de vehículos.

bolazo *s. m.* Golpe de bola.

bolchaca *s. f., Ar. y Murc.* Bolsillo, faltriquera.

boldina *s. f.* Alcaloide que se extrae del boldo.

boldo *s. m.* Arbusto de la familia de las monimiáceas, originario de Chile. La infusión de sus hojas se emplea para curar las enfermedades del estómago y del hígado.

boleadoras *s. f. pl.* Instrumento para atrapar animales muy usado en América del Sur, que consta de dos o tres bolas de piedra, forradas de cuero, y atadas fuertemente a sendas cuerdas.

bolear *v. intr.* En cualquier juego en que se la utilice, arrojar la bola o las bolas.

bolera *s. f.* Lugar en que se juega a los bolos.

bolero *s. m.* Composición musical popular española, de compas ternario y movimiento solemne.

boleta *s. f.* Cedulilla que permite entrar en algún lugar.

boletín *s. m.* **1.** Publicación periódica de un ramo o una corporación, que trata un tema especializado. **2.** Publicación periódica de carácter oficial.

boleto *s. m.* **1.** Papeleta que acredita la participación en un sorteo, lotería, etc. **2.** Billete de teatro, tren, etc.

boliche *s. m.* **1.** Juego de bolos. **2.** Adorno torneado en que rematan algunos muebles.

bólido *s. m.* **1.** Masa mineral en ignición que atraviesa la atmósfera con enorme velocidad y suele estallar, provocando la caída de aerolitos. **2.** *fig.* Vehículo muy veloz.

bolígrafo *s. m.* Utensilio para escribir que lleva en su interior un tubo de tinta y que termina en una pequeña bolita metálica que gira según se escribe.

bolillo *s. m.* Palito torneado usado para hacer encajes y pasamanería.

bolina *s. f.* Sonda o cuerda con un peso de plomo.

bolinga *adj., fig. y fam.* Borracho.

bolisa *s. f.* Pavesa.

bolívar *s. m.* Unidad monetaria de Venezuela.

boliviano *s. m.* Unidad monetaria de Bolivia.

bollén *s. m.* Árbol chileno, de la familia de las rosáceas, cuya madera, que es muy dura, se emplea para hacer mangos y en la construcción de casas.

bollería *s. f.* Establecimiento donde se hacen o venden bollos.

bollo[1] *s. m.* Panecillo de harina amasada con leche, huevo, etc., cocido al horno.

bollo[2] *s. m., fam.* Abolladura.

bollón *s. m.* Clavo dorado de cabeza grande, que se utiliza como adorno.

bolo *s. m.* Trozo de palo labrado, de forma cónica, con base plana para que se sostenga derecho.

bolsa[1] *s. f.* Especie de saco que sirve para llevar o guardar alguna cosa.

bolsa[2] *s. f.* **1.** Reunión oficial de los que operan con efectos públicos, y establecimiento donde tiene lugar. **2.** Conjunto de operaciones con efectos públicos.

bolsear *v. tr., Arg., Bol. y Per.* Entre amantes, dar calabazas.

bolsillo *s. m.* **1.** Bolsa o saquillo en que se guarda el dinero. **2.** Saquillo cosido en los vestidos, y que sirve para meter en él algunas pequeñas cosas usuales.

bolsín *s. m.* Reunión de los bolsistas para sus tratos, fuera de las horas y lugar reglamentarios.

bolsiquear *v. tr., Amér. del S.* Quitarle a alguien furtivamente las cosas del bolsillo.

bolsista *s. m. y s. f.* El que se dedica a operaciones bursátiles.

bolso *s. m.* **1.** Bolsillo del dinero. **2.** Bolsa para guardar la ropa u otras cosas cuando se va de viaje. **3.** Bolsa de mano, pequeña y con una o dos asas, utilizada para llevar objetos de uso personal.

bolsón *s. m.* Abrazadera de hierro.

bomba[1] *s. f.* Máquina para elevar agua u otro líquido.

bomba[2] *s. f.* Cualquier proyectil hueco lleno de materia explosiva y provisto del artificio necesario para que estalle en el momento preciso.

bombáceo, a *adj.* Se dice de los árboles y arbustos intertropicales dicotiledóneos, con las hojas palmeadas y el fruto grande y capsular. También s. f.

bombacha *s. f., Amér. del S.* Calzón o pantalón bombacho.

bombacho *adj.* Se dice del pantalón ancho, cuyos perniles terminan en forma de campana abierta por el costado. También s. m.

bombarda *s. f.* Antigua máquina militar usada para arrojar piedras.

bombardear *v. tr.* **1.** Disparar bombas desde un avión. **2.** Hacer fuego violento y sostenido de artillería.

bombardeo *s. m.* Acción de bombardear.

bombardero *s. m.* Avión especialmente preparado para transportar y arrojar bombas.

bombardino *s. m.* Instrumento musical de viento, de metal, semejante al figle, pero con pistones o cilindros en vez de llaves.

bombardón *s. m.* Instrumento musical de viento, de grandes dimensiones y de metal, que sirve de contrabajo en las bandas militares.

bombasí *s. m.* Tela gruesa de algodón.

bombástico, ca *adj.* Se dice del lenguaje ampuloso y grandilocuente, sobre todo si se usa en contextos no adecuados.

bombazo *s. m.* **1.** Golpe que da la bomba al caer. **2.** *fig.* Noticia inesperada y explosiva.

bombear *v. tr.* Elevar agua u otro líquido.

bombeo *s. m.* Acción y efecto de bombear líquidos.

bombero *s. m.* Cada uno de los operarios encargados de extinguir los incendios.

bombilla *s. f.* Globo de cristal en cuyo interior, en el que se ha hecho el vacío, hay un filamento adecuado para que al paso de una corriente eléctrica se ponga incandescente y se ilumine.

bombillo *s. m.* Aparato con sifón para evitar la subida del mal olor en las bajadas de aguas inmundas.

bombín *s. m.* Sombrero hongo.

bombo *s. m.* En las orquestas y bandas militares, tambor muy grande que se toca solo con una maza.

bombón *s. m.* Pieza de chocolate que puede estar rellena de licor o crema.

bombona *s. f.* **1.** Vasija de vidrio o loza, de boca estrecha, barriguda y de bastante capacidad, utilizada en el transporte de ciertos líquidos. **2.** Vasija metálica, muy resistente, para contener gases a presión o líquidos muy volátiles.

bombonera *s. f.* Cajita para bombones.

bonachón, na *adj., fam.* De carácter noble y amable. También s. m. y s. f.

bonancible *adj.* Tranquilo, sereno, suave.

bonanza *s. f.* **1.** Tiempo tranquilo o sereno en el mar. **2.** *fig.* Prosperidad.

bonanzoso, sa *adj.* Próspero, bondadoso.

bonasí *s. m.* Género de peces acantopterigios, venenosos, del mar Caribe.

bondad *s. f.* **1.** Calidad de bueno. **2.** Natural inclinación a hacer el bien.

bondadoso, sa *adj.* Lleno de bondad.

boneta *s. f.* Paño que se añade a algunas velas.

bonete *s. m.* Gorro, generalmente de cuatro picos, usado por los eclesiásticos.

bonetero *s. m.* Arbusto de la familia de las celastráceas, cultivado en los jardines de Europa.

bonetillo *s. m.* Cierto adorno de las mujeres sobre el tocado.

bonga *s. f., Filip.* Areca.

bongo *s. m., amer.* Especie de canoa usada por los indígenas de América Central.

bongó *s. m.* Instrumento musical caribeño de percusión.

boniato *s. m.* Planta convolvulácea, variedad de batata.

bonificación *s. f.* Acción y efecto de bonificar.

bonificar *v. tr.* Conceder un aumento en una cantidad que alguien tiene que cobrar, o un descuento en la que tiene que pagar.

bonina *s. f.* Manzanilla.

bonítalo *s. m.* Bonito, pez.

bonito *s. m.* Pez teleósteo comestible, parecido al atún pero más pequeño.

bonito, ta *adj.* Lindo, agraciado.

bonizo *s. m.* Especie de panizo pequeño.

bonja *s. f.* Variedad de té.

bono *s. m.* **1.** Vale canjeable por artículos de consumo de primera necesidad o por dinero. **2.** Tarjeta de abono que da derecho a utilizar un servicio durante un número determinado de veces o durante cierto tiempo.

bonobús *s. m.* Tarjeta de abono que da derecho a realizar cierto número de viajes en un autobús.

bonote *s. m.* Filamento extraído de la corteza del coco.

bonsái *s. m.* Árbol de adorno, enano, sometido a una técnica de cultivo que impide su crecimiento normal.

bonzo *s. m.* Sacerdote o monje budista.

boñiga *s. f.* Excremento del ganado vacuno y el semejante de otros animales.

boom *s. m., fig.* Bum.

boquear *v. intr.* **1.** Abrir la boca. **2.** Estar expirando.

boquera *s. f.* **1.** Boca que se hace en el cauce de agua para el riego. **2.** Herida en las comisuras de los labios de una persona.

boquerón *s. m.* Pez teleósteo, fisóstomo, parecido a la sardina, pero mucho más pequeño. Es comestible.

boquete *s. m.* Entrada angosta de un lugar.

boquiabierto, ta *adj.* **1.** Que tiene la boca abierta. **2.** Que está embobado mirando algo.

boquihendido, da *adj.* De boca muy hendida. Se dice principalmente de las caballerías.

boquihundido, da *adj.* Se dice de la caballería que tiene muy altas las comisuras de los labios.

boquilla *s. f.* **1.** Parte de la pipa que se introduce en la boca. **2.** Pieza adaptable a algunos instrumentos de viento.

boquimuelle *adj., fig.* Se aplica a la persona fácil de manejar o engañar.

boquín *s. m.* Bayeta tosca.

boquirroto, ta *adj., fig. y fam.* Que habla demasiado.

borato *s. m.* Combinación del ácido bórico con una base.

bórax *s. m.* Sal blanca compuesta de ácido bórico, sosa y agua, que se forma en algunos lagos. Se emplea en medicina y en la industria.

borbollar *v. intr.* Hacer borbollones el agua.

borbollear *v. intr.* Borbollar.

borbollón *s. m.* Erupción que hace el agua de abajo arriba.

borbollonear *v. intr.* Borbollar.

borbor *s. m.* Acción de borbotar.

borborigmo *s. m.* Ruido de tripas producido por el movimiento de los gases en la cavidad intestinal. Se usa más en pl.

borboritar *v. intr.* Borbotar, borbollar.

borbotar *v. intr.* Nacer o hervir el agua impetuosamente o haciendo ruido.

borboteo *s. m.* Acción de borbotear.

borbotón *s. m.* Borbollón.

borceguí *s. m.* Calzado que llegaba hasta más arriba del tobillo, abierto por delante.

borcelana *s. f., Can.* Aljofaina.

borcellar *s. m.* Borde de una vasija o vaso.

borda *s. f.* Canto superior del costado de un buque.

bordado *s. m.* **1.** Acción de bordar. **2.** Bordadura, labor de aguja.

bordador, ra *s. m. y s. f.* Persona que tiene por oficio bordar.

bordadura *s. f.* Labor de relieve realizada en tela o piel con aguja e hilo.

bordar *v. tr.* **1.** Adornar una tela o piel con bordadura. **2.** *fig.* Hacer alguna cosa con arte y primor.

borde *s. m.* **1.** Extremo u orilla de alguna cosa. **2.** En las vasijas, orilla que tienen alrededor de la boca.

bordear *v. intr.* Andar por la orilla o borde.

bordillo *s. m.* Encintado de la acera, andén, etc.

bordo *s. m.* Lado o costado exterior de la nave.

bordón *s. m.* **1.** Bastón de altura superior a la de una persona y con una punta de hierro. **2.** Verso quebrado que se repite al final de cada copla.

bordonear *v. intr.* Ir tentando la tierra con el bordón o bastón.

bordura *s. f.* Pieza honorable que rodea el ámbito del escudo por el interior.

boreal *adj.* Perteneciente o relativo al bóreas.

bóreas *s. m.* Viento norte.

borgoña *s. m.* Vino de la región francesa de este nombre.

borla *s. f.* Botón hecho de hilos o cordoncillos sujetos solo en uno de sus extremos, que se usa como adorno.

borne *s. m.* Botón metálico a que va unido el hilo conductor en ciertos aparatos eléctricos.

bornear *v. tr.* Dar vuelta, torcer o ladear una cosa.

borneo *s. m.* Movimiento del cuerpo en el baile.

borní *s. m.* Ave rapaz diurna, de color ceniciento y amarillo oscuro, que habita en los lugares pantanosos.

bornizo *adj.* Se dice del corcho que se obtiene de la primera pela de los alcornoques.

boro *s. m.* Metaloide de color pardo oscuro.

borococo *s. m., And.* Pisto, guiso de huevos con pimientos y tomate.

borona *s. f.* **1.** *Cant.* Pan de maíz. **2.** *Col., C. Ric. y Ven.* Migaja de pan.

borra *s. f.* **1.** Cordera de un año. **2.** Parte más corta de la lana.

borrable *adj.* Que se puede borrar.

borrachear *v. intr.* Emborracharse con frecuencia.

borrachera *s. f.* Efecto de emborracharse.

borracho, cha *adj.* Ebrio.

borrador *s. m.* **1.** Primer esquema de un escrito. **2.** Utensilio que se usa para borrar lo escrito con tiza en una pizarra.

borradura *s. f.* Acción y efecto de borrar o hacer rayas en un escrito.

borragináceo, a *adj.* Se dice de las plantas angiospermas dicotiledóneas. La mayor parte de ellas son herbáceas, cubiertas de pelos ásperos y con fruto en cariópside, cápsulas o bananas con una sola semilla sin albumen. También *s. f.*

borraj *s. m.* Bórax.

borraja *s. f.* Planta anual de la familia de las borragináceas, de flores azules dispuestas en racimo. Está cubierta de pelos ásperos y punzantes, es comestible y su flor se emplea en infusión como sudorífico.

borrajear *v. tr.* Hacer rayas o figuras en un papel por entretenimiento o para practicar con la pluma.

borrajo *s. m.* Hojarasca de los pinos.

borrar *v. tr.* Hacer desaparecer lo escrito o representado con tinta, lápiz, etc.

borrasca *s. f.* **1.** Tempestad en el mar. **2.** Tormenta o temporal fuerte en tierra.

borrascoso, sa *adj.* **1.** Que causa borrascas. **2.** *fig. y fam.* Se dice de una situación, acontecimiento, periodo, etc. agitado y violento.

borrasquero, ra *adj., fig. y fam.* Se dice de la persona que lleva una vida desordenada.

borrego, ga *s. m. y s. f.* Cordero o cordera de uno a dos años.

borrén *s. m.* Cada una de las almohadillas forradas de cuero que forman los arzones de la montura.

borrica *s. f.* Hembra del borrico.

borrico *s. m.* Asno.

borrina *s. f., Ast.* Niebla espesa y húmeda.

borro *s. m.* Cordero que pasa de un año y todavía no tiene dos.

borrón *s. m.* Mancha de tinta en el papel.

borronear *v. tr.* Borrajear.

borroso, sa *adj.* **1.** Se dice de un escrito o dibujo cuyos trazos aparecen confusos y desvanecidos. **2.** *fig.* Que no se distingue con claridad.

borujo *s. m.* **1.** Masa del hueso de la aceituna después de molida y exprimida. **2.** Bulto pequeño.

boscaje *s. m.* Bosque pequeño y espeso.

boscoso, sa *adj.* Abundante en bosques.

bosque *s. m.* Sitio poblado de árboles y matas espesas.

bosquejar *v. tr.* Pintar o modelar sin precisar los contornos.

bosquejo *s. m.* **1.** Primer boceto de una obra plástica. **2.** *fig.* Idea vaga y general de alguna cosa.

bosta *s. f.* Excremento del ganado vacuno o del caballar.

bostear *v. intr., Arg., Chil., Per. y Ur.* Excretar el ganado vacuno o el caballar, y por ext., cualquier animal.

bostezar *v. intr.* Abrir la boca con movimiento espasmódico, por efectos del sueño, aburrimiento, etc.

bostezo *s. m.* Acción de bostezar.

bota[1] *s. f.* Odre pequeño, untado de pez por dentro, que remata en un cuello con brocal por donde se llena de vino y se bebe.

bota[2] *s. f.* Calzado que resguarda el pie y parte de la pierna.

botada *s. f., Cub. y P. Ric.* Acción de botar o despedir a un empleado.

botadura *s. f.* Acto de echar una embarcación al agua.

botafumeiro *s. m.* Incensario.

botagueña *s. f.* Longaniza hecha de asadura de cerdo.

botalón *s. m.* Palo largo que se saca hacia la parte exterior de la embarcación.

botamen *s. m.* Conjunto de botes de una farmacia.

botana *s. f.* Remiendo que se pone en los odres y en las cubas.

botánica *s. f.* Rama de la biología que estudia los vegetales.

botánico, ca *adj.* **1.** Perteneciente o relativo a la botánica. ‖ *s. m. y s. f.* **2.** Persona que profesa la botánica.

botar *v. tr.* **1.** Echar fuera con violencia. **2.** Echar al agua una embarcación. **3.** Hacer saltar la pelota lanzándola contra el suelo.

botarate *s. m.* Hombre de poco juicio.

botarel *s. m.* Contrafuerte.

botarga *s. f.* Vestido ridículo de muchos colores.

botavante *s. m.* Asta larga herrada por uno de los extremos, usada por los marineros para defenderse en los abordajes.

bote[1] *s. m.* Salto desde el suelo que da una persona, animal o cosa cualquiera.

bote[2] *s. m.* Vasija pequeña.

bote[3] *s. m.* Barco pequeño de remo y sin cubierta.

botella *s. f.* Vasija de cuello angosto que sirve para contener líquidos.

botellazo *s. m.* Golpe dado con una botella.

botica *s. f.* Lugar donde se hacen y se venden medicinas.

boticario, ria *s. m. y s. f.* Persona que profesa la farmacia y que prepara y vende las medicinas.

botiguero, ra *s. m. y s. f.* En algunos lugares, tendero.

botija *s. f.* Vasija de barro redonda y de cuello angosto y corto.

botijo *s. m.* Vasija de barro, de vientre abultado, con asa en la parte superior, una boca para echar el agua, en uno de los lados, y un pitón para beber, en el lado opuesto.

botilla *s. f.* Cierto calzado que usaban las mujeres.

botillería *s. f.* Establecimiento donde se hacen y se venden bebidas refrescantes.

botillo *s. m.* Pellejo pequeño para llevar vino.

botín[1] *s. m.* Calzado que cubre la parte superior del pie y parte de la pierna.

botín[2] *s. m.* Despojo que se concedía a los soldados, como premio de conquista.

botinero, ra *adj.* Se dice de la res vacuna de pelo claro que tiene las extremidades de color negro.

botiquín *s. m.* **1.** Mueble, caja o maletín para guardar medicinas e instrumental de primeros auxilios. **2.** Conjunto de estas medicinas.

botito *s. m.* Bota de hombre con elásticos o botones, que se ciñe al tobillo.

botivoleo *s. m.* Acción de golpear la pelota en el aire después de haber botado en el suelo.

boto *s. m.* Bota alta enteriza para montar a caballo.

botón *s. m.* **1.** Yema de los vegetales. **2.** Pieza pequeña para abrochar o adornar una prenda de vestir.

botonadura *s. f.* Juego de botones para una prenda de vestir.

botonar *v. intr., Cub. y Chil.* Abotonar.

botones *com.* Persona que en los hoteles y otros establecimientos hace los recados o encargos.

bototo *s. m., amer.* Calabaza para llevar agua.

botrino *s. m., Ál., Ar., Burg. y Rioja.* Butrino.

botulismo *s. m.* Intoxicación debida a la ingestión de embutidos o conservas en mal estado.

botuto *s. m.* Trompeta sagrada de guerra, que usan los indígenas del Orinoco.

bou *s. m.* Pesca en la que dos barcas tiran de una red arrastrándola por el fondo.

bourel *s. m.* Boya compuesta de muchos corchos pequeños.

bóveda *s. f.* Obra de fábrica que sirve para cubrir el espacio comprendido entre dos muros o pilares.

bovedilla *s. f.* Bóveda pequeña entre viga y viga del techo de una habitación.

bóvido, da *adj.* Se dice de los mamíferos rumiantes, con cuernos óseos cubiertos por estuche córneo y desprovistos de incisivos en la mandíbula superior, como la cabra, el toro, etc.

bovino, na *adj.* Perteneciente o relativo al toro o a la vaca.

boxeador, ra *s. m. y s. f.* Persona que se dedica al boxeo.

boxear *v. tr.* Practicar el boxeo.

boxeo *s. m.* Deporte que consiste en la lucha de dos púgiles con las manos enfundadas en guantes especiales, de acuerdo con unas reglas determinadas.

bóxer *s. m.* Prenda interior masculina, holgada, que va desde la cintura hasta la mitad del muslo.

boya *s. f.* Cuerpo flotante, sujeto al fondo del mar, de un lago, etc. que se coloca como señal indicadora de peligro.

boyada *s. f.* Manada de bueyes y vacas.

boyal *adj.* Perteneciente o relativo al ganado vacuno.

boyante *adj., fig.* Que tiene fortuna o felicidad creciente.

boyar *v. intr.* Volver a flotar la embarcación que ha estado en seco.

boyera *s. f.* Corral o establo de bueyes.

boyero *s. m.* Hombre que guarda bueyes o los conduce.

boyuno, na *adj.* Bovino.

boza *s. f.* Cabo que sirve para amarrar las embarcaciones menores a un buque, muelle, etc.

bozal *s. m.* Aparato que se pone en la boca a los perros para que no muerdan.

bozo *s. m.* Parte exterior de la boca.

braba *s. f.* Especie de red muy grande.

brabante *s. m.* Lienzo fabricado en el territorio de este nombre.

bracamarte *s. m.* Antigua espada de un solo filo.

braceaje[1] *s. m.* Trabajo y labor de la moneda.

braceaje[2] *s. m.* Profundidad del mar en determinado lugar.

bracear *v. intr.* **1.** Mover repetidamente los brazos, generalmente con esfuerzo o con ímpetu. **2.** Nadar sacando los brazos fuera del agua y volteándolos hacia delante.

bracero, ra *adj.* **1.** Se decía del arma que se arrojaba con el brazo. ‖ *s. m. y s. f.* **2.** Peón.

bracil *s. m.* Brazal de la armadura.

braco, ca *adj.* Se dice del perro con orejas muy grandes y caídas, muy apreciado para la caza por lo bien que olfatea.

bráctea *s. f.* Hoja pequeña que nace del pedúnculo de las flores de ciertas plantas.

bradicardia *s. f.* Lentitud anormal del pulso.

bradipepsia *s. f.* Digestión lenta.

brafonera *s. f.* Pieza de la armadura antigua, que cubría la parte alta del brazo.

braga *s. f.* Prenda que usan las mujeres y los niños pequeños, y que cubre desde la cintura hasta el arranque de las piernas, con aberturas para el paso de éstas.

bragada *s. f.* Cara interna del muslo del caballo y de otros animales.

bragado, da *adj.* **1.** Se dice del animal que tiene la bragadura de diferente color que el resto del cuerpo. **2.** *fig.* Se dice de la persona falsa o de mala intención.

bragadura *s. f.* Entrepierna de una persona o de un animal.

braguero *s. m.* Aparato o vendaje que sirve para contener las hernias o quebraduras.

bragueta *s. f.* Abertura delantera de los calzones o pantalones.

brahmán *s. m.* Cada uno de los miembros de la primera de las cuatro castas de la India.

brahón *s. m.* Rosca o doblez que ceñía la parte superior del brazo de algunos vestidos antiguos.

braille *s. m.* Sistema de lectura para invidentes basado en el tacto, mediante la representación de las letras por medio de un código de puntos en relieve.

brama *s. f.* Acción y efecto de bramar.

bramadera *s. f.* Juguete infantil que consiste en una tabla atada a una cuerda, y que al agitarse con fuerza en el aire brama como el viento.

bramante *s. m.* Cordel delgado hecho de cáñamo.

bramar *v. intr.* Dar bramidos.

bramido *s. m.* Voz del toro y de otros animales salvajes.

brancada *s. f.* Red barredera con que se ataja un río o brazo de mar para encerrar la pesca y cogerla a mano.

brandís *s. m.* Casacón grande de abrigo que se ponía sobre la casaca.

brandy *s. m.* Nombre comercial que, por razones legales, reciben los distintos tipos de coñac elaborados fuera de Francia y otros aguardientes.

branquia *s. f.* Órgano respiratorio de muchos animales acuáticos.

braquicéfalo, la *adj.* Se dice de la persona que tiene el cráneo casi redondo. También s. m. y s. f.

braquigrafía *s. f.* Estudio de las abreviaturas.

braquiópodo *adj.* Se dice de los invertebrados marinos, sedentarios en estado adulto, que se parecen en su aspecto exterior a los moluscos lamelibranquios por estar provistos de una concha bivalva. Se conocen numerosas formas fósiles y unas 200 especies vivas.

braquiuro *adj.* Se dice de los cangrejos y otros crustáceos decápodos que tienen el abdomen muy reducido y replegado debajo del tórax.

brasa *s. f.* Leña o carbón encendido.

brasca *s. f.* Mezcla de polvo de carbón y arcilla que se usa en algunos hornos metalúrgicos y crisoles.

brasero *s. m.* Pieza metálica, honda y circular, en la que se hace lumbre.

brasil *s. m.* Árbol tropical de la familia de las papilonáceas, cuya madera es el palo brasil.

brasmología *s. f.* Tratado acerca del flujo y reflujo del mar.

bravata *s. f.* Amenaza hecha con arrogancia para intimidar a alguien.

bravear *v. intr.* Proferir amenazas o bravatas.

bravera *s. f.* Ventana o respiradero de algunos hornos.

braveza *s. f.* Bravura.

bravío, vía *adj.* Feroz, salvaje.

bravo, va *adj.* **1.** Valiente. **2.** Bueno, excelente. **3.** Hablando de animales, feroz.

bravonel *s. m.* Fanfarrón.

bravucón, na *adj., fam.* Valiente solo en apariencia. También s. m. y s. f.

bravuconada *s. f.* Dicho o hecho propio del bravucón.

bravura *s. f.* **1.** Fiereza de los animales. **2.** Valentía o esfuerzo de las personas.

braza *s. f.* Medida de longitud, que equivale a dos varas o 1.671 m.

brazada *s. f.* Movimiento que se hace con los brazos extendiéndolos y recogiéndolos, cuando se rema, se nada, etc.

brazado *s. m.* Cantidad de leña, hierba, etc., que se puede abarcar de una sola vez con los brazos.

brazal *s. f.* **1.** Cauce que se saca de un río para regar. **2.** Tira de tela que ciñe el brazo izquierdo como distintivo.

brazalete *s. m.* Aro metálico o de otra materia que se lleva en el brazo, un poco más arriba de la muñeca, como adorno.

brazo *s. m.* Cada uno de los dos miembros anteriores del cuerpo que comprende desde el hombro a la extremidad de la mano.

brazola *s. f.* Reborde con que se refuerza la boca de las escotillas.

brazuelo *s. m.* Parte de las patas delanteras de los cuadrúpedos, entre el codo y la rodilla.

brea *s. f.* Sustancia viscosa de color rojo oscuro que se obtiene de varios árboles coníferos.

brear *v. tr.* **1.** Embrear. **2.** Maltratar, molestar.

brebaje *s. m.* Bebida compuesta de ingredientes de sabor desagradable.

brecha *s. f.* **1.** Cualquier abertura hecha en una pared. **2.** *fig.* Herida, especialmente en la cabeza.

brecina *s. f.* Especie de brezo.

brécol *s. m.* Variedad de la col común, cuyas hojas, más oscuras, no se apiñan.

brega *s. f.* Riña o pendencia.

bregar *v. tr.* **1.** Luchar, reñir unos con otros. **2.** *fig.* Luchar con los riesgos y dificultades para superarlos.

bren *s. m.* Salvado.

brenca *s. f.* Poste que sujeta las compuertas en las acequias.

breña *s. f.* Tierra quebrada entre peñas y poblada de maleza.

breque *s. m., Amér. del S.* Vagón de equipaje en un ferrocarril.

bresca *s. f.* Panal de miel.

brescar *v. tr.* Castrar las colmenas.

brete *s. m.* **1.** Cepo de hierro que se ponía a los reos en los pies. **2.** *fig.* Situación comprometida o difícil.

breva *s. f.* Primer fruto anual de la higuera.

breval *adj.* Higuera. También s. m.

breve *adj.* De corta extensión o duración.

brevedad *s. f.* Corta extensión o duración de una cosa, acción o suceso.

breviario *s. m.* Libro que contiene el rezo eclesiástico de todo el año.

brevipenne *adj.* Se dice de las aves corredoras. También s. f.

brezal *s. f.* Sitio poblado de brezos.

brezo *s. m.* Arbusto ericáceo, de madera dura y raíces gruesas, que sirven para hacer carbón de fragua y pipas para fumar.

briaga *s. f.* Maroma gruesa de esparto para ceñir el pie u orujo de la uva en los lagares, con el fin de poder exprimirlo con la viga o prensa.

briba *s. f.* Holgazanería, picaresca.

bribón, na *adj.* **1.** Haragán, dado a la holgazanería. **2.** Pícaro, bellaco.

bribonada *s. f.* Picardía, bellaquería.

bribonear *v. intr.* Hacer vida de bribón.

bricbarca *s. m.* Buque de tres o más palos sin vergas de cruz en la mesana.

bricho *s. m.* Hoja angosta y sutil de plata u oro para bordados.

bricolaje *s. m.* Conjunto de actividades de carpintería, electricidad, etc., que una persona realiza en su propia vivienda, sin necesidad de acudir a un profesional.

brida *s. f.* Freno del caballo con las riendas y el correaje, que se sujeta a la cabeza del animal.

bridge *s. m.* Juego de naipes con la baraja francesa, que se juega entre dos parejas.

brigada *s. f.* **1.** Unidad militar formada por dos o tres regimientos. **2.** Categoría superior dentro de la clase de suboficial.

brigadier *s. m.* Oficial general de categoría inmediatamente superior a la de coronel en el Ejército y a la de contraalmirante en la Marina. Hoy se le llama *general de brigada* en el Ejército y *contraalmirante* en la Marina.

brigantina *s. f.* Jubón de tejido fuerte recubierto de láminas metálicas que se usaba como coraza.

brigola *s. f.* Máquina antigua para batir murallas.

brillante *adj.* **1.** Admirable o sobresaliente en su línea. ‖ *s. m.* **2.** Diamante.

brillantina *s. f.* Cosmético para dar brillo al cabello.

brillar *v. intr.* **1.** Despedir rayos de luz. **2.** *fig.* Lucir o sobresalir en alguna cosa.

brillo *s. m.* **1.** Lustre o resplandor. **2.** *fig.* Lucimiento, gloria. to adecuado para que al paso de una corriente eléctrica se ponga incandescente y se ilumine.

brincar *v. intr.* Dar brincos.

brinco *s. m.* Movimiento que se hace impulsando el cuerpo hacia arriba y levantando los pies del suelo con ligereza.

brindar *v. intr.* **1.** Manifestar el bien que se desea a alguien o algo, levantando la copa antes de beber. **2.** Ofrecer voluntariamente a alguien alguna cosa. También tr.

brindis *s. m.* **1.** Acción de brindar. **2.** Lo que se dice al brindar. **3.** Dedicación de una suerte a una persona.

brío *s. m.* **1.** Pujanza. Se usa más en pl. **2.** Valor, resolución. **3.** Garbo, gallardía.

brioche *s. m.* Bollo de pasta dulce hecha con harina, azúcar y huevo.

briol *s. m.* Cada uno de los cabos que sirven para cargar las relingas de las velas de cruz, cerrándolas y apagándolas.

brionia *s. f.* Nueza.

brioso, sa *adj.* Que tiene brío.

briozoo *adj.* Se dice de los invertebrados marinos y de agua dulce que forman colonias con aspecto de musgo.

briqueta *s. f.* Conglomerado de carbón u otra materia en forma de ladrillo.

brisa *s. f.* **1.** Viento de la parte del Nordeste. **2.** Airecillo que en las costas viene del mar durante el día y de la tierra durante la noche. **3.** Viento suave.

brisca *s. f.* Juego de naipes.

briscado, da *adj.* Se dice del hilo de oro o plata que se mezcla con la seda en el tejido de ciertas telas.

briscar *v. tr.* Tejer o hacer labores con hilo briscado.

brisera *s. f., amer.* Especie de guardabrisa usado en América.

bristol *s. m.* **1.** Especie de cartulina satinada. **2.** Papel de dibujo.

briza *s. f.* Género de plantas de la familia de las gramíneas que vegetan en casi todos los terrenos y son muy estimadas como plantas de adorno o como pasto para el ganado lanar.

brizar *v. tr.* Acunar.

brizna *s. f.* **1.** Filamento delgado o hebra de plantas y frutos. **2.** En general, parte pequeña y delgada de una cosa.

broa *s. f.* Ensenada llena de barras o rompientes.

broca *s. f.* **1.** Carrete que dentro de la lanzadera lleva el hilo para la trama de ciertos tejidos. **2.** Barrena de boca cónica usada con las máquinas de taladrar.

brocado *s. m.* Tela de seda, tejida con oro o plata.

brocal *s. m.* **1.** Ribete de acero que guarnece el escudo. **2.** Boca de un pozo.

brocatel *s. m.* Tejido de cáñamo y seda, semejante al damasco.

brocearse *v. prnl., fig.* Echarse a perder algún negocio.

brocha *s. f.* Escobilla de cerda atada al extremo de un mango, que sirve para pintar y también para otros usos.

brochada *s. f.* Cada una de las pasadas que se da con la brocha sobre la superficie que se está pintando.

brochadura *s. f.* Juego de broches.

brochal *s. m.* Madero atravesado entre otros dos de un suelo y ensamblado en ellos.

brochazo *s. m.* Brochada.

broche *s. m.* Conjunto de dos piezas que enganchan o encajan entre sí.

brocheta *s. f.* Broqueta.

brocino *s. m.* Porcino.

brócoli *s. m.* Brécol.

brócula *s. f.* En cerrajería, especie de taladro.

bróker *s. m.* Intermediario que compra y vende por su cuenta sin riesgo en las operaciones financieras.

brollar *v. intr.* Borbotar.

broma[1] *s. f.* **1.** Bulla. **2.** Chanza, burla.

broma[2] *s. f.* Masa de cascote, piedra y cal.

bromar *v. tr.* Roer la broma la madera.

bromatología *s. f.* Ciencia que estudia los alimentos y las transformaciones que experimentan en el organismo.

bromatólogo, ga *s. m. y s. f.* Persona versada en el tratamiento de los alimentos o que profesa la bramatología.

bromear *v. intr.* Usar bromas o chanzas.

bromeliáceo, a *adj.* Se dice de hierbas y matas angiospermas, monocotiledóneas, casi siempre parásitas, con las hojas reunidas en la base y dispuestas en rosetón, flores en espiga, racimo o panoja, y fruto en cápsulas o bayas. También s. f.

bromista *adj.* Aficionado a gastar bromas.

bromo *s. m.* Metaloide líquido venenoso, de color rojo pardusco y olor fuerte y repugnante.

bromuro *s. m.* Combinación del bromo con un radical simple o compuesto.

bronca *s. f.* **1.** Riña, disputa. **2.** Represión áspera. **3.** Manifestación pública y ruidosa de desagrado en un espectáculo.

bronce *s. m.* Cuerpo metálico que resulta de la aleación del cobre con el estaño.

bronceado, da *adj.* Con la piel morena por la acción del sol.

bronceador *s. m.* Producto cosmético que favorece el bronceado de la piel.

broncear *v. tr.* **1.** Dar a algo color de bronce. **2.** *fig.* Tomar color moreno la piel debido a la acción del sol. También prnl.

broncíneo, a *adj.* **1.** De bronce. **2.** Parecido a él.

bronco, ca *adj.* **1.** Tosco, sin desbastar. **2.** Se dice de la voz y de los instrumentos de música que tienen sonido desagradable y áspero. **3.** De genio áspero.

bronconeumonía *s. f.* Inflamación de la mucosa bronquial y los pulmones.

bronquedad *s. f.* Calidad de bronco.

bronquial *adj.* Perteneciente o relativo a los bronquios.

bronquina *s. f., fam.* Quimera, pendencia, riña.

bronquio *s. m.* Cada uno de los dos conductos fibrocartilaginosos en que se bifurca la tráquea y que entran en los pulmones. Se usa más en pl.

bronquiolo *s. m.* Cada una de las pequeñas ramificaciones en que se dividen los bronquios dentro de los pulmones.

bronquitis *s. f.* Inflamación de la membrana mucosa de los bronquios.

broquel *s. m.* Escudo pequeño de madera o corcho.

broqueta *s. f.* Estaquilla en que se ensartan o espetan pajarillos, pedazos de carne u otro manjar, para asarlos.

brotadura *s. f.* Acción de brotar.

brotar *v. intr.* **1.** Salir la planta de la tierra. **2.** Salir en la planta renuevos, hojas, etc. **3.** Echar la planta hojas o renuevos. **4.** Manar el agua de los manantiales.

brote *s. m.* **1.** Pimpollo o renuevo que empieza a desarrollarse. **2.** Acción de brotar o empezar a manifestarse una cosa.

broza *s. f.* **1.** Conjunto de hojas, ramas y otros despojos de las plantas. **2.** Desecho o desperdicio de alguna cosa.

brozno, na *adj., fig.* Se dice de las personas toscas y rudas.

bruces, de *adv. m.* Boca abajo.

brucita *s. f.* Mineral formado de magnesia hidratada, infusible al soplete, y que se halla en cristales o masas compactas.

brugo *s. m.* Larva de un lepidóptero que devora las hojas de los encinares y robledales.

brujear *v. intr.* Hacer brujerías.

brujería *s. f.* Conjunto de prácticas maléficas que realizan los brujos y las brujas.

brujo, ja *s. m.* **1.** Persona conocedora de sabidurías antiguas o de rituales eficaces contra ciertas enfermedades. **2.** Persona que, según la superstición popular, tiene poderes extraordinarios debido a un pacto con el diablo.

brújula *s. f.* Instrumento formado por una barrita o flecha imantada que, puesta en equilibrio sobre una púa, se vuelve siempre hacia el norte magnético.

brujulear *v. tr.* En el juego de naipes, descubrir poco a poco las cartas para conocer por las rayas o pintas de qué palo son.

brulote *s. m.* Embarcación llena de materias combustibles que se dirigía contra los buques enemigos para incendiarlos.

bruma *s. f.* Niebla, especialmente la que se forma sobre el mar.

brumar *v. tr.* Abrumar.

brumario *s. m.* Segundo mes del calendario republicano francés, cuyos días primero y último coincidían respectivamente con el 22 de octubre y el 20 de noviembre.

brumo *s. m.* Cera blanca y bien purificada con que se da el último baño a las hachas y cirios blancos.

brumoso, sa *adj.* Nebuloso.

bruno *s. m.* **1.** Ciruela pequeña y muy negra, propia del norte de España. **2.** Árbol que la produce.

bruñidera *s. f.* Tabla para bruñir la cera.

bruñido *s. m.* Acción y efecto de bruñir.

bruñidor *s. m.* Instrumento para bruñir.

bruñir *v. tr.* Sacar lustre o brillo a una cosa.

bruño *s. m.* Bruno.

brusco, ca *adj.* **1.** Áspero, desapacible. **2.** Rápido, repentino.

brusquedad *s. f.* **1.** Calidad de brusco. **2.** Acción o procedimiento bruscos.

brutal *adj.* **1.** Propio de los animales por su irracionalidad. **2.** Enorme o exagerado en su tamaño, calidad o cualidad.

brutalidad *s. f.* **1.** Calidad de bruto. **2.** Incapacidad o falta de razón, excesivo desorden de los afectos y pasiones.

bruto, ta *adj.* **1.** Necio, que obra como falto de razón. **2.** Rudo, carente de educación. **3.** Se dice de las cosas toscas.

bruza *s. f.* Cepillo de cerdas muy espesas y fuertes que sirve para limpiar las caballerías, los moldes de imprenta, etc.

bruzar *v. tr.* Limpiar con la bruza.

buba *s. f.* Tumor blando, doloroso y con pus, que se presenta normalmente en la región inguinal y también a veces en las axilas y en el cuello, por causas de tipo venéreo.

bubón *s. m.* Tumor purulento y voluminoso.

bubónico, ca *adj.* Perteneciente o relativo al bubón.

bucal *adj.* Relativo a la boca.

bucanero *s. m.* Corsario o pirata que en los siglos XVII y XVIII se dedicaba al saqueo de las posesiones españolas de ultramar.

búcaro *s. m.* Vasija hecha con esta clase de arcilla, especialmente usada como jarra para servir agua.

bucear *v. intr.* **1.** Nadar bajo el agua. **2.** *fig.* Explorar acerca de algún tema o asunto.

bucéfalo *s. m., fig. y fam.* Hombre rudo y estúpido.

buceo *s. m.* Acción de bucear.

buche *s. m.* **1.** Bolsa membranosa que comunica con el esófago de las aves, en la cual se reblandece el alimento. **2.** En algunos animales cuadrúpedos, estómago.

buchón, na *adj.* Se dice del palomo o paloma domésticos que inflan el buche desmesuradamente.

bucle *s. m.* Rizo del cabello en forma helicoidal.

bucólico, ca *adj.* Se aplica al género de poesía en que se trata de cosas concernientes a la vida pastoril o campestre.

budín *s. m.* Pudin.

budión *s. m.* Pez teleósteo, del suborden de los acantopterigios, de cabeza grande y escamas cubiertas de una sustancia viscosa, que se caracteriza por sus dobles labios carnosos. Es comestible y muy común en los mares de España.

budismo *s. m.* Doctrina religiosa y filosófica fundada en la India por Buda en el s. VI a. C., y cuyo principal objetivo consiste en suprimir la causa del dolor mediante la aniquilación de todo deseo, para poder alcanzar un estado perfecto, el nirvana.

budista *com.* Persona que profesa el budismo.

buen *adj.* Apócope de bueno.

buenaventura *s. f.* **1.** Buena suerte. **2.** Adivinación supersticiosa que hacen las gitanas de la suerte de las personas.

buenazo, za *adj.* Se dice de la persona pacífica o bondadosa.

bueno, na *adj.* **1.** Que tiene bondad en su género. **2.** Útil y a propósito para algo.

buey *s. m.* Macho vacuno castrado.

búfalo, la *s. m. y s. f.* **1.** Bóvido salvaje y corpulento, con largos y gruesos cuernos deprimidos. **2.** Bisonte de América del Norte.

bufanda *s. f.* Prenda con que se abriga el cuello y la parte inferior de la boca.

bufar *v. intr.* Resoplar con ira.

bufé *s. m.* Comida, en reuniones o celebraciones, en la que todos los alimentos y bebidas se disponen a la vez en la mesa, para que los asistentes puedan escoger lo que prefieran.

bufete *s. m.* Despacho de un abogado.

bufido *s. m.* **1.** Voz del animal que bufa. **2.** *fam.* Expresión de enojo o enfado.

bufo, fa *adj.* **1.** Se aplica a lo cómico que raya en grotesco y burdo. ‖ *s. m. y s. f.* **2.** Persona que hace el papel de gracioso en la ópera italiana.

bufón, na *adj.* **1.** Chocarrero. ‖ *s. m. y s. f.* **2.** Truhan que se ocupa en hacer reír.

bufonada *s. f.* Dicho o hecho de bufón.

bufonearse *v. prnl.* Burlarse, decir bufonadas. También intr.

bufonería *s. f.* Bufonada.

bugalla *s. f.* Agalla del roble y otros árboles, que sirve para tintes o tintas.

buganvilla *s. f.* Planta trepadora sudamericana utilizada en jardinería, de la familia de las nictagináceas, con hojas ovales de color rojo morado y flores pequeñas y verdosas.

bugle *s. m.* Instrumento musical de viento, formado por un largo tubo cónico de metal, arrollado de distintas maneras y provisto de un número variable de pistones.

buharda *s. f.* Buhardilla.

buhardilla *s. f.* **1.** Ventana encima de los tejados de las casas. **2.** Desván.

búho *s. m.* Ave rapaz nocturna, de vuelo silencioso, color rojo y negro, ojos grandes y pico corvo.

buhonería *s. f.* Chucherías y baratijas de poco valor, como botones, agujas, peines, etc., que llevan los vendedores ambulantes.

buhonero, ra *s. m. y s. f.* Vendedor ambulante que lleva cosas de buhonería.

buitre *s. m.* Ave rapaz de gran tamaño, que se alimenta de carroña y vive en bandadas.

buitrera *s. f.* Lugar donde anidan y se posan los buitres.

buje *s. m.* Pieza cilíndrica que guarnece interiormente el cubo de las ruedas de los carruajes.

bujería *s. f.* Mercadería de estaño, hierro, etc., de poco valor.

bujía *s. f.* **1.** Vela de cera blanca, de esperma de ballena o estearina. **2.** Candelero en que se pone.

bula s. f. Documento apostólico concediendo un privilegio.

bulbo s. m. Parte gruesa y subterránea del tallo de algunas plantas, cuyas hojas están cargadas con sustancias nutritivas.

bulboso, sa adj. Que tiene forma de bulbo.

bulerías s. f. pl. Cante popular andaluz, de carácter festivo que se acompaña con palmas.

bulevar s. m. Paseo público o calle ancha y con árboles.

bulimia s. f. Hambre exagerada que impulsa a una persona a comer con exceso y constantemente.

bulla s. f. **1.** Ruido que hace una o más personas. **2.** Concurrencia de mucha gente.

bullanga s. f. Tumulto, rebullicio.

bullanguero, ra adj. Alborotador, amigo de tumultos. También s. m. y s. f.

bullicio s. m. **1.** Ruido y rumor que causa mucha gente. **2.** Alboroto o tumulto.

bullicioso, sa adj. Se dice de lo que causa bullicio o ruido, y de aquello en que lo hay.

bullir v. intr. **1.** Hervir el agua u otro líquido. **2.** Agitarse una cosa con movimiento similar al del agua que hierve.

bullón s. m. Tinte que está hirviendo en la caldera.

bulo s. m. Noticia falsa.

bulto s. m. **1.** Tamaño de cualquier cosa. **2.** Busto o estatua. **3.** Fardo, baúl, maleta, etc., tratándose de viajes.

bululú s. m. Farsante que antiguamente representaba él solo una comedia, cambiando la voz según los distintos personajes.

bum s. m., fig. Crecimiento o éxito repentino de cualquier actividad cultural, comercial, etc.

bumerán s. m. Arma arrojadiza de madera que, lanzada con movimiento giratorio, puede volver al punto de partida. Es propia de los indígenas de Australia.

bungaló s. m. Edificación sencilla, generalmente de madera, de una sola planta y abierta a amplias terrazas.

bunio s. m. Nabo que se deja para simiente.

búnker s. m. **1.** Fuerte pequeño. **2.** Refugio subterráneo para protegerse de bombardeos.

buñuelo s. m. **1.** Masa de harina batida y frita en aceite. **2.** fig. y fam. Cosa mal hecha y atropelladamente.

buque s. m. **1.** Capacidad que tiene una cosa para contener otra. **2.** Casco del barco. **3.** Barco con cubierta adecuado para navegaciones de importancia.

buqué s. m. Gustillo o aroma de los vinos.

burato s. m. Tela de lana o seda para manteos y lutos.

burbuja s. f. Glóbulo de aire u otro gas, que sube a la superficie de los líquidos.

burbujear v. intr. Hacer burbujas.

burbujeo s. m. Acción de burbujear.

burche s. f. Torre, edificio alto para defenderse o defender una plaza desde él.

burdégano s. m. Cría de caballo y asna.

burdel s. m. Casa de prostitución.

burdeos s. m. **1.** fig. Vino tinto que se elabora en la ciudad francesa de Burdeos. || adj. **2.** De color semejante al de este vino. También s. m.

burdo, da adj. Tosco, basto, grosero.

burel s. m. Pieza que consiste en una faja cuyo ancho es igual a la novena parte del escudo.

bureo s. m. Entretenimiento, diversión.

bureta s. f. Tubo graduado de cristal que se utiliza para realizar análisis químicos.

burga s. f. Manantial de agua caliente.

burgado s. m. Caracol terrestre del tamaño de una nuez pequeña.

burger s. m. Hamburguesería.

burgomaestre s. m. Primer magistrado municipal de algunas ciudades de Alemania, los Países Bajos, Suiza, etc.

burgués, sa s. m. y s. f. Persona de la clase media, acomodada u opulenta.

burguesía s. f. Cuerpo o conjunto de burgueses o ciudadanos de las clases acomodadas.

buriel adj. De color rojo entre negro y leonado.

buril s. m. Instrumento de acero, prismático y puntiagudo, para grabar los metales.

burilar v. tr. Grabar con el buril.

burla s. f. **1.** Acción o palabras con las que se intenta poner en ridículo a personas o cosas. **2.** Chanza. **3.** Engaño.

burladero s. m. Valla que se pone delante de las barreras de las plazas de toros para que pueda refugiarse el lidiador.

burlar v. tr. **1.** Chasquear, zumbar. Se usa más como prnl. **2.** Engañar. **3.** Esquivar a quien trata de impedirle el paso o detenerlo.

burlesco, ca adj., fam. Festivo, jocoso.

burlete s. m. Tira de tela, con relleno, que se pone en el canto de las hojas de puertas y ventanas para cubrir los intersticios y que no pueda entrar el aire en las habitaciones.

burlón, na adj. **1.** Inclinado a decir o hacer burlas. **2.** Que implica burla.

buró s. m. Escritorio que tiene una parte con cajoncillos, más alta que el tablero y que se cierra con una especie de persiana.

burocracia s. f. **1.** Conjunto de funciones y trámites administrativos. **2.** Clase social que forman los empleados del Estado. **3.** Exceso de normas administrativas y de papeleo que impiden la pronta resolución de un asunto.

burócrata *com.* Persona que pertenece a la burocracia, la clase social de los empleados públicos.

burocrático, ca *adj.* Perteneciente o relativo a la burocracia.

burra *s. f.* Hembra del burro.

burrada *s. f.* **1.** Manada de burros. **2.** Necedad. **3.** Barbaridad, cantidad grande.

burrajo *s. m.* Estiércol seco de las caballerías usado en algunas zonas como combustible.

burrería *s. f., fig.* Necedad.

burrión *s. m., Guat. y Hond.* Colibrí.

burro *s. m.* Asno, animal.

bursátil *adj.* Concerniente a la bolsa y a las operaciones que en ella se hacen.

burujo *s. m.* Aglomeración pequeña que se forma al enredarse las partes de alguna cosa que debieran estar separadas, como las pelotillas que se originan en el engrudo, la lana, etc.

bus *s. m., fam.* Autobús.

busca *s. f.* **1.** Acción de buscar. **2.** Abreviatura de buscapersonas.

buscapersonas *s. m.* Mensáfono.

buscapié *s. m., fig.* Asunto que se suelta en una conversación o escrito, para aclarar alguna cosa o para dar motivo de charla.

buscapleitos *s. m. y s. f., amer.* Buscarruidos.

buscar *v. tr.* Hacer diligencia para encontrar alguna cosa o persona.

buscarruidos *com., fam.* Persona inquieta y pendenciera.

buscavidas *com.* **1.** Persona muy curiosa que se entromete en las vidas ajenas. **2.** Persona que busca, por medios lícitos y de manera diligente, el modo de vivir.

busco *s. m.* Umbral de una puerta de esclusa.

buscón, na *adj.* **1.** Que busca. **2.** Se dice de la persona que roba rateramente. También s. m. y s. f.

busilis *s. m.* Punto en que estriba la dificultad de alguna cosa.

búsqueda *s. f.* Busca.

busto *s. m.* **1.** Escultura o pintura de la cabeza y parte superior del tórax. **2.** Parte superior del cuerpo humano. **3.** Pecho de la mujer.

butaca *s. f.* **1.** Silla con brazos, que tiene el respaldo inclinado hacia atrás. **2.** Entrada para ocupar butaca en el teatro.

butano *s. m.* Hidrocarburo gaseoso natural o derivado del petróleo, que se usa como combustible industrial y doméstico.

bute o buten, de *loc., vulg.* De primera, de lo mejor.

butifarra *s. f.* Embutido de carne de cerdo que se hace principalmente en Cataluña, las islas Baleares y Valencia.

butrino *s. m.* Arte de pesca en forma de cono prolongado, en cuya boca hay otro más corto dirigido hacia dentro y abierto por el vértice para que entren los peces y no puedan salir.

butrón *s. m.* Agujero que los ladrones hacen en las paredes, techos, etc. para cometer un robo.

butronero *s. m.* Ladrón que roba abriendo butrones en techos o paredes.

buyo *s. m.* Mixtura de areca, betel y cal de muchas conchas, que se masca en algunos países orientales.

buzamiento *s. m.* Inclinación de un filón o capa del terreno.

buzar *v. intr.* Inclinarse los filones o las capas de terreno hacia abajo.

buzarda *s. f.* Cada una de las piezas curvas con que se liga y fortalece la proa de la embarcación.

buzo *s. m.* **1.** Hombre que tiene por oficio trabajar sumergido en el agua. **2.** Cierta embarcación antigua

buzón *s. m.* **1.** Conducto artificial por donde desaguan los estanques. **2.** Abertura por donde se echan las cartas para el correo.

buzonear *v. intr.* Introducir publicidad o propaganda en los buzones de las casas particulares.

buzoneo *s. m.* Acción y efecto de buzonear.

byte *s. m.* Conjunto de dígitos binarios, formado de ocho bits, que se manejan como una unidad en su procesamiento y corresponden a un solo carácter de información.

c *s. f.* **1.** Tercera letra del abecedario español y segunda de sus consonantes. **2.** Letra numeral que tiene el valor de ciento en la numeración romana.

¡ca! *interj., fam.* que expresa negación.

cabal *adj.* **1.** Ajustado a peso o medida. **2.** *fig.* Completo, justo.

cábala *s. f., fig.* Conjetura, suposición.

cabalgada *s. f.* Tropa de gente de a caballo que salía a correr el campo.

cabalgadura *s. f.* Bestia para cabalgar o de carga.

cabalgar *v. intr.* Andar a caballo.

cabalgata *s. f.* Desfile de jinetes, carrozas, danzantes, etc.

cabalhuste *s. m.* Caballete, pieza del guadarnés.

cabalista *com.* Persona que profesa la cábala.

cabalístico, ca *adj.* Perteneciente o relativo a la cábala.

caballa *s. f.* Pez acantopterigio comestible, de carne roja y poco apreciada.

caballada *s. f.* Manada de caballos y yeguas.

caballar *adj.* Perteneciente o relativo al caballo.

caballazo *s. m.* **1.** *Chil. y Méx.* Encontrón que da un jinete a otro. **2.** *Per.* Represión áspera, regañina.

caballear *v. intr., fam.* Andar frecuentemente a caballo.

caballeresco, ca *adj.* **1.** Propio del caballero. **2.** Perteneciente o relativo a la caballería de los siglos medios. **3.** Se dice de los libros y composiciones que narran las empresas de los caballeros andantes.

caballería *s. f.* **1.** Animal solípedo que sirve para cabalgar en él. **2.** Conjunto de caballeros que se obligaban a combatir por la fe y la justicia y a proteger al débil. **3.** Una de las armas que integran el ejército.

caballeriza *s. f.* Sitio destinado para estancia de caballos y bestias de carga.

caballero, ra *s. m.* **1.** Hombre que pertenece a alguna de las órdenes de caballería. **2.** Persona que se porta con nobleza y generosidad. **3.** *fig.* Señor, término de cortesía.

caballerosidad *s. f.* Calidad de caballeroso.

caballeroso, sa *adj.* Propio de caballeros.

caballeta *s. f.* Saltamontes.

caballete *s. m.* **1.** Parte más elevada de un tejado que lo divide en dos vertientes. **2.** Bastidor con tres pies, sobre el que se coloca el cuadro que se ha de pintar.

caballista *com.* Persona que entiende de caballos y monta bien.

caballitos *s. m. pl.* Tiovivo.

caballo *s. m.* **1.** Mamífero perisodáctilo de la familia de los équidos, fácilmente domesticable. **2.** Pieza de ajedrez. **3.** Naipe que representa un caballo con su jinete.

caballuno, na *adj.* Perteneciente o semejante al caballo.

cabaña *s. f.* **1.** Casita tosca, hecha en el campo. **2.** Número considerable de cabezas de ganado.

cabañal *adj.* Se dice del camino por donde pasan las cabañas.

cabañuelas *s. f. pl.* Pronóstico del tiempo que hace el vulgo por la observación de los primeros días de enero o de agosto.

cabaré *s. m.* Local en que la gente se reúne para comer, beber y jugar.

cabaret *s. m.* Cabaré.

cabás *s. m.* Especie de cartera en forma de caja o pequeño baúl, con asa.

cabe *s. m.* Golpe de lleno que, en el juego de la argolla, da una bola a otra de forma que se gane raya.

cabecear *v. intr.* **1.** Mover la cabeza. **2.** Volver la cabeza de un lado a otro en demostración de negación. **3.** Dar cabezadas hacia el pecho el que se va durmiendo. **4.** Moverse la embarcarión bajando y subiendo la proa.

cabeceo *s. m.* Acción y efecto de cabecear.

cabecera *s. f.* **1.** Parte principal de una cosa. **2.** Parte superior de la cama donde se colocan las almohadas.

cabeciduro, ra *adj., Col. y Cub.* Testarudo.

cabecilla *s. m.* Jefe de rebeldes.

cabellera *s. f.* El pelo de la cabeza, especialmente el largo y tendido sobre la espalda.

cabello *s. m.* **1.** Cada uno de los pelos que nacen en la cabeza. **2.** Conjunto de todos ellos.

caber *v. intr.* **1.** Poder hallarse una cosa dentro de otra. **2.** Tener entrada o lugar. ‖ *v. tr.* **3.** Tener capacidad.

cabestraje *s. m.* Conjunto de cabestros.

cabestrante *s. m.* Cabrestante.

cabestrar *v. tr.* Echar cabestros a las bestias que andan sueltas.

cabestrillo *s. m.* Banda o aparato pendiente del hombro para sostener la mano o el brazo heridos.

cabestro *s. m.* **1.** Ronzal que se ata a la cabeza de la caballería. **2.** Buey manso que sirve de guía en las manadas de toros.

cabeza *s. f.* **1.** Parte superior del cuerpo del ser humano y superior o anterior de muchos animales. ‖ *s. m.* **2.** Superior, jefe que gobierna una comunidad, corporación, etc.

cabezada *s. f.* Cada movimiento que hace con la cabeza el que, sin estar acostado, se va durmiendo.

cabezal *s. m.* **1.** Almohada pequeña en que se reclina la cabeza. **2.** Pieza de una máquina que recibe un eje o árbol de transmisión, o que sirve de punto fijo para un movimiento de rotación. **3.** En los magnetófonos, vídeos, etc., pieza que sirve para grabar, reproducir o borrar lo grabado en una cinta.

cabezazo *s. m.* Golpe dado con la cabeza.

cabezo *s. m.* **1.** Cerro alto o cumbre de una montaña. **2.** Montecillo aislado.

cabezón, na *adj.* **1.** *fam.* Cabezudo, de cabeza grande. **2.** *fig.* Terco, obstinado.

cabezonada *s. f., fam.* Acción propia de persona terca u obstinada.

cabezota *com.* **1.** *fam.* Persona de cabeza grande. **2.** *fam.* Persona testaruda.

cabezudo, da *adj.* **1.** Que tiene grande la cabeza. ‖ *s. m.* **2.** Figura de enano de gran cabeza que en algunas fiestas suele llevarse con los gigantones.

cabezuela *s. f.* Harina más gruesa del trigo, después de sacada la flor.

cabida *s. f.* Espacio o capacidad que tiene una cosa para contener otra.

cabildada *s. f., fam.* Resolución atropellada o imprudente de una comunidad o cabildo.

cabildante *s. m., Amér. del S.* Regidor o concejal.

cabildear *v. intr.* Gestionar con maña para ganar voluntades en un cuerpo colegiado o corporación.

cabildo *s. m.* **1.** Comunidad de eclesiásticos capitulares de una iglesia, o de miembros de ciertas cofradías. **2.** Ayuntamiento, corporación compuesta de un alcalde y varios concejales.

cabilla *s. f.* Barra redonda de hierro, con la cual se clavan las curvas y otros maderos en la construcción de los buques.

cabillo *s. m.* Pezón de la hoja, flor o fruto de las plantas.

cabina *s. f.* Departamento pequeño, generalmente aislado y para usos muy diversos.

cabio *s. m.* Listón atravesado a las vigas para formar suelos y techos.

cabizbajo, ja *adj.* Que tiene la cabeza inclinada hacia abajo.

cable *s. m.* **1.** Maroma gruesa. **2.** Cordón formado con hacecillos de hilos de cobre aislados unos de otros, protegido por una cubierta flexible e impermeable.

cablegrafiar *v. tr.* Transmitir un cablegrama.

cablegrama *s. m.* Telegrama transmitido por cable submarino.

cabo *s. m.* **1.** Extremo de una cosa. **2.** Lengua de tierra que penetra en el mar. **3.** *com.* Militar de tropa inmediatamente superior al soldado o marinero e inferior al sargento.

cabotaje *s. m.* Tráfico marítimo en las costas de un país determinado.

cabra *s. f.* Mamífero rumiante doméstico con cuernos.

cabrahigo *s. m.* Higuera silvestre.

cabrahigar *v. tr.* Colgar sartas de higos silvestres en las ramas de las higueras para facilitar la fecundación de sus flores.

cabrear *v. tr., fam.* Enfadar, molestar. También *prnl.*

cabrero, ra *s. m. y s. f.* Persona que cuida cabras.

cabrestante *s. m.* Torno colocado verticalmente para mover grandes pesos.

cabrevar *v. tr., Ar.* Apear en los terrenos realengos las fincas sujetas al pago de los derechos del patrimonio real.

cabria *s. f.* Máquina para levantar grandes pesos.

cabrilla *s. f.* **1.** Pez acantopterigio marino, de carne blanda e insípida. ‖ *s. f. pl.* **2.** Pequeñas olas blancas y espumosas que se levantan en el mar, cuando este empieza a agitarse.

cabrillear *v. intr.* Formarse cabrillas en el mar.

cabrio *s. m.* Madero colocado paralelamente a los pares de una armadura de tejado para recibir la tablazón.

cabrío, a *adj.* Relativo a las cabras.

cabriola *s. f.* **1.** Brinco que dan los que danzan, cruzando varias veces los pies en el aire. **2.** *fig.* Voltereta.

cabriolar *v. intr.* Dar o hacer cabriolas.

cabriolé *s. m.* **1.** Coche de cuatro ruedas, descubierto. **2.** Especie de capote con mangas o aberturas en los lados para sacar por ellas los brazos.

cabritilla *s. f.* Piel curtida de cualquier animal pequeño, como cabrito, cordero, etc.

cabrito *s. m.* Cría de la cabra.

cabrón, na *s. m.* **1.** Macho de la cabra. **2.** *adj. coloq. malson.* Persona peligrosa, de mala índole. U. t. c. s.

cabronada *s. f., fig. y vulg.* Mala pasada, acción malintencionada o indigna contra alguien.

cabruno, na *adj.* Perteneciente o relativo a la cabra.

cabujón *s. m.* Piedra preciosa pulimentada sin tallar, de forma convexa.

caburé *s. m., Arg., Bol., Par. y Ur.* Ave de rapiña, menor que el puño, aturde con su chillido a los pájaros de tal manera que no huyen al acercárseles ella para devorarlos.

cabús *s. m.* **1.** Vagón de un tren de carga que se enganchaba en la parte de atrás, para uso de los tripulantes. **2.** Glúteos.

cabuya *s. f.* **1.** Pita, planta amarilídea. **2.** Fibra de la pita con que se fabrican cuerdas y tejidos.

cabuyería *s. f.* Conjunto de cabos menudos.

caca *s. f.* Excremento humano, y especialmente el de los niños pequeños.

cacahual *s. m.* Terreno poblado de cacaos.

cacahuete *s. m.* Planta leguminosa, cuyo fruto es de cáscara coriácea y con dos o más semillas comestibles.

cacahuey *s. m.* Cacahuete.

cacalote *s. m,. Amér. C.* Rosetas de maíz.

cacao *s. m.* Árbol esterculiáceo, de fruto en baya con semillas carnosas que se usan como principal ingrediente del chocolate.

cacaraña *s. f.* Cada uno de los hoyos o señales que hay en el rostro de una persona, sean o no ocasionados por la viruela.

cacarañar *v. tr.* Ocasionar cacarañas la viruela.

cacarear *v. intr.* Dar voces repetidas el gallo o la gallina.

cacareo *s. m.* Acción de cacarear.

cacatúa *s. f.* Ave trepadora de plumaje blanco, con un ancho moño eréctil.

cacear *v. tr.* Revolver una cosa con el cazo.

cacera *s. f.* Zanja por donde se conduce el agua para regar.

cacería *s. f.* Partida de caza.

cacerina *s. f.* Bolsa de cuero que se usa para llevar cartuchos y balas.

cacerola *s. f.* Cazuela con mango.

caceta *s. f.* Cazo con mango corto y fondo taladrado.

cacha *s. f.* Cada una de las dos piezas que forman el mango de una navaja o cuchillo.

cachaco, ca *s. m.* **1.** *Col. Ec. y Ven.* Petimetre. **2.** *Col.* Hombre joven, elegante y atento. **3.** *desp., Per.* Policía, militar en general. ‖ *s. m. y s. f.* **4.** *P. Ric.* Nombre que se da a los españoles de buena posición económica en la zona campesina de la isla.

cachada *s. f.* **1.** *Col., Ec., El Salv. y Hond.* Cornada. **2.** *Arg., Par. y Ur.* Hacer objeto de una broma a una persona.

cachalote *s. m.* Cetáceo que produce una materia sólida llamada ámbar gris.

cachano *s. m., fam.* El diablo.

cachar[1] *v. tr.* **1.** Hacer cachos o pedazos una cosa. **2.** Partir o rajar madera en el sentido de las fibras.

cachar[2] *v. tr., Ast., Amér. C., Col. y Chil.* Cornear, dar cornadas.

cacharpas *s. f. pl., Amér. del S.* Trastos de poco valor.

cacharrazo *s. m.* Golpe dado con un cacharro.

cacharrería *s. f.* Tienda de cacharros o loza ordinaria.

cacharro *s. m.* **1.** Vasija tosca. **2.** Cualquier mecanismo viejo que funciona mal.

cachava *s. f.* Cayado.

cachavazo *s. m.* Golpe dado con la cachava.

cachaza *s. f., fam.* Lentitud y sosiego en el modo de hablar y de obrar.

cachazudo, da *adj.* Que tiene cachaza.

caché *s. m.* **1.** Distinción de una persona o cosa. **2.** Cantidad que cobra un artista por su trabajo.

cachear *v. tr.* Registrar a una persona.

cachelos *s. m. pl.* Guiso gallego, compuesto de trozos de carne o pescado, patatas y pimientos.

cachemir *s. m.* Tejido de lana muy fino.

cacheo *s. m.* Acción de cachear.

cachera *s. f.* Ropa de lana muy tosca.

cachería *s. f., Ar., Guat. El Salv.* Comercio o tienda al por menor.

cachero, ra *adj.* **1.** *El Salv.* Pedigüeño. **2.** *Ven.* Mentiroso.

cachetada *s. f., Col., Chil., Per. y P. Ric.* Bofetada.

cachete *s. m.* Golpe que con el puño cerrado se da en la cabeza o en la cara.

cachetero *s. m.* Golpe que con el puño se da en la cabeza o en la cara.

cachetina *s. f.* Riña a cachetes.

cachetón, na *adj., Col. Chil. y Méx.* Cachetudo.

cachetudo, da *adj.* Que tiene abultados los carrillos.

cachicamo *s. m., Col. y Ven.* Armadillo.

cachicán *s. m.* Capataz de hacienda de campo.

cachicuerno, na *adj.* Se aplica al cuchillo o hacha que tiene las cachas o mango de cuerno.

cachidiablo *s. m., fam.* Persona que se viste de botarga, imitando la figura con que suele pintarse al diablo.

cachifo, fa *adj., Col. y Ven.* Muchacho joven. También s. m. y s. f.

cachifollar *v. tr., fam.* Dejar a alguien deslucido y humillado.

cachimba *s. f.* Pipa para fumar.

cachimbo *s. m.* **1.** *amer.* Cachimba. **2.** *Cub.* Ingenio de azúcar pequeño. **3.** *desp., Per.* Guardia nacional.

cachipolla *s. f.* Insecto de unos 2 cm de largo, de color ceniciento; habita en las orillas del agua y apenas vive un día.

cachiporra *s. f.* Palo con una bola en uno de sus extremos.

cachiporrazo *s. m.* Golpe dado con una cachiporra.

cachirulo *s. m.* Vasija para los licores.

cachivaches *s. m. pl.* **1.** Vasijas, utensilios. **2.** Trastos viejos.

cachizo *adj.* Se dice del madero grueso serradizo.

cacho *s. m.* Pedazo pequeño de alguna cosa.

cachola *s. f.* Cada una de las dos curvas que forman el cuello de un palo.

cachón *s. m.* **1.** Ola de mar que rompe en la playa y hace espuma. **2.** Chorro de agua que cae y rompe formando espuma.

cachondearse *v. prnl., fam.* Burlarse.

cachondeo *s. m., vulg.* Acción y efecto de cachondearse.

cachondo, da *adj.* **1.** *fig.* Dominado del deseo carnal. **2.** *fam.* Burlón, divertido.

cachorreñas *s. f. pl.* Sopas hechas con agua caliente, aceite, cornetilla, ajos, sal y vinagre.

cachorrillo *s. m.* Pistola pequeña.

cachorro, rra *s. m. y s. f.* **1.** Perro de poco tiempo. **2.** Hijo pequeño de otros mamíferos, como león, tigre, etc.

cachú *s. m.* Cato.

cachua *s. f., Bol., Ec. y Per.* Baile indígena.

cachucha *s. f.* **1.** Bote o lancha. **2.** Especie de gorra.

cachucho *s. m.* Medida de aceite que equivale a la sexta parte de una libra.

cachudo, da *adj.* **1.** *Col., Chil., Ec. y Méx.* Se dice del animal que tiene los cuernos grandes. **2.** *Chil.* Mañero, ladino.

cachuela *s. f.* Guisado hecho de la asadura del puerco.

cachunde *s. f.* Pasta compuesta de almizcle, ámbar y cato, que se usa para perfumar la boca y fortalecer el estómago.

cachupín, na *s. m. y s. f.* Mote que se aplica al español que pasa a América Septentrional y se establece en ella.

cacique *s. m., fig.* Persona que en un pueblo o comarca ejerce excesiva influencia en asuntos políticos o administrativos.

caciquismo *s. m.* Dominación o influencia de los caciques.

caco *s. m., fig.* Ladrón, ratero.

cacodilo *s. m.* Arseniuro de metilo.

cacofonía *s. f.* Vicio del lenguaje, que consiste en el encuentro o repetición frecuente de unas mismas letras o sílabas.

cacografía *s. f.* Ortografía viciosa.

cactáceo, a *adj.* Se aplica a las plantas de la falmilia de los cactos. También s. f.

cacto *s. m.* Nombre de diversas plantas perennes, de tallo redondeado, cilíndrico, prismático o dividido en una serie de paletas ovaladas con espinas o pelos y flores.

cacumen *s. m., fam.* Agudeza, perspicacia.

CD-ROM *s. m.* Disco compacto de memoria que solo permite lectura, con capacidad para almacenar y leer y ver textos e imágenes.

cada *adj. distrib.* Sirve para designar separadamente una o más cosas o personas con relación a otras de su especie.

cadalso *s. m.* **1.** Tablado que se levanta para un acto solemne. **2.** El que se levanta para la ejecución de una pena de muerte.

cadañego, ga *adj.* Se aplica a las plantas que dan fruto abundante todos los años.

cadañero, ra *adj.* Que dura un año.

cadarzo *s. m.* Seda basta de los capullos enredados.

cadáver *s. m.* Cuerpo muerto.

cadavérico, ca *adj., fig.* Pálido y desfigurado como un cadáver.

caddie o **caddy** *com.* En el deporte del golf, persona que lleva los instrumentos de juego.

cadejo *s. m.* Parte del cabello muy enredada que se separa para desenredarla y peinarla.

cadena *s. f.* **1.** Conjunto de muchos eslabones enlazados entre sí. **2.** Sucesión de cosas. **3.** Conjunto de establecimientos pertenecientes a una sola empresa. **4.** Grupo de transmisores y receptores de televisión que radiodifunden el mismo programa.

cadencia *s. f.* Serie de sonidos que se suceden de un modo regular o medido.

cadencioso, sa *adj.* Que tiene cadencia.

cadeneta *s. f.* **1.** Labor que se hace en figura de cadena delgada. **2.** Cadena de papel de colores, usada como adorno.

cadente *adj.* **1.** Que amenaza ruina o está para caer. **2.** Cadencioso.

cadera *s. f.* Cada una de las dos partes salientes formadas a los lados del cuerpo por los huesos superiores de la pelvis.

caderillas *s. f. pl.* Tontillo pequeño y corto que solo servía para ahuecar la falda por la parte correspondiente a las caderas.

cadete *s. m.* Alumno de una academia militar.

cadí *s. m.* Juez turco.

cadillo *s. m.* **1.** Planta umbelífera con fruto elipsoidal erizado de espinas. **2.** Primeros hilos de la urdimbre de la tela.

cadmio *s. m.* Metal de color blanco algo azulado y brillante, dúctil y maleable.

cado *s. m., Ar.* Huronera o madriguera.

cadozo *s. m.* Remolino que forman las aguas de un río.

caducar *v. intr.* **1.** Extinguirse un derecho, una instancia o recurso. **2.** Acabarse alguna cosa por antigua y gastada.

caduceo *s. m.* Vara delgada, lisa y cilíndrica, rodeada de dos culebras, atributo de Mercurio.

caducidad *s. f.* Calidad de caduco o decrépito.

caducifolio, lia *adj.* Se dice de los árboles y plantas de hoja caduca, que se les cae al empezar la estación desfavorable.

caduco, ca *adj.* **1.** Decrépito, muy anciano. **2.** Mortal, de poca duración.

caer *v. intr.* **1.** Venir un cuerpo hacia el suelo en virtud de la gravedad. También prnl. **2.** Inclinarse. También prnl. **3.** Desprenderse un objeto del lugar en que se hallaba. También prnl.

café *s. m.* **1.** Cafeto. **2.** Semilla del cafeto. **3.** Bebida que se hace por infusión con esta semilla tostada y molida. **4.** Sitio público donde se vende y toma esta bebida.

cafeína *s. f.* Alcaloide blanco que se obtiene de las semillas y hojas del café y té.

cafetal *s. m.* Sitio poblado de cafetos.

cafetera *s. f.* Vasija para hacer o servir café.

cafetería *s. f.* Local público donde se sirve café y otras bebidas.

cafeto *s. m.* Árbol rubiáceo, de flores blancas y olorosas, fruto en baya roja y semillas con un surco longitudinal en su cara plana.

cáfila *s. f., fam.* Conjunto o multitud de gentes, animales o cosas.

cafre *adj., fig.* Zafio y rústico.

caftán *s. m.* Túnica turca.

cagaaceite *s. f.* Pájaro insectívoro del mismo género que el tordo.

cagachín *s. m.* **1.** Mosquito pequeño, de color rojizo. **2.** Pájaro más pequeño que el jilguero, común en España. Es insectívoro.

cagada *s. f.* Excremento que sale cada vez que se evacúa el vientre.

cagado, da *adj.* **1.** *fig. y fam.* Cobarde. ‖ *s. f.* **2.** *fig. y fam.* Acción desacertada, disparate.

cagafierro *s. m.* Escoria de hierro.

cagajón *s. m.* Cada una de las porciones de excremento de las caballerías.

cagalaolla *s. m., fam.* Persona que va vestida de botarga en algunas fiestas en que hay danzantes.

cagalera *s. f.* Diarrea.

cagar *v. intr.* Evacuar el vientre. También tr. y prnl.

cagarria *s. f.* Colmenilla.

cagatintas *s. m. y s. f., fam. y desp.* Oficinista.

cagón, na *adj., fam.* Cobarde, pusilánime.

caguama *s. f.* Tortuga marina, mayor que el carey, de carne muy estimada.

cague *s. m., amer.* Especie de ganso, común en Chiloé y en Magallanes.

cahiz *s. m.* Medida de capacidad para áridos, de distinta cabida según las diversas regiones.

caíd *s. m.* Especie de juez o gobernador en algunos países musulmanes y en el antiguo reino de Argel.

caída *s. f.* **1.** Acción y efecto de caer. **2.** Declive de alguna cosa; como la de una cuesta a un llano.

caído, da *adj., fig.* Se dice del muerto en defensa de una causa. También s. m. y s. f.

caima *adj., amer.* Soso, desabrido.

caimacán *s. m.* Lugarteniente del gran visir.

caimán *s. m.* Reptil saurio, propio de los ríos americanos, parecido al cocodrilo.

caimiento *s. m.* Caída, acción de caer.

caique *s. m.* Barca muy ligera usada en los mares de Levante.

cairel *s. m.* **1.** Cerco de cabellera postiza. ‖ *s. m. pl.* **2.** Adornos.

cairelar *v. tr.* Guarnecer la ropa con caireles.

caja *s. f.* Pieza hueca, de materia variada, para encerrar algo dentro.

cajel *adj.* Se dice de una variedad de naranja producida por el injerto del naranjo dulce sobre el agrio.

cajero, ra *s. m. y s. f.* Persona que en los comercios, bancos y otros establecimientos está encargada de la caja.

cajeta *s. f.* Cepo para recoger limosnas.

cajete *s. m., El Salv., Guat. y Méx.* Cazuela o escudilla de barro.

cajetilla *s. f.* Paquete de tabaco.

cajetín *s. m.* Sello de mano con que en determinados papeles se estampan diversas anotaciones.

cají *s. m., amer.* Pez del mar Caribe, de unos 30 cm de largo, cola ahorquillada, y de color morado y amarillo.

cajiga *s. f.* Quejigo.

cajista *s. m. y s. f.* Oficial de imprenta que compone lo que se ha de imprimir.

cajo *s. m.* Pestaña que forma el encuadernador en el lomo de un libro sobre las primeras y últimas hojas, para que quepan los cartones de las tapas.

cajón *s. m.* **1.** Caja grande, generalmente de madera, y de base rectangular. **2.** En algunos muebles, cada uno de los receptáculos que se pueden sacar y meter en ciertos huecos a los que se ajustan.

cajonera *s. f.* Conjunto de cajones que hay en las sacristías para guardar las vestiduras sagradas y ropas de altar.

cajonería *s. f.* Conjunto de cajones de un armario o estantería.

cajuil *s. m., amer.* Árbol propio de la isla de Santo Domingo, de madera excelente para la maquinaria. En otras partes de América se llama también marañón.

cal *s. f.* Óxido de calcio, sustancia blanca, ligera, cáustica y alcalina.

cala *s. f.* Ensenada pequeña.

calaba *s. m.* Calambuco.

calabacear *v. tr.* Dar calabazas.

calabacera *s. f.* Nombre de varias plantas cucurbitáceas de tallos rastreros, hojas lobuladas, flores amarillas y cuyo fruto es la calabaza.

calabacín *s. m.* Calabacita cilíndrica de corteza verde y carne blanca.

calabacinate *s. m.* Guisado hecho con calabacines.

calabacino *s. m.* Calabaza seca y hueca para tener vino u otro líquido.

calabaza *s. f.* Fruto de la calabacera.

calabazate *s. m.* Dulce seco de calabaza.

calabazazo *s. m.* Golpe dado con una calabaza.

calabobos *s. m., fam.* Lluvia continua y menuda.

calabozo *s. m.* Lugar seguro para encerrar presos.

calabriada *s. f.* Mezcla de cosas diversas.

calabriar *v. tr.* Mezclar, confundir, embrollar.

calabrote *s. m.* Cabo grueso.

calada *s. f.* Acción y efecto de calar un líquido en un cuerpo permeable, de sumergir en el agua las redes, etc.

caladero *s. m.* Sitio a propósito para calar las redes de pesca.

calado *s. m.* Labor que se hace con aguja en alguna tela, sacando o juntando hilos.

calador *s. m.* Hierro con que los calafates introducen las estopas en las costuras de las embarcaciones.

caladre *s. f.* Calandria.

caladura *s. f.* Cala de una fruta.

calafate *s. m.* Hombre que calafatea las embarcaciones.

calafatear *v. tr.* Cerrar las junturas de las maderas de las naves con estopa y brea.

calagraña *s. f.* Variedad de uva de mala calidad para hacer vino.

calaguala *s. f., amer.* Helecho medicinal originario del Perú.

calahorra *s. f.* Casa pública con rejas por donde se daba el pan en tiempo de escasez.

calaíta *s. f.* Turquesa, mineral amorfo.

calamaco *s. m.* Tela de lana delgada.

calamar *s. m.* Molusco cefalópodo comestible de cuerpo oval, con ocho tentáculos en la cabeza y dos más largos.

calambac *s. m.* Árbol leguminoso del Extremo Oriente, con hojas sencillas, lanceoladas, y flores en racimos erguidos, terminales. Su madera es el palo áloe.

calambre *s. m.* Contracción espasmódica, involuntaria y dolorosa, de los músculos.

calambuco *s. m.* Árbol gutífero americano, de unos 30 m de altura, con flores en ramillete, blancas y olorosas.

calamento *s. m.* Planta medicinal perenne, de hojas aovadas y flores purpúreas.

calamidad *s. f.* **1.** Desgracia, infortunio. **2.** Persona incapaz, inútil o molesta.

calamiforme *adj.* Se dice de las partes vegetales o animales que tienen figura de cañón de pluma.

calamina *s. f.* **1.** Carbonato de cinc. **2.** Cinc fundido.

calamistro *s. m.* Hierro usado antiguamente para rizar el pelo.

calamita *s. f.* **1.** Piedra imán. **2.** Brújula que señala hacia el norte.

calamite *s. m.* Sapo pequeño.

calamitoso, sa *adj.* Infeliz, desdichado.

cálamo *s. m.* Especie de flauta antigua.

calamocano, na *adj., fam.* Se dice de la persona que está algo embriagada.

calamocha *s. f.* Ocre amarillo de color muy bajo.

calamón[1] *s. m.* Ave zancuda con la cabeza roja y cuerpo verde por encima.

calamón[2] *s. m.* Parte superior de la alcoba o caja de la balanza.

calandrajo *s. m.* **1.** *fam.* Trapo viejo. **2.** *fig. y fam.* Persona ridícula.

calandrar *v. tr.* Pasar el papel o la tela por la calandria a fin de satinarlos.

calandria[1] *s. f.* Pájaro de la misma familia que la alondra.

calandria[2] *s. f.* Máquina para prensar y satinar ciertas telas o el papel.

cálanis *s. m.* Cálamo.

calaña *s. f.* **1.** Modelo, patrón. **2.** *fig.* Índole, naturaleza de una persona o cosa.

calapatillo *s. m.* Insecto hemíptero común en el sur de Europa, que se alimenta especialmente de cereales.

calar *v. tr.* Penetrar un líquido en un cuerpo permeable.

calarse *v. prnl.* Pararse bruscamente un motor de explosión.

calato *s. m.* Cesto de junco o de mimbres entrelazados, de forma semejante a un cáliz sin pie.

calavera *s. f.* Conjunto de huesos de la cabeza mientras permanecen unidos, pero despojados de carne y de piel.

calaverada *s. f., fam.* Acción desconcertada, propia de persona de poco juicio.

calaverear *v. tr., fam.* Hacer calaveradas.

calavernario *s. m.* Osario.

calboche *s. m., Sal.* Olla de barro, con asa y boca como las del cántaro y agujereada toda, excepto el asiento. Se usa para asar castañas.

calcado *s. m.* Acción de calcar.

calcáneo *s. m.* Hueso del tarso en la parte posterior del pie, donde forma el talón.

calcañar *s. m.* Parte posterior de la planta del pie.

calcaño *s. m.* Calcañar.

calcar *v. tr.* Sacar copia de un dibujo, relieve, etc. por contacto del original con el papel o la tela a que han de ser trasladados.

calcáreo, a *adj.* Que tiene cal.

calce *s. m.* Llanta de los carruajes.

calcedonia *s. f.* Ágata muy translúcida.

cálceo *s. m.* Calzado alto y cerrado que usaban los romanos.

calceolaria *s. f.* Planta de la familia de las escrofulariáceas, cuyas flores, en corimbo y de color de oro, semejan un pequeño zapato. Es originaria de América Meridional, y se cultiva en los jardines.

calcés *s. m.* Parte superior de los palos mayores y masteleros de gavia.

calceta *s. f.* **1.** Media del pie y pierna. **2.** *fig.* Grillete que se ponía al forzado.

calcetar *v. intr.* Hacer calceta o media.

calcetín *s. m.* Media que solo llega a la mitad de la pantorrilla.

cálcico, ca *adj.* Perteneciente o relativo al calcio.

calcificación *s. f.* Alteración de los tejidos, por depositarse en ellos sales de cal.

calcificar *v. tr.* Producir por medios artificiales carbonato de cal.

calcímetro *s. m.* Aparato que sirve para determinar la cal contenida en las tierras de labor.

calcina *s. f.* Hormigón, mezcla.

calcinación *s. f.* Acción y efecto de calcinar.

calcinar *v. tr.* **1.** Reducir a cal viva los minerales calcáreos, privándolos del ácido carbónico por el fuego. **2.** Reducir a cenizas. También *prnl.*

calcinatorio *s. m.* Vasija en que se calcina.

calcio *s. m.* Metal blanco moderadamente blando, de superficie brillante cristalina cuando está recientemente cortado.

calcita *s. f.* Carbonato cálcico cristalizado.

calco *s. m.* **1.** Copia que se obtiene calcando. **2.** Plagio, imitación o reproducción idéntica o muy próxima al original.

calcografía *s. f.* Arte de estampar con láminas metálicas grabadas.

calcografiar *v. tr.* Estampar por medio de la calcografía.

calcomanía *s. f.* **1.** Entretenimiento consistente en pasar imágenes coloridas, preparadas con trementina, de un papel a objetos diversos. **2.** Imagen obtenida por este medio. **3.** El papel que tiene la figura, antes de pasarla a otro objeto.

calcopirita *s. f.* Sulfuro natural de cobre y hierro.

calculador, ra *adj.* **1.** Se dice de la persona interesada, egoísta. ‖ *s. f.* **2.** Aparato o máquina con que se ejecutan operaciones aritméticas.

calcular *v. tr.* Determinar una suma, cantidad, etc. por procedimientos aritméticos.

cálculo *s. m.* **1.** Cuenta o investigación hecha por medio de operaciones matemáticas. **2.** Conjetura. **3.** Concreción anormal que se forma en las vías urinarias y biliares.

caldario *s. m.* Sala donde los antiguos romanos tomaban baños de vapor.

caldas *s. f. pl.* Baños de aguas minerales calientes.

caldear *v. tr.* Calentar mucho. También *prnl.*

caldera *s. f.* Vasija de metal, grande y redonda.

calderada *s. f.* Lo que cabe de una vez en una caldera.

caldereta *s. f.* **1.** Guiso de pescado. **2.** Guiso con carne de cordero o cabrito.

calderilla *s. f.* Conjunto de monedas.

caldero *s. m.* Caldera pequeña.

calderón *s. m.* Delfín de gran tamaño, de cabeza voluminosa, de color blanquecino por debajo y negro por encima.

calderuela *s. f.* Vasija en que los cazadores llevan luz para encandilar y deslumbrar las perdices, que huyendo de ella caen en la red.

caldillo *s. m.* Salsa de algunos guisados.

caldo *s. m.* Líquido que resulta de cocer en agua un alimento.

caldoso, sa *adj.* Que tiene mucho caldo.

cale *s. m.* Golpe dado con la mano sin gran violencia.

calé *adj.* Persona de raza gitana.

calecer *v. intr.* Ponerse caliente alguna cosa.

calefacción *s. f.* Conjunto de aparatos destinados a calentar un edificio o parte de él.

calefactor *s. m.* Aparato para calentar.

caleidoscopio *s. m.* Tubo que encierra dos o tres espejos que forman entre sí ángulo agudo y lleva en un extremo dos láminas de vidrio entre las cuales se colocan fragmentos sueltos de vidrio de color, cuyas imágenes multiplicadas forman figuras que varían según va girando el tubo.

calendario *s. m.* Almanaque.

calendas *s. f. pl.* En el antiguo cómputo romano, el primer día de cada mes.

caléndula *s. f.* Planta herbácea de la familia de las compuestas, de flores terminales y color anaranjado, cuyo cocimiento se ha usado en medicina como antiespasmódico.

calentador *s. m.* Recipiente con lumbre, agua, vapor o corriente eléctrica, que sirve para calentar la cama, el baño, etc.

calentamiento *s. m.* Acción y efecto de calentar o calentarse.

calentar *v. tr.* Hacer subir la temperatura. También prnl.

calentón *s. m.* Acto de calentarse de prisa o fugazmente.

calentura *s. f.* Fiebre.

calenturiento, ta *adj.* Se dice del que tiene indicios de calentura. También s. m. y s. f.

calepino *s. m., fig.* Diccionario latino.

calera *s. f.* **1.** Cantera que da la piedra para hacer cal. **2.** Horno donde se calcina la piedra caliza.

calesa *s. f.* Carruaje de cuatro o dos ruedas, con la caja abierta por delante, dos o cuatro asientos y capota de vaqueta.

calesín *s. m.* Carruaje ligero, tirado por una sola caballería.

caleta *s. f., amer.* Barco que va tocando, fuera de los puertos mayores, en las calas.

caletre *s. m., fam.* Tino, discernimiento.

calibrar *v. tr.* **1.** Medir o reconocer el calibre de los proyectiles o el grueso de los alambres, chapas de metal, etc. **2.** Medir el talento u otras cualidades de una persona.

calibre *s. m.* **1.** Diámetro interior de las armas de fuego. **2.** *fig.* Tamaño, importancia.

calicanto *s. m.* Mampostería.

calicata *s. f.* Exploración que con labores mineras se hace en un terreno para saber los minerales que contiene.

caliche *s. m.* Piedrecilla que queda en el barro y que se calcina al cocerlo.

caliciflora *adj.* Se dice de las plantas cuyos pétalos y estambres parecen insertos en el cáliz, como las rosáceas y las umbelíferas. También s. f.

caliciforme *adj.* Se dice de la flor que tiene forma de cáliz.

calicó *s. m.* Tela delgada de algodón.

caliculado, da *adj.* Se dice de las flores que tienen calículo.

calicular *adj.* En forma de calículo.

calículo *s. m.* Verticilo de brácteas que rodea el cáliz de algunas flores.

calidad *s. f.* **1.** Manera de ser de una persona o cosa. **2.** Carácter, genio, índole. **3.** *fig.* Importancia o gravedad de alguna cosa.

calidez *s. f.* Calor, ardor.

cálido, da *adj.* **1.** Que da calor o excita ardor en el organismo animal. **2.** Caluroso.

calidoscopio *s. m.* Caleidoscopio.

calientapiés *s. m.* Calorífero destinado especialmente a calentar los pies.

calientaplatos *s. m.* Caja de hierro con una lámpara para mantener los platos calientes.

caliente *adj.* **1.** Que tiene calor. **2.** Acalorado, vivo; tratándose de disputas, riñas, etc.

califa *s. m.* Título de los príncipes sarracenos que, como sucesores de Mahoma, ejercieron la suprema potestad civil y religiosa.

califato *s. m.* **1.** Dignidad de califa. **2.** Territorio gobernado por él. **3.** Periodo histórico en que hubo califas.

calífero, ra *adj.* Que contiene cal.

calificación *s. f.* Nota obtenida por el examinado.

calificar *v. tr.* **1.** Expresar las cualidades de una persona o cosa. **2.** Resolver la nota que se ha de dar al examinado.

cáliga *s. m.* **1.** Especie de sandalia de los soldados de la antigua Roma. **2.** Cada una de las polainas usadas por los monjes en la Edad Media, y posteriormente por los obispos.

calígine *s. f.* **1.** Niebla, oscuridad, tenebrosidad. **2.** Bochorno.

caliginoso, sa *adj.* Denso, oscuro, nebuloso.

caligrafía *s. f.* Arte de escribir con letra correctamente formada.

caligrafiar *v. tr.* Hacer un escrito con hermosa letra.

calígrafo, fa *s. m. y s. f.* **1.** Persona que escribe a mano con letra excelente. **2.** Persona que tiene especiales conocimientos de caligrafía.

calima *s. f.* Calina.

calimoso, sa *adj.* Calinoso.

calina *s. f.* Bruma.

calinoso, sa *adj.* Cargado de calina.

calípedes *s. m.* Perico ligero.

calipedia *s. f.* Arte quimérica de procrear hijos hermosos.

calisaya *s. f.* Especie de quina muy estimada, llamada también quina amarilla, que procede de una planta de la familia de las rubiáceas.

calistenia *s. f.* Parte de la gimnasia dirigida al desarrollo de la fuerza.

cáliz *s. m.* **1.** Vaso sagrado en que el sacerdote consagra el vino en la misa. **2.** Cubierta externa de las flores completas.

calizo, za *adj.* **1.** Se aplica al terreno o a la piedra que tiene cal. ‖ *s. f.* **2.** Roca formada de carbonato de cal.

callado, da *adj.* Silencioso, reservado.

callana *s. f., Amér. del S.* Vasija que usan los indígenas para tostar maíz, trigo, etc.

callantar *v. tr.* Acallar.

callao *s. m.* **1.** Guijo, peladilla de río. **2.** En las islas Canarias, terreno llano y cubierto de cantos rodados.

callar *v. intr.* **1.** Guardar silencio una persona. También prnl. **2.** Cesar de hablar. **3.** Cesar de llorar, de gritar, de cantar, de meter ruido, etc. También prnl.

calle *s. f.* Camino, público o particular, dentro de un poblado.

calleja *s. f.* Calle angosta.

callejear *v. tr.* Andar frecuentemente, sin necesidad, de calle en calle.

callejero *s. m.* Lista de las calles de una ciudad populosa, que traen las guías descriptivas de ella.

callejón *s. m.* Paso estrecho y largo entre paredes, casas o elevaciones de terreno.

callicida *s. amb.* Sustancia para extirpar y curar callos.

callista *com.* Persona que se dedica a cortar o extirpar y curar callos, uñeros y otras dolencias de los pies, sea o no cirujano.

callo *s. m.* Dureza formada por roce o presión en los pies, manos, rodillas, etc.

callón *s. m.* Utensilio para afilar las leznas.

callonca *adj.* Se dice de la castaña o bellota a medio asar.

callosidad *s. f.* Dureza de la especie del callo, menos profunda.

calloso, sa *adj.* Que tiene callo.

calma *s. f.* **1.** Estado de la atmósfera cuando no hay viento. **2.** Paz, tranquilidad.

calmante *adj.* Se dice de los medicamentos narcóticos. También s. m.

calmar *v. tr.* **1.** Sosegar, adormecer. ‖ *v. intr.* **2.** Estar en calma o tender a ella.

calmo, ma *adj.* **1.** Erial o sin árboles. **2.** Que está en descanso.

calmoso, sa *adj.* **1.** Que está en calma. **2.** Se dice de la persona cachazuda o indolente.

calmudo, da *adj.* Calmoso.

caló *s. m.* Lenguaje del pueblo gitano.

calobiótica *s. f.* Arte de vivir bien.

calocéfalo, la *adj.* Que tiene hermosa cabeza.

calófilo, la *adj.* Que tiene hermosas hojas.

calología *adj.* Estética.

calomelanos *s. m. pl.* Cloruro mercurioso usado en medicina y en pirotecnia.

calón *s. m.* Pértiga con que se puede medir la profundidad de un río, canal o puerto.

calóptero, ra *adj.* De alas hermosas.

calor *s. m.* **1.** Forma de energía que se considera originada por el movimiento vibratorio de los átomos y moléculas de los cuerpos. ‖ *s. m.* **2.** Recibimiento entusiasta.

caloría *s. f.* Unidad de medida térmica.

caloriamperímetro *s. m.* Aparato para medir la intensidad de una corriente eléctrica por el método calorimétrico.

caloricidad *s. f.* Propiedad vital por la que los animales tienden a conservar casi todos un calor superior al del ambiente en que viven.

calórico, ca *adj.* **1.** Relativo al calor. ‖ *s. m.* **2.** Principio o agente hipotético de los fenómenos del calor.

calorífero *s. m.* Aparato de calefacción.

calorífico, ca *adj.* Que produce o distribuye calor.

calorífugo *adj.* Que se opone a la transmisión del calor.

calorimetría *s. f.* Medición de calor específico.

calorímetro *s. m.* Instrumento para medir el calor específico de los cuerpos.

calostro *s. m.* Primera leche que la hembra da después de haber parido.

caloyo *s. m.* Cordero o cabrito recién nacido.

calseco, ca *adj.* Curado con cal.

calumnia *s. f.* Acusación falsa.

calumniar *v. tr.* Atribuir falsa y maliciosamente a alguien palabras, actos o intenciones deshonrosas.

calumnioso, sa *adj.* Que contiene calumnia.

caluro *s. m., Amér. C.* Ave trepadora, de plumaje verde y negro por el cuerpo y negro y blanco por las alas, pico delgado y encorvado hacia la punta.

caluroso, sa *adj.* **1.** Que tiene calor. **2.** Vivo, ardiente.

calva *s. f.* Parte de la cabeza de la que se ha caído el pelo.

calvar *v. tr.* **1.** En el juego de la calva, dar en la parte superior del madero o hito. **2.** Engañar a alguien.

calvario *s. m.* **1.** Vía crucis. **2.** *fam.* Serie de adversidades o pesadumbres.

calvatrueno *s. m., fam.* Calva grande que coge toda la cabeza.

calvero *s. m.* Paraje sin árboles en el interior de un bosque.

calvicie *s. f.* Falta de pelo en la cabeza.

calvinismo *s. m.* Doctrina religiosa de Calvino, que se extendió por Europa durante el siglo XVI.

calvinista *adj.* Partidario del calvinismo. También com.

calvo, va *adj.* Que ha perdido el pelo de la cabeza.

calza *s. f.* Prenda de vestir que cubría el muslo y la pierna.

calzada *s. f.* **1.** Camino empedrado y cómodo por su anchura. **2.** Parte de la calle comprendida entre dos aceras.

calzadera *s. f.* Hierro con que se calza la rueda del carruaje para que sirva de freno.

calzado *s. m.* Todo género de zapato, abarca, alpargata, etc. que sirve para cubrir y adornar el pie, la pierna.

calzador *s. m.* Instrumento que sirve para hacer que entre el pie en el zapato.

calzadura *s. f.* Acción de calzar los zapatos u otra cosa.

calzar *v. tr.* **1.** Cubrir el pie con el calzado. También prnl. **2.** Tratándose de guantes, espuelas, etc., llevarlos puestos.

calzo *s. m.* Cuña para calzar.

calzón *s. m.* Prenda de vestir masculina que cubre desde la cintura hasta las rodillas.

calzonazos *s. m., fig. y fam.* Hombre flojo y condescendiente.

calzoncillos *s. m. pl.* Calzones interiores de punto o de tela de hilo, algodón, etc.

cama *s. f.* Armazón o mueble que se utiliza principalmente para dormir.

camada *s. f.* Todos los hijuelos que paren de una vez la coneja u otros animales.

camafeo *s. f.* Figura tallada de relieve en ónice u otra piedra dura y preciosa.

camaleón *s. m.* Reptil saurio de cuerpo comprimido lateralmente y cola prensil.

camalote *s. m., amer.* Planta acuática, de tallo largo y hueco, hoja en forma de plato y flor azul.

camanchaca *s. f., Chil. y Per.* Niebla espesa y baja que reina en el desierto de Tarapacá.

camándula *s. f.* **1.** Rosario de uno o tres dieces. **2.** *fig. y fam.* Hipocresía, astucia, trastienda.

camandulear *v. intr.* Ostentar falsa o exagerada devoción.

camandulero, ra *adj., fam.* Hipócrita, astuto, embustero y bellaco. También s. m. y s. f.

cámara *s. f.* **1.** Sala, pieza principal de una casa. **2.** Cada uno de los cuerpos colegisladores en los gobiernos representativos. **3.** Máquina de hacer fotografías. ‖ **4.** *com.* Persona cualificada técnicamente para la toma de imágenes.

camarada *s. m. y s. f.* Compañero.

camaradería *s. f.* Amistad o relación cordial que mantienen entre sí los buenos camaradas.

camaranchón *s. m.* Desván de la casa donde se suelen guardar trastos viejos.

camarero, ra *s. m. y s. f.* Persona que atiende a la clientela en un café, hotel, etc.

camarico *s. m.* Ofrenda que hacían los indígenas americanos a los sacerdotes, y después a los españoles.

camarilla *s. f.* Conjunto de palaciegos que influyen subrepticiamente en la política.

camarín *s. m.* Capilla pequeña colocada detrás de un altar.

camarlengo *s. m.* Título de dignidad entre los cardenales, presidente de la Cámara apostólica.

camarón *s. m.* Crustáceo marino comestible, de color pardusco.

camarote *s. m.* Compartimiento pequeño que hay en los barcos para poner la cama.

camarroya *s. f.* Achicoria.

camarú *s. m., amer.* Árbol del Brasil y otros países de América del Sur. Su madera es parecida a la del roble.

camastro *s. m.* Lecho pobre y sin aliño.

camba *s. f.* Palanca del freno de las caballerías.

cambalache *s. m., fam.* Trueque de objetos de poco valor.

cambalachear *v. tr., fam.* Hacer cambalaches.

cambaleo *s. m.* Compañía antigua de cómicos y cantantes.

cambar *v. tr., Arg. y Ven.* Combar, encorvar.

cambará *s. m., amer.* Árbol de América del Sur, de hoja verde y blanca y flor también blanca, y diminuta. Su corteza se emplea como febrífugo.

cámbaro *s. m.* Crustáceo marino braquiuro, con el caparazón verde.

cambera *s. f.* Red pequeña para pescar cámbaros y otros crustáceos.

cambiante *s. m.* Variedad de colores o visos que produce la luz en algunos cuerpos. Se usa más en pl.

cambiar *v. tr.* **1.** Dar, tomar o poner una cosa por otra. También intr. **2.** Mudar, variar, alterar. También prnl. **3.** Sustituir una moneda por su equivalente en otra. ‖ *v. prnl.* **4.** Quitarse unos vestidos y ponerse otros.

cambija *s. f.* Arca de agua elevada sobre las cañerías que la conducen.

cambín *s. m.* Nasa de junco semejante a un sombrero redondo, que se usa para determinada clase de pesca.

cambio *s. m.* **1.** Acción y efecto de cambiar. **2.** Precio de cotización de los valores mercantiles. **3.** Dinero que, una vez pagado el precio de la mercancía, recibe el comprador, cuando ha entregado en pago una cantidad superior a dicho precio.

cambista *com.* **1.** Persona que cambia dinero. ‖ **2.** *s. m. y s. f.* Banquero o banquera.

cambray *s. m.* Lienzo blanco y sutil.

cambrayón *s. m.* Lienzo parecido al cambray, pero menos fino.

cámbrico, ca *adj.* Se dice del primero de los periodos geológicos en que se divide la era primaria.

cambrón *s. m.* Arbusto de la familia de las ramnáceas, de unos 2 m de altura, de ramas enmarañadas y espinosas, hojas pequeñas, flores solitarias blanquecinas y cuyo fruto es en baya casi redonda.

cambronera *s. f.* Arbusto solanáceo con multitud de ramas mimbreñas curvas y espinosas.

cambuj *s. m.* Mascarilla o antifaz.

cambujo, ja *adj.* Se aplica a las caballerías menores de color negro con viso rojizo.

cambur *s. m.* Planta musácea, parecida al plátano, de fruto comestible.

cambute *s. m.* Planta tropical gramínea, de unos 40 cm de largo, hojas algo anchas y agudas, flores en espigas pareadas y divergentes.

camedrio *s. m.* Planta labiada, de tallos duros y vellosos, hojas pequeñas parecidas a las del roble y flores purpúreas que se usan como febrífugo.

camedrita *s. m.* Vino preparado con la infusión del camedrio.

camelar *v. tr., fam.* Engañar adulando seriamente o en broma.

camelete *s. m.* Pieza de artillería de gran tamaño que se usó para batir murallas.

camelia *s. f.* Arbusto rosáceo, de hojas perennes y flores blancas, rojas o rosadas.

camélido *adj.* Se dice de los rumiantes del grupo del camello. También s. m.

camella *s. f.* Hembra del camello.

camellero, ra *s. m y s. f.* Persona que cuida los camellos o trajina con ellos.

camello *s. m.* Mamífero rumiante camélido, con dos jorobas en el dorso, formadas por una aglomeración de grasa.

camelo *s. m.* **1.** Galanteo. **2.** Chasco, burla.

camelote *s. m.* Tejido fuerte e impermeable, que se hace con lana.

camena *s. f., poét.* Musa.

cameraman *s. com.* Cámara.

camerino *s. m.* Cuarto donde los actores y actrices se visten para ir a escena.

camíbar *s. m.* **1.** *C. Ric. y Nic.* Copayero. **2.** *C. Ric. y Nic.* Bálsamo de copaiba.

camilla *s. f.* **1.** Cama estrecha y portátil para trasladar enfermos o heridos. **2.** Mesa de forma especial debajo de la cual hay un enrejado y una tarima con un brasero para calentarse.

camillero, ra *s. m. y s. f.* Cada una de las personas que transportan la camilla.

caminar *v. intr.* **1.** Ir de viaje. **2.** Andar.

caminata *s. f.* Paseo largo y fatigoso.

caminí *s. m., Arg., Par. y Ur.* Variedad muy apreciada de la yerba mate.

camino *s. m.* **1.** Tierra pisada por donde se transita habitualmente. **2.** *fig.* Medio para hacer o conseguir alguna cosa.

camión *s. m.* Vehículo de cuatro o más ruedas, grande y fuerte, usado para transportar cargas o fardos muy pesados.

camisa *s. f.* Prenda de vestido interior que se pone inmediatamente sobre el cuerpo o sobre la camiseta.

camisería *s. f.* Tienda en que se venden camisas.

camisero, ra *s. m. y s. f.* Persona que hace o vende camisas.

camiseta *s. f.* **1.** Camisa corta y con mangas anchas. **2.** Camisa corta, ajustada y sin cuello, que se pone por lo común directamente sobre el cuerpo.

camisola *s. f.* Camisa fina que se ponía antiguamente sobre la interior y solía estar guarnecida de encajes en la abertura del pecho y en los puños.

camisón *s. m.* Camisa larga para dormir.

camisote *s. m.* Cota de mallas cuyas mangas llegaban hasta las manos.

camocán *s. m.* Brocado usado en Oriente y en España durante los siglos medios.

camomila *s. f.* Manzanilla, la hierba y su flor.

camón *s. m.* Armazón de cañas o listones para formar las bóvedas que llaman encamonadas o fingidas.

camorra *s. f., fam.* Riña, pendencia.

camorrista *adj., fam.* Que con facilidad arma camorras y pendencias.

camote *s. m.* **1.** *amer.* Batata. **2.** *amer.* Bulbo.

campa *adj.* Se dice de la tierra que carece de arbolado, y que sirve por lo común solo para la siembra de cereales.

campal *adj.* **1.** Relativo al campamento. **2.** Se dice de la batalla que se da en campo raso.

campamento *s. m.* Instalación eventual en terreno abierto de un grupo de excursionistas, cazadores, etc.

campana *s. f.* Instrumento de metal, en forma de copa invertida, que suena herido por el badajo o por un martillo exterior.

campanada *s. f.* Golpe que da el badajo en la campana.

campanario *s. m.* Torre o espadaña donde se colocan las campanas.

campanear *v. intr.* Tocar las campanas repetidamente.

campanela *s. f.* **1.** Paso de danza que consiste en dar un salto, describiendo al mismo tiempo un círculo con uno de los pies cerca de la punta del otro. **2.** Sonido de la cuerda de guitarra que se toca en vacío, en medio de un acorde hecho a bastante distancia del puente del instrumento.

campaniforme *adj.* De forma de campana.

campanil *adj.* Se dice del bronce de campanas.

campanilla *s. f.* **1.** Campana pequeña que se toca agitándola con la mano. **2.** Cualquier flor de corola acampanada.

campanillear *v. intr.* Tocar reiteradamente la campanilla.

campanilleo *s. m.* Acción y efecto de tocar con frecuencia la campanilla.

campano *s. m.* Cencerro.

campanología *s. f.* Arte del campanólogo.

campanólogo, ga *s. m. y s. f.* Persona que toca piezas musicales haciendo sonar campanas o vasos de cristal de diferentes tamaños.

campante *adj., fam.* Ufano, satisfecho.

campánula *s. f.* Farolillo, planta campanulácea.

campanuláceo, a *adj.* Se dice de las plantas dicotiledóneas, herbáceas, lechosas, de hojas alternas u opuestas, flores azules, amarillas o purpúreas y fruto capsular, como el farolillo.

campaña *s. f.* **1.** Campo llano. **2.** Conjunto de esfuerzos o actos de diversa índole que se aplican a un fin determinado. **3.** Duración de un determinado servicio militar.

campañol *s. m.* Mamífero roedor, de la familia de los múridos.

campar *v. intr.* **1.** Sobresalir. **2.** Acampar.

campeador *adj.* Se decía del que sobresalía en el campo con acciones señaladas.

campear *v. intr.* **1.** Campar, sobresalir. **2.** Estar en campaña.

campechanía *s. f.* Calidad de campechano.

campechano, na *adj., fam.* Franco, dispuesto para cualquier broma o diversión.

campeche *s. m.* Madera dura y negruzca, que sirve principalmente para teñir de encarnado.

campeón, na *s. m. y s. f.* Persona que obtiene el primer puesto en un campeonato.

campeonato *s. m.* Certamen o contienda en que se disputa el premio en ciertos juegos o deportes.

campero, ra *adj.* Perteneciente o relativo al campo.

campesino, na *adj.* **1.** Rural. **2.** Labrador.

campestre *adj.* Campesino, que pertenece al campo.

campilán *s. m.* Sable recto con puño de madera, cuya hoja va ensanchando hacia la punta.

camping *s. m.* Lugar acondicionado para hacer vida al aire libre, en tiendas de campaña.

campiña *s. f.* Espacio grande de tierra llana que es laborable.

campista *s. m. y s. f.* Usuario de un cámping.

campo *s. m.* **1.** Terreno extenso fuera de poblado. **2.** Tierra laborable. **3.** Campiña. **4.** Sembrados, árboles y demás cultivos.

campus *s. m.* Espacio abierto que rodea a los edificios universitarios.

camuesa *s. f.* Fruto del camueso, especie de manzana.

camueso *s. m.* Árbol, variedad de manzano, cuyo fruto es la camuesa.

camuflar *v. tr.* Disimular dando a una cosa el aspecto de otra.

camuña *s. f.* En algunas partes, toda especie de semillas, menos trigo, centeno o cebada. Se usa más en pl.

can *s. m.* Perro.

cana *s. f.* Cabello que se ha vuelto blanco.

canabíneo, a *adj.* Se dice de la planta monocotiledónea jugosa, con tallo de fibras tenaces, como el cáñamo y el lúpulo.

canáceo, a *adj.* Se dice de las plantas monocotiledóneas, de flores asimétricas, con el androceo reducido a un solo estambre fértil con solo media antera; sus flores son irregulares, en racimo o en panoja; frutos capsulares y semillas con albumen harinoso o casi córneo. También s. f.

canal *s. amb.* **1.** Cauce artificial por el que se conduce el agua. ‖ *s. m.* **2.** Estrecho marítimo que separa dos islas o dos continentes.

canaladura *s. f.* Moldura hueca hecha en un miembro arquitectónico, en línea vertical.

canaleta *s. f., Arg., Bol., Chil. y Par.* Canalón, conducto que recibe y vierte el agua de los tejados.

canalete *s. m.* Remo corto, con pala muy ancha.

canalización *s. f.* Acción y efecto de canalizar.

canalizar *v. tr.* **1.** Abrir canales. **2.** Regularizar el cauce de un río o arroyo.

canalizo *s. m.* Canal estrecho.

canalla *s. f.* **1.** *fam.* Gente baja y ruin. ‖ *com.* **2.** Persona despreciable.

canallada *s. f.* Acción o dicho propio de un canalla.

canalón *s. m.* Conducto que recibe y vierte el agua de los tejados.

canana *s. f.* Cinto dispuesto para llevar cartuchos.

canapé *s. m.* **1.** Escaño con el asiento y respaldo acolchados. **2.** Aperitivo consistente en una rebanadita de pan sobre la que se extienden o colocan otras viandas.

canaricultura *s. f.* Arte de criar canarios.

canario, ria *s. m y s. f.* Pájaro conirrostro, del que existen numerosas variedades domésticas.

canasta *s. f.* **1.** Cesto de mimbres con dos asas. **2.** Tanto conseguido en el baloncesto.

canastilla *s. f.* Cestilla de mimbres.

canastillo *s. m.* Azafate hecho de mimbres.

canasto *s. m.* Canasta recogida de boca.

cancagua *s. f., Chil. y Ec.* Arenilla consistente, usada para ladrillos, hornos, braseros, y también como cemento en las construcciones.

cáncamo *s. m.* Resina de un árbol de Arabia.

cancamusa *s. f., fam.* Artificio para deslumbrar a alguien.

cancán *s. m.* Baile de origen francés que estuvo de moda en el s. XIX.

cancanear *v. intr., fam.* Errar, pasear sin objetivo determinado.

cancel *s. m.* Contrapuerta, generalmente de tres hojas.

cancela *s. f.* Verjilla que se pone en el umbral de algunas casas.

cancelación *s. f.* Acción y efecto de cancelar.

cancelar *v. tr.* **1.** Anular, hacer ineficaz un instrumento público, una obligación, etc. **2.** Saldar o extinguir una deuda.

cancelaría *s. f.* Tribunal de la Curia Romana por donde se despachan las gracias apostólicas.

cáncer *s. m.* Tumor maligno que destruye los tejidos orgánicos animales.

cancerar *v. tr.* Producir cáncer o hacer que degenere en cancerosa una úlcera. También prnl.

cancerbero, ra *s. m. y s. f.* **1.** Portero o guarda severo. **2.** *s. m. y s. f.* Jugador que defiende la portería. **3.** *n. p.* (ORT.: may. inicial) Perro de tres cabezas que, según la fábula, guardaba la puerta de los infiernos.

canceroso, sa *adj.* Afectado por el cáncer o que participa de su naturaleza.

cancha *s. f.* **1.** Local destinado a juego de pelota, riñas de gallos u otros usos semejantes. **2.** Parte de la explanada del frontón o trinquete en la que juegan los pelotaris.

canchal *s. m.* Peñascal o sitio de grandes piedras descubiertas.

canchalagua *s. f., amer.* Planta americana de la familia de las gencianáceas que se emplea como excelente depurativo de la sangre.

canchear *v. intr.* Trepar o subir por los canchos o canchales.

canchero, ra *adj., Arg., Par. y Ur.* Ducho y experto en determinada actividad.

cancho *s. m.* Peñasco grande.

cancilla *s. f.* Puerta hecha a manera de verja que cierra los huertos, corrales o jardines.

canciller *s. m.* **1.** Empleado auxiliar en las embajadas, legaciones, consulados, etc. || *com.* **2.** Título que lleva en algunos Estados europeos un alto funcionario que es a veces jefe o presidente del Gobierno.

cancillería *s. f.* **1.** Oficio de canciller. **2.** Oficina especial en las embajadas, legaciones, consulados, etc.

canción *s. f.* **1.** Composición en verso para ser cantada. **2.** Música de la canción.

cancionero *s. m.* Colección de canciones y poesías, por lo común de autores diversos.

cancro *s. m.* Cáncer.

candado *s. m.* Cerradura suelta que por medio de argollas asegura puertas, ventanas, tapas de cofre, etc.

cande[1] *adj.* Se dice del azúcar cristalizado.

cande[2] *adj., Ast.* Blanco, de color de nieve o leche.

candeal *adj.* Se dice del trigo aristado, de espiga cuadrada y granos ovales, que da harina y pan blancos de superior calidad.

candela *s. f.* **1.** Vela **2.** Candelero en que se coloca la vela. **3.** Flor del castaño. **4.** *fam.* Lumbre, brasa.

candelabro *s. m.* Candelero de dos o más brazos.

candelaria *s. f.* Gordolobo.

candelecho *s. m.* Choza levantada sobre estacas, desde la que el viñador otea y guarda toda la viña.

candelero *s. m.* Utensilio que sirve para mantener derecha la vela o candela.

candencia *s. f.* Calidad de candente.

candente *adj.* **1.** Se dice del cuerpo enrojecido o blanqueado por la acción del calor. **2.** Se dice de una cuestión difícil y apasionante, y de una situación tensa.

candidación *s. f.* Acción de cristalizarse el azúcar.

candidato, ta *s. m. y s. f.* Persona que pretende alguna dignidad, honor o cargo.

candidatura *s. f.* **1.** Reunión de candidatos. **2.** Papeleta en que aparece el nombre de uno o varios candidatos.

candidez *s. f.* Calidad de cándido.

cándido, da *adj.* **1.** Sencillo, sin malicia ni doblez. **2.** Simple, poco advertido.

candiel *s. m.* Manjar que se hace con yemas de huevo, azúcar, vino blanco y algún otro ingrediente.

candil *s. m.* Lámpara de aceite formada por dos recipientes de metal superpuestos.

candileja *s. f.* **1.** Recipiente interior del candil. || *s. f. pl.* **2.** Línea de luces en el proscenio o parte delantera del escenario.

candilera *s. f.* Mata de la familia de las labiadas, de flores amarillas con el cáliz cubierto de pelos largos; sus hojas se utilizan como mechas de candil.

candiletero, ra *adj., Ar.* Persona ociosa y entremetida.

candinga *s. f.* **1.** *Chil.* Cansera, majadería, machaqueo. **2.** *Hond.* Chanfaina, enredo, baturrillo.

candiota *s. f.* Barril para vino.

candiotera *s. f.* Local en el que están ordenados los envases en que se cría y conserva el vino.

candombe *s. m., Amér. del S.* Baile de origen africano de movimientos muy vivos.

candonga *s. f., fam.* Burla o chasco hecho a alguna persona de palabra, con apodos o chanzas continuadas.

candongo, ga *adj., fam.* Zalamero, astuto.

candor *s. m.* **1.** Suma blancura. **2.** *fig.* Sinceridad, sencillez. **3.** *fig.* Inocencia.

candoroso, sa *adj.* Que tiene candor.

candray *s. m.* Embarcación pequeña de dos proas, que se usa en el tráfico de algunos puertos.

canear *v. intr.* **1.** *And.* Encanecer, ponerse cano. || *v. tr.* **2.** *Murc.* Calentar al sol alguna cosa.

caneca *s. f.* **1.** Frasco de barro vidriado, utilizado para contener licores. **2.** *Arg.* Balde de madera. **3.** *Col.* Cubo de basura. **4.** *Cub.* Botella de barro con agua caliente, que sirve de calentador.

canecillo *s. m.* Cabeza de viga que, sobresaliendo hacia el exterior, sostiene la corona de la cornisa.

canéfora *s. f.* Doncella griega que en determinadas fiestas llevaba en la cabeza un canastillo sagrado.

canela *s. f.* Segunda corteza del canelo, de olor muy aromático y sabor agradable.

canelo, la *adj.* **1.** De color de canela. || *s. m.* **2.** Árbol lauráceo de corteza aromática, hojas parecidas a las del laurel, flores agrupadas en racimos y fruto en drupa ovalada.

canelón *s.m.* Canalón.

canelones *s. m. pl.* Plato de origen italiano hecho a base de una masa rectangular de pasta que se enrolla con carne, pescado, verduras, etc. dentro.

canesú *s. m.* **1.** Cuerpo de vestido femenino corto y sin mangas. **2.** Pieza superior de la camisa o blusa.

cangalla *s. f.* **1.** *Sal.* Andrajo de tela. || *com.* **2.** *Arg. Ur. y Per.* Persona pusilánime y cobarde.

cangilón *s. m.* Vaso grande de barro o metal para traer o tener líquidos.

cangreja *adj.* Se dice de la vela de cuchillo, envergada por dos relingas en el pico y palo correspondientes. También s. f.

cangrejo *s.m.* Cualquiera de los artrópodos crustáceos del orden de los decápodos.

canguelo *s. m., vulg.* Miedo, temor.

canguro *s. m.* Mamífero marsupial, herviboro, que anda a saltos por tener las extremidades delanteras mucho más cortas que las posteriores.

caníbal *adj.* **1.** Se dice del habitante de las Antillas que era tenido por antropófago. **2.** Se dice del animal que come carne de otros de su misma especie.

canibalismo *s. m.* Antropofagia atribuida a los caníbales.

canica *s. f.* **1.** Cada una de las bolas del juego infantil de las canicas. **2.** Juego de niños que se hace con bolitas de barro, vidrio u otra materia. Se usa más en pl.

caniche *adj.* Se dice del perro perteneciente a una raza que se caracteriza por el pequeño tamaño y el pelo lanoso y rizado. También s. m.

canicie *s. f.* Color cano del pelo.

canícula *s. f.* Periodo del año en que es más fuerte el calor.

canicular *adj.* Perteneciente o relativo a la canícula.

cánido *adj.* Se dice de mamíferos carnívoros que son digitígrados, de uñas no retráctiles, con cinco dedos en las patas anteriores y cuatro en las posteriores; como el perro y el lobo.

canijo, ja *adj., fam.* Débil y enfermizo.

canilla *s. f.* **1.** Cualquiera de los huesos largos de la pierna o del brazo. **2.** Cañón para sacar el vino de la cuba. **3.** Carrete metálico en que se devana el hilo.

canillero, ra *s. m. y s. f.* **1.** Persona que hace canillas para tejer. || *s. f.* **2.** Espinillera.

canino, na *adj.* **1.** Relativo al can. || *s. m.* **2.** Colmillo, diente.

caniquí *s. m.* Tela fina de algodón, que venía de la India.

canje *s. m.* Cambio, trueque o sustitución.

canjear *v. tr.* Hacer canje. Se usa en la diplomacia, milicia y comercio.

cano, na *adj.* **1.** Que tiene canas. **2.** *fig.* Anciano o antiguo.

canoa *s. f.* Embarcación de remo muy estrecha, con proa muy aguda y popa recta.

canódromo *s. m.* Recinto donde se celebran las carreras de galgos.

canon *s. m.* **1.** Regla o precepto. **2.** Catálogo de los libros sagrados y auténticos recibidos por la Iglesia.

canónico, ca *adj.* **1.** Conforme con los cánones y demás disposiciones eclesiásticas. **2.** Se dice de los textos y libros que se contienen en el canon.

canónigo *s. m.* Miembro del cabildo de una catedral o colegiata.

canonización *s. f.* Acción y efecto de canonizar.

canonizar *v. tr.* Declarar solemnemente santo y poner el papa en el catálogo de ellos a un siervo de Dios, ya beatificado.

canope *s. m.* Vaso que se encuentra en las antiguas tumbas de Egipto, y que se destinaba a contener las vísceras de los cadáveres momificados.

canoro, ra *adj.* **1.** Se dice del ave de canto grato y melodioso. **2.** Grato y melodioso.

canoso, sa *adj.* Que tiene muchas canas.

canotié *s. m.* Sombrero de paja, de ala recta y copa plana.

cansado, da *adj.* **1.** Fatigado. **2.** Se aplica a la persona que cansa o molesta.

cansancio *s. m.* Falta de fuerzas que resulta de haberse fatigado.

cansar *v. tr.* **1.** Causar cansancio. También prnl. **2.** Enfadar, molestar. También prnl.

cansera *s. f.* Molestia y enojo causados por la importunación.

cansino, na *adj.* **1.** Se aplica al hombre o al animal cuya capacidad de trabajo está disminuida por el cansancio. **2.** Que por la lentitud y pesadez de los movimientos revela cansancio.

cantalear *v. intr.* Gorjear, arrullar las palomas.

cantaleta *s. f.* **1.** Ruido y confusión de voces e instrumentos con que se burlaban de una persona. **2.** Canción burlesca con que se hacía mofa de alguien.

cantaletear *v. tr.* **1.** *P. Ric.* Repetir las cosas hasta producir fastidio. **2.** *Méx.* Dar cantaleta o chasco.

cantante *com.* Persona que tiene por oficio cantar.

cantaor, ra *s. m. y s. f.* Cantante de flamenco.

cantar¹ *s. m.* Copla o composición breve poética puesta en música para cantarse.

cantar² *v. intr.* **1.** Formar con la voz sonidos modulados. También tr. **2.** *fig. y fam.* Descubrir lo secreto.

cántara *s. f.* Cántaro.

cantarera *s. f.* Poyo o armazón de madera que sirve para poner los cántaros.

cantárida *s. f.* Insecto coleóptero de élitros casi cilíndricos, de color verde metálico, que vive en las ramas de los tilos y, sobre todo, de los fresnos. Se emplea como vejigatorio en medicina.

cantarilla *s. f.* Vasija de barro, sin baño, parecida a una jarra con la boca redonda.

cantarín, na *adj., fam.* Aficionado con exceso a cantar.

cántaro *s. m.* Vasija grande de boca angosta, barriga ancha y pie estrecho.

cantata *s. f.* Composición poética escrita para que se ponga en música y se cante.

cantautor, ra *s. m. y s. f.* Cantante que compone sus propias canciones.

cante *s. m.* Cualquier género de canto popular.

cantear *v. tr.* Labrar los cantos de una tabla, piedra, etc.

cantera *s. f.* Sitio de donde se saca piedra.

cantería *s. f.* **1.** Arte de labrar las piedras para las construcciones. **2.** Obra hecha de piedra labrada. **3.** Porción de piedra labrada.

canterios *s. m. pl.* Vigas que se colocan en sentido transversal para formar el techo de un edificio.

canterito *s. m.* Pedazo pequeño de pan.

cantero, ra *s. m. y s. f.* El que tiene por oficio labrar las piedras para las construcciones.

cántico *s. m.* Composición poética de los libros sagrados y los litúrgicos en que se dan gracias o tributan alabanzas a Dios.

cantidad *s. f.* **1.** Todo lo susceptible de aumento y disminución, de número y medida. **2.** Porción grande de alguna cosa. **3.** Porción determinada o indeterminada de dinero.

cantiga *s. f.* Antigua composición poética destinada al canto.

cantil *s. m.* Sitio o lugar que forma escalón en la costa o en el fondo del mar.

cantilena *s. f.* **1.** Cantar, copla. **2.** *fig.* Repetición molesta de alguna cosa.

cantimplora *s. f.* Frasco aplanado para la bebida, revestido de cuero, paño, etc.

cantina *s. f.* Puesto público en que se venden bebidas y algunos comestibles.

cantinela *s. f.* Cantilena.

cantinero, ra *s. m. y s. f.* Persona que atiende una cantina.

cantinflear *v. intr. Méx.* Hablar de manera disparatada y sin sentido.

canto¹ *s. m.* Arte de cantar.

canto² *s. m.* Lado de cualquier parte o sitio.

canto³ *s. m.* Piedra.

cantón *s. m.* **1.** Esquina de las paredes de una casa. **2.** País, región. **3.** Parte alta, aislada en medio de una llanura.

cantonalismo *s. m.* Sistema político que aspira a dividir el Estado en cantones casi independientes.

cantonear *v. intr.* Andar vagando ociosamente de esquina en esquina.

cantonera *s. f.* **1.** Pieza que se pone en las esquinas de libros, muebles u otros objetos, como refuerzo o adorno. **2.** Rinconera, mesilla.

cantor, ra *adj.* **1.** Que canta, principalmente si lo tiene por oficio. **2.** Se dice de las aves pequeñas, de cuello corto, cabeza relativamente grande, plumaje suave y abundante, uñas largas y aceradas, como el mirlo, el ruiseñor y el tordo.

cantoral *s. m.* Libro de coro.

cantú *s. m.* Planta jardinera polemoniácea que da unas flores muy hermosas.

cantueso *s. m.* Planta perenne labiada, semejante al espliego, con tallos derechos y ramosos, hojas oblongas y vellosas, y flores olorosas y moradas.

canturía *s. f.* **1.** Ejercicio de cantar. **2.** Canto de música. **3.** Canto monótono.

canturrear *v. intr., fam.* Cantar a media voz.

canturreo *s. m.* Acción de canturrear.

cánula *s. f.* Tubo corto que se emplea en diferentes operaciones de cirugía o que forma parte de aparatos físicos o quirúrgicos.

canutillo *s. m.* **1.** Tubito sutil de vidrio, empleado en trabajos de pasamanería. **2.** Hilo de oro o de plata rizado para bordar.

canuto *s. m.* Cañón hueco, corto y no muy grueso, utilizado para diferentes usos.

caña *s. f.* **1.** Tallo de las plantas gramíneas. **2.** Planta gramínea leñosa, propia de parajes húmedos. **3.** Parte de la bota que cubre la pantorrilla hasta el talón.

cañacoro *s. m.* Planta cannácea de grandes hojas puntiagudas y espigas de flores encarnadas. Su fruto es una cápsula llena de semillas globosas, con las que se hacen cuentas de rosario.

cañada *s. f.* **1.** Espacio de tierra entre dos alturas poco distantes entre sí. **2.** Vía para los ganados trashumantes.

cañadilla *s. f.* Múrice comestible que segrega un líquido colorante con que los antiguos fabricaban la púrpura.

cañaheja *s. f.* Planta umbelífera de tallo recto, cilíndrico y hueco, hojas finamente divididas y flores amarillas; por incisiones hechas en la base, da una especie de gomorresina.

cañal *s. m.* **1.** Cañaveral. **2.** Cerco de cañas que se hace en los ríos para pescar. **3.** Canal pequeño que se hace al lado de algún río para que entre la pesca.

cañaliega *s. f.* Cañal, cerco para pescar.

cañamazo *s. m.* Tela tosca de cáñamo.

cañamiel *s. f.* Caña de azúcar.

cáñamo *s. m.* Planta morácea, de cuyo tallo se extrae una fibra textil que sirve especialmente para hacer cuerdas.

cañamón *s. m.* Simiente del cáñamo.

cañariego, ga *adj.* Se dice del pellejo de la res lanar que se muere en las cañadas.

cañarroya *s. f.* Parietaria.

cañaveral *s. m.* Sitio poblado de cañas.

cañería *s. f.* Conducto formado de caños por donde se distribuyen las aguas o el gas.

cañí *adj.* Gitano. También com.

cañiza *adj.* **1.** Se dice de la madera que tiene la veta a lo largo. ‖ *s. f.* **2.** Especie de lienzo.

cañizo *s. m.* Tejido de cañas formando un rectángulo empleado para secar frutos.

caño *s. m.* Tubo corto de metal, vidrio o barro a modo de canuto.

cañón *s. m.* **1.** Pluma del ave cuando empieza a nacer. **2.** Pieza de artillería destinada a lanzar balas, metralla, etc.

cañonazo *s. m.* Tiro del cañón de artillería.

cañonear *v. tr.* Batir a cañonazos. También prnl.

cañoneo *s. m.* Acción y efecto de cañonear.

cañonera *s. f.* Tronera, abertura para disparar el cañón.

cañota *s. f.* Planta gramínea, con el tallo sencillo, nudos vellosos y flores en panoja con ramos verticilados.

cañutillo *s. m.* Tubito sutil de vidrio, empleado en trabajos de pasamanería.

cañuto *s. m.* **1.** En las cañas, sarmientos y demás tallos semejantes, entre nudo y nudo. **2.** Cañón de palo, metal u otra materia, corto y no muy grueso, utilizado para diferentes usos.

cao *s. m., Cub. y Rep. Dom.* Ave carnívora muy semejante al cuervo, aunque más pequeña. Es domesticable.

caoba *s. f.* **1.** Árbol meliáceo, de tronco alto y grueso, hojas alternas y flores blancas; su madera es muy apreciada en ebanistería. **2.** Madera de este árbol.

caolín *s. m.* Arcilla blanca muy pura usada en la fabricación de loza y porcelana.

caos *s. m.* Confusión, desorden.

caótico, ca *adj.* Perteneciente o relativo al caos.

capa *s. f.* Ropa larga y suelta, sin mangas, que se usa sobre el vestido: es angosta por el cuello, ancha y redonda por abajo, y abierta por delante.

capá *s. m., amer.* Árbol de las Antillas, semejante al roble, y cuya madera es muy usada en la construcción de buques, por no atacarle cierto molusco marino, cuyas valvas perforan las maderas de las embarcaciones bañadas por el agua.

capacete *s. f.* Pieza de la armadura que cubría y defendía la cabeza.

capacho *s. m.* Espuerta de juncos o mimbres.

capacidad *s. f.* **1.** Espacio vacío de alguna cosa, suficiente para contener otra u otras. **2.** Aptitud para alguna cosa.

capacitación *s. f.* Acción y efecto de capacitar.

capacitar *v. tr.* Hacer a alguien apto, habilitarle para alguna cosa. También prnl.

capar *v. tr.* **1.** Extirpar o inutilizar los órganos genitales. **2.** *fam.* Disminuir, cercenar.

caparazón *s. m.* Cubierta dura que protege las partes blandas del cuerpo de los insectos, arácnidos y crustáceos.

caparidáceo, a *adj.* Se dice de plantas angiospermas dicotiledóneas, herbáceas o arbóreas, sin látex, con hojas simples o compuestas, flores actinomorfas o cigomorfas y fruto en baya o silicua como la alcaparra. También s. f.

caparra[1] *s. f.* En algunas partes, garrapata, ácaro que chupa la sangre.

caparra[2] *s. f.* Señal, cantidad que se adelanta en algunos contratos.

caparro *s. m., Per. y Ven.* Mono lanoso con pelo blanco.

caparrón *s. m.* Botón que sale de la yema de la vid o del árbol.

caparrosa *s. f.* Sal compuesta de ácido sulfúrico y de cobre o hierro.

capataz, za *s. m. y s. f.* Persona que gobierna y vigila un grupo de operarios.

capaz *adj.* **1.** Que tiene capacidad. **2.** Grande o espacioso. **3.** *fig.* Apto, diestro.

capazo *s. m.* Espuerta grande de esparto.

capciosidad *s. f.* Calidad de capcioso.

capcioso, sa *adj.* Artificioso, engañoso.

capea *s. f.* **1.** Acción de capear. **2.** Lidia de becerros o novillos por aficionados.

capear *v. tr.* **1.** Hacer suertes con la capa al toro o novillo. **2.** *fig. y fam.* Entretener a alguien con engaños o evasiones.

capela *s. f.* Cabra.

capelán *s. f.* Pez malacopterigio de los mares septentrionales, de color verde oscuro, con las aletas muy grandes.

capelina *s. f.* Capellina, vendaje en forma de gorro.

capellada *s. f.* Puntera, contrafuerte.

capellán *s. m.* Clérigo que obtiene una capellanía.

capellanía *s. f.* Fundación en la que determinados bienes quedan sujetos al cumplimiento de misas y otras obras pías.

capellina *s. f.* **1.** Pieza de la armadura antigua que cubría la parte superior de la cabeza. **2.** Vendaje en forma de gorro.

capelo *s. m.* Cierto derecho que los obispos percibían del estado eclesiástico.

capeón *s. m.* Novillo que se capea.

caperuza *s. f.* Bonete que remata en punta inclinada hacia atrás.

capeta *s. f.* Capa corta y sin esclavina, que no pasa de la rodilla.

capetonada *s. f.* Vómito violento que da a los europeos que pasan la zona tórrida.

capi *s. m., Amér. del S.* Maíz.

capialzar *v. tr.* Levantar un arco o dintel por uno de sus frentes para formar el derrame volteado sobre una puerta o ventana.

capialzo *s. m.* Pendiente o derrame del intradós de una bóveda.

capibara *s. m., amer.* Carpincho.

capicatí *s. m., Par. y Arg.* Planta americana de la familia de las ciperáceas, de raíz muy aromática.

capichola *s. f.* Tejido de seda que forma un cordoncillo a modo de burato.

capicúa *s. m.* Número igual leído de izquierda a derecha que de derecha a izquierda.

capidengue *s. m.* Especie de pañuelo o manto pequeño con que se cubrían las mujeres.

capigorrón *adj., fam.* Ocioso y vagabundo que andaba comúnmente de capa y gorra. También s. m.

capiguara *s. m., Arg. y Bol.* Carpincho.

capilar *adj.* Relativo al cabello.

capilaridad *s. f.* Calidad de capilar.

capilarímetro *s. m.* Aparato para graduar la pureza de los alcoholes.

capilla *s. f.* **1.** Capucha. **2.** Edificio contiguo a una iglesia o parte integrante de ella, con altar y advocación particular.

capillo *s. m.* **1.** Cubierta de lienzo que se pone en la cabeza a los niños de pecho. **2.** Vestidura de tela blanca que se pone en la cabeza de los niños al bautizarlos.

capín *s. m., Amér. del S.* Planta gramínea forrajera.

capirotada *s. f.* Aderezo hecho con hierbas, huevos, ajos y otros adherentes para cubrir y rebozar con él otros manjares.

capirotazo *s. m.* Golpe dado en la cabeza con los dedos.

capirote *s. m.* Cucurucho que traen los que van en las procesiones de Semana Santa.

capirucho *s. m., fam.* Capirote.

capisayo *s. m.* **1.** Vestidura corta a manera de capotillo abierto, que sirve de capa y sayo. **2.** Vestidura común de los obispos.

capiscol *s. m.* Chantre.

capiscolía *s. f.* Dignidad de capiscol.

capistro *s. m.* Arnés con que los romanos defendían la cabeza de los caballos de batalla.

capitá *s. m., Amér. del S.* Pajarillo de cuerpo negro y cabeza de color rojo muy encendido.

capitación *s. f.* Repartimiento de contribuciones por cabezas.

capital *adj.* **1.** Perteneciente a la cabeza. **2.** Que constituye el origen, cabeza o parte vital de una cosa principal. **3.** Se dice de la población principal de un Estado, provincia o distrito. También s. f. ‖ *s. m.* **4.** Cantidad de dinero o bienes, patrimonio.

capitalidad *s. f.* Calidad de ser una población cabeza o capital de partido, de provincia, etc.

capitalismo *s. m.* Régimen económico que se funda en el predominio del capital como elemento productor y creador de riqueza.

capitalista *com.* Persona acaudalada en dinero o valores; especialmente la que coopera con su capital a uno o más negocios para obtener de ellos un beneficio.

capitalización *s. f.* Acción y efecto de capitalizar.

capitalizar *v. tr.* **1.** Fijar el capital que corresponde a un determinado rendimiento o interés. **2.** Agregar al capital los intereses devengados.

capitán, na *s. m. y s. f.* **1.** Persona que tiene el mando de una compañía, escuadrón o batería. **2.** Jefe de un equipo deportivo. **3.** Oficial de graduación inmediatamente superior al teniente e inferior al comandante. U. m. la forma en m. para designar el f.

capitanear *v. tr.* **1.** Mandar una tropa haciendo oficio de capitán. **2.** Guiar o conducir cualquier grupo de gente, aunque no sea militar ni armada.

capitanía *s. f.* Edificio donde reside el capitán general, con sus oficinas militares.

capitel *s. m.* Parte superior de la columna, que la corona con diversas ornamentaciones y figuras.

capitolio *s. m.* Edificio majestuoso y elevado.

capitón *s. m.* Mújol, pez.

capitoné *s. m.* Camión especialmente dispuesto para llevar muebles y enseres de una casa.

capítula *s. f.* Lugar de la Sagrada Escritura que se reza en todas las horas del oficio divino, después de los salmos y las antífonas, excepto en los maitines.

capitulación *s. f.* **1.** Convenio o pacto entre dos o más personas. **2.** Convenio en que se estipula la rendición de un ejército, plaza o punto fortificado.

capitulado, da *adj.* **1.** Resumido, compendiado. ‖ *s. m.* **2.** Disposición capitular, capitulación.

capitular *v. intr.* **1.** Pactar, hacer algún ajuste. ‖ *v. tr.* **2.** Disponer, ordenar.

capitulario *s. m.* Libro de coro que contiene capítulas.

capitulear *v. intr., Chil. y Per.* Cabildear.

capítulo *s. m.* **1.** Junta de religiosos y clérigos seglares. **2.** División que se hace en los libros o escritos.

capnomancia *s. f.* Adivinación que se hace por medio del humo, que practicaban los antiguos.

capolar *v. tr.* Despedazar, dividir.

capón *adj.* Se dice del animal castrado.

caponar *v. tr.* Atar los sarmientos en la vid para que no embaracen al labrar la tierra.

caponera *s. f.* Jaula de madera en que se pone a los capones para cebarlos.

caporal *s. m.* Hombre que hace de cabeza de alguna gente y la manda.

capota *s. f.* **1.** Tocado femenino. **2.** Cubierta plegadiza que llevan algunos vehículos.

capotazo *s. m.* Suerte del toreo hecha con el capote para ofuscar o detener al toro.

capote *s. m.* **1.** Capa con menor vuelo que la común. **2.** Capa corta para torear.

capotear *v. tr.* **1.** Capear al toro de lidia. **2.** Capear, entretener con engaños.

capoteo *s. m.* Acción de capotear.

capotudo, da *adj.* Ceñudo.

caprario, ria *adj.* Perteneciente o relativo a la cabra.

capricho *s. m.* **1.** Idea que uno forma sin razón. **2.** Obra de arte en la que el autor rompe con las reglas ordinarias. **3.** Antojo, deseo vehemente.

caprichoso, sa *adj.* Que obra por capricho y lo sigue con tenacidad irrazonable.

caprifoliáceo, a *adj.* Se dice de plantas dicotiledóneas que constituyen una familia a la que pertenecen el saúco y la madreselva. También s. f.

capriforme *adj.* Se dice del excremento humano que tiene forma semejante al de la cabra.

caprino, na *adj.* Relativo a la cabra.

caprípedo, da *adj.* De pies de cabra.

cápsula *s. f.* **1.** Cilindro pequeño y hueco en cuyo fondo está el fulminante que comunica el fuego a la carga explosiva de las armas de percusión. **2.** Pequeña envoltura insípida y soluble en que se cierran algunos medicamentos.

capsular *adj.* Perteneciente o semejante a la cápsula.

captación *s. f.* Acción y efecto de captar.

captar *v. tr.* **1.** Percibir por medio de los sentidos. **2.** Recibir sonidos, imágenes, ondas, emisiones radiodifundidas.

captura *s. f.* Acción y efecto de capturar.

capturar *v. tr.* Aprehender, apoderarse de alguien o de algo.

capturista *com.* Persona que trabaja haciendo acopio de datos a través de un ordenador o computadora.

capuana *s. f., fam.* Zurra, azotes.

capucha *s. f.* Pieza del vestido para cubrir la cabeza, que remata en punta y se echa sobre la espalda.

capuchina *s. f.* Planta trepadora, de hojas alternas y flores en forma de capucha, de color rojo anaranjado.

capuchón *s. m.* Abrigo, a manera de capucha, que solían usar las damas, en especial de noche.

capulí *s. m.* Árbol americano de la familia de las rosáceas, de unos 15 m de altura, especie de cerezo que da una frutilla de gusto y olor agradables.

capúlido *adj.* Se dice de moluscos gasterópodos, existentes en todos los mares, cuya concha se distingue por su figura de bonete cónico y por su ancha abertura.

capulina *s. f., amer.* Cereza que produce el capulí.

capullo *s. m.* **1.** Cubierta protectora que las larvas del gusano de seda fabrican con el hilo que segrega. **2.** Botón de las flores.

capuz *s. m.* Vestidura larga y holgada, con capucha y una cola que arrastraba: se ponía encima de la ropa y servía en los lutos.

capuzar *v. tr.* Chapuzar.

caquéctico, ca *adj.* Relativo a la caquexia.

caquexia *s. f.* Alteración profunda de la nutrición debida a enfermedades consuntivas; como la tuberculosis, las supuraciones, el cáncer, etc.

caqui[1] *s. m.* Árbol frutal de la familia de las ebenáceas, originario del Japón, cuyo fruto es una baya casi del tamaño de una naranja, de pulpa blanda y muy dulce.

caqui[2] *s. m.* **1.** Tela de algodón o de lana, cuyo color varía desde el amarillo de ocre al verde gris. Se empezó a usar para uniformes militares en la India, y de allí se extendió su empleo a otros ejércitos. **2.** Color de esta tela.

car *s. m.* Extremo inferior y más grueso de la entena.

cara *s. f.* **1.** Parte anterior de la cabeza. **2.** Semblante. **3.** Fachada. **4.** Anverso, haz de las monedas o medallas.

caraba[1] *s. f.* Conversación, broma, jolgorio.

caraba[2] *s. f.* Cosa extremada, acabose.

cáraba *s. f.* Cierta embarcación grande usada en Levante.

carabao *s. m.* Rumiante parecido al búfalo.

cárabe *s. m.* Ámbar.

carabela *s. f.* Antigua embarcación larga con una sola cubierta y tres palos.

carabina *s. f.* Fusil ligero.

carabinero *s. m.* **1.** Soldado destinado a la persecución del contrabando. **2.** Crustáceo de carne comestible.

cárabo *s. m.* Autillo.

caracal *s. m.* Mamífero carnívoro, especie de lince, que habita en los climas cálidos y es temible por su ferocidad.

caracho, cha *adj.* De color violáceo.

caracoa *s. f.* Embarcación de remo, usada en Filipinas.

caracol *s. m.* **1.** Molusco gasterópodo, de concha en espiral y dos o cuatro tentáculos. **2.** Rizo del cabello.

caracola *s. f.* **1.** Caracol marino grande, de forma cónica. **2.** Caracol terrestre que tiene la concha de color blanco.

caracolada *s. f.* Guisado de caracoles.

carácter *s. m.* Naturaleza fundamental de un ser.

característico, ca *adj.* **1.** Perteneciente o relativo al carácter. **2.** Se aplica a la cualidad que sirve para distinguir una persona o cosa de sus semejantes.

caracterizar *v. tr.* Determinar a una persona o cosa por sus cualidades peculiares.

carado, da *adj.* Que tiene buena o mala cara; van con los adverbios *bien* o *mal*.

caradura *adj., fig. y fam.* Se aplica a la persona desvergonzada, audaz y cínica. También com.

caraguata *s. f.* Especie de pita del Río de la Plata y otros lugares de América. Es textil.

caraísmo *s. m.* Doctrina de los caraítas.

caraíta *adj.* Se dice del individuo de una secta judaica que profesa una adhesión escrupulosa al texto literal de las Sagradas Escrituras, rechazando toda tradición. También com.

carajo *s. m.* **1.** *vulg.* Pene, miembro viril. ‖ *interj.* **2.** *vulg.* Se usa para indicar extrañeza o enfado.

caramanchel *s. m.* Especie de tejadillo que en algunos barcos cierra la escotilla.

¡caramba! *interj.* que denota extrañeza.

carámbano *s. m.* Pedazo de hielo más o menos largo y puntiagudo.

carambillo *s. m.* Caramillo.

carambola *s. f.* **1.** Lance del juego del billar, consistente en que la bola con que se juega toque a las otras dos. **2.** Casualidad.

carambolo *s. m.* Árbol de las Indias Orientales, de la familia de las oxalidáceas, con hojas compuestas y aovadas, flores rojas y fruto en baya amarilla.

caramel *s. m.* Variedad de sardina propia del Mediterráneo.

caramelizar *v. tr.* Acaramelar, dar un baño de caramelo.

caramelo *s. m.* Pasta de azúcar hecha almíbar.

caramida *s. f.* Imán mineral.

caramilla *s. f.* Calamina.

caramillo *s. m.* Flautilla de sonido agudo.

caramilloso, sa *adj.* Quisquilloso.

caramujo *s. m.* Especie de caracol pequeño que se pega a los fondos de los buques.

caramuzal *s. m.* Buque mercante turco de tres palos, con la popa muy elevada.

carancho *s. m., Arg., Bol. y Ur.* Ave de rapiña, de la familia de las falcónidas, de 0.5 m de longitud, de cabeza blancuzca, capucho pardo, pico de color salmón y pecho y alas pardas. Se alimenta de animales muertos, insectos, reptiles, etc.

carángano *s. m., Col., C. Ric., Cub. y Ec.* Piojo.

carantamaula *s. f.* **1.** *fam.* Careta de cartón, de aspecto horrible y feo. **2.** *fig. y fam.* Persona mal encarada.

carantoñas *s. f. pl., fam.* Halagos y caricias que se hacen a una persona para conseguir de ella alguna cosa que interesa.

caraña *s. f., amer.* Resina medicinal de ciertos árboles terebintáceos americanos, sólida, quebradiza, gris amarillenta, algo lustrosa y de mal olor.

carao *s. m., Amér. C.* Árbol tropical, copado y alto, que da flores en racimos rosados y un fruto leñoso, como de 0.5 m de largo, con unas celdillas que contienen una especie de melaza, de propiedades tónicas y depurativas.

carapa *s. f.* Planta de las Antillas, de la familia de las meliáceas. Los indígenas extraían de ella un aceite que, mezclado con bija, les servía para teñirse el cuerpo.

carapacho *s. m.* Caparazón que cubre las tortugas, los cangrejos y otros animales.

¡carape! *interj.* ¡Caramba!

carapopela *s. m.* Especie de lagarto muy venenoso del Brasil.

caratea *s. f., Col. y C. Ric.* Enfermedad escrofulosa, propia de los países cálidos y húmedos de América, común en Nueva Granada.

carato *s. m.* Jagua, árbol.

carátula *s. f.* **1.** Careta, máscara. **2.** Portada de un libro, disco, casete o vídeo.

caratulado, da *adj.* Que tiene cubierto el rostro con carátula.

caraú *s. m.* Ave zancuda, de unos 35 cm de alto, de pico largo y encorvado, y color castaño oscuro.

caravana *s. f.* **1.** Grupo de viajeros, peregrinos, mercaderes, etc., que se juntan para atravesar el desierto u otros lugares **2.** *fam.* Remolque habitable.

¡caray! *interj.* ¡Caramba!

carayá *s. m., Arg. y Col.* Mono grande, aullador, de color negro.

carbinol *s. m.* Alcohol metílico.

carbógeno *s. m.* Polvo que sirve para preparar el agua de Seltz o carbónica.

carbolíneo *s. m.* Sustancia líquida y grasa, obtenida de la destilación del alquitrán de la hulla, que se utiliza para impermeabilizar la madera.

carbón *s. m.* Materia sólida, ligera, negra y muy combustible, que resulta de la destilación o de la combustión incompleta de la leña o de otros cuerpos orgánicos.

carbonado *s. m.* Diamante negro.

carbonario, ria *adj.* Se dice de cada una de ciertas sociedades secretas fundadas en Italia en el s. XIX, afines a la masonería, establecidas con fines políticos o revolucionarios.

carbonatar *v. tr.* Convertir en carbonato. También prnl.

carbonato *s. m.* Cualquier sal resultante de la combinación del ácido carbónico con un radical simple o compuesto.

carbonear *v. tr.* Hacer carbón de leña.

carboncillo *s. m.* Palillo de madera ligera, carbonizado, que sirve para dibujar.

carbonera *s. f.* Lugar para guardar carbón.

carbonería *s. f.* Puesto o almacén donde se vende carbón.

carbonero, ra *s. m. y s. f.* Persona que tiene por oficio hacer o vender carbón.

carbónico, ca *adj.* Se aplica a muchas combinaciones en que entra el carbono.

carbónidos *s. m. pl.* Grupo de sustancias que comprenden los cuerpos formados del carbono puro o combinado.

carbonífero, ra *adj.* Se dice del terreno que contiene carbón mineral.

carbonilla *s. f.* Carbón mineral menudo que, como residuo, suele quedar al mover y trasladar el grueso.

carbonita *s. f.* Sustancia explosiva que se emplea con los mismos fines que la dinamita.

carbonización *s. f.* Acción y efecto de carbonizar o carbonizarse.

carbonizar *v. tr.* Reducir a carbón un cuerpo orgánico. También prnl.

carbono *s. m.* Metaloide cuadrivalente, sólido, insípido e inodoro.

carbóxilo *s. m.* Grupo monovalente formado por carbono, oxígeno e hidrógeno.

carbunco *s. m.* Enfermedad del ganado, virulenta y contagiosa, que se puede transmitir al hombre, dando origen al ántrax.

carbúnculo *s. m.* Rubí.

carburación *s. f.* En el motor de explosión, paso de la corriente de aire sobre la gasolina para obtener la mezcla inflamable.

carburador *s. m.* Pieza de los motores donde se efectúa la carburación.

carburante *s. m.* Mezcla de hidrocarburos que se emplea en los motores de explosión y de combustión interna.

carburar *v. tr.* Mezclar los gases o el aire atmosférico con los carburantes gaseosos o con los vapores de los líquidos carburantes.

carburina *s. f.* Sulfuro de carbono usado en tintorería y en economía doméstica para quitar las manchas de grasa en los tejidos.

carburo *s. m.* Combinación del carbono con un cuerpo simple.

carcaj *s. m.* Aljaba.

carcajada *s. f.* Risa impetuosa y ruidosa.

carcamal *s. m., fam.* Persona achacosa y vieja. También adj.

carcamán *s. m.* Barco grande y malo.

cárcamo *s. m.* Hoyo, zanja.

carcasa *s. f.* Cierta bomba incendiaria.

cárcava *s. f.* **1.** Hoya o zanja grande que suelen hacer las avenidas de agua. **2.** Sepultura, hueco para recibir el cadáver.

cárcavo *s. m.* Hueco en que juega el rodezno o rueda vertical de los molinos.

carcavón *s. m.* Barranco que hacen las avenidas en la tierra movediza.

carcax *s. m.* Carcaj.

cárcel *s. f.* Edificio o local destinado para la custodia y seguridad de los presos.

carcelario, ria *adj.* Perteneciente o relativo a la cárcel.

carcelero, ra *s. m. y s. f.* Persona que tiene cuidado de la cárcel.

carcinología *s. f.* Parte de la zoología que trata de los crustáceos.

carcinoma *s. m.* Tumor canceroso.

cárcola *s. f.* Listón de madera del telar, de cuyo movimiento pende el de la lanzadera.

carcoma *s. f.* Insecto coleóptero muy pequeño, cuya larva roe y taladra la madera.

carcomer *v. tr.* **1.** Roer la carcoma la madera. **2.** Consumir poco a poco alguna cosa.

carcón *s. m.* Correa con argollas en sus extremos, en que se afirman las varas de la silla de manos.

carda *s. f.* Instrumento para preparar el hilado de la lana, compuesto de una tabla a la cual se adhiere un pedazo de piel de becerro curtida, cuajada de puntas de hierro.

cardamomo *s. m.* Planta de la India, de fruto capsular, cuyas semillas se emplean en medicina como aromáticas y carminativas.

cardar *v. tr.* Preparar una materia textil para el hilado.

cardario *s. m.* Pez del género de las rayas, cuyo cuerpo está cubierto de aguijones a modo de carda.

cardelina *s. f.* Jilguero.

cardenal[1] *s. m.* Cada uno de los prelados que componen el Sacro Colegio y forman el cónclave para la elección del nuevo Sumo Pontífice.

cardenal[2] *s. m.* Mancha amoratada que aparece en el cuerpo por efecto de un golpe.

cardencha *s. f.* Planta bienal dipsacácea, de tallo espinoso, flores purpúreas terminales, provistas en su base de grandes brácteas espinosas, que se utilizan para cardar los panos y la lana.

cardenilla *s. f.* Variedad de uva menuda, tardía y de color amoratado.

cardenillo *s. m.* Mezcla venenosa de acetatos básicos de cobre, que se forma en la superficie de los objetos de cobre.

cárdeno, na *adj.* De color amoratado.

cardíaco, ca *adj.* Perteneciente o relativo al corazón.

cardialgia *s. f.* Dolor agudo que se siente en el cardias y oprime el corazón.

cardias *s. m.* Orificio superior del estómago.

cardillo *s. m.* Planta bienal, de flores amarillentas y hojas rizadas.

cardinal *adj.* **1.** Principal, fundamental. **2.** Se dice del adjetivo numeral que expresa exclusivamente cuántas son las personas o cosas de que se trata.

cardinas *s. f. pl.* Hojas semejantes a las del cardo, usadas como adorno en el estilo ojival.

cardiografía *s. f.* Estudio y descripción del corazón.

cardiógrafo *s. m.* Aparato que mide y registra los movimientos del corazón.

cardiograma *s. m.* Trazado obtenido mediante el cardiógrafo.

cardiología *s. f.* Tratado del corazón, de sus funciones y enfermedades.

cardiopatía *s. f.* Enfermedad del corazón.

cardiovascular *adj.* Relativo al corazón y los vasos sanguíneos.

carditis *s. f.* Inflamación del tejido muscular del corazón.

cardo *s. m.* Planta compuesta, anual, de hojas grandes y espinosas.

carducha *s. f.* Carda gruesa de hierro.

cardume *s. m.* Banco de peces.

cardumen *s. m.* Cardume.

carduzar *v. tr.* Cardar.

carear *v. tr.* **1.** Poner a una o varias personas en presencia de otra u otras, para esclarecer la verdad de dichos o hechos. **2.** Dirigir el ganado hacia alguna parte.

carecer *v. intr.* Tener falta de algo.

carecimiento *s. m.* Carencia.

carel *s. m.* Borde de una embarcación donde se fijan los remos que la mueven.

carena *s. f.* Reparo y compostura hecha en el casco de la nave.

carenar *v. tr.* Reparar el casco de la nave.

carencia *s. f.* Falta o privación de algo.

carenero *s. m.* Sitio o paraje en que se carenan buques.

careo *s. m.* Acción y efecto de carear o carearse.

carero, ra *adj., fam.* Que vende caro.

carestía *s. f.* **1.** Falta o escasez de algo. **2.** Precio alto de las cosas de uso común.

careta *s. f.* Máscara de cartón u otra materia utilizada para cubrir la cara.

careto, ta *adj.* Se dice del animal de raza caballar o vacuna que tiene la cara blanca con el resto de la cabeza de color oscuro.

carey *s. m.* **1.** Tortuga marina, de cerca de 1 m de longitud, con los pies palmeados y el espaldar del caparazón formado por placas córneas imbricadas de color pardo y leonado; sus huevos son comestibles y muy apreciados. **2.** Materia córnea translúcida, capaz de recibir hermoso pulimento, que se obtiene en chapas delgadas calentando por debajo las escamas del carey; se utiliza para fabricar cajas, peines, etc., así como para incrustaciones y embutidos.

carga *s. f.* **1.** Cosa que hace peso sobre otra. **2.** Lo que se transporta en hombros, a lomo o en cualquier vehículo. **3.** *fig.* Tributo, imposición, hipoteca, etc.

cargadera *s. f.* Cabo en que se facilita la operación de arribar o cerrar las velas volantes y de cuchillo.

cargadero *s. m.* Sitio donde se cargan y descargan las mercancías que se transportan y artefactos instalados para estas operaciones.

cargador *s. m.* Pieza o instrumento que sirve para cargar ciertas armas de fuego.

cargamento *s. m.* Conjunto de mercaderías que carga una embarcación o vehículo.

cargante *adj.* Que molesta o incomoda.

cargar *v. tr.* **1.** Poner peso o mercancías sobre una persona, bestia o vehículo para transportarlo. **2.** Introducir la carga en un arma de fuego. **3.** *fig.* Fastidiar, cansar.

cargareme *s. m.* Documento con que se hace constar el ingreso de alguna cantidad en caja o tesorería.

cargazón *s. f.* Pesadez sentida en alguna parte del cuerpo, como el estómago, la cabeza, etc.

cargo *s. m.* **1.** Carga, peso. **2.** Empleo. **3.** Obligación. **4.** Falta, acusación.

carguero, ra *s. m.* Buque, tren, etc., de carga.

carguío *s. m.* Cantidad de géneros u otras cosas que componen la carga.

cari *adj., Arg. y Chil.* De color pardo claro o plomizo.

caria *adj.* Fuste o caña de columna.

cariacedo *s. f.* Desapacible, enojado.

cariaco *s. m., amer.* Bebida fermentada de jarabe de caña, de cazabe y de patatas.

cariacontecido, da *adj.* Que muestra en el semblante pena, turbación o sobresalto.

cariado, da *adj.* Se dice de los huesos dañados o podridos.

cariadura *s. f.* El daño del hueso cariado.

cariaquito *s. m.* Arbusto vivaz, aromático, de poca altura, hojas recias, dentadas, flores pequeñas y fruto dulce, consistente en una pequeña baya globulosa que encierra una semilla.

cariar *v. tr.* Corroer, producir caries.

cariátide *s. f.* Figura humana que en un cuerpo arquitectónico sirve de columna.

caribú *s. m.* Reno salvaje del Canadá.

caricato *s. m.* Bajo cantante que en la ópera hace los papeles de bufo.

caricatura *s. f.* Figura ridícula en que se deforman las facciones de alguna persona.

caricaturesco, ca *adj.* Perteneciente o relativo a la caricatura.

caricaturista *s. m. y s. f.* Dibujante de caricaturas.

caricaturizar *v. tr.* Representar por medio de caricatura a una persona o cosa.

caricia *s. f.* Demostración cariñosa que consiste en rozar suavemente con la mano el rostro de una persona, el cuerpo de un animal, etc.

caridad *s. f.* Una de las tres virtudes teologales, que consiste en amar a Dios sobre todas las cosas, y al prójimo como a sí mismo, por amor de Dios.

cariedón *s. m.* Insecto que roe las nueces.

caries *s. f.* Desintegración del esmalte y la dentina de los dientes.

carilla *s. f.* Plana o página.

carillón *s. m.* **1.** Grupo de campanas acordadas. **2.** Instrumento de percusión que consiste en una serie de tubos o láminas de acero.

carincho *s. m.* Guisado americano, hecho con patatas cocidas enteras, carne de vaca, carnero o gallina y salsa con ají.

cariñana *s. f.* Toca femenina del s. XVII, ajustada al rostro, como las que usan las religiosas.

cariñena *s. m.* Vino tinto muy dulce y oloroso que recibió el nombre de la villa de la que procede, situada en Zaragoza.

cariño *s. m.* **1.** Inclinación de amor o buen afecto. **2.** Expresión de dicho afecto.

cariñoso, sa *adj.* Afectuoso, amoroso.

cariocinesis *s. f.* División del núcleo de la célula.

cariofiláceo, a *adj.* Cariofileo.

cariofileo, a *adj.* Se aplica a hierba o matas dicotiledóneas que se distinguen por sus hojas simples y caja de semillas en número indefinido con albumen. También s. f.

cariópside *s. f.* Fruto seco a cuya única semilla está adherido el pericarpio; se considera como un aquenio, así, el grano de trigo.

carisea *s. f.* Tela basta de estopa, tejida en Inglaterra y muy usada en España en los siglos XVI y XVII para ropas de cama pobre.

cariseto *s. m.* Tela basta de lana.

carisma *s. m.* **1.** Don que concede Dios gratuitamente y con abundancia a una criatura. **2.** Autoridad de una persona basada en razones sobrenaturales o externas al control social.

carismático, ca *adj.* Perteneciente o relativo al carisma.

caritativo, va *adj.* Que ejercita la caridad.

cariz *s. m.* Aspecto.

carla *s. f.* Tela pintada de las Indias.

carlanca *s. f.* Collar erizado de puntas de hierro, con el que se preserva a los mastines de las mordeduras de los lobos.

carlanco *s. m.* Ave zancuda, del tamaño de un pollo pequeño y de color azulado.

carlear *v. intr.* Jadear.

carleta *s. f.* Lima para desbastar el hierro.

carlinga *s. f.* **1.** Hueco en el que se encaja un mástil u otra pieza semejante. **2.** Espacio destinado en el interior de los aviones para los pasajeros y la tripulación.

carlismo *s. m.* Partido político que nació en el s. XIX para defender los derechos de don Carlos María de Borbón y de sus descendientes a la corona de España.

carlista *adj.* Partidario del carlismo. También com.

carlota *s. f.* Torta hecha con leche, huevos, azúcar, cola de pescado y vainilla.

carmelina *s. f.* Segunda lana que se saca de la vicuña.

carmelita *adj.* Se dice del religioso de la Orden del Carmen.

Carmen, Orden del *s. m.* Orden regular de religiosos mendicantes, fundada por Simón Stock hacia el s. XIII. En el s. XVI fue reformada por San Juan de la Cruz y santa Teresa de Ávila en sus ramas masculina y femenina, respectivamente. En esta Orden hay religiosos calzados y descalzos.

carmenador *s. m.* Instrumento para carmenar.

carmenar *v. tr.* Desenredar y limpiar el cabello, la lana o la seda. También prnl.

carmesí *adj.* Se aplica al color de grana dado por el quermes animal. También s. m.

carmelina *s. f.* Segunda lana que se saca de la vicuña.

carmín *s. m.* Color rojo encendido que se saca principalmente de la cochinilla.

carminativo *adj.* Se dice del medicamento que favorece la expulsión de los gases que se producen en el tubo digestivo.

carmíneo, a *adj.* De color de carmín.

carminita *s. f.* Arseniato anhidro de hierro y de plomo.

carminoso, sa *adj.* De color que tira a carmín.

carnada *s. f.* Cebo para pescar o cazar.

carnadura *s. f.* Musculatura, robustez, abundancia de carnes.

carnal *adj.* **1.** Perteneciente a la carne. **2.** Perteneciente a la lujuria.

carnalidad *s. f.* Vicio y deleite de la carne.

carnaval *s. m.* Los tres días que preceden al miércoles de Ceniza.

carnavalada *s. f.* Acción o broma propia del tiempo de carnaval.

carnavalesco, ca *adj.* Perteneciente o relativo al carnaval.

carnaza *s. f.* Carnada, cebo.

carne *s. f.* **1.** Parte mollar del cuerpo de los animales. **2.** Parte mollar de la fruta.

carné *s. m.* Documento que se expide a favor de una persona, provisto de su fotografía, y que le faculta para ejercer ciertas actividades o la acredita como miembro de determinada agrupación.

carnear *v. tr., amer.* Matar y descuartizar las reses para aprovechar su carne.

carnecería *s. f.* Carnicería.

carnecilla *s. f.* Carnosidad pequeña que se levanta en alguna parte del cuerpo.

carnerear *v. tr.* Matar, degollar reses, en pena de haber hecho algún daño al ganado.

carnero *s. m.* Rumiante bóvido doméstico.

carnestolendas *s. f. pl.* Carnaval, época del año.

carnicería *s. f.* Lugar donde se vende carne.

carnicero, ra *s. m. y s. f.* **1.** Persona que vende carne. || *adj.* **2.** *fig.* Cruel, sanguinario, inhumano.

cárnico, ca *adj.* Se dice de lo relativo a la carne destinada al consumo.

carnicol *s. m.* Pesuño, uña de ciertos animales.

carnificación *s. f.* Alteración morbosa del tejido de ciertos órganos, como el del pulmón, etc., que toma el aspecto del tejido muscular.

carnificarse *v. prnl.* Sufrir carnificación algún órgano o tejido.

carnina *s. f.* Principio amargo que se contiene en el extracto de carne.

carnívoro, ra *adj.* Que come carne.

carnosidad *s. f.* Carne superflua que crece en una llaga.

carnoso, sa *adj.* **1.** De carne. **2.** Que tiene muchas carnes.

caro, ra *adj.* **1.** Que excede mucho del valor o estimación regular. **2.** Subido de precio.

caroca *s. f.* **1.** Decoración de lienzos y bastidores con que, en determinadas solemnidades, se adornan calles o plazas. **2.** *fig. y fam.* Carantoña, halago, caricia. Se usa más en pl.

carocha *s. f.* Carrocha.

carola *s. f.* Danza antigua, acompañada de canto.

caroñoso, sa *adj.* Se aplica a las caballerías que están desolladas o tienen mataduras.

carosis *s. f.* Sopor profundo acompañado de insensibilidad completa.

carótida *adj.* Cada una de las dos arterias que por uno y otro lado del cuello llevan la sangre a la cabeza. Se usa más como s. f.

carotina *s. f.* Materia colorante de la zanahoria.

caroto *s. m., amer.* Árbol de madera pesada, propio de la República del Ecuador.

carozo *s. m.* **1.** Raspa de la espiga del maíz. **2.** *amer.* Hueso o coraza del durazno y otras frutas.

carpa[1] *s. f.* Pez malacopterigio comestible.

carpa[2] *s. f.* Construcción de lona, móvil, que se utiliza como cubierta en atracciones de feria, circos, etc.

carpanel *adj.* Se dice del arco compuesto de varias partes de circunferencia tangentes entre sí y trazados desde distintos centros.

carpanta *s. f., fam.* Hambre violenta.

carpelo *s. m.* Cada una de las partes distintas que constituyen el ovario o el fruto múltiple.

carpeta *s. f.* Cartera grande para escribir sobre ella y guardar papeles.

carpetazo, dar *fra., fig.* Dar por terminado un asunto o desistir de proseguirlo.

carpidor *s. m., Arg., Ec. y P. Ric.* Instrumento usado para carpir.

carpincho *s. m., amer.* Roedor anfibio que vive en Brasil, Paraguay y otros países americanos, a orillas de los ríos y lagunas. Su carne es poco apreciada.

carpintear *v. intr.* Trabajar en el oficio de carpintero.

carpintería *s. f.* Taller donde trabaja el carpintero.

carpintero, ra *s. m. y s. f.* Persona que por oficio trabaja y labra madera.

carpir *v. tr., amer.* Limpiar o escardar la tierra con el carpidor.

carpo *s. m.* Una de las tres partes del esqueleto de la mano.

carpología *s. f.* Parte de la botánica que estudia el fruto de las plantas.

carquesa *s. f.* Horno para templar el vidrio.

carquesia *s. f.* Matilla leñosa, leguminosa, parecida a la retama, con hojas escasas, alternas, algo vellosas y flores amarillas. Es medicinal.

carraca[1] *s. f.* Nave antigua de transporte.

carraca[2] *s. f.* Instrumento de madera que produce un ruido seco y desapacible.

carraco, ca *adj., fam.* Se dice del anciano achacoso o impedido.

carral *s. m.* Barril o tonel a propósito para acarrear vino.

carraleja *s. f.* Insecto coleóptero, parecido a la cantárida, pelo con élitros cortos y sin alas membranosas.

carranca *s. f., Ál.* Capa de hielo que hay en una charca, río o laguna.

carrao *s. m.* **1.** *Ven.* Ave zancuda y de pico largo. ‖ *s. m. pl.* **2.** *Col. y Cub.* Zapatos ramplones.

carraón *s. m.* Especie de trigo de poca altura de espigas dísticas comprimidas y grano también comprimido.

carrasca[1] *s. f.* Encina, generalmente pequeña.

carrasca[2] *s. f., amer.* Instrumento musical de origen africano, consistente en un bordón con muescas que se rasca al compás con un palillo.

carraspada *s. f.* Bebida compuesta de vino tinto aguado, o del pie de este vino, con miel y especias.

carraspear *v. intr.* Sentir o padecer carraspera.

carraspeño, ña *adj.* Áspero, bronco.

carraspeo *s. m.* Acción y efecto de carraspear.

carraspera *s. f.* Aspereza en la garganta.

carrasposo, sa *adj., Col. y Ven.* Se dice de lo que es áspero al tacto, que raspa la mano.

carrazo *s. m., Ar.* Racimillo, principalmente de uvas.

carrejo *s. m.* Pasillo, pieza de paso de un edificio.

carrera *s. f.* Paso rápido del hombre o del animal para trasladarse de un sitio a otro.

carreta *s. f.* Carro largo, más bajo que el ordinario, y con una lanza.

carretada *s. f.* **1.** Carga que lleva una carreta o un carro. **2.** *fig. y fam.* Gran cantidad de cualquier especie de cosas.

carretal *s. m.* Sillar toscamente desbastado.

carrete *s. m.* **1.** Cilindro para devanar. **2.** Rueda en que se lleva rodeado el sedal.

carretear *v. tr.* Gobernar un carro o carreta.

carretela *s. f.* Coche de cuatro asientos con caja poco profunda y cubierta plegadiza.

carretera *s. f.* Camino público, ancho y espacioso, dispuesto para carros y coches.

carretilla *s. f.* Carro pequeño de mano, con una sola rueda en la parte anterior.

carretón *s. m.* Carro pequeño, a modo de un cajón abierto, que tiene dos ruedas y puede ser tirado por una caballería.

carric *s. m.* Especie de gabán o levitón muy holgado, con varias esclavinas sobrepuestas de menor a mayor. Se usó en la primera mitad del s. XIX.

carricera *s. f.* Planta perenne de la familia de las gramíneas, con el tallo de más de 2 m de altura, hojas surcadas por canalillos y flores blanquecinas en panoja muy ramosa.

carricoche *s. m.* Coche viejo o feo.

carricuba *s. f.* Carro que tiene un depósito de agua para regar.

carriego *s. m.* Buitrón, arte de pesca.

carriel *s. m., Col., Ec. y Ven.* Garniel, maletín de cuero.

carril *s. m.* **1.** Huella de las ruedas de un carruaje. **2.** Cada una de las dos barras de hierro de las líneas del ferrocarril. **3.** En una vía pública, cada banda longitudinal destinada al tránsito de una sola fila de vehículos.

carrilera *s. f.* Carril, huella que deja un carruaje.

carrillo *s. m.* Parte carnosa de la cara.

carriola *s. f.* **1.** Cama baja o tarima con ruedas. **2.** *s. f. Méx.* Cochecito de niño.

carrizada *s. f.* Fila de pipas amarradas que se conducen a remolque flotando sobre el agua.

carrizal *s. m.* Sitio poblado de carrizos.

carrizo *s. m.* Planta gramínea, cuyas hojas sirven para forrajes, los tallos, para construir cielos rasos, y las panojas para escobas.

carro *s. m.* Carruaje de dos ruedas con lanza o varas para enganchar el tiro.

carrocería *s. f.* Parte de los coches automóviles, asentada sobre el bastidor y destinada para pasajeros o carga.

carrocha *s. f.* Huevecillos del pulgón o de otros insectos.

carrochar *v. intr.* Poner sus huevecillos los insectos.

carrocín *s. m.* Silla volante.

carromato *s. m.* Carro con bolsas de cuerdas para la carga y un toldo de lienzo y cañas.

carrón *s. m.* Cantidad de ladrillos que puede llevar un hombre al sitio en que han de emplearse.

carronada *s. f.* Cañón antiguo de marina.

carroña *s. f.* Carne corrompida.

carroñoso, sa *adj.* Que huele a carroña.

carroza *s. f.* Coche grande, ricamente adornado.

carruaje *s. m.* Vehículo formado por un armazón de madera o hierro montada sobre ruedas.

cárstico, ca *adj.* Kárstico.

carta *s. f.* **1.** Papel escrito, y de ordinario cerrado, que una persona envía a otra para comunicarse con ella por algún motivo. **2.** Naipe. **3.** Mapa.

cartabón *s. m.* Instrumento de dibujo lineal en forma de triángulo rectángulo.

cártamo *s. m.* Alazor.

cartapacio *s. m.* **1.** Cuaderno para escribir. **2.** Funda para meter libros y papeles.

cartapel *s. m.* Papel que contiene cosas inútiles o impertinentes.

cartearse *v. prnl.* Corresponderse por carta.

cartel *s. m.* Papel que se fija en algún lugar público para hacer saber alguna cosa.

cartela *s. f.* Cada uno de los hierros que sostienen los balcones cuando no tienen repisa de albañilería.

cartelera *s. f.* **1.** Armazón para fijar carteles. **2.** Conjunto de anuncios, especialmente de espectáculos.

cárter *s. m.* En los automóviles y otras máquinas, pieza que protege determinados órganos y a veces sirve como depósito de lubricante.

cartera *s. f.* **1.** Utensilio de bolsillo para llevar dinero, documentos, etc. **2.** Bolsa de piel, con tapa y generalmente con asa, para llevar libros, legajos, etc. **3.** *fig.* Empleo de ministro.

cartería *s. f.* Oficina inferior de correos donde se recibe y despacha la correspondencia pública.

carterista *s. m. y s. f.* Ladrón de carteras de bolsillo.

cartero, ra *s. m. y s. f.* Repartidor de las cartas del correo.

cartilágine *s. m.* Cartílago.

cartilaginoso, sa *adj.* Relativo a los cartílagos.

cartílago *s. m.* Tejido animal blanquecino, elástico y resistente.

cartilla *s. f.* **1.** Abecedario para aprender a leer. **2.** Libreta para apuntar datos.

cartivana *s. f.* Tira de papel o tela que se pone en las láminas u hojas sueltas para que se puedan encuadernar de modo conveniente.

cartografía *s. f.* **1.** Arte de trazar cartas geográficas. **2.** Ciencia que las estudia.

cartógrafo, fa *s. m. y s. f.* Autor de cartas geográficas.

cartomancia *s. f.* Arte supersticioso de adivinar lo futuro por medio de los naipes.

cartometría *s. f.* Medición de las líneas de las cartas geográficas.

cartómetro *s. m.* Curvímetro para medir las líneas trazadas en las cartas geográficas.

cartón *s. m.* Hoja gruesa de pasta de papel, endurecida por compresión de un conjunto de varias hojas de papel sobrepuestas.

cartoné *s. m.* Encuadernación que se hace con tapas de cartón y forro de papel.

cartuchera *s. f.* **1.** Caja destinada a llevar la dotación individual de cartuchos de guerra o caza. **2.** Canana.

cartucho *s. m.* **1.** Cilindro que contiene una cantidad de explosivo. **2.** Cucurucho.

cartuja *s. f.* Monasterio o convento de esta Orden.

cartujo *adj.* Se dice del religioso de la cartuja. También s. m.

cartulario *s. m.* Escribano autorizado para dar fe.

cartulina *s. f.* Cartón delgado, terso y limpio.

cartusana *s. f.* Galón de bordes ondulados.

carúncula *s. f.* **1.** Excrecencia carnosa de algunos animales. **2.** Excrecencia contigua al micropilo de ciertas semillas.

carurú *s. m.* Planta americana utilizada para hacer lejía.

carvallo *s. m.* Roble.

carvi *s. m.* Simiente de la alcaravea.

casa *s. f.* **1.** Edificio, o parte de él, para habitar. **2.** Piso o parte de una casa en que vive una familia o un individuo. **3.** Descendencia, linaje.

casaca *s. f.* Vestidura ceñida al cuerpo, con mangas y con faldones hasta las corvas.

casación *s. f.* Acción de anular o casar.

casadero, ra *adj.* Que está en edad de casarse.

casal *s. m.* Casería, casa de campo.

casamata *s. f.* Bóveda muy resistente para instalar una o más piezas de artillería.

casamentero, ra *adj.* Que propone una boda o interviene en su ajuste.

casamiento *s. m.* Acción y efecto de casar o casarse.

casampulga *s. f., El Salv. y Hond.* Araña venenosa del tamaño de un guisante, patas cortas y abdomen de color rojo.

casapuerta *s. f.* Zaguán o portal.

casar *v. intr.* **1.** Contraer matrimonio. Se usa más como prnl. **2.** Corresponder, conformarse, cuadrar una cosa con otra.

casca *s. f.* Hollejo de la uva después de pisada y exprimida.

cascabel *s. m.* Bola de metal, hueca y agujereada, que lleva dentro un pedacito de hierro o latón para que, moviéndolo, suene.

cascabelada *s. f.* Fiesta ruidosa y lugareña que se hacía con los pretales de cascabeles.

cascabelear *v. intr., fig. y fam.* Portarse con ligereza y poco juicio.

cascabelero, ra *adj., fig. y fam.* Se dice de la persona de poco juicio y fundamento. También s. m. y s. f.

cascabillo *s. m.* Cascarilla que contiene el grano de trigo o cebada.

cascada *s. f.* Salto de agua desde cierta altura por desnivel brusco del terreno.

cascado, da *adj.* **1.** *fig. y fam.* Se aplica a la persona o cosa que se halla muy trabajada o gastada. **2.** *fig. y fam.* Se dice de la voz ronca o que carece de sonoridad.

cascajo *s. m.* Guijo, fragmentos de piedra.

cascalleja *s. f.* Grosella silvestre.

cascamajar *v. tr.* Quebrantar una cosa, machacándola algo.

cascanueces *s. m.* Utensilio para partir nueces, avellanas, etc.

cascar *v. tr.* **1.** Romper. También prnl. **2.** *fam.* Charlar. Se usa más como intr.

cáscara *s. f.* **1.** Cubierta exterior de los huevos u otras cosas. **2.** Corteza de los árboles.

cascarilla *s. f.* Corteza de un árbol euforbiáceo de América, usada como estomacal.

cascarillo *s. f.* Arbusto que produce la quina o cascarilla.

cascarón *s. m.* Cáscara del huevo.

cascarrabias *com., fam.* Persona que fácilmente se enoja o enfada.

cascarria *s. f.* Cazcarria.

casco *s. m.* **1.** Cada uno de los pedazos de vasija que se rompe. **2.** Cada una de las capas de la cebolla. **3.** Pieza de armadura que cubre la cabeza. **4.** Cuerpo de un buque. **5.** Pezuña de las caballerías. **6.** Botella.

cascol *s. m.* Resina de un árbol de la Guayana utilizada para fabricar lacre negro.

cascote *s. m.* Escombro.

caseación *s. f.* Acción de cuajarse la leche.

caseico, ca *adj.* Se dice de un ácido producido por la descomposición del queso.

caseificar *v. tr.* Transformar en caseína.

caseína *s. f.* Albuminoide de la leche.

caseoso, sa *adj.* Perteneciente o relativo al queso.

caserío *s. m.* **1.** Conjunto de casas. **2.** Casa aislada en el campo.

caserna *s. f.* Bóveda, a prueba de bomba, que se construye debajo de los baluartes para alojar soldados y almacenar cosas.

casero, ra *adj.* **1.** Que se hace o cría en casa. **2.** Se dice de la persona que está mucho en su casa. ‖ *s. m. y s. f.* **3.** Dueño de una casa, que la alquila a otro.

caserón *s. m.* Casa grande y destartalada.

caseta *s. f.* Casa pequeña de construcción ligera, ordinariamente de madera.

casete *s. amb.* **1.** Cajita que contiene una cinta magnética. ‖ *s. m.* **2.** Magnetófono.

casi *adv. c.* Cerca de, aproximadamente.

casida *s. f.* Composición poética arábiga o persa y de asunto por lo común amoroso.

casidulina *s. f.* Concha microscópica.

casilla *s. f.* Cada uno de los compartimentos del casillero, o de algunas cajas, estanterías, etc.

casillero *s. m.* Mueble con divisiones, para tener clasificados papeles y otros objetos.

casino *s. m.* Sociedad de recreo.

casitéridos *s. m. pl.* Grupo de elementos que comprende el estaño, el antimonio, el cinc y el cadmio.

casiterita *s. f.* Bióxido de estaño, mineral de color pardo y brillo diamantino, de que principalmente se extrae el metal.

casmodia *s. f.* Enfermedad que consiste en bostezar con frecuencia excesiva.

caso *s. m.* **1.** Suceso, acontecimiento. **2.** Coyuntura, lance, ocasión. **3.** Función que desempeñan los sustantivos, adjetivos y pronombres en la oración en que figuran. Los casos son seis: nominativo, genitivo, dativo, acusativo, vocativo y ablativo.

casorio *s. m., fam.* Casamiento hecho sin juicio ni consideración.

caspa *s. f.* Escamillas que se forman en el cuero cabelludo, efecto de la seborrea.

¡cáspita! *interj.* con que se denota extrañeza o admiración.

casposo, sa *adj.* Lleno de caspa.

casquería *s. f.* Tienda del casquero.

casquero, ra *s. m. y s. f.* Tripicallero.

casquete *s. m.* **1.** Pieza de la armadura que cubría la cabeza. **2.** Cubierta de cuero, tela, etc., que se ajusta a la cabeza.

casquijo *s. f.* Multitud de piedra menuda.

casquillas *s. f. pl.* Cápsulas pequeñas de plata que usan los plateros para pesar en las balanzas de precisión.

casquillo *s. m.* Anillo de metal que refuerza la extremidad de una pieza de madera.

casquivano, na *adj.* Alocado, irreflexivo.

casta *s. f.* **1.** Generación o linaje. **2.** *fig.* Especie o calidad de una cosa. **3.** En la India, grupo social muy cerrado.

castálidas *s. f. pl.* Las musas.

castaña *s. f.* Fruto del castaño, nutritivo y sabroso, con una cáscara correosa de color pardo oscuro.

castañeta *s. f.* Castañuela, instrumento para el baile.

castañetear *v. intr.* Sonarle a alguien los dientes dando los de una mandíbula contra los de la otra.

castaño, ña *adj.* **1.** Se dice del color de la cáscara de la castaña. También s. m. ‖ *s. m.* **2.** Árbol cupulífero, con tronco grueso, hojas grandes y flores blancas, cuyo fruto es la castaña.

castañola *s. f.* Pez grande acantopterigio, comestible, de color de acero, con escamas blandas que cubren las aletas y carne blanca y floja.

castañuela *s. f.* Instrumento de percusión compuesto de dos piezas cóncavas de madera o marfil, a modo de conchas.

castellanismo *s. m.* Giro o modo de hablar propio de la lengua castellana.

castellano *s. m.* **1.** Español, lengua de España y de Hispanoamérica. **2.** Dialecto románico del que nació la lengua española.

casticidad *s. f.* Calidad de castizo.

casticismo *s. m.* Amor a lo castizo en el idioma, costumbres, usos y modales.

castidad *s. f.* Virtud que se opone a los afectos carnales.

castigador, ra *s. m. y s. f., fig. y fam.* Persona joven que por jactancia finge enamorarse de otra del sexo opuesto.

castigar *v. tr.* **1.** Ejecutar algún castigo en un culpado. **2.** Mortificar y afligir.

castigo *s. m.* Pena que se impone al que ha cometido alguna falta o delito.

castillejo *s. m.* Carretón pequeño en que se pone a los niños para que aprendan a andar.

castillo *s. m.* Lugar con edificios cercados de murallas, baluartes, fosos, etc.

castizo, za *adj.* **1.** De buen origen y casta. **2.** Se aplica al lenguaje puro y sin mezcla de voces ni giros extraños. **3.** Que representa los caracteres peculiares de un país, raza, etc.

casto, ta *adj.* Que guarda castidad.

castor *s. m.* Mamífero roedor, de cuerpo grueso, cubierto de pelo espeso y fino.

castorcillo *s. m.* Tela de lana tejida como la estameña, con pelo semejante al del paño.

castración *s. f.* Acción y efecto de castrar.

castradera *s. f.* Instrumento de hierro que sirve para castrar las colmenas.

castrar *v. tr.* **1.** Extirpar los órganos genitales. **2.** Quitar parte del panal.

castrense *adj.* Relativo al ejército.

castro *s. m.* Castillo o fortificación antigua y lugar en que se hallaba emplazada.

castuga *s. f., amer.* Cierto insecto lepidóptero.

casual *adj.* Que sucede por casualidad.

casualidad *s. f.* Suceso fortuito.

casuística *s. f.* Parte de la moral, el derecho u otra ciencia que trata de los casos de conciencia.

casuístico, ca *adj.* Perteneciente o relativo a la casuística.

casulla *s. f.* Vestidura que se pone el sacerdote sobre las demás para celebrar la misa.

cata *s. f.* Acción de catar.

catabolismo *s. m.* Parte del proceso del metabolismo en que se destruye la sustancia de los seres vivos; es un metamorfismo retrógrado.

cataclismo *s. m.* **1.** Trastorno grande del globo terráqueo, producido por el agua. **2.** Gran trastorno social o político.

catacresis *s. f.* Tropo que consiste en dar a una palabra sentido traslaticio para designar una cosa que carece de nombre especial.

catacumbas *s. f. pl.* Galerías subterráneas en las que los primeros cristianos enterraban a sus muertos y practicaban sus ceremonias.

catadióptrico, ca *adj.* **1.** Se dice del aparato compuesto de espejos y lentes. **2.** Que refleja y refracta a la vez.

catadura *s. f.* Semblante, gesto.

catafalco *s. f.* Túmulo elevado en los templos para las exequias solemnes.

catafixiar *v. tr.* Intercambiar un objeto por otro sin que necesariamente importe el valor de ambos.

catalán *s. m.* Lengua romance vernácula que se habla en Cataluña y en otros dominios de la antigua Corona de Aragón.

catalanismo *s. m.* Giro o modo de hablar propio de la lengua catalana.

cataléctico, ca *adj.* Se dice del verso griego o latino que acaba en un pie incompleto. También *s. m.*

catalejo *s. m.* Instrumento óptico para ver a larga distancia.

catalepsia *s. f.* Fenómeno nervioso por el que se produce una suspensión repentina de la sensibilidad y de los movimientos.

cataléptico, ca *adj.* Atacado de catalepsia. También *s. m. y s. f.*

catalina *adj.* Se dice de la rueda dentada que hace mover el volante de cierta clase de relojes.

catálisis *s. f.* Transformación química motivada por cuerpos que al finalizar la reacción aparecen inalterados.

catalítico, ca *adj.* Relativo a la catálisis.

catalizador *s. m.* Cuerpo capaz de producir la catálisis.

catalogación *s. f.* Acción y efecto de catalogar.

catalogar *v. tr.* Apuntar, registrar ordenadamente libros, manuscritos, etc.

catálogo *s. m.* **1.** Inventario o lista de personas, cosas, etc. **2.** Elenco de libros clasificados por orden alfabético, de materias, etc.

catán *s. m.* Especie de alfanje que se usaba en algunos pueblos de Oriente.

catana *s. m.* **1.** Catán. **2.** *Arg. y Chil.* Sable, en especial el viejo y largo y el que usaban los policías.

catanga *s. f.* **1.** *Arg.* Escarabajo, insecto. **2.** *Col.* Nasa, canasto para pescar.

cataplasma *s. f.* Tónico blando, que se aplica como calmante o emoliente.

catapulta *s. f.* Máquina militar antigua para arrojar piedras o saetas.

catar *v. tr.* **1.** Probar una cosa para examinar su sabor. **2.** Examinar, registrar.

catarina *s. f.* Insecto pequeño del orden de los coleópteros, de cuerpo semiesférico y de color amarillo, anaranjado o rojo brillante con puntitos negros.

cataraña *s. f.* Ave zancuda, variedad de garza, con el cuerpo blanco y los ojos, el pico y los pies de color verde rojizo.

catarata *s. f.* **1.** Cascada o salto grande de agua. **2.** Opacidad del cristalino del ojo.

catarro *s. m.* Inflamación de una membrana mucosa.

catarsis *s. f.* Eliminación de sustancias nocivas al organismo o de recuerdos que perturban el equilibrio psíquico.

catártico, ca *adj.* Se aplica a algunos medicamentos purgantes.

catástasis *s. f.* Punto culminante del asunto de un drama, tragedia o poema épico.

catastral *adj.* Perteneciente o relativo al catastro.

catastro *s. m.* Censo y padrón estadístico de las fincas rústicas y urbanas.

catástrofe *s. f.* Suceso desastroso que altera gravemente el orden regular de las cosas.

catastrófico, ca *adj.* **1.** Relativo a una catástrofe o con caracteres de tal. **2.** *fig.* Desastroso, muy malo.

catauro *s. m.* Especie de cesto formado de yaguas y muy usado para transportar frutas, carne, huevos, etc.

cataviento *s. m.* Hilo de unos 50 cm de largo que, unido a otros objetos y atado en un asta, se coloca en la borda de barlovento, para que indique la dirección del viento.

cátchup *s. m.* Kétchup.

cate *s. f.* **1.** *And.* Golpe, bofetada. **2.** *fam.* Nota de suspenso en exámenes.

catear *v. tr.* **1.** Catar, buscar, procurar. **2.** *fig. y fam.* Suspender en los exámenes a un alumno.

catecismo *s. m.* Obra que, redactada en preguntas y respuestas, contiene la exposición sucinta de alguna ciencia o arte.

catecú *s. m.* Cato, sustancia medicinal.

catecúmeno, na *s. m. y s. f.* Persona que se está instruyendo en la doctrina católica, a fin de recibir el bautismo.

cátedra *s. f.* **1.** Empleo de catedrático y asignatura que enseña. **2.** Aula. **3.** En las basílicas, asiento destinado al obispo.

catedral *adj.* Se dice del templo principal de una diócesis. También s. f.

catedrático, ca *s. m. y s. f.* Persona que tiene cátedra para dar enseñanza en ella.

categorema *s. f.* Cualidad por la que un objeto se clasifica en una u otra categoría.

categoría *s. f.* **1.** Cada uno de los conceptos básicos en los que puede incluirse todo conocimiento. **2.** Condición social. **3.** Cada apartado de una clasificación.

categórico, ca *adj.* Se aplica al discurso o proposición en que explícita o absolutamente se afirma o se niega algo.

catequesis *s. f.* Ejercicio de instruir en cosas referentes a la religión.

catequismo *s. m.* **1.** Ejercicio de instruir en cosas religiosas. **2.** Arte de instruir por medio de preguntas y respuestas.

catequista *s. m. y s. f.* La que ejerce el catequismo.

catequizar *v. tr.* Instruir en una doctrina y en especial en la religión católica.

catéresis *s. f.* Debilitación, producida por un medicamento.

caterético, ca *adj.* Perteneciente o relativo a la catéresis.

caterva *s. f.* Multitud de personas o cosas sin concierto, o de poco valor e importancia.

catervarios *s. m. pl.* Gladiadores romanos que luchaban formados en grupos o compañías.

catéter *s. m.* Sonda metálica empleada en la cistotomía.

cateto *s. m.* Cada uno de los dos lados del ángulo recto en el triángulo rectángulo.

cateto, ta *s. m. y s. f.* Lugareño, palurdo.

catetómetro *s. m.* Instrumento que sirve para medir pequeñas diferencias de altura.

catilinaria *s. f., fig.* Discurso o escrito vehemente contra una persona.

catimbao *s. m., Chil. y Per.* Máscara o figurón que sale en la procesión del Corpus.

catín *s. m.* Crisol en que se refina el cobre para obtener las rosetas.

catinga *s. f.* Intenso olor de la transpiración de algunas personas.

catión *s. m.* Elemento electropositivo de una molécula.

catire, ra *adj., Col. y Ven.* Se dice del individuo rubio que tiene el pelo rojizo y ojos verdes o amarillentos.

catirrino *adj.* Se dice de los monos del Antiguo Mundo, caracterizados por tener orificios nasales separados por un tabique estrecho, y la cola nunca prensil y a veces atrofiada.

cato *s. m.* Sustancia medicinal concreta y astringente, que se extrae de los frutos verdes de una especie de acacia.

catódico, ca *adj.* Perteneciente al cátodo.

cátodo *s. m.* Polo negativo de un generador de electricidad o de una batería eléctrica.

catodonte *s. m.* Cetáceo cuyo tamaño alcanza casi el de la ballena.

catolicismo *s. m.* Comunidad y gremio universal de los que viven en la religión católica.

católico, ca *adj.* **1.** Perteneciente o relativo a la Iglesia romana, fundada por Jesucristo, cuya cabeza visible es el Papa. **2.** Que profesa la religión católica. También s. m. y s. f.

catón *s. m., fig.* Censor severo.

catóptrica *s. f.* Parte de la óptica que trata de la reflexión de la luz.

catoptroscopia *s. f.* Reconocimiento del cuerpo humano por medio de aparatos catóptricos.

catorce *adj. num.* Diez más cuatro.

catre *s. m.* Cama ligera para una persona.

cátsup *s. m.* Kétchup.

cauce *s. m.* **1.** Lecho de los ríos y arroyos. **2.** Conducto descubierto por donde corren las aguas para los riegos y otros usos.

caucel *s. m., C. Ric. y Hond.* Gato montés de piel hermosa y manchada como el jaguar. Es inofensivo.

caucho *s. m.* Sustancia elástica que se halla en el jugo de algunas plantas tropicales.

caución *s. f.* Prevención, precaución.

caucionar *v. tr.* Precaver cualquier daño o perjuicio.

cauda *s. f.* Falda o cola de la capa magna.

caudal *s. m.* **1.** Hacienda, bienes. **2.** Cantidad de agua que mana o corre.

caudaloso, sa *adj.* De mucha agua.

caudatario *s. m.* Eclesiástico que en las ceremonias ayuda a llevar alzada la cauda.

caudillaje *s. m.* Mando o gobierno de un caudillo.

caudillo *s. m.* **1.** Hombre que guía y manda la gente de guerra. **2.** Hombre que dirige algún gremio, comunidad o cuerpo.

caudimano *adj.* Se dice del animal que tiene cola prensil y del que la utiliza como instrumento de trabajo; como el castor.

caudón *s. m.* Alcaudón.

caula *s. f., Chil. y Hond.* Treta, engaño, ardid.

caulículo *s. m.* Cada uno de los vástagos que nacen en lo interior de las hojas que adornan el capitel corintio.

cauliforme *adj.* De forma de tallo.

cauro *s. m.* Noroeste, viento que sopla de esta parte.

causa *s. f.* **1.** Principio del que procede algo. **2.** Lo que se considera como fundamento u origen de una cosa. **3.** Motivo o razón de obrar. **4.** Pleito. **5.** Proceso criminal.

causal *adj.* Se dice de la relación de causa entre dos o más seres o hechos.

causalidad *s. f.* Relación entre causa y efecto.

causar *v. tr.* **1.** Producir la causa su efecto. **2.** Ser causa de una cosa. También *prnl.*

causídico, ca *adj.* Perteneciente a causas o pleitos.

causón *s. m.* Calentura, fuerte y pasajera.

causticar *v. tr.* Dar causticidad a alguna cosa.

causticidad *s. f.* Calidad de cáustico.

cáustico, ca *adj.* **1.** Se dice de lo que quema y desorganiza los tejidos animales. **2.** *fig.* Mordaz, agresivo.

cautela *s. f.* **1.** Precaución y reserva en el proceder. **2.** Astucia y maña para engañar.

cautelar *v. tr.* Prevenir, precaver.

cauteloso, sa *adj.* Que obra con cautela.

cauterio *s. m.* Lo que corrige o ataja algún mal con eficacia.

cauterización *v. tr.* Acción y efecto de cauterizar.

cauterizar *s. f.* Restañar la sangre de las heridas y curar otras enfermedades con el cauterio.

cautín *s. m.* Aparato para soldar con estaño.

cautivar *v. tr.* **1.** Aprisionar al enemigo en la guerra. **2.** *fig.* Atraer, ganar.

cautiverio *s. m.* **1.** Estado de la persona cautiva. **2.** Por ext., encarcelamiento, vida en la cárcel.

cautividad *s. f.* Cautiverio.

cautivo, va *adj.* Aprisionado en la guerra.

cauto, ta *adj.* Sagaz, precavido.

cava *s. m.* Acción de cavar y labor que se hace a las viñas, cavándolas.

cavacote *s. m.* Montoncillo de tierra hecho con la azada para que sirva de señal o mojón.

cavar *s. f.* Levantar y mover la tierra con la azada u otro instrumento semejante.

cavatina *s. f.* Aria de dimensiones cortas.

cávea *s. f.* Cada una de las galerías concéntricas de los teatros romanos.

cavedio *s. m.* Patio de la casa entre los antiguos romanos.

caverna *s. f.* Concavidad profunda, subterránea o entre rocas.

cavernícola *adj.* Que vive en las cavernas.

cavernario, ria *adj.* **1.** Propio de las cavernas, o que tiene caracteres de ellas. **2.** Se dice del hombre prehistórico que vivía en cavernas.

caveto *s. m.* Moldura cóncava cuyo perfil es un cuarto de círculo.

caví *s. m.* Raíz seca y guisada de la oca del Perú.

cavia[1] *s. f.* Especie de alcorque o excavación.

cavia[2] *s. m.* Conejillo de Indias.

caviar *s. m.* Manjar que consiste en huevas de esturión.

cavicornios *adj.* Se dice de los rumiantes de la familia de los bóvidos, con cuernos huecos, que comprende a los bueyes, antílopes, carneros, etc. También *s. m. pl.*

cavidad *s. f.* Espacio hueco de un cuerpo.

cavilación *s. m.* Acción y efecto de cavilar.

cavilar *v. tr.* Meditar tenazmente algo.

cavilosidad *s. f.* Aprensión, prejuicio infundado.

caviloso, sa *adj.* Que se preocupa de alguna idea, dándole importancia excesiva y deduciendo consecuencias imaginarias.

cayada *s. f.* Cayado, bastón.

cayado *s. m.* **1.** Palo o bastón. **2.** Báculo pastoral de los obispos.

cayo *s. m.* Cualquiera de las islas rasas, arenosas, frecuentemente anegadizas, y cubiertas en gran parte de mangle. Son muy comunes en el mar Caribe y en el golfo de México.

cayuco *s. m.* Embarcación india de una pieza, más pequeña que la canoa; se gobierna y mueve con el canalete.

caz *s. m.* Canal para tomar y conducir el agua.

caza *s. f.* Animales salvajes, antes y después de cazados.

cazabe *s. f.* Torta que se hace en varias partes de América con una harina de raíz de yuca.

cazador, ra *adj.* **1.** Que caza por oficio o diversión. También s. m. y s. f. ‖ *s. f.* **2.** Especie de chaqueta.

cazar *v. tr.* Seguir a las aves, fieras y otras clases de animales para cogerlos o matarlos.

cazatorpedero *s. m.* Buque de guerra bien armado, de marcha muy rápida.

cazcalear *v. intr., fam.* Andar de una parte a otra aparentando diligencia, pero sin hacer nada.

cazcarria *s. f.* Barro que se pega en la parte de la ropa que va cerca del suelo.

cazcarriento, ta *adj., fam.* Que tiene muchas cazcarrias.

cazcorvo *adj.* Patizambo, zancajoso.

cazo *s. m.* Utensilio de cocina, semiesférico y con mango largo para manejarlo.

cazoleta *s. f.* Pieza que se pone debajo del puño de la espada y del sable, y sirve para resguardo de la mano.

cazón *s. m.* Pez marino selacio, muy voraz y temible.

cazudo, da *s. f.* Que tiene mucho recazo.

cazuela *s. f.* Vasija más ancha que honda, que sirve para guisar y otros usos.

cazumbrar *v. tr.* Juntar con cazumbre las duelas y tablas de las cubas de vino, uniéndolas a golpe de mazo para que no se salgan.

cazumbre *s. m.* Cordel de estopa poco torcida, con que se unen las tablas y duelas de las cubas de vino.

cazurrería *s. f.* Calidad de cazurro.

cazurro, rra *adj., fam.* De pocas palabras.

cazuz *s. m.* Hiedra.

ceanoto *s. m.* Nombre de varias plantas ramnáceas de América y Oceanía. Su especie más importante, conocida vulgarmente como «té de Jersey», la emplean los indios contra la disentería y la sífilis.

ceba *s. f.* Alimentación abundante y esmerada que se da al ganado, en especial al que sirve para el sustento del hombre.

cebada *s. f.* Planta graminea que sirve de alimento a varios animales.

cebar *v. tr.* Dar cebo a los animales para alimentarlos, engordarlos o atraerlos.

cebellina *adj.* Se dice de una marta cuya piel es muy estimada. También s. f.

cebiche *s. m., Per., Ec. y Pan.* Guisado común, hecho de pescado o marisco crudo, preparado en un adobo de jugo de limón o naranja agria, cebolla picada, sal y ají.

cebo *s. m.* Comida dada a los animales para alimentarlos, engordarlos o atraerlos.

cebolla *s. f.* **1.** Planta hortense liliácea. **2.** Bulbo de esta planta.

cebolleta *s. f.* Planta muy parecida a la cebolla, con el bulbo pequeño y parte de las hojas comestibles.

cebollino *s. m.* **1.** Sementero de cebollas. **2.** Simiente de cebolla.

cebón, na *adj.* Se dice del animal que está cebado.

ceborrincha *s. f.* Cebolla silvestre y cáustica.

cebra *s. f.* Mamífero perisodáctilo, parecido al asno, de pelaje blanco amarillento con listas transversales pardas o negras.

cebrado, da *adj.* Se dice del animal que tiene, como la cebra, manchas negras transversales.

cebrión *s. m.* Insecto coleóptero de cuerpo prolongado y de élitros blandos. Los hay de varias especies.

cebú *s. m.* Mamífero bovino que tiene encima del lomo una o dos gibas grasientas.

ceca *s. f.* Casa donde se labra moneda.

cecal *adj.* Relativo al intestino ciego.

cecear *v. intr.* Pronunciar la s como c.

ceceo *s. m.* Acción y efecto de cecear.

cecial *s. m.* Merluza u otro pescado parecido a ella, seco y curado al aire.

cecina *s. f.* Carne salada, enjuta y secada al aire, al sol o al humo.

cecinar *v. tr.* Acecinar.

cecografía *s. f.* Escritura y modo de escribir de los ciegos.

cecógrafo *s. m.* Aparato con que escriben los ciegos.

cecuciente *adj.* Se dice del que está quedándose ciego.

ceda *s. f.* Cerda, pelo grueso.

cedazo *s. m.* Instrumento compuesto de un aro y de una tela, ordinariamente de cerdas, que cierra la parte inferior.

ceder *v. tr.* **1.** Dar, transferir a otro una cosa, acción o derecho. ‖ *v. intr.* **2.** Rendirse, sujetarse. **3.** Mitigarse, disminuir en fuerza el viento, la calentura, etc.

cedilla *s. f.* **1.** La letra c con una virgulita, ç. **2.** Virgulita de esta letra.

cedizo, za *adj.* Se dice de la carne y otras cosas de comer que comienzan a pudrirse o corromperse.

cedoaria *s. f.* Raíz medicinal, redonda, nudosa, de sabor acre y aromática, que proviene de dos plantas de la India.

cedras *s. f. pl.* Alforjas de pellejo.

cedreleón *s. m.* Aceite de cedro, usado en la antigüedad.

cedreno *s. m.* Parte líquida de la esencia de cedro.

cédride *s. f.* Fruto del cedro, semejante a la piña.

cedro *s. m.* Árbol conífero abietáceo, de madera usada en la construcción y ebanistería.

cédula *s. f.* **1.** Pedazo de papel escrito o para escribir en él. **2.** Documento en que se reconoce una obligación. **3.** Citación.

cefalalgia *s. f.* Dolor de cabeza.

cefalea s. f. Cefalalgia violenta y tenaz, alguna vez intermitente y grave, que afecta de ordinario a uno de los lados de la cabeza; como la jaqueca.

cefálico, ca adj. Perteneciente a la cabeza.

cefalitis s. f. Inflamación de la cabeza.

cefalópodo adj. Se dice de los moluscos marinos que tienen tentáculos en la cabeza.

cefalotórax s. m. Región del cuerpo de los artrópodos constituida por la fusión de la cabeza con el tórax.

céfiro s. m., poét. Viento suave y apacible.

cefo s. m. Mamífero cuadrumano, originario de Nubia, de cuerpo rojo y nariz blanca.

cegador, ra adj. Que ciega o deslumbra.

cegajo, ja adj. Se dice del cordero o chivo que no tiene un año.

cegajoso, sa adj. Que tiene los ojos ordinariamente cargados y llorosos. También s. m. y s. f.

cegar v. intr. 1. Perder la vista. ‖ v. tr. 2. fig. Ofuscar, obcecar los afectos o pasiones.

cegato, ta adj. Corto de vista, o de vista escasa.

cegatoso, sa adj. Cegajoso.

cegesimal adj. Se dice del sistema métrico cuyas unidades fundamentales son el centímetro, el gramo y el segundo.

cegrí s. m. Individuo de una familia del reino musulmán de Granada.

ceguedad s. f. Total privación de la vista.

ceguera s. f. 1. Total privación de la vista. 2. fig. Afecto que ofusca la razón.

ceiba s. f. Árbol bombáceo tropical, de unos 30 m de altura; sus flores son tintóreas; sus frutos contienen seis semillas pequeñas envueltas en una especie de algodón, usado para rellenar almohadas; con su madera se fabrica celulosa.

ceibo s. m. Árbol americano, notable por sus flores de cinco pétalos, rojas y brillantes, que nacen antes que las hojas; sirve de adorno y es medicinal.

ceja s. f. Parte prominente y curvilínea cubierta de pelo sobre la cuenca del ojo.

cejar v. intr. 1. Retroceder, andar hacia atrás. 2. Ceder en un negocio, empeño, etc.

cejijunto, ta adj. Que tiene las cejas muy pobladas de pelo hacia el entrecejo.

cejilla s. f. Cejuela de la guitarra.

cejo s. m. Niebla que se levanta sobre los ríos.

cejudo, da adj. Que tiene las cejas muy pobladas y largas.

cejuela s. f. Pieza suelta que, colocada transversalmente sobre la encordadura de la guitarra y sujeta al mástil por una abrazadera, sirve para elevar la entonación del instrumento.

celada s. f. 1. En la armadura, pieza que cubría la cabeza. 2. Emboscada.

celador, ra s. m. y s. f. Persona destinada por la autoridad para ejercer la vigilancia.

celaduría s. f. Oficina o despacho del celador.

celaje s. f. 1. Conjunto de nubes. 2. Claraboya. 3. Presagio favorable.

celar v. tr. 1. Procurar el cumplimiento de una obligación. 2. Vigilar, espiar.

celastráceo, a adj. Se dice de árboles y arbustos angiospermos dicotiledóneos que tienen hojas opuestas o alternas, flores hermafroditas o unisexuales, fruto seco y semillas con arilo.

celda s. f. 1. Aposento destinado al religioso o religiosa en su convento. 2. Aposento donde se encierra a un preso en la cárcel.

celdilla s. f. Cada casilla de los panales.

celebérrimo, ma adj. sup. de célebre.

celebración s. f. Acción de celebrar.

celebrar v. tr. 1. Alabar a alguien o algo. 2. Realizar un acto, reunión, espectáculo, etc.

célebre adj. Famoso, que tiene fama.

celebridad s. f. 1. Fama, renombre. 2. Persona famosa.

celemín s. m. Medida para áridos, que equivale a 4.625 litros.

celentéreo s. m. Animal metazoo de simetría radiada, como los pólipos y las medusas.

celeque adj., El Salv., Hond. y Nic. Se dice de las frutas tiernas o en leche.

célere adj. 1. Pronto, rápido. ‖ s. f. pl. 2. Las horas.

celeridad s. f. Prontitud, rapidez.

celescopio s. m. Aparato que sirve para iluminar las cavidades de un cuerpo orgánico.

celeste adj. 1. Perteneciente al cielo. 2. Se dice del color azul claro. También s. m.

celestial adj. 1. Perteneciente al cielo. 2. fig. Perfecto, delicioso.

celestina s. f., fig. Alcahueta.

celíaco, ca adj. Relativo al vientre o a los intestinos.

celibato s. m. Soltería.

célibe adj. Se dice de la persona soltera.

célico, ca adj., poét. Celeste, perteneciente al cielo.

celidonia adj. Hierba papaverácea, con tallo ramoso, hojas verdes por encima y amarillentas por el envés, y flores en umbela, pequeñas y amarillas.

celinda s. f. Jeringuilla.

celindrate s. m. Guiso compuesto con cilantro.

cellenco, ca adj. Se dice de la persona que, por vejez o achaques, no se maneja sino con trabajo y dificultad.

cellisca s. f. Temporal de nieve muy menuda.

cellisquear *v. intr.* Caer agua y nieve muy menuda impelidas con fuerza por el viento.

celo *s. m.* **1.** Interés. **2.** Fervor. **3.** Excitación sexual de los animales, y periodo que dura. ‖ *s. m. pl.* **4.** Resentimiento del que sospecha que la persona amada no le guarda fidelidad y amor exclusivos.

celofán *s. m.* Tipo de papel de pegar que es transparente y se adhiere por contacto.

celoidina *s. f.* Preparación que se emplea en papeles fotográficos, que los hace sensibles a la luz.

celosía *s. f.* Enrejado que se pone en un hueco para ver desde dentro, sin ser visto.

celoso, sa *adj.* Que tiene celos.

celsitud *s. f.* Elevación, grandeza y excelencia de una cosa o persona.

célula *s. f.* Elemento anatómico microscópico de los vegetales y animales.

celular *adj.* **1.** Perteneciente o relativo a las células. ‖ *s. m.* **2.** Teléfono portátil.

celulario, ria *adj.* Compuesto de muchas celdillas o células.

celulitis *s. f.* Inflamación del tejido celular.

celuloide *s. m.* Sustancia sólida, casi transparente, elástica y de mucha aplicación en la industria, compuesta esencialmente de pólvora, de algodón y alcanfor.

celulosa *s. f.* Sustancia de la membrana de la célula de los vegetales, que se utiliza en la fabricación de papel, tejidos, barnices, etc.

cementación *s. f.* Acción y efecto de cementar.

cementar *v. tr.* Calentar una pieza de metal en contacto con otra materia en polvo o en pasta; como el hierro con el carbón para convertirlo en acero, etc.

cementerio *s. m.* Terreno destinado a enterrar cadáveres.

cemento *s. m.* Sustancia pulverulenta capaz de formar con el agua pastas blandas que se endurecen al contacto con el aire o agua.

cena *s. f.* **1.** Comida que se toma por la noche. **2.** Acción de cenar.

cenacho *s. m.* Espuerta de esparto o palma, con una o dos asas, que sirve para llevar carne, pescado, hortalizas, etc.

cenáculo *s. m.* Sala en que Cristo celebró la Última Cena.

cenador *s. m.* Espacio que suele haber en los jardines, cercado y vestido de plantas.

cenagal *s. m.* Sitio o lugar lleno de cieno.

cenagoso, sa *adj.* Lleno de cieno.

cenar *v. intr.* **1.** Tomar la cena. ‖ *v. tr.* **2.** Comer en la cena un determinado alimento.

cenata *s. f., Col. y Cub.* Cena copiosa y alegre entre amigos.

cenceño, ña *adj.* Delgado o enjuto.

cencerrada *s. f.* Ruido hecho con cencerros y otras cosas, para burlarse de alguien.

cencerrear *v. intr.* Tocar o sonar insistentemente cencerros.

cencerro *s. m.* Campana pequeña y tosca, que se ata al pescuezo de las reses.

cencido, da *adj.* Se dice de la hierba, dehesa o terreno antes de ser hollado.

cendal *s. m.* Tela de seda o lino muy delgada y transparente.

cendalí *adj.* Perteneciente o relativo al cendal.

cendra *s. f.* Pasta de ceniza de huesos, limpia y lavada, con que se preparan las copelas para afinar el oro y la plata.

cenefa *s. f.* **1.** Lista en los bordes de cortinas, pañuelos, etc. **2.** Dibujo de ornamentación puesto en muros, techos y pavimentos.

cenestesia *s. f.* Impresión general del estado del propio cuerpo.

cení *s. m.* Especie de latón muy fino.

cenia *s. f.* Azuda o máquina simple para elevar el agua y regar.

cenicero *s. m.* Vasija o platillo donde se echa la ceniza del cigarro.

ceniciento, ta *adj.* De color de ceniza.

cenismo *s. m.* Mezcla de dialectos.

cenit o cénit *s. m.* Punto del hemisferio celeste superior al horizonte que corresponde verticalmente a un lugar determinado de la Tierra.

cenital *adj.* Perteneciente o relativo al cenit.

ceniza *s. f.* **1.** Polvo de color gris claro que queda como residuo de una combustión completa. **2.** *fig.* Restos de un cadáver.

cenizo *s. m.* Aguafiestas.

cenobial *adj.* Perteneciente al cenobio.

cenobio *s. m.* Monasterio.

cenobita *com.* Persona que profesa la vida monástica.

cenojil *s. m.* Liga para sujetar las medias.

cenotafio *s. m.* Monumento funerario que no contiene el cadáver del personaje a quien se dedica.

cenote *s. m., amer.* Depósito natural de agua subterránea, generalmente a gran profundidad de la tierra.

cenozoico *adj.* Se aplica al periodo o era geológica que comprende las épocas más recientes o próximas a la actual y en cuyos estratos se encuentran fósiles de animales y vegetales semejantes a los que viven hoy día.

censar *v. tr.* Incluir o registrar en el censo.

censatario, ria *s. m. y s. f.* Persona que obliga a pagar los réditos de un censo. También adj.

censo *s. m.* Lista oficial de los habitantes, riqueza, etc.

censor, ra *s. m. y s. f.* Persona que ejerce la censura de cualquier actividad.

censorio, ria *adj.* Relativo al censor o a la censura.

censual *adj.* Perteneciente al censo.

censura *s. f.* **1.** Vigilancia y corrección que se ejerce sobre una actividad para que se respeten los principios establecidos. **2.** Crítica.

censurable *adj.* Digno de censura.

censurar *v. tr.* **1.** Formar juicio. **2.** Corregir, reprobar. **3.** Murmurar, vituperar.

centalla *s. f.* Chispa que salta del carbón de madera cuando se enciende.

centauro *s. m.* Monstruo fingido por los antiguos, mitad hombre y mitad caballo.

centavo, va *adj. num.* **1.** Se dice de cada una de las 100 partes iguales en que se divide un todo. **2.** *s. m.* En algunos países, moneda que vale la centésima parte de la unidad monetaria.

centella *s. f.* Rayo, chispa eléctrica.

centellear *v. intr.* Despedir rayos la luz.

centelleo *s. m.* Acción y efecto de centellear.

centena *s. f.* Conjunto de cien unidades.

centenar *s. m.* Centena.

centenario *s. m.* Tiempo de cien años.

centeno *s. m.* Planta gramínácea, semejante al trigo.

centena *s. f.* Conjunto de cien unidades.

centesimal *adj.* Se dice de cada uno de los números del 1 al 99 inclusive.

centésimo, ma *adj. num.* Que ocupa el último lugar en una serie ordenada de 100.

centiárea *s. f.* Medida de superficie que tiene la centésima parte de una área, es decir, un metro cuadrado.

centígrado, da *adj.* Que tiene la escala dividida en cien grados.

centigramo *s. m.* Peso que es la centésima parte de un gramo.

centilitro *s. m.* Medida de capacidad que tiene la centésima parte de un litro.

centiloquio *s. m.* Obra que tiene cien partes.

centímano *adj.* De cien manos. También *s. m.*

centímetro *s. m.* Medida de longitud que tiene la centésima parte de un metro.

céntimo *s. m.* Moneda que vale la centésima parte de la unidad monetaria.

centinela *com., fig.* Persona que está en observación de alguna cosa.

centinodia *s. f.* Planta poligonácea, medicinal, con tallos nudosos y tendidos sobre la tierra, y semilla pequeña, que es muy apreciada de las aves.

centolla *s. f.* Crustáceo marino comestible.

centón *s. m.* Manta hecha de gran número de piececitas de paño o tela de diversos colores.

centonar *v. tr.* Amontonar cosas o trozos de ellas sin el orden debido.

central *s. f.* **1.** Oficina o establecimiento principal. **2.** Oficina donde se produce la energía eléctrica o se transforman las corrientes.

centralismo *s. m.* Doctrina de los centralistas.

centralista *adj.* Partidario de la centralización.

centralización *s. f.* Acción y efecto de centralizar.

centralizar *v. tr.* **1.** Reunir varias cosas en un centro común. También *prnl.* **2.** Asumir el poder público facultades atribuidas a organismos locales.

centrar *v. tr.* Determinar el punto céntrico de una superficie o de un volumen.

céntrico, ca *adj.* Central.

centrífugo, ga *adj.* Que aleja del centro.

centrípeto, ta *adj.* Que atrae hacia el centro.

centrisco *s. m.* Pez acantopterigio que se llama vulgarmente «chocha de mar» y vive en el Mediterráneo.

centro *s. m.* Punto medio de una cosa.

centrobárico, ca *adj.* Relativo al centro de gravedad.

centuplicar *v. tr.* Hacer cien veces mayor una cosa.

céntuplo *s. m.* Producto de la multiplicación por cien de una cantidad cualquiera.

centuria *s. f.* **1.** Número de cien años. **2.** En Roma, compañía de cien hombres.

centurión *s. m.* Jefe de una centuria.

cénzalo *s. m.* Mosquito común.

ceñidor *s. m.* Faja, cinta, correa o cordel con que se ciñe el cuerpo por la cintura.

ceñir *v. tr.* Rodear, ajustar.

ceño *s. m.* Señal de enojo que se hace con el rostro, arrugando la frente.

ceñudo, da *adj.* Que tiene ceño o sobrecejo.

ceo *s. m.* Gallo, pez marino.

cepa *s. f.* **1.** Parte del tronco de una planta que está dentro de la tierra. **2.** Tronco de la vid, y por ext., toda la planta.

cepeda *s. f.* Lugar en que abundan arbustos y matas de cuyas cepas se hace carbón.

cepellón *s. m.* Pella de tierra que se deja adherida a las raíces de los vegetales con el fin de trasplantarlos.

cepera *s. f.* Cepeda.

cepillar *v. tr.* **1.** Quitar el polvo con un cepillo. **2.** Alisar la madera o los metales.

cepillo *s. m.* **1.** Instrumento de carpintería para pulir la madera. **2.** Instrumento que sirve para quitar el polvo a la ropa.

cepo *s. m.* Trampa de caza.

ceporro *s. m., fig.* Hombre rudo o necio.

cequia *s. f.* Acequia.

cequiaje *s. m.* Impuesto que deben pagar los regantes.

cequión *s. m., Murc.* Caz de un molino u otro artefacto hidráulico.

cera *s. f.* Sustancia segregada por las abejas para formar las celdillas de los panales.

cerámica *s. f.* Arte de fabricar vasijas y otros objetos de barro, loza y porcelana.

ceramista *com.* Persona que fabrica objetos de cerámica.

ceramita *s. f.* **1.** Especie de piedra preciosa. **2.** Ladrillo con resistencia superior a la del granito.

cerasta *s. f.* Víbora de más de seis dm de longitud, muy venenosa, de Egipto y Palestina, que tiene una especie de cuernecillos encima de los ojos.

cerástide *s. m.* Insecto lepidóptero nocturno europeo.

cerato *s. m.* Composición que tiene por base cera y aceite en mezcla. Se diferencia del ungüento en que no contiene resinas.

ceraunia *s. f.* Piedra de rayo.

ceraunografía *s. f.* Parte de la meteorología que estudia el rayo y sus fenómenos.

ceraunomancia *s. f.* Adivinación por medio de las tempestades.

ceraunómetro *s. m.* Aparato para medir la intensidad de los relámpagos.

cerbatana *s. f.* Tubo en que se introduce algo para hacerlo salir violentamente después, soplando por uno de sus extremos.

cerca¹ *s. f.* Vallado, tapia o muro.

cerca² *adv. l. y adv. t.* Próximamente.

cercado *s. m.* Lugar rodeado con una cerca.

cercanía *s. f.* **1.** Calidad de cercano. **2.** Contorno, inmediaciones.

cercano, na *adj.* Próximo, inmediato.

cercar *v. tr.* **1.** Rodear con valla, muro, etc. **2.** Rodear mucha gente a alguien o algo.

cercenar *v. tr.* **1.** Cortar las extremidades. **2.** Disminuir o acortar.

cerceta *s. f.* Ave del orden de las palmípedas del tamaño de una paloma; es parda, cenicienta y salpicada de lunares más oscuros.

cercha *s. f.* Cimbra para formar arcos y bóvedas.

cerciorar *v. tr.* Asegurar a alguien la verdad de una cosa. También prnl.

cerco *s. m.* **1.** Lo que ciñe o rodea. **2.** Asedio.

cercote *s. m.* Red para cercar los peces.

cerda *s. f.* Pelo grueso de la cola y crin de las caballerías, y del cuerpo del jabalí, del puerco, etc.

cerdear *v. intr.* Sonar mal o con aspereza las cuerdas de un instrumento.

cerdo, da *s. m. y s. f.* **1.** Mamífero paquidermo, doméstico, de cuerpo grueso, cabeza grande, hocico casi cilíndrico y patas cortas. **2.** Persona desaliñada y sucia.

cereal *adj.* Se dice de las gramíneas de semillas farináceas, como el trigo y el centeno.

cerealina *s. f.* Fermento nitrogenado contenido en el salvado.

cerealista *adj.* Relativo a la producción y tráfico de los cereales.

cerebelo *s. m.* Porción del encéfalo que ocupa las fosas occipitales inferiores.

cerebral *adj.* Perteneciente o relativo al cerebro.

cerebro *s. m.* Parte anterior y superior del encéfalo.

ceremonia *s. f.* **1.** Acto o serie de actos exteriores en celebración de una solemnidad. **2.** Ademán afectado.

ceremonial *s. m.* Serie o conjunto de formalidades para cualquier acto público o solemne.

ceremonioso, sa *adj.* Que observa las ceremonias puntualmente.

cereño, ña *adj.* De color de cera. Se aplica a los perros.

céreo, a *adj.* De cera.

ceresina *s. f.* Se dice de la goma que se saca del cerezo, el almendro o el ciruelo.

cereza *s. f.* Fruto del cerezo.

cerezo *s. m.* Árbol rosáceo de flores blancas y fruto en drupa pequeña, encarnada, jugosa y dulce.

cérido *s. m.* Nombre genérico de los cuerpos simples.

cerífero, ra *adj.* Que produce o da cera.

cerilla *s. f.* **1.** Vela de cera delgada y larga, que sirve para encender. **2.** Fósforo.

cerillo *s. m.* Cerilla larga y delgada.

cerio *s. m.* Metal de color pardo rojizo.

cermeño *s. m.* Especie de peral, con las hojas de figura de corazón, vellosas por el envés, y cuyo fruto es la cermeña.

cernada *s. f.* Aparejo de ceniza y cola para imprimar los lienzos que se han de pintar, en especial al temple.

cernadero *s. m.* Lienzo que se pone sobre la ropa al hacer la colada para que, echando sobre él la lejía, pase a la ropa solo el agua con las sales que lleve en disolución y se detenga en él la cernada.

cerne *adj.* Se dice de lo que es sólido y fuerte.

cerneja *s. f.* Mechón de pelo que tienen las caballerías detrás del menudillo.

cerner *v. tr.* **1.** Separar con el cedazo una materia reducida a polvo de las partes más gruesas. **2.** *fig.* Observar. **3.** *fig.* Depurar, afinar los pensamientos y acciones.

cernícalo *s. m.* **1.** Ave de rapiña, falcónida. **2.** Persona ruda e ignorante.

cernir *v. tr.* Cerner.

cero *s. m.* Signo sin valor propio.

ceroferario *s. m.* Acólito que lleva el cirial en la iglesia y procesiones.

cerógrafo *s. m.* Anillo con que los romanos sellaban en cera los cofres y armarios.

ceroleína *s. f.* Una de las tres sustancias que constituyen la cera de las abejas.

ceromancia *s. f.* Arte vano de adivinar por medio de las figuras de cera que se van formando según se echa cera derretida en una vasija llena de agua.

ceromático, ca *adj.* Se dice del medicamento en que entran aceite y cera.

ceroso, sa *adj.* Que tiene cera, o se parece a ella.

ceroplástica *s. f.* Arte de modelar la cera.

cerote *s. m.* **1.** Mezcla de pez y cera que usan los zapateros. **2.** *fam.* Miedo, temor.

cerotero *s. m.* Pedazo de lienzo para untar de pez los cohetes.

cerquillo *s. m.* Corona de cabello en la cabeza de los religiosos de algunas órdenes.

cerradura *s. f.* Mecanismo de metal que se fija en puertas, cajones, etc., para cerrarlos.

cerrajería *s. f.* Tienda, oficina o calle donde se fabrican y venden cerraduras y otros instrumentos de hierro.

cerrajero *s. m.* Maestro u oficial que tiene por oficio hacer cerraduras, llaves, candados y otros instrumentos de hierro.

cerrajón *s. m.* Cerro alto y escarpado.

cerrar *v. tr.* **1.** Hacer que una cosa no pueda verse por dentro, o que deje de tener entrada o salida. **2.** Correr el cerrojo, echar la llave, encajar una puerta en su marco, etc. **3.** Poner término a una cosa.

cerrazón *s. f.* Oscuridad grande por cubrirse el cielo de nubes, suele preceder a las tempestades.

cerrero, ra *adj., fig., Arg., Per. y P. Ric.* Se dice de la persona inculta y brusca.

cerril *adj.* **1.** Se aplica al terreno áspero y escabroso. **2.** Se dice del ganado no domado. **3.** *fig. y fam.* Grosero y tosco.

cerrión *s. m.* Carámbano.

cerro *s. m.* **1.** Elevación de tierra aislada. **2.** Cuello del animal. **3.** Espinazo o lomo.

cerrojo *s. m.* Pasador de hierro con manija que cierra una puerta o ventana.

cerruma *s. f.* Parte del casco de las caballerías.

certamen *s. m.* **1.** *fig.* Función literaria. **2.** *fig.* Concurso con premios.

certero, ra *adj.* **1.** Diestro y seguro en tirar. **2.** Seguro, acertado.

certeza *s. f.* Conocimiento seguro, claro y evidente de alguna cosa.

certidumbre *s. f.* Certeza.

certificación *s. f.* Documento que certifica algo.

certificado, da *adj.* **1.** Se dice de la carta o paquete que se certifica. ‖ *s. m.* **2.** Certificación, documento.

certificar *v. tr.* **1.** Asegurar una cosa, darla por cierta. **2.** Tratándose de envíos por correo, registrarlos, obteniendo resguardo. **3.** Hacer cierta una cosa por medio de un instrumento público.

certitud *s. f.* Certeza.

cerúleo, a *adj.* Se aplica al color azul del cielo despejado, de la alta mar o de los grandes lagos.

cerulina *s. f.* Azul de añil soluble.

ceruma *s. f.* Cerruma.

cerumen *s. m.* Cera de los oídos.

cerval *adj.* Propio del ciervo o semejante a él.

cervario, ira *adj.* Cerval.

cervato *s. m.* Ciervo menor de seis meses.

cerveza *s. f.* Bebida hecha con granos germinados de cebada fermentados en agua, y aromatizada con lúpulo.

cervical *adj.* Perteneciente o relativo a la cerviz.

cérvido *adj.* Se dice de mamíferos artiodáctilos rumiantes, cuyos machos tiene cuernos ramificados que caen y se renuevan periódicamente; como el ciervo. También s. m.

cervigón *s. m.* Cerviguillo.

cerviguillo *s. m.* Parte exterior de la cerviz, especialmente cuando es abultada.

cerviz *s. f.* Parte posterior del cuello del hombre y de los animales.

cesación *s. f.* Acción y efecto de cesar.

cesante *adj.* Se dice del empleado del Gobierno a quien se priva de su empleo, dejándole, en algunos casos, parte del sueldo.

cesantía *s. f.* Estado de cesante.

cesar *v. intr.* **1.** Suspenderse o acabarse una cosa. **2.** Dejar de hacer lo que se está haciendo, o de desempeñar un empleo.

cesárea *s. f.* Operación que consiste en extraer un feto viable, practicando una incisión en las paredes abdominales y uterinas de la madre.

cesarismo *s. m.* Sistema de gobierno en el cual una persona sola asume y ejerce todos los poderes públicos.

cese *s. m.* **1.** Acción y efecto de cesar en un empleo o cargo. **2.** Nota o documento que se expide para este efecto.

cesio *s. m.* Metal alcalino, de color blanco de plata, que se inflama espontáneamente en el aire.

cesión *s. f.* Renuncia de alguna cosa, acción o derecho que se hace a favor de otra.

césped *s. m.* Hierba menuda y tupida que cubre el suelo.

cespitar *v. intr.* Titubear, vacilar.

cespitoso, sa *adj.* Que crece en forma de matas espesas.

cesta *s. f.* Recipiente de mimbres, juncos, etc., que se utiliza para llevar objetos.

cestería *s. f.* Tienda donde se venden cestas.

cesto *s. m.* Cesta grande, más ancha que alta.

cestodo *adj.* Se dice del orden de gusanos platelmintos, de cuerpo acintado, que viven parásitos en el interior de otros animales y carecen totalmente de tubo digestivo, como la tenia.

cesura *s. f.* Pausa exigida por el ritmo, que divide los versos en dos hemistiquios.

cetáceo, a *adj.* Se dice de los mamíferos pisciformes, de gran tamaño, como la ballena.

cetilato *s. m.* Sal formada por el ácido de cetilo y una base.

cetina *s. f.* Esperma de la ballena.

cetrería *s. f.* Arte de criar halcones y cazar con ellos.

cetrino, na *adj.* De color amarillo verdoso.

cetro *s. m.* Vara de oro que usan los reyes por insignia de su dignidad.

ceugma *s. f.* Zeugma.

ceviche *s. m., Ec., Pan. y Per.* Cebiche.

cha *s. m., Filip.* Nombre genérico que dan los chinos al té.

chabacanería *s. f.* **1.** Falta de arte, gusto y mérito estimable. **2.** Dicho grosero o insustancial.

chabacano, na *adj.* Grosero, de mal gusto.

chabola *s. f.* **1.** Choza. **2.** Vivienda con las mínimas condiciones de construcción e higiénicas, existente en zonas suburbanas.

chacal *s. m.* Mamífero carnívoro de la familia de los cánidos, de tamaño medio entre el lobo y la zorra.

chácara *s. f., amer.* Chacra, granja o finca rústica.

chacarero, ra *s. m. y s. f.* Campesino.

chacha *s. f.* **1.** *fam.* Niñera. **2.** Por ext., sirvienta.

cháchara *s. f.* **1.** *fam.* Serie de palabras inútiles. **2.** Conversación poco importante. *s. f. pl.* **3.** Objetos de poco valor.

chacho, cha *s. m. y s. f., fam.* Muchacho.

chacina *s. f.* **1.** Cecina, carne desecada. **2.** Carne de cerdo adobada para embutidos.

chacinería *s. f.* Fabricación de embutidos y conservas de carne.

chaco *s. m., Amér. del S.* Cacería con ojeo, encerrando la caza en un círculo, practicado antiguamente.

chacó *s. m.* Morrión que usaban antiguamente los soldados de caballería y, después, los de otras armas de algunas tropas.

chacolí *s. m.* Vino ligero y algo agrio que se hace con la uva poco azucarada del País Vasco y de Cantabria. También se hace en Chile.

chacolotear *v. intr.* Hacer ruido la herradura floja.

chacona *s. f.* Baile de los siglos XVI y XVII en España y Francia con acompañamiento de castañuelas y de coplas.

chacota *s. f.* Bullicio y alegría ruidosa.

chacotear *v. intr.* Burlarse, divertirse con bulla, voces y risa. También prnl.

chacra *s. f., amer.* Granja, cortijo.

chacuaco *s. m., amer.* Horno de manga empleado para fundir minerales de plata.

chafaldita *s. f.* Pulla ligera e inofensiva.

chafalditero, ra *adj., fam.* Propenso a decir chafalditas.

chafallar *v. tr., fam.* Hacer o remendar una cosa sin arte.

chafallo *s. m.* Remiendo mal echado.

chafallón, na *adj., fam.* Persona que trabaja toscamente.

chafalonía *s. f.* Conjunto de objetos inservibles de plata u oro, para fundir.

chafandín *s. m.* Persona vanidosa e informal.

chafar *v. tr., fam.* Deslucir a alguien en una conversación o concurrencia.

chafarote *s. m.* Alfanje corto y ancho.

chafarrinada *s.* Mancha que desluce una cosa.

chafarrinar *v. tr.* Deslucir una cosa con manchas o borrones.

chaflán *s. m.* Cara que resulta en un objeto al cortar una esquina o arista de él.

chaflanar *v. tr.* Hacer chaflanes.

chagra *s. m. y s. f., amer.* **1.** Campesino de Ecuador. ‖ *s. f.* **2.** *Col.* Chacra, granja.

chagrín *s. m.* Tafilete.

chaira *s. f.* **1.** Cuchilla que usan los zapateros. **2.** Cilindro de acero que usan los carniceros para afilar las cuchillas.

chajá *s. m., Arg., Par., Ur. y Bol.* Ave zancuda de gran tamaño, color gris, cuello largo y plumas altas en la cabeza. Su andar es erguido y lento y lanza un fuerte grito, que sirvió para darle nombre. Se domestica con facilidad.

chal *s. m.* Paño de seda o lana que se pone sobre los hombros y espalda.

chalado, da *adj.* **1.** *fam.* Falto de juicio. **2.** *fam.* Muy enamorado.

chalán, na *adj.* Se dice de la persona que negocia con compras y ventas.

chalana *s. f.* Embarcación menor, de fondo plano, proa aguda y popa cuadrada, que sirve para transporte en lugares de poco fondo.

chalanear *v. tr.* Tratar los negocios con la maña y destreza propias de chalanes.

chalanería *s. f.* Artificio y astucia de que se valen los chalanes para vender y comprar.

chalar *v. tr.* Poner a alguien en estado de no discurrir bien; particularmente, por enamorarle. También prnl.

chalaza *s. f.* Cada uno de los dos filamentos que mantienen la yema del huevo en medio de la clara.

chalchihuite *s. m., Amér. C.* Chuchería, baratija de poco valor.

chalé *s. m.* Casa con jardín.

chaleco *s. m.* Prenda de vestir sin mangas, que se pone encima de la camisa y llega de los hombros a la cintura.

chalet *s. m.* Chalé.

chalina *s. f.* Corbata ancha que se ata con una lazada grande.

chalote *s. m.* Planta perenne liliácea, de bulbos agregados como los del ajo.

chalupa *s. f.* **1.** Embarcación pequeña con cubierta y dos palos. **2.** Lancha, bote.

chama *s. f.* Entre chamarileros y gente vulgar, cambio, trueque.

chamaco, ca *s. m. y s. f., Amér. C.* Niño, muchacho.

chamada *s. f., And.* Sucesión de acontecimientos desfavorables.

chamal *s. m., Arg., Bol. y Chil.* Tela que usan los araucanos para cubrirse de la cintura abajo, a veces con la parte de atrás vuelta hacia delante por entre las piernas, formando una especie de pantalones.

chamaquear *v. tr., Méx.* Engañar a alguien para aprovecharse de él o perjudicarlo, debido a su inexperiencia o ingenuidad.

chamar *v. tr.* Entre chamarileros y gente vulgar, cambiar, dar o tomar una cosa por otra.

chamarasca *s. f.* Leña menuda y hojas que, dándoles fuego, levantan mucha llama de poca duración.

chamarilear *v. tr.* Chamar.

chamarilero, ra *s. m. y s. f.* Persona que compra y vende cosas usadas.

chamarillón, na *adj.* Que juega mal a los naipes.

chamarra *s. f., Méx.* **1.** Bozal de correas de cuero para perros agresivos. **2.** Vestidura de jerga o paño burdo, parecida a la zamarra.

chamarro *s. m., Hond. y Méx.* Zamarro, prenda rústica de vestir.

chamba *s. f.* Suerte, casualidad, chiripa.

chambado *s. m., Arg. y Chil.* Cuerna, vaso rústico.

chambelán *s. m.* Gentilhombre de cámara.

chambergo, ga *adj.* Se aplica a cierto regimiento que se creó en Madrid en tiempo de Carlos II para su guardia personal.

chambón, na *adj.* Que en el juego hace buenas jugadas por casualidad.

chambra *s. f.* Vestidura interior, no ajustada, de mujer o de niño, que cubre la parte superior del cuerpo.

chambrana *s. f.* **1.** Labor o adorno de piedra o madera, que se pone alrededor de las puertas, ventanas, chimeneas, etc. **2.** Cada uno de los travesaños que unen entre sí las partes de una silla, mesa u otro mueble, para darles mayor seguridad.

chamelote *s. m.* Camelote, tejido de pelo de camello, o imitación de él.

chamicera *s. f.* Trozo de monte incendiado en que los árboles y plantas están medio quemados o ennegrecidos.

chamiza *s. f.* Hierba silvestre y medicinal, de la familia de las gramíneas.

chamizo *s. m.* **1.** Leño medio quemado. **2.** Choza cubierta de chamiza, cañas, etc.

chamorro, rra *adj.* Esquilado.

champa *s. f., Amér. del S.* Raigambre.

champán[1] *s. m.* Embarcación grande de fondo plano, empleada en China y Japón.

champán[2] *s. m., fam.* Vino blanco espumoso, originario de Francia.

champaña *s. m.* Champán[2].

champiñón *s. m.* Nombre común a varias especies de hongos agaricáceos, algunos de los cuales son comestibles.

champú *s. m.* Loción para el cabello.

champurrar *v. tr., fam.* Mezclar dos o más licores.

chamuchina *s. f.* Cosa de poco valor.

chamuscar *v. tr.* Quemar algo superficialmente o por las puntas. También prnl.

chamusquina *s. f., fam.* Camorra, riña.

chan *s. m., El Salv. y Guat.* Chía, semilla de salvia.

chanada *s. f., fam.* Engaño, superchería.

chancaca *s. f., amer.* Masa preparada con azúcar o miel, y de diversas maneras.

chancar *v. tr., Amér. C., Arg., Chil. y Per.* Triturar, machacar, moler, especialmente minerales.

chancear *v. tr.* Usar de chanzas.

chanchería *s. f., Arg. y Chil.* Tienda donde se vende carne de chancho y embuchados.

chancho, cha *adj.* **1.** *amer.* Sucio, desaseado. ‖ *s. m. y s. f.* **2.** Cerdo.

chanchullero, ra *adj.* Que gusta de andar en chanchullos.

chanchullo *s. m.* **1.** Negocio ilícito. **2.** Hecho oscuro, poco claro.

chanciller *s. m.* Canciller.

chancla *s. f.* Zapato viejo cuyo talón está ya caído y aplastado por mucho uso.

chancleta *s. f.* Zapatilla sin talón.

chancletear *v. intr.* Andar en chancletas.

chanclo *s. m.* **1.** Calzado de madera. **2.** Zapato de goma en que entra el pie calzado.

chancro *s. m.* Úlcera contagiosa de origen venéreo o sifilítico.

chándal *s. m.* Prenda de vestir especialmente utilizada para hacer deporte.

chanfaina *s. f.* Guiso de asadura hecha en trozos menudos.

chanflón, na *adj.* Se dice de la moneda falsa.

changa *s. f., fam.* Trato o negocio de poca importancia.

changallo, lla *adj., Can.* Perezoso.

changuear *v. intr., Col., Cub. y P. Ric.* Bromear.

changüí *s. m., fam.* Engaño, broma o burla.

chanquete *s. m.* Pez pequeño comestible, semejante a la cría del boquerón.

chantaje *s. m.* Presión que, mediante amenazas, se ejerce sobre una persona para obtener de ella dinero o para obligarla a obrar en determinado sentido.

chantajista *com.* Persona que ejerce habitualmente el chantaje.

chantar *v. tr.* **1.** Clavar, hincar. **2.** Vestir, poner.

chantillí *s. m.* Crema usada en pastelería hecha de nata batida, azúcar y vainilla.

chantre *s. m.* Dignidad de las iglesias catedrales a cuyo cargo estaba el coro.

chantría *s. f.* Dignidad de chantre.

chanza *s. f.* Dicho o hecho gracioso.

chapa *s. f.* Hoja o lámina de metal, madera u otra materia.

chapado, da *adj.* Chapeado, cubierto o guarnecido con chapas.

chapalear *v. intr.* Chapotear, sonar el agua batida por las manos y los pies.

chapaleta *s. f.* Válvula de la bomba de sacar agua.

chapapote *s. m., amer.* Asfalto de las Antillas.

chapar *v. tr.* Chapear, cubrir algo con chapa.

chaparra *s. f.* Carrasca, chaparro, planta de encina o de roble que crece formando matorral en vez de árbol.

chaparrada *s. f.* Chaparrón.

chaparral *s. m.* Sitio poblado de carrascas.

chaparrear *v. intr.* Llover mucho.

chaparro *s. m.* Mata de encina o roble, de muchas ramas y poca altura.

chaparrón *s. m.* Lluvia violenta de corta duración.

chapatal *s. m.* Lodazal o ciénaga.

chape *s. m., Col. y Chil.* Trenza de pelo.

chapeado, da *adj.* Cubierto o guarnecido con chapas.

chapear *v. tr.* Cubrir o adornar con chapas.

chapeo *s. m.* Sombrero, prenda que cubre la cabeza.

chapera *s. f.* Plano inclinado hecho con maderos sujetos con listones transversales, que se pone en las obras como escalera provisional.

chaperón *s. m.* Alero de madera que se suele poner en los patios para apoyar en él los canalones.

chapeta *s. f.* Color encendido de las mejillas.

chapetón, na *adj., amer.* Se dice del español recién llegado a América, y por ext., del europeo en iguales condiciones.

chapetonada *s. f., amer.* Enfermedad que padecían los españoles al llegar a América, antes de aclimatarse.

chapín *s. m.* Chinela ricamente bordada.

chapinete *s. m.* Madero que formaba parte de los entramados en ciertas obras de albañilería.

chapista *com.* Persona que trabaja la chapa.

chapitel *s. m.* **1.** Remate en punta de una torre. **2.** Capitel de columna.

chapodar *v. tr.* Cortar ramas de los árboles aclarándolos, a fin de que no se envicien.

chapón *s. m.* Borrón grande de tinta.

chapotear *v. intr.* **1.** Golpear el agua de modo que salpique. **2.** Agitar los pies o las manos en el agua.

chapucear *v. tr.* Hacer un trabajo de prisa y mal, o emborronarlo, ensuciarlo, etc. al hacerlo.

chapucería *s. f.* Trabajo mal hecho o sucio.

chapucero, ra *adj.* **1.** Se aplica a las cosas que están hechas con poco esmero o poca limpieza. **2.** Se dice de la persona que trabaja de este modo.

chapulín *s. m., Amér. C. y Ven.* Langosta, cigarrón.

chapurrar *v. tr.* Hablar imperfectamente un idioma extranjero.

chapurrear *v. tr.* Chapurrar un idioma. También intr.

chapuz *s. m.* Obra o labor de poca importancia.

chapuza *s. f.* **1.** Trabajo mal hecho o sucio. **2.** Trabajo de poca importancia que hace un obrero por su cuenta, generalmente fuera de las horas de jornal.

chapuzar *v. tr.* Meter a alguien de cabeza en el agua.

chapuzón *s. m.* Acción y efecto de chapuzar o chapuzarse.

chaqué *s. m.* Especie de levita con los faldones separados por delante.

chaqueta *s. f.* Prenda de vestir exterior con mangas, que se ajusta al cuerpo y pasa poco de la cintura.

chaquetero, ra *adj.* **1.** *fam.* Que cambia de opinión o de partido por conveniencia personal. **2.** *fam.* Adulador.

chaquetilla *s. f.* Chaqueta hasta la cintura y con adornos.

chaquetón *s. m.* Prenda exterior más larga y de más abrigo que la chaqueta.

charada *s. f.* Juego que consiste en adivinar una palabra, de la que, como clave, se da el significado, así como el de cada una de sus sílabas, consideradas como otras tantas palabras.

charadrio *s. m.* Chorlito.

charamada *s. f.* Enigma, acertijo.

charanga *s. f.* Banda de música de poca importancia, formada con instrumentos de viento, generalmente de metal.

charango *s. m., amer.* Especie de bandurria pequeña, de sonidos muy agudos, de cinco cuerdas usada en Perú, hecha a veces con el caparazón de armadillo.

charanguero *s. m., And.* Barco que se usa en Andalucía para el tráfico entre puertos próximos.

charca s. f. Depósito de agua, detenida en el terreno, natural o artificialmente.

charco s. m. Agua estancada en un hoyo o depresión del terreno o piso.

charcutería s. f. Tienda en que se venden embutidos, jamón, etc.

charla s. f. **1.** Acción de charlar. **2.** Conversación sin trascendencia.

charlar v. intr. **1.** Hablar mucho y sobre temas sin trascendencia. **2.** Conversar sin objeto determinado.

charlatán, na adj. **1.** Que habla mucho y sin sentido. **2.** Que habla sin discreción.

charlatanería s. f. Cosas que dice un charlatán o que no tienen ningún valor o que no son verdad.

charlotada s. f. **1.** Festejo taurino bufo. **2.** Actuación colectiva, grotesca o ridícula.

charneca s. f. Lentisco, planta anacardiácea.

charnela s. f. Gozne o bisagra.

charol s. m. **1.** Barniz muy lustroso. **2.** Cuero barnizado con este barniz.

charolar v. tr. Barnizar con charol o con otro líquido que lo imite.

charpa s. f. Cabestrillo para sostener el brazo lesionado.

charque s. m., Arg., Méx. y Ur. Charqui.

charquear v. tr., Amér. del S. Hacer charqui.

charqui s. m., Amér. del S. Tasajo, carne salada.

charquicán s. m., Per., Bol. y Chil. Guiso hecho con charqui, ají, patatas, judías y otros ingredientes.

charrán adj. Pillo, tunante.

charranear v. intr. Hacer vida de charrán o conducirse como tal.

charrasca s. f. Sable u otra arma que, al desenvainarla o abrirla rápidamente, produce un ruido semejante al que hace el sable al desenvainarlo; por ejemplo, la navaja de muelles.

charretera s. f. Insignia del uniforme militar consistente en una pieza forrada de tejido de seda, oro o plata, con un fleco, la cual se lleva en el hombro de la guerrera.

charrúa s. f., And. Embarcación pequeña que servía para remolcar otras mayores.

¡chas! interj. con que se imita un chasquido.

chasca s. f. Leña menuda, que procede de la poda de árboles y arbustos.

chascar v. intr. Producir un ruido especial con la lengua, aplicándola al paladar y separándola bruscamente.

chascarrillo s. m. Anécdota ligera y picante.

chascás s. m. Morrión con cimera plana y cuadrada, usado primero por los polacos y después por los lanceros de toda Europa.

chasco s. m. Decepción, engaño.

chasis s. m. Armazón de algunos objetos, en particular de los coches.

chasquear[1] v. tr. Dar chasco o broma.

chasquear[2] v. tr. Dar chasquidos la madera u otra cosa.

chasquido s. m. Ruido seco y súbito que produce una materia al resquebrajarse.

chata s. f. Bacín plano, con borde entrante y mango hueco, por donde se vacía.

chatarra s. f. Escoria del mineral de hierro.

chatarrero, ra s. m. y s. f. Persona que se dedica a coger, almacenar o vender chatarra.

chatear v. intr. Mantener un diálogo entre uno o más usuarios a través de una computadora u ordenador.

chato, ta adj. **1.** De nariz poco prominente y aplastada. **2.** Se dice de la nariz que tiene esta figura.

chatón s. m. Piedra preciosa gruesa, engastada en una sortija u otra alhaja.

chatre adj., Chil. y Ec. Ricamente acicalado.

chatria s. m. Individuo perteneciente a la segunda casta de la India.

chauvinismo s. m. Chovinismo.

chauz s. m. Portero de estrados, alguacil o ministro del juez entre los árabes.

chaval, la s. m. y s. f. Popularmente, joven.

chavasca s. f. Chasca, leña menuda de la poda.

chavea s. m., fam. Rapazuelo, muchacho.

chaveta s. f. Clavo hendido.

chayotera s. f. Planta americana de las cucurbitáceas, trepadora y espinosa. Las flores tienen cinco pétalos amarillos y el cáliz acampanado; su fruto es el chayote.

chaza s. f. Suerte del juego de la pelota en que esta vuelve contrarrestada y se para o la detienen antes de llegar al saque.

chazador, ra s. m. y s. f. Jugador que detiene las pelotas y que regularmente se coloca en medio del juego.

chazar v. tr. En los juegos de pelota, detener esta antes de que llegue al sitio señalado para hacer tanto.

chef s. m. Jefe de cocina.

chepa s. f. Joroba.

cheque s. m. Documento para que una persona cobre cierta cantidad de los fondos que otra tiene disponibles en un banco.

chequeo s. m. Revisión médica general a que se somete una persona.

cherchar v. intr. Burlar.

cherna s. f. Mero.

cherva s. f. Ricino.

cheviot s. m. **1.** Lana de cordero de Escocia. **2.** Paño que se hace con ella.

chía *s. f.* Manto negro corto, generalmente de bayeta, que se usaba antiguamente en los lutos.

chibalete *s. m.* En imprenta, armazón de madera donde se colocan las cajas para componer.

chibuquí *s. m.* Pipa turca de tubo largo y recto.

chic *s. m.* Gracia, elegancia.

chicarrón, na *adj., fam.* Se dice de la persona de corta edad muy crecida y desarrollada. También s. m. y s. f.

chicha[1] *s. f., fam.* Hablando con los niños, carne comestible.

chicha[2] *s. f.* Bebida alcohólica que resulta de la fermentación del maíz.

chicharra *s. f.* Cigarra, insecto.

chicharro *s. m.* Jurel, pez.

chicharrón *s. m.* Residuo de las pellas del cerdo, después de derretida la manteca.

chichear *v. intr.* Sisear.

chichigua *s. f., Amér. C.* Ama de cría.

chichón *s. m.* Bulto en la cabeza producido por un golpe.

chichota *s. f.* Pizca, parte mínima de una cosa.

chichurro *s. m.* Caldo en que se han cocido las morcillas al hacerlas.

chicle *s. m.* Pastilla de goma blanda, impregnada en una sustancia dulce y aromatizada, que se lleva en la boca masticándola como golosina.

chico, ca *adj.* **1.** Pequeño o de poco tamaño. **2.** Niño o muchacho. También s. m. y s. f.

chicote *s. m.* Extremo o remate de cuerda, o pedazo de ella.

chifla *s. f.* **1.** Acción y efecto de chiflar. **2.** Especie de silbato.

chiflado, da *adj., fam.* Se dice de la persona que tiene algo perturbada la razón.

chifladura *s. f.* Acción y efecto de chiflar o chiflarse.

chiflar *v. intr.* **1.** Silbar con la chifla. ‖ *v. tr.* **2.** Hacer burla de algo o alguien en público. ‖ *v. prnl.* **3.** *fam.* Encapricharse con algo. **4.** *fam.* Perder las facultades mentales.

chiflato *s. m.* Silbato.

chifle *s. m.* **1.** Silbato. **2.** Reclamo para cazar aves.

chiflido *s. m.* **1.** Sonido del chiflo. **2.** Silbo que lo imita.

chiflo *s. m.* Chifla.

chigre *s. m.* **1.** *Ast.* Tienda donde se vende sidra al por menor. **2.** Bar pequeño, chiringuito.

chigüiro *s. m., amer.* Carpincho, animal roedor.

chilaba *s. f.* Prenda de vestir con capucha que usan los moros.

chilacayote *s. m., amer.* Planta de la familia de las cucurbitáceas, de cuyo fruto se hace el cabello de ángel.

chilaquila *s. f., C. Ric. y Guat.* Tortillas de maíz rellenas con queso, hierbas y chile.

chilca *s. f., Col. y Guat.* Nombre de varias especies de arbustos balsámicos y resinosos que se usan en veterinaria.

chile *s. m.* Variedad de pimiento picante.

chilenismo *s. m.* Giro o modo de hablar propio de los chilenos.

chilindrina *s. f.* **1.** *fam.* Cosa poco importante. **2.** *fam.* Anécdota ligera.

chilindrón *s. m.* Juego de naipes.

chilla *s. f.* Reclamo con que los cazadores imitan el chillido de algunos animales.

chillar *v. intr.* **1.** Producir con la boca sonidos fuertes, agudos y estridentes. **2.** Hablar en tono alto y malhumorado.

chillido *s. m.* Grito agudo y desagradable.

chillón, na *adj.* **1.** Que chilla mucho. **2.** Se dice del sonido agudo y desagradable. **3.** *fig.* Se aplica al color demasiado vivo.

chilpe *s. m.* **1.** *Ec.* Hoja seca de maíz. ‖ *s. m. pl.* **2.** *Chil.* Andrajos, trastos, trebejos.

chimango *s. m., Arg., Bol. y Per.* Ave de rapiña, de unos 30 cm de largo, de color oscuro en parte y en otras acanelado y blancuzco. Abunda mucho en la región del Río e la Plata.

chimbo *s. m., amer.* Especie de dulce hecho con huevos, almendras y almíbar.

chimenea *s. f.* **1.** Conducto para dar salida al humo. **2.** Hogar o fogón.

chimpancé *s. m.* Mono antropomorfo africano.

china *s. f.* Piedra pequeña.

chinar *v. intr.* Rechinar.

chinarro *s. m.* Piedra algo mayor que una china.

chinchar *v. tr., fam.* Molestar, fastidiar.

chinche *s. f.* **1.** Insecto hemíptero que chupa la sangre de las personas. ‖ *com.* **2.** Persona molesta.

chincheta *s. f.* Clavito metálico de cabeza grande y plana y de punta corta y fina.

chinchilla *s. m.* Mamífero roedor sudamericano, parecido a la ardilla.

chinchorro *s. m., amer.* Hamaca ligera tejida de cordeles, como el esparavel, que se usa corrientemente para dormir.

chinchorronear *v. intr.* **1.** Andar conchismes y cuentos. ‖ *v. tr.* **2.** Fastidiar.

chiné *adj.* Se dice de una tela rameada o con varios colores combinados.

chinear *v. tr., Amér. C.* Llevar en brazos o a cuestas.

chinela *s. f.* Calzado casero sin talón, de suela ligera.

chinero *s. m.* Armario de comedor o alacena donde se guardan piezas de china o de porcelana, cristal, etc.

chinesco *s. m.* Instrumento musical, propio de banda militar, consistente en un aro del que penden campanillas y cascabeles, y que se toca agitándolo.

chingana *s. f., Arg., Bol., Chil. y Ec.* Taberna en que se suele cantar y bailar.

chingar *v. tr., fam.* Beber vino o licores.

chip *s. m.* Microprocesador.

chipa *s. f., Bol., Col. y Chil.* Cesto de paja que se emplea para recoger frutas y legumbres.

chipé *s. f.* Verdad, bondad.

chipén *s. f.* Vida, bullicio.

chipirón *s. m.* Calamar.

chipote *s. m., Amér. C.* Manotada.

chiquear *v. tr., Cub. y Méx.* Mimar, acariciar a una persona, especialmente de palabra.

chiquero *s. m.* **1.** Pocilga. **2.** Toril.

chiquillada *s. f.* Acción propia de chiquillos.

chiquillería *s. f., fam.* Multitud, concurrencia de chiquillos.

chiquillo, lla *adj.* Chico, muchacho.

chirapa *s. f.* **1.** *Bol.* Andrajo, trapo o jirón de ropa. **2.** *Per.* Lluvia con sol.

chiribita *s. f.* **1.** Chispa, partícula pequeña y encendida. **2.** Margarita de prado.

chiribitil *s. m.* **1.** Desván, escondrijo bajo y estrecho. **2.** *fam.* Habitación muy pequeña.

chirigota *s. f., fam.* Cuchufleta.

chirigotear *v. intr.* Decir chirigotas.

chirimbolo *s. m., fam.* Trasto, cosa.

chirimía *s. f.* Instrumento musical de viento hecho de madera y parecido al clarinete.

chirimoya *s. f.* Fruto del chirimoyo.

chirimoyo *s. m.* Árbol anonáceo americano.

chiringuito *s. m.* Quiosco o puesto de bebidas al aire libre.

chirinola *s. f.* Riña no muy violenta.

chiripa *s. f., fam.* Casualidad favorable.

chiripá *s. m., Arg. y Chil.* Chamal que se lleva vuelto hacia delante por entre las piernas, a modo de pantalón.

chiripear *v. tr.* Ganar tantos por chiripa en el juego de billar.

chirivía *s. f.* Planta umbelífera, de raíz carnosa comestible, parecida al nabo.

chirla *s. f.* Almeja.

chirlar *v. intr., fam.* Hablar atropelladamente y metiendo ruido.

chirlata *s. f.* Trozo de madera con que se completa o remienda otro.

chirle *s. m.* Excremento del ganado lanar o cabrío.

chirlo *s. m.* Herida o cicatriz en la cara.

chirona *s. f., fam.* Cárcel, prisión.

chirriar *v. intr.* Producir un sonido estridente cualquier cosa que se roza con otra.

chirrido *s. m.* Sonido agudo y desagradable.

chirula *s. f.* Flautilla que se usa en el País Vasco.

chirumen *s. m., fam.* Caletre.

¡chis, chis! *interj.* que se emplea para llamar la atención de alguien.

chiscarra *s. f.* Roca caliza de tan poca coherencia que se divide fácilmente en fragmentos pequeños.

chiscón *s. m.* Habitación muy pequeña.

chisgarabís *s. m.* Zascandil, mequetrefe.

chisguete *s. m.* Trago de vino.

chismar *v. tr.* Chismear. También intr.

chisme *s. m.* **1.** Murmuración. **2.** Baratija.

chismear *v. intr.* Traer y llevar chismes y cuentos.

chismorrear *v. intr., fam.* Contarse chismes mutuamente varias personas.

chismorreo *s. m., fam.* Acción y efecto de chismorrear.

chismoso, sa *adj.* Que chismea o es dado a chismear.

chispa *s. f.* **1.** Partícula encendida que salta de la lumbre, del hierro herido por el pedernal, etc. **2.** Destello, punto de luz.

chispazo *s. m.* Acción de saltar la chispa.

chispear *v. intr.* **1.** Echar chispas. **2.** Relucir o brillar mucho. **3.** Llover muy poco.

chispo, pa *adj., fam.* Bebido, alegre.

chispoleto, ta *adj.* Que es listo, vivaracho.

chisporrotear *v. intr.* Despedir chispas.

chisposo, sa *adj.* Se aplica a la materia combustible que arroja muchas chispas cuando se quema.

chisquero *s. m.* Esquero, bolsa de cuero que se llevaba antiguamente sujeta al cinturón, con la yesca y el pedernal, el dinero u otras cosas.

¡chist! *interj.* que se emplea para imponer silencio o para hacer callar a alguien.

chistar *v. intr.* Llamar la atención de alguien.

chiste *s. m.* **1.** Dicho agudo y gracioso. **2.** Suceso gracioso. **3.** Burla o chanza.

chistera *s. f.* **1.** Cesta de pescadores y de pelotaris. **2.** Sombrero con la copa muy alta y cilíndrica.

chistoso, sa *adj.* Que usa de chistes.

chistu *s. m.* Flauta aguda típica del País Vasco.

chistulari *s. f.* Músico del País Vasco que acompaña las danzas populares con el chistu y el tamboril.

chita *s. f.* Astrágalo, hueso del pie.

chitar *v. intr.* Chistar.

¡chito! *interj.* usada para imponer silencio.

¡chitón! *interj., fam.* ¡Chito!

chivarse *v. prnl.* Irse de la lengua, decir algo que perjudica a otro.

chivato, ta *adj.* **1.** Soplón, delator. || *s. m.* **2.** Dispositivo que advierte de una anormalidad o que llama la atención sobre algo.

chivo, va *s. m. y s. f.* Cría de la cabra.

choc *s. m.* Suspensión repentina de la actividad del organismo por causa de una impresión fuerte de carácter psíquico o físico.

choca *s. f.* Práctica de dejar al azor pasar la noche con la perdiz cazada por él, para cebarle.

chocante *adj.* Que causa extrañeza.

chocar *v. intr.* **1.** Encontrarse violentamente dos cuerpos. **2.** *fig.* Causar extrañeza.

chocarrería *s. f.* Chiste grosero.

chocarrero, ra *adj.* Que tiene chocarrería.

chocha *s. f.* Ave zancuda, poco menor que la perdiz, muy estimada por su carne.

chochear *v. intr.* Tener debilitadas las facultades mentales por efecto de la edad.

chochera *s. f.* Chochez.

chochez *s. f.* Calidad de chocho.

chocho *s. m.* Altramuz, planta leguminosa.

chocho, cha *adj.* Que chochea.

choclo *s. m.* Mazorca tierna de maíz.

choco, ca *adj.* **1.** *Col.* Se aplica a la persona de tez muy morena. ‖ *s. m.* **2.** *Chil.* Rufo, de pelo ensortijado.

chocolate *s. m.* **1.** Pasta hecha a base de cacao y azúcar. **2.** Bebida hecha de esta pasta, desleída y cocida en agua o leche.

chocolatera *s. f.* Recipiente para cocer chocolate, que es alto, con mango largo y una tapadera con un agujero para dejar paso al mango del molinillo.

chocolatina *s. f.* Pedazo pequeño de chocolate selecto.

chofe *s. m.* Bofe.

chófer o chofer *com.* Persona que conduce un automóvil como medio de vida.

choferesa *s. f.* Mujer que conduce un automóvil como medio de vida.

chofeta *s. f.* Braserillo manual de metal o barro, que servía para encender el cigarro.

chollo *s. m.* Situación ventajosa en la que se saca mucho provecho con poco esfuerzo.

cholo, la *adj., amer.* Se dice del indígena incorporado a la forma de vida occidental. También s. m. y s. f.

chonta *s. f., Amér. C. y Per.* Nombre aplicado a varias especies de palmeras espinosas, cuya madera, dura y fuerte, se emplea en bastones por su hermoso color oscuro jaspeado.

chopa *s. f.* Pez acantopterigio semejante a la dorada, pero con dos manchas negras junto a la cola.

chopera *s. f.* Sitio poblado de chopos.

chopo[1] *s. m.* Álamo negro.

chopo[2] *s. m.* Fusil.

choque *s. m.* **1.** Encuentro violento de una cosa con otra. **2.** Profunda depresión nerviosa a consecuencia de una intensa emoción. **3.** *fig.* Contienda con una o más personas.

choquezuela *s. f.* Rótula de la rodilla.

chorizo *s. m.* Embutido de carne de cerdo, picada y adobada, que se cura al humo.

chorla *s. f.* Ave, especie de ganga, pero de mayor tamaño.

chorlito *s. m.* Ave zancuda de pico largo y recto, cuya carne es muy apreciada.

chorote *s. f.* **1.** *Col.* Chocolatera de loza sin vidriar. **2.** *Cub.* Toda bebida espesa.

chorrada *s. f., fig. y fam.* Impertinencia, pesadez.

chorrear *v. intr.* Caer un líquido a chorro.

chorrera *s. f.* **1.** Sitio por donde cae un chorro pequeño de líquido. **2.** Adorno consistente en una especie de cascada de encaje que cubre el cierre del vestido por delante.

chorrillo *s. m.* Cantidad pequeña pero seguida que se va gastando o recibiendo de algo.

chorro *s. m.* **1.** Golpe de líquido, que sale por una abertura con fuerza. **2.** Caída continua de cosas iguales y pequeñas.

chortal *s. m.* Pequeña laguna formada por un manantial poco abundante que brota en el fondo de ella.

chotacabras *s. amb.* Ave trepadora, de ojos grandes y pico pequeño y corvo, plumaje gris con manchas y rayas negras en la cabeza, cuello y espalda, y algo rojizo por el vientre; collar incompleto blanquecino, alas largas y cola cuadrada. Es crepuscular y come insectos que caza al vuelo.

chotear *v. tr.* Hacer mofa o burla de alguien. También prnl.

choteo *s. m.* Burla.

chotis *s. m.* Baile por parejas de movimiento lento.

choto, ta *s. m. y s. f.* Ternero.

chova *s. f.* Especie de cuervo de plumaje negro con visos verdosos o encarnados, pico amarillo o rojizo y pies de este último color.

chovinismo *s. m.* Patriotismo exclusivista, fervor exagerado por las cosas de la patria propia acompañado de desprecio por las extranjeras.

chovinista *com.* Persona que manifiesta chovinismo.

choz *s. f.* Golpe, novedad, extrañeza.

choza *s. f.* Cabaña formada de estacas y cubierta de ramas o paja.

chozno, na *s. m. y s. f.* Cuarto nieto.

chozo *s. m.* Choza pequeña.

chozpar *v. intr.* Saltar o brincar con alegría los corderos, cabritos y otros animales.

chozpo *s. m.* Brinco de un animal cuando chozpa.

chubasco *s. m.* Lluvia de más o menos violencia, que solo dura unos momentos.

chubasquero *s. m.* Impermeable.

chúcaro, ra *adj., amer.* Arisco, bravío.

chuchería *s. f.* **1.** Objeto de poco valor, pero apreciado. **2.** Golosina.

chucho *s. m. y s. f., fam.* Perro común.

chuchoca *s. f., Amér. del S.* Especie de frangollo o maíz cocido y seco, que se usa como condimento.

chuchumeco *s. m., desp.* Se aplica al hombre tacaño.

chueca *s. f.* Hueso redondo o parte de un hueso que encaja en otro.

chufa *s. f.* Cada uno de los tubérculos de la raíz de una especie de juncia, utilizados para la fabricación de refrescos y aceite.

chufar *v. intr.* Hacer escarnio de una cosa.

chufla *s. f.* Broma.

chulada *s. f.* Dicho o hecho gracioso con cierta soltura y desenfado.

chulapo, pa *s. m. y s. f.* Chulo madrileño.

chulear *v. tr.* **1.** Burlar con gracia y chistes. También prnl. ‖ *v. prnl.* **2.** Jactarse.

chulería *s. f.* Cualidad o actitud de chulo.

chuleta *s. f.* **1.** Costilla con carne. **2.** Papel con anotaciones para copiar en los exámenes. **3.** *fam.* Bofetada. ‖ *s. m.* **4.** Presumido.

chulo, la *adj.* Engreído, jactancioso.

chumacera *s. f.* Pieza de metal o madera, con una muesca en que descansa y gira cualquier eje de maquinaria.

chumbe *s. m., Col., Arg., Ec. y Ven.* Faja que se ciñe a la cintura.

chumbera *s. f.* Planta cactácea de países tropicales, cuyo fruto es el higo chumbo.

chumbo, ba *adj.* Fruto envuelto en una corteza espinosa, de carne muy dulce.

chunga *s. f., fam.* Broma o burla.

chunguearse *v. prnl., fam.* Burlarse de alguien, particularmente halagándole falsamente.

chuño *s. m., Amér. del S.* Fécula de la patata y de otros tubérculos.

chupa *s. f.* **1.** Chaleco con cuatro faldillas y mangas ajustadas. **2.** *fam.* Cazadora.

chupado, da *adj.* **1.** Despojado de jugo. **2.** Muy flaco y débil. **3.** Fácil.

chupar *v. tr.* **1.** Sacar o aspirar con los labios el jugo de una cosa. También intr. **2.** Coger una cosa esponjosa en su masa un líquido.

chupatintas *s. m., desp.* Oficinista de poca categoría.

chupeta *s. f.* Pequeña cámara que hay a popa en la cubierta principal de algún buque.

chupete *s. m.* Objeto de goma elástica, en forma de pezón, que se da a chupar a los niños de pecho para que se distraigan.

chupetear *v. tr.* Chupar algo con insistencia.

chupetón *s. m.* Acción y efecto de chupar con fuerza.

chupinazo *s. m.* Disparo hecho con una especie de mortero en los fuegos artificiales, cuya carga son candelillas.

chupito *s. m.* Sorbito de vino u otro licor.

chupón, na *adj., fig. y fam.* Que saca dinero con astucia y engaño. También s. m. y s. f.

chupóptero, ra *adj.* Se dice de la persona que vive a costa de otra.

churdón *s. m.* Frambueso, frambuesa, o pasta hecha con esta, que se emplea para hacer refrescos.

churlo *s. m.* Saco de lienzo de pita cubierto con otro de cuero para transportar sustancias delicadas.

churrasco *s. m.* Carne asada a la brasa.

churre *s. m., fam.* Pringue gruesa y sucia.

churrería *s. f.* Lugar donde se hacen y venden churros.

churrero, ra *s. m. y s. f.* Persona que hace o vende churros.

churrete *s. m.* Mancha.

churro *s. m.* **1.** Fritura consistente en un trozo de masa de harina y agua, de forma cilíndrica y estriada. **2.** *fam.* Chapuza.

churro, rra *adj.* Se dice de una lana más basta que la merina y del ganado que la produce.

churruscar *v. tr.* Tostar demasiado el pan, la comida, etc. puestos al fuego.

churrusco *s. m.* Trozo de pan demasiado tostado, o que se empieza a quemar.

churumbel *s. m. y s. f.* Niño.

churumbela *s. f.* Instrumento musical de viento, semejante a la chirimía.

churumo *s. m., fam.* Jugo o sustancia.

chusco, ca *adj.* **1.** Que tiene gracia, donaire y picardía. ‖ *s. m.* **2.** Mendrugo o panecillo.

chusma *s. f.* **1.** Grupo de gente desvergonzada. **2.** Muchedumbre.

chuspa *s. f., Amér. del S.* Bolsa.

chutar *v. intr.* Lanzar la pelota con un golpe del pie, en el juego del fútbol.

chuzo *s. m.* **1.** Palo con un pincho. **2.** Carámbano, pedazo de hielo.

cía *s. f.* Hueso de la cadera.

ciaboga *s. f.* Maniobra de dar vueltas en redondo a una embarcación de remos, bogando avante los de una banda y al revés o para atrás los de la otra.

cianhídrico *adj.* Se dice de un ácido líquido, incoloro, muy venenoso, que se extrae de las almendras amargas.

ciánico *adj.* Se dice del ácido que resulta de la oxidación e hidratación del cianógeno.

cianógeno *s. m.* Gas incoloro, de olor penetrante, compuesto de ázoe y de carbono.

cianosis *s. f.* Coloración azul, y alguna vez, negruzca o lívida de la piel.

cianuro *s. m.* Sal resultante de la combinación del ácido cianhídrico con un radical simple o compuesto.

ciar *v. intr.* **1.** Andar hacia atrás, retroceder. **2.** Remar hacia atrás.

ciático, ca *adj.* **1.** Perteneciente a la cadera. ‖ *s. f.* **2.** Neuralgia del nervio ciático.

cibal *adj.* Se dice de lo perteneciente o relativo a la alimentación.

cibera *s. f.* Trigo que se echa en la tolva del molino para que vaya cebando la rueda.

cibernética *s. f.* **1.** Ciencia que estudia el funcionamiento de las conexiones nerviosas en los seres vivos. **2.** Ciencia que estudia la construcción de aparatos y dispositivos que transforman los datos que se les suministran en un resultado.

cibiaca *s. f.* Parihuela.

cibica *s.* Barra de hierro embutida como refuerzo en la parte superior de la manga del eje de los carruajes.

ciborio *s. m.* Baldaquino que corona un altar en las iglesias románicas.

cibucán *s. m., Cub. y Ven.* Espuerta o serón grande, tejido con corteza de árboles.

cicádeo, a *adj.* Semejante a la cigarra.

cicádido, da *adj.* Se dice de insectos hemípteros, del suborden de los homópteros cuyos machos tienen en la base del abdomen una especie de timbal, produciendo un sonido estridente y monótono, como la cigarra.

cicatear *v. intr., fam.* Hacer cicaterías.

cicatería *s. f.* Acción propia de cicatero.

cicatero, ra *adj.* **1.** Ruin, miserable, tacaño. **2.** Que se ofende por pequeñas cosas.

cicatriz *s. f.* Señal que queda en los tejidos orgánicos después de curada una herida.

cicatrización *s. f.* Acción y efecto de cicatrizar o cicatrizarse.

cicatrizar *v. tr.* Completar la curación de las heridas, hasta quedar bien cerradas. También intr. y prnl.

cícero *s. m.* Lectura, letra de imprenta.

cicerone *com.* Persona que enseña y explica las curiosidades, obras de arte, una localidad, edificio, etc.

cicindela *s. f.* Insecto coleóptero con las antenas insertas en la base de las mandíbulas.

ciclada *s. f.* Vestidura talar que usaban antiguamente las mujeres.

ciclamino *s. m.* Planta herbácea muy abundante en Europa, usada como purgante y para alimento de cerdos.

ciclamor *s. m.* Árbol leguminoso, de flores de color carmesí en abundantes racimos. Es de adorno y muy común en España.

ciclar *v. tr.* Bruñir y abrillantar las piedras preciosas.

cíclico, ca *adj.* Perteneciente o relativo al ciclo.

ciclismo *s. m.* Deporte de los aficionados a la bicicleta.

ciclista *com.* Persona que practica el ciclismo.

ciclo *s. m.* Periodo de cierto número de años en que se verifican una serie de acontecimientos hasta llegar a uno a partir del cual vuelven a producirse en el mismo orden.

cicloidal *adj.* Pertenenciente o relativo al cicloide.

cicloide *s. f.* Curva plana y descrita por un punto de una circunferencia cuando esta rueda sobre una línea recta.

ciclón *s. m.* Huracán.

cíclope *s. m.* Cada uno de los gigantes que tenían un solo ojo en medio de la frente.

ciclópeo, a *adj.* **1.** Se dice de ciertas construcciones antiquísimas hechas con enormes piedras, trabadas por lo común sin argamasa. **2.** *fig.* Gigantesco, de gran tamaño.

ciclorama *s. m.* Panorama, vista pintada en un cilindro.

ciclóstilo *s. m.* Aparato que sirve para copiar muchas veces un escrito o dibujo por medio de una tinta especial sobre una plancha gelatinosa.

ciclóstomo, ma *adj.* Se dice de los peces de organización primitiva, de cuerpo serpentiforme, sin aletas pares, mandíbulas ni escamas, y con siete pares de branquias en figura de bolsas, como la lamprea.

ciclotrón *s. m.* Aparato usado generalmente para acelerar partículas cargadas positivamente, como los protones, etc., hasta energías elevadas. Consiste en un par de electrodos planos semicirculares, huecos, encerrados en una cámara de vacío.

cicloturismo *s. m.* Modalidad de turismo en el cual la bicicleta es el principal medio de transporte.

cicuta *s. f.* Planta umbelífera de zumo venenoso.

cidra *s. f.* Fruto del cidro, semejante al limón.

cidro *s. m.* Árbol rutáceo, con tronco liso, hojas permanentes y flores encarnadas.

cidronela *s. f.* Toronjil.

ciego, ga *adj.* **1.** Privado de la vista. **2.** *fig.* Ofuscado, poseído de alguna pasión.

cielo *s. m.* **1.** Esfera aparente azul y diáfana que rodea a la Tierra. **2.** Atmósfera.

ciempiés *s. m.* Miriápodo con un par de patas en cada uno de los 21 anillos en que tiene dividido el cuerpo.

cien *adj.* Apócope de ciento.

ciénaga *s. f.* Lugar lleno de cieno.

ciencia *s. f.* **1.** Conocimiento cierto de las cosas por sus principios y causas. **2.** Sabiduría, erudición. **3.** Habilidad, maestría.

cienmilésimo, ma *adj.* Se dice de cada una de las cien mil partes iguales en que se divide un todo. También s. m. y s. f.

cienmilímetro *s. m.* Centésima parte de un milímetro.

cienmillonésimo, ma *adj.* Se dice de cada una de las cien millones de partes iguales en que se divide un todo.

cieno *s. m.* Lodo blando que forma depósito en ríos, lagunas o sitios húmedos.

científico, ca *adj.* **1.** Que posee alguna ciencia o ciencias. **2.** Perteneciente a ellas.

ciento *adj. num.* **1.** Diez veces diez. ‖ *s. m.* **2.** Centena.

cierne *s. m.* Acción de cerner o fecundarse la flor de las plantas.

cierre *s. m.* **1.** Clausura temporal de un establecimiento. **2.** Lo que sirve para cerrar.

cierto, ta *adj.* **1.** Verdadero, seguro. **2.** Precediendo inmediatamente al sustantivo tiene sentido indeterminado.

ciervo, va *s. m. y s. f.* Mamífero rumiante, esbelto, armado de astas estriadas y ramosas.

cierzas *s. f. pl.* Vástagos de la vid.

cierzo *s. m.* Viento septentrional.

cifosis *s. f.* Encorvadura defectuosa de la columna vertebral.

cifra *s. f.* Número, signo o guarismo con que se representa.

cifrado, da *adj.* Se dice de algunas cosas escritas en cifra.

cifrar *v. tr.* **1.** Escribir en cifra o clave. **2.** Compendiar un discurso o un tema.

cigala *s. f.* Especie de langostino, pero de mayor tamaño que este.

cigarra *s. f.* Insecto hemíptero, de alas membranosas y abdomen cónico.

cigarrera *s. f.* Caja o mueblecillo para cigarros puros.

cigarrillo *s. m.* Cigarro pequeño de picadura envuelta en un papel.

cigarro *s. m.* **1.** Rollo de hojas de tabaco para fumar. **2.** Cigarrillo.

cigofiláceo, a *adj.* Se dice de las plantas dicotiledóneas, de hojas paripinnadas y estipuladas y fruto en general capsular.

cigomático, ca *adj.* Perteneciente o relativo a la mejilla o al pómulo.

cigoñal *s. m.* Pértiga enejada sobre un pie en horquilla, para sacar agua de pozos someros.

cigoñino *s. m.* Pollo de la cigüeña.

cigoto o zigoto *s. m.* Huevo de animales y plantas.

cigua *s. f., amer.* Árbol de las lauráceas de las Antillas.

ciguatera *s. f.* Enfermedad que suelen padecer los crustáceos y peces de las costas del golfo de México, muy dañina para los que los comen.

cigüeña *s. f.* Ave zancuda, de cuello largo, cuerpo blanco, alas negras, patas largas y rojas, lo mismo que el pico.

cigüeñal *s. m.* **1.** Cigoñal. **2.** Pieza de automóvil y aeroplanos que consiste en un eje doblado en uno o más codos, en cada uno de los cuales va ajustada una biela cuya cabeza está unida al pistón de un émbolo.

cija *s. f.* Cuadra para el ganado lanar.

cilampa *s. f., C. Ric. y El Salv.* Llovizna.

cilanco *s. m.* Charco a orillas de los ríos.

cilantro *s. m.* Hierba umbelífera, medicinal, con tallo lampiño, hojas filiformes, flores rojizas y simiente elipsoidal.

ciliados *s. m. pl.* Clase de protozoos, que comprende animales provistos de cilios.

ciliar *adj.* Perteneciente o relativo a las pestañas o parecido a ellas.

cilicio *s. m.* Faja de cerdas de hierro con puntas, ceñida al cuerpo para mortificación.

cilindrar *v. tr.* Comprimir con el cilindro o rodillo.

cilíndrico, ca *adj.* De forma de cilindro.

cilindro *s. m.* Sólido limitado por una superficie cilíndrica cerrada y dos planos que forman sus bases.

cilla *s. f.* Casa o cámara donde se recogían los granos.

cilindro *s. m.* Sólido limitado por una superficie cilíndrica cerrada y dos planos que forman sus bases.

cima *s. f.* Lo más alto de una montaña o de un árbol.

cimacio *s. m.* Miembro suelto, con ábaco de gran desarrollo, que va sobre el capitel, con aumento del plano superior de apoyo.

cimarrón, na *adj., amer.* Montaraz, indómito.

cimarronear *v. intr., amer.* Huir, escapar el esclavo.

cimbalaria *s. f.* Hierba de la familia de las escrofulariáceas, decorativa, de hojas parecidas a las de la hiedra y flores purpúreas con una mancha amarilla.

cimbalillo *s. m.* Campana pequeña.

címbalo *s. m.* Instrumento musical de percusión, parecido a los platillos, usado por griegos y romanos en sus ceremonias religiosas.

címbara *s. f.* Rozón.

cimbel *s. m.* Cordel que se ata a la punta del cimillo en que se pone el ave que sirve de señuelo para cazar otras.

cimborio *s. m.* Cimborrio.

cimborrio *s. m.* Cuerpo cilíndrico que sirve de base a la cúpula.

cimbra *s. f.* Curvatura de la superficie interior de un arco o bóveda.

cimbrado *s. m.* Paso de baile que se hace doblando rápidamente el cuerpo por la cintura.

cimbrar *v. tr.* Mover una vara larga u otra cosa flexible asiéndola por un extremo y vibrándola. También prnl.

cimbre *s. m.* Galería subterránea.

cimbreante *adj.* Flexible, que se cimbra fácilmente.

cimbrear *v. tr.* Cimbrar. También prnl.

cimbreo *s. m.* Acción y efecto de cimbrar o cimbrarse.

cimentación *s. f.* Acción y efecto de cimentar.

cimentar *v. tr.* **1.** Poner los cimientos de un edificio o fábrica. **2.** Fundar, edificar.

cimera *s. f.* Parte superior del morrión que se solía adornar con plumas y otras cosas.

cimero, ra *adj.* Se dice de lo que está en la parte superior y finaliza o remata por lo alto alguna cosa elevada.

cimiento *s. m.* **1.** Parte del edificio que está debajo de la tierra y sobre el que estriba toda la fábrica. **2.** Principio de algo.

cimillo *s. m.* Vara en que se sujeta un ave que sirve de señuelo.

cimitarra *s.* Especie de sable usado por turcos y persas.

cimógeno, na *adj.* Se dice de las bacterias que producen fermentaciones.

cinabrio *s. m.* Mineral compuesto de azufre y mercurio, muy pesado y rojizo.

cinámico, ca *adj.* Perteneciente o relativo a la canela.

cinamomo *s. m.* Árbol de las meliáceas, de madera dura y aromática, tronco recto, ramas irregulares, flores blancas en panoja y fruto parecido a una cereza pequeña, del que se extrae un aceite usado en medicina y en la industria.

cinc *s. m.* Metal azulado, de estructura laminosa, quebradizo a bajas temperaturas.

cincel *s. m.* Herramienta utilizada para labrar a golpe de martillo piedras y metales.

cincelar *v. tr.* Labrar, grabar con cincel.

cincha *s. f.* Faja con que se asegura la silla o albarda sobre la cabalgadura.

cinchar *v. tr.* Asegurar la silla o albarda apretando las cinchas.

cincho *s. m.* **1.** Faja ancha con que se ciñe el estómago. **2.** Porción de arco saliente en el intradós de la bóveda de cañón.

cinco *adj. num.* Cuatro y uno.

cincografía *s. f.* Arte de dibujar o grabar en una plancha de cinc preparada al efecto.

cincuenta *adj. num.* Cinco veces diez. También pron. y s. m.

cincuentavo, va *adj. num.* Se dice de cada una de las 50 partes iguales en que se divide un todo. También s. m.

cincuentena *s. f.* Conjunto de 50 unidades homogéneas.

cincuentenario *s. m.* Conmemoración del día en que se cumplen cincuenta años de algún suceso.

cincuentón, na *adj.* Se dice de la persona que tiene cincuenta años cumplidos. También s. m. y s. f.

cine *s. m.* **1.** *fam.* Apócope de cinematógrafo. **2.** *fam.* Cinematografía. **3.** *fam.* Local público en que se proyectan películas. **4.** *fam.* Arte e industria de hacer películas.

cineasta *com.* Persona que tiene una intervención importante en una película cinematográfica; como actor, director, productor, etc.

cinegética *s. f.* Arte de la caza.

cinemática *s. f.* Parte de la mecánica que estudia el movimiento.

cinematografía *s. f.* Técnica de representar imágenes por medio del cinematógrafo.

cinematográfico, ca *adj.* Perteneciente o relativo al cinematógrafo o a la cinematografía.

cinematógrafo *s. m.* Linterna de proyección que permite el paso muy rápido de imágenes fotográficas que representan momentos consecutivos de una acción y que al aparecer sobre una pantalla producen la ilusión del movimiento.

cineración *s. f.* Incineración.

cinerario, ria *adj.* Destinado a contener cenizas de cadáveres.

cinéreo, a *adj.* Ceniciento.

cinericio, cia *adj.* De ceniza.

cinético, ca *adj.* **1.** Se aplica a los fenómenos que tienen por base el movimiento. ‖ *s. f.* **2.** Parte de la dinámica que trata del movimiento producido por las fuerzas.

cinglar *v. tr.* Forjar el hierro para limpiarlo de escorias.

cíngulo *s. m.* Cordón que utiliza el sacerdote para ceñirse el alba al revestirse.

cínico, ca *adj.* Descarado, impúdico.

cínife *s. m.* Mosquito común.

cinismo *s. m.* Imprudencia, desvergüenza.

cinocéfalo *s. m.* Mamífero cuadrumano que se cría en África y tiene cabeza de perro.

cinta *s. f.* **1.** Tejido largo y angosto que sirve para atar ceñir o adornar. **2.** Planta de adorno, de la familia de las gramíneas.

cinto *s. m.* Tira de cuero o de tejido fuerte que se utiliza para ceñir y ajustar la cintura.

cintra *s. f.* Curvatura de una bóveda o de un arco.

cintrado, da *adj.* Encorvado en forma de cintra.

cintrel *s. m.* Cuerda o regla que, fija por un extremo en el centro de un arco o bóveda, señala la oblicuidad de las hiladas. Es usado por los albañiles.

cintura *s. f.* Parte más estrecha del cuerpo humano por encima de las caderas.

cinturón *s. m.* Cinto.

cinzolín *adj.* De color de violeta rojizo. También s. m.

cipariso *s. m., poét.* Ciprés.

cipayo *s. m.* Soldado indio al servicio de una potencia europea.

cipe *adj., C. Ric., El Salv. y Hond.* Se dice del niño encanijado durante la lactancia.

cipo *s. m.* Pilastra o trozo de columna erigido en memoria de alguna persona difunta.

cipote *s. f.* **1.** Mojón de piedra. **2.** Hombre tonto. **3.** Porra, cachiporra. **4.** Palillo del tambor. **5.** *vulg.* Miembro viril.

ciprés *s. m.* Árbol conífero, de tronco derecho y copa espesa y cónica.

circe *s. f.* Mujer astuta y engañosa.

circense *adj.* Se dice de lo relativo al circo, lugar de espectáculos.

circo *s. m.* **1.** Lugar destinado entre los romanos a espectáculos públicos. **2.** Espectáculo variado con acróbatas, payasos, fieras amaestradas, etc.

circonio *s. m.* Cuerpo simple, de color y aspecto metálicos, que se emplea para preparar una pólvora relámpago usada en fotografía.

circuición *s. f.* Acción y efecto de circuir.

circuir *v. tr.* Rodear, cercar.

circuito *s. m.* Terreno comprendido dentro de un perímetro cualquiera.

circulación *s. f.* **1.** Tránsito de personas o vehículos por las vías urbanas. **2.** Movimiento continuo de la sangre en el cuerpo.

circular[1] *adj.* **1.** De figura de círculo. **2.** Orden que una autoridad superior dirige a todos sus subalternos.

circular[2] *v. intr.* **1.** Andar o moverse en derredor. **2.** Ir y venir.

circulatorio, ria *adj.* Perteneciente o relativo a la circulación.

círculo *s. m.* Área o superficie plana comprendida dentro de la circunferencia.

circumpolar *adj.* Que está alrededor del polo.

circuncidar *v. tr.* Cortar circularmente una porción del prepucio.

circuncisión *s. f.* Acción y efecto de circuncidar.

circundar *v. tr.* Cercar, rodear.

circunferencia *s. f.* Curva plana, cerrada, cuyos puntos son equidistantes de otro que se llama centro.

circunferir *v. tr.* Circunscribir, limitar.

circunflejo *adj.* Se dice del acento compuesto de agudo y grave unidos por arriba.

circunfuso, sa *adj.* Difundido o extendido en derredor.

circunlocución *s. f.* Figura que consiste en expresar con un rodeo de palabras algo que hubiera podido decirse con menos.

circunloquio *s. m.* Circunlocución.

circunnavegar *v. tr.* Navegar alrededor.

circunscribir *v. tr.* **1.** Reducir a ciertos límites. También prnl. **2.** Trazar una figura que rodee a otra tocándola en el mayor número posible de puntos.

circunscripción *s. f.* División administrativa, militar, electoral o eclesiástica de un territorio.

circunspección *s. f.* **1.** Cordura, prudencia. **2.** Seriedad, decoro y gravedad.

circunspecto, ta *adj.* **1.** Cuerdo, prudente. **2.** Serio, grave, respetable.

circunstancia *s. f.* **1.** Accidente de tiempo, lugar, modo, etc. que está unido a la sustancia. **2.** Calidad o requisito.

circunstancial *adj.* Que implica o denota alguna circunstancia o depende de ella.

circunvalación *s. f.* Acción de circunvalar.

circunvalar *v. tr.* Cercar, rodear una ciudad, fortaleza, etc.

circunvecino, na *adj.* Se dice de los lugares u objetos que se hallan próximos y alrededor de otro.

circunvolar *v. tr.* Volar alrededor.

circunvolución *s. f.* Rodeo de una cosa.

cirial *s. m.* Cada uno de los candeleros altos que llevan los acólitos en algunas funciones de iglesia.

cirio *s. m.* Vela de cera larga y gruesa.

cirrípedo, da *adj.* Se aplica a los crustáceos que viven adheridos a los cuerpos submarinos y con concha compuesta de varias valvas, por entre las que extiende sus tentáculos en forma de cirros, como el percebe y el bálano.

cirro *s. m.* **1.** Zarcillo de la vid. **2.** Nube, generalmente blanca, de textura fibrosa. **3.** Tentáculo de ciertos crustáceos, muy delgado y con barbillas laterales.

cirrosis *s. f.* Enfermedad caracterizada por la induración de los tejidos de un órgano.

cirroso, sa *adj.* Que tiene cirros.

cirrótico, ca *adj.* Perteneciente o relativo a la cirrosis.

ciruela *s. f.* Fruto del ciruelo.

ciruelo *s. m.* Árbol frutal amigdaláceo, de flores blancas y fruto en drupa jugosa.

cirugía *s. f.* Parte de la medicina que cura las enfermedades mediante operaciones.

cirujano, na *s. m. y s. f.* Persona que profesa la cirugía.

cisca *s. f.* Carrizo.

ciscar *v. tr.* Ensuciar alguna cosa.

cisco *s. m.* **1.** Carbón menudo. **2.** *fig. y fam.* Bullicio, reyerta, alboroto.

ciscón *s. m.* Restos que quedan en los hornos de carbón después de apagados.

cisión *s. f.* Cisura o incisión.

cisípedo, da *adj.* Que tiene el pie dividido en dedos.

cisma *s. m.* Escisión religiosa.

cismontano, na *adj.* Situado en la parte de acá de los montes respecto al punto o lugar desde donde se considera.

cisne *s. m.* Ave palmípeda, de cuello largo y flexible, plumaje blanco y el pico rojo.

cisquero *s. m.* Muñequilla hecha de lienzo, con carbón molido dentro, que sirve para estarcir.

cistáceo, a *adj.* Cistíneo.

Císter *s. m.* Orden religiosa de la regla de san Benito, fundada por san Roberto en el s. XI, y que debió su mayor florecimiento a san Bernardo.

cisterciense *s. f.* Perteneciente o relativo a la Orden del Císter.

cisterna *s. f.* **1.** Depósito donde se recoge agua. **2.** Depósito de agua de un retrete.

cisticerco *s. m.* Larva de la tenia que vive enquistada en los músculos de ciertos mamíferos, especialmente en el cerdo.

cistíneo, a *adj.* Se dice de plantas dicotiledóneas, matas o arbustos de hojas opuestas, flores en corimbo o panoja y frutos capsulares, como la jara.

cistitis *s. f.* Inflamación de la vejiga.

cisura *s. f.* Rotura o hendidura sutil.

cita *s. f.* **1.** Señalamiento de día, hora y lugar para verse dos o más personas. **2.** Mención.

citación *s. f.* Determinación de una diligencia judicial.

citar *v. tr.* **1.** Avisar a alguien señalándole día, hora y lugar para tratar de algo. **2.** Alegar algo en comprobación de lo que se dice. **3.** Notificar, hacer saber a alguien el llamamiento del juez.

cítara *s. f.* Instrumento musical semejante a la guitarra, pero más pequeño.

citología *s. f.* Parte de la biología que trata del estudio de la célula y sus funciones.

citoplasma *s. m.* Parte del protoplasma que en la célula rodea al núcleo.

citote *s. m., fam.* Citación o intimación para compeler a alguien a que ejecute alguna cosa.

citrato *s. m.* Sal formada por la combinación del ácido cítrico con una base.

cítrico, ca *adj.* **1.** Relativo al limón. **2.** Se dice de un ácido cristalino que se encuentra en el limón y algunas otras frutas.

citrino, na *adj.* De color amarillo verdoso.

citrón *s. m.* Limón.

ciudad *s. f.* Población grande de mayor importancia que las villas.

ciudadanía *s. f.* **1.** Calidad y derecho de ciudadano. **2.** Conjunto de los ciudadanos de un pueblo o nación.

ciudadano, na *adj.* **1.** Natural o vecino de una ciudad. **2.** Relativo a la ciudad.

ciudadela *s. f.* Fortaleza en el interior de una plaza de armas.

civeta *s. f.* Gato de algalia.

civeto *s. m.* Algalia, sustancia untuosa y perfumada.

cívico, ca *adj.* Civil, ciudadano.

civil *adj.* **1.** Ciudadano, perteneciente a la ciudad. **2.** Educado, atento. **3.** Se aplica a la persona que no es militar ni eclesiástico.

civilización *s. f.* Conjunto de creencias, arte, costumbres, etc. de un pueblo.

civilizar *v. tr.* **1.** Sacar del estado salvaje a pueblos o personas. **2.** Educar, ilustrar.

civismo *s. m.* Celo por las instituciones e intereses de la patria.

cizalla *s. f.* Instrumento para cortar en frío planchas de metal.

cizaña *s. f.* Planta gramínea que crece entre los cereales.

cizañar *v. tr.* Sembrar o meter cizaña.

cizañero, ra *adj.* Que tiene el hábito de cizañar.

clac *s. m.* Sombrero de copa alta, plegable.

cladodio *s. m.* Rama que sustituye a las hojas, desempeñando las funciones de estas y tomando a veces forma foliácea, como el brusco.

clamar *v. intr.* Dar voces lastimosas.

clámide *s. f.* Capa corta y ligera usada por los griegos y romanos.

clamor *s. m.* **1.** Grito o voz proferidos con vigor y esfuerzo. **2.** Voz lastimosa.

clamorear *v. tr.* **1.** Rogar con instancia y quejas o voces lastimeras para conseguir una cosa. || *v. intr.* **2.** Doblar, tocar a muerto las campanas.

clamoreo *s. m.* Clamor repetido o continuado.

clamoroso, sa *adj.* Se dice del rumor que resulta de las voces o quejas de mucha gente reunida.

clan *s. m.* **1.** Grupo social en los pueblos celtas. **2.** Grupo de personas unidas por un interés común.

clandestinidad *s. f.* Calidad de clandestino.

clandestino, na *adj.* Secreto, oculto.

clangor *s. m., poét.* Sonido de la trompeta o del clarín.

claque *s. f.* Conjunto de personas que aplauden por una recompensa en el teatro.

clara *s. f.* Citoplasma o materia albuminosa que rodea la yema del huevo.

claraboya *s. f.* Ventana en el techo o en la parte alta de las paredes.

clarear *v. intr.* Empezar a amanecer.

clarecer *v. intr.* Amanecer, aparecer la luz del día.

clareo *s. m.* Acción de aclarar un monte.

clarete *adj.* Se dice de una especie de vino tinto, algo claro.

clareza *s. f.* Claridad.

claridad *s. f.* **1.** Calidad de claro. **2.** Efecto que causa la luz iluminando un espacio, de modo que se distinga lo que haya en él.

clarificación *s. f.* Acción de clarificar.

clarificador, ra *adj.* Que clarifica. También *s. m. y s. f.*

clarificar *v. tr.* **1.** Iluminar, alumbrar. **2.** Aclarar alguna cosa.

clarificativo, va *adj.* Que tiene virtud de clarificar.

clarín *s. m.* Instrumento musical de viento, de sonidos más agudos que la trompeta.

clarinete *s. m.* Instrumento de viento, compuesto por un tubo con agujeros que se tapan con los dedos o con llaves.

clarión *s. m.* Pasta hecha de yeso que se utiliza para escribir en los encerados.

clarisa *s. f.* Religiosa que pertenece a la segunda Orden de san Francisco, fundada por santa Clara en el s. XIII.

clarividencia *s. f.* **1.** Facultad de comprender claramente las cosas. **2.** Perspicacia.

clarividente *adj.* Que tiene clarividencia.

claro, ra *adj.* **1.** Bañado de luz o brillante. **2.** Se dice del color poco subido. **3.** Puro. **4.** Transparente. **5.** Comprensible.

claror *s. m.* Resplandor o claridad.

claroscuro *s. m.* Conveniente distribución de luces y sombras en un cuadro.

clase *s. f.* **1.** Conjunto de seres de una misma especie. **2.** Aula.

clasicismo *s. m.* Sistema literario o artístico fundado en la imitación de los modelos de la antigüedad griega y romana.

clasicista *adj.* Se dice del partidario del clasicismo. También com.

clásico, ca *adj.* Se dice del autor o de la obra que se tiene por modelo digno de imitación en cualquier literatura o arte.

clasificación *s. f.* Acción y efecto de clasificar.

clasificador *s. m.* Mueble de despacho con varios cajoncitos para guardar separadamente y con orden los papeles.

clasificar *v. tr.* Ordenar por clases.

claudia *adj.* Se dice de una variedad de ciruela, redonda, de color verde y muy dulce.

claudicación *s. f.* Acción y efecto de claudicar.

claudicar *v. intr.* Transigir, rendirse.

claustro *s. m.* **1.** Galería que cerca el patio principal de una iglesia, convento, etc. **2.** *fig.* Junta formada por el rector, decanos y profesorado de las universidades.

claustrofobia *s. f.* Temor morboso a los espacios limitados.

cláusula *s. f.* **1.** Disposición de un contrato, tratado, etc. **2.** Conjunto de palabras que forman un sentido completo.

clausular *v. tr.* Poner cláusulas a un contrato, etc.

clausura *s. f.* Obligación que tienen determinadas órdenes religiosas de no salir de cierto recinto.

clausurar *v. tr.* **1.** Poner fin solemnemente a una asamblea, exposición, etc. **2.** Cerrar un establecimiento por orden gubernativa.

clava *s. f.* Palo tosco cuyo grueso va en aumento desde la empuñadura hasta el extremo.

claval *adj.* Se dice de la juntura de dos huesos en que uno entra en el otro como clavo.

clavar *v. tr.* Introducir un clavo u otra cosa aguda, a fuerza de golpes.

clave *s. f.* **1.** Lo que explica algo. **2.** Lo que es fundamental o decisivo para algo.

clavel *s. m.* Planta cariofilácea, de hojas largas y estrechas y flores olorosas.

clavero, ra *s. m. y s. f.* **1.** Persona que guarda las llaves. ‖ *s. f.* **2.** Agujero por donde se introduce el clavo.

claveta *s. f.* Estaquilla o clavo de madera.

clavetear *v. tr.* Guarnecer o adornar con clavos de oro, plata u otro metal alguna cosa.

clavicémbalo *s. m.* Instrumento musical de cuerdas y teclado que, en lugar de macillos, tiene picos de pluma para hacer sonar las cuerdas rozándolas.

clavicordio *s. m.* Antiguo instrumento musical de cuerdas de alambre y con teclado.

clavícula *s. f.* Cada uno de los dos huesos situados transversalmente en uno y otro lado de la parte superior y anterior del pecho.

clavija *s. f.* Trozo de metal, madera u otra materia, que se encaja en el taladro de una pieza sólida para sujetar algo, para hacer señales en un tablero, etc.

clavijero *s. m.* Pieza maciza, larga y angosta, en que se colocan las clavijas de los instrumentos musicales de cuerda.

claviórgano *s. m.* Instrumento musical muy armonioso, que tiene cuerdas como el clave, y flautas o cañones como el órgano.

clavo *s. m.* Pieza de hierro con cabeza y punta, que sirve para fijarla en alguna parte, o para asegurar una cosa a otra.

claxon *s. m.* Bocina de automóvil.

clazol *s. m.* Bagazo de la caña.

clemátide *s. f.* Planta ranunculácea, medicinal, de tallo rojizo y trepador y flores blancas y de olor suave.

clemencia *s. f.* Virtud que modera el rigor de la justicia.

clemente *adj.* Que tiene clemencia.

clepsidra *s. f.* Reloj de agua.

cleptomanía *s. f.* Propensión morbosa al hurto.

cleptómano, na *adj.* Se dice de la persona que padece cleptomanía. También s. m. y s. f.

clerecía *s. f.* Clero.

clerical *adj.* Perteneciente o relativo al clérigo.

clérigo *s. m.* Hombre que ha recibido las órdenes sagradas.

clero *s. m.* **1.** Conjunto de los clérigos, tanto de órdenes mayores como menores. **2.** Clase sacerdotal de la Iglesia católica.

cliché *s. m.* **1.** Imagen fotográfica negativa obtenida mediante cámara oscura. **2.** Lugar común, idea o expresión demasiado usada.

cliente, ta *s. m. y s. f.* Respecto de un comerciante, la persona que habitualmente compra en su establecimiento. U.c. com. la forma s. m.

clientela *s. f.* Conjunto de los clientes de una persona o establecimiento.

clima *s. m.* Conjunto de condiciones atmosféricas que caracterizan una región.

climaterio *s. m.* Periodo de la vida que corresponde a la cesación en las funciones genitales de la mujer y se caracteriza especialmente por la desaparición paulatina de la menstruación alrededor de los 47 años.

climático, ca *adj.* Perteneciente o relativo al clima.

climatología *s. f.* Tratado del clima.

clímax *s. m.* **1.** Gradación. **2.** Término más alto de esta gradación. **3.** Momento culminante de un poema o drama.

clínico, ca *adj.* **1.** Perteneciente o relativo a la clínica. **2.** Especialista en ella. ‖ *s. f.* **3.** Parte práctica de la enseñanza de la medicina. **4.** Hospital privado regido por uno o varios médicos.

clinómetro *s. m.* Instrumento para medir el ángulo de desviación o comprobar la horizontalidad de un objeto.

clip *s. m.* Utensilio hecho con una barrita de metal o de plástico doblada sobre sí misma, que sirve para sujetar papeles.

clípeo *s. m.* Escudo circular y abombado usado por los antiguos.

clíper *s. m.* Buque de vela, fino, ligero y de mucho aguante.

clisar *v. tr.* Reproducir con planchas de metal la composición de imprenta, mediante un molde.

clisé *s. m.* Plancha clisada, y en especial la que representa algún grabado.

clister *s. m.* Ayuda, lavativa.

clisterizar *v. tr.* Administrar el clister. También prnl.

clitómetro *s. m.* Instrumento que se emplea en la medición de las pendientes del terreno.

clítoris *s. m.* Cuerpecillo carnoso eréctil, situado en la vulva.

clivoso, sa *adj., poét.* Que está en cuesta.

cloaca *s. f.* Conducto por donde van las aguas sucias.

clon *s. m.* **1.** Payaso. **2.** Estirpe celular o serie de individuos pluricelulares nacidos de esta, absolutamente homogéneos desde el punto de vista de su estructura genética.

clorato *s. m.* Sal formada por la combinación del ácido clórico con una base.

clorhídrico, ca *adj.* Relativo a las combinaciones del cloro y del hidrógeno.

clórico, ca *adj.* Perteneciente o relativo al cloro.

cloro *s. m.* Metaloide de color verdoso y brillo anacarado, sofocante y venenoso.

clorofila *s. f.* Materia colorante verde de los vegetales.

cloroformizar *v. tr.* Aplicar el cloroformo para producir la anestesia.

cloroformo *s. m.* Cuerpo compuesto de carbono, hidrógeno y cloro.

clorosis *s. f.* Enfermedad de los adolescentes, caracterizada por palidez del rostro, empobrecimiento de la sangre, palpitaciones, etc.

clorótico, ca *adj.* Relativo a la clorosis.

clorurar *v. tr.* Transformar una sustancia en cloruro.

cloruro *s. m.* Compuesto de cloro y otro elemento o radical.

clown *s. m.* Payaso.

club *s. m.* **1.** Junta de individuos de una sociedad política, a veces clandestina. **2.** Sociedad de recreo.

clubista *s. m. y s. f.* Socio de un club.

clueco, ca *adj.* Se aplica a las gallinas y otras aves cuando empollan sus huevos.

coacción *s. f.* Fuerza o violencia para obligar a alguien a decir o hacer algo.

coaccionar *v. tr.* Violentar, forzar, obligar.

coacervar *v. tr.* Juntar o amontonar.

coactivo, va *adj.* Que puede obligar.

coadjutor, ra *s. m. y s. f.* Persona que ayuda y acompaña a otra en ciertas cosas.

coadquisición *s. f.* Adquisición en entre dos o más personas.

coadunación *s. f.* Acción y efecto de coadunar.

coadunar *v. tr.* Unir, mezclar e incorporar unas cosas con otras. También prnl.

coadyutorio, ria *adj.* Que ayuda o auxilia.

coadyuvante *s. m. y s. f.* En lo contencioso administrativo, parte que, juntamente con el fiscal, sostiene la resolución de la administración demandada.

coadyuvar *v. tr.* Contribuir, asistir o ayudar a la consecución de alguna cosa.

coagente *com.* Persona que coopera a algún fin.

coagulación *s. f.* Acción y efecto de coagular o coagularse.

coagular *v. tr.* Cuajar, solidificar lo líquido como la leche, la sangre, etc. También prnl.

coágulo *s. m.* **1.** Coagulación de la sangre. **2.** Masa coagulada.

coaita *s. f., amer.* Especie de mono de América Central.

coalición *s. f.* Confederación, liga, unión.

coaligar *v. tr.* Coligar.

coaptación *s. f.* Acción de restituir en su sitio un hueso dislocado.

coartada *s. f.* Prueba que da el acusado de que estaba ausente del lugar del delito.

coartar *v. tr.* Limitar, restringir, no conceder enteramente alguna cosa.

coatí *s. m.* Cuatí.

coautor, ra *s. m. y s. f.* Autor con otro u otros.

coaxial *adj.* Que tiene un eje común.

coba *s. f.* Halago o adulación fingidos.

cobalto *s. m.* Metal de color blanco rojizo, duro y tan difícil de fundir como el hierro.

cobarcho *s. m.* Una de las partes de la almadraba.

cobarde *adj.* Pusilánime, sin valor.

cobardear *v. intr.* Tener o mostrar cobardía.

cobardía s. f. Falta de ánimo y valor.

cobaya s. m. y s. f. Conejillo de Indias, mamífero roedor que se utiliza en laboratorio para experimentos de bacteriología.

cobea s. f., Amér. C. Planta enredadera, de la familia de las campanillas, de lindas flores violáceas.

cobertera s. f. **1.** Pieza circular para tapar las ollas y otras vasijas. **2.** Cada una de las plumas del ave que cubren la inserción de las remeras y timoneras.

cobertizo s. m. **1.** Tejado que sale fuera de la pared y sirve para guarecerse. **2.** Sitio cubierto ligera o rústicamente.

cobertor s. m. **1.** Colcha. **2.** Manta.

cobertura s. f. **1.** Cubierta, lo que sirve para cubrir. **2.** Garantía metálica de la moneda.

cobez s. m. Ave rapaz falcónida.

cobija s. f. **1.** Teja que abraza dos canales del tejado. **2.** Cada una de las plumas que rodean el arranque de la cola del ave.

cobijar v. tr. **1.** Cubrir o tapar. También prnl. **2.** Albergar, hospedar. También prnl.

cobijo s. m. Acción y efecto de cobijar o cobijarse.

cobista s. m. y s. f. Adulador.

cobla s. f. En Cataluña, conjunto de músicos que se dedican a tocar sardanas.

cobo s. m. **1.** Cub. Caracol con concha de color nacarado. **2.** C. Ric. Frazada, cobertor.

cobra s. f. Serpiente venenosa de los países tropicales, con más de 2 m de largo.

cobrador, ra s. m. y s. f. Persona que tiene a su cargo cobrar caudales u otras cosas.

cobrar v. tr. **1.** Percibir alguien la cantidad que otro le debe. **2.** Recuperar.

cobre s. m. Metal rojo, dúctil y maleable, buen conductor del calor y la electricidad.

cobrizo, za adj. **1.** Que contiene cobre. **2.** Parecido al cobre en color.

cobro s. f. Acción y efecto de cobrar.

coca s. f. Arbusto americano, con hojas alternas y flores blanquecinas.

cocada s. f. Dulce compuesto principalmente de la médula rallada del coco.

cocaína s. f. Alcaloide de propiedades anestésicas, obtenido de las hojas de la coca.

cocaví s. m., Amér. del S. Provisión de coca y, en general, de víveres que llevan los que viajan a caballo.

cóccido adj. Se dice de insectos hemípteros, parásitos de vegetales, que tienen un gran dimorfismo sexual, siendo alados los machos y ápteras las hembras.

coccíneo, a adj. Purpúreo, de color de púrpura.

cocción s. f. Acción y efecto de cocer o cocerse.

cóccix s. m. Hueso que constituye la terminación de la columna vertebral.

cocear v. intr. Dar o tirar coces.

cocer v. tr. Exponer un manjar crudo en un líquido a la acción de la lumbre, para que se pueda comer.

cochambre s. amb. Cosa puerca, grasienta y de mal olor.

cochambrería s. f. Conjunto de cosas que tienen cochambre.

cochambroso, sa adj., fam. Lleno de cochambre.

cocharro s. m. Vaso de madera o piedra.

cochayuyo s. m., Amér. del S. Alga marina cuyo talo, en forma de cinta, puede alcanzar más de 3 m de largo y 2 dm de ancho. Es comestible.

coche s. m. Carruaje, generalmente de cuatro ruedas, con una caja, dentro de la cual hay asientos.

cochear v. intr. Guiar los caballos o mulas que tiran del coche.

cochera s. f. Lugar para guardar coches.

cochevira s. f. Manteca de puerco.

cochevís s. f. Cogujada.

cochifrito s. m. Guiso de cabrito o cordero medio cocido y después frito.

cochinada s. f., fig. y fam. Cochinería.

cochinería s. f. **1.** fig. y fam. Porquería, suciedad. **2.** fig. y fam. Acción indecorosa, baja, grosera.

cochinilla[1] s. f. Pequeño crustáceo, terrestres y propio de parajes húmedos.

cochinilla[2] s. f. Insecto hemíptero, del que se extrae una materia colorante roja.

cochinillo s. m. Cochino o cerdo de leche.

cochino, na s. m. y s. f. **1.** Cerdo. **2.** Persona muy sucia y desaseada. También adj.

cochiquera s. f., fam. Cochitril.

cochitril s. m. **1.** fam. Pocilga. **2.** fig. y fam. Habitación estrecha y desaseada.

cochizo s. m. Parte más rica de una mina.

cocho, cha s. m. y s. f. Cochino, cerdo.

cochura s. f. **1.** Cocción. **2.** Harina amasada para cocer.

cocido s. m. Olla, guiso común.

cociente s. m. Resultado que se obtiene dividiendo una cantidad por otra.

cocimiento s. m. Líquido cocido con hierbas u otras sustancias medicinales.

cocina s. f. **1.** Pieza de la casa en que se guisa la comida. **2.** Aparato eléctrico o con fuegos, hornillos, etc. para cocer la comida. **3.** Arte de preparar la comida.

cocinar v. tr. Guisar, aderezar los alimentos.

cocinero, ra s. m. y s. f. Persona que tiene por oficio guisar y aderezar los alimentos.

cocinilla *s. m. y s. f.* **1.** Persona que destaca por su habilidad en la cocina. Se usa más en pl. ‖ *s. f.* **2.** Aparato, generalmente de hojalata, que sirve para calentar agua y otros usos análogos.

cóclea *s. f.* Parte u órgano en forma de espiral.

coclear *adj.* En forma de espiral.

coco[1] *s. m.* **1.** Cocotero. **2.** Fruto del cocotero. **3.** *fig. y fam.* Cabeza humana.

coco[2] *s. m.* **1.** Bacteria de forma redondeada. **2.** Gorgojo, insecto coleóptero.

coco[3] *s. m.* Fantasma que se figura para atemorizar a los niños.

cocodrilo *s. m.* Reptil anfibio saurio muy voraz.

cócora *com.* Persona molesta e impertinente en demasía.

cocoso, sa *adj.* Dañado del coco, gusanillo.

cocotal *s. m.* Sitio poblado de cocoteros.

cocotero *s. m.* Árbol palmáceo, de los países tropicales, de tallo alto y esbelto.

cóctel *s. m.* **1.** Mezcla de varios licores. **2.** Reunión donde se toman estas bebidas.

cocuy *s. m.* Cocuyo.

cocuyo *s. m.* Insecto coleóptero amarillento, que de noche despide luz.

coda *s. f.* Periodo adicional con que termina una pieza musical.

codadura *s. f.* Parte del sarmiento tendida en el suelo, de donde se levanta la vid.

codal *adj.* Que consta de un codo.

codaste *s. m.* Madero grueso puesto verticalmente sobre el extremo de la quilla inmediatamente a la popa, y que sirve de fundamento a toda la armazón de esa parte del buque.

codazo *s. m.* Golpe dado con el codo.

codear *v. intr.* **1.** Mover los codos o dar golpes con ellos. ‖ *v. prnl.* **2.** Tratarse de igual a igual una persona con otra.

codeína *s. f.* Alcaloide que se extrae del opio y que se usa como calmante.

codeo *s. m.* Acción y efecto de codear o codearse.

codera *s. f.* Pieza de refuerzo que se pone en los codos de una prenda de vestir.

codeso *s. m.* Mata leguminosa, ramosa, con hojas compuestas y flores amarillentas.

codeudor, ra *s. m. y s. f.* Persona que con otra u otras participa en una deuda.

códice *s. m.* Libro manuscrito en que se conservan obras o noticias antiguas.

codicia *s. f.* Apetito excesivo de riquezas.

codiciar *v. tr.* Desear algo con ansia.

codicilo *s. m.* Instrumento en que, antes de ser promulgado el código civil, se podían y solían hacer las disposiciones de última voluntad con menos solemnidad que de ordinario.

codicioso, sa *adj.* Que tiene codicia. También s. m. y s. f.

codificación *s. f.* Acción y efecto de codificar.

codificar *v. tr.* **1.** Hacer un cuerpo de leyes metódico y sistemático. **2.** Transformar mediante las reglas de un código la formulación de un mensaje.

código *s. m.* **1.** Cuerpo sistematizado de leyes. **2.** Conjunto de reglas o preceptos sobre cualquier materia.

codillera *s. f.* Tumor en el codillo.

codillo *s. m.* En los cuadrúpedos, coyuntura del brazo próxima al pecho.

codo *s. m.* **1.** Parte posterior y prominente de la articulación del brazo con el antebrazo. **2.** Pieza de tubería formando ángulo.

codón *s. m.* Bolsa de cuero para cubrir la cola del caballo.

codoñate *s. m.* Dulce de membrillo.

codorniz *s. f.* Ave gallinácea de carne fina.

coeducación *s. f.* Educación que se da juntamente a alumnos de uno y otro sexo.

coeficiencia *s. f.* Acción de dos o más causas para producir un efecto.

coeficiente *adj.* Que juntamente con otra cosa produce un efecto.

coendú *s. m., Amér. del S.* Puerco espín de cola larga, de la familia de los roedores.

coercer *v. tr.* Contener, refrenar, sujetar.

coercibilidad *s. f.* Calidad de coercible.

coercible *adj.* Que puede ser coercido.

coerción *s. f.* Acción de coercer.

coercitivo, va *adj.* Se dice de lo que coerce.

coetáneo, a *adj.* Que es de la misma edad o tiempo. También s. m. y s. f.

coeternidad *s. f.* Calidad de coeterno.

coeterno, na *adj.* Se usa en teología para indicar que las tres personas divinas son igualmente eternas.

coevo, va *adj.* Se dice de las cosas que existieron en un mismo tiempo.

coexistencia *s. f.* Existencia de una cosa a la vez que otra.

coexistir *v. intr.* Existir una persona o cosa a la vez que otra.

coextenderse *v. prnl.* Extenderse simultáneamente.

cofa *s. f.* Meseta colocada horizontalmente en el cuello de un palo para afirmar la obencadura de gavia, facilitar la maniobra de las velas altas, etc.

cofia *s. f.* Antiguo tocado femenino de encajes, cintas, blondas, etc.

cofiador *s. m.* Fiador con otro o compañero en la fianza.

cofín *s. m.* Cesto de esparto, mimbres, etc.

cofrade *com.* Persona que pertenece a una cofradía.

cofradía *s. f.* **1.** Congregación o hermandad de devotos. **2.** Gremio, compañía o unión de personas para un fin.

cofre *s. m.* Arca, generalmente de tapa convexa y forrada de tela o papel.

cogedor *s. m.* Utensilio para recoger la basura que se barre.

coger *v. tr.* **1.** Asir, agarrar o tomar. También prnl. **2.** Alcanzar. **3.** Ocupar un espacio. **4.** Encontrar. **5.** Sorprender.

cogida *s. f.* **1.** *fam.* Cosecha de frutos. **2.** *fam.* Acto de coger un toro al torero.

cogitabundo, da *adj.* Muy pensativo.

cogitativo, va *adj.* Que tiene facultad de pensar.

cognación *s. f.* Parentesco de consanguinidad por la línea femenina.

cognado, da *s. m. y s. f.* Pariente por cognación.

cognaticio, cia *adj.* Perteneciente o relativo al parentesco de cognación.

cognición *s. f.* Conocimiento, acción y efecto de conocer.

cognomento *s. m.* Renombre que adquiere una persona o un pueblo por virtudes, defectos o circunstancias determinadas.

cognoscitivo, va *adj.* Se dice de lo que es capaz de conocer.

cogollo *s. m.* **1.** Lo interior y más apretado de la lechuga, berza, etc. **2.** Lo mejor de algo.

cogorza *s. f.* Borrachera.

cogote *s. m.* Parte posterior del cuello.

cogujada *s. f.* Pájaro granívoro parecido a la alondra, con un penacho en la cabeza.

cogulla *s. f.* Hábito de ciertos monjes.

cogullada *s. f.* Papada del puerco.

cohabitación *s. f.* Acción de cohabitar.

cohabitar *v. tr.* **1.** Habitar juntamente con otro u otros. **2.** Hacer vida marital.

cohechar *v. tr.* Sobornar.

cohecho *s. m.* Acción o efecto de cohechar.

coheredar *v. tr.* Heredar junto con otro u otros.

coherencia *s. f.* Conexión, relación lógica o unión de unas cosas con otras.

coherente *adj.* Se dice de lo que tiene coherencia.

cohesión *s. f.* Acción y efecto de unirse las cosas entre sí.

cohesor *s. m.* Detector de las ondas hertzianas constituido por un tubo de sustancia dieléctrica, lleno de limaduras metálicas, que se usó en los primeros tiempos de la telegrafía sin hilos.

cohete *s. m.* **1.** Tubo de papel, lata, etc. lleno de pólvora, que se prende fuego por la parte inferior para lanzarle a lo alto. **2.** Artefacto impulsor de vehículos aeronáuticos o espaciales, proyectiles dirigidos, etc.

cohibir *v. tr.* Reprimir en sentido moral.

cohobo *s. m.* Piel de ciervo.

cohombro *s. m.* Planta hortense, variedad de pepino, de fruto largo y torcido.

cohonestar *v. tr.* Dar apariencia de buena a una acción indecorosa.

cohorte *s. f.* Cuerpo de infantería del antiguo ejército romano.

coima *s. f.* Manceba.

coime *s. m.* Hombre que cuida del garito y presta con usura a los jugadores.

coincidencia *s. f.* Acción y efecto de coincidir.

coincidir *v. intr.* **1.** Convenir una cosa con otra. **2.** Ocurrir dos o más cosas al mismo tiempo. **3.** Concurrir simultáneamente dos o más personas en el mismo lugar.

coinquilino, na *s. m. y s. f.* Inquilino con otro.

coinquinar *v. tr.* Manchar, ensuciar.

coipo *s. m., Arg. y Chil.* Mamífero anfibio de piel muy fina, semejante al castor; mide unos 50 cm y otro tanto de cola.

coirón *s. m., Bol., Chil. y Per.* Planta de la familia de las gramíneas de hojas duras y punzantes, que se emplea principalmente para techar las barracas en el campo.

coironal *s. m.* Terreno en que abunda el coirón.

coito *s. m.* Unión sexual del hombre con la mujer.

cojear *v. intr.* Andar inclinando el cuerpo más a un lado que a otro, por no poder sentar con regularidad ambos pies.

cojera *s. f.* Accidente o defecto que impide andar con regularidad.

cojijo *s. m.* Sabandija, bicho.

cojijoso, sa *adj.* Que tiene queja por causa ligera.

cojín *s. m.* Almohadón.

cojinete *s. m.* **1.** Almohadilla para coser. **2.** Pieza en la que gira un eje.

cojitranco, ca *adj.* Se dice del cojo travieso que anda inquieto de una parte a otra.

cojo, ja *adj.* **1.** Que cojea. **2.** Que carece de un pie o pierna o ha perdido su uso.

cojudo, da *adj.* Se dice del animal no castrado.

col *s. f.* Planta hortense crucífera.

cola[1] *s. f.* **1.** Extremidad posterior del cuerpo y de la columna vertebral de algunos animales. **2.** Conjunto de plumas fuertes que tienen las aves en la rabadilla. **3.** Hilera de personas que esperan vez.

cola[2] *s. f.* Pasta fuerte y pegajosa, que sirve para pegar.

colaboración *s. f.* Acción y efecto de colaborar.

colaborador, ra *adj.* Que colabora.

colaborar *v. intr.* Trabajar con otra u otras personas en una misma cosa.

colación *s. f.* Cotejo de una cosa con otra.

colacionar *v. tr.* Cotejar.

colactáneo, a *s. m. y s. f.* Hermano de leche.

colada *s. f.* Ropa lavada.

coladera *s. f.* **1.** Cedacillo para licores. **2.** Coladero.

coladero *s. m.* Manga, paño, vasija en que se cuela un líquido.

colador *s. m.* Coladero.

coladura *s. f.* **1.** Acción de colar un líquido. **2.** *fig.* Equivocación.

colágeno *s. m.* Constituyente de la sustancia fundamental de los tejidos conjuntivo y cartilaginoso.

colagogo, ga *adj.* Se dice de los purgantes utilizados contra la acumulación de la bilis.

colaina *s. f.* Acebolladura.

colanilla *s. f.* Pasadorcillo con que se cierran y aseguran puertas y ventanas.

colaña *s. f.* Tabique de poca altura, que sirve de antepecho en las escaleras o de división en los graneros.

colapso *s. m.* Síncope o postración repentina de las fuerzas vitales.

colar *v. tr.* **1.** Pasar un líquido por manga, cedazo o paño. ‖ *v. prnl.* **2.** *fam.* Introducirse sin permiso en alguna parte. **3.** *fam.* Equivocarse por inadvertencia.

colateral *adj.* Se dice de las cosas que están a uno y otro lado de otra principal.

colcha *s. f.* Cobertura de cama.

colchado, da *adj.* Se dice de la prenda de tela acolchada.

colchar *v. tr.* Acolchar las telas.

colchón *s. m.* Especie de saco cuadrilongo, relleno de lana, pluma, cerda, etc. de tamaño proporcionado para dormir en él.

colchoneta *s. f.* **1.** Cojín largo y delgado que se pone encima del asiento de un sofá, banco, etc. **2.** Colchón inflable, utilizado para dormir en el campo.

colcótar *s. m.* Óxido de hierro de color rojo, que se usa en pintura.

colcrén *s. m.* Pomada hecha con grasa de cetáceo, aceite de almendras y algún aroma, empleada para suavizar la piel.

coleada *s. f.* Sacudida que dan con la cola algunos animales.

colear *v. intr.* Mover la cola con frecuencia.

colección *s. f.* Conjunto de cosas reunidas para algún fin particular.

coleccionar *v. tr.* Formar colección.

coleccionista *com.* Persona que colecciona.

colecta *s. f.* Recaudación de donativos voluntarios, especialmente con fines benéficos.

colectar *v. tr.* Recaudar o recoger donativos.

colecticio, cia *adj.* Se aplica al cuerpo de tropa compuesto de gente nueva y sin disciplina.

colectividad *s. f.* **1.** Conjunto de personas asociadas para un fin. **2.** La totalidad del pueblo.

colectivo *s. m.* Agrupación de personas con diversos fines.

colector *s. m.* Conducto subterráneo en el que vierten sus aguas las alcantarillas.

colecturía *s. f.* Recaudación de algunas rentas y oficina donde se reciben.

colega *com.* Compañero en un colegio, iglesia, corporación o ejercicio.

colegatario *s. m.* Aquel a quien se le ha legado una cosa juntamente con otro u otros.

colegiado, da *adj.* Se dice del individuo que pertenece a una corporación que forma colegio.

colegial, la *s. m. y s. f.* Alumno que tiene plaza en un colegio o asiste a él.

colegiarse *v. prnl.* Reunirse en colegio las personas de una misma profesión o clase.

colegiata *s. f.* Iglesia.

colegiatura *s. f.* Cuota mensual que se paga por alumno en los colegios privados.

colegio *s. m.* **1.** Establecimiento de enseñanza primaria o secundaria. **2.** Corporación de personas de la misma profesión.

colegir *v. tr.* **1.** Juntar, unir. **2.** Inferir, deducir una cosa de otra.

colegislador, ra *adj.* Se dice del cuerpo que concurre con otro para la formación de las leyes.

colemia *s. f.* Presencia anormal de bilis en la sangre.

coleóptero *s. m.* Insecto masticador de metamorfosis complicada.

cólera *s. f.* **1.** Ira, enojo, enfado. ‖ *s. m.* **2.** Enfermedad aguda caracterizada por vómitos repetidos y abundantes deposiciones.

colérico, ca *adj.* Perteneciente o relativo a la cólera o que participa de ella.

coleriforme *adj.* Se aplica a las enfermedades que tienen algunos síntomas parecidos a los del cólera.

colerina *s. f.* **1.** Enfermedad análoga al cólera, pero menos grave. **2.** Síntomas precusores del cólera.

colesterina *s. f.* Sustancia grasa que existe en la sangre, en la bilis y otros humores y se encuentra cristalizada en los cálculos biliares.

colesterol *s. m.* Sustancia grasa de la sangre, la bilis y otros humores.

coleta *s. f.* Mechón largo de cabello en la parte posterior del pelo.

coletazo *s. m.* **1.** Golpe dado con la cola. **2.** Sacudida que dan con la cola los peces moribundos. **3.** *fig.* Última manifestación de una actividad próxima a extinguirse.

coletilla *s. f.* Adición breve que suele hacerse al final de un escrito o discurso.

coleto *s. m.* Vestidura hecha de piel, por lo común de ante, que cubre el cuerpo, ciñéndolo hasta la cintura.

colgadero *s. m.* Garfio, escarpio u otro cualquiera de los instrumentos que sirven para colgar de él algo.

colgador *s. m.* Utensilio para colgar ropa.

colgajo s. m. Cualquier trapo o cosa mala que cuelga como pedazos de ropa rota.

colgante s. m. Joya que pende o cuelga.

colgar v. tr. Poner una cosa pendiente de otra, sin que llegue al suelo.

colibacilo s. m. Bacilo que vive en el intestino del ser humano y de los animales y que puede provocar enfermedades.

colibrí s. m. Pájaro americano muy pequeño.

cólico s. m. Acceso doloroso en el intestino, que se caracteriza por retortijones, con vómitos, ansiedad y sudores.

colicuación s. f. **1.** Acción y efecto de colicuar o colicuarse. **2.** Enflaquecimiento rápido por licuación de partes sólidas.

colicuar v. tr. Derretir. También prnl.

colicuativo, va adj. Se dice de los flujos que producen rápidamente el enflaquecimiento.

colicuecer v. tr. Colicuar.

coliflor s. f. Variedad de col que al entallecerse echa una pella de varias cabezuelas.

coligación s. f. **1.** Acción y efecto de coligarse. **2.** Enlace de una cosa con otra.

coligado, da adj. **1.** Unido con otro u otros. También s. m. y s. f. **2.** Aliado, confederado.

coligar v. tr. Unirse unos con otros para algún fin. También prnl.

colilla s. f. Resto que queda del cigarro.

colimación s. f. Acción de dar a la vista una dirección determinada, en ciertos aparatos ópticos.

colimar v. tr. Obtener un haz de rayos paralelos a partir de un foco luminoso.

colimbo s. m. Ave palmípeda de alas cortas, que se alimenta de peces y vive en las costas de los países fríos.

colín, na adj. Se dice del caballo que tiene poca cola.

colina s. f. Elevación natural de terreno, menor que la montaña.

colindante adj. **1.** Se dice de dos edificios o campos contiguos. **2.** Se dice de los términos municipales que son limítrofes.

colindar v. intr. Lindar entre sí dos o más fincas.

colineta s. f. Plato de dulces que forman un conjunto elevado y vistoso.

colirio s. m. Medicamento que se aplica a la conjuntiva del ojo por instilación.

colisa s. f. Plataforma giratoria horizontalmente sobre la que se coloca la cureña sin ruedas de un cañón.

coliseo s. m. **1.** Sala de espectáculos públicos. **2.** Recinto para celebrar juegos deportivos.

colisión s. f. **1.** Choque de dos cuerpos. **2.** fig. Pugna de ideas, intereses, etc.

colitigante com. Persona que litiga en unión con otra.

colitis s. f. Inflamación del intestino colon.

colla s. f. Última estopa que se embute en las costuras.

collado s. m. **1.** Colina. **2.** Depresión suave por donde se pasa de un lado a otro de una sierra.

collage s. m. Técnica artística que consiste en pegar trozos de diferentes materiales sobre una superficie.

collar s. m. Adorno que rodea el cuello y a veces está formado de piedras preciosas.

collarín s. m. **1.** Alzacuello de eclesiásticos. **2.** Sobrecuello angosto que se pone en algunas casacas.

collarino s. m. Parte inferior del capitel entre el astrágalo y el tambor.

collazo, za s. m. y s. f. Hermano de leche.

colleja s. f. Hierba cariofilácea, con hojas blanquecinas y suaves, y flores blancas.

collón, na adj., fam. Cobarde, tímido.

colmado s. m. Tienda donde se sirven comidas especiales, sobre todo mariscos.

colmar v. tr. Llenar hasta el borde.

colmena s. f. Vaso de madera y cinc, que sirve de habitación a un enjambre.

colmenar s. m. Lugar o paraje donde están las colmenas.

colmenilla s. f. Nombre de varios hongos ascomicetos, comestibles.

colmillo s. m. Diente agudo y fuerte colocado entre los incisivos y los molares.

colmo s. m. Porción de materia que sobresale por encima del borde del vaso que lo contiene.

colobo s. m., amer. Mono catirrino de cuerpo delgado y cola muy larga.

colocación s. f. **1.** Acción y efecto de colocar. **2.** Situación de una cosa. **3.** Empleo o destino.

colocar v. tr. **1.** Poner a una persona o cosa en su debido lugar. También prnl. **2.** Situar a alguien en un empleo. También prnl.

colocasia s. f. Planta oroidea, de origen indio, con hojas grandes y flor de color rojo.

colocutor, ra s. m. y s. f. Persona que habla con otra.

colodra s. f. Vasija de madera que usan los pastores para ordeñar el ganado.

colodrillo s. m. Parte posterior de la cabeza.

colofón s. m. Anotación al final de los libros, para indicar el nombre del impresor y el lugar y fecha donde los imprimió.

colofonia s. f. Resina sólida e inflamable, residuo de la destilación de la trementina.

colofonita s. f. Granate de color verde claro o amarillento rojizo.

coloidal adj. Relativo a los coloides.

coloide *adj.* Se dice del cuerpo que al disgregarse en un líquido aparece como disuelto por la extremada pequeñez de las partículas en que se divide pero que se diferencia del disuelto en que no es difundido por su disolvente si tiene que atravesar ciertas láminas porosas. También s. m.

coloideo, a *adj.* Coloidal.

colombianismo *s. m.* Vocablo, giro o modo de hablar propio de los colombianos.

colombofilia *s. f.* Técnica de la cría de palomas.

colombófilo, la *adj.* Perteneciente a la cría de palomas.

colon *s. m.* Parte del intestino grueso que se extiende desde el ciego hasta el recto.

colón *s. m.* Unidad monetaria de Costa Rica (colón costarricense) y de El Salvador (colón salvadoreño).

colonia[1] *s. f.* Conjunto de personas que van de un país a otro para poblarlo y cultivarlo o establecerse en él.

colonia[2] *s. f.* Perfume.

coloniaje *s. m., amer.* Nombre que algunas repúblicas dan al periodo histórico en que formaron parte de España.

colonial *adj.* **1.** Que pertenece a una colonia. **2.** Ultramarino, comestible de oriente o americano.

colonialismo *s. m.* Sistema político encaminado a mantener un territorio en régimen colonial.

colonialista *adj.* Partidario del colonialismo.

colonización *s. f.* Acción y efecto de colonizar.

colonizador, ra *adj.* Que coloniza. También s. m. y s. f.

colonizar *v. tr.* Formar colonia en un país.

colono, na *s. m. y s. f.* **1.** Persona que habita en una colonia. **2.** Labrador que cultiva una tierra por arrendamiento y suele vivir en ella.

coloquial *adj.* Se dice del lenguaje propio de la conversación, a diferencia del escrito.

coloquio *s. m.* **1.** Conferencia entre dos personas. **2.** Género de composición litetaria en forma de diálogo.

color *s. m.* Calidad de los fenómenos visuales que depende de la impresión distinta que producen en el ojo las luces de diferente longitud de onda.

coloración *s. f.* Acción y efecto de colorar.

colorado, da *adj.* Que tiene color rojo.

colorante *s. m.* Sustancia natural o artificial, empleada para teñir o dar un color determinado a tejidos, alimentos, etc.

colorar *v. tr.* Dar de color o teñir alguna cosa.

colorear *v. tr.* Colorar, dar color.

colorete *s. m.* Arrebol, aceite de color rojo.

colorido *s. m.* Disposición y grado de intensidad de los colores de una pintura.

colorimetría *s. f.* Procedimiento de análisis químico fundado en la intensidad del color de las disoluciones.

colorín *s. m.* Color vivo. Se usa más en pl.

colorir *v. tr.* Dar color.

colorismo *s. m.* **1.** Tendencia de algunos artistas a dar preferencia al color sobre el dibujo. **2.** Recargar el estilo con calificativos vigorosos y a veces muy impropios.

colorista *adj.* **1.** Que usa bien el color. **2.** Que tiene mucho color. **3.** *fig.* Se dice del escritor que emplea calificativos vigorosos para dar relieve al lenguaje y al estilo.

colosal *adj.* **1.** De estatura mayor que la normal. **2.** Extraordinario.

coloso *s. m.* **1.** Estatua de gran magnitud. **2.** *fig.* Persona o cosa que por sus cualidades sobresale muchísimo.

colquiáceo, a *adj.* Se dice de hierbas monocotiledóneas, perennes, bulbosas y de hojas radiales, y de semilla con albumen carnoso o cartilaginoso. También s. f.

cólquico *s. m.* Hierba de la familia de las liliáceas cuya raíz amarga se emplea en medicina.

coludir *v. intr.* Pactar en daño o perjuicio de terceros.

columbario *s. m.* Conjunto de nichos, en los cementerios de los antiguos romanos, donde se colocaban las urnas cinerarias.

columbino, na *adj.* Que pertenece a la paloma o semejante a ella.

columbrar *v. tr.* Divisar, ver desde lejos.

columbrete *s. m.* Mogote poco elevado que hay en medio del mar. Algunos ofrecen abrigo o fondeadero.

columelar *adj.* Se dice de los dientes caninos.

columna *s. f.* **1.** Apoyo de forma generalmente cilíndrica, de mucha más altura que diámetro. **2.** Serie o pila de cosas colocadas ordenadamente unas sobre otras.

columnata *s. f.* Serie de columnas que sostienen o adornan un edificio.

columpiar *v. tr.* Impeler al que está puesto en un columpio. También prnl.

columpio *s. m.* Cuerda fuerte atada en alto por sus dos extremos, para que se siente alguna persona en el seno que forma en el medio, meciéndose por impulso propio o ajeno asiéndose a los ramales.

coluro *s. m.* Cada uno de los dos círculos máximos de la esfera celeste.

colusión *s. f.* Acción y efecto de coludir, o pactar en perjuicio de terceros.

colusor *s. m.* Hombre que comete colusión.

colusorio, ria *adj.* Que tiene carácter de colusión o la produce.

colutorio *s. m.* Enjuague medicinal.

colza *s. f.* Planta crucífera, variedad de nabo.

coma[1] *s. f.* Signo ortográfico (,) que sirve para indicar la división de las frases o miembros más cortos de la oración, y que también se sigue aceptando en aritmética para separar los enteros de las fracciones decimales, aunque se recomienda el uso del punto.

coma² *s. m.* Sopor más o menos profundo dependiente, por lo común, de congestión o de derrame en el cerebro.

comadre *s. f.* **1.** Partera. **2.** Madrina de bautizo de un niño. **3.** Alcahueta. **4.** *fam.* Vecina y amiga con quien tiene otra mujer más trato y confianza que con las demás.

comadrear *v. intr., fam.* Chismear, murmurar.

comadreja *s. f.* Mamífero carnívoro nocturno, muy vivo y perjudicial.

comadrero, ra *adj.* Se dice de la persona holgazana que anda buscando conversación por las casas.

comadrón, na *s. m. y s. f.* Persona que atiende a la mujer en el acto del parto.

comal *s. m., Guat. y Méx.* Disco de barro muy delgado y con bordes, que se usa en México para cocer las tortillas de maíz.

comandancia *s. f.* Edificio donde se hallan las oficinas de aquel cargo.

comandante *com.* Jefe militar de categoría comprendida entre la de capitán y la de teniente coronel.

comandar *v. tr.* Mandar un ejército.

comanditar *v. tr.* Aportar los fondos necesarios para una empresa comercial o industrial, sin contraer obligación mercantil alguna.

comando *s. m.* Mando militar.

comarca *s. f.* División de territorio que comprende varias poblaciones.

comarcal *adj.* Relativo a la comarca.

comatoso, sa *adj.* Relativo al coma.

comba *s. f.* **1.** Inflexión que toman algunos cuerpos sólidos cuando se encorvan. **2.** Juego infantil que consiste en saltar por encima de una cuerda.

combadura *s. f.* Efecto de combarse.

combar *v. tr.* Torcer algo como madera, hierro, etc. También prnl.

combate *s. m.* Pelea, lucha.

combatible *adj.* Que puede ser combatido.

combatiente *s. m.* Cada uno de los soldados que componen un ejército.

combatir *v. intr.* **1.** Pelear. También prnl. ‖ *v. tr.* **2.** Acometer, embestir. **3.** Contradecir.

combatividad *s. f.* Inclinación natural a la lucha.

combativo, va *adj.* **1.** Dispuesto o inclinado al combate o a la polémica. **2.** Que no ceja fácilmente en su empeño.

combés *s. m.* Espacio descubierto, ámbito.

combinación *s. f.* **1.** Acción y efecto de combinar o combinarse. **2.** Enagua.

combinado *s. m.* Mezcla de licores.

combinar *v. tr.* Unir cosas diversas de manera que formen un compuesto.

combo, ba *adj.* Se dice de lo que está combado.

comburente *adj.* Que hace entrar en combustión o la activa.

combustibilidad *s. f.* Calidad de combustible.

combustible *adj.* **1.** Que puede arder. ‖ *s. m.* **2.** Leña, carbón u otra materia que sirve para hacer lumbre.

combustión *s. f.* **1.** Acción y efecto de arder, quemar. **2.** Combinación de un cuerpo combustible con otro que la activa.

combusto, ta *adj.* Se dice de lo que está abrasado.

comecocos *s. m., fam.* Cualquier cosa que concentra por completo los pensamientos y la atención de una persona.

comedero *s. m.* Vasija o cajón donde se echa la comida a las aves y otros animales.

comedia *s. f.* **1.** Obra dramática en la que se desarrolla una acción de feliz desenlace. **2.** Género cómico. **3.** *fig.* Fingimiento.

comediante, ta *s. m. y s. f.* **1.** Actor, actriz. **2.** *fig.* Persona que para algún fin aparenta lo que no siente en realidad.

comediar *v. tr.* Promediar, equilibrar.

comedido, da *adj.* Cortés, prudente.

comedimiento *s. m.* Cortesía, moderación.

comedio *s. m.* **1.** Centro de un reino, sitio o paraje. **2.** Espacio de tiempo que media entre dos épocas señaladas.

comedirse *v. prnl.* Moderarse, contenerse.

comedón *s. m.* Grano sebáceo con un punto negro que se forma en la piel del rostro.

comedor *s. m.* **1.** Pieza destinada en las casas para comer. **2.** Establecimiento destinado para servir comidas.

comején *s. m.* Insecto neuróptero, que vive en parajes húmedos y climas cálidos.

comendador, ra *s. m. y s. f.* Persona que tiene encomienda.

comendaticio, cia *adj.* Se aplica a la carta de recomendación que dan algunos prelados.

comendatorio, ria *adj.* Se dice de los papeles y cartas de recomendación.

comensal *s. m. y s. f.* Cada una de las personas que comen en una misma mesa.

comentar *v. tr., fam.* Hacer comentarios.

comentario *s. m.* **1.** Escrito que sirve de explicación de una obra. ‖ *s. m. pl.* **2.** *fam.* Conversación tenida por personas sobre sucesos de la vida ordinaria, por lo común con algo de murmuración.

comentarista *com.* Persona que escribe comentarios.

comento *s. m.* **1.** Comentario. **2.** Mentira.

comenzar *v. tr.* Empezar, dar principio.

comer *v. intr.* **1.** Masticar y desmenuzar el alimento en la boca y pasarlo al estómago. También tr. **2.** Tomar la comida principal del día.

comercial *adj.* **1.** Relativo al comercio. **2.** Que se vende fácilmente.

comerciante *com.* **1.** Persona a quien son aplicables las leyes mercantiles. **2.** Persona propietaria de un comercio.

comerciar *v. intr.* Negociar comprando y vendiendo géneros.

comercio *s. m.* **1.** Negociación que se hace comprando y vendiendo cosas. **2.** Conjunto de comerciantes de un país. **3.** Establecimiento comercial.

comestible *adj.* **1.** Que se puede comer. ‖ *s. m.* **2.** Cualquier alimento.

cometa *s. m.* **1.** Astro formado por un núcleo acompañado de una larga cola. ‖ *s. f.* **2.** Juguete que consiste en una armazón plana cubierta de papel o tela que se arroja al aire sujeta con una cuerda.

cometer *v. tr.* Incurrir en una falta o error.

cometido *s. m.* **1.** Comisión, encargo. **2.** Incumbencia, obligación moral.

comezón *s. f.* **1.** Picazón. **2.** *fig.* Desazón interior que ocasiona el deseo de algo.

cómic *s. m.* **1.** Serie de viñetas que presenta un desarrollo narrativo. **2.** Revista o libro que contiene estas viñetas.

comicidad *s. f.* Calidad de cómico o gracioso.

comicios *s. m. pl.* Reuniones y actos electorales.

cómico, ca *adj.* **1.** Relativo a la comedia. **2.** Divertido. ‖ *s. m. y s. f.* **3.** Comediante, actor o actriz que representa papeles jocosos.

comida *s. f.* **1.** Lo que se toma como alimento. **2.** Alimento principal que cada día toman las personas.

comidilla *s. f., fig. y fam.* Tema de murmuración frecuente o general.

comienzo *s. m.* Principio, origen y raíz de una cosa.

comillas *s. f. pl.* Signo ortográfico, (« »). Se usa para enmarcar la reproducción de citas textuales, los parlamentos de personajes o de su discurso interior, las citas de títulos de artículos, poemas, capítulos de obras, etc., así como palabras y expresiones que se desea resaltar por ser impropias o vulgares.

comilón, na *adj.* **1.** Que come mucho. ‖ *s. f.* **2.** *fam.* Comida variada y abundante.

comino *s. m.* Planta umbelífera cuyas semillas se usan en medicina y como condimento.

comisar *v. tr.* Declarar que una cosa ha caído en comiso.

comisaría *s. f.* **1.** Empleo del comisario. **2.** Oficina del comisario.

comisario, ria *s. m. y s. f.* Persona que tiene poder y facultad de una autoridad superior para ejecutar alguna orden o entender en algún negocio.

comiscar *v. tr.* Comer a menudo y en pequeñas cantidades de varias cosas.

comisión *s. f.* **1.** Acción de cometer. **2.** Encargo. **3.** Conjunto de personas delegadas temporalmente para entender algún asunto. **4.** Retribución que percibe la persona que vende una cosa por cuenta ajena.

comisionado, da *adj.* Que está encargado de una comisión. También s. m. y s. f.

comisionar *v. tr.* Dar una comisión a una o más personas para hacer algún encargo o negocio.

comiso *s. m.* Pena en que incurre el que comercia en géneros prohibidos o falta a un contrato en que se estipuló esta pena, y consiste en la pérdida de los mismos.

comisorio, ria *adj.* Obligatorio o válido por determinado tiempo, o aplazado para cierto día.

comistión *s. f.* Conmistión.

comistrajo *s. m., fam.* Mezcla irregular y extravagante de manjares.

comisura *s. f.* Punto de unión de ciertas partes similares del cuerpo, como los labios.

comité *s. m.* Comisión de personas.

comitiva *s. f.* Acompañamiento de personas.

como *adv. m.* **1.** Del modo o manera. **2.** De la misma forma que. **3.** En sentido comparativo denota idea de equivalencia, semejanza o igualdad.

cómoda *s. f.* Mueble con tablero de mesa y cajones que ocupan todo el frente.

comodatario, ria *s. m. y s. f.* Persona que toma prestada una cosa no fungible con la obligación de restituirla.

comodato *s. m.* Contrato por el cual se da o recibe una cosa no fungible con la obligación de restituirla.

comodidad *s. f.* Abundancia de las cosas necesarias para vivir a gusto y con descanso.

comodín *s. m.* Lo que se hace servir para fines diversos, según convenga.

cómodo, da *adj.* Conveniente, oportuno, acomodado, fácil.

comodón, na *adj., fam.* Se dice del que es amante de la comodidad y regalo. También s. m. y s. f.

compactar *v. tr.* Hacer compacta una cosa.

compacto, ta *adj.* **1.** De textura apretada y poco porosa. **2.** Apretado, apiñado.

compadecer *v. tr.* **1.** Compartir la desgracia ajena, sentirla. **2.** Inspirar lástima o pena a uno la desgracia de otro. También prnl.

compadre *s. m.* **1.** El padrino de un niño. **2.** Amigo o conocido de alguien o compañero de posada o camino, especialmente en Andalucía y América.

compadrear *v. intr.* Hacer o tener amistad, generalmente con fines poco lícitos.

compadreo *s. m., desp.* Unión de varias personas para ayudarse mutuamente.

compaginación *s. f.* Acción y efecto de compaginar.

compaginar *v. tr.* Poner en buen orden cosas que tienen alguna relación. También prnl.

compaña *s. f.* Compañía.

compañerismo *s. m.* Armonía y buena correspondencia entre compañeros.

compañero, ra *s. m. y s. f.* **1.** Persona que acompaña a otra. **2.** Cosa que hace juego con otra. **3.** Cada uno de los individuos de un colegio, corporación, etc.

compañía *s. f.* **1.** Persona o personas que acompañan a otras. **2.** Sociedad unida para fines comerciales o industriales. **3.** Unidad orgánica de soldados. **4.** Grupo de actores.

comparable *adj.* Que puede o merece compararse con otra persona o cosa.

comparación *s. f.* **1.** Acción y efecto de comparar. **2.** Símil.

comparar *v. tr.* **1.** Examinar dos o más objetos para descubrir sus relaciones, diferencias o semejanzas. **2.** Cotejar.

comparativo, va *adj.* Se dice de los adjetivos y adverbios que expresan comparación.

comparecencia *s. f.* Acto de comparecer personalmente o por escrito ante el juez o un superior.

comparecer *v. intr.* Presentarse uno ante otro, en especial ante el juez.

compareciente *com.* Persona que comparece ante el juez.

comparsa *s. f.* **1.** Acompañamiento en representaciones teatrales. **2.** Conjunto de personas que van vestidas de máscaras.

compartimiento *s. m.* Cada una de las partes que resultan de compartir un todo, y especialmente un espacio o local.

compartir *v. tr.* **1.** Repartir, dividir, distribuir las cosas en partes. **2.** Participar alguien en alguna cosa.

compás *s. m.* **1.** Instrumento que sirve para trazar arcos de circunferencia y tomar distancias. **2.** En música, medida del tiempo.

compasar *v. tr.* **1.** Medir con el compás. **2.** *fig.* Arreglar, proporcionar las cosas de modo que no sobren ni falten. **3.** *fig.* Dividir en tiempos iguales las composiciones formando líneas perpendiculares que cortan el pentagrama.

compasión *s. f.* Sentimiento de ternura y lástima hacia el mal que padece alguien.

compasivo, va *adj.* **1.** Que tiene compasión. **2.** Que fácilmente se mueve a compasión.

compatibilidad *s. f.* Calidad de compatible.

compatible *adj.* Que tiene aptitud o proporción para unirse o concurrir en un mismo lugar o sujeto.

compatriota *com.* Persona de la misma patria que otra.

compeler *v. tr.* Obligar a alguien a que haga lo que no quiere.

compendiar *v. tr.* Reducir a compendio.

compendio *s. m.* Breve y sumaria exposición de lo más sustancial de una obra.

compendioso, sa *adj.* Que está, o se escribe, o dice en compendio.

compendizar *v. tr.* Compendiar.

compenetración *s. f.* Acción y efecto de compenetrarse.

compenetrarse *v. prnl., fig.* Identificarse las personas en ideas y sentimientos.

compensación *s. f.* **1.** Acción y efecto de compensar. **2.** Indemnización pecuniaria o en especie.

compensar *v. tr.* **1.** Neutralizar el efecto de una cosa con el de otra. También prnl. **2.** Dar alguna cosa, o hacer un beneficio en resarcimiento del daño que se ha causado. También prnl.

compensatorio, ria *adj.* Que compensa o iguala.

competencia *s. f.* **1.** Rivalidad, oposición. **2.** Incumbencia. **4.** Aptitud, idoneidad.

competente *adj.* **1.** Proporcionado, adecuado. **2.** Se dice de la persona a quien compete alguna cosa. **3.** Apto, idóneo.

competer *v. intr.* Pertenecer, tocar o incumbir a alguien en alguna cosa.

competidor, ra *adj.* Que compite. También s. m. y s. f.

competir *v. intr.* Contender dos o más personas para lograr una misma cosa.

compilación *s. f.* Colección de varias noticias, leyes o materias.

compilador, ra *adj.* Que compila. También s. m. y s. f.

compilar *v. tr.* Reunir en un solo cuerpo de obra extractos de libros o documentos.

compinche *s. m. y s. f., fam.* Camarada.

complacencia *s. f.* Satisfacción, placer y contento que resulta de una cosa.

complacer *v. tr.* **1.** Acceder alguien a lo que otro desea. ‖ *v. prnl.* **2.** Encontrar plena satisfacción en alguna cosa.

complaciente *adj.* Propenso a complacer.

complejidad *s. f.* Calidad de complejo.

complejo, ja *adj.* **1.** Se dice de lo que está compuesto por elementos diversos. ‖ *s. m.* **2.** Conjunto o unión de dos o más cosas. **3.** Conjunto de establecimientos fabriles de industrias básicas, derivadas o complementarias, próximos unos a otros.

complementar *v. tr.* Dar a una cosa lo necesario para que sea íntegra o perfecta.

complementario, ria *adj.* Que sirve para completar o perfeccionar una cosa.

complemento *s. m.* **1.** Lo que es necesario añadir a una cosa para que sea íntegra o perfecta. **2.** Cada una de las partes que se complementan mutuamente.

completar *v. tr.* **1.** Integrar, hacer cabal una cosa. **2.** Hacerla perfecta en su clase.

completo, ta adj. **1.** Entero, lleno. **2.** Acabado, perfecto.

complexidad s. f. Complejidad.

complexión s. f. Constitución fisiológica de una persona o animal.

complexionado, da adj. De buena o mala complexión.

complexo, xa adj. Complejo.

complicación s. f. **1.** Concurrencia de cosas diversas. **2.** Embrollo de difícil solución.

complicado, da adj. **1.** Enmarañado, de difícil comprensión. **2.** Compuesto de gran número de piezas.

complicar v. tr. **1.** Mezclar, unir cosas diversas. **2.** fig. Enredar, dificultar, confundir.

cómplice com. Persona que, sin ser autora de un delito, coopera sustancialmente en su perpetración.

complicidad s. f. Calidad de cómplice.

complot s. m. **1.** Confabulación entre dos o más personas contra otra. **2.** Trama, intriga.

componenda s. f. Arreglo o transacción censurable o inmoral.

componente s. m. Que compone o entra en la composición de un todo.

componer v. tr. **1.** Constituir, formar un cuerpo de varias personas o cosas. **2.** Hacer, producir obras literarias o musicales. **3.** Adornar alguna cosa. **4.** Ataviar.

comportamiento s. f. Conducta, manera de portarse.

comportar v. tr. **1.** fig. Sufrir, tolerar. ‖ v. prnl. **2.** Portarse, conducirse.

composición s. f. Acción y efecto de componer.

compositor, ra adj. Que hace composiciones musicales.

compostura s. f. **1.** Construcción de un todo que consta de varias partes. **2.** Reparo de una cosa descompuesta o rota. **3.** Aseo, aliño de una persona.

compota s. f. Dulce de fruta cocida con agua y azúcar.

compra s. f. Acción y efecto de comprar.

comprador, ra adj. Que compra. También s. m. y s. f.

comprar v. tr. **1.** Adquirir algo por dinero. **2.** Sobornar.

compraventa s. f. Negocio de la persona que se dedica a comprar objetos usados para revenderlos.

comprender v. tr. **1.** Abrazar, ceñir, rodear. **2.** Contener, incluir en sí alguna cosa. También prnl. **3.** Entender, alcanzar.

comprensibilidad s. f. Calidad de comprensible.

comprensible adj. Que se puede comprender.

comprensión s. f. **1.** Acción de comprender. **2.** Facultad, acto o proceso de entender las cosas.

comprensivo, va adj., fig. Se dice de la persona que sabe reconocer y tolerar los defectos de alguien o de algo.

compresa s. f. Lienzo o gasa para poner sobre una herida, absorber hemorragias, etc.

compresión s. f. Acción y efecto de comprimir.

comprimario, ria adj. Se dice de los cantantes que desempeñan papeles secundarios en el teatro.

comprimido s. m. Tableta medicinal pequeña que se obtiene por compresión de sus ingredientes previamente reducidos a polvo.

comprimir v. tr. Apretar, estrechar por presión el volumen de una cosa.

comprobación s. f. Acción y efecto de comprobar.

comprobante s. m. Escrito o documento que confirma una transacción, trato o gestión.

comprobar v. tr. Verificar, confirmar una cosa mediante demostración o prueba que la acrediten como cierta.

comprometedor, ra adj., fam. Se dice de la persona o cosa que compromete o pone en riesgo. También s. m. y s. f.

comprometer v. tr. **1.** Exponer a algún peligro o daño. **2.** Constituir a alguien en una obligación. También prnl.

compromisario, ria adj. **1.** Se dice de la persona que intercede en un conflicto. También s. m. y s. f. ‖ s. m. y s. f. **2.** Persona que representa a los electores en una elección.

compromiso s. m. **1.** Acto de comprometerse. **2.** Obligación contraída, palabra dada.

compuerta s. f. Puerta de gruesos tablones que sirve, en los canales o presas, para graduar o cortar el paso del agua.

compuesto, ta adj. **1.** fig. Que consta de varios elementos. ‖ s. m. **2.** Agregado de varias cosas que componen un todo.

compulsa s. f. Copia o traslado de una escritura, instrumento o autos.

compulsación s. f. Acción de compulsar.

compulsar v. tr. **1.** Examinar dos o más documentos, confrontándolos entre sí. **2.** Sacar compulsas de un documento.

compulsión s. f. **1.** Apremio que se hace a una persona por mandato de la autoridad. **2.** Inclinación, pasión vehemente por algo o alguien.

compulsivo, va adj. **1.** Que tiene virtud de compeler. **2.** Que muestra apremio o compulsión.

compunción s. f. **1.** Sentimiento o dolor de haber cometido un pecado. **2.** Sentimiento que causa el dolor ajeno.

compungido, da adj. Dolorido, afligido.

compungir v. tr. **1.** Mover a compunción. ‖ v. prnl. **2.** Dolerse alguien de una culpa propia o de la aflicción ajena. MORF. Utilizado antes como defect., el uso ha extendido su empleo a todas las formas de la conjug.

compurgación s. f. Purgación, refutación de indicios de culpabilidad.

compurgar v. tr. Pasar la prueba de la compurgación el acusado, para acreditar por este medio su inocencia.

computación *s. f.* Cómputo.

computador, ra *s. m. y s. f.* Máquina electrónica de tratamiento de la información, capaz de almacenar, ordenar y memorizar datos a gran velocidad, gracias al empleo de diversos programas.

computar *v. tr.* Calcular por números.

cómputo *s. m.* Cuenta o cálculo.

comulgar *v. tr.* **1.** Dar la sagrada comunión. ‖ *v. intr.* **2.** Recibirla.

común *adj.* **1.** Que pertenece o se extiende a varios. **2.** Ordinario, frecuente y muy sabido. **3.** Bajo, de inferior clase.

comunal *adj.* **1.** Común, propio de todos. ‖ *s. m.* **2.** Común, el conjunto de habitantes.

comunicación *s. f.* **1.** Escrito en que se comunica algo. **2.** Trato o correspondencia entre dos o más personas. **3.** Unión que se establece entre cosas determinadas como mares, pueblos, casas, etc. mediante pasos, canales, escaleras, etc. ‖ *s. f. pl.* **4.** Correos, telégrafos, teléfonos, etc.

comunicado *s. m.* Nota o parte que se comunica para conocimiento público.

comunicar *v. tr.* **1.** Hacer saber. **2.** Tratar con alguien. **3.** Tener correspondencia o paso unas cosas inanimadas con otras. ‖ *v. prnl.* **4.** Estar una cosa en unión con otra.

comunicativo, va *adj.* Que tiene propensión natural a comunicar a otro lo que posee.

comunidad *s. f.* Reunión de personas que viven juntas y bajo ciertas reglas.

comunión *s. f.* En la Iglesia católica, acto de recibir los fieles la eucaristía.

comunismo *s. m.* Sistema político y social en el que se establece la abolición de la propiedad privada y de la comunidad de bienes. Está basado en la doctrina de Marx y Engels.

comunista *adj.* Partidario del comunismo. También com.

con *prep.* **1.** Significa el medio, instrumento o modo para hacer una cosa. **2.** En ciertas locuciones, aunque. **3.** Juntamente.

conato *s. m.* **1.** Empeño, esfuerzo. **2.** Propensión, tendencia. **3.** Acto y delito que se empezó y no llegó a consumarse.

concadenar *v. tr., fig.* Unir o enlazar unas cosas con otras, como los eslabones de una cadena.

concatenación *s. f.* Acción y efecto de concatenar.

concatenar *v. tr., fig.* Concadenar.

concavidad *s. f.* **1.** Calidad de cóncavo. **2.** Parte o sitio cóncavo.

cóncavo, va *adj.* Que presenta un hueco o depresión curva.

concebible *adj.* Que puede concebirse o comprenderse.

concebir *v. intr.* **1.** Quedar preñada la hembra. También prnl. **2.** *fig.* Formar en la mente idea o concepto de una cosa, comprenderla. También tr.

conceder *v. tr.* Dar, otorgar.

concejal, la *s. m. y s. f.* Persona de un concejo o ayuntamiento. U. t. la forma en m. para designar el f.

concejalía *s. f.* Oficio o cargo de concejal.

concejil *adj.* Perteneciente al concejo.

concejo *s. m.* **1.** Ayuntamiento, municipio. **2.** Sesión celebrada por los componentes de un concejo. **3.** Municipio.

concento *s. m.* Canto acordado y armonioso de varias voces.

concentración *s. f.* Acción y efecto de concentrar o concentrarse.

concentrado, da *adj.* **1.** Internado en el centro de una cosa. **2.** Muy atento a la actividad que realiza.

concentrar *v. tr.* **1.** *fig.* Reunir en un centro o punto lo que estaba separado. También prnl. **2.** Aumentar la proporción de materia disuelta con relación al disolvente.

concéntrico, ca *adj.* Se dice de las figuras y de los sólidos que tienen un mismo centro.

concentuoso, sa *adj.* Armonioso.

concepción *s. f.* Acción y efecto de concebir.

conceptear *v. intr.* Usar o decir frecuentemente dichos agudos o ingeniosos.

conceptible *adj.* Que se puede concebir o imaginar.

concepto *s. m.* **1.** Idea que concibe el entendimiento. **2.** Opinión, juicio.

conceptuar *v. tr.* Formar concepto de una persona o cosa.

conceptuosidad *s. f.* Calidad de conceptuoso.

conceptuoso, sa *adj.* Sentencioso, agudo, lleno de conceptos.

concernencia *s. f.* Correspondencia de una cosa con otra.

concernir *v. intr.* Atañer, tocar, pertenecer.

concertante *adj.* Se dice de la composición en que las voces o instrumentos ejecutan a la vez melodías diversas.

concertar *v. tr.* **1.** Componer, arreglar las partes de una o varias cosas. **2.** Pactar, acordar algo. También prnl.

concertina *s. f.* Acordeón de figura hexagonal u octogonal.

concertino *s. m.* Violinista que toca la parte más destacada de un concierto.

concertista *com.* Persona que dirige un concierto o canta o toca en él.

concesión *s. f.* **1.** Acción y efecto de conceder. **2.** Otorgamiento gubernativo a favor de particulares o empresas.

concesionario, ria *adj.* Se dice de la persona o entidad a la que se hace una concesión. También s. m. y s. f.

concesivo, va *adj.* Que se concede o puede concederse.

concha *s. f.* **1.** Parte exterior y dura que cubre a los animales testáceos, como las tortugas, caracoles, etc. **2.** Ostra.

conchabar *v. tr.* **1.** Unir, asociar, mezclar. ‖ *v. prnl.* **2.** *fam.* Confabularse.

conchado, da *adj.* Se dice del animal que tiene concha.

conchero *s. m.* Depósito prehistórico de conchas y otros restos de moluscos y peces que servían de alimento a los hombres de aquellas edades.

conchil *s. m.* Molusco gasterópodo marino, de gran tamaño, que segrega un licor que fue usado antiguamente en tintorería.

concho¹ *s. m.* Pericarpio o corteza de algunos frutos.

concho² *s. m., amer.* Posos, sedimento, restos de la comida.

conchudo, da *adj., fam.* Astuto, cauteloso, sagaz.

conciencia *s. f.* Conocimiento que el espíritu humano tiene de su propia existencia, estados y actos.

concienciar *v. tr.* Hacer que alguien sea consciente de algo. También prnl.

concienzudo, da *adj.* **1.** Que es de estrecha y recta conciencia. **2.** Que estudia o hace las cosas con mucha atención.

concierto *s. m.* **1.** Buen orden y disposición de las cosas. **2.** Ajuste, convenio. **3.** Función de música.

conciliábulo *s. m.* Junta para tratar de una cosa que se presume ilícita.

conciliación *s. f.* **1.** Acción y efecto de conciliar. **2.** Conveniencia o semejanza de una cosa con otra.

conciliador, ra *adj.* Que concilia o es propenso a conciliar o conciliarse.

conciliar *v. tr.* **1.** Componer y ajustar los ánimos de los que estaban opuestos entre sí. **2.** Granjear o ganar los ánimos y la benevolencia. También prnl.

concilio *s. m.* Junta o congreso, especialmente de eclesiásticos.

concisión *s. f.* Brevedad en el modo de expresar los conceptos.

conciso, sa *adj.* Que tiene concisión.

concitación *s. f.* Acción y efecto de concitar.

concitar *v. tr.* Instigar a uno contra otro.

conciudadano, na *s. m. y s. f.* **1.** Cada uno de los ciudadanos de una misma ciudad, respecto de los demás. **2.** Por ext., cada uno de los naturales de una misma nación respecto de los demás.

cónclave *s. m.* **1.** Lugar en donde los cardenales se reúnen para elegir sumo pontífice. **2.** La misma reunión o junta.

concluir *v. tr.* **1.** Acabar o finalizar una cosa. También prnl. **2.** Determinar y resolver algo. **3.** Deducir una verdad de otras que se admiten, demuestran o presuponen.

conclusión *s. f.* **1.** Acción y efecto de concluir o concluirse. **2.** Fin y determinación de una cosa.

concluso, sa *adj.* Se dice del juicio que está para sentencia.

concoide *s. f.* Curva que en su prolongación se aproxima constantemente a una recta sin tocarla nunca.

concoideo, a *adj.* Semejante a la concha. Se aplica especialmente a la fractura de los cuerpos sólidos.

concomerse *v. prnl., fig.* Sentir comezón interior, consumirse de impaciencia, pesar u otro sentimiento.

concomio *s. m., fam.* Acción de concomerse.

concomitancia *s. f.* Acción y efecto de concomitar.

concomitar *v. tr.* Acompañar una cosa a otra u obrar juntamente con ella.

concordación *s. f.* Coordinación, combinación o conciliación de algunas cosas.

concordancia *s. f.* **1.** Conformidad de una cosa con otra. **2.** Conformidad de accidentes entre dos o mas partes variables de la oración.

concordar *v. tr.* **1.** Poner de acuerdo lo que no lo está. ‖ *v. intr.* **2.** Convenir una cosa con otra. **3.** Guardar concordancia.

concordato *s. m.* Tratado entre el gobierno de un Estado y la Santa Sede.

concorde *adj.* Conforme, uniforme.

concordia *s. f.* Conformidad, unión, ajuste.

concorpóreo, a *adj.* Se dice del que, comulgando dignamente, se hace un mismo cuerpo con Cristo.

concreado, da *adj.* Se dice de las cualidades que existen en el ser humano desde su creación.

concreción *s. f.* Acumulación de varias partículas que se unen para formar masas.

concrecionar *v. tr.* Formar concreciones. También prnl.

concrescencia *s. f.* Crecimiento simultáneo de varios órganos de un vegetal, tan cercanos que se confunden en una sola masa.

concretar *v. tr.* **1.** Combinar, concordar. **2.** Reducir a lo más esencial una materia.

concreto, ta *adj.* **1.** Se dice de un objeto considerado en sí mismo, excluyéndolo de lo accesorio. **2.** Real, particular.

concubina *s. f.* Mujer que vive con un hombre como si este fuera su marido.

concubinato *s. m.* Comunicación o trato de un hombre con su concubina.

conculcación *s. f.* Acción y efecto de conculcar.

conculcar *v. tr.* **1.** Hollar, pisotear. **2.** Infringir. **3.** Oprimir.

concuñado, da *s. m. y s. f.* Hermano o hermana de un cónyuge respecto del hermano o la hermana del otro cónyuge.

concupiscencia *s. f.* **1.** Apetito y deseo de los bienes terrenos. **2.** Lascivia.

concupiscente *adj.* Dominado por la concupiscencia.

concupiscible *adj.* **1.** Deseable. **2.** Se dice de la tendencia de la voluntad hacia el bien sensible.

concurrencia *s. f.* **1.** Junta de varias personas en un mismo lugar. **2.** Ayuda.

concurrir *v. intr.* **1.** Juntarse en un mismo lugar o tiempo diferentes personas, sucesos o cosas. **2.** Contribuir con una cantidad para un fin determinado.

concursante *com.* Persona que acude a un certamen.

concursar *v. tr.* Tomar parte en un certamen.

concurso *s. m.* **1.** Concurrencia. **2.** Competencia abierta entre diversas personas en quienes concurren las mismas condiciones, para escoger la mejor o las mejores. **3.** Certamen.

concusión *s. f.* Conmoción violenta, sacudimiento.

concusionario, ria *adj.* Que comete concusión.

condado *s. m.* Territorio o lugar gobernado por un conde.

condal *adj.* Perteneciente al conde o a su dignidad.

conde *s. m.* Uno de los títulos nobiliarios de que los soberanos hacen merced a ciertas personas.

condesa *s. f.* **1.** Mujer que heredó u obtuvo un condado. **2.** Mujer del conde.

condecente *adj.* Conveniente o correspondiente.

condecir *v. intr.* Convenir, concertar o guardar armonía una cosa con otra.

condecoración *s. f.* Cruz u otra insignia de honor.

condecorar *v. tr.* Dar o imponer a alguien una condecoración.

condena *s. f.* **1.** Parte de la sentencia dictada por un juez o tribunal en la cual se impone la pena al acusado de un delito o falta. **2.** Extensión y grado de la pena.

condenable *adj.* Digno de ser condenado.

condenado, da *adj.* **1.** Réprobo. También s. m. y s. f. **2.** *fig.* Endemoniado, perverso, nocivo.

condenar *v. tr.* **1.** Declarar culpable el juez al reo. **2.** Reprobar una doctrina u opinión. **3.** Desaprobar una cosa.

condenatorio, ria *adj.* Que contiene condena o puede motivarla.

condensable *adj.* Que puede condensarse.

condensación *s. f.* Acción y efecto de condensar o condensarse.

condensador *s. m.* Aparato para reducir los gases a menor volumen.

condensar *v. tr.* **1.** Convertir un vapor en líquido o en sólido. También prnl. **2.** Reducir una cosa a menor volumen o extensión. También prnl.

condesa *s. f.* Mujer del conde, o la que por sí tiene condado.

condescendencia *s. f.* Acción y efecto de condescender.

condescender *v. intr.* Acomodarse por bondad al gusto y voluntad de otro.

condescendiente *adj.* Pronto, dispuesto a condescender.

condestable *s. m.* Antigua dignidad militar.

condición *s. f.* Índole, naturaleza, propiedad o carácter de una persona o cosa.

condicional *adj.* **1.** Que incluye una condición. || *s. m.* **2.** Tiempo que expresa acción futura en relación con el pasado del que se parte.

condicionamiento *s. m.* Limitación, restricción.

condicionar *v. intr.* **1.** Convenir una cosa con otra. || *v. tr.* **2.** Hacer depender una cosa de alguna condición.

condigno, na *adj.* Se dice de lo que corresponde a otra cosa o se sigue naturalmente de ella.

cóndilo *s. m.* Eminencia redondeada en la extremidad de un hueso, que forma articulación encajando en el hueco correspondiente de otro hueso.

condimentación *s. m.* Acción y efecto de condimentar.

condimentar *v. tr.* Sazonar los manjares.

condimento *s. m.* Lo que sirve para sazonar la comida y darle buen sabor.

condiscípulo, la *s. m. y s. f.* Persona que estudia o ha estudiado con otra u otras.

condolecerse *v. prnl.* Condolerse.

condolencia *s. f.* Participación en el pesar ajeno.

condolerse *v. prnl.* Compadecerse.

condominio *s. m.* Dominio de una cosa que pertenece en común a dos o más personas.

condón *s. m.* Preservativo, funda de goma.

condonación *s. f.* Acción y efecto de condonar.

condonar *v. tr.* Perdonar o remitir una pena o deuda.

cóndor *s. m.* Ave rapaz diurna, especie de buitre que habita en los Andes.

condotiero *s. m.* Jefe de soldados, mercenarios italianos y, por ext., de otros países.

condrila *s. f.* Planta de la familia de las compuestas, de tallo velloso, comestible y de cuya raíz se saca la liga.

condrioma *s. m.* Parte del protoplasma considerada como permanente, por oposición al protoplasma transitorio.

condrografía *s. f.* Parte de la anatomía que describe los cartílagos.

condrología *s. f.* Parte de la anatomía que estudia los cartílagos en todos sus aspectos.

conducción *s. f.* Acción y efecto de conducir, llevar o guiar alguna cosa.

conducir *v. tr.* **1.** Dirigir, guiar a alguien. **2.** Dirigir y guiar un negocio o un vehículo.

conducta *s. f.* Manera de conducirse.

conductibilidad *s. f.* Propiedad natural de los cuerpos, que consiste en transmitir el calor o la electricidad.

conductible *adj.* Que puede ser conducido.

conductismo *s. m.* Doctrina y método que buscan el conocimiento y control de las acciones de los organismos y en especial del hombre, mediante la observación de la conducta, sin recurrir a la conciencia o introspección.

conductividad *s. f.* Calidad de conductivo.

conductivo, va *adj.* Se dice de lo que tiene virtud de conducir.

conducto *s. m.* **1.** Canal, tubo, vía. **2.** Intermediario.

conductor, ra *adj.* **1.** Que conduce. **2.** Se aplica a los cuerpos según conduzcan bien o mal el calor y la electricidad.

condueño *s. m. y s. f.* Compañero de otro en el dominio o señorío de alguna cosa.

condumio *s. m., fam.* Manjar que se come con pan, como cualquier cosa guisada.

conectar *v. tr.* **1.** Combinar con el movimiento de una máquina el de un aparato dependiente de ella. **2.** Poner en contacto.

conectivo, va *adj.* Que sirve para conectar.

conejera *s. f.* **1.** Madriguera donde se crían conejos. **2.** *fig.* Cueva estrecha y larga.

conejo, ja *s. m. y s. f.* Mamífero roedor, que se domestica fácilmente. Su carne es comestible.

conexidades *s. f. pl.* Derechos y cosas anejas a otra principal.

conexión *s. f.* Trabazón, relación de una cosa con otra.

conexionarse *v. prnl.* Contraer conexiones.

conexo, xa *adj.* Se aplica a la cosa que está enlazada o relacionada con otra.

confabulación *s. f.* Conspiración, trama.

confabulador, ra *s. m. y s. f.* Persona que se confabula.

confabular *v. intr.* Ponerse de acuerdo dos o más personas sobre un negocio en que no son ellas solas las interesadas. También prnl.

confalón *s. m.* Bandera, pendón.

confaloniero *s. m.* Hombre que lleva el confalón.

confarreacción *s. f.* Uno de los tres modos de matrimonio que tenían los antiguos romanos. Consistía en que la mujer entraba en comunidad de bienes con el marido y los hijos gozaban de ciertos privilegios.

confección *s. f.* **1.** Acción y efecto de confeccionar. **2.** Hechura de prendas de vestir.

confeccionar *v. tr.* Hacer una obra material combinando sus diversos elementos, ingredientes, etc.

confederación *s. f.* Alianza, liga o pacto entre personas, o entre naciones o Estados.

confederar *v. tr.* Hacer alianza, liga, unión o pacto entre varios. También prnl.

conferencia *s. f.* **1.** Disertación en público sobre una cuestión científica, literaria, etc. **2.** Reunión de representantes de gobiernos para tratar asuntos internacionales.

conferenciante *com.* Persona que hace una disertación pública.

conferenciar *v. intr.* Reunirse dos o más personas para tratar de un negocio, asunto, etc.

conferir *v. tr.* Conceder, asignar a alguien dignidad, empleo, facultades o derechos.

confesar *v. tr.* **1.** Manifestar o decir alguien sus actos, ideas o sentimientos íntimos. **2.** Declarar el reo ante el juez. **3.** Declarar el penitente sus pecados al confesor.

confesión *s. f.* **1.** Acción y efecto de confesar o confesarse. **2.** Declaración al confesor de los pecados que alguien ha cometido. **3.** Afirmación pública de la fe que se profesa.

confesional *adj.* Perteneciente a una confesión religiosa.

confesionario *s. m.* Confesonario.

confeso, sa *adj.* **1.** Que ha confesado su culpa. ‖ *s. f.* **2.** Viuda que entraba a ser monja.

confesonario *s. m.* Mueble dentro del cual se coloca un sacerdote a fin de oír las confesiones sacramentales en las iglesias.

confesor *s. m.* Sacerdote que confiesa a los penitentes.

confeti *s. m.* Pedacitos de papel de color, que se arrojan en los días de carnaval y otras fiestas.

confiado, da *adj.* Crédulo, que no prevé.

confianza *s. f.* **1.** Esperanza firme que se tiene de una persona o cosa. **2.** Seguridad que alguien tiene en sí mismo.

confiar *v. intr.* **1.** Esperar con firmeza y seguridad. También prnl. ‖ *v. tr.* **2.** Encargar o poner al cuidado de alguien algo.

confidencia *s. f.* **1.** Confianza. **2.** Revelación secreta, noticia reservada.

confidente *adj.* **1.** De confianza. ‖ *s. m.* **2.** Canapé con dos asientos. ‖ *com.* **3.** Persona a quien otra fía sus secretos.

configuración *s. f.* Disposición de las partes que componen un cuerpo y que le dan su peculiar figura.

configurar *v. tr.* Dar determinada figura a una cosa. También prnl.

confín *s. m.* Término, límite.

confinación *s. f.* Confinamiento.

confinado, da *adj.* Se dice de la persona que sufre la pena de confinamiento. También s. m. y s. f.

confinamiento *s. m.* Pena que consiste en relegar al condenado a cierto lugar para que viva en libertad, vigilado a la vez por las autoridades.

confinar *v. intr.* **1.** Lindar. ‖ *v. tr.* **2.** Desterrar a un lugar determinado.

confingir *v. tr.* Mezclar una o más cosas con un líquido hasta formar una masa.

confinidad *s. f.* Proximidad, cercanía, contigüidad.

confirmación *s. f.* **1.** Acción y efecto de confirmar. **2.** Nueva prueba de la verdad y certeza de un suceso, dictamen u otra cosa. **3.** Uno de los siete sacramentos de la Iglesia, que administra el obispo.

confirmando, da *s. m. y s. f.* Persona que va a a recibir el sacramento de la confirmación.

confirmar *v. tr.* Corroborar la verdad, certeza o probabilidad de una cosa.

confiscación *s. f.* Acción y efecto de confiscar.

confiscar *v. tr.* Privar a alguien de sus bienes y aplicarlos al fisco.

confitar *v. tr.* **1.** Cubrir con baño de azúcar. **2.** Cocer las frutas en almíbar.

confite *s. m.* Pasta de azúcar y algún otro ingrediente, en forma de bolitas.

confíteor *s. m.* Primera palabra latina con que empieza la oración que se dice en la misa y la confesión.

confitería *s. f.* Tienda donde venden dulces o confituras.

confitero, ra *s. m. y s. f.* **1.** Persona que tiene por oficio hacer o vender dulces y confituras. ‖ *s. f.* **2.** Vasija o caja donde se ponen los confites.

confitura *s. f.* Fruta u otra cosa confitada.

conflación *s. f.* Acción y efecto de fundir.

conflagración *s. f.* **1.** Incendio. **2.** Perturbación repentina y violenta de naciones.

conflagrar *v. tr.* Inflamar, incendiar, quemar alguna cosa.

conflicto *s. m.* **1.** Lo más recio en un combate. **2.** *fig.* Angustia del ánimo. **3.** *fig.* Apuro, situación de difícil salida.

confluencia *s. f.* Paraje donde confluyen los ríos o los caminos.

confluente *s. m.* Confluencia, lugar en que se verifica.

confluir *v. intr.* **1.** Juntarse corrientes de agua o caminos en un paraje. **2.** Concurrir mucha gente en un lugar.

conformación *s. f.* Disposición de las partes que forman una cosa.

conformar *v. tr.* **1.** Ajustar, convenir. ‖ *v. prnl.* **2.** Sujetarse alguien a hacer algo por lo que se siente cierta repugnancia.

conforme *adj.* **1.** Igual, proporcionado, correspondiente. **2.** Acorde. **3.** Resignado y paciente en las adversidades.

conformidad *s. f.* **1.** Semejanza, igualdad. **2.** Simetría entre dos partes que componen un todo. **3.** Tolerancia.

conformista *adj.* Se dice de la persona que, aun conociendo su situación desventajosa y las posibilidades de cambio de la misma, la acepta y no intenta transformarla.

confort *s. m.* Comodidad.

confortable *adj.* **1.** Que conforta, alienta o consuela. **2.** Se aplica a lo que produce comodidad.

confortación *s. f.* Acción y efecto de confortar o confortarse.

confortar *v. tr.* **1.** Dar vigor, espíritu y fuerza. También prnl. **2.** Animar, alentar al afligido. También prnl.

conforte *s. m.* Confortación.

confracción *s. f.* Rompimiento, acción de quebrar.

confraternar *v. intr.* Hermanarse una persona con otra.

confraternidad *s. f.* **1.** Hermandad de parentesco. **2.** Hermandad de amistad.

confraternizar *v. intr.* Tratarse con amistad y camaradería.

confricar *v. tr.* Estregar.

confrontación *s. f.* **1.** Careo entre dos o más personas. **2.** Cotejo de una cosa con otra.

confrontar *v. tr.* **1.** Carear una persona con otra. **2.** Comparar una cosa con otra.

confulgencia *s. f.* Brillo simultáneo.

confundir *v. tr.* **1.** Mezclar. **2.** Equivocar, perturbar. También prnl. **3.** *fig.* Humillar, abatir, avergonzar. También prnl.

confusión *s. f.* **1.** Falta de orden, de concierto. **2.** *fig.* Perplejidad, desasosiego.

confuso, sa *adj.* **1.** Mezclado, revuelto. **2.** Dudoso, oscuro. **3.** *fig.* Temeroso, turbado.

confutación *s. f.* Acción y efecto de confutar.

confutar *v. tr.* Impugnar de modo convincente la opinión contraria.

confutatorio, ria *adj.* Que confuta.

conga *s. f.* Danza cubana de origen africano.

congelación *s. f.* Acción y efecto de congelar o congelarse.

congelador *s. m.* En las neveras, compartimiento especial donde se produce hielo y se guardan los alimentos cuya conservación requiere más baja temperatura.

congelamiento *s. m.* Congelación.

congelar *v. tr.* **1.** Pasar de líquido a sólido. **2.** Helar.

congénere *adj.* Del mismo género, del mismo origen o de la propia derivación.

congenial *adj.* De igual genio.

congeniar *v. intr.* Tener dos o más personas carácter o inclinaciones que concuerdan fácilmente.

congénito, ta *adj.* **1.** Se dice de lo que se engendra juntamente con otra cosa. **2.** Connatural y como nacido con alguien.

congerie *s. f.* Cúmulo, montón de cosas.

congestión *s. f.* **1.** Acumulación excesiva de sangre en alguna parte del cuerpo. **2.** *fig.* Concurrencia excesiva de personas, vehículos, etc., que entorpece el tráfico.

congestionar *v. tr.* **1.** Producir congestión en alguna parte del cuerpo. ‖ *v. prnl.* **2.** Producirse una concurrencia excesiva de personas, vehículos, etc.

conglobar *v. tr.* Unir, juntar cosas o partes de modo que formen globo o montón.

conglomeración *s. f.* Acción y efecto de conglomerar o conglomerarse.

conglomerado *s. m.* **1.** Efecto de conglomerar o conglomerarse. **2.** Masa formada por fragmentos redondeados de diversas rocas o sustancias minerales unidos por un cemento.

conglomerar *v. tr.* **1.** Aglomerar. ‖ *v. prnl.* **2.** Unirse fragmentosde diversas sustancias formando una masa compacta.

conglutinación *s. f.* Acción y efecto de conglutinar o conglutinarse.

conglutinar *v. tr.* Unir una cosa con otra.

congoja *s. f.* Desmayo, fatiga, angustia.

congojar *v. tr.* Acongojar. También prnl.

congojoso, sa *adj.* Que causa u ocasiona congoja.

congosto *s. m* Desfiladero entre montañas.

congraciar *v. tr.* Conseguir la benevolencia o el afecto de alguien.

congratulación *s. f.* Acción y efecto de congratular o congratularse.

congratular *v. tr.* Manifestar alegría y satisfacción a la persona a quien ha acaecido un suceso feliz. También prnl

congregación *s. f.* **1.** Junta para tratar de un negocio. **2.** Cofradía, sociedad de cofrades.

congregante, ta *s. m. y s. f.* Individuo de una congregación.

congregar *v. tr.* Juntar, reunir.

congresista *s. m. y s. f.* Miembro de un congreso científico, económico, etc.

congreso *s. m.* **1.** Junta para deliberar sobre algún asunto. **2.** Asamblea nacional en algunos países.

congrio *s. m.* Pez malacopterigio ápodo, de carne blanca y comestible.

congruencia *s. f.* Conveniencia, oportunidad.

congruente *adj.* Conveniente, oportuno.

congruo, grua *adj.* **1.** Conveniente, oportuno. ‖ *s. f.* **2.** Renta que debe tener el sacerdote para sustentarse.

conicidad *s. f.* Calidad de cónico, forma o figura cónica.

cónico, ca *adj.* **1.** Perteneciente al cono. **2.** De forma de cono.

conífero, ra *adj.* Se aplica a los árboles y arbustos dicotiledóneos, de hojas persistentes y fruto cónico.

coniforme *adj.* De forma de cono.

conirrostro, tra *adj.* Se dice de los pájaros que tienen el pico corto y cónico.

conivalvo, va *adj.* De concha cónica.

coniza *s. f.* Planta herbácea compuesta, medicinal, de tallo muy ramoso en la parte superior, hojas lanceoladas y cabezuelas amarillas.

conjetura *s. f.* Juicio probable que se forma de las cosas o acaecimientos por las señales que se ven.

conjeturar *v. tr.* Formar juicio probable de una cosa por indicios y observaciones.

conjuez *s. m.* Juez juntamente con otro en un mismo negocio.

conjugación *s. f.* **1.** Acción y efecto de conjugar. **2.** Serie ordenada de todas las voces de varia inflexión con que el verbo expresa sus diferentes modos, tiempos, números y personas.

conjugar *v. tr.* **1.** Combinar varias cosas entre sí. **2.** Poner o decir en serie ordenada las palabras de varia inflexión, con que en el verbo se denotan sus diferentes modos, tiempos, números y personas.

conjunción *s. f.* **1.** Unión. **2.** Parte invariable de la oración que enlaza oraciones o palabras que desempeñan una función sintáctica equivalente.

conjuntivitis *s. f.* Inflamación de la conjuntiva.

conjuntivo, va *adj.* **1.** Que junta y une. ‖ *s. f.* **2.** Membrana mucosa que cubre la parte interior del globo del ojo, excepto la córnea.

conjunto, ta *adj.* **1.** Unido o contiguo a otra persona. ‖ *s. m.* **2.** Agregado de varias cosas iguales o diferentes.

conjura *s. f.* Conjuración, conspiración.

conjuración *s. f.* Acuerdo hecho contra el Estado, el príncipe u otra autoridad.

conjurar *v. intr.* **1.** Ligarse con otro mediante juramento para algún fin. También prnl. **2.** *fig.* Conspirar las personas o cosas contra alguien. ‖ *v. tr.* **3.** Juramentar.

conjuro *s. m.* Imprecación supersticiosa con la que cree el vulgo que hacen sus prodigios los hechiceros.

conllevar *v. tr.* **1.** Ayudar a alguien a llevar los trabajos. **2.** Sufrirle a alguien el genio y las impertinencias.

conmemoración *s. f.* Acto que se celebra en memoria de una persona o cosa.

conmemorar *v. tr.* Recordar solemnemente.

conmemorativo, va *adj.* Que conmemora.

conmensurable *adj.* Sujeto a medida o valuación.

conmesuración *s. f.* Medida, igualdad o proporción que tiene una cosa con otra.

conmensurar *v. tr.* Medir con igualdad o debida proporción.

conmigo *pron. pers.* Forma del pronombre personal de primera persona, género masculino o femenino y número singular, cuando funciona como complemento precedido de la preposición con.

conmilitón *s. m.* Soldado compañero de otro en la guerra.

conminación *s. f.* Acción y efecto de conminar.

conminar *v. tr.* **1.** Amenazar. **2.** Intimar la autoridad un mandato, bajo apercibimiento de corrección o pena determinada.

conminatorio, ria *adj.* Se dice del mandamiento que incluye amenaza de alguna pena y al juramento con que se conmina a una persona. También s. m.

conminuta *adj.* Se dice de la fractura en que el hueso queda reducido a fragmentos menudos.

conmiseración *s. f.* Compasión que uno tiene por el mal de otro.

conmistión *s. f.* Mezcla de cosas diversas.

conmisto, ta *adj.* Mezclado o unido con otra persona o cosa.

conmistura *s. f.* Conmistión.

conmixtión *s. f.* Conmistión.

conmixto *adj.* Conmisto.

conmoción *s. f.* **1.** Perturbación violenta del ánimo. **2.** Levantamiento, alteración de un Estado, provincia o pueblo.

conmocionar *v. tr.* Producir conmoción.

conmonitorio *s. m.* Relación escrita de alguna noticia.

conmovedor, ra *adj.* Que conmueve.

conmover *v. tr.* **1.** Perturbar, inquietar, alterar. También *prnl.* **2.** Enternecer.

conmutabilidad *s. f.* Calidad de conmutable.

conmutable *adj.* Que se puede conmutar.

conmutación *s. f.* Trueque, cambio o permuta.

conmutador *s. m.* Aparato eléctrico que sirve para que la corriente eléctrica cambie de conductor.

conmutar *v. tr.* Trocar, cambiar una cosa por otra.

conmutativo, va *adj.* **1.** Que conmuta o tiene virtud de conmutar. **2.** Se dice de la propiedad de ciertas operaciones cuyo resultado no varía cambiando el orden de sus términos o elementos.

conmutatriz *s. f.* Aparato que sirve para convertir la corriente alterna en continua, o viceversa.

connatural *adj.* Propio o conforme a la naturaleza del ser viviente.

connaturalización *s. f.* Acción y efecto de connaturalizarse.

connaturalizarse *v. prnl.* Acostumbrarse alguien a una cosa a que antes no estaba acostumbrado.

connivencia *s. f.* **1.** Disimulo o tolerancia del superior para las faltas de sus subordinados. **2.** Acción de confabularse.

connivente *adj.* **1.** Se dice de las hojas y otras partes de las plantas que tienden a aproximarse. **2.** Culpable de connivencia.

connotación *s. f.* Acción y efecto de connotar.

connotado, da *adj., amer.* Notable, conspicuo.

connotar *v. tr.* Hacer relación.

connotativo, va *adj.* Se dice de lo que connota.

connubio *s. m., poét.* Matrimonio.

connumerar *v. tr.* Contar una cosa o hacer mención de ella entre otras.

cono *s. m.* Sólido limitado por una base plana de periferia curva y la superficie formada por las rectas que unen cada punto de esta base con el vértice.

conocedor, ra *adj.* Avezado por práctica a discernir la naturaleza y propiedades de una cosa. También *s. m.* y *s. f.*

conocer *v. tr.* **1.** Tener idea o noción de alguna cosa. **2.** Entender, comprender.

conocido, da *adj.* **1.** Distinguido, ilustre. ‖ *s. m.* y *s. f.* **2.** Persona con quien se tiene trato, pero no amistad.

conocimiento *s. m.* Entendimiento, inteligencia razón natural.

conoidal *adj.* Perteneciente al conoide.

conoide *s. m.* Sólido formado por la revolución de una sección cónica alrededor de su eje.

conoideo, a *adj.* Que tiene figura cónica.

conopeo *s. m.* Velo o cortina que cubre completamente el sagrario.

conopial *adj.* Se dice del arco muy rebajado y con una escotadura en el centro de la clave que le hace semejante a un cortinaje.

conque *conj. ilat.* Anuncia una consecuencia de lo que acabamos de decir.

conquiforme *adj.* De figura de concha.

conquiliología *s. f.* Parte de la zoología que trata del estudio de los moluscos y especialmente de sus conchas.

conquista *s. f.* Acción y efecto de conquistar.

conquistador, ra *adj.* Que conquista. También *s. m.* y *s. f.*

conquistar *v. tr.* **1.** Adquirir o ganar a fuerza de armas un reino, provincia, ciudad, etc. **2.** Ganar la voluntad de alguien.

conrear *v. tr.* Preparar o adobar una cosa mediante cierta manipulación.

conreinar *v. intr.* Reinar con otro.

conreo *s. m.* Acción y efecto de conrear.

consabido, da *adj.* Conocido, habitual.

consagración *s. f.* Acción y efecto de consagrar o consagrarse.

consagrar *v. tr.* **1.** Hace sagrada a una persona o cosa. **2.** Pronunciar el sacerdote palabras rituales para transformar en el acto de la consagración el pan y el vino en el cuerpo y en la sangre de Jesucristo.

consanguíneo, a *adj.* Pariente por consanguinidad con otra persona.

consanguinidad *s. f.* Parentesco de las personas que descienden de un mismo tronco.

consciente *adj.* **1.** Que tiene conciencia de sus actos. **2.** Con pleno uso de los sentidos y facultades.

consecución *s. f.* Acción y efecto de conseguir.

consecuencia *s. f.* **1.** Proposición que se deduce lógicamente de otra. **2.** Hecho que se sigue o resulta de otro.

consecuente *adj.* **1.** Que es consecuencia de una cosa. **2.** Conforme a la lógica.

consecutivo, va *adj.* Que sigue a otra cosa inmediatamente.

conseguir *v. tr.* Lograr lo que se pretende.

conseja *s. f.* Cuento ridículo y de sabor antiguo.

consejero, ra *s. m. y s. f.* Persona que aconseja.

consejo *s. m.* **1.** Parecer o dictamen. **2.** Cuerpo legislativo o administrativo de un Estado, de una corporación, especialmente municipal.

consenso *s. m.* Asenso, consentimiento.

consensual *adj.* Se dice del contrato que se perfecciona por el solo consentimiento.

consentido, da *adj.* Se dice de la persona mimada con exceso.

consentimiento *s. m.* Acción y efecto de consentir.

consentir *v. tr.* **1.** Permitir algo o condescender en que se haga. **2.** Mimar a los hijos.

conserje *com.* Persona que tiene a su cuidado la custodia, limpieza y llaves de un edificio o establecimiento.

conserjería *s. f.* **1.** Oficio del conserje. **2.** Habitación de este.

conserva *s. f.* Carne, pescado, frutas, etc., que se conservan comestibles durante mucho tiempo con vinagre, aceite, almíbar, etc.

conservación *s. f.* Acción y efecto de conservar o conservarse.

conservador, ra *adj.* Se dice de la persona, partido o gobierno, partidarios de la defensa de los valores tradicionales y que se oponen a las reformas o cambios bruscos. También s. m. y s. f.

conservadurismo *s. m.* **1.** Doctrina política de los partidos conservadores. **2.** Actitud conservadora en política, opiniones, ideas, etc.

conservar *v. tr.* **1.** Mantener una cosa o cuidar de su permanencia. También prnl. **2.** Hacer conservas.

conservatorio *s. m.* Establecimiento oficial para enseñar ciertas artes.

considerable *adj.* **1.** Digno de consideración. **2.** Grande, cuantioso.

consideración *s. f.* Acción y efecto de considerar.

considerado, da *adj.* Que recibe de los demás muestras sucesivas de consideración.

considerando *s. m.* Cada una de las razones esenciales que preceden y sirven de apoyo a la parte dispositiva de una ley, fallo, dictamen, etc.

considerar *v. tr.* **1.** Pensar, meditar algo con atención. **2.** Tratar a una persona con urbanidad y respeto. **3.** Juzgar, estimar.

consigna *s. f.* **1.** Orden. **2.** En estaciones de ferrocarril, depósito de equipaje.

consignación *s. f.* Acción y efecto de consignar.

consignar *v. tr.* **1.** Destinar. **2.** Asentar por escrito opiniones, doctrinas, etc. **3.** Enviar las mercancías a un corresponsal.

consigo *pron. pers.* Forma reflexiva del pronombre personal de tercera persona, género masculino o femenino y número singular, cuando funciona como complemento precedido de la preposición *con*.

consiguiente *adj.* Que depende y deduce de otra cosa.

consiliario, ria *s. m. y s. f.* Consejero.

consistencia *s. f.* Duración, solidez.

consistir *v. intr.* Estribar una cosa en otra.

consistorial *adj.* Que pertenece al consistorio.

consistorio *s. m.* **1.** Consejo que celebra el papa con asistencia de los cardenales. **2.** En algunas ciudades, ayuntamiento.

consocio *s. m. y s. f.* Socio con respecto a otro u otros.

consola *s. f.* Mesa arrimada a la pared, comúnmente sin cajones y con un segundo tablero, inmediato al suelo.

consolación *s. f.* Acción y efecto de consolar o consolarse.

consolar *v. tr.* Aliviar la pena de alguien. También prnl.

consolidación *s. f.* Acción y efecto de consolidar.

consolidar *v. tr.* **1.** Dar firmeza a una cosa. **2.** Asegurar del todo la amistad, la alianza, etc.

consomé *s. m.* Caldo en que se ha sacado la sustancia de la carne.

consonancia *s. f.* Identidad de sonido en la terminación de dos palabras desde la última vocal acentuada.

consonante *adj.* Se dice de cada una de las letras cuyo sonido se debe al estrechamiento o cierre de los órganos de la articulación. También s. f.

consonar *v. intr.* **1.** Formar consonancia. **2.** Tener algunas cosas igualdad, conformidad o relación entre sí.

consorcio *s. m.* Participación de una misma suerte con otros.

consorte *com.* **1.** Persona que es partícipe de la misma suerte. **2.** Marido respecto de la mujer y mujer respecto del marido.

conspicuo, cua *adj.* Ilustre.

conspiración *s. f.* Acción y efecto de conspirar contra alguien.

conspirador, ra *s. m. y s. f.* Persona que conspira.

conspirar *v. intr.* **1.** Unirse algunos contra su superior o soberano. **2.** Unirse contra un particular para hacerle daño.

constancia *s. f.* **1.** Firmeza, tesón. **2.** Certeza, exactitud de algún dicho o hecho.

constante *adj.* **1.** Que tiene constancia. **2.** Dicho de las cosas, persistente, durable. ‖ *s. f.* **3.** Variable que tiene un valor fijo en un determinado proceso, cálculo, etc.

constar *v. intr.* **1.** Ser manifiesta una cosa. **2.** Tener un todo determinadas partes.

constatación *s. f.* Acción y efecto de constatar.

constatar *v. tr.* Comprobar un hecho.

constelación *s. f.* Conjunto de estrellas fijas que forman una figura determinada.

consternación *s. f.* Acción y efecto de consternar o consternarse.

consternarse *v. prnl.* Abatirse, afligirse.

constipado, da *adj.* **1.** Resfriado. ‖ *s. m.* **2.** Catarro.

constiparse *v. prnl.* Acatarrarse, resfriarse.

constitución *s. f.* **1.** Configuración fisiológica de un individuo. **2.** Manera de estar constituida una cosa. **3.** (ORT.: may. inicial) Ley fundamental de la organización de un Estado.

constitucional *adj.* **1.** Perteneciente a la Constitución de un Estado. **2.** Propio de la constitución de un individuo o perteneciente a ella.

constitucionalidad *s. f.* Calidad de constitucional.

constituir *v. tr.* Formar, componer.

constitutivo, va *adj.* Se dice de lo que constituye una cosa en el ser de tal y la distingue de otras. También s. m.

constituyente *adj.* Se dice de las cortes convocadas para reformar la Constitución del Estado. Se usa más como s. f. pl.

constreñimiento *s. m.* Apremio que hace alguien a otro para que ejecute alguna cosa.

constreñir *v. tr.* **1.** Obligar a alguien para que haga algo. **2.** Cerrar como oprimiendo.

constricción *s. f.* Encogimiento, acción de encoger.

constrictivo, va *adj.* Que tiene virtud de constreñir.

constrictor, ra *adj.* **1.** Que produce constricción. **2.** Se dice del medicamento que se emplea para constreñir. También s. m.

constringente *adj.* Que constriñe o aprieta.

construcción *s. f.* **1.** Acción y efecto de construir. **2.** Obra construida.

constructivo, va *adj.* Se dice de lo que construye o sirve para construir.

constructor, ra *adj.* Que construye. También s. m. y s. f.

construir *v. tr.* **1.** Fabricar, erigir, edificar. **2.** Ordenar las palabras o unirlas entre sí con arreglo a las leyes gramaticales.

consubstanciación *s. f.* Presencia de Jesucristo en la eucaristía, en sentido luterano, es decir, conservando el pan y el vino su propia sustancia y no una mera apariencia.

consubstancial *adj.* De la misma sustancia.

consubstancialidad *s. f.* Calidad de consubstancial.

consuegro, gra *s. m. y s. f.* Padre o madre de una de dos personas unidas en matrimonio, respecto del padre o madre de la otra.

consuelo *s. m.* Alivio de la pena o aflicción.

consueta *s. m.* En algunas partes, apuntador de teatro.

consuetudinario, ria *adj.* Se dice de lo que es de costumbre.

cónsul *com.* Agente diplomático que protege en una población las personas e intereses de los nacionales del país que representa.

consulado *s. m.* Casa u oficina del cónsul.

consular *adj.* Se dice de la jurisdicción que ejerce el cónsul establecido en un puerto o plaza de comercio.

consulta *s. f.* **1.** Acción y efecto de consultar. **2.** Acción de examinar el médico a sus enfermos. **3.** Consultorio. **4.** Parecer o dictamen que por escrito o de palabra se pide o se da acerca de una cosa.

consultar *v. tr.* **1.** Tratar y discurrir con alguien sobre un asunto. **2.** Pedir parecer, dictamen o consejo.

consultoría *s. f.* Entidad en la que se asesora sobre algún tema de carácter legal, económico o profesional.

consultorio *s. m.* **1.** Establecimiento privado donde se despachan consultas sobre materias técnicas. **2.** Establecimiento en el que los médicos reciben a los enfermos.

consumación *s. f.* Acción y efecto de consumar.

consumado, da *adj.* Perfecto en su línea.

consumar *v. tr.* Llevar a cabo de todo en todo una cosa.

consumición *s. f.* Lo que se consume en un café, bar o establecimiento público.

consumido, da *adj., fig. y fam.* Muy flaco y macilento.

consumidor *adj.* Que consume. También s. m. y s. f.

consumir *v. tr.* **1.** Destruir, extinguir. **2.** Gastar comestibles u otros géneros.

consumo *s. m.* Gasto de aquellas cosas que con el uso se extinguen o destruyen.

consunción *s. f.* **1.** Acción y efecto de consumir o consumirse. **2.** Extenuación, enflaquecimiento.

consuno, de *loc. adv.* Juntamente, de común acuerdo.

consuntivo, va *adj.* Que tiene virtud de consumir.

consustancial *adj.* Consubstancial.

consustancialidad *s. f.* Consubstancialidad.

contabilidad *s. f.* Aptitud de las cosas para poder reducirlas a cuenta o cálculo.

contabilizar *v. tr.* Apuntar una partida o cantidad en los libros de cuentas.

contable *adj.* **1.** Que puede ser contado. ‖ *com.* **2.** Persona que tiene a su cargo los libros de contabilidad en una oficina.

contactar *v. tr.* Establecer comunicación. U. t. c. intr.

contacto *s. m.* **1.** Acción de tocarse dos o más cosas. **2.** Conexión entre dos partes de un circuito eléctrico. **3.** Trato entre dos o más personas o entidades.

contado, al *loc. adv.* Con pago inmediato en moneda efectiva o su equivalente.

contador *s. m.* Aparato que cuenta automáticamente las revoluciones de una rueda o el consumo de electricidad, gas o agua.

contaduría *s. f.* **1.** Oficina en que se lleva la cuenta y razón de los caudales o gastos de una institución, administración, etc. **2.** Administración de un espectáculo público, en donde se expenden los billetes o entradas con anticipación y sobreprecio.

contagiar *v. tr.* **1.** Comunicar o pegar a otro u otros una enfermedad contagiosa. **2.** *fig.* Pervertir con el mal ejemplo.

contagio *s. m.* Transmisión, por contacto inmediato o mediato, de una enfermedad específica.

contagioso, sa *adj.* Se aplica a las enfermedades que se comunican por contagio.

contaminación *s. f.* Acción y efecto de contaminar o contaminarse.

contaminar *v. tr.* **1.** Penetrar la inmundicia en un cuerpo causando en él manchas o mal olor. **2.** Inficionar, corromper.

contante *adj.* Se aplica al dinero efectivo.

contar *v. tr.* **1.** Enumerar. **2.** Referir un suceso. **3.** Formar cuentas, según reglas de aritmética. **4.** Importar.

contemperar *v. tr.* Atemperar.

contemplación *s. f.* Acción de contemplar.

contemplar *v. tr.* **1.** Poner la atención en alguna cosa material o espiritual. **2.** Considerar, juzgar. **3.** Complacer a una persona, ser condescendiente con ella.

contemplativo, va *adj.* **1.** Que contempla. **2.** Que acostumbra a meditar intensamente.

contemporáneo, a *adj.* **1.** Existente al mismo tiempo que otra persona o cosa. **2.** Relativo al tiempo o época actual.

contemporización *s. f.* Acción y efecto de contemporizar.

contemporizar *v. intr.* Acomodarse alguien al gusto o dictamen ajeno.

contención *s. f.* Acción y efecto de contener, sujetar.

contencioso, sa *adj.* Que es objeto de litigio.

contender *v. intr.* **1.** Pelear, luchar. **2.** *fig.* Debatir, rivalizar. **3.** *fig.* Disputar.

contenedor *s. m.* Embalaje metálico, grande y recuperable, de tipos y dimensiones normalizados internacionalmente, que se monta con su contenido sobre un vehículo en forma de plataforma para ser transportado a larga distancia.

contenencia *s. f.* Parada o suspensión que hacen a veces en el aire algunas aves, especialmente las de rapiña.

contener *v. tr.* **1.** Llevar o encerrar dentro de sí una cosa a otra. **2.** Reprimir, refrenar.

contenido *s. m.* Lo que se contiene dentro de una cosa.

contentar *v. tr.* **1.** Satisfacer el gusto de alguien; darle contento. **2.** Alegrar.

contento, ta *adj.* **1.** Alegre, satisfecho. ‖ *s. m.* **2.** Alegría, satisfacción.

contera *s. f.* Fin o remate de alguna cosa.

conterráneo, a *adj.* Natural de la misma tierra que otro.

contertulio, lia *s. m. y s. f., fam.* Persona que concurre con otras a una tertulia.

contestación *s. f.* Acción y efecto de contestar.

contestar *v. tr.* Responder a lo que se pregunta, se habla o se escribe.

contexto *s. m.* **1.** Entorno lingüístico del cual depende el sentido y el valor de una palabra, frase o fragmento de un texto o mensaje. **2.** Por ext., entorno físico o conjunto de circunstancias que condicionan un hecho o situación determinados.

contextuar *v. tr.* Acreditar o probar con textos.

contextura *s. f.* Compaginación, disposicion y unión respectiva de las partes que juntas componen un todo.

conticino *s. m.* Hora de la noche, en que todo está en silencio.

contienda *s. f.* Pelea, disputa.

contigo *pron. pers.* Forma del pronombre personal de segunda persona, género masculino o femenino y número singular, cuando funciona como complemento precedido de la preposición *con*.

contigüidad *s. f.* Inmediación de una cosa a otra.

contiguo, gua *adj.* Que está tocando a otra cosa.

continencia *s. f.* Templanza, sobriedad.

continental *adj.* Perteneciente a los países de un continente.

continente *s. m.* Cada una de las grandes extensiones de tierra separadas por los océanos.

contingencia *s. f.* **1.** Posibilidad de que una cosa suceda o no. **2.** Cosa que puede suceder o no suceder. **3.** Riesgo.

contingente *adj.* Que puede suceder o no suceder.

contingible *adj.* Posible, que puede suceder.

continuación *s. f.* Acción y efecto de continuar.

continuador, ra *adj.* Se dice de la persona que prosigue y continúa una cosa empezada por otra. También *s. m. y s. f.*

continuar *v. tr.* **1.** Proseguir alguien lo comenzado. ‖ *v. intr.* **2.** Durar, permanecer. ‖ *v. prnl.* **3.** Seguir, extenderse.

continuidad *s. f.* **1.** Unión natural de las partes de un todo. **2.** Perseverancia.

continuo, nua *adj.* Que dura, obra, se hace o se extiende sin interrupción.

contonearse *v. prnl.* Hacer al andar movimientos afectados con los hombros y caderas.

contoneo *s. m.* Acción de contonearse.

contorcerse *v. prnl.* Sufrir o afectar contorsiones.

contorción *s. f.* **1.** Retorcimiento. **2.** Contorsión.

contornar *v. tr.* Contornear.

contornear *v. tr.* **1.** Dar vueltas alrededor o en contorno de un paraje o sitio. **2.** Perfilar, hacer los perfiles de una figura.

contorno *s. m.* **1.** Territorio o conjunto de parajes de que está rodeado un lugar o una población. **2.** Conjunto de las líneas que limitan una figura o composición.

contorsión *s. f.* Movimiento irregular y convulsivo que contrae los miembros, las facciones del rostro, etc.

contorsionarse *v. prnl.* Hacer contorsiones voluntaria o involuntariamente.

contorsionista *com.* Persona que ejecuta contorsiones difíciles en los circos.

contra *prep.* que denota la oposición y contrariedad de una cosa con otra.

contraalmirante *s. m.* Oficial inmediatamente inferior al vicealmirante.

contraaproches *s. m. pl.* Trinchera que los sitiados hacen desde el camino cubierto, para descubrir y deshacer los trabajos de los sitiadores.

contraatacar *v. tr.* Reaccionar ofensivamente contra el avance del enemigo.

contraataque *s. m.* Reacción ofensiva contra el ataque del enemigo.

contraaviso *s. m.* Aviso contrario a otro anterior.

contrabajo *s. m.* **1.** Instrumento de cuerda, de figura de un violoncelo, pero de tamaño mucho mayor. **2.** *com.* Persona que ejerce o profesa el arte de tocar este instrumento.

contrabalancear *v. tr.* Operar con la balanza hasta lograr el equilibrio de los dos platillos.

contrabalanza *s. f.* Contrapeso, peso en sentido opuesto.

contrabandear *v. intr.* Ejercitar el contrabando.

contrabandista *adj.* Que se ejercita en el contrabando.

contrabando *s. m.* Introducción o producción de géneros prohibidos por las leyes.

contrabarrera *s. f.* Segunda fila de asientos en los tendidos de las plazas de toros.

contrabasa *s. f.* Pedestal.

contrabatir *v. tr.* Tirar contra las baterías enemigas.

contracambio *s. m.* Trueque o compensación.

contracarril *s. m.* Carril auxiliar para facilitar el cambio de vías.

contracción *s. f.* **1.** Acción de contraer. **2.** Metaplasmo que consiste en hacer una sola palabra de dos. **3.** Sinéresis.

contrachapado *adj.* Se dice del tablero formado por varias capas finas de madera encoladas de modo que sus fibras queden entrecruzadas. También s. m.

contracifra *s. f.* Clave, explicación de signos convenidos.

contraclave *s. f.* Cada una de las dovelas inmediatas a la clave de un arco o bóveda.

contracorriente *s. f.* Corriente derivada y de dirección opuesta a la de la principal.

contráctil *adj.* Que se puede contraer.

contractual *adj.* Procedente del contrato o derivado de él.

contradanza *s. f.* Danza de figuras ejecutadas por muchas parejas a un tiempo.

contradecir *v. tr.* Decir alguien lo contrario de lo que otro afirma.

contradicción *s. f.* **1.** Afirmación y negación que se oponen una a la otra y recíprocamente se destruyen. **2.** Oposición.

contradictorio, ria *adj.* Que tiene contradicción con otra cosa.

contradique *s. m.* Segundo dique, construido cerca del primero, para detener las aguas.

contraer *v. tr.* **1.** Estrechar, juntar una cosa con otra. **2.** Adquirir costumbres, vicios, obligaciones, enfermedades, etc.

contraescarpa *s. f.* Pared en talud del foso enfrente de la escarpa, o sea del lado de la campaña.

contraescota *s. f.* Cabo para escotar la vela.

contraescritura *s. f.* Segunda escritura que anula otra anterior.

contrafilo *s. m.* Filo que se suele sacar algunas veces a las armas blancas de un solo corte por la parte opuesta a este.

contraflorado, da *adj.* De flores contrapuestas.

contrafuerte *s. m.* **1.** Pieza de cuero con que se refuerza el calzado por la parte del talón. **2.** Refuerzo saliente en el paramento de un muro, para fortalecerlo.

contrafuga *s. f.* Especie de fuga, en la cual la imitación del tema se ejecuta en sentido inverso.

contragolpe *s. m.* Efecto producido por un golpe en sitio distinto del que sufre la contusión.

contraguerrilla *s. f.* Tropa ligera, organizada para operar contra las guerrillas.

contrahacer *v. tr.* Imitar una cosa, falsificarla.

contrahaz *s. f.* Revés o parte opuesta en las ropas o cosas semejantes.

contrahecho, cha *adj.* Que tiene joroba u otra deformidad corporal.

contrahechura *s. f.* Imitación fraudulenta de alguna cosa.

contrahilera *s. f.* Hilera que sirve de resguardo y defensa de otra u otras hileras.

contrahílo, a *loc. adv.* En dirección opuesta al hilo.

contrahuella *s. f.* Plano vertical del escalón o peldaño.

contraindicación *s. f.* Acción y efecto de contraindicar.

contraindicar *v. tr.* Disuadir de la utilidad de un remedio.

contralto *s. m.* **1.** Voz media entre la de tiple y la de tenor. **2.** *com.* Persona que tiene esta voz.

contraluz *s. f.* Vista o aspecto de las cosas desde el lado opuesto a la luz.

contramaestre *s. m.* **1.** Jefe o vigilante en algunos talleres. **2.** Oficial de mar que manda en la marinería.

contramandar *v. tr.* Ordenar a alguien lo contrario de lo mandado anteriormente.

contramano, a *loc. adv.* En dirección contraria a la corriente o a la prescrita por la autoridad.

contramina *s. f.* Mina para volar la del enemigo.

contramuelle *s. m.* Muelle opuesto a otro principal.

contramuralla *s. f.* Falsabraga.

contramuro *s. m.* Contramuralla.

contranatural *adj.* Contrario al orden de la naturaleza.

contraorden *s. f.* Orden con que se revoca otra anterior.

contrapalado, da *adj.* Que tiene palos contrapuestos en color y metal.

contrapalo *s. m.* Palo dividido en dos diferentes en color y materia.

contrapartida *s. f.* Asiento hecho para corregir algún error en la contabilidad por partida doble.

contrapás *s. m.* **1.** Cierta figura o paseo en la contradanza. **2.** Danza popular de Cataluña.

contrapaso *s. m.* En la danza, paso en sentido opuesto al que se ha dado antes.

contrapear *v. tr.* Aplicar unas piezas de madera contra otras, de manera que sus fibras estén cruzadas.

contrapelo, a *loc adv.* Contra la inclinación natural del pelo.

contrapesar *v. tr.* Servir de contrapeso.

contrapeso *s. m.* Peso que equilibra.

contraponer *v. tr.* **1.** Comparar cosas contrarias. **2.** *fig.* Oponer. También prnl.

contraposición *s. f.* Acción y efecto de contraponer.

contraproducente *adj.* De efectos opuestos a los deseados.

contraproyecto *s. m.* Proyecto diferente de otro determinado y para el mismo fin.

contraprueba *s. f.* Segunda prueba que sacan los impresores o estampadores.

contrapuerta *s. f.* Portón interior.

contrapuntear *v. tr.* Cantar de contrapunto.

contrapunto *s. m.* Concordancia de voces contrapuestas.

contraquilla *s. f.* Pieza que cubre toda la quilla por la parte interior de la nave, de popa a proa.

contrariar *v. tr.* **1.** Oponerse a la intención, deseo, etc. de alguien. **2.** Disgustar, afligir.

contrariedad *s. f.* **1.** Oposición que tiene una cosa con otra. **2.** Accidente que impide o retarda el logro de un deseo. **3.** Disgusto, desazón.

contrario, ria *adj.* **1.** Opuesto a una cosa o enemigo de ella. ‖ *s. m. y s. f.* **2.** Persona que tiene enemistad con otra.

contrarraya *s. f.* Cada una de las rayas de un grabado que cruzan a otras.

contrarreforma *s. f.* Movimiento político e intelectual con que el catolicismo se opuso a la reforma luterana.

contrarreguera *s. f.* Regadera o canal oblicuo a las líneas de pendiente, para que las aguas no arrastren la labor y se distribuyan por igual en los surcos o eras.

contrarreloj *adj.* Se dice de la prueba de velocidad que se caracteriza porque los participantes salen distanciados entre sí y se clasifican por el tiempo individual que ha invertido cada uno en llegar a la meta. También *s. f.*

contrarréplica *s. f.* Contestación dada a una réplica.

contrarrestar *v. tr.* **1.** Hacer oposición. **2.** Volver la pelota desde la parte del saque.

contrarrevolución *s. f.* Revolución política que destruye los efectos de otra anterior.

contrarronda *s. f.* Segunda ronda que asegura la vigilancia.

contrarrotura *s. f.* En veterinaria, emplasto para curar la rotura o relajación.

contraseguro *s. m.* Contrato en que el asegurador se obliga a reintegrar las cuotas percibidas, en determinados casos.

contrasellar *v. tr.* Poner un contrasello.

contrasello *s. m.* Sello más pequeño con que se marcaba el principal.

contrasentido *s. m.* Inteligencia contraria al sentido natural de las palabras o expresiones.

contraseña *s. f.* Señal que se dan unas personas para reconocerse entre sí.

contrastar *v. tr.* **1.** Resistir, hacer frente. **2.** Mostrarse una cosa como distinta de otra con la que se compara.

contraste *s. m.* **1.** Acción y efecto de contrastar. **2.** Oposición o diferencia entre personas o cosas.

contrata *s. f.* **1.** Contrato, convenio y documento que lo asegura. **2.** Contrato para ejecutar una obra o prestar un servicio.

contratación *s. f.* Acción y efecto de contratar.

contratar *v. tr.* **1.** Pactar, convenir, comerciar, hacer contratos o contratas. **2.** Hacer operaciones mercantiles.

contratiempo *s. m.* Infortunio, calamidad casi siempre inesperados.

contratista *com.* Persona que ejecuta una obra material por contrata.

contrato *s. m.* Acuerdo entre dos o más partes, que tiene por objeto establecer una obligación de carácter patrimonial.

contratorpedero *s. m.* Cazatorpedero.

contratreta *s. f.* Ardid que se usa para desbaratar e inutilizar una treta o engaño.

contratrinchera *s. f.* Contraaproches.

contravalar *v. tr.* Construir una línea fortificada alrededor de la plaza sitiada por las tropas.

contravención *s. f.* Acción y efecto de contravenir.

contraveneno *s. m.* Medicamento para contrarrestar los efectos del veneno.

contravenir *v. intr.* Obrar en contra de lo que está mandado.

contraventana *s. f.* **1.** Puerta de madera que se coloca en la parte interior de las ventanas y vidrieras. **2.** Puerta que se coloca en el exterior de las mismas, para mayor resguardo.

contraverado, da *adj.* Que tiene contraveros.

contraveros *s. m. pl.* Veros dispuestos de modo que estén unidos dos a dos por su base y no alternados como en su forma natural.

contravidriera *s. f.* Segunda vidriera, que sirve para mayor abrigo.

contravoluta *s. f.* Voluta que duplica la principal.

contrecho *adj.* Baldado, tullido.

contribución *s. f.* Cantidad con que se contribuye, especialmente la que se impone para las cargas del Estado.

contribuir *v. tr.* **1.** Pagar un impuesto. **2.** Concurrir voluntariamente con una cantidad para un determinado fin. || *v. intr.* **3.** Ayudar con otros al logro de un fin.

contribulado, da *adj.* Que padece tribulación.

contributivo, va *adj.* Perteneciente o relativo a las contribuciones o impuestos.

contribuyente *com.* Persona que paga contribución al Estado.

contrición *s. f.* Dolor y pesar de haber ofendido a Dios por ser quien es.

contrín *s. m.* Peso filipino, equivalente a 39 cg.

contrincante *s. m. y s. f.* **1.** Cada uno de los que forman parte de una misma trinca en oposiciones. **2.** Competidor, rival.

contrito, ta *adj.* Que siente contrición.

control *s. m.* **1.** Comprobación, fiscalización, intervención, inspección. **2.** Dominio, mando, supremacía.

controlar *v. tr.* Ejercer el control.

controversia *s. f.* Discusión larga y reiterada entre dos o más personas. Se aplica especialmente a las cuestiones de religión.

controvertir *v. intr.* Discutir detenidamente sobre una materia. También prnl.

contubernio *s. m.* Cohabitación ilícita.

contumacia *s. f.* **1.** Tenacidad y dureza en mantener un error. **2.** Rebeldía.

contumaz *adj.* **1.** Porfiado en mantener un error. **2.** Rebelde, que no comparece.

contumelia *s. f.* Oprobio, injuria u ofensa dicha a una persona en su cara.

contumelioso, sa *adj.* **1.** Afrentoso, injurioso, ofensivo. **2.** Que dice contumelias.

contundente *adj.* **1.** Que produce contusión. **2.** *fig.* Que produce gran impresión en el ánimo, convenciéndolo.

contundir *v. tr.* Magullar, golpear.

conturbación *s. f.* Inquietud, turbación.

conturbado, da *adj.* Revuelto, intranquilo.

conturbar *v. tr.* Turbar, inquietar.

contusión *s. f.* Daño interno que recibe alguna parte del cuerpo por golpe.

contuso, sa *adj.* Que ha recibido contusión. También s. m. y s. f.

contutor *s. m.* Hombre que ejercía la tutela juntamente con otro.

conuco *s. m.* **1.** *Ant., Col. y Ven.* Pequeña heredad con su rancho. **2.** *Cub.* Parcela pequeña de tierra cultivada por un campesino pobre.

convalecencia *s. f.* Acción y efecto de convalecer.

convalecer *v. intr.* **1.** Recobrar las fuerzas perdidas por enfermedad. **2.** Salir del estado de postración.

convalidación *s. f.* Acción y efecto de convalidar.

convalidar *v. tr.* Confirmar, revalidar.

convección *s. f.* Transmisión del calor en un fluido debido al movimiento de capas desigualmente calientes.

convecino, na *adj.* **1.** Vecino próximo, cercano. **2.** Que tiene vecindad con otro del mismo pueblo.

convencer *v. tr.* Precisar con argumentos o pruebas a reconocer la verdad de algo.

convencimiento *s. m.* Acción y efecto de convencer o convencerse.

convención *s. f.* **1.** Ajuste, acuerdo, trato, convenio. **2.** Conveniencia, conformidad. **3.** Asamblea de los representantes de los países que asumen el poder.

convencional *adj.* Que resulta o se establece en virtud de precedentes o de costumbres.

convencionalismo *s. m.* Conjunto de opiniones o procedimientos basados en ideas falsas, que por conveniencia social se las tiene por verdaderas.

conveniencia *s. f.* Correlación, conformidad con dos personas distintas.

conveniente *adj.* **1.** Útil, oportuno, provechoso. **2.** Conforme, concorde.

convenio *s. m.* Ajuste, convención.

convenir *v. intr.* **1.** Ser alguien del mismo parecer. **2.** Juntarse dos o más personas en un mismo lugar. **3.** Importar, ser a propósito. || *v. prnl.* **4.** Ajustarse.

conventículo *s. m.* Junta ilícita y clandestina de algunas personas.

conventillo *s. m.* Casa de vecindad.

convento s. m. Comunidad de religiosos o religiosas y casa en que habitan.

conventual adj. Perteneciente al convento.

convergencia s. f. Acción y efecto de convergir.

converger v. intr. Convergir.

convergir v. intr. Dirigirse dos o más líneas a unirse en un mismo punto.

conversa s. f., fam. Conversación, palique.

conversación s. f. Acción de conversar.

conversador, ra s. f. Se dice de la persona que sabe hacer amena o interesante la conversación. También s. m. y s. f.

conversar v. intr. Hablar una o varias personas con otra u otras.

conversión s. f. Acción y efecto de convertir o convertirse.

converso, sa adj. Se dice de los moros y judíos convertidos a la religión cristiana. También s. m. y s. f.

convertible adj. Que puede convertirse.

convertidor s. m. Aparato destinado a convertir la fundición de hierro en acero, ideado por Bessemer, en 1859.

convertir v. tr. **1.** Mudar o volver una cosa en otra. También prnl. **2.** Reducir al cristianismo al que no lo profesaba.

convexidad s. f. Calidad de convexo.

convexo, xa adj. Que tiene la superficie más prominente en el medio que en los extremos.

convicción s. f. Convencimiento.

convicto, ta adj. Se dice del reo a quien legalmente se ha probado en su delito.

convictor s. m. Persona que vive en algunos colegios y seminarios sin ser del número de la comunidad.

convidada s. f., fam. Convite en el que solo se da por lo general de beber.

convidado, da s. m. y s. f. Persona que recibe un convite.

convidar v. tr. Rogar una persona a otra que la acompañe a comer o a una función.

convincente adj. Que convence.

convite adj. Banquete, ágape.

convivencia s. f. Acción de convivir.

convivir v. intr. Vivir con otro u otros.

convocación s. f. Acción de convocar.

convocar v. tr. **1.** Citar a varias personas. **2.** Aclamar.

convocatoria s. f. Anuncio o escrito con que se convoca.

convólvulo s. m. Oruga dañina que roe la vid.

convoy s. m. **1.** Escolta o guardia. **2.** fig. y fam. Séquito, acompañamiento.

convoyar v. tr. Escoltar a una persona o cosa para protegerla.

convulsión s. f. Movimiento de contracción muscular espasmódica, violenta y repetida.

convulsionar v. tr. Producir convulsiones.

convulsivo, va adj. Que pertenece a la convulsión.

convulso, sa adj. Atacado de convulsiones.

conyúdice s. m. Conjuez.

conyugal adj. Perteneciente a los cónyuges.

cónyuge com. Persona unida a otra en matrimonio.

coña s. f., fam. Guasa, burla disimulada.

coñac s. m. Aguardiente obtenido por la destilación de vinos flojos y añejado en toneles de roble.

cooperación s. f. Acción y efecto de cooperar.

cooperante adj. Que coopera. También com.

cooperar v. tr. Obrar juntamente con otro u otros para el mismo fin.

cooperativa s. f. Sociedad de derecho, cuyo objeto es verificar operaciones económicas que reporten mutuas ventajas a sus socios.

cooperativismo s. m. Doctrina y fomento de la cooperación en el aspecto social y económico.

coordenado, da adj. Se aplica a las líneas que sirven para determinar la posición de un punto, y a los ejes o planos que se refieren aquellas líneas. También s. f.

coordinación s. f. Acción y efecto de coordinar.

coordinador, ra adj. Que coordina. También s. m. y s. f.

coordinamiento s. m. Coordinación.

coordinar v. tr. Disponer cosas metódicamente.

copa s. f. **1.** Vaso con pie para beber. **2.** Conjunto de ramas y hojas de un árbol.

copado, da adj. Que tiene copa. Se dice comúnmente de los árboles.

copaiba s. f. **1.** Copayero. **2.** Bálsamo de copaiba.

copal adj. Se dice de una resina incolora y muy dura que se emplea para fabricar barnices. También s. m.

copaquira s. f., Chil. y Per. Caparrosa o vitriolo azul.

copar v. tr. Conseguir en una elección o concurso todos los puestos o premios.

coparticipación s. f. Acción de participar a la vez con otro en alguna cosa.

copartícipe com. Persona que tiene participación con otra en alguna cosa.

copayero s. f. Árbol de América del Sur, de la familia de las leguminosas, del cual se extrae el bálsamo de copaiba.

copear v. intr. **1.** Vender por copas las bebidas. **2.** Tomar copas.

copela s. f. Crisol donde se purifican los minerales de oro y plata.

copelar v. tr. Fundir minerales o metales en copela para ensayos, u hornos de copela para operaciones metalúrgicas.

copeo s. m. Acción y efecto de copear.

copete s. m. **1.** Pelo que se trae levantado sobre la frente. **2.** Penacho de ave.

copia *s. f.* **1.** Reproducción de algo. **2.** Imitación del estilo o de las obras de escritores o artistas. **3.** Gran cantidad de algo.

copiar *v. tr.* **1.** Escribir en una parte lo que ya estaba escrito en otra. **2.** Escribir lo que otro dicta. **3.** Sacar copia de algo. **4.** Imitar servilmente las obras de escritores y artistas. **5.** Imitar a una persona.

copiosidad *s. f.* Abundancia, copia excesiva de una cosa.

copioso, sa *adj.* Abundante, numeroso, cuantioso.

copista *com.* Persona que se dedica a copiar escritos ajenos.

copla *s. f.* **1.** Combinación métrica o estrofa. **2.** Estrofa, especialmente la que sirve de letra en las canciones populares.

coplear *v. intr.* Hacer, decir o cantar coplas.

copo *s. m.* **1.** Mechón o porción de lino, lana, algodón, etc. **2.** Cada una de las porciones de nieve que cae cuando nieva.

copón *s. m.* Copa grande de metal con baño de oro por dentro en la que se guarda el Santísimo Sacramento.

coposesión *s. f.* Posesión con otro u otros.

coproducción *s. f.* Producción hecha conjuntamente por varias personas o empresas.

coprofagia *s. f.* Perturbación maníaca en algunas formas de locura e histerismo, consistente en comerse los enfermos sus propios excrementos.

coprófago, ga *adj.* Se dice de los animales que se alimentan de excrementos.

coprolito *s. m.* **1.** Excremento fósil abundante en fosfatos. **2.** Cálculos intestinales.

copropietario, ria *adj.* Que tiene dominio en una cosa juntamente con otras personas. También s. m. y s. f.

cópula *s. f.* **1.** Ligamento de una cosa con otra. **2.** Unión sexual. **3.** Término que une el predicado con el sujeto.

copular *v. tr.* Unirse carnalmente.

copulativo, va *adj.* Que ata, liga y hace juntar una cosa con otra.

copyright *s. m.* Propiedad de los derechos de reproducción de una obra literaria o artística.

coque *s. m.* Sustancia carbonosa sólida, residuo combustible del carbón de piedra.

coquera *s. f.* Pequeña oquedad en la masa de una piedra.

coquetear *v. intr.* Tratar de agradar a una persona por mera vanidad.

coqueteo *s. f.* Coquetería.

coquetería *s. f.* Acción y efecto de coquetear.

coqueto, ta *adj.* **1.** Se dice de la persona que por vanidad procura agradar a los demás. **2.** Se dice de la persona presumida que se ocupa mucho de su aspecto exterior. ‖ *s. f.* **3.** Mueble de tocador provisto de espejo.

coquetón, na *adj., fam.* Gracioso, atractivo, agradable.

coquina *s. f.* Molusco acéfalo de finas valvas y de carne comestible.

cora *s. f.* División territorial poco extensa, entre los árabes.

coracán *s. m.* Planta anual tropical de las gramíneas, con el tallo erguido, flores en espiga y semilla comestible.

coráceo, a *adj.* Coriáceo.

coracha *s. f.* Saco de cuero que sirve para conducir tabaco, cacao y otros productos de América.

coraje *s. m.* **1.** Impetuosa decisión y esfuerzo del ánimo; valor. **2.** Irritación, ira.

corajina *s. f.* Arrebato de ira.

corajoso, sa *adj.* Enojado, irritado.

corajudo, da *adj.* Colérico, que fácilmente se encoleriza.

coral[1] *s. m.* **1.** Nombre de ciertos pólipos alcionarios que viven en colonias. ‖ *s. f.* **2.** Culebra muy venenosa, de color encarnado y con anillos negros.

coral[2] *s. m.* Composición vocal armonizada a cuatro voces, de ritmo lento y solemne.

coralario *s. m.* Clase de pólipos a la que pertenece el coral.

coralífero, ra *adj.* Que tiene corales. Se aplica al fondo del mar, a las rocas, islas, etc.

coralino, na *adj.* **1.** De coral o parecido a él. ‖ *s. f.* **2.** Cualquier producción marina parecida al coral.

corambre *s. m.* Conjunto de cueros y pellejos.

Corán *s. f.* Libro esencial de la religión musulmana, que contiene las revelaciones que Mahoma supuso recibidas de Dios por medio del arcángel san Gabriel.

coraza *s. f.* **1.** Armadura del busto. **2.** Blindaje. **3.** Concha de los quelonios.

corazón *s. m.* **1.** Órgano central de la circulación de la sangre. **2.** Voluntad, amor, benevolencia. **3.** *fig.* Ánimo, valor.

corazonada *s. f.* **1.** Impulso espontáneo con que alguien se mueve a hacer alguna cosa. **2.** Presentimiento.

corbata *s. f.* **1.** Trozo de seda, lienzo, etc. que se pone alrededor del cuello como adorno. **2.** Pastel de hojaldre almendrado en forma de corbata.

corbatín *s. m.* Corbata corta que da una vuelta al cuello y se ajusta por detrás con un broche, o por delante con un lazo sin caídas.

corbeta *s. f.* Embarcación de guerra semejante a la fragata, aunque más pequeña.

corcel *s. m.* Caballo ligero de gran alzada.

corchar *v. tr.* Encorchar, tapar botellas o vasijas con corcho.

corche *s. m.* Alcorque, chanclo con suela de corcho.

corchea *s. f.* Figura musical que equivale a la mitad de una negra.

corchete *s. m.* **1.** Especie de broche metálico compuesto de macho y hembra. **2.** Signo gráfico para abarcar dos o más cosas.

corcho *s. m.* **1.** Parte exterior de la corteza del alcornoque. **2.** Tapón de corcho.

corcino *s.* Corzo pequeño.

corcova *s. f.* Joroba de ciertos rumiantes camélidos.

corcovado, da *adj.* Que tiene una o más corcovas. También s. m. y s. f.

corcovar *v. tr.* Encorvar o hacer que una cosa tenga corcova.

corcovo *s. m.* Salto que dan algunos animales encorvando el lomo.

corcusir *v. tr.* Tapar a fuerza de puntadas mal hechas los agujeros de la ropa.

cordado, da *adj.* Se dice de los animales metazoos celomados, caracterizados por tener un eje esquelético llamado notocordio.

cordaje *s. m.* Jarcia de una embarcación.

cordal[1] *s. m.* Pieza que en los instrumentos de cuerda ata estas por el cabo opuesto al que se sujeta en las clavijas.

cordal[2] *adj.* Se dice las muelas del juicio.

cordato, ta *adj.* Juicioso, prudente.

cordel *s. m.* Cuerda delgada.

cordelado, da *adj.* Se dice de cierta cinta o liga de seda que imita al cordel.

cordelar *v. tr.* Acordelar un espacio o terreno.

cordero, ra *s. m. y s. f.* Hijo de la oveja que no pasa de un año.

cordial *adj.* Afectuoso, de corazón.

cordialidad *s. f.* **1.** Calidad de cordial o afectuoso. **2.** Franqueza, sinceridad.

cordiforme *adj.* De figura de corazón.

cordila *s. f.* Atún recién nacido.

cordillera *s. f.* Serie de montañas enlazadas entre sí.

cordilo *s. m.* Reptil africano del orden de los saurios, de color lívido negruzco, con la cola corta y el cuerpo cubierto de escamas aquilladas, excepto en la cabeza, que son dentadas.

córdoba *s. m.* Unidad monetaria de Nicaragua.

cordobán *s. m.* Piel curtida de macho cabrío o de cabra.

cordón *s. m.* **1.** Cuerda redonda. **2.** Conjunto de personas colocadas a intervalos para impedir al paso.

cordura *s. f.* Prudencia, buen seso, juicio.

corear *v. tr.* **1.** Componer música para cantarla con acompañamiento de coros. **2.** Asentir ostensiblemente al parecer ajeno.

coreo *s. m.* Juego o enlace de los coros en la música.

coreografía *s. f.* **1.** Arte de componer bailes. **2.** Arte de la danza.

coreógrafo, fa *s. m. y s. f.* Compositor de bailes.

Coria *n. p.* Personaje folclórico al que se alude en la conversación desde hace siglos. Se usa en la expresión «el bobo, el tonto de Coria».

coriáceo, a *adj.* **1.** Perteneciente al cuero. **2.** Parecido a él.

coriambo *s. m.* Pie de la versificación clásica compuesto de un coreo y un yambo.

corifeo *s. m.* **1.** Persona que guiaba el coro en las tragedias antiguas griegas y romanas. **2.** *fig.* El que es seguido de otros en una opinión, secta o partido.

corimbo *s. m.* Grupo de flores o frutos que nace en diferentes puntos del tallo y llega a tener casi la misma altura, como el peral.

corindón *s. m.* Piedra preciosa, la más dura después del diamante.

corion *s. m.* Membrana exterior de los reptiles, aves y mamíferos, situada por fuera del amnios y separada de este por una cavidad.

corista *s. m. y s. f.* Persona que en óperas u otras funciones musicales canta formando parte del coro.

corladura *s. f.* Cierto barniz que, dado sobre una pieza plateada, la hace parecer dorada.

corlar *v. tr.* Dar corladura.

corma *s. f.* Conjunto de dos pedazos de madera, que se adaptan al pie de una persona o de un animal para impedir que ande libremente.

cormorán *s. m.* Cuervo marino.

cornac *s. m.* Cornaca.

cornaca *s. m.* Hombre que en la India y otras regiones de Asia doma, guía y cuida un elefante.

cornada *s. f.* Golpe dado por un animal con la punta del cuerno.

cornadura *s. f.* Cornamenta.

cornal *s. m.* Correa o soga con que se uncen los bueyes.

cornalina *s. f.* Ágata de color de sangre.

cornalón *adj.* Se dice del toro que tiene muy grandes los cuernos.

cornamenta *s. f.* Cuernos de algunos cuadrúpedos, como el toro, venado, etc.

cornamusa *s. f.* **1.** Trompeta larga de metal. **2.** Especie de gaita gallega.

córnea *s. f.* Membrana transparente que se halla en la parte anterior del ojo.

cornear *v. tr.* Acornear.

corneja *s. f.* Especie de cuervo, con plumaje completamente negro y de brillo metálico en el cuello y dorso.

cornejo *s. m.* Arbusto cornáceo, muy ramoso y de madera muy dura.

córneo, a *adj.* De textura de cuerno o parecida a él.

córner *s. m.* En el fútbol, falta cometida cuando la pelota cae fuera por los laterales de la portería, habiéndola tocado antes algún jugador del equipo al que corresponde la meta.

corneta *s. f.* Instrumento de viento parecido al clarín, pero de sonidos menos agudos.

cornetín *s. m.* Instrumento de viento que tiene casi la misma extensión que el clarín.

cornezuelo *s. m.* Honguillo que se cría en la espiga del centeno.

cornial *adj.* Dispuesto o fabricado en figura de cuerno.

corniforme *adj.* De figura de cuerno.

cornijón *s. m.* **1.** Cornisamento. **2.** Esquinazo que forma la casa en la calle.

cornisa *s. f.* Coronamiento compuesto de molduras, o cuerpo voladizo con molduras, que sirve de remate a otro.

cornisamento *s. m.* Conjunto de molduras que coronan un edificio o un orden de arquitectura.

cornucopia *s. f.* Cierto vaso de figura de cuerno, del que rebosan frutas y flores, con que los gentiles simbolizaban la abundancia.

cornudo, da *adj.* **1.** Que tiene cuernos. **2.** *fig.* Se dice de la persona a la que su pareja le es infiel. También *s. m. y s. f.*

cornúpeta *adj., poét.* Se dice del animal que figura en algunas monedas en actitud de acometer con los cuernos.

coro *s. m.* **1.** Conjunto de personas para cantar, regocijarse, alabar o celebrar algo. **2.** Parte de una iglesia destinada al coro.

corocha *s. f.* Vestidura antigua a manera de casaca, pero larga y hueca.

corografía *s. f.* Descripción de un país, de una región o de una provincia.

coroideo, a *adj.* **1.** Se aplica a ciertas membranas vasculares muy finas. **2.** Relativo a la coroides.

coroides *s. f.* Membrana que tapiza interiormente todo el globo del ojo, excepto la córnea transparente.

corola *s. f.* Cubierta interior de las flores completas, que protege los órganos de la reproducción.

corolario *s. m.* Proposición que se deduce fácilmente de lo demostrado antes.

coroliflora *adj.* Se dice de las plantas dicotiledóneas, de perigonio doble y pétalos soldados en corola de una pieza inserta en el receptáculo. También *s. f.*

corona *s. f.* **1.** Cerco de ramas, flores, o de metal precioso, con que se ciñe la cabeza. **2.** Dignidad real. **3.** *fig.* Monarquía.

coronación *s. f.* Acto de coronarse un soberano.

coronado *s. m.* Clérigo tonsurado.

coronal *adj.* Se dice del hueso de la frente.

coronamiento *s. m.* Fin de una obra.

coronar *v. tr.* **1.** Poner la corona en la cabeza, especialmente como signo de autoridad soberana. **2.** Perfeccionar, completar una obra.

coronaria *s. f.* Rueda de los relojes que manda la aguja de los segundos.

corondel *s. m.* Regleta o listón, de madera o metal, que ponen los impresores en el molde de alto a bajo para dividir la plana en columnas.

coronel *s. m.* Jefe militar que manda un regimiento.

coronilla *s. f.* Parte más eminente de la cabeza humana opuesta a la barbilla.

coronio *s. m.* Hierro fuertemente ionizado que se detectó por primera vez en la corona solar.

corotos *s. m. pl., Col., Ec., P. Ric. y Ven.* Trastos, trebejos.

corpa *s. f.* Trozo de mineral en bruto.

corpiño *s. m.* Almilla o jubón sin mangas.

corporación *s. f.* Cuerpo, comunidad.

corporal *adj.* Perteneciente al cuerpo, en oposición a espiritual, intelectual, etc.

corporativo, va *adj.* Perteneciente o relativo a una corporación.

corporeidad *s. f.* Calidad de corpóreo.

corpóreo, a *adj.* **1.** Que tiene cuerpo. **2.** Corporal, perteneciente al cuerpo.

corpulencia *s. f.* Grandeza y magnitud de un cuerpo.

corpulento, ta *adj.* Que tiene mucho cuerpo.

corpus *s. m.* Amplio conjunto ordenado de datos que puede utilizarse como base de una investigación.

corpuscular *adj.* Que tiene corpúsculos.

corpúsculo *s. m.* Partícula pequeña, célula, molécula, elemento.

corral *s. m.* **1.** Sitio cerrado y descubierto, especialmente el destinado a los animales. **2.** Casa, patio o teatro donde se representaban las comedias.

corrala *s. f.* Casa de vecinos con un gran patio interior desde el cual se accede a todas las viviendas.

correa *s. f.* **1.** Tira de cuero. **2.** Flexibilidad y extensión de una cosa correosa.

correaje *s. m.* Conjunto de correas que hay en una cosa.

correazo *s. m.* Golpe dado con una correa.

corrección *s. f.* **1.** Acción de corregir. **2.** Represión de un delito, falta o defecto.

correccional *adj.* Se dice de lo que conduce a la corrección.

correctivo, va *adj.* Que corrige o subsana.

correcto, ta *adj.* Libre de errores o defectos, conforme a las reglas.

corrector, ra *s. m. y s. f.* En imprenta, la persona encargada de corregir las pruebas.

corredera *s. f.* Ranura o carril por donde resbala otra pieza en ciertas máquinas o artefactos.

corredizo, za *adj.* Que se desata o se corre con facilidad, como una lazada o nudo.

corredor, ra *adj.* **1.** Que corre mucho. ‖ *s. m. y s. f.* **2.** Persona que practica la carrera en competiciones deportivas.

‖ *s. m.* **3.** Persona que tiene por oficio intervenir en compras y ventas. **4.** Pasillo, pieza de paso de un edificio.

correduría *s. f.* Oficio de corredor.

corregidor, ra *s. m.* Magistrado que en su territorio ejercía la jurisdicción real.

corregimiento *s. m.* Empleo u oficio de corregidor.

corregir *v. tr.* **1.** Enmendar lo errado. **2.** Advertir, amonestar, reprender.

correinado *s. m.* Gobierno simultáneo de dos reyes en una nación.

correjel *s. m.* Cuero grueso y flexible, propio para hacer suelas.

correlación *s. f.* Analogía o relación recíproca entre dos o más cosas.

correlativo, va *adj.* Se aplica a personas o cosas que tienen entre sí correlación o sucesión inmediata.

correligionario, ria *adj.* Que profesa la misma religión u opinión política que otro.

correo *s. m.* **1.** Servicio público que tiene por objeto el transporte y reparto de la correspondencia oficial y privada. **2.** Conjunto de cartas, pliegos o documentos que se envían o se reciben. **3.** Cartero, repartidor, emisario.

correoso, sa *adj.* **1.** Que se dobla y extiende fácilmente, sin romperse. **2.** *fig.* Se dice de alimentos difíciles de masticar.

correr *v. intr.* **1.** Caminar con impulso y velocidad. **2.** Transcurrir el tiempo. ‖ *v. tr.* **3.** Hacer que algo se deslice. También prnl. **4.** Echar el cerrojo, pestillo o aldaba para cerrar. **5.** Echar o tender, levantar o recoger velos, cortinas, etc. ‖ *v. prnl.* **6.** Pasarse, deslizarse una cosa.

correría *s. f.* Incursión o asalto rápido a territorio enemigo.

correspondencia *s. f.* **1.** Trato recíproco entre dos personas. **2.** Conjunto de cartas que se reciben o expiden.

corresponder *v. intr.* **1.** Pagar con igualdad afectos, beneficios recibidos. **2.** Tocar o pertenecer.

correspondiente *adj.* **1.** Proporcionado, conveniente. **2.** Que tiene correspondencia con una persona o corporación.

corresponsal *adj.* **1.** Correspondiente, que tiene correspondencia. ‖ *com.* **2.** Persona que trabaja para un periódico o cadena de televisión y envía noticias desde un país extranjero.

corresponsalía *s. f.* Cargo de corresponsal de un periódico.

corretaje *s. f.* **1.** Diligencia del corredor en los ajustes y ventas. **2.** Premio y estipendio que recibe.

corretear *v. intr.* Andar de un lugar a otro.

correteo *s. m.* Acción y efecto de corretear.

correveidile *com.* **1.** Persona que lleva y trae chismes. **2.** *fam.* Alcahuete.

correverás *s. m.* Juguete de niños que se mueve por un resorte oculto.

corrida *s. f.* Carrera, paso rápido.

corrido *s. m., amer.* Cierto baile y la música que lo acompaña.

corriente *adj.* **1.** Cierto, sabido, admitido comúnmente. ‖ *s. f.* **2.** Masa de agua o de aire que se mueve continuamente en dirección determinada y movimiento de esta masa. **3.** Tendencia, opinión.

corrillo *s. m.* Corro donde se juntan algunos a discutir y hablar separados del resto de los presentes.

corrimiento *s. m.* Acción y efecto de correr o correrse.

corrivación *s. f.* Obra o canalización para hacer confluir en algún punto varios arroyuelos.

corro *s. m.* **1.** Cerco de gente para hablar, solazarse, etc. **2.** Espacio circular o casi circular. **3.** Juego infantil.

corroboración *s. f.* Acción y efecto de corroborar o corroborarse.

corroborar *v. tr.* **1.** Vivifica, dar mayores fuerzas. **2.** Confirmar algo.

corroer *v. tr.* **1.** Desgastar lentamente una cosa como royéndola. También prnl. **2.** *fig.* Perturbar el ánimo o arruinar la salud, el peso del remordimiento o de alguna aflicción.

corromper *v. tr.* **1.** Alterar y trastocar la forma de alguna cosa. También prnl. **2.** Echar a perder, depravar, dañar, podrir.

corrosión *s. f.* **1.** Acción y efecto de corroer o corroerse. **2.** Proceso paulatino que cambia la composición química de un cuerpo metálico por acción de un agente externo, destruyéndolo, aunque manteniendo lo esencial de su forma.

corrosivo, va *adj.* Se dice de lo que corroe o tiene virtud de corroer.

corrugación *s. f.* Contracción o encogimiento.

corrupción *s. f.* Acción y efecto de corromper o corromperse.

corruptela *s. f.* Mala costumbre o abuso, especialmente si es contra la ley.

corruptibilidad *s. f.* Calidad de corruptible.

corruptible *adj.* Que puede corromperse.

corrupto, ta *adj.* Dañado, viciado.

corruptor, ra *adj.* Que corrompe. También s. m. y s. f.

corrusco *s. m., fam.* Cuscurro.

corsario *s. m.* Pirata.

corsé *s. m.* Prenda interior femenina que sirve para ceñirse el cuerpo.

corsetería *s. f.* **1.** Fábrica de corsés. **2.** Tienda donde se venden.

corso *s. m.* Campaña que hacen por el mar los buques mercantes para perseguir a las embarcaciones enemigas.

cortacallos *s. m.* Cuchillo especial para cortar callos.

cortacésped *s. f.* Máquina para recortar el césped en los jardines.

cortacigarros *s. m.* Cortapuros.

cortacircuitos *s. m.* Aparato que automáticamente interrumpe la corriente eléctrica.

cortacorriente *s. m.* Pieza que se intercala en un circuito eléctrico para interrumpir el paso de la corriente.

cortadera *s. f.* Cuña de acero sujeta a un mango, que sirve para cortar a golpe de martillo las barras de hierro candente.

cortado *s. m.* Taza o vaso de café con un poco de leche.

cortadura *s. f.* **1.** Separación hecha en un cuerpo continuo por instrumento cortante. **2.** Abertura o paso entre montañas.

cortafrío *s. m.* Cincel fuerte para cortar hierro frío a golpes de martillo.

cortafuego *s. m.* Vereda ancha que se deja en los sembrados y montes para que no se propaguen los incendios.

cortalápices *s. m.* Instrumento que sirve para aguzar los lápices.

cortapapeles *s. m.* Plegadera.

cortapisa *s. f.* **1.** Condición. **2.** Dificultad.

cortaplumas *s. m.* Navaja pequeña con que se cortaban las plumas de ave, y que modernamente tiene otros usos.

cortapuros *s. m.* Instrumento que sirve para cortar la punta de los cigarros puros.

cortar *v. tr.* **1.** Dividir una cosa con algún instrumento afilado. **2.** Recortar. **3.** Detener, suspender, atajar.

cortaviento *s. m.* Aparato delantero de un vehículo para cortar el viento.

corte[1] *s. m.* **1.** Filo del instrumento con que se corta, taja. **2.** Cantidad de tela necesaria para hacer un vestido, pantalón, etc.

corte[2] *s. f.* **1.** Conjunto de todas las personas que componen la familia y comitiva del rey. ‖ *s. f. pl.* **2.** Conjunto formado por los representantes de la nación, con facultad de hacer leyes y otras atribuciones.

cortedad *s. f.* **1.** Pequeñez y poca extensión. **2.** *fig.* Falta o escasez de talento.

cortejar *v. tr.* **1.** Asistir, acompañar a alguien. **2.** Galantear, requebrar.

cortejo *s. m.* **1.** Acción de cortejar. **2.** Personas que forman el acompañamiento en una ceremonia. **3.** Fineza, agasajo.

cortés *adj.* Atento, comedido, afable.

cortesano, na *adj.* **1.** Perteneciente a la corte. ‖ *s. m.* **2.** Palaciego que sirve al rey en la corte. ‖ *s. f.* **3.** Prostituta.

cortesía *adj.* Demostración de atención, respeto o afecto.

corteza *s. f.* **1.** Parte exterior del tallo, raíz y ramas de los vegetales leñosos. **2.** Parte exterior y dura de algunas cosas, como el limón, el queso, el pan, etc.

cortical *adj.* Perteneciente o relativo a la corteza.

cortijo *s. m.* Finca rústica de tierra y casa de labor.

cortina *s. f.* Paño grande, colgante, con que se cubre una puerta o ventana.

cortinaje *s. m.* Juego de cortinas.

cortinilla *s. f.* Cortina pequeña que se coloca en la parte interior de los cristales de los balcones, ventanas, puertas, vidrieras, portezuelas de coches, etc. para resguardarse del sol o impedir la vista desde fuera.

corto, ta *adj.* **1.** Se dice de las cosas que no tienen extensión o el tamaño que les corresponde. **2.** De poca duración, estimación o entidad. **3.** Tímido, encogido.

cortocircuito *s. m.* Circuito que se produce accidentalmente por contacto entre los conductores y determina una descarga.

cortometraje *s. m.* Película cuya duración no es mayor de treinta minutos ni menor de ocho.

coruscar *v. intr., poét.* Brillar.

corvado, da *adj., vulg.* Muerto, difunto.

corvadura *s. f.* **1.** Curvatura. **2.** Parte curva o arqueada del arco o de la bóveda.

corvato *s. m.* Pollo del cuervo.

corvejón *s. m.* Articulación de los cuadrúpedos, situada entre la parte inferior de la pierna y superior de la caña.

corvejos *s. m. pl.* Corvejón de cuadrúpedo.

corveta *s. f.* Movimiento que se enseña al caballo, obligándole a ir sobre las patas traseras con los brazos en el aire.

corvetear *v. intr.* Hacer corvetas el caballo.

córvido *s. m.* Se dice de pájaros del suborden de los dentirrostros, que tienen un tamaño bastante grande, pico largo y fuerte, y son necrófagos, como el cuervo.

corvino, na *s. f.* **1.** Perteneciente al cuervo o parecido a él. ‖ *s. f.* **2.** Pez marino acantopterigio, comestible, de color pardo con manchas negras en el lomo.

corvo, va *adj.* **1.** Arqueado o corvado. ‖ *s. m.* **2.** Garfio. ‖ *s. f.* **3.** Parte de la pierna, opuesta a la rodilla.

corzo, za *s. m. y s. f.* Mamífero rumiante, cérvido, rabón y con las cuernas pequeñas.

cosa *s. f.* **1.** Todo lo que tiene entidad, ya sea corporal o espiritual, natural o artificial, real o abstracta. **2.** Objeto inanimado.

cosario *s. m.* Cazador de oficio.

coscarse *v. prnl., fam.* **1.** Concomerse. **2.** Percatarse.

coscoja *s. f.* Árbol o arbusto cupulífero, semejante a la encina.

coscojo *s. m.* Agalla producida por el quermes en la coscoja.

coscón, na *adj., fam.* Socarrón, hábil, astuto.

coscoroba *s. f., Arg. y Chil.* Ave, especie de cisne, de cuello corto, todo blanco y más pequeño que el común.

coscorrón *s. m.* Golpe dado en la cabeza.

cosecante *s. f.* Secante del complemento de un ángulo o de un arco.

cosecha *s. f.* Conjunto de frutos que se recogen de la tierra, como trigo, cebada, etc.

cosechar *v. intr.* Hacer la cosecha.

cosedura *s. f.* Costura.

coselete *s. m.* **1.** Antigua coraza, ligera, generalmente de cuero, que usaron ciertos soldados de infantería. **2.** Tórax de los insectos.

coseno *s. m.* Seno del complemento de un ángulo o de un arco.

coser *v. tr.* Unir con hilo dos o más pedazos de tela, cuero u otro material.

cósico *adj.* Se aplica al número que es potencia exacta de otro.

cosido *s. m.* Acción y efecto de coser.

cosificar *v. tr.* **1.** Convertir algo en cosa. **2.** Considerar como cosa algo que no lo es.

cosmético, ca *adj.* Se dice de los productos que se emplean para el cuidado o embellecimiento de la piel y del cabello.

cósmico, ca *adj.* Perteneciente al cosmos.

cosmogonía *s. f.* Ciencia o sistema que trata de la formación del universo.

cosmogónico, ca *adj.* Perteneciente o relativo a la cosmogonía.

cosmografía *s. f.* Descripción astronómica del mundo, o astronomía descriptiva.

cosmógrafo, fa *s. m. y s. f.* Persona que profesa la cosmografía o tiene en ella conocimientos especiales.

cosmología *s. f.* Parte de la metafísica especial que estudia los principios generales que rigen el mundo físico.

cosmólogo, ga *s. m. y s. f.* Persona que profesa la cosmología o tiene en ella especiales conocimientos.

cosmonauta *s. m. y s. f.* Tripulante de una cosmonave.

cosmonave *s. f.* Vehículo capaz de navegar más allá de la atmósfera terrestre.

cosmopolita *adj.* **1.** Que considera a todo el mundo como su patria. También com. **2.** Que es común a todos los países o a muchos de ellos.

cosmopolitismo *s. m.* Doctrina y género de vida de los cosmopolitas.

cosmorama *s. m.* **1.** Artificio óptico para ver aumentados los objetos mediante una cámara oscura. **2.** Lugar donde por recreo se ven representados de este modo panoramas de pueblos, edificios, etc.

cosmos *s. m.* Mundo, universo.

coso *s. m.* **1.** Lugar cercado donde se corren y lidian toros y se celebran otras fiestas públicas. **2.** En algunas poblaciones, calle principal.

cospel *s. m.* Disco de metal dispuesto para recibir la acuñación en la fabricación de las monedas.

cosque *s. m., fam.* Coscorrón.

cosquillas *s. f. pl.* Sensación que se experimenta en algunas partes del cuerpo al ser tocadas ligeramente por otra persona, que provoca involuntariamente la risa.

cosquillear *v. tr.* Hacer cosquillas.

cosquilleo *s. m.* Sensación que producen las cosquillas u otra cosa semejante a ellas.

costa[1] *s. f.* **1.** Cantidad que se paga por una cosa. ‖ *s. f. pl.* **2.** Gastos judiciales.

costa[2] *s. f.* Orilla del mar y tierra que está cerca de ella.

costado *s. m.* **1.** Cada una de las dos partes laterales del cuerpo humano. **2.** Lado.

costal *s. m.* Saco grande de tela ordinaria.

costalada *s. f.* Golpe que alguien da al caer de espaldas o de costado.

costanera *s. f.* Cuesta, pendiente.

costar *v. intr.* **1.** Ser comprada una cosa por determinado precio. **2.** *fig.* Causar una cosa cuidado, desvelo, perjuicio, etc.

costarriqueñismo *s. m.* Giro o modo de hablar propio de los costarriqueños.

coste *s. m.* Costa, lo que cuesta una cosa.

costear[1] *v. tr.* Abonar, sufragar un gasto.

costear[2] *v. tr.* **1.** Ir navegando sin perder de vista la costa. **2.** *fig.* Esquivar una dificultad o peligro.

costeño, ña *adj.* Natural de la costa de un país. También s. m. y s. f.

costero, ra *adj.* Perteneciente o relativo a la costa.

costilla *s. f.* Cada uno de los huesos largos y encorvados que insertos por un extremo en unas vértebras forman el armazón de la caja torácica.

costillar *s. m.* **1.** Conjunto de costillas. **2.** Parte del cuerpo en la cual están.

costo *s. m.* Costa, lo que cuesta una cosa.

costoso, sa *adj.* **1.** Que cuesta mucho. **2.** *fig.* Que acarrea daño o sentimiento.

costra *s. f.* Cubierta exterior que se endurece sobre una cosa húmeda o blanda.

costrada *s. f.* Especie de empanada, cubierta con una costra de azúcar, huevos y pan.

costroso, sa *adj.* **1.** Que tiene costras. **2.** Cochambroso, sucio.

costumbre *s. f.* **1.** Manera de obrar establecida por un largo uso. **2.** Práctica muy usada que ha adquirido fuerza de precepto.

costumbrista *adj.* Se dice de la persona que en literatura cultiva con preferencia la pintura de las costumbres.

costura *s. f.* **1.** Acción y efecto de coser. **2.** Serie de puntadas que une dos piezas cosidas.

costurero *s. m.* Caja, canastilla para guardar los útiles de costura.

costurón *s. m., fig.* Cicatriz o señal muy visible de una herida o llaga.

cota[1] *s. f.* Arma defensiva del cuerpo usada antiguamente.

cota[2] *s. f.* Cuota.

cotangente *s. f.* Tangente del complemento de un ángulo o de un arco.

cotarro *s. m.* **1.** Albergue nocturno para pobres y vagabundos que no tienen posada. **2.** Ladera de un barranco. **3.** Colectividad en estado de exaltación.

cotejar *v. tr.* Confrontar una cosa con otra u otras; compararlas teniéndolas a la vista.

cotejo *s. m.* Acción y efecto de cotejar.

cotidiano, na *adj.* Diario, de todos los días.

cotila *s. f.* Cavidad de un hueso en que entra la cabeza de otro.

cotiledón *s. m.* Parte de la semilla que rodea al embrión.

cotiledóneo, a *adj.* Se dice de las plantas fanerógamas, porque tienen cotiledón o cotiledones. También s. f.

cotilla *com.* Persona chismosa.

cotillear *v. intr.* Chismorrear.

cotillo *s. m.* Parte del martillo y otras herramientas, que sirve para golpear.

cotillón *s. m.* Danza con figuras, que suele ejecutarse al fin de los bailes de sociedad.

cotinga *s. m., amer.* Género de pájaros dentirrostros, de buen tamaño y de plumaje muy variado y vistoso.

cotización *s. f.* Acción y efecto de cotizar.

cotizar *v. tr.* **1.** Asignar el precio en la bolsa o en el mercado. ‖ *v. intr.* **2.** Pagar una cuota.

coto *s. m.* **1.** Terreno acotado. **2.** Término, límite.

cotón *s. m.* Tela de algodón estampada de varios colores.

cotona *s. f.* **1.** *Chil. y Per.* Camiseta fuerte de algodón, u otra materia, según los países. **2.** *Méx.* Chaqueta de gamuza.

cotorra *s. f.* **1.** Papagayo pequeño. **2.** Urraca. **3.** *fig.* Persona habladora.

cotorrear *v. intr.* Hablar con exceso.

cotorreo *s. m., fig. y fam.* Conversación bulliciosa de personas habladoras.

cototo *s. m., vulg., Arg. y Chil.* Chichón.

cotufa *s. f.* **1.** Golosina. **2.** Chufa, tubérculo.

coturno *s. m.* Calzado griego y romano que llegaba hasta la pantorrilla.

cotuza *s. f., El Salv. y Guat.* Agutí.

coulomb *s. m.* Nombre del culombio, en la nomenclatura internacional.

country *s. m.* Género musical popular, propio de Estados Unidos.

covacha *s. f.* **1.** Cueva pequeña. **2.** Vivienda o aposento pobre y pequeño.

covadera *s. f., Chil. y Per.* Depósito natural del que se extrae guano o salitre.

coxa *s. f.* **1.** Primer artejo de las patas de los insectos. **2.** Cadera.

coxal *adj.* Perteneciente o relativo a la cadera.

coxcojilla, ta *s. f.* Juego de muchachos que consiste en andar a la pata coja y dar con el pie a una piedrecita para sacarla de ciertas rayas que se forman en el suelo para este fin.

coxis *s. m.* Cóccix.

coy *s. m.* Trozo de lona que en los barcos se utiliza como hamaca.

coyol *s. m., Amér. C. y Méx.* Palmera de mediana altura, de cuyo tronco se extrae una bebida agradable que fermenta rápidamente.

coyote *s. m.* Especie de lobo gris que se cría en México.

coyuntura *s. f.* **1.** Articulación movible de un hueso con otro. **2.** *fig.* Sazón, oportunidad para alguna cosa.

coz *s. f.* Golpe que da un animal al echar hacia atrás una o ambas patas traseras.

crac *s. m.* Quiebra comercial.

crampón *s. m.* Pieza metálica que se pone en la suela del calzado par evitar resbalar en la nieve o el hielo.

cran *s. m.* Muesca de cada letra de imprenta.

craneal *adj.* Perteneciente o relativo al cráneo.

cráneo *s. m.* Caja ósea en que está contenido el encéfalo.

craneología *s. f.* Estudio del cráneo.

craneoscopia *s. f.* Arte de conocer las facultades intelectuales y afectivas por la superficie exterior del cráneo.

crápula *s. f.* **1.** Embriaguez o borrachera. **2.** *fig.* Disipación, libertinaje. ‖ *s. m.* **3.** Hombre de vida licenciosa.

crapuloso, sa *adj.* Dado a la crápula. También s. m. y s. f.

crascitar *v. intr.* Graznar el cuervo.

crasiento, ta *adj.* Grasiento.

crasitud *s. f.* Gordura, graso.

craso, sa *adj.* **1.** Grueso, gordo o espeso. **2.** Indisculpable.

crasuláceo, a *adj.* Se dice de hierbas y arbustos dicotiledóneos, con hojas carnosas. También s. f.

cráter *s. m.* Boca por donde los volcanes arrojan humo, ceniza, lava, etc.

cratera *s. f.* Vasija grande y ancha donde se mezclaba el vino con agua antes de servirlo en copas durante las comidas en Grecia y Roma.

crateriforme *adj.* Que tiene forma de cráter.

cratícula *s. f.* Ventanita por donde se da la comunión a las monjas.

crea *s. f.* Cierto lienzo entrefino que se utilizaba para hacer sábanas, camisas, etc.

creación *s. f.* **1.** Acto o acción de crear. **2.** Mundo, todo lo creado.

creador, ra *adj.* **1.** Se dice de Dios, que sacó todas las cosas de la nada. También s. m. **2.** Que crea.

crear *v. tr.* **1.** Criar, producir de la nada. **2.** *fig.* Instituir un nuevo empleo o dignidad. **3.** *fig.* Establecer, fundar.

creativo, va *adj.* Que posee o estimula la capacidad de creación, invención, etc.

crecedero, ra *adj.* **1.** Que está en aptitud de crecer. **2.** Se aplica al vestido muy holgado que se hace a los niños.

crecer *v. intr.* **1.** Tomar aumento insensiblemente y por la propia fuerza los seres orgánicos. **2.** Recibir aumento o adquirir mayor cantidad una cosa.

creces *s. f. pl.* Aumento aparente de volumen que adquiere el trigo en la troje, traspalándolo de una parte a otra.

crecido, da *adj.* **1.** *fig.* Grande o numeroso. ‖ *s. f.* **2.** Aumento del caudal de los ríos y arroyos.

creciente *s. m.* Media luna con las puntas hacia arriba.

crecimiento *s. m.* Acción y efecto de crecer.

credencial *adj.* **1.** Que acredita. ‖ *s. f.* **2.** Documento que sirve para que a un empleado se le dé posesión de su plaza.

credibilidad *s. f.* Calidad de creíble.

crediticio, cia *adj.* Perteneciente o relativo al crédito público o privado.

crédito *s. m.* **1.** Reputación, fama, autoridad. **2.** Derecho que alguien tiene a recibir de otro alguna cosa, por lo común dinero. **3.** Abono, apoyo, comprobación.

credo *s. m.* **1.** Símbolo de la fe. **2.** Conjunto de doctrinas comunes a una colectividad.

credulidad *s. f.* Calidad de crédulo.

crédulo, la *adj.* Que cree fácilmente.

creencia *s. f.* **1.** Firme asentimiento y conformidad con alguna cosa. **2.** Religión.

creer *v. tr.* **1.** Tener por cierta una cosa que el entendimiento no alcanza o que no está comprobada o demostrada. **2.** Tener fe. **3.** Pensar, juzgar una cosa.

creíble *adj.* Que puede ser creído.

creído, da *adj., fam.* Se dice de la persona vanidosa u orgullosa.

crema[1] *s. f.* **1.** Nata de leche. **2.** Confección cosmética para suavizar el cutis. **3.** Pasta untuosa para limpiar las pieles curtidas, en especial a las del calzado. **4.** Sopa espesa. **5.** Lo selecto, lo principal.

crema[2] *s. f.* Diéresis, signo ortográfico.

cremación *s. f.* Acción de quemar.

cremallera *s. f.* Cierre consiste en dos tiras flexibles guarnecidas de dientes, que se aplica a una abertura longitudinal en prendas de vestir, bolsos, etc.

crematística *s. f.* Economía política.

crematorio, ria *adj.* Relativo a la incineración de los cadáveres.

cremento *s. m.* Incremento, aumento, extensión de una cosa.

cremómetro *s. m.* Instrumento que sirve para medir la cantidad de manteca contenida en la leche.

crémor *s. m.* Tartrato ácido de potasa, que se usa como purgante en medicina y como mordente en tintorería. Se encuentra en la uva, el tamarindo y otros frutos.

cremoso, sa *adj.* De la naturaleza o aspecto de la crema.

crencha *s. f.* Raya que divide el cabello en dos partes, echando una a un lado y otra al otro.

crenchar *v. tr.* Hacer raya en el pelo.

creosota *s. f.* Sustancia líquida de sabor urente y cáustico, que se extrae del alquitrán y se emplea en medicina para detener las hemorragias, para combatir la caries de la dentadura y para preservar de putrefacción a las carnes.

crepitación *s. f.* Acción y efecto de crepitar.

crepitar *v. intr.* Hacer ruido semejante al de la leña cuando arde.

crepuscular *adj.* Que pertenece al crepúsculo.

crepúsculo *s. m.* **1.** Claridad que hay desde que raya el día hasta que sale el sol y desde que este se pone hasta que es de noche. **2.** Tiempo que dura esta claridad.

cresa *s. f.* Los huevos que pone la reina de las abejas.

creso *s. m.* Hombre que posee grandes riquezas.

crespina *s. f.* Cofia o redecilla que usaban las mujeres para recogerse el pelo y adornar la cabeza.

crespo, pa *adj.* Ensortijado, rizado.

crespón *s. m.* **1.** Gasa en que la urdimbre está más retorcida que la trama. **2.** Gasa negra que se usa en señal de luto.

cresta *s. f.* **1.** Carnosidad roja que algunas aves y el gallo tienen sobre la cabeza. **2.** Copete, moño de plumas de algunas aves. **3.** *fig.* Cumbre peñascosa de algunas montañas. **4.** *fig.* Cima de una ola.

crestado, da *adj.* Que tiene cresta.

crestomatía *s. f.* Colección de escritos selectos para la enseñanza.

cretáceo, a *adj.* Se dice del terreno inmediatamente posterior al jurásico.

cretino, na *adj., fig.* Estúpido, necio.

cretona *s. f.* Tela, blanca o estampada, comúnmente de algodón.

creyente *adj.* Que cree, especialmente el que profesa una determinada fe religiosa. También com.

cría *s. f.* **1.** Acción y efecto de criar a los hombres o a los animales. **2.** Niño o animal mientras se está criando. **3.** Conjunto de hijos que tienen los animales de un parto o de un nido.

criadero *s. m.* **1.** Lugar a donde se trasplantan los árboles silvestres o los sembrados en semilleros para que se críen. **2.** Lugar destinado a la cría de animales.

criadilla *s. f.* Testículo.

criado, da *s. m. y s. f.* Persona que sirve por un salario.

criador, ra *adj.* **1.** Se dice del que nutre y alimenta. ‖ *s. m. y s. f.* **2.** Persona que tiene por oficio criar animales.

crianza *s. f.* **1.** Urbanidad, atención, cortesía. **2.** Época de la lactancia.

criar *v. tr.* **1.** Dar ser a lo que no lo tenía. **2.** Producir, engendrar. **3.** Nutrir la madre o la nodriza al niño. **4.** Instruir, educar.

criatura *s. f.* **1.** Toda cosa criada. **2.** Niño recién nacido o de poco tiempo.

criba *s. f.* Cuero agujereado sujeto por un marco de madera que sirve para cribar.

cribar *v. tr.* Limpiar el trigo y otras semillas por medio de la criba.

criboso, sa *adj.* Que tiene agujeros como la criba.

cric *s. m.* Gato, instrumento de mecánica para levantar pesos.

cricoides *adj.* Se dice del cartílago anular de la laringe. También s. m.

crimen *s. m.* **1.** Acción voluntaria de matar o herir gravemente a una persona. **2.** Delito grave.

criminación *s. f.* Acción y efecto de criminar.

criminal *adj.* **1.** Que pertenece al crimen. **3.** Que lo ha cometido o procurado.

criminalista *adj.* Se dice del abogado que ejerce su profesión preferentemente en asuntos relacionados con el derecho penal.

criminar *v. tr.* Acriminar.

criminología *s. f.* Tratado acerca del delito, sus causas y su represión.

crin *s. f.* Conjunto de cerdas que tienen algunos animales en la parte superior del cuello y en la cola.

crío, a *s. m. y s. f., fam.* Niño o niña que se está criando.

criollo, lla *adj.* Se dice de los americanos descendientes de europeos. También s. m. y s. f.

crioscopia *s. f.* Determinación del punto de congelación de un líquido en el que se halla disuelta una sustancia, para conocer el grado de concentración de la solución.

crioterapia *s. f.* Método curativo fundado en el empleo de bajas temperaturas.

cripta *s. f.* **1.** Lugar en que se solía enterrar a los muertos. **2.** Piso subterráneo destinado al culto en una iglesia.

críptico, ca *adj.* Oscuro, enigmático.

criptógamo, ma *adj.* Acotiledóneo. También s. f.

criptografía *s. f.* Arte de escribir con clave secreta o de un modo enigmático.

criptograma *s. m.* Documento cifrado.

criptón *s. m.* Uno de los gases del aire, descubierto a fines del siglo pasado.

críquet *s. m.* Deporte de origen inglés que se juega con paleta y es semejante al mallo.

cris *s. m.* Arma blanca, de uso en Filipinas, que suele tener la hoja de forma serpenteada.

crisálida *s. f.* Ninfa de los insectos lepidópteros.

crisantemo *s. m.* Planta perenne compuesta, de flores abundantes de colores variados, pero el más corriente es el morado.

crisis *s. f.* **1.** Mutación considerable en una enfermedad, bien para mejorar, bien para agravarse el enfermo. **2.** Momento decisivo de un negocio.

crisma *s. m.* **1.** Aceite y bálsamo mezclados que consagran los obispos el Jueves Santo para ungir a los que se bautizan y se confirman. ‖ *s. f.* **2.** *fam.* Cabeza.

crismón *s. m.* Lábaro, monograma de Cristo.

crisol *s. m.* Vaso que se emplea para fundir una materia a temperatura muy elevada.

crisolar *v. tr.* Acrisolar, depurar en el crisol.

crisólito *s. m.* Variedad verdadera de olivino, de uso en joyería.

crispación *s. f.* Efecto de crispar o crisparse.

crispar *v. tr.* Causar contracción repentina y pasajera en el tejido muscular o en otro de naturaleza contráctil. También prnl.

cristal *s. m.* **1.** Cuerpo sólido de forma poliédrica, como sales, piedras y otros. **2.** Vidrio que resulta de la mezcla y fusión de arena con potasa y minio. **3.** *fig.* Espejo.

cristalera *s. f.* **1.** Armario con cristales. **2.** Aparador. **3.** Puerta o cierre de cristales.

cristalería *s. f.* **1.** Establecimiento donde se fabrican o venden objetos de cristal. **2.** Parte de la vajilla que consiste en vasos, copas y jarras de cristal.

cristalino, na *adj.* **1.** De cristal o parecido a él. ‖ *s. m.* **2.** Cuerpo de forma lenticular, situado detrás de la pupila, en el ojo.

cristalización *s. f.* Acción de cristalizar o cristalizarse.

cristalizar *v. intr.* Tomar ciertas sustancias la forma cristalina. También prnl.

cristalografía *s. f.* Rama de la mineralogía que se ocupa de estudiar las formas que adoptan los cuerpos al cristalizar.

cristaloide *s. m.* Sustancia que atraviesa las láminas porosas en disolución que no dan paso a los coloides.

crister *s. m.* Ayuda, lavativa.

cristianar *v. tr., fam.* Bautizar, administrar el sacramento del bautismo.

cristianismo *s. m.* Religión cristiana.

cristianizar *v. tr.* Conformar una cosa con el dogma o con el rito cristiano.

cristiano, na *adj.* **1.** Perteneciente o relativo a la religión de Cristo. **2.** Que profesa esta religión. También *s. m.* y *s. f.*

Cristo *n. p.* El Hijo de Dios hecho hombre.

criterio *s. m.* **1.** Norma para conocer la verdad. **2.** Juicio o discernimiento.

crítica *s. f.* **1.** Arte de juzgar de la verdad y belleza de las cosas. **2.** Conjunto de opiniones vertidas sobre un asunto.

criticable *adj.* Se dice de aquello que se puede criticar.

criticar *v. tr.* **1.** Juzgar las cosas fundándose en los principios de la ciencia o en las reglas del arte. **2.** Censurar, vituperar, etc., la conducta o acciones de alguien.

crítico, ca *adj.* **1.** Que pertenece a la crítica. **2.** Relativo a la crisis. **3.** Decisivo. ‖ *s. m.* y *s. f.* **4.** Persona que juzga según las reglas de la crítica.

croar *v. intr.* Cantar la rana.

crocante *adj.* Se dice de ciertas pastas cocidas, o fritas, que crujen al mascarlas.

crocanti *s. m.* Helado cubierto de una capa de chocolate con almendras.

croché *s. m.* **1.** Gancho, ganchillo. **2.** Labor que se hace con ellos.

cromar *v. tr.* Dar un baño de cromo a los objetos metálicos para hacerlos inoxidables.

cromático, ca *adj.* Se dice del instrumento óptico que presenta al ojo del observador los objetos contorneados, con visos y colores del arco iris.

cromatina *s. f.* Sustancia que existe en el núcleo de las células y que se tiñe intensamente por el carmín y los colorantes de anilina.

cromatismo *s. m.* Calidad de cromático.

crómlech *s. m.* Monumento megalítico consistente en una serie de menhires que cercan un corto espacio de terreno llano y de figura elíptica o circular.

cromo *s. m.* Metal blanco gris, quebradizo, que se emplea para rayar el vidrio.

cromosfera *s. f.* Parte de la fotosfera que se supone compuesta de hidrógeno inflamado.

cromosoma *s. m.* Cada una de las porciones de los filamentos o gránulos del núcleo celular, que durante la mitosis se dividen, forman el huso y los dos núcleos hijos.

cromotipia *s. f.* Impresión hecha en colores.

cromotipografía *s. f.* Arte de imprimir en colores.

crónico, ca *adj.* **1.** Se aplica a las enfermedades habituales. **2.** Que viene de tiempo atrás. ‖ *s. f.* **3.** Historia en que se observa el orden de los tiempos. **4.** Artículo periodístico sobre temas de actualidad.

cronista *s. m. y s. f.* Autor de una crónica o el que tiene por oficio escribirla.

crónlech *s. m.* Crómlech.

cronógrafo *s. m.* Aparato que sirve para medir con exactitud tiempos sumamente pequeños.

cronología *s. f.* **1.** Ciencia que tiene por objeto determinar el orden y fechas de los sucesos históricos. **2.** Serie de personas o sucesos históricos por orden de fechas.

cronológico, ca *adj.* Que pertenece a la cronología.

cronometraje *s. m.* Operación de medir con el cronómetro el tiempo que dura una acción.

cronometrar *v. tr.* Medir con el cronómetro.

cronómetro *s. m.* Reloj de fabricación muy esmerada, para conseguir la mayor regularidad en el movimiento de su máquina.

croqueta *s. f.* Fritura que se hace en pequeños trozos y de forma ovalada, rellena de carne, pollo, pescado, etc., y rebozada con huevo y harina o pan rallado.

croquis *s. m.* Dibujo ligero, tanteo.

cros *s. m.* Carrera de campo a través.

croscitar *v. intr.* Crascitar.

cross *s. m.* Cros.

crótalo *s. m.* Serpiente venenosa de América que tiene en la punta de la cola una especie de anillos o discos.

crotorar *v. intr.* Producir la cigüeña el ruido peculiar de su boca haciendo chocar la parte superior rápidamente con la inferior.

cruasán *s. m.* Especialidad de bollería hecha de hojaldre en forma de media luna.

cruce *s. m.* **1.** Acción de cruzar. **2.** Punto donde se cortan mutuamente dos líneas.

crucero *s. m.* Espacio en que se cruzan la nave mayor de una iglesia y la que la atraviesa.

cruceta *s. f.* Cada una de las cruces o de las aspas que resultan de la intersección de dos series de líneas paralelas.

crucial *adj., fig.* Decisivo, resolutorio.

crucífero, ra *adj.* Se aplica a las plantas dicotiledóneas que tienen hojas alternas, cuatro sépalos en dos filas, corola cruciforme y semillas sin albumen; como el alhelí.

crucificar *v. tr.* **1.** Fijar o clavar en una cruz a una persona. **2.** *fam.* Sacrificar.

crucifijo *s. m.* Efigie o imagen de Cristo crucificado.

crucifixión *s. f.* Acción y efecto de crucificar.

cruciforme *adj.* De forma de cruz.

crucigrama *s. m.* Pasatiempo consistente en un cuadro dividido en casillas blancas y negras, a modo de tablero de ajedrez, en que las blancas representan los huecos para las letras de las palabras que se deben combinar en sentido horizontal y vertical.

crudeza *s. f.* Rigor o aspereza.

crudo, da *adj.* **1.** Se dice de los comestibles que no están cocidos. **2.** *fig.* Cruel, áspero, despiadado.

cruel *adj.* Que se deleita haciendo mal a un ser viviente.

crueldad *s. f.* **1.** Inhumanidad, fiereza del ánimo. **2.** Acción cruel e inhumana.

cruento, ta *adj.* Sanguinario.

crujía *s. f.* Pasillo largo que en algunos edificios da acceso a las estancias que hay a los lados.

crujido *s. m.* Acción y efecto de crujir.

crujir *v. intr.* Hacer cierto ruido los cuerpos cuando rozan unos con otros o se rompen.

crúor *s. m.* Principio colorante de la sangre.

cruórico, ca *adj.* Que pertenece al crúor.

crup *s. m.* Difteria.

crupier *s. m.* Ayudante del banquero en las casas de juego.

crural *adj.* Que pertenece al muslo.

crustáceo, a *adj.* Se aplica a los animales de respiración branquial, caparazón duro o flexible, y que tienen cierto número de patas dispuestas simétricamente.

cruz *s. f.* **1.** Figura formada de dos líneas que se cortan perpendicularmente. **2.** Patíbulo formado por un madero hincado perpendicularmente en el suelo y atravesado por otro en su parte superior. **3.** Insignia y señal de cristiano.

cruzada *s. f.* **1.** Expedición militar contra los infieles. **2.** Tropa que iba en esta expedición.

cruzado *adj.* Se dice del que tomaba la insignia de la cruz alistándose para alguna cruzada. También s. m.

cruzar *v. tr.* **1.** Atravesar. **2.** Dar machos de distintas procedencias a las hembras de los animales de la misma especie para mejorar la casta.

cuácara *s. f.* **1.** *Col.* Levita. **2.** *Chil.* Blusa o chaqueta ordinaria.

cuaco *s. m.* Harina de la raíz de la yuca.

cuaderna *s. f.* Cada una de las piezas curvas cuya base o parte inferior encaja en la quilla del buque y desde allí arranca a derecha e izquierda en dos ramas simétricas, formando como las costillas del casco.

cuaderno *s. m.* Conjunto de pliegos de papel, doblados y cosidos en forma de libro.

cuadra *s. f.* **1.** Caballeriza. **2.** *amer.* Manzana de casas.

cuadrado, da *adj.* **1.** Se aplica a la figura plana cerrada por cuatro líneas rectas iguales que forman otros tantos ángulos rectos. También s. m. **2.** *fig.* Perfecto, cabal.

cuadragenario, ria *adj.* De cuarenta años.

cuadragésimo, ma *adj.* **1.** Que sigue inmediatamente al o a lo trigésimo nono. **2.** Se dice de cada una de las cuarenta partes iguales en que se divide un todo.

cuadrangular *adj.* Que tiene cuatro ángulos.

cuadrángulo, la *adj.* Que tiene cuatro ángulos. Se usa más como s. m.

cuadrante *s. m.* Cada una de las cuatro porciones en que la media esfera del cielo superior al horizonte queda dividida por el meridiano y el primer vertical.

cuadrar *v. tr.* **1.** Dar a una cosa figura de cuadro. **2.** Tratándose de cuentas, balances, etc., hacer coincidir las sumas del debe con las del haber. || *v. intr.* **3.** Ajustarse una cosa con otra.

cuadratura *s. f.* Acción y efecto de cuadrar una figura.

cuadrícula *s. f.* Conjunto de los cuadrados que resultan de cortarse perpendicularmente dos series de rectas paralelas y equidistantes.

cuadricular *v. tr.* Trazar líneas que formen una cuadrícula.

cuadrienio *s. m.* Espacio de cuatro años.

cuadrifolio, lia *adj.* Que tiene cuatro hojas.

cuadriforme *adj.* De figura de cuadro.

cuadriga *s. f.* Tiro de cuatro caballos enganchados de frente.

cuadril *s. m.* **1.** Hueso que sale de la cía, de entre las dos últimas costillas, y sirve para formar el anca. **2.** Cadera.

cuadrilátero *s. m.* Polígono de cuatro lados.

cuadrilla *s. f.* Reunión de personas para el desempeño de algunos oficios.

cuadrilongo, ga *adj.* Rectangular.

cuadrimestre *adj.* Cuatrimestre. También s. m.

cuadringentésimo, ma *adj. num.* Que ocupa el último lugar en una serie ordenada de 400. También pron.

cuadrinomio *s. m.* Expresión algebraica que consta de cuatro términos.

cuadriplicar *v. tr.* Cuadruplicar.

cuadrisílabo, ba *adj.* Cuatrisílabo.

cuadrivio *s. m.* **1.** Lugar donde concurren cuatro sendas o caminos. **2.** Antiguamente, conjunto de cuatro artes matemáticas: aritmética, música, geometría y astronomía o astrología.

cuadro, dra *adj.* **1.** De figura cuadrada. ‖ *s. m.* **2.** Lienzo, lámina, etc., de pintura.

cuadrumano, na *adj.* Se dice de los animales mamíferos que en las extremidades abdominales y también en las torácicas tienen el dedo pulgar separado de modo que puede tocar a cualquiera de los otros.

cuadrúpedo *adj.* Se aplica al animal que tiene cuatro pies. También s. m.

cuádruple *adj. num.* Que contiene un número exactamente cuatro veces. También s. m.

cuadruplicar *v. tr.* **1.** Hacer cuádruple. **2.** Hacer una cosa cuatro veces mayor.

cuádruplo, pla *adj. num.* Cuádruple. También s. m.

cuajada *s. f.* Parte crasa de la leche que, por la acción del calor o de un cuajo, se espesa para hacer requesón, queso, etc.

cuajar¹ *s. m.* Última de las cuatro cavidades del estómago de un rumiante.

cuajar² *v. tr.* **1.** Unir las partes de un líquido para convertirse en sólido. ‖ *v. intr.* **2.** *fam.* Lograrse, tener efecto una cosa.

cuajarón *s. m.* Porción de sangre o de otro líquido que se ha cuajado.

cuajiote *s. m., Amér. C.* Planta cuya goma se usa en medicina.

cuajo *s. m.* **1.** Materia que en los rumiantes que todavía no pacen está contenida en el cuajar para coagular la leche. **2.** Sustancia con que se cuaja un líquido. **3.** *fig. y fam.* Calma, lentitud.

cual *pron. rel.* **1.** Equivale al pronombre *que.* **2.** Se emplea con acento en frases interrogativas o dubitativas. ‖ *adj.* **3.** Adjetivo correlativo que expresa idea de igualdad o semejanza.

cualesquiera *adj. y pron. indef.* Plural de cualquiera.

cualidad *s. f.* **1.** Cada una de las circunstancias o caracteres, naturales o adquiridos, que distinguen a las personas o cosas. **2.** Calidad, manera de ser.

cualificado, da *adj.* **1.** Que posee autoridad y merece respeto. **2.** De buena calidad o de buenas cualidades. **3.** Se dice del trabajador que está especialmente preparado para una tarea determinada.

cualitativo, va *adj.* Que denota cualidad.

cualquier *adj. y pron. indef.* Apócope de cualquiera.

cualquiera *adj. y pron. indef.* Una persona indeterminada, alguien, sea el que fuere.

cuan *adv. c.* Se usa para encarecer la significación del adjetivo, el participio y otras partes de la oración, excepto el verbo, precediéndolas siempre.

cuando *conj. temp.* **1.** En el tiempo, en el punto, en la ocasión en que. ‖ *adv. t.* **2.** En sentido interrogativo, y también refiriéndose a verbo anteriormente citado, equivale a *en qué tiempo.*

cuantía *s. f.* Cantidad, porción de algo.

cuantiar *v. tr.* Apreciar las haciendas, tasar.

cuantioso, sa *adj.* Grande en cantidad o número.

cuantitativo, va *adj.* Se dice de lo relativo a la cantidad.

cuanto, ta *pron. rel.* **1.** Equivale a *todos los que* y *todas las que.* ‖ *pron. excl. e int.* **2.** Se emplea para inquirir o ponderar el número, la cantidad, el precio, el tiempo, el grado, etc., de algo.

cuáquero, ra *s. m. y s. f.* Miembro de una secta religiosa unitaria, fundada en Inglaterra por Fox en 1647; no tiene culto externo ni jerarquía eclesiástica, y se distingue por la sencillez y severidad de las costumbres.

cuarcita *s. f.* Roca silícea, de textura granujienta, fractura astillosa y lustre craso.

cuarenta *adj. num.* Cuatro veces diez. También pron. y s. m.

cuarentavo, va *adj. num.* Se dice de cada una de las 40 partes iguales en que se divide un todo. También s. m.

cuarentena *s. f.* **1.** Conjunto de 40 unidades. **2.** Tiempo de cuarenta días, meses o años. **3.** Espacio de tiempo en que los que vienen de un lugar sospechoso de algún mal contagioso están sin comunicación.

cuarentón, na *adj.* Se dice de la persona que ha cumplido los 40 años. También s. m. y s. f.

Cuaresma *s. f.* Tiempo de 46 días que dura desde el miércoles de ceniza, inclusive, al Domingo de Resurrección.

cuarta *s. f.* Cada una de las cuatro partes iguales en que se divide un todo.

cuartago *s. m.* Caballo de mediano cuerpo.

cuartal *s. m.* Pan que de ordinario tiene la cuarta parte de una hogaza.

cuartear *v. tr.* Partir una cosa en cuatro partes.

cuartel *s. m.* **1.** Cada uno de los distritos en que se suelen dividir las grandes poblaciones. **2.** Cada una de las partes en que se acuartela el ejército cuando está en campaña y se distribuyen en regimientos.

cuartelillo *s. m.* Lugar o edificio en que se aloja una sección de tropa.

cuarteo *s. m.* Movimiento rápido del cuerpo para evitar un golpe.

cuarterón *s. m.* **1.** Cuarta parte de algo. **2.** Cada uno de los cuadros que hay entre los peinazos de las puertas y ventanas.

cuarteta *s. f.* Redondilla, combinación de cuatro versos de arte menor.

cuarteto *s. m.* **1.** Combinación métrica de cuatro versos endecasílabos. **2.** Composición para cantarse a cuatro voces diferentes.

cuartilla *s. f.* Medida de capacidad para áridos, cuarta parte de una fanega.

cuartillo *s. m.* Medida de líquidos.

cuarto, ta *adj. num.* **1.** Se dice de cada una de las cuatro partes iguales en que se divide un todo. También s. m. **2.** Que ocupa el último lugar en una serie ordenada de cuatro. También pron. ‖ *s. m.* **3.** Parte de una casa destinada para una familia. **4.** Habitación.

cuartucho *s. m., desp.* Vivienda o cuarto malo y pequeño.

cuarzo *s. m.* Mineral formado por la sílice, de brillo vítreo color blanco y muy duro.

cuasi *adv. c.* Casi.

cuasia *s. f.* Planta rutácea medicinal.

cuasicontrato *s. m.* Hecho lícito del que por equidad derivan nexos jurídicos.

cuasidelito *s. m.* Acción dañosa para otro que alguien ejecuta sin ánimo de hacer el mal, o de la que siendo ajena debe alguien responder por algún motivo.

cuaternario, ria *adj.* **1.** Que consta de cuatro unidades, números o elementos. **2.** Se dice del terreno actual en el que aparecen los primeros vestigios de la especie humana. También s. m.

cuatí *s. m., Arg. y Col.* Mamífero plantígrado carnívoro, de cabeza alargada con un hocico estrecho y prolongado. Tiene uñas fuertes y encorvadas que le sirven para trepar a los árboles.

cuatrero, ra *adj.* Se dice del ladrón de caballerías. También s. m. y s. f.

cuatriduano, na *adj.* De cuatro días.

cuatrienio *s. m.* Tiempo y espacio de cuatro años.

cuatrimestre *adj.* **1.** Que dura cuatro meses. ‖ *s. m.* **2.** Espacio de cuatro meses.

cuatrimotor *s. m.* Avión provisto de cuatro motores.

cuatrisílabo, ba *adj.* Se dice de la palabra que tiene cuatro sílabas. También s. m. y s. f.

cuatro *adj. num.* Tres y uno.

cuatrocientos, tas *adj. num.* Cuatro veces cien.

cuatrodoblar *v. tr.* Aumentar una cosa al cuádruplo.

cuatropea *s. f.* **1.** Bestia de cuatro pies. **2.** Lugar de venta del ganado.

cuba *s. f.* **1.** Recipiente de madera que sirve para contener agua, vino, aceite u otros líquidos. **2.** *fam.* Persona que bebe mucho.

cubalibre *s. m.* Bebida alcohólica, combinado de un refresco y algún tipo de alcohol.

cubanismo *s. m.* Giro o modo de hablar propio de los cubanos.

cubertería *s. f.* Conjunto de cucharas, tenedores, cuchillos y utensilios semejantes para el servicio de mesa.

cubeta *s. f.* Pequeña cuba que usan los aguadores.

cubicación *s. f.* Acción y efecto de cubicar.

cubicar *v. tr.* Elevar a la tercera potencia a un número polinomio o a un monomio.

cúbico, ca *adj.* Perteneciente al cubo.

cubículo *s. m.* Aposento, alcoba.

cubierta *s. f.* **1.** Lo que se pone encima de alguna cosa para taparla. **2.** Cada uno de los suelos en que se dividen las estancias del navío. **3.** Forro de papel del libro en rústica.

cubierto *s. m.* **1.** Servicio de mesa que se pone a cada uno de los comensales. **2.** Juego compuesto de cuchara, tenedor y cuchillo. **3.** Comida que se da en las fondas a una persona.

cubil *s. m.* **1.** Sitio donde los animales se recogen para dormir. **2.** Cauce de las aguas corrientes.

cubilete *s. m.* Vaso de cobre más ancho por la boca que por la base.

cubismo *s. m.* Escuela de pintores y escultores que en sus composiciones usan preferentemente formas cúbicas o angulares. Se caracteriza por el empleo e imitación de triángulos, cubos, etc., y otros sólidos.

cubista *adj.* Se dice del artista que practica el cubismo.

cubital *adj.* Que pertenece al codo.

cúbito *s. m.* El hueso más largo y grueso de los dos que forman el antebrazo.

cubo *s. m.* **1.** Vaso con asa de madera, metal u otra sustancia. **2.** Tercera potencia de un número, monomio o polinomio. **3.** Sólido regular limitado por seis cuadrados iguales.

cubrecama *s. f.* Colcha.

cubrir *v. tr.* **1.** Ocultar y tapar una cosa con otra. También prnl. **2.** Proteger la acción ofensiva o defensiva de alguien.

cucamonas *s. f. pl., fam.* Carantoñas.

cucaña *s. f.* Palo largo, untado de jabón o de grasa, por el que se ha de trepar para coger como premio un objeto colocado en su extremidad.

cucaracha *s. f.* **1.** Cochinilla, crustáceo terrestre. **2.** Insecto de color negro por encima y rojizo por debajo.

cuchara *s. f.* Instrumento en forma de palita con que se llevan a la boca los líquidos, las cosas blandas o menudas.

cucharada *s. f.* Porción que cabe en una cuchara.

cucharón *s. m.* Cacillo para servir en la mesa algunos manjares.

cuchichear *v. intr.* Hablar en voz baja o al oído a alguien.

cuchicheo *s. m.* Acción de cuchichear.

cuchichiar *v. intr.* Cantar la perdiz.

cuchilla *s. f.* Instrumento compuesto de una hoja muy ancha de hierro acerado, de un solo corte.

cuchillada *s. f.* Golpe de cuchillo, espada u otra arma de corte.

cuchillo *s. m.* Instrumento acerado de una hoja y un solo corte.

cuchipanda *s. f., fam.* Comida que toman varias personas.

cuchitril *s. m.* Cochitril.

cuchufleta *s. f., fam.* Dicho de chanza.

cuclillas, en *loc. adv.* con que se explica la postura o acción de doblar el cuerpo hasta que las asentaderas lleguen al suelo, o descansen en los calcañares.

cuclillo *s. m.* Ave trepadora.

cuco, ca *adj.* **1.** *fam.* Pulido, mono. **2.** *fam.* Taimado y astuto. **3.** *fig. y fam.* Cuclillo, ave trepadora.

cucú *s. m.* Canto del cuclillo.

cucúrbita *s. f.* Retorta, vasija de cuello largo y encorvado.

cucurbitáceo, a *adj.* Se aplica a plantas dicotiledóneas cuyo tallo es sarmentoso, con pelo áspero, hojas sencillas, flores unisexuales, con cinco sépalos y cinco estambres, fruto carnoso y semilla sin albumen; como la calabaza, el melón, etc.

cucurucho *s. m.* Papel arrollado en forma cónica.

cucuy *s. m.* Cucuyo.

cucuyo *s. m.* Cocuyo.

cuélebre *s. m., Ast.* Dragón, animal fabuloso.

cuelga *s. f.* **1.** Acción y efecto de colgar frutos u otros comestibles para su conservación. **2.** *fam.* Regalo que en el día de su cumpleaños se da a alguien.

cuellicorto, ta *adj.* Que tiene el cuello corto.

cuellilargo, ga *adj.* Se dice del que tiene el cuello largo.

cuello *s. m.* **1.** Parte del cuerpo que une la cabeza con el tronco. **2.** Tira de una tela, que se une a la parte superior de los vestidos.

cuelmo *s. m.* Tea resinosa para alumbrar.

cuenca *s. f.* **1.** Escudilla de madera. **2.** Cavidad en que está cada uno de los ojos. **3.** Territorio cuyas aguas afluyen todas al mismo río, lago o mar.

cuenco *s. m.* Vaso de barro, hondo y ancho, y sin borde.

cuenta *s. f.* **1.** Acción de contar. **2.** Cálculo u operación aritmética. **3.** Razón, satisfacción de alguna cosa. **4.** Cálculo, cómputo.

cuentagotas *s. m.* Utensilio que sirve para contar un líquido gota a gota.

cuentahílos *s. m.* Útil para contar en un tejido la cantidad de hilos que tiene.

cuentakilómetros *s. m.* Contador que registra las revoluciones de las ruedas de un vehículo e indica de este modo los kilómetros recorridos.

cuentapasos *s. m.* Podómetro.

cuentarrevoluciones *s. m.* Dispositivo que cuenta las revoluciones de un motor.

cuentero, ra *adj.* Cuentista, chismoso. También s. m. y s. f.

cuentista Enfermedad o indisposición fingida para eludir un trabajo.

cuentitis *s. f., fam.* Chismoso.

cuento *s. m.* **1.** Relación de un suceso, de una cosa falsa o de pura invención. **2.** Fábula. **3.** Cómputo. **4.** Chisme.

cuerda *s. f.* **1.** Conjunto de hilos que torcidos forman un solo cuerpo grueso y largo. **2.** Línea recta tirada de la parte de un arco a la otra.

cuerdo, da *adj.* **1.** Se dice del que está en su juicio. **2.** Prudente.

cuerna *s. f.* Vaso rústico hecho de cuerno de res vacuna, quitada la parte maciza y tapado en el fondo con un taco de madera.

cuérnago *s. m.* Cauce, lecho de un río.

cuerno *s. m.* **1.** Prolongación ósea que tienen algunos animales en la región frontal. **2.** Antena de los animales articulados.

cuero *s. m.* **1.** Pellejo que cubre la carne de los animales. **2.** Odre.

cuerpo *s. m.* **1.** Lo que tiene extensión limitada y produce impresión en nuestros sentidos por calidades que le son propias. **2.** En el ser humano y en los animales, materia orgánica que constituye sus diferentes partes.

cuervo *s. m.* Pájaro carnívoro, de plumaje negro con visos pavonados.

cuesco *s. m.* **1.** Hueso de la fruta. **2.** *fam.* Pedo ruidoso.

cuesta *s. f.* Terreno en pendiente.

cuestación *s. f.* Petición de limosnas para un objeto piadoso o benéfico.

cuestión *s. f.* **1.** Pregunta que se hace para averiguar la verdad de algo. **2.** Gresca, riña. **3.** Materia de discusión. **4.** Problema.

cuestionable *adj.* Dudoso, problemático y que se puede controvertir.

cuestionar *v. tr.* Controvertir algo dudoso.

cuestionario *s. m.* Libro o serie de preguntas.

cuesto *s. m.* Cerro, monte de poca altura.

cuestor *s. m.* Magistrado romano.

cueto *s. m.* Sitio alto y defendido.

cueva *s. f.* Cavidad natural o artificial más o menos extensa y subterránea.

cuévano *s. m.* Cesto grande y hondo, tejido de mimbre, un poco más ancho de arriba que de abajo.

cuezo *s. m.* Artesilla en que se amasa el yeso.

cúfico, ca *adj.* Se aplica a ciertos caracteres empleados en la escritura arábiga.

cuidado *s. m.* **1.** Solicitud y atención para hacer bien alguna cosa. **2.** Dependencia o negocio que está a cargo de alguien. **3.** Recelo, sobresalto, temor.

cuidadoso, sa adj. **1.** Solícito y diligente en la ejecución de algo. **2.** Atento, vigilante.

cuidar v. tr. **1.** Poner diligencia, atención y solicitud en la ejecución de alguna cosa. **2.** Asistir, guardar, conservar algo. ‖ v. prnl. **3.** Mirar y cuidar por su salud.

cuita s. f. Trabajo, aflicción, desventura.

cuitado, da adj. Afligido, desventurado.

cuja s. f. Bolsa de cuero asida a la silla del caballo, para meter el cuento de la lanza.

culada s. f. Golpe dado con las asentaderas.

culantro s. m. Cilantro.

culata s. f. Parte posterior de la caja de la escopeta, pistola o fusil.

culebra s. f. Reptil sin pies, de cuerpo cilíndrico y muy largo respecto al de su grueso.

culebrear v. intr. Andar formando eses.

culebreo s. m. Acción de culebrear.

culebrina s. f. Pieza antigua de artillería, larga y de poco calibre.

culebrón s. m., fig. Serie de televisión compuesta por muchos capítulos.

culera s. f. Especie de bolsa de lienzo que se pone a los niños en la parte posterior para su limpieza.

culinario, ria adj. Relativo a la cocina.

culmen s. m. Punto más elevado de algo.

culminación s. f. Acción de culminar.

culminante adj. **1.** Se aplica a lo más elevado de un monte, edificio, etc. **2.** fig. Superior, principal.

culminar v. intr. **1.** Llegar una cosa a la posición mas elevada que puede tener. **2.** Pasar un astro por el meridiano superior al observador. ‖ v. tr. **3.** Dar fin o cima a una tarea.

culo s. m. **1.** Parte posterior o asentaderas. **2.** Ancas del animal. **3.** Ano.

culombio s. m. Unidad de masa eléctrica, cantidad de electricidad transportada por una corriente de un amperio en un segundo.

culón, na adj. Que tiene muy abultadas las posaderas.

culpa s. f. Falta cometida a sabiendas y voluntariamente.

culpabilidad s. f. Calidad de culpable.

culpabilizar v. tr. Culpar.

culpable adj. **1.** Se aplica a aquel a quien se puede echar la culpa. También com. **2.** Se aplica también a la persona, acciones o cosas culpables.

culpación s. f. Acción de culpar o culparse.

culpado, da adj. Se dice de aquel que ha cometido una culpa. También s. m. y s. f.

culpar v. tr. Atribuir la culpa. También prnl.

cultipicaño adj., fam. Culto, en el mal sentido de esta palabra, y picaresco juntamente.

cultismo s. m. Palabra culta o erudita.

cultivador, ra adj. Se dice del que cultiva. También s. m. y s. f.

cultivar v. tr. **1.** Dar a la tierra y a las plantas para que fructifiquen las labores necesarias. **2.** Hablando de la amistad, trato, etc., poner los medios para mantenerlos.

cultivo s. m. Acción de cultivar.

culto, ta adj. **1.** Se dice de las tierras y plantas cultivadas. **2.** fig. Dotado de las calidades que provienen de la cultura o instrucción. ‖ s. m. **3.** Homenaje que el hombre tributa a Dios.

cultor, ra adj. **1.** Cultivador. También s. m. y s. f. **2.** Se dice del que adora o venera alguna cosa. También s. m. y s. f.

cultura s. f. **1.** Cultivo. **2.** fig. Resultado de cultivar los conocimientos humanos.

cultural adj. Relativo a la cultura.

culturar v. tr. Cultivar la tierra.

cumarú s. m., Amér. C. Árbol gigantesco que tiene madera laborable. Se conoce por su fruto, que es una almendra utilizada en perfumería y de la que se extrae una bebida embriagadora. Pertenece al grupo de las leguminosas.

cumbre s. f. Cima de un monte.

cumiche adj., Amér. C. Se llama así, en una familia, al hijo más joven. También com.

cumínico adj. Se dice del ácido que se obtiene del comino.

cuminol s. m. Aceite esencial que se extrae del comino.

cum laude expr. lat. Máxima calificación obtenida por una tesis doctoral.

cúmplase s. m. Decreto que, para que puedan tomar posesión de su destino, se coloca en el título de los funcionarios públicos.

cumpleaños s. m. Aniversario del nacimiento de una persona.

cumplido s. m. Muestra de cortesía.

cumplimentar v. tr. **1.** Dar parabién a alguien. **2.** Poner en ejecución los despachos u órdenes superiores.

cumplimiento s. m. Acción y efecto de cumplir o cumplirse.

cumplir v. tr. **1.** Ejecutar, llevar a efecto. **2.** Dicho de la edad, llegar a tener aquella que se indica. ‖ v. intr. **3.** Hacer alguien aquello que debe o está obligado. **4.** Ser el tiempo o día que termina la obligación, empeño o plazo. ‖ v. prnl. **5.** Verificarse, realizarse.

cumular v. tr. Acumular.

cúmulo s. m. **1.** Montón, conjunto de cosas. **2.** fig. Conjunto de nubes que tienen apariencia de montañas nevadas.

cuna s. f. **1.** Camita para niños. **2.** Patria o lugar de nacimiento de alguien. **3.** fig. Estirpe, linaje. **4.** fig. Origen de una cosa.

cunar v. tr. Cunear.

cundir v. intr. **1.** Extenderse hacia todas partes una cosa. **2.** Propagarse una cosa con rapidez. **3.** Dar mucho de sí una cosa.

cunear v. tr. Mecer la cuna.

cuneiforme adj. Se dice del cuerpo en figura de cuña. Se aplica con más frecuencia a ciertos caracteres de forma de cuña o de clavo que algunos pueblos de Asia usaron en la escritura.

cúneo s. m. Cada uno de los espacios que está comprendido entre dos vomitorios de los antiguos teatros o anfiteatros.

cuneta s. f. Zanja en cada uno de los lados de un camino.

cunicular adj. Se dice de los mamíferos roedores que, a semejanza del conejo, viven en madrigueras construidas por ellos mismos.

cunicultura s. f. Arte de criar conejos para aprovecharse de su carne y de sus productos.

cuña s. f. Pieza de madera o metal terminada en ángulo diedro muy agudo, que se emplea para dividir cuerpos sólidos.

cuñado, da s. m. y s. f. Hermano o hermana del marido respecto a la mujer, y de la mujer respecto al marido.

cuñete s. m. Barril pequeño para vinos y líquidos.

cuño s. m. **1.** Troquel con que se sellan las monedas, medallas y otras cosas análogas. **2.** Impresión o señal que deja.

cuodlibeto s. m. Discusión sobre un punto científico elegido al arbitrio del autor.

cuórum s. m. **1.** Número mínimo de votos necesarios para que una asamblea pueda tomar ciertos acuerdos. **2.** Número de personas que deben estar presentes para que puedan tener lugar ciertas asambleas o reuniones.

cuota s. f. **1.** Parte o porción fija y determinada. **2.** Cantidad que se designa a cada contribuyente en la lista cobratoria.

cuotidiano, na adj. Cotidiano, a diario.

cupé s. m. Berlina, coche.

cuplé s. m. Copla, canción, tonadilla.

cupletista s. f. Cantante, tonadillera.

cupo s. m. Cuota, parte asignada.

cupón s. m. Cada una de las partes de un documento de la deuda pública o de una sociedad individual, que periódicamente se van cortando para presentarlas al cobro de los intereses vencidos.

cupresino, na adj. **1.** poét. Que pertenece al ciprés. **2.** De madera de ciprés.

cúprico, ca adj. De cobre o relativo a él.

cuprífero, ra adj. Se dice de los cuerpos que contienen cobre.

cúpula s. f. Bóveda en forma de una media esfera, con la que suele cubrirse parte de un edificio o todo él.

cupulino s. m. Cuerpo superior, a veces en forma de linterna, que se añade a la cúpula o media naranja.

cura s. m. **1.** Sacerdote. ‖ s. f. **2.** Curación.

curación s. f. Acción o efecto de curar.

curadillo s. m. Bacalao.

curado, da adj., fig. Endurecido, seco, fortalecido.

curagua s. f., Amér. del S. Maíz de grano muy duro y hojas dentadas.

curandero, ra s. m. y s. f. Persona que sin ser médico se dedica a curar.

curar v. intr. **1.** Sanar. También prnl. ‖ v. tr. **2.** Aplicar al enfermo los remedios necesarios. **3.** Preparar las carnes y pescados para que se conserven. ‖ v. intr. **4.** Con la preposición de, cuidar, poner cuidado. También prnl.

curare s. m. Sustancia negra y resinosa que es muy amarga. Los indígenas de América Meridional la extraen de la raíz del maracure después de añadirle jugos mucilaginosos. La emplean para emponzoñar sus armas de caza y pesca, y de guerra. Sus contravenenos son el cloro y el bromo.

curasao s. m. Licor fabricado de corteza de naranja y otros ingredientes.

curativo, va adj. Se dice de lo que sirve para curar.

curato s. m. **1.** Cargo espiritual del cura de almas. **2.** Parroquia.

cúrcuma s. f. Rizoma que se parece al jengibre, huele como él y es algo amargo.

cureña s. f. Armazón en la cual se monta el cañón de artillería.

curia s. f. **1.** Tribunal en el que se tratan los negocios contenciosos. **2.** Conjunto de abogados, procuradores y empleados en la administración de justicia.

curiosear v. intr. **1.** Ocuparse de lo que otros hacen o dicen. **2.** Fisgonear.

curiosidad s. f. **1.** Deseo de averiguar o saber alguna cosa. **2.** Aseo, limpieza.

curioso, sa adj. **1.** Que tiene curiosidad. **2.** Limpio y aseado. **3.** Interesante.

currículo s. m. **1.** Plan de estudios. **2.** Estudios y prácticas para que el alumno desarrolle sus competencias.

currículum vítae s. m. Relación de los títulos, cargos, trabajos realizados, datos biográficos, etc. que califican a una persona.

curro, rra adj., fam. Majo, guapo.

curruca *s. f.* Pájaro canoro, de plumaje pardo por encima y blanco por debajo.

currutaco, ca *adj., fam.* Muy afectado en el uso riguroso de las modas. También s. m. y s. f.

cursado, da *adj.* Se dice del que está versado en alguna cosa.

cursar *v. tr.* **1.** Estudiar una materia en una universidad, colegio, etc. **2.** Dar curso a una solicitud, instancia, etc.

cursi *adj., fam.* Que, sin serlo, presume de fino y elegante.

cursilada *s. f.* Acción propia del cursi.

cursilería *s. f.* **1.** Calidad de cursi. **2.** Acto o cosa cursi.

cursillo *s. m.* **1.** Curso de poca duración para completar la preparación. **2.** Serie de conferencias acerca de una materia.

cursivo, va *adj.* Se dice del carácter y de la letra de mano que se liga mucho para escribir de prisa. También s. f.

curso *s. m.* **1.** Dirección o carrera. **2.** Tiempo señalado en cada año para asistir a oír las lecciones en las universidades o escuelas públicas. **3.** Serie de informes, consultas, etc., que precede a la resolución de un expediente.

cursor *s. m.* Pieza pequeña que en algunos aparatos se desliza sobre otra mayor.

curtido *s. m.* **1.** Cuero curtido. Se usa más en pl. **2.** Corteza de ciertos árboles.

curtidor, ra *s. m. y s. f.* Persona que tiene por oficio curtir las pieles.

curtiembre *s. f., Arg., Col. y Chil.* Tenería.

curtir *v. tr.* **1.** Adobar, aderezar las pieles. **2.** *fig.* Tostar el sol el cutis de las personas que andan a la intemperie. **3.** *fig.* Acostumbrar a alguien a la vida dura y a las inclemencias del tiempo. También prnl.

curuguá *s. m., Amér. del S. y Arg.* Enredadera de unos 30 cm de largo, que da un fruto amarillo y negro semejante al de la calabaza. Su cáscara sirve de vasija y comunica a los objetos que en ella se ponen su agradable olor.

curuja *s. f.* Lechuza.

curul *adj.* Se aplica al edil patricio y a la silla en que se sentaba.

curva *s. f.* Línea curva.

curvar *v. tr.* Combar, encorvar.

curvatura *s. f.* Desvío de la dirección recta.

curvidad *s. f.* Curvatura.

curvilíneo, a *adj.* **1.** Compuesto de líneas curvas. **2.** Que se dirige en línea curva.

curvímetro *s. m.* Instrumento que sirve para medir las líneas de un plano.

curvo, va *adj.* Se dice del que se aparta de la dirección recta sin formar ángulos. También s. m. y s. f.

cuscurro *s. m.* Parte de la barra de pan que corresponde a los extremos.

cuscuta *s. f.* Planta parásita convolvulácea, sin hojas y de flores sonrosadas.

cusir *v. tr., fam.* Corcusir.

cúspide *s. f.* **1.** Cumbre puntiaguda de los montes. **2.** Remate de alguna cosa que termina en punta en la parte superior.

custodia *s. f.* Acción y efecto de custodiar.

custodiar *v. tr.* Guardar con cuidado.

custodio *s. m.* Persona que tiene encomendada la custodia de algo o alguien.

cutáneo, a *adj.* Perteneciente al cutis.

cutí *s. m.* Tela de lienzo rayado o con otros dibujos.

cutícula *s. f.* **1.** Película, piel delgada y delicada. **2.** Epidermis.

cuticular *adj.* Relativo a la cutícula.

cutir *v. tr.* Golpear una cosa con otra.

cutis *s. m.* Piel que cubre el rostro.

cutral *adj.* Se dice del buey cansado y viejo, y de la vaca que ha dejado de parir, que se destinan ordinariamente a la carnicería. También com.

cutre *adj.* Tacaño, miserable

cuy *s. m., Amér. del S.* Conejillo de Indias.

cuyo, ya *pron. rel.* **Denota valor posesivo.** Concierta con la persona o cosa poseída, no con el poseedor.

cuzcuz *s. m.* Alcuzcuz.

cuzma *s. f., Ec. y Per.* Sayo que no tiene mangas, de lana, que cubre hasta los muslos. Se usa en algunas partes de América.

cyclo-cross *s. m.* Modalidad ciclista en la que se corre por un terreno accidentado.

d *s. f.* **1.** Cuarta letra del abecedario español y tercera de sus consonantes. **2.** Sexta letra de la numeración romana, que tiene el valor de quinientos.

dable *adj.* Hacedero, posible.

daca *contracc.* Da, o dame, acá.

da capo *loc. adv.* Indica que debe volverse al principio cuando se llega a cierta parte de la partitura que se ejecuta.

dación *s. f.* Entrega efectiva de una cosa.

dactilado, da *adj.* Que tiene figura semejante a la de un dedo.

dactilar *adj.* Perteneciente o relativo a los dedos.

dactiliforme *adj.* De forma de palmera.

dactiliología *s. f.* Parte de la arqueología que estudia los anillos y piedras preciosas grabados.

dáctilo *s. m.* Pie de la métrica española formado por una sílaba tónica y dos átonas. También adj.

dactilografía *s. f.* Mecanografía.

dactilología *s. f.* Arte de comunicarse mediante los dedos y las distintas posiciones de las manos, utilizado generalmente por los sordomudos.

dactiloscopia *s. f.* Sistema de identificación mediante el estudio de las impresiones digitales.

dádiva *s. f.* Cosa que se da gratuitamente.

dadivosidad *s. f.* Calidad de dadivoso.

dadivoso, sa *adj.* Se dice de la persona propensa a hacer dádivas. También s. m. y s. f.

dado *s. m.* Pieza cúbica en cuyas caras hay señalados puntos desde uno hasta seis.

dador *s. m.* Librador de una letra de cambio.

daga[1] *s. f.* Arma blanca de hoja parecida a la espada, pero mucho más corta.

daga[2] *s. f.* Cada una de las tongas de ladrillo que se cuecen a la vez en el horno.

daguerrotipar *v. tr.* Fijar las imágenes por medio del daguerrotipo, arte fotográfico.

daguerrotipia *s. f.* Daguerrotipo.

daguerrotipo *s. m.* Arte de fijar en chapas metálicas las imágenes formadas en la cámara oscura.

dajao *s. m., Cub. y P. Ric.* Pez de río de carne apreciada.

dala *s. f.* Canal de tablas por donde salía al mar el agua que achicaba la bomba.

dalia *s. f.* Planta compuesta anual de jardín, de flores de botón central amarillo y corola grande, con muchos pétalos de variada coloración.

dallar *v. tr.* Segar la hierba con el dalle.

dalle *s. f.* Guadaña.

dálmata *adj.* Se dice de una raza de perros de pelo corto y color blanco con pequeñas manchas negras. También s. m.

dalmática *s. f.* Vestidura sagrada que se pone encima del alba.

daltónico, ca *adj.* Se dice de la persona que padece de daltonismo. También s. m. y s. f.

daltonismo *s. m.* Defecto de la vista que consiste en no percibir determinados colores o confundir alguno de los que se perciben.

dama *s. f.* **1.** Mujer noble o distinguida. **2.** Cada una de las señoras que acompañaban y servían a la reina o a las princesas.

damajuana *s. f.* Vasija de vidrio o barro cocido, de cuello corto y protegida por un revestimiento de mimbre o paja.

damasco *s. m.* Tela fuerte de seda o lana y con dibujos formados con el tejido.

damasquinado *s. m.* Incrustación de metales finos sobre hierro o acero.

damasquinar *v. tr.* Hacer labores de ataujía en armas y otros objetos de hierro y acero.

damisela *s. f.* Joven bonita, alegre y que presume de dama.

damnificar *v. tr.* Causar daño a alguna persona o cosa.

dandi *s. m.* Hombre muy elegante que se distingue por su excesivo refinamiento.

dandismo *s. m.* Calidad de dandi.

dandy *s. m.* Dandi.

danta *s. f.* Anta.

dante *s. m.* Ante.

dantesco, ca *adj.* Se aplica a las cosas o situaciones que causan terror.

danto *s. m., Amér. C.* Pájaro de plumaje negro azulado y pecho rojizo sin plumas, que vive en las selvas oscuras.

danza *s. f.* Baile.

danzante *com.* Persona que danza en actuaciones y bailes públicos.

danzar *v. tr.* Bailar.

danzarín, na *s. m. y s. f.* Persona que danza con destreza.

danzón *s. m.* Baile cubano, parecido a la habanera.

dañar *v. tr.* **1.** Causar determinado perjuicio, dolor, etc. También prnl. **2.** Maltratar o echar a perder una cosa. También prnl.

dañino, na *adj.* Que daña o hace perjuicio. Se dice generalmente de algunos animales.

daño *s. m.* Efecto de dañar o dañarse.

dar *v. tr.* **1.** Donar. **2.** Entregar. **3.** Conceder, otorgar. También intr.

dardo *s. m.* **1.** Arma arrojadiza, semejante a una lanza pequeña y delgada, que se tira con la mano. **2.** Dicho satírico o agresivo.

dársena *s. f.* Parte resguardada artificialmente, en aguas navegables, dispuesta para la carga y descarga.

dasocracia *s. f.* Parte de la dasonomía que trata de la ordenación de los montes, a fin de obtener la mayor renta anual y constante.

dasonomía *s. f.* Ciencia que trata de la cría, conservación, cultivo y aprovechamiento de los montes.

data *s. f.* En un escrito, inscripción, etc., indicación del lugar y tiempo en que se ha escrito.

datar *v. tr.* Poner la data.

dátil *s. m.* Fruto comestible de la palmera, de carne blanquecina y hueso muy duro.

datismo *s. m.* Empleo injustificado de vocablos sinónimos.

dativo *s. m.* Caso de la declinación gramatical en que se pone la palabra que desempeña la función de objeto indirecto.

dato *s. m.* **1.** Antecedente necesario para llegar al conocimiento de una cosa. **2.** Documento, testimonio. **3.** Unidad funcional de información.

daturina *s. f.* Alcaloide extraído del estramonio, y que constituye el principio activo de esta planta.

dauco *s. m.* Zanahoria silvestre.

daza *s. f.* Zahína, planta de la familia de las gramíneas.

de *prep.* **1.** Indica posesión o pertenencia. **2.** Manifiesta el origen o la procedencia de las cosas o de las personas. **3.** Expresa la naturaleza, condición o cualidad de personas o cosas.

dea *s. f., poét.* Diosa.

deambular *v. intr.* Andar sin dirección determinada, pasear.

deán *s. m.* Hombre que preside, después del prelado, el cabildo de una catedral.

deanato *s. m.* Dignidad de deán.

debajo *adv. l.* En lugar o puesto inferior.

debate *s. m.* Acción de debatir.

debatir *v. tr.* **1.** Altercar, discutir, contender. **2.** Combatir, guerrear.

debe *s. m.* Una de las dos partes en que se dividen las cuentas corrientes, en la que aparecen las cantidades que se cargan al titular de la cuenta.

debelación *s. f.* Acción y efecto de debelar.

debelar *v. tr.* Rendir a fuerza de armas al enemigo.

deber[1] *s. m.* Aquello a que está obligado el ser humano por los preceptos religiosos o por las leyes naturales o positivas.

deber[2] *v. tr.* Estar obligado a algo por la ley divina, natural o positiva. También prnl.

débil *adj.* De poco vigor o de poca fuerza.

debilidad *s. f.* Falta de fuerza física o moral.

debilitamiento *s. m.* Acción y efecto de debilitar o debilitarse.

debilitar *v. tr.* Disminuir la fuerza, el vigor o el poder de alguien o algo. También prnl.

débito *s. m.* Deuda.

debó *s. m.* Instrumento para adobar las pieles.

debocar *v. intr., Arg. y Bol.* Vomitar. También tr.

debut *s. m.* Estreno, primera actuación en público de un artista, compañía, etc.

debutar *v. intr.* Presentarse un artista, compañía, etc. por primera vez ante el público.

década *s. f.* **1.** Serie de diez. **2.** Periodo de diez días. **3.** Periodo de diez años.

decadencia *s. f.* Declinación, menoscabo, principio de debilidad o de ruina.

decadente *adj.* **1.** Decaído. **2.** Se dice del partidario del decadentismo. También com.

decadentismo s. m. Estilo literario europeo de finales del s. XIX, que se caracterizó por un refinamiento exagerado del lenguaje y los ambientes en crisis.

decaedro s. m. Sólido de diez caras.

decaer v. intr. Ir a menos, perder una persona o cosa alguna parte de las condiciones o propiedades que constituían su fuerza, bondad, importancia o valor.

decágono s. m. Polígono de diez lados.

decagramo s. m. Peso de diez gramos.

decaído, da adj. Abatido, débil.

decaimiento s. m. Abatimiento.

decalitro s. m. Medida de capacidad de diez litros.

decálogo s. m. Listado de diez leyes o preceptos.

decalvación s. f. Acción y efecto de decalvar.

decalvar v. tr. Rasurar a una persona todo el cabello.

decámetro s. m. Medida de longitud que tiene diez metros.

decampar v. intr. Levantar el campo un ejército.

decanato s. m. Dignidad de decano y despacho que ocupa oficialmente.

decanía s. f. Finca o iglesia rural propiedad de un monasterio.

decano, na s. m. y s. f. Miembro más antiguo de una comunidad, cuerpo, junta, etc.

decantación s. f. Acción y efecto de decantar o inclinar.

decantar[1] v. tr. Propalar, ponderar.

decantar[2] v. tr. Inclinar una vasija sobre otra, para que caiga el líquido contenido en la primera sin que salga el poso.

decapitación s. f. Acción y efecto de decapitar.

decapitar v. tr. Cortar la cabeza.

decápodo, da adj. Se dice de los crustáceos que tienen diez patas.

decárea s. f. Medida de superficie que contiene diez áreas.

decasílabo, ba adj. De diez sílabas.

decena s. f. Conjunto de diez unidades.

decenal adj. **1.** Que se repite cada decenio. **2.** Que dura un decenio.

decenario, ria adj. Perteneciente o relativo al número diez.

decencia s. f. **1.** Aseo de una persona o cosa. **2.** Recato, honestidad, modestia.

decenio s. m. Periodo de diez años.

deceno, na adj. Décimo, que ocupa el último lugar en una serie ordenada de diez.

decentar v. tr. Empezar a cortar o gastar alguna cosa, generalmente un alimento.

decente adj. **1.** Honesto. **2.** Ordenado, limpio.

decenviro s. m. En la Roma antigua, cada uno de los miembros de una comisión de diez personas.

decepción s. f. Engaño.

decepcionar v. tr. Desilusionar, desengañar.

dechado s. m. Ejemplar, muestra que se tiene presente para imitar.

deciárea s. f. Medida de superficie, equivalente a la décima parte de un área.

decibelio s. m. Unidad práctica de medida de la intensidad del sonido.

decidido, da adj. Resuelto, audaz.

decidir v. tr. **1.** Cortar la dificultad, formar juicio definitivo sobre algún asunto dudoso. **2.** Resolver. También prnl.

decigramo s. m. Peso equivalente a la décima parte de un gramo.

decilitro s. m. Medida de capacidad que equivale a la décima parte de un litro.

décima s. f. Cada una de las diez partes iguales en que se divide un todo.

decimal adj. **1.** Se aplica a cada una de las diez partes iguales en que se divide un todo. **2.** Se dice del sistema de numeración cuya base es diez.

decímetro s. m. Medida de longitud equivalente a la décima parte de un metro.

décimo, ma adj. num. **1.** Que ocupa el último lugar en una serie ordenada de diez. También pron. ‖ s. m. **2.** Décima parte del billete de lotería.

decimonónico, ca adj. **1.** Perteneciente o relativo al s. XIX. **2.** desp. Pasado de moda.

decir v. tr. **1.** Manifestar con palabras lo que se piensa o siente. **2.** Asegurar, sostener.

decisión s. f. Determinación, resolución adoptada en una cosa dudosa.

decisivo, va adj. Que decide o resuelve.

decisorio, ria adj. Decisivo.

declamación s. f. Acción o arte de declamar.

declamar v. intr. Hablar o recitar con la entonación debida y los ademanes convenientes. También intr.

declamatorio, ria adj. **1.** Que puede ser declamado. **2.** Se aplica al estilo o tono enfático y exagerado.

declaración s. f. Acción y efecto de declarar o declararse.

declarante com. Persona que declara ante el juez.

declarar v. tr. **1.** Dar a conoce lo que está oculto. **2.** Manifestar los testigos o el reo ante el juez lo que saben acerca de lo que se les pregunta. También prnl.

declaratorio, ria adj. Que declara o explica lo que no se sabía o estaba dudoso.

declinación s. f. **1.** Caída, descenso o declive. **2.** fig. Decadencia, menoscabo. **3.** fig. En las lenguas flexivas, serie ordenada de los casos gramaticales.

declinar v. intr. **1.** Inclinarse hacia abajo o hacia un lado u otro. **2.** fig. Decaer, menguar. **3.** Poner las palabras declinables en los casos gramaticales.

declinatoria s. f. Petición en que se declina el fuero o no se reconoce por competente al juez ante quien se actúa.

declinatorio *s. m.* Instrumento para señalar la declinación de un plano por medio de la brújula.

declive *s. m.* Pendiente, cuesta o inclinación del terreno o de la superficie de una cosa.

decocción *s. m.* Acción y efecto de cocer en agua sustancias vegetales o animales.

decolorar *v. tr.* Descolorar. También prnl.

decomisar *v. tr.* Declarar que una mercancía ha caído en decomiso.

decomiso *s. m.* **1.** Pena del perdimiento de la cosa, en que incurre quien comercia en géneros prohibidos. **2.** Pérdida de la persona que contraviene un contrato en que se estipuló esta pena. **3.** Cosa decomisada.

decoración *s. f.* **1.** Cosa que decora. **2.** En el teatro, telones, bambalinas y objetos con que se figura el lugar de la escena.

decorado *s. m.* Decoración.

decorador, ra *s. m. y s. f.* Persona que se dedica profesionalmente al arte de la decoración.

decorar *v. tr.* Adornar una cosa o un sitio.

decorativo, va *adj.* Perteneciente o relativo a la decoración o adorno.

decoro *s. m.* **1.** Honor, respeto que se debe a una persona. **2.** Circunspección, gravedad. **3.** Pureza, honestidad, recato.

decoroso, sa *adj.* **1.** Se dice de la persona que tiene decoro. **2.** Se aplica a las cosas en que hay o se manifiesta decoro.

decrecer *v. intr.* Disminuir, menguar.

decremento *s. m.* Disminución.

decrepitar *v. intr.* Crepitar por la acción del fuego.

decrépito, ta *adj.* Se aplica a la edad muy avanzada y a la persona que tiene muy menguadas sus facultades. También s. m. y s. f.

decrepitud *s. f.* Extrema debilitación de las facultades físicas y mentales a causa de la vejez.

decrescendo *adv. m.* Disminuyendo paulatinamente la intensidad del sonido.

decretar *v. tr.* Resolver, ordenar por decreto el jefe del Estado o su Gobierno, o un tribunal o juez.

decreto *s. m.* Decisión o determinación tomada por la autoridad competente.

decretorio *adj.* Se dice del día en que hace crisis una enfermedad.

decúbito *s. m.* Posición que adoptan las personas o los animales cuando se echan en el suelo, en la cama, etc.

decumbente *adj.* Se dice de la persona que yace en cama o la guarda por enfermedad.

decuplar *v. tr.* Decuplicar.

decuplicar *v. tr.* Multiplicar por diez una cantidad.

décuplo, pla *adj. num.* Que contiene un número exactamente diez veces.

decuria *s. f.* En la antigua Roma, grupo civil o político de diez personas.

decurión *s. m.* Jefe de una decuria.

decurrente *adj.* Se aplica a las hojas cuyo limbo se extiende a lo largo del tallo como si estuviesen adheridas a él.

decurso *s. m.* Sucesión del tiempo.

decusado, da *adj.* Decuso.

decuso, sa *adj.* Se dice de las hojas, ramas, etc, opuestas y colocadas en forma de cruz con las de los nudos posteriores y anteriores.

dedal *s. m.* Utensilio pequeño, cilíndrico y hueco, que sirve para proteger la punta del dedo cuando se cose.

dedalera *s. f.* Digital, planta.

dédalo *s. m., fig.* Laberinto, lugar o cosa confusos y enmarañados.

dedicación *s. f.* Acción y efecto de aplicarse intensamente en un trabajo.

dedicar *v. tr.* **1.** Consagrar, destinar algo a un fin. **2.** Consagrar una cosa a personajes eminentes, hechos gloriosos, etc. **3.** Emplear, destinar, aplicar. También prnl.

dedicatoria *s. f.* Carta o nota dirigida a la persona a quien se dedica una obra.

dedil *s. m.* Cada una de las fundas que se ponen en los dedos para que no se lastimen o manchen en ciertos trabajos.

dedo *s. m.* Cada una de las cinco partes en que terminan la mano y el pie del ser humano y de muchos animales.

dedolar *v. tr.* Cortar oblicuamente alguna parte del cuerpo.

deducción *s. f.* **1.** Acción de sacar una cosa de otra. **2.** Forma de razonamiento que consiste en partir de un principio general conocido para llegar a un principio particular desconocido.

deducible *adj.* Que puede ser deducido.

deducir *v. tr.* **1.** Sacar consecuencias de un principio, proposición o supuesto. **2.** Rebajar, restar alguna partida de una cantidad.

deductivo, va *adj.* Que obra o procede por deducción.

defecar *v. tr.* **1.** Quitar las heces o impurezas. ‖ *v. intr.* **2.** Expeler los excrementos.

defección *s. f.* Acción de separarse con deslealtad uno o más individuos de la causa o de la parcialidad a que pertenecían.

defectible *adj.* Se dice de lo que puede faltar.

defectivo, va *adj.* **1.** Defectuoso. **2.** Se dice del verbo cuya conjugación no es completa.

defecto *s. m.* **1.** Carencia o falta de las cualidades propias y naturales de una cosa. **2.** Imperfección natural o moral.

defectuoso, sa *adj.* Imperfecto, falto.

defender v. tr. **1.** Amparar, librar, proteger. También prnl. **2.** Mantener, sostener una cosa contra el dictamen ajeno.

defendido, da adj. Se dice de la persona a quien defiende un abogado.

defenestrar v. tr., fig. Destituir o expulsar a alguien de un cargo, puesto, situación, etc. bruscamente o de improviso.

defensa s. f. Arma, instrumento u otra cosa con que alguien se defiende.

defensión s. f. Resguardo, defensa.

defensiva s. f. Situación o estado de la persona que solo trata de defenderse.

defensor, ra adj. Que defiende o protege. También s. m. y s. f.

defensoría s. f. Ministerio o ejercicio de defensor.

deferencia s. f. Muestra de respeto o de cortesía.

deferente adj. **1.** Que defiere o asiente a la opinión ajena por atención, respeto, etc. **2.** fig. Respetuoso, cortés.

deferir v. intr. Adherirse al dictamen de alguien por respeto o cortesía.

deficiencia s. f. Defecto o imperfección.

deficiente adj. **1.** Falto o incompleto. **2.** Que tiene algún defecto o que no alcanza el nivel considerado normal.

déficit s. m. Cantidad que falta a las ganancias para que se equilibren con los gastos.

deficitario, ria adj. Insuficiente, falto, escaso.

definición s. f. **1.** Proposición que expone con exactitud los caracteres genéricos y diferenciales de algo. **2.** Explicación de cada uno de los vocablos, locuciones, expresiones, etc., que tiene un diccionario. **3.** Nitidez de reproducción de una imagen fotográfica o de televisión.

definido, da adj. Que tiene límites precisos.

definir v. tr. **1.** Fijar con claridad, exactitud y precisión la significación de una palabra o la naturaleza de una persona o cosa. **2.** Decidir, resolver una cosa dudosa.

definitivo, va adj. Que resuelve o concluye.

deflagración s. f. Combustión rápida de ciertas sustancias aplicadas a una llama.

deflagrar v. intr. Arder una sustancia súbitamente con llama y sin explosión.

deflector s. m. Aparato que sirve para comparar la fuerza directriz con otra que orienta a toda aguja inmantada.

deflegmar v. tr. Separar la parte acuosa contenida dentro de los líquidos.

defoliación s. f. Caída prematura de las hojas de los árboles y plantas, producida por enfermedad o influjo atmosférico.

deforestación s. f. Acción y efecto de deforestar.

deforestar v. tr. Destruir el bosque por la actividad humana o por causas naturales.

deformación s. f. Acción y efecto de deformar o deformarse.

deformar v. tr. Alterar la forma natural de una persona o cosa. También prnl.

deforme adj. Desproporcionado o irregular en la forma.

deformidad s. f. Cosa deforme.

defraudar v. tr. **1.** Privar a alguien, con abuso de su confianza o con engaño, de lo que le toca de derecho. **2.** Cometer un fraude.

defuera adv. l. Por la parte exterior.

defunción s. f. Muerte de una persona.

degeneración s. f. **1.** Alteración grave o pérdida de los caracteres funcionales o morfológicos de los tejidos o elementos anatómicos. **2.** Disminución progresiva de las facultades físicas y mentales de una persona. **3.** Pasar de un estado a otro más grave.

degenerado, da adj. Depravado, envilecido. También s. m. y s. f.

degenerar v. intr. **1.** Decaer de las cualidades de su especie, raza o linaje. **2.** Decaer, desdecir de la primera calidad o estado.

deglución s. f. Acción y efecto de deglutir.

deglutir v. intr. Tragar los alimentos.

degolladero s. m. Sitio destinado para degollar las reses.

degolladura s. f. Herida hecha en la garganta.

degollar v. tr. Cortar la garganta o el cuello a una persona o a un animal.

degollina s. f., fam. Matanza.

degradación s. f. Acción y efecto de degradar o degradarse.

degradante adj. Se dice de lo que degrada.

degradar v. tr. **1.** Privar a una persona de sus dignidades, honores, etc. **2.** Humillar, envilecer. También prnl.

degüello s. m. Parte más delgada del dardo o de otra arma o instrumento semejante.

degustación s. f. Acción de degustar.

degustar v. tr. **1.** Probar alimentos o bebidas. **2.** Disfrutar de una sensación agradable.

dehesa s. f. Tierra acotada para pastos.

dehesar v. tr. Adehesar.

dehiscencia s. f. Acción de abrirse naturalmente el pericarpio de un fruto o las anteras de una flor, para dar paso a la semilla o al polen.

dehiscente adj. Se dice del fruto cuyo pericarpio se abre naturalmente para que salga la semilla.

deicida adj. Se dice de los que dieron muerte a Jesucristo o contribuyeron a ella.

deicidio s. m. Crimen del deicida.

deidad s. f. **1.** Ser divino o esencia divina. **2.** Cada uno de los dioses paganos.

deificar v. tr. **1.** Divinizar. **2.** fig. Ensalzar excesivamente.

deífico, ca adj. Perteneciente o relativo a Dios.

deiforme *adj., poét.* Que se parece en la forma a las deidades.

deípara *adj., poét.* Título que se da exclusivamente a la Virgen, por ser madre de Dios.

deísmo *s. m.* Doctrina que afirma la existencia de un Dios personal, autor de la naturaleza, pero sin admitir revelación ni culto externo.

deísta *adj.* Que profesa el deísmo. También com.

deja *s. f.* Parte que queda y sobresale entre dos muescas o cortaduras.

dejación *s. f.* Cesión o abandono.

dejadez *s. f.* Pereza, negligencia, abandono de sí mismo o de sus cosas.

dejado, da *adj.* Flojo y negligente.

dejar *v. tr.* **1.** Soltar una cosa. **2.** Abandonar.

deje *s. m.* Dejo.

dejo *s. m.* Acento, modo particular de hablar de una determinada región.

del *contrac.* de la preposición *de* y el artículo *el*.

delación *s. f.* Acusación, denuncia.

delantal *s. m.* **1.** Prenda de vestir que, atada a la cintura, se usa para cubrir la parte delantera del traje o vestido. **2.** Mandil.

delante *adv. l.* Con prioridad de lugar, en la parte anterior o en sitio detrás del cual está una persona o cosa.

delantera *s. f.* **1.** Parte anterior de una cosa. **2.** Distancia con que uno se adelanta a otro en el camino.

delantero, ra *adj.* **1.** Que está o va delante. ‖ *s. m. y s. f.* **2.** En algunos deportes, persona que juega en la primera línea.

delatar *v. tr.* **1.** Revelar a la autoridad un delito designando el autor. **2.** Descubrir, poner de manifiesto algo que estaba oculto.

delator, ra *adj.* Denunciador, acusador.

delco *s. m.* En los motores de explosión, aparato distribuidor de la corriente de alto voltaje, que hace a esta llegar por turno a cada una de las bujías.

dele *s. m.* Signo con que el corrector indica en las pruebas que se debe efectuar la supresión de una palabra, letra, párrafo, etc.

deleble *adj.* Que puede borrarse fácilmente.

delectación *s. f.* Deleite.

delegación *s. f.* **1.** Cargo y oficina del delegado. **2.** Conjunto o reunión de delegados.

delegado, da *adj.* Se dice de la persona en quien se delega una facultad o jurisdicción.

delegar *v. tr.* Dar una persona a otra la jurisdicción que tiene por su dignidad u oficio, para que haga sus veces.

deleitación *s. f.* Deleite.

deleitar *v. tr.* Producir deleite.

deleite *s. m.* **1.** Placer del ánimo. **2.** Placer sensual.

deleitoso, sa *adj.* Que causa deleite.

deletéreo, a *adj., fig.* Mortífero, venenoso.

deletrear *v. intr.* Pronunciar separadamente las letras de cada sílaba, las sílabas de cada palabra y luego la palabra entera.

deleznable *adj.* **1.** Que se rompe, disgrega o deshace fácilmente. **2.** *fig.* Poco durable, inconsistente. **3.** Despreciable, de poco valor.

delfín *s. m.* Mamífero cetáceo carnívoro, de cabeza voluminosa y hocico prolongado en forma de pico.

delga *s. f.* Cada uno de los segmentos o láminas de cobre, aislados entre sí por segmentos o láminas de mica, que forman el colector de una dinamo. Permite la transformación de la corriente alterna en continua.

delgadez *s. f.* Calidad de delgado.

delgado, da *adj.* **1.** Flaco, de pocas carnes. **2.** Tenue, de poco grosor.

deliberación *s. f.* Acción y efecto de deliberar.

deliberado, da *adj.* Voluntario, intencionado, hecho de propósito.

deliberar *v. intr.* **1.** Examinar atentamente el pro y el contra de algo. ‖ *v. tr.* **2.** Resolver una cosa con premeditación.

delicadez *s. f.* **1.** Debilidad, flaqueza, falta de vigor o robustez. **2.** Nimiedad, escrupulosidad de genio que se ofende por poco.

delicadeza *s. f.* **1.** Finura. **2.** Atención y exquisito miramiento con las personas o las cosas. **3.** Ternura, suavidad.

delicado, da *adj.* **1.** Atento, suave, tierno. **2.** Débil, enfermizo. **3.** Quebradizo.

delicia *s. f.* **1.** Placer muy intenso del ánimo. **2.** Placer sensual muy vivo. **3.** Aquello que causa delicia.

delicioso, sa *adj.* Capaz de causar delicia, muy agradable o ameno.

delictivo, va *adj.* **1.** Perteneciente o relativo al delito. **2.** Que implica delito.

delicuescencia *s. f.* Calidad de delicuescente.

delicuescente *adj.* Que tiene la propiedad de atraer la humedad del aire y liquidarse lentamente.

delimitación *s. f.* Acción y efecto de delimitar.

delimitar *v. tr.* Fijar los límites de algo.

delincuencia *s. f.* Conjunto de delitos, ya en general, ya referidos a un país o época.

delineación *s. f.* Acción y efecto de delimitar.

delineante *com.* Persona que tiene por oficio trazar planos.

delinear *v. tr.* Trazar las líneas de una figura.

delinquimiento *s. m.* Acción y efecto de delinquir.

delinquir *v. intr.* Quebrantar una ley.

deliquio *s. m.* Desmayo, desfallecimiento.

delirar *v. intr.* Tener perturbada la razón por una enfermedad o pasión violenta.

delirio s. m. Perturbación mental originada por una enfermedad o una pasión.

delírium trémens s. m. Delirio ocasionado por el alcoholismo crónico.

delitescencia s. f. Desaparición, más o menos rápida, de una afección local.

delito s. m. **1.** Culpa, crimen, quebrantamiento de la ley. **2.** Acción u omisión antijurídica imputable y culpable, sancionada por la ley con pena grave.

delta s. f. Terreno de forma triangular que se forma en la desembocadura de ciertos ríos.

deltoides adj. Se dice del músculo triangular situado en la cara superior del hombro, que sirve para levantar el brazo.

deludir v. tr. Engañar, burlar.

demacrarse v. prnl. Enflaquecer por causa física o moral.

demagogia s. f., fig. Uso del habla de forma retórica y excesiva con fines propagandísticos, agitadores o engañosos.

demagógico, ca adj. Perteneciente o relativo a la demagogia.

demagogo, ga s. m. y s. f. **1.** Jefe o caudillo de una facción popular. **2.** Persona partidaria de la demagogia.

demanda s. f. **1.** Solicitud, petición. **2.** Pregunta. **3.** Petición que un litigante sustenta en el juicio.

demandado, da s. m. y s. f. Persona a quien se pide algo en juicio.

demandante com. Persona que demanda o pide una cosa en juicio.

demandar v. tr. **1.** Pedir. **2.** Entablar demanda.

demarcación s. f. Terreno demarcado.

demarcar v. tr. Delinear, separar los límites o confines de un país o terreno.

demás adj. Precedido de los artículos lo, la, los, las, equivale a lo otro, la otra, los otros o los restantes, las otras.

demasía s. f. **1.** Exceso. **2.** Atrevimiento. **3.** Maldad, delito.

demasiado, da adj. Que es en demasía o tiene demasía.

demencia s. f. Locura, trastorno de la razón.

demente adj. Loco, falto de juicio.

demérito s. m. Falta de mérito.

demeritorio, ria adj. Que desmerece.

demiurgo s. m. **1.** En la filosofía platónica, Dios creador. **2.** Alma universal, principio activo del mundo, según los gnósticos.

democracia s. f. Sistema político basado en la intervención del pueblo en el gobierno mediante elecciones universales.

demócrata adj. Partidario de la democracia. También com.

democrático, ca adj. Perteneciente o relativo a la democracia.

democratización s. f. Acción y efecto de democratizar.

democratizar v. tr. Hacer demócratas a las personas, o democráticas las cosas. También prnl.

demodular v. intr. Transformar las señales procedentes del modulador en combinaciones numéricas, es decir en bits.

demografía s. f. Parte de la estadística, que trata de los habitantes de un país, según sus profesiones, edades, etc.

demográfico, ca adj. Perteneciente o relativo a la demografía.

demoledor, ra adj. Que demuele. También s. m. y s. f.

demoler v. tr. Deshacer, derribar, arruinar.

demolición s. f. Acción y efecto de demoler.

demoníaco, ca adj. Perteneciente o relativo al demonio.

demonio s. m. Diablo.

demonolatría s. f. Culto al diablo.

demonología s. f. Estudio sobre la naturaleza y cualidades de los demonios.

demontre s. m., fam. Demonio.

demora s. f. Tardanza, dilación.

demorar v. tr. **1.** Retardar. ‖ v. intr. **2.** Detenerse o hacer mansión en una parte.

demostrable adj. Que se puede demostrar.

demostración s. f. **1.** Comprobación, por hechos ciertos o experimentos repetidos, de un principio o de una teoría. **2.** Manifestación externa de sentimientos e intenciones. **3.** Razonamiento que, partiendo de verdades universales y evidentes, hace cierta otra verdad que antes no lo era.

demostrar v. tr. **1.** Probar algo sirviéndose de cualquier género de demostración. **2.** Mostrar alguna cosa con signos inequívocos. **3.** Manifestar algo. **4.** Hacer ver que una verdad particular está comprendida en otra universal cierta y evidente.

demostrativo, va adj. **1.** Que demuestra. **2.** Se dice de los adjetivos y pronombres que sirven para indicar la situación relativa de las personas o cosas.

demótico, ca adj. Se dice de un género de escritura, empleada en Egipto para los contratos y transacciones mercantiles.

demudación s. f. Acción y efecto de demudar o demudarse.

demudar v. tr. **1.** Mudar, variar. **2.** Alterar, disfrazar, desfigurar. ‖ v. prnl. **3.** Cambiarse repentinamente el color, el gesto o la expresión del semblante.

demulcente adj. Emoliente. También s. m.

denario, ria adj. Que se refiere al número diez o lo contiene.

dendriforme adj. De figura de árbol.

dendrita s. f. Nombre dado a las concreciones minerales arborescentes.

dendrografía s. f. Tratado de los árboles.

dendroideo, a adj. Arborescente.

denegación *s. f.* Acción y efecto de denegar.

denegar *v. tr.* No conceder lo que se pide.

denegrecer *v. tr.* Ennegrecer. También prnl.

denegrir *v. tr.* Denegrecer. También prnl.

dengoso, sa *adj.* Melindroso.

dengue *s. m.* **1.** Melindre. **2.** Enfermedad epidémica producida por un virus inoculado por un mosquito.

denigración *s. f.* Acción y efecto de denigrar.

denigrar *v. tr.* **1.** Deslustrar, ofender la opinión o fama de alguien. **2.** Injuriar.

denigrativo, va *adj.* Que denigra.

denodado, da *adj.* Intrépido, esforzado.

denominación *s. f.* Nombre, título o sobrenombre con que se distinguen las personas y las cosas.

denominador *s. m.* En un quebrado, número escrito debajo del numerador y separado de este por una raya horizontal, que expresa las partes iguales en que está dividida la unidad.

denominar *v. tr.* Nombrar, señalar o distinguir con un título particular a algunas personas o cosas.

denominativo, va *adj.* Que implica o denota denominación.

denostar *v. tr.* Injuriar gravemente.

denotación *s. f.* Acción y efecto de denotar.

denotar *v. tr.* Indicar, anunciar, significar.

denotativo, va *adj.* Se dice de lo que denota.

densidad *s. f.* Relación entre la masa y el volumen de un cuerpo.

densificar *v. tr.* Hacer densa una cosa. También prnl.

densimetría *s. f.* Medida de las densidades.

densímetro *s. m.* Areómetro, instrumento para la determinación de densidades.

denso, sa *adj.* **1.** Compacto, que contiene mucha materia en poco espacio. **2.** Oscuro, confuso. **3.** Espeso, engrosado.

dentado, da *adj.* Que tiene dientes o puntas parecidas a ellos.

dentadura *s. f.* Conjunto de dientes, muelas y colmillos de una persona o un animal.

dental *adj.* Perteneciente o relativo a los dientes.

dentar *v. tr.* Formar dientes a una cosa.

dentellada *s. f.* Herida que dejan los dientes en la parte donde muerden.

dentellar *v. intr.* Dar diente con diente, batir los dientes como cuando se tiembla.

dentellear *v. tr.* Mordiscar.

dentera *s. f.* Sensación desagradable que se experimenta en los dientes y encías al comer ciertas cosas, oír ciertos ruidos o tocar determinados cuerpos.

denticina *s. f.* Medicamento que facilita la dentición en los niños.

dentición *s. f.* Tiempo en que se echa la dentadura.

denticulado, da *adj.* Que tiene dentículos.

denticular *adj.* De figura de dientes.

dentículo *s. m.* Cada uno de los adornos de figura de paralelepípedo rectángulo que, formando fila, se colocan en la parte superior del friso del orden jónico y de algunos otros miembros arquitectónicos.

dentífrico, ca *adj.* Se dice de los polvos, pastas, aguas, etc., que se usan para limpiar y mantener sana la dentadura.

dentina *s. f.* Marfil de los dientes.

dentirrostro, tra *adj.* Se dice del pájaro que tiene puntas y escotaduras, a modo de dientes, a los lados del pico. También s. m.

dentista *s. m. y s. f.* Médico odontólogo dedicado a conservar la dentadura y curar sus enfermedades.

dentivano *adj.* Se dice de la caballería que tiene los dientes muy largos, anchos y ralos.

dentro *adv. l. y t.* A o en la parte interior de un espacio o de un periodo de tiempo.

dentudo, da *adj.* Que tiene dientes desproporcionados.

denudación *s. f.* Acción y efecto de denudar o denudarse.

denudar *v. tr.* Desnudar, despojar, en el sentido de quitar lo que en estado natural recubre una cosa. También prnl.

denuedo *s. m.* Brío, esfuerzo, intrepidez.

denuesto *s. m.* Injuria grave.

denuncia *s. f.* Notificación a la autoridad de una violación de la ley. **2.** Documento en que consta dicha notificación.

denunciante *com.* Persona que hace una denuncia ante los tribunales.

denunciar *v. tr.* **1.** Notificar, avisar. **2.** Pronosticar. **3.** *fig.* Delatar.

deodara *adj.* Se aplica a una variedad de cedro.

deontología *s. f.* Ciencia o tratado de los deberes.

deparar *v. tr.* **1.** Suministrar, proporcionar, conceder. **2.** Poner delante, presentar.

departamento *s. m.* **1.** Cada una de las partes en que se divide un territorio, un edificio, etc. **2.** Ministerio o ramo de la administración pública.

departir *v. intr.* Hablar, conversar.

depauperación *s. f.* Acción y efecto de depauperar.

depauperar *v. tr.* **1.** Empobrecer. **2.** Debilitar, extenuar. Se usa más como prnl.

dependencia *s. f.* **1.** Hecho de depender de una persona o cosa. **2.** Oficina pública o privada que depende de otra superior.

depender *v. intr.* Estar subordinado a una persona o cosa.

dependiente, ta *adj.* **1.** Que depende. ‖ *s. m. y s. f.* **2.** Persona que se encarga de atender a los clientes en un establecimiento. U.c. com. la forma s. m.

depilación *s. f.* Acción y efecto de depilar o depilarse.

depilar *v. tr.* Arrancar el pelo o producir su caída por medio de sustancias o medicamentos depilatorios. También prnl.

depilatorio, ria *adj.* Se dice de la untura u otro medio que se emplea para hacer caer el pelo o el vello. También s. m.

deplorable *adj.* Lamentable.

deplorar *v. tr.* Sentir vivamente un deseo.

deponer *v. tr.* **1.** Dejar, apartar de sí. **2.** Bajar o quitar una cosa del lugar en que está. **3.** Privar a una persona de su empleo.

depopulador, ra *adj.* Que hace estragos en campos y poblados.

deportación *s. f.* Acción y efecto de deportar.

deportar *v. tr.* Desterrar a alguien a un lugar determinado.

deporte *s. m.* Recreación, pasatiempo, diversión o ejercicio físico.

deportista *com.* **1.** Persona aficionada a los deportes o entendida en ellos. **2.** Persona que practica algún deporte.

deportivo, va *adj.* Perteneciente o relativo al deporte.

deposición[1] *s. f.* **1.** Exposición y declaración de una cosa. **2.** Privación o degradación de empleo o dignidad.

deposición[2] *s. f.* Evacuación de vientre.

depositar *v. tr.* **1.** Poner bienes o cosas de valor bajo la custodia de una persona o entidad. **2.** Confiar algo a una persona. **3.** Colocar algo en un sitio determinado y por tiempo indefinido.

depositaría *s. f.* Tesorería de una dependencia pública.

depositario, ria *adj.* **1.** Perteneciente o relativo al depósito. ‖ *s. m. y s. f.* **2.** Persona en quien se deposita una cosa.

depósito *s. m.* **1.** Cosa depositada. **2.** Lugar donde se deposita. **3.** Sedimento de un líquido.

depravado, da *adj.* Demasiado viciado en las costumbres. También s. m. y s. f.

depravar *v. tr.* Viciar, adulterar, corromper. También prnl.

deprecación *s. f.* Ruego, súplica, petición.

deprecar *v. tr.* Rogar, pedir, suplicar.

deprecativo, va *adj.* Perteneciente o relativo a la deprecación.

depreciación *s. f.* Disminución del valor o precio de una cosa.

depreciar *v. tr.* Disminuir el precio de una cosa.

depredación *s. f.* **1.** Pillaje, robo con violencia. **2.** Malversación o acción injusta.

depredador, ra *adj.* Que depreda. También s. m. y s. f.

depredar *v. tr.* **1.** Robar, saquear con violencia y destrozo. **2.** Cazar algunos animales a otros para su subsistencia.

depresión *s. f.* **1.** Concavidad en un terreno u otra superficie. **2.** Decaimiento del ánimo o de la voluntad.

depresivo, va *adj.* Que deprime.

deprimente *adj.* Depresivo.

deprimir *v. tr.* **1.** Disminuir el volumen de un cuerpo por la presión. **2.** Hundir alguna parte de un cuerpo. **3.** *fig.* Producir decaimiento del ánimo. También prnl.

depuesto, ta *adj.* Sustituido o rebajado de categoría.

depuración *s. f.* Acción y efecto de depurar o depurarse.

depurador, ra *s. m. y s. f.* Aparato o instalación utilizada para limpiar de impurezas alguna cosa.

depurar *v. tr.* **1.** Limpiar, purificar. También prnl. **2.** Rehabilitar en su cargo al que, por causas políticas, estaba separado o en suspenso.

depurativo, va *adj.* Se dice del medicamento que purifica los humores y principalmente la sangre. También s. m.

derecho, cha *adj.* **1.** Recto, directo, continuo, vertical. **2.** Justo, legítimo, fundado. **3.** Que mira o cae hacia la mano derecha. ‖ *s. m.* **4.** Facultad natural de las personas para hacer aquello que conduce a los fines de su vida. **5.** Sistema de normas imperativas e inexorables, que regulan la conducta humana en toda sociedad civil, para conseguir la armonía de los fines individuales y colectivos.

deriva *s. f.* Desvío de la nave de su verdadero rumbo.

derivación *s. f.* Descendencia, deducción.

derivada *s. f.* Hablando de funciones matemáticas, límite a que tiende la razón entre el incremento de la función y el correspondiente a la variable cuando este último tiende a cero.

derivado, da *adj.* **1.** Se aplica al vocablo que se forma por derivación. **2.** Se dice del producto que se obtiene de otro.

derivar *v. intr.* **1.** Traer su origen de alguna cosa. **2.** Desviarse el buque de su rumbo.

derivativo, va *adj.* Que denota o arguye derivación.

dermalgia *s. f.* Dolor nervioso de la piel.

dermatitis *s. f.* Inflamación de la piel.

dermatoesqueleto *s. m.* Caparazón exterior y duro de muchos animales invertebrados.

dermatología *s. f.* Parte de la medicina que trata de las enfermedades de la piel.

dermatólogo, ga *s. m. y s. f.* Especialista en las enfermedades de la piel.

dermatosis *s. f.* Enfermedad de la piel que se manifiesta por costras, granos, etc.

dermesto *s. m.* Insecto coleóptero que vive en las despensas y lugares donde hay restos de animales.

dérmico, ca *adj.* Perteneciente o relativo a la dermis.

dermis *s. f.* Capa inferior y más gruesa de la piel, situada bajo la epidermis.

derogación *s. f.* **1.** Abolición, anulación. **2.** Disminución, deterioración.

derogar *v. tr.* **1.** Anular o modificar una ley o costumbre. **2.** Destruir, suprimir.

derogatorio, ria *adj.* Que deroga.

derrabar *v. tr.* Cortar el rabo a un animal.

derrama *s. f.* Contribución temporal o extraordinaria.

derramar *v. tr.* **1.** Verter, esparcir cosas líquidas o menudas. También prnl. || *v. prnl.* **2.** Esparcirse por varias partes con desorden y confusión.

derrame *s. m.* **1.** Lo que se sale o se pierde de un líquido al romperse el envase que lo contiene. **2.** Acumulación anormal de líquidos o gases en una cavidad orgánica o salida de este fuera del cuerpo.

derramo *s. m.* Derrame.

derredor *s. m.* Contorno de una cosa.

derrelicto *s. m.* Buque u objeto abandonado en el mar.

derrenegar *v. intr., fam.* Aborrecer, detestar.

derrengado, da *adj.* **1.** Torcido, encorvado, inclinado. **2.** *fig.* Agotado.

derrengar *v. tr.* **1.** Lastimar el espinazo o los lomos de una persona o de un animal. También prnl. **2.** Torcer, inclinar a un lado más que a otro. También prnl.

derreniego *s. m., fam.* Reniego.

derretimiento *s. m.* Acción y efecto de derretir o derretirse.

derretir *v. tr.* **1.** Liquidar por medio del calor. También prnl. **2.** *fig.* Consumir, gastar.

derribar *v. tr.* **1.** Demoler, echar a tierra. **2.** Hacer dar en el suelo a una persona, animal o cosa.

derribo *s. m.* Acción y efecto de derribar o demoler.

derrocadero *s. m.* Sitio peñascoso y de muchas rocas, de donde hay peligro de caer.

derrocamiento *s. m.* Acción y efecto de derrocar.

derrocar *v. tr.* **1.** Despeñar, precipitar desde una peña o roca. **2.** Echar por tierra un edificio. **3.** Destituir a un gobernante.

derrochador, ra *adj.* Que derrocha o malbarata el caudal. También s. m. y s. f.

derrochar *v. tr.* Malgastar los bienes.

derroche *s. m.* Acción y efecto de derrochar.

derrota *s. f.* **1.** Camino, vereda. **2.** Dirección de una embarcación. **3.** Vencimiento del ejército contrario.

derrotar *v. tr.* **1.** Disipar la hacienda. **2.** Destruir, arruinar la salud. **3.** Vencer y hacer huir al ejército contrario. **4.** Apartarse la embarcación del rumbo que lleva.

derrote *s. m.* Cornada que da el toro.

derrotero *s. m.* **1.** Línea señalada en la carta de marear, para gobierno de los pilotos en los viajes. **2.** Rumbo.

derrotismo *s. m.* Tendencia a propagar el pesimismo acerca del resultado de una guerra o de cualquier otra empresa.

derrotista *adj.* Se aplica a la persona que practica el derrotismo.

derrubiar *v. tr.* Robar lentamente el río tierras de riberas o tapias. También prnl.

derrubio *s. m.* Acción y efecto de derrubiar.

derruir *v. tr.* Derribar, destruir un edificio.

derrumbadero *s. m.* Despeñadero.

derrumbamiento *s. m.* Acción y efecto de derrumbar o derrumbarse.

derrumbar *v. tr.* Precipitar, despeñar.

derrumbe *s. m.* Acción y efecto de derrumbar o derrumbarse.

derrumbo *s. m.* Despeñadero, lugar en que es fácil caerse.

derviche *s. m.* Especie de místico entre los musulmanes.

desabastecer *v. tr.* Desproveer, dejar de surtir los productos necesarios.

desabejar *v. tr.* Sacar las abejas de la colmena en que se hallan.

desabollar *v. tr.* Quitar a las piezas y vasijas de metal las abolladuras o bollos.

desabonarse *v. prnl.* Retirar alguien su abono de un club, hotel, piscina, etc.

desabor *s. m.* Desabrimiento en el paladar.

desaborido, da *adj.* **1.** Sin sabor. **2.** Sin sustancia. **3.** *fig. y fam.* Se aplica a la persona de carácter indiferente o sosa.

desabotonar *v. tr.* Sacar los botones de los ojales. También prnl.

desabrido, da *adj.* **1.** Se dice de la fruta u otro manjar que carece de gusto. **2.** Se dice del tiempo destemplado, desigual. **3.** *fig.* Áspero y desapacible en el trato.

desabrigado, da *adj.* Desamparado, sin apoyo.

desabrigar *v. tr.* Descubrir, desarropar, quitar el abrigo. También prnl.

desabrigo *s. m., fig.* Desamparo, abandono.

desabrimiento *s. m.* **1.** Falta de sabor. **2.** Aspereza en el trato.

desabrir *v. tr.* **1.** Dar mal gusto a la comida. **2.** Disgustar a alguien. MORF. Utilizado antes como defect., el uso ha extendido su empleo a todas las formas de la conjug.

desabrochar *v. tr.* **1.** Desasir los botones, broches, etc. **2.** Abrir, descubrir.

desacalorarse *v. prnl.* Aliviarse alguien del calor que padece.

desacatar *v. tr.* Faltar a la reverencia o respeto que es debido a alguien. No acatar una ley, norma, etc. También prnl.

desacato *s. m.* **1.** Irreverencia para con las cosas sagradas. **2.** Falta del debido respeto a los superiores.

desacedar *v. tr.* Quitar la acedía.

desaceitar *v. tr.* Quitar el aceite a los tejidos.

desacerar *v. tr.* Quitar o gastar la parte de acero que tiene una herramienta. También prnl.

desacerbar *v. tr.* Templar, endulzar, quitar lo áspero y agrio a una cosa.

desacertado, da *adj.* Que yerra u obra sin acierto.

desacertar *v. intr.* No tener acierto.

desacidificar *v. tr.* Quitar la acidez a alguna cosa.

desacierto *s. m.* Dicho o hecho desacertado.

desacobardar *v. tr.* Alentar, quitar la cobardía o el miedo.

desacomodado, da *adj.* Se aplica a la persona que no tiene los medios y conveniencias competentes para mantener su estado.

desacomodar *v. tr.* **1.** Privar de la comodidad. **2.** Quitar la conveniencia, empleo u ocupación. También prnl.

desacomodo *s. m.* Acción y efecto de desacomodar o desacomodarse.

desacompañar *v. tr.* Excusar, dejar la compañía de alguien.

desaconsejar *v. tr.* Disuadir, aconsejar que no se haga una cosa.

desacoplar *v. tr.* Separar lo que estaba acoplado.

desacordar *v. tr.* Destemplar un instrumento musical o templarlo más alto o más bajo que el que da el tono. También prnl.

desacorde *adj.* Se dice de lo que no concuerda con otra cosa.

desacostumbrado, da *adj.* Fuera del uso y orden común.

desacostumbrar *v. tr.* Hacer perder o dejar el uso y costumbre que alguien tiene. También prnl.

desacotar *v. tr.* Levantar, quitar el coto, dejar libre lo que estaba acotado.

desacreditado, da *adj.* Que no goza de buena opinión.

desacreditar *v. tr.* Disminuir o quitar la reputación de una persona, o el valor y la estimación de una cosa.

desacuerdo *s. m.* Discordia o disconformidad en los dictámenes o acciones.

desaderezar *v. tr.* Desaliñar. También prnl.

desadormecer *v. tr.* Despertar a alguien. También prnl.

desadornar *v. tr.* Quitar el adorno.

desadvertir *v. tr.* No advertir una cosa.

desafección *s. f.* Desafecto, mala voluntad.

desafecto *s. m.* Malquerencia.

desaferrar *v. tr.* **1.** Soltar lo que está aferrado. También prnl. **2.** Sacar a alguien del dictamen que tenazmente defiende.

desafiar *v. tr.* **1.** Retar a singular combate, batalla o pelea. **2.** Competir con alguien en cosas que requieren fuerza o destreza.

desaficionar *v. tr.* Hacer perder la afición a algo. También prnl.

desafilar *v. tr.* Embotar el filo de un arma o herramienta. También prnl.

desafinar *v. intr.* Apartarse la voz o el instrumento de la debida entonación.

desafío *s. m.* Rivalidad, competencia.

desaforado, da *adj.* **1.** Que obra sin ley ni fuero. **2.** Grande con exceso, desmedido.

desaforar *v. tr.* **1.** Quebrantar los fueros y privilegios. ‖ *v. prnl.* **2.** Descomponerse, descomedirse.

desafortunado, da *adj.* Sin fortuna.

desafuero *s. m.* Acto violento contra la ley.

desagarrar *v. tr., fam.* Soltar, dejar libre.

desagraciado, da *adj.* Sin gracia.

desagraciar *v. tr.* Quitar la gracia, afear.

desagradable *adj.* Que desagrada o disgusta.

desagradar *v. intr.* Disgustar, causar desagrado. También prnl.

desagradecer *v. tr.* No corresponder debidamente al beneficio recibido.

desagradecido, da *adj.* Que desagradece.

desagrado *s. m.* Disgusto, descontento.

desagraviar *v. tr.* Borrar el agravio hecho, dando al ofendido satisfacción cumplida. También prnl.

desagravio *s. m.* Acción y efecto de desagraviar o desagraviarse.

desagregar *v. tr.* Separar una cosa de otra. También prnl.

desaguadero *s. m.* Conducto de desagüe.

desaguar *v. tr.* Extraer, echar el agua de un sitio.

desaguazar *v. tr.* Quitar el agua de alguna parte.

desagüe *s. m.* Desaguadero para la salida de las aguas.

desaguisado, da *adj.* **1.** Hecho contra la ley o la razón. ‖ *s. m.* **2.** Agravio, denuesto.

desahijar *v. tr.* Apartar en el ganado las crías de las madres.

desahitarse *v. prnl.* Quitarse el ahíto.

desahogado, da *adj.* Se dice de la persona que vive con desahogo.

desahogar *v. tr.* **1.** Aliviar el ánimo de la pasión, fatiga o cuidado que le oprime. También prnl. ‖ *v. prnl.* **2.** Decir una persona a otra el sentimiento o queja que tiene de ella, hacer confidencias.

desahogo *s. m.* Alivio de la pena, trabajo o aflicción.

desahuciar *v. tr.* **1.** Quitar a alguien la esperanza de conseguir lo que desea. **2.** Despedir o expulsar al inquilino o arrendatario el dueño de la finca.

desahucio *s. m.* Acción y efecto de desahuciar al inquilino o arrendatario.

desahumar *v. tr.* Apartar, quitar el humo de una cosa o lugar.

desainar *v. tr.* Quitar la crasitud. También prnl.

desairado, da *adj.* Que carece de gala, garbo y donaire.

desairar *v. tr.* **1.** Despreciar, desatender a una persona. **2.** Desestimar una cosa.

desaire *s. m.* Falta de garbo o de gentileza.

desaislarse *v. prnl.* Dejar de estar aislado.

desajustar *v. tr.* **1.** Desconcertar. ‖ *v. prnl.* **2.** Desconvenirse.

desajuste *s. m.* Acción y efecto de desajustar o desajustarse.

desalabar *v. tr.* Vituperar, poner faltas o tachas.

desalabear *v. tr.* Labrar una cara de una pieza de madera de modo que quede perfectamente plana.

desalado, da *adj.* Ansioso, acelerado.

desalar¹ *v. tr.* Quitar la sal a una cosa.

desalar² *v. tr.* Quitar las alas a un ave.

desalar³ *v. intr.* **1.** Andar o correr con aceleración. **2.** Sentir vehemente anhelo.

desalentar *v. tr.* **1.** Hacer dificultosa o embarazar la respiración por la fatiga. **2.** Quitar el ánimo, acobardar. También prnl.

desalfombrar *v. tr.* Quitar o levantar las alfombras.

desalhajar *v. tr.* Quitar de una habitación las alhajas o muebles.

desaliento *s. m.* Decaimiento del ánimo, falta de vigor o de esfuerzo.

desalinear *v. tr.* Hacer perder la línea recta. También prnl.

desaliñado, da *adj.* Que adolece de desaliño.

desaliñar *v. tr.* Descomponer el atavío o compostura. También prnl.

desaliño *s. m.* **1.** Desaseo, descompostura. **2.** *fig.* Negligencia, descuido.

desalivar *v. intr.* Arrojar saliva con abundancia.

desalmado, da *adj.* **1.** Falto de conciencia. **2.** Cruel, inhumano, brutal.

desalmar *v. tr.* **1.** *fig.* Quitar la fuerza y virtud de una cosa. También prnl. **2.** *fig.* Desasosegar. También prnl.

desalmenar *v. tr.* Quitar o destruir las almenas.

desalmidonar *v. tr.* Quitar el almidón.

desalojamiento *s. m.* Acción y efecto de desalojar.

desalojar *v. tr.* **1.** Sacar o hacer salir de un lugar a una persona o cosa. ‖ *v. intr.* **2.** Dejar el sitio o morada.

desalojo *s. m.* Desalojamiento.

desalquilar *v. tr.* Dejar o hacer dejar una habitación o cosa que se tenía alquilada.

desalterar *v. tr.* Quitar la alteración, sosegar, apaciguar.

desamable *adj.* Indigno de ser amado.

desamar *v. tr.* **1.** Dejar de amar. **2.** Aborrecer, querer mal.

desamarrar *v. tr.* **1.** Quitar las amarras. **2.** *fig.* Desasir, desviar, apartar.

desamigado, da *adj.* Separado de la amistad de alguien.

desamistarse *v. prnl.* Enemistarse, perder o dejar la amistad de alguien.

desamoblar *v. tr.* Desamueblar.

desamoldar *v. tr.* Hacer perder a una cosa la figura que tomó del molde.

desamor *s. m.* **1.** Mala correspondencia de uno al afecto de otro. **2.** Enemistad, aborrecimiento.

desamorar *v. tr.* Hacer perder el amor. También prnl.

desamorrar *v. tr., fam.* Hacer que alguien levante la cabeza y converse con los que están presentes.

desamortización *s. f.* Acción y efecto de desamortizar.

desamortizar *v. tr.* Dejar libres los bienes amortizados.

desamparado, da *adj.* Se dice del animal o la persona desvalido.

desamparar *v. tr.* **1.** Abandonar, dejar sin amparo ni favor a la persona o cosa que lo pide o necesita. **2.** Ausentarse, abandonar un lugar.

desamparo *s. m.* Acción y efecto de desamparar.

desamueblar *v. tr.* Dejar sin muebles un edificio o parte de él.

desanclar *v. tr.* Levantar las anclas con que está aferrada una embarcación.

desancorar *v. tr.* Levantar las áncoras con que está aferrada una embarcación.

desandar *v. tr.* Volver atrás, retroceder en el camino ya andado.

desangrar *v. tr.* Sacar la sangre a una persona o a un animal en gran cantidad.

desanidar *v. intr.* Dejar las aves el nido cuando acaban de criar.

desanimar *v. tr.* Desalentar, acobardar. También prnl.

desánimo *s. m.* Desaliento, falta de ánimo.

desanublar *v. tr., fig.* Despejar, aclarar. También prnl.

desanudar *v. tr.* Deshacer el nudo.

desapacible *adj.* Que causa disgusto o enfado, o es desagradable a los sentidos.

desapadrinar *v. tr., fig.* Desaprobar.

desaparear *v. tr.* Separar una de dos cosas que hacían par.

desaparecer *v. tr.* Ocultar, quitar de delante con presteza una cosa.

desaparejar *v. tr.* Quitar el aparejo a una caballería. También prnl.

desaparición *s. f.* Acción y efecto de desaparecer.

desaparroquiar *v. tr.* Apartar, quitar los parroquianos a las tiendas. También prnl.

desapasionado, da *adj.* Falto de pasión, imparcial.

desapasionar *v. tr.* Quitar la pasión que se tiene a una persona o cosa. Se usa mas como prnl.

desapegarse *v. prnl., fig.* Apartarse, desprenderse del afecto o afición a una persona o cosa.

desapego *s. m., fig.* Falta de afición o interés, alejamiento, desvío.

desapercibido, da *adj.* Inadvertido.

desaplacible *adj.* Desagradable.

desaplicado, da *adj.* Que no se aplica. También s. m. y s. f.

desaplicar *v. tr.* Quitar o hacer perder la aplicación.

desaplomar *v. tr.* Desplomar, inclinar más a un lado.

desapoderado, da *adj.* Precipitado, que no puede contenerse.

desapoderar *v. tr.* Desposeer, despojar a alguien de lo que poseía o de aquello de que se había apoderado.

desapolillar *v. tr.* Quitar la polilla a la ropa.

desaposentar *v. tr.* Echar de la habitación, privar del aposentamiento al que lo tenía.

desapoyar *v. tr.* Quitar el apoyo con que se sostiene una cosa.

desapreciar *v. tr.* Desestimar, no hacer el aprecio que merece una cosa.

desaprender *v. tr.* Olvidar lo aprendido.

desaprensar *v. tr.* Quitar el lustre o aguas que las telas y otras cosas adquieren en la prensa.

desaprensión *s. f.* Falta de aprensión.

desaprensivo, va *adj.* Que tiene desaprensión.

desapretar *v. tr.* Aflojar lo que está apretado. También prnl.

desaprisionar *v. tr.* Sacar a alguien de la prisión.

desaprobación *s. f.* Acción y efecto de desaprobar.

desaprobar *v. tr.* Reprobar, no asentir a una cosa.

desapropiarse *v. prnl.* Desposeerse alguien del dominio sobre lo propio.

desaprovechamiento *s. m.* Atraso en lo bueno, desperdicio o desmedro de las conveniencias.

desaprovechar *v. tr.* Desperdiciar o emplear mal una cosa.

desapuntalar *v. tr.* Quitar a un edificio los puntales que lo sostienen.

desarbolar *v. tr.* Destruir o derribar los árboles o palos de una embarcación.

desarenar *v. tr.* Quitar la arena de una parte.

desarmar *v. tr.* **1.** Quitar, hacer entregar las armas. **2.** Descomponer una cosa separando las piezas de que se compone. **3.** Templar, aplacar los ánimos de alguien.

desarme *s. m.* Acción y efecto de desarmar o desarmarse.

desarraigar *v. tr.* **1.** Arrancar de raíz un árbol o una planta. También prnl. **2.** *fig.* Extinguir, extirpar enteramente una pasión, costumbre o vicio. También prnl.

desarraigo *s. m.* Acción y efecto de desarraigar o desarraigarse.

desarrancarse *v. prnl.* Desertar.

desarrapado, da *adj.* Desharrapado.

desarrebozar *v. tr.* Quitar el rebozo. También prnl.

desarrebujar *v. tr.* Desenvolver, desenmarañar.

desarreglar *v. tr.* Trastornar, desordenar, sacar de regla. También prnl.

desarreglo *s. m.* Falta de regla, desorden.

desarrendar *v. tr.* Dejar una finca que se tenía arrendada.

desarrimar *v. tr.* Separar, quitar lo que está arrimado.

desarrollar *v. tr.* **1.** Deshacer un rollo. También prnl. **2.** *fig.* Acrecentar, dar incremento a una cosa del orden físico, intelectual o moral. También prnl. **3.** *fig.* Explicar una teoría.

desarrollo *s. m.* **1.** Acción y efecto de desarrollar o desarrollarse. **2.** Crecimiento o expansión de un país, un pueblo, una industria, etc.

desarropar *v. tr.* Quitar o apartar la ropa. También prnl.

desarrugar *v. tr.* Estirar, quitar las arrugas. También prnl.

desarrumar *v. tr.* Desocupar la carga ya estibada de un buque.

desarticulación *s. f.* Acción y efecto de desarticular o desarticularse.

desarticular *v. tr.* **1.** Separar dos o más huesos articulados entre sí. También prnl. **2.** *fig.* Separar las piezas de una máquina o artefacto.

desartillar *v. tr.* Quitar la artillería a un buque o a una fortaleza.

desasado, da *adj.* Que tiene rotas o quitadas las asas.

desaseado, da *adj.* Falto de aseo.

desasear *v. tr.* Quitar o abandonar el aseo, limpieza o compostura de una persona o cosa.

desasegurar *v. tr.* Quitar o hacer perder seguridad.

desasentar *v. tr.* Remover, quitar una cosa de su lugar.

desaseo *s. m.* Falta de aseo.

desasimilación *s. f.* Metabolismo en virtud del cual ciertos principios que entran en la composición de los seres vivos se separan de la sustancia de ellos, y son eliminados de su organismo.

desasir *v. tr.* **1.** Soltar lo asido. También prnl. ‖ *v. prnl.* **2.** *fig.* Desprenderse de algo.

desasistir *v. tr.* Desamparar.

desasnar *v. tr., fam.* Hacer perder la rudeza por medio de la enseñanza. También prnl.

desasociar *v. tr.* Disolver una asociación.

desasosegar *v. tr.* Privar de sosiego. También prnl.

desasosiego *s. m.* Falta de sosiego.

desastrado, da *adj.* **1.** Infausto, infeliz. **2.** Se dice de la persona desaseada.

desastre *s. m.* Desgracia grande, suceso infeliz y lamentable.

desastroso, sa *adj.* **1.** Desastrado. **2.** *fig.* Muy malo.

desatacar *v. tr.* **1.** Desatar una cosa soltándola los botones, agujetas o corchetes con que está ajustada. También prnl. **2.** Sacar los tacos de las armas de fuego.

desatar *v. tr.* **1.** Desenlazar una cosa de otra, soltar lo que está atado. También prnl. **2.** Desleír, derretir. ‖ *v. prnl.* **3.** *fig.* Excederse en hablar.

desatascar *v. tr.* **1.** Sacar del atascadero. También prnl. **2.** Desatrancar.

desataviar *v. tr.* Quitar los atavíos.

desatención *s. f.* **1.** Distracción, falta de atención. **2.** Descortesía.

desatender *v. tr.* **1.** No prestar atención a lo que se dice o hace. **2.** No hacer caso o aprecio de una persona o cosa.

desatento, ta *adj.* **1.** Se dice de la persona que aparta la atención que debiera poner en alguna cosa. **2.** Descortés.

desaterrar *v. tr., Arg., Chil., Méx. y P. Ric.* Escombrar.

desatesorar *v. tr.* Sacar o gastar lo atesorado.

desatiento *s. m.* **1.** Falta de tacto. **2.** Desasosiego, inquietud.

desatierre *s. m., Amér. del S.* Escombrera.

desatinar *v. tr.* **1.** Hacer perder el tino. ‖ *v. intr.* **2.** Decir o hacer desatinos.

desatino *s. m.* **1.** Falta de tino. **2.** Locura, despropósito o error.

desatollar *v. tr.* Sacar o librar del atolladero. También prnl.

desatolondrar *v. tr.* Hacer volver en sí al que está atolondrado o privado de sentido.

desatontarse *v. prnl.* Salir alguien del atontamiento.

desatorar *v. tr.* Desarrumar.

desatornillar *v. tr.* Destornillar.

desatracar *v. tr.* Separar una embarcación de otra o de la parte en que atracó. También prnl.

desatraillar *v. tr.* Quitar la trailla.

desatrampar *v. tr.* Limpiar o desembarazar de cualquier impedimento un caño o conducto.

desatrancar *v. tr.* **1.** Quitar a la puerta la tranca u otra cosa que impide abrirla. **2.** Limpiar una cañería, tubería, pozo, etc.

desatufarse *v. prnl.* Libertarse del tufo.

desaturdir *v. tr.* Quitar a alguien el aturdimiento. También prnl.

desautorización *s. f.* Acción y efecto de desautorizar.

desautorizar *v. tr.* Quitar a personas o cosas autoridad, poder, crédito o estimación. También prnl.

desavenencia *s. f.* Oposición, discordia.

desavenir *v. tr.* Desconcertar, discordar, desconvenir. También prnl.

desaventajado, da *adj.* Inferior y poco ventajoso.

desaviar *v. tr.* Quitar o no dar el avío que se necesita para una cosa. También prnl.

desavío *s. m.* Acción y efecto de desaviar o desaviarse.

desavisar *v. tr.* Dar noticia contraria a la que se había dado.

desayudar *v. tr.* Impedir lo que puede servir de ayuda.

desayunar *v. intr.* Tomar el desayuno.

desayuno *s. m.* Alimento ligero que se toma por la mañana.

desazogar *v. tr.* Quitar el azogue a una cosa.

desazón *s. f.* **1.** Desabrimiento, insipidez. **2.** Falta de sazón y tempero en las tierras. **3.** Disgusto, pesadumbre, sinsabor.

desazonar *v. tr.* **1.** Quitar el sabor o el gusto a un manjar. **2.** *fig.* Disgustar, enfadar. También prnl. ‖ *v. prnl.* **3.** *fig.* Sentirse indispuesto en la salud.

desbabar *v. intr.* Purgar las babas. También prnl.

desbancar *v. tr.* **1.** Ganar al banquero todo el fondo que puso de contado, en el juego de la banca. **2.** *fig.* Hacer perder a alguien el cariño o la amistad de otra persona, ganándola para sí.

desbandada *s. f.* Acción y efecto de desbandarse.

desbandarse *v. prnl.* Huir en desorden.

desbarajustar *v. tr.* Desordenar, trastornar.

desbarajuste *s. m.* Desorden.

desbaratar *v. tr.* **1.** Deshacer, arruinar una cosa. **2.** Disipar, malgastar.

desbarbar *v. tr.* Cortar la barba. También prnl.

desbarrar *v. intr.* **1.** Tirar, en el deporte de la barra, sin cuidarse de hacer tiro. **2.** Discurrir, obrar o hablar fuera de razón.

desbarretar *v. tr.* Quitar las barretas a lo que está fortificado con ellas.

desbarrigado, da *adj.* Que tiene poca barriga.

desbarro *s. m.* Acción y efecto de desbarrar.

desbastar *v. tr.* Quitar las partes más bastas a una cosa que se haya de labrar.

desbaste *s. m.* Acción y efecto de desbarrar.

desbautizarse *v. prnl., fig. y fam.* Deshacerse, irritarse, impacientarse mucho.

desbazadero *s. m.* Paraje húmedo y resbaladizo.

desbecerrar *v. tr.* Destetar los becerros, o separarles de las madres.

desbloquear *v. tr.* **1.** Levantar el bloqueo de una cantidad o crédito. **2.** Terminar el bloqueo de unas naciones hacia otras.

desbocarse *v. prnl.* **1.** Hacerse una caballería insensible a la acción del freno y dispararse. **2.** Desvergonzarse, prorrumpir en denuestos.

desboquillar *v. tr.* Quitar o romper la boquilla.

desbordar *v. intr.* **1.** Salir de los bordes, derramarse. Se usa más como prnl. ‖ *v. prnl.* **2.** Exaltarse las pasiones o los vicios.

desbornizar *v. tr.* Arrancar el corcho virgen de los alcornoques.

desbragado, da adj., fig. y desp. Descamisado, muy pobre.

desbraguetado, da adj., fam. Que trae desabotonada o mal ajustada la bragueta.

desbravar v. tr. **1.** Amansar el ganado cerril. **2.** Desahogar el ímpetu de la cólera. También prnl.

desbravecer v. intr. Desbravar. También prnl.

desbrazarse v. prnl. Extender mucho y violentamente los brazos, hacer con ellos fuerza o movimientos violentos.

desbrevarse v. prnl. Perder alguna cosa la fuerza y actividad que tenía.

desbriznar v. tr. **1.** Reducir a briznas, desmenuzar una cosa. **2.** Quitar la brizna a las legumbres.

desbrozar v. tr. Quitar la broza.

desbrozo s. m. Acción y efecto de desbrozar.

desbrujar v. tr. Desmoronar.

desbulla s. f. Despojo que queda de la ostra desbullada.

desbullar v. tr. Sacar la ostra de su concha.

descabalar v. tr. Quitar o perder algunas de las porciones para formar una cosa completa o cabal. También prnl.

descabalgar v. intr. Desmontar, bajar de una caballería.

descabellado adj., fig. Se dice de lo que va fuera de orden.

descabellar v. tr. Despeinar, desgreñar. Se usa más como prnl.

descabezar v. tr. **1.** Quitar o cortar la cabeza. **2.** fig. Cortar la parte superior de las puntas a ciertas cosas.

descabullirse v. prnl. Escabullirse.

descachazar v. tr., Cub., Ec. y P. Ric. Quitar la cabeza al guarapo.

descaderar v. tr. Hacer a alguien daño grave en las caderas.

descadillar v. tr. Quitar a la lana los cadillos, pajillas y motas.

descaecer v. intr. Ir a menos, perder poco a poco la salud, el crédito, etc.

descaecimiento s. m. Debilidad, falta de fuerzas y vigor en el cuerpo o en el ánimo.

descafilar v. tr. Quitar las desigualdades de los cantos de los ladrillos o baldosas para que ajusten bien.

descalabazarse v. prnl., fig. y fam. Calentarse la cabeza en averiguar una cosa, sin lograrlo.

descalabrar v. tr. **1.** Herir en la cabeza. También prnl. **2.** Causar daño o perjuicio.

descalabro s. m. Contratiempo, infortunio.

descalcar v. tr. Sacar las estopas viejas de las costuras de un buque.

descalcificar v. tr. Eliminar o disminuir el calcio contenido en los huesos u otros tejidos orgánicos. También prnl.

descalificar v. tr. Desconceptuar, inhabilitar.

descalzar v. tr. **1.** Quitar el calzado. También prnl. **2.** Socavar.

descalzo, za adj. Que trae desnudas las piernas o los pies o las dos cosas.

descamación s. f. Desprendimiento de la epidermis seca en forma de escamillas.

descambiar v. tr. Devolver una compra a cambio de su importe o de otro producto.

descaminar v. tr. **1.** Sacar a alguien del camino que debía seguir. También prnl. **2.** fig. Apartar a alguien de un buen propósito. También prnl.

descamisado, da adj. **1.** fam. Sin camisa. **2.** fig. y desp. Muy pobre.

descampado, da adj. Se dice del terreno descubierto, libre.

descansar v. intr. **1.** Cesar en el trabajo. **2.** Tener en los cuidados algún alivio. **3.** Tener consuelo. **4.** Reposar, dormir.

descansillo s. m. Meseta en que terminan los tramos de una escalera.

descanso s. m. **1.** Pausa en el trabajo. **2.** Alivio en los cuidados físicos o morales.

descantar v. tr. Limpiar de cantos o piedras.

descantear v. tr. Quitar los cantos, ángulos o esquinas de alguna cosa.

descantillar v. tr. Romper, quebrar las aristas de cualquier cosa. También prnl.

descantonar v. tr. Descantillar.

descaperuzar v. tr. Quitar de la cabeza la caperuza.

descarado, da adj. Que habla u obra con desvergüenza, sin pudor ni respeto.

descararse v. prnl. Hablar u obrar con desvergüenza.

descarburación s. f. Acto en que se separa de los carburos de hierro el carbono que entra en su composición.

descarburar v. tr. Sacar el carbono que se contiene en algún cuerpo.

descarga s. f. Acción y efecto de descargar.

descargar v. tr. **1.** Quitar o aliviar la carga. **2.** Disparar las armas de fuego. **3.** Anular la tensión eléctrica de un cuerpo. U. t. c. prnl. **4.** Librarse alguien del mal humor maltratando de palabra u obra a otra persona. **5.** Transferir información desde un sistema electrónico a otro.

descargo s. m. **1.** Data o salida que se contrapone a la de entrada. **2.** Respuesta o excusa del cargo que se le hace a alguien.

descarnar v. tr. Quitar al hueso la carne. También prnl.

descaro s. m. Desvergüenza, atrevimiento.

descarriar v. tr. **1.** Apartar a alguien del carril, echarlo fuera de él. **2.** Apartar del rebaño cierto número de reses. También prnl.

descarrilamiento *s. m.* Acción y efecto de descarrilar.

descarrilar *v. intr.* Salir fuera del carril.

descarrillar *v. tr.* Quitar los carrillos.

descarrío *s. m.* Acción y efecto de descarriar o descarriarse.

descartar *v. tr.* **1.** *fig.* Desechar una persona o cosa o apartarla de sí. **2.** *fig.* Rechazar una posibilidad.

descarte *s. m.* Cartas que se desechan en varios juegos de naipes.

descasar *v. tr.* Separar a los que están viviendo como casados sin estarlo legítimamente. También prnl.

descascarse *v. prnl.* Romperse o hacerse cascos una cosa.

descascarar *v. tr.* Quitar la cáscara.

descascarillar *v. tr.* Quitar la cascarilla.

descaspar *v. tr.* Limpiar o quitar la caspa.

descasque *v. tr.* Acción de descascarar los árboles.

descastado, da *adj.* Que manifiesta poco cariño a los parientes.

descastar *v. tr.* Acabar con una raza de animales.

descebar *v. tr.* Quitar el cebo a las armas de fuego.

descendencia *s. f.* Conjunto de hijos, nietos y demás generaciones por línea recta descendente.

descender *v. intr.* **1.** Pasar de un lugar alto a otro más bajo. **2.** Proceder por generaciones sucesivas de una cuna o estirpe.

descendiente *com.* Cualquier persona que desciende de otra.

descenso *s. m.* Acción y efecto de descender.

descentralización *s. f.* Acción y efecto de descentralizar.

descentralizar *v. tr.* Hacer más independientes del poder o de la administración central ciertas funciones, servicios, etc.

descentrar *v. tr.* Sacar a una persona o cosa de su centro. También prnl.

desceñir *v. tr.* Desatar, quitar el ceñidor.

descepar *v. tr.* Arrancar de raíz los árboles o plantas que tienen cepa.

descerar *v. tr.* Sacar de las colmenas las ceras vanas.

descercar *v. tr.* Derribar la muralla de un pueblo o la cerca de un campo, huerto, etc.

descerezar *v. tr.* Quitar a la semilla del café la carne de la baya en que está contenida.

descerrajar *v. tr.* **1.** Arrancar la cerradura. **2.** *fam.* Disparar las armas de fuego.

descerrumarse *v. prnl.* Desconcertarse una caballería la articulación del menudillo con la cerruma.

descervigar *v. tr.* Torcer la cerviz.

descifrar *v. tr.* **1.** Interpretar lo que está escrito en caracteres desconocidos. **2.** Interpretar lo oscuro y de difícil inteligencia.

descimbrar *v. tr.* Quitar las cimbras de una obra.

descimentar *v. tr.* Deshacer los cimientos.

descinchar *v. tr.* Quitar las cinchas a una caballería.

desclavar *v. tr.* Arrancar los clavos.

descoagular *v. tr.* Licuar lo coagulado. También prnl.

descobijar *v. tr.* Descubrir, destapar.

descocado, da *adj., fam.* Que muestra demasiada libertad. También s. m. y s. f.

descocarse *v. prnl., fam.* Manifestar demasiada libertad y desenvoltura.

descoco *s. m., fam.* Demasiada libertad y osadía en palabras y acciones.

descodificar *v. tr.* Transformar datos informáticos mediante las reglas de un código a su formato original.

descoger *v. tr.* Desplegar, soltar lo que está plegado o recogido.

descogollar *v. tr.* Quitar los cogollos.

descogotar *v. tr.* Quitar o cortar de raíz las astas al venado.

descolar *v. tr.* Quitar o cortar la cola.

descolchar *v. tr.* Desunir los cordones de los cabos.

descolgar *v. tr.* **1.** Bajar lo que está colgado. **2.** Descender, escurriéndose por una cuerda u otra cosa.

descoligado, da *adj.* Apartado de la liga o confederación.

descollar *v. intr.* Sobresalir.

descolmar *v. tr.* Quitar el colmo a la medida, pasando el rasero.

descolmillar *v. tr.* Quitar o quebrantar los colmillos.

descolonizar *v. tr.* Hacer que una colonia deje de serlo concediéndole o alcanzando la independencia.

descolorar *v. tr.* Quitar o amortiguar el color. También prnl.

descolorido, da *adj.* De color pálido, o bajo en su línea.

descolorir *v. tr.* Descolorar. También prnl.

descombrar *v. tr.* Desembarazar un lugar de cosas que estorban.

descomedido, da *adj.* **1.** Excesivo, desproporcionado. **2.** Descortés.

descomedirse *v. prnl.* Faltar al respeto, de obra o de palabra.

descompadrar *v. intr., fam.* Cesar en la amistad los que eran amigos.

descompaginar *v. tr.* Descomponer, desordenar.

descompás *s. m.* Exceso, falta de medida o proporción.

descompasarse *v. prnl.* Descomedirse.

descompensar *v. tr.* Hacer perder la compensación, el equilibrio. También prnl.

descomponer *v. tr.* **1.** Separar las diversas partes que forman un todo. **2.** Desorganizar, desbaratar. También prnl.

descomposición s. f. **1.** Hacer perder la compensación. **2.** fam. Diarrea.

descompostura s. f. Desaseo, desaliño en el adorno de las personas o cosas.

descompresor s. m. Aparato utilizado para disminuir la presión.

descomprimir v. tr. Dejar en libertad un cuerpo que está comprimido, o disminuir la presión ejercida sobre él.

descompuesto, ta adj. **1.** Estropeado, deteriorado. **2.** Se dice del alimento en mal estado. **3.** fig. Atrevido, descortés. **4.** fam. Con dolor de vientre o diarrea.

descomulgar v. tr. Excomulgar.

descomunal adj. Extraordinario, monstruoso, enorme.

desconceptuar v. tr. Desacreditar. También prnl.

desconcertado, da adj., fig. Desbaratado, de mala conducta, sin gobierno.

desconcertar v. tr. Turbar el orden, concierto y composición de algo. También prnl.

desconchar v. tr. Quitar a una pared o muro parte de su enlucido o revestimiento. También prnl.

desconcierto s. m. **1.** Descomposición de las partes de un cuerpo o de una máquina. **2.** fig. Desorden, desavenencia.

desconcordia s. f. Desunión, oposición entre las cosas que debían estar concordes.

desconectar v. tr. **1.** Interrumpir la conexión eléctrica de una o más piezas o partes de una máquina o aparato o entre un aparato y la línea general. **2.** fig. Interrumpir una relación, comunicación, etc.

desconfianza s. f. Falta de confianza.

desconfiar v. intr. No tener confianza.

desconformar v. intr. Disentir, ser de parecer opuesto o diferente.

descongelar v. tr. Hacer que cese la congelación de una cosa.

descongestión s. f. Acción o efecto de descongestionar.

descongestionar v. tr. Disminuir o quitar la congestión. También prnl.

desconocer v. tr. **1.** No recordar la idea que se tuvo de una cosa, haberla olvidado. **2.** No conocer.

desconocido, da adj. **1.** Ingrato, falto de reconocimiento o gratitud. **2.** Ignorado.

desconocimiento s. m. Acción y efecto de desconocer.

desconsentir v. tr. No consentir, dejar de consentir.

desconsiderado, da adj. Falto de consideración. También s. m. y s. f.

desconsiderar v. tr. No guardar la consideración debida.

desconsolado, da adj., fig. Melancólico, triste y afligido.

desconsolar v. tr. Privar de consuelo, afligir. También prnl.

desconsuelo s. m. Angustia y aflicción por falta de consuelo.

descontar v. tr. **1.** Rebajar una cantidad al tiempo de pagar una cuenta, una factura, un pagaré, etc. **2.** fig. Pagar una letra u otro documento no vencido, rebajando de su importe la cantidad que se estipula en concepto de intereses.

descontentar v. tr. Disgustar, desagradar. También prnl.

descontento, ta adj. **1.** Insatisfecho, enfadado. ‖ s. m. **2.** Disgusto o desagrado.

descontrol s. m. Falta de control o de disciplina.

descontrolarse v. prnl. Perder el control o dominio de uno mismo.

desconvenir v. intr. No concordar entre sí dos personas o dos cosas. También prnl.

desconvidar v. tr. Anular un convite.

desconvocar v. tr. Anular una convocatoria.

descorazonar v. tr. **1.** Arrancar, quitar, sacar el corazón. **2.** fig. Desanimar, acobardar, amilanar. También prnl.

descorchador s. m. Sacacorchos.

descorchar v. tr. **1.** Quitar el corcho al alcornoque. **2.** Quitar el tapón de una botella.

descornar v. tr. Quitar, arrancar los cuernos a un animal. También prnl.

descorrear v. intr. Soltar el ciervo y otros cuadrúpedos la piel que cubre los pitones de sus astas.

descorrer v. tr. **1.** Volver alguien a correr el espacio que antes había corrido. **2.** Plegar o reunir lo que estaba antes estirado, como las cortinas, el lienzo, etc.

descortés adj. Falto de cortesía.

descortesía s. f. Falta de cortesía.

descortezar v. tr. Quitar la corteza al árbol, al pan o a otra cosa. También prnl.

descortinar v. tr. Destruir la cortina o muralla batiéndola a cañonazos o de otro modo.

descoser v. tr. Soltar, cortar las puntadas de lo cosido. También prnl.

descosido, da adj. **1.** Se dice de la persona que fácil e indiscretamente habla lo que convenía tener oculto. ‖ s. m. **2.** Parte descosida de un vestido.

descostrar v. tr. Quitar la costra.

descotar v. tr. Escotar los vestidos.

descoyuntar v. tr. **1.** Desencajar los huesos de su lugar. También prnl. **2.** fig. Molestar a alguien con pesadeces.

descrédito s. m. Disminución o pérdida de la reputación de las personas, o del valor y estima de las cosas.

descreer v. tr. Faltar a la fe, dejar de creer.

descreído, da adj. Incrédulo, falto de fe.

descremar v. tr. Quitar la grasa o crema a la leche.

descrestar v. tr. Quitar o cortar la cresta.

descriarse v. prnl. Desmejorarse.

describir *v. tr.* **1.** Delinear, dibujar. **2.** Representar por medio del lenguaje.

descripción *s. f.* Acción y efecto de describir.

descriptivo, va *adj.* Que describe.

descrismar *v. tr.* Quitar el crisma.

descristianar *v. tr.* Quitar el crisma o golpear a alguien en la cabeza. También prnl.

descruzar *v. tr.* Deshacer la forma de cruz que presentan dos cosas cruzadas.

descuadernar *v. tr.* **1.** Desencuadernar. **2.** *fig.* Descomponer.

descuadrar *v. intr.* No cuadrar las cuentas.

descuadrillarse *v. prnl.* Derrengarse la bestia por el cuadril.

descuajar *v. tr.* Licuar, convertir en líquida una sustancia que estaba condensada o cuajada. También prnl.

descuajaringar *v. tr.* **1.** Desvencijar, estropear. ǁ *v. prnl.* **2.** *fam.* Relajarse las partes del cuerpo por efecto de cansancio.

descuartizamiento *s. m.* Acción y efecto de descuartizar.

descuartizar *v. tr.* **1.** Dividir un cuerpo en varias partes. **2.** Hacer pedazos algo.

descubierto, ta *adj.* **1.** Destocado, sin sombrero. **2.** Con los verbos *estar*, *quedar*, etc., expuesto alguien a cargos o reconvenciones.

descubridor, ra *adj.* Que descubre o halla una cosa oculta o no conocida. También s. m. y s. f.

descubrimiento *s. m.* **1.** Hallazgo de lo oculto o ignorado. **2.** Adelanto científico, literario, etc.

descubrir *v. tr.* **1.** Destapar lo que estaba tapado o cubierto. **2.** Hallar lo que estaba ignorado o escondido.

descuello *s. m.* Exceso en la estatura, elevación.

descuento *s. m.* Rebaja de una parte de la deuda o precio.

descuidado, da *adj.* **1.** Negligente o que falta al cuidado que debe poner en las cosas. **2.** Desaliñado, que cuida poco su forma de vestir. **3.** Desprevenido.

descuidar *v. tr.* **1.** Descargar a alguien del cuidado u obligación que debía tener. También intr. **2.** Distraer a alguien para que desatienda lo que le importa.

descuido *s. m.* **1.** Negligencia, falta de cuidado. **2.** Olvido. **3.** Desliz, falta.

descuitado, da *adj.* Que vive sin pesadumbre ni cuidados.

descumbrado, da *adj.* Llano y sin cumbre.

desdar *v. tr.* Dar vueltas, en sentido inverso, a un manubrio, carrete, cuerda, etc., para deshacer las vueltas anteriores.

desde *prep.* Indica el punto de que procede, se origina o ha de empezar a contarse algo, tratándose de lugar o de tiempo.

desdecir *v. intr.* **1.** *fig.* Degenerar una persona o una cosa de su condición primera. **2.** *fig.* Decaer, venir a menos. **3.** Retractarse de lo dicho.

desdén *s. m.* Indiferencia y despego que denotan desprecio.

desdentado, da *adj.* Que ha perdido sus dientes.

desdeñar *v. tr.* Tratar con desdén a una persona o cosa.

desdeñoso, sa *adj.* Que manifiesta desdén.

desdibujado, da *adj.* Se dice del dibujo defectuoso o de la cosa mal conformada.

desdibujarse *v. prnl.* Perder una cosa la claridad y precisión de sus perfiles o contornos.

desdicha *s. f.* **1.** Desgracia, adversidad. **2.** Pobreza suma, miseria, necesidad.

desdichado, da *adj.* Desgraciado, que padece desgracias o tiene mala suerte.

desdinerar *v. tr.* Empobrecer un país despojándolo de moneda.

desdoblamiento *s. m.* Separación de un compuesto en sus diferentes componentes.

desdoblar *v. tr.* Extender una cosa que estaba doblada. También prnl.

desdorar *v. tr.* **1.** Quitar el oro con que estaba dorada una cosa. También prnl. **2.** Deslustre, mancilla en la virtud, reputación o fama. También prnl.

desdoro *s. m.* Deslustre, mancilla en la virtud, reputación o fama.

desear *v. tr.* **1.** Sentir atracción por una cosa o persona hasta el punto de quererla poseer o alcanzar. **2.** Anhelar que acontezca o deje de acontecer algún suceso.

desecación *s. f.* Acción y efecto de desecar o desecarse.

desecar *v. tr.* Secar, extraer la humedad. También prnl.

desechable *adj.* Que puede o debe ser rechazado.

desechar *v. tr.* **1.** Excluir, reprobar. **2.** Rechazar, menospreciar. **3.** Apartar de sí un pesar, temor, sospecha, etc. **4.** Dejar por inútil un vestido u otra cosa.

desecho *s. m.* **1.** Residuo que se desecha de una cosa, después de haber escogido lo mejor. **2.** Cosa que, por usada o por cualquier otra razón, no sirve a la persona para quien se hizo.

desedificar *v. tr., fig.* Dar mal ejemplo.

deselectrizar *v. tr.* Descargar de electricidad un cuerpo.

desellar *v. tr.* Quitar el sello a las cartas, fardos u otras cosas.

desembalar *v. tr.* Desenfardar, deshacer los fardos.

desembaldosar *v. tr.* Quitar o arrancar las baldosas del suelo.

desembalsar *v. tr.* Dar salida al agua contenida en un embalse, o a parte de ella.

desembanastar *v. tr.* Sacar de la banasta.

desembarazado, da *adj.* Desenvuelto, atrevido.

desembarazar *v. tr.* **1.** Quitar el impedimento que se opone a una cosa. También prnl. **2.** Evacuar, desocupar un espacio, habitación, etc.

desembarazo *s. m.* Despejo, desenfado.

desembarcadero *s. m.* Lugar destinado, o que se elige, para desembarcar.

desembarcar *v. tr.* **1.** Sacar de la nave y poner en tierra lo embarcado. ‖ *v. intr.* **2.** Salir de una embarcación. También prnl.

desembarco *s. m.* Operación militar realizada en tierra por la dotación de un navío.

desembargar *v. tr.* **1.** Quitar un impedimento. **2.** Alzar el embargo o secuestro.

desembarque *s. m.* Acción y efecto de desembarcar.

desembarrancar *v. tr.* Sacar o salir a flote la nave que está varada. También intr.

desembarrar *s. m.* Limpiar, quitar el barro.

desembaular *v. tr.* Sacar lo que está en un baúl.

desembebecerse *v. prnl.* Recobrarse de la suspensión y embargo de los sentidos.

desembelesarse *v. prnl.* Salir del embelesamiento.

desembocadero *s. m.* **1.** Abertura o estrecho por donde se sale de un punto a otro. **2.** Desembocadura de un río, canal.

desembocadura *s. f.* Paraje por donde un río, un canal, etc., desemboca en otro, en el mar o en un lago.

desembocar *v. tr.* Entrar, desaguar un río, canal, etc. en otro, en el mar o en un lago.

desembojar *v. tr.* Quitar de las bojas los capullos de seda.

desembolsar *v. tr.* **1.** Sacar lo que está en la bolsa. **2.** Pagar una cantidad de dinero.

desembolso *s. m.* Entrega de dinero efectivo y al contado.

desemboque *s. m.* Desembocadero.

desemborrachar *v. tr.* Desembriagar. También prnl.

desemboscarse *v. prnl.* Salir del bosque, espesura o emboscada.

desembotar *v. tr.* Hacer que lo que estaba embotado deje de estarlo. También prnl.

desembozar *v. tr.* Quitar a alguien el embozo. También prnl.

desembragar *v. tr.* Desconectar del eje motor un mecanismo o parte de él.

desembrague *s. m.* Acción y efecto de desembragar.

desembravecer *v. tr.* Amansar, domesticar, quitar la braveza.

desembrazar *v. tr.* Quitar o sacar del brazo una cosa.

desembriagar *v. tr.* Quitar la embriaguez. También prnl.

desembridar *v. tr.* Quitar a una cabalgadura las bridas.

desembrollar *v. tr., fam.* Aclarar.

desembrozar *v. tr.* Desbrozar.

desembuchar *v. tr.* **1.** Echar las aves lo que tienen en el buche. **2.** *fig. y fam.* Decir todo cuanto se sabe sobre una cosa.

desembrujar *v. tr.* Deshacer un embrujo o hechizo.

desemejante *adj.* Diferente, no semejante.

desemejanza *s. f.* Diferencia, diversidad.

desemejar *v. intr.* No parecerse una cosa a otra, diferenciarse.

desempacar *v. tr.* Sacar las mercaderías de las pacas.

desempachar *v. tr.* **1.** Quitar el empacho o asiento del estómago. ‖ *v. prnl.* **2.** *fig.* Desembarazarse, perder el empacho.

desempacho *s. m.* Desenfado, desahogo.

desempalagar *v. tr.* Quitar el hastío que se ha tenido a la comida o bebida. También prnl.

desempañar *v. tr.* Limpiar una cosa empañada.

desempapelar *v. tr.* Quitar a una cosa el papel en que está envuelta, o a una habitación el que revestía sus paredes.

desempaque *s. m.* Acción y efecto de desempacar.

desempaquetar *v. tr.* Desenvolver lo que estaba en uno o más paquetes.

desemparejar *v. tr.* Desigualar lo que estaba o iba igual y parejo. También prnl.

desemparentado, da *adj.* Sin parientes.

desempatar *v. tr.* Deshacer un empate.

desempedrar *v. tr.* Arrancar las piedras de un sitio empedrado.

desempegar *v. tr.* Quitar el baño de pez a una tinaja, pellejo u otra cosa.

desempeñar *v. tr.* **1.** Sacar, liberar lo que estaba en garantía de un préstamo. **2.** Representar un papel en el teatro.

desempeño *s. m.* Acción y efecto de desempeñar.

desemperezar *v. intr.* Desechar, sacudir la pereza. También prnl.

desempleado, da *adj.* Que se encuentra sin trabajo.

desempleo *s. m.* Paro en el trabajo, falta de él.

desempolvar *v. tr.* Quitar el polvo.

desempolvorar *v. tr.* Desempolvar. También prnl.

desemponzoñar *v. tr.* Libertar a alguien del daño causado por la ponzoña, o quitar a una cosa sus cualidades ponzoñosas.

desempotrar *v. tr.* Sacar alguna cosa de donde estaba empotrada.

desempozar *v. tr.* Sacar lo que está empozado.

desempuñar *v. tr.* Dejar de empuñar.

desenalbardar *v. tr.* Quitar la albarda, desemparejar las bestias.

desenamorar *v. tr.* Hacer perder el amor que se tiene a una persona o cosa, o deponer el afecto que se le tenía. También prnl.

desenastar *v. tr.* Quitar el asta o mango a un arma o a una herramienta.

desencabalgar *v. tr.* Desmontar una pieza de artillería.

desencabestrar *v. tr.* Sacar la mano o el pie de una bestia que se ha enredado en el cabestro.

desencadenamiento *s. m.* Acción y efecto de desencadenar o desencadenarse.

desencadenar *v. tr.* **1.** Quitar la cadena al que está sujeto con ella. **2.** Provocar. ‖ *v. prnl.* **3.** Estallar con violencia las fuerzas naturales.

desencajar *v. tr.* **1.** Sacar de su lugar una cosa. También prnl. ‖ *v. prnl.* **2.** Descomponerse el semblante.

desencajonar *v. tr.* Sacar lo que está dentro de un cajón.

desencalabrinar *v. tr.* Quitar a alguien el aturdimiento y el encalabrinamiento de cabeza. También prnl.

desencalcar *v. tr.* Aflojar lo que estaba recalcado o apretado.

desencallar *v. tr.* Poner a flote una embarcación encallada. También intr.

desencaminar *v. tr.* Descaminar.

desencantar *v. tr.* Deshacer el encanto.

desencanto *s. m.* Desilusión, desengaño.

desencapillar *v. tr.* Zafar, desprenderse lo que está encapillado. También prnl.

desencapotarse *v. prnl.* Despejar el cielo, el horizonte, etc.

desencaprichar *v. tr.* Desimpresionar, disuadir a alguien de un error, tema o capricho. Se usa más como prnl.

desencarcelar *v. tr.* Excarcelar.

desencargar *v. tr.* Revocar un encargo.

desencarnar *v. tr.* Quitar a los perros el cebo de las reses muertas, para que no se encarnicen.

desencastillar *v. tr.* **1.** Echar de un castillo a la gente que lo defendía. **2.** *fig.* Manifestar, aclarar lo oculto.

desencerrar *v. tr.* Sacar del encierro, franquear la salida a lo que estaba encerrado.

desenchufar *v. tr.* Separar o desconectar lo que está enchufado.

desencintar *v. tr.* Quitar las cintas a una cosa que estaba adornada con ellas.

desenclavar *v. tr.* Desclavar.

desenclavijar *v. tr.* **1.** Quitar las clavijas. **2.** *fig.* Desasir, apartar.

desencoger *v. tr.* Extender, estirar y dilatar lo que está doblado, enrollado o encogido.

desencolar *v. tr.* Despegar lo que estaba pegado con cola. También prnl.

desencolerizar *v. tr.* Apaciguar al que está encolerizado.

desenconar *v. tr.* **1.** Mitigar, quitar la inflamación o encendimiento. También prnl. **2.** *fig.* Moderar, corregir el enojo.

desencono *s. m.* Acción y efecto de desenconar o desenconarse, desahogar el ánimo enconado o perder el enojo.

desencordar *v. tr.* Quitar las cuerdas a un instrumento. Se refiere generalmente a los musicales.

desencordelar *v. tr.* Quitar los cordeles.

desencorvar *v. tr.* Enderezar lo que está encorvado o torcido.

desencovar *v. tr.* Sacar una cosa o hacer salir a un animal de una cueva.

desencrespar *v. tr.* Abatir, deshacer lo encrespado.

desencuadernar *v. tr.* Deshacer lo encuadernado. También prnl.

desendemoniar *v. tr.* Expulsar los demonios que una persona tiene en su cuerpo, hacer exorcismo.

desendiablar *v. tr.* Desendemoniar.

desendiosar *v. tr., fig.* Abatir y bajar la vanidad y altanería de la persona que, por ser o creerse superior, se hace intratable o inaccesible.

desenfadado, da *adj.* Desembarazado, alegre.

desenfadar *v. tr.* Desenojar, quitar el enfado. También prnl.

desenfado *s. m.* **1.** Desahogo, desembarazo. **2.** Diversión o desahogo del ánimo.

desenfaldar *v. tr.* Bajar el enfaldo. También prnl.

desenfardar *v. tr.* Abrir y desatar los fardos.

desenfilar *v. tr.* Poner las tropas, fuertes y buques a cubierta de los tiros directos del enemigo. También prnl.

desenfrenar *v. tr.* **1.** Quitar el freno a las caballerías. ‖ *v. prnl.* **2.** Desmandarse, entregarse a los vicios.

desenfreno *s. m., fig.* Acción y efecto de desenfrenarse.

desenfundar *v. tr.* Quitar la funda a alguna cosa o sacarla de ella.

desenfurecer *v. tr.* Hacer deponer el furor. También prnl.

desenganchar *v. tr.* Soltar una cosa que está enganchada. También prnl.

desengañar *v. tr.* **1.** Hacer reconocer el engaño o el error. También prnl. **2.** Quitar esperanzas o ilusiones.

desengaño *s. m.* Conocimiento de la verdad, con que se sale del error en que se estaba.

desengarrafar *v. tr.* Desprender lo que se tiene asido con los dedos encorvados en figura de garra.

desengarzar *v. tr.* Deshacer el engarce, desprender lo que está unido.

desengastar *v. tr.* Soltar una cosa que está enganchada. También prnl.

desengomar *v. tr.* Desgomar.

desengoznar *v. tr.* Desgonzar. También prnl.

desengranar *v. tr.* Soltar el engranaje de una cosa con otra.

desengrasar *v. tr.* Quitar la grasa.

desengrosar *v. tr.* Adelgazar, enflaquecer.

desengrudar *v. tr.* Quitar el engrudo.

desenhebrar *v. tr.* Sacar la hebra de la aguja. También prnl.

desenhornar *v. tr.* Sacar del horno una cosa que se había metido para cocinarla.

desenjaezar *v. tr.* Quitar los jaeces al caballo.

desenjalmar *v. tr.* Quitar la enjalma a una bestia.

desenjaular *v. tr.* Sacar de la jaula.

desenlace *s. m.* Resolución del nudo o la trama de una narración o un drama.

desenladrillar *v. tr.* Quitar los ladrillos del suelo.

desenlazar *v. tr.* Desatar los lazos y soltar lo que estaba unido con ellos. También prnl.

desenlosar *v. tr.* Levantar el enlosado. También prnl.

desenlutar *v. tr.* Quitar el luto. También prnl.

desenmallar *v. tr.* Sacar de la malla el pescado.

desenmarañar *v. tr.* **1.** Desenredar, deshacer la maraña. **2.** *fig.* Poner en claro una cosa que estaba oscura y confusa.

desenmascarar *v. tr.* **1.** Quitar la máscara. También prnl. **2.** *fig.* Dar a conocer una persona tal como es moralmente.

desenmohecer *v. tr.* Quitar el moho.

desenmudecer *v. intr.* Librarse del impedimento que tenía alguien para hablar. También tr.

desenojar *v. tr.* Aplacar el enojo.

desenredar *v. tr.* **1.** Deshacer el enredo. **2.** *fig.* Poner en orden y sin complejidad las cosas que estaban desordenadas.

desenredo *s. m.* Acción y efecto de desenredar.

desenrollar *v. tr.* Desarrollar, extender una cosa que está enrollada. También prnl.

desenroscar *v. tr.* **1.** Extender aquello que está enroscado. También prnl. **2.** Sacar aquello que se ha introducido a vuelta de rosca. También prnl.

desensamblar *v. tr.* Separar o desunir las piezas de madera ensambladas. También prnl.

desensañar *v. tr.* Hacer deponer la saña.

desensartar *v. tr.* Desprender o soltar lo que está ensartado.

desensebar *v. tr.* Quitar el sebo.

desensillar *v. tr.* Quitar la silla a una caballería.

desensoberbecer *v. tr.* Hacer deponer la soberbia. También prnl.

desensortijado, da *adj.* Se dice de los rizos del pelo cuando se deshacen.

desentablar *v. tr.* **1.** Arrancar las tablas del lugar donde están clavadas. **2.** *fig.* Deshacer, desconcertar un negocio, trato o amistad.

desentarimar *v. tr.* Quitar el entarimado.

desentenderse *v. prnl.* **1.** Fingir que no se entiende una cosa. **2.** Prescindir de un asunto, no tomar parte de él.

desenterramiento *s. m.* Acción y efecto de desenterrar.

desenterrar *v. tr.* **1.** Sacar lo que está debajo de tierra. **2.** *fig.* Traer a la memoria lo olvidado.

desentoldar *s. f.* **1.** Quitar los toldos. **2.** *fig.* Despojar de su adorno una cosa.

desentonación *s. f.* Desentono.

desentonar *v. intr.* Subir o bajar la entonación de la voz o de un instrumento de forma inoportuna.

desentono *s. m.* Desproporción en el tono de la voz.

desentorpecer *v. tr.* Sacudir la torpeza.

desentrampar *v. tr., fam.* Desempeñar. También prnl.

desentrañar *v. tr.* **1.** Sacar las entrañas. **2.** Averiguar lo más dificultoso de un asunto.

desentrenar *v. tr.* Hacer perder el entrenamiento adquirido. Se usa más como prnl.

desentronizar *v. tr.* **1.** Destronar. **2.** *fig.* Deponer a alguien de la autoridad que tenía.

desentumecer *v. tr.* Hacer que un miembro entumecido pueda recobrar la agilidad.

desentumir *v. tr.* Desentumecer. También prnl.

desenvainar *v. tr.* **1.** Sacar de la vaina un arma. **2.** *fam.* Sacar lo que está oculto.

desenvergar *v. tr.* Desatar las velas envergadas.

desenvoltura *s. f.* **1.** Soltura. **2.** *fig.* Despejo, facilidad en el decir.

desenvolver *v. tr.* **1.** Desenrollar lo que está enrollado o envuelto. También prnl. ‖ *v. prnl.* **2.** Actuar con habilidad.

desenvuelto, ta *adj.* Libre, deshonesto.

desenzarzar *v. tr.* **1.** Sacar de las zarzas una cosa enredada en ellas. **2.** *fig. y fam.* Separar o aplacar a los que riñen.

deseo *s. m.* Movimiento enérgico de la voluntad que apetece algo.

deseoso, sa *adj.* Que desea o apetece.

desequilibrado, da *adj.* Falto de equilibrio mental, que a veces parece loco.

desequilibrar *v. tr.* Hacer perder el equilibrio. También prnl.

desequilibrio *s. m.* **1.** Falta de equilibrio. **2.** Alteración de la personalidad.

deserción *s. f.* Acción de desertar.

deserrado, da *adj.* Libre de error.

desertar *v. tr.* **1.** Desamparar, abandonar el soldado sus obligaciones. También prnl. **2.** Abandonar la causa o apelación.

desértico, ca *adj.* Se dice de lo que es propio, perteneciente o relativo al desierto.

desertor, ra *s. m. y s. f.* **1.** Soldado que abandona sus obligaciones. **2.** *fam.* Persona que abandona una opinión o causa.

deservicio *s. m.* Culpa que se comete contra alguien a quien hay obligación de servir.

desescombrar *v. tr.* Escombrar.

deseslabonar *v. tr.* Deslabonar.

desesperación *s. f.* Pérdida total de la esperanza.

desesperado, da *adj.* Que siente desesperación.

desesperanza *s. f.* Falta de esperanza.

desesperanzar *v. tr.* Quitar las esperanzas.

desesperar *v. tr., fam.* Impacientar, exasperar. También prnl.

desestabilizar *v. tr.* Comprometer o alterar la estabilidad. También prnl.

desestancar *v. tr.* Dejar libre lo que está estancado.

desestañar *v. tr.* Quitar a una cosa el estaño con que está soldada o bañada. También prnl.

desesterar *v. tr.* Levantar o quitar las esteras.

desestimación *s. f.* Acción y efecto de desestimar.

desestimar *v. tr.* **1.** Tener en poco. **2.** Denegar, desechar.

desfachatado, da *adj., fam.* Descarado, desvergonzado.

desfachatez *s. f., fam.* Descaro, desvergüenza.

desfajar *v. tr.* Quitar a una persona o cosa la faja con que estaba ceñida o atada. También prnl.

desfalcar *v. tr.* **1.** Quitar parte de una cosa, descabalarla. **2.** Tomar para sí un caudal que se tenía bajo obligación de custodia.

desfalco *s. m.* Acción y efecto de desfalcar.

desfallecer *v. tr.* **1.** Debilitarse. **2.** Padecer desmayo.

desfallecimiento *s. m.* Disminución de ánimo, decaimiento de vigor y fuerzas, desmayo.

desfasarse *v. prnl.* No adecuarse a las corrientes, condiciones o circunstancias del momento.

desfavorable *adj.* Perjudicial, adverso.

desfavorecer *v. tr.* Dejar de favorecer a alguien, desairarle.

desfibrar *v. tr.* Eliminar las fibras de la madera, plantas textiles, etc.

desfiguración *s. f.* Acción y efecto de desfigurar.

desfigurar *v. tr.* **1.** Afear, ajar la composición, orden y hermosura del semblante y de las facciones. **2.** *fig.* Disfrazar y encubrir con apariencia diferente el propio semblante, la intención u otra cosa.

desfiladero *s. m.* Paso estrecho, generalmente entre montañas.

desfilar *v. intr.* **1.** Marchar en fila. **2.** Marchar las tropas en orden y formación más reducida que la que hasta allí se traía.

desfile *s. m.* Acción de desfilar.

desflecar *v. tr.* Sacar flecos destejiendo las orillas o extremos de una tela, cinta, etc.

desflemar *v. intr.* Expeler las flemas.

desflocar *v. tr.* Desflecar.

desfloración *s. f.* Acción y efecto de desflorar.

desflorar *v. tr.* **1.** Ajar, quitar la flor o el lustre. **2.** Desvirgar.

desfogar *v. tr.* **1.** Dar salida al fuego. **2.** *fig.* Manifestar con vehemencia una pasión. También prnl.

desfogonar *v. tr.* Quitar o romper el fogón a las piezas de artillería o de otras armas de fuego. También prnl.

desfogue *s. m.* Acción y efecto de desfogar o desfogarse.

desfollonar *v. tr.* Quitar a las plantas hojas o vástagos inútiles.

desfondar *v. tr.* Quitar o romper el fondo a un vaso, caja, etc. También prnl.

desfonde *s. m.* Acción y efecto de desfondar.

desfortalecer *v. tr.* Demoler una fortaleza o quitarle la guarnición.

desfruncir *v. tr.* Desplegar.

desgaire *s. m.* Desaliño, desaire.

desgajar *v. tr.* **1.** Desgarrar, arrancar, separar con violencia la rama del tronco de donde nace. También prnl. **2.** Despedazar, romper alguna cosa compacta.

desgalgar *v. tr.* Despeñar. También prnl.

desgalichado, da *adj.* Desaliñado.

desgalillarse *v. prnl., Méx. y P. Ric.* Desgañitarse, gritar con fuerza.

desgana *s. f.* **1.** Inapetencia, falta de ganas de comer. **2.** *fig.* Falta de aplicación, tedio, disgusto o repugnancia a una cosa.

desganar *v. tr.* **1.** Quitar el deseo, gusto o ganas de hacer una cosa. **2.** Perder las ganas de comer.

desgañitarse *v. prnl., fam.* Esforzarse alguien violentamente, gritando o voceando.

desgarbado, da *adj.* Falto de garbo.

desgargantarse *v. prnl., fam.* Desgañitarse voceando.

desgargolar *v. tr.* Sacar de los gárgoles una pieza de madera.

desgaritar *v. tr.* Perder el rumbo. También prnl.

desgarrado, da *adj.* Crudo, descarnado.

desgarrador, ra *adj.* Que causa sufrimiento.

desgarrar *v. tr.* **1.** Rasgar, romper. También prnl. **2.** *fig.* Apartarse, separarse, huir uno de la compañía de otro u otros.

desgarro *s. m.* **1.** Rotura o rompimiento. **2.** *fig.* Arrojo, desvergüenza, descaro.

desgarrón *s. m.* Rasgón o rotura grande del vestido o de otra cosa semejante.

desgastar *v. tr.* Quitar o consumir poco a poco, por el uso o el roce, parte de una cosa.

desgaste *s. m.* Acción y efecto de desgastar.

desgaznatarse *v. prnl., fam.* Desgargantarse.

desglosar *v. tr.* **1.** Quitar la glosa o nota a un escrito. **2.** Quitar algunas hojas de un documento, dejando nota de su contenido. **3.** Separar, apartar una cuestión de otras.

desglose *s. m.* Acción y efecto de desglosar.

desgobernar *v. tr.* Deshacer, perturbar y confundir el buen orden del gobierno.

desgobierno *s. m.* Desorden, desbarate, falta de gobierno.

desgomar *v. tr.* Quitar la goma a los tejidos.

desgonzar *v. tr.* **1.** Desgoznar. **2.** *fig.* Desencajar, desquiciar.

desgoznar *v. tr.* Quitar los goznes.

desgracia *s. f.* Acontecer adverso o funesto.

desgraciado, da *adj.* **1.** Que sufre desgracias o una desgracia. También s. m. y s. f. ‖ *s. m. y s. f.* **2.** Persona que inspira compasión o menosprecio.

desgraciar *v. tr.* **1.** Disgustar, desagradar. ‖ *v. prnl.* **2.** Echarse a perder, malograrse.

desgramar *v. tr.* Arrancar o quitar la grama.

desgranar *v. tr.* **1.** Sacar el grano de una cosa. También prnl. ‖ *v. prnl.* **2.** Soltarse las piezas ensartadas. También tr.

desgranzar *v. tr.* Quitar o separar las granzas.

desgrasar *v. tr.* Quitar la grasa a las lanas o a los tejidos que se hacen con ellas.

desgrase *s. m.* Acción y efecto de desgrasar.

desgravar *v. tr.* Rebajar los derechos arancelarios o los impuestos sobre determinados objetos.

desgreñar *v. tr.* Descomponer, desordenar los cabellos. También prnl.

desguace *s. m.* Materiales resultantes de desguazar algo.

desguarnecer *v. tr.* **1.** Quitar la guarnición que servía de adorno. **2.** Quitar la fuerza o la fortaleza a una cosa.

desguazar *v. tr.* **1.** Desbastar un madero. **2.** Desbaratar o deshacer un buque.

desguince *s. m.* Cuchillo con que se corta el trapo en los molinos de papel.

desguindar *v. tr.* Bajar lo que está guindado.

desguinzar *v. tr.* Cortar el trapo con el desguince.

deshabitado, da *adj.* Se dice del edificio, lugar o paraje que estuvo habitado y ya no lo está.

deshabitar *v. tr.* **1.** Dejar de vivir en un lugar o casa. **2.** Dejar sin habitantes una población o territorio.

deshabituar *v. tr.* Hacer que una persona o animal pierda el hábito o la costumbre que tenía. También prnl.

deshacer *v. tr.* Destruir lo que está hecho.

deshambrido, da *adj.* Muy hambriento.

desharrapado, da *adj.* Andrajoso, roto.

deshebillar *v. tr.* Soltar o desprender la hebilla o lo que estaba sujeto con ella.

deshebrar *v. tr.* Sacar las hebras o los hilos, destejiendo una tela.

deshecha *s. f.* Disimulo con que se pretende ocultar una cosa o desvanecer una sospecha.

deshechizar *v. tr.* Deshacer el hechizo o maleficio.

deshecho, cha *adj.* Hablando de lluvias, temporales, etc., impetuoso, fuerte.

deshelar *v. tr.* Licuar lo que está helado. También prnl.

desherbar *v. tr.* Quitar o arrancar las hierbas perjudiciales.

desheredar *v. tr.* Excluir a alguien de la herencia forzosa.

deshermanar *v. tr., fig.* Quitar la conformidad, igualdad o semejanza de dos cosas conformes o iguales.

desherrar *v. tr.* Quitar las herraduras a una caballería. También prnl.

desherrumbar *v. tr.* Quitar la herrumbre.

deshidratación *s. f.* Acción y efecto de deshidratar o deshidratarse.

deshidratar *v. tr.* Privar a un organismo del agua que contiene. También prnl.

deshielo *v. tr.* Acción y efecto de deshelar o deshelarse.

deshijar *v. tr.* **1.** Apartar las crías de las madres, referido al ganado. **2.** *Cub., Hond. y Méx.* Quitar los chupones a las plantas.

deshilachar *v. tr.* Sacar hilachas de una tela. También prnl.

deshilar *v. tr.* Sacar hilos de un tejido, destejer la orilla.

deshilvanar *v. tr.* Quitar los hilvanes. También prnl.

deshincar *v. tr.* Sacar lo que está hincado. También prnl.

deshinchar *v. tr.* Quitar la hinchazón.

deshipotecar *v. tr.* Cancelar o suspender la hipoteca.

deshojar *v. tr.* Quitar las hojas a una planta o los pétalos a una flor. También prnl.

deshoje *s. m.* Caída de las hojas de una planta.

deshollejar *v. tr.* Quitar el hollejo.

deshollinar *v. tr.* Limpiar las chimeneas, quitándoles el hollín.

deshonestarse *v. prnl.* Perder en las acciones la gravedad y el decoro que corresponde.

deshonestidad *s. f.* Calidad de deshonesto.

deshonesto, ta *adj.* Impúdico, falto de honestidad.

deshonor *s. m.* **1.** Pérdida del honor. **2.** Afrenta, deshonra.

deshonorar *v. tr.* **1.** Quitar el honor. También prnl. **2.** Quitar a alguien su empleo, oficio, categoría o dignidad.

deshonra *s. f.* **1.** Pérdida de la honra. **2.** Cosa deshonrosa.

deshonrar *v. tr.* Quitar la honra. También prnl.

deshonroso, sa *adj.* Afrentoso, indecoroso, poco decente.

deshora *s. f.* Tiempo inoportuno, no conveniente.

deshuesar *v. tr.* Quitar los huesos a un animal o a la fruta.

deshumedecer *v. tr.* Desecar, quitar la humedad. También prnl.

desiderativo, va *adj.* Que expresa o indica deseo.

desiderátum *s. m.* Objeto y fin de vivo o constante deseo.

desidia *s. f.* Negligencia, inercia.

desidioso, sa *adj.* Que tiene desidia. También s. m. y s. f.

desierto, ta *adj.* **1.** Despoblado, deshabitado. ‖ *s. m.* **2.** Lugar despoblado especialmente por su esterilidad.

designación *s. f.* Acción y efecto de designar.

designar *v. tr.* Determinar una persona o cosa por su nombre o rasgo distintivo.

designio *s. m.* Pensamiento o propósito del entendimiento aceptado por la voluntad.

desigual *adj.* **1.** Que no es igual. **2.** *fig.* Arduo, dificultoso.

desigualar *v. tr.* Hacer a una persona o cosa desigual a otra.

desigualdad *s. f.* Calidad de desigual.

desilusión *s. f.* **1.** Carencia o pérdida de las ilusiones. **2.** Desengaño.

desilusionar *v. tr.* **1.** Hacer perder a alguien las ilusiones. ‖ *v. prnl.* **2.** Perder las ilusiones. **3.** Desengañarse.

desimanar *v. tr.* Desimantar. También prnl.

desimantar *v. tr.* Hacer perder la imantación a un imán. También prnl.

desimponer *v. tr.* Quitar la imposición de una forma.

desimpresionar *v. tr.* Desengañar, sacar a alguien del error en que estaba. También prnl.

desincentivar *v. tr.* Disuadir.

desinclinar *v. tr.* Apartar a alguien de la inclinación que tenía.

desincorporar *v. tr.* Separar lo que estaba incorporado.

desincrustar *v. tr.* Quitar o suprimir incrustaciones.

desinencia *s. f.* Morfema que se añade a la raíz de una palabra para indicar caso, género, número, persona, tiempo, etc.

desinfartar *v. tr.* Resolver un infarto.

desinfección *s. f.* Acción y efecto de desinfectar.

desinfectante *adj.* Que desinfecta o sirve para desinfectar.

desinfectar *v. tr.* Quitar lo que puede ser causa de infección. También prnl.

desinficionar *v. tr.* Desinfectar. También prnl.

desinflamar *v. tr.* Quitar la inflamación.

desinflar *v. tr.* Sacar el aire u otra sustancia aeriforme del cuerpo flexible que lo contenía. También prnl.

desinformar *v. tr.* No dar información sobre un asunto.

desinhibir *v. tr.* Actuar con espontaneidad. También prnl.

desinsacular *v. tr.* Sacar del saco o bolsas las bolillas o cédulas en que se hallan los nombres de las personas insaculadas.

desinsectar *v. tr.* Limpiar de insectos un local, barco, etc., por medio de gases tóxicos.

desintegración *s. f.* Acción y efecto de desintegrar o desintegrarse.

desintegrar *v. tr.* Descomponer un todo. También prnl.

desinterés *s. m.* Desapego y desprendimiento de todo provecho personal.

desinteresado, da *adj.* **1.** Desprendido, apartado del interés. **2.** Generoso.

desinteresarse *v. prnl.* Perder alguien el interés que tenía en alguna cosa.

desintoxicar *v. tr.* Combatir la intoxicación y sus efectos. También prnl.

desinvernar *v. intr.* Salir las tropas de los cuarteles de invierno.

desistir *v. intr.* **1.** Apartarse de una empresa o intento empezado a ejecutar. **2.** Abdicar o abandonar un derecho.

desjarretar *v. tr.* Cortar las piernas de un animal por el jarrete.

desjugar *v. tr.* Sacar el jugo. También prnl.

desjuiciado, da *adj.* Falto de juicio.

desjuntar *v. tr.* Dividir, separar, apartar. También prnl.

deslabonar *v. tr.* Soltar y desunir un eslabón de otro.

deslastrar *v. tr.* Quitar el lastre de una embarcación.

deslatar *v. tr.* Quitar las latas a una casa, embarcación, etc.

deslavar *v. tr.* Limpiar y lavar una cosa muy por encima, sin aclararla bien.

deslazar *v. tr.* Desenlazar.

desleal *adj.* Que obra sin lealtad.

deslealtad *s. f.* Falta de lealtad.

deslechugar *v. tr.* Desfollonar.

deslegalizar *v. tr.* Quitar el estado legal a algo.

desleír *v. tr.* Disolver las partes de algunos cuerpos por medio de un líquido.

deslendrar *v. tr.* Quitar las liendres.

deslenguado, da *adj., fig.* Desvergonzado, desbocado, malhablado.

deslenguar *v. tr.* Quitar o cortar la lengua.

desliar *v. tr.* Deshacer el lío, desatar lo liado. También prnl.

desligar *v. tr.* **1.** Desatar, soltar las ligaduras. También prnl. **2.** *fig.* Dispensar de la obligación contraída. También prnl.

deslindar *v. tr.* Señalar los lindes de un lugar, población o heredad.

deslinde *s. m.* Acción y efecto de deslindar.

desliñar *v. tr.* Quitar cualquier hilacho o cosa extraña al paño después de tundido.

deslío *s. m.* Acción de desliar.

desliz *s. m.* Falta que se comete por flaqueza o inadvertencia.

deslizamiento *s. m.* Acción y efecto de deslizar o deslizarse.

deslizar *v. tr.* **1.** Irse los pies u otro cuerpo sobre una superficie lisa o mojada. También prnl. ‖ *v. prnl.* **2.** Decir o hacer una cosa de forma no deliberada.

desloar *v. tr.* Vituperar, reprender.

deslomar *v. tr.* Quebrantar, romper o maltratar los lomos. Se usa más como prnl.

deslucido, da *adj.* Que no tiene lucimiento.

deslucimiento *s. m.* Falta de lucimiento.

deslucir *v. tr.* **1.** Quitar la gracia, atractivo o lustre a una cosa. También prnl. **2.** *fig.* Desacreditar. También prnl.

deslumbrar *v. tr.* Ofuscar la vista o confundirla con una luz excesiva. También prnl.

deslustrar *v. tr.* **1.** Quitar el lustre. **2.** *fig.* Desacreditar, deslucir.

deslustre *s. m.* Deslucimiento, falta de lustre y brillantez.

desmadejar *v. tr., fig.* Causar flojedad en el cuerpo. También prnl.

desmadrado, da *adj.* **1.** Se aplica al animal que ha sido abandonado por la madre. **2.** Se dice de la persona que se comporta con excesiva libertad.

desmadrar *v. tr.* **1.** Separar de la madre las crías del ganado. ‖ *v. prnl.* **2.** *fig. y fam.* Comportarse alguien alocadamente y con excesiva libertad.

desmadre *s. m.* **1.** *fig. y fam.* Acción y efecto de desmadrarse, comportarse alocadamente. **2.** *fig. y fam.* Fiesta desenfrenada.

desmajolar *v. tr.* Arrancar o descepar los majuelos de una viña.

desmallar *v. tr.* Deshacer, cortar las mallas. También prnl.

desmamar *v. tr.* Destetar.

desmamonar *v. tr.* Quitar los mamones a las vides y a otras plantas y árboles.

desmán[1] *s. m.* Exceso, desorden, demasía en obras o palabras.

desmán[2] *s. m.* Mamífero insectívoro que vive en las orillas de los ríos y arroyos.

desmandar *v. tr.* **1.** Revocar la orden o mandato. ‖ *v. prnl.* **2.** Descomedirse, propasarse.

desmangar *v. tr.* Quitar el mango a una herramienta. También prnl.

desmanotado, da *adj., fig. y fam.* Apocado, encogido, torpe.

desmantecar *v. tr.* Quitar la manteca.

desmantelamiento *s. m.* Acción y efecto de desmantelar.

desmantelar *v. tr.* **1.** Echar por tierra y arruinar los muros y fortificaciones de una plaza. **2.** *fig.* Desamparar, abandonar una casa, una habitación, etc.

desmaña *s. f.* Falta de maña y habilidad.

desmañado, da *adj.* Falto de pericia, destreza o habilidad.

desmaquillar *v. tr.* Quitar de la cara el maquillaje u otros cosméticos.

desmarcarse *v. prnl.* **1.** Zafarse un jugador del contrario que le marca. **2.** *fig. y fam.* Zafarse, escabullirse, alejarse.

desmarojar *v. tr.* Quitar a los árboles el marojo u hoja inútil.

desmatar *v. tr.* Arrancar de cuajo las matas.

desmayar *v. tr.* **1.** Causar desmayo. ‖ *v. prnl.* **2.** Perder el sentido.

desmayo *s. m.* Desaliento, desfallecimiento de las fuerzas, privación de sentido.

desmazalado, da *adj.* Flojo, caído, dejado.

desmedido, da *adj.* Desproporcionado, falto de medida, que no tiene término.

desmedirse *v. prnl.* Desmandarse, descomedirse o excederse.

desmedrar *v. tr.* **1.** Deteriorar. También prnl. ‖ *v. intr.* **2.** Ir a menos.

desmejora *s. f.* Deterioro, menoscabo.

desmejorar *v. tr.* **1.** Hacer perder el lustre y perfección. También prnl. ‖ *v. intr.* **2.** Ir perdiendo la salud. También prnl.

desmelar *v. tr.* Quitar la miel a la colmena.

desmelenar *v. tr.* Descomponer y desordenar el cabello. También prnl.

desmembrar *v. tr.* Dividir y apartar los miembros del cuerpo.

desmemoria *s. f.* Falta de memoria.

desmemoriado, da *adj.* Torpe de memoria.

desmemoriarse *v. prnl.* Perder la memoria.

desmenguar *v. tr., fig.* Disminuir una cosa no material.

desmentir *v. tr.* **1.** Decir a alguien que miente. **2.** Demostrar la falsedad de algo. **3.** Disimular o desvanecer una cosa para que no se conozca.

desmenuzar *v. tr.* **1.** Deshacer una cosa, dividiéndola en partes menudas. También prnl. **2.** Examinar algo detalladamente.

desmeollar *v. tr.* Sacar el meollo o tuétano.

desmerecer *v. intr.* Perder una cosa parte de su mérito o valor.

desmerecimiento *s. m.* Demérito.

desmesura *s. f.* Descomedimiento, falta de mesura.

desmesurado, da *adj.* Excesivo, mayor de lo común.

desmesurar *v. tr.* **1.** Desarreglar, desordenar o descomponer. ‖ *v. prnl.* **2.** Descomedirse, perder la modestia.

desmigajar *v. tr.* Hacer migajas una cosa.

desmigar *v. tr.* Desmigajar o deshacer el pan para hacer migas.

desmilitarizar *v. tr.* Suprimir el carácter militar de algo.

desmineralización *s. f.* Disminución o pérdida de una cantidad anormal de principios minerales, como fósforo, potasa, cal, etc.

desmirriado, da *adj., fam.* Esmirriado.

desmochar *v. tr.* Quitar, arrancar la parte superior de una cosa dejándola mocha.

desmogar *v. intr.* Mudar los cuernos el venado y otros animales.

desmolado, da *adj.* Que ha perdido la muelas.

desmonetizar *v. tr.* Abolir el empleo de un metal para la acuñación de moneda.

desmontable *adj.* Que se puede desmontar o desarmar fácilmente.

desmontar *v. tr.* **1.** Cortar en un monte, o en parte de él, los árboles o matas. **2.** Bajar alguien de una caballería o de otra cosa. También intr. y prnl.

desmonte *s. m.* Paraje de terreno desmontado.

desmoñar *v. tr., fam.* Quitar el moño o descomponerlo. También prnl.

desmoralización *s. f.* Acción y efecto de desmoralizar o desmoralizarse.

desmoralizador, ra *adj.* Que desmoraliza.

desmoralizar *v. tr.* **1.** Corromper las costumbres con malos ejemplos. También prnl. **2.** Desanimar. También prnl.

desmoronamiento *s. m.* Acción y efecto de desmoronar o desmoronarse.

desmoronar *v. tr.* **1.** Deshacer y arruinar poco a poco los edificios. También prnl. ‖ *v. prnl.* **2.** Venir a menos, irse destruyendo los imperios, los caudales, etc.

desmostarse *v. prnl.* Perder mosto la uva.

desmotar *v. tr.* Quitar las motas a la lana o al paño.

desmotivar *v. tr.* Desanimar, desalentar.

desmovilizar *v. tr.* Licenciar a las tropas movilizadas.

desnacionalizar *v. tr.* Quitar el carácter nacional a algo.

desnarigado, da *adj.* Que no tiene narices o las tiene muy pequeñas.

desnarigar *v. tr.* Quitar a alguien las narices.

desnatar *v. tr.* Quitar la nata a la leche o a otros líquidos.

desnaturalización *s. f.* Acción y efecto de desnaturalizar o desnaturalizarse.

desnevar *v. intr.* Deshacerse o derretirse la nieve.

desnivel *s. m.* **1.** Falta de nivel. **2.** Diferencia de alturas entre dos a más puntos.

desnivelar *v. tr.* Sacar de nivel.

desnucar *v. tr.* **1.** Sacar de su lugar los huesos de la nuca. **2.** Matar con un golpe en la nuca. También prnl.

desnuclearización *s. f.* Eliminación de armamento o instalaciones nucleares de un territorio.

desnudar *v. tr.* Quitar todo el vestido o parte de él. También prnl.

desnudez *s. f.* Calidad de desnudo.

desnudo, da *adj.* **1.** Sin vestido. **2.** Sin revestimiento o adornos.

desnutrición *s. f.* Acción y efecto de desnutrirse.

desnutrirse *v. prnl.* Depauperarse el organismo por trastorno de la nutrición.

desobedecer *v. tr.* No hacer alguien lo que ordenan las leyes o los superiores.

desobediencia *s. f.* Acción y efecto de desobedecer.

desobediente *adj.* Propenso a desobedecer.

desobligar *v. tr., fig.* Enajenar el ánimo de alguien.

desobstruir *v. tr.* Quitar las obstrucciones.

desocupación *s. f.* Ociosidad.

desocupado, da *adj.* Sin ocupación, ocioso.

desocupar *v. tr.* **1.** Desembarazar, dejar un lugar libre y sin impedimento. **2.** Sacar lo que hay dentro de alguna cosa.

desodorante *adj.* Que destruye los olores molestos y nocivos.

desoír *v. tr.* Desatender, dejar de oír.

desojarse *v. prnl., fam.* Mirar con mucho ahínco para ver o hallar una cosa.

desolación *s. f.* Devastación.

desolador, ra *adj.* **1.** Asolador. **2.** Que causa un profundo pesar.

desolar *v. tr.* **1.** Asolar, destruir. ‖ *v. prnl.* **2.** *fig.* Afligirse, sentir gran angustia.

desoldar *v. tr.* Quitar la soldadura. También prnl.

desolladero *s. m.* Sitio destinado para desollar las reses.

desollar *v. tr.* **1.** Quitar la piel del cuerpo de un animal. **2.** *fig.* Causar a alguien grave daño en su persona, honra o hacienda.

desopilar *v. tr.* Curar la opilación. También prnl.

desopinar *v. tr.* Quitar la buena opinión, desacreditar.

desoprimir *v. tr.* Librar de la opresión y sujeción.

desorbitar *v. tr.* Sacar una cosa de su órbita habitual. También prnl.

desorden *s. m.* Alteración del orden propio de una cosa.

desordenado, da *adj.* Que no tiene orden, que procede sin él.

desordenar *v. tr.* Turbar, confundir y alterar el buen concierto de una cosa.

desorejado, da *adj., fig. y fam.* Prostituido, abyecto.

desorejar *v. tr.* Cortar las orejas.

desorganización *s. f.* Acción y efecto de desorganizar o desorganizarse.

desorganizar *v. tr.* Desordenar en sumo grado. También prnl.

desorientación *s. f.* Acción y efecto de desorientar o desorientarse.

desorientar *v. tr.* Hacer perder la orientación. También prnl.

desortijar *v. tr.* Dar la primera labor a las plantas.

desosar *v. tr.* Deshuesar.

desovar *v. intr.* Soltar las hembras de los peces y anfibios los huevos o huevas.

desove *s. f.* Época en que desovan las hembras de los peces y anfibios.

desovillar *v. tr.* **1.** Deshacer los ovillos. **2.** *fig.* Aclarar una cosa.

desoxidar *v. tr.* Limpiar un metal de óxido.

desoxigenar *v. tr.* Quitar el oxígeno a una sustancia con la que estaba combinado. También prnl.

despabiladeras *s. f. pl.* Tijeras con que se despabilan velas y candiles.

despabilado, da *adj.* Que no tiene sueño.

despabilar *v. tr.* **1.** Quitar la parte ya quemada del pabilo a velas y candiles. **2.** *fig.* Despachar brevemente. **3.** *fig.* Avivar el entendimiento. También prnl.

despachar *v. tr.* **1.** Concluir un negocio. **2.** Resolver, decidir. **3.** Vender los géneros o mercancías. **4.** Despedir, apartar a alguien. **5.** *fam.* Atender el dependiente a los clientes. También intr.

despacho *s. m.* **1.** Habitación de una casa destinada a la resolución de negocios o al estudio. **2.** Establecimiento donde se venden determinados efectos.

despachurrar *v. tr. fam.* Aplastar o reventar una cosa apretándola con fuerza.

despacio *adv. m.* Poco a poco, lentamente.

despajar *v. tr.* Apartar la paja del grano.

despaldillar *v. tr.* Romper la espaldilla a un animal. También prnl.

despalmar *v. tr.* Limpiar y dar sebo a los fondos de las embarcaciones.

despampanante *adj., fig.* Se dice de la persona o cosa que llama la atención.

despampanar *v. tr.* **1.** Quitar los pámpanos a las vides. **2.** *fig. y fam.* Dejar atónita a una persona.

despampanillar *v. tr.* Despampanar las vides.

despamplonar *v. tr.* Separar los vástagos de las plantas cuando están muy juntos.

despancar *v. tr., Arg., Bol. y Per.* Separar la panca de la mazorca del maíz.

despancijar *v. tr., fam.* Despanzurrar. También prnl.

despanzurrar *v. tr., fam.* Romper la panza, reventar. También prnl.

desparedar *v. tr.* Quitar las paredes o tapias.

desparejar *v. tr.* Deshacer una pareja. También prnl.

desparpajar *v. tr., C. Ric., Hond. y Méx.* Desparramar, esparcir.

desparpajo *s. m., fam.* Desenvoltura en el hablar o en las acciones.

desparramado, da *adj.* Ancho, abierto.

desparramar *v. tr.* Esparcir, extender lo que estaba junto. También prnl.

desparvar *v. tr.* Levantar la parva después de trillar.

despatarrar *v. tr., fam.* Abrir excesivamente las piernas. También prnl.

despatillar *v. tr.* Cortar las patillas. También prnl.

despaturrar *v. tr., Col., Chil. y Ven.* Despatarrar.

despavesar *v. tr.* Quitar, soplando, las cenizas que tiene la superficie de las brasas.

despavonar *v. tr.* Quitar el pavón de una superficie de hierro.

despavorido, da *adj.* Lleno de pavor.

despavorir *v. intr.* Tener pavor. También prnl.

despearse *v. prnl.* Maltratarse los pies por haber caminado mucho.

despechar[1] *v. tr.* Causar despecho.

despechar[2] *v. tr., fam.* Destetar a los niños.

despecho *s. m.* **1.** Malquerencia originada por el fracaso en algún propósito. **2.** Disgusto o sentimiento vehemente. **3.** Desesperación. **4.** Rigor o aspereza.

despechugar *v. tr.* **1.** Quitar la pechuga a un ave. ‖ *v. prnl.* **2.** *fig. y fam.* Mostrar el pecho, traerlo descubierto.

despectivo, va *adj.* Que indica desprecio.

despedazar *v. tr.* Hacer pedazos un cuerpo. También prnl.

despedida *s. f.* Acción y efecto de despedir.

despedir *v. tr.* **1.** Soltar, arrojar una cosa. **2.** Quitar a alguien su empleo. También prnl.

despedrar *v. tr.* Despedregar.

despedregar *v. tr.* Limpiar de piedras la tierra.

despegado, da *adj., fam.* Áspero o desabrido en el trato.

despegar *v. tr.* **1.** Apartar dos cosas que están pegadas o muy ligadas. También prnl. ‖ *v. intr.* **2.** Separarse del suelo o del agua, cuando va a iniciar el vuelo, un avión.

despegue *s. m.* Acción y efecto de despegar un avión, helicóptero, etc.

despeinar *v. tr.* Deshacer el peinado o descomponerse el cabello. También prnl.

despejado, da *adj.* Que tiene desembarazo y soltura en su trato.

despejar *v. tr.* **1.** Desocupar un sitio o espacio. **2.** *fig.* Aclarar, poner en claro. También prnl. **3.** *fig.* Separar por medio del cálculo una incógnita.

despellejar *v. tr.* Quitar el pellejo.

despelotarse *v. prnl., fam.* Desnudarse.

despeluzar *v. tr.* **1.** Desordenar el cabello de la cabeza, de la felpa, etc. También prnl. **2.** Erizar el cabello, generalmente por miedo. Se usa más como prnl.

despeluznar *v. tr.* Despeluzar. También prnl.

despenalización *s. f.* Acción y efecto de despenalizar.

despenalizar *v. tr.* Legalizar algo que antes constituía delito.

despender *v. tr.* Despilfarrar algo.

despendolarse *v. prnl., fam.* Comportarse alocadamente.

despenolar *v. tr.* Romper a la verga alguno de sus penoles.

despensa *s. f.* Lugar de la casa donde se guardan las cosas comestibles.

despeñadero *s. m.* Precipicio, lugar o sitio alto, con peñascos y escarpado.

despeñar *v. tr.* Precipitar y arrojar una persona o cosa desde una prominencia. También prnl.

despepitar[1] *v. tr.* **1.** Desembuchar. ‖ *v. prnl.* **2.** Hablar o gritar con vehemencia o con enojo.

despepitar[2] *v. tr.* Quitar las pepitas de algún fruto.

despercudir *v. tr.* Limpiar o lavar lo que está percudido.

desperdiciar *v. tr.* No aprovechar algo debidamente.

desperdicio *s. m.* **1.** Derroche de la hacienda u otra cosa. **2.** Residuo de lo que no se puede o no es fácil de aprovechar, o se deja de aprovechar por descuido.

desperdigar *v. tr.* Separar, esparcir.

desperecerse *v. prnl.* Consumirse por el logro de una cosa.

desperezarse *v. prnl.* Extender o estirar los miembros para sacudir la pereza o librarse del entumecimiento.

desperfeccionar *v. tr., Chil. y Ec.* Deteriorar, menoscabar.

desperfecto *s. m.* Leve deterioro.

desperfilarse *v. prnl.* Perder una cosa la postura de perfil.

despernado, da *adj., fig.* Fatigado y cansado de andar.

despernancarse *v. prnl.* Esparrancarse.

despernar *v. tr.* Cortar o estropear las piernas. También prnl.

despersonalizar *v. tr.* **1.** Quitar el carácter personal a una cuestión. **2.** Quitar el carácter o atributos de persona.

despertador *s. m.* Reloj que, a la hora en que se le ha dispuesto previamente, hace sonar una alarma.

despertar *v. tr.* **1.** Interrumpir el sueño al que está dormido. También prnl. **2.** *fig.* Traer a la memoria una cosa ya olvidada. **3.** *fig.* Mover, excitar.

despestañarse *v. prnl., fig.* Desojarse por hallar algo.

despezar *v. tr.* Dividir los muros, arcos o bóvedas de sillería de un edificio en las piezas que lo componen.

despezuñarse *v. prnl.* Inutilizarse un animal la pezuña.

despiadado, da *adj.* Impío, inhumano.

despicar *v. tr.* **1.** Satisfacer. **2.** Vengarse.

despichar *v. tr.* Despedir de sí el humor o humedad.

despido *s. m.* **1.** Cese laboral impuesto. **2.** Finiquito y, si es el caso, indemnización que recibe el trabajador que ha sido despedido.

despierto, ta *adj.* **1.** Sin sueño, no dormido. **2.** *fig.* Avispado, vivo.

despiezo *s. m.* Ación y efecto de despiezar.

despilarar *v. tr., Amér. del S.* Derribar los pilares de una mina.

despilfarrar *v. tr.* Malgastar.

despilfarro *s. m.* **1.** Destrozo de la ropa u otras cosas. **2.** Gasto excesivo y superfluo.

despimpollar *v. tr.* Quitar a la vid los brotes excesivos.

despintar *v. tr.* **1.** Borrar lo pintado. **2.** *fig.* Desfigurar un asunto.

despinzar *v. tr.* Quitar con pinzas las motas y pelos a los paños, pieles y otras cosas semejantes.

despiojar *v. tr.* Quitar los piojos.

despique *s. m.* Satisfacción que se toma de una ofensa.

despistar *v. tr.* Hacer perder la pista. También intr.

despiste *s. m.* Desorientación, distracción, olvido o error.

despizcarse *v. prnl., fig.* Deshacerse.

desplacer *v. tr.* Disgustar, desagradar.

desplanchar *v. tr.* Arrugar lo planchado. También prnl.

desplantarse *v. prnl.* Perder la planta o postura recta. Se usa también en danza.

desplante *s. m.* **1.** Postura irregular. **2.** *fig.* Dicho o acto lleno de arrogancia, descaro o desabrimiento.

desplatar *v. tr.* Separar la plata que se halla mezclada con otro metal.

desplayar *v. intr.* Retirarse el mar de la playa, como acontece en las mareas.

desplazamiento *s. m.* Acción y efecto de desplazar.

desplazar *v. tr.* Desalojar el buque un volumen de agua igual al de la parte sumergida y cuyo peso es igual al peso del buque.

desplegar *v. tr.* Extender, desdoblar. También prnl.

despliegue *s. m.* Exhibición de algo.

desplomar *v. tr.* **1.** Hacer que una cosa pierda la posición vertical. ‖ *v. prnl.* **2.** Caerse una pared.

desplome *s. m.* **1.** Acción y efecto de desplomar o desplomarse. **2.** Lo que sobresale de la línea de aplomo.

desplomo *s. m.* Desviación de la posición vertical de un edificio, pared, etc.

desplumar *v. tr.* **1.** Quitar las plumas al ave. **2.** *fig.* Dejar a alguien sin dinero.

despoblado *s. m.* Desierto, sitio no poblado y que tuvo antes población.

despoblar *v. tr.* Reducir a desierto lo que antes estaba poblado, o hacer que disminuya la población. También prnl.

despoetizar *v. tr.* Quitar a alguna cosa su carácter poético.

despojar *v. tr.* Privar a alguien, generalmente por la fuerza, de lo que posee.

despojo *s. m.* **1.** Botín del vencedor. **2.** Desperdicio. ‖ *s. m. pl.* **3.** Restos mortales. **4.** Vientre, asadura, cabeza y manos de las reses.

despolarizar *v. tr.* Destruir o interrumpir el estado de polarización de la luz.

despolvorear *v. tr., Amér. del S.* Espolvorear o polvorear.

despopularizar *v. tr.* Privar a una persona o cosa de la popularidad. También prnl.

desporrondingarse *v. prnl., Amér. C., Col. y Ven.* Echar la casa por la ventana, despilfarrar.

desportillar *v. tr.* Deteriorar o maltratar una cosa, quitándole parte del canto o boca y haciendo portillo o abertura. También prnl.

desposado, da *adj.* Recién casado.

desposar *v. tr.* **1.** Autorizar el párroco o el juez el matrimonio. ‖ *v. prnl.* **2.** Contraer esponsales.

desposeer *v. tr.* Privar a alguien de lo que posee.

desposorio *s. m.* Promesa mutua de contraer matrimonio y, en especial, casamiento por palabras de presente.

despostar *v. tr., Arg., Chil. y Ec.* Descuartizar una res o un ave.

déspota *s. m.* **1.** Hombre que ejercía mando supremo entre algunos pueblos antiguos. **2.** Soberano que gobierna sin sujeción a ley alguna. ‖ *com.* **3.** Persona que abusa de su autoridad.

despótico, ca *adj.* Absoluto, sin ley, tiránico.

despotismo *s. m.* Autoridad absoluta no limitada por las leyes.

despotizar *v. tr., Arg. y Per.* Gobernar o tratar despóticamente, tiranizar.

despotricar *v. intr., fam.* Hablar sin consideración ni reparo todo lo que a alguien se le ocurre. También prnl.

despreciable *adj.* Digno de desprecio.

despreciar *v. tr.* **1.** Desestimar y tener en poco. **2.** Desairar o desdeñar.

desprecio *s. m.* **1.** Desestimación, falta de aprecio. **2.** Desaire, desdén.

desprender *v. tr.* Desunir, despegar, desasir. También prnl.

desprendido, da *adj.* Desinteresado, generoso.

desprendimiento *s. m.* Desapego, desasimiento de las cosas.

despreocupación *s. f.* Estado de ánimo de quien carece de preocupaciones.

despreocupado, da *adj.* Que no se preocupa o no tiene preocupaciones.

despreocuparse *v. prnl.* Salir o librarse de una preocupación.

desprestigiar *v. tr.* Quitar el prestigio.

desprestigio *s. m.* Acción y efecto de desprestigiar.

desprevención *s. f.* Falta de prevención.

desprevenido, da *adj.* Descuidado en sus prevenciones.

desprivatizar *v. tr.* Convertir en pública una empresa privada.

desproporción *s. f.* Falta de la proporción debida.

desproporcionar *v. tr.* Quitar la proporción a una cosa, sacarla de regla y medida.

despropósito *s. m.* Dicho o hecho fuera de razón.

desproveer *v. tr.* Despojar a alguien de sus provisiones o de lo necesario para su conservación.

desprovisto, ta *adj.* Falto de lo necesario.

después *adv. t. y l.* Posterioridad de tiempo, lugar o situación.

despulpar *v. tr.* Extraer la pulpa de algunos frutos.

despulsar *v. tr.* Dejar sin pulso ni fuerzas por algún accidente repentino. También prnl.

despumar *v. tr.* Espumar.

despuntar *v. tr.* **1.** Quitar o gastar la punta. También prnl. ‖ *v. intr.* **2.** Empezar a brotar las plantas.

despunte *s. m.* Acción y efecto de despuntar.

desquejar *v. tr.* Formar esquejes de los retoños de las plantas.

desquerer *v. tr.* Dejar de querer.

desquiciar *v. tr.* **1.** Desencajar o sacar de quicio. También prnl. **2.** Quitar a una persona su aplomo. También prnl.

desquijarar *v. tr.* Rasgar la boca dislocando las quijadas. También prnl.

desquilatar *v. tr.* Bajar de quilates el oro.

desquitar *v. tr.* **1.** Restaurar la pérdida, reintegrarse de lo perdido. También prnl. **2.** *fig.* Tomar desquite o vengarse por un disgusto recibido. También prnl.

desquite *s. m.* Acción y efecto de desquitar o desquitarse.

desramar *v. tr.* Quitar ramas a un árbol.

desratizar *v. tr.* Limpiar de ratas un paraje.

desrielar *v. intr., Bol. y Chil.* Descarrilar.

desriñonar *v. tr.* Derrengar. También prnl.

destacamento *s. m.* Porción de tropa destacada.

destacar *v. tr.* **1.** Separar del cuerpo principal una porción de tropa. También prnl. **2.** Hacer resaltar los objetos de un cuadro. Se usa más como prnl.

destaconar *v. tr.* Gastar los tacones del calzado.

destajador *s. m.* Especie de martillo utilizado por los herreros para forjar el hierro.

destajar *v. tr.* **1.** Ajustar y expresar las condiciones con que se ha de hacer una cosa. **2.** *Ec. y Méx.* Destazar, despedazar una res.

destajista *com.* Persona que por cuenta de otra hace una cosa a destajo.

destajo *s. m.* Trabajo que se ajusta por un tanto alzado.

destallar *v. tr.* Quitar los tallos inútiles a las plantas.

destalonar *v. tr.* Cortar los documentos contenidos en libros talonarios.

destapar *v. tr.* **1.** Quitar la tapa o tapón. **2.** *fig.* Descubrir lo tapado o abrigado.

destapiar *v. tr.* Derribar las tapias.

destaponar *v. tr.* Quitar el tapón.

destartalado, da *adj.* Descompuesto, desproporcionado y sin orden.

destazador, ra *s. m. y s. f.* Persona que tiene por oficio trocear las reses muertas.

destazar *v. tr.* Hacer piezas o pedazos.

destechar *v. tr.* Quitar el techo a un edificio.

destejar *v. tr.* **1.** Quitar las tejas a los tejados de los edificios. **2.** *fig.* Dejar sin reparo o defensa a una cosa.

destejer *v. tr.* Deshacer lo tejido.

destellar *v. tr.* Despedir destellos o emitir rayos, chispazos o ráfagas de luz.

destello *s. m.* Chispazo o ráfaga de luz intensa y breve.

destemplado, da *adj.* Falto de temple o de mesura.

destemplanza *s. f.* Falta de templanza.

destemplar *v. tr.* **1.** Alterar, desconcertar la armonía o el buen orden de una cosa. ‖ *v. prnl.* **2.** Sentir cierto malestar. **3.** Descomponerse, perder la moderación.

destemple *s. m.* **1.** Disonancia de las cuerdas de un instrumento. **2.** Indignación. **3.** Alteración, desconcierto.

desteñir *v. tr.* Quitar el tinte, apagar los colores. También prnl. y intr.

desternerar *v. tr., Arg., Chil. y P. Ric.* Desbecerrar.

desternillarse *v. prnl., fig. y fam.* Morirse de risa.

desterrar *v. tr.* Expulsar por justicia de un territorio o lugar.

desterronar *v. tr.* Quebrantar o deshacer los terrones.

destetar *v. tr.* Hacer que deje de mamar el niño o las crías de los animales.

destiempo, a *loc. adv.* Fuera de tiempo.

destiento *s. m.* Sobresalto, alteración.

destierro *s. m.* **1.** Pena de la persona desterrada. **2.** *fig.* Lugar muy apartado o distante de lo que se considera céntrico.

destilación *s. f.* Acción y efecto de destilar.

destiladera *s. f.* Instrumento para destilar.

destilar *v. tr.* Separar por medio de calor una sustancia volátil de otras más fijas, enfriando luego su vapor para reducirla nuevamente a líquido.

destilería *s. f.* Lugar en que se hacen las destilaciones.

destinar *v. tr.* **1.** Ordenar, determinar alguna cosa para un fin o efecto. **2.** Designar a una persona para un empleo o para que preste sus servicios en determinado lugar.

destinatario, ria *s. m. y s. f.* Persona a quien va dirigida o destinada alguna cosa.

destino *s. m.* **1.** Hado, suerte. **2.** Consignación de una cosa o de un lugar para determinado fin. **3.** Empleo, ocupación.

destiranizado, da *adj.* Libre de tiranía.

destitución *s. f.* Acción y efecto de destituir.

destituir *v. tr.* **1.** Privar a alguien de alguna cosa. **2.** Separar a alguien de su cargo como corrección o castigo.

destocar *v. tr.* Quitar o deshacer el tocado. También prnl.

destorcer *v. tr.* Deshacer lo retorcido. También prnl.

destornillador *s. m.* Instrumento que sirve para destornillar.

destornillar *v. tr.* Sacar un tornillo dándole vueltas.

destorrentarse *v. prnl., Hond. y Méx.* Perder el tino, desorientarse.

destoserse *v. prnl.* Toser sin necesidad, o fingir la tos, ya previniéndose para hablar, ya para que sirva de seña.

destrabar *v. tr.* Quitar las trabas. También prnl.

destral *s. m.* Hacha pequeña manejable con una sola mano.

destramar *v. tr.* Sacar la trama de la tela.

destrenzar *v. tr.* Deshacer la trenza. También prnl.

destreza *s. f.* Habilidad, arte, primor o propiedad con que se hace una cosa.

destrincar *v. tr.* Desamarrar cualquier cosa. También prnl.

destripacuentos *com., fam.* Se dice de la persona que interrumpe inoportunamente la relación de la que habla.

destripador, ra *adj.* Que destripa. También s. m. y s. f.

destripar *v. tr.* Quitar o sacar las tripas.

destripaterrones *s. m. y s. f., fig., fam. y desp.* Jornalero que cava o ara la tierra.

destrizar *v. tr.* Hacer trizas.

destrocar *v. tr.* Deshacer el trueque o cambio.

destrón, na *s. m.* Lazarillo o mozo de ciego.

destronar *v. tr.* Deponer y privar del reino a alguien, echarle del trono.

destroncar *v. tr.* **1.** Cortar, tronchar un árbol o planta. **2.** Cortar, descoyuntar el cuerpo.

destroyer *s. m.* Cazatorpedero, buque.

destrozar *v. tr.* **1.** Despedazar, romper. **2.** Derrotar a los enemigos con mucha pérdida por su parte.

destrozo *s. m.* Acción y efecto de destrozar.

destrucción *s. f.* Ruina, asolamiento.

destructivo, va *adj.* Que destruye o puede destruir.

destructor, ra *s. m.* Buque de guerra de pequeño tamaño y muy veloz, cuyo principal armamento es el torpedo.

destruir *v. tr.* Arruinar, deshacer, inutilizar.

destusar *v. tr., Amér. C.* Quitarle al maíz la hoja.

destutanar *v. tr.* **1.** *Chil.* Sacar el tuétano de los huesos. ‖ *v. prnl.* **2.** *Col.* Despampanarse, romperse la crisma. **3.** *Cub. y P. Ric.* Consumirse, desvivirse.

desucar *v. tr.* Desjugar.

desudar *v. tr.* Quitar el sudor. También *prnl.*

desuello *s. m.* Acción y efecto de desollar.

desuncir *v. tr.* Quitar del yugo las bestias sujetas a él.

desunión *s. m.* Separación de las partes que componen un todo, o de las cosas que estaban juntas y unidas.

desunir *v. tr.* **1.** Separar lo que estaba junto o unido. **2.** Introducir discordia entre los que estaban en buena correspondencia.

desuñar *v. tr.* Quitar o arrancar las uñas.

desurdir *v. tr.* Deshacer una tela, quitar la urdimbre.

desusar *v. tr.* Desacostumbrar, perder o dejar el uso. Se usa más como *prnl.*

desuso *s. m.* Falta de uso de una cosa.

desustanciar *v. tr.* Quitar la sustancia a una cosa, o desvirtuarla por cualquier otro medio. También *prnl.*

desvahar *v. tr.* Quitar lo marchito o seco de una planta.

desvaído, da *adj.* **1.** Se dice del color bajo y como disipado. **2.** Se dice de lo que ha perdido fuerza o vigor.

desvainar *v. tr.* Sacar las semillas de las vainas.

desvair *v. tr.* Hacer perder el color, la intensidad o la fuerza. Se usa más como *prnl.*

desvalido, da *adj.* Desamparado, falto de ayuda y socorro.

desvalijar *v. tr.* **1.** Robar el contenido de una maleta, caja fuerte, casa, habitación, etc. **2.** *fig.* Despojar a alguien del dinero o bienes mediante robo, engaño, etc.

desvalimiento *s. m.* Desamparo, falta de ayuda o favor.

desvalorar *v. tr.* Desvalorizar.

desvalorizar *v. tr.* **1.** Depreciar, quitar valor o estimación a una cosa. **2.** Devaluar una moneda.

desván *s. m.* Parte más alta de la casa, inmediata al tejado.

desvanecer *v. tr.* **1.** Disgregar o difundir las partículas de un cuerpo en otro. También *prnl.* **2.** Suprimir, anular. **3.** Quitar de la mente una idea, recuerdo, etc. ‖ *v. prnl.* **4.** Turbarse el sentido, desmayarse.

desvanecimiento *s. m.* Acción y efecto de desvanecerse.

desvarar *v. tr.* **1.** Resbalar, deslizarse. También *prnl.* **2.** Poner a flote la nave que estaba varada.

desvariar *v. intr.* Decir despropósitos.

desvarío *s. m.* **1.** Dicho o hecho fuera de concierto. **2.** Delirio que sobreviene a algunos enfermos.

desvedar *v. tr.* Alzar o revocar la prohibición que una cosa tenía.

desvelar *v. tr.* **1.** Quitar el sueño. También *prnl.* ‖ *v. prnl.* **2.** *fig.* Poner gran cuidado en lo que se desea hacer o conseguir.

desvelo *s. m.* Acción y efecto de desvelar.

desvenar *v. tr.* **1.** Quitar las venas a la carne. **2.** Sacar de la vena o filón el mineral.

desvencijar *v. tr.* Aflojar, desconcertar las partes de una cosa. También *prnl.*

desvendar *v. tr.* Quitar el vendaje.

desveno *s. m.* Arco que en el centro del bocado forma el hueco necesario para que se aloje en él la lengua del caballo.

desventaja *s. f.* Mengua o perjuicio que se nota por comparación.

desventura *s. f.* Desgracia.

desventurado, da *adj.* Desgraciado.

desvergonzado, da *adj.* Que habla u obra con desvergüenza. También *s. m.* y *s. f.*

desvergonzarse *v. prnl.* Descomedirse, insolentarse faltando al respeto.

desvergüenza *s. f.* **1.** Falta de vergüenza. **2.** Dicho o hecho impúdico o insolente.

desvestir *v. tr.* Desnudar. También *prnl.*

desviación *s. f.* **1.** Separación lateral de un cuerpo de su posición media. **2.** Tramo de carretera que se aparta de la general.

desviar *v. tr.* **1.** Alejar, separar de su lugar o camino una cosa. También *prnl.* **2.** *fig.* Disuadir o apartar a alguien de la intención que tenía. También *prnl.*

desvincular *v. tr.* Romper la vinculación o lazo entre personas, instituciones, etc.

desvío *v. tr.* Desviación.

desvirar *v. tr.* Recortar lo superfluo de la suela del zapato.

desvirgar *v. tr.* Quitar la virginidad a una persona.

desvirtuar *v. tr.* Quitar la virtud, sustancia o vigor. También *prnl.*

desvitrificar *v. tr.* Hacer que el vidrio pierda su transparencia por la acción prolongada del calor. También *prnl.*

desvivirse *v. prnl.* Mostrar incesante y vivo interés o solicitud por una persona o cosa.

desvolver *v. tr.* Arar la tierra, mullirla.

desyemar *v. tr.* Quitar las yemas a las plantas.

desyerbar *v. tr.* Desherbar.

desyugar *v. tr.* Desuncir.

deszocar *v. tr.* Herir, maltratar el pie o la mano, de modo que quede impedido su uso. También *prnl.*

detallar *v. tr.* Tratar, referir una cosa al por menor, circunstanciadamente.

detalle *s. m.* Pormenor, relación, lista circunstanciada.

detallista *com.* Persona que se cuida de los detalles.

detective *com.* Persona que se encarga de hacer investigaciones sobre hechos misteriosos.

detector *s. m.* Aparato fundamental de la telegrafía sin hilos que sirve para cambiar las oscilaciones captadas por la antena en otras de menos frecuencia utilizables en los órganos de registro o audición.

detención *s. f.* **1.** Acción y efecto de detener o detenerse. **2.** Dilación, prolijidad. **3.** Arresto provisional.

detenido, da *adj.* **1.** Parado, sin movimiento. **2.** *fig.* Privado de libertad. También s. m. y s. f.

detenimiento *s. m.* Detención.

detener *v. tr.* **1.** Suspender una cosa, impedir que pase adelante. También prnl. **2.** Arrestar. **3.** Retener, conservar, guardar.

detentar *v. tr.* Retener alguien sin derecho lo que no le pertenece.

detergente *s. m.* Compuesto químico líquido o en polvo usado para lavar la ropa.

deterger *v. tr.* Limpiar una úlcera o herida.

deteriorar *v. tr.* Estropear, menoscabar, echar a perder una cosa. También prnl.

deterioro *v. tr.* Acción y efecto de deteriorar.

determinación *s. f.* Osadía, valor.

determinado, da *adj.* Se aplica al artículo que especifica al sustantivo que precede.

determinar *v. tr.* Fijar los términos de una cosa, previa deliberación o estudio.

detersión *s. f.* Acción y efecto de limpiar o purificar.

detersivo, va *adj.* Que limpia o purifica. También s. m.

detestable *adj.* Abominable, execrable.

detestar *v. tr.* Aborrecer, odiar.

detonación *s. f.* Acción y efecto de detonar.

detonador *s. m.* Artificio con fulminante para hacer estallar una carga explosiva.

detonar *v. intr.* Dar estampido o trueno.

detorsión *s. f.* Distensión, torcedura de un músculo, nervio o ligamento.

detracción *s. f.* Acción y efecto de detraer.

detractar *v. tr.* Detraer.

detractor, ra *adj.* Maldiciente, difamador.

detraer *v. tr.* **1.** Sustraer, apartar o desviar. **2.** Denigrar, infamar.

detrás *adv. l.* En la parte posterior.

detrimento *s. m.* **1.** Destrucción leve o parcial. **2.** *fig.* Daño moral.

detrítico, ca *adj.* Compuesto de detritos.

detrito *s. m.* Resultado de la descomposición de una masa sólida en partículas.

deuda *s. f.* **1.** Obligación que uno tiene de pasar o reintegrar a otro una cosa. **2.** *fig.* Pecado, culpa u ofensa.

deudo, da *s. m. y s. f.* Pariente.

deudor, ra *adj.* Que debe, o está obligado a satisfacer una deuda. También s. m. y s. f.

deutóxido *s. m.* Bióxido.

devalar *v. intr.* Derivar, separarse del rumbo.

devanadera *s. f.* Armazón giratoria sobre un eje vertical que sirve para devanar las madejas con facilidad.

devanado *s. m.* Acción y efecto de devanar.

devanagari *s. m.* Escritura moderna del sánscrito.

devanar *v. tr.* Enrollar hilo, alambre, etc., en un ovillo o carrete.

devanear *v. intr.* Hacer o decir devaneos o disparates, delirar.

devaneo *s. m.* **1.** Delirio, desatino, desconcierto. **2.** Relación amorosa pasajera.

devastación *s. f.* Acción y efecto de devastar.

devastar *v. tr.* Arrasar un territorio.

devengar *v. tr.* Adquirir derecho a retribución por razón de trabajo, servicio u otro título.

devengo *s. m.* Cantidad devengada.

devenir[1] *v. intr.* Sobrevenir, acaecer.

devenir[2] *s. m.* Proceso mediante el cual algo se hace o llega a ser.

devoción *s. f.* Amor, fervor religioso.

devocionario *s. m.* Libro que contiene varias oraciones para uso de los fieles.

devolución *s. f.* Acción y efecto de devolver.

devolver *v. tr.* **1.** Volver una cosa al estado o situación que tenía. **2.** Restituir.

devorar *v. tr.* Tragar con ansia.

devoto, ta *adj.* Que tiene devoción. También s. m. y s. f.

dextrina *v. tr.* Sustancia sólida, obtenida por la acción de los ácidos, el calor y las diastasas sobre el almidón.

dextrógiro, ra *adj.* Se dice de la sustancia que desvía hacia la derecha la luz polarizada. También s. m.

dextrorso, sa *adj.* Que se mueve hacia la derecha.

dextrosa *s. f.* Glucosa, comúnmente la de algunas frutas.

dey *s. m.* Título del jefe que gobernaba la regencia de Argel.

deyección *s. f.* **1.** Conjunto de materias que arroja un volcán o que se desprenden de una montaña. **2.** Defecación de los excrementos.

deyector *s. m.* Aparato para evitar las incrustaciones que se producen en las calderas de vapor.

día *s. m.* Tiempo que la Tierra tarda en dar una vuelta sobre sí misma.

diabetes *s. f.* Enfermedad caracterizada por excesiva eliminación de orina cargada a veces de glucosa, sed inextinguible y enflaquecimiento progresivo.

diabético, ca *adj.* Que padece diabetes. También s. m. y s. f.

diabeto *s. m.* Aparato hidráulico, especie de sifón intermitente, que cuando se llena enteramente, vuelve a vaciarse del todo.

diabetómetro *s. m.* Polariscopio modificado para medir exactamente la glucosa existente en la orina.

diabla *s. f., fam.* Máquina para cardar lana o algodón.

diablear *v. intr., fam.* Hacer diabluras.

diablesa *s. f., fam.* Diabla.

diablillo *s. m., fig. y fam.* Persona aguda y enredadora.

diablo *s. m.* Nombre general y particular de los ángeles rebeldes arrojados por Dios al abismo.

diablura *s. f.* Travesura de niños.

diabólico, ca *adj.* **1.** Perteneciente o relativo al diablo. **2.** *fig. y fam.* Excesivamente malo.

diábolo *s. m.* Juguete consistente en un carrete formado por dos conos que se unen por el vértice; gira sobre una cuerda atada al extremo de dos palillos, que se manejan con ambas manos.

diacatolicón *s. m.* Electuario purgante de hojas de sen, raíz de ruibarbo y pulpa de tamarindo.

diacodión *s. m.* Jarabe de adormidera.

diaconato *s. m.* Orden sacra inmediata al sacerdocio.

diácono *s. m.* Ministro de la Iglesia de grado segundo en dignidad, inmediato al sacerdocio.

diacrítico, ca *adj.* **1.** Se dice de los signos ortográficos que sirven para dar a una letra algún valor especial. **2.** Se dice de los síntomas con que una enfermedad se distingue exactamente de otra.

diacronía *s. f.* Desarrollo de hechos a través del tiempo.

diacústica *s. f.* Parte de la acústica que trata de la refracción de los sonidos.

diadelfos *adj. pl.* Se dice de los estambres de una flor cuando están soldados por sus filamentos formando dos hacecillos.

diadema *s. f.* Adorno de cabeza, en forma de media corona abierta por detrás.

diado *adj.* Se aplica al día preciso y señalado para hacer una cosa.

diadoco *s. m.* Título del príncipe heredero en la Grecia moderna.

diafanidad *s. f.* Calidad de diáfano.

diáfano, na *adj.* **1.** Se dice del cuerpo a través del cual pasa la luz casi en su totalidad. **2.** Transparente, claro, cristalino.

diáfisis *s. f.* **1.** El cuerpo de los huesos largos, que se continúa por sus extremos con la epífisis. **2.** Tabique, división, separición, en botánica y zoología.

diafonía *v. tr.* Perturbación electromagnética producida en un canal de comunicación por el acoplamiento de este con otro u otros vecinos.

diaforesis *s. f.* Sudor.

diaforético, ca *adj.* Sudorífico. También s. m.

diafragma *s. m.* Membrana formada por fibras musculares que separa la cavidad pectoral de la abdominal.

diagnosis *s. f.* Conocimiento de los síntomas de una enfermedad.

diagnosticar *v. tr.* Establecer, determinar el diagnóstico de una enfermedad.

diagnóstico *s. m.* Determinación de una enfermedad por sus signos.

diagonal *adj.* Se dice de la línea que en un polígono va de un vértice a otro inmediato, y en un poliedro une dos vértices cualesquiera no situados en la misma cara.

diagrama *s. m.* Dibujo geométrico que sirve para demostrar una proposición, resolver un problema o figurar de una manera gráfica la ley de variación de un fenómeno.

dial *s. m.* Superficie graduada de forma variable, sobre la cual se mueve un indicador, como aguja, punto luminoso, etc., que mide o señala una determinada magnitud, como peso, voltaje, longitud de onda, velocidad, etc.

diálaga *s. f.* Mineral pétreo, que cambia de color según la luz que recibe.

dialectalismo *s. m.* Voz o giro dialectal.

dialéctica *s. f.* Forma de discurrir por contradiccción o enfrentamiento de razones.

dialecto *s. m.* Cada una de las variedades de un idioma, propia de una determinada región de la nación, a diferencia de la lengua general y literaria.

dialectología *s. f.* Tratado o estudio de los dialectos.

dialipétalo, la *adj.* Se dice de la corola cuyos pétalos no están ligados entre sí, y de la flor que tiene esta clase de corola, como la amapola y el rosal. También s. f.

dialisépalo, la *adj.* Se dice de los cálices cuyos sépalos no están ligados entre sí, y de las flores con cálices de esta clase, como la amapola y el clavel.

diálisis *s. f.* Separación de los coloides y cristaloides cuando están juntamente disueltos.

dialítico, ca *adj.* Relativo a la diálisis.

dializar *v. tr.* Analizar por medio de la diálisis.

dialogar *v. intr.* Hablar en diálogo.

dialogismo *s. m.* Figura que comete quien habla como si hablase consigo mismo, o refiere textualmente dichos o discursos.

dialogizar *v. intr.* Dialogar.

diálogo *s. m.* Conversación entre dos o más personas.

dialoguista *com.* Persona que escribe o compone diálogos.

dialtea *s. f.* Ungüento de raíz de altea.

diamagnético, ca *adj.* Se dice de los cuerpos que, colocados en un campo magnético, adquieren magnetismo en cantidad menor que el aire, es decir, que poseen una capacidad de imanación inferior a la del aire, por lo que su susceptibilidad es relativa. Son repelidos por los imanes.

diamante *s. m.* Piedra preciosa, formada de carbono cristalizado en el sistema cúbico, diáfano, de gran brillo, generalmente incoloro.

diamantino, na *adj.* **1.** Perteneciente o relativo al diamante. **2.** *fig.* Duro, inquebrantable.

diamela *s. f.* Gemela.

diametral *v. tr.* Perteneciente o relativo al diámetro.

diámetro *s. m.* Línea recta que pasa por el centro del círculo y termina por ambos extremos en la circunferencia.

diana *s. f.* **1.** Toque militar al romper el día para que la tropa se levante. **2.** Punto central de un blanco de tiro.

diandro, dra *adj.* Se dice de la flor que tiene dos estambres.

diantre *s. m.* Eufemismo por diablo.

diapalma *s. f.* Emplasto compuesto de litargirio, aceite de palma y sulfato de cinc.

diapasón *s. m.* Intervalo que comprende cinco tonos y dos semitonos mayores.

diapositiva *s. f.* Fotografía positiva sacada en cristal u otra materia transparente.

diaprea *s. f.* Ciruela muy gustosa y pequeña.

diaquenio *s. m.* Fruto compuesto de dos aquenios unidos.

diaquilón *s. m.* Ungüento con que se hacen emplastos.

diario, ria *adj.* **1.** Correspondiente a todos los días. ‖ *s. m.* **2.** Relación histórica de lo que ha ido sucediendo día a día. **3.** Periódico que se publica todos los días.

diarismo *s. m., Amér. del S. y Ant.* Periodismo.

diarista *com.* Persona que compone o publica un diario.

diarrea *s. f.* Fenómeno morboso consistente en frecuentes evacuaciones intestinales líquidas o semilíquidas.

diartrosis *s. f.* Articulación que deja el hueso movible en varias direcciones.

diasén *s. m.* Electuario purgante cuyo principal ingrediente son las hojas de sen.

diáspero *s. m.* Diaspro.

diáspora *s. f.* Diseminación de los judíos por toda la extensión del mundo antiguo, especialmente intensa desde el s. III a. C.

diásporo *s. m.* Hidróxido de alúmina de color gris perla o pardo amarillento y textura laminar.

diaspro *s. m.* Variedad de jaspe.

diastasa *s. f.* Fermento contenido en algunas semillas germinadas y en otras partes de las plantas, así como en ciertos órganos y secreciones animales, cuya acción es sacarificar la fécula.

diastema *s. m.* Espacio interdentario.

diástilo *adj.* Se dice del monumento cuyos intercolumnios son de seis módulos.

diástole *s. f.* **1.** Licencia poética que consiste en usar como larga una sílaba breve. **2.** Expansión rítmica del corazón y de las arterias que alternan con la sístole.

diastrofia *s. f.* Dislocación de un hueso, músculo, etc.

diatérmano, na *adj.* Se dice del cuerpo que da fácilmente paso al calor.

diatermia *s. f.* Se dice del cuerpo que da fácilmente paso al calor.

diátesis *s. f.* Predisposición orgánica a contraer una determinada enfermedad.

diatésico, ca *adj.* Relativo a la diátesis.

diatomáceo, a *adj.* Perteneciente o relativo a las diatomeas.

diatomea *s. f.* Cada uno de los diminutos organismos acuáticos unicelulares que llegan a formar extensos sedimentos llamados barro de diatomeas.

diatónico, ca *adj.* Se aplica a uno de los tres géneros del sistema musical, que procede por dos tonos y un semitono.

diatriba *s. f.* Discurso o escrito violento.

dibujante *com.* Persona cuya profesión es el dibujo.

dibujar *v. tr.* **1.** Representar un cuerpo por medio del lápiz, la pluma, etc. También *prnl.* **2.** *fig.* Describir.

dibujo *s. m.* Imagen dibujada.

dicacidad *s. f.* Agudeza, mordacidad ingeniosa.

dicción *s. f.* **1.** Palabra. **2.** Manera de hablar o escribir. **3.** Pronunciación.

diccionario *s. m.* Libro en que, por orden alfabético, se contienen y explican las palabras y expresiones de uno o más idiomas, las de una ciencia, materia, etc.

díceres *s. m. pl., Amér. del S.* Murmuraciones, rumores.

dicha *s. f.* Felicidad, ventura.

dicharachero, ra *adj., fam.* Que prodiga dichos poco decentes y vulgares.

dicharacho *s. m., fam.* Dicho demasiado vulgar, o poco decente.

dicho *s. m.* Sentencia u opinión original característica.

dichoso, sa *adj.* Feliz.

diciembre *s. m.* Duodécimo mes del año.

diclino, na *adj.* Se dice de las flores unisexuales y de las plantas que las producen.

dicoreo *s. m.* Pie de la poesía griega y latina compuesto de dos coreos.

dicotiledóneo, a *adj.* Se dice de la planta, del subtipo de las angiospermas, que tiene dos cotiledones.

dicotomía *s. f.* Bifurcación, división en dos partes.

dicroísmo *s. m.* Propiedad que tienen algunos cuerpos de variar de coloración según sea la dirección de los rayos de luz que los atraviesan.

dicromático, ca *adj.* Que tiene dos colores.

dictado *s. m.* **1.** Acción de dictar para que otro escriba. ‖ *s. m. pl.* **2.** Preceptos de la razón o la conciencia.

dictador, ra *s. m y s. f.* **1.** En los Estados modernos, persona que por la fuerza toma el derecho de asumir todos los poderes. ‖ *s. m. y s. f.* **2.** *fig.* Persona autoritaria.

dictadura *s. f.* Estado bajo el dominio de un dictador.

dictáfono *s. m.* Aparato que registra magnéticamente lo que se le va dictando. Las palabras quedan grabadas y puede reproducirlas.

dictamen *s. m.* Opinión y juicio técnico o pericial que se emite sobre una cosa.

dictaminar *v. intr.* Dar dictamen.

díctamo *s. m.* Planta de adorno de la familia de las labiadas.

dictar *v. tr.* Decir uno algo con las pausas necesarias para que otro lo vaya escribiendo.

dictatorial *adj.* Absoluto, no sujeto a leyes.

dicterio *s. m.* Dicho denigrativo que insulta y provoca.

didáctica *s. f.* Arte de enseñar.

didáctico, ca *adj.* Perteneciente o relativo a la enseñanza; propio, adecuado para enseñar o instruir.

didáctilo, la *adj.* Que tiene dos dedos.

didascálico, ca *adj.* Didáctico.

didelfo, fa *adj.* Marsupial. También s. m. y s. f.

didimio *s. m.* Metal muy raro, de color de acero, que se halla unido en ocasiones al cerio.

diedro *adj.* Se dice del ángulo formado por dos planos que se cortan.

dieléctrico, ca *adj.* Se aplica al cuerpo mal conductor a través del cual se ejerce la inducción eléctrica.

diente *s. m.* **1.** Cualquiera de los órganos blanquecinos, duros, de consistencia pétrea que, en el ser humano y en ciertos vertebrados inferiores, se hallan engastados en las mandíbulas y sirven como órganos de masticación y de defensa. **2.** Cada una de las puntas que tienen algunos instrumentos, especialmente los redondeados.

dientudo, da *adj.* Dentudo.

diéresis *s. f.* **1.** Figura de dicción y licencia poética, que consiste en pronunciar en dos sílabas las vocales de un diptongo. **2.** Signo ortográfico (¨) que se pone sobre la *u* para indicar que esta letra debe pronunciarse.

diésel *n. p.* **1.** Motor de combustión interna en el que la mezcla aire-combustible se inflama por presión. **2.** Gasóleo.

diesi *s. f.* Sostenido.

diestra *s. f.* Mano derecha.

diestro, tra *adj.* **1.** Que cae o mira a mano derecha. **2.** Hábil, experto en un arte u oficio. ‖ *s. m.* **3.** Matador de toros.

dieta[1] *s. f.* Régimen alimenticio que se guarda por enfermedad o para adelgazar.

dieta[2] *s. f.* Asamblea política de ciertos Estados europeos y de Japón.

dietar *v. tr.* Adietar.

dietario *s. m.* Libro en que se anotan los ingresos y gastos diarios de una casa.

dietética *s. f.* Parte de la medicina que trata de la alimentación adecuada para una perfecta nutrición.

diez *adj. num.* Nueve y uno.

diezmar *v. tr.* **1.** Sacar de diez uno. **2.** Pagar el diezmo.

diezmo *s. m.* Parte de los frutos, o del lucro adquirido, regularmente la décima, que pagaban los fieles a la Iglesia.

difamación *s. f.* Acción y efecto de difamar.

difamar *v. tr.* Desacreditar a alguien publicando cosas contra su buena fama.

difamatorio, ria *adj.* Se dice de lo que difama.

diferencia *s. f.* Cualidad o accidente por el cual una cosa se distingue de otra.

diferencial *s. f.* Mecanismo que enlaza tres móviles imponiendo entre sus velocidades simultáneas la condición de que cada una de ellas sea proporcional a la suma o a la diferencia de las otras dos.

diferenciar *v. tr.* Hacer distinción, conocer la diversidad de las cosa.

diferente *adj.* Que difiere en algo.

diferir *v. tr.* **1.** Dilatar, retardar o suspender la ejecución de una cosa. ‖ *v. intr.* **2.** Distinguirse una cosa de otra, ser diferente.

difícil *adj.* **1.** Que no se logra, ejecuta o entiende sin mucho trabajo. **2.** Se dice de la persona que es poco tratable.

dificultad *s. f.* Inconveniente o contrariedad que impide lograr, ejecutar o entender bien y pronto una cosa.

dificultar *v. tr.* Poner dificultades a las pretensiones de alguien.

dificultoso, sa *adj.* Difícil, lleno de impedimentos.

difidación *s. f.* Manifiesto con que se justifica la declaración de guerra.

difidencia *s. f.* Desconfianza.

difidente *adj.* Que desconfía.

dífilo, la *adj.* Que tiene dos hojas.

difluente *adj.* Que se esparce por todas partes.

difluir *v. intr.* Difundirse, derramarse por todas partes.

difracción *s. f.* División e inflexión de los rayos luminosos cuando pasan por el borde de un cuerpo opaco.

difractar *v. tr.* Hacer sufrir difracción. También prnl.

difrangente *adj.* Que produce la difracción.

difteria *s. f.* Enfermedad infecciosa aguda, caracterizada por la formación de falsas membranas en las mucosas.

difuminar *v. tr.* Desvanecer las líneas o colores con el difumino.

difumino *s. m.* Cilindro de papel suave, terminado en punta, que sirve para difuminar.

difundir *v. tr.* **1.** Extender, derramar. También prnl. **2.** *fig.* Divulgar, propagar.

difunto, ta *adj.* Se dice de la persona muerta.

difusión *s. f.* Acción y efecto de difundir o difundirse.

difuso, sa *adj.* **1.** Ancho, dilatado. **2.** Superabundante en palabras. **3.** Vago, impreciso.

difusor, ra *adj.* **1.** Que difunde. ‖ *s. m.* **2.** Aparato para extraer por ósmosis el jugo sacarino de la remolacha.

digerir *v. tr.* Convertir en el aparato digestivo los alimentos en sustancia propia para la nutrición.

digestible *adj.* Que puede ser digerido.

digestión *s. f.* Acción y efecto de digerir.

digestivo, va *adj.* **1.** Se dice de las operaciones y de las partes del organismo que atañen a la digestión. **2.** Que es a propósito para ayudar a la digestión. También s. m.

digesto *s. m.* Colección de textos del derecho romano, codificadas por orden del emperador Justiniano.

digestor *s. m.* Vasija fuerte, cerrada a tornillo, para separar en el baño María la gelatina de los huesos, el jugo de la carne, etc.

digitación *s. f.* Adiestramiento de los dedos en la ejecución musical con ciertos instrumentos.

digitado, da *adj.* Se dice de los mamíferos que tienen sueltos los dedos de los cuatro pies.

digital *adj.* **1.** Se dice de los mecanismos que graban o reproducen el sonido en dígitos concretos y no en forma analógica. ‖ *s. f.* **2.** Planta herbácea con hojas alternas, flores pendientes en racimo terminal y de color purpúreo en forma de dedal, de la cual se obtiene la digitalina.

digitalina *s. f.* Glucósido extraído de las hojas de la digital, de color amarillo y sabor amargo, tóxico pero tónico cardíaco en dosis inferiores a un miligramo.

dígito *adj.* Se dice del número que se puede expresar con un solo guarismo. También s. m.

dignarse *v. prnl.* Tener a bien hacer algo.

dignatario, ria *s. m. y s. f.* Persona investida de una dignidad.

dignidad *s. f.* **1.** Respeto que merece alguien, especialmente uno mismo. **2.** Cargo honorífico y de autoridad.

dignificar *v. tr.* Hacer digna o presentar como tal a una persona o cosa. También prnl.

digno, na *adj.* Que merece algo, en sentido favorable o adverso.

digresión *s. f.* Efecto de romper el hilo del discurso y de hablar en él de cosas que no tengan íntimo enlace con aquello que se está tratando.

dije *s. m.* Alhaja pequeña que suele llevarse colgada como adorno.

dijes *s. m. pl.* Bravatas.

dilacerar *v. tr.* Desgarrar, despedazar las carnes. También prnl.

dilación *v. tr.* Retardación o detención de una cosa por algún tiempo.

dilapidar *v. tr.* Derrochar los bienes.

dilatación *s. f.* Acción y efecto de dilatar.

dilatar *v. tr.* **1.** Hacer mayor algo o hacer que ocupe más lugar o tiempo. También prnl. **2.** Diferir, retardar. También prnl.

dilatoria *s. f.* Dilación. Se usa más en pl.

dilatorio, ria *adj.* **1.** Que causa dilación o aplazamiento. **2.** Que sirve para prorrogar y extender un término judicial o la tramitación de un asunto.

dilema *s. m.* Argumento formado de dos proposiciones contrarias disyuntivamente de tal modo que, negada o concedida cualquiera de las dos, queda demostrado lo que se intenta probar.

diletante *adj.* Aficionado al arte y, especialmente, al de la música.

diletantismo *s. m.* Afición grande a un arte y especialmente al de la música.

diligencia *s. f.* **1.** Cuidado y actividad en ejecutar una cosa. **2.** Prontitud, agilidad, prisa. **3.** Coche grande, antiguo, arrastrado por caballerías y destinado al transporte de viajeros. **4.** *fam.* Negocio, dependencia, solicitud.

diligenciar *v. tr.* Poner los medios necesarios para el logro de una solicitud.

diligente *adj.* **1.** Cuidadoso, exacto y activo. **2.** Pronto, presto, ligero en actuar.

dilogía *s. f.* Ambigüedad, doble sentido, equívoco.

dilucidar *v. tr.* Declarar y explicar un asunto.

dilución *s. f.* Acción y efecto de diluir o desleír.

diluir *v. tr.* **1.** Desleír. También prnl. **2.** Añadir líquido en las disoluciones.

diluviano, na *adj.* Que tiene relación con el diluvio universal, o que, hiperbólicamente, se compara con él.

diluviar *v. intr.* Llover a manera de diluvio.

diluvio *s. m.* Inundación causada por lluvias copiosas.

dimanación *s. f.* Acción de dimanar.

dimanar v. intr. Proceder o venir el agua de sus manantiales.

dimensión s. f. **1.** Longitud de una línea, área de una superficie o volumen de un cuerpo. **2.** Extensión de un objeto en dirección determinada.

diminutivo, va adj. Que tiene cualidad de disminuir o reducir a menos una cosa.

diminuto, ta adj. **1.** Defectuoso, imperfecto. **2.** Excesivamente pequeño.

dimisión s. f. Renuncia, desapropio de una cosa que se posee.

dimitir v. tr. Renunciar a un cargo.

dimorfismo s. m. **1.** Calidad de dimorfo. **2.** Existencia de formas específicas distintas para una misma especie animal o vegetal.

dimorfo, fa adj. Que puede presentar dos formas o aspectos diferentes.

dina s. f. Unidad de fuerza en el sistema cegesimal que, actuando sobre la masa de un gramo, comunica a esta la velocidad de un centímetro por segundo.

dinámica s. f. Parte de la mecánica que estudia las leyes del movimiento en relación con las fuerzas que lo producen.

dinámico, ca adj. **1.** Perteneciente o relativo a la fuerza cuando produce movimiento. **2.** fig. y fam. Se dice de la persona enérgica, activa, diligente.

dinamismo s. m. Energía activa y propulsora.

dinamita s. f. Explosivo que está formado por una mezcla de nitroglicerina y una sustancia porosa inerte.

dinamitar v. tr. Volar con dinamita.

dinamitero, ra adj. Se dice de quien destruye o trata de destruir personas o cosas por medio de la dinamita. También s. m. y s. f.

dinamo s. f. Máquina destinada a convertir la energía mecánica en eléctrica o viceversa mediante la inducción electromagnética.

dinamometría s. f. Arte de medir las fuerzas motrices.

dinamómetro s. m. Instrumento destinado a evaluar y comparar las fuerzas.

dinasta s. m. Príncipe o señor que reinaba con el consentimiento de otro soberano o bajo su dependencia.

dinastía s. f. Serie de príncipes soberanos en un determinado país, pertenecientes a una familia.

dinástico, ca adj. Perteneciente o relativo a la dinastía.

dineral s. m. Cantidad grande de dinero.

dinerillo s. m., fam. Pequeña cantidad de dinero.

dinero s. m. **1.** Moneda corriente. **2.** fig. y fam. Caudal, fortuna.

dinga s. f. Embarcación de la costa de Malabar con un solo palo y una vela latina.

dingo s. m. Mamífero carnívoro de la familia de los cánidos, de origen australiano y no domesticable.

dinornis s. m. Especie de avestruz antediluviano de tamaño gigantesco.

dinosaurio s. m. Género de reptiles fósiles, comúnmente de gran tamaño, que vivieron principalmente en la era jurásica.

dinoterio s. m. Mamífero paquidermo fósil, semejante al elefante, de la era miocena.

dintel s. m. Parte superior de una puerta, ventana, etc., que carga sobre las jambas.

dintelar v. tr. Hacer dinteles o construir una cosa en forma de dintel.

dintorno s. m. Delineación de las partes de una figura, contenidas dentro de su contorno o de las contenidas en el interior de la planta o de la sección de un edificio.

diñarla loc., fam. Morir.

diocesano, na adj. Perteneciente o relativo a la diócesis.

diócesis s. f. Distrito o territorio en que tiene y ejerce jurisdicción espiritual un prelado; como arzobispo, obispo, etc.

diodo s. m. Válvula de vacío de dos electrodos, utilizada como rectificadora de corriente.

dioico, ca adj. Se aplica a las plantas que tienen las flores de cada sexo en pie separado, y también a estas mismas flores.

dionea s. f. Atrapamoscas, planta.

dionisia s. f. Piedra negra que, según los antiguos, podía dar sabor de vino al agua y ser un remedio contra la embriaguez.

dionisiaco, ca o dionisíaco, ca adj. Perteneciente o relativo a Dionisio.

dioptra s. f. Pínula.

dioptría s. f. Unidad utilizada para medir la refracción del ojo y el poder refringente de las lentes.

dióptrica s. f. Parte de la óptica que trata de los fenómenos de la refracción de la luz.

diorama s. m. Lienzo transparente pintado por las dos caras en el que, según la iluminación, se pueden ver en un mismo sitio dos cosas distintas.

diorita s. f. Roca ígnea que está compuesta de feldespato y anfibolita.

Dios n. p. Nombre con que en las religiones monoteístas se designa al Ser Supremo, creador del universo.

diosa s. f. Deidad del sexo femenino.

dioscoreáceo, a adj. Se dice de las plantas angiospermas monocotiledóneas, herbáceas o sarmentosas, de hojas opuestas o alternas, flores pequeñas, en racimo o espigas, y fruto en cápsula o baya. También s. f.

dioscóreo, a adj. Dioscoreáceo.

diosma *s. f.* Planta aromática, estimulante y tónica, de la familia de las rutáceas, que se cultiva en Argentina.

diostedé *s. m., Amér. del S.* Tucán.

dióxido *s. m.* Óxido cuya molécula contiene dos átomos de oxígeno.

dipétalo, la *adj.* Se dice de las flores cuya corola tiene dos pétalos y de esta clase de corola.

diplococo *s. m.* Cada una de ciertas bacterias de forma redondeada, que se agrupan de dos en dos.

diplodoco *s. m.* Reptil dinosaurio fósil, gigantesco, de la era jurásica.

diploma *s. m.* Título o credencial para acreditar un grado académico, un premio, etc.

diplomacia *s. f.* Ciencia de los intereses y relaciones internacionales.

diplomado, da *s. m. y s. f.* Persona que ha obtenido un título o diploma académico.

diplomar *v. tr.* **1.** Dar a alguien un diploma facultativo o de aptitud. ‖ *v. prnl.* **2.** Obtener dicho diploma.

diplomática *s. f.* Ciencia que estudia los diplomas y otros documentos oficiales.

diplomático, ca *adj.* **1.** Se dice de los negocios de Estado internacionales y de las personas que intervienen en ellos. **2.** *fig. y fam.* Circunspecto, sagaz.

diplopía *s. f.* Fenómeno morboso que consiste en ver dobles los objetos.

dipneo, a *adj.* Se dice de los animales que están dotados de respiración branquial y pulmonar.

dipodia *s. f.* En la métrica clásica, conjunto de dos pies.

dipsacáceo, a *adj.* Se dice de las plantas angiospermas dicotiledóneas, herbáceas, de flores con involucros bien desarrollados y fruto en aquenio. También s. f.

dipsáceo, a *adj.* Dipsacáceo.

dipsomanía *s. f.* Tendencia irresistible al abuso de la bebida.

dipsómano, na *adj.* Se dice de la persona que padece dipsomanía.

díptero, ra *adj.* Que tiene dos alas.

díptico *s. m.* Cuadro o bajo relieve formado con dos tableros que se cierran como las tapas de un libro.

diptongar *v. tr.* Unir dos vocales formando en la pronunciación una sola sílaba.

diptongo *s. m.* Conjunto de dos vocales diferentes que forman una sola sílaba y, en especial, la combinación monosilábica formada dentro de una misma palabra por una de las vocales abiertas *a, e, o,* con una de las cerradas *i, u.*

diputación *s. f.* **1.** (ORT.: may. inicial) Conjunto de los diputados. **2.** Ejercicio del cargo de diputado. **3.** Diputación Provincial. Corporación que dirige y administra una provincia.

diputado, da *s. m. y s. f.* **1.** Persona nombrada por un cuerpo para representarlo. **2.** Persona elegida por los electores como representante de una cámara legislativa.

diputar *v. tr.* Destinar, señalar o elegir una persona o cosa para algún uso o ministerio.

dique *s. m.* **1.** Muro hecho para contener las aguas. **2.** Cavidad revestida de fábrica en la orilla de una dársena, río, etc., con compuertas para llenarla o vaciarla, y donde se hacen entrar los buques para limpiarlos y carenarlos.

diquelar *v. tr.* Ver, comprender, percibir.

dirección *s. f.* Camino o rumbo que un cuerpo sigue en su movimiento.

directivo, va *adj.* Se dice de lo que tiene facultad y virtud de dirigir.

directo, ta *adj.* Derecho, en línea recta.

director, ra *adj.* Que dirige. También s. m. y s. f.

directorio, ria *adj.* **1.** Que es a propósito para dirigir. ‖ *s. m.* **2.** En informática, diccionario o conjunto de archivos que comparten una misma posición dependiente en la estructura general de almacenamiento. **3.** Listín telefónico.

directriz *s. f.* **1.** Conjunto de instrucciones o normas generales encaminadas a lograr la eficacia máxima en la marcha de un proceso, generalmente de tipo económico, industrial o político. ‖ *adj.* **2.** Que determina las condiciones de generación de algo. **3.** Línea, figura o superficie que determina las condiciones de generación de otras.

dirigible *adj.* **1.** Que puede ser dirigido. ‖ *s. m.* **2.** Aeróstato apto para marchar con rumbo fijo en cualquier dirección.

dirigir *v. tr.* **1.** Llevar rectamente una cosa hacia un lugar señalado. **2.** Guiar, encaminar. También prnl. **3.** Gobernar una empresa.

dirimible *adj.* Que se puede dirimir.

dirimir *v. tr.* **1.** Deshacer, disolver, desunir. **2.** Ajustar, acabar una controversia.

disanto *s. m.* Día de fiesta religiosa.

disartria *s. f.* Dificultad para la articulación de las palabras observada en algunas enfermedades nerviosas.

discantar *v. tr.* Echar el contrapunto sobre un paso.

discante *s. m.* Tiple.

discapacidad *s. f.* Calidad de discapacitado.

discapacitado, da *adj.* Minusválido.

discernimiento *s. m.* Facultad de discernir con el pensamiento.

discernir *v. tr.* Percibir la diferencia existente entre las cosas por un acto especial de los sentidos o de la inteligencia.

disciplina *s. f.* **1.** Doctrina, enseñanza. **2.** Asignatura. **3.** Modalidad deportiva. **4.** Conjunto de reglas para mantener el orden y la subordinación.

disciplinado, da *adj.* Que observa la disciplina.

disciplinar *v. tr.* Instruir, enseñar a alguien su profesión, dándole lecciones.

disciplinario, ria *adj.* Se aplica al régimen que establece subordinación y arreglo y a la pena que se impone por vía de corrección.

discípulo, la *s. m. y s. f.* Persona que aprende una doctrina del maestro o que cursa en una escuela.

disco *s. m.* Cuerpo cilíndrico cuya base es muy grande respecto de su altura.

discóbolo *s. m.* Atleta que arroja el disco.

discoidal *adj.* A manera de disco.

díscolo, la *adj.* Travieso, indócil.

discolor, ra *adj.* Se dice de aquella hoja cuyas dos caras son de diferente color.

disconforme *adj.* No conforme.

disconformidad *s. f.* Diferencia de unas cosas con otras en cuanto a su esencia, forma o fin.

discontinuar *v. tr.* Romper o interrumpir la continuación de una cosa.

discontinuidad *s. f.* Calidad de discontinuo.

discontinuo, nua *adj.* Interrumpido.

disconvenir *v. intr.* Desconvenir.

discordancia *s. f.* Contrariedad, diversidad, disconformidad.

discordar *v. intr.* Ser opuestas o desavenidas dos o más cosas.

discorde *adj.* **1.** Disconforme, opuesto. **2.** Disonante, falto de consonancia.

discordia *s. f.* Oposición, desavenencia de voluntades.

discoteca *s. f.* Sala destinada a escuchar y bailar música de discos.

discotequero, ra *adj.* **1.** Perteneciente o relativo a las discotecas, o que es característico de este tipo de locales. **2.** Se dice de la persona que frecuenta las discotecas. También s. m. y s. f.

discreción *s. f.* **1.** Sensatez para formar juicio y tacto para hablar u obrar. **2.** Don de expresarse con agudeza y oportunidad.

discrecional *adj.* Que se hace libre y prudencialmente.

discrecionalidad *s. f.* Calidad de discrecional.

discrepancia *s. f.* **1.** Diferencia que resulta de comparar dos cosas entre sí. **2.** Disentimiento personal en opiniones o conducta.

discrepar *v. intr.* Desdecir una cosa de otra, diferenciarse, ser desigual.

discretear *v. intr.* **1.** *desp.* Ostentar discreción e ingenio en la conversación. **2.** Cuchichear.

discreteo *s. m.* Acción y efecto de discretear.

discreto, ta *adj.* **1.** Dotado de discreción. **2.** Que se compone de partes separadas.

discriminación *s. f.* Acción y efecto de discriminar.

discriminar *v. tr.* **1.** Separar, diferenciar. **2.** Dar trato de inferioridad a una persona o colectividad, generalmente por motivos raciales o políticos.

discriminatorio, ria *adj.* Que discrimina.

discromatopsia *s. f.* Incapacidad para percibir o distinguir los colores.

disculpa *s. f.* Razón que se da y causa que se alega para excusarse de una culpa.

disculpable *adj.* Que merece disculpa.

disculpar *v. tr.* **1.** Dar razones o pruebas que descarguen de una culpa. También prnl. **2.** *fam.* No tomar en cuenta o perdonar las faltas que otro comete.

discurrir *v. intr.* **1.** Andar, caminar por diversos lugares. **2.** Reflexionar, razonar.

discursear *v. intr., fam.* Pronunciar discursos con frecuencia.

discursivo, va *adj.* Propio del discurso o del razonamiento.

discurso *s. m.* **1.** Facultad de discurrir. **2.** Razonamiento pronunciado en público a fin de convencer o mover el ánimo.

discusión *s. f.* Acción y efecto de discutir.

discusivo, va *adj.* Que disuelve, que resuelve.

discutible *adj.* Que se puede o se debe discutir.

discutir *v. tr.* Examinar detalladamente una cuestión entre dos o más personas.

disecado *s. m.* Acción y efecto de disecar.

disecar *v. tr.* **1.** Dividir en partes una planta o animal muerto para su estudio. **2.** Preparar los animales muertos para que conserven la apariencia de vivos.

disección *s. f.* **1.** Acción y efecto de disecar. **2.** *fig.* Estudio, análisis detallado de algo.

diseccionar *v. tr.* **1.** Disecar, dividir en partes. **2.** Hacer un análisis detallado de algo.

disector, ra *s. m. y s. f.* Persona que diseca y ejecuta las operaciones anatómicas.

diseminación *s. f.* Acción y efecto de diseminar o diseminarse.

diseminar *v. tr.* Sembrar, esparcir. También prnl.

disensión *s. f.* **1.** Oposición de varias personas en sus opiniones o propósitos. **2.** *fig.* Contienda, riña.

disenso *s. m.* Disentimiento.

disentería *s. f.* Enfermedad infecciosa que tiene por síntomas característicos la diarrea con pujos y alguna mezcla de sangre.

disentimiento *s. m.* Acción y efecto de disentir.

disentir *v. intr.* No ajustarse al parecer de otra persona, opinar de modo distinto.

diseñador, ra *s. m. y s. f.* Persona que diseña.

diseñar *v. tr.* Hacer un diseño.

diseño *s. m.* Traza, delineación de un edificio o de un objeto.

disépalo, la *adj.* Se dice del cáliz o de la flor que tiene dos sépalos.

disertación *s. f.* **1.** Acción y efecto de disertar. **2.** Escrito o discurso en que se diserta.

disertar *v. intr.* Razonar metódicamente sobre alguna materia.

diserto, ta *adj.* Que habla con facilidad y con abundancia de argumentos.

disestesia *s. f.* Perversión de la sensibilidad, observada especialmente en el histerismo.

disfagia *s. f.* Dificultad de tragar.

disfasia *s. m.* Falta de coordinación de las palabras causada por lesión cerebral.

disfavor *s. m.* **1.** Desaire o distanciamiento. **2.** Suspensión del favor.

disfemia *s. f.* Nombre genérico de los trastornos del lenguaje, como la tartamudez.

disfemismo *s. m.* Manifestación de un concepto con un matiz peyorativo o despectivo. Se opone a eufemismo.

disfonía *s. f.* Trastorno de la fonación.

disforme *adj.* Que carece de forma regular, proporción y medida en sus partes.

disformidad *s. f.* Calidad de disforme.

disfraz *s. m.* **1.** Artificio con que se desfigura una cosa. **2.** Vestido de máscara utilizado en fiestas y carnavales.

disfrazar *v. tr.* Desfigurar la forma natural o la apariencia de las personas o de las cosas, para que no sean conocidas.

disfrutar *v. tr.* Percibir, aprovechar los productos o ventajas de las cosas.

disfrute *s. m.* Acción y efecto de disfrutar.

disfumar *v. tr.* Esfumar.

disfumino *s. m.* Esfumino.

disfunción *s. f.* Trastorno de una función orgánica.

disgregación *s. f.* Acción y efecto de disgregar o disgregarse.

disgregar *v. tr.* Separar, desunir, apartar lo que está unido. También prnl.

disgustado, da *adj.* **1.** Desazonado, incomodado. **2.** Desazonado, incomodado.

disgustar *v. tr.* Causar disgusto o desazón. También prnl.

disgusto *s. m.* **1.** Desabrimiento causado por una comida o bebida. **2.** Pesadumbre, inquietud. **3.** Contienda o diferencia. **4.** Fastidio que causa una persona o cosa.

disgustoso, sa *adj., fig.* Desagradable, que causa disgusto.

disidencia *s. f.* Grave desacuerdo de opiniones.

disidir *v. intr.* Separarse de la común doctrina, creencia, conducta o régimen político.

disílabo, ba *adj.* Bisílabo. También s. m. y s. f.

disimetría *s. f.* Defecto de simetría.

disímil *adj.* Desemejante, diferente.

disimilación *s. f.* Acción y efecto de disimilar o disimilarse.

disimilar *v. tr.* Alterar el sonido para diferenciarlo de otro igual o semejante que influye sobre aquel. También intr. y prnl.

disimilitud *s. f.* Desemejanza.

disimular *v. tr.* **1.** Encubrir la intención o los sentimientos. **2.** Tolerar algo afectando ignorancia.

disimulo *s. m.* Arte con que se oculta lo que se siente, se sabe o se sospecha.

disipación *s. f.* **1.** Acción y efecto de disipar o disiparse. **2.** Conducta de una persona entregada a las diversiones.

disipado, da *adj.* Entregado a diversiones.

disipar *v. tr.* **1.** Esparcir y desvanecerse una cosa por disgregación y dispersión de sus partes. También prnl. **2.** Desperdiciar, malgastar. ‖ *v. prnl.* **3.** Evaporarse.

dislalia *s. f.* Dificultad de articular las palabras.

dislate *s. m.* Disparate.

dislexia *s. f.* **1.** Disminución de la aptitud para leer, que es causada generalmente por lesiones cerebrales. **2.** Estado patológico en el cual, aunque es posible leer, la lectura resulta difícil o penosa.

disléxico, ca *adj.* Perteneciente o relativo a la dixlesia.

dislocación *s. f.* Acción y efecto de dislocar.

dislocar *v. tr.* Sacar una cosa de su lugar. Se usa más como prnl.

disloque *s. m., fam.* El colmo, cosa excelente.

dismenorrea *s. f.* Menstruación dolorosa o difícil.

disminución *s. f.* Merma de una cosa.

disminuir *v. tr.* Hacer menor la intensidad, extensión o número de una cosa. También intr.

dismnesia *s. f.* Debilidad de la memoria.

disnea *s. f.* Dificultad de respirar.

disociación *s. f.* Acción y efecto de disociar.

disociar *v. tr.* Separar una cosa de otra a que estaba unida.

disoluble *adj.* Soluble.

disolución *s. f.* **1.** Unión de un sólido, líquido o gas con un disolvente líquido, formando un todo homogéneo. **2.** *fig.* Relajación de vida y costumbres.

disoluto, ta *adj.* Licencioso, entregado a los vicios.

disolvente *s. m.* Líquido que asimila una disolución.

disolver *v. tr.* **1.** Separar o desunir lo que estaba unido. También prnl. **2.** *fig.* Deshacer, destruir, aniquilar. También prnl.

disón *s. m.* Disonanacia.

disonancia *s. f.* Sonido desagradable.

disonante *adj., fig.* Que no es regular o discrepa de aquello con que debiera ser conforme.

disonar *v. intr.* **1.** Sonar desapaciblemente. **2.** *fig.* Discrepar, carecer de conformidad y correspondencia algunas cosas que debieran poseerla.

dísono, na *adj.* Disonante.

disosmia *s. f.* Alteración del sentido del olfato.

dispar *adj.* Desigual, diferente.

disparada *s. f., Arg., Chil. y Méx.* Acción de echar a correr de repente o de partir con precipitación.

disparador *s. m.* Pieza que sujeta la llave del fusil y otras armas de fuego y sirve para dispararlas.

disparar *v. tr.* **1.** Hacer que un arma despida su proyectil. **2.** Lanzar una cosa con violencia. También prnl.

disparatado, da *adj.* Contrario a la razón.

disparatar *v. intr.* Decir o hacer una cosa fuera de razón y regla.

disparate *s. m.* Hecho o dicho disparatado.

disparejo, ja *adj.* Dispar.

disparidad *s. f.* Desemejanza, desigualdad.

disparo *s. m.* Acción y efecto de disparar.

dispendio *s. m.* Gasto excesivo.

dispendioso, sa *adj.* Costoso, de gasto considerable.

dispensa *s. f.* Privilegio, excepción de lo dispuesto por las leyes o normas generales.

dispensar *v. tr.* **1.** Dar, conceder. **2.** Eximir de una obligación. También prnl.

dispensaría *s. f., Chil. y Per.* Dispensario.

dispensario *s. m.* Establecimiento donde los enfermos, sin estar alojados en él, reciben asistencia médica y farmacéutica.

dispepsia *s. f.* Digestión laboriosa e imperfecta que tiene carácter crónico.

dispersar *v. tr.* **1.** Separar y diseminar lo que estaba o debía estar reunido. También prnl. **2.** Desbaratar al enemigo.

dispersión *s. f.* **1.** Acción y efecto de dispersar o dispersarse. **2.** Separación de los colores de un rayo de luz.

disperso, sa *adj* Que está dispersado.

displacer *v. tr.* Desplacer.

displicencia *s. f.* **1.** Desagrado e indiferencia en el trato. **2.** Desaliento en la ejecución de un hecho.

displicente *adj.* Se dice de lo que desplace, desagrada y disgusta.

dispondeo *s. m.* Pie de la poesía griega y latina que tiene dos espondeos, o sea cuatro sílabas largas.

disponer *v. tr.* **1.** Colocar, poner en orden y situación conveniente. También prnl. **2.** Deliberar, mandar lo que se ha de hacer. **3.** Preparar, prevenir. También prnl.

disponiblilidad *s. f.* **1.** Cualidad o condición de disponible. **2.** Conjunto de fondos o bienes disponibles en un momento determinado.

disponible *adj.* Se dice de todo aquello de que se puede disponer libremente.

disposición *s. f.* **1.** Aptitud, proporción para algún fin. **2.** Deliberación, mandato. **3.** Distribución de todas las partes del edificio.

dispositivo *s. m.* **1.** Mecanismo preparado para obtener un resultado automático. **2.** Dispositivo intrauterino. Aparato anticonceptivo que se coloca en el interior del útero.

dispuesto, ta *adj.* Apuesto, gallardo.

disputa *s. f.* Acción y efecto de disputar.

disputar *v. tr.* **1.** Debatir, especialmente con calor y vehemencia. **2.** Porfiar y altercar. También intr.

disquete *s. m.* Soporte magnético extraíble de almacenamiento de información, de varias capacidades y tamaños.

disquetera *s. f.* Dispositivo del ordenador donde se inserta el disquete para su grabación o lectura.

disquisición *s. f.* Examen riguroso que se hace de alguna cosa.

disrupción *s. f.* **1.** Dilatación brusca de una estrechez, fractura. **2.** Brusca apertura de un circuito.

disruptivo, va *adj.* **1.** Que produce o tiende a producir disrupción. **2.** Se dice de la descarga eléctrica acompañada de chispa.

distal *adj.* Se dice de la parte de un miembro o de un órgano más separada de la línea media del organismo en cuestión.

distancia *s. f.* Intervalo de tiempo o espacio que media entre dos cosas o sucesos.

distanciar *v. tr.* Separar, poner a distancia.

distante *adj.* Apartado, remoto.

distar *v. intr.* Estar apartada una cosa de otra.

distender *v. tr.* **1.** Disminuir la tensión. **2.** Causar una tensión violenta en los tejidos, membranas, etc. También prnl.

distensible *adj.* Que se puede distender.

distensión *s. f.* Acción y efecto de distender o distenderse.

dístico *s. m.* Composición poética que solo consta de dos versos, con los que se expresa un concepto cabal.

distinción *s. f.* Diferencia en virtud de la cual una cosa no es otra o no es semejante a otra.

distingo *s. m.* Reparo, limitación que se pone con cierta meticulosidad.

distinguido, da *adj.* Ilustre, aventajado.

distinguir *v. tr.* Conocer la diferencia que hay entre unas cosas y otras.

distintivo, va *adj.* **1.** Que tiene la facultad de distinguir. ‖ *s. m.* **2.** Insignia, señal, marca.

distinto, ta *adj.* **1.** Que no es lo mismo. **2.** Inteligible, claro, sin confusión.

distocia *s. f.* Parto laborioso o difícil.

dístomo, ma *adj.* Que tiene dos bocas.

distorsión *s. f.* **1.** Torsión de una parte del cuerpo. **2.** Deformación de una imagen o de un suceso.

distorsionar *v. tr.* Causar distorsión.

distracción *s. f.* Cosa que atrae la atención apartándola de aquella que está fijada.

distraer *v. tr.* **1.** Divertir, entretener. También prnl. **2.** Apartar la atención de una persona del objeto que la aplicaba o que debía aplicarla. También prnl.

distraído, da *adj.* Se dice de la persona que, por distraerse con facilidad, habla u obra sin darse cuenta cabal de sus palabras o de lo que pasa a su alrededor. También s. m. y s. f.

distribución *s. f.* Acción y efecto de distribuir o distribuirse.

distribuidor, ra *adj.* **1.** Que distribuye. También s. m. y s. f. ‖ *s. m. y s. f.* **2.** Persona o empresa que se ocupa de la distribución de un producto.

distribuir *v. tr.* **1.** Dividir una cosa entre varios, designando lo que a cada uno corresponde. **2.** Dar a cada cosa su oportuna colocación o el destino conveniente.

distributivo, va *adj.* Que toca o atañe a distribución.

distrito *s. m.* Cada una de las demarcaciones en que se subdivide un territorio o población con un fin administrativo o jurídico.

distrofia *s. f.* Estado patológico que afecta a la nutrición y al crecimiento.

disturbio *s. m.* Alteración, turbación de la paz y concordia.

disuadir *v. tr.* Inducir a alguien con razones a cambiar de dictamen o de propósito.

disuasión *s. f.* Acción y efecto de disuadir.

disuasivo, va *adj.* Que disuade o puede disuadir.

disuasorio, ria *adj.* Disuasivo.

disuria *s. f.* Expulsión difícil, dolorosa e incompleta de la orina.

disyunción *s. f.* **1.** Acción y efecto de separar o desunir. **2.** Figura que consiste en que cada oración lleve todas las partes necesarias sin que necesite, para su perfecto sentido, valerse de ninguna de las oraciones que la preceden o siguen.

disyuntiva *s. f.* Alternativa entre dos cosas por una de las cuales hay que optar.

disyuntivo, va *adj.* Se dice de lo que tiene la cualidad de desunir o separar.

dita *s. f.* **1.** *Albac., Chil. y Ec.* Deuda. **2.** *And.* Préstamo a elevado interés, pagadero por días con el capital.

ditá *s. m., Filip.* Árbol de la familia de las apocináceas, de flores blancas en panojas terminales.

ditaína *s. f.* Alcaloide que se extrae de la corteza del ditá y se emplea en medicina como febrífugo.

diteísmo *s. m.* Sistema de religión que admite dos dioses.

diteísta *adj.* Se dice del partidario del diteísmo.

ditirambo *s. m.* **1.** Composición poética inspirada, en un arrebatado entusiasmo, por alguien o algo y escrita generalmente en variedad de metros. **2.** *fig.* Alabanza exagerada, encomio excesivo.

dítono *s. m.* Intervalo que consta de dos tonos.

diu *s. m.* **Dispositivo intrauterino.**

diuca *s. f.* **1.** *Arg. y Chil.* Pájaro conirrostro de color gris apizarrado. ‖ *s. m. y s. f.* **2.** *fig. y fam., Arg. y Chil.* Alumno preferido y mimado por el profesor.

diuresis *s. f.* Secreción abundante de orina.

diurético, ca *adj.* Se dice de lo que tiene virtud de aumentar la secreción y excreción de la orina.

diurno, na *adj.* Perteneciente al día.

diuturno, na *adj., Arg. y Ec.* Que dura o subsiste mucho tiempo.

diva *s. f., poét.* Diosa.

divagación *s. f.* Acción y efecto de divagar.

divagar *v. intr.* **1.** Vagar, andar a la ventura. **2.** Separarse del asunto de que se trata.

diván *s. m.* Banco con brazos o sin ellos, generalmente sin respaldo y con almohadones sueltos.

divergencia *s. f., fig.* Diversidad de opiniones o pareceres.

divergir *v. intr.* **1.** Irse apartando sucesivamente unas de otras dos o más líneas o superficies. **2.** *fig.* Discordar, discrepar.

diversidad *s. f.* Variedad, desemejanza.

diversificación *s. f.* Acción y efecto de diversificar.

diversificar *v. tr.* Hacer diversa una cosa de otra, variar. También prnl.

diversiforme *adj.* Que presenta diversidad de formas.

diversión *s. f.* Recreo, pasatiempo.

diverso, sa *adj.* De distinta naturaleza, especie, número, figura, etc.

divertículo *s. m.* Apéndice hueco en forma de bolsa que aparece en el esófago, la vejiga urinaria u otra cavidad principal.

divertido, da *adj.* Alegre, de buen humor.

divertimento *s. m.* **1.** Divertimiento. **2.** Composición instrumental de varios fragmentos y movimientos diversos, parecida a la suite, aunque más libre.

divertimiento *s. m.* **1.** Diversión. **2.** Distracción momentánea de la atención.

divertir *v. tr.* **1.** Apartar, desviar. También prnl. **2.** Entretener, recrear. También prnl.

dividendo *s. m.* Cantidad que ha de dividirse por otra.

dividir *v. tr.* **1.** Partir, separar en partes. También prnl. **2.** Distribuir. **3.** Desunir las ánimos y voluntades, introduciendo discordias.

dividuo, dua *adj.* Divisible.

divieso *s. m.* Inflamación local dolorosa que se forma en la piel.

divinal *adj., poét.* Divino.

divinidad *s. f.* Naturaleza divina y esencia del ser de Dios en cuanto Dios.

divinización *s. f.* Acción y efecto de divinizar.

divinizar *v. tr.* Hacer o suponer divina a una cosa o tributarle honores divinos.

divino, na *adj.* Muy excelente, extraordinariamente primoroso.

divisa *s. f.* **1.** Señal exterior para distinguir personas, grados u otra cosa. **2.** Lazo de cintas con que se distinguen los toros de cada ganadero. **3.** Moneda mercantil de cualquier país extranjero.

divisar *v. tr.* Ver, aunque confusamente.

divisibilidad *s. f.* **1.** Calidad de divisible. **2.** Una de las propiedades generales de los cuerpos, en virtud de la cual pueden dividirse en partes.

divisible *adj.* Se aplica a la cantidad entera que puede dividirse exactamente por otra entera.

división *s. f.* **1.** Acción y efecto de dividir, separar o repartir. **2.** Operación de dividir.

divisional *adj.* Perteneciente o relativo a la división.

divisionario, ria *adj.* Divisional.

divisor *s. m.* Cantidad por la que ha de dividirse otra.

divisorio, ria *adj.* Se dice de lo que sirve para dividir o separar.

divo, va *adj.* **1.** *poét.* Divino. **2.** Se dice del artista famoso y, especialmente, del cantante de ópera.

divorciado, da *adj.* Se dice de la persona cuyo matrimonio ha sido disuelto por la autoridad competente.

divorciar *v. tr.* **1.** Disolver la autoridad competente un matrimonio. También prnl. **2.** *fig.* Separar dos personas o cosas.

divorcio *s. m.* Acción y efecto de divorciar o divorciarse.

divulgación *s. f.* Acción y efecto de divulgar o divulgarse.

divulgador, ra *adj.* Que divulga. También s. m. y s. f.

divulgar *v. tr.* Publicar, poner al alcance del público una cosa. También prnl.

divulgativo, va *adj.* Divulgador.

diyámbico, ca *adj.* Perteneciente o relativo al diyambo.

diyambo *s. m.* Pie de la poesía griega y latina compuesto de dos yambos.

dizque *s. m.* Dicho, murmuración, reparo.

do *s. m.* Primera voz de la escala musical.

dobladillo *s. m.* Pliegue que como remate se hace en el borde de una tela.

doblamiento *s. m.* Acción y efecto de doblar o doblarse.

doblar *v. tr.* Aumentar una cosa, echándole otro tanto más de lo que era o tener el doble que otro.

doble *adj. num.* Duplo.

doblegar *v. tr.* Doblar o torcer encorvando. También prnl.

doblete *adj.* Entre doble y sencillo.

doblez *s. m.* **1.** Parte que se dobla o pliega en una cosa. **2.** *fig.* Astucia con que alguien obra dando a entender lo contrario de lo que piensa.

doblón *s. m.* Moneda antigua de oro, con diferente valor según las épocas.

doce *adj. num.* Diez y dos.

doceavo, va *adj. num.* Se dice de cada una de las 12 partes en que se divide un todo.

docén *adj., Ar.* Se dice del madero de doce medias varas.

docena *s. f.* Conjunto de doce cosas.

docenario, ria *adj.* Que consta de doce unidades o elementos constitutivos.

docencia *s. f.* Labor del docente.

doceno, na *adj.* Duodécimo.

docente *adj.* Que enseña. También com.

dócil *adj.* **1.** Suave, apacible. **2.** Obediente.

docilidad *s. f.* Calidad de dócil.

docimasia *s. f.* Arte de ensayar los minerales, para determinar su naturaleza.

docto, ta *adj.* Que posee muchos conocimientos.

doctor, ra *s. m. y s. f.* Persona que adquiere el último grado académico que confiere una universidad.

doctorado *s. m.* Estudios necesarios para obtener el grado de doctor.

doctoral *adj.* Perteneciente o relativo al doctor o al doctorado.

doctorando, da *s. m. y s. f.* Persona que está próxima a recibir el grado de doctor.

doctorar *v. tr.* Graduar de doctor a alguien en una universidad. También prnl.

doctrina *s. f.* **1.** Enseñanza que se da para instrucción de alguien. **2.** Ciencia o sabiduría.

doctrinal *adj.* Perteneciente o relativo a la doctrina.

doctrinar *v. tr.* Adoctrinar.

doctrinario, ria *adj.* Que atiende más a las doctrinas y teorías abstractas que a la práctica.

doctrino *s. m.* Niño huérfano que se recoge en una escuela para educarlo.

documentación *s. f.* **1.** Acción y efecto de documentar. **2.** Conjunto de documentos que sirven para identificar a alguien o para acreditar algo.

documental *adj.* Se dice de la película cinematográfica o programa televisivo de carácter informativo.

documentalista *com.* Persona que se ocupa de elaborar y recopilar toda la información posible sobre determinada materia.

documentar *v. tr.* Probar, justificar algo con documentos.

documento *s. m.* Instrucción que se da a alguien en cualquier materia.

dodecaedro *s. m.* Sólido de 12 caras.

dodecágono, na *adj.* Se aplica al polígono de 12 ángulos y 12 lados. También s. m.

dodecasílabo, ba *adj.* De doce sílabas. También s. m.

dogal *s. m.* Cuerda de la que se forma un lazo para atar por el cuello a las caballerías.

dogma *s. m.* Proposición que se asienta como cierta y como principio innegable de la ciencia.

dogmático, ca *adj.* **1.** Se aplica a quien profesa el dogmatismo. También s. m. y s. f. **2.** Que considera sus opiniones como verdades indiscutibles.

dogmatismo *s. m.* Doctrina que afirma la posibilidad y la validez del conocimiento humano.

dogmatizar *v. tr.* Afirmar con presunción, como innegables, principios sujetos a examen y contradicción.

dogo *s. m.* Perro de cuerpo y cuello gruesos y cortos, de mucha fuerza y valor, y se utiliza para la defensa de las propiedades, para las cazas peligrosas y para la lucha contra las fieras.

dogre *s. m.* Embarcación parecida al queche y destinada a la pesca en el mar del Norte.

doladera *adj.* Se aplica a la segur que usan los toneleros.

dolador, ra *s. m. y s. f.* Persona que labra alguna tabla.

doladura *s. f.* Astilla que se saca con la doladera o el dolobre.

dolaje *s. m.* Vino absorbido por las tablas de la cuba en que está contenido.

dólar *s. m.* Unidad monetaria de los Estados Unidos de América, Panamá, El Salvador, Puerto Rico y Ecuador (dólar estadounidense), el Canadá, Australia, Liberia, Nueva Zelanda, Belice (dólar beliceño), Bahamas (dólar bahameño y dólar estadounidense), Jamaica (dólar jamaicano), San Cristóbal y Nieves, Antigua y Barbuda, Dominica, Santa Lucía, San Vicente y las Granadinas y Granada (dólar del Caribe Oriental), Barbados (dólar de Barbados), Trinidad y Tobago (dólar de Trinidad y Tobago) y Guyana (dólar de Guyana).

dolencia *s. f.* Indisposición, achaque.

doler *v. intr.* Padecer dolor una parte del cuerpo.

dolicocéfalo *adj.* Se dice de la persona cuyo cráneo es de figura muy oval.

dolido, da *adj.* Quejoso, sentido, herido en sentido moral.

doliente *s. m. y s. f.* Pariente del difunto que recibe el duelo.

dolina *s. f.* Cavidad en forma de embudo, propia de los parajes cársticos.

dolmen *s. m.* Monumento megalítico en forma de mesa, compuesto por una o más lajas colocadas de plano sobre dos o más piedras verticales.

dolo *s. m.* Engaño, fraude, simulación.

dolobre *s. m.* Pico para labrar piedras.

dolomía *s. f.* Roca formada por el carbonato doble de cal y magnesio.

dolomita *s. f.* Dolomía.

dolomítico, ca *adj.* Semejante a la dolomía, o que contiene esta sustancia.

dolor *s. m.* **1.** Sensación molesta y aflictiva de una parte del cuerpo causada por lesiones o enfermedad. **2.** Sentimiento, pena que se padece en el ánimo.

dolora *s. f.* Breve composición poética de carácter dramático.

dolorido, da *adj.* **1.** Que padece o siente dolor. **2.** Apenado, afligido.

doloroso, sa *adj.* Lamentable, lastimoso.

doloso, sa *adj.* Engañoso, fraudulento.

dom *s. m.* Título honorífico que se da a algunos religiosos de ciertas órdenes.

doma *s. f.* Acción y efecto de domar.

domador, ra *s. m. y s. f.* Que exhibe y maneja fieras domadas.

domar *v. tr.* **1.** Amansar y hacer dócil al animal. **2.** *fig.* Sujetar, reprimir.

domeñable *adj.* Que puede ser domeñado.

domeñar *v. tr.* Someter, sujetar, rendir.

domesticar *v. tr.* Acostumbrar a la compañía de las personas a un animal salvaje.

doméstico, ca *adj.* Se dice del animal que se cría en la compañía de las personas.

domiciliar *v. tr.* Dar domicilio.

domiciliario, ria *adj.* **1.** Perteneciente o relativo al domicilio. **2.** Que se ejecuta o se cumple dentro del domicilio.

domicilio *s. m.* Morada fija y permanente de una persona.

dominación *s. f.* Imperio que tiene sobre un territorio la persona que ejerce soberanía.

dominador, ra *adj.* Que domina o propende a dominar. También s. m. y s. f.

dominante *adj.* Se aplica a la persona que quiere avasallar a otras.

dominar *v. tr.* Tener dominio sobre personas o cosas.

dómine *s. m., fam.* Maestro o preceptor de gramática latina.

domingo *s. m.* Día de la semana comprendido entre el sábado y el lunes.

dominguejo *s. m., Chil., Per. y Ven.* Persona insignificante, pobre diablo.

dominguero, ra *adj., fam.* **1.** Se aplica a la persona que acostumbra a componerse y divertirse solamente los domingos y días de fiesta. *adj., fam.* **2.** Conductor inexperto que solo maneja el automóvil en domingos y festivos, haciendo gala de su poca habilidad al volante.

dominical *v. tr.* **1.** Perteneciente al domingo. **2.** Relativo al derecho de dominio sobre las cosas.

dominico, ca *adj.* Se dice del religioso o religiosa de la Orden de santo Domingo.

dominio *s. m.* **1.** Poder que alguien tiene de usar y disponer de lo suyo libremente. **2.** Superioridad legítima sobre las personas.

dominó *s. m.* Juego que se hace con 28 fichas rectangulares, blancas por la cara y negras por el envés, con aquella dividida en dos cuadrados, cada uno de los cuales lleva marcados de uno a seis puntos o no lleva ninguno.

domo *s. m.* Cúpula.

don[1] *s. m.* Dádiva, presente o regalo.

don[2] *s. m.* Tratamiento de respeto que se antepone a los nombres de pila masculinos.

donación *s. f.* Liberalidad de una persona que transmite gratuitamente una cosa que le pertenece a favor de otra que la acepta.

donaire *s. m.* Gracia en lo que se dice.

donante *com.* Persona que voluntariamente da sangre para una transfusión o un órgano para un trasplante.

donar *v. tr.* Traspasar alguien gratuitamente a otra persona algo que posee.

donativo *s. m.* Dádiva, regalo, cesión.

doncel *s. m.* Joven noble que aún no estaba armado caballero.

doncella *s. f.* **1.** Mujer que no ha mantenido relaciones sexuales. **2.** Criada que se ocupa de las tareas domésticas ajenas a la cocina.

doncellez *s. f.* Estado de doncel o de doncella, virginidad.

donde *adv. rel.* Con antecedente y sin preposición, equivale a *en qué lugar,* o *en el lugar en que;* precedido de antecedente y preposición, equivale al simple pronombre *que, el que, lo que,* etc.

dondequiera *adv. l.* En cualquier parte.

dondiego *s. m.* Planta de la familia de las nictagináceas, con flores fragantes, dispuestas en corimbos, de corola en embudo, blancas y encarnadas, que se abren al anochecer y se cierran al salir el Sol.

donillero *s. m.* Fullero que agasaja a aquellos a quienes quiere inducir a jugar.

donjuán *s. m., fam.* Hombre seductor, mujeriego.

donosidad *s. f.* Gracia, chiste, gracejo.

donoso, sa *adj.* Que tiene donaire y gracia.

donosura *s. f.* Donaire, gracia.

doña *s. f.* Tratamiento de respeto que se antepone a los nombres de pila femeninos.

doñear *v. tr.* Cortejar a una mujer.

dopaje *s. m.* Acción y efecto de dopar o doparse.

dopar *v. tr.* Usar un deportista sustancias estimulantes que potencien su rendimiento físico. También prnl.

doping *s. m.* Dopaje.

doquier *adv. l.* Dondequiera.

doquiera *adv. l.* Dondequiera.

dorada *s. f.* Pez marino acantopterigio comestible, de color negro azulado y con una mancha dorada entre los ojos.

dorado, da *adj.* De color de oro o semejante a él.

doral *s. m.* Pájaro, variedad de papamoscas, de color amarillo rojizo.

dorar *v. tr.* Cubrir con oro la superficie de una cosa.

dórico *s. m.* Orden arquitectónico de la antigua Grecia.

dormida *s. f.* Acción de dormir, especialmente pasando la noche.

dormidera *v. tr.* Adormidera, planta procedente de Oriente de cuyo zumo se extrae el opio.

dormilón, na *adj.* Que duerme mucho.

dormilona *s. f.* Butaca para dormir la siesta.

dormir *v. intr.* Estar en aquel reposo que consiste en la inacción o suspensión de los sentidos y de todo movimiento voluntario.

dormitar *v. intr.* Estar medio dormido.

dormitorio *s. m.* Pieza de la casa destinada para dormir en ella.

dornajo *s. m.* Artesa pequeña y redonda.

dorsal *adj.* **1.** Perteneciente o relativo al dorso, espalda o lomo. **2.** *fig.* Número que llevan grabado en la camiseta ciertos deportistas.

dorso *s. m.* Revés o espalda de una cosa.

dos *adj. num.* Uno y uno.

doscientos, tas *adj. num.* Dos veces ciento. También pron., s. m. y s. f.

dosel *s. m.* Mueble de adorno que cubre o resguarda un altar, cama, trono, etc.

doselete *s. m.* Miembro arquitectónico voladizo, que a manera de dosel se coloca sobre las estatuas, sepulcros, etc.

dosificar *v. tr.* Dividir o graduar las dosis de un medicamento.

dosis *s. f.* Toma de medicina que se da al enfermo cada vez.

dotación *s. f.* **1.** Aquello con que se dota. **2.** Conjunto de personas que tripulan un buque de guerra.

dotar *v. tr.* **1.** Constituir dote a la mujer que va a contraer matrimonio o a profesar en una Orden religiosa. **2.** Dar bienes para un centro benéfico. **3.** Conceder la naturaleza a alguien determinadas cualidades.

dote *s. amb.* Bienes que lleva la mujer cuando contrae matrimonio.

dovela *s. f.* Piedra labrada en figura de cuña para formar arcos, bóvedas, etc.

dracma *s. m.* **1.** Moneda de plata de los griegos y de los romanos. **2.** Octava parte de una onza.

draconiano, na *adj.* Se aplica a las leyes o providencias excesivamente severas.

draga *s. f.* Máquina para limpiar los puertos de mar, los ríos, etc., extrayendo de ellos fango, piedras, arena, etc.

dragado *s. m.* Acción y efecto de dragar.

dragaminas *s. m.* Buque destinado a limpiar de minas los mares.

dragar *v. tr.* Excavar el fondo y limpiar con draga los puertos de mar, los ríos, etc.

drago *s. m.* Árbol de la familia de las liliáceas, originario de Canarias, del que se obtiene la resina llamada sangre de drago, que se usa en medicina.

dragón *s. m.* Animal fabuloso, especie de serpiente gigante con pies y alas, que arroja fuego por la boca.

dragonites *s. f.* Piedra fabulosa que decían se halla en la cabeza de los dragones.

dragontea *s. f.* Planta herbácea vivaz, arácea, cultivada en jardines.

drama *s. m.* Obra de teatro, entre la tragedia y la comedia.

dramática *s. f.* Género literario que comprende todas aquellas obras cuya finalidad es la representación escénica.

dramático, ca *adj.* **1.** Propio, característico del drama. **2.** *fig.* Teatral, fingido.

dramatismo *s. m.* Cualidad de dramático.

dramatizar *v. tr.* **1.** Dar forma y condiciones dramáticas. **2.** Exagerar el interés o la importancia de un asunto.

dramaturgia *s. f.* Dramática.

dramaturgo, ga *s. m. y s. f.* Autor de obras dramáticas.

drapear *v. tr.* Formar pliegues en una prenda. También prnl.

draque *s. m., Amér. del S.* Bebida hecha a base de agua, aguardiente, azúcar y nuez moscada.

drástico, ca *adj., fig.* Tajante, enérgico, contundente.

drenaje *s. m.* Procedimiento empleado para la eliminación de líquidos de una herida.

drenar *v. tr.* Eliminar el exceso de agua de una zona.

dríade *s. f.* Ninfa de los bosques y de los árboles, cuya vida duraba lo que la del árbol a que se suponía unida.

driblar *v. tr.* En el deporte, fintar al atacar un jugador al contrario para esquivarlo y evitar que este le arrebate el balón.

dril *s. m.* Tela fuerte de hilo o de algodón crudos.

driza *s. f.* Cuerda o cabo con que se izan y arrían las vergas, velas, banderas, etc.

droga *s. f.* Nombre genérico de ciertas sustancias usadas en química, industria, medicina, etc.

drogadicción *s. f.* Adicción a las drogas.

drogadicto, ta *adj.* Se dice de la persona que consume drogas habitualmente y que depende de ellas. También *s. m. y s. f.*

drogar *v. tr.* **1.** Administrar a personas o animales una droga. También prnl. ‖ *v. prnl.* **2.** Consumir drogas.

drogodependencia *s. f.* Adicción a las drogas.

droguería *s. f.* **1.** Comercio de drogas. **2.** Tienda donde se venden drogas, especialmente pinturas y productos de limpieza.

dromedario *s. m.* Rumiante que se diferencia del camello por tener solo una giba.

dropacismo *s. m.* Cierta untura depilatoria.

drosera *s. f.* Planta de la familia de las droseráceas, cuyas hojas aprisionan a los insectos y los digieren.

druida *s. m.* Sacerdote de los antiguos galos y britanos.

drupa *s. f.* Fruta de mesocarpio carnoso y endocarpio leñoso con una sola semilla.

drupáceo, a *adj.* De la naturaleza de la drupa.

drusa *s. f.* Conjunto de cristales que cubren la superficie de una piedra.

dual *adj.* Se dice de lo que consta de dos partes, aspectos, etc.

dualidad *s. f.* Condición de reunir dos caracteres distintos una misma persona o cosa.

dualismo *s. m.* Doctrina metafísica según la cual la materia y el espíritu son dos sustancias esencialmente distintas o independientes.

duba *s. f.* Muro o cerca de tierra.

dubitación *s. f.* Duda.

dubitativo, va *adj.* Que implica o denota duda.

ducado *s. m.* **1.** Título o dignidad de duque. **2.** Lugar sobre el que recaía este título.

ducal *adj.* Perteneciente o relativo al duque.

ducha *s. f.* Chorro de agua que se hace caer sobre el cuerpo para limpieza o refresco.

duchar *v. tr.* Dar una ducha. También prnl.

ducho, cha *adj.* Experimentado, diestro.

dúctil *adj.* Se aplica a los metales que mecánicamente se pueden extender en alambres o hilos.

ductilidad *s. f.* Calidad de dúctil.

duda s. f. Indeterminación del ánimo entre dos juicios o dos decisiones, o bien acerca de un hecho o de una noticia.

dudar v. intr. **1.** Estar el ánimo entre resoluciones y juicios contradictorios. **2.** Desconfiar de algo o alguien.

dudoso, sa adj. **1.** Que ofrece o tiene duda. **2.** Que es poco probable, inseguro o eventual.

duela s. f. Cada una de las tablas que forman las paredes curvas de las pipas, cubas, etc.

duelo[1] s. m. Combate o pelea entre dos personas, precediendo desafío o reto.

duelo[2] s. m. Dolor, lástima, sentimiento.

duende s. m. Espíritu que, según algunas creencias populares, habita en las casas causando en ellas trastornos y estruendos.

dueño, ña s. m. y s. f. Persona que tiene dominio o señorío sobre alguien o algo.

duermevela s. amb., fam. **1.** Sueño ligero en que se halla la persona que está dormitando. **2.** Sueño fatigoso y frecuentemente interrumpido.

duerna s. f. Artesa.

duerno s. m. Conjunto de dos pliegos impresos, metido uno dentro del otro.

dula s. f. Cada una de las porciones de tierra que reciben por turno riego de una misma acequia.

dulcamara s. f. Planta sarmentosa medicinal, de la familia de las solanáceas, de tallo ramoso, hojas pecioladas, flores violáceas en ramilletes y bayas rojas.

dulce adj. **1.** Que causa cierta sensación agradable al paladar, como el azúcar. **2.** fig. Apacible, agradable.

dulcedumbre s. f. Dulzura, suavidad.

dulcémele s. m. Salterio.

dulcería s. f. Confitería.

dulcero, ra adj., fam. Aficionado al dulce.

dulcificar v. tr. Volver dulce una cosa.

dulcísono, na adj., poét. Que suena dulcemente.

dulimán s. m. Vestidura talar usada por los turcos.

dulzaina s. f. Instrumento musical de viento parecido a la chirimía, pero más corto.

dulzainero, ra s. m. y s. f. Persona que toca la dulzaina.

dulzón, na adj., fam. De sabor dulce, pero desagradable y empalagoso.

dulzor s. m. Dulzura.

dulzura s. f. **1.** Calidad de dulce. **2.** fig. Afabilidad, bondad, docilidad.

duma s. f. Asamblea legislativa de la Rusia zarista.

duna s. f. Colina de arena movediza que en los desiertos y en las playas forma el viento.

dundo, da adj., Amér. C. y Col. Tonto. También s. m. y s. f.

dúo s. m. Composición musical para dos voces o instrumentos.

duodécimo, ma adj. num. Que ocupa el último lugar en una serie ordenada de 12. También pron.

duodeno s. m. Primera parte del intestino delgado de los mamíferos que está unida al estómago y termina en el yeyuno.

dúplex adj. Se dice de la vivienda construida en dos plantas comunicadas por una escalera interior.

dúplica s. f. Escrito en que el demandado responde a la réplica del actor.

duplicado s. m. Segundo documento o escrito que se expide del mismo tenor que el primero.

duplicar v. tr. Hacer doble una cosa.

dúplice adj. Doble.

duplicidad s. f. Doblez, falsedad.

duplo, pla adj. num. Doble, que contiene un número exactamente dos veces.

duque s. m. Título nobiliario inferior al de príncipe y superior al de conde y marqués.

duquesa s. f. **1.** Mujer que por sí posee un estado que lleva anejo título ducal. **2.** Mujer del duque.

duración s. f. Tiempo que dura algo.

duradero, ra adj. Que dura o puede durar mucho.

duramadre s. f. La más externa de las tres membranas que envuelven el encéfalo y la médula espinal de los batracios, reptiles, aves y mamíferos.

duramen s. m. Parte más seca y compacta del tronco de un árbol y de sus ramas más gruesas.

durante prep. Denota el periodo de tiempo en el que algo sucede.

durar v. intr. **1.** Continuar siendo, actuando, sirviendo. **2.** Subsistir, permanecer.

durazno s. m. Fruto del duraznero.

duraznero s. m. Árbol, variedad del melocotonero, cuyo fruto es más pequeño.

dureza s. f. **1.** Calidad de duro. **2.** Tumor o callosidad que se hace en los cuerpos a causa de algunos humores que se detienen o extravasan. **3.** Severidad, rigor.

durina s. f. Enfermedad contagiosa de las caballerías que se caracteriza por tumefacción de los ganglios linfáticos, inflamación de los órganos genitales y parálisis.

duro, ra adj. **1.** Se dice del cuerpo que presenta resistencia a ser cortado, roto, deformado, etc. **2.** Fuerte, resistente. **3.** Muy severo. **4.** Terco y obstinado.

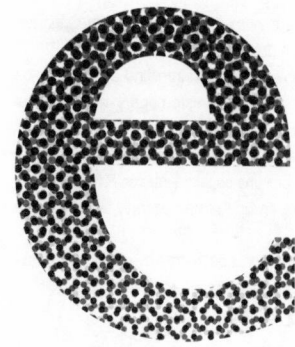

e¹ *s.f.* **1.** Sexta letra del abecedario español y segunda de las vocales. **2.** Signo de la proposición universal negativa.

e² *conj. cop.* Se usa en vez de *y* ante las palabras que empiezan por *-i* o *-hi*.

¡ea! *interj.* que se emplea para denotar alguna resolución de la voluntad, o para animar, estimular o excitar.

ebanista *com.* Persona que tiene por oficio trabajar en ébano o en madera fina.

ebanistería *s. f.* **1.** Taller de ebanista. **2.** Arte del ebanista.

ébano *s. m.* Árbol de tronco grueso y madera maciza, muy estimada en ebanistería.

ebenáceo, a *adj.* Se dice de los árboles o arbustos intertropicales dicotiledóneos, con hojas comúnmente alternas y enteras, flores axilares, fruto carnoso en forma de baya y madera negra en el centro, dura y pesada como el ébano.

ebonita *s. f.* Preparación de goma elástica, azufre y aceite de linaza, negra y dura.

eborario, ria *adj.* Relativo a la talla en marfil.

ebrancado, da *adj.* Se dice del árbol que tiene cortadas las ramas.

ebriedad *s. f.* Embriaguez.

ebrio, bria *adj.* **1.** Embriagado. También s. m. y s. f. **2.** Arrebatado por una pasión.

ebrioso, sa *adj.* Que se embriaga fácilmente. También s. m. y s. f.

ebullición *s. f.* Hervor.

ebullómetro *s. m.* Aparato para medir la temperatura a la que hierve un cuerpo.

ebulloscopio *s. m.* Ebullómetro.

eburnación *s. f.* Aumento considerable de la densidad de un hueso que se hace compacto en una superficie más o menos extensa.

ebúrneo, a *adj.* De marfil, o parecido a él.

ecarté *s. m.* Cierto juego de naipes.

eccehomo *s. m.* **1.** Imagen de Jesucristo como le presentó Pilatos al pueblo. **2.** *fig.* Persona de lastimoso aspecto.

eccema *s. m.* Afección de la piel, caracterizada por vejiguillas rojizas.

eccoprótico *s. m.* Purgante suave.

echacantos *s. m., fam.* Hombre desapacible y que nada supone en el mundo.

echada *s. f.* Acción y efecto de echar o echarse.

echadillo, lla *adj., fam.* Expósito. También s. m. y s. f.

echadizo, za *adj.* Enviado con arte y disimulo para rastrear y averiguar alguna cosa, o para echar alguna especie.

echador, ra *adj.* Que echa o arroja.

echadura *s. f.* Acción de echarse las gallinas cluecas sobre los huevos para empollarlos.

echamiento *s. m.* Acción y efecto de echar o arrojar.

echar *v. tr.* **1.** Hacer que una cosa vaya a parar a alguna parte dándole un impulso. **2.** Despedir de sí una cosa. **3.** Hacer salir a alguien de algún lugar. **4.** Deponer a alguien de su empleo. **5.** Brotar y arrojar las plantas sus raíces, hojas, etc. También intr. **6.** Tratándose de llaves, cerrojos, etc., darles el movimiento necesario para cerrar. **7.** Inclinar, recostar, reclinar. **8.** Remitir una cosa a la suerte. **9.** Conjeturar el precio, edad, etc. ‖ *v. prnl.* **10.** Arrojarse. **11.** Tenderse.

echarpe *s. f.* Chal angosto y largo que visten sobre los hombros las mujeres.

echazón *s. f.* Acción de echar.

echona *s. f., Arg. y Chil.* Hoz para segar.

eclampsia *s. f.* Enfermedad de carácter convulsivo, que suelen padecer los niños y las recién paridas, caracterizada por accesos epilépticos.

eclecticismo *s. m.* **1.** Escuela filosófica que procura conciliar las doctrinas que parecen mejores de distintos sistemas. **2.** Modo de obrar o juzgar adoptando soluciones intermedias.

ecléctico, ca *adj.* Perteneciente o relativo al eclecticismo.

eclesial *adj.* Perteneciente a la Iglesia.

Eclesiastés *n. p.* Libro canónico del Antiguo Testamento, escrito por Salomón.

eclesiástico *s. m.* Clérigo, sacerdote.

eclesiastizar *v. tr.* Hablando de bienes temporales, espiritualizarlos.

eclímetro *s. m.* Instrumento con que se mide la inclinación de las pendientes.

eclipsable *adj.* Que se puede eclipsar y oscurecer.

eclipsar *v. tr.* **1.** Causar un astro el eclipse de otro. **2.** *fig.* Oscurecer, deslucir. También prnl. ‖ *v. prnl.* **3.** *fig.* Evadirse.

eclipse *s. m.* **1.** Ocultación transitoria de un astro. **2.** Desaparición transitoria.

eclipsis *s. f.* Elipsis.

Eclíptica *n. p.* Círculo máximo de la esfera celeste, que en la actualidad corta al ecuador en ángulos de 23 grados y 27 minutos, y señala el curso aparente del Sol durante el año.

eclisa *s. f.* Plancha metálica que une dos rieles seguidos de una vía férrea.

eclógico, ca *adj., poét.* Perteneciente o relativo a la égloga.

eclosión *s. f.* **1.** Apertura de una flor. **2.** Manifestación repentina de un movimiento histórico, social, etc. **3.** Apertura del ovario para dar salida al óvulo.

eco *s. m.* **1.** Repetición de un sonido reflejado por un cuerpo duro. **2.** Sonido que se percibe débil y confusamente.

ecografía *s. f.* Técnica de exploración de los órganos internos.

ecoico, ca *adj.* Perteneciente al eco.

ecolalia *s. f.* Perturbación del lenguaje que consiste en repetir el enfermo involuntariamente una palabra o frase que acaba de pronunciar él mismo u otra persona en su presencia.

ecolocación *s. f.* Sistema que permite medir la distancia a la que se encuentra un objeto por el tiempo que pasa entre la emisión de una onda acústica y la recepción de la onda reflejada en dicho objeto.

ecología *s. f.* Parte de la biología que estudia las relaciones existentes entre los organismos y el medio en que viven.

ecológico, ca *adj.* Perteneciente o relativo a la ecología.

ecologismo *s. m.* Filosofía y movimiento sociopolítico que propugna la conservación del medio ambiente.

ecologista *adj.* Partidario del ecologismo. También com.

econdrosis *s. f.* Denominación de ciertas prominencias óseas que se forman al nivel de las articulaciones.

economato *s. m.* Almacén de artículos.

economía *s. f.* **1.** Administración recta y prudente de los bienes. **2.** Riqueza pública, conjunto de ejercicios y de intereses económicos.

económico, ca *adj.* **1.** Poco costoso, que cuesta poco. **2.** Muy detenido en gastar.

economista *com.* Se dice de la persona que está versada en economía política.

economizar *v. tr.* **1.** Ahorrar para el futuro. **2.** *fig.* Evitar un trabajo, riesgo, etc.

ecónomo *adj.* **1.** Se dice del cura que hace las veces del párroco. ‖ *s. m.* **2.** Administrador.

ecosistema *s. m.* Comunidad de seres vivos en equilibrio de producción de unos en favor de otros y su ambiente físico.

ectasia *s. f.* Dilatación de un órgano hueco.

éctasis *s. f.* Licencia poética que consiste en alargar la sílaba breve o acentuar la átona, para conseguir la misma medida en todos los versos de la estrofa.

ectima *s. f.* Enfermedad cutánea.

ectodermo *s. m.* Hoja externa del blastodermo.

ectópago *adj.* Se dice del monstruo compuesto de dos individuos que tiene un ombligo común y están unidos lateralmente en toda la extensión del pecho. También s. m.

ectoparásito *s. m.* Parásito que vive en la superficie de otro organismo, con el que solo se pone en contacto cuando absorbe de él los jugos de que se alimenta; como el piojo.

ectopia *s. f.* Anomalía de situación de un órgano o aparato.

ectoplasma *s. f.* Supuesta emanación material de un médium, con la que se dice que se forman apariencias de fragmentos orgánicos, seres vivos o cosas.

ectropión *s. m.* Inversión permanente y anormal del párpado inferior hacia fuera.

ecu *s. m.* Unidad de moneda europea anterior al euro.

ecuable *adj.* Se dice del movimiento con que los cuerpos recorren los espacios iguales en tiempos iguales.

ecuación *s. f.* Igualdad que contiene una o mas incógnitas.

ecuador *s. m.* Círculo máximo de la esfera celeste, perpendicular al eje de la Tierra.

ecualizador *s. m.* Dispositivo que se ocupa de ecualizar el sonido.

ecualizar *v. tr.* Ajustar mediante un circuito electrónico las frecuencias de reproducción de un sonido.

ecuánime *adj.* Que tiene ecuanimidad.

ecuanimidad *s. f.* **1.** Igualdad y constancia de ánimo. **2.** Imparcialidad del juicio.

ecuatorial *adj.* Perteneciente o relativo al ecuador.

ecuatorianismo *s. m.* Vocablo o giro propio y privativo del lenguaje de los ecuatorianos.

ecuestre *adj.* **1.** Perteneciente al caballo. **2.** Se dice de la figura puesta a caballo.

ecúmene *s. f.* Comunidad humana que habita una zona extensa de la Tierra.

ecuménico, ca *adj.* Universal, que se extiende a todo el mundo.

ecúmeno *s. m.* Porción de la Tierra apta para la vida humana.

ecuóreo, a *adj.* Perteneciente al mar.

eczema *s. f.* Eccema.

eczematoso, sa *adj.* Relativo a la eczema.

edad *s. f.* **1.** Tiempo que una persona ha vivido a contar desde que nació. **2.** Duración de las cosas. **3.** Periodo histórico.

edáfico, ca *adj.* Perteneciente o relativo al suelo, especialmente en lo que respecta a la vida de las plantas.

edafología *s. f.* Ciencia que trata de la naturaleza y condiciones del suelo, en su relación con las plantas.

edecán *s. m.* **1.** Ayudante de campo. **2.** *fig. y fam.* Auxiliar, acompañante.

Edelweiss *s. m.* Planta de hojas lanosas y blancas que crece en alta montaña.

edema *s. m.* Hinchazón blanda de una parte del cuerpo.

edematoso, sa *adj.* Perteneciente al edema.

edén *s. m.* **1.** Paraíso terrestre. **2.** *fig.* Lugar muy ameno y delicioso.

edénico, ca *adj.* Perteneciente o relativo al edén.

edición *s. f.* **1.** Impresión de una obra para su publicación. **2.** Conjunto de ejemplares de una obra impreso de una sola vez.

edicto *s. m.* Decreto publicado con autoridad del príncipe o del magistrado.

edículo *s. m.* Templete que sirve de tabernáculo, relicario, etc.

edificación *s.m.* Construcción.

edificador, ra *adj.* Que edifica, fabrica o manda construir.

edificar *v. tr.* **1.** Construir un edificio o mandarlo hacer. **2.** *fig.* Infundir en otros sentimientos de piedad y virtud.

edificativo, va *adj., fig.* Se dice de lo que edifica o incita a la virtud.

edificio *s. m.* Obra o fábrica construida como casa, templo, teatro, etc.

edil, la *s. m. y s. f.* Concejal, miembro de un Ayuntamiento. U. t. la forma en m. para designar el f.

edilicio, cia *adj.* Perteneciente o relativo al empleo de edil.

edilidad *s. f.* Dignidad y empleo de edil.

editar *v. tr.* Publicar, por medio de la imprenta u otro medio de reproducción gráfica, una obra, periódico, mapa, etc.

editor, ra *s. m. y s. f.* Persona que saca a la luz pública una obra, a través de la imprenta o de otro arte gráfico.

editorial *s. m.* **1.** Artículo de fondo no firmado. ‖ *s. f.* **2.** Empresa editora.

edrar *v. tr.* Binar, dar la segunda cava a las viñas.

edredón *s. m.* **1.** Plumón de ciertas aves. **2.** Relleno que se emplea como cobertor.

educable *adj.* Capaz de recibir educación.

educación *s. f.* **1.** Crianza, enseñanza y doctrina que se da a un individuo. **2.** Cortesía, urbanidad.

educacional *adj.* Perteneciente o relativo a la educación.

educado, da *adj.* Que tiene buena educación o urbanidad.

educador, ra *s. m. y s. f.* Persona que educa.

educando, da *adj.* Que está recibiendo educación, y especialmente la persona que se educa en un colegio. También s. m. y s. f.

educar *v. tr.* **1.** Encaminar, doctrinar. **2.** Desarrollar o perfeccionar las facultades intelectuales y morales de un individuo. **3.** Enseñar urbanidad y cortesía.

educativo, va *adj.* Se dice de lo que educa o sirve para educar.

educción *s. f.* Acción y efecto de educir.

educir *v. tr.* Sacar una cosa de otra, deducir.

edulcorante *adj.* Sustancia que edulcora los alimentos o medicamentos.

edulcorar *v. tr.* Endulzar una sustancia de sabor desagradable o insípido.

efabilidad *s. f.* Arte o facultad de expresar debidamente lo que se quiere.

efable *adj.* Se dice de lo que puede decirse o manifestarse con palabras.

efebo *s. m.* Mancebo, adolescente.

efectismo *s. m.* **1.** Calidad de efectista. **2.** Afán de producir ante todo gran efecto en el público.

efectista *adj.* Se dice de la persona que busca producir ante todo un fuerte efecto o impresión en el ánimo.

efectividad *s. f.* Calidad de efectivo.

efectivo, va *adj.* **1.** Real y verdadero. **2.** Dinero contante. ‖ *s. m. pl.* **3.** Grupo de militares que se hallan bajo un solo mando.

efecto *s. m.* **1.** Lo que se sigue por virtud de una causa. **2.** Impresión. ‖ *s. m. pl.* **3.** Bienes muebles, enseres.

efectuación *s. f.* Acción de efectuar.

efectuar *v. tr.* **1.** Poner por obra, ejecutar una cosa. ‖ *v. prnl.* **2.** Cumplirse, hacerse efectiva una cosa.

efélide *s. f.* Peca causada por el sol y el aire.

efémera *adj.* Se dice de la fiebre que dura por lo común un día natural. También s. f.

efeméride *s. f.* **1.** Conjunto de hechos notables que merecen celebrarse en su aniversario. **2.** Conmemoración de dicho aniversario.

efemérides *s. f. pl.* **1.** Relación de los hechos notables ocurridos cada día. **2.** Tablas que indican la posición que ocupan cada día el Sol, la Luna y los planetas.

efémero *s. m.* Lirio hediondo.

efendi *s. m.* Título honorífico usado entre los turcos.

eferente *adj.* Se dice de los vasos y otros conductos orgánicos.

efervescencia *s. f.* **1.** Desprendimiento de burbujas gaseosas a través de un líquido. **2.** *fig.* Agitación, entusiasmo.

efervescente *adj.* Que está o puede estar en efervescencia.

efetá *expr.* con la que se califica la obstinación o renuncia de alguien.

éfeta *s. m.* Cada uno de varios jueces que hubo antiguamente en Atenas.

eficacia *s. f.* **1.** Capacidad y fuerza para obrar. **2.** Actividad y poder para obrar.

eficaz *adj.* Activo, fervoroso, poderoso para obrar.

eficiencia *s. f.* Virtud y facultad para lograr un efecto determinado.

eficiente *adj.* Que tiene eficiencia.

efigie *s. f.* Imagen, representación de una persona real y verdadera.

efímero, ra *adj.* **1.** De corta duración. **2.** Se dice de la fiebre que dura, por lo común, un día natural. También s. f.

eflorecerse *v. prnl.* Ponerse en eflorescencia un cuerpo.

eflorescencia *s. f.* **1.** Erupción aguda y rojiza. **2.** Conversión en polvo de algunas sales al perder agua de cristalización.

eflorescente *adj.* Se aplica a los cuerpos capaces de eflorecerse.

efluente *s. m.* Líquido procedente de una instalación industrial.

efluir *v. intr.* Fluir al exterior un líquido o gas.

efluvio *s. m.* **1.** Emisión de partículas sutilísimas. **2.** *fig.* Emanación en lo inmaterial.

efod *s. m.* Vestidura de lino fino, corta y sin mangas, que usaban los sacerdotes israelitas.

efugio *s. m.* Salida, recurso para sortear una dificultad.

efundir *v. tr.* **1.** Derramar, verter un líquido. **2.** Decir, contar una cosa.

efusión *s. f.* **1.** Derramamiento de un líquido. **2.** *fig.* Expansión de afectos del ánimo.

efusivo,va *adj.* Que siente o manifiesta efusión.

egida *s. f., fig.* Protección, defensa.

egílope *s. f.* Especie de avena.

egipán *s. m.* Ser fabuloso, mitad cabra, mitad hombre.

egiptología *s. f.* Estudio de las antigüedades de Egipto.

egiptólogo, ga *s. m. y s. f.* Persona versada en egiptología.

égloga *s. f.* Composición poética del género bucólico.

egocéntrico, ca *adj.* Perteneciente o relativo al egocentrismo. También s. m. y s. f.

egocentrismo *s. m.* Exagerada exaltación de la propia personalidad.

egoísmo *s. m.* Inmoderado, excesivo amor que alguien tiene a sí mismo.

egoísta *adj.* Que tiene egoísmo. También com.

ególatra *adj.* Que profesa la egolatría. También com.

egolatría *s. f.* Culto, adoración, amor excesivo de sí mismo.

egotismo *s. m.* Afán de hablar alguien de sí mismo.

egotista *adj.* Perteneciente al egotismo, o que tiene egotismo. También com.

egregio, gia *adj.* Insigne, ilustre.

egresión *s. f.* Título por el cual se traspasaba a una comunidad o particular algún derecho perteneciente a la Corona.

egreso *s. m.* Salida, partida de descargo.

¡eh! *interj.* que se emplea para preguntar, llamar, despreciar, reprender o advertir.

eidético, ca *adj.* Relativo a la esencia.

einstenio *s. m.* Elemento radiactivo artificial.

ejarbe *s. m., Nav.* Aumento de agua que reciben los ríos a causa de las grandes lluvias.

eje *s. m.* **1.** Varilla que atraviesa un cuerpo giratorio, sirviéndole de sostén. **2.** *fig.* Idea fundamental en un raciocinio, escrito, etc.; sostén principal de una empresa.

ejecución *s. f.* Acción y efecto de ejecutar.

ejecutable *adj.* Que se puede ejecutar.

ejecutar *v. tr.* **1.** Poner por obra algo. **2.** Ajusticiar. **3.** Desempeñar con arte y facilidad una cosa.

ejecutivo, va *s. m. y s. f.* **1.** Persona que desempeña un cargo directivo. ‖ *s. f.* **2.** Junta directiva de una asociación.

ejecutor, ra *adj.* **1.** Que ejecuta o hace una cosa. || *com.* **2.** Persona o ministro que pasaba a hacer una ejecución y cobranza de orden de juez competente.

ejecutoria *s. f.* **1.** Título en que consta la nobleza de una persona. **2.** *fig.* Sentencia que alcanzó la firmeza de cosa juzgada.

ejecutoría *s. f.* Oficio de ejecutor.

ejecutoriar *v. tr.* Dar firmeza de cosa juzgada a un fallo judicial. También prnl.

¡ejem! *interj.* con que se llama la atención o se deja en suspenso el discurso.

ejemplar *adj.* **1.** Que sirve de ejemplo || *s. m.* **2.** Original, prototipo. **3.** Cada uno de los escritos impresos, grabados, etc. **4.** Cada uno de los individuos de una especie o de un género.

ejemplaridad *s. f.* Calidad de ejemplar.

ejemplarizar *v. tr.* Dar ejemplo, edificar.

ejemplificación *s. f.* Acción y efecto de ejemplificar.

ejemplificar *v. tr.* Demostrar o autorizar con ejemplos.

ejemplo *s. m.* **1.** Hecho que se cita para que se siga haciendo o para que se evite. **2.** Hecho o texto que se cita para ilustrar, comprobar, etc. **3.** Acción o conducta de alguien que puede mover o inclinar a otros a que lo imiten.

ejercer *v. tr.* Practicar los actos propios de un oficio, facultad, etc. También intr.

ejercicio *s. m.* **1.** Tiempo durante el cual rige una ley de presupuestos. **2.** Trabajo que tiene por objeto la adquisición, desarrollo o conservación de una facultad.

ejercitación *s. f.* Acción de ejercitarse o de emplearse en hacer una cosa.

ejercitante *com.* Persona que hace alguno de los ejercicios de oposición, o los ejercicios espirituales.

ejercitar *v. tr.* **1.** Dedicarse al ejercicio de un arte o profesión. **2.** Hacer que alguien aprenda una cosa mediante la práctica. || *v. prnl.* **3.** Repetir muchos actos para adiestrarse en la ejecución de una cosa. **4.** Dedicarse al ejercicio de una profesión.

ejército *s. m.* **1.** Gente de guerra unida. **2.** (ORT.: may. inicial) Conjunto de las fuerzas militares de un Estado. **3.** *fig.* Colectividad numerosa.

ejido *s. m.* Campo común de un pueblo, lindante con él, que no se labra.

ejión *s. m.* Pedazo de madera que sirve de apoyo a las piezas horizontales de un armazón.

ejote *s. m., Amér. C. y Méx.* Vaina del fríjol cuando está tierna y es comestible.

el *art. det.* Forma masculina singular del artículo determinado.

él, ella, ello *pron. pers.* Formas del pronombre personal de tercera persona, género masculino, femenino y neutro, y número singular.

elaborable *adj.* Que se puede elaborar.

elaboración *s. f.* Acción y efecto de elaborar.

elaborador, ra *adj.* Que elabora.

elaborar *v. tr.* Preparar un producto por medio de un trabajo adecuado.

elación *s. f.* Altivez, presunción, soberbia.

elanio *s. m.* Ave falconiforme de pequeño tamaño y plumaje claro.

elasmobranquio *adj.* Se dice de los peces caracterizados por tener el esqueleto cartilaginoso y las hendiduras branquiales al descubierto.

elasticidad *s. f.* Una de las propiedades, que poseen los cuerpos, de volver a su forma primitiva después de que cesa la fuerza exterior que los había deformado.

elástico, ca *adj.* **1.** Se dice de los cuerpos por cuanto poseen la propiedad de la elasticidad, pero sobre todo de los que la poseen en grado notable. **2.** *fig.* Tejido que tiene elasticidad.

elastina *s. f.* Sustancia albuminoidea, amarilla y quebradiza, que existe en los tejidos conjuntivos óseo y cartilaginoso.

elaterio *s. m.* Cohombrillo amargo.

elato, ta *adj.* Altivo, presuntuoso, soberbio.

elayómetro *s. m.* **1.** Eleómetro. **2.** Aparato que sirve para saber la cantidad de aceite que posee una sustancia oleaginosa.

elche *s. m.* Morisco renegado de la religión cristiana.

eleagnáceo, a *adj.* Se dice de árboles, arbolitos o arbustos dicotiledóneos con hojas cubiertas de escamas. Tiene el fruto drupáceo, como el árbol del paraíso. También s. f.

eleborastro *s. m.* Especie de eléboro.

eléboro *s. m.* Género de plantas de la familia de las ranunculáceas.

elección *s. f.* **1.** Nombramiento hecho por votos. **2.** Libertad para obrar. || *s. f. pl.* **3.** Votación para elegir cargos públicos.

eleccionario, ria *adj., Arg., Col. y Chil.* Perteneciente o relativo a la elección o elecciones.

electivo, va *adj.* Que se hace o se da por elección.

electo *s. m.* El elegido para un empleo.

elector, ra *adj.* Que elige o tiene potestad para hacerlo. También s. m. y s. f.

electorado *s. m.* Conjunto de los electores del cuerpo electoral.

electoral *adj.* Relativo a electores o elecciones.

electricidad *s. f.* Agente que se manifiesta por atracciones y repulsiones, por chispas, etc. Se desarrolla por frotamiento, presión, calor, acción química, etc.

electricista *adj.* Perito en aplicaciones científicas y mecánicas de la electricidad. También com.

eléctrico, ca *adj.* Que tiene o comunica electricidad.

electrificación *s. f.* Acción y efecto de electrificar.

electrificar *v. tr.* Sustituir otra fuerza motriz por la electricidad.

electrizable *adj.* Susceptible de adquirir las propiedades eléctricas.

electrización *s. f.* Acción y efecto de electrizar o electrizarse.

electrizador, ra *adj.* Que electriza. También s. m. y s. f.

electrizar *v. tr.* Comunicar o producir la electricidad en un cuerpo. También prnl.

electro *s. m.* Abreviación de electrocardiograma.

electrocardiógrafo *s. m.* Aparato que registra las corrientes emanadas del músculo cardíaco.

electrocardiograma *s. f.* Gráfico obtenido por el electrocardiógrafo.

electrocutar *v. tr.* Matar por medio de la electricidad.

electrochoque *s. m.* Tratamiento de una perturbación mental, mediante la aplicación de una descarga eléctrica.

electrodinámico, ca *adj.* **1.** Perteneciente o relativo a la electrodinámica. ‖ *s. f.* **2.** Parte de la física que estudia los fenómenos y leyes de la electricidad en movimiento.

electrodo *s. m.* Barra o lámina que forma cada uno de los polos en un electrólito.

electrodoméstico, ca *adj.* Se aplica a los artefactos de empleo casero, accionados por electricidad. También s. m. pl.

electróforo *s. m.* Aparato compuesto de una torta resinosa que se electriza frotándola con una piel de gato y encima se coloca un disco metálico con mango de cristal, donde se recoge y conserva el fluido eléctrico.

electrógeno *s. m.* Generador eléctrico.

electroimán *s. m.* Pieza de hierro dulce imantada por una corriente eléctrica.

electrolisis o electrólisis *s. f.* Descomposición de un cuerpo producida por la electricidad.

electrolítico, ca *adj.* Perteneciente o relativo a la electrólisis.

electrolito o electrólito *s. m.* Cuerpo que se somete a la descomposición por la electricidad.

electrolización *s. f.* Acción y efecto de electrolizar.

electrolizar *v. tr.* Descomponer un cuerpo, por medio de la electricidad.

electrología *s. f.* Ciencia que estudia los fenómenos de la electricidad y sus leyes.

electromagnético, ca *adj.* Se dice de todo fenómeno en que intervienen las acciones magnéticas debidas a las corrientes eléctricas, o las acciones eléctricas ocasionadas por los campos magnéticos.

electromagnetismo *s. m.* Parte de la física que estudia las acciones y reacciones de las corrientes eléctricas sobre los imanes.

electrometría *s. f.* Parte de la física que estudia el modo de medir la intensidad de la corriente eléctrica.

electrométrico, ca *adj.* Relativo a la electrometría.

electrómetro *s. m.* Aparato que sirve para medir la cantidad de electricidad que tiene cualquier cuerpo.

electromotor, ra *adj.* Se dice de todas las máquinas en que se transforma la energía eléctrica en trabajo mecánico. También s. m.

electromotriz *adj.* Se dice de la fuerza que origina el movimiento de la electricidad, producida por un generador.

electrón *s. m.* Elemento hipotético del átomo, cargado de electricidad negativa.

electronegativo, va *adj.* Se dice de los cuerpos que en la electrólisis se dirigen al polo positivo.

electrónica *s. f.* Rama de la física que estudia los fenómenos derivados del movimiento de los electrones en el vacío o a través de gases más o menos enrarecidos.

electrónico, ca *adj.* **1.** Perteneciente o relativo al electrón. **2.** Perteneciente o relativo a la electrónica.

electropositivo, va *adj.* Se dice de los cuerpos que en la electrólisis se dirigen al polo negativo.

electroquímico, ca *adj.* **1.** Perteneciente a la electroquímica. ‖ *s. f.* **2.** Parte de la química que trata de las leyes referentes a la producción de electricidad por combinaciones químicas.

electroscopio *s. m.* Aparato para conocer si un cuerpo está electrizado.

electrostática *s. f.* Parte de la física que estudia las leyes y fenómenos de la electricidad en reposo.

electrotecnia *s. f.* Estudio de las aplicaciones técnicas de la electricidad.

electrotécnico, ca *adj.* Perteneciente o relativo a la electrotecnia.

electroterapia *s. f.* Empleo de la electricidad en el tratamiento de enfermedades.

electrotermia *s. f.* Producción de calor mediante la energía eléctrica.

electrotipia *s. f.* Arte de reproducir los caracteres de imprenta por medio de la electricidad.

electrotípico, ca *adj.* Perteneciente o relativo a la electrotipia.

electuario *s. m.* Preparación farmacéutica, de consistencia de miel.

elefancia o elefancía *s. f.* Elefantiasis.

elefancíaco, ca *adj.* Perteneciente o relativo a la elefancía.

elefanta *s. f.* Hembra del elefante.

elefante *s. m.* Mamífero del orden de los proboscidios, de cabeza pequeña, orejas grandes y colgantes, patas altas y fuertes, nariz muy prolongada en forma de trompa prensil y dos incisivos muy largos y de punta cónica. Se cría en Asia y África, donde se emplea como animal de carga.

elefantiasis *s. f.* Enfermedad consistente en el engrosamiento enorme de las extremidades inferiores y/o los órganos genitales externos, debida a la obstrucción de los capilares linfáticos. Es propia de los países tropicales.

elefantino, na *adj.* Perteneciente o relativo al elefante.

elegancia *s. f.* Forma bella de expresar los pensamientos. Se usa más en pl.

elegante *adj.* Dotado de gracia, nobleza y sencillez; airoso, bien proporcionado, de buen gusto.

elegantizar *v. tr.* Dotar de elegancia. También prnl.

elegía *s. f.* Composición poética en que se lamenta un suceso digno de ser llorado.

elegíaco, ca o elegiaco, ca *adj.* Lastimoso, triste.

eligibilidad *s. f.* Calidad de elegible.

elegible *adj.* Que se puede elegir, o tiene capacidad legal para ser elegido.

elegir *v. tr.* **1.** Escoger a una persona o cosa para un fin. **2.** *fig.* Nombrar por elección para un cargo o dignidad.

elego, ga *adj.* Elegíaco.

elemental *adj.* **1.** *fig.* Fundamental, primordial. **2.** *fig.* Obvio, evidente.

elemento *s. m.* **1.** Cuerpo simple. **2.** El agua y el aire considerados como medio en que vive un ser. **3.** Cada una de las partes más simples de que consta una cosa. ‖ *s. m. pl.* **4.** Medios, recursos.

elemí *s. m.* Resina que se saca de ciertos árboles tropicales y se usa en la composición de barnices.

elenco *s. m.* **1.** Catálogo, índice. **2.** Nómina de una compañía de teatro o de circo.

eleómetro *s. m.* Areómetro destinado a determinar el peso específico de los aceites y líquidos oleaginosos.

eleotecnia *s. f.* Técnica de la fabricación, conservación y análisis de aceites.

elevación *s. f.* Altura, encumbramiento.

elevado, da *adj.* **1.** *fig.* Sublime. **2.** *fig.* Alto, levantado sobre un nivel.

elevador, ra *adj.* **1.** Que eleva. **2.** Se dice de la máquina eléctrica cuya fuerza electromotriz se suma a la tensión de otra fuerza de energía eléctrica. También s. m. ‖ *s. m.* **3.** *amer.* Ascensor o montacargas.

elevalunas *s. m.* Dispositivo que, en los automóviles, sirve para subir o bajar los cristales de las ventanillas.

elevamiento *s. m.* Elevación.

elevar *v. tr.* **1.** Levantar una cosa. También prnl. **2.** *fig.* Mejorar la condición social o política de alguien. También prnl.

elfo *s. m.* Genio de la mitología escandinava.

elidir *v. tr.* Frustrar, debilitar una cosa.

elijación *s. f.* Acción y efecto de elijar.

elijar *v. tr.* En farmacia, cocer una sustancia en un líquido conveniente, para extraer su jugo o para otros fines.

eliminación *s. f.* Acción y efecto de eliminar.

eliminar *v. tr.* **1.** Quitar, separar una cosa, prescindir de ella. **2.** *fig.* Hacer que por medio del cálculo desaparezcan de un conjunto de ecuaciones con varias incógnitas una de éstas. **3.** *fig.* Expeler una sustancia nociva al organismo.

eliminatoria *s. f.* Prueba que tiene por finalidad la selección de los mejores atletas o equipos en vistas a una competición importante.

elipse *s. f.* Curva cerrada, simétrica respecto de dos ejes perpendiculares entre sí.

elipsis *s. f.* Omisión de una o más palabras sin dañar el sentido de la oración.

elipsógrafo *s. m.* Instrumento para trazar elipses.

elipsoidal *adj.* De figura de elipsoide o parecido a él.

elipsoide *s. m.* Sólido limitado en todos sentidos, cuyas secciones planas son todas elipses o círculos.

elíptico, ca *adj.* **1.** Perteneciente a la elipse. **2.** Perteneciente a la elipsis.

elisión *s. f.* Acción y efecto de elidir.

élite o elite *s. f.* Minoría selecta o rectora.

élitro *s. m.* Cada una de las dos piezas córneas que cubren las alas de coleópteros y ortópteros.

elixir *s. m.* **1.** Licor compuesto de sustancias medicinales. **2.** Remedio maravilloso.

elocución *s. f.* Modo de elegir y distribuir las palabras e ideas en un discurso.

elocuencia *s. f.* Facultad de hablar o escribir de modo eficaz para deleitar.

elocuente *adj.* Se dice de la persona que habla o escribe con elocuencia o de aquello que la tiene.

elogiador, ra *adj.* Que elogia. También s. m. y s. f.

elogiar *v. tr.* Hacer elogios.

elogio *s. m.* Alabanza de las buenas prendas y méritos de una persona o cosa.

elongación *s. f.* Alargamiento accidental de un miembro o de un nervio.

elote *s. m.* Mazorca tierna de maíz.

elucidación *s. f.* Declaración, explicación.

elucidar *v. tr.* Poner en claro, dilucidar.

elucidario *s. m.* Libro que esclarece o explica cosas difíciles de entender.

eluctable *adj.* Que se puede vencer luchando.

elucubrar *v. tr.* Trabajar con aplicación en obras de ingenio.

eludible *adj.* Que se puede eludir.

eludir *v. tr.* **1.** Huir la dificultad o salir de ella. **2.** Hacer que algo no tenga efecto.

elusivo, va *adj.* Que elude.

emaciación *s. f.* Adelgazamiento morboso.

emanación *s. f.* Acción y efecto de emanar.

emanar *v. intr.* **1.** Proceder una cosa de otra. **2.** Desprenderse de los cuerpos las sustancias volátiles.

emanantismo *s. m.* Doctrina panteísta según la cual todas las cosas proceden de Dios por emanación.

emancipación *s. f.* Acción y efecto de emancipar o emanciparse.

emancipador, ra *adj.* Que emancipa. También s. m. y s. f.

emancipar *v. tr.* Libertar de la tutela, de la servidumbre, etc. También prnl.

emasculación *s. f.* Castración, capadura.

emascular *v. tr.* Castrar.

embabiamiento *s. m., fam.* Embobamiento.

embachar *v. tr.* Meter el ganado lanar en el bache para esquilarlo.

embadurnador, ra *adj.* Que embadurna. También s. m. y s. f.

embadurnar *v. tr.* Untar, manchar, pintarrajear. También prnl.

embaidor, ra *adj.* Embaucador, engañador.

embaimiento *s. m.* Acción y efecto de embaír.

embaír *v. tr.* Embaucar.

embajada *s. f.* **1.** Mensaje para tratar un asunto importante. **2.** Conjunto de empleados que dependen del embajador.

embajador, ra *s. m. y s. f.* **1.** Agente diplomático con carácter de ministro público. **2.** *fig.* Emisario, mensajero.

embalaje *s. m.* Cubierta con que se resguardan los objetos.

embalar[1] *v. tr.* Colocar dentro de cubiertas.

embalar[2] *v. intr.* **1.** Hacer que adquiera gran velocidad un motor. También prnl. ‖ *v. prnl.* **2.** *fig.* Dejarse llevar por algún afán, deseo, etc.

embaldosado *s. m.* Pavimento con baldosas.

embaldosar *v. tr.* Pavimentar con baldosas.

emballenar *v. tr.* Armar una cosa con barbas de ballena, principalmente prendas de vestir.

embalsadero *s. m.* Lugar donde se suelen recoger las aguas llovedizas, o las de los ríos cuando se salen de madre y se rebalsan.

embalsamador, ra *adj.* Que embalsama. También s. m. y s. f.

embalsamar *v. tr.* **1.** Llenar de sustancias balsámicas los cadáveres, para evitar su putrefacción. **2.** Perfumar, aromatizar. También prnl.

embalsar *v. tr.* Recoger las aguas formando un estanque. Se usa más como prnl.

embalse *s. m.* Balsa artificial donde se acopian las aguas de un río o arroyo.

embalumar *v. tr.* Cargar u ocupar algo con cosas de mucho bulto y embarazosas.

embanastar *v. tr.* Meter en la banasta.

embancarse *v. prnl.* **1.** *Chil. y Ec.* Cegarse un río, lago, etc., por los terrenos de aluvión. **2.** *Chil. y Ec.* Varar la embarcación en un banco.

embanderar *v. tr.* Adornar con banderas.

embarazada *adj.* Se dice de la mujer preñada. También s. f.

embarazar *v. tr.* **1.** Impedir, estorbar. **2.** Poner encinta a una mujer. También prnl. ‖ *v. prnl.* **3.** Hallarse impedido con cualquier embarazo.

embarazo *s. m.* **1.** Impedimento, dificultad. **2.** Periodo de gestación de la mujer.

embarazoso, sa *adj.* Que embaraza e incomoda.

embarbar *v. tr.* Sujetar al toro por las astas.

embarbascarse *v. prnl., fig.* Embarazarse, enredarse, confundirse.

embarbillado *s. m.* Acción y efecto de embarbillar.

embarbillar *v. tr.* Ensamblar en un madero la extremidad de otro inclinado.

embarcación *s. f.* **1.** Barco. **2.** Tiempo que dura la navegación.

embarcadero *s. m.* **1.** Lugar destinado para embarcar. **2.** Andén de ferrocarril.

embarcar *v. tr.* **1.** Dar ingreso a personas o mercancías en una embarcación o ferrocarril. También prnl. **2.** *fig.* Incluir a alguien en un negocio. También prnl.

embarco *s. m.* Acción de embarcar personas, provisiones o mercancías.

embardar *v. tr.* Bardar, poner bardas.

embargador, ra *adj.* Que embarga o secuestra.

embargar *v. tr.* **1.** Embarazar, impedir, detener. **2.** *fig.* Retener por mandamiento de juez competente.

embargo *s. m.* Retención de bienes por mandamiento de juez competente.

embarnecer *v. intr.* Engrosar, engordar.

embarnecimiento *s. m.* Acción y efecto de embarnecer.

embarnizadura *s. f.* Acción y efecto de embarnizar.

embarnizar *v. tr.* Barnizar.

embarque *s. m.* Acción de depositar mercancías o embarcarse personas en un barco o tren para ser transportadas.

embarrado *s. m.* Revoco de barro o tierra en paredes, muros y tapiales.

embarrador, ra *adj., fig.* Enredador, embrollador, embustero.

embarradura *s. f.* Acción y efecto de embarrar.

embarrancar *v. intr.* **1.** Varar el buque, encallándose en el fondo. También tr. **2.** Atascarse en un barranco o dificultad. También prnl.

embarrar *v. tr.* **1.** Untar o manchar con barro. También prnl. **2.** Embadurnar con cualquier sustancia viscosa.

embarrilar *v. tr.* Meter y guardar en barriles.

embarrotar *v. tr.* Abarrotar.

embarullador, ra *adj.* Que embarulla. También s. m. y s. f.

embarullar *v. tr.* Confundir, mezclar desordenadamente unas cosas con otras.

embasamiento *s. m.* Basa de un edificio.

embastar *v. tr.* **1.** Asegurar al bastidor la tela que se ha de bordar. **2.** Hilvanar.

embaste *s. m.* Costura de puntadas largas.

embastecer *v. intr.* **1.** Engrosar, engordar. ‖ *v. prnl.* **2.** Ponerse basto y tosco.

embate *s. m.* **1.** Golpe impetuoso del mar. **2.** Acometida impetuosa.

embaucador, ra *adj.* Que embauca. También s. m. y s. f.

embaucamiento *s. m.* Engaño, alucinamiento.

embaucar *v. tr.* Engañar, embelesar, alucinar, valiéndose de su experiencia.

embaular *v. tr.* Meter algo dentro de un baúl.

embausamiento *s. m.* Abstracción, suspensión.

embazadura *s. f.* Tintura de color pardo o bazo.

embazar *v. tr.* Teñir de color pardo o bazo.

embazarse *v. prnl.* **1.** En los juegos de naipes, meterse en baza. **2.** Sentir dolor en el lado izquierdo del estómago, cuando se practica un ejercicio violento recién comido.

embebecer *v. tr.* **1.** Entretener, divertir. ‖ *v. prnl.* **2.** Quedarse embelesado.

embebecimiento *s. m.* Enajenamiento, embelesamiento.

embebedor, ra *adj.* Que embebe. También s. m. y s. f.

embeber *v. tr.* **1.** Absorber un cuerpo sólido a otro líquido. **2.** Encajar. ‖ *v. intr.* **3.** Encogerse la lana. ‖ *v. prnl.* **4.** *fig.* Instruirse alguien bien en una materia.

embecadura *s. f.* Enjuta o triángulo que queda entre un cuadro y un círculo en él circunscrito.

embelecador, ra *adj.* Que embeleca. También s. m. y s. f.

embelecar *v. tr.* Engañar con artificios y falsas apariencias.

embeleco *s. m.* Embuste, engaño.

embeleñar *v. tr.* Adormecer con beleño.

embelesamiento *s. m.* Embeleso.

embelesar *v. tr.* Suspender, cautivar los sentidos. También prnl.

embeleso *s. m.* Efecto de embelesar o embelesarse.

embellaquecerse *v. prnl.* Hacerse bellaco.

embellecedor *s. m.* Cada una de las molduras cromadas de los automóviles.

embellecer *v. tr.* Hacer o poner a una persona o cosa bella. También prnl.

embellecimiento *s. m.* Acción y efecto de embellecer.

embeodar *v. tr.* Emborrachar.

embermejar *v. tr.* Embermejecer.

embermejecer *v. tr.* **1.** Teñir o dar de color bermejo. **2.** Poner colorado, avergonzar a alguien. También prnl.

emberrenchinarse *v. prnl., fam.* Emberrincharse.

emberrincharse *v. prnl., fam.* Enfadarse con demasía, tomar un berrinche.

embestida *s. f.* Acción y efecto de embestir.

embestir *v. tr.* **1.** Venir con ímpetu sobre una persona o cosa con intención hostil. ‖ *v. intr.* **2.** Arremeter, arrojarse.

embetunar *v. tr.* Cubrir con betún.

embijar *v. tr.* Pintar o teñir con bija o con bermellón. También prnl.

embije *s. m.* Acción y efecto de embijar.

embizcar *v. intr.* Quedar bizco. También prnl.

emblandecer *v. tr.* Ablandar. También prnl.

emblanquecer *v. tr.* Blanquear. También prnl.

emblanquecimiento *s. m.* Acción y efecto de emblanquecer.

emblema *s. m.* Jeroglífico, símbolo o empresa con un lema que declara el concepto que encierra. También s. f.

emblemático, ca *adj.* Relativo o perteneciente al emblema o que lo incluye.

embobamiento *s. m.* Suspensión, embeleso.

embobar *v. tr.* **1.** Embelesar. ‖ *v. prnl.* **2.** Quedarse alguien absorto y admirado.

embobecer *v. tr.* Volver bobo. También prnl.

embocadero *s. m.* Portillo o hueco hecho a manera de una boca o canal angosta.

embocado, da *adj.* Dicho del vino, abocado.

embocadura *s. f.* **1.** Boquilla de un instrumento musical. **2.** Hablando de vinos, sabor. **3.** Lugar por donde los buques pueden entrar en los ríos desde el mar.

embocar *v. tr.* **1.** Meter por la boca. **2.** Entrar por una parte estrecha. **3.** Comenzar un empeño o negocio.

embochinchar *v. tr., amer.* Promover un bochinche, alborotar. También prnl.

embodegar *v. tr.* Meter en la bodega algo.

embojar *v. tr.* Colocar ramas para que los gusanos de seda se suban a hilar los capullos.

embojo *s. m.* Conjunto de ramas, que se ponen a los gusanos de seda para que hilen.

embolado *s. m., fig.* Artificio engañoso.

embolar[1] *v. tr.* Poner bolas de madera en las puntas de los cuernos del toro.

embolar[2] *v. tr.* Dar betún al calzado.

embolia *s. f.* Enfermedad ocasionada por un coágulo que obstruye un vaso sanguíneo.

embolismal *adj.* Se dice del año lunar al que se le agrega una lunación para igualarlo con el año solar.

embolismar *v. tr., fig. y fam.* Meter chismes y enredos para indisponer los ánimos.

embolismático, ca *adj.* Confuso, ininteligible.

embolismo *s. m.* **1.** Añadidura de ciertos días, meses, lunaciones, etc., para que se acuerde con otro a un periodo de tiempo. **2.** *fig.* Mezcla y confusión de muchas cosas.

émbolo *s. m.* Disco que se mueve en el interior de un cuerpo de bomba o del cilindro de una máquina para comprimir un fluido o para recibir de él movimiento.

embolsar *v. tr.* **1.** Guardar una cosa en la bolsa. **2.** Cobrar.

embolso *s. m.* Acción y efecto de embolsar.

embonada *s. f.* Acción y efecto de embonar un navío.

embonar *v. tr.* Mejorar o hacer buena una cosa.

embono *s. m.* Forro de tablones con que se embona un buque.

emboñigar *v. tr.* Untar con boñiga.

emboque *s. m.* Paso de la bola por el arco o de otra cosa por una parte estrecha.

emboquillar *v. tr.* **1.** Poner boquillas a los cigarrillos. **2.** Preparar la entrada de una galería o de un túnel.

embornal *s. m.* Imbornal, agujero para salida de las aguas.

emborrachamiento *s. m., fig. y fam.* Embriaguez.

emborrachar *v. tr.* **1.** Causar embriaguez. **2.** Atontar. También prnl. ‖ *v. prnl.* **3.** Beber licor hasta perder el uso de razón.

emborrar *v. tr.* Llenar de borra una cosa.

emborrascar *v. tr.* **1.** Irritar, alterar. ‖ *v. prnl.* **2.** Hacerse el tiempo borrascoso.

emborrazar *v. tr.* Cubrir con una capa de tocino al ave para asarla.

emborricarse *v. prnl.* **1.** *fam.* Quedarse como aturdido. **2.** *fam.* Enamorarse perdidamente.

emborrizar *v. tr.* Dar la primera carda a la lana para hilarla.

emborronar *v. tr.* Echar borrones o hacer garabatos en un papel.

emborrullarse *v. prnl., fam.* Reñir con vocería y alboroto.

emboscada *s. f.* **1.** Ocultación de una o varias personas, para atacar por sorpresa. **2.** *fig.* Maquinación en daño de alguien.

emboscadura *s. f.* Acción de emboscar o emboscarse.

emboscar *v. tr.* **1.** Ocultar tropa para sorprender al enemigo. También prnl. ‖ *v. prnl.* **2.** *fig.* Mantenerse a cubierto.

embosquecer *v. intr.* Hacerse bosque; convertirse en bosque un terreno.

embostar *v. tr.* Abonar una tierra con bosta.

embotadura *s. f.* Efecto de embotar las armas cortantes.

embotamiento *s. m.* Acción y efecto de embotar.

embotar[1] *v. tr.* **1.** Engrosar los filos y puntas de las armas. También prnl. **2.** *fig.* Enervar, debilitar una cosa.

embotar[2] *v. tr.* Poner algo en un bote.

embotellado *s. m.* Acción de embotellar los vinos u otros productos.

embotelladora *s. f.* Máquina que sirve para embotellar.

embotellamiento *s. m.* Congestión de vehículos.

embotellar *v. tr.* Echar el vino u otro líquido en botellas.

embotijar *v. tr.* **1.** Echar o guardar algo en botijos. ‖ *v. prnl.* **2.** *fig. y fam.* Enojarse. **3.** *fig. y fam.* Inflarse, hincharse.

embovedar *v. tr.* Abovedar.

embozalar *v. tr.* Poner el bozal a las caballerías o a los perros.

embozar *v. tr.* **1.** Cubrir el rostro con el embozo. También prnl. **2.** Poner bozal. **3.** Disfrazar. **4.** Obstruir un conducto.

embozo *s. m.* **1.** Parte de una prenda con que alguien se emboza. **2.** Doblez de la sábana por la parte que toca al rostro. **3.** *fig.* Recato artificioso.

embracilar *v. tr., Sal. y And.* Llevar en brazos. También intr.

embragar *v. tr.* Hacer que un eje participe del movimiento de otro, por medio de un mecanismo adecuado.

embrague *s. m.* Mecanismo dispuesto para que un eje participe o no, en el mecanismo de otro.

embravecer *v. tr.* Irritar, enfurecer. También prnl.

embravecimiento *s. m.* Irritación, furor.

embrazadura *s. f.* **1.** Acción y efecto de embrazar. **2.** Asa por donde se embraza el escudo.

embrazar *v. tr.* Meter el brazo izquierdo por la embrazadura del escudo.

embreadura *s. f.* Acción y efecto de embrear.

embrear *v. tr.* Untar con brea.

embregarse *v. prnl.* Meterse en bregas.

embreñarse *v. prnl.* Meterse entre breñas.

embriagador, ra *adj.* Que embriaga.

embriagar *v. tr.* **1.** Emborrachar. También prnl. **2.** *fig.* Atontar, perturbar, adormecer. También prnl.

embriaguez *s. f.* **1.** Turbación de las potencias por haber bebido excesivo vino u otro licor. **2.** *fig.* Enajenación del ánimo.

embridar *v. tr.* Poner la brida a las caballerías.

embriogenia *s. f.* Formación y desarrollo del embrión.

embriología *s. f.* Parte de la biología que trata de la formación y desarrollo del embrión en los animales y en las plantas.

embrión *s. m.* **1.** Germen de un ser orgánico, animal o vegetal, por reproducción sexual. **2.** *fig.* Principio amorfo de algo.

embrionario, ria *adj.* Perteneciente o relativo al embrión.

embroca *s. f.* Cataplasma.

embrocación *s. f.* Embroca.

embrocar¹ *v. tr.* **1.** Devanar los hilos en la broca. **2.** Asegurar con brocas las suelas para hacer zapatos.

embrocar² *v. tr.* Vaciar una vasija en otra.

embrochalar *v. tr.* Sostener por medio de un brochal las vigas que no pueden cargar en la pared.

embrollador, ra *adj.* Que embrolla. También s. m. y s. f.

embrollar *v. tr.* Enredar, confundir las cosas. También prnl.

embrollo *s. m.* **1.** Enredo, confusión. **2.** Embuste, mentira. **3.** *fig.* Situación embarazosa de la que no se sabe cómo salir.

embrollón, na *adj., fam.* Embrollador. También s. m. y s. f.

embrolloso, sa *adj., fam.* Que implica o causa embrollo.

embromador, ra *adj.* Que embroma. También s. m. y s. f.

embromar *v. tr.* Meter broma y gresca.

embroquelarse *v. prnl.* Abroquelarse.

embroquetar *v. tr.* Sujetar con broquetas las piernas de las aves para asarlas.

embrujamiento *s. m.* Acción y efecto de embrujar.

embrujar *v. tr.* Hechizar.

embrujo *s. m.* Hechizo, embeleso.

embrutecedor, ra *adj.* Que embrutece.

embrutecer *v. tr.* Privar a alguien del uso de la razón. También prnl.

embrutecimiento *s. m.* Acción y efecto de embrutecer o embrutecerse.

embuchado *s. m.* Tripa rellena con carne de puerco picada y aderezada.

embuchar *v. tr.* **1.** Embutir carne picada en una tripa de animal. **2.** Introducir comida en el buche de un ave. **3.** Colocar hojas impresas unas dentro de otras.

embudar *v. tr.* Poner el embudo en una vasija para echar dentro un líquido.

embudo *s. m.* **1.** Instrumento hueco en figura de cono y rematado en un canuto. **2.** Trampa, enredo. **3.** Agujero en forma de embudo.

embullador, ra *adj.* Que embulla. También s. m. y s. f.

embullar *v. intr.* Animar a alguien para que tome parte en una diversión bulliciosa.

embullo *s. m., C. Ric., Cub. y P. Ric.* Bulla, broma.

emburriar *v. tr., Ast., Burg., Le. y Pal.* Empujar.

emburujar *v. tr.* **1.** *fam.* Aborujar. También prnl. **2.** *fig.* Amontonar y mezclar unas cosas con otras. **3.** *Cub. y P. Ric.* Confundir, embarullar una persona. ‖ *v. prnl.* **4.** *Col., P. Ric., Méx. y Ven.* Arrebujarse, cubrirse bien.

embuste *s. m.* **1.** Mentira disfrazada con artificio. ‖ *s. m. pl.* **2.** Brujerías.

embustear *v. intr.* Usar frecuentemente de embustes.

embustero, ra *adj.* Que dice embustes.

embutidera *s. f.* Tejo de hierro con un hueco en una de sus caras, donde entran las cabezas de los clavos cuando las remachan.

embutido *s. m.* Tripa rellena con carne de puerco picada y aderezada.

embutir *v. tr.* **1.** Hacer embutidos. **2.** Meter una cosa dentro de otra y apretarla. **3.** *fig. y fam.* Engullir. También prnl.

emenagogo *adj.* Se dice del remedio que provoca la regla de las mujeres. También s. m.

emergencia *s. f.* Ocurrencia, accidente que sobreviene.

emergente *adj.* Que nace, sale y tiene principio de otra cosa.

emerger *v. intr.* Brotar, salir del agua u otro líquido.

emérito, ta *adj.* Se dice de la persona que se ha retirado de su empleo con haber pasivo.

emersión *s. f.* Salida de un astro que estaba eclipsado.

emético, ca *adj.* Que provoca vómito.

emétrope *adj.* Se dice del ojo normal y de la persona que tiene normal la vista. También com.

emetropía *s. f.* Visión regular del ojo.

emetrópico, ca *adj.* Perteneciente o relativo a la emetropía.

emigración *s. f.* Conjunto de emigrantes.

emigrado, da *s. m. y s. f.* Persona que reside fuera de su patria por circunstancias políticas.

emigrante *com.* Persona que por emigración se ha trasladado al país donde reside.

emigrar *v. intr.* **1.** Dejar una persona su país para establecerse en otro. **2.** Cambiar periódicamente de clima o localidad algunas especies animales.

emigratorio, ria *adj.* Perteneciente o relativo a la emigración.

eminencia *s. f.* **1.** Elevación del terreno. **2.** *fig.* Excelencia de ingenio u otra dote. **3.** *fig.* Título de honor de los cardenales.

eminencial *adj., fig.* Se dice de la virtud o poder que puede producir un efecto, no por conexión formal con él, sino por virtud superior.

eminente *adj.* Alto, elevado.

emir *s. m.* Príncipe o caudillo árabe.

emisario, ria *s. m. y s. f.* Mensajero.

emisión *s. f.* Acción y efecto de emitir.

emisor, ra *adj.* **1.** Que emite. También s. m. y s. f. ‖ *s. m.* **2.** Aparato productor de ondas electromagnéticas. ‖ *s. f.* **3.** Estación radioemisora.

emitir *v. tr.* **1.** Arrojar, exhalar. **2.** Poner en circulación monedas, etc. **3.** Manifestar, hacer público. **4.** Lanzar hondas hertzianas para transmitir señales, noticias, etc.

emoción *s. f.* Agitación del ánimo producida por ideas, recuerdos, sentimientos.

emocional *adj.* Que se deja llevar fácilmente de las emociones.

emocionar *v. tr.* Conmover el ánimo, causar emoción. También prnl.

emoliente *adj.* Se dice del medicamento que sirve para ablandar una dureza.

emolumento *s. m.* Gaje o utilidad que corresponde a un cargo o empleo.

emotividad *s. f.* Calidad de emotivo.

emotivo, va *adj.* Sensible a las emociones.

empacadora *s. f.* Máquina para empacar.

empacamiento *s. m., Arg., Bol., Chil. y Per.* Acción y efecto de empacarse.

empacar *v. tr.* Empaquetar, encajonar.

empacarse *v. prnl.* **1.** Obstinarse. **2.** *fig.* Turbarse, cortarse e inhibirse.

empachado, da *adj.* Desmañado y corto de genio.

empachar *v. tr.* **1.** Estorbar. También prnl. **2.** Causar indigestión. También prnl. ‖ *v. prnl.* **3.** Avergonzarse.

empacho *s. m.* **1.** Cortedad, turbación. **2.** Indigestión. **3.** Embarazo, estorbo.

empachoso, sa *adj.* Que causa empacho.

empadrarse *v. prnl.* Encariñarse excesivamente con su padre o sus padres.

empadronamiento *s. m.* Padrón, lista que se hace de vecinos o moradores de una población.

empadronar *v. tr.* Escribir a alguien en el padrón de vecinos. También prnl.

empajada *s. f.* Pajada para las caballerías.

empajar *v. tr.* Cubrir o rellenar con paja.

empajolar *v. tr.* Sahumar con la pajuela las tinajas de vino, cubas, etc.

empalagamiento *s. m.* Empalago.

empalagar *v. intr.* **1.** Causar hastío o asco un manjar, principalmente si es dulce. **2.** *fig.* Cansar, fastidiar. También prnl.

empalago *s. m.* Acción y efecto de empalagar.

empalagoso, sa *adj.* Se dice del manjar que empalaga.

empalamiento *s. m.* Acción y efecto de empalar.

empalar *v. tr.* Espetar a alguien en un palo como se espeta un ave en el asador.

empalicar *v. tr., Nav. y Chil.* Engatusar.

empalizada *s. f.* Obra hecha de estacas.

empalizar *v. tr.* Rodear de empalizadas.

empalletado *s. m.* Defensa que se formaba en el costado del buque con la ropa de los marineros metida en unas redes.

empalmadura *s. f.* Empalme.

empalmar *v. tr.* **1.** Unir dos maderas, cables, etc. ‖ *v. intr.* **2.** Seguir o suceder una cosa a continuación de otra.

empalme *s. m.* **1.** Punto en que se empalma. **2.** Cosa que empalma con otra.

empalomado *s. m.* Murallón de piedra para represar el agua de un río.

empalomadura *s. f.* Ligada fuerte con que se une la relinga a su vela.

empalomar *v. tr.* Coser la relinga a la vela.

empamparse *v. prnl., Amér. del S.* Extraviarse en la pampa.

empanada *s. f.* Manjar encerrado en pan o masa y cocido después al horno.

empanadilla *s. f.* Pastel pequeño, relleno de dulce u otros manjares.

empanar *v. tr.* **1.** Encerrar una cosa en masa o pan para cocerla en el horno. **2.** Rebozar en pan rayado.

empandar *v. tr.* Torcer o doblar una cosa dejándola panda. También v. prnl.

empandillar *v. tr., fam.* Poner un naipe junto con otro para hacer una trampa.

empantanar *v. tr.* **1.** Inundar un terreno. También prnl. ‖ *v. prnl.* **2.** *fig.* Detener, embarazar el curso de un negocio.

empañado, da *adj.* Se dice del cristal o cualquier otra superficie pulimentada, cuando se le ha adherido el vapor de agua. También s. m. y s. f.

empañadura *s. f.* Acción y efecto de empañar.

empañar *v. tr.* **1.** Quitar la tersura, brillo o diafanidad. También prnl. **2.** *fig.* Oscurecer la fama, el mérito, etc. También prnl.

empañetar *v. tr., Col., C. Ric., Cub. y Ven.* Enlucir las paredes.

empapamiento *s. m.* Acción y efecto de empapar.

empapar *v. tr.* **1.** Humedecer una cosa. También prnl. **2.** Absorber. ‖ *v. prnl.* **3.** Imbuirse de un afecto, idea, etc.

empapelado *s. m.* Acción y efecto de empapelar una habitación, baúl, etc.

empapelador, ra *s. m. y s. f.* Persona que empapela.

empapelar *v. tr.* **1.** Envolver en papel. **2.** Recubrir de papel una superficie.

empapirotar *v. tr., fam.* Empeperijar. También prnl.

empapuciar *v. tr.* Empapujar.

empapujar *v. tr., fam.* Empapuzar.

empapuzar *v. tr., fam.* Hacer comer demasiado a alguien. También prnl.

empaque[1] *s. m.* Materiales que forman la envoltura de los paquetes.

empaque[2] *s. m., fam.* Catadura, seriedad.

empaquetar *v. tr.* Formar paquetes.

emparamentar *v. tr.* Adornar con paramentos.

emparchar *v. tr.* Poner parches, llenar de ellos una cosa. También prnl.

emparedado *s. m.* Porción pequeña de una vianda, entre dos trozos de pan.

emparedamiento *s. m.* Acción y efecto de emparedar.

emparedar *v. tr.* Encerrar a una persona o cosa entre paredes. También prnl.

emparejadura *s. f.* Igualación o acomodación de dos cosas entre sí.

emparejamiento *s. m.* Acción y efecto de emparejar.

emparejar *v. tr.* **1.** Formar pareja. También prnl. **2.** Poner una cosa a nivel con otra. ‖ *v. intr.* **3.** Ponerse al nivel de otro.

emparentar *v. intr.* **1.** Contraer parentesco. **2.** Tener una cosa relación de afinidad o semejanza con otra.

emparrado *s. m.* Armazón que sostiene la parra.

emparrar *v. tr.* Hacer o formar emparrado.

emparrillado *s. m.* Conjunto de barras trabadas para afirmar los cimientos en terrenos flojos.

emparrillar *v. tr.* Asar en parrillas.

emparvar *v. tr.* Poner en parva las mieses.

empastar *v. tr.* **1.** Cubrir de pasta una cosa. **2.** Encuadernar en pasta los libros. **3.** Rellenar con pasta el hueco producido por la caries en los dientes.

empaste *s. m.* **1.** Pasta con que se llena el hueco de un diente cariado. **2.** Unión perfecta y jugosa de los colores.

empastelar *v. tr., fig. y fam.* Barajar las letras de un molde de modo que no formen sentido.

empatadera *s. f., fam.* Acción y efecto de empatar y suspender una resolución.

empatar *v. tr.* **1.** Obtener en un concurso u oposición igual número de votos o puntos dos o más contrincantes. **2.** *fig.* Unir una cosa a otra, igualar.

empate *s. m.* Igualdad.

empatía *s. f.* Participación, afectiva y emotiva, de un sujeto en una realidad ajena.

empavar *v. tr.* **1.** *Per.* Avergonzar a una persona, burlarse de ella. También prnl. **2.** *Ec.* Irritar, enojar. También prnl.

empavesada *s. f.* Faja de paño azul o encarnado, con franjas blancas, para adornar los buques.

empavesar *v. tr.* Engalanar un barco.

empavonar *v. tr.* Pavonar.

empecatado, da *adj.* De extremada travesura, incorregible, dejado de la mano de Dios.

empecer *v. intr.* Impedir, obstar.

empecimiento *s. m.* Acción y efecto de empecer.

empecinado, da *adj., Col. y Chil.* Obstinado, terco, pertinaz.

empecinar *v. tr.* Untar de pecina o pez.

empecinarse *v. prnl.* Obstinarse.

empedernido, da *adj., fig.* Insensible, duro de corazón.

empedernir *v. tr.* **1.** Endurecer mucho. También prnl. ‖ *v. prnl.* **2.** *fig.* Hacerse insensible, duro de corazón.

empedrado *s. m.* Pavimento formado artificialmente de piedras.

empedrar *v. tr.* Cubrir el suelo con piedras ajustadas unas con otras.

empega *s. f.* Pega o materia dispuesta para empegar.

empegado *s. m.* Tela o piel untada de pez.

empegadura *s. f.* Baño de pez que se da interiormente a barriles y otras vasijas.

empegar *v. tr.* **1.** Cubrir con pez los pellejos, barriles. **2.** Marcar con pez al ganado.

empego *s. m.* Acción y efecto de empegar el ganado.

empeguntar *v. tr.* Empegar el ganado.

empeine[1] *s. m.* Parte inferior del vientre entre las ingles.

empeine[2] *s. m.* **1.** Parte superior del pie. **2.** Parte de la bota, de la caña a la pala.

empelar *v. intr.* Echar o criar pelo.

empelazgarse *v. prnl., fam.* Meterse en pendencia.

empelechar *v. tr.* Chapear de mármol una superficie.

empella *s. f.* Pala o parte del zapato que cubre el pie desde la punta hasta la mitad.

empellar *v. tr.* Empujar, dar empellones.

empellejar *v. tr.* Cubrir o forrar con pellejos una cosa.

empeller *v. tr.* Empellar.

empellón *s. m.* Empujón recio que se da con el cuerpo.

empelotarse *v. prnl.* Enredarse, confundirse principalmente a causa de una riña.

empeltre *s. m.* Injerto de escudete.

empenachado, da *adj.* Que tiene penacho.

empenachar *v. tr.* Adornar con penachos.

empenta *s. f.* Puntal o apoyo para sostener una cosa.

empentar *v. tr.* En varias provincias españolas, empujar.

empeñado, da *adj.* Acalorado, reñido.

empeñar *v. tr.* **1.** Dejar algo en prenda para seguridad de pago. **2.** Obligar. ‖ *v. prnl.* **3.** Endeudarse. **4.** Insistir con tesón.

empeño *s. m.* **1.** Obligación de pagar alguna deuda. **2.** Deseo vehemente de hacer o conseguir algo.

empeñoso, sa *adj., Arg. y Chil.* Se dice de la persona que muestra tesón y constancia en conseguir un fin.

empeoramiento *s. m.* Acción y efecto de empeorar o empeorarse.

empeorar *v. tr.* **1.** Poner o volver peor. ‖ *v. intr.* **2.** Ponerse peor. También prnl.

empequeñecer *v. tr.* **1.** Hacer una cosa más pequeña. ‖ *v. prnl.* **2.** Disminuirse.

empequeñecimiento *s. m.* Acción y efecto de empequeñecer.

emperador *s. m.* Título de mayor dignidad dado a ciertos soberanos.

emperatriz *s. f.* Soberana de un imperio.

emperchado, da *adj.* Elegante, bien trajeado.

emperchar *v. tr.* **1.** Colgar en la percha. ‖ *v. prnl.* **2.** Ponerse elegante.

emperdigar *v. tr.* Perdigar.

emperejilar *v. tr., fam.* Adornar a una persona con profusión. También prnl.

emperezar *v. intr.* Dejarse dominar de la pereza. También prnl.

empergaminar *v. tr.* Cubrir o forrar con pergamino.

emperifollar *v. tr.* Emperejilar. También prnl.

empernar *v. tr.* Clavar o asegurar con pernos.

empero *conj. advers.* **1.** Pero. **2.** Sin embargo.

emperramiento *s. m., fam.* Acción y efecto de emperrarse.

emperrarse *v. prnl., fam.* Obstinarse.

empesador *s. m.* Manojo de raíces de juncos para atusar la urdimbre.

empetatar *v. tr., Guat., Méx. y Per.* Esterar, cubrir un piso con petate.

empetro *s. m.* Hinojo marino.

empezar *v. tr.* **1.** Comenzar, dar principio. **2.** Iniciar el uso o consumo de una cosa. ‖ *v. intr.* **3.** Tener principio una cosa.

empicarse *v. prnl.* Aficionarse demasiado.

empicotadura *s. f.* Acción de empicotar.

empicotar *v. tr.* Poner a alguien en la picota.

empiece *s. m.* Comienzo.

empiema *s. m.* Acumulación de pus en la cavidad de las pleuras.

empilar *v. tr.* Apilar.

empinado, da *adj.* Muy alto.

empinadura *s. f.* Empinamiento.

empinamiento *s. m.* Acción y efecto de empinar.

empinar *v. tr.* **1.** Levantar en alto. **2.** *fig. y fam.* Beber mucho. ‖ *v. prnl.* **3.** Alcanzar gran altura los árboles, torres, etc.

empingorotado, da *adj.* **1.** Se dice de la persona elevada a posición social ventajosa. **2.** *fam.* Encopetado, ensoberbecido.

empingorotar *v. tr., fam.* Levantar una cosa poniéndola sobre otra. También prnl.

empiñonado *s. m.* Pasta con piñones.

empipada *s. f., fam. y amer.* Atracón, hartazgo.

empiparse *v. prnl., Chil. y Ec.* Ahitarse, apiparse.

empíreo, a *adj.* **1.** Se dice del cielo. También s. m. **2.** *fig.* Supremo, divino.

empireuma *s. m.* Olor y sabor particulares que toman ciertas sustancias orgánicas sometidas a fuego violento.

empireumático, ca *adj.* Que tiene empireuma.

empírico *adj.* Perteneciente o relativo al empirismo.

empirismo *s. m.* Método o procedimiento fundado en la práctica o experiencia.

empitonar *v. tr.* Alcanzar la res al lidiador cogiéndole con los pitones.

empizarrar *v. tr.* Cubrir un tejado de un edificio con pizarra.

emplantillar *v. tr., And.* Atrancar, atascar.

emplastadura *s. f.* Acción y efecto de emplastar.

emplastar *v. tr.* **1.** Poner emplastos. **2.** *fig.* Componer con afeites. También prnl.

emplastecer *v. tr.* Igualar, llenar las desigualdades de una superficie.

emplástico, ca *adj.* Glutinoso como el emplasto.

emplasto *s. m.* Medicamento externo glutinoso extendido sobre un trozo de tela.

emplástrico, ca *adj.* Emplástico.

emplazamiento *s. m.* Ubicación.

emplazar[1] *v. tr.* Citar a alguien en un determinado tiempo y lugar.

emplazar[2] *v. tr.* Colocar, situar.

empleado, da *s. m. y s. f.* Persona que desempeña un destino o empleo.

emplear *v. tr.* **1.** Ocupar a alguien encargándole un trabajo. También prnl. **2.** Usar, hacer servir las cosas para algo.

empleita *s. f.* Pleita.

emplenta *s. f.* Pedazo de tapia que se hace de una vez, según el tamaño del tapial con que se fabrica.

empleo *s. m.* **1.** Destino, ocupación, oficio. **2.** Jerarquía o categoría personal.

emplomado *s. m.* Conjunto de planchas de plomo que recubre una techumbre.

emplomador, ra *s. m. y s. f.* Persona que tiene por oficio emplomar.

emplomar *v. tr.* Cubrir, asegurar algo con plomo.

emplumar *v. tr.* Poner plumas a una cosa o persona.

emplumecer *v. intr.* Echar pluma las aves.

empobrecer *v. tr.* **1.** Hacer que alguien venga al estado de pobreza. ‖ *v. intr.* **2.** Llegar a pobre. También prnl. **3.** Venir a menos una cosa. También prnl.

empobrecimiento *s. m.* Acción y efecto de empobrecer o empobrecerse.

empodrecer *v. intr.* Pudrir, corromper una materia orgánica.

empolladura *s. f.* Cría o pollo que producen las abejas.

empollar *v. tr.* **1.** Calentar el ave los huevos. También prnl. **2.** Estudiar un asunto con demasiada detención. ‖ *v. intr.* **3.** Producir las abejas cría.

empollón, na *adj.* Se dice del estudiante que estudia mucho. También s. f. y s m.

empolvar *v. tr.* **1.** Echar polvo. **2.** Echar polvos de tocador en el rostro. También prnl. ‖ *v. prnl.* **3.** Cubrirse de polvo.

empolvorar *v. tr.* Empolvar.

empolvorizar *v. tr.* Empolvar.

emponzoñador, ra *adj.* **1.** Que emponzoña. También s. m. y s. f. **2.** *fig.* Que produce grave perjuicio. También s. m. y s. f.

emponzoñamiento *s. m.* Acción o efecto de emponzoñar o emponzoñarse.

emponzoñar *v. tr.* **1.** Inficionar algo con ponzoña. **2.** *fig.* Dañar. También prnl.

empopar *v. intr.* Calar mucho de popa un buque.

emporcar *v. tr.* Ensuciar. También prnl.

emporio *s. m.* Ciudad o lugar notable por el florecimiento del comercio, artes, etc.

empotramiento *s. m.* Acción y efecto de empotrar.

empotrar *v. tr.* Meter una cosa en la pared o en el suelo.

empotrerar *v. tr., amer.* Herbajar, meter el ganado en el potrero para que paste.

empozar *v. tr.* Meter o echar en un pozo.

empradizar *v. tr.* Convertir en prado un terreno.

emprendedor, ra *adj.* Que emprende con resolución acciones dificultosas.

emprender *v. tr.* Acometer y empezar una obra o empresa.

empreñar *v. tr.* Fecundar a la hembra el macho.

empresa *s. f.* **1.** Acción ardua y dificultosa que se comienza con valor. **2.** Casa o sociedad mercantil o industrial.

empresario, ria *s. m. y s. f.* Persona que toma a su cargo una empresa.

empréstito *s. m.* **1.** Préstamo que toma el Estado o una corporación. **2.** Cantidad así prestada.

emprima *s. f.* Primicia.

emprimado *s. m.* Acción y efecto de emprimar lana.

emprimar *v. tr.* **1.** Pasar la lana a una segunda carda. **2.** *fig.* Abusar de la inexperiencia de alguien para hacerle pagar o por diversión.

empringar *v. tr.* Pringar. También prnl.

empujar *v. tr.* **1.** Hacer fuerza contra una cosa para moverla. **2.** *fig.* Hacer presión, intrigar para conseguir alguna cosa.

empuje *s. m., fig.* **1.** Arranque, resolución. **2.** *fig.* Fuerza eficaz para empujar.

empujón *s. m.* Impulso dado con fuerza para mover una persona o cosa.

empulgadura *s. f.* Acción y efecto de empulgar.

empulgar *v. tr.* Armar la ballesta.

empulguera *s. f.* Cada una de las extremidades de la verga de la ballesta.

empuntar *v. tr.* **1.** *Col. y Sal.* Encarrilar, encaminar, dirigir. También intr. **2.** *Col. y Sal.* Empitonar. ‖ *v. intr.* **3.** *Col. y Ec.* Irse, marcharse. ‖ *v. prnl.* **4.** *Ven.* Obstinarse alguien en su tema.

empuñadura *s. f.* Puño de la espada.

empuñar *v. tr.* Asir por el puño; asir una cosa abarcándola con la mano.

empurpurado, da *adj.* Vestido de púrpura.

empurrarse *v. prnl., C. Ric., Guat., Hond. y Nic.* Enfurruñarse, emberrincharse.

emputecer *v. tr.* Prostituir, corromper a alguien. También prnl.

emú *s. m.* Ave parecida al avestruz, de plumaje oscuro, que vive en Australia.

emulación *s. f.* Pasión del alma, que excita a imitar y aun a superar las acciones ajenas.

emulador, ra *adj.* Que emula o compite con otro. También s. m. y s. f.

emular *v. tr.* Imitar las acciones de otro procurando excederle. También prnl.

emulgente *adj.* Se dice de las arterias y venas que conducen sangre a los riñones.

émulo, la *adj.* Competidor de una persona o cosa, procurando aventajarla.

emulsión *s. f.* Líquido de aspecto lácteo que contiene partículas aceitosas.

emulsionar *v. tr.* Convertir un líquido en emulsión.

emulsivo, va *adj.* Se dice de la sustancia propia para hacer emulsiones.

emulsor *s. m.* Aparato propio para hacer emulsiones.

emunción *s. f.* Evacuación de los humores y materias nocivas.

emuntorio *s. m.* Cualquier conducto que excreta las sustancias superfluas.

en *prep.* Indica en qué lugar, tiempo o modo se determinan las acciones de los verbos a que se refiere.

enaceitar *v. tr.* Untar con aceite.

enacerar *v. tr.* Hacer alguna cosa como de acero.

enagua *s. f.* Prenda de vestir de la mujer, usada debajo de la falda exterior.

enaguachar *v. tr.* Llenar de agua una cosa en que no conviene que haya tanta.

enaguar *v. tr.* Llenar de agua una cosa en que no conviene que haya tanta.

enaguazar *v. tr.* Encharcar las tierras.

enajenable *adj.* Que se puede enajenar.

enajenación *s. f.* Distracción, falta de atención.

enajenador, ra *adj.* Que enajena. También s. m. y s. f.

enajenamiento *s. m.* Enajenación.

enajenar *v. tr.* **1.** Transmitir a otro el dominio de una cosa. **2.** *fig.* Turbar a alguien el uso de la razón. También prnl. ‖ *v. prnl.* **3.** Desposeerse, privarse de algo.

enálage *s. f.* Figura que consiste en mudar las partes de la oración o sus accidentes; como usar un adjetivo como adverbio, o un tiempo de verbo fuera de su significación habitual.

enalbar *v. tr.* Caldear el hierro en la fragua hasta que parezca blanco.

enalbardar *v. tr.* Echar o poner la albarda.

enalmagrado, da *adj., fig.* Señalado o tenido por ruin.

enalmagrar *v. tr.* Almagrar, teñir de almagre.

enaltecer *v. tr.* Ensalzar. También prnl.

enaltecimiento *s. m.* Acción y efecto de enaltecer.

enamarillecer *v. intr.* Amarillecer. También prnl.

enamoradizo, za *adj.* Propenso a enamorarse.

enamorado, da *adj.* Que tiene amor. También s. m. y s. f.

enamorador, ra *adj.* Que enamora o dice amores. También s. m. y s. f.

enamoramiento *s. m.* Acción y efecto de enamorar o enamorarse.

enamorar *v. tr.* **1.** Excitar en alguien la pasión del amor. ‖ *v. prnl.* **2.** Prendarse de amor de una persona. **3.** Aficionarse a una cosa.

enamoricarse *v. prnl., fam.* Enamoriscarse.

enamoriscarse *v. prnl., fam.* Prendarse de una persona levemente y sin gran empeño.

enanchar *v. tr., fam.* Ensanchar.

enangostar *v. tr.* Angostar. También prnl.

enano, na *adj.* **1.** *fig.* Se dice de lo que es diminuto en su especie. ‖ *s. m. y s. f.* **2.** Persona de extraordinaria pequeñez.

enante *s. f.* Hierba de la familia de las umbelíferas, venenosa.

enarbolado *s. m.* Conjunto de piezas de madera ensambladas que constituyen la armadura de una torre o bóveda.

enarbolar *v. tr.* Levantar en alto un estandarte, bandera, etc.

enarcar *v. tr.* Arquear, poner en arco. También prnl.

enardecer *v. tr.* Excitar o avivar. También prnl.

enardecimiento *s. m.* Acción y efecto de enardecer o enardecerse.

enarenación *s. f.* Mezcla de cal y arena con que se preparan las paredes que se han de pintar.

enarenar *v. tr.* Echar arena o cubrir con ella.

enarmonar *v. tr.* Levantar o poner en pie algo.

enartrosis *s. f.* Articulación movible de una parte esférica de un hueso que encaja en una cavidad.

enastado, da *adj.* Que tiene astas o cuernos.

enastar *v. tr.* Poner el mango o asta a un arma o instrumento.

encabalgamiento *s. m.* **1.** Armazón de maderos cruzados sobre los que se apoya alguna cosa. **2.** Acción y efecto de encabalgar o encabalgarse una palabra o frase en versos o hemistiquios contiguos.

encabalgar *v. intr.* Descansar, apoyarse una cosa sobre otra.

encaballar *v. tr.* Colocar una pieza de modo que se sostenga sobre la extremidad de otra.

encabar *v. tr.* Poner cabo o mango a una herramienta.

encabellecerse *v. prnl.* Criar cabello.

encabestradura *s. f.* Herida producida a una caballería en la parte posterior de la cuartilla por el frote del cabestro.

encabestrar *v. tr.* Hacer que las reses bravas sigan a los cabestros.

encabezamiento *s. m.* **1.** Registro para la imposición de los tributos. **2.** Fórmula con que se empiezan algunos escritos.

encabezar *v. tr.* **1.** Registrar, poner en matrícula a alguien. **2.** Poner el encabezamiento de un libro o escrito.

encabriar *v. tr.* Colocar los cabrios para formar la cubierta de un edificio.

encabritarse *v. prnl.* **1.** Empinarse el caballo. **2.** *fig.* Envalentonarse.

encabullar *v. tr., Ant. y Ven.* Liar o envolver alguna cosa con cabuya.

encachado *s. m.* Revestimiento de piedra u hormigón con que se fortalece el cauce de una corriente de agua.

encachar *v. tr.* **1.** Hacer un encachado. **2.** Poner las cachas a una navaja, etc.

encadenación *s. f.* Encadenamiento.

encadenado, da *adj.* Se dice de la estrofa cuyo primer verso repite en todo o en parte las palabras del último verso de la estrofa precedente, y también se dice del verso que comienza con la última palabra del anterior.

encadenadura *s. f.* Encadenamiento.

encadenamiento *s. m.* Conexión y trabazón de las cosas unas con otras.

encadenar *v. tr.* **1.** Atar con cadena. **2.** Enlazar. **3.** Dejar sin movimiento. ‖ *v. prnl.* **4.** Vincularse a alguien o a algo.

encajadura *s. f.* Acción de encajar una cosa.

encajar *v. tr.* **1.** Unir o meter una cosa dentro de otra ajustadamente. ‖ *v. prnl.* **2.** Meterse alguien en parte estrecha.

encaje *s. m.* Cierto tejido hecho con bolillos, aguja de coser, ganchillo, etc.

encajero, ra *s. m. y s. f.* Persona que se dedica a hacer encajes, o que los vende.

encajetillar *v. tr.* Formar las cajetillas de tabaco.

encajonado *s. m.* Obra de tapia de tierra, que se hace encajonando la tierra y apisonándola dentro de tapiales.

encajonamiento *s. m.* Acción y efecto de encajonar.

encajonar *v. tr.* **1.** Meter algo en un cajón. **2.** Meter en sitio angosto. También prnl. ‖ *v. prnl.* **3.** Correr el río por angosturas.

encalabozar *v. tr., fam.* Meter a alguien en el calabozo.

encalabrinamiento *s. m.* Acción y efecto de encalabrinar.

encalabrinar *v. tr.* Excitar, irritar.

encalado *s. m.* Encaladura.

encaladura *s. f.* Acción y efecto de encalar o blanquear.

encalambrarse *v. prnl., Col., Chil., Méx. y P. Ric.* Entumirse, aterirse.

encalamocar *v. tr., Col. y Ven.* Alelar, poner a alguien calamocano. También prnl.

encalar *v. tr.* Dar de cal o blanquear.

encalladero *s. m.* Paraje donde pueden encallar las naves.

encalladura *s. f.* Acción y efecto de encallar.

encallar[1] *v. tr.* **1.** Quedarse parada la embarcación por la arena del fondo. **2.** No poder salir adelante en un negocio.

encallar[2] *v. prnl.* Endurecerse los alimentos al quedar interrumpida su cocción.

encallecer *v. intr.* **1.** Criar callos. También prnl. ‖ *v. prnl.* **2.** Endurecerse con la costumbre en los trabajos o vicios.

encallejonar *v. tr.* Meter una cosa por un callejón o por una parte estrecha y larga.

encalmar *v. tr.* **1.** Tranquilizar, serenar. ‖ *v. prnl.* **2.** Sofocarse o enfermar por exceso de calor o trabajo.

encalostrarse *v. prnl.* Enfermar el niño por haber mamado los calostros.

encalvecer *v. intr.* Perder el pelo, quedar calvo.

encamación *s. f.* Entibación hecha con ademes delgados.

encamar *v. tr.* **1.** Tender o echar una cosa en el suelo. ‖ *v. prnl.* **2.** Echarse o meterse en la cama por enfermedad. **3.** Echarse o abatirse las mieses.

encambijar *v. tr.* Acopiar agua y distribuirla por medio de cambijas.

encambronar *v. tr.* Cercar con cambrones una finca o heredad.

encaminar *v. tr.* **1.** Poner en camino, enseñar el camino. **2.** Dirigir hacia un punto determinado. También prnl. **3.** Enderezar la intención a un fin determinado.

encamisada *s. f.* Especie de fiesta, que se ejecutaba de noche con hachas, para diversión.

encamisar *v. tr.* **1.** Poner la camisa. También prnl. **2.** *fig.* Enfundar.

encamonado, da *adj.* Hecho con camones.

encamotarse *v. prnl., Arg., C. Ric., Chil. y Ec.* Enamorarse.

encampanado, da *adj.* Acampanado, en forma de campana.

encampanar *v. tr.* **1.** *P. Ric. y Ven.* Elevar, encumbrar. También prnl. ‖ *prnl.* **2.** Jactarse de valiente. **3.** Levantar el toro parado la cabeza como desafiando.

encanalar *v. tr.* Conducir el agua u otro líquido por un canal. También prnl.

encanalizar *v. tr.* Encanalar.

encanallar *v. tr.* Envilecer a alguien haciéndole tomar costumbres propias de la canalla. También prnl.

encanarse *v. prnl.* Pasmarse o quedarse envarado por la fuerza del llanto o de la risa.

encanastar *v. tr.* Poner algo en una canasta.

encancerarse *v. prnl.* Cancerarse.

encandecer *v. tr.* Hacer ascua una cosa hasta que quede como blanca de puro encendida.

encandelar *v. intr.* Echar algunos árboles flores en amento o candelillas.

encandelillar *v. tr., Per., Ven., Ec. y Chil.* Encandilar, deslumbrar. También prnl.

encandilar *v. tr.* **1.** Deslumbrar a alguien acercando mucho a los ojos una luz. **2.** Deslumbrar con apariencias. **3.** *fig.* Despertar o excitar el sentimiento o deseo amoroso. También prnl.

encanecer *v. intr.* **1.** Ponerse cano. **2.** *fig.* Envejecer una persona.

encanijamiento *s. m.* Acción y efecto de encanijar o encanijarse.

encanijar *v. tr.* Ponerse flaco y enfermizo.

encanillar *v. tr.* Devanar el hilo en las canillas.

encantación *s. f.* Encantamiento.

encantado, da *adj.* Satisfecho, contento.

encantador, ra *adj.* **1.** Que encanta o hace encantamientos. También s. m. y s. f. **2.** *fig.* Que hace muy viva y grata impresión en el alma o en los sentidos.

encantamiento *s. m.* Acción y efecto de encantar.

encantar *v. tr.* **1.** Obrar maravillas, ejerciendo un poder mágico. **2.** *fig.* Cautivar la atención de alguien.

encanto *s. m.* Cosa que suspende o embelesa.

encantorio *s. m., fam.* Encantamiento.

encantusar *v. tr., fam.* Engatusar.

encanutar *v. tr.* Poner una cosa en figura de canuto. También prnl.

encañada *s. f.* Cañada, garganta o paso entre dos montes.

encañado *s. m.* Enrejado de cañas para sostener las plantas.

encañar[1] *v. tr.* Hacer pasar el agua por conductos hechos de caña o de otros materiales.

encañar[2] *v. tr.* Poner cañas para sostener las plantas.

encañizada *s. f.* Enrejado de cañas.

encañizar *v. tr.* Cubrir con cañizos alguna bovedilla u otra cosa cualquiera.

encañonado, da *adj.* Se dice del humo y del viento cuando corren con alguna fuerza por sitios estrechos.

encañonar *v. tr.* **1.** Encauzar las aguas de un río por un cauce cerrado. **2.** Entre cazadores, precisar la puntería a la pieza.

encapachar *v. tr.* Meter alguna cosa en el capacho.

encapar *v. tr.* Poner la capa. También prnl.

encaperuzar *v. tr.* Poner la caperuza. También prnl.

encapilladura *s. f.* Acción y efecto de encapillar.

encapillar *v. tr.* Formar en una labor un ensanche para arrancar de él otra obra nueva.

encapirotar *v. tr.* Poner el capirote. También prnl.

encapotadura *s. f.* Ceño del rostro airado.

encapotamiento *s. m.* Encapotadura.

encapotar *v. tr.* **1.** Cubrir con el capote. También prnl. ‖ *v. prnl.* **2.** *fig.* Cubrirse el cielo de nubes oscuras.

encapricharse *v. prnl.* Empeñarse alguien en conseguir su capricho.

encapuchar *v. tr.* Cubrir o tapar una cosa con capucha. También prnl.

encapullado, da *adj.* Encerrado como la flor en el capullo.

encarado, da *adj.* Con los adverbios *bien* o *mal*, de buena o mala cara, de bellas o feas facciones.

encaramar *v. tr.* **1.** Levantar o subir a una persona o cosa. También prnl. **2.** Alabar, encarecer con extremo. También prnl.

encaramiento *s. m.* Acción y efecto de encarar o encararse.

encarar *v. intr.* **1.** Ponerse enfrente de otro. También prnl. ‖ *v. tr.* **2.** Afrontar una cuestión. También prnl.

encaratularse *v. prnl.* Cubrirse la cara con máscara o carátula.

encarcavinar *v. tr.* **1.** Sofocar con algún mal olor. **2.** Asfixiar.

encarcelación *s. f.* Acción y efecto de encarcelar.

encarcelamiento *s. m.* Acción y efecto de encarcelar.

encarcelar *v. tr.* **1.** Poner a alguien preso en la cárcel. **2.** Asegurar con yeso o cal.

encarecedor, ra *adj.* Que encarece o que exagera. También s. m. y s. f.

encarecer *v. tr.* **1.** Aumentar o subir el precio de algo. También prnl. y intr. **2.** *fig.* Ponderar, alabar en exceso una cosa.

encarecimiento *s. m.* Acción y efecto de encarecer.

encargado, da *s. m. y s. f.* Persona que tiene a su cargo un establecimiento, un negocio, etc., en representación del dueño o interesado.

encargar *v. tr.* Encomendar, poner algo al cuidado de alguien. También prnl.

encargo *s. m.* Cosa encargada.

encariñar *v. tr.* Aficionar o despertar cariño. Se usa más como prnl.

encarna *s. f.* Acción de cebar los perros en el venado muerto.

encarnación *s. f.* Unión de la naturaleza divina con la humana en la persona del Verbo, misterio del Hijo de Dios encarnado, hecho hombre.

encarnadino, na *adj.* De color encarnado bajo.

encarnado, da *adj.* **1.** De color de carne. **2.** Colorado, rojo.

encarnadura *s. f.* Estado de la carne viva, con respecto a la curación de las heridas.

encarnamiento *s. m.* Efecto de encarnar una herida.

encarnar *v. intr.* **1.** Revestir una sustancia espiritual de un cuerpo de carne. **2.** Criar carne cuando va sanando una herida. ‖ *v. tr.* **3.** Representar alguna idea, doctrina. ‖ *v. prnl.* **4.** Incorporarse una cosa con otra.

encarnecer *v. intr.* Tomar carnes; hacerse más corpulento y grueso.

encarnizado, da *adj.* Encendido, ensangrentado.

encarnizamiento *s. m.* **1.** Acción de encarnizarse. **2.** *fig.* Crueldad con que alguien se ceba en el daño de otro.

encarnizar *v. tr.* **1.** Cebar un perro para que se haga fiero. **2.** Encruelecer. También prnl. ‖ *v. prnl.* **3.** Mostrarse cruel.

encaro *s. m.* Acción de mirar a alguien cara a cara con atención.

encarpetar *v. tr.* Guardar papeles en carpetas.

encarrilar *v. tr.* **1.** Encaminar, enderezar. **2.** Colocar sobre los carriles un vehículo.

encarrillar *v. tr.* Encarrilar.

encarroñar *v. tr.* Inficionar, pudrir una cosa. También prnl.

encarrujado, da *adj.* Rizado, ensortijado o plegado en arrugas menudas.

encarrujarse *v. prnl.* Retorcerse, ensortijarse.

encartación *s. f.* Territorio al cual se hacen extensivos fueros y exenciones de una comarca limítrofe.

encartamiento *s. m.* Acción y efecto de encartar.

encartar *v. tr.* **1.** Procesar. **2.** Incluir a alguien en una dependencia, compañía. **3.** Incluir en los padrones.

encarte *s. m.* Pliego que se introduce en un libro y que puede ir encuadernado o no.

encartonar *v. tr.* **1.** Resguardar con cartones. **2.** Encuadernar con cartones.

encasamento *s. m.* Adorno de fajas y molduras en una pared o bóveda.

encasar *v. tr.* Volver a encajar un hueso que se ha salido de su sitio.

encascabelar *v. tr.* Poner cascabeles. También prnl.

encasillable *adj.* Que se puede encasillar.

encasillado *s. m.* Conjunto de casillas.

encasillar *v. tr.* **1.** Poner en casillas. **2.** Clasificar personas o cosas distribuyéndolas en sus sitios correspondientes.

encasquetar *v. tr.* Encajar en la cabeza. También prnl.

encasquillar *v. tr.* **1.** Poner casquillos. ‖ *v. prnl.* **2.** Atascarse un mecanismo. **3.** Quedarse atascado al hablar o razonar.

encastar *v. tr.* **1.** Mejorar una raza o casta de animales. ‖ *v. intr.* **2.** Procrear.

encastillado, da *adj.* **1.** *fig.* Altivo y soberbio. **2.** *fig.* Obstinado en su parecer.

encastillar *v. tr.* **1.** Fortificar con castillos. **2.** Apilar. ‖ *v. prnl.* **3.** *fig.* Perseverar con tesón en su parecer.

encastrar *v. tr.* Encajar, empotrar.

encauchado, da *adj., amer.* Se dice de la tela o prenda impermeabilizada con caucho. También s. m. y s. f.

encauchar *v. tr.* Cubrir con caucho.

encausar *v. tr.* Formar causa a alguien; proceder judicialmente contra él.

encauste *s. m.* Encausto.

encáustico, ca *adj.* **1.** Se aplica a la pintura hecha al encausto. ‖ *s. m.* **2.** Preparado de cera y aguarrás.

encausto *s. m.* Técnica pictórica que consiste en pintar por medio del fuego.

encauzamiento *s. m.* Acción y efecto de encauzar.

encauzar *v. tr.* **1.** Abrir cauce; encerrar en un cauce una corriente. **2.** Encaminar.

encavarse *v. prnl.* Ocultarse los animales en una cueva o agujero.

encebadamiento *s. m.* Enfermedad de las bestias caballares por beber demasiada agua después de haber comido.

encebadarse *v. prnl.* Contraer una bestia el encebadamiento.

encebollado *s. m.* Guisado de carne, con cebolla abundante y sazonada con especias, rehogado todo ello con aceite.

encebollar *v. tr.* Echar cebollas en abundancia a un manjar.

encefálico, ca *adj.* Perteneciente o relativo al encéfalo.

encefalitis *s. f.* Inflamación del cerebro.

encéfalo *s. m.* Gran centro nervioso en el cráneo, que comprende el cerebro, el cerebelo y la médula oblonga.

encefalograma *s. f.* Gráfico que registra las corrientes eléctricas producidas por la actividad del encéfalo.

enceguecer *v. tr.* **1.** Cegar. **2.** *fig.* Ofuscar el entendimiento. También prnl.

encelajarse *v. prnl.* Cubrirse de celajes.

encelamiento *s. m.* Acción y efecto de encelar.

encelar *v. tr.* **1.** Dar celos. ‖ *v. prnl.* **2.** Estar en celo un animal.

enceldar *v. tr.* Encerrar en una celda.

encella *s. f.* Molde para quesos y requesón.

encellar *v. tr.* Dar forma al queso o al requesón en la encella.

encenagado, da *adj.* Revuelto o mezclado con cieno.

encenagamiento *s. m.* Acción y efecto de encenagarse.

encenagarse *v. prnl.* **1.** Meterse en el cieno. **2.** *fig.* Entregarse a los vicios.

encendaja *s. f.* Ramas secas para encender el fuego.

encendedor *s. m.* Aparato que sirve para encender.

encender *v. tr.* **1.** Hacer que una cosa arda. **2.** *fig.* Incitar, inflamar, enardecer. También prnl.

encendido, da *adj.* **1.** De color muy subido. ‖ *s. m.* **2.** En los motores de explosión, conjunto de la instalación eléctrica y aparatos destinados a producir la chispa.

encendimiento *s. m., fig.* Ardor, alteración vehemente.

encenizar *v. tr.* Echar ceniza sobre una cosa.

encentadura *s. f.* Acción y efecto de encentar.

encentamiento *s. m.* Efecto de encentar o encentarse.

encentar *v. tr.* **1.** Ulcerar. También prnl. ‖ *v. prnl.* **2.** Comenzar. **3.** Disminuir.

encentrar *v. tr.* Centrar.

encepadura *s. f.* Acción y efecto de encepar, o asegurar piezas con cepos.

encepar *v. tr.* **1.** Meter en el cepo. **2.** Echar raíces las plantas.

encepe *s. m.* Acción y efecto de encepar las plantas.

encerado *s. m.* **1.** Cuadro de hule, madera u otra sustancia, usado para escribir en él. **2.** Capa tenue de cera con que se cubren los entarimados y muebles.

enceradora *s. f.* Máquina eléctrica para dar cera y lustre a los pavimentos.

encerar *v. tr.* Aderezar con cera.

encerradero *s. m.* Sitio donde se recogen los rebaños.

encerrar *v. tr.* **1.** Meter a una persona o cosa en un lugar del que no pueda salir. **2.** *fig.* Incluir, contener.

encerrizar *v. tr.* **1.** *Ast.* Azuzar, irritar, estimular, encorajar. ‖ *v. prnl.* **2.** Empeñarse tenaz y ciegamente en algo.

encerrona *s. f., fig.* Situación preparada de antemano, en que se coloca a una persona para obligarla a que haga algo mal de su grado.

encespedar *v. tr.* Cubrir con césped.

encestar *v. tr.* **1.** Meter en cesto. **2.** En el juego del baloncesto, introducir el balón en el cesto de la meta contraria.

encetadura *s. f.* Empiece de una cosa.

enchancletar *v. tr.* Poner las chancletas, o traer los zapatos a modo de chancletas.

enchapado *s. m.* Trabajo hecho con chapas.

enchapar *v. tr.* Chapear, cubrir con chapas.

encharcamiento *s. m.* Acción y efecto de encharcar o encharcarse.

encharcar *v. tr.* **1.** Cubrir de agua un terreno. También prnl. ‖ *v. prnl.* **2.** *fig.* Encenagarse, entregarse a la mala vida.

enchilada *s. f., Guat. y Méx.* Torta de maíz aderezada con chile y rellena de diversos manjares.

enchilar *v. tr.* **1.** *C. Ric., Hond. y Méx.* Untar, aderezar con chile. **2.** *fig. y Méx.* Picar, molestar, irritar. También prnl.

enchinar *v. tr.* Empedrar con chinas o guijarros.

enchiquerar *v. tr.* Meter o encerrar el toro en el chiquero.

enchironar *v. tr., fam.* Meter a alguien en chirona, encarcelar.

enchivarse *v. tr., Col. y Cub.* Emberrincharse, encolerizarse.

enchufar *v. tr.* **1.** Ajustar la boca de un caño en la de otro. También intr. **2.** Encajar las dos piezas de un enchufe para establecer una conexión eléctrica. **3.** *fig.* Dar o conseguir sin esfuerzos un cargo lucrativo. También prnl.

enchufe *s. m.* **1.** Parte de un caño o tubo que penetra en otro. **2.** Clavija para la toma de corriente eléctrica. **3.** Recomendación o influencia para conseguir un beneficio.

encía *s. f.* Membrana mucosa de los maxilares superior e inferior.

encíclica *s. f.* Carta que el Sumo Pontífice dirige a todos los obispos.

enciclopedia *s. f.* **1.** Conjunto de todas las ciencias. **2.** Obra en que se exponen.

enciclopédico, ca *adj.* Perteneciente a la enciclopedia.

encierro *s. m.* **1.** Lugar donde se encierra. **2.** Clausura, recogimiento. **3.** Acto de traer los toros a encerrar en el toril.

encima *adv. l.* **1.** Indica un lugar superior respecto de otro inferior. **2.** Apoyándolo en la parte superior de una cosa. ‖ *adv. c.* **3.** Además.

encimar *v. tr.* Poner en alto una cosa. También intr.

encimero, ra *adj.* Que está o se pone encima.

encina *s. f.* Árbol con hojas persistentes, dentadas y punzantes, de madera muy dura y compacta; su fruto es la bellota.

encinar *s. m.* Sitio poblado de encinas.

encinta *adj.* Embarazada.

encintado *s. m.* Faja o cinta de piedra que forma el borde de una acera.

encintar *v. tr.* Adornar con cintas.

encismar *v. tr.* Poner cisma o discordia.

encizañar *v. tr.* Cizañar.

enclaustrar *v. tr.* Encerrar en un claustro. También prnl.

enclavación *s. f.* Acción de enclavar o fijar con clavos.

enclavado, da *adj.* **1.** Se dice del sitio encerrado dentro del área de otro. **2.** Se dice del objeto encajado en otro.

enclavadura *s. f.* Muesca por donde se unen dos maderos.

enclavar *v. tr.* Asegurar con clavos.

enclave *s. m.* Territorio, grupo étnico o ideológico incluido en otro más amplio con características diferentes.

enclavijar *v. tr.* Trabar una cosa con otra.

enclenque *adj.* Falto de salud, enfermizo.

enclítico, ca *adj.* Se aplica a las partículas átonas, que se apoyan en el vocablo anterior. También s. m. y s. f.

enclocar *v. intr.* Ponerse clueca un ave.

encloquecer *v. intr.* Enclocar.

encobar *v. intr.* Empollar los huevos las aves y animales ovíparos. También prnl.

encobertado, da *adj., fam.* Tapado con un cobertor.

encobijar *v. tr.* Cobijar.

encobrar *v. tr.* Cubrir con una capa de cobre.

encocorar *v. tr.* Fastidiar, molestar con exceso.

encofrado *s. m.* Conjunto de planchas de madera convenientemente dispuestas para recibir el hormigón.

encofrar *v. tr.* Formar un encofrado.

encoger *v. tr.* **1.** Retirar contrayendo. También prnl. **2.** *fig.* Apocar el ánimo. También prnl. ‖ *v. intr.* **3.** Disminuir lo largo y ancho de algunas telas al mojarse.

encogido, da *adj., fig.* Corto de ánimo, apocado.

encogimiento *s. m.* **1.** Acción y efecto de encoger. **2.** *fig.* Cortedad de ánimo.

encojar *v. tr.* Poner cojo a alguien. También prnl.

encolado *s. m.* Clarificación de los vinos turbios mediante una solución de gelatina o clara de huevo.

encoladura *s. f.* Aplicación de una o más capas de cola caliente a una superficie que ha de pintarse al temple.

encolamiento *s. m.* Acción y efecto de encolar.

encolar *v. tr.* **1.** Pegar con cola. **2.** Arrojar algo a un sitio, sin que se pueda alcanzar fácilmente. También prnl.

encolerizar *v. tr.* Hacer que alguien se ponga colérico. También prnl.

encomendable *adj.* Que se puede encomendar.

encomendamiento *s. m.* Acción y efecto de encomendar o encargar a alguien que haga alguna cosa.

encomendar *v. tr.* **1.** Encargar a alguien que haga alguna cosa o que cuide de ella o de una persona. || *v. prnl.* **2.** Entregarse, confiarse al amparo de alguien.

encomendero, ra *s. m. y s. f.* Persona que lleva encargos de otro.

encomiador, ra *adj.* Que hace encomios. También s. m. y s. f.

encomiar *v. tr.* Alabar con encarecimiento a una persona o cosa.

encomiasta *s. m. y s. f.* Panegirista.

encomiástico, ca *adj.* Que alaba o contiene alabanza.

encomienda *s. f.* **1.** Encargo. **2.** Recomendación, elogio.

encomio *s. m.* Alabanza encarecida.

enconamiento *s. m.* Inflamación de una herida o llaga.

enconar *v. tr.* **1.** Inflamar una herida. También prnl. **2.** *fig.* Cargar la conciencia con alguna mala acción. También prnl.

enconcharse *v. prnl., Col. y P. Ric.* Meterse en su concha, retraerse.

encono *s. m.* Animadversión, rencor.

enconoso, sa *adj.* **1.** *fig.* Que puede ocasionar enconamiento o encono. **2.** *fig.* Propenso a tener mala voluntad a los demás.

encontradizo, za *adj.* Que se encuentra con otra persona o cosa.

encontrado, da *adj.* **1.** Puesto enfrente. **2.** Opuesto, contrario, antitético.

encontrar *v. tr.* **1.** Hallar o topar una persona con otra o con algo que busca. También prnl. || *v. prnl.* **2.** Oponerse, enemistarse. **3.** Hallarse, estar.

encontrón *s. m.* Encontronazo.

encontronazo *s. m.* Golpe que se da una cosa con otra.

encopetar *v. tr.* **1.** Elevar en alto. También prnl. || *v. prnl.* **2.** *fig.* Engreírse.

encorajar *v. tr.* Dar valor, ánimo y coraje.

encorajinarse *v. prnl.* Encolerizarse.

encorar *v. tr.* **1.** Cubrir con cuero. || *v. intr.* **2.** Criar piel las llagas. También prnl.

encorazado, da *adj.* Cubierto de cuero.

encorchar *v. tr.* **1.** Cebar a las abejas para que entren en las colmenas. **2.** Poner tapones de corcho a las botellas.

encorchetar *v. tr.* Poner corchetes.

encordadura *s. f.* Conjunto de las cuerdas de un instrumento de música.

encordar *v. tr.* Poner cuerdas a los instrumentos de música.

encordelar *v. tr.* Poner cordeles a una cosa, proveer de cordeles.

encordonado, da *adj.* Adornado con cordones.

encordonar *v. tr.* Poner cordones a una cosa.

encorecer *v. tr.* Encorar una llaga. También intr.

encoriación *s. f.* Acción y efecto de encorar o encorarse una llaga.

encornado, da *adj.* Con los adverbios *bien* o *mal*, que tiene buena o mala encornadura.

encornadura *s. f.* Cornamento.

encornudar *v. tr.* **1.** *fig.* Hacer cornudo a alguien. || *v. intr.* **2.** Echar o criar cuernos.

encorralar *v. tr.* Meter el ganado en el corral.

encorrear *v. tr.* Ceñir y sujetar una cosa con correas.

encorsetar *v. tr.* Poner corsé. También prnl.

encortinar *v. tr.* Poner cortinas.

encorvada *s. f.* Acción de encorvar el cuerpo.

encorvadura *s. f.* Acción y efecto de encorvar.

encorvamiento *s. m.* Encorvadura.

encorvar *v. tr.* **1.** Doblar una cosa poniéndola corva. || *v. prnl.* **2.** *fig.* Inclinarse.

encosadura *s. f.* Cierta costura propia de algunas camisas de mujer.

encostalar *v. tr.* Meter en costales.

encostarse *v. prnl.* Acercarse un buque a la costa.

encostillado *s. m.* Conjunto de las costillas que se colocan en los pozos y galerías para dar más solidez a la entibación.

encostrar *v. tr.* **1.** Cubrir con costra una cosa. || *v. intr.* **2.** Formar costra una cosa. También prnl.

encovar *v. tr.* Meter o encerrar una cosa en una cueva o hueco. También prnl.

encrasar *v. tr.* **1.** Poner craso o espeso un líquido. También prnl. **2.** Mejorar, fertilizar las tierras con abono. También prnl.

encrespador *s. m.* Instrumento que sirve para encrespar y rizar el cabello.

encrespadura *s. f.* Acción y efecto de encrespar o rizar el cabello.

encrespamiento *s. m.* Acción y efecto de encrespar o encresparse.

encrespar *v. tr.* **1.** Rizar. También prnl. **2.** Erizarse el pelo, plumas, por alguna emoción fuerte. También prnl. **3.** Enfurecer.

encrestado, da *adj.* Ensoberbecido, levantado, altivo.

encrestarse *v. prnl.* Poner las aves tiesa la cresta.

encrucijada *s. f.* **1.** Paraje donde se cruzan dos o más caminos. **2.** Asechanza. **3.** *fig.* Situación en que es difícil decidirse.

encrudecer *v. tr.* **1.** Hacer que una cosa tenga apariencia o condición de cruda. **2.** *fig.* Exasperar, irritar. También prnl.

encruelecer *v. tr.* **1.** Instigar a alguien a que piense y obre con crueldad. ‖ *v. prnl.* **2.** Hacerse cruel, inhumano.

encuadernable *adj.* Que puede encuadernarse.

encuadernación *s. f.* Manera de estar encuadernando un libro.

encuadernador, ra *s. m. y s. f.* Persona que tiene por oficio encuadernar.

encuadernar *v. tr.* Juntar y coser varios pliegos o cuadernos y ponerles cubiertas.

encuadrar *v. tr.* **1.** Encerrar en un marco. **2.** *fig.* Encajar una cosa dentro de otra.

encuartar *v. tr.* Enganchar el encuarte a un vehículo.

encuarte *s. m.* Yunta o caballería de refuerzo que se añade al tiro.

encubar *v. tr.* Echar un líquido en las cubas.

encubertar *v. tr.* **1.** Cubrir con paños o sedas una cosa, especialmente los caballos, en demostración de luto. ‖ *v. prnl.* **2.** Vestirse con alguna defensa para protegerse de los golpes.

encubierta *s. f.* Fraude.

encubridizo, za *adj.* Que se puede encubrir fácilmente.

encubridor, ra *adj.* Que encubre. También s. m. y s. f.

encubrimiento *s. m.* Participación en un delito, interviniendo con posterioridad.

encubrir *v. tr.* **1.** Ocultar una cosa. También prnl. **2.** Hacerse responsable de encubrimiento en un delito.

encuentro *s. m.* **1.** Acto de coincidir dos o más personas o cosas. **2.** Oposición.

encuerar *v. tr., And., Extr., Cub. y Méx.* Desnudar, dejar en cueros a una persona. También prnl.

encuesta *s. f.* **1.** Averiguación. **2.** Técnica de investigación social, a través del análisis de las respuestas dadas por un número determinado de personas.

encuestar *v. tr.* **1.** Someter a encuesta un asunto. **2.** Interrogar a alguien para una encuesta. ‖ *v. intr.* **3.** Hacer encuestas.

encuevar *v. tr.* Encovar. También prnl.

encuitarse *v. prnl.* Afligirse, apesadumbrarse.

enculatar *v. tr.* Cubrir con sobrepuesto la colmena.

encumbrado, da *adj.* Elevado, alto.

encumbramiento *s. m.* **1.** Acción y efecto de encumbrar. **2.** Altura, elevación. **3.** *fig.* Ensalzamiento, exaltación.

encumbrar *v. tr.* **1.** Levantar en alto. También prnl. **2.** *fig.* Ensalzar a alguien. También prnl. **3.** *fig.* Subir la cumbre.

encunar *v. tr.* Poner al niño en la cuna.

encureñar *v. tr.* Poner en la cureña.

encurtido *s. m.* Frutos o legumbres que se han encurtido.

encurtir *v. tr.* Conservar en vinagre ciertos frutos o legumbres.

ende, por *loc. adv.* Por tanto.

endeble *adj.* **1.** Débil, de resistencia insuficiente. **2.** *fig.* De escaso mérito.

endeblez *s. f.* Calidad de endeble.

endécada *s. f.* Periodo de once años.

endecágono, na *adj.* Se aplica al polígono de 11 ángulos y 11 lados. También s. m.

endecasílabo, ba *adj.* De once sílabas. También s. m. y s. f.

endecha *s. f.* Canción triste y lamentable.

endechadera *s. f.* Plañidera.

endechar *v. tr.* **1.** Cantar endechas, y más especialmente en loor de los difuntos. ‖ *v. prnl.* **2.** Afligirse, lamentarse.

endehesar *v. tr.* Meter el ganado en la dehesa.

endemia *s. f.* Enfermedad que reina habitualmente en un país.

endémico, ca *adj.* Se dice de sucesos que se repiten con frecuencia en un país.

endemoniado, da *adj.* **1.** Poseído del demonio. También s. m. y s. f. **2.** *fig. y fam.* Sumamente perverso, nocivo.

endemoniar *v. tr.* **1.** Introducir los demonios en el cuerpo de una persona. **2.** *fig. y fam.* Irritar, encolerizar. También prnl.

endentar *v. tr.* Encajar una cosa en otra, por medio de dientes.

endentecer *v. intr.* Empezar los niños a echar los dientes.

enderechar *v. tr.* Enderezar.

enderezado, da *adj.* Favorable, a propósito.

enderezamiento *s. m.* Acción de enderezar.

enderezar *v. tr.* **1.** Poner derecho lo que está torcido. También prnl. **2.** Remitir, dedicar. **3.** *fig.* Enmendar, castigar.

endeudarse *v. prnl.* **1.** Llenarse de deudas. **2.** Reconocerse obligado.

endevotado, da *adj.* Muy dado a la devoción.

endiablado, da *adj., fig. y fam.* Desproporcionado, perverso.

endiablar *v. tr.* **1.** Endemoniar. **2.** *fig. y fam.* Dañar, pervertir. También prnl. ‖ *v. prnl.* **3.** Irritarse, enfurecerse.

endibia *s. f.* Variedad de achicoria comestible, con hojas largas y lanceoladas.

endilgar *v. tr., fam.* Encajar, endosar a otro algo desagradable o impertinente.

endino, na *adj.* Indigno, perverso.

endiosamiento *s. m.* **1.** *fig.* Erguimiento, altivez extremada. **2.** *fig.* Suspensión o abstracción de los sentidos.

endiosar v. tr. **1.** Elevar a alguien a la divinidad. ‖ v. prnl. **2.** Erguirse, embebecerse.

enditarse v. prnl., Chil. y Guat. Endeudarse, entramparse.

endoblar v. tr. Hacer que dos ovejas críen a la vez al mismo cordero.

endoble s. m. Jornada de doble tiempo que hacen los mineros y fundidores.

endocardio s. m. Membrana que tapiza las cavidades del corazón.

endocarditis s. f. Inflamación aguda o crónica del endocardio.

endocarpio s. m. Capa interior del pericarpio.

endocrino, na adj. Se dice de las glándulas de secreción interna.

endocrinología s. f. Estudio de las secreciones internas.

endodermo s. m. Capa interna del blastodermo después de haberse efectuado la segmentación.

endogamia s. f. **1.** Matrimonio entre personas con vínculos de consanguineidad. **2.** Cruce entre individuos de la misma raza.

endogénesis s. f. Reproducción por escisión del elemento primitivo en el interior del órgano que lo engendra.

endolinfa s. f. Líquido que tiene la parte interna del oído.

endometrio s. m. Mucosa que recubre el interior del útero.

endomingarse v. prnl. Vestirse con la ropa de fiesta.

endoparásito adj. Se dice del parásito que vive en el interior de los órganos de otro animal.

endosable adj. Que puede endosarse.

endosar v. tr. Ceder a favor de otro un documento de crédito expedido a la orden, haciéndolo así constar al dorso.

endosatario, ria s. m. y s. f. Persona a cuyo favor se endosa un documento de crédito.

endoscopia s. f. Exploración visual del interior de una cavidad corporal.

endoscopio s. m. Aparato destinado al examen visual de la uretra y de la vejiga urinaria.

endoselar v. tr. Formar dosel.

endosfera s. f. Capa más profunda de la Tierra, compuesta de hierro y níquel.

endosmómetro s. m. Aparato para apreciar la endósmosis.

endósmosis s. f. Corriente de fuera adentro, que se establece cuando dos líquidos de distinta densidad están separados por una membrana.

endoso s. m. Acción y efecto de endosar un documento.

endotelio s. m. Epitelio de células planas, que cubre el interior de los vasos y de las cavidades serosas y articulares.

endotérmico, ca adj. Se dice de la reacción que se produce con absorción de calor.

endriago s. m. Monstruo fabuloso, con mezcla de facciones humanas y de varias fieras.

endrina s. f. Fruto del endrino.

endrinal s. m. Sitio poblado de endrinos.

endrino s. m. Ciruelo silvestre.

endrogarse v. prnl. **1.** Chil., Méx. y Per. Entramparse, contraer deudas. **2.** P. Ric. Drogarse, usar estupefacientes.

endulzadura s. f. Acción y efecto de endulzar.

endulzar v. tr. **1.** Poner dulce una cosa. También prnl. **2.** fig. Suavizar un trabajo.

endurador, ra adj. Poco inclinado a gastar, y menos a dar.

endurar v. tr. Sufrir, tolerar.

endurecer v. tr. **1.** Poner dura una cosa. También prnl. **2.** fig. Hacer a alguien áspero. ‖ v. prnl. **3.** Encruelecerse.

endurecimiento s. m. Dureza, calidad de duro.

ene s. f. **1.** Nombre del signo potencial indeterminado en álgebra. ‖ adj. **2.** Indica cantidad indeterminada.

enea s. f. Anea.

eneágono, na adj. Se aplica al polígono de 9 ángulos y 9 lados. También s. m.

eneasílabo, ba adj. De nueve sílabas.

enebral adj. Sitio poblado de enebros.

enebrina s. f. Fruto del enebro.

enebro s. m. Arbusto de la familia de las coníferas, de hojas de tres en tres, rígidas, punzantes, con pequeñas bayas negras y carnosas.

enechado, da adj. Expósito. También s. m. y s. f.

enejar v. tr. Poner una cosa en el eje.

eneldo s. m. Hierba con hojas divididas en lacinias y flores amarillas en círculo.

enema[1] s. m. Medicamento que se aplicaba sobre las heridas sangrientas.

enema[2] s. m. Ayuda, lavativa.

enemigo, ga adj. **1.** Contrario. ‖ s. m. y s. f. **2.** Persona que tiene mala voluntad a otra. ‖ s. m. **3.** El contrario en la guerra.

enemistad s. f. Aversión u odio entre dos o más personas.

enemistar v. tr. Hacer a alguien enemigo de otro, perder la amistad. También prnl.

éneo, a adj., poét. De cobre o bronce.

energética s. f. Ciencia que trata de la energía.

energía s. f. **1.** Eficacia, virtud para obrar. **2.** Fuerza de voluntad. **3.** Capacidad que tiene la materia de producir trabajo.

enérgico, ca adj. Que tiene energía, o relativo a ella.

energismo s. m. Dentro de la filosofía de la naturaleza, teoría monista de la forma que considera a la energía como la esencia de todo lo real.

energizar *v. tr.* Poner en actividad un mecanismo mediante energía eléctrica.

energúmeno, na *s. m. y s. f.* **1.** Persona poseída del demonio. **2.** *fig.* La que está alborotada o furiosa.

enero *s. m.* Primer mes del año.

enervación *s. f.* Acción y efecto de enervar o enervarse.

enervamiento *s. m.* Enervación.

enervar *v. tr.* **1.** Debilitar, quitar las fuerzas. También prnl. **2.** La que está alborotada o furiosa. **3.** Poner nervioso. U. t. c. prnl.

enésimo, ma *adj.* Se dice del número indeterminado de veces que se repite algo.

enfadadizo, za *adj.* Fácil de enfadarse.

enfadar *v. tr.* Causar enfado. También prnl.

enfado *s. m.* **1.** Impresión desagradable y molesta. **2.** Enojo, disgusto.

enfadoso, sa *v. intr.* Que de suyo causa enfado.

enfaldador *s. m.* Alfiler grueso para tener sujeto el enfaldo.

enfaldar *v. tr.* Recoger las faldas o las sayas.

enfaldo *s. m.* Falda o cualquier ropa talar recogida.

enfangar *v. tr.* **1.** Cubrir de fango. ‖ *v. prnl.* **2.** Mezclarse en negocios sucios.

enfardar *v. tr.* Empaquetar mercaderías.

enfardeladura *s. f.* Acción de enfardelar.

enfardelar *v. tr.* Hacer fardeles.

énfasis *s. amb.* **1.** Fuerza de expresión con que se quiere realzar lo que se dice. ‖ *s. m.* **2.** Afectación en la expresión.

enfático, ca *adj.* Se aplica a lo dicho con énfasis y a las personas que hablan o escriben enfáticamente.

enfatizar *v. intr.* **1.** Expresarse con énfasis. ‖ *v. tr.* **2.** Poner énfasis.

enfermar *v. intr.* **1.** Contraer una enfermedad. ‖ *v. tr.* **2.** *fig.* Causar enfermedad.

enfermedad *s. f.* Alteración más o menos grave de la salud.

enfermería *s. f.* **1.** Casa o sala destinada para los enfermos. **2.** Estudios relacionados con la asistencia a enfermos.

enfermero, ra *s. m. y s. f.* Persona cuyo oficio es asistir a los enfermos.

enfermizo, za *adj.* Que tiene poca salud; que enferma con frecuencia.

enfermo, ma *adj.* Que padece enfermedad. También s. m. y s. f.

enfermoso, sa *adj., Col., Cub., Hond. y Méx.* Enfermizo.

enfervorizador, ra *adj.* Que enfervoriza. También s. m. y s. f.

enfervorizar *v. tr.* Infundir buen ánimo o fervor. También prnl.

enfeudar *v. tr.* Dar en feudo un reino, territorio, ciudad, etc.

enfiestarse *v. prnl., Col., Chil., Hond. y Méx.* Estar de fiesta, divertirse.

enfilar *v. tr.* **1.** Poner en fila. **2.** Tomar una persona o cosa la dirección de otra.

enfisema *s. m.* Tumefacción debida a la infiltración de gases en un tejido celular.

enfistolarse *v. prnl.* Pasar una llaga al estado de fístula. También tr.

enfiteusis *s. f.* Cesión del dominio útil de un inmueble, mediante el pago anual de un canon.

enfiteuta *com.* Persona que tiene el dominio útil de la enfiteusis.

enfitéutico, ca *v. intr.* Dado en enfiteusis o perteneciente a ella.

enflacar *v. intr.* Enflaquecer, ponerse flaco.

enflaquecer *v. tr.* **1.** Poner flaco a alguien. **2.** *fig.* Debilitar, enervar. ‖ *v. intr.* **3.** Ponerse flaco. También prnl.

enflaquecimiento *v. intr.* Acción y efecto de enflaquecer.

enflautado, da *adj., fam.* Hinchado, retumbante.

enflautar *v. tr.* Hinchar, soplar.

enflorar *v. tr.* Florear, adornar con flores.

enflorecer *v. intr.* Florecer.

enfocar *v. tr.* **1.** Hacer que la imagen de un objeto, que se ha obtenido en un aparato óptico, se reproduzca en un plano u objeto determinado. **2.** *fig.* Descubrir los puntos esenciales de un problema.

enfoque *s. m.* Acción y efecto de enfocar.

enfoscado *s. m.* **1.** Operación de enfoscar un muro. **2.** Capa de mortero con que está guarnecido un muro.

enfoscar *v. tr.* **1.** Tapar los agujeros que quedan en una pared después de labrada. ‖ *v. prnl.* **2.** Ponerse hosco y cejudo.

enfrailar *v. intr.* Meterse fraile. También prnl.

enfranque *s. m.* Parte más estrecha de la suela del calzado.

enfranquecer *v. tr.* Hacer franco o libre.

enfrascamiento *s. m.* Acción y efecto de enfrascarse.

enfrascar *v. tr.* Echar en frascos agua, vino u otro licor.

enfrascarse *v. prnl.* **1.** Meterse en una espesura. **2.** *fig.* Aplicarse con mucha intensidad a una cosa.

enfrenador, ra *adj.* Que enfrena bestias. También s. m. y s. f.

enfrenamiento *s. m.* Acción y efecto de enfrenar.

enfrenar *v. tr.* Poner el freno.

enfrentar *v. tr.* **1.** Poner frente a frente. También prnl. y intr. **2.** Afrontar, hacer frente, oponer. También prnl.

enfrente o en frente *adv. l.* **1.** A la parte opuesta, en punto que mira a otro o que está delante de otro. ‖ *adv. m.* **2.** En contra, en pugna.

enfriadera *s. f.* Vasija en que se enfría una bebida.

enfriadero *s. m.* Paraje o sitio para enfriar.

enfriamiento *s. m.* Indisposición que se caracteriza por síntomas catarrales.

enfriar *v. tr.* **1.** Poner frío algo. También prnl. **2.** Entibiar, amortiguar. También prnl. ‖ *v. prnl.* **3.** Quedarse frío alguien.

enfrontar *v. tr.* **1.** Llegar al frente de algo. También intr. **2.** Afrontar. También intr.

enfullar *v. tr., fam.* Hacer trampas o fullerías en el juego.

enfundadura *s. f.* Acción y efecto de enfundar.

enfundar *v. tr.* **1.** Poner fundas. **2.** Llenar. **3.** Ponerse una prenda de vestir.

enfuñarse *v. prnl., Cub. y P. Ric.* Enfurruñarse, enfadarse.

enfurecer *v. tr.* **1.** Irritar a alguien o ponerle furioso. También prnl. ‖ *v. prnl.* **2.** *fig.* Alborotarse, alterarse.

enfurecimiento *s. m.* Acción y efecto de enfurecer o enfurecerse.

enfurruñarse *v. prnl.* Ponerse enfadado.

enfurtido *s. m.* Acción y efecto de enfurtir.

enfurtir *v. tr.* Abatanar los tejidos de lana.

engabanado, da *adj.* Cubierto con gabán.

engace *s. m.* **1.** Engarce. **2.** *fig.* Dependencia y conexión que tienen unas cosas con otras.

engaitador, ra *adj., fam.* Que engaita.

engaitar *v. tr., fam.* Engañar con halagos.

engalanar *v. tr.* **1.** Poner galana una cosa. ‖ *v. prnl.* **2.** Ponerse galas.

engalgar¹ *v. tr.* Hacer que la liebre o el conejo sean perseguidos por el galgo.

engalgar² *v. tr.* Calzar las ruedas de los vehículos para frenarlos.

engallado, da *adj., fig.* Erguido, derecho.

engallador *s. m.* Correa que obliga al caballo a levantar la cabeza.

engalladura *s. f.* Galladura.

engallarse *v. prnl., fig.* Ponerse erguido y arrogante. También tr.

engalle *s. m.* Parte del arnés que sirve para mantener erguida la cabeza del caballo.

enganchada *s. f., fam.* Discusión, pelea con enfrentamiento físico.

enganchamiento *s. m.* Enganche.

enganchar *v. tr.* **1.** Agarrar una cosa con gancho o colgarla de él. También prnl. y intr. **2.** *fam.* Atraer a alguien con arte. ‖ *v. prnl.* **3.** *fam.* Hacerse adicto de algo.

enganche *s. m.* Pieza o aparato dispuesto para enganchar.

engañabobos *s. m. y s. f., fam.* Cosa que engaña o defrauda con su apariencia.

engañador, ra *adj.* **1.** Que engaña. **2.** *fig.* Que atrae dulcemente el cariño.

engañapastores *s. m.* Chotacabras.

engañar *v. tr.* **1.** Dar a la mentira apariencia de verdad. **2.** Engatusar. ‖ *v. prnl.* **3.** Cerrar los ojos a la verdad. **4.** Equivocarse.

engañifa *s. f., fam.* Engaño artificioso con apariencia de utilidad.

engaño *s. m.* **1.** Falta de verdad, falsedad. **2.** Cualquier arte para pescar. **3.** Muleta.

engañoso, sa *adj.* Falaz, que engaña o da ocasión a engañarse.

engarabitarse *v. prnl.* Trepar, subir a lo alto.

engarbarse *v. prnl.* Encaramarse las aves en lo alto.

engaratusar *v. tr., Guat., Hond. y Méx.* Hacer a alguien garatusas, engatusar.

engarce *s. m.* Metal en que se engarza algo.

engarbullar *v. tr., fam.* Confundir, enredar una cosa con otra.

engargantadura *s. f.* Engargante.

engargantar *v. tr.* Meter una cosa por la garganta o tragadero.

engargante *s. m.* Encaje de los dientes de una rueda o barra dentada en los intersticios de otra.

engargolar *v. tr.* Ajustar las piezas que tienen gárgoles.

engaritar *v. tr.* Fortificar o adornar con garitas una fábrica o fortaleza.

engarnio *s. m.* Persona o cosa que no vale para nada.

engarrafar *v. tr.* Agarrar fuertemente una cosa.

engarrar *v. tr.* Agarrar. También prnl.

engarriar *v. intr.* Trepar, encaramar.

engarro *s. m.* Acción y efecto de engarrar.

engarrotar *v. tr.* Entumecer los miembros el frío.

engarzador, ra *adj.* Que engarza. También s. m. y s. f.

engarzadura *s. f.* Engarce.

engarzar *v. tr.* **1.** Trabar formando cadena. **2.** Rizar el pelo. **3.** Engastar.

engastadura *s. f.* Engaste.

engastar *v. tr.* Encajar y embutir una cosa en otra.

engaste *s. m.* **1.** Guarnición de metal que asegura lo que se engasta. **2.** Perla que por un lado es llana y por el otro redonda.

engatar *v. tr., fam.* Engañar halagando.

engatillado, da *s. m.* Obra de madera en la que unas piezas están trabadas en otras por medio de gatillos de hierro.

engatillar *v. tr.* **1.** Sujetar con gatillos ‖ *v. prnl.* **2.** Fallar el mecanismo de disparar, en las armas de fuego.

engatusador, ra *adj., fam.* Que engatusa. También s. m. y s. f.

engatusamiento *s. m., fam.* Acción y efecto de engatusar.

engatusar *v. tr., fam.* Ganar la voluntad de alguien con halagos.

engaviar *v. tr.* Subir a lo alto. También prnl.

engavillar *v. tr.* Agavillar.

engazar *v. tr.* Engarzar.

engendrador, ra *adj.* Que engendra, cría o produce.

engendramiento *s. m.* Acción y efecto de engendrar.

engendrar *v. tr.* **1.** Procrear. **2.** *fig.* Causar, ocasionar, formar. También prnl.

engendro *s. m.* **1.** Feto. **2.** Criatura informe. **3.** *fig.* Plan mal concebido, absurdo.

engibar *v. tr.* Hacer corcovado a alguien. También prnl.

englobar *v. tr.* **1.** Incluir varias cosas en una sola. **2.** Abarcar.

engolado, da *adj.* **1.** *fig.* Se dice del hablar afectadamente grave o enfático. **2.** *fig.* Fatuo, engreído, altanero.

engolar *v. tr.* Dar resonancia gutural a la voz.

engolfar *v. intr.* Entrar una embarcación en mar adentro. También prnl.

engolillado, da *adj.* Se dice del que se precia de observar con rigor los estilos antiguos.

engollamiento *s. m., fig.* Presunción, envanecimiento.

engolletado, da *adj., fam.* Erguido, presumido, vano.

engolletarse *v. prnl.* Engreírse, envanecerse.

engolondrinar *v. tr., fam.* Engreír, envanecer. También prnl.

engolosinar *v. tr.* **1.** Excitar el deseo de alguien con algún atractivo. ‖ *v. prnl.* **2.** Aficionarse, tomar gusto a una cosa.

engomadura *s. f.* Acción y efecto de engomar.

engomar *v. tr.* Impregnar y untar de goma.

engominarse *v. prnl.* Dar gomina.

engorar *v. tr.* Enhuerar. También intr. y prnl.

engorda *s. f., Chil. y Méx.* Engorde, ceba.

engordador, ra *adj.* Que hace engordar. También s. m. y s. f.

engordar *v. tr.* **1.** Cebar. **2.** *fig.* Aumentar algo para que parezca más importante. ‖ *v. intr.* **3.** Ponerse gordo.

engorde *s. m.* Acción y efecto de engordar.

engorro *s. m.* Embarazo, impedimento.

engorroso, sa *adj.* Embarazoso, molesto.

engoznar *v. tr.* Fijar goznes.

engranaje *s. m.* **1.** Conjunto de piezas que engranan. **2.** Dientes de una máquina. **3.** *fig.* Trabazón de una idea.

engranar *v. tr.* **1.** Endentar. **2.** *fig.* Enlazar, trabar.

engrandecer *v. tr.* **1.** Aumentar, hacer grande. **2.** Alabar, exagerar. **3.** *fig.* Exaltar, elevar a una dignidad superior. También prnl.

engrandecimiento *s. m.* Acción y efecto de engrandecer o engrandecerse.

engranerar *v. tr.* Encerrar el grano; ponerlo en el granero.

engranujarse *v. prnl.* Hacerse granuja, apicararse.

engrapar *v. tr.* Asegurar, enlazar o unir con grapas las piedras u otras cosas.

engrasación *s. f.* Acción y efecto de engrasar.

engrasar *v. tr.* **1.** Dar sustancia y crasitud a algo. **2.** Untar con grasa. También prnl.

engrase *s. m.* **1.** Engrasación. **2.** Materia lubricante.

engravecer *v. tr.* Hacer grave o pesada alguna cosa. También prnl.

engredar *v. tr.* Dar con greda.

engreído, da *adj.* Soberbio y vanidoso.

engreimiento *s. m.* Acción y efecto de engreír o engreírse.

engreír *v. tr.* Envanecer. También prnl.

engreñado, da *adj.* Desgreñado.

engrescar *v. tr.* **1.** Incitar a riña. También prnl. **2.** Excitar el entusiasmo, etc.

engrifar *v. tr.* Encrespar, erizar. También prnl.

engrilletar *v. tr.* Unir por medio de grillete.

engringarse *v. prnl.* Seguir alguien las costumbres de los gringos o extranjeros.

engrosamiento *s. m.* Acción y efecto de engrosar.

engrosar *v. tr.* **1.** Hacer gruesa una cosa. También prnl. **2.** Aumentar el número de una colectividad.

engrudar *v. tr.* Untar o dar con engrudo.

engrudo *s. m.* Masa hecha con harina o almidón cocidos en agua.

engruesar *v. intr.* Engrosar.

engrumecerse *v. prnl.* Hacerse grumos.

enguachinar *v. tr.* Enaguachar, enaguazar. También prnl.

engualdrapar *v. tr.* Poner la gualdrapa a una bestia.

enguantar *v. tr.* Cubrir la mano con el guante. Se usa más como prnl.

enguatar *v. tr.* Entretelar con manta de algodón o guata.

enguijarrado *s. m.* Empedrado de guijarros.

enguijarrar *v. tr.* Empedrar con guijarros.

enguirnaldar *v. tr.* Adornar con guirnalda.

enguizgar *v. tr.* Incitar, estimular.

engullidor, ra *adj.* Que engulle. También s. m. y s. f.

engullir *v. tr.* Tragar atropelladamente.

engurrio *s. m.* Tristeza, melancolía.

engurruñar *v. tr.* **1.** Encoger, arrugar. También prnl. ‖ *v. prnl.* **2.** *fam.* Encogerse alguien, entristecer.

enhacinar *v. tr.* Hacinar.

enharinar *v. tr.* **1.** Manchar de harina. **2.** cubrir con harina. También prnl.

enhastiar v. tr. Causar hastío, fastidio, enfado. También prnl.

enhastillar v. tr. Poner o colocar las saetas en el carcaj.

enhebillar v. tr. Sujetar las correas a las hebillas.

enhebrar v. tr. **1.** Pasar una hebra por el ojo de una aguja o por el agujero de las perlas, cuentas, etc. **2.** fig. Decir seguidas muchas cosas sin orden ni concierto.

enhenar v. tr. Cubrir con heno.

enherbolar v. tr. Poner veneno en una cosa.

enhestador, ra s. m. y s. f. Persona que enhiesta.

enhestadura s. f. Acción y efecto de enhestar.

enhestar v. tr. Levantar en alto, poner derecha una cosa. También prnl.

enhielar v. tr. Mezclar una cosa con hiel.

enhiesto, ta adj. Levantado, derecho.

enhilar v. tr. **1.** Enhebrar. **2.** Ordenar las ideas de un discurso o escrito.

enhorabuena s. f. **1.** Felicitación. ‖ adv. m. **2.** Con bien, con felicidad. **3.** Se dice para denotar aprobación, conformidad.

enhoramala adv. m. Se emplea para denotar disgusto o desaprobación.

enhornar v. tr. Meter una cosa en el horno para asarla o cocerla.

enhuecar v. tr. Ahuecar.

enhuerar v. tr. Volver huero.

enigma s. m. **1.** Dicho o conjunto de palabras de sentido encubierto. **2.** Cosa que no se entiende fácilmente. **3.** Misterio.

enigmático, ca adj. Que en sí encierra o incluye enigma; de significación oscura y misteriosa.

enigmatista com. Persona que habla con enigmas.

enjabonado s. m. Jabonadura de la ropa.

enjabonadura s. f. Jabonadura.

enjabonar v. tr. **1.** Jabonar. **2.** fig. Adular. **3.** fig. y fam. Reprender, increpar.

enjaezar v. tr. Poner jaeces a las caballerías.

enjaguadura s. f. Enjuaguadura.

enjaguar v. tr. Enjuagar.

enjalbegador, ra adj. Que enjalbega. También s. m. y s. f.

enjalbegadura s. f. Acción y efecto de enjalbegar.

enjalbegar v. tr. Blanquear las paredes.

enjalma s. f. Especie de aparejo de bestia de carga, a modo de albardilla.

enjalmar v. tr. Poner la enjalma a una bestia.

enjalmero, ra s. m. y s. f. Persona que hace o vende enjalmas.

enjambradera s. f. Parte de la colmena donde se crían las reinas.

enjambradero s. m. Sitio en que se enjambra.

enjambrar v. tr. **1.** Encerrar en las colmenas las abejas. ‖ v. intr. **2.** Criar la colmena un enjambre.

enjambrazón s. f. Acción y efecto de enjambrar.

enjambre s. m. **1.** Muchedumbre de abejas con su maestra, que salen juntas. **2.** fig. Muchedumbre de personas o cosas.

enjaquimar v. tr. Poner la jáquima a una bestia.

enjarciar v. tr. Poner la jarcia.

enjardinar v. tr. Poner y arreglar los árboles como están en los jardines.

enjaretado s. m. Tablero formado de tabloncillos a modo de enrejado.

enjaretar v. tr. **1.** Hacer pasar por una jareta una cinta. **2.** fig. y fam. Hacer o decir algo atropelladamente. **3.** Endilgar, encajar, intercalar o incluir algo molesto o inoportuno.

enjarje s. m. Enlace de varios nervios de una bóveda en el punto de arranque.

enjaular v. tr. **1.** Poner dentro de la jaula. **2.** fig. y fam. Meter en la cárcel.

enjebar v. tr. Meter los paños en alumbre antes de teñirlos.

enjebe s. m. **1.** Alumbre. **2.** Lejías en cuya composición entra el alumbre.

enjergar v. tr., fam. Principiar y dirigir un negocio o asunto.

enjertar v. tr. Injertar.

enjorguinarse v. prnl. Hacerse jorguín o hechicero.

enjoyado, da adj. Que tiene o posee muchas joyas.

enjoyar v. tr. **1.** Adornar con joyas. **2.** Adornar. **3.** Engastar piedras preciosas.

enjoyelado, da adj. Adornado de joyeles.

enjuagadientes s. m. Porción de licor que se toma en la boca para enjuagar la dentadura.

enjuagadura s. f. Acción de enjuagar.

enjuagar v. tr. **1.** Limpiar la boca o dentadura con agua u otro licor. También prnl. **2.** Lavar con agua una vasija.

enjuagatorio s. m. Enjuague.

enjuague s. m. **1.** Agua u otro licor para enjuagar o enjuagarse. **2.** Vaso para enjuagarse. **3.** Intriga fraudulenta.

enjugador s. m. Utensilio para escurrir o enjugar.

enjugar v. tr. Quitar la humedad.

enjuiciable adj. Que merece ser enjuiciado.

enjuiciamiento s. m. Instrucción legal de los asuntos en que entienden los jueces y tribunales.

enjuiciar v. tr. **1.** Someter una cuestión a examen. **2.** Juzgar una causa.

enjulio s. m. Madero de los telares de paños en el cual se va arrollando la urdimbre.

enjullo s. m. Enjulio.

enjuncar v. tr. Cubrir de juncos. También prnl.

enjundia *s. f.* **1** Unto y gordura. **2.** Lo más sustancioso de algo. **3.** Fuerza, vigor.

enjundioso, sa *adj.* Que tiene mucha enjundia.

enjunque *s. m.* Lastre muy pesado que se pone en el fondo de la bodega de las naves.

enjutar *v. tr.* **1.** Enjugar, secar la cal u otra cosa. También prnl. **2.** Rellenar las enjutas de las bóvedas.

enjutez *s. f.* Sequedad o falta de humedad.

enjuto, ta *adj.* **1.** Delgado, seco. ‖ *s. m. pl.* **2.** Palos secos para encender lumbre. **3.** Bocados ligeros que excitan las ganas de beber. ‖ *s. f.* **4.** Cada uno de los triángulos que deja en un cuadrado el círculo inscrito en él. **5.** Pechina.

enlabiador, ra *adj.* Que enlabia o seduce. También s. m. y s. f.

enlabiar[1] *v. tr.* Acercar, aplicar los labios.

enlabiar[2] *v. tr.* Seducir, engañar con palabras dulces y promesas.

enlabio *s. m.* Engaño con palabras seductoras.

enlace *s. m.* **1.** Unión, trabazón. **2.** Lo que enlaza una cosa con otra. **3.** *fig.* Parentesco, casamiento.

enlaciar *v. tr.* Poner lacia una cosa.

enladrillado *s. m.* Pavimento hecho de ladrillos.

enladrillar *v. tr.* Solar, formar de ladrillos el pavimento.

enlagunar *v. tr.* Convertir un terreno en laguna.

enlamar *v. tr.* Cubrir de lama los campos. También prnl.

enlanado, da *adj.* Cubierto o lleno de lana.

enlardar *v. tr.* Lardar o lardear.

enlatar *v. tr.* Meter alguna cosa en una caja de hojalata.

enlazable *adj.* Que puede enlazarse.

enlazador, ra *adj.* Que enlaza. También s. m. y s. f.

enlazadura *s. f.* Enlace.

enlazamiento *s. m.* Enlace.

enlazar *v. tr.* **1.** Juntar con lazos. **2.** Unir. También prnl. ‖ *v. prnl.* **3.** Casarse.

enlechar *v. tr.* Cubrir con una lechada.

enlegajar *v. tr.* Reunir papeles en un legajo.

enlegamar *v. tr.* Entarquinar.

enlejiar *v. tr.* Meter en lejía.

enlenzar *v. tr.* Poner tiras de lienzo para reforzar alguna cosa.

enlerdar *v. tr.* Entorpecer, retardar.

enligar *v. tr.* Untar con liga.

enlistonado *s. m.* Conjunto de listones; obra hecha con ellos.

enlistonar *v. tr.* Listonar.

enlizar *v. tr.* Añadir lizos al telar.

enllantar *v. tr.* Guarnecer con llantas las ruedas.

enllentecer *v. tr.* Reblandecer o ablandar.

enlobreguecer *v. tr.* Oscurecer, poner lóbrego.

enlodadura *s. f.* Acción y efecto de enlodar.

enlodamiento *s. m.* Enlodadura.

enlodar *v. tr.* **1.** Manchar con lodo. También prnl. **2.** *fig.* Infamar. También prnl.

enlodazar *v. tr.* Enlodar.

enloquecer *v. tr.* **1.** Hacer perder el juicio. ‖ *v. intr.* **2.** Volverse loco.

enloquecimiento *s. m.* Acción y efecto de enloquecer.

enlosado *s. m.* Suelo cubierto de losas.

enlosar *v. tr.* Solar con losas.

enlozanarse *v. prnl.* Lozanear, mostrar lozanía.

enlucido *s. m.* Capa de yeso, estuco, etc., que se da a las paredes.

enlucidor, ra *s. m. y s. f.* Persona que enluce.

enlucimiento *s. m.* Acción y efecto de enlucir.

enlucir *v. tr.* **1.** Poner una capa de yeso o argamasa a las paredes, techos, etc. **2.** Limpiar los metales.

enlustrecer *v. tr.* Poner limpio y lustroso algo.

enlutar *v. tr.* **1.** Cubrir de luto. También prnl. **2.** *fig.* Entristecer, afligir.

enmaderación *s. f.* Enmaderamiento.

enmaderado *s. m.* Enmaderamiento.

enmaderamiento *s. m.* Obra hecha de madera o cubierta con ella.

enmaderar *v. tr.* Cubrir con madera los techos, las paredes y otras cosas.

enmadrarse *v. prnl.* Encariñarse excesivamente el hijo con la madre.

enmagrecer *s. m.* Enflaquecer, adelgazar.

enmalecer *v. tr.* Malear, echar a perder.

enmallarse *v. prnl.* Quedarse un pez sujeto entre las mallas de la red.

enmangar *v. tr.* Poner mango a un instrumento.

enmantar *v. tr.* **1.** Cubrir con manta. También prnl. ‖ *v. prnl.* **2.** *fig.* Estar triste y melancólico.

enmarañador, ra *adj.* Que enmaraña. También s. m. y s. f.

enmarañamiento *s. m.* Acción y efecto de enmarañar o enmarañarse.

enmarañar *v. tr.* Enredar, revolver. También prnl.

enmararse *v. prnl.* Entrar la nave en alta mar.

enmaridar *v. tr.* Casarse la mujer. También prnl.

enmarillecerse *v. prnl.* Ponerse descolorido y amarillo.

enmaromar *v. tr.* Atar o sujetar con maromas.

enmascarado, da *s. m. y s. f.* Máscara, persona disfrazada de máscara.

enmascaramiento *s. m.* Acción y efecto de enmascarar o encubrir.

enmascarar *v. tr.* **1.** Cubrir el rostro con máscara. También prnl. **2.** *fig.* Encubrir.

enmasillar *v. tr.* Sujetar o cubrir con masilla.

enmatarse *v. prnl.* Ocultarse entre las matas la caza.

enmelar *v. tr.* **1.** Untar con miel. **2.** Hacer miel las abejas.

enmendación *s. f.* Acción y efecto de enmendar o corregir.

enmendador, ra *adj.* Que enmienda.

enmendadura *s. f.* Enmienda, corrección.

enmendar *v. tr.* **1.** Corregir, quitar defectos. También prnl. **2.** Rectificar una sentencia. **3.** Enderezar.

enmienda *s. f.* **1.** Corrección de un error. **2.** Propuesta de variante de un proyecto.

enmohecer *v. tr.* **1.** Cubrir de moho. También prnl. **2.** Inutilizar. También prnl.

enmohecimiento *s. m.* Acción y efecto de enmohecer.

enmollecer *v. tr.* Ablandar. También prnl.

enmonarse *v. prnl., Chil., Cub., Méx. y Per.* Emborracharse, embriagarse.

enmoquetar *v. tr.* Cubrir con moqueta.

enmordazar *v. tr.* Amordazar.

enmostar *v. tr.* Manchar con mosto. También prnl.

enmudecer *v. tr.* **1.** Hacer callar. ‖ *v. intr.* **2.** Quedar mudo. **3.** Guardar silencio.

enmudecimiento *s. m.* Acción y efecto de enmudecer.

enmugrar *v. tr., Chil., Col. y Méx.* Enmugrecer.

enmugrecer *v. tr.* Cubrir de mugre. También prnl.

enneciarse *v. prnl.* Volverse necio.

ennegrecer *v. tr.* Teñir de negro, poner negro. También prnl.

ennegrecimiento *s. m.* Acción y efecto de ennegrecer.

ennoblecedor, ra *adj.* Que ennoblece.

ennoblecer *v. tr.* **1.** Hacer noble. También prnl. **2.** *fig.* Dignificar.

ennoblecimiento *s. m.* Acción y efecto de ennoblecer.

enodio *s. m.* Ciervo de tres a cinco años de edad.

enojadizo, za *adj.* Que con facilidad se enoja.

enojar *v. tr.* **1.** Causar enojo. Se usa más como prnl. **2.** Molestar, desazonar.

enojo *s. m.* Molestia, pesar, trabajo.

enojón, na *adj., Chil. y Méx.* Enojadizo.

enojoso, sa *adj.* Que causa enojo, molestia o enfado.

enología *s. f.* Conjunto de conocimientos relativos a los vinos.

enológico, ca *adj.* Perteneciente o relativo a la enología.

enólogo, ga *s. m. y s. f.* Persona entendida en enología.

enorgullecer *v. tr.* Llenar de orgullo. Se usa más como prnl.

enorgullecimiento *s. m.* Acción y efecto de enorgullecer o enorgullecerse.

enorme *adj.* Desmedido, excesivo.

enormidad *s. f.* Exceso, tamaño desmedido.

enotecnia *s. f.* Arte de elaborar vinos.

enquiciar *v. tr.* Poner una cosa en su quicio o en orden. También prnl.

enquiridión *s. m.* Libro manual.

enquistado, da *adj.* **1.** De forma de quiste o parecido a él. **2.** *fig.* Embutido, encajado.

enquistarse *v. prnl.* Formarse un quiste.

enrabiar *v. tr.* Encolerizar.

enraizar *v. intr.* Arraigar. También prnl.

enralecer *v. intr.* Ponerse ralo.

enramada *s. f.* Adorno hecho con ramas de árboles.

enramar *v. tr.* **1.** Entretejer varios ramos. ‖ *v. intr.* **2.** Echar ramas un árbol.

enrame *s. m.* Acción y efecto de enramar.

enranciar *v. tr.* Poner o hacer rancia una cosa. También prnl.

enrarecer *v. tr.* **1.** Dilatar un cuerpo gaseoso haciéndolo menos denso. También prnl. **2.** Contaminar el aire.

enrarecimiento *s. m.* Falta de oxígeno en el aire.

enrasado *s. m.* Fábrica con que se macizan las embocaduras de una bóveda.

enrasamiento *s. m.* Enrase.

enrasar *v. tr.* Hacer que quede plana y lisa la superficie de una obra.

enrase *s. m.* Acción y efecto de enrasar.

enratonarse *v. prnl.* Ratonarse.

enrayar *v. tr.* **1.** Fijar los rayos en las ruedas de los carruajes. **2.** Engalgar una rueda por uno de sus rayos.

enredadera *s. f.* Planta de tallos trepadores y flores en campanillas róseas.

enredador, ra *adj.* **1.** Que enreda. También s. m. y s. f. **2.** *fig. y fam.* Chismoso, embustero. También s. m. y s. f.

enredar *v. tr.* **1.** Prender con red. **2.** Entretejer, enmarañar algo. También prnl.

enredijo *s. m., fam.* Enredo, lío.

enredista *adj., amer.* Enredador, chismoso. También com.

enredo *s. m.* **1.** Complicación y maraña. **2.** *fig.* Travesura. **3.** *fig.* Engaño, mentira.

enredoso, sa *adj.* Lleno de enredos y dificultades.

enrejado *s. m.* **1.** Conjunto de rejas. **2.** Especie de celosía de cañas o varas.

enrejadura *s. f.* Herida producida por la reja del arado en los pies de los bueyes o de las caballerías.

enrejar *v. tr.* **1.** Poner rejas o cercar con rejas. **2.** Meter a alguien en la cárcel.

enrevesado, da *adj.* Intrincado o difícil de entender.

enriar *v. tr.* Meter en el agua por algunos días el lino, cáñamo o esparto para su maceración.

enrielar *v. tr.* **1.** Hacer rieles. **2.** *Chil. y Méx.* Meter en el riel, encarrilar. También prnl.

enripiar *v. tr.* Poner ripio en un hueco de pared o piso.

enriquecedor, ra *adj.* Que enriquece.

enriquecer *v. tr.* **1.** Hacer rica a una persona, comarca, etc. **2.** *fig.* Adornar.

enriquecimiento *s. m.* Acción y efecto de enriquecer.

enriscado, da *adj.* Lleno de riscos o peñascos.

enriscamiento *s. m.* Acción de enriscarse.

enriscar *v. tr.* **1.** *fig.* Levantar, elevar. ‖ *v. prnl.* **2.** Guarnecerse, meterse entre riscos y peñascos.

enristrar *v. tr.* **1.** Poner la lanza en el ristre. **2.** *fig.* Ir derecho hacia una parte.

enristre *s. m.* Acción y efecto de enristrar.

enrizar *v. tr.* Rizar. También prnl.

enrocar *v. tr.* En el juego de ajedrez, mudar de lugar al rey al mismo tiempo que la torre.

enrodar *v. tr.* Imponer el suplicio de la rueda.

enrodelado, da *adj.* Armado con rodela.

enrojar *v. tr.* **1.** Enrojecer. También prnl. **2.** Calentar el horno.

enrojecer *v. tr.* **1.** Poner rojo algo con calor o fuego. También prnl. **2.** Dar color rojo. ‖ *v. prnl.* **3.** Encenderse el rostro.

enrojecimiento *s. m.* Acción y efecto de enrojecer.

enrolar *v. tr.* **1.** Inscribir un individuo en la lista de tripulantes de un barco. También prnl. ‖ *v. prnl.* **2.** Inscribirse en el Ejército, en un partido político, etc.

enrollar *v. tr.* **1.** Poner en forma de rollo. **2.** *fam.* Convencer. ‖ *v. prnl.* **3.** *fam.* Distraerse con algo.

enromar *v. tr.* Poner romo. También prnl.

enronquecer *v. tr.* Poner ronco a alguien. Se usa más como prnl.

enronquecimiento *s. m.* Ronquera.

enroñar *v. tr.* Llenar de roña, pegarla.

enroscadura *s. f.* enroscadura

enroscar *v. tr.* **1.** Dar forma de rosca. También prnl. **2.** Introducir una cosa a vuelta de rosca.

enrubiador, ra *adj.* Que tiene virtud de enrubiar.

enrubiar *v. tr.* Poner rubia una cosa. También prnl.

enrubio *s. m.* Ingrediente con que se enrubia.

enrudecer *v. tr.* Hacer rudo a alguien. También prnl.

enruinecer *v. intr.* Hacerse ruin.

ensabanar *v. tr.* Cubrir con sábanas.

ensacar *v. tr.* Meter algo en un saco.

ensaimada *s. f.* Bollo formado por una tira de pasta hojaldrada en espiral.

ensalada *s. f.* **1.** Hortaliza aderezada. **2.** *fig.* Mezcla confusa de cosas.

ensaladera *s. f.* Fuente honda en que se sirve la ensalada.

ensaladilla *s. f.* Ensalada compuesta de patata, zanahoria, guisantes, jamón, etc., con salsa mahonesa. También llamada ensaladilla o ensalda rusa.

ensalivar *v. tr.* Llenar o empapar de saliva. También prnl.

ensalmador, ra *s. m. y s. f.* Persona que tenía por oficio ensalmar.

ensalmar *v. tr.* **1.** Componer los huesos dislocados o rotos. **2.** Curar con ensalmos.

ensalmo *s. m.* Modo supersticioso de curar.

ensalobrarse *v. prnl.* Hacerse el agua amarga y salobre.

ensalzador, ra *adj.* Que ensalza.

ensalzamiento *s. m.* Acción y efecto de ensalzar.

ensalzar *v. tr.* **1.** Engrandecer, exaltar. **2.** Alabar, elogiar. También prnl.

ensamblado *s. m.* Obra de ensamblaje.

ensamblador, ra *s. m. y s. f.* Persona que ensambla.

ensambladura *s. f.* Acción y efecto de ensamblar.

ensamblaje *s. m.* Acoplamiento.

ensamblar *v. tr.* Unir, juntar.

ensamble *s. m.* Acción y efecto de ensamblar.

ensancha *s. f.* Ensanche, dilatación.

ensanchador, ra *adj.* Que ensancha.

ensanchamiento *s. m.* Acción y efecto de ensanchar.

ensanchar *v. tr.* **1.** Dilatar la anchura de una cosa. ‖ *v. prnl.* **2.** Engreírse.

ensanche *s. m.* **1.** Dilatación, extensión. **2.** Terreno dedicado a nuevas edificaciones en las afueras de una población.

ensangostar *v. tr.* Angostar.

ensangrentamiento *s. m.* Acción y efecto de ensangrentar o ensangrentarse.

ensangrentar *v. tr.* Manchar o teñir con sangre. También prnl.

ensañamiento *s. m.* Acción y efecto de ensañarse.

ensañar *v. tr.* **1.** Enfurecer. ‖ *v. prnl.* **2.** Deleitarse en causar el mayor daño posible.

ensarmentar *v. tr.* Amugronar, acodar la vid.

ensarnecer *v. intr.* Llenarse de sarna.

ensartar *v. tr.* **1.** Pasar por un hilo, alambre, etc., varias cosas. **2.** Enhebrar. **3.** Atravesar. **4.** Decir cosas sin conexión.

ensay *s. m.* En las casas de moneda, ensaye.

ensayador, ra *s. m. y s. f.* Persona que ensaya, y en especial, la que tiene por oficio ensayar los metales preciosos.

ensayar *v. tr.* **1.** Probar una cosa antes de usarla. **2.** Hacer la prueba de un espectáculo antes de ejecutarlo ante el público. **3.** Probar la calidad de los minerales o la ley de los metales preciosos.

ensaye *s. m.* **1.** Acción y efecto de ensayar. **2.** Análisis de la moneda para descubrir su ley.

ensayista *s. m. y s. f.* Escritor de ensayos.

ensayo *s. m.* **1.** Subgénero literario en prosa, que trata con brevedad y claridad diversos temas. **2.** Prueba.

ensebar *v. tr.* Untar con sebo.

enseguida o en seguida *adv. m.* Inmediatamente.

enselvado, da *adj.* Lleno de selvas o árboles.

enselvar *v. tr.* Emboscar. También prnl.

ensenada *s. f.* Entrada del mar en la tierra formando un seno.

ensenado, da *adj.* Dispuesto a manera de seno.

ensenar *v. tr.* **1.** Poner en el seno una cosa. **2.** Meter en una ensenada una embarcación. Se usa más como prnl.

enseña *s. f.* Insignia o estandarte.

enseñado, da *adj.* Educado, acostumbrado.

enseñador, ra *adj.* Que enseña. También s. m. y s. f.

enseñamiento *s. m.* Enseñanza.

enseñanza *s. f.* **1.** Sistema y método de dar instrucción. **2.** Ejemplo o suceso que nos sirve de experiencia.

enseñar *v. tr.* **1.** Instruir. **2.** Dar advertencia, ejemplo o escarmiento. **3.** Indicar, dar señas de una cosa. **4.** Mostrar.

enseñoramiento *s. m.* Acción y efecto de enseñorearse.

enseñorear *v. tr.* Hacer dueño y señor de algo. También prnl.

enserar *v. tr.* Cubrir con sera de esparto.

enseres *s. m. pl.* Muebles, utensilios, etc., necesarios para algún fin.

enseriarse *v. prnl., And., Cub., Per. y P. Ric.* Ponerse serio.

ensiforme *adj.* En forma de espada.

ensilar *v. tr.* Encerrar en el silo los granos y semillas.

ensilladura *s. f.* **1.** Acción y efecto de ensillar. **2.** Parte en que se pone la silla a la caballería.

ensillar *v. tr.* Poner la silla a la caballería.

ensilvecerse *v. prnl.* Convertirse un paraje en selva.

ensimismamiento *s. m.* Acción y efecto de ensimismarse.

ensimismarse *v. prnl.* Abstraerse.

ensoberbecer *v. tr.* Causar o excitar soberbia en alguien. También prnl.

ensoberbecimiento *s. m.* Acción y efecto de ensoberbecer.

ensogar *v. tr.* Atar con soga.

ensolver *v. tr.* Incluir una cosa en otra.

ensombrecer *v. tr.* **1.** Oscurecer. También prnl. ‖ *v. prnl.* **2.** *fig.* Entristecerse.

ensombrerado, da *adj., fam.* Que lleva puesto el sombrero.

ensoñación *s. f.* Acción y efecto de ensoñar, ensueño.

ensoñador, ra *adj.* Que tiene muchos ensueños o ilusiones.

ensoñar *v. tr.* Tener ensueños.

ensopar *v. tr., amer.* Empapar, poner hecho una sopa. También prnl.

ensordecedor, ra *adj.* Se dice del ruido o sonido muy intenso.

ensordecer *v. tr.* **1.** Causar sordera. **2.** Convertir una consonante sonora en sorda. **3.** Perturbar a alguien la intensidad de un sonido. ‖ *v. intr.* **4.** Quedarse sordo.

ensordecimiento *s. m.* Acción y efecto de ensordecer.

ensortijamiento *s. m.* Acción de ensortijar.

ensortijar *v. tr.* Encrespar. También prnl.

ensotarse *v. prnl.* Meterse en un soto.

ensuciamiento *s. m.* Acción y efecto de ensuciar.

ensuciar *v. tr.* Manchar. También prnl.

ensueño *s. m.* **1.** Sueño, cosa que se sueña. **2.** Ilusión, fantasía.

entabacarse *v. prnl.* Abusar del tabaco.

entablación *s. f.* Acción y efecto de entablar.

entablado *s. m.* Suelo formado de tablas.

entabladura *s. f.* Efecto de entablar o cubrir con tablas.

entablamento *s. m.* Conjunto de molduras que coronan un edificio.

entablar *v. tr.* **1.** Cubrir con tablas. **2.** Dar comienzo a una conversación, batalla.

entable *s. m.* **1.** Entabladura. **2.** Varia disposición en los juegos de damas, ajedrez, etc.

entablerarse *v. prnl.* En las corridas de toros, aquerenciarse estos a los tableros del redondel, aconchándose sobre ellos.

entablillar *v. tr.* Sujetar con tablillas y vendaje el hueso roto o quebrado.

entalamadura *s. f.* Zarzo de cañas forrado con que se entoldan los carros.

entalamar *v. tr.* Poner toldo a un carro.

entalegar *v. tr.* Meter una cosa en talegos.

entalingar *v. tr.* Asegurar el chicote del cable al arganeo del ancla.

entallador, ra *s. m. y s. f.* Persona que entalla o hace trabajo de talla.

entalladura *s. f.* Corte que se hace en los pinos para resinarlos, o en las maderas para ensamblarlas.

entallamiento *s. m.* Entalladura.

entallar[1] *v. tr.* Tallar figuras en madera, bronce, etc.

entallar[2] *v. tr.* Ajustar al talle. También prnl. e intr.

entallecer *v. intr.* Echar tallos las plantas y árboles.

entallo *s. m.* Obra de entalladura.

entalonar *v. intr.* Echar renuevos los árboles de hoja perenne; como olivos, naranjos, etc.

entamar *v. tr.* Cubrir con tamo. También prnl.

entapetado, da *adj.* Cubierto con tapete.

entapizado, da *s. m.* **1.** Acción y efecto de entapizar. ‖ *s. f.* **2.** Alfombra, conjunto de cosas que cubre el suelo.

entapizar *v. tr.* **1.** Cubrir con tapices. **2.** Forrar con telas las paredes, sillas, etc.

entapujar *v. tr.* **1.** *fam.* Tapar, cubrir. También prnl. **2.** *fig.* Andar con tapujos, ocultar la verdad.

entarascar *v. tr., fam.* Cargar de demasiados adornos a una persona. Se usa más como prnl.

entarimado *s. m.* Entablado del suelo.

entarimar *v. tr.* Cubrir con tarimas.

entarquinamiento *s. m.* Operación de entarquinar.

entarquinar *v. tr.* Abonar las tierras con tarquín.

entarugado *s. m.* Pavimento formado de tarugos de madera.

entarugar *v. tr.* Pavimentar con tarugos de madera.

éntasis *s. f.* Parte más abultada del fuste de algunas columnas.

ente *s. m.* **1.** Lo que es, existe o puede existir. **2.** *fig.* Sujeto ridículo.

entecarse *v. prnl., fam.* Ponerse enteco.

enteco, ca *adj.* Enfermizo, flaco, débil.

entelequia *s. f.* **1.** Estado de perfección al que tiende cada especie. **2.** Cosa irreal.

entelerido, da *adj.* Sobrecogido de frío o de pavor.

entena *s. f.* Palo encorvado y muy largo al cual va asegurada la vela latina.

entenado, da *s. m. y s. f.* Hijastro.

entendederas *s. f. pl., fam.* Entendimiento.

entendedor, ra *adj.* Que entiende. También s. m. y s. f.

entender *v. tr.* **1.** Tener idea clara de las cosas, comprenderlas. **2.** Discurrir, inferir, deducir. ‖ *v. intr.* **3.** Con las preposiciones *de* o *en*, tener conocimiento o aptitud para el ejercicio de un arte, ciencia, etc. ‖ *v. prnl.* **4.** Conocerse, comprenderse a sí mismo. **5.** Ir dos o más de conformidad en un negocio. **6.** Conocer el ánimo o intención de alguien.

entendido, da *adj.* Sabio, docto perito, diestro.

entendimiento *s. m.* **1.** Facultad de comprender. **2.** Razón humana. **3.** Relación amistosa entre los pueblos.

entenebrecer *v. tr.* Oscurecer, llenar de tinieblas. También prnl.

enteralgia *s. f.* Dolor intestinal agudo.

enterar *v. tr.* **1.** Informar. También prnl. ‖ *v. prnl.* **2.** Notar, darse cuenta.

entercarse *v. prnl.* Obstinarse, emperrarse.

entereza *s. f.* **1.** Integridad. **2.** Fortaleza. **3.** *fig.* Severa observancia de la disciplina.

entérico, ca *adj.* Perteneciente o relativo a los intestinos.

enteritis *s. f.* Inflamación de la membrana mucosa de los intestinos.

enterizo, za *adj.* **1.** Entero. **2.** De una sola pieza.

enternecedor, ra *adj.* Que enternece.

enternecer *v. tr.* **1.** Ablandar. También prnl. **2.** Mover a la ternura. También prnl.

enternecimiento *s. m.* Acción y efecto de enternecer.

entero, ra *adj.* **1.** Íntegro. **2.** Se dice de la persona que tiene entereza. **3.** Robusto.

enterocolitis *s. f.* Inflamación del intestino delgado, del ciego y del colon.

enterotomía *s. f.* Sección del intestino.

enterrador *s. m.* Sepulturero.

enterramiento *s. m.* **1.** Entierro. **2.** Sepulcro. **3.** Sepultura.

enterrar *v. tr.* **1.** Poner debajo de tierra. **2.** Dar sepultura. **3.** Relegar al olvido.

enterratorio *s. f., Arg. y Chil.* Cementerio, y en especial el de indígenas.

entesamiento *s. m.* Acción y efecto de entesar.

entesar *v. tr.* Poner tirante y tensa una cosa.

entestado, da *adj.* Testarudo.

entestecer *v. tr.* Apretar o endurecer. También prnl.

entibación *s. f.* Acción y efecto de entibar.

entibador *s. m.* Operario dedicado a la entibación.

entibar *v. intr.* **1.** Estribar. ‖ *v. tr.* **2.** Apuntalar con maderas las excavaciones.

entibiar *s. m.* Poner tibio un líquido, darle un grado de calor moderado. También prnl.

entibo *s. m.* **1.** *fig.* Fundamento, apoyo. **2.** *fig.* En arquitectura, estribo. **3.** *fig.* Madero para apuntalar.

entidad *s. f.* **1.** Lo que constituye la esencia de un género. **2.** Ente. **3.** Empresa.

entierro *s. m.* **1.** Sitio en que se entierran los difuntos. **2.** El cadáver que se lleva a enterrar con su acompañamiento.

entiesar *v. tr.* Atiesar.

entigrecerse *v. prnl., fig.* Enojarse, enfurecerse.

entimema *s. m.* Silogismo imperfecto en el que se sobreentiende una de las premisas.

entimemático, ca *adj.* Perteneciente al entimema.

entintar *v. tr.* Untar o teñir con tinta.

entinar *v. tr.* Poner en tina.

entitativo, va *adj.* Exclusivamente, propio de la entidad.

entizar *v. tr.* Dar de tiza al taco de billar.

entiznar *v. tr.* Tiznar.

entolar *v. tr.* Pasar de un tul a otro las flores o dibujos de un encaje.

entoldado *s. m.* Conjunto de toldos para dar sombra.

entoldamiento *s. m.* Acción y efecto de entoldar.

entoldar *v. tr.* Cubrir con toldos.

entomizar *v. tr.* Liar con tomizas los maderos para que se pegue el yeso.

entomófilo, la *adj.* Aficionado a los insectos.

entomología *s. f.* Parte de la zoología que trata de los insectos.

entomológico, ca *adj.* Perteneciente o relativo a la entomología.

entomólogo, ga *s. m. y s. f.* Persona que por profesión o estudio conoce y sabe la entomología.

entonación *s. f.* Inflexión de la voz según el sentido de lo que se dice.

entonadera *s. f.* Palanca con que se mueven los fuelles del órgano.

entonador, ra *adj.* **1.** Que entona. || *s. m. y s. f.* **2.** Persona que mueve los fuelles del órgano.

entonamiento *s. m.* Entonación.

entonar *v. tr.* **1.** Cantar ajustado al tono; afinar la voz. También intr. **2.** Dar el tono a los demás. **3.** Envanecerse.

entonatorio *adj.* Que sirve para entonar.

entonces *adv. t.* **1.** En aquel tiempo u ocasión. || *adv. m.* **2.** En tal caso, siendo así.

entonelar *v. tr.* Introducir algo en toneles.

entono *s. m.* **1.** Entonación. **2.** *fig.* Arrogancia, presunción.

entontar *v. tr., amer.* Atontar, entontecer. También prnl.

entontecer *v. tr.* **1.** Poner tonto. || *v. intr.* **2.** Volverse tonto. También prnl.

entontecimiento *s. m.* Acción y efecto de entontecer.

entorchado *s. m.* Bordado en oro o plata que, como distintivo, llevan en las vueltas de las mangas del uniforme ciertos militares y altos funcionarios.

entorchar *v. tr.* **1.** Formar antorchas. **2.** Cubrir un hilo o cuerda enroscándoles otro.

entorilar *v. tr.* Meter el toro en el toril.

entornar *v. tr.* **1.** Volver la puerta o la ventana sin cerrarla del todo. **2.** Se dice de los ojos cuando no se cierran del todo.

entornillar *v. tr.* Hacer o disponer una cosa en forma de tornillo.

entorno *s. m.* Conjunto de personas, objetos y circunstancias que rodean algo.

entorpecedor, ra *adj.* Que entorpece.

entorpecer *v. tr.* **1.** Poner torpe. También prnl. **2.** Dificultar. También prnl.

entorpecimiento *s. m.* Acción y efecto de entorpecer.

entortadura *s. f.* Acción y efecto de entortar.

entortar *v. tr.* Dejar a alguien tuerto.

entosigar *v. tr.* Atosigar, envenenar.

entozoario *s. m.* Parásito que vive en el interior del cuerpo de un animal.

entrada *s. f.* **1.** Espacio por donde se entra. **2.** *fig.* Billete para entrar.

entrador, ra *adj., C. Ric., Méx. y Ven.* Que acomete fácilmente empresas arriesgadas.

entramado *s. m.* Armazón de madera.

entramar *v. tr.* Hacer un entramado.

entrambos, bas *adj. pl.* Ambos.

entrampar *v. tr.* **1.** Caer en la trampa. También prnl. || *v. prnl.* **2.** Endeudarse.

entrante *adj.* **1.** Hablando de un periodo de tiempo, como semanas, meses o años, el inmediatamente próximo en el futuro. || *s. m.* **2.** Parte de una cosa que entra en otra. **3.** Comida variada que se sirve como entrada.

entraña *s. f.* **1.** Cada uno de los órganos de las cavidades del pecho y del vientre. || *s. f. pl.* **2.** *fig.* Lo más oculto y escondido.

entrañable *adj.* Íntimo, muy afectuoso.

entrañar *v. tr.* **1.** Introducir en lo más hondo. También prnl. || *v. prnl.* **2.** Unirse de todo corazón con alguien.

entrapajar *v. tr.* **1.** Envolver con trapos alguna parte del cuerpo. También prnl. || *v. prnl.* **2.** Entraparse.

entrapar *v. tr.* **1.** Echarse polvos en el cabello con el fin de desengrasarlo, o llenarle de polvos para que abulte. || *v. prnl.* **2.** Llenarse de polvo y mugre una tela, el pelo, etc.

entrapazar *v. intr.* Usar de trapazas y otros engaños.

entrar *v. intr.* **1.** Ir, pasar de fuera a dentro. **2.** Encajar. **3.** Pasar a formar parte de un conjunto. **4.** Penetrar, introducirse. **5.** Acometer. **6.** *fig.* Tratándose de estaciones o épocas del año, empezar. **7** *fig.* Tener parte en la composición de una cosa. || *v. tr.* **8.** Introducir algo. || *v. prnl.* **9.** Meterse en algún lugar.

entre *prep.* **1.** Denota situación o estado en medio de dos o más acciones o cosas. **2.** Dentro de, en lo interior de. **3.** Expresa estado intermedio. **4.** Denota situación, cooperación, estado, participación en un grupo. **5.** Relaciona o compara dos o más personas o cosas. **6.** *locs. advs.* Entre tanto. Durante algún tiempo intermedio.

entreabrir *v. tr.* Abrir un poco o a medias. También prnl.

entreacto *s. m.* Intermedio en una representación.

entreancho, cha *adj.* Se dice de lo que no es ancho ni angosto.

entrecalle *s. f.* En arquitectura, separación entre dos molduras.

entrecanal *s. f.* Espacio entre las estrías o canales de una columna.

entrecano, na *adj.* Se dice del cabello o barba a medio encanecer.

entrecava *s. f.* Cava ligera y no muy honda.

entrecavar *v. tr.* Cavar ligeramente.

entrecejo *s. m.* **1.** Espacio que hay entre las cejas. **2.** *fig.* Ceño, sobrecejo.

entrechocar *v. tr.* Chocar una cosa con otra.

entreclaro, ra *adj.* Que tiene alguna claridad.

entrecoger *v. tr.* Coger a una persona o cosa de modo que no se pueda escapar sin dificultad.

entrecomar *v. tr.* Poner entre comas, o entre comillas, una o varias palabras.

entrecomillar *v. tr.* Poner entre comillas una o varias palabras.

entrecoro *s. m.* Espacio que hay entre el coro y la capilla mayor en las catedrales.

entrecortado, da *adj.* Se aplica al sonido o a la voz que se emite con intermitencias.

entrecortar *v. tr.* Cortar una cosa sin acabar de dividirla.

entrecorteza *s. f.* Defecto de las maderas que consiste en tener en su interior un trozo de corteza.

entrecot *s. m.* Filete grueso de carne de vacuno.

entrecriarse *v. prnl.* Criarse unas plantas entre otras.

entrecruzar *v. tr.* Cruzar dos o más cosas entre sí. También prnl.

entrecubiertas *s. f. pl.* Espacio que hay entre las cubiertas de una embarcación. También en sing.

entrecuesto *s. m.* Espinazo de un animal.

entredecir *v. tr.* Poner entredicho.

entredicho *s. m.* Prohibición de hacer o decir alguna cosa.

entredós *s. m.* **1.** Tira de encaje que se cose entre dos telas. **2.** Armario bajo, generalmente colocado entre dos huecos.

entrefino, na *adj.* De calidad media.

entreforro *s. m.* Entretela, lienzo que se pone entre la tela y el forro.

entrega *s. f.* **1.** Cada uno de los cuadernos impresos en que se suele dividir un libro. **2.** Lo entregado de una vez.

entregador, ra *adj.* Que entrega. También s. m. y s. f.

entregamiento *s. m.* Acción de entregar.

entregar *v. tr.* **1.** Poner en poder de otro. ‖ *v. prnl.* **2.** Someterse a alguien. **3.** Dedicarse enteramente a una cosa.

entreguerras, de *loc.* Señala el periodo de paz, entre dos guerras consecutivas.

entrejuntar *v. tr.* Enlazar los entrepaños de las puertas, ventanas, etc., con los travesaños.

entrelazamiento *s. m.* Acción y efecto de entrelazar.

entrelazar *v. tr.* Enlazar, entretejer una cosa con otra.

entrelínea *s. f.* Lo escrito entre dos líneas.

entrelinear *v. tr.* Escribir entre dos líneas.

entreliño *v. intr.* Espacio que en las viñas y olivares se deja entre liño y liño.

entrelistado, da *adj.* Trabajado a listas de diferente color.

entrelucir *v. intr.* Dejarse ver una cosa entremedias de otra o al través.

entremediar *v. tr.* Poner una cosa entremedias de otras.

entremedias *adv. t. y adv. l.* Entre uno y otro tiempo, espacio, lugar o cosa.

entremés *s. m.* **1.** Manjares ligeros que se sirven antes del primer plato. **2.** Pieza dramática jocosa de un solo acto.

entremesear *v. tr., fig.* Mezclar cosas graciosas y festivas en una conversación o discurso.

entremesil *adj.* Perteneciente o relativo al entremés teatral.

entremesista *com.* Persona que compone entremeses o los representa.

entremeter *v. tr.* **1.** Meter una cosa entre otras. ‖ *v. prnl.* **2.** Ponerse en medio o entre otros. **3.** Meterse alguien donde no le llaman.

entremetido, da *adj.* Se aplica al que tiene costumbre de meterse donde no le llaman. También s. m. y s. f.

entremetimiento *s. m.* Acción y efecto de entremeter o entremeterse.

entremezcladura *s. f.* Acción y efecto de entremezclar.

entremezclar *v. tr.* Mezclar una cosa con otra sin confundirlas.

entremiso *s. m.* Expremijo.

entrenador, ra *s. m. y s. f.* Persona que entrena personas o animales.

entrenamiento *s. m.* Acción y efecto de entrenar.

entrenar *v. tr.* Preparar, adiestrar personas o animales. También prnl.

entrenudo *s. m.* Parte del tallo de algunas plantas comprendida entre dos nudos.

entrenzar *v. tr.* Trenzar.

entreoír *v. tr.* Oír una cosa sin percibirla bien.

entrepalmadura *s. f.* Enfermedad que padecen las caballerías en la cara palmar del casco.

entrepanes *s. m. pl.* Tierras no sembradas entre otras que lo están.

entrepañado, da *adj.* Hecho o labrado a entrepaños.

entrepaño *s. m.* **1.** Espacio de la pared entre dos columnas, pilastras o huecos. **2.** Anaquel del estante o de la alacena.

entreparecerse *v. prnl.* Traslucirse, divisarse una cosa.

entrepaso *s. m.* Modo de marchar el caballo parecido al portante.

entrepeines *s. m. pl.* Lana que queda en los peines después de haber sacado el estambre.

entrepelado, da *adj.* Se dice del ganado caballar cuya capa tiene, sobre fondo oscuro, pelos blancos.

entrepelar *v. intr.* Estar mezclado el pelo de un color con el de otro distinto. También prnl.

entrepernar *v. intr.* Meter alguien sus piernas entre las de otro.

entrepierna *s. f.* **1.** Parte inferior de los muslos. **2.** *fam.* Genitales.

entrepiso *s. m.* Piso que se construye quitando parte de la altura de otro y que queda entre este y el superior.

entreplanta *s. f.* Entrepiso de tiendas, oficinas, etc.

entrepuentes *s. m. pl.* Entrecubiertas. Se usa también en sing.

entrepunzar *v. tr.* Punzar una cosa.

entrerrenglonar *v. tr.* Escribir en el espacio que media entre renglones.

entresaca *s. f.* Acción y efecto de entresacar.

entresacadura *s. f.* Entresaca.

entresacar *v. tr.* Sacar una cosa de otra.

entresijo *s. m.* Cosa interior, escondida.

entresuelo *s. m.* Habitación entre el cuarto bajo y el principal de una casa.

entresurco *s. m.* Espacio que queda entre dos surcos.

entretalla *s. f.* Media talla o bajo relieve.

entretalladura *s. f.* Entretalla.

entretallar *v. tr.* **1.** Labrar en bajorrelieve. **2.** Grabar, esculpir. **3.** Hacer en una tela calados o recortados. **4.** *fig.* Coger, estrechar a una persona estorbándole el paso, o detener el curso de una cosa. || *v. prnl.* **5.** Encajarse unas cosas con otras.

entretanto *adv. t.* Entre tanto.

entretecho *s. m., Col. y Chil.* Desván, sobrado.

entretejedura *s. f.* Enlace de una cosa entretejida con otra.

entretejer *v. tr.* **1.** Mezclar hilos diferentes en la tela que se teje. **2.** Trabar, enlazar.

entretejimiento *s. m.* Acción y efecto de entretejer.

entretela *s. f.* **1.** Lienzo, entre la tela y el forro. || *s. f. pl.* **2.** Lo íntimo del corazón.

entretelar *v. tr.* Poner entretela en una prenda de vestir.

entretención *s. f., amer.* Entretenimiento, diversión.

entretenedor, ra *adj.* Que entretiene. También *s. m.* y *s. f.*

entretener *v. tr.* **1.** Divertir, distraer. También prnl. **2.** Dar largas a un negocio.

entretenido, da *adj.* Chistoso, divertido, de genio y humor festivo y alegre.

entretenimiento *s. m.* Cosa que sirve para entretener.

entretiempo *s. m.* Tiempo de primavera y otoño.

entreuntar *v. tr.* Untar ligeramente.

entrevenarse *v. prnl.* Introducirse por las venas.

entreventana *s. f.* Espacio macizo de pared entre dos ventanas.

entrever *v. tr.* **1.** Ver confusamente una cosa. **2.** Conjeturarla, sospecharla.

entreverado, da *adj.* Que tiene interpoladas cosas varias o vetas.

entreverar *v. tr.* Mezclar, introducir una cosa entre otras.

entrevero *s. m.* **1.** *Arg., Chil. y Ur.* Acción y efecto de entreverarse. **2.** *Arg. y Chil.* Confusión, desorden.

entrevía *s. f.* Espacio libre que queda entre dos raíles.

entrevista *s. f.* **1.** Acción y efecto de entrevistar. **2.** Conferencia de una o más personas para tratar un asunto. **3.** En periodismo, la celebrada con alguna persona importante para solicitar su opinión o sus noticias acerca de un asunto de interés público.

entrevistador, ra *s. m.* y *s. f.* Persona que realiza entrevistas.

entrevistar *v. tr.* **1.** Tener una conversación con una o varias personas acerca de ciertos extremos para informar al público de sus respuestas. || *v. prnl.* **2.** Tener una entrevista con una persona.

entrevuelta *s. f.* Surco corto que se da por un lado de la besana para enderezarla.

entriparse *v. prnl., Arg. y Col.* Disgustar, enojar a alguien.

entristecedor, ra *adj.* Que entristece.

entristecer *v. tr.* **1.** Causar tristeza. || *v. prnl.* **2.** Ponerse triste y melancólico.

entristecimiento *s. m.* Acción y efecto de entristecer o entristecerse.

entrojar *v. tr.* Guardar en la troje frutos, y en especial cereales.

entrometer *v. tr.* **1.** Meter una cosa entre otras. || *v. prnl.* **2.** Meterse alguien donde no le llaman.

entrometido, da *adj.* Entremetido. También *s. m.* y *s. f.*

entrometimiento *s. m.* Entremetimiento.

entronar *v. tr.* Entronizar.

entroncamiento *s. m.* Acción y efecto de entroncar.

entroncar *v. intr.* **1.** Tener parentesco. **2.** Contraer parentesco. También prnl.

entronerar *v. tr.* Meter una bola en las troneras de la mesa de billar. También prnl.

entronización *s. f.* Acción y efecto de entronizar o entronizarse.

entronizar *v. tr.* **1.** Colocar en el trono. **2.** *fig.* Ensalzar. || *v. prnl.* **3.** *fig.* Engreírse.

entronque *s. m.* Parentesco entre personas que tienen un tronco común.

entruchada *s. f., fam.* Cosa hecha por confabulación de algunos.

entruchar *v. tr.* Atraer a alguien con disimulo y engaño para meterlo en algún negocio.

entruchón, na *adj., fam.* Que hace o practica entruchadas.

entruejo *s. m.* Antruejo.

entrujar *v. tr.* Guardar en la truja la aceituna.

entubar *v. tr.* Poner tubos en alguna cosa.

entuerto *s. m.* **1.** Tuerto, injusticia o agravio. **2.** *pl.* Dolores de vientre que suelen sobrevenir a las mujeres poco después de haber parido.

entullecer *v. tr.* Tullirse. También prnl.

entumecer *v. tr.* Entorpecer el movimiento de un miembro. También prnl.

entumecimiento *s. m.* Acción y efecto de entumecer.

entumirse *v. prnl.* Entorpecerse un músculo.

entupir *v. tr.* Obstruir o cerrar un conducto.

enturbiamiento *s. m.* Acción y efecto de enturbiar.

enturbiar *v. tr.* Hacer o poner turbia una cosa. También prnl.

entusiasmar *v. tr.* Infundir entusiasmo. También prnl.

entusiasmo *s. m.* **1.** Exaltación del ánimo. **2.** Adhesión fervorosa a una causa.

entusiasta *adj.* Que siente entusiasmo. También com.

entusiástico, ca *adj.* Relativo al entusiasmo, que lo denota.

enucleación *s. f.* Extirpación de un órgano, glándula, quiste, etc., a la manera como se saca el hueso de la .fruta.

enumeración *s. f.* Expresión sucesiva y ordenada de las partes de un todo.

enumerar *v. tr.* Hacer enumeración de las cosas.

enumerativo, va *adj.* Que enumera o contiene una enumeración.

enunciación *s. f.* Acción y efecto de enunciar.

enunciado *s. m.* **1.** Enunciación. **2.** En ciertas escuelas lingüísticas, secuencia finita de palabras delimitada por silencios muy marcados.

enunciar *v. tr.* Expresar alguien breve y sencillamente una idea.

enunciativo, va *adj.* **1.** Se dice de lo que enuncia. **2.** Se dice de las oraciones que afirman o niegan algo de un sujeto.

envainador, ra *adj.* Que envaina.

envainar *v. tr.* Meter un arma en la vaina.

envalentonamiento *s. m.* Acción y efecto de envalentonar o envalentonarse.

envalentonar *v. tr.* **1.** Infundir valentía. ‖ *v. prnl.* **2.** Echárselas de valiente.

envalijar *v. tr.* Meter en la valija una cosa.

envanecer *v. tr.* Infundir soberbia o vanagloria a alguien. También prnl.

envanecimiento *s. m.* Acción y efecto de envanecer.

envaramiento *s. m.* Acción y efecto de envarar.

envarar *v. tr.* Entorpecer el movimiento de un miembro. También prnl.

envarbascar *v. tr.* Inficionar el agua con verbasco para atontar a los peces.

envaronar *v. tr.* Crecer con robustez.

envasador, ra *adj.* **1.** Que envasa. ‖ *s. m.* **2.** Embudo grande.

envasar *v. tr.* Echar un líquido en envases; introducir en recipientes adecuados.

envase *s. m.* Recipiente o vaso en que se conservan y transportan ciertos géneros.

envedijarse *v. prnl.* Hacerse vedijas en el pelo, la lana, etc.

envejecer *v. tr.* **1.** Hacer vieja a una persona o cosa. ‖ *v. intr.* **2.** Hacerse vieja una persona o cosa. También prnl.

envejecido, da *adj., fig.* Acostumbrado, experimentado.

envejecimiento *s. m.* Acción y efecto de envejecer.

envenenamiento *s. m.* Acción y efecto de envenenar.

envenenar *v. tr.* **1.** Emponzoñar. También prnl. **2.** *fig.* Interpretar en mal sentido las palabras o acciones.

enverar *v. intr.* Empezar las frutas, principalmente la uva, a tomar color de maduras.

enverdecer *v. intr.* Reverdecer el campo, las plantas, etc.

envergadura *s. f.* **1.** Ancho de una vela. **2.** Distancia entre las puntas de las alas abiertas de las aves, aviones, etc. **3.** *fig.* Importancia, amplitud, alcance.

envergar *v. tr.* Sujetar las velas a las vergas.

enverjado *s. m.* Conjunto de rejas de un edificio o de una verja.

envero *s. m.* Color que toman las uvas y otras frutas cuando comienzan a madurar.

envés *s. m.* Revés.

envesado, da *adj.* Que manifiesta el envés.

envestir *v. tr.* Investir.

enviado, da *s. m. y s. f.* **1.** Persona que va por mandato de otra con un mensaje o comisión. ‖ *s. f.* **2.** Acción y efecto de enviar. **3.** Embarcación que lleva a puerto la pesca que va capturando otra mayor.

enviajado, da *adj.* Oblicuo, sesgo.

enviar *v. tr.* Hacer que una persona o cosa vaya o sea llevada a alguna parte.

enviciamiento *s. m.* Acción y efecto de enviciar.

enviciar *v. tr.* **1.** Corromper con vicio. ‖ *v. prnl.* **2.** Aficionarse demasiado a una cosa.

envidada *s. f.* Acción y efecto de envidar.

envidar *v. tr.* Hacer envite en el juego.

envidia *s. f.* **1.** Pesar del bien ajeno. **2.** Deseo de imitar las acciones de otro.

envidiable *adj.* Digno de ser deseado.

envidiar *v. tr.* **1.** Tener envidia, sentir el bien ajeno. **2.** *fig.* Desear lo ajeno.

envidioso, sa *adj.* Que tiene envidia. También s. m. y s. f.

envido *s. m.* Envite de dos tantos en el juego del mus.

envigado *s. m.* Conjunto de las vigas de un edificio.

envigar *v. tr.* Asentar las vigas de un edificio.

envilecedor, ra *adj.* Que envilece.

envilecer *v. tr.* **1.** Hacer vil y despreciable a una persona o cosa. ‖ *v. prnl.* **2.** Perder alguien la estimación que tenía.

envilecimiento *s. m.* Acción y efecto de envilecer.

envinagrar *v. tr.* Echar vinagre en una cosa.

envinar *v. tr.* Echar vino en el agua.

envío *s. m.* Remesa.

envión *s. m.* Empujón.

enviscamiento *s. m.* Acción y efecto de enviscar o enviscarse.

enviscar[1] *v. tr.* **1.** Untar con liga las ramas para cazar pájaros. ‖ *v. prnl.* **2.** Pegarse los pájaros y los insectos con la liga.

enviscar[2] *v. tr.* **1.** Azuzar. **2.** *fig.* Irritar.

envite *s. m.* **1.** Apuesta de algunos juegos. **2.** *fig.* Ofrecimiento. **3.** *fig.* Empujón.

enviudar *v. intr.* Quedar viudo o viuda.

envoltijo *s. m.* Envoltura, cosa que envuelve a otra.

envoltorio *s. m.* **1.** Lío. **2.** Papel, lienzo, arpillera, etc., que sirve para envolver.

envoltura *s. f.* Capa exterior que envuelve una cosa.

envolvedor, ra *s. m. y s. f.* **1.** Persona que se dedica a envolver mercancías. ‖ *s. m.* **2.** Cualquier cosa que sirve para envolver.

envolver *v. tr.* **1.** Cubrir una cosa rodeándola con algo. **2.** Contener una cosa a otra. ‖ *v. prnl.* **3.** Mezclarse entre otros.

envolvimiento *s. m.* Acción y efecto de envolver.

enyerbarse *v. prnl., amer.* Cubrirse de yerba un terreno.

enyesado *s. m.* **1.** Acción y efecto de enyesar. **2.** Operación de echar yeso, principalmente a los vinos.

enyesadura *s. f.* Acción y efecto de enyesar.

enyesar *v. tr.* **1.** Tapar o acomodar con yeso. **2.** Agregar yeso a alguna cosa. **3.** Endurecer por medio del yeso o la escayola los vendajes y apósitos.

enyugar *v. tr.* Uncir y poner el yugo.

enzainarse *v. prnl., fam.* Hacerse traidor, falso o poco seguro en el trato.

enzamarrado, da *adj.* Cubierto con zamarra.

enzarzar *v. tr.* **1.** Cubrir de zarzas. **2.** Enredar sembrando discordias. También prnl.

enzima *s. amb.* Fermento soluble del organismo animal.

enzootia *s. f.* Enfermedad habitual de una o más especies de animales en determinado territorio o región.

enzunchar *v. tr.* Asegurar con zunchos o flejes.

enzurdecer *v. intr.* Hacerse o volverse zurdo.

enzurizar *v. tr.* Enzarzar o sembrar discordia.

enzurronar *v. tr.* **1.** Meter en zurrón. **2.** *fig. y fam.* Incluir o encerrar una cosa en otra.

eoceno *adj.* Se dice del terreno que forma la base o comienzo del terreno terciario.

eólico, ca *adj.* Producido por el viento.

eolito *s. m.* Piedra de cuarzo usada como instrumento por el hombre primitivo.

¡epa! *interj.* **1.** ¡hola! **2.** Se usa para animar.

epacta *s. f.* Número de días en que el año solar excede al lunar común de 12 lunaciones.

epanadiplosis *s. f.* Figura que consiste en repetir al fin de una cláusula el mismo vocablo con que empieza.

epazote *s. m., Guat. y Méx.* Pazote.

epéndimo *s. m.* Membrana que tapiza el conducto central de los ventrículos del cerebro y de la médula espinal.

epéntesis *s. f.* Adición de una letra en medio de un vocablo.

epentético, ca *adj.* Que se añade por epéntesis.

eperlano *s. m.* Pez de los grandes ríos del norte de Europa, muy parecido a la trucha.

épica *s. f.* Género literario escrito en verso que canta las hazañas de los héroes.

epicardio *s. m.* Membrana que rodea el corazón.

epicedio *s. m.* Poesía, discurso, etc., dedicada a una persona muerta, en la cual se le alaba.

epiceno *adj.* Se dice del género de los nombres de animales cuando con el mismo término y artículo designan el macho y la hembra, como la perdiz, el jilguero.

epicentro *s. m.* Centro superficial de un fenómeno sísmico.

epiceyo *s. m.* Epicedio.

epiciclo *s. m.* Círculo con el centro fijo en la circunferencia de otro círculo de radio mayor, llamado deferente.

epicicloide *s. f.* Línea curva descrita por un punto de una circunferencia que rueda sobre otra fija, siendo ambas tangentes exteriormente.

épico, ca *adj.* **1.** Concerniente a la epopeya. **2.** Propio de la épica; característico de ella.

epicureísmo *s. m.* **1.** Sistema filosófico enseñado por Epicuro de Atenas. **2.** *fig.* Refinado egoísmo que busca el placer exento de todo dolor.

epicúreo, a *adj.* **1.** Que sigue la secta de Epicuro. También s. m. y s. f. **2.** *fig.* Sensual, voluptuoso.

epidemia *s. f.* Enfermedad que temporalmente aflige a un pueblo, acometiendo a la vez a gran número de personas.

epidémico, ca *adj.* Perteneciente a la epidemia.

epidemiología *s. f.* Ciencia que versa sobre las epidemias.

epidemiológico, ca *adj.* Perteneciente o relativo a la epidemiología.

epidemiólogo, ga *s. m. y s. f.* Persona versada en epidemiología.

epidérmico, ca *adj.* Perteneciente a la epidermis.

epidermis *s. f.* Membrana exterior de la piel.

Epifanía *s. f.* Festividad que celebra la Iglesia de la Adoración de los Reyes.

epífisis *s. f.* Extremo de los huesos largos.

epifito, ta *adj.* Se dice del vegetal que vive sobre otra planta, pero sin alimentarse de los jugos de esta.

epifonema *s. f.* Exclamación o reflexión final deducida de lo que anteriormente se ha dicho.

epífora *s. f.* Lagrimeo copioso y persistente que aparece en algunas enfermedades de los ojos.

epigastrio *s. m.* Región superior del abdomen, desde la punta del esternón hasta cerca del ombligo.

epiglotis *s. f.* Cartílago sujeto a la parte posterior de la lengua, que tapa la glotis.

epígono *s. m.* Que sigue a otro.

epígrafe *s. m.* **1.** Resumen, cita o sentencia que suele ponerse a la cabeza de una obra. **2.** Inscripción en piedra, metal, etc.

epigrafía *s. f.* Ciencia cuyo objeto es el estudio de las inscripciones.

epigrama *s. m.* **1.** Inscripción en piedra, metal. **2.** Composición poética breve, por lo común festiva o satírica. También s. f.

epigramista *com.* Persona que compone epigramas.

epilepsia *s. f.* Enfermedad nerviosa, caracterizada por convulsiones y pérdida brusca del conocimiento.

epiléptico, ca *adj.* Que padece de epilepsia. También s. m. y s. f.

epilogación *s. f.* Epílogo.

epilogar *v. tr.* Resumir, compendiar una obra o escrito.

epílogo *s. m.* **1.** Recapitulación de todo lo dicho. **2.** *fig.* Última parte del discurso.

epímone *s. f.* Figura que consiste en repetir sin intervalo una misma palabra o expresión.

epinicio *s. m.* Canto de victoria.

epiplón *s. m.* Redaño.

epiquerema *s. m.* Silogismo en que una o varias premisas van acompañadas de una prueba.

epiqueya *s. f.* Interpretación moderada y prudente de la ley, según las circunstancias de tiempo, lugar y persona.

episcopado *s. m.* **1.** Dignidad de obispo. **2.** Época y duración del gobierno de un obispo. **3.** Conjunto de obispos.

episcopal *adj.* Perteneciente o relativo al obispo.

episcopio *s. m.* Aparato para la proyección de la imagen de los cuerpos opacos.

episcopologio *adj.* Catálogo y serie de los obispos de una iglesia.

episódico, ca *adj.* Perteneciente al episodio.

episodio *s. m.* **1.** Acción secundaria en una obra literaria. **2.** Suceso enlazado con otros que forman un conjunto.

epispástico, ca *adj.* Vesicante. También s. m. y s. f.

epispermo *s. m.* Conjunto de las cubiertas de la semilla.

epistaxis *s. f.* Hemorragia nasal.

epistemología *s. f.* Disciplina filosófica que estudia los fundamentos y métodos del conocimiento científico.

epistemológico, ca *adj.* Perteneciente o relativo a la epistemología.

epístola *s. f.* **1.** Carta misiva que se escribe a los ausentes. **2.** Parte de la misa.

epistolar *adj.* Perteneciente a la epístola o carta.

epistolario *s. m.* Libro que contiene una colección de cartas o epístolas de un autor.

epístrofe *s. f.* Conversión, figura de dicción.

epitafio *s. m.* Inscripción propia para ponerla sobre un sepulcro.

epitalamio *s. m.* Composición lírica en celebración de una boda.

epitelial *adj.* Referente al epitelio.

epitelio *s. m.* Tejido o capa superficial que cubre la piel y las membranas mucosas.

epitelioma *s. m.* Tumor canceroso que se desarrolla en diferentes partes de la piel.

epítema *s. f.* Medicamento tópico que se aplica en forma de apósito.

epíteto *s. m.* Adjetivo que denota una cualidad inherente al nombre al que se refiere.

epítima *s. f.* **1.** Epítema. **2.** *fig.* Consuelo, alivio.

epitimar *v. tr.* Poner epítima o confortante en alguna parte del cuerpo.

epítimo *s. m.* Planta parásita con tallos filiformes, encarnados y sin hojas; flores rojizas y simiente menuda y redonda.

epitomar *v. tr.* Reducir a epítome una obra.

epítome *s. m.* Compendio, resumen.

epítrope *s. f.* Figura que consiste en fingir que se permite o se deja al arbitrio ajeno una cosa.

epizoario *s. m.* Animal que vive como parásito sobre el cuerpo de otro.

epizootia *s. f.* Epidemia de una o varias especies de animales.

epizoótico, ca *adj.* Perteneciente o relativo a la epizootia.

epizootiología *s. f.* Estudio científico de las epizootias.

época *s. f.* **1.** Periodo de tiempo que se señala por los hechos históricos acaecidos en él. **2.** Temporada de gran duración.

epoda *s. f.* Epodo.

epodo *s. m.* **1.** Último verso de la estancia, repetido muchas veces. **2.** En la poesía clásica, combinación métrica compuesta de un verso corto y otro largo.

epónimo, ma *adj.* Que da nombre a un pueblo, a una tribu, a un periodo, etc.

epopeya *s. f.* **1.** Poema narrativo de tema heroico. **2.** Conjunto de hechos gloriosos.

épsilon *s. f.* Nombre de la letra e breve del alfabeto griego.

epulón *s. m., fig.* Hombre que come y se regala mucho.

equiángulo *adj.* Se aplica a las figuras y sólidos cuyos ángulos son todos iguales.

equidad *s. f.* **1.** Igualdad de ánimo. **2.** Propensión a dejarse guiar por el sentimiento del deber. **3.** Moderación en el precio o en las condiciones de los contratos.

equidiferencia *s. f.* Igualdad de dos razones por diferencia.

equidistancia *s. f.* Igualdad de distancia entre varios puntos u objetos.

equidistar *v. intr.* Distar igualmente.

equidna *s. m.* Mamífero insectívoro, de cabeza pequeña, hocico afilado, lengua larga y muy extensible, con espinas; el cuerpo cubierto de pelo oscuro, entre el que salen unas púas en el dorso y los costados, semejantes a las del erizo.

équido, da *adj.* Se dice de los mamíferos cuyas extremidades acaban en un solo dedo; como el caballo. También s. m.

equilátero, ra *adj.* Se aplica a las figuras cuyos lado son todos iguales.

equilibrado, da *adj., fig.* Ecuánime, prudente.

equilibrar *v. tr.* **1.** Poner en equilibrio. También prnl. **2.** *fig.* Hacer que una cosa no exceda ni supere a otra.

equilibrio *s. m.* **1.** Estado de un cuerpo solicitado por fuerzas que se contrarrestan. **2.** Armonía. **3.** *fig.* Ecuanimidad.

equilibrista *adj.* Diestro en hacer ejercicios de equilibrio.

equimosis *s. f.* Mancha lívida en la piel, a consecuencia de un golpe, fuerte ligadura, etc.

equino *s. m.* **1.** Erizo marino. **2.** Parte inferior del capitel dórico y jónico.

equino, na *adj.* **1.** *poét.* Relativo o perteneciente al caballo. ‖ *s. m.* **2.** Animal de la especie equina.

equinoccio *s. m.* Época del año en que los días son iguales a las noches.

equinococo *s. m.* Larva de una tenia de tres a cinco mm de largo que vive en el intestino del perro y de otros mamíferos carnívoros; puede pasar al cuerpo de algunos rumiantes y al del ser humano, alojándose en el hígado y en los pulmones, donde crece hasta alcanzar el tamaño de la cabeza de un niño.

equinodermo *adj.* Se dice de los animales marinos de piel dura, con placas y espinas calcáreas, cuerpo radiado, y que tienen en el interior del mismo unos canales por los que circula el agua del mar, como la estrella de mar y el erizo marino.

equinoideos *s. m. pl.* Clase de equinodermos, con frecuencia esféricos y erizados. Se distinguen en regulares e irregulares por su simetría radiada más o menos perfecta; se les llama vulgarmente erizos de mar.

equipaje *s. m.* Conjunto de cosas que se llevan en los viajes.

equipamiento *s. m.* Acción y efecto de equipar.

equipar *v. tr.* Proveer de las cosas necesarias. También prnl.

equiparable *adj.* Que se puede equiparar.

equiparación *s. f.* Cotejo de una persona o cosa con otra, considerándolas iguales o equivalentes entre sí.

equiparar *v. tr.* Comparar una cosa con otra, considerándolas equivalentes.

equipo *s. m.* **1.** Conjunto de ropas, etc., para uso de una persona. **2.** Grupo organizado para un servicio, deporte, etc.

equipolado, da *adj.* Escaqueado, ajedrezado.

equipolencia *s. f.* Igualdad en el valor de varias cosas.

equipolente *adj.* Equivalente.

equiponderancia *s. f.* Igualdad en el peso.

equis *adj.* Denota un número desconocido o indiferente.

equisetáceo, a *adj.* Se aplica a plantas criptógamas, herbáceas, vivaces, de rizoma feculento, tallos muy delgados, en cuyos nudos hay verticilos de hojas escamosas.

equisetales *s. f. pl.* Orden de plantas formado únicamente por la familia de las equisetáceas.

equitación *s. f.* Arte de montar y manejar bien el caballo.

equitativo, va *adj.* Que tiene equidad.

equivalencia *s. f.* Igualdad en el valor, potencia o eficacia de dos o más cosas.

equivalente *adj.* Que equivale a otra cosa.

equivaler *v. intr.* **1.** Ser igual en el valor, potencia o eficacia. **2.** Ser de igual valor las áreas o volúmenes.

equivocación *s. f.* Cosa hecha equivocadamente.

equivocar *v. tr.* Tener o tomar una cosa por otra. Se usa más como prnl.

equívoco, ca *adj.* Que puede entenderse en varios sentidos.

era[1] *s. f.* **1.** Fecha desde la cual se empiezan a contar los años. **2.** Temporada larga.

era[2] *s. f.* Espacio descubierto donde se trillan las mieses.

eral, la *s. m. y s. f.* Res vacuna de más de un año y que no pasa de dos años.

erar *v. tr.* Formar eras para poner plantas.

erario *s. m.* Tesoro público.

erbio *s. m.* Metal muy raro.

erebo *s. m.* Infierno, averno.

erección *s. f.* **1.** Fundación. **2.** Tensión.

eréctil *adj.* Que tiene la facultad de levantarse, enderezarse o ponerse rígido.

erectilidad *s. f.* Calidad de eréctil.

erecto, ta *adj.* Enderezado, rígido.

erector, ra *adj.* Que erige. También s. m. y s. f.

eremita *s. m.* Ermitaño.

eremítico, ca *adj.* Perteneciente al ermitaño.

eremitorio *s. m.* Paraje donde hay una o más ermitas.

eretismo *s. m.* Exaltación de las propiedades vitales de un órgano.

erg *s. m.* Ergio.

ergástula *s. f.* Ergástulo.

ergástulo *s. m.* Cárcel destinada a esclavos.

ergio *s. m.* Unidad de energía equivalente al trabajo de una dina a lo largo de un centímetro.

ergo *conj. consec.* Por tanto, luego, pues.

ergonomía *s. f.* Estudios que tienden a mejorar la relación entre la capacidad humana y el ambiente y útiles de trabajo.

ergonómico, ca *adj.* Perteneciente o relativo a la ergonomía.

ergotina *s. f.* Principio activo del cornezuelo de centeno.

ergotismo[1] *s. m.* **1.** Enfermedad producida en el centeno. **2.** Intoxicación producida por haber comido pan de centeno atacado de ergotismo.

ergotismo[2] *s. m.* **1.** Sistema de los ergotistas. **2.** Prurito o manía de ergotizar o argüir en forma silogística.

ergotista *adj.* Que ergotiza. También com.

ergotizar *v. intr.* Abusar del sistema de argumentación silogística.

erguén *s. m.* Árbol espinoso de madera dura y semillas oleaginosas.

erguimiento *s. m.* Acción y efecto de erguir.

erguir *v. tr.* **1.** Poner derecha una cosa. También prnl. ‖ *v. prnl.* **2.** *fig.* Engreírse.

erial *adj.* Se aplica a la tierra o campo sin cultivar. También s. m.

ericáceo, a *adj.* Se dice de plantas dicotiledóneas, matas o arbustos, de hojas casi siempre alternas, coriáceas y persistentes, flores solitarias o en inflorescencias y fruto en cápsula, baya o drupa; como la azalea, el madroño. También s. f.

erigir *v. tr.* Fundar, instituir o levantar.

erina *s. f.* Instrumento metálico de uno o dos ganchos que usan los cirujanos para sujetar las partes sobre las que operan.

erio, a *adj.* Erial. Se usa más como s. m.

erisipela *s. f.* Enfermedad contagiosa, caracterizada por una inflamación de la piel y las mucosas, acompañada comúnmente de fiebre.

eritema *s. m.* Inflamación cutánea superficial caracterizada por manchas rojas.

eritrocito *s. m.* Célula esferoidal que da el color rojo a la sangre.

eritroxiláceo, a *adj.* Se dice de árboles y arbustos angiospermos, dicotiledóneos, que tienen hojas sencillas, esparcidas, flores actinomorfas, blanquecinas o de color amarillo verdoso, y fruto en drupa con una sola semilla. También s. f.

erizado, da *adj.* Cubierto de púas o espinas.

erizamiento *s. m.* Acción y efecto de erizar.

erizar *v. tr.* Levantar, poner rígida y tiesa una cosa. Se usa más como prnl.

erizo *s. m.* Mamífero insectívoro, con el dorso y los costados cubiertos de púas.

ermita *s. f.* Capilla o santuario situado por lo común en despoblado.

ermitaño, ña *s. m. y s. f.* **1.** Persona que vive en la ermita y cuida de ella. **2.** Persona que vive en soledad. ‖ *s. m.* **3.** Crustáceo marino decápodo que, para protegerse, se aloja en la concha de un molusco.

ermitorio *s. m.* Eremitorio.

erogación *s. f.* Acción y efecto de erogar.

erogar *v. tr.* **1.** Distribuir bienes o caudales. **2.** Ocasionar, originar.

eros *s. m.* Conjunto de impulsos sexuales del ser humano.

erosión *s. f.* **1.** Depresión producida por el roce. **2.** Desgaste de la superficie terrestre por agentes externos.

erosionar *v. tr.* Producir erosión.

erotema *s. f.* Interrogación retórica.

erótico, ca *adj.* Perteneciente o relativo al amor.

erotismo *s. m.* **1.** Pasión fuerte de amor. **2.** Amor sensual exacerbado.

erotomanía *s. f.* Enajenación mental caracterizada por un delirio erótico.

erotómano, na *adj.* Que padece erotomanía.

errabundo, da *adj.* Errante.

erradicación *s. f.* Acción de erradicar.

erradicar *v. tr.* Arrancar de raíz.

erraj *s. m.* Cisco hecho con huesos de aceituna machacados.

errante *adj.* Que anda de una parte a otra sin tener asiento fijo.

errar *v. tr.* **1.** No acertar. También intr. ‖ *v. intr.* **2.** Vagar ‖ *v. prnl.* **3.** Equivocarse.

errata *s. f.* Equivocación material cometida en lo impreso o lo manuscrito.

errático, ca adj. Errante, que pasa de una parte a otra.

errátil adj. Errante, incierto, variable.

erróneo, a adj. Que contiene error.

error s. m. Acción o juicio desacertado o equivocado.

erubescencia s. f. Rubor, vergüenza.

erubescente adj. Que se pone rojo o se sonroja.

eructar v. intr. Expeler con ruido por la boca los gases del estómago.

eructo s. m. Acción y efecto de eructar.

erudición s. f. Instrucción en varias ciencias y artes.

erudito, ta adj. Instruido en varias ciencias, artes y otras materias. También s. m. y s. f.

eruginoso, sa adj. Oxidado.

erupción s. f. **1.** Aparición en la piel de granos o vesículas. **2.** Emisión violenta de alguna materia sólida, líquida o gaseosa.

ervilla s. f. Arveja.

esbatimentar v. tr. **1.** Hacer o delinear un esbatimento. ‖ v. intr. **2.** Causar sombra un cuerpo en otro.

esbatimento s. m. Sombra que hace un cuerpo sobre otro.

esbeltez s. f. Estatura descollada y airosa de los cuerpos o figuras.

esbelto, ta adj. Gallardo, de descollada altura.

esbirro, rra s. m. **1.** Alguacil, policía. ‖ s. m. y s. f. **2.** fig. Persona que sirve a otra que le paga para ejecutar violencias.

esbozar v. tr. Bosquejar.

esbozo s. m. Bosquejo, boceto.

escabechado, da adj. Se dice de la persona que se tiñe las canas o se pinta el rostro.

escabechar v. tr. **1.** Echar en escabeche. **2.** fig. Teñir las canas.

escabeche s. m. Adobo con vinagre, hojas de laurel,etc., para conservar viandas.

escabechina s. f., fig. Riza, destrozo, estrago.

escabel s. m. **1.** Banquillo para apoyar los pies. **2.** Asiento pequeño sin respaldo.

escabiosa s. f. Planta herbácea con tallo velloso, hojas inferiores ovaladas y lobuladas las superiores, flores en cabezuela con corola azulada.

escabioso, sa adj. Perteneciente o relativo a la sarna.

escabro s. m. **1.** Roña de las ovejas que echa a perder la lana. **2.** Enfermedad que padecen en la corteza los árboles y las vides.

escabrosidad s. f. Calidad de escabroso.

escabroso, sa adj. **1.** Desigual, lleno de dificultades. **2.** fig. Áspero, duro.

escabuche s. f. Azada pequeña que se usa para escardar.

escabullir v. tr. Escapar. También prnl.

escachar v. tr. Aplastar, despachurrar.

escacharrar v. tr. Romper un cacharro. También prnl.

escafandra s. f. Aparato compuesto de una vestidura impermeable, usada para permanecer bajo el agua.

escafilar v. tr. Quitar la argamasa de los ladrillos viejos o las desigualdades de los nuevos.

escafoides adj. **1.** Se dice del hueso más externo y grueso de la primera fila del carpo. También s. m. **2.** Se dice del hueso del pie, situado delante del astrágalo en la parte interna media y un poco anterior del tarso. También s. m.

escajo s. m. Tierra yerma que se pone en cultivo.

escajote s. m. Árbol de América Central de madera compacta, que produce una fruta agridulce más pequeña que una ciruela.

escala s. f. **1.** Escalera de mano. **2.** Línea graduada, dividida en partes iguales, que representan unidades de medida. **3.** Sucesión ordenada de las notas musicales.

escalaborne s. m. Trozo de madera ya desbastado para labrar la caja del arma de fuego.

escalabrar v. tr. Descalabrar. También prnl.

escalada s. f. Acción y efecto de escalar.

escalador, ra adj. Que escala. También s. m. y s. f.

escalafón s. m. Lista de los individuos de una corporación clasificados.

escalamiento s. m. Acción y efecto de escalar.

escálamo s. m. Estaca pequeña y redonda, fijada en el borde de una embarcación, a la cual se ata el remo.

escalar v. tr. **1.** Entrar valiéndose de escalas. **2.** Subir a una gran altura.

escaldado, da adj. Escarmentado, receloso.

escaldadura s. f. Acción y efecto de escaldar.

escaldar v. tr. **1.** Bañar con agua hirviendo una cosa. **2.** Abrasar con fuego.

escaldo s. m. Cada uno de los antiguos poetas escandinavos, autores de cantos heroicos y de sagas.

escaleno adj. Se dice del triángulo que tiene los tres lados desiguales.

escalera s. f. Serie de escalones para subir y bajar.

escalerilla s. f. Escalera de corto número de escalones.

escaleta s. f. Aparato que sirve para suspender el eje de cualquier vehículo y poder componer o limpiar las ruedas.

escalfado, da adj. Se aplica a la pared mal encalada y que hace ampollas.

escalfador s. m. Braserillo con tres pies, usado para mantener caliente la comida en la mesa.

escalfar v. tr. Cocer en agua hirviendo un huevo sin la cáscara.

escalfarote *s. m.* Bota con pala y caña dobles para rellenarlas con borra y heno, y así conservar caliente el pie y la pierna.

escalfeta *s. f.* Chofeta, braserillo.

escalinata *s. f.* Escalera exterior de un solo tramo y hecha de fábrica.

escalmo *s. m.* Estaca fijada en el borde de la embarcación para atar en ella el remo.

escalo *s. m.* Acción de escalar.

escalofriante *adj.* Que causa escalofrío; espeluznante.

escalofrío *s. m.* Indisposición del cuerpo, en que a un tiempo se siente frío y calor.

escalón *s. m.* **1.** Peldaño. **2.** Grado a que se asciende en dignidad.

escalonamiento *s. m.* Acción y efecto de escalonar.

escalonar *v. tr.* **1.** Situar ordenadamente personas o cosas. También prnl. **2.** Distribuir en tiempos sucesivos las diversas partes de una serie.

escalope *s. m.* Filete delgado de vaca o de ternera, empanado o rebozado y frito.

escalpelo *s. m.* Bisturí que se usa principalmente en las disecciones de cadáveres.

escalplo *s. m.* Cuchilla de curtidores.

escama *s. f.* **1.** Membrana que cubre la piel de algunos animales. **2.** *fig.* Recelo.

escamado *s. m.* Obra labrada en figura de escamas.

escamadura *s. f.* Acción de escamar.

escamar *v. tr.* **1.** Quitar escamas. **2.** Hacer que alguien desconfíe. También prnl.

escamel *s. m.* Instrumento de espaderos, en el cual se tiende y se sienta la espada para labrarla.

escamochar *v. tr.* **1.** *And.* Quitar las hojas no comestibles a los palmitos, lechugas, alcachofas, etc. **2.** *fig.* Desperdiciar, malbaratar.

escamocho *s. m.* Sobras de la comida o bebida.

escamón, na *adj.* Receloso, desconfiado, que se escama.

escamonda *s. f.* Escamondo.

escamondadura *s. f.* Ramas inútiles que se quitan de los árboles.

escamondar *v. tr.* Limpiar los árboles quitándole las ramas inútiles.

escamondo *s. m.* Acción y efecto de escamondar.

escamonea *s. f.* Planta que produce una purgante gomorresina medicinal, del mismo nombre.

escamoso, sa *adj.* Que tiene escamas.

escamotar *v. tr.* Escamotear.

escamoteador, ra *adj.* Que escamotea. También s. m. y s. f.

escamotear *v. tr.* Robar con astucia.

escamoteo *s. m.* Acción y efecto de escamotear.

escampado, da *adj.* **1.** Se dice del terreno descubierto, sin tropiezos, malezas ni espesuras. ‖ *s. f.* **2.** *fam.* Claro, espacio corto de tiempo en que deja de llover en un día lluvioso.

escampar *v. tr.* **1.** Despejar, desembarazar un sitio. ‖ *v. intr.* **2.** Cesar de llover.

escampavía *s. f.* Barco pequeño que acompaña como explorador a otro mayor.

escampo *s. m.* Acción de escampar.

escamudo, da *adj.* Escamoso.

escamujar *v. tr.* Cortar o entresacar las ramas de un árbol.

escamujo *s. m.* Rama o vara de olivo quitada del árbol.

escancia *s. f.* Acción y efecto de escanciar.

escanciador, ra *adj.* Que escancia. También s. m. y s. f.

escanciano, na *s. m. y s. f.* Escanciador.

escandalar *s. m.* Cámara donde estaba la brújula en la galera.

escandalera *s. f., fam.* Escándalo, alboroto grande.

escandalizador, ra *adj.* Que escandaliza. También s. m. y s. f.

escanciar *v. tr.* Echar el vino.

escandalizar *v. tr.* **1.** Causar escándalo. También prnl. ‖ *v. prnl.* **2.** Enojarse.

escandallar *v. tr.* Sondear, medir el fondo del mar con el escandallo.

escandallo *s. m.* Sonda que se emplea para apreciar la calidad del fondo del agua.

escándalo *s. m.* **1.** Desenfreno, mal ejemplo. **2.** Alboroto, tumulto.

escandaloso, sa *adj.* Que causa escándalo. También s. m. y s. f.

escandir *v. tr.* Medir el verso.

escáner *s. m.* **1.** Aparato que sirve para explorar el interior de un objeto. **2.** Dispositivo que explora una imagen y la traduce en señales eléctricas.

escansión *s. f.* Medida de los versos.

escantillar *v. tr.* Tomar una medida a contar desde una línea fija.

escantillón *s. m.* Regla o patrón que sirve para trazar las líneas y fijar las dimensiones según las cuales se han de labrar las piezas.

escaño *s. m.* Banco con respaldo y con capacidad para sentarse tres o más personas.

escañuelo *s. m.* Banquillo para poner los pies.

escapada *s. f.* Acción de escapar o salir aprisa.

escapar *v. tr.* **1.** Librar a alguien de un peligro. ‖ *v. intr.* **2.** Salir ocultamente de un sitio. También prnl.

escaparate *s. m.* Hueco acristalado que hay en la fachada de algunas tiendas, para colocar en él muestras de los géneros.

escapatoria *s. f.* **1.** Sitio por donde se escapa. **2.** Excusa, efugio.

escape *s. m.* **1.** Fuga apresurada. **2.** Fuga de un gas o un líquido. **3.** Válvula que abre o cierra la salida de los gases.

escapo *s. m.* **1.** Fuste de la columna. **2.** Tallo herbáceo, florífero, sin hojas, que arranca de la parte baja del vegetal y lleva las flores en su ápice.

escápula *s. f.* Omóplato.

escapular[1] *v. tr.* Doblar un bajío, cabo, punta de costa, etc.

escapular[2] *adj.* Referente a la escápula.

escapulario *s. m.* Tira de tela con una imagen, que cuelga del cuello.

escaque *s. m.* Cada una de las casillas del tablero de ajedrez o damas.

escaqueado, da *adj.* Se aplica a la obra o labor repartida en escaques.

escaquear *v. tr.* **1.** Dividir un tablero en escaques. ‖ *v. prnl.* **2.** *fam.* Eludir un trabajo u obligación.

escara *s. f.* Costra que se produce por la gangrena o por una quemadura.

escarabajo *s. m.* Insecto coleóptero.

escaramujo *s. m.* Especie de rosal silvestre.

escaramuza *s. f.* Pelea de poca importancia entre las avanzadas de los ejércitos.

escarapela *s. f.* Divisa de cintas, que se colocaba en el sombrero.

escarapelar *v. intr.* **1.** Reñir, trabar disputas unos con otros. También prnl. **2.** *Col., C. Ric., Méx. y Ven.* Desconchar, descascarar. También prnl.

escarbadero *s. m.* Sitio donde tienen costumbre de escarbar los animales.

escarbadientes *s. m.* Mondadientes.

escarbador, ra *adj.* Que escarba.

escarbadura *s. f.* Acción y efecto de escarbar.

escarbaorejas *s. m.* Instrumento hecho en forma de cucharilla para limpiar los oídos.

escarbar *v. tr.* **1.** Arañar, rascar el suelo. **2.** *fig.* Inquirir algo que está oculto.

escarbo *s. m.* Acción y efecto de escarbar.

escarcear *v. intr., Arg. y Ven.* Hacer escarceos el caballo.

escarcela *s. f.* **1.** Especie de bolsa pendiente de la cintura. **2.** Especie de cofia.

escarceo *s. m.* **1.** Movimiento en la superficie del mar, con pequeñas olas. **2.** *fig.* Tentativa antes de iniciar una acción.

escarcha *s. f.* Rocío de la noche congelado.

escarchado, da *adj.* **1.** Cubierto de escarcha. ‖ *s. m.* **2.** Cierta labor de oro o plata.

escarchar *v. intr.* **1.** Formarse escarcha. ‖ *v. tr.* **2.** Preparar confituras cristalizando azúcar.

escarche *s. m.* Escarcha.

escarcina *s. f.* Espada corta y corva.

escarda *s. f.* Acción y efecto de escardar.

escardadera *s. f.* Escardadora.

escardador, ra *s. m. y s. f.* Persona que escarda los sembrados.

escardadura *s. f.* Acción y efecto de escardar.

escardar *v. tr.* Entresacar y arrancar las hierbas malas de los sembrados.

escariar *v. tr.* Agrandar o redondear un agujero abierto en metal.

escarizar *v. tr.* Quitar la escara que se cría alrededor de las llagas.

escarlata *s. f.* Color carmesí fino, menos subido que el de la grana.

escarlatina *s. f.* Enfermedad contagiosa caracterizada por un exantema difuso, inflamación de la garganta y fiebre muy alta.

escarmenar *v. tr.* Escoger el mineral de entre los escombros.

escarmentar *v. tr.* Corregir con rigor al que ha errado para que se enmiende.

escarmiento *s. m.* Castigo, multa, pena.

escarnecedor, ra *adj.* Que escarnece. También s. m. y s. f.

escarnecer *v. tr.* Hacer mofa de alguien.

escarnio *s. m.* Agravio que deshonra.

escaro *s. m.* Pez acantopterigio de color rojo, comprimido, propio de las costas de Grecia.

escarola *s. f.* Especie hortense de achicoria, de hojas radicales y recortadas, que se comen en ensalada.

escarolar *v. tr.* Alechugar.

escarpa *s. f.* Plano inclinado que forma la muralla.

escarpado, da *adj.* Se dice de las alturas que tienen subida muy agria y peligrosa.

escarpadura *s. f.* Escarpa, declive.

escarpar[1] *v. tr.* Limpiar por medio del escarpelo.

escarpar[2] *v. tr.* Cortar una montaña o terreno, peinándolo en plano inclinado.

escarpe *s. m.* **1.** Escarpa. **2.** Pieza de la armadura que cubría el pie.

escarpelo *s. m.* Instrumento con dientecillos de hierro que usan los carpinteros.

escarpia *s. f.* Clavo con cabeza acodillada.

escarpiador *s. m.* Horquilla de hierro que sirve para afianzar a una pared las cañerías.

escarpidor *s. m.* Peine de púas largas, gruesas y ralas.

escarpín *s. m.* Zapato de una sola suela y costura.

escarzano *adj.* Se dice del arco menor que el semicírculo del mismo radio.

escarzar[1] *v. tr.* Doblar un palo por medio de cuerdas para que forme un arco.

escarzar[2] *v. tr.* Sacar las patatas más gordas para que maduren las pequeñas.

escasear *v. tr.* **1.** Dar poco y de mala gana. **2.** Ahorrar, excusar. || *v. intr.* **3.** Faltar.

escasez *s. f.* **1.** Cortedad, mezquindad. **2.** Pobreza o falta de lo necesario.

escaso, sa *adj.* Corto, poco, limitado.

escatimar *v. tr.* Dar con mezquindad.

escatimoso, sa *adj.* Malicioso, astuto.

escatofagia *s. f.* Hábito de comer excrementos.

escatófago, ga *adj.* Se dice de los animales que se alimentan a base de excrementos.

escatófilo, la *adj.* Se dice de algunos insectos cuyas larvas se desarrollan entre excrementos.

escatología *s. f.* Estudio de los excrementos y suciedades.

escatológico, ca[1] *adj.* Referente a los excrementos y suciedades.

escatológico, ca[2] *adj.* Relativo a las postrimerías de ultratumba.

escavar *v. tr.* Cavar ligeramente la tierra para ahuecarla y quitar la maleza.

escayola *s. f.* **1.** Yeso. **2.** Estuco. **3.** Venda con este yeso para corregir fracturas.

escayolar *v. tr.* Endurecer por medio de yeso o escayola los apósitos y vendajes destinados a sostener los huesos rotos.

escena *s. f.* **1.** Parte del teatro en que se representa la obra dramática. **2.** *fig.* Suceso de la vida real que se considera como espectáculo digno de atención.

escenario *s. m.* Parte del teatro donde se representan las obras dramáticas.

escénico, ca *adj.* Perteneciente o relativo a la escena.

escenificación *s. f.* Acción y efecto de escenificar.

escenificar *v. tr.* Dar forma dramática a una obra literaria para ponerla en escena.

escenografía *s. f.* Conjunto de decorados que se montan en el escenario para ser utilizados en una representación teatral.

escenográfico, ca *adj.* Perteneciente o relativo a la escenografía.

escenógrafo, fa *adj.* Se dice de la persona que profesa o cultiva la escenografía. También s. m. y s. f.

escepticismo *s. m.* Incredulidad, tendencia a recelar de la eficacia de una cosa.

escéptico, ca *adj.* Que profesa el escepticismo. También s. m. y s. f.

esciente *adj.* Que sabe.

escinco *s. m.* Saurio acuático, de más de 1 m de longitud, cuyo cuerpo, cubierto de fuertes escamas, no tiene separación marcada entre la cabeza, el cuerpo y la cola; destruye los huevos de los cocodrilos y persigue sus crías.

escindir *v. tr.* Cortar, dividir, separar.

escirro *s. m.* Especie de cáncer o tumor duro que se produce principalmente en las glándulas.

escirroso, sa *adj.* Perteneciente o relativo al escirro.

escisión *s. f.* **1.** Rompimiento, desavenencia. **2.** Todo tipo de reproducción, por segmentación en dos partes iguales.

esclarea *s. f.* Amaro.

esclarecedor, ra *adj.* Que esclarece. También s. m. y s. f.

esclarecer *v. tr.* **1.** Iluminar, poner en claro algo. **2.** *fig.* Ilustrar el entendimiento.

esclarecido, da *adj.* Claro, ilustre, insigne.

esclarecimiento *s. m.* Acción y efecto de esclarecer.

esclavina *s. f.* Especie de capa corta que se pone al cuello y cubre los hombros.

esclavista *adj.* Partidario de la esclavitud.

esclavitud *s. f.* **1.** Estado de esclavo. **2.** *fig.* Sujeción excesiva.

esclavizar *v. tr.* **1.** Hacer esclavo a alguien. **2.** *fig.* Tener a alguien muy sujeto.

esclavo, va *adj.* Se dice de la persona que carece de libertad, bajo el dominio de otra. También s. m. y s. f.

esclerodermia *s. f.* Enfermedad caracterizada por un engrosamiento escleroso de la piel.

esclerosar *v. tr.* **1.** Producir esclerosis. || *v. prnl.* **2.** Alterarse un órgano o tejido con producción de esclerosis.

esclerosis *s. f.* Endurecimiento de un tejido o de un órgano.

escleroso, sa *adj.* Relativo a la esclerosis.

esclerótica *s. f.* Membrana gruesa, resistente y fibrosa, de color blanquecino, que cubre el globo del ojo.

esclusa *s. f.* Recinto con puertas para pasar tramos de distinto nivel, en un canal.

escoa *s. f.* Punto de mayor curvatura de cada cuaderna de un buque.

escoba *s. f.* **1.** Manojo de ramas flexibles, atadas al extremo de un palo, que sirve para barrer. **2.** Mata leguminosa con muchas ramas angulosas y flores amarillas.

escobada *s. f.* **1.** Cada uno de los movimientos que se hacen con la escoba para barrer. **2.** Barredura superficial.

escobajo *s. m.* Escoba vieja.

escobar *v. tr.* Barrer con escoba.

escobazar *v. tr.* Rociar con escoba o ramas mojadas.

escobazo *s. m.* Golpe dado con una escoba.

escobén *s. m.* Cada uno de los agujeros existentes a uno y otro lado de la roda de un buque, por donde pasan los cables y cadenas.

escobilla *s. f.* Cepillo para limpiar.

escobillar *v. tr.* **1.** Limpiar con escobilla, cepillar. **2.** *Arg., Cub., Chil. y Per.* En algunos bailes, batir el suelo con los pies, con movimientos rápidos.

escobillón *s. m.* Instrumento compuesto de un palo largo, que tiene en uno de sus extremos un cilindro con cerdas puestas alrededor para limpiar los cañones de artillería.

escobina *s. f.* Limadura de un metal cualquiera.

escobo *s. m.* Matorral espeso.

escobón *s. m.* Escoba de mango muy corto.

escocedura *s. f.* Acción y efecto de escocerse.

escocer *v. intr.* Producirse una sensación parecida a la quemadura. También tr.

escoda *s. f.* Especie de martillo que sirve para labrar piedras y picar paredes.

escodar *v. tr.* **1.** Labrar las piedras con martillo. **2.** Sacudir la cuerna los animales.

escofina *s. f.* Especie de lima para desbastar.

escofinar *v. tr.* Limar con escofina.

escoger *v. tr.* Tomar o elegir una o más cosas entre otras.

escogido, da *adj.* Selecto.

escolanía *s. f.* Conjunto de escolanos.

escolano *s. m.* Cada uno de los niños que en algunos monasterios se educaban para el servicio del culto y para el canto.

escolapio, pia *adj.* Perteneciente a la Orden de las Escuelas Pías, fundada por san José de Calasanz.

escolar *adj.* Perteneciente al estudiante o a la escuela.

escolarizar *v. tr.* Hacer que una persona reciba la enseñanza obligatoria o complete estudios comprendidos en el sistema académico oficial.

escolasticismo *s. m.* **1.** Filosofía enseñada en las universidades y escuelas eclesiásticas medievales, que intenta fundamentar y desarrollar la doctrina de la Iglesia como sistema científico, a través del uso de la argumentación silogística y la enseñanza de los libros de Aristóteles. **2.** Espíritu exclusivo de escuela en las doctrinas, métodos o tecnicismo científico.

escolástico, ca *adj.* **1.** Perteneciente a las escuelas medievales o al escolasticismo. **2.** Se dice del teólogo o filósofo que profesa el escolasticismo. También s. m. y s. f. ‖ *s. f.* **3.** Escolasticismo.

escoliar *v. tr.* Poner escolios a una obra o escrito.

escolio *s. m.* Nota que se pone a un texto para explicarlo.

escoliosis *s. f.* Desviación lateral de la columna vertebral.

escollar[1] *v. intr.* **1.** *Arg.* Tropezar en un escollo la embarcación. **2.** *Arg. y Chil.* Malograrse un propósito por haber tropezado con algún inconveniente.

escollar[2] *v. tr.* Descollar. También intr. y prnl.

escollera *s. f.* Obra hecha con piedras arrojadas al fondo del agua, para formar un dique de defensa.

escollo *s. m.* **1.** Peñasco que está a flor de agua. **2.** *fig.* Peligro. **3.** *fig.* Dificultad.

escolopendra *s. f.* Miriópodo con las primeras patas en forma de uñas venenosas.

escolta *s. f.* **1.** Partida de soldados o embarcación destinada a escoltar. ‖ *com.* **2.** Persona que acompaña o conduce a alguien para protegerlo o custodiarlo.

escoltar *v. tr.* Acompañar a una persona o cosa para protegerla, evitar que huya, etc.

escombrar *v. tr.* Desembarazar de escombros.

escombrera *s. f.* Sitio donde se echan escombros.

escombro *s. m.* Desechos, cascotes, etc., de un edificio arruinado o de una mina.

escomerse *v. prnl.* Irse desgastando algo sólido.

esconce *s. m.* Ángulo, rincón o punta que interrumpe la dirección que lleva una superficie cualquiera.

esconder *v. tr.* Ocultar a una persona o cosa. También prnl.

escondidas, a *loc. adv.* Ocultamente.

escondite *s. m.* **1.** Escondrijo. **2.** Juego.

escondrijo *s. m.* Lugar oculto, propio para esconder algo.

esconzar *v. tr.* Hacer a esconce una cosa.

escopeta *s. f.* Arma de fuego portátil.

escopetado, da *adj., fam.* Muy rápido.

escopetazo *s. m.* Tiro que sale de la escopeta.

escopetear *v. tr.* Hacer repetidos disparos de escopeta.

escopladura *s. f.* Corte o agujero hecho a fuerza de escoplo en la madera.

escoplear *v. tr.* Hacer corte o agujero con escoplo en la madera.

escoplo *s. m.* Utensilio de hierro acerado.

escora *s. f.* **1.** Línea céntrica del buque. **2.** Inclinación que toma un buque al ceder al esfuerzo de sus velas.

escorar *v. tr.* **1.** Inclinarse un buque por la fuerza del viento. **2.** Llegar la marea a su nivel más bajo.

escorbuto *s. m.* Enfermedad causada por falta de alimentos, con empobrecimiento de la sangre, ulceraciones y hemorragias.

escorchar *v. tr.* Quitar la piel de alguien o de un animal.

escordio *s. m.* Hierba labiada, con flores de corolas azules o purpúreas.

escoria *s. f.* **1.** Residuo que queda tras la combustión del carbón. **2.** *fig.* Cosa vil.

escorial *s. m.* Montón de escorias.

escoriar *v. tr.* Excoriar.

escorpina *s. f.* Pez acantopterigio de cabeza gruesa y espinosa y vientre grande.

escorpión *s. m.* **1.** Alacrán, arácnido pulmonado venenoso. **2.** Pez muy parecido a la escorpina, pero de mayor tamaño.

escorzar *v. tr.* Representar, acortándolas, las cosas que se extienden en sentido oblicuo al plano del papel o lienzo.

escorzo *s. m.* Figura o parte de figura escorzada.

escoscar *v. tr.* **1.** Descaspar. **2.** Descortezar las nueces y almendras. ‖ *v. prnl.* **3.** Coscarse.

escota *s. f.* Cabo que sirve para cazar las velas.

escotadura *s. f.* Corte hecho en una prenda de vestir por la parte del cuello.

escotar[1] *v. tr.* Cortar una cosa para acomodarla a la medida que se necesita

escotar[2] *v. tr.* Pagar a escote.

escote[1] *s. m.* Corte hecho en una prenda de vestir por la parte del cuello.

escote[2] *s. m.* Parte o cuota que cabe a cada uno de un gasto hecho en común.

escotero, ra *adj.* Se dice del barco que navega solo.

escotilla *s. f.* Cada una de las aberturas que hay en las cubiertas del buque.

escotillón *s. m.* Trampa cerradiza en el suelo, especialmente la que hay en los escenarios.

escozor *s. m.* Sensación dolorosa, como la que produce una quemadura.

escriba *s. m.* En la antigüedad, copista, amanuense.

escribanía *s. f.* **1.** Oficio que ejercen los escribanos públicos. **2.** Escritorio.

escribano, na *s. m. y s. f.* **1.** Persona que por oficio público estaba autorizada para dar fe de las escrituras. **2.** Secretario.

escribidor *s. m., fam.* Mal escritor.

escribiente *com.* Persona que tiene por oficio copiar o escribir lo que se le dicta.

escribir *v. tr.* Representar las palabras o las ideas con letras u otros signos.

escriño *s. m.* Caja para guardar objetos preciosos.

escripia *s. f.* Cesta de pescador de caña.

escritilla *s. f.* Criadilla de carnero. Se usa más en pl.

escrito *s. m.* **1.** Cualquier papel manuscrito. **2.** Obra literaria o científica.

escritor, ra *s. m. y s. f.* Autor de obras escritas o impresas.

escritorio *s. m.* Mueble cerrado con divisiones en su interior para guardar papeles.

escritura *s. f.* **1.** Arte de escribir. **2.** Documento escrito.

escriturar *v. tr.* Hacer constar con escritura pública y en forma legal.

escriturario, ria *adj.* Que consta por escritura pública o que a esta pertenece.

escrófula *s. f.* Tumor frío originado por la hinchazón de los ganglios linfáticos cervicales, que predispone a las enfermedades infecciosas.

escrofularia *s. f.* Planta de tallo nudoso, flores en larga panoja y semillas menudas.

escrofulariáceo, a *adj.* Se dice de las plantas angiospermas dicotiledóneas que tienen hojas alternas u opuestas, flores en racimo o en espiga, y por frutos cápsulas dehiscentes con semillas de albumen carnoso o córneo; como el gordolobo. También s. f.

escrofulismo *s. m.* Enfermedad caracterizada por la aparición de escrófulas.

escrofuloso, sa *adj.* Perteneciente a la escrófula o que la padece. También s. m. y s. f.

escroto *s. m.* Bolsa formada por la piel y membranas que cubren los testículos.

escrupulizar *v. intr.* Formar escrúpulo o duda.

escrúpulo *s. m.* **1.** Duda o recelo que trae inquieto el ánimo. **2.** Escrupulosidad.

escrupulosidad *s. f.* Exactitud en el examen y averiguación de las cosas y en el cumplimiento de los deberes.

escrupuloso, sa *adj.* Que padece o tiene escrúpulos.

escrutador, ra *adj.* **1.** Escudriñador o examinador cuidadoso de una cosa. **2.** Se dice de la persona que en elecciones cuenta y computa los votos. También s. m. y s. f.

escrutar *v. tr.* **1.** Escudriñar, examinar con cuidado. **2.** Reconocer y computar votos.

escrutinio *s. m.* **1.** Examen, averiguación exacta de una cosa. **2.** Reconocimiento de los votos en las elecciones.

escuadra *s. f.* **1.** Instrumento de dibujo. **2.** Pieza para asegurar los ensamblajes. **3.** Conjunto de buques de guerra a las órdenes de un almirante.

escuadrar *v. tr.* Labrar o disponer un objeto de modo que sus caras planas formen entre sí ángulos rectos.

escuadrilla *s. f.* **1.** Escuadra compuesta de buques de pequeño porte. **2.** Grupo de aviones que realizan un mismo vuelo al mando de un jefe.

escuadrón *s. m.* **1.** Una de las partes en que se divide un regimiento de caballería. **2.** Unidad aérea de un número importante de aviones.

escualidez *s. f.* Calidad de escuálido.

escuálido, da *adj.* **1.** Flaco, macilento. **2.** Se dice de los peces selacios que tienen el cuerpo fusiforme, hendiduras branquiales a los lados, y cola robusta. También s. m.

escualo *s. m.* Cualquiera de los peces selacios del suborden de los escuálidos, como el tiburón, la mielga y la lija.

escualor *s. m.* Escualidez.

escucha *s. f.* Acción de escuchar.

escuchar *v. intr.* **1.** Aplicar el oído para oír. || *v. tr.* **2.** Prestar atención a lo que se oye.

escuchimizado, da *adj.* Muy flaco y débil.

escudar *v. tr.* **1.** Amparar y resguardar con el escudo. También prnl. || *v. prnl.* **2.** Valerse de algún medio para evitar un peligro.

escuderear *v. tr.* Servir a una persona principal como escudero de su casa.

escudería *s. f.* **1.** Servicio y ministerio del escudero. **2.** Conjunto de automóviles de un mismo equipo de carreras.

escudero *s. m.* **1.** Paje o sirviente que acompañaba a un caballero **2.** Hidalgo.

escudete *s. m.* Escudo de la cerradura.

escudilla *s. f.* Vasija ancha y de forma de una media esfera, para el caldo o la sopa.

escudillar *v. tr.* **1.** Distribuir en escudillas o platos caldo o manjares. **2.** *fig.* Disponer y manejar alguien las cosas a su arbitrio, como si fuera el único dueño de ellas.

escudo *s. m.* **1.** Arma defensiva, formada por una lámina de cuero, madera o metal, que se llevaba en el brazo izquierdo. **2.** *fig.* Amparo, defensa, patrocinio.

escudriñar *v. tr.* Examinar, averiguar.

escuela *s. f.* **1.** Establecimiento de enseñanza. **2.** Conjunto de los que siguen una misma doctrina artística, filosófica.

escuerzo *s. m., fam.* Persona flaca y desmedrada.

escueto, ta *adj.* **1.** Descubierto, libre. **2.** Sin adornos, ni ambages, estricto.

escuincle, cla o escuintle, tla *s. m. y f., despect. coloq., Méx.* Apelativo para dirigirse a un niño.

esculcar *v. tr.* Espiar, averiguar.

esculpidor, ra *s. m. y s. f.* Persona que se dedica a esculpir.

esculpir *v. tr.* **1.** Labrar a mano una obra de escultura. **2.** Grabar.

escultor, ra *s. m. y s. f.* Persona que profesa el arte de la escultura.

escultórico, ca *adj.* Perteneciente o relativo al arte de la escultura.

escultura *s. f.* **1.** Arte de modelar, tallar o esculpir. **2.** Obra hecha por el escultor.

escultural *adj.* **1.** Perteneciente o relativo a la escultura. **2.** Que participa de alguno de los caracteres bellos de la estatua.

escuna *s. f.* Goleta.

escupetina *s. f.* Saliva, flema o sangre escupida.

escupidera *s. f.* Recipiente para escupir en él.

escupir *v. intr.* **1.** Arrojar saliva por la boca. || *v. tr.* **2.** Arrojar con violencia algo.

escupitajo *s. m., fam.* Esputo.

escurana *s. f., amer.* Oscuridad.

escurar *v. tr.* Limpiar los paños antes de abatanarlos.

escurra *s. m.* Truhan, bufón.

escurreplatos *s. m.* Mueble de cocina donde se ponen a escurrir las vasijas fregadas.

escurribanda *s. f.* **1.** *fam.* Escapatoria, salida. **2.** *fam.* Flujo de vientre. **3.** *fam.* Flexión de un humor. **4.** *fam.* Zurra.

escurridizo, za *adj.* Que se escurre fácilmente.

escurridor *s. m.* Colador para escurrir.

escurriduras *s. f. pl.* Últimas gotas de un licor que han quedado en la vasija.

escurrimiento *s. m.* Acción y efecto de escurrir.

escurrir *v. tr.* **1.** Hacer que una cosa empapada en un líquido despida la parte que quedaba detenida. También prnl. || *v. intr.* **2.** Deslizar. También prnl. || *v. prnl.* **3.** Escapar, salir huyendo.

escusado *s. m.* Retrete.

esdrújulo, la *adj.* Se aplica al vocablo cuya acentuación prosódica carga en la antepenúltima sílaba. También s. m.

ese *s. f.* Eslabón de cadena en figura de ese.

ese, sa, so *pron. dem.* Designa una persona o cosa que está cerca del oyente, o señala lo que este acaba de mencionar. También adj. en m. y f.

esencia *s. f.* **1.** Naturaleza de las cosas. **2.** Sustancia volátil, olorosa, extraída de algunos vegetales.

esencial *adj.* Sustancial, principal.

esenciero *s. m.* Frasco para esencia.

esfenoidal *adj.* Perteneciente o relativo al hueso esfenoides.

esfenoides *adj.* Se dice del hueso de la cabeza, enclavado en la parte media e inferior del cráneo, que concurre a formar las cavidades nasales y las órbitas. También s. m.

esfera *s. f.* Sólido terminado por una superficie curva cuyos puntos equidistan todos de otro interior llamado centro.

esférico, ca *adj.* Perteneciente a la esfera o que tiene su figura.

esferoidal *adj.* Perteneciente al esferoide o que tiene su figura.

esferoide *s. m.* Cuerpo de forma parecida a la esfera.

esferómetro *s. m.* Instrumento para determinar la curvatura de las superficies esféricas.

esfigmógrafo *s. m.* Instrumento para registrar los movimientos, fuerza y forma del pulso arterial.

esfigmómetro *s. m.* Instrumento que sirve para medir la fuerza y frecuencia del pulso.

esfinge *s. amb.* Animal fabuloso, con cabeza y pecho de mujer, y cuerpo de león.

esfínter *s. m.* Músculo en forma de anillo que abre y cierra un orificio natural.

esforrocinar *v. tr.* Quitar los esforrocinos de las viñas.

esforrocino *s. m.* Sarmiento bastardo que sale del tronco de las vides o parras.

esforzado, da *adj.* Valiente, animoso, alentado.

esforzar *v. tr.* **1.** Dar fuerza. **2.** Infundir ánimo. || *v. prnl.* **3.** Hacer esfuerzos.

esfuerzo *s. m.* **1.** Empleo enérgico de la fuerza física o del ánimo. **2.** Vigor, valor.

esfumar *v. tr.* **1.** Rebajar los tonos de una composición o parte de ella. || *v. prnl.* **2.** *fig.* Disiparse, desvanecerse.

esfuminar *v. tr.* Extender los trazos del lápiz para dar empaste a las sombras.

esfumino *v. tr.* Rollito de papel estoposo o de piel suave, terminado en punta, que sirve para esfumar.

esgarrar *v. tr.* Hacer esfuerzo para arrancar la flema. También intr.

esgrafiar *v. tr.* Hacer labores de dibujo con el grafio sobre un muro o superficie estofada, haciendo saltar en determinados puntos la capa superficial para dejar al descubierto la capa siguiente de distinto color.

esgrima *s. f.* Arte de manejar la espada y otras armas blancas.

esgrimidor, ra *s. m. y s. f.* Persona que sabe esgrimir.

esgrimir *v. tr.* **1.** Usar la espada, el sable, etc. **2.** *fig.* Utilizar una cosa como arma para lograr algún intento.

esgrimista *s. m. y s. f., Arg., Ec., Chil. y Per.* Esgrimidor.

esguardamillar *v. tr.* Desbaratar, descomponer.

esguazar *v. tr.* Vadear un río o brazo de mar bajo.

esguín *s. m.* Cría del salmón cuando aún no ha salido al mar.

esguince *s. m.* **1.** Ademán hecho con el cuerpo, torciéndolo para evitar un golpe. **2.** Distensión violenta de una coyuntura.

eslabón *s. m.* Pieza en figura de anillo que, enlazado con otros, forma cadena.

eslabonar *v. tr.* **1.** Unir unos eslabones con otros formando cadena. **2.** *fig.* Enlazar unas cosas con otras. También prnl.

eslinga *s. f.* Maroma provista de ganchos para levantar grandes pesos.

eslizón *s. m.* Saurio de cuerpo largo y pies muy cortos, con cuatro rayas pardas en el lomo.

eslogan *s. m.* Frase concisa y muy significativa alusiva a algo o a alguien.

eslora *s. f.* Longitud de una nave por la parte de dentro.

esmaltar *v. tr.* **1.** Cubrir con esmalte. **2.** *fig.* Adornar de varios colores y matices.

esmalte *s. m.* **1.** Barniz vítreo que se adhiere a la porcelana, metales, etc. **2.** Materia dura y blanca que cubre los dientes.

esmaltina *s. f.* Mineral, combinación de cobalto y arsénico.

esmeralda *s. f.* Piedra fina, más dura que el cuarzo y de color verde.

esmerar *v. tr.* **1.** Pulir, limpiar. || *v. prnl.* **2.** Poner sumo cuidado en hacer las cosas.

esmerejón *s. m.* Azor.

esmeril *s. m.* Roca volcánica oscura; raya a todos los cuerpos menos al diamante.

esmerilar *v. tr.* Pulir con esmeril.

esmero *s. m.* Sumo cuidado y atención en hacer las cosas.

esmiláceo, a *adj.* Se dice de plantas monocotiledóneas, de hojas pequeñas, alternas y reemplazadas a menudo por ramos filiformes y espinosos, fruto en baya y raíz de rizoma rastrero; como el espárrago. También s. f.

esmilacoideo, a *adj.* Esmiláceo.

esmirnio *s. m.* Apio caballar.

esmirriado, da *adj.* Flaco, extenuado.

esmoquin *s. m.* Prenda masculina de etiqueta, a modo de chaqueta sin faldones.

esmorecer *v. intr., And., Can., Cub. y C. Ric.* Desfallecer, perder el aliento.

esnifar *v. tr.* Aspirar por la nariz una sustancia, especialmente una droga.

esnob *adj.* Se dice de la persona que acoge toda clase de novedades por necia admiración o por darse importancia. También com.

esnobismo *s. m.* Exagerada admiración por todo lo que está de moda.

esófago *s. m.* Conducto muscular que va desde la faringe al estómago.

esotérico, ca *adj.* Oculto, reservado.

esotro, tra *pron. dem., fam.* Ese otro, esa otra. También adj.

espabilar *v. tr.* Avivar el entendimiento.

espachurrar *v. tr.* Despachurrar.

espaciador *s. m.* En las máquinas de escribir, tecla que se pulsa para dejar espacios en blanco.

espacial *adj.* Perteneciente o relativo al espacio.

espaciar *v. tr.* **1.** Poner espacio entre las cosas. **2.** Esparcir. || *v. prnl.* **3.** Extenderse.

espacio *s. m.* **1.** Medio continuo e ilimitado en que situamos todos los cuerpos y movimientos. **2.** Parte de este medio que ocupa cada cuerpo; intervalo entre dos o más objetos. **3.** Transcurso del tiempo.

espaciosidad *s. f.* Anchura, capacidad.

espacioso, sa *adj.* Ancho, dilatado, vasto.

espada *s. f.* **1.** Arma blanca, larga, recta, aguda y cortante. ‖ *s. f. pl.* **2.** Uno de los cuatro palos de la baraja española.

espadachín *s. m.* **1.** Hombre que maneja bien la espada. **2.** Valiente y pendenciero.

espadaña *s. f.* **1.** Hierba de tallo largo, como el junco con una mazorca cilíndrica al extremo, que, seca, suelta pelusas. **2.** Campanario de una sola pared, con huecos para las campanas.

espadañar *v. tr.* Abrir el ave las plumas de la cola.

espadarte *s. m.* Pez espada.

espadería *s. f.* Taller donde se fabrican, guarnecen o componen espadas.

espádice *s. m.* Inflorescencia consistente en un eje total o parcialmente cubierto por las flores y envuelto en una espata.

espadín *s. m.* Espada de hoja muy estrecha.

espagírico, ca *adj.* **1.** Perteneciente a la espagírica. **2.** Se aplica a ciertos medicamentos preparados con sustancias minerales. ‖ *s. f.* **3.** Arte de depurar los metales.

espagueti *s. m.* Pasta alimenticia de harina de trigo, cilíndrica, alargada y no hueca.

espalda *s. f.* **1.** Parte posterior del cuerpo humano, desde los hombros hasta la cintura. ‖ *s. f. pl.* **2.** Parte posterior o envés de una cosa.

espaldar *s. m.* **1.** Parte de la coraza que sirve para defender las espaldas. **2.** Respaldo de un asiento. **3.** Espalda. **4.** Enrejado de una pared para que por él se extiendan ciertas plantas.

espaldarazo *s. m.* **1.** *fig.* Admisión de alguien como igual en un grupo o profesión. **2.** *fig.* Reconocimiento de la competencia suficiente a que ha llegado alguien en una profesión.

espalder *s. m.* Remero que iba de espaldas a la popa de la galera.

espaldera *s. f.* **1.** Espaldar para plantas. **2.** Pared con que se resguardan las plantas arrimadas a ella. ‖ *s. f. pl.* **3.** Aparato gimnástico formado por barras horizontales de madera fijas en la pared.

espaldilla *s. f.* Cuarto delantero de algunas reses.

espaldonarse *v. prnl.* Ponerse a cubierto, al abrigo de un obstáculo natural.

espalmar *v. tr.* Despalmar.

espalto *s. m.* Color oscuro, transparente y dulce para veladuras.

espam *s. m., Méx.* Correo electrónico basura.

espantada *s. f.* Huida repentina de un animal o una manada de ellos.

espantadizo, za *adj.* Que fácilmente se espanta.

espantajo *s. m.* Lo que se pone en un paraje para espantar.

espantamoscas *s. m.* Utensilio de hierbas o de papel atados a un palo para espantar las moscas.

espantapájaros *s. m.* Espantajo que se pone en los sembrados y en los árboles para ahuyentar los pájaros.

espantar *v. tr.* **1.** Causar espanto. **2.** Ahuyentar. ‖ *v. prnl.* **3.** Asustarse.

espanto *s. m.* Terror, asombro, consternación, miedo súbito.

espantoso, sa *adj.* Que causa espanto.

español *s. m.* Lengua de España y de Hispanoamérica.

españolizar *v. tr.* **1.** Dar forma española a un vocablo o expresión de otro idioma. ‖ *v. prnl.* **2.** Tomar costumbres españolas.

esparadrapo *s. m.* Lienzo cubierto de emplasto, para sujetar vendajes.

esparaván *s. m.* Gavilán.

esparavel *s. m.* Red redonda para pescar en parajes de poco fondo.

esparcimiento *s. m.* Franqueza en el trato, alegría.

esparcir *v. tr.* **1.** Separar, extender. También prnl. **2.** *fig.* Divulgar. También prnl. **3.** *fig.* Divertir. También prnl.

espárrago *s. m.* Planta liliácea, de tallos comestibles, rectos y blancos.

esparraguera *s. f.* Planta del espárrago.

esparraguina *s. f.* Fosfato de cal cristalizado y de color verdoso.

esparrancado, da *adj.* Que anda o está muy abierto de piernas.

esparrancarse *v. prnl., fam.* Abrirse de piernas.

esparteína *s. f.* Alcaloide de la retama, usado como tónico en las enfermedades del corazón.

esparteña *s. f.* Alpargata.

esparto *s. m.* Planta gramínea de hojas filiformes y duras, con las que se hacen cuerdas, esteras, pasta de papel, etc.

esparver *s. m.* Gavilán.

espasmo *s. m.* **1.** Pasmo. **2.** Contracción involuntaria de los músculos.

espasmódico, ca *adj.* Perteneciente al espasmo, o acompañado de este síntoma.

espata *s. f.* Bráctea grande o conjunto de brácteas que envuelve ciertas inflorescencias; como en la cebolla y el aro.

espatarrarse *v. prnl.* Despatarrarse.

espático, ca *adj.* Se dice de los minerales que se dividen fácilmente en láminas.

espato *s. m.* Cualquier mineral de estructura laminosa.

espátula *s. f.* **1.** Paleta, con bordes afilados y mango largo. **2.** Ave zancuda de pico deprimido ensanchado en la punta.

espavorido, da *adj.* Despavorido.

especia *s. f.* Cualquiera de las drogas que se usa como condimento.

especial *adj.* Muy adecuado o propio para algún efecto.

especialidad *s. f.* **1.** Particularidad, singularidad. **2.** Rama de la ciencia o arte a que se consagra una persona.

especialista *adj.* **1.** Se dice de la persona que cultiva una rama de determinado arte o ciencia y sobresale en ella. También com. **2.** Que hace algo con habilidad. ‖ *com.* **3.** En cine y televisión, persona que sustituye a un actor en el rodaje de una escena arriesgada.

especialización *s. f.* Acción y efecto de especializar o especializarse.

especializar *v. intr.* **1.** Cultivar con especialidad una rama determinada de una ciencia o de un arte. También prnl. **2.** Limitar una cosa a uso o fin determinado.

especie *s. f.* **1.** Conjunto de cosas con caracteres comunes. **2.** Apariencia.

especiero *s. m.* Armario con varios cajones para guardar las especias.

especificación *v. intr.* Acción y efecto de especificar.

especificar *s. f.* Explicar, declarar con individualidad una cosa.

especificativo, va *adj.* Que tiene virtud para especificar.

específico, ca *adj.* **1.** Que caracteriza y distingue una especie de otra. ‖ *s. m.* **2.** Medicamento apropiado especialmente para tratar una enfermedad determinada. **3.** Medicamento de propiedades generales, fabricado al por mayor y comúnmente con nombre patentado.

espécimen *s. m.* Muestra, modelo, señal.

especioso, sa *adj.* **1.** Hermoso, precioso, perfecto. **2.** *fig.* Aparente, engañoso.

espectacular *adj.* Que tiene caracteres propios de espectáculo público.

espectáculo *s. m.* Función o diversión pública.

espectador, ra *adj.* Que asiste a un espectáculo. Se usa más como s. m. y s. f.

espectral *adj.* Perteneciente o relativo al espectro.

espectro *s. m.* **1.** Imagen o fantasma, por lo común horrible. **2.** Resultado de la dispersión de un conjunto de radiaciones.

espectrografía *s. f.* Conjunto de conocimientos referentes al examen espectroscópico.

espectrógrafo *s. m.* **1.** Espectroscopio dispuesto para la obtención de espectrogramas. **2.** Aparato electrónico que registra las ondas sonoras comprendidas en un determinado intervalo de frecuencias. Se usa mucho para estudiar los sonidos del lenguaje.

espectrograma *s. m.* **1.** Fotografía o diagrama de un espectro luminoso. **2.** Representación gráfica de un sonido obtenida por un espectrógrafo.

espectroscopio *s. m.* Instrumento óptico que sirve para obtener y observar un espectro.

especulación *s. f.* **1.** Acción y efecto de especular. **2.** Operación comercial practicada con ánimo de obtener lucro.

especulador, ra *adj.* Que especula. También s. m. y s. f.

especular *v. tr.* **1.** Registrar. **2.** *fig.* Meditar, contemplar. ‖ *v. intr.* **3.** Traficar. **4.** Procurar provecho con cualquier cosa.

espéculo *s. m.* Instrumento que sirve para dilatar la entrada de algunas cavidades del cuerpo para ser examinadas.

espejado, da *adj.* Que refleja la luz como un espejo.

espejarse *v. prnl., fig.* Reflejarse como en un espejo.

espejear *v. intr.* Relucir o resplandecer.

espejeo *s. m.* Espejismo.

espejismo *s. m.* **1.** Ilusión óptica, frecuente en los desiertos. **2.** *fig.* Ilusión de la imaginación.

espejo *s. m.* **1.** Lámina de vidrio azogada para que se reflejen en ella los objetos que están delante. **2.** *fig.* Modelo.

espejuelo *s. m.* Yeso cristalizado en láminas brillantes.

espeleología *s. f.* Ciencia que estudia el origen y formación de las cuevas.

espeleólogo, ga *s. m. y s. f.* Persona que se dedica a la espeleología.

espelunca *s. f.* Cueva, concavidad tenebrosa.

espeluznar *v. tr.* **1.** Erizar el pelo o las plumas. **2.** Espantar. También prnl.

espeque *s. m.* Puntal para sostener una pared.

espera *s. f.* Tiempo que se está esperando.

esperanto *s. m.* Idioma artificial creado en 1887 por el médico polaco Zamenhof, para que sirviese como lengua universal.

esperanza *s. f.* Estado del ánimo en el cual se nos presenta como posible que se realice la cosa deseada.

esperanzado, da *adj.* Que tiene esperanza de alcanzar alguna cosa.

esperanzar *v. tr.* **1.** Dar esperanza. ‖ *v. intr.* **2.** Tener esperanza. También prnl.

esperar *v. tr.* **1.** Tener esperanza de conseguir algo. **2.** Aguardar en un lugar.

esperezarse *v. prnl.* Desperezarse.

esperma *s. amb.* Semen animal.

espermatozoide *s. m.* Célula sexual masculina.

espermatozoo *s. m.* Espermatozoide de los animales.

espernada *s. f.* Remate de la cadena que suele consistir en un eslabón abierto.

espernancarse *v. prnl., Col. Chil. y Le.* Abrirse de piernas.

esperón *s. m.* Pieza saliente en la proa de las embarcaciones.

esperonte *s. m.* Obra en ángulo saliente que se hacía en las murallas.

esperpéntico, ca *adj.* Perteneciente o relativo al esperpento literario.

esperpento *s. m.* **1.** *fam.* Persona o cosa fea o de mala traza. **2.** *fam.* Desatino.

espesar *v. tr.* **1.** Hacer espeso un líquido. **2.** Apretar algo, haciéndolo más tupido.

espeso, sa *adj.* Se dice de la sustancia fluida que tiene mucha densidad o condensación.

espesor *s. m.* **1.** Grueso de un sólido. **2.** Densidad o condensación de un fluido.

espesura *s. f., fig.* Paraje muy poblado de árboles y matorrales.

espetar *v. tr.* Atravesar, clavar un instrumento puntiagudo.

espetera *s. f.* Tabla con garfios en que se cuelgan carnes, aves y utensilios de cocina.

espetón *s. m.* Hierro largo y delgado; como asador o estoque.

espía *com.* Persona que con disimulo observa o escucha lo que pasa, para comunicarlo al que tiene interés en saberlo.

espiar *v. tr.* Acechar disimuladamente lo que se dice o hace.

espibia *s. f.* Torcedura del cuello de una caballería en sentido lateral.

espichar *v. tr.* **1.** Pinchar. ‖ *v. intr.* **2.** Morir.

espiche *s. m.* Arma o instrumento puntiagudo.

espiciforme *adj.* Que tiene forma de espiga.

espiga *s. f.* Inflorescencia formada por un conjunto de flores o frutos dispuestos a lo largo de un tallo común.

espigadera *s. f.* Espigadora.

espigador, ra *s. m. y s. f.* Persona que espiga en los rastrojos.

espigar *v. tr.* **1.** Coger las espigas del rastrojo. ‖ *v. prnl.* **2.** Crecer notablemente.

espigón *s. m.* **1.** Espiga áspera. **2.** Macizo construido a la orilla de un río o del mar.

espina *s. f.* **1.** Púa que nace del tejido de algunas plantas. **2.** Astilla pequeña. **3.** Pesar. **4.** Hueso de pez. **5.** Apófisis larga.

espinaca *s. f.* Planta hortense, con hojas radicales, estrechas y largas.

espinar *v. tr.* Punzar, herir con espinos. También intr. y prnl.

espinazo *s. m.* Columna vertebral.

espinel *s. m.* Especie de cordel para pescar.

espinela *s. f.* Décima, combinación métrica.

espíneo, a *adj.* Hecho de espinas.

espinera *s. f.* Espino, planta de la familia de las rosáceas.

espineta *s. f.* Clavicordio pequeño, de una sola cuerda en cada orden.

espingarda *s. f.* **1.** Escopeta muy larga que usaban los moros. **2.** *fig.* Mujer alta, delgada, desgarbada.

espinilla *s. f.* **1.** Parte anterior de la canilla de la pierna. **2.** Especie de barrillo que brota en la piel.

espinillera *s. f.* Pieza que preserva la espinilla.

espino *s. m.* Arbolillo espinoso con flores blancas y fruto pequeño y encarnado.

espinoso, sa *adj., fig.* Arduo, difícil, intrincado.

espiocha *s. f.* Especie de zapapico.

espión *s. m.* Espía, persona que espía.

espionaje *s. m.* Organización dedicada a obtener información secreta.

espira *s. f.* **1.** Parte de la basa de la columna. **2.** Espiral. **3.** Cada una de las vueltas de una hélice o de una espiral.

espiración *s. f.* Acción y efecto de espirar.

espiral *adj.* Línea curva que da vueltas alrededor de un punto, alejándole de él.

espirar *v. intr.* Respirar, tomar aliento; expeler el aire aspirado. También tr.

espirilo *s. m.* Nombre genérico de las bacterias alargadas y encorvadas en forma de hélice o espiral.

espiritar *v. tr.* **1.** Endemoniar. También prnl. **2.** *fig. y fam.* Agitar. También prnl.

espiritismo *s. m.* Doctrina de los que suponen que los espíritus de los muertos pueden entrar en comunicación con los vivos.

espiritoso, sa *adj.* **1.** Vivo, animoso. **2.** Que contiene mucho alcohol.

espíritu *s. m.* **1.** Sustancia sutil que es considerada como principio de la vida. **2.** Ser inmaterial. **3.** Vivacidad, ingenio.

espiritual *adj.* Perteneciente o relativo al espíritu.

espiritualidad *s. f.* Naturaleza y condición de espiritual.

espiritualizar *v. tr.* Considerar como espiritual lo que de suyo es corpóreo.

espirómetro *s. m.* Aparato para medir la capacidad respiratoria del pulmón.

espiroqueto, ta *adj.* Perteneciente o relativo a las espiroquetales.

espiroquetal *s. f.* Ser unicelular que se asemeja a los flagelados y tiene forma espiral, con órganos de natación. Vive en las aguas estancadas o es parásito; algunos de estos últimos son los causantes de enfermedades como la sífilis y la fiebre amarilla.

espita *s. f.* Canuto que se coloca en la cuba para que salga por él el licor.

espitar *v. tr.* Poner espita a una vasija.

esplender *v. tr., poét.* Resplandecer.

esplendidez *s. f.* Abundancia, largueza.

espléndido, da *adj.* **1.** Magnífico, ostentoso. **2.** Resplandeciente.

esplendor *s. m.* **1.** Resplandor. **2.** *fig.* Lustre, nobleza.

esplendoroso, sa *adj.* Que resplandece.

esplénico, ca *adj.* Relativo al bazo.

esplenio *s. m.* Músculo que une las vértebras cervicales con la cabeza.

esplenitis *s. f.* Inflamación del bazo.

espliego *s. m.* Mata muy aromática de flores azules en espiga.

esplín *s. m.* Melancolía, tedio de la vida.

esplique *s. m.* Armadijo para cazar pájaros con liga.

espolada *s. f.* Aguijonada dada con la espuela a la caballería.

espolazo *s. m.* Espolada.

espoleadura *s. f.* Herida que la espuela hace a la caballería.

espolear *v. tr.* **1.** Picar con la espuela a la cabalgadura. **2.** *fig.* Avivar, estimular.

espoleta *s. f.* **1.** Aparato de las bombas y granadas, para dar fuego a su carga. **2.** Horquilla que forman las clavículas del ave.

espolio *s. m.* Expolio.

espolique *s. m.* Mozo que camina a pie delante de la caballería en que va su amo.

espolón *s. m.* **1.** Apófisis ósea que tienen algunas aves gallináceas. **2.** Malecón para contener las aguas.

espolvorear *v. tr.* Esparcir polvo.

espondeo *s. m.* Pie de la poesía griega y latina, compuesto de dos sílabas largas.

espóndil *s. m.* Espóndilo.

espóndilo *s. m.* Vértebra.

espongiario *adj.* Se dice de los animales celentéreos que tienen las paredes del cuerpo perforadas por infinidad de poros, por donde el agua penetra en su interior, y los tejidos sostenidos por numerosos canales que se abren al exterior. Vive fijo sobre cuerpos sumergidos. También s. m.

esponja *s. f.* **1.** Cualquier animal del tipo de los espongiarios. **2.** Masa porosa formada por el esqueleto de un animal espongiario, utilizada en varios usos domésticos.

esponjado *s. m.* Azucarillo.

esponjadura *s. f.* Acción y efecto de esponjar.

esponjamiento *s. m.* Envanecimiento.

esponjar *v. tr.* **1.** Hacer más poroso un cuerpo. || *v. prnl.* **2.** *fig.* Engreírse.

esponjoso, sa *adj.* Muy poroso, hueco y ligero.

esponsales *s. m. pl.* **1.** Mutua promesa de casarse que se hacen el varón y la mujer.

espontanearse *v. prnl.* Descubrir a otro voluntariamente cualquier hecho o pensamiento propio, secreto o desconocido.

espontaneidad *s. f.* Equiparación natural y fácil del pensamiento.

espontáneo, a *adj.* **1.** Lo que procede de un impulso interior. **2.** Que se produce sin intervención del hombre.

espontón *s. m.* Especie de lanza que usaban los oficiales de infantería.

espora *s. f.* **1.** Corpúsculo reproductor de las plantas criptógamas. **2.** Cualquiera de las células que en un momento dado de la vida de los protozoos se forman por división de éstos.

esporádico, ca *adj., fig.* Se dice de lo que es ocasional, suelto, aislado.

esporangio *s. m.* Cavidad donde se originan y están contenidas las esporas en muchas plantas criptógamas.

esporofita *adj.* Nombre que se da a las plantas que se reproducen por esporas.

esporozoario *adj.* Nombre que se aplica a multitud de pequeños protozoos constituidos por una célula que emite seudópodos de forma variable y no permanente. Són parásitos y su nombre se debe a que se reproducen por esporas.

esporozoo *adj.* Esporozoario.

esportillero *s. m.* Operario que acarrea con espuerta los materiales.

esporulación *s. f.* Formación en el interior de una célula de varias células hijas que quedan libres.

esposar *v. tr.* Sujetar a alguien con esposas.

esposo, sa *s. m. y s. f.* **1.** Persona casada. || *s. f. pl.* **2.** Manillas de hierro con que se sujeta a los reos por las muñecas.

espuela *s. f.* Espiga de metal que se ajusta al calzado, para picar a la cabalgadura.

espuerta *s. f.* Especie de cesta de esparto, palma u otra materia, con dos asas.

espulgar *v. tr.* **1.** Limpiar de pulgas o piojos. También *prnl.* **2.** *fig.* Examinar.

espulgo *s. m.* Acción y efecto de espulgar.

espuma *s. f.* **1.** Conjunto de burbujas que se forman en la superficie de los líquidos. **2.** Tejido muy ligero.

espumadera *s. f.* Paleta circular llena de agujeros, para quitar la espuma.

espumaje *s. m.* Abundancia de espuma.

espumajear *v. intr.* Arrojar o echar espumajo.

espumajo *s. m.* Espumarajo.

espumar *v. tr.* **1.** Quitar la espuma. ‖ *v. intr.* **2.** Hacer espuma. **3.** *fig.* Crecer.

espumarajo *s. m.* Saliva arrojada por la boca en gran abundancia.

espúmeo, a *adj.* Relativo a la espuma.

espumero *s. m.* Sitio donde se junta agua salada para que cristalice o cuaje la sal.

espumilla *s. f.* Tejido ligero, semejante al crespón.

espumillón *s. m.* Tira con flecos en colores muy vivos que sirve de adorno en las fiestas navideñas.

espumoso, sa *adj.* Que tiene o hace espuma.

espurio, ria *adj.* **1.** Bastardo. **2.** *fig.* Falso.

espurrear *v. tr.* Rociar una cosa con un líquido expelido por la boca.

esputar *v. tr.* Arrojar por la boca flemas.

esputo *s. m.* Lo que se arroja de una vez en cada expectoración.

esquebrajar *v. tr.* Resquebrajar.

esquejar *v. tr.* Formar esquejes.

esqueje *s. m.* Tallo o cogollo que se introduce en tierra para multiplicar la planta.

esquela *s. f.* **1.** Carta breve. **2.** Comunicación impresa de algún suceso, sobre todo referida a la muerte de una persona.

esquelético, ca *adj.* Muy flaco.

esqueleto *s. m.* **1.** Armazón ósea del cuerpo del hombre o de un animal vertebrado. **2.** *fig. y fam.* Armadura sobre la cual se arma algo.

esquema *s. m.* **1.** Representación gráfica y simbólica de cosas inmateriales. **2.** Representación de una cosa atendiendo solo a sus líneas más salientes.

esquemático, ca *adj.* Perteneciente al esquema.

esquematizar *v. tr.* Representar una cosa en forma de esquema.

esquena *s. f.* **1.** Columna vertebral. **2.** Espina principal de los peces.

esquero *s. m.* Bolsa de cuero que solía traerse asida al cinto.

esquí *s. m.* **1.** Especie de patín de madera largo, usado para deslizarse sobre nieve. **2.** Esquiaje.

esquiador, ra *s. m. y s. f.* Patinador que usa esquís.

esquiaje *s. m.* **1.** Acción de esquiar. **2.** Práctica de este ejercicio como deporte.

esquiar *v. intr.* Deslizarse sobre la nieve o hielo con esquís.

esquicio *s. m.* Apunte, esbozo.

esquifar *v. tr.* Proveer de pertrechos y marineros una embarcación.

esquife *s. m.* Barco pequeño que se lleva en el navío para saltar a tierra.

esquila *s. f.* Cencerro en forma de campana.

esquilar *v. tr.* Cortar con tijera el pelo, vellón o lana de un animal.

esquilmar *v. tr.* **1.** Coger el fruto de las haciendas, heredades y ganados. **2.** *fig.* Agotar una fuente de riqueza.

esquilmo *s. m.* Frutos y provechos que se sacan de las haciendas y ganados.

esquina *s. f.* Arista, ángulo saliente.

esquinado, da *adj.* Se dice de la persona de trato difícil.

esquinar *v. tr.* **1.** Hacer o formar esquina. También intr. **2.** *fig.* Poner a mal.

esquinazo *s. m., fam.* Esquina.

esquinela *s. f.* Espinillera de la armadura.

esquinencia *s. f.* Angina.

esquinera *s. f.* **1.** *Can. y amer.* Rinconera, mueble. **2.** Ramera que suele apostarse en las esquinas de las calles.

esquinzar *v. tr.* Desguinzar.

esquirla *s. f.* Astilla desprendida de un hueso.

esquirol *s. m., desp.* Obrero que acude al trabajo en día de huelga.

esquisto *s. m.* Pizarra.

esquistoso, sa *adj.* De estructura laminar.

esquitar *v. tr.* Remitir, perdonar una deuda.

esquivar *v. tr.* **1.** Evitar, rehusar. ‖ *v. prnl.* **2.** Retraerse, excusarse, retirarse.

esquivo, va *adj.* Áspero, huraño.

esquizado, da *adj.* Se dice del mármol salpicado de pintas.

esquizofrenia *s. f.* Enfermedad mental que produce un debilitamiento de la afectividad.

esquizofrénico, ca *adj.* Que padece esquizofrenia. También s. m. y s. f.

estabilidad *s. f.* Permanencia, firmeza.

estabilizar *v. tr.* Dar estabilidad a algo.

estable *adj.* Permanente, duradero, firme.

establear *v. tr.* Acostumbrar una res al establo.

establecer *v. tr.* **1.** Fundar, instituir. **2.** Ordenar, decretar. ‖ *v. prnl.* **3.** Fijar la residencia en alguna parte.

establecimiento *s. m.* **1.** Ley, ordenanza, estatuto. **2.** Institución, fundación. **3.** Cosa fundada o establecida. **4.** Suerte o colocación estable de una persona. **5.** Lugar donde se ejerce una industria o profesión.

establo *s. m.* Lugar cubierto en que se encierra ganado.

estabulación *s. f.* Cría y mantenimiento de los ganados en establo.

estabular *v. tr.* Criar el ganado en establos.

estaca *s. f.* **1.** Palo con punta en un extremo. **2.** Garrote.

estacada *s. f.* Obra hecha de estacas.

estacar *v. tr.* **1.** Fijar una estaca. ‖ *v. prnl.* **2.** *fig.* Quedarse inmóvil y tieso.

estacazo *s. m.* Golpe dado con un garrote o estaca.

estacha *s. f.* Cuerda o cable atado al arpón que se clava a las ballenas para matarlas.

estación *s. f.* **1.** Cada uno de los cuatro tiempos en que se divide el año. **2.** Sitio donde paran los trenes, autobuses, etc.

estacionamiento *s. m.* Lugar donde los vehículos pueden estacionarse.

estacionar *v. tr.* **1.** Situar en un lugar, asentar, colocar. También prnl. ‖ *v. prnl.* **2.** Quedarse estacionario, estancarse.

estacionario, ria *adj.* Se dice de lo que permanece en el mismo estado.

estacte *s. f.* Aceite esencial, oloroso, obtenido de la mirra fresca.

estada *s. f.* Detención o demora que se hace en un lugar.

estadal *s. m.* Medida de longitud equivalente a cuatro varas o 3334 m.

estadía *s. f.* Detención, estancia.

estadio *s. m.* **1.** Lugar público en que se celebran diversos deportes. **2.** Fase o etapa de un proceso en desarrollo.

estadista *com.* Persona versada en materia política o jurídica.

estadística *s. f.* Ciencia cuyo objeto es clasificar y contar los hechos de un mismo orden, en un determinado territorio.

estadístico, ca *s. m. y s. f.* Persona que profesa la estadística.

estadizo, za *adj.* Que está mucho tiempo sin moverse, orearse o renovarse.

estado *s. m.* **1.** Situación en que se halla una persona o cosa. **2.** (ORT.: may. inicial) Sociedad organizada políticamente en un territorio determinado, con un poder soberano propio.

estafa *s. f.* Acción y efecto de estafar.

estafador, ra *s. m. y s. f.* Persona que estafa.

estafar *v. tr.* Robar o sacar dinero a alguien sirviéndose de artificios o engaños.

estafermo *s. m.* **1.** *fig.* Persona inactiva. **2.** *fig. y fam.* Persona de aspecto ridículo.

estafeta *s. f.* **1.** Correo ordinario que iba de un lugar a otro. **2.** Oficina del correo.

estafilococo *s. m.* Nombre de ciertas bacterias redondas, que se agrupan en racimo.

estafiloma *s. m.* Tumor del globo del ojo.

estajista *s. m. y s. f.* Destajista.

estajo *s. m.* Destajo.

estala *s. f.* **1.** Establo o caballeriza. **2.** Escala de un barco.

estalactita *s. f.* Concreción calcárea que cuelga del techo de algunas cavernas.

estalagmita *s. f.* Concreción formada sobre el suelo de una caverna.

estallar *v. intr.* **1.** Reventar de golpe. **2.** *fig.* Sobrevenir violentamente algo.

estallido *s. m.* Acción y efecto de estallar.

estambrar *v. tr.* Convertir la lana en estambre torciéndola.

estambre *s. m.* Órgano sexual masculino de las plantas fanerógamas.

estamento *s. m.* **1.** Cada uno de los cuatro estados que tenían representación en las Cortes antiguas. **2.** Estrato de un grupo social, definido por su estilo de vida.

estameña *s. f.* Tejido de lana ordinario.

estamíneo, a *adj.* Relativo al estambre.

estaminífero, ra *adj.* Se dice de las flores que tienen estambres y de la planta que lleva estas flores.

estampa *s. f.* **1.** Figura impresa. **2.** Figura total de una persona o animal.

estampación *s. f.* Acción y efecto de estampar.

estampado, da *adj.* Se dice de los tejidos con diferentes labores o dibujos.

estampar *v. tr.* **1.** Imprimir, sacar en estampa. También intr. **2.** *fam.* Arrojar a una persona o cosa haciéndola chocar.

estampida *s. f.* Estampido.

estampido *s. m.* Ruido fuerte y seco como el producido por el disparo de un cañón.

estampilla *s. f.* **1.** Sello que contiene la firma de una persona. **2.** Sello con un letrero para estampar en los documentos.

estampillar *v. tr.* Marcar con estampilla.

estancamiento *s. m.* Acción y efecto de estancar o estancarse.

estancar *v. tr.* Detener el curso de algo. También prnl.

estancia *s. f.* **1.** Mansión, habitación, asiento en un lugar. **2.** Permanencia durante cierto tiempo en un lugar determinado. **3.** Estrofa, especialmente la que está formada por versos heptasílabos y endecasílabos.

estanco, ca *adj.* **1.** Herméticamente cerrado. ‖ *s. m.* **2.** Sitio donde se venden géneros estancados, en especial sellos, tabaco.

estándar *s. m.* Tipo, modelo, nivel.

estandarizar *v. tr.* Tipificar, ajustar a un tipo, modelo o norma.

estandarte *s. m.* **1.** Insignia, bandera. **2.** *fig.* Símbolo de una causa.

estangurria *s. f.* Micción dolorosa, gota a gota.

estannífero, ra *adj.* Que contiene estaño.

estanque *s. m.* Receptáculo de agua construido para proveer al riego, criar peces.

estanquero, ra *s. m. y s. f.* Persona que tiene a su cargo la venta pública del tabaco y otros géneros estancados.

estantal *s. m.* Estribo de pared.

estantalar *v. tr.* Apuntalar con estantales.

estante *s. m.* Armario con anaqueles y sin puertas para colocar libros, papeles, etc.

estantería *s. f.* Juego de estantes.

estantigua *s. f.* Procesión de fantasmas, o fantasma que se ofrece a la vista por la noche causando pavor y espanto.

estantío, a *adj.* Que no tiene curso, parado o estancado.

estañar *v. tr.* **1.** Cubrir con estaño. **2.** Soldar una cosa con estaño.

estaño *s. m.* Metal duro, dúctil y brillante, de estructura cristalina; cruje al doblarse.

estar *v. intr.* **1.** Existir, hallarse una persona o cosa en este o aquel lugar, situación, condición o modo actual de ser. También prnl. **2.** Permancer o hallarse con cierta estabilidad en un lugar, situación, condición, etc. También prnl. ‖ *v. prnl.* **3.** Detenerse o quedarse en algún sitio.

estarcir *v. tr.* Estampar dibujos pasando una brocha por una chapa en que están previamente recortados.

estatal *adj.* Perteneciente o relativo al Estado.

estatalizar *v. tr.* Poner una empresa o servicio privado en manos del Estado.

estático, ca *adj.* **1.** Que permanece en un mismo estado sin mudanza en él. ‖ *s. f.* **2.** Parte de la mecánica que estudia las leyes del equilibrio.

estatismo *s. m.* Tendencia que exalta el poder del Estado en todos los órdenes.

estatocisto *s. m.* Cualquiera de los órganos del sentido del equilibrio.

estatua *s. f.* Figura de bulto labrada a imitación del natural.

estatuar *v. tr.* Adornar con estatuas.

estatuario, ria *adj.* **1.** Perteneciente a la estatuaria. ‖ *s. m. y s. f.* **2.** Persona que hace estatuas. ‖ *s. f.* **3.** Arte de hacer estatuas.

estatuir *v. tr.* Establecer, determinar.

estatura *s. f.* Altura de una persona desde los pies a la cabeza.

estatus *s. m.* Posición social.

estatutario, ria *adj.* Estipulado en los estatutos, referente a ellos.

estatuto *s. m.* **1.** Regla que tiene fuerza de ley. **2.** Reglamento orgánico.

estay *s. m.* Cabo que sujeta la cabeza de un mástil al pie del más inmediato.

Este *n. p.* Oriente, levante.

este, ta, to *pron. dem.* Designa una persona o cosa que está cerca del hablante. También adj. en m. y f.

estearina *s. f.* Sustancia blanca y grasa usada para hacer velas.

esteatita *s. m.* Silicato de magnesia, blanco o verdoso, suave y blando, usado por los sastres.

esteba *s. f.* Hierba graminácea. Es pasto muy apetecido por las caballerías.

estegomía *s. f.* Mosquito transmisor de la fiebre amarilla.

estela[1] *s. f.* Rastro que deja tras sí un cuerpo que se mueve en el agua, o el que deja en el aire un cuerpo luminoso.

estela[2] *s. f.* Monumento conmemorativo que consta de una columna, piedra o lápida con relieves escultóricos.

estelar *adj.* **1.** Referente a las estrellas. **2.** Importante, principal.

estelífero, ra *adj.* Estrellado o lleno de estrellas.

esteliforme *adj.* De forma de estela.

estelión *s. m.* Salamanquesa.

estelionato *s. m.* Fraude que comete la persona que en un contrato encubre la obligación o cargo que ya pesaba sobre la finca, alhaja, etc.

estema[1] *s. m.* Cada uno de los ojos situados sobre la cabeza de algunos insectos.

estema[2] *s. m.* Árbol genealógico.

estemple *s. m.* Ademe.

estenocardia *s. f.* Angina de pecho.

estenografía *s. f.* Taquigrafía.

estenografiar *v. tr.* Taquigrafiar.

estenógrafo, fa *s. m. y s. f.* Persona que sabe o profesa la estenografía.

estenosis *s. f.* Estrechamiento.

estenotipia *s. f.* Taquigrafía a máquina.

estentóreo, a *adj.* Muy fuerte o ruidoso, aplicado al acento o a la voz.

estepa[1] *s. f.* Erial llano y muy extenso.

estepa[2] *s. f.* Nombre de varios arbustos de la familia de las cistáceas.

estepario, ria *adj.* Propio de las estepas.

éster *s. m.* Compuesto que está formado por la sustitución del hidrógeno de un ácido por un radical alcohólico.

estera *s. f.* Tejido grueso de esparto, juncos, palma, etc., que se utiliza para cubrir el suelo y otros usos semejantes.

esterar *v. tr.* Cubrir los suelos con esteras.

estercolar *v. tr.* Echar estiércol.

estercolero *s. m.* Lugar donde se recoge y fermenta el estiércol.

estercóreo, a *adj.* Perteneciente a los excrementos.

esterculiáceo, a *adj.* Se dice de plantas dicotiledóneas, de flores en inflorescencias complicadas y fruto en cápsula o baya; como el cacao. También s. f.

estéreo *adj.* Abreviación de estereofónico.

estereofónico, ca *adj.* Se dice del sonido registrado simultáneamente desde dos o más puntos.

estereografía *s. f.* Arte de representar los sólidos en un plano.

estereoscopio *s. m.* Instrumento óptico en el cual una imagen hecha por duplicado, tomada desde dos puntos de vista, puesta una al lado de la otra y mirada cada una con un ojo, da la sensación de relieve.

estereotipado, da *adj.* Se dice de los gestos, fórmulas, expresiones, que se repiten sin variación.

estereotipar *v. tr.* Fundir en una plancha una composición tipográfica.

estereotipia *s. f.* Arte de estereotipar.

estereotipo *s. m.* **1.** Idea simplificada y comúnmente aceptada que se tiene de alguien o algo. **2.** Plancha que se emplea en estereotipia.

estereotomía *s. f.* Arte de cortar piedras y maderas.

estéril *adj.* Que no da fruto o no produce.

esterilidad *s. f.* Enfermedad caracterizada por falta de la aptitud de fecundar en el macho y de concebir en la hembra.

esterilización *s. f.* Acción y efecto de esterilizar.

esterilizar *v. tr.* **1.** Hacer estéril. También prnl. **2.** Destruir gérmenes patógenos.

esternocleidomastoideo *s. m.* Músculo de cuello que permite el giro o la inclinación lateral de la cabeza.

esternón *s. m.* Hueso plano de la parte anterior del tórax.

estertor *s. m.* Respiración anhelosa, con ronquido silbante, propio de la agonía.

estertóreo, a *adj.* Que tiene estertor.

esteta *com.* Persona que adopta una actitud esteticista.

estético, ca *adj.* **1.** Relativo a la percepción o apreciación de la belleza. ‖ *s. f.* **2.** Ciencia que trata de la belleza y de la teoría del arte.

estetoscopia *s. f.* Exploración por medio del estetoscopio.

estetoscopio *s. m.* Instrumento que sirve para auscultar.

esteva *s. f.* Pieza corva y trasera del arado sobre la cual lleva la mano el que ara.

estevado, da *adj.* Que tiene las piernas torcidas en arco, de tal forma que con los pies juntos quedan separadas las rodillas.

estezar *v. tr.* Curtir las pieles en seco.

estiaje *s. m.* **1.** Caudal mínimo de un río u otra corriente en épocas de sequía. **2.** Periodo que dura este nivel.

estiba *s. f.* Colocación conveniente de los pesos de un buque.

estibador *s. m.* Obrero que distribuye convenientemente los pesos en el buque.

estibar *v. tr.* **1.** Apretar materiales o cosas sueltas para que ocupen el menor espacio posible. **2.** Colocar convenientemente todos los pesos de un buque.

estibia *s. f.* Espibia.

estibina *s. f.* Sulfuro de antimonio.

estibio *s. m.* Antimonio.

estiércol *s. m.* **1.** Excremento de cualquier animal. **2.** Materias orgánicas podridas, que se destinan al abono de las tierras.

estigio, gia *adj.* Infernal, del infierno.

estigma *s. m.* **1.** Marca en el cuerpo, natural o impuesta. **2.** Señal de infamia.

estigmatizar *v. tr.* **1.** Marcar a alguien con hierro candente. **2.** *fig.* Afrentar, infamar.

estilar *v. intr.* Usar, acostumbrar. También tr.

estilete *s. m.* **1.** Púa o punzón. **2.** Puñal.

estilicidio *s. m.* Acto de estar destilando gota a gota un licor.

estilista *com.* **1.** Escritor u orador que se caracteriza por su estilo esmerado. **2.** Persona entendida en estilo e imagen.

estilístico, ca *adj.* **1.** Perteneciente o relativo al estilo de la persona que habla o escribe. ‖ *s. f.* **2.** Ciencia del estilo o de la expresión lingüística en general.

estilita *adj.* Se dice del anacoreta que por mayor austeridad vivía sobre una columna.

estilizar *v. tr.* Interpretar convencionalmente la forma de un objeto, haciendo más delicados y finos sus rasgos.

estilo *s. m.* **1.** Punzón que se usaba para escribir. **2.** Modo, manera, forma. **3.** Manera de escribir o hablar peculiar de un escritor u orador.

estilóbato *s. m.* Macizo corrido sobre el cual se apoya una columnata.

estilográfica *s. f.* Pluma con tinta que corre.

estiloides *adj.* Se dice de una apófisis larga y delgada, en especial la de la cara inferior del hueso temporal.

estima *s. f.* Consideración y aprecio.

estimable *adj.* **1.** Que admite estimación o aprecio. **2.** Digno de aprecio y estima.

estimación *s. f.* **1.** Aprecio y valor que se da y en que se tasa o considera una cosa. **2.** Aprecio, consideración, afecto.

estimar *v. tr.* **1.** Apreciar, evaluar las cosas. **2.** Juzgar, creer. **3.** Hacer aprecio y estimación. También prnl.

estimativa *s. f.* **1.** Facultad racional con que se hace juicio del aprecio que merecen las cosas. **2.** Instinto de los animales.

estimular *v. tr.* **1.** Aguijonear, picar, punzar. **2.** *fig.* Incitar a la ejecución de una cosa o avivar una actividad, función, etc.

estímulo *s. m.* Incitamiento para obrar.

estinco *s. m.* Lagarto de color amarillo plateado, con siete bandas negras transversales, todo cubierto de escamas planas.

estío *s. m.* Estación del año que comienza en el solsticio de verano y termina en el equinoccio de otoño.

estiomenar *v. tr.* Corroer una parte carnosa del cuerpo los humores que fluyen a ella.

estipe *s. m.* Pedúnculo.

estipendiar *v. tr.* Dar estipendio.

estipendiario, ria *s. m. y s. f.* **1.** Persona que lleva el sueldo o el estipendio de otro. **2.** Persona que cobra o recibe estipendio.

estipendio *s. m.* Paga dada a una persona por su trabajo y servicio.

estípite *s. m.* **1.** Pilastra en forma de pirámide truncada. **2.** Tallo largo y no ramificado de las plantas arbóreas.

estipticar *v. tr.* Astringir, apretar los tejidos orgánicos.

estipticidad *s. f.* Calidad de estíptico.

estíptico, ca *adj.* **1.** Que tiene sabor metálico astringente. **2.** Que padece estreñimiento de vientre. **3.** *fig.* Estreñido, avaro, mezquino. **4.** *fig.* Que tiene virtud de estipticar.

estiptiquez *s. f., Arg. y Col.* Estipticidad, estreñimiento.

estípula *s. f.* Apéndice foliáceo colocado en los lados del pecíolo.

estipulación *s. f.* **1.** Convenio verbal. **2.** Cláusula.

estipular *v. tr.* **1.** Hacer contrato verbal. **2.** Convenir, concertar, acordar.

estique *s. m.* Cincel para modelar barro.

estira *s. f.* Cuchilla que usan los zurradores.

estiracáceo, a *adj.* Se dice de árboles y arbustos tropicales, de hojas alternas, flores solitarias o en racimo, axilares y con brácteas, y frutos por lo común abayados, con semillas de albumen carnoso. También s. f.

estirado, da *adj., fig.* Entonado y orgulloso con los demás.

estirajar *v. tr., fam.* Estirar una cosa deformándola.

estiramiento *s. m.* Acción y efecto de estirar.

estirar *v. tr.* **1.** Alargar una cosa, extendiéndola con fuerza para que dé de sí. También prnl. ‖ *v. prnl.* **2.** Desperezarse.

estirón *s. m.* Crecimiento rápido en altura.

estirpe *s. f.* **1.** Raíz y tronco de una familia. **2.** Descendencia de un sujeto.

estivación *s. f.* Adaptación orgánica al calor y sequedad propios del verano.

estivada *s. f.* Terreno inculto cuya broza se cava y quema para meterlo en cultivo.

estival *adj.* Perteneciente al estío.

estocada *s. f.* Golpe con la punta del estoque.

estofa *s. f.* **1.** Tela de labores, por lo común de seda. **2.** *fig.* Calidad, clase.

estofado *s. m.* Guiso de carne con otros condimentos, a fuego lento.

estofar[1] *v. tr.* **1.** Labrar una tela de manera que haga relieve. **2.** Dar de blanco a las esculturas que se han de dorar. **3.** Pintar sobre oro bruñido algunos relieves al temple.

estofar[2] *v. tr.* Hacer el guiso llamado estofado.

estoicismo *s. m.* **1.** Doctrina y escuela filosófica fundada por Zenón de Atenas y seguida por sus discípulos. **2.** *fig.* Calidad de estoico, que tiene gran entereza ante la desgracia.

estoico, ca *adj.* **1.** *fig.* Que manifiesta indiferencia por el placer y dolor. **2.** Se dice del filósofo que sigue la doctrina del estoicismo.

estola *s. f.* **1.** Vestidura amplia de griegos y romanos. **2.** Banda larga usada por los sacerdotes. **3.** Banda larga de piel.

estolidez *s. f.* Falta total de razón y discurso.

estólido, da *adj.* Falto de razón y discurso.

estoma *s. m.* Cada una de las pequeñas aberturas de las hojas de los vegetales.

estomacal *adj.* Perteneciente al estómago.

estomagar *v. tr.* **1.** Empachar, afectar. **2.** *fam.* Causar fastidio o enfado.

estómago *s. m.* Víscera hueca, situada a continuación del esófago, en la que se hace la quimificación de los alimentos.

estomático, ca *adj.* Perteneciente a la boca del hombre.

estomatitis *s. f.* Inflamación de la mucosa bucal.

estomatología *s. f.* Tratado de las enfermedades de la boca.

estopa *s. f.* **1.** Parte basta del lino o cáñamo. **2.** Tela gruesa tejida la estopa.

estopeño, ña *adj.* Perteneciente a la estopa.

estoperol *s. m.* Clavo corto, de cabeza grande y redonda, que sirve para clavar capas y otras cosas.

estopilla *s. f.* **1.** Parte más fina de la estopa. **2.** Tela que se hace con la estopilla. **3.** Tela muy sutil semejante a la gasa.

estoque *s. m.* Espada angosta, con la cual solo se puede herir de punta.

estor *s. m.* Cortinón o transparente que cubre el hueco de una puerta o balcón.

estoraque *s. m.* **1.** Árbol de la familia de las ebenáceas de cuyo tronco se obtiene un bálsamo oloroso. **2.** Este bálsamo.

estorbar *v. tr.* **1.** Poner obstáculo a la ejecución de alguna cosa. **2.** *fig.* Molestar.

estorbo *s. m.* Persona o cosa que estorba.

estornija *s. f.* Anillo de hierro que se pone en el extremo del eje de los carruajes.

estornino *s. m.* Pájaro de cabeza pequeña con plumaje negro de reflejos verdes y morados y pintas blancas.

estornudar *v. intr.* Arrojar con estrépito por la nariz y la boca el aire inspirado.

estornudo *s. m.* Acción y efecto de estornudar.

estotro, tra *pron. dem.* Contracción de este, esta, esto y otro, otra. También adj.

estovar *v. tr.* Rehogar.

estrabismo *s. m.* Defecto de la vista consistente en la desviación de la dirección normal de la mirada.

estracilla *s. f.* **1.** Pedazo pequeño y tosco de algún tejido. **2.** Papel algo más fino que el de estraza.

estrada *s. f.* Camino.

estrado *s. m.* **1.** Tarima sobre la cual se pone el trono real o la mesa presidencial. ‖ *s. m. pl.* **2.** Salas de tribunales donde los jueces oyen y sentencian los pleitos.

estrafalario, ria *adj.* **1.** Desaliñado. **2.** Extravagante. También s. m. y s. f.

estragamiento *s. m.* Desarreglo y corrupción.

estragar *v. tr.* **1.** Viciar, corromper. También prnl. **2.** Causar estrago.

estrago *s. m.* **1.** Daño hecho en guerra; matanza de gente. **2.** Daño, ruina.

estragón *s. m.* Hierba o mata, de hojas estrechas y cabezuelas pequeñas, que se usa como condimento.

estrambote *s. m.* Conjunto de versos que se añaden al fin de una composición poética.

estrambótico, ca *adj.* Extravagante.

estramonio *s. m.* Hierba con hojas grandes, anchas y dentadas, las cuales, secas, sirven como medicamento.

estrangol *s. m.* Compresión en la lengua de una caballería causada por el bocado.

estrangul *s. m.* Pipa que se pone en algunos instrumentos musicales de viento.

estrangulación *s. f.* Acción y efecto de estrangular.

estrangulador, ra *adj.* Que estrangula. También s. m. y s. f.

estrangulamiento *s. m.* Estrechamiento natural o artificial de un conducto.

estrangular *v. tr.* **1.** Ahogar a una persona o animal oprimiéndole el cuello hasta impedir la respiración. También prnl. **2.** Estrechar un conducto por presión o ligadura. También prnl.

estranguria *s. f.* Micción dolorosa gota a gota que se logra con mucha dificultad.

estraperlista *com.* Persona que se dedica al estraperlo.

estraperlo *s. m., fam.* Comercio ilegal de artículos intervenidos por el Estado.

estratagema *s. f.* **1.** Ardid de guerra, engaño. **2.** *fig.* Astucia, engaño artificioso.

estratega *com.* Persona versada en estrategia.

estrategia *s. f.* Arte de dirigir las operaciones militares u otros asuntos.

estratégico, ca *adj.* Perteneciente a la estrategia.

estratificación *s. f.* Acción y efecto de estratificar.

estratificar *v. tr.* Formar estratos.

estratigrafía *s. f.* **1.** Parte de la geología que estudia la disposición y caracteres de las rocas estratificadas. **2.** Estudio de los estratos arqueológicos, históricos, lingüísticos, sociales, etc.

estrato *s. m.* **1.** Nube que se presenta en forma de faja en el horizonte. **2.** Masa de rocas sedimentarias, extendidas en sentido horizontal. **3.** Capa de una sociedad.

estratosfera *s. f.* Región de la atmósfera, superior a la troposfera.

estrave *s. m.* Remate de la quilla del navío, que va en línea curva hacia la proa.

estraza *s. f.* **1.** Trapo, pedazo o desecho de ropa basta. **2.** Papel muy áspero.

estrechamiento *s. m.* Acción y efecto de estrechar.

estrechar *v. tr.* **1.** Reducir a menor ancho o espacio una cosa. **2.** Presionar. ‖ *v. prnl.* **3.** Ceñirse, recogerse, apretarse.

estrechez *s. f.* **1.** Escasez de anchura. **2.** Falta de lo necesario para subsistir.

estrecho, cha *adj.* **1.** Que tiene poca anchura. **2.** Miserable, tacaño, limitado. ‖ *s. m.* **3.** Paso angosto entre dos tierras que comunica un mar con otro.

estrechura *s. f.* Estrechez.

estregadera *s. f.* Cepillo de cerdas cortas y espesas.

estregamiento *s. m.* Acción y efecto de estregar.

estregar *v. tr.* Frotar. También prnl.

estregón *s. m.* Roce fuerte, refregón.

estrella *s. f.* **1.** Cada astro que brilla con luz propia en el firmamento. **2.** Sino. ‖ *com.* **3.** Persona que sobresale en su profesión.

estrelladera *s. f.* Utensilio de cocina, especie de espumadera plana.

estrelladero *s. m.* Especie de sartén llana con varias divisiones capaces para dos yemas.

estrellado, da *adj.* De forma de estrella.

estrellamar *s. f.* Equinodermo de figura de estrella, cubierto por una concha caliza.

estrellar *v. tr.* **1.** *fam.* Arrojar con violencia una cosa contra otra. También prnl. ‖ *v. prnl.* **2.** Quedar mal parado o matarse por efecto de un choque violento.

estremecedor, ra *adj.* Que estremece.

estremecer *v. tr.* **1.** Conmover, hacer temblar. **2.** *fig.* Ocasionar alteración o sobresalto en el ánimo. ‖ *v. prnl.* **3.** Temblar con movimiento agitado y repentino.

estremecimiento *s. m.* Acción y efecto de estremecer o estremecerse.

estrena *s. f.* Dádiva.

estrenar *v. tr.* **1.** Hacer uso por primera vez de una cosa. **2.** Representar un espectáculo por primera vez.

estreno *s. m.* Acción y efecto de estrenar.

estrenque *s. m.* Maroma gruesa hecha de esparto.

estrenuidad *s. f.* Calidad de estrenuo.

estrenuo, nua *adj.* Fuerte, ágil.

estreñido, da *adj.* **1.** Que padece estreñimiento. **2.** *fig.* Miserable, avaro, mezquino.

estreñimiento *s. m.* Acción y efecto de estreñir.

estreñir *v. tr.* Poner el vientre en mala disposición para evacuarse. También prnl.

estrépito *s. m.* **1.** Ruido considerable, estruendo. **2.** *fig.* Ostentación.

estrepitoso, sa *adj.* Que causa estrépito.

estreptococo *s. m.* Nombre dado a microbios de forma redondeada que se agrupan en cadena.

estreptomicina *s. f.* Sustancia elaborada por determinados organismos y usada contra la tuberculosis, etc.

estrés *s. m.* Situación de un individuo o de alguno de sus órganos que, por exigir de ellos un rendimiento muy superior al normal, los pone en peligro de enfermar.

estresar *v. tr.* **1.** Causar estrés. ‖ *v. prnl.* **2.** Sentir estrés.

estría *s. f.* Cada una de las rayas en hueco que suelen tener algunos cuerpos.

estriar *v. tr.* **1.** Formar estrías. ‖ *v. prnl.* **2.** Formar una cosa en sí surcos o canales.

estribación *s. f.* Ramal de montañas que se desprende de una cordillera.

estribadero *s. m.* Parte donde se asegura algo.

estribar *v. intr.* **1.** Descansar el peso de una cosa en otra sólida y firme. **2.** *fig.* Fundarse, apoyarse.

estribillo *s. m.* Cláusula en verso con la que empiezan algunas composiciones líricas o que se repite después de cada estrofa.

estribo *s. m.* **1.** Pieza en que el jinete apoya el pie cuando va montado. **2.** Hueso del oído medio. **3.** Macizo de fábrica, que sirve para sostener la bóveda y contrarrestar su empuje. **4.** *fig.* Apoyo, fundamento.

estribor *s. m.* Costado derecho del navío, mirando de popa a proa.

estricnina *s. f.* Alcaloide muy venenoso que se extrae de determinados vegetales.

estrictez *s. f.* Calidad de estricto, rigurosidad.

estricto, ta *adj.* Estrecho, ajustado enteramente a la necesidad o a la ley.

estridencia *s. f.* **1.** Sonido agudo, desapacible y chirriante. **2.** Violencia de la expresión o de la acción.

estridente *adj.* Se aplica al sonido agudo, desapacible y chirriante.

estridor *s. m.* Sonido desapacible y chirriante.

estridular *v. intr.* Producir estridor.

estrige *s. f.* Lechuza.

estrinque *s. m.* Maroma gruesa de esparto.

estro *s. m.* **1.** Entusiasmo con que se inflaman los poetas al componer sus obras. **2.** Periodo de celo de los mamíferos.

estróbilo *s. m.* Conjunto de órganos o de segmentos dispuestos ordenadamente de mayor o menor con relación a un eje.

estrobo *s. m.* Pedazo de cabo unido por sus chicotes.

estrofa *s. f.* Cada una de las partes de que constan algunas composiciones poéticas.

estrofanto *v. tr.* Planta de cuyas semillas se extrae una sustancia del mismo nombre, que posee acción tónica sobre el corazón.

estrógeno *s. m.* Hormona que provoca el estro o celo de los mamíferos.

estroma *s. f.* Trama conjuntiva que sirve para el sostenimiento entre sus mallas de los elementos celulares o de las sustancias activas de algunas células.

estroncio *s. m.* Metal amarillo poco brillante, capaz de descomponer el agua a la temperatura ordinaria.

estropajear *v. tr.* Limpiar en seco las paredes enlucidas.

estropajo *s. m.* **1.** Porción de esparto, que sirve principalmente para fregar. **2.** Persona o cosa inútil. **3.** Planta cuyo fruto desecado se usa como cepillo de aseo.

estropajoso, sa *adj., fig. y fam.* Se aplica a las cosas que son ásperas y fibrosas.

estropear *v. tr.* **1.** Maltratar a una persona o cosa. También prnl. **2.** *fig.* Echar a perder, malograr cualquier asunto.

estropicio *s. m., fam.* Destrozo.

estructura *s. f.* Distribución y orden de las partes del cuerpo, edificio, obra, etc.

estructural *adj.* Perteneciente o relativo a la estructura.

estructurar *v. tr.* Distribuir, ordenar las partes de una obra o de un cuerpo.

estruendo *s. m.* **1.** Ruido grande. **2.** *fig.* Confusión, bullicio. **3.** *fig.* Pompa.

estruendoso, sa *adj.* Ruidoso, estrepitoso.

estrujador, ra *adj.* Que estruja. También s. m. y s. f.

estrujamiento *s. m.* Acción y efecto de estrujar.

estrujar *v. tr.* **1.** Apretar una cosa para sacarle el zumo. **2.** Apretar a alguien fuertemente. **3.** *fig. y fam.* Agotar.

estuación *s. f.* Flujo o creciente del mar.

estuante *adj.* Demasiado caliente.

estuario *s. m.* Terreno próximo a la orilla de una ría, invadido por el mar.

estucado *s. m.* Acción y efecto de estucar.

estucar *v. tr.* Dar a una cosa con estuco o blanquearla con él.

estuchar *v. tr.* Recubrir con estuche.

estuche *s. m.* Caja o envoltura para guardar uno o varios objetos.

estuco *s. m.* **1.** Masa de yeso blanco y agua de cola. **2.** Pasta de cal y mármol pulverizado.

estudiante *com.* Persona que está cursando estudios.

estudiantil *adj., fam.* Perteneciente a los estudiantes.

estudiantina *s. f.* Cuadrilla de estudiantes que salen por las calles tocando varios instrumentos.

estudiar *v. tr.* **1.** Ejercitar el entendimiento para comprender una cosa. **2.** Cursar estudios en centros de enseñanza.

estudio *s. m.* **1.** Aplicación, habilidad. **2.** Obra con que un autor estudia una cuestión. **3.** Sala donde se estudia o trabaja. **4.** Lugar destinado a la impresión de películas o emisiones de radio y televisión.

estudiosidad *s. f.* Inclinación y aplicación al estudio.

estudioso, sa *adj.* Dado al estudio.

estufa *s. f.* Hogar encerrado en una caja de metal o porcelana, usado para dar calor.

estufilla *s. f.* **1.** Manguito para abrigar las manos. **2.** Braserillo para calentar los pies.

estulticia *s. f.* Necedad, tontería.

estulto, ta *adj.* Necio, tonto.

estuosidad *s. f.* Demasiado calor y enardecimiento.

estuoso, sa *adj.* Caluroso, ardiente.

estupefacción *s. f.* Pasmo o estupor.

estupefaciente *s. m.* **1.** Sustancia narcótica que hace perder o amortigua la sensibilidad, como la morfina. **2.** Droga.

estupefacto, ta *adj.* Atónito, pasmado.

estupendo, da *adj.* **1.** Admirable, asombroso, pasmoso. **2.** Muy bueno.

estupidez *s. f.* Torpeza notable en comprender las cosas.

estúpido, da *s. f.* Notablemente torpe para comprender las cosas. También s. m. y s. f.

estupor *s. m.* **1.** Disminución de las funciones intelectuales. **2.** Asombro, pasmo.

estuprador, ra *s. m. y s. f.* Persona que estupra.

estuprar *v. tr.* Cometer estupro.

estupro *s. m.* Violación de un menor por un adulto, aprovechándose del abuso de confianza.

estuque *s. m.* Estuco.

estuquería *s. f.* El arte de hacer labores de estuco.

estuquista *s. m. y s. f.* Persona que hace obras de estuco.

esturar *v. tr.* Asurar, socarrar.

esturgar *v. tr.* Perfeccionar el alfarero las piezas de barro por medio de la alaria.

esturión *s. m.* Pez de mar, comestible, de cuerpo alargado, de cuyas huevas se prepara el caviar y de su vejiga seca se obtiene una gelatina llamada cola de pescado.

ésula *s. f.* Planta con látex blanco, más o menos acre, que ha sido usada en medicina.

esvarar *v. intr.* Desvarar, resbalar. También prnl.

esvástica *s. f.* Cruz gamada.

esviaje *s. m.* Oblicuidad de la superficie de un muro o del eje de una bóveda.

eta *s. f.* Nombre de la e larga del alfabeto griego.

etalaje *s. m.* Parte de la cavidad de la cuba en los altos hornos, inferior al vientre.

etano *s. m.* Hidrocarburo formado por dos átomos de carbono y seis de hidrógeno.

etanol *s. m.* Hidrocarburo líquido, soluble en agua, usado como disolvente y componente principal de bebidas alcohólicas.

etapa *s. f.* **1.** Ración de comida que se da a la tropa en marcha. **2.** *fig.* Época o avance parcial en el desarrollo de una acción.

etcétera *s. f.* Voz que indica la continuación de cosas iguales. Se escribe generalmente con la abreviatura *etc.*.

éter *s. m.* **1.** Cielo. **2.** Fluido hipotético invisible, imponderable y elástico que se supone llena todo el espacio. **3.** Cualquiera de los compuestos químicos que resultan de la sustitución del átomo de hidrógeno de un hidroxilo por un radical alcohólico.

etéreo, a *adj.* **1.** Relativo al cielo. **2.** Difícil de captar.

eterio *s. m.* Agregado de frutos sobre un receptáculo seco o carnoso, y también por la reunión de drupitas sobre un receptáculo seco.

eterismo *s. m.* Pérdida de toda sensibilidad por la acción del éter.

eterización *s. f.* Acción y efecto de eterizar.

eterizar *v. tr.* Administrar el éter por las vías respiratorias.

eternal *adj.* Eterno.

eternidad *s. f.* **1.** Perpetuidad, sin principio ni fin. **2.** *fig.* Duración dilatada de siglos y edades.

eternizar *v. tr.* **1.** Hacer durar una cosa demasiado. También prnl. ‖ *v. prnl.* **2.** Tardar mucho, demorarse.

eterno, na *adj.* **1.** Que no tiene principio ni fin. **2.** Que dura por largo tiempo. **3.** Válido o existente en todos los tiempos.

eteromanía *s. f.* Hábito morboso de aspirar vapores de éter.

etesio *adj.* Se dice del viento que se muda en tiempo determinado del año. También s. m.

ético, ca[1] *adj.* **1.** Perteneciente o relativo a la ética. **2.** Recto, conforme a la moral. ‖ *s. m. y s. f.* **3.** Moralista, que estudia o enseña moral.

ético, ca[2] *adj.* Hético. También s. m. y s. f.

etileno *s. m.* Hidrocarburo gaseoso muy inflamable del cual se obtiene el etanol.

etílico *adj.* Se dice de cierto tipo de alcohol incoloro con sabor ardiente y fuerte olor; muy utilizado en la industria, especialmente en la fabricación de bebidas.

etilo *s. m.* Radical formado de carbono e hidrógeno.

etimología *s. f.* Origen de las palabras, razón de su existencia, de su significación y forma.

etimológico, ca *adj.* Perteneciente o relativo a la etimología.

etimologista *com.* Persona que se dedica a investigar la etimología de las palabras.

etimologizar *v. tr.* Sacar o averiguar etimologías.

etimólogo, ga *s. m. y s. f.* Etimologista.

etiología *s. f.* Estudio sobre las causas de las cosas.

etiqueta *s. f.* **1.** Ceremonial que se debe observar en actos públicos solemnes. **2.** Trocito de papel o metal en que se suele escribir la marca, precio, etc., de un producto.

etiquetar *v. tr.* Colocar etiquetas.

etiquez *s. f.* Hetiquez.

etites *s. f.* Concreción de óxido de hierro en bolas redondeadas y huecas con un nódulo suelto en su interior.

etmoides *adj.* Se dice de un hueso pequeño encajado en el frontal, delante del esfenoides, que contribuye a formar las cavidades nasales y las órbitas. También s. m.

etnia *s. f.* Pueblo o grupo de personas con unas características físicas y culturales comunes.

étnico, ca *adj.* Perteneciente a una nación o raza.

etnografía *s. f.* Ciencia que tiene por objeto el estudio y descripción de las razas o pueblos.

etnográfico, ca *adj.* Referente a la etnografía.

etnógrafo, fa *s. m. y s. f.* Persona que profesa la etnografía.

etnología *s. f.* Parte de la antropología que estudia las razas y los pueblos.

etnológico, ca *adj.* Perteneciente o relativo a la etnología.

etnólogo, ga *s. m. y s. f.* Persona que profesa la etnología.

etología *s. f.* **1.** Estudio científico del carácter y modos de comportamiento del hombre. **2.** Parte de la biología que estudia el comportamiento de los animales.

etopeya *s. f.* Descripción del carácter, acciones y costumbres de una persona.

etusa *s. f.* Cicuta.

eubolia *s. f.* Virtud que ayuda a hablar convenientemente.

eucalipto *s. m.* Árbol de gran tamaño, de cuyas hojas se extrae un febrífugo y una tinta. La madera se usa en la construcción.

eucaristía *s. f.* Sacramento instituido por Jesucristo en la Última Cena.

eucologio *s. m.* Devocionario que contiene los oficios del domingo y principales fiestas del año.

eucrático, ca *adj.* Se dice del buen temperamento y complexión de un sujeto.

eudiómetro *s. m.* Tubo de vidrio muy resistente destinado a contener gases que han de reaccionar químicamente mediante la chispa eléctrica.

eufemismo *s. m.* Modo de expresar con suavidad o decoro ideas, cuya franca expresión sería dura o malsonante.

eufonía *s. f.* Sonoridad agradable.

eufónico, ca *adj.* Que tiene eufonía.

euforbiáceo, a *adj.* Se aplica a plantas dicotiledóneas que tienen jugos acres o venenosos y generalmente lechosos.

euforbio *s. m.* Planta africana, de la que se extrae una gomorresina, usada como purgante.

euforia *s. f.* **1.** Estado normal de las funciones orgánicas. **2.** Sensación de bienestar.

eufórico, ca *adj.* Perteneciente o relativo a la euforia.

eufótida *s. f.* Roca compuesta de diálaga y feldespato.

eufrasia *s. f.* Hierba de pequeñas flores blancas, con rayas púrpuras y una mancha amarilla.

eugenesia *s. f.* Aplicación de las leyes biológicas de la herencia al perfeccionamiento de la especie humana.

eunuco *s. m.* Hombre castrado.

eupatorio *s. m.* Planta herbácea de flores blancas y rosáceas, olorosas, en corimbo y raíz fusiforme, picante y amarga; se ha usado como medicinal.

eupepsia *s. f.* Digestión normal.

eupéptico, ca *adj.* Se aplica a la sustancia que favorece la digestión.

eureka *interj.* Se usa como expresión de alegría cuando se halla o descubre algo que se busca con afán.

euritmia *s. f.* Equilibrio en todas las partes de una obra de arte.

eurítmico, ca *adj.* Perteneciente o relativo a la euritmia.

euro *s. m.* **1.** Unidad de moneda europea. **2.** *poét.* Uno de los vientos cardinales, que sopla del este.

europeizar *v. tr.* Introducir en un pueblo la cultura de las naciones de Europa.

euskera *s. m.* **1.** Lengua hablada en el País Vasco francés, español y Navarra. **2.** *adj.* Perteneciente o relativo a la lengua vasca.

eutanasia *s. f.* Aceleración de la muerte de un paciente con una enfermedad incurable con el fin de evitarle sufrimientos; en ocasiones, es el propio enfermo quien la solicita.

eutrapelia *s. f.* Virtud que modera las diversiones.

eutrapélico, ca *adj.* Perteneciente o relativo a la eutrapelia.

evacuación *s. f.* Acción y efecto de evacuar.

evacuar *v. tr.* **1.** Desocupar alguna cosa. **2.** Expeler humores o excrementos.

evacuatorio *s. m.* Lugar público destinado en las poblaciones para que los transeúntes puedan hacer aguas.

evadir *v. tr.* **1.** Evitar un peligro. También prnl. **2.** Sacar dinero de un país ilegalmente. ‖ *v. prnl.* **3.** Fugarse, escaparse.

evagación *s. f.* Distracción de la imaginación.

evaluación *s. f.* Valuación.

evaluar *v. tr.* **1.** Valorar. **2.** Estimar, apreciar el valor de las cosas no materiales.

evanescente *adj.* Que se desvanece o esfuma.

evanescer *v. tr.* Desvanecer o esfumar. También prnl.

evangélico, ca *adj.* Se dice de una secta resultante de la fusión del culto luterano y calvinista.

evangelio *s. m.* Historia de la vida, doctrina y milagros de Jesucristo.

evangelista *s. m.* Cada uno de los cuatro autores sagrados que escribieron el Evangelio: san Mateo, san Marcos, san Lucas y san Juan.

evangelización *s. f.* Acción y efecto de evangelizar.

evangelizar *v. tr.* Predicar la fe de Jesucristo.

evaporación *s. f.* Acción y efecto de evaporar o evaporarse.

evaporar *v. tr.* **1.** Convertir en vapor. También prnl. **2.** *fig.* Disipar. También prnl. ‖ *v. prnl.* **3.** *fig.* Fugarse.

evaporizar *v. tr.* Vaporizar. También intr. y prnl.

evasión *s. f.* **1.** Evasiva. **2.** Fuga, huida.

evasivo, va *adj.* **1.** Que incluye una evasiva o la favorece. ‖ *s. f.* **2.** Recurso para eludir una dificultad.

evasor, ra *adj.* Que se evade.

evección *s. f.* Desigualdad periódica de los movimientos de la Luna, ocasionada por la atracción del Sol.

evento *s. m.* Acontecimiento imprevisto.

eventual *adj.* Sujeto a cualquier evento o contingencia.

eventualidad *s. f.* Hecho de realización incierta.

eversión *s. f.* Destrucción, ruina.

evicción *s. f.* Pérdida de un derecho por sentencia firme y en virtud de derecho anterior ajeno.

evidencia *s. f.* Certeza manifiesta y tan perceptible de algo que nadie puede racionalmente dudar de ella.

evidenciar *v. tr.* Hacer patente y manifiesta la verdad de una cosa.

evidente *adj.* Se dice de una proposición, demostración, etc., cuando al plantearse expresamente la cuestión de saber si es verdadera o falsa, nadie puede dudar de su verdad.

evitable *adj.* Que se puede o debe evitar.

evitar *v. tr.* **1.** Apartar algún daño; precaver, impedir que suceda. **2.** Huir de tratar a alguien, apartarse de su comunicación.

eviterno, na *adj.* Que tiene principio, pero no fin.

evo *s. m.* Duración de las cosas eternas.

evocación *s. f.* Acción y efecto de evocar.

evocador, ra *adj.* Que evoca.

evocar *v. tr.* **1.** Llamar a los espíritus y a los muertos. **2.** Traer algo a la memoria.

evolución *s. f.* **1.** Desarrollo gradual de las cosas y de los seres vivos independientemente de su propia voluntad. **2.** Desarrollo de las ideas o de las teorías.

evolucionar *v. intr.* **1.** Sufrir una evolución. **2.** Mudar de conducta o de actitud.

evolucionismo *s. m.* Doctrina según la cual todos los animales y plantas descienden de algunos organismos simples o tal vez de uno solo.

evolucionista *adj.* Partidario del evolucionismo.

evolutivo, va *adj.* Perteneciente a la evolución.

evónimo *s. m.* Arbusto de la familia de las celastráceas, cultivado en los jardines de Europa.

exabrupto *s. m.* Salida de tono.

exacción *s. f.* Cobro injusto y violento.

exacerbación *s. f.* Acción y efecto de exacerbar.

exacerbar *v. tr.* **1.** Causar un gran enfado. También prnl. **2.** Agravar o avivar una enfermedad, una pasión. También prnl.

exactitud *s. f.* Puntualidad y fidelidad en la ejecución de una cosa.

exacto, ta *adj.* Puntual, fiel y cabal.

exactor *s. m.* Cobrador de los tributos, impuestos o emolumentos.

exageración *s. f.* Cosa que traspasa los límites de lo justo, verdadero o razonable.

exagerado, da *adj.* **1.** Que exagera. También s. m. y s. f. **2.** Que incluye en sí exageración.

exagerar *v. tr.* Encarecer, dar proporciones excesivas a una cosa.

exaltación *s. f.* Gloria que resulta de una acción notable.

exaltado, da *adj.* Que se exalta.

exaltamiento *s. m.* Exaltación.

exaltar *v. tr.* **1.** Elevar a una persona o cosa a mayor dignidad. ‖ *v. prnl.* **2.** Dejarse arrebatar de una pasión sin moderación.

examen s. m. **1.** Indagación cuidadosa de cualidades y circunstancias. **2.** Prueba que se hace de la idoneidad de un sujeto.

examinador, ra s. m. y s. f. Persona que examina.

examinando, da s. m. y s. f. Persona que está para ser presentada a examen.

examinar v. tr. **1.** Inquirir, investigar con diligencia una cosa. **2.** Probar o tantear la idoneidad de alguien. También prnl.

exangüe adj. **1.** Desangrado, falto de sangre. **2.** fig. Sin ningunas fuerzas.

exanimación s. f. Privación de las funciones vitales.

exánime adj. **1.** Sin señales de vida. **2.** fig. Sumamente debilitado, desmayado.

exantema s. m. Erupción cutánea de color rojo, que aparece en enfermedades como el sarampión, la escarlatina, etc.

exantemático, ca adj. Perteneciente al exantema.

exasperación s. f. Acción y efecto de exasperar o exasperarse.

exasperar v. tr. **1.** Irritar una parte delicada. También prnl. **2.** fig. Dar motivo de gran enojo a alguien. También prnl.

excandecencia s. f. Irritación vehemente.

excandecer v. tr. Irritar. También prnl.

excarcelación s. f. Acción y efecto de excarcelar.

excarcelar v. tr. Poner en libertad al preso por mandamiento judicial.

excavación s. f. Acción y efecto de excavar.

excavadora s. f. Máquina para excavar.

excavar v. tr. Hacer en el terreno hoyos, zanjas, desmontes, pozos o galerías.

excedencia s. f. Condición de excedente.

excedente adj. **1.** Excesivo. **2.** Sobrante. **3.** Se dice del empleado público que temporalmente deja de ejercer cargo.

exceder v. tr. **1.** Ser una persona o cosa más grande o aventajada que otra. ‖ v. intr. **2.** Propasarse de lo lícito o razonable. Se usa más como prnl.

excelencia s. f. **1.** Superior calidad o bondad. **2.** Tratamiento de respeto y cortesía.

excelente adj. Que sobresale en bondad, mérito o estimación.

excelentísimo, ma adj. Tratamiento de respeto y cortesía con que se habla a la persona a quien corresponde este honor.

excelsitud s. f. Suma alteza.

excelso, sa adj. **1.** Muy elevado, alto, eminente. **2.** fig. De singular excelencia.

excentricidad s. f. Rareza o extravagancia de carácter.

excéntrico, ca adj. **1.** De carácter raro, extravagante. **2.** Que está fuera del centro.

excepción s. f. Cosa que se aparta de la regla general de las demás de su especie.

excepcional adj. Que se aparta de lo ordinario o que ocurre rara vez.

excepcionar v. tr. **1.** Exceptuar. **2.** Alegar excepción en el juicio.

excepta s. f. Recopilación, extracto.

excepto prep. **1.** A excepción de, fuera de, menos. ‖ conj. advers. **2.** Y no, pero no, a no ser.

exceptuación s. f. Excepción.

exceptuar v. tr. Excluir a una persona o cosa de la regla común. También prnl.

excerta s. f. Excepta.

excesivo, va adj. Que excede y sale de regla.

exceso s. m. **1.** Parte que excede de la medida o regla. **2.** Abuso, delito o crimen.

excipiente s. m. Sustancia inerte que se mezcla con los medicamentos para darles la forma o calidad conveniente para su uso.

excitabilidad s. f. Calidad de excitable.

excitable adj. **1.** Capaz de ser excitado. **2.** Que se excita fácilmente.

excitación s. f. Acción y efecto de excitar.

excitar v. tr. **1.** Mover, estimular. **2.** Provocar deseo sexual. ‖ v. prnl. **3.** Animarse por el enojo, la alegría, el deseo, etc.

exclamación s. f. Voz, grito o frase en que se refleja una emoción del ánimo.

exclamar v. intr. **1.** Emitir palabras con fuerza para expresar un vivo afecto. **2.** Proferir exclamaciones.

exclamativo, va adj. Exclamatorio.

exclamatorio, ria adj. Propio de la exclamación.

exclaustrar v. tr. Permitir u ordenar a un religioso que abandone el claustro.

excluir v. tr. **1.** Echar a una persona o cosa fuera del lugar que ocupaba. **2.** Negar la posibilidad de alguna cosa. **3.** Separar.

exclusión s. f. Acción y efecto de excluir.

exclusive adv. m. No tomar en cuenta el último número o elemento mencionado.

exclusividad s. f. Calidad de exclusivo.

exclusivismo s. m. **1.** Obstinada adhesión a una cosa, persona o idea, sin prestar atención a las demás que deben ser tenidas en cuenta. **2.** Prurito de excluir a otros de la participación en algo.

exclusivo, va adj. **1.** Único. ‖ s. f. **2.** Privilegio de hacer algo prohibido a los demás.

excogitar v. tr. Hallar o encontrar una cosa con el discurso y la meditación.

excombatiente *adj.* Se dice de la persona que peleó bajo alguna bandera militar.

excomulgar *v. tr.* Apartar de la comunión y del uso de los sacramentos.

excomunión *s. f.* Acción y efecto de excomulgar.

excoriación *s. f.* Acción y efecto de excoriar o excoriarse.

excoriar *v. tr.* Corroer el cutis, quedando la carne descubierta. También prnl.

excrecencia *s. f.* Carnosidad que se cría en animales y plantas, alterando su textura y superficie natural.

excreción *s. f.* Acción y efecto de excretar.

excrementar *v. intr.* Deponer los excrementos.

excrementicio, cia *adj.* Perteneciente al excremento.

excremento *s. m.* Residuos del alimento que, después de hecha la digestión, despide el cuerpo.

excrescencia *s. f.* Excrecencia.

excretar *v. intr.* **1.** Expeler el excremento. **2.** Expeler las sustancias elaboradas por las glándulas.

excretor, ra *adj.* Se dice del órgano que sirve para excretar.

excretorio, ria *adj.* **1.** Se aplica a los vasos o conductos que separan lo inútil de lo bueno y útil. **2.** Excretor.

exculpación *s. f.* Acción y efecto de exculpar.

exculpar *v. tr.* Descargar de culpa a alguien. También prnl.

excursión *s. f.* **1.** Correría. **2.** Ida a algún paraje para estudio, recreo o ejercicio.

excursionismo *s. m.* Ejercicio y práctica de las excursiones como deportes o con fin científico o artístico.

excursionista *com.* Persona que hace excursiones.

excusa *s. f.* **1.** Motivo que se invoca para excusarse. **2.** Excepción o descargo.

excusabaraja *s. f.* Cesta de mimbre con la tapa del mismo material.

excusable *adj.* Que admite excusa o es digno de ella.

excusado *s. m.* Lavabo.

excusalí *s. m.* Delantal pequeño.

excusar *v. tr.* Alegar razones para sacar libre a alguien de la culpa que se le imputa. También prnl.

excusión *s. f.* Procedimiento judicial para obtener el pago a expensas de un deudor principal.

exea *s. m.* Soldado explorador.

execrable *adj.* Digno de execración.

execración *s. f.* Pérdida del carácter sagrado de un lugar.

execrar *v. tr.* **1.** Condenar y maldecir. **2.** Aborrecer. **3.** Reprobar severamente.

execratorio, ria *adj.* Que sirve para execrar.

exedra *s. f.* Construcción descubierta, de planta semicircular, con asientos y respaldos fijos en la parte de la curva.

exegesis o exégesis *s. f.* Explicación especialmente de los libros de la Sagrada Escritura.

exegeta o exégeta *s. m.* Intérprete o expositor de la Sagrada Escritura.

exención *s. f.* Libertad que alguien goza para eximirse de alguna obligación.

exencionar *v. tr.* Eximir, exentar.

exentar *v. tr.* Eximir. También prnl.

exento, ta *adj.* Libre.

exequátur *s. m.* Autorización que otorga el jefe de un Estado a los agentes extranjeros para que en sus territorios ejerzan sus cargos.

exequias *s. f. pl.* Honras funerales.

exequible *adj.* Que se puede conseguir o llevar a efecto.

exergo *s. m.* Parte de una medalla donde se pone una leyenda debajo del tipo o figura.

exfoliación *s. f.* Pérdida o caída de la epidermis en forma de escamas.

exfoliar *v. tr.* Dividir una cosa en láminas o escamas. También prnl.

exhalación *s. f.* **1.** Estrella fugaz. **2.** Rayo, centella. **3.** Vapor o vaho.

exhalar *v. tr.* **1.** Despedir gases, vapores u olores. **2.** Lanzar quejas, suspiros, etc.

exhaustivo, va *adj.* Que agota o apura por completo.

exhausto, ta *adj.* Enteramente agotado.

exheredar *v. tr.* Desheredar.

exhibición *s. f.* Acción y efecto de exhibir.

exhibicionismo *s. m.* Prurito de exhibirse.

exhibicionista *com.* Persona aficionada al exhibicionismo.

exhibir *v. tr.* Mostrar en público o ante quien corresponda. También prnl.

exhortación *s. f.* **1.** Palabras con que se exhorta. **2.** Plática familiar y breve.

exhortar *v. tr.* Inducir a alguien con palabras a que haga alguna cosa.

exhortativo, va *adj.* Exhortatorio.

exhortatorio, ria *adj.* Perteneciente o relativo a la exhortación.

exhorto *s. m.* Despacho que libra un juez a otro de igual categoría para que mande dar cumplimiento a lo que se le pide.

exhumación *s. f.* Acción de exhumar.

exhumar *v. tr.* **1.** Desenterrar un cadáver. **2.** *fig.* Traer a la memoria lo olvidado.

exigencia *s. f.* Pretensión desmedida.

exigente *adj.* Se dice especialmente de la persona que exige caprichosa o despóticamente.

exigible *adj.* Que puede o debe exigirse.

exigir v. tr. **1.** Cobrar o sacar de alguien por autoridad pública dinero u otra cosa. **2.** fig. Pedir una cosa o algún requisito necesario para que se haga.

exigüidad s. f. Calidad de exiguo.

exiguo, gua adj. Insuficiente, escaso.

exiliado, da adj. Desterrado, expatriado, generalmente por motivos políticos. También s. m. y s. f.

exiliar v. tr. **1.** Expulsar a alguien de su territorio. ‖ v. prnl. **2.** Expatriarse, generalmente por motivos políticos.

exilio s. m. **1.** Destierro. **2.** Expatriación.

eximente adj. Circunstancia que libra de responsabilidad judicial. También s. f.

eximio, mia adj. Muy excelente.

eximir v. tr. Libertar de una obligación, cargas, cuidados, etc. También prnl.

exinanición s. f. Notable falta de vigor y fuerza.

exinanido, da adj. Muy falto de fuerzas y vigor.

existencia s. f. **1.** Acto de existir. **2.** Vida del hombre. ‖ s. f. pl. **3.** Mercancías que no han tenido aún la salida o empleo a que están destinadas.

existencialismo s. m. Nombre de varias doctrinas filosóficas contemporáneas que estiman la existencia del hombre como principio de todo pensar.

existencialista adj. Partidario del existencialismo. Se usa más como s. m. y s. f.

existimar v. tr. Formar opinión de una cosa; tenerla por cierta, aunque no lo sea.

existir v. intr. **1.** Tener una cosa ser real. **2.** Tener vida. **3.** Haber, estar, hallarse.

éxito s. m. Resultado feliz de un negocio, actuación, etc.

éxodo s. m., fig. Emigración de un pueblo.

exoftalmía s. f. Síntoma de varias enfermedades que consiste en la situación saliente del globo ocular.

exógeno adj. **1.** Se dice del órgano que se forma en el exterior de otro. **2.** Se dice de las fuerzas o fenómenos que se producen en la superficie terrestre.

exonerar v. tr. **1.** Aliviar, descargar de peso u obligación. También prnl. **2.** Primar o destituir a alguien de su empleo.

exorar v. tr. Pedir con empeño.

exorbitancia s. f. Exceso notable con que una cosa pasa del orden y término regular.

exorbitante adj. Excesivo.

exorcismo s. m. Conjuro ordenado por la Iglesia contra el espíritu.

exorcista com. Persona que exorciza.

exorcizar v. tr. Usar de exorcismo contra el espíritu maligno.

exordio s. m. Introducción, preámbulo de una obra o discurso.

exornar v. tr. Adornar, hermosear. También prnl.

exósmosis o exosmosis s. f. En la ósmosis, corriente que va del líquido más denso al menos denso a través de una membrana.

exotérico, ca adj. Común, vulgar.

exotérmico, ca adj. Se dice de la reacción que se produce con desprendimiento de calor.

exótico, ca adj. **1.** Extranjero, peregrino. **2.** Extraño, chocante, extravagante.

expandir v. tr. **1.** Extender, dilatar. También prnl. **2.** Difundir. También prnl.

expansibilidad s. f. Propiedad o tendencia que tienen los gases a aumentar de volumen a causa de la fuerza de repulsión que obra entre sus moléculas.

expansible adj. Susceptible de expansión.

expansión s. f. **1.** Dilatación, especialmente la de un gas o de un órgano. **2.** Desarrollo o difusión de una opinión.

expansionarse v. prnl. Desahogar.

expansivo, va adj., fig. Comunicativo.

expatriación s. f. Acción y efecto de expatriarse o ser expatriado.

expatriarse v. prnl. Abandonar alguien su patria. También tr.

expectación s. f. Intensidad con que se espera una cosa.

expectante adj. **1.** Que espera observando. **2.** Se dice del hecho de que se tiene conocimiento como venidero.

expectativa s. f. Esperanza o posibilidad de conseguir alguna cosa.

expectoración s. f. Lo que se expectora.

expectorar v. tr. Arrancar y arrojar por la boca las flemas y secreciones que se depositan en los órganos respiratorios.

expedición s. f. Excursión para realizar una empresa en punto distante.

expedicionario, ria adj. Que lleva a cabo una expedición. También s. m. y s. f.

expedidor, ra s. m. y s. f. Persona que expide.

expedientar v. tr. Someter a expediente a un funcionario.

expediente s. m. **1.** Negocio que se sigue sin juicio contradictorio en los tribunales. **2.** Conjunto de papeles relativos a un asunto.

expedir v. tr. **1.** Dar curso a las causas y negocios. **2.** Despachar, extender por escrito un documento. **3.** Remitir, enviar.

expedito, ta adj. Desembarazado.

expeler v. tr. Arrojar, echar de alguna parte a una persona o cosa.

expendedor, ra adj. **1.** Que gasta o expende. También s. m. y s. f. ‖ s. m. y s. f. **2.** Persona que vende efectos de otro.

expendeduría *s. f.* Tienda en que se vende al por menor productos monopolizados.

expender *v. tr.* **1.** Gastar, hacer expensas. **2.** Vender efectos de propiedad ajena por encargo de su dueño.

expendio *s. m.* Gasto, consumo.

expensas *s. f. pl.* Gastos, costas.

experiencia *s. f.* **1.** Enseñanza que se adquiere con el uso. **2.** Experimento.

experimentación *s. f.* Acción y efecto de experimentar, experiencia.

experimentado, da *adj.* Se dice de la persona que tiene experiencia.

experimental *adj.* Fundado en la experiencia o en los experimentos.

experimentar *v. tr.* **1.** Probar y examinar prácticamente una cosa. **2.** Notar, sentir en sí un cambio. **3.** Sufrir, padecer.

experimento *s. m.* Acción y efecto de experimentar.

experto, ta *adj.* Hábil, experimentado.

expiación *s. f.* Acción y efecto de expiar.

expiar *v. tr.* Borrar las culpas por medio de algún sacrificio.

expiatorio, ria *adj.* Que se hace por expiación o que la produce.

expilar *v. tr.* Robar, despojar.

expiración *s. f.* Acción y efecto de expirar.

expirar *v. intr.* **1.** Morir. **2.** *fig.* Acabarse, fenecer una cosa.

explanación *s. f.* Explicación.

explanada *s. f.* Espacio de terreno llano.

explanar *v. tr.* **1.** Allanar. **2.** Nivelar un terreno. **3.** *fig.* Declarar, explicar.

explayada *adj.* Se dice del águila que se representa con las alas extendidas.

explayar *v. tr.* **1.** Ensanchar. También prnl. ‖ *v. prnl.* **2.** Difundirse. **3.** Esparcirse.

expletivo, va *adj.* Se aplica a las voces que se emplean para hacer más llena o armoniosa la locución.

explicación *s. f.* Manifestación o revelación de la causa de alguna cosa.

explicaderas *s. f. pl., fam.* Manera de explicarse cada cual.

explicar *v. tr.* **1.** Dar a conocer a otro lo que alguien piensa. También prnl. **2.** Exponer una cosa de manera que se haga más perceptible. **3.** Justificar.

explicativo, va *adj.* Que sirve para explicar una cosa.

explicitar *v. tr.* Hacer explícito.

explícito, ta *adj.* Que expresa clara y determinadamente una cosa.

exploración *s. f.* Acción y efecto de explorar.

explorador, ra *adj.* Que explora. También s. m. y s. f.

explorar *v. tr.* Reconocer o averiguar con diligencias una cosa.

explosión *s. f.* Acción de reventar, con estruendo, un cuerpo continente, por la dilatación del cuerpo contenido.

explosionar *v. intr.* **1.** Estallar. ‖ *v. tr.* **2.** Hacer estallar.

explosivo, va *adj.* Que se incendia con explosión. También s. m.

explotación *s. f.* Conjunto de elementos destinados a una industria o granjería.

explotador, ra *adj.* Que explota. También s. m. y s. f.

explotar *v. tr.* **1.** Sacar utilidad de un negocio en provecho propio. **2.** Estallar.

expoliación *s. f.* Acción y efecto de expoliar.

expoliador, ra *adj.* Que expolia o favorece la expoliación. También s. m. y s. f.

expoliar *v. tr.* Despojar con violencia o con iniquidad.

expolición *s. f.* Figura que consiste en repetir un mismo pensamiento con distintas formas, o en acumular varios que vengan a decir lo mismo, aunque no sean enteramente iguales, para esforzar o exornar la expresión de aquello que se quiere dar a entender.

expolio *s. m.* **1.** Botín del vencedor. **2.** Acción y efecto de expoliar. **3.** Conjunto de bienes que quedan al morir el clérigo que los poseía.

exponencial *adj.* Se dice de la cantidad que incluye exponentes variables o que está afectada por ellos.

exponente *s. m.* Expresión algebraica que denota la potencia.

exponer *v. tr.* **1.** Poner de manifiesto o a la vista. **2.** Arriesgar. También prnl.

exportación *s. f.* Conjunto de mercaderías que se exportan.

exportador, ra *adj.* Que se exporta. También s. m. y s. f.

exportar *v. tr.* Enviar géneros del propio país a otro.

exposición *s. f.* **1.** Representación por escrito para pedir algo. **2.** Manifestación pública de productos de la tierra, etc.

expositivo, va *adj.* Que expone o interpreta.

expósito, ta *adj.* Se dice de la persona que, recién nacida, fue abandonada.

expositor, ra *s. m. y s. f.* **1.** Persona que expone. ‖ *s. m.* **2.** Mueble para exponer.

expremijo *s. m.* Mesa baja de tablero con ranuras y algo inclinada, para que al hacer queso escurra el suero.

exprés *adj.* Rápido.

expresar *v. tr.* **1.** Manifestar con palabras. ‖ *v. prnl.* **2.** Darse a entender con palabras.

expresión *s. f.* **1.** Declaración de algo para darlo a entender. **2.** Palabra o locución. **3.** Efecto de expresar algo sin palabras.

expresionismo *s. m.* Escuela y tendencia estética que propugna la intensidad de la expresión sincera aun a costa del equilibrio formal.

expresionista *adj.* Perteneciente o relativo al expresionismo. También com.

expresividad *s. f.* Calidad de expresivo.

expresivo, va *adj.* **1.** Característico, típico. **2.** Cariñoso, afectuoso.

expreso, sa *adj.* **1.** Claro, especificado. ‖ *adv. m.* **2.** Ex profeso, expresamente.

exprimidor *s. m.* Instrumento que se usa para sacar el zumo.

exprimir *v. tr.* **1.** Extraer el zumo de una cosa, apretándola. **2.** Estrujar, agotar una cosa. **3.** Expresar, manifestar.

ex profeso *loc. lat.* De propósito, con particular intención.

expropiación *s. f.* Cosa expropiada.

expropiar *v. tr.* Desposeer de algo a su propietario, dándole una indemnización.

expuesto, ta *adj.* Peligroso.

expugnar *v. tr.* Tomar por fuerza de armas un puesto.

expulsar *v. tr.* Expeler, echar fuera.

expulsión *s. f.* Acción y efecto de expulsar.

expurgación *s. f.* Acción y efecto de expurgar.

expurgar *v. tr.* Limpiar o purificar.

exquisitez *s. f.* Calidad de exquisito.

exquisito, ta *adj.* De singular y extraordinaria invención, primor o gusto.

extasiarse *v. prnl.* Arrobarse, enajenarse.

éxtasis *s. m.* Estado del alma embargada por un sentimiento de alegría.

extemporáneo, a *adj.* **1.** Impropio del tiempo. **2.** Inoportuno, inconveniente.

extender *v. tr.* **1.** Hacer que algo ocupe más espacio. También prnl. **2.** Esparcir. ‖ *v. prnl.* **3.** Dilatarse en una explicación. **4.** Propagarse.

extensible *adj.* Que se puede extender.

extensión *s. f.* Propiedad de los cuerpos de ocupar un espacio.

extensivo, va *adj.* Que se extiende o se puede extender.

extenso, sa *adj.* Que tiene extensión o que tiene mucha extensión.

extensor, ra *adj.* Que extiende o hace que se extienda algo.

extenuación *s. f.* Enflaquecimiento, debilitación.

extenuar *v. tr.* Enflaquecer, debilitar. También prnl.

exterior *adj.* Que está por la parte de afuera.

exteriorización *s. f.* Acción y efecto de exteriorizar.

exteriorizar *v. tr.* Hacer patente, mostrar algo al exterior.

exterminación *s. f.* Acción y efecto de exterminar.

exterminador, ra *adj.* Que extermina. También s. m. y s. f.

exterminar *v. tr.* **1.** Acabar del todo con algo. **2.** Desolar por fuerza de armas.

exterminio *s. m.* Acción y efecto de exterminar.

externar *v. tr.* Exteriorizar, manifestar.

externo, na *adj.* Se dice de lo que obra o se manifiesta al exterior.

extinción *s. f.* Acción y efecto de extinguir.

extinguir *v. tr.* **1.** Hacer que cese el fuego o la luz. También prnl. **2.** Hacer que cesen ciertas cosas. También prnl.

extintivo, va *adj.* Que causa extinción.

extinto, ta *s. m., Arg. y Chil.* Muerto, difunto.

extintor *s. m.* Aparato para extinguir incendios.

extirpación *s. f.* Acción y efecto de extirpar.

extirpador, ra *adj.* Que extirpa. También s. m. y s. f.

extirpar *v. tr.* **1.** Arrancar de raíz o de cuajo. **2.** *fig.* Acabar del todo con una cosa.

extorsión *s. f.* Cualquier daño o perjuicio.

extorsionar *v. tr.* **1.** Usurpar, arrebatar. **2.** Causar extorsión o daño.

extra *adj.* **1.** Óptimo. ‖ *s. m.* **2.** Plus. ‖ *com.* **3.** Persona que forma parte de la figuración de una película.

extracción *s. f.* Acción y efecto de extraer.

extractar *v. tr.* **1.** Resumir. **2.** Sacar de algo una sustancia más concentrada.

extracto *s. m.* **1.** Resumen. **2.** Sustancia obtenida por evaporación de una disolución de sustancias vegetales o animales.

extractor, ra *s. m. y s. f.* Aparato para extraer.

extradición *s. f.* Entrega del reo refugiado en un país a las autoridades de otro.

extraditar *v. tr.* Conceder un país la extradición de la persona reclamada por otro.

extradós *s. m.* Superficie convexa o exterior de una bóveda.

extraer *v. tr.* **1.** Sacar, poner una cosa fuera de donde estaba. **2.** Averiguar cuáles son las raíces de una cantidad dada.

extrajudicial *adj.* Que se hace o trata fuera de la vía judicial.

extralimitación *s. f.* Acción y efecto de extralimitarse.

extralimitarse *v. prnl., fig.* Excederse en el uso de atribuciones. También tr.

extramuros *adv. l.* Fuera del recinto de una población.

extranjería *s. f.* Conjunto de normas sobre la condición de los extranjeros.

extranjerismo *s. m.* Voz o giro de un idioma extranjero empleado en español.

extranjerizar v. tr. Introducir costumbres extranjeras. También prnl.

extranjero, ra adj. **1.** Natural de una nación con respecto a los de cualquier otra. ‖ s. m. **2.** Toda nación que no es la propia.

extranjía s. f. Extranjería.

extranjis, de loc., fam. Clandestina u ocultamente.

extrañamiento s. m. Acción y efecto de extrañar.

extrañar v. tr. **1.** Desterrar a país extranjero. **2.** Ver u oír con extrañeza. También prnl. **3.** Echar de menos. También prnl.

extrañez s. f. Extrañeza.

extrañeza s. f. **1.** Lo que hace extraño a una persona. **2.** Admiración, novedad.

extraño, ña adj. **1.** De nación, familia o profesión distinta. **2.** Raro, singular.

extraoficial adj. Oficioso, no oficial.

extraordinario, ria adj. Fuera del orden o regla natural o común.

extrapolación s. f. Acción y efecto de extrapolar.

extrapolar v. intr. Aplicar a casos inciertos conclusiones constatadas en casos determinados.

extrarradio s. m. Circunscripción administrativa fuera del radio de una población.

extratémpora s. f. Dispensa para que un clérigo reciba las órdenes mayores fuera de los tiempos señalados por la Iglesia.

extraterrestre adj. De otro planeta.

extraterritorial adj. Fuera del territorio de una jurisdicción.

extrauterino, na adj. Que está situado u ocurre fuera del útero.

extravagancia s. f. Calidad de extravagante.

extravagante adj. Que se hace o dice fuera del orden o modo común de obrar.

extravasarse v. prnl. Salirse un líquido de su vaso.

extravenar v. tr. **1.** Hacer salir la sangre de las venas. También prnl. **2.** fig. Desviar.

extravertido, da adj. Se dice del que tiende a relacionarse con los demás.

extraviado, da adj. **1.** De costumbres desordenadas. **2.** Poco transitado, alejado.

extraviar v. tr. **1.** Hacer perder el camino. ‖ v. prnl. **2.** Perderse. **3.** Errar.

extravío s. m., fig. **1.** Desorden en las costumbres. **2.** fam. Molestia, perjuicio.

extrema s. f., vulg. Abreviación de extremaunción.

extremado, da adj. Sumamente bueno o malo en su género.

extremar v. tr. **1.** Llevar una cosa al extremo. ‖ v. prnl. **2.** Emplear alguien todo esmero en la ejecución de una cosa.

extremaunción s. f. Uno de los sacramentos de la Iglesia, que consiste en la unción con óleo sagrado a los fieles que se hallan en peligro inminente de morir.

extremidad s. f. **1.** Parte extrema o última de una cosa. ‖ s. f. pl. **2.** Cabeza, brazos, piernas, etc., de animales y humanos.

extremista adj. Partidario de ideas extremas o exageradas. También com.

extremo, ma adj. **1.** Último. **2.** fig. Se dice de lo más intenso o activo de una cosa. ‖ s. m. **3.** Parte primera o última.

extremosidad s. f. Calidad de extremoso.

extremoso, sa adj. **1.** Que no se comide o no guarda medio en afectos o acciones. **2.** Muy expresivo en demostraciones cariñosas.

extrínseco, ca adj. Externo, no especial.

exuberancia s. f. Abundancia suma; plenitud y copia excesiva.

exuberante adj. Abundante y copioso con exceso.

exudación s. f. Acción y efecto de exudar.

exudar v. intr. Salir un líquido fuera de sus continentes propios. También tr.

exulceración s. f. Acción y efecto de exulcerar.

exulcerar v. tr. Corroer el cutis de modo que empiece a formarse llaga. También prnl.

exultación s. f. Demostración de gran gozo o alegría.

exultar v. intr. Saltar de alegría, transportarse de gozo.

exutorio s. m. Úlcera abierta para determinar una supuración permanente con un fin curativo.

exvoto s. m. Ofrenda dedicada a Dios, a la Virgen o a los Santos por un beneficio.

eyaculación s. f. Acción y efecto de eyacular.

eyacular v. tr. **1.** Lanzar con rapidez y fuerza el contenido de un órgano, cavidad o depósito. **2.** Expulsar el semen.

eyectar v. tr. Impulsar con fuerza hacia afuera.

f *s. f.* Sexta letra del abecedario español y cuarta de sus consonantes.

fa *s. m.* Cuarta nota de la escala musical.

fabada *s. f.* Potaje de alubias con tocino, chorizo y morcilla, típico de Asturias.

fabla *s. f.* Imitación convencional y literaria del español antiguo.

fabordón *s. m.* Cierto contrapunto sobre el canto llano, propio de la música religiosa.

fábrica *s. f.* Lugar provisto de maquinaria e instalaciones adecuadas para producir determinados productos u objetos.

fabricación *s. f.* Acción y efecto de fabricar.

fabricador, ra *adj.* Que inventa o dispone una cosa no material. También s. m. y s. f.

fabricante *s. m. y s. f.* Dueño de una fábrica.

fabricar *v. tr.* Producir una cosa por medios mecánicos y, generalmente, en serie.

fabril *adj.* Perteneciente o relativo a las fábricas o a sus operarios.

fabriquero *s. m.* Fabricante.

fabuco *s. m.* Hayuco.

fábula *s. f.* **1.** Relato o representación falsa, inverosímil. **2.** Composición literaria que contiene una enseñanza moral, y cuyos personajes son seres irracionales, inanimados o abstractos personificados.

fabulación *s. f.* Acción y efecto de fabular.

fabulador, ra *s. m. y s. f.* Fabulista

fabulario *s. m.* Repertorio de fábulas.

fabulista *com.* Persona que compone o escribe fábulas literarias.

fabuloso, sa *adj.* **1.** Falso, de pura invención. **2.** Muy bueno, excesivo, increíble.

faca *s. f.* Cuchillo corvo.

facción *s. f.* **1.** Grupo de personas amotinadas. **2.** Grupo o partido que actúa con violencia. ‖ *s. f. pl.* **3.** Rasgos del rostro de una persona.

faccionario, ria *adj.* Que está a favor de un grupo o partido.

faccioso, sa *adj.* **1.** Perteneciente o relativo a una facción, generalmente armada. También s. m. y s. f. **2.** Perturbador del orden público.

faceta *s. f.* **1.** Cara pequeña de un poliedro. **2.** Aspecto de un asunto.

facha *s. f., fam.* **1.** Traza, figura, aspecto. **2.** *adj. despect.* Fascista.

fachada *s. f.* **1.** Parte exterior principal de un edificio. **2.** *fig. y fam.* Presencia.

fachado, da *adj.* Con los adverbios *bien* o *mal*, que tiene buena o mala presencia.

fachear *v. tr.* Proporcionar fachada a un edificio.

fachenda *s. f.* Jactancia, vanidad.

fachendear *v. intr., fam.* Hacer ostentación vanidosa.

fachendista *adj., fam.* Que tiene fachenda.

fachendón, na *adj., fam.* Fachendista. También s. m. y s. f.

fachendoso, sa *adj., fam.* Que tiene fachenda.

fachoso, sa *adj., fam.* De mala facha.

fachudo, da *adj.* Fachoso, de mala facha.

facial *adj.* Relativo al rostro.

facies *s. f.* **1.** Cara. **2.** Aspecto externo de algo, especialmente de una planta.

fácil *adj.* **1.** Que se puede hacer sin mucho trabajo. **2.** Que puede suceder con mucha probabilidad.

facilidad *s. f.* Cualidad de fácil.

facilitación *s. f.* Acción de facilitar una cosa.

facilitar *v. tr.* **1.** Hacer fácil o posible una cosa. **2.** Proporcionar o entregar.

facilitón, na *adj., fam.* Que todo lo cree fácil, o presume de facilitar la ejecución de las cosas. También s. m. y s. f.

facineroso, sa *s. m. y s. f.* Persona malvada, de condición perversa.

facistol *s. m.* Atril grande de las iglesias.

facsímil *s. m.* Perfecta imitación de una firma, escrito, dibujo, etc.

facsimilar *adj.* Se aplica a las reproducciones, ediciones, etc., en facsímil.

factibilidad *s. f.* Cualidad y condición de factible.

factible *adj.* Que se puede hacer.

facticio, cia *adj.* Que no es natural y se hace por arte.

fáctico, ca *adj.* **1.** Perteneciente o relativo a los hechos. **2.** Basado en hechos.

factitivo, va *adj.* Se dice del verbo o perífrasis verbal cuyo sujeto hace ejecutar la acción a otros, en vez de realizarla por sí mismo.

factor *s. m.* **1.** Lo que es causa de algo o circunstancia que lo determina. **2.** Cada una de las cantidades que se multiplican entre sí para formar un producto.

factoría *s. f.* Fábrica o complejo industrial.

factorial *s. f.* Producto de todos los términos de una progresión aritmética.

factótum *s. m., fam.* Persona que desempeña en una casa, oficina, etc., todos los menesteres.

factura *s. f.* Cuenta detallada de los objetos o artículos de una venta.

facturación *s. f.* Acción y efecto de facturar.

facturar *v. tr.* **1.** Extender las facturas. **2.** Registrar en las estaciones de ferrocarril, aeropuerto, etc., equipajes o mercancías para que sean remitidos a su destino.

fácula *s. f.* Cada una de las partes más brillantes que se observan en el disco del Sol.

facultad *s. f.* **1.** Aptitud física o moral. **2.** Poder, derecho para hacer algo. **3.** Cada una de las divisiones académicas en que se divide una universidad, y los locales en los que se establece cada una de esas divisiones.

facultar *v. tr.* Conceder facultades a alguien para hacer algo.

facultativo, va *adj.* **1.** Potestativo, voluntario. ‖ *s. m. y s. f.* **2.** Médico o cirujano.

facundia *s. f.* Facilidad de palabra.

facundo, da *adj.* Que tiene facilidad de palabra.

fado *s. m.* Cierta canción popular portuguesa.

faena *s. f.* **1.** Trabajo. **2.** *fig.* Quehacer. Se usa más en pl. **3.** *fam.* Trastada.

faenar *v. intr.* Hacer los trabajos de la pesca marina o las labores agrícolas.

faenero, ra *s. m. y s. f., And. y Chil.* Obrero del campo.

faetón *s. m.* Carruaje descubierto de cuatro ruedas y cuatro asientos.

fagáceo, a *adj.* Se dice de plantas arbóreas dicotiledóneas, de hojas sencillas, dentadas o lobuladas, flores monoicas y fruto indehiscente con semilla sin albumen; como el roble y el castaño. También s. f.

fagocito *s. m.* Célula capaz de englobar cuerpos sólidos, en particular microbios, que serán destruidos en su interior.

fagocitosis *s. f.* Proceso de ingestión y digestión por parte de algunas células de partículas sólidas, bacterias, cuerpos extraños, etc.

fagot *s. m.* Instrumento musical de viento, de la familia del oboe.

fagotista *com.* Persona que toca el fagot.

faisán *s. m.* Ave galliforme, cuya carne es muy apreciada.

faisanería *s. f.* Corral para los faisanes.

faisanero, ra *s. m. y s. f.* Persona que se dedica a la cría y venta de faisanes.

faja *s. f.* **1.** Tira de tela con que se rodea al cuerpo por la cintura. **2.** Prenda interior elástica que comprime el abdomen. **3.** Lista mucho más larga que ancha.

fajada *s. f., Can., Cub. y P. Ric.* Acometida, embestida.

fajado, da *adj.* Se dice de la persona azotada.

fajadura *s. f.* Acción y efecto de fajar o fajarse.

fajamiento *s. m.* Acción y efecto de fajar o fajarse.

fajar *v. tr.* Ceñir cierta parte del cuerpo con una faja. También prnl.

fajardo *s. m.* Pastel de hojaldre relleno de carne picada.

fajeado, da *adj.* Que tiene fajas o listas.

fajero *s. m.* Faja de punto que se pone a los bebés.

fajilla *s. f., amer.* Faja que se pone a los impresos para enviarlos por correo.

fajín *s. m.* Ceñidor usado como distintivo por los generales y ciertos funcionarios.

fajina *s. f.* Conjunto de haces de mies.

fajinada *s. f.* Conjunto de fajinas y obra hecha con ellas.

fajita *s. f., amer.* Plato de origen mexicano hecho con carne asada y picada y verduras envueltas en una tortilla de harina de trigo.

fajo *s. m.* Haz o atado.

falacia *s. f.* Engaño o mentira.

falange *s. f.* **1.** Cuerpo de infantería del antiguo ejército griego. **2.** *fig.* Cada uno de los huesos de los dedos. **3.** Nombre de algunas organizaciones o partidos pertenecientes a la derecha política, como la Falange Española.

falangero *s. m.* Nombre común a diversas especies de mamíferos marsupiales, de cola larga y prensil, propios de Australia.

falangeta *s. f.* Falange tercera o terminal de los dedos.

falangina *s. f.* Falange segunda o media de los dedos.

falangio *s. m.* Planta herbácea, de la familia de las liliáceas, de raíz poco desarrollada, hojas radicales largas y estrechas, y flores blancas, que habita en suelos calcáreos.

falangismo *s. m.* Ideología y tendencias propias de la Falange Española, agrupación política fundada por José Antonio Primo de Rivera en 1933, de carácter nacionalista y de clara oposición al capitalismo y al marxismo.

falangista *adj.* **1.** Perteneciente o relativo al falangismo. ‖ *com.* **2.** Persona afiliada a este movimiento.

falansterio *s. m.* Alojamiento colectivo para un gran número de gente.

falárica *s. f.* Antigua lanza arrojadiza.

falaz *adj.* Que tiene el vicio de la falacia.

falbalá *s. m.* **1.** Pieza casi cuadrada que se ponía en la falsilla de la casaca. **2.** Faralá.

falca *s. f.* Defecto de una tabla o madero que les impide ser perfectamente lisos o rectos.

falcado, da *adj.* De curvatura semejante a la de la hoz.

falcar *v. tr., Ar. y Murc.* Asegurar con cuñas.

falcario *s. m.* Soldado romano armado con una hoz.

falce *s. f.* Hoz o cuchillo corvo.

falciforme *adj.* Que tiene forma de hoz.

falcinelo *s. m.* Morito, ave.

falcirrostro, tra *adj.* Se dice de las aves que tienen el pico en forma de hoz.

falcón *s. f.* Especie de cañón de la artillería antigua.

falconete *s. m.* Antigua pieza de artillería.

falcónido, da *adj.* Falconiforme. También s. f.

falconiforme *adj.* Se dice de aves de rapiña diurnas de pico corto y encorvado, dedos armados de fuertes uñas, cuyo tipo son las águilas y los halcones. También s. f.

falda *s. f.* **1.** Prenda de vestir o parte del vestido femenino que, con más o menos vuelo, cae desde la cintura hacia abajo. **2.** Parte inferior de un monte.

faldamenta *s. f., fam.* Falda larga y desgarbada.

faldamento *s. m.* Faldamenta.

faldar *s. m.* Parte de la armadura que caía desde el extremo inferior del peto.

faldear *v. tr.* Caminar por la falda de una montaña.

faldellín *s. m.* **1.** Falda corta. **2.** Refajo.

faldero, ra *adj.* **1.** Perteneciente o relativo a la falda. **2.** Se dice del perro de pequeño tamaño.

faldeta *s. f.* Lienzo con que en el teatro se cubre lo que ha de aparecer a su tiempo.

faldicorto, ta *adj.* Corto de faldas.

faldillas *s. f. pl.* En ciertos trajes, partes que cuelgan de la cintura abajo.

faldistorio *s. m.* Asiento destinado a los obispos en algunas funciones pontificales.

faldón *s. m.* **1.** Falda suelta al aire. **2.** Parte inferior de alguna ropa, colgadura, etc.

faldriquera *s. f.* Faltriquera.

faldulario *s. m., fam.* Falda o vestido demasiado largo que arrastra por el suelo.

falena *s. f.* Mariposa nocturna, cuyas orugas pueden camuflarse imitando el aspecto de las ramas de los árboles.

falencia *s. f.* **1.** Engaño o error en que se incurre al asegurar algo. **2.** *Arg., Chil. y Hond.* Quiebra de un comerciante.

falerno *s. m.* Vino de la comarca del mismo nombre, famoso en la antigua Roma.

falibilidad *s. f.* Riesgo o posibilidad de engañarse o equivocarse.

falible *adj.* **1.** Que puede engañarse o engañar. **2.** Que puede faltar o fallar.

fálico, ca *adj.* Relativo al falo.

falisco *s. m.* Verso de la poesía latina, formado por tres dáctilos y un espondeo.

falla[1] *s. f.* Quiebra que los movimientos geológicos han producido en un terreno.

falla[2] *s. f.* **1.** Figuras de cartón y otras materias combustibles, representaciones grotescas de personajes o hechos de actualidad, que se queman públicamente en Valencia la noche de san José. ‖ *s. f. pl.* **2.** Periodo de fiestas que se celebran en Valencia.

fallada *s. f.* Acción de fallar, en un juego de cartas.

fallanca *s. f.* Vierteaguas de una puerta o ventana.

fallar[1] *v. tr.* Decidir, determinar la autoridad competente un litigio, concurso, etc.

fallar[2] *v. intr.* Frustrarse o no salir como se esperaba una cosa.

falleba *s. f.* Varilla giratoria para cerrar ventanas o puertas de dos hojas.

fallecer *v. intr.* Morir.

fallecimiento *s. m.* Acción y efecto de fallecer.

fallero, ra *adj.* **1.** Perteneciente o relativo a las fallas de Valencia. ‖ *s. m. y s. f.* **2.** Persona que toma parte en estas fallas.

fallido, da *adj.* Frustrado, sin efecto.

fallir *v. intr.* **1.** Faltar o acabarse algo. **2.** Equivocar, no acertar.

fallo[1] *s. m.* **1.** Sentencia definitiva del juez. **2.** Decisión tomada por persona competente sobre un asunto disputado.

fallo[2] *s. m.* **1.** Falta de un palo en el juego de cartas. **2.** Equivocación, error.

falo *s. m.* Pene.

falsa *s. f.* **1.** *Ar. y Murc.* Desván. **2.** *Arg. y Méx.* Falsilla.

falsabraga *s. f.* Muro bajo que se levanta delante del principal.

falsario, ria *adj.* Que acostumbra a mentir o a hacer falsedades. También s. m. y s. f.

falseador, ra *adj.* Que falsea o contrahace algo.

falseamiento *s. m.* Acción y efecto de falsear.

falsear *v. tr.* Adulterar algo haciéndolo disconforme con la verdad, la exactitud, etc.

falsedad *s. f.* **1.** Falta de verdad o autenticidad. **2.** Falta de conformidad entre las palabras, las ideas y las cosas.

falseo *s. m.* Acción y efecto de falsear.

falseta *s. f.* En la guitarra, frase melódica que se intercala entre las sucesiones de acordes destinadas a acompañar la copla.

falsete *s. m.* Voz más aguda que la natural.

falsía *s. f.* Falsedad, deslealtad, doblez.

falsificación *s. f.* Delito de falsedad que se comete en un documento, moneda, etc.

falsificador, ra *adj.* Que falsifica.

falsificar *v. tr.* Falsear, contrahacer.

falsilla *s. f.* Hoja de papel con líneas muy señaladas, que se pone debajo de otro para que sirva de guía.

falso, sa *adj.* **1.** Engañoso, fingido. **2.** Contrario a la verdad. **3.** Se dice de la moneda hecha a imitación de la legítima.

falta *s. f.* **1.** Defecto o privación de una cosa necesaria o útil. **2.** Equivocación. **3.** Acto contrario al deber u obligación.

faltar *v. intr.* **1.** Estar ausente una persona o cosa de un determinado lugar. **2.** No existir una cualidad o circunstancia en lo que debiera tenerla.

falto, ta *adj.* **1.** Defectuoso o necesitado de alguna cosa. **2.** Escaso, apocado.

faltón, na *adj.* **1.** Que falta con frecuencia a sus obligaciones o citas. **2.** Que falta al respeto.

faltoso, sa *adj., fam.* Que no tiene cabales sus facultades, falto de juicio.

faltriquera *s. f.* Bolsillo de las prendas de vestir.

falúa *s. f.* Embarcación menor con carroza.

faluca *s. f., ant.* Falúa.

falucho *s. m.* Embarcación costanera con una vela latina.

fama *s. f.* **1.** Noticia o voz común de una cosa. **2.** Opinión que se tiene acerca de una persona. **3.** Celebridad, gloria.

famélico, ca *adj.* Hambriento.

familia *s. f.* **1.** Gente que vive en una casa bajo la autoridad del señor de ella. **2.** Conjunto de personas de la misma sangre. **3.** Parentela inmediata de alguien.

familiar *adj.* **1.** Se dice del trato sencillo y sin ceremonia. **2.** Se aplica al lenguaje, tono, etc., corriente y natural. ‖ s. m. **3.** Cada uno de los miembros de una familia.

familiaridad *s. f.* Sencillez y confianza en el trato.

familiarizar *v. tr.* **1.** Hacer familiar o común una cosa. ‖ *v. prnl.* **2.** Introducirse y acomodarse al trato familiar de alguien. **3.** Adaptarse, acostumbrarse a algo.

famoso, sa *adj.* **1.** Que tiene fama. **2.** *fam.* Bueno, excelente en su especie.

fámula *s. f., fam.* Criada.

famular *adj.* Perteneciente o relativo a los fámulos.

famulato *s. m.* Servidumbre de una casa.

fámulo *s. m.* Criado doméstico.

fan *com.* Admirador.

fanal *s. m.* Farol grande colocado en las torres de los puertos para que su luz sirva de señal nocturna.

fanático, ca *adj.* Que defiende con apasionamiento creencias u opiniones religiosas o políticas.

fanatismo *s. m.* Apasionamiento del fanático.

fanatizador, ra *adj.* Que fanatiza. También s. m. y s. f.

fanatizar *v. tr.* Volver fanático a alguien.

fandango *s. m.* Baile popular español con acompañamiento de guitarra y castañuelas.

fandanguero, ra *adj.* Aficionado a bailar el fandango, o a asistir a bailes y festejos. También s. m. y s. f.

fandanguillo *s. m.* Baile popular en compás de tres por ocho, parecido al fandango.

fandulario *s. m.* Faldulario.

faneca *s. f.* Pez teleósteo marino, de cabeza apuntada, dientes de sierra y color pardusco en el lomo y blanco por el vientre.

fanega *s. f.* **1.** Medida de capacidad para áridos. **2.** Porción de grano, legumbres, etc., que cabe en una fanega.

fanegada *s. f.* Fanega.

fanerógamo, ma *adj.* Se dice de las plantas cuyos órganos sexuales se distinguen a simple vista, y que se reproducen mediante semillas.

fanfarrear *v. intr.* Fanfarronear.

fanfarria *s. f.* Baladronada, bravata.

fanfarrón, na *adj.* Que hace alarde de lo que no es, y en especial de valiente.

fanfarronada *s. f.* Dicho o hecho propio del fanfarrón.

fanfarronear *v. intr.* Hablar con arrogancia echando fanfarronadas.

fanfarronería *s. f.* Modo de hablar y de portarse el fanfarrón.

fanfurriña *s. f., fam.* Enojo leve y pasajero.

fangal *s. m.* Terreno lleno de fango.

fango *s. m.* Lodo que se forma en los lugares donde hay agua estancada.

fangoso, sa *adj.* Lleno de fango.

fantaseador, ra *adj.* Que fantasea.

fantasear *v. intr.* Dejar correr la fantasía o imaginación.

fantasía s. f. Facultad anímica de reproducir con imágenes las cosas pasadas, de dar forma sensible a las ideales o de idealizar las reales.

fantasioso, sa adj. **1.** fam. Vano, presuntuoso. **2.** fam. Que se deja llevar fácilmente por la imaginación.

fantasma s. m. Visión quimérica.

fantasmagoría s. f. Arte de representar figuras por medio de una ilusión óptica.

fantasmagórico, ca adj. Perteneciente o relativo a la fantasmagoría.

fantasmal adj. Perteneciente o relativo al fantasma de los sueños y de la imaginación.

fantasmón, na adj., fam. Presuntuoso.

fantástico, ca adj. **1.** Quimérico, sin realidad. **2.** fam. Maravilloso, excelente.

fantochada s. f., fig. Acción propia de fantoche.

fantoche s. m. **1.** Títere. **2.** Persona de aspecto ridículo. **3.** Persona presumida.

fañado, da adj. Se dice del animal que tiene un año.

faquir s. m. **1.** Asceta hindú de religión musulmana que vive de la caridad pública y practica severos actos de mortificación. || com. **2.** Artista de circo cuyo espectáculo consiste en actos como tragar fuego o tumbarse sobre pinchos.

farad s. m. Nombre del faradio, en la nomenclatura internacional.

faraday s. m. Nombre del faradio en la nomenclatura internacional.

faradio s. m. Unidad de capacidad eléctrica.

faralá s. m. Volante que adorna la parte inferior de un vestido, cortina, etc.

farallón s. m. Roca alta y tajada.

faramalla s. f. Charla engañosa.

faramallero, ra adj., fam. Hablador, trapacero.

faramallón adj., fam. Faramallero.

farándula s. f. **1.** Profesión de los comediantes y ambiente relacionado con ellos. **2.** Compañía de cómicos ambulantes.

farandulear v. intr. Farolear.

farandulero, ra s. m. y s. f. Persona que recitaba comedias.

faraón s. m. Soberano del antiguo Egipto.

faraónico, ca adj., fig. Se dice de las obras de gran envergadura o que se realizan con gran despliegue de medios.

faraute s. m. **1.** Mensajero, heraldo. **2.** Rey de armas de segunda clase.

farda s. f. Corte o muesca que se hace en un madero para encajar en él la barbilla de otro.

fardacho s. m. Lagarto.

fardaje s. m. Conjunto de fardos.

fardar v. tr. **1.** Abastecer a alguien, especialmente de ropa. || v. intr. **2.** fig. y fam. Presumir, alardear.

fardel s. m. **1.** Saco o talega de los pastores y caminantes. **2.** Fardo.

fardería s. f. Conjunto de cargas o fardos.

fardo s. m. Lío grande de ropa u otra cosa, muy apretado.

farellón s. m. Farallón.

farfalá s. m. Faralá.

farfallón, na adj., fam. Farfullero, chapucero. También s. m. y s. f.

farfalloso, sa adj., Ar. Tartamudo o tartajoso.

farfante s. m., fam. Fanfarrón.

farfantón, na s. m. y s. f., fam. Persona habladora y jactanciosa. También adj.

farfantonada s. f., fam. Hecho o dicho propio del farfantón.

fárfara s. f. Planta herbácea compuesta, con hojas tomentosas por el envés y flores amarillas.

farfolla s. f. Envoltura de las panojas de maíz, mijo y panizo.

farfulla s. f., fam. Forma de hablar balbuciente o muy deprisa.

farfullador, ra adj., fam. Que farfulla. También s. m. y s. f.

farfullar v. tr., fam. Decir o hacer algo de prisa y atropelladamente.

farfullero, ra adj. Farfullador. También s. m. y s. f.

fargallón, na adj., fam. Que hace las cosas atropelladamente. También s. m. y s. f.

farináceo, a adj. Parecido a la harina.

faringe s. f. Conducto muscular membranoso que se extiende desde el velo del paladar hasta el esófago.

faríngeo, a adj. Perteneciente o relativo a la faringe.

faringitis s. f. Inflamación de la faringe.

fariña s. f. **1.** Arg. Harina gruesa de mandioca. || s. f. pl. **2.** Ast. Harina de maíz cocida con agua.

fariseo s. m., fig. Hombre hipócrita.

farmacéutico, ca s. m. y s. f. Persona licenciada en farmacia.

farmacia s. f. **1.** Ciencia que enseña el conjunto de conocimientos necesarios para la preparación de los medicamentos y las sustancias que los integran. **2.** Establecimiento dedicado a la venta y preparación de productos farmacéuticos.

fármaco s. m. Medicamento.

farmacodinamia s. f. Parte de la farmacología que estudia la acción de los medicamentos en el organismo.

farmacognosia s. f. Conocimiento de las sustancias medicinales.

farmacología s. f. Rama de la medicina que trata de los medicamentos y de su empleo.

farmacopea s. f. Libro que trata de las sustancias medicinales más corrientes y del modo de prepararlas y combinarlas.

faro *s. m.* **1.** Torre alta en las costas y puertos, con luz en su parte superior, para que sirva de señal y guía a los navegantes. **2.** Cada uno de los focos delanteros de un automóvil.

farol *s. m.* **1.** Caja con una o más caras de vidrio o de otra materia transparente dentro de la cual va una luz. **2.** Fanfarronada, hecho o dicho presuntuoso.

farola *s. f.* Farol grande para el alumbrado público.

farolazo *s. m.* **1.** Golpe dado con un farol. **2.** *Amér. C. y Méx.* Trago de licor.

farolear *v. intr., fam.* Fanfarronear.

faroleo *s. m.* Acción y efecto de farolear.

farolería *s. f.* **1.** Establecimiento donde se hacen o venden faroles. **2.** *fig.* Acción propia de persona farolera.

farolero, ra *adj., fam.* Vano, ostentoso, fachendoso. También s. m. y s. f.

farolillo *s. m.* Farol de papel de vistosos colores que se pone como adorno en verbenas y fiestas.

farolón, na *adj., fam.* Fachendoso, farolero. También s. m. y s. f.

farpa *s. f.* Cada una de las puntas agudas que quedan al hacer una escotadura en el borde de algunas cosas.

farpado, da *adj.* Que remata en farpas.

farra *s. f.* Juerga, jarana.

fárrago *s. m.* Conjunto de cosas o ideas superfluas, confusas y mal ordenadas.

farragoso, sa *adj.* Que tiene fárrago.

farraguista *com.* Persona que tiene las ideas muy confusas.

farrear *v. intr., Arg. y Chil.* Andar de farra o de parranda.

farro *s. m.* Cebada a medio moler, después de remojada.

farruco, ca *adj.* **1.** *fam.* Valiente, impávido. **2.** *fam.* Impertinente, desafiante.

farsa *s. f.* Pieza cómica breve.

farsante, ta *adj., fam.* Se dice de la persona hipócrita que finge lo que siente.

farseto *s. m.* Jubón acolchado que se usaba debajo de la armadura.

farsista *com.* **1.** Autor de farsas. **2.** Persona que tenía por oficio representar farsas o comedias.

fasces *s. f. pl.* Insignia del cónsul romano.

fasciculado, da *adj.* **1.** Que tiene forma de fascículo. **2.** Se dice de las hojas, raíces, pelos, etc., de los vegetales, cuyas partes componentes parecen reunidas en haz.

fascículo *s. m.* **1.** Entrega, cuaderno. **2.** Haz de fibras musculares o nerviosas.

fascinación *s. f., fam.* Atracción irrefrenable.

fascinador, ra *adj.* Que fascina.

fascinante *adj.* Muy atractivo.

fascinar *v. tr.* **1.** *fig.* Engañar, alucinar. **2.** *fig.* Atraer irrefrenablemente.

fascismo *s. m.* **1.** Movimiento político italiano de carácter nacionalista y autoritario, creado por Benito Mussolini después de la Primera Guerra Mundial. **2.** Doctrina de este movimiento italiano y de los análogos en otros países.

fascista *adj.* **1.** Partidario del fascismo. También com. **2.** Reaccionario, autoritario.

fase *s. f.* **1.** Cada uno de los aspectos sucesivos con que se dejan ver la Luna y algunos planetas. **2.** *fig.* Cada uno de los aspectos que presenta un fenómeno natural o un asunto.

fásol *s. m.* Fríjol o judía. Se usa más en pl.

fastidiar *v. tr.* **1.** Causar hastío una cosa. **2.** *fig.* Enfadar, ser molesto. **3.** *fig.* Perjudicar.

fastidio *s. m.* Disgusto, molestia.

fastidioso, sa *adj.* Enfadoso, importuno.

fastigio *s. m.* Remate en punta de un triángulo, pirámide, etc.

fasto, ta *adj.* **1.** Memorable, venturoso. ‖ *s. m.* **2.** Fausto.

fastos *s. m. pl.* Anales o serie de sucesos por orden cronológico.

fastuoso, sa *adj.* Ostentoso.

fatal *adj.* **1.** Desgraciado, infeliz. **2.** Malo. **3.** Con valor de adverbio, pésimamente.

fatalidad *s. f.* Desgracia, infelicidad.

fatalismo *s. m.* Doctrina filosófica o religiosa que considera todos los acontecimientos inevitables y sujetos a la necesidad absoluta del destino.

fatalista *adj.* Que profesa el fatalismo.

fatídico, ca *adj.* Que vaticina el porvenir, anunciando generalmente desgracias.

fatiga *s. f.* Agitación, cansancio.

fatigador, ra *adj.* Que fatiga a otro.

fatigar *v. tr.* **1.** Causar fatiga. También prnl. **2.** Vejar, molestar.

fatigoso, sa *adj.* **1.** Fatigado, agitado. **2.** Que causa fatiga.

fatuidad *s. f.* **1.** Falta de razón o de entendimiento. **2.** Dicho o hecho necio. **3.** Presunción, vanidad ridícula.

fatuo, tua *adj.* **1.** Falto de entendimiento. **2.** Lleno de presunción ridícula.

faucal *adj.* Perteneciente o relativo a las fauces.

fauces *s. f. pl.* Parte posterior de la boca de los mamíferos.

fauna *s. f.* Conjunto de los animales de un país o región.

fauno *s. m.* Semidiós de los campos y selvas en las mitologías griega y romana.

fausto *s. m.* Grande ornato y pompa exterior, lujo extraordinario.

fausto, ta *adj.* Feliz, afortunado.

fautor, ra *s. m. y s. f.* Persona que favorece y ayuda a otra.

favo *s. m.* Especie de tiña.

favonio *s. m., poét.* Céfiro.

favor *s. m.* **1.** Ayuda, protección que se concede a alguien. **2.** Honra, beneficio.

favorable adj. **1.** Que favorece. **2.** Propicio, apacible, benévolo.

favorecedor, ra adj. Que favorece. También s. m. y s. f.

favorecer v. tr. **1.** Ayudar, socorrer a alguien. **2.** Apoyar un intento, empresa u opinión. **3.** Dar o hacer trato de favor.

favoritismo s. m. Preferencia que se da al favor sobre el mérito.

favorito, ta adj. **1.** Que es con preferencia estimado. **2.** Considerado probable ganador de una competición.

fax s. m. Telefax.

faya s. f. Cierto tejido grueso de seda, que forma canutillo.

faz s. f. **1.** Rostro o cara. **2.** Vista o lado de una cosa. **3.** Anverso de las monedas.

fe s. f. Conjunto de creencias que tiene una persona o un grupo de personas.

fealdad s. f. Cualidad de feo.

feble adj. Débil, flaco.

febrero s. m. Segundo mes del año.

febricitante adj. Se dice de la persona que tiene indicios de fiebre o calentura.

febrífugo, ga adj. Que quita las calenturas.

febril adj. **1.** Perteneciente o relativo a la fiebre. **2.** fig. Ardoroso, desasosegado.

fecal adj. Relativo al excremento intestinal.

fecha s. f. **1.** Indicación del tiempo y del lugar en que se hace u ocurre algo. **2.** Tiempo o momento actual.

fechador s. m. Matasellos u otra estampilla de tipos movibles para marcar la fecha en un escrito.

fechar v. tr. **1.** Poner fecha a un escrito. **2.** Datar un documento, suceso, etc.

fechoría s. f. Acción mala.

fecial s. m. Sacerdote romano que declaraba la guerra y concertaba la paz.

fécula s. f. Sustancia blanca que se extrae de las semillas y raíces de varias plantas.

feculento, ta adj. **1.** Que contiene fécula. **2.** Que tiene heces.

fecundable adj. Susceptible de fecundación.

fecundación s. f. Acción y efecto de fecundar.

fecundador, ra adj. Que fecunda.

fecundar v. tr. **1.** Hacer fecunda o productiva una cosa. **2.** Unirse el elemento reproductor masculino al femenino para dar origen a un nuevo ser.

fecundativo, va adj. Que tiene virtud de fecundar.

fecundidad s. f. Virtud y facultad de producir.

fecundizador, ra adj. Que fecundiza.

fecundizar v. tr. Fecundar.

fecundo, da adj. **1.** Que produce o se reproduce por virtud de los medios naturales. **2.** Fértil, abundante, copioso.

fedatario s. m. Denominación genérica aplicada al notario y otros funcionarios que gozan de fe pública.

federación s. f. **1.** Acción de federar. **2.** Entidad, organismo o Estado resultante de dicha acción. **3.** Organismo que tiene a su cargo el control y desarrollo de una disciplina deportiva.

federal adj. Perteneciente o relativo a la federación.

federalismo s. m. Sistema de confederación entre corporaciones o Estados.

federalista adj. Partidario del federalismo. También com., aplicado a personas.

federar v. tr. Hacer alianza, liga, unión o pacto entre varios. También prnl.

federativo, va adj. Perteneciente o relativo a la federación.

fehaciente adj. Que es fidedigno.

feldespático, ca adj. Perteneciente o relativo al feldespato.

feldespato s. m. Silicato de alúmina con uno o más metales alcalinos, potasio, sodio o calcio.

felice adj., poét. Feliz.

felicidad s. f. Dicha, satisfacción.

felicitación s. f. Tarjeta o nota con que se felicita a alguien.

felicitar v. tr. **1.** Manifestar a una persona satisfacción con motivo de algún suceso feliz para ella. **2.** Expresar el deseo de que una persona sea feliz.

félido, da adj. Se dice de mamíferos carnívoros cuyo tipo es el león. Tienen uñas retráctiles y muy desarrollados los caninos y la muela carnicera.

feligrés, sa s. m. y s. f. Persona que pertenece a cierta parroquia.

feligresía s. f. **1.** Conjunto de feligreses de una parroquia. **2.** Parroquia rural.

felino, na adj. Relativo al gato.

feliz adj. **1.** Que tiene o goza de felicidad. **2.** Que ocasiona felicidad.

felón, na adj. Que comete felonía.

felonía s. f. Deslealtad, traición.

felpa s. f. Tejido que tiene pelo por el haz.

felpar v. tr. Cubrir con felpa alguna cosa.

felpilla s. f. Cordón de seda tejida en un hilo con pelo como la felpa.

felposo, sa adj. Semejante a la felpa.

felpudo s. m. Estera gruesa y afelpada, que se usa a la entrada de las casas como limpiabarros.

femenil adj. Perteneciente o relativo a la mujer.

femenino, na adj. Propio de la mujer.

fementido, da adj. **1.** Falto de fe y palabra. **2.** Engañoso, tratándose de cosas.

fémina s. f. Mujer.

femineidad s. f. Cualidad de femenino.

femíneo, a *adj.* Femenino, femenil.

feminidad *s. f.* Cualidad de femenino.

feminismo *s. m.* Doctrina social y movimiento que defiende la igualdad de derechos entre mujeres y hombres.

feminista *s. m. y s. f.* Partidario del feminismo.

femoral *adj.* Perteneciente o relativo al fémur o al muslo.

fémur *s. m.* Hueso del muslo.

fenda *s. f.* Raja o hendidura al hilo en la madera.

fenecer *v. tr.* **1.** Poner fin a una cosa. || *v. intr.* **2.** Morir. **3.** Acabarse algo.

fenecimiento *s. m.* Acción y efecto de fenecer.

fenicado, da *adj.* Que tiene ácido fénico.

fénico *adj.* Se dice del ácido que forma un cuerpo sólido a la temperatura ordinaria, cristalizable, cáustico, de olor fuerte y sabor acre; se compone de carbono, hidrógeno y oxígeno; se extrae, por destilación, de la brea de hulla y es un enérgico desinfectante.

fénix *s. m.* Ave fabulosa, que se decía era única y renacía de sus cenizas.

fenogreco *s. m.* Alhova.

fenol *s. m.* Nombre genérico que se da a los alcoholes de la serie cíclica o aromática de la química orgánica.

fenomenal *adj.* **1.** *fam.* Muy grande. **2.** *fig.* Estupendo || *adv. m.* **3.** Estupendamente.

fenoménico, ca *adj.* Perteneciente o relativo al fenómeno como apariencia o manifestación de algo.

fenómeno *s. m.* **1.** Toda manifestación del orden material o espiritual. **2.** Cosa extraordinaria y sorprendente.

fenomenología *s. f.* Tratado o ciencia de los fenómenos físicos o psíquicos.

fenotipo *s. m.* Realización visible del genotipo en un determinado ambiente.

feo, a *adj.* **1.** Que carece de belleza. **2.** *fig.* Que causa aversión. || *s. m.* **3.** Desaire.

feracidad *s. f.* Fertilidad de los campos.

feraz *adj.* Fértil, copioso de frutos.

féretro *s. m.* Caja mortuoria.

feria *s. f.* **1.** Mercado en lugar público. **2.** Descanso y suspensión del trabajo. **3.** Conjunto de casetas de carácter recreativo que se instalan en una población con motivo de sus fiestas.

ferial *s. m.* Feria, mercado público.

feriante *adj.* Concurrente a la feria para comprar o vender. También com.

feriar *v. tr.* Vender, comprar o cambiar una cosa por otra.

ferino, na *adj.* Perteneciente o relativo a la fiera o que tiene sus propiedades.

fermata *s. f.* Sucesión de notas de adorno, en forma de cadencia, que se realiza mediante la suspensión del compás.

fermentable *adj.* Susceptible de fermentación.

fermentación *s. f.* Acción y efecto de fermentar.

fermentador, ra *adj.* Que fermenta o hace fermentar.

fermentar *v. intr.* Transformarse un cuerpo orgánico por la acción de otro que, en contacto con él, no se modifica.

fermentativo, va *adj.* Que tiene la propiedad de hacer fermentar.

fermento *s. m.* **1.** Cuerpo orgánico que hace fermentar a otro. **2.** *fig.* Causa o motivo de alteración entre la gente.

ferocidad *s. f.* Fiereza, crueldad.

feroz *adj.* **1.** Que obra con ferocidad. **2.** Que denota ferocidad.

ferrada *s. f.* Maza armada de hierro, como la de Hércules.

ferrar *v. tr.* Guarnecer con hierro alguna cosa.

ferreña *adj.* Se dice de la nuez muy desmedrada y dura.

férreo, a *adj.* **1.** De hierro o que tiene sus propiedades. **2.** *fig.* Duro, tenaz.

ferrería *s. f.* Oficina en donde se beneficia el mineral de hierro, reduciéndolo a metal.

ferreruelo *s. m.* Capa corta con solo cuello y sin capilla.

ferrete *s. m.* Instrumento de hierro que sirve para marcar y poner señal a las cosas.

ferretear *v. tr.* Labrar con hierro.

ferretería *s. f.* Establecimiento comercial donde se venden objetos de hierro e instrumentos para bricolaje.

ferretero, ra *s. m. y s. f.* Persona al cargo de una ferretería.

ferri *s. m.* Embarcación empleada para transportar personas, vehículos y trenes de una orilla a otra de un río o canal.

férrico, ca *adj.* Se aplica a las combinaciones del hierro.

ferrificarse *v. prnl.* Reunirse las partes ferruginosas de una sustancia, formando hierro o tomando la consistencia de este.

ferro *s. m.* Ancla de las galeras.

ferrocarril *s. m.* **1.** Vía de dos carriles paralelos. **2.** Tren.

ferrocarrilero, ra *s. m. y s. f., Arg., Col., Ec. y Méx.* Ferroviario.

ferrón, na *s. m. y s. f.* Persona que trabaja en una ferrería.

ferroso, sa *adj.* Se dice de los compuestos de hierro en que este funciona con doble valencia.

ferrovial *adj.* Perteneciente a las vías férreas.

ferroviario, ria *s. m. y s. f.* Empleado de ferrocarriles.

ferrugiento, ta *adj.* De hierro o con alguna de sus cualidades.

ferruginoso, sa *adj.* Se dice del mineral que contiene hierro.

ferry *s. m.* Ferri.

fértil *adj.* **1.** Se aplica a la tierra que produce mucho. **2.** Aplicado a un ser vivo, que puede reproducirse.

fertilidad *adj.* Cualidad de fértil.

fertilizable *s. m.* Que puede ser fertilizado.

fertilizador, ra *adj.* Que fertiliza.

fertilizante *s. m.* Compuesto nitrogenado fabricado artificialmente para fertilizar la tierra.

fertilizar *v. tr.* Abonar la tierra para que produzca abundantes frutos.

férula *s. f.* Tablilla flexible y resistente empleada en el tratamiento de las fracturas.

férvido, da *adj.* Que arde o causa ardor.

ferviente *adj., fig.* Fervoroso.

fervor *s. m.* **1.** Calor intenso. **2.** *fig.* Celo ardiente y afecto hacia cosas o personas, y en especial hacia materias religiosas.

fervorín *s. m.* Jaculatoria breve. Se usa más en pl.

fervoroso, sa *adj.* Que tiene mucho fervor.

festejador, ra *adj.* Que festeja. También s. m. y s. f.

festejar *v. tr.* **1.** Celebrar algo con una fiesta. **2.** Hacer festejos en obsequio de alguien.

festejo *s. m.* **1.** Acción y efecto de festejar. ‖ *s. m. pl.* **2.** Regocijos públicos o fiestas tradicionales.

festín *s. m.* **1.** Festejo particular. **2.** Banquete espléndido.

festinación *s. f.* Celeridad, prisa, velocidad.

festinar *v. tr., Col., Bol., Méx. y Ven.* Apresurar, precipitar, activar.

festival *s. m.* Fiesta, especialmente musical.

festividad *s. f.* **1.** Fiesta o solemnidad con que se celebra una cosa. **2.** Día festivo.

festivo, va *adj.* **1.** Chistoso, agudo. **2.** Alegre, regocijado. **3.** Solemne.

festón *s. m.* Bordado, dibujo u otro adorno en forma de ondas.

festonar *v. tr.* Festonear.

festoneado, da *adj.* Que tiene el borde en forma de festón o de onda.

festonear *v. tr.* Adornar con festón.

fetación *s. f.* Desarrollo del feto, gestación.

fetal *adj.* Perteneciente o relativo al feto.

fetiche *s. m.* **1.** Ídolo u objeto de culto supersticioso en pueblos primitivos. **2.** Objeto ritualizado para una persona.

fetichismo *s. m.* Culto de los fetiches.

fetichista *com.* Persona que profesa este culto.

fetidez *s. f.* Hediondez, hedor.

fétido, da *adj.* Hediondo.

feto *s. m.* **1.** Embrión de los mamíferos placentarios y marsupiales desde que se implanta en el útero hasta su nacimiento. **2.** *fam.* Persona muy fea.

feudal *adj.* Relativo al feudo.

feudalismo *s. m.* Sistema feudal de gobierno y de organización de la propiedad en la Edad Media.

feudar *v. tr.* Tributar, pagar feudo.

feudatario, ria *adj.* Sujeto obligado a pagar feudo. También s. m. y s. f.

feudo *s. m.* Contrato por el cual se concedían a una persona tierras o rentas, obligándose el que las recibía a guardar fidelidad de vasallo.

fez *s. m.* Gorro de fieltro rojo y de figura de cubilete, propio de turcos y moros.

fiable *adj.* Se dice de alguien o algo digno de confianza.

fiado, al *loc.* Locución que expresa que alguien compra, vende o contrata sin dar o tomar en el acto lo que se ha de pagar o recibir.

fiador, ra *s. m. y s. f.* Persona que fía a otra o responde por ella.

fiambre *adj.* Se dice de la carne y el pescado que se comen fríos, una vez cocinados, y también de la carne curada.

fiambrera *s. f.* Caja para llevar comida.

fianza *s. f.* Obligación que alguien contrae de hacer algo a lo que otro se ha comprometido, en caso de que este incumpla lo acordado.

fiar *v. tr.* **1.** Asegurar alguien el cumplimiento de la obligación de otra persona, respondiendo por ella. **2.** Vender una cosa aplazando su cobro.

fiasco *s. m.* Mal éxito.

fíat *s. m.* Consentimiento o mandato para que una cosa tenga efecto.

fibra *s. f.* **1.** Cada uno de los filamentos de los que se componen los tejidos orgánicos vegetales o animales, o la textura de ciertos minerales. **2.** Filamento de origen químico, utilizado en la industria textil.

fibrina *s. f.* Sustancia albuminoidea, insoluble en el agua, que contribuye a la formación de los coágulos de sangre.

fibrocartílago *s. m.* Tejido fibroso, muy resistente, que contiene entre sus fibras materia cartilaginosa que le da color blanco y elasticidad particular.

fibroma *s. m.* Tumor fibroso.

fibroso, sa *adj.* Que tiene muchas fibras.

fíbula *s. f.* Hebilla a manera de imperdible.

ficción *s. f.* Invención poética.

fice *s. m.* Pez marino comestible, del suborden de los acantopterigios, de cabeza pequeña y rojiza, color verdoso con manchas grises por el lomo, y plateado con rayas rojas por el vientre.

ficha *s. f.* **1.** Pieza pequeña de marfil, madera, metal, etc., utilizada para diversos fines, como señalar los tantos en el juego, establecer comunicación telefónica, etc. **2.** Hoja de cartulina o papel fuerte en la que se consignan ciertos datos.

fichar *v. tr.* **1.** Rellenar una ficha con ciertos datos de interés. **2.** Hacer la ficha antropométrica, médica, etc., de alguien.

fichero *s. f.* Caja o mueble con cajonería donde se pueden guardar ordenadamente las fichas o cédulas.

ficticio, cia *adj.* Fingido o fabuloso.

ficoideo, a *adj.* Se aplica a las plantas angiospermas dicotiledóneas, herbáceas o algo leñosas, flores axilares o terminales de viva coloración, y fruto en cápsula con pericarpio carnoso. También s. f.

ficus *s. m.* Nombre que se da popularmente a diversas plantas ornamentales de hojas verdes, grandes y ovaladas.

fidecomiso *s. m.* Fideicomiso.

fidedigno, na *adj.* Digno de fe y crédito.

fideero, ra *s. m. y s. f.* Persona que tiene por oficio hacer o vender fideos y pastas.

fideicomisario, ria *adj.* Se dice de la persona presente o futura a quien se destina un fideicomiso. También s. m. y s. f.

fideicomiso *s. m.* Disposición por la cual el testador deja su herencia a alguien para que cumpla su voluntad.

fidelidad *s. f.* Lealtad.

fideo *s. m.* Pasta de harina de trigo, en forma de hilo, que sirve para hacer sopa.

fiduciario, ria *adj.* Que depende del crédito o confianza que merezca.

fiebre *s. f.* Elevación de la temperatura del cuerpo acompañada de una aceleración del pulso.

fiel[1] *adj.* **1.** Que guarda fe. **2.** Exacto, conforme a la verdad.

fiel[2] *s. m.* Aguja de las balanzas y romanas, que se pone vertical cuando hay perfecta igualdad en los pesos comparados.

fielato *s. m.* Oficina a la entrada de las poblaciones, en la cual se pagaban los derechos de consumo.

fieltro *s. m.* Especie de paño sin tejer que resulta de conglomerar borra, lana o pelo.

fiera *s. f.* **1.** Animal salvaje. **2.** *fig.* Persona cruel.

fierabrás *s. m., fig.* Persona mala, perversa.

fiereza *s. f.* **1.** Inhumanidad. **2.** Saña, braveza natural de las fieras.

fiero, ra *adj.* **1.** Duro, intratable. **2.** *fig.* Horroroso. **3.** *fig.* Grande, excesivo.

fiesta *s. f.* **1.** Alegría o diversión. **2.** Día en que se celebra alguna solemnidad.

fiestero, ra *adj.* Amigo de fiestas. También s. m. y s. f.

fifiriche *adj., C. Ric., Méx. y Sal.* Raquítico, flaco, enclenque.

fígaro *s. m.* Barbero de oficio.

figle *s. m.* Instrumento musical de viento, de sonoridad grave.

figón *s. m.* Fonda o taberna donde se guisan y venden cosas ordinarias de comer.

figonero, ra *s. m. y s. f.* Persona que tiene un figón.

figulino, na *adj.* De barro cocido.

figura *s. f.* **1.** Forma exterior de un cuerpo. **2.** Estatua o pintura, representativa de una persona o un animal.

figurable *adj.* Que se puede figurar.

figuración *s. f.* Acción y efecto de figurar o figurarse una cosa.

figurado, da *adj.* Se dice del sentido en que se toman las palabras para que denoten idea diversa de la que recta y literalmente significan.

figurante *s. m.* Comparsa de teatro.

figurar *v. tr.* **1.** Representar la figura de una cosa. **2.** Aparentar, suponer, fingir. ‖ *v. prnl.* **3.** Imaginarse, fantasear, suponer alguien algo que no conoce.

figurativo, va *adj.* Se aplica al arte y a los artistas que representan figuras de realidades concretas, en oposición al arte y artistas abstractos.

figurería *s. f.* Mueca o ademán ridículo.

figurero, ra *adj., fam.* Que tiene costumbre de hacer figurerías o muecas. También s. m. y s. f.

figurilla *s. m. y s. f., fam.* Persona pequeña y ridícula.

figurín *s. m.* Dibujo o modelo pequeño para hacer trajes o adornos.

figurón *s. m.* Hombre entonado, que aparenta más de lo que es.

fija *s. f., Cant.* Paleta larga y estrecha que sirve para trabajos de canteras.

fijación *s. f.* Acción y efecto de fijar o fijarse.

fijado *s. m.* **1.** Acción y efecto de fijar una imagen fotográfica o un dibujo. **2.** Se dice de las partes del blasón que acaban en punta para abajo.

fijador *s. m.* **1.** Producto cosmético que se emplea para fijar el cabello. **2.** Líquido para fijar una imagen fotográfica.

fijar *v. tr.* **1.** Clavar, asegurar un cuerpo en otro. **2.** Hacer fijo o estable un estado o cosa. También prnl. **3.** Determinar, limitar, precisar. ‖ *v. prnl.* **4.** Atender, reparar, notar.

fijeza *s. f.* **1.** Firmeza, seguridad de opinión. **2.** Persistencia, continuidad.

fijo, ja *adj.* **1.** Firme, asegurado. **2.** Permanente.

fila *s. f.* Orden que guardan varias personas o cosas colocadas en línea.

filacteria *s. f.* Talismán que usaban los antiguos.

filadelfo, fa *adj.* Se dice de plantas o arbustos dicotiledóneos, de la familia de las saxifragáceas, que tienen tallos fistulosos, hojas opuestas pecioladas y flores regulares, blancas y olorosas. También s. f.

filadiz *s. m.* Seda extraída del capullo roto.

filamento *s. m.* **1.** Cuerpo filiforme. **2.** Hilo muy fino que se pone incandescente en el interior de las bombillas. **3.** Parte del estambre de las flores.

filamentoso, sa *s. m.* Que tiene filamentos.

filandón *s. m., Ast. y Le.* Tertulia que mantienen los vecinos de un pueblo al anochecer.

filandria *s. f.* Lombriz de los nematelmintos que vive parásita en el aparato digestivo de las aves.

filantropía *s. f.* Amor al género humano.

filantrópico, ca *adj.* Perteneciente o relativo a la filantropía.

filántropo, pa *s. m. y s. f.* Persona que se distingue por su amor a sus semejantes.

filar *v. tr.* Arriar progresivamente un cable o cabo.

filaria *s. f.* Nombre de varios gusanos parásitos de las personas y de los animales.

filariosis *s. f.* Enfermedad producida por la filaria.

filarmonía *s. f.* Pasión por la música.

filarmónico, ca *adj.* Que ama mucho la música.

filástica *s. f.* Hilos que constituyen los cabos y jarcias.

filatelia *s. f.* Conocimiento y estudio de los sellos de correos y afición a coleccionarlos.

filatélico, ca *adj.* Relativo a la filatelia.

filatelista *com.* Persona que se dedica a la filatelia.

filatería *s. f.* **1.** Abundancia de palabras para timar a alguien. **2.** Verbosidad.

filatero, ra *adj.* Que usa de filatería. También s. m. y s. f.

filaxis *s. f.* Protección o defensa del organismo contra las infecciones.

filderretor *s. m.* Tejido de lana, semejante a la lanilla.

fileno, na *s. m., fam.* Delicado, afeminado.

filete *s. m.* **1.** Pequeña loncha de carne magra o de pescado limpio de espinas. **2.** Remate de hilo enlazado que se echa al canto de alguna ropa. **3.** Línea o lista fina que sirve de adorno.

filetear *v. tr.* Adornar con filetes.

filetón *s. m.* Entorchado más grueso y retorcido que el ordinario para bordados.

filfa *s. f., fam.* Mentira, noticia falsa.

filiación *s. f.* **1.** Procedencia, vínculo de parentesco de los hijos respecto de sus padres. **2.** Dependencia, enlace.

filial *s. f.* Establecimiento que depende de otro.

filiar *v. tr.* Tomar la filiación a alguien.

filibusterismo *s. m.* Partido que luchaba por la emancipación de las provincias españolas de ultramar.

filibustero *s. m.* Nombre dado a ciertos piratas que en el s. XVII dominaron el mar Caribe.

filicida *com.* Persona que mata a su hijo.

filicidio *s. m.* Muerte dada por un padre o una madre a su hijo.

filiforme *adj.* Que tiene forma de hilo.

filigrana *s. f.* **1.** Obra formada de hilos de oro o plata. **2.** *fig.* Cosa delicada y pulida.

filipéndula *s. f.* Hierba de la familia de las rosáceas, de hojas con segmentos desiguales, flores en macetas terminales, blancas o ligeramente rosáceas, y raíces de mucha fécula astringente.

filipense *adj.* Se dice del religioso de la congregación de san Felipe Neri. También s. m.

filípica *s. f.* Invectiva, censura acre.

filipichín *s. m.* Tejido de lana estampado.

filipina *s. f., Cub. y Méx.* Chaqueta sin solapas, de dril.

filisteo, tea *adj.* Se dice de la persona de poca cultura o inteligencia.

filloa *s. f.* Fruta de sartén, que se hace con harina, yemas de huevo y leche, dándole la forma de hojas delgadas. Se usa más en pl.

film *s. m.* Filme.

filmación *v. tr.* Acción y efecto de filmar.

filmar *v. tr.* Tomar vistas cinematográficas para un filme.

filme *s. m.* Película cinematográfica.

filmina *s. f.* Diapositiva.

filo *s. m.* Arista o borde agudo de un instrumento cortante.

filodio *s. m.* Pecíolo muy ensanchado.

filófago, ga *adj.* Que se alimenta de hojas.

filogenia *s. f.* Origen y evolución de las especies.

filología *s. f.* Ciencia que estudia una lengua y su literatura, a través de sus textos.

filológico, ca *adj.* Perteneciente o relativo a la filología.

filólogo, ga *s. m. y s. f.* Persona versada en filología.

filomanía *v. tr.* Superabundancia de hojas en un vegetal.

filón *s. m.* Masa de mineral que rellena una antigua quiebra de las rocas de un terreno.

filonio *s. m.* Electuario calmante y aromático, compuesto de miel, opio y otros calmantes.

filoseda *s. f.* Tela de lana y seda.

filoso, sa *adj.* Afilado, que tiene filo.

filosofador, ra *adj.* Que filosofa. También s. m. y s. f.

filosofar *v. intr.* Discurrir acerca de una cosa con razones filosóficas.

filosofastro *s. m. y s. f., desp.* Falso o pretencioso filósofo.

filosofía *s. f.* Ciencia que trata de la esencia, propiedades, causas y efectos de las cosas naturales.

filosófico, ca *adj.* Perteneciente o relativo a la filosofía.

filosofismo *s. m.* **1.** Mala filosofía. **2.** Abuso de esta ciencia.

filósofo, fa *s. m. y s. f.* Persona que por profesión o estudio se dedica a la filosofía o a su enseñanza; especialmente el creador de un sistema filosófico.

filotráquea *s. f.* Cada una de las bolsas comunicantes con el exterior, y con pared provista de repliegues laminares, que sirve como órgano respiratorio de los arácnidos.

filoxera *s. f.* Insecto hemíptero que ataca las hojas y raíces de las vides.

filtración *s. f.* Acción de filtrar.

filtrador *s. m.* Filtro para depurar líquidos.

filtrar *v. tr.* Hacer pasar un líquido por un filtro.

filtro *s. m.* Materia porosa o aparato a través del que se hace pasar un fluido para depurarlo.

filustre *s. m., fam.* Finura, elegancia.

filván *s. m.* Rebaba sutil que queda en el corte de una herramienta recién afilada.

fimbria *s. f.* Orla o franja de adorno.

fimo *s. m.* Estiércol.

fimosis *s. f.* Estrechez del orificio del prepucio.

fin *s. m.* **1.** Término, remate o consumación de una cosa. **2.** Término al cual tiende una acción, objeto o motivo con que se ejecuta una cosa.

finado, da *s. m. y s. f.* Persona muerta.

final *adj.* **1.** Que remata o perfecciona algo. || *s. m.* **2.** Fin, remate de una cosa.

finalidad *s. f.* Fin con que se hace algo.

finalista *com.* Persona que llega a la prueba final de una competición.

finalizar *v. tr.* **1.** Concluir una obra. || *v. intr.* **2.** Extinguirse o acabarse una cosa.

financiar *v. tr.* **1.** Poner el capital necesario para la creación de una empresa, costearla. **2.** Prestar dinero a crédito.

financiero, ra *adj.* Perteneciente o relativo a las finanzas.

finanzas *s. f. pl.* Operaciones relacionadas con la hacienda pública, la banca o los grandes negocios mercantiles.

finar *v. intr.* Fallecer, morir.

finca *s. f.* Propiedad inmueble, urbana o rústica.

fincar *v. intr.* Adquirir fincas. También prnl.

fincharse *v. prnl., fam.* Engreírse.

fineza *s. f.* **1.** Regalo pequeño y de cariño. **2.** Delicadeza, primor.

fingido, da *adj.* Que finge.

fingidor, ra *adj.* Que finge.

fingimiento *s. m.* Simulación.

fingir *v. tr.* **1.** Dar a entender lo que no es cierto. **2.** Aparentar, simular.

finible *adj.* Que se puede acabar.

finiquitar *v. tr.* **1.** Terminar, saldar una cuenta. **2.** *fig. y fam.* Concluir, rematar.

finiquito *s. m.* Suma de dinero con que se liquida un periodo laboral o una cuenta.

finisecular *adj.* Perteneciente o relativo al fin de un siglo determinado.

finito, ta *adj.* Que tiene fin o límite.

fino, na *adj.* **1.** Delicado y de buena calidad. **2.** Puro, precioso. **3.** Cortés, urbano.

finta *s. f.* Ademán o amago que se hace con intención de engañar a alguien.

finura *s. f.* **1.** Primor. **2.** Urbanidad.

fiordo *s. m.* Golfo de las costas de Escandinavia, estrecho y profundo, entre montañas de laderas abruptas, formado por los glaciares.

fique *s. m.* **1.** *Col. y Ven.* Planta textil de la familia de las amarilidáceas, de 1 m de longitud aproximadamente y hojas carnosas en forma de pirámide triangular. **2.** *Col. y Ven.* Fibra de la pita de la que se hacen cuerdas.

firma *s. f.* **1.** Nombre y apellido al pie de un escrito. **2.** Empresa comercial.

firmal *s. m.* Joya que tiene forma de broche.

firmamento *s. m.* Bóveda celeste, en la que se pueden apreciar los astros.

firmar *v. tr.* Poner alguien su firma.

firme *adj.* **1.** Estable, sólido. **2.** Constante, que no se deja dominar. || *s. m.* **3.** Pavimento de una carretera.

firmeza *s. f.* **1.** Estabilidad. **2.** *fig.* Entereza, fuerza moral.

firmón *adj.* Se aplica al que por bajo precio firma escritos o trabajos ajenos.

firulete *s. m., Amér. del S.* Adorno superfluo.

fiscal *com.* Persona que representa y ejerce el ministerio público de los tribunales.

fiscalía *s. f.* Oficio y empleo de fiscal.

fiscalización *s. f.* Acción y efecto de fiscalizar.

fiscalizador, ra *adj.* Que fiscaliza.

fiscalizar *v. tr.* Hacer el oficio de fiscal.

fisco *s. m.* Erario público.

fiscorno *s. m.* Instrumento musical de metal parecido al bugle.

fisga *s. f.* **1.** Arpón de uno o tres dientes para pescar. **2.** Burla.

fisgar *v. tr.* **1.** Pescar con fisga. **2.** Husmear, atisbar. || *v. intr.* **3.** Burlarse.

fisgón, na *adj.* Husmeador, curioso.

fisgonear *v. tr.* Fisgar por costumbre.

fisgoneo *s. m.* Acción y efecto de fisgonear.

física *s. f.* Ciencia que tiene por objeto el estudio de la materia, los fenómenos de la naturaleza y la relación entre los mismos.

físico, ca *adj.* **1.** Perteneciente o relativo a la física. **2.** Perteneciente o relativo a la constitución y naturaleza corpórea. || *s. m. y s. f.* **3.** Persona que por profesión o estudio se dedica a la física o a su enseñanza. || *s. m.* **4.** Exterior de una persona, aspecto de la misma.

fisicoquímica *s. f.* Ciencia que estudia las relaciones que se dan entre los fenómenos físicos y químicos.

fisiocracia *s. f.* Sistema económico, fundado en la doctrina económica de Quesneau, opuesto al mercantilismo y que basaba la economía y la sociedad en la tierra y sus productos.

fisiócrata *s. m. y s. f.* Partidario de la escuela económica que atribuía a la naturaleza el origen de toda riqueza.

fisiología *s. f.* Ciencia que estudia las funciones de los seres vivos.

fisiológico, ca *adj.* Perteneciente o relativo a la fisiología.

fisiólogo, ga *s.m. y s. f.* Persona que estudia o profesa la fisiología.

fisión *s. f.* La partición de un núcleo atómico en dos, como resultado de un bombardeo de neutrones. La acompaña una emisión de gran número de neutrones y gran cantidad de energía.

fisionar *v. tr.* Producir una fisión. También prnl.

fisionomía *s. f.* Fisonomía.

fisioterapeuta *com.* Persona que aplica la fisioterapia.

fisioterapia *s. f.* Método curativo por medio de agentes naturales o mecánicos.

fisirrostro, tra *adj.* Se dice de las aves con el pico corto, ancho y hendido.

fisonomía *s. f.* Aspecto particular del rostro de una persona que resulta del conjunto de sus rasgos.

fisonómico, ca *adj.* Perteneciente o relativo a la fisonomía.

fisonomista *adj.* Se dice de la persona que se dedica al estudio de la fisonomía o que tiene facilidad natural para recordar y distinguir a las personas por esta. También com.

fisónomo, ma *s. m. y s. f.* Fisonomista.

fístula *s. f.* Conducto ulcerado, salida anormal de un absceso profundo hacia fuera, que se abre en la piel o en las mucosas.

fistular *v. tr.* Hacer que una llaga se haga fístula.

fistuloso, sa *adj.* Que tiene la forma de fístula o su semejanza.

fisura *s. f.* Fractura o hendidura de un hueso o mineral.

fitófago, ga *adj.* Que se alimenta de materias vegetales.

fitogeografía *s. f.* Ciencia que estudia la distribución de los vegetales por la superficie terrestre.

fitografía *s. f.* Parte de la botánica que tiene por objeto la descripción de las plantas.

fitógrafo, fa *s. m. y s. f.* Persona que profesa o cultiva la fitografía.

fitolacáceo, a *adj.* Se dice de plantas dicotiledóneas con hojas alternas, flores en racimo y casi siempre hermafroditas, frutos en baya y semillas de albumen harinoso. También s. f.

fitología *s. f.* Botánica.

fitopatología *s. f.* Estudio de las enfermedades de las plantas.

fitoterapia *s. f.* Tratamiento de ciertas enfermedades por medio de plantas o extractos vegetales.

fitotomía *s. f.* Parte de la botánica que estudia los tejidos vegetales.

flabelado, da *adj.* De figura de abanico.

flabeliforme *adj.* En forma de abanico.

flabelo *s. m.* Abanico grande de plumas de avestruz y pavo real con mango largo.

flacidez *s. f.* Laxitud, debilidad muscular, flojedad.

flácido, da *adj.* Flojo, sin consistencia.

flaco, ca *adj.* **1.** De pocas carnes. **2.** *fig.* Flojo, endeble, sin fuerza.

flacucho, cha *adj., fam.* Se dice de manera afectuosa de la persona que está delgada.

flacura *s. f.* Cualidad de flaco.

flagelación *s. f.* Acción de flagelar.

flagelado, da *adj.* Provisto de flagelos. También s. m. y s. f.

flagelador, ra *adj.* Que flagela. También s. m. y s. f.

flagelante *s. m. y s. f.* Penitente que se azotaba públicamente.

flagelar *v. tr.* **1.** Azotar. **2.** *fig.* Vituperar.

flageliforme *adj.* Que tiene forma de flagelo o látigo.

flagelo *s. m.* **1.** Azote. **2.** *fig.* Cada una de las prolongaciones celulares filiformes móviles que ciertos protozoos poseen.

flagrancia *s. f.* Cualidad de flagrante.

flagrante *adj.* **1.** Que se ejecuta en el momento en cuestión. **2.** Obvio, evidente.

flagrar *v. intr., poét.* Arder o resplandecer como el fuego o la llama.

flama *s. f.* Llama.

flamante *adj.* **1.** Resplandeciente, lúcido. **2.** Recién hecho o estrenado.

flamear *v. intr.* **1.** Despedir llamas. **2.** Rociar un alimento con licor y encenderlo. **3.** *fig.* Ondear las banderas y velas del buque.

flamen *s. m.* Sacerdote romano que se dedica al culto de una deidad particular.

flamenco *adj.* Se dice de cierta modalidad de cante y baile andaluz propio de los gitanos y, por ext., de todo lo relacionado con ello.

flamenquería *s. f.* Cualidad de flamenco, chulería.

flamenquismo *s. m.* Afición a las costumbres flamencas o achuladas.

flámeo *adj.* Que participa de las condiciones de la llama.

flamero *s. m.* Candelabro que arroja una gran llama.

flamígero, ra *adj.* Que despide llamas.

flámula *s. f.* Planta herbácea, de la familia de las ranunculáceas, de flores blancas, que crece en las regiones mediterráneas.

flan *s. m.* Dulce que se hace con yemas de huevo, leche y azúcar, y que se cuaja en un molde al baño María.

flanco *s. m.* Costado, lado.

flanero, ra *s. m. y s. f.* Molde en que se cuaja el flan.

flanqueado, da *adj.* Se dice del objeto que tiene a sus costados otras cosas que le acompañan o completan.

flanqueador, ra *adj.* Que flanquea. También s. m. y s. f.

flanquear *v. tr.* Dominar una posición a otra por el flanco o costado.

flanqueo *s. m.* Acción y efecto de flanquear.

flaquear v. intr. **1.** Debilitarse, ir perdiendo la fuerza. **2.** Amenazar ruina.

flaqueza s. f. **1.** Falta de vigor. **2.** Fragilidad cometida por debilidad moral.

flash s. m. **1.** Destello luminoso breve e intenso y dispositivo que lo produce. **2.** Aparato que da la luz necesaria para hacer una fotografía. **3.** Noticia breve que, con carácter urgente, transmite un medio de comunicación.

flashback s. m. Escena o secuencia retrospectiva.

flato s. m. Acumulación molesta de gases en el tubo digestivo.

flatoso, sa adj. Sujeto a flatos.

flatulencia s. f. Indisposición de la persona que padece flatos.

flatulento, ta adj. **1.** Que causa flatos. **2.** Que los padece. También s. m. y s. f.

flauta s. f. Instrumento musical de viento en forma de tubo cilíndrico, con orificios que se tapan con los dedos o llaves.

flautado, da adj. Parecido a la flauta.

flautero, ra s. m. y s. f. Persona que hace flautas.

flautillo s. m. Caramillo de sonido muy agudo.

flautín s. m. Flauta pequeña, de sonido agudo y penetrante.

flautista s. m. y s. f. Persona que toca la flauta.

flavo, va adj. De color entre amarillo y rojo, como la miel.

flebitis s. f. Inflamación de las venas.

flebotomía s. f. Acción y efecto de sangrar abriendo una vena.

flecha s. f. **1.** Arma arrojadiza que se dispara con un arco y que consiste en una varilla terminada en una punta de figura triangular. **2.** Indicador de dirección con esta misma forma.

flechador, ra s. m. y s. f. Persona que dispara flechas.

flechadura s. f. Conjunto de flechastes.

flechar v. tr. **1.** Estirar la cuerda del arco, colocando en este la flecha para arrojarla. **2.** Herir o matar a alguien con flechas.

flechaste s. m. Cada uno de los cordeles horizontales que, unidos a los obenques, sirve de escalones a la marinería para subir a lo alto de los palos.

flechazo s. m., fig. Amor repentino que se concibe o se inspira.

flechera s. f. Embarcación ligera de guerra utilizada en Venezuela.

flechero, ra s. m. y s. f. Persona que utiliza el arco y las flechas.

fleco s. m. **1.** Adorno compuesto por una serie de hilos colgantes. **2.** fig. Borde de una tela deshilachado por el uso.

fleje s. m. Tira de chapa de hierro con que se hacen arcos para asegurar las duelas de cubas y toneles, y las balas de ciertas mercancías.

flema s. f. Mucosidad pegajosa procedente de las vías respiratorias que se arroja por la boca.

flemático, ca adj. **1.** Tardo, lento, calmoso. **2.** Impasible.

fleme s. m. Instrumento puntiagudo y cortante para sangrar los animales.

flemón s. m. **1.** Tumor en las encías. **2.** Inflamación aguda del tejido celular en cualquier parte del cuerpo.

flemonoso, sa adj. Perteneciente o relativo al flemón.

flemoso, sa adj. Que tiene flema o la causa.

flemudo, da adj. Flemático. También s. m. y s. f.

flequillo s. m. Porción de cabello recortado que cae sobre la frente.

fletador, ra adj. Se dice de la persona que fleta.

fletamento s. m. Acción de fletar.

fletante s. m. y s. f., Arg., Chil. y Ec. Persona que da en alquiler un vehículo o una bestia para el transporte de personas o mercancías.

fletar v. tr. Alquilar la nave para conducir personas o mercancías.

flete s. m. **1.** Precio del alquiler de una embarcación o de una parte de ella. **2.** Carga de un buque.

fletero, ra adj., Amér. del S. Se aplica a la embarcación, carro u otro vehículo cualquiera que se alquila para transporte de personas o mercancías.

flexibilidad s. f. Cualidad de flexible.

flexibilizar v. tr. Hacer flexible una cosa. También prnl.

flexible adj. **1.** Que se dobla con facilidad. **2.** Que se acomoda con facilidad al dictamen de otro.

flexión s. f. **1.** Alteración de forma que sufren las palabras para expresar sus accidentes gramaticales. **2.** Ejercicio realizado sobre el suelo al flexionar los brazos con el cuerpo en horizontal.

flexional adj. Perteneciente o relativo a la flexión.

flexionar v. tr. Hacer flexiones con el cuerpo. También prnl.

flexo s. m. Lámpara de mesa con brazo flexible.

flexor, ra adj. Que hace que una cosa se doble con movimiento de flexión.

flexuoso, sa adj. **1.** Que forma ondas. **2.** fig. Condescendiente.

flictena s. f. Ampolla cutánea llena de suero, como las que se observan en las quemaduras.

flirtear v. intr. Coquetear, galantear.

flirteo s. m. Coqueteo.

flocadura s. f. Guarnición hecha de flecos.

flogisto s. m. Sustancia imaginada por Stahl en el s. XVIII para explicar los fenómenos de combustión. Formaba parte de todos los cuerpos de los que se desprendía durante la combustión.

flojear v. intr. **1.** Obrar con descuido y pereza. **2.** Flaquear.

flojedad *s. f.* **1.** Debilidad y flaqueza en alguna cosa. **2.** *fig.* Pereza, negligencia.

flojel *s. m.* Tamo o pelillo del paño.

flojera *s. f.* Flojedad.

flojo, ja *adj.* **1.** Mal atado, poco apretado. **2.** Que no tiene mucha actividad o vigor. **3.** *fig.* Perezoso, negligente.

floqueado, da *adj.* Guarnecido con fleco.

flor *s. f.* Órgano de la reproducción sexual de las plantas fanerógamas.

flora *s. f.* Conjunto de plantas que se desarrollan en un país o región.

floración *s. f.* Acción de florecer.

floral *adj.* Perteneciente o relativo a la flor.

florar *s. m.* Dar flor una planta.

floreal *s. m.* Octavo mes del año, según el calendario republicano francés, cuyos días primero y último coincidían, respectivamente, con el 20 de abril y el 19 de mayo.

florear *v. tr.* Adornar con flores.

florecer *v. intr.* **1.** Echar flor. También tr. **2.** Prosperar, crecer en riqueza o reputación.

floreciente *adj., fig.* Próspero.

florecimiento *s. m.* Acción y efecto de florecer.

floreo *s. m.* Conversación vana y de pasatiempo.

florero *s. m.* **1.** Vaso para poner flores. **2.** Maceta, tiesto con flores.

floretazo *s. m.* Golpe dado con el florete.

florescencia *s. f.* Acción de florecer.

floresta *s. f.* **1.** Terreno frondoso, poblado de árboles. **2.** Reunión de cosas agradables y de buen gusto.

florete *s. m.* **1.** Esgrima con espadín. **2.** Espadín de cuatro aristas.

floretear *v. tr.* **1.** Adornar con flores una cosa. || *v. intr.* **2.** Manejar el florete.

floretista *com.* Persona diestra en el juego del florete.

floricultor, ra *s. m. y s. f.* Persona que se dedica a la floricultura.

floricultura *s. f.* **1.** Cultivo de las flores. **2.** Arte que lo enseña.

floridez *s. f.* Abundancia de flores.

florido, da *adj.* **1.** Que tiene flores. **2.** *fig.* Se dice del lenguaje o estilo profusamente recargado de galas retóricas.

florífero, ra *adj.* Que lleva o produce flores.

florígero, ra *adj., poét.* Florífero.

florilegio *s. m., fig.* Colección de trozos selectos de materias literarias.

floripondio *s. m.,* Adorno de mal gusto.

florista *com.* Persona que vende flores.

floristería *s. f.* Establecimiento donde se venden flores y plantas de adorno.

floritura *s. f.* Adorno.

florón *s. m.* Adorno pictórico o arquitectónico, a modo de flor muy grande.

flósculo *s. m.* Cada una de las florecillas de corola cerrada que forman una flor compuesta.

flota *s. f.* Conjunto de barcos de un país, flota naviera, etc.

flotabilidad *s. f.* Capacidad de flotar.

flotable *adj.* Se dice del río por donde pueden conducirse a flote maderas y otras cosas, aunque no sea navegable.

flotación *s. f.* Acción y efecto de flotar.

flotador *s. m.* Aparato que se sujeta al cuerpo de una persona para que esta flote en el agua.

flotadura *s. f.* Flotación.

flotamiento *s. m.* Flotación.

flotar *v. intr.* Sostenerse un cuerpo en equilibrio en la superficie de un líquido.

flote, a *loc. adv.* **1.** Manteniéndose sobre el agua. **2.** *fig.* Sin problemas, libre de peligros, apuros económicos, etc.

flotilla *s. f.* Flota de buques pequeños.

fluctuación *s. f.* Acción y efecto de fluctuar.

fluctuar *v. intr.* **1.** Vacilar un cuerpo sobre las aguas. **2.** Dudar en la resolución de algo. **3.** Crecer y disminuir alternativamente.

fluctuoso, sa *adj.* Que fluctúa.

fluencia *s. f.* Acción y efecto de fluir.

fluidez *s. f.* Cualidad de fluido.

fluido, da *adj.* **1.** Se dice del cuerpo cuyas moléculas tienen entre sí poca o ninguna coherencia, y toma siempre la forma del recipiente donde está contenido. **2.** *fig.* Tratándose de lenguaje o estilo, corriente y fácil.

fluir *v. intr.* **1.** Correr un líquido o un gas. **2.** Desarrollarse algo sin complicaciones.

flujo *s. m.* **1.** Movimiento de ascenso de la marea. **2.** Cada uno de los compuestos que se emplean en los laboratorios para fundir minerales y aislar metales.

flúor *s. m.* Gas corrosivo y tóxico, de olor sofocante y color amarillo verdoso.

fluorescencia *s. f.* Propiedad que tiene algunos cuerpos de mostrarse luminosos mientras reciben ciertas radiaciones.

fluorescente *adj.* **1.** Perteneciente o relativo a la fluorescencia. **2.** Se dice del tubo de vidrio con el interior recubierto de sustancia fluorescente que emite luz intensa.

fluorhídrico *adj.* Se dice del ácido que forma un líquido muy corrosivo, resultado de combinarse un átomo de flúor con otro de hidrógeno; se utiliza para grabar el cristal.

fluorina *s. f.* Fluorita.

fluorita *s. f.* Mineral compuesto de flúor y calcio.

fluvial *adj.* Relativo a los ríos.

flux *s. m.* En ciertos juegos, circunstancia de ser de un mismo palo todas las cartas de un jugador.

fluxión *s. f.* Acumulación morbosa de humores en cualquier órgano.

fobia *s. f.* Apasionada o enconada aversión hacia algo.

foca *s. f.* Mamífero carnívoro pinnípedo, de costumbres acuáticas.

focal *adj.* Perteneciente o relativo al foco.

focha *s. f.* Ave gruiforme de la familia de los rascones, de cuerpo grueso y plumaje oscuro, pico y frente blancos, y pies de color verdoso, que vive en grupos en los alrededores de pantanos, lagunas y estanques.

focino *s. m.* Aguijada de punta corva con que se gobierna al elefante.

foco *s. m.* **1.** Lámpara eléctrica que produce una luz muy potente. **2.** Lugar donde está concentrada una cosa y desde donde se propaga e influye.

fóculo *s. m.* Hogar pequeño.

fofo, fa *adj.* Blando, de poca consistencia.

fogaje *s. m.* **1.** Cierto tributo o contribución que pagaban antiguamente los habitantes de casas. **2.** *Ar., Arg. y Méx.* Fuego. **3.** *Arg., Col., P. Ric. y Ven.* Bochorno. **4.** *Ec.* Fogata.

fogarada *s. f.* Llamarada.

fogaril *s. m.* Jaula de aros de hierro, dentro de la cual se enciende lumbre, y que se cuelga en sitio desde donde ilumine o sirva como señal.

fogarizar *v. tr.* Hacer fuego con hogueras.

fogata *s. f.* **1.** Fuego que levanta llama. **2.** Hornillo de pólvora.

fogón *s. m.* Sitio adecuado en las cocinas, calderas, etc., para hacer fuego.

fogonadura *s. f.* Cada uno de los agujeros que tienen las cubiertas para que pasen por ellos los palos a fijarse en sus carlingas.

fogonazo *s. m.* Llamarada instantánea que producen algunas materias inflamables, como la pólvora, el magnesio, etc.

fogonero, ra *s. m. y s. f.* Persona que cuida del fogón, principalmente en las máquinas de vapor.

fogosidad *s. f.* Ardimiento y viveza desmesurada.

fogoso, sa *adj., fig.* Ardiente, muy vivo.

foguear *v. tr.* **1.** Limpiar con fuego un arma. **2.** Acostumbrar a las personas o caballos al fuego de la pólvora.

fogueo *s. m.* Acción y efecto de foguear.

foie-gras *s. m.* Fuagrás.

folclore *s. m.* Ciencia que estudia las manifestaciones colectivas producidas entre el pueblo en la esfera de las artes, costumbres, creencias, etc.

folclórico, ca *adj.* **1.** Perteneciente o relativo al folclor. ‖ *s. m. y s. f.* **2.** Persona que se dedica al cante y baile flamenco o aflamencado.

folgo *s. m.* Bolsa forrada de pieles, para cubrir y abrigar los pies.

folía *s. f.* **1.** Canto y baile popular de las islas Canarias. **2.** *fig.* Cualquier música ligera, generalmente de gusto popular.

foliáceo *adj.* **1.** Perteneciente o relativo a las hojas de las plantas. **2.** Que tiene estructura laminar.

foliación *s. f.* Acción de echar hojas las plantas.

foliar[1] *v. tr.* Numerar los folios de un libro, cuaderno, etc.

foliar[2] *adj.* Relativo a la hoja.

foliatura *s. f.* Foliación.

folicular *adj.* En forma de folículo.

foliculario, ria *s. m., desp.* Folletista, periodista.

folículo *s. m.* Pericarpio membranoso con una valva que se rompe a lo largo, por un lado, y que contiene sujetas las semillas en un receptáculo propio.

folio *s. m.* Hoja de un libro o cuaderno.

folíolo *s. m.* Cada una de las hojuelas de una hoja compuesta.

folk *s. m.* **1.** Género musical de raíces populares. **2.** Movimiento musical de claro compromiso social que surgió en Estados Unidos en los años cincuenta del siglo XX.

folklore *s. m.* Folclore.

folla *s. f.* Mezcla de muchas cosas diversas, sin orden.

follaje *s. m.* **1.** Conjunto de hojas de los árboles y otras plantas. **2.** Adorno de cogollos y hojas.

follar[1] *v. tr.* Formar o componer en hojas alguna cosa.

follar[2] *v. tr.* **1.** *vulg.* Copular. También intr. **2.** *fig.* Incordiar, molestar.

follero, ra *s. m. y s. f.* Persona que hace o vende fuelles.

folletero, ra *s. m. y s. f.* Follero.

folletín *s. m.* **1.** Novela, artículo u otra obra que se publica en los periódicos. **2.** *fam.* Relato de tema amoroso y carácter melodramático y sensiblero.

folletinesco, ca *adj.* Perteneciente o relativo al folletín.

folletinista *s. m. y s. f.* Escritor de folletines.

folletista *s. m. y s. f.* Escritor de folletos.

folleto *s. m.* Obra impresa, no periódica y de pocas páginas.

follisca *s. f., Col. y Ven.* Pendencia, riña.

follón *s. m.* Alboroto, enredo, lío.

fomentación *s. f.* Acción y efecto de fomentar.

fomentador, ra *adj.* Que fomenta. También s. m. y s. f.

fomentar *v. tr.* **1.** Aplicar a una parte enferma paños empapados en un líquido. **2.** Aumentar la actividad o la intensidad de algo.

fomento *s. m.* Acción y efecto de fomentar.

fon *s. m.* Fonio.

fonación *s. f.* Emisión de la voz o de la palabra.

fonda *s. f.* Establecimiento público donde se da hospedaje y se sirven comidas.

fondable *adj.* Se aplica a los parajes del mar donde pueden dar fondo los barcos.

fondeadero *s. m.* Paraje de profundidad suficiente para que la embarcación pueda hacer fondo.

fondeado, da *adj., Amér. C., Col., Méx. y Ven.* Acaudalado, adinerado.

fondear *v. tr.* **1.** Reconocer el fondo del agua. **2.** Registrar una embarcación para ver si trae contrabando.

fondeo *s. m.* Acción de fondear.

fondero, ra *s. m. y s. f., Amér. del S.* Fondista.

fondillón *s. m.* Asiento y madre de la cuba cuando, después de mediada, se vuelve a llenar.

fondillos *s. m. pl.* Parte trasera de los calzones o pantalones.

fondista *s. m. y s. f.* Deportista cuya especialidad son las carreras de fondo.

fondo *s. m.* **1.** Parte inferior de una cosa hueca. **2.** Color o dibujo que cubre una superficie y sobre la cual resaltan los adornos o dibujos de otros colores. **3.** Dinero, bienes. Se usa más en pl.

fondón *s. m.* Fondillón.

fondue *s. f.* Preparación culinaria a base de queso o carne, cocida en un hornillo con alcohol.

fonébol *s. m.* Fundíbulo.

fonema *s. f.* Cada una de las unidades fonológicas mínimas que en el sistema de una lengua pueden oponerse a otras en contraste significativo.

fonendoscopio *s. m.* Instrumento usado para auscultar.

fonética *s. f.* **1.** Conjunto de los sonidos de una lengua. **2.** Rama de la lingüística que estudia la parte acústica del lenguaje, es decir, los sonidos en su realización.

fonético, ca *adj.* Perteneciente o relativo a la voz humana o en general al sonido del lenguaje.

fonetista *com.* Persona versada en fonética.

foniatría *s. f.* Parte de la medicina que se ocupa de los trastornos de la fonación.

fónico, ca *adj.* Perteneciente o relativo a la voz o al sonido.

fonil *s. m.* Embudo con que se envasan líquidos en las pipas.

fonio *s. m.* Unidad de medida de la sonoridad.

fonografía *s. f.* Arte de inscribir sonidos para reproducirlos por medio del fonógrafo.

fonógrafo *s. m.* Instrumento que inscribe sobre un cilindro las vibraciones de cualquier sonido, y las reproduce.

fonograma *s. m.* Sonido representado por una o más letras.

fonolita *s. f.* Roca compuesta de feldespato y de silicato de albúmina.

fonología *s. f.* Rama de la lingüística que estudia los elementos fónicos en relación con su valor funcional dentro del sistema de cada lengua.

fonoteca *s. f.* Colección o archivo de grabaciones fonográficas.

fonsadera *s. f.* Tributo que se pagaba para atender a los gastos de la guerra.

fontal *adj.* Perteneciente o relativo a la fuente.

fontana *s. f., poét.* Fuente.

fontanal *s. m.* **1.** Fontanar. **2.** Sitio que abunda en manantiales.

fontanar *s. m.* Manantial.

fontanela *s. f.* Cada uno de los espacios membranosos que hay en el cráneo antes de su completa osificación.

fontanería *s. f.* **1.** Arte de encañar y conducir las aguas. **2.** Conjunto de conductos por donde se dirige y distribuye el agua.

fontanero, ra *s. m. y s. f.* Persona que se dedica a la fontanería.

fontículo *s. m.* **1.** Exutorio. **2.** Fontanela.

footing *s. m.* Ejercicio deportivo consistente en correr a ritmo moderado.

foque *s. m.* Nombre común a todas las velas triangulares que se orientan y amuran sobre el bauprés.

forado *s. m., Amér. del S.* Boquete hecho en una pared.

forajido, da *adj.* Que anda de poblado en poblado, huyendo de la justicia.

foral *adj.* Relativo al fuero.

foramen *s. m.* Agujero o taladro.

foráneo, a *adj.* Forastero, extraño.

forastero, ra *adj.* **1.** Que es o viene de fuera del lugar. **2.** *fig.* Extraño, ajeno.

forcejear *v. intr.* **1.** Hacer fuerza para vencer alguna resistencia. **2.** *fig.* Resistir, contradecir tenazmente.

forcejeo *s. m.* Acción de forcejear.

forcejón *s. m.* Esfuerzo violento.

forcejudo, da *adj.* Que tiene y hace mucha fuerza.

fórceps *s. m.* Instrumento que se usa para la extracción del bebé en los partos difíciles.

forchina *s. f.* Arma de hierro a modo de horquilla.

forense *s. f.* Médico adscrito a un juzgado de instrucción, encargado de examinar los cadáveres. También com.

forestal *adj.* Relativo a los bosques.

forestar *v. tr.* Poblar de plantas forestales un paraje.

forfait *s. m.* Abono que se compra a un precio establecido y con el que se tiene acceso, en un tiempo limitado, a determinadas instalaciones o actividades.

forillo *s. m.* En el teatro, telón pequeño que se pone detrás del telón de foro en que hay alguna abertura.

forja *s. f.* **1.** Fragua. **2.** Mezcla, argamasa.

forjador, ra *adj.* Que forja. También s. m. y s. f.

forjadura *s. f.* Acción y efecto de forjar. También s. m. y s. f.

forjar v. tr. **1.** Dar la primera forma con el martillo a cualquier pieza de metal. **2.** Fabricar y formar.

forma s. f. **1.** Apariencia externa de una cosa. **2.** Modo de proceder en una cosa.

formable adj. Que se puede formar.

formación s. f. **1.** Reunión ordenada de tropas para ciertos actos del servicio. **2.** Proceso de aprendizaje de una técnica.

formador, ra adj. Que forma o pone en orden. También s. m. y s. f.

formaje s. m. Encella.

formal adj. **1.** Se aplica a la persona seria, enemiga de chanzas. **2.** Expreso, preciso, determinado. **3.** Perteneciente o relativo a la forma.

formalete s. m. Bóveda o arco en semicírculo, también llamados de medio punto.

formalidad s. f. **1.** Exactitud y consecuencia en las acciones. **2.** Modo de ejecutar, con la exactitud debida, un acto público. **3.** Seriedad, compostura.

formalismo s. f. Corriente artística caracterizada por la preponderacia de lo formal.

formalista adj. **1.** Perteneciente o relativo al formalismo. **2.** Se dice de la persona que para cualquier asunto observa con exceso de celo las formas y tradiciones. También com.

formalizar v. tr. **1.** Dar la última forma a una cosa. **2.** Revestir una cosa de los requisitos legales. ‖ v. prnl. **3.** Ponerse serio.

formar v. tr. **1.** Dar forma a algo. **2.** Poner orden, agruparse en formación. **3.** Educar, adiestrar. ‖ v. prnl. **4.** Adquirir una persona más o menos desarrollo, aptitud o habilidad en lo físico, en lo intelectual o en lo moral.

formatear v. tr. Dar la estructura adecuada a un soporte de almacenamiento informático.

formativo adj. Se dice de lo que forma o da forma.

formato s. m. **1.** Forma, tamaño de un libro. **2.** Tamaño de un cuadro, una fotografía.

formero s. m. Cada uno de los arcos en que descansa una bóveda vaída.

formiato s. m. Cualquier sal del ácido fórmico.

formica s. f. Material muy versátil recubierto con resina artificial por una de sus caras, que se aplica a ciertas maderas para protegerlas.

formicante adj. **1.** Propio de hormiga. **2.** Lento, tardo.

fórmico adj. Se dice del ácido que forma un líquido incoloro, de olor picante, que segregan las hormigas y también se encuentra en las ortigas, etc. Se usa en medicina.

formidable adj. **1.** Muy temible y que infunde asombro. **2.** Excesivamente grande. **3.** fam. Extraordinario.

formol s. m. Solución de aldehído fórmico, que se usa como desinfectante y como conservante de sustancias orgánicas.

formón s. m. Instrumento de carpintería, semejante al escoplo.

fórmula s. f. **1.** Forma establecida para expresar alguna cosa, modo convenido para ejecutarla o resolverla. **2.** Receta.

formular v. tr. Reducir a términos claros y precisos.

formulario s. m. Libro o escrito que contiene fórmulas.

formulismo s. m. **1.** Excesivo apego a las fórmulas para la resolución y ejecución de algo. **2.** Tendencia a preferir la apariencia de las cosas a su esencia.

formulista adj. Se dice de la persona partidaria del formulismo. También com.

fornáceo, a adj., poét. Perteneciente o semejante al horno.

fornelo s. m. Braserillo manual de hierro para hacer el chocolate.

fornicación s. f. Acción de fornicar.

fornicador, ra adj. Que fornica. También s. m. y s. f.

fornicar v. intr. Mantener relaciones sexuales fuera del matrimonio. También tr.

fornicario, ria adj. Perteneciente o relativo a la fornicación.

fornicio s. m. Fornicación.

fornido, da adj. Robusto.

fornitura s. f. **1.** Conjunto de piezas de un reloj o mecanismo similar. **2.** Correaje y cartuchera del soldado.

foro s. m. **1.** Sitio en que los tribunales oyen y determinan las causas. **2.** Servicio de internet donde se debate sobre diversos temas.

forraje s. m. Verde que se da al ganado.

forrajear v. tr. Segar y recoger el forraje.

forrajero, ra adj. Se dice de las plantas que sirven para forraje.

forrar v. tr. **1.** Poner forro a una cosa. ‖ v. prnl. **2.** fam. Enriquecerse.

forro s. m. Abrigo, defensa, resguardo o cubierta con que se reviste una cosa.

fortachón adj., fam. Recio y fornido.

fortalecedor, ra adj. Que fortalece.

fortalecer v. tr. Fortificar, dar fuerza.

fortalecimiento s. m. Acción y efecto de fortalecer.

fortaleza s. f. **1.** Fuerza y vigor. **2.** Recinto fortificado.

fortepiano s. m. Piano.

fortificación s. f. Obra o conjunto de obras con que se fortifica un lugar.

fortificador, ra adj. Que fortifica.

fortificar v. tr. **1.** Dar vigor y fuerza. **2.** Hacer fuerte con obras de defensa un lugar. También prnl.

fortín *s. m.* Una de las obras que se levantan en los atrincheramientos de un ejército.

fortísimo, ma *adj. sup.* de fuerte.

fortuito, ta *adj.* Que sucede casualmente.

fortuna *s. f.* **1.** Suerte favorable o desfavorable. **2.** Buena suerte. **3.** Aceptación inmediata, éxito. **4.** Hacienda, capital.

fórum *s. m.* Foro.

forúnculo *s. m.* Divieso, inflamación local de la piel.

forzado, da *adj.* **1.** Ocupado o retenido por fuerza. **2.** No espontáneo.

forzador, ra *s. m. y s. f.* Persona que hace fuerza o violencia a otro.

forzal *s. m.* Banda maciza de donde arrancan las púas de un peine.

forzamiento *s. m.* Acción de forzar o hacer fuerza.

forzar *v. tr.* **1.** Emplear la fuerza o violencia para conseguir algo. **2.** *fig.* Obligar a que se ejecute una cosa. También prnl. **3.** Tomar u ocupar por fuerza.

forzosa, la *loc., fig. y fam.* Precisión ineludible en que alguien se encuentra de hacer algo contra su voluntad.

forzoso, sa *adj.* Que no se puede excusar.

forzudo *adj.* Que tiene grandes fuerzas.

fosa *s. f.* **1.** Sepultura. **2.** Cada una de ciertas cavidades en el cuerpo humano.

fosal *s. m.* Cementerio.

fosar *v. tr.* Hacer foso alrededor de una cosa.

fosca *s. f.* Calima, oscuridad de la atmósfera.

fosco, ca *adj.* Hosco.

fosfatado, da *adj.* Que tiene fosfato.

fosfatar *v. tr.* Fertilizar, abonar con fosfatos las tierras de cultivo.

fosfato *s. m.* Sal formada por combinación del ácido fosfórico con una o más bases.

fosfaturia *s. f.* Pérdida excesiva de ácido fosfórico por la orina.

fosforecer *v. intr.* Fosforescer.

fosforera *s. f.* Estuche en que se guardan o llevan los fósforos.

fosforescencia *s. f.* Propiedad que tienen algunas sustancias de emitir ondas luminosas.

fosforescer *v. intr.* Manifestar fosforescencia o luminiscencia.

fosforita *s. f.* Mineral de color blanco amarillento, formado por el fosfato de cal.

fósforo *s. m.* **1.** Metaloide sólido, tóxico e inflamable. **2.** Cerilla.

fosforoscopio *s. m.* Instrumento que sirve para averiguar si un cuerpo es o no fosforescente.

fósil *adj.* Se aplica a la sustancia de origen orgánico más o menos petrificada, que se encuentra en las capas terrestres.

fosilífero, ra *adj.* Se dice del terreno que contiene fósiles.

fosilización *s. f.* Acción y efecto de fosilizarse.

fosilizarse *v. prnl.* Convertirse en fósil un cuerpo orgánico.

foso *s. m.* **1.** Hoyo. **2.** Piso inferior del escenario. **3.** Excavación profunda que circuye la fortaleza.

foto *s. f., fam.* Fotografía.

fotocopia *s. f.* Copia especial obtenida directamente sobre el papel mediante reproducción fotoestática del original e impresión con tóner.

fotoemisor, ra *adj.* Se dice de la sustancia que emite electrones cuando es sometida a la acción de radiaciones luminosas.

fotofobia *s. f.* Horror a la luz.

fotófono *s. m.* Instrumento que sirve para transmitir el sonido por medio de la luz.

fotogénico, ca *adj.* Se dice de lo que tiene buenas condiciones para ser reproducido por fotografía.

fotógeno *adj.* Que produce luz.

fotograbado *s. m.* **1.** Arte de grabar planchas por la acción química de la luz. **2.** Lámina grabada por este procedimiento.

fotograbar *v. tr.* Grabar por medio de la fotografía.

fotografía *s. f.* **1.** Arte de fijar y reproducir por medio de reacciones químicas las imágenes recogidas en el fondo de una cámara oscura. **2.** Estampa obtenida por medio de estas técnicas.

fotografiar *v. tr.* Ejercer el arte de la fotografía.

fotógrafo, fa *s. m. y s. f.* Persona que hace fotografías.

fotograma *s. m.* Cada una de las imágenes de una película cinematográfica.

fotólisis *s. f.* Desdoblamiento de una sustancia por la acción de la luz.

fotolito *s. m.* Cliché fotográfico utilizado para la impresión en técnicas como el huecograbado.

fotolitografía *s. f.* Arte de fijar y reproducir dibujos en piedra litográfica, mediante la acción química de la luz.

fotolitografiar *v. tr.* Ejercer el arte de la fotolitografía.

fotometría *s. f.* Parte de la óptica que trata de las leyes relativas a la intensidad de la luz y de los métodos para medirla.

fotómetro *s. m.* Instrumento para medir la intensidad de la luz.

fotón *s. m.* Partícula subnuclear sin masa ni carga eléctrica, que corresponde a la cantidad mínima de energía de que constan las radiaciones.

fotonovela *s. f.* Relato, generalmente de temática amorosa, compuesto por una sucesión de fotografías en las que se incorpora el texto mediante bocadillos.

fotosfera *s. f.* Capa luminosa y gaseosa del Sol.

fotosíntesis *s. f.* Proceso químico por el cual las plantas verdes consiguen su alimento, mediante la acción de la luz sobre la clorofila.

fototeca *s. f.* Archivo fotográfico.

fototerapia *s. f.* Método de curación de las enfermedades por la acción de la luz.

fototipografía *s. f.* Arte de obtener por medio de la fotografía clichés tipográficos.

fototropismo *s. m.* Desarrollo o inclinación de los organismos por la influencia de la luz.

fotuto *s. m., Cub., P. Ric. y Ven.* Instrumento de viento que produce un sonido parecido al de la trompa o caracola.

foxtrot o fox-trot *s. m.* Baile surgido en Estados Unidos y muy popular en los años veinte del siglo XX.

frac *s. m.* Chaqueta masculina que, por delante, llega hasta la cintura y por detrás tiene dos faldones más largos.

fracasado, da *adj., fig.* Se dice de la persona desconceptuada a causa de los fracasos padecidos. También s. m. y s. f.

fracasar *v. intr.* **1.** No conseguir los objetivos propuestos. **2.** *fig.* Frustrarse.

fracaso *s. m.* **1.** Caída de una cosa con estrépito. **2.** Suceso lastimoso, inopinado y funesto. **3.** Malogro, resultado adverso de una empresa o negocio.

fracción *s. f.* **1.** División de un todo en partes. **2.** Cada una de las partes o porciones de un todo con relación a él. **3.** Número quebrado.

fraccionamiento *s. m.* Acción y efecto de fraccionar.

fraccionar *v. tr.* Dividir una cosa en partes o fracciones. También prnl.

fraccionario, ria *adj.* Perteneciente o relativo a la fracción de un todo.

fractura *s. f.* Rotura de huesos debida a violencia externa.

fracturar *v. tr.* Romper o quebrantar algo con violencia. También prnl.

fragancia *s. f.* Olor suave y delicioso.

fragante[1] *adj.* Que despide fragancia.

fragante[2] *adj.* Que arde o resplandece.

fragata *s. f.* Buque de tres palos, con cofas y vergas en todos ellos.

frágil *adj.* **1.** Quebradizo. **2.** Se dice de la persona que cae fácilmente enferma.

fragilidad *s. f.* Cualidad de frágil.

fragmentación *s. f.* Acción y efecto de fragmentar o fragmentarse.

fragmentar *v. tr.* **1.** Reducir a fragmentos. También prnl. **2.** Dividir en partes un todo.

fragmentario, ria *adj.* Incompleto, no acabado.

fragmento *s. m.* **1.** Parte o porción pequeña de algunas cosas quebradas o partidas. **2.** Parte de un libro o escrito.

fragor *s. m.* Ruido estruendoso.

fragoroso, sa *adj.* Estruendoso, ruidoso.

fragosidad *s. f.* Aspereza y espesura de los montes.

fragoso, sa *adj.* **1.** Áspero, intrincado. **2.** Ruidoso, estrepitoso.

fragua *s. f.* Fogón en que se caldean los metales para forjarlos.

fraguado *s. m.* Acción y efecto de fraguar el yeso, la cal, etc.

fraguador, ra *adj., fig.* Que fragua, traza y discurre alguna cosa. También s. m. y s. f.

fraguar *v. tr.* **1.** Forjar metales. **2.** *fig.* Idear.

fraile *s. m.* Nombre que se da a los religiosos de ciertas órdenes.

frailecillo *s. m.* Ave caradriforme de familia de los álcidos, de plumaje oscuro y pico de brillantes colores, que vive en lugares húmedos.

frailejón *s. m., Col., Ec. y Ven.* Planta de la familia de las compuestas, de hojas anchas y aterciopeladas, y flores de un color amarillo de oro, que produce una resina muy apreciada.

frailería *s. f., fam.* Los frailes en común.

frailía *s. f.* Estado de clérigo regular.

frambuesa *s. f.* Fruto del frambueso, parecido en la forma a la zarzamora y de sabor agridulce muy agradable.

frambueso *s. m.* Planta rosácea, con tallos delgados y espinosos y flores blancas, cuyo fruto es la frambuesa.

francachela *s. f., fam.* Comida alegre.

francalete *s. m.* Correa con hebilla en un extremo.

francesilla *s. f.* Panecillo de masa muy esponjosa, de figura alargada.

franciscano, na *adj.* Se dice del religioso o religiosa de la Orden de san Francisco. También s. m. y s. f.

francmasón, na *s. m. y s. f.* Persona que pertenece a la francmasonería.

francmasonería *s. f.* Asociación secreta de personas que profesan principios de fraternidad mutua y se agrupan en entidades llamadas logias.

franco, ca *adj.* **1.** Liberal, dadivoso. **2.** Desembarazado, sin impedimento alguno. **3.** Sencillo, ingenuo y leal en su trato.

francolín *s. m.* Ave gallinácea parecida a la perdiz, de pequeño tamaño.

francolino, na *adj., Chil. y Ec.* Se dice de la gallina o pollo que carece de cola.

francote, ta *adj., fam.* Se dice de la persona de carácter abierto y que procede con sinceridad y llaneza.

francotirador, ra *s. m. y s. f.* Persona que combate aisladamente.

franela *s. f.* Tejido fino de lana o algodón, cardado por una de sus caras.

frangente *s. m.* Acontecimiento fortuito y desgraciado que sucede inesperadamente.

frangollo *s. m.* Trigo machacado y cocido.

frangollón, na *adj., Amér. del S. y And.* Se dice de quien hace de prisa o mal una cosa.

franja *s. f.* **1.** Guarnición tejida que sirve para adornar los vestidos y otras cosas. **2.** Lista o tira en general.

franjar *v. tr.* Guarnecer con franjas.

franjear *v. tr.* Franjar.

franqueable *adj.* Que se puede franquear abriendo paso.

franqueamiento *s. m.* Acción y efecto de franquear abriendo paso.

franquear *v. tr.* **1.** Liberar a alguien de una contribución. **2.** Quitar los impedimentos que estorban, abrir camino. **3.** Pagar previamente en sellos el importe de algo que se envía por correo.

franqueniáceo, a *adj.* Se dice de plantas angiospermas dicotiledóneas, de flores sentadas y frutos capsulares con muchas semillas. También s. f.

franqueo *s. m.* Acción y efecto de poner los sellos necesarios en una carta, certificado, documento, etc.

franqueza *s. f.* **1.** Libertad, exención. **2.** Generosidad. **3.** *fig.* Sinceridad.

franquía *s. f.* Situación en la cual un buque tiene paso franco para hacerse a la mar o tomar determinado rumbo.

franquicia *s. f.* Libertad y exención que se concede a una persona para no pagar derechos de correo o de aduanas.

franquismo *s. m.* Movimiento político y social desarrollado en España en torno al general Franco.

franquista *s. m. y s. f.* Partidario o seguidor del franquismo.

frasca[1] *s. f.* Hojarasca y ramas menudas.

frasca[2] *s. f.* Vasija de vidrio.

frasco *s. m.* Vaso angosto, generalmente de vidrio y de cuello recogido.

frase *s. f.* Conjunto de palabras que tienen sentido.

frasear *v. tr.* Formar frases.

fraseología *s. f.* **1.** Modo de ordenar las frases. **2.** Abundancia excesiva de palabras.

frasquera *s. f.* Caja hecha con diferentes divisiones en que se guardan los frascos.

frasqueta *s. f.* Cuadro con que en las prensas de mano se sujeta al tímpano la hoja de papel.

fratás *s. m.* Instrumento compuesto de una tableta lisa con un taruguito en medio para agarrarla, que sirve para alisar el enlucido.

fraterna *s. f.* Corrección o reprensión áspera.

fraternal *adj.* Propio de hermanos.

fraternidad *s. f.* Unión y buena correspondencia entre hermanos o entre los que se tratan como tales.

fraternizar *v. intr.* Unirse y tratarse como hermanos.

fraterno, na *adj.* Relativo a los hermanos.

fratricida *com.* Persona que mata a su hermano. También adj.

fratricidio *s. m.* Muerte dada por alguien a su propio hermano.

fraude *s. m.* Engaño, acción contraria a la verdad o a la rectitud.

fraudulento, ta *adj.* Engañoso, falaz.

fraustina *s. f.* Cabeza de madera en la que se solían aderezar las tocas y moños de las mujeres.

fray *s. m.* Apócope de fraile.

frazada *s. f.* Manta peluda que se echa sobre la cama.

frecuencia *s. f.* Repetición a menudo de un acto o suceso.

frecuentación *s. f.* Acción de frecuentar.

frecuentador, ra *adj.* Que frecuenta. También s. m. y s. f.

frecuentar *v. tr.* **1.** Repetir un acto a menudo. **2.** Ir con frecuencia a un lugar.

frecuente *adj.* **1.** Repetido a menudo. **2.** Usual, común.

freeware *s. m.* Aplicaciones informáticas que se distribuyen a través de internet de forma gratuita, que se pueden copiar y distribuir libremente, pero que no permiten modificaciones.

fregadero *s. m.* Pila de fregar, generalmente los cacharros de cocina.

fregado *s. m., fig. y fam.* Enredo, negocio poco decente.

fregamiento *s. m.* Fricación.

fregar *v. tr.* **1.** Restregar con fuerza una cosa con otra. **2.** Limpiar algo restregándolo con un estropajo, cepillo, etc.

fregona *s. f.* Utensilio doméstico para fregar los suelos sin necesidad de arrodillarse.

fregotear *v. tr., fam.* Fregar deprisa y mal.

freidura *s. f.* Acción y efecto de freír.

freiduría *s. f.* Tienda donde se fríe pescado para la venta.

freile *s. m.* Caballero profeso de alguna de las órdenes militares.

freír *v. tr.* **1.** Cocinar un alimento crudo en aceite o grasa hirviendo. **2.** *fig.* Importunar a alguien insistentemente.

fréjol *s. m.* Judía, fruto y semilla de esa planta.

frémito *s. m.* Bramido.

frenado *s. m.* Acción y efecto de frenar.

frenar *v. tr.* Moderar o parar con el freno el movimiento de una máquina o de un vehículo.

frenazo *s. m.* Acción de frenar con mucha brusquedad.

frenesí *s. m.* **1.** Delirio furioso. **2.** *fig.* Violenta exaltación.

frenético, ca *adj.* Poseído de frenesí.

frenillo *s. m.* Membrana que sujeta la lengua por la línea media de la parte inferior.

freno *s. m.* **1.** Instrumento de hierro que se ajusta a la boca de las caballerías y sirve para sujetarlas. **2.** Aparato que sirve para moderar o detener el movimiento en las máquinas y vehículos.

frenología *s. f.* Estudio de la mente y sus facultades mediante la inspección y palpación del cráneo.

frenólogo, ga *s. m. y s. f.* Persona que profesaba la frenología.

frenópata *s. m. y s. f.* Psiquiatra.

frenopatía *s. f.* Psiquiatría.

frental *adj.* Frontal.

frente *s. f.* **1.** Parte superior de la cara, comprendida entre las sienes y desde las cejas hasta el borde anterior del cuero cabelludo. ‖ *s. m.* **2.** Zona de combate en una guerra.

frentero *s. m.* Almohadilla que se ponía a los niños sobre la frente para que no se lastimen al caer.

freo *s. m.* Canal estrecho entre dos islas o entre una isla y tierra firme.

fresa *s. f.* Planta rosácea, con tallos rastreros, fruto casi redondo, de color rojo, fragante y comestible.

fresadora *s. f.* Máquina para labrar metales.

fresal *s. m.* Terreno plantado de fresas.

fresar *v. tr.* Abrir agujeros y, en general, labrar metales por medio de la máquina fresadora.

fresca *s. f.* Frío moderado.

frescachón, na *adj.* Muy robusto y de color sano.

frescal *adj.* Se dice de algunos pescados conservados con poca sal.

frescales *com., fam.* Persona descarada.

fresco, ca *adj.* **1.** Moderadamente frío. **2.** Reciente, acabado de hacer, coger, etc. **3.** Se aplica a un alimento no congelado. **4.** *fig.* Desvergonzado, descarado.

frescor *s. m.* Frescura o fresco.

frescote, ta *adj., fig. y fam.* Se dice de la persona rolliza que tiene el cutis terso y de buen color.

frescura *s. f.* **1.** Cualidad de fresco. **2.** Desvergüenza, descaro.

fresero, ra *s. m. y s. f.* Persona que vende fresas.

fresnal *adj.* Perteneciente o relativo al fresno.

fresneda *s. f.* Terreno poblado de muchos fresnos.

fresnillo *s. m.* Díctamo, planta.

fresno *s. m.* Árbol oleáceo, de tronco grueso, hojas compuestas y flores blanquecinas, cuya madera es blanca y elástica.

fresón *s. m.* Fruto semejante a la fresa, pero de tamaño mucho mayor.

fresquedal *s. m.* Porción de terreno húmedo que mantiene su verdor en la época de agostamiento.

fresquera *s. f.* Especie de jaula o armario, que sirve para conservar frescos y ventilados algunos comestibles.

fresquería *s. f., Amér. del S.* Botillería.

fresquista *s. m. y s. f.* Artista que pinta al fresco.

frey *s. m.* Tratamiento que se usa entre los religiosos de las órdenes militares.

freza *s. f.* **1.** Desove. **2.** Huevos de los peces y pescado recién nacido de ellos.

frezada *s. f.* Frazada.

frezar *v. intr.* **1.** Arrojar o despedir el excremento los animales. **2.** Desovar.

friabilidad *s. f.* Cualidad de friable.

friable *adj.* Que se desmenuza fácilmente.

frialdad *s. f.* **1.** Sensación que proviene de la falta de calor. **2.** Indiferencia.

friático, ca *adj.* **1.** Friolero. **2.** Necio, sin gracia.

fricación *s. f.* Acción y efecto de fricar.

fricandó *s. m.* Cierto guiso de la cocina francesa.

fricar *v. tr.* Restregar.

fricativo, va *adj.* Se dice de los sonidos o letras consonantes, como *f*, *s*, *z*, *j*, etc., cuya articulación, permitiendo una salida continua del aire aspirado, hace que este salga con cierta fricción o roce en los órganos bucales.

fricción *s. f.* Rozamiento de dos cuerpos que están en contacto.

friccionar *v. tr.* Dar fricciones o friegas.

friega *s. f.* Acción de restregar alguna parte del cuerpo con un paño o cepillo o con las manos, para remedio, higiene, etc.

friera *s. f.* Sabañón.

frigidez *s. f.* **1.** Frialdad, sensación que proviene de la falta de calor. **2.** Falta de deseo sexual.

frígido, da *adj.* Que padece frigidez, falta de deseo sexual. También *s. m. y s. f.*

frigorífico *s. m.* Electrodoméstico en cuyo interior se conservan y mantienen fríos los alimentos.

fríjol o frijol *s. m.* Fréjol.

frimario *s. m.* Tercer mes del año, según el calendario republicano francés, cuyos días primero y último coincidían, respectivamente, con el 21 de noviembre y el 20 de diciembre.

fringílido, da *adj.* Se dice de aves de la familia de pájaros conirrostros, a la cual pertenecen el gorrión, el jilguero, etc. También *s. m.*

frío, a *adj.* **1.** Se dice de los cuerpos de temperatura mucho más baja que la del ambiente. ‖ *s. m.* **2.** Sensación que se experimenta por la falta de calor.

friolento, ta *adj.* Friolero.

friolera *s. f.* Cosa de poca importancia.

friolero, ra *adj.* Muy sensible al frío.

frisa *s. f.* Tela ordinaria de lana.

frisado *s. m.* Tejido de seda cuyo pelo se frisaba formando borlillas.

frisador, ra *s. m. y s. f.* Persona que frisa el paño u otra tela.

frisar[1] *v. tr.* Levantar y retorcer los pelillos de algún tejido.

frisar[2] *v. tr.* Refregar.

friso *s. m.* Parte del cornisamento que media entre el arquitrabe y la cornisa.

frisol *s. m.* Judía.

fritada *s. f.* Conjunto de cosas fritas.

fritanga *s. f.* Fritada, especialmente la abundante en grasa.

fritar *v. tr, Col. y Sal.* Freír.

frito *s. m.* Cualquier manjar frito.

fritura *s. f.* Fritada.

friura *s. f., Le., Cant. y Ven.* Temperatura fría.

frivolidad *s. f.* Cualidad de frívolo.

frívolo, la *adj.* Ligero, veleidoso.

friz *s. f.* Flor del haya.

froga *s. f.* Fábrica de albañilería.

fronda *s. f.* **1.** Hoja de una planta. ‖ *s. f. pl.* **2.** Conjunto espeso de hojas o ramas de plantas.

frondosidad *s. f.* Cualidad de frondoso.

frondoso, sa *adj.* Que tiene abundancia de hojas y ramas.

frontal *s. m.* Paramento con que se adorna la parte delantera de la mesa del altar.

frontalera *s. f.* Correa de la cabezada del caballo, que le ciñe la frente.

frontera *s. f.* **1.** Confín de un Estado. **2.** Fachada.

fronterizo, za *adj.* Que está en la frontera.

frontero, ra *adj.* Situado enfrente.

frontil *s. m.* Pieza acolchada que se pone a los bueyes entre la frente y la coyunda.

frontis *s. m.* Fachada o frontispicio.

frontispicio *s. m.* Fachada o delantera de un edificio u otra cosa.

frontón *s. m.* Pared contra la cual se lanza la pelota para jugar en el juego de pelota.

frontudo, da *adj.* Que tiene mucha frente.

frotación *s. f.* Acción de frotar o frotarse.

frotador, ra *adj.* Que frota. También s. m. y s. f.

frotamiento *s. m.* Acción y efecto de frotar.

frotar *v. tr.* Pasar repetidamente una cosa sobre otra con fuerza. También prnl.

frote *s. m.* Frotamiento.

fructidor *s. m.* Duodécimo mes del año, según el calendario republicano francés, cuyos días primero y último coincidían, respectivamente, con el 18 de agosto y el 16 de septiembre.

fructífero, ra *adj.* Que produce fruto.

fructificación *s. f.* Acción y efecto de fructificar.

fructificador, ra *adj.* Que fructifica.

fructificar *v. intr.* **1.** Dar fruto los árboles y otras plantas. **2.** Producir utilidad una cosa.

fructosa *s. f.* Azúcar que se encuentra en muchas frutas, en la miel y en el azúcar de caña.

fructuario, ria *adj.* Se dice de la persona que posee y disfruta una cosa.

fructuoso, sa *adj.* Que da fruto o utilidad.

frugal *adj.* Moderado en comer y beber.

frugalidad *s. f.* Moderación en la comida y en la bebida.

frugífero, ra *adj., poét.* Que lleva fruto.

frugívoro, ra *adj.* Se dice del animal que se alimenta de frutos.

fruición *s. f.* Complacencia, goce en general.

fruir *v. intr.* Gozar con la posesión del bien que se ha deseado.

fruitivo, va *adj.* Propio para causar placer con su posesión.

frumentario, ria *adj.* Perteneciente o relativo al trigo y otros cereales.

frumenticio, cia *adj.* Frumentario.

frunce *s. m.* Pliegue o conjunto de pliegues que se hacen en una tela, papel, etc.

fruncimiento *s. m.* Acción y efecto de fruncir.

fruncir *v. tr.* **1.** Arrugar la frente o las cejas en señal de desabrimiento o de ira. **2.** Recoger una tela haciendo en ella arrugas pequeñas.

fruslería *s. f.* Cosa de poco valor.

fruslero *s. m.* Cilindro de madera que se usa en las cocinas para trabajar y extender la masa.

frustración *s. f.* Acción y efecto de frustrar o frustrarse.

frustrar *v. tr.* **1.** Privar a alguien de lo que esperaba. **2.** Dejar sin efecto, malograr un intento. También prnl.

fruta *s. f.* Fruto comestible de las plantas; como peras, uvas, melón, etc.

frutaje *s. m.* Pintura de frutas o flores.

frutal *adj.* Se dice del árbol que da fruta.

frutar *v. intr.* Dar fruto los árboles y otras plantas.

frutecer *v. intr., poét.* Empezar a echar fruto las plantas.

frutería *s. f.* Tienda donde se vende fruta.

frutero, ra *s. m. y s. f.* **1.** Persona que vende fruta. ‖ *s. m.* **2.** Plato a propósito para servir fruta.

frutescente *adj.* Fruticoso.

frútice *s. m.* Cualquier planta casi leñosa y de aspecto semejante al de los arbustos.

fruticoso, sa *adj.* Se dice de las plantas que son semileñosas.

fruticultura *s. f.* Cultivo de árboles y plantas frutales.

frutilla *s. f., Amér. del S.* Especie de fresón.

frutillar *s. m., Amér. del S.* Lugar donde se crían las frutillas.

fruto *s. m.* **1.** Producción de los vegetales. **2.** Producto de la inteligencia o del trabajo humano.

fu *s. m.* Bufido del gato.

fuagrás *s. m.* Pasta comestible elaborada con hígado de pato, oca, cerdo, etc.

fúcar *s. m., fig.* Persona muy rica.

fucilar *v. intr.* Producir fucilazos en el horizonte.

fucilazo *s. m.* Relámpago sin ruido.

fucsia *s. f.* **1.** Planta de adorno, de flores colgantes, de color entre rosa y rojo intenso. ‖ *adj.* **2.** Se dice del color semejante al de las flores de esta planta. También s. m.

fucsina *s. f.* Materia colorante sólida resultante de la oxidación de una mezcla de anilina y ácido arsénico, usada para teñir algo de rojo oscuro, para colorar los vinos, etc.

fudre *s. m.* Pellejo, cuba

fuego *s. m.* **1.** Desprendimiento de calor y luz producidos por la combustión de un cuerpo. **2.** Materia encendida en brasa o llama. **3.** Incendio.

fuellar *s. m.* Talco de colores con que se adornan las velas rizadas.

fuelle *s. m.* Instrumento para soplar recogiendo aire y lanzándolo con una dirección determinada.

fuente *s. f.* **1.** Manantial de agua que brota de la tierra. **2.** Construcción de piedra, hierro, ladrillo, etc., con uno o varios caños, por donde sale el agua. **3.** Plato grande para servir los alimentos.

fueloil *s. m.* Combustible líquido de color pardo, utilizado para calefacción.

fuera *adv. l.* A o en la parte exterior de cualquier recinto.

fuero *s. m.* Nombre de algunas compilaciones de leyes.

fuerte *adj.* **1.** Que tiene fuerza. **2.** Duro, que no se deja fácilmente labrar.

fuerza *s. f.* **1.** Causa capaz de modificar el estado de reposo o movimiento de un cuerpo. **2.** Robustez, vigor, energía.

fuet *s. m.* Embutido catalán elaborado a base de magro de cerdo y panceta.

fufar *v. intr.* Dar bufidos el gato.

fuga *s. f.* **1.** Huida apresurada. **2.** Salida, escape accidental de un fluido o gas.

fugacidad *s. f.* Cualidad de fugaz.

fugarse *v. prnl.* Escaparse, huir.

fugaz *adj.* De corta duración.

fugitivo, va *adj.* **1.** Que se esconde y huye. **2.** Que pasa muy deprisa.

fuina *s. f.* Garduña.

ful *adj., vulg.* Falso, fallido.

fulano, na *s. m. y s. f.* Voz con que se suple el nombre de una persona, cuando se ignora o no se quiere expresar.

fular *s. m.* Pañuelo para el cuello.

fulastre *adj., fam.* Chapucero, hecho de manera tosca y grosera.

fulcro *s. m.* Punto de apoyo de la palanca.

fulero, ra *adj., fam.* Poco útil, chapucero.

fulgente *adj.* Brillante, resplandeciente.

fúlgido, da *adj.* Fulgente.

fulgir *v. intr.* Brillar, resplandecer.

fulgor *s. m.* Resplandor y brillo propio.

fulguración *s. f.* **1.** Acción y efecto de fulgurar. **2.** Accidente causado por el rayo en las personas o en los animales.

fulgurar *v. intr.* Brillar.

fulgurita *s. f.* Porción de tierra silícea fundida por el rayo, que se consolida y forma una especie de tubos vitrificados.

fulguroso, sa *adj.* Que fulgura o despide fulgor.

fúlica *s. f.* Género de aves zancudas de la familia de las rábidas, de pico fuerte y grueso, plumaje verdoso, oscuro por encima y ceniciento por debajo.

fuliginoso, sa *adj.* Denegrido, oscurecido.

fullería *s. f.* **1.** Trampa que se comete en el juego. **2.** *fig.* Astucia para engañar.

fullero, ra *adj.* Que hace fullerías.

fullona *s. f.* Pendencia, riña con muchas voces.

fulminación *s. f.* Acción de fulminar.

fulminador, ra *adj.* Que fulmina. También s. m. y s. f.

fulminante *adj.* Muy rápido, de efecto inmediato.

fulminar *v. tr.* **1.** Arrojar rayos eléctricos. **2.** Causar la muerte los rayos eléctricos. **3.** Causar muerte repentina una enfermedad.

fulminato *s. m.* Cualquier materia explosiva.

fulmíneo, a *adj.* Que participa de las propiedades del rayo.

fulmínico, ca *adj.* Se dice de un ácido líquido y volátil que forma sales muy explosivas.

fulminoso, sa *adj.* Que participa de las propiedades del rayo.

fumada *s. f.* Porción de humo, bocanada que se toma de una vez.

fumadero *s. m.* Local destinado para fumadores.

fumador, ra *adj.* Que tiene la costumbre de fumar. También s. m. y s. f.

fumar *v. intr.* Aspirar y despedir el humo del tabaco, opio, anís, etc. También tr.

fumarada *s. f.* Porción de humo que sale de una vez.

fumarola *s. f.* Gases sulfurosos o vapores de agua que salen a través de las grietas formadas en la tierra en las regiones volcánicas.

fumífero, ra *adj., poét.* Que despide humo.

fumigación *s. f.* Que despide humo.

fumigador *s. m.* Aparato que sirve para fumigar.

fumigar *v. tr.* Desinfectar por medio de humo, gas o vapores adecuados.

fumigatorio *s. m.* Perfumador en que se queman perfumes.

fumista *com.* Persona que hace, arregla o vende cocinas, chimeneas o estufas.

fumistería *s. f.* Tienda o taller del fumista.

fumívoro, ra *adj.* Se aplica a los hornos y chimeneas que absorben el humo o evitan que se forme o se desprenda.

fumosidad *s. f.* Materia del humo.

fumoso, sa *adj.* Que despide gran cantidad de humo.

funámbulo, la *s. m. y s. f.* Volatinero.

función *s. f.* **1.** Acción propia de los seres vivos y de sus órganos, o de las máquinas e instrumentos. **2.** Acción y ejercicio de un empleo, facultad u oficio. **3.** Acto público al que concurre mucha gente.

funcional *adj.* Perteneciente o relativo a las funciones.

funcionamiento *s. m.* Acción y efecto de funcionar.

funcionar *v. intr.* Ejecutar una persona o cosa las funciones que le son propias.

funcionario, ria *s. m. y s. f.* Empleado de algún organismo estatal o autonómico.

funcionarismo *s. m.* Burocracia.

funda *s. f.* Cubierta o bolsa de paño, cuero u otra cosa, con que se envuelve una cosa para resguardarla.

fundación *s. f.* Principio, origen de algo.

fundador, ra *adj.* Que funda. También s. m. y s. f.

fundamental *adj.* Que sirve de fundamento o es lo principal de una cosa.

fundamentar *v. tr.* **1.** Echar los cimientos de un edificio. **2.** *fig.* Establecer, asegurar y hacer firme una cosa.

fundamento *s. m.* **1.** Principio, base de una cosa. **2.** Razón principal o motivo. **3.** *fig.* Raíz y origen en que estriba una cosa no material.

fundar *v. tr.* **1.** Edificar materialmente una ciudad, edificio, empresa, etc. **2.** Instituir un mayorazgo, universidad u obra pía, dándoles rentas y estatutos para que se conserven. **3.** Establecer, crear. **4.** *fig.* Apoyar algo con motivos y razones eficaces.

fundente *adj.* **1.** Que facilita la fundición. **2.** Sustancia que cura una infiltración o tumor.

fundible *adj.* Que se puede fundir.

fundíbulo *s. m.* Máquina de madera que antiguamente servía para disparar piedras de gran peso.

fundición *s. f.* Fábrica en que se funden metales.

fundido *s. m.* Transición gradual de una escena a otra.

fundidor, ra *s. m. y s. f.* Persona que se dedica a fundir metales.

fundir *v. tr.* **1.** Derretir y licuar los metales y otros cuerpos sólidos. **2.** Reducir a una sola cosa varias diferentes.

fundo *s. m.* Heredad o finca rústica.

fúnebre *adj.* **1.** Relativo a los difuntos. **2.** *fig.* Muy triste, luctuoso, funesto.

funeral *adj.* **1.** Perteneciente al entierro y a las exequias. ‖ *s. m.* **2.** Pompa y solemnidad con que se hace un entierro.

funerala, a la *loc. adv.* Denota la manera de llevar las armas los militares en señal de duelo, con las bocas o las puntas hacia abajo.

funeraria *s. f.* Empresa que se encarga de organizar un entierro o funeral.

funerario, ria *adj.* Perteneciente al entierro y a las exequias.

funesto, ta *adj.* **1.** Aciago, que es origen de pesares. **2.** Triste y desgraciado.

fungible *adj.* Que se consume con el uso.

fungiforme *adj.* De forma de hongo.

fungir *v. intr.* **1.** *Cub. y Méx.* Desempeñar un empleo o cargo. **2.** *Cub. y P. Ric.* Presumir de algo.

fungosidad *s. f.* Excrecencia carnosa que se desarrolla a veces en la superficie de las heridas o úlceras.

fungoso, sa *adj.* **1.** Perteneciente o relativo a los hongos. **2.** Esponjoso, fofo.

funicular *adj.* Se dice del vehículo cuya tracción se efectúa por medio de un cable o cadena. También s. m.

funículo *s. m.* Cordoncillo o filamento vascular que une el óvulo a la placenta.

fuñicar *v. intr., fam.* Hacer una labor con torpeza y ñoñería.

fuñique *adj.* Se dice de la persona torpe en sus acciones. También com.

furente *adj., poét.* Arrebatado y poseído de furor.

furfuráceo, a *adj.* Parecido al salvado.

furgón *s. m.* Vehículo largo y cubierto, usado para transporte de equipajes, mercancías, etc.

furgoneta *s. f.* Vehículo automóvil cerrado, más pequeño que el camión, propio para el reparto de mercancías.

furia *s. f.* **1.** Ira exaltada. **2.** Persona muy irritada. **3.** *fig.* Prisa y vehemencia con que se ejecuta alguna cosa.

furibundo, da *adj.* **1.** Propenso a enfurecerse. **2.** Que denota furor.

furiente *adj.* Poseído de furia.

furioso, sa *adj.* **1.** Poseído de furia. **2.** Violento, terrible. **3.** Muy grande y excesivo.

furo, ra *adj.* Se dice de la persona huraña.

furor *s. m.* Cólera, furia.

furriel *s. m.* Cabo que tiene a su cargo la distribución de las provisiones.

furriela *s. f.* Furriera.

furrier *s. m.* En las caballerizas reales, oficial que cuidaba la recolección de caudales o frutos.

furriera *s. f.* Oficio de la casa real, a cuyo cargo estaban las llaves, los muebles y enseres de palacio, y la limpieza de las habitaciones.

furris *adj., fam.* Malo, despreciable.

furtivo, va *adj.* **1.** Que se hace a escondidas. **2.** Se dice de la persona que caza o pesca sin el permiso correspondiente.

furúnculo *s. m.* Forúnculo.

fusa *s. f.* Nota de música equivalente a la mitad de la semicorchea.

fusado, da *adj.* Se dice del escudo o pieza cargada de husos.

fusca *s. f., Extr. y Sal.* Maleza, hojarasca.

fusco, ca *adj.* Oscuro, que tira a negro.

fuselaje *s. m.* Cuerpo del avión.

fusibilidad *s. f.* Cualidad de fusible.

fusible *s. m.* Hilo que se coloca en algunas partes de las instalaciones eléctricas para que, cuando la corriente sea excesiva, la interrumpan fundiéndose.

fusiforme *adj.* De figura de huso.

fusil *s. m.* Arma de fuego, portátil, destinada al uso de los soldados de infantería.

fusilamiento *s. m.* Acción y efecto de fusilar.

fusilar *v. tr.* **1.** Ejecutar a una persona con una descarga de fusilería. **2.** *fig. y fam.* Copiar trozos o ideas de la obra original de un autor sin citar su nombre.

fusilazo *s. m.* Tiro disparo hecho con fusil.

fusilería *s. f.* Conjunto de soldados fusileros.

fusilero *s. m.* Soldado de infantería armado con fusil y bayoneta.

fusión *s. f.* **1.** Paso de un cuerpo del estado sólido al líquido por la acción del calor. **2.** *fig.* Unión de intereses, ideas o partidos que estaban en pugna.

fusionar *v. tr.* Producir una fusión, unión, intereses encontrados o partidos separados. También prnl.

fusionista *s. m. y s. f.* Partidario de la fusión de ideas, intereses o partidos. También adj.

fuslina *s. f.* Lugar destinado a la fundición de minerales.

fusor *s. m.* Vaso o instrumento para fundir.

fusta *s. f.* **1.** Cierto tejido de lana. **2.** Látigo largo y delgado que por el extremo superior tiene pendiente una trencilla de correa que se utiliza para estimular a los caballos.

fustán *s. m.* Tela gruesa de algodón, con pelo por una de sus caras.

fuste *s. m.* **1.** Madera de los árboles. **2.** Vara, palo largo y delgado. **3.** Vara en que está fijado el hierro de la lanza. **4.** Armazón de la silla de montar. **5.** *fig.* Parte de la columna comprendida entre el capitel y la basa.

fustero, ra *adj.* Perteneciente o relativo al fuste.

fustigación *s. f.* Acción y efecto de fustigar.

fustigador, ra *adj.* Que fustiga. También s. m. y s. f.

fustigar *v. tr.* **1.** Azotar, dar azotes. **2.** *fig.* Censurar con dureza.

futbito *s. m., fam.* Variedad de fútbol sala.

fútbol o futbol *s. m.* Deporte que se practica entre dos equipos de once jugadores cada uno y que consiste en tratar de marcar goles metiendo el balón en la portería contraria, defendida por un guardameta.

fútbol americano *s. m.* Deporte de origen estadounidense, en el cual los jugadores llevan protecciones para la cabeza y el cuerpo.

fútbol sala *s. m.* Variante del fútbol que se juega en un campo de dimensiones más reducidas, con un balón más pequeño y con menor número de jugadores.

futbolista *s. m. y s. f.* Jugador de fútbol.

futbolín *s. m.* Cierto juego en que figurillas accionadas mecánicamente imitan un partido de fútbol.

futesa *s. f.* Fruslería, nadería.

fútil *adj.* De poco aprecio o importancia.

futilidad *s. f.* Poca o ninguna importancia de una cosa.

futraque *adj., desp.* Lechuguino.

futura *s. f.* Derecho a la sucesión de un empleo o beneficio antes de estar vacante.

futurario, ria *adj.* Se dice de lo perteneciente a futura sucesión.

futurismo *s. m.* Nombre de un movimiento artístico que surgió en París en 1909, iniciado por F. T. Marinetti.

futuro, ra *adj.* **1.** Que esta por venir. ‖ *s. m.* **2.** Tiempo verbal que denota una acción que ha de suceder. **3.** Tiempo que está por llegar.

futurología *s. f.* Conjunto de los estudios que se proponen predecir científicamente el futuro del ser humano.

g *s. f.* Séptima letra del abecedario español y quinta de sus consonantes.

gabán *s. m.* **1.** Capote con mangas y a veces con capilla. **2.** Abrigo, sobretodo.

gabardina *s. f.* Tabardo con mangas ajustadas.

gabarra *s. f.* Embarcación pequeña destinada a la carga y descarga en los puertos.

gabarrero, ra *s. m. y s. f.* **1.** Conductor de una gabarra. **2.** Cargador o descargador de ella.

gabarro *s. m.* Enfermedad del casco de las caballerías.

gábata *s. f.* Escudilla en que se echaba la comida que se repartía a cada soldado o galeote.

gabejo *s. m.* Haz pequeño de paja o de leña.

gabela *s. f.* Tributo, impuesto.

gabinete *s. m.* Aposento destinado al estudio, a la investigación o a recibir personas de confianza.

gablete *s. m.* Remate de la cubierta de un edificio a modo de frontón con ápice agudo.

gacel, la *s. m. y s. f.* Antílope muy ágil y de hermosa figura.

gaceta *s. f.* Papel periódico en que se dan noticias de algún ramo especial de literatura, de administración, etc.

gacetero, ra *s. m. y s. f.* Persona que escribe para las gacetas o las vende.

gacetilla *s. f.* Parte de un periódico destinada a la inserción de noticias cortas.

gacetillero, ra *s. m. y s. f.* Persona que redacta las gacetillas.

gacha *s. f.* Cualquier masa muy blanda.

gacheta¹ *s. f.* Engrudo.

gacheta² *s. f.* Palanqueta que sujeta el pestillo de algunas cerraduras.

gacho, cha *adj.* Encorvado.

gachón, na *adj., amer.* Que tiene gracia, atractivo y dulzura.

gachonada *s. f., fam.* Gachonería.

gachonería *s. f., fam.* Gracia, donaire.

gachumbo *s. m., Amér. del S.* Cubierta leñosa y dura de varios frutos, de la cual se hacen vasijas y otros utensilios.

gádido, da *adj.* Se dice de ciertos peces anacantos simétricos caracterizados por su cuerpo alargado, como el bacalao y la merluza.

gafa *s. f.* **1.** Instrumento para armar la ballesta. **2.** Anteojos que se sujetan a las orejas. U. t. en pl. con el mismo significado que en sing.

gafar *v. tr., fam.* Transmitir o comunicar mala suerte a alguien o a algo.

gafedad *s. f.* Contracción permanente de los dedos, que impide su movimiento.

gafete *s. m.* Corchete, broche.

gafo, fa *adj.* Que tiene los dedos encorvados y sin movimiento.

gag *s. m.* Momento hilarante ágil e inesperado que tiene lugar en un espectáculo o en una película.

gago, ga *adj., Can., Per., P. Ric. y Ven.* Tartamudo.

gaguear *v. intr., Can., Per., P. Ric. y Ven.* Tartamudear.

gaita *s. f.* Flauta a modo de chirimía.

gaitería *s. f.* Vestido o adorno de varios colores chillones.

gaitero, ra *adj.* **1.** Se dice de la persona ridículamente alegre. **2.** Se aplica a los vestidos o adornos de colores demasiado llamativos. ‖ *s. m. y s. f.* **3.** Persona que tiene por oficio tocar la gaita.

gaje *s. m.* Emolumento que corresponde a un destino o empleo. Se usa más en pl.

gajo *s. m.* **1.** Rama de árbol. **2.** Cada uno de los grupos de uvas en que se divide el racimo.

gala *s. f.* Vestido o adorno suntuoso y lucido.

galabardera *s. f.* Escaramujo.

galactagogo *s. m.* Agente que provoca o facilita la secreción láctea.

galáctico, ca *adj.* Perteneciente o relativo a la Vía Láctea o a cualquier otra galaxia.

galactita *s. f.* Arcilla jabonosa que se deshace en el agua, dándole color de leche.

galactófago, ga *adj.* Que se mantiene de leche.

galactóforo, ra *adj.* Que lleva la leche desde la glándula mamaria al pezón.

galactómetro *s. m.* Instrumento que sirve para medir la densidad de la leche.

galactosa *s. f.* Azúcar presente en la leche, formando parte del disacárido llamado lactosa.

galafate *s. m.* **1.** Ladrón sagaz. **2.** Pez marino de color negro azulado perteneciente a la misma familia que el pejepuerco.

galán *s. m.* **1.** Hombre de buen semblante y porte airoso. **2.** Persona que galantea a una mujer.

galancete *s. m.* Actor que representa papeles de galán joven.

galanga *s. f.* Orinal de cama.

galano, na *adj.* Adornado, dispuesto o vestido con primor.

galante *adj.* Atento, obsequioso, cortesano, en especial con las damas.

galanteador *adj.* Que galantea. También s. m.

galantear *v. tr.* Ser galante con una dama.

galanteo *s. m.* Acción de galantear.

galantería *s. f.* Gracia y elegancia que se advierte en la forma o figura de algunas cosas.

galantina *s. f.* Ave deshuesada y rellena que se sirve en frío.

galanura *s. f.* **1.** Gentileza. **2.** *fig.* Elegancia.

galápago *s. m.* Reptil del orden de los quelonios, parecido a la tortuga.

galapo *s. m.* Pieza de madera esférica y estriada, usada en cordelería para torcer varios cordeles en uno con el fin de formar otros mayores.

galardón *s. m.* Recompensa por los méritos o servicios.

galardonador, ra *adj.* Que galardona.

galardonar *v. tr.* Premiar los servicios o méritos de alguien.

galaxia *s. f.* Inmenso conjunto de astros, nebulosas, etc. del que forma parte nuestro sistema solar y todas las estrellas visibles, incluida la Vía láctea.

galayo *s. m.* Prominencia de roca pelada que se eleva en algún monte.

galbana *s. f., fam.* Pereza, desidia.

galbanado, da *adj.* De color del gálbano.

galbanero, ra *adj., fam.* Galbanoso.

gálbano *s. m.* Gomorresina de olor aromático y color gris amarillento, que se saca de una planta originaria de Siria, de la familia de las umbelíferas.

galbanoso, sa *adj., fam.* Desidioso, perezoso.

gálbula *s. f.* Fruto en forma de cono corto que producen el ciprés y otras plantas análogas.

gálea *s. f.* Casco de los soldados romanos.

galeato *s. m.* Se dice del prólogo de una obra que la defiende de los reparos que se la pueden poner.

galeaza *s. f.* Embarcación, la mayor de las que se usaban de remos y velas.

galega *s. f.* Planta leguminosa de las papilionáceas, de jardín, con flores blancas, azuladas o rojizas, en panojas axilares pendientes de un largo pedúnculo. Se empleó en medicina.

galena *s. f.* Mineral compuesto de azufre y plomo, de color gris y lustre intenso.

galeno *s. m., fam.* Médico.

gáleo *s. m.* Pez de mar, seláceo, tan voraz como el tiburón, al cual se parece mucho. También se le llama *cazón*.

galeón *s. m.* Nave grande de vela parecida a la galera.

galeote *s. m.* Hombre que remaba forzado en las galeras.

galera *s. f.* **1.** Nave antigua de vela latina y remo. ‖ *s. f. pl.* **2.** Castigo que se imponía a ciertos delincuentes de servir remando en las galeras reales.

galerada *s. f.* En imprenta, prueba de composición o de algún trozo que se saca para su corrección.

galerero, ra *s. m. y s. f.* Persona que conduce una galera o es dueña de la misma. También adj.

galería *s. f.* **1.** Pieza larga y espaciosa, adornada de muchas ventanas, o sostenida por columnas o pilares. **2.** Corredor descubierto o con vidrieras que da luz a las piezas interiores en las casas particulares. **3.** Conjunto de asientos del piso más alto de algunos teatros. **4.** Camino subterráneo. **5.** Colección de pinturas. **6.** Pasaje con establecimientos comerciales.

galerna *s. f.* Ráfaga súbita y borrascosa.

galerón *s. m., Amér. del S.* Romance vulgar que se canta en una forma de recitado.

galga *s. f.* Palo atado por los extremos a la caja del carro, que sirve de freno.

galgo, ga *adj.* Se dice una casta de perro muy ligero, con el cuello y el cuerpo delgados, y la cola y las patas largas. También s. m.

gálgulo *s. m.* Rabilargo, ave.

galiana *s. f.* Cañada de ganados.

galibar *v. tr.* Trazar con los gálibos el contorno de las piezas de los buques.

gálibo *s. m.* Plantilla o patrón para trazar o comprobar un perfil.

galicado, da *adj.* Se dice del estilo, frase o palabra en que se advierte la influencia de la lengua francesa.

galicismo *s. m.* Giro propio de la lengua francesa.

galillo *s. m.* **1.** Úvula. **2.** *fam.* Gaznate, gañote.

galimatías *s. m.* **1.** *fam.* Lenguaje oscuro. **2.** *fig. y fam.* Algarabía, desorden.

galináceo, a *adj.* Gallináceo. También s. f.

galio *s. m.* Metal muy raro de la familia del aluminio.

galiparla *s. f.* Lenguaje lleno de galicismos.

galiparlista *com.* Persona que emplea la galiparla.

galipote *s. m.* Especie de brea o alquitrán que se usa para calafatear.

galizabra *s. f.* Embarcación de vela latina, que abundaba en los mares de Levante.

galla *s. f.* **1.** Agalla del roble. **2.** Agalla del pez. **3.** Remolino que a veces forma el pelo del caballo en los lados del pecho.

galladura *s. f.* Pinta como de sangre que se encuentra en la yema del huevo, y es señal de que el huevo está fecundado.

gallarda *s. f.* Antigua danza de origen francés y de movimiento vivo muy difundida en el s. XVI.

gallardear *v. intr.* Ostentar mucha gallardía. También prnl.

gallardete *s. m.* Bandera pequeña, larga y rematada en punta.

gallardetón *s. m.* Gallardete rematado en dos puntas.

gallardía *s. f.* Bizarría y buen aire.

gallardo, da *adj.* **1.** Desembarazado, airoso y galán. **2.** *fig.* Grande o excelente en cosas correspondientes al ánimo.

gallareta *s. f.* Focha, ave.

gallarón *s. m.* Sisón.

gallaruza *s. f.* Vestido con capucha, propio de gente montañesa.

gallear *v. tr.* **1.** Cubrir el gallo a las gallinas. **2.** *fig. y fam.* Alzar la voz con amenaza.

gallegada *s. f.* **1.** Multitud de gallegos. **2.** Palabra o acción propia de gallegos. **3.** Cierto baile gallego.

gallego, ga *s. m.* **1.** Lengua hablada en Galicia. ‖ *adj.* **2.** *Arg. Bol. y P. Ric.* Se dice del español que vive en aquellos países. También s. m. y s. f.

galleguismo *s. m.* Giro o modo de hablar propio de la lengua gallega.

galleo *s. m.* **1.** Jactancia. **2.** Quiebro que hace el torero ante el toro con la capa.

gallera *s. f.* Local donde tienen lugar las peleas de gallos.

galleta *s. f.* Pasta compuesta de harina, azúcar y otras sustancias que, dividida en trozos pequeños, se cuece al horno.

galliforme *adj.* Se dice de las aves de costumbres terrestres y aspecto compacto, con patas robustas y pico corto ligeramente encorvado, y que presentan excrecencias carnosas faciales coloreadas, como la gallina o el faisán. También s. f.

gallina *s. f.* **1.** Hembra del gallo. ‖ *com.* **2.** *fig. y fam.* Persona cobarde.

gallináceo, a *adj.* **1.** Perteneciente o relativo a la gallina. **2.** Se dice de las aves que tienen el pico arqueado hacia abajo, patas con cuatro dedos apropiados para correr y escarbar, y vuelo muy limitado.

gallinaza *s. f.* **1.** Gallinazo. **2.** Excremento de las gallinas.

gallinazo *s. m.* Ave rapaz, del tamaño de una gallina, especie de buitre americano.

gallinería *s. f.* **1.** Conjunto de gallinas. **2.** *fig.* Cobardía y pusilanimidad.

gallinero *s. m.* Lugar donde las aves de corral duermen.

gallineta *s. m.* **1.** Fúlica. **2.** Chocha, ave zancuda.

gallipato *s. m.* Anfibio propio de los estanques cenagosos, de unos 30 cm de largo, color gris verdoso, dos filas de dientes en el paladar y cola comprimida.

gallipava *s. f.* Variedad de gallina mayor que las comunes.

gallipavo *s. m.* Pavo.

gallito *s. m., fig.* Hombre presuntuoso y arrogante.

gallo *s. m.* Ave doméstica gallinácea, que tiene la cabeza adornada de una cresta y tarsos armados de espolones largos y agudos.

gallocresta *s. f.* Planta medicinal, especie de salvia.

gallofa *s. f.* Comida que se daba a los peregrinos que venían a Santiago pidiendo limosna.

gallofear *v. intr.* Pedir limosna, viviendo vaga y ociosamente.

gallón *s. m.* Labor que adorna los boceles de algunos órdenes de arquitectura.

gallonada *s. f.* Tapia fabricada de gallones o tepes.

gallote *s. m.* Desenvuelto, de rompe y rasga.

galocha *adj., Cád., C. Ric. y Méx.* Calzado de madera con refuerzos de hierro que sirve para andar por la nieve y el lodo.

galocho, cha *adj.* Se dice de la persona de mala vida.

galón[1] *s. m.* Tejido fuerte y estrecho a manera de cinta.

galón[2] *s. m.* Medida inglesa de capacidad para los líquidos equivalente a 4.5 litros.

galoneadura *s. f.* Labor o adorno hecho con galones.

galonear *v. tr.* Adornar con galones.

galopada *s. f.* Carrera a galope.

galopante *adj., fig.* Se aplica a procesos de desarrollo y desenlace muy rápidos, especialmente a ciertas enfermedades.

galopar *v. intr.* Ir el caballo a galope.

galope s. m. Paso más levantado y veloz del caballo.

galopeado, da adj. **1.** fam. Hecho de prisa y mal. ‖ s. m. **2.** Castigo dado a alguien con bofetadas o a puñetazos.

galopear v. intr. Galopar.

galopillo s. m. Criado que sirve en la cocina para los oficios más humildes de ella.

galopín s. m. **1.** Cualquier muchacho sucio y desharrapado. **2.** Pícaro bribón.

galpito s. m. Pollo débil y de pocas medras.

galpón s. m., Amér. del S. Cobertizo grande, tinglado.

galucha s. f., Col., C. Ric., Cub. y P. Ric. Galope.

galvánico, ca adj. Perteneciente o relativo al galvanismo.

galvanismo s. m. Electricidad que se desarrolla mediante el contacto de dos metales diferentes con un líquido interpuesto.

galvanización s. f. **1.** Acción y efecto de galvanizar. **2.** Utilización de la electricidad galvánica para el diagnóstico de enfermedades.

galvanizar v. tr. **1.** Aplicar una capa de metal sobre otro, empleando al efecto el galvanismo. **2.** fig. Dar vida momentánea a algo que está en decadencia.

galvano s. m. Reproducción artística, hecha por galvanoplastia.

galvanómetro s. m. Aparato que sirve para medir la intensidad y determinar el sentido de una corriente eléctrica.

galvanoplastia s. f. Arte de sobreponer a cualquier cuerpo sólido capas metálicas consistentes, mediante la electrolisis.

galvanoplástico, ca adj. Perteneciente o relativo a la galvanoplastia.

gama[1] s. f. Hembra del gamo.

gama[2] s. f. **1.** Escala musical. **2.** fig. Escala, gradación de colores.

gamarra s. f. Correa que partiendo de la cincha se afianza en la muserola.

gamba s. f. Crustáceo comestible semejante al langostino, pero de menor tamaño.

gambado, da adj., Cub. y P. Ric. Patizambo, que tiene las piernas torcidas.

gambalúa s. m., fam. Hombre alto, desgarbado y dejado, inútil para el trabajo.

gámbaro s. m. Camarón, crustáceo.

gambax s. m. Jubón acolchado que se ponía debajo de la coraza.

gamberrada s. f. Dicho o hecho propio de un gamberro.

gamberrismo s. m. Conducta propia de un gamberro.

gamberro, rra adj. Que realiza actos inciviles para molestar a los demás.

gambesón s. m. Saco acolchado que se ponía debajo de la coraza.

gambeta s. f. **1.** Movimiento especial de las piernas al danzar. **2.** Corveta.

gambetear v. intr. Hacer gambetas.

gambeteo s. m. Acción y efecto de gambetear.

gambito s. m. Cierto lance en el juego de ajedrez que consiste en sacrificar, al principio de la partida, algún peón o pieza, o ambos, para lograr una posición favorable.

gamboa s. f. Variedad de membrillo injerto.

gambota s. f. Cada uno de los maderos que sostienen la fachada o espejo de popa del buque.

gamella s. f. Artesa que sirve para dar de comer a los animales y para otros usos.

gamellón s. m. **1.** Artesa. **2.** Pila donde se pisa la uva.

gameto s. m. Cada una de las dos células sexuales, masculina y femenina, que se unen para formar el huevo de las plantas y de los animales.

gamezno s. m. Gamo pequeño.

gamma s. f. Tercera letra del alfabeto griego con el sonido de la g española.

gamo s. m. Mamífero rumiante cérvido, de pelaje rojizo y cuernos en forma de pala.

gamón s. m. Planta de la familia de las liliáceas, con hojas en forma de espada y flores blancas en espiga apretada.

gamonal s. m., Amér. C. y Amér. del S. **1.** Cacique de pueblo. **2.** Tierra en que se crían muchos gamones.

gamonita s. f. Gamón.

gamonito s. m. Retoño que echan algunos árboles.

gamopétalo, la adj. Se dice de la corola que tiene los pétalos soldados entre sí.

gamosépalo, la adj. Se dice del cáliz que tiene los sépalos unidos entre sí.

gamuno, na adj. Se aplica a la piel del gamo.

gamusino s. m. Animal imaginario con el que se gastan bromas a los cazadores novatos.

gamuza s. f. Especie de antílope del tamaño de una cabra grande.

gana s. f. Deseo, apetito.

ganadería s. f. Crianza, granjería o comercio de ganados.

ganadero, ra s. m. y s. f. Dueño de ganados, que trata en ellos.

ganado s. m. Conjunto de animales domésticos que se apacientan y andan juntos.

ganador, ra adj. Que gana. También s. m. y s. f.

ganancia s. f. **1.** Acción y efecto de ganar. **2.** Utilidad que resulta del trato, del comercio o de otra cosa.

ganancial adj. Propio de la ganancia o que pertenece a ella.

ganancioso, sa adj. Que ocasiona ganancia.

ganapán *s. m.* Hombre que se gana la vida haciendo recados.

ganapierde *s. amb.* Juego de damas en que gana la persona que pierde antes todas las piezas.

ganar *v. tr.* **1.** Adquirir caudal o aumentarlo. **2.** Conquistar una plaza. **3.** Lograr una cosa. También prnl.

gancha *s. f., Albac. y Le.* Rama de árbol.

ganchillo *s. m.* **1.** Aguja de gancho. **2.** Labor que se hace con aguja de gancho.

gancho *s. m.* Instrumento corvo y puntiagudo en uno o ambos extremos, que sirve para prender, agarrar o colgar una cosa.

gándara *s. f.* Tierra baja, inculta y llena de maleza.

gandaya *s. f.* Tuna, vida holgazana.

gandido, da *adj.* **1.** *C. Ric., Cub., Méx. y Ven.* Comilón, glotón. **2.** *Zam.* Cansado, fatigado.

gandinga *s. f.* Mineral menudo y lavado.

gandujado *s. m.* Guarnición que formaba fuelles o arrugas.

gandujar *v. tr.* Encoger, fruncir, plegar.

gandul, la *adj., fam.* Holgazán.

gandulear *v. intr.* Holgazanear.

gandulería *s. f.* Cualidad de gandul.

ganga *s. f.* **1.** Materia que acompaña a los minerales y que se separa de ellos como inútil. **2.** *fig.* Cosa apreciable que se adquiere a poca costa.

ganglio *s. m.* Tumor pequeño que se forma en los tendones y en las aponeurosis.

ganglionar *adj.* **1.** Perteneciente o relativo a los ganglios. **2.** Compuesto de ellos.

gangosidad *s. f.* Calidad de gangoso.

gangoso, sa *adj.* Que habla gangueando. También s. m. y s. f.

gangrena *s. f.* Privación de vida en cualquier tejido de un cuerpo animal.

gangrenarse *v. prnl.* Padecer gangrena.

ganguear *v. intr.* Hablar con resonancia nasal.

gangueo *s. m.* Acción y efecto de ganguear.

gánguil *s. m.* Barco de pesca, con dos proas y una vela latina.

ganoideo, a *adj.* Se dice de los peces que tienen el cuerpo cubierto de escamas o placas osificadas, grandes y brillantes, esqueleto cartilaginoso u óseo, branquias provistas de opérculos, intestino con válvula espiral y cola formada por dos lóbulos desiguales, como el esturión. También s. m.

ganoso, sa *adj.* Que tiene deseos y ganas de una cosa.

gansada *s. f., fig. y fam.* Sandez.

gansarón *s. m.* **1.** Ansarón, ganso bravo. **2.** Hombre alto y desvaído.

ganso, sa *s. m. y s. f.* **1.** Se dice del ave palmípeda doméstica, apreciada por su carne y su hígado. **2.** *fig.* Persona patosa y sin gracia. También adj.

gante *s. m.* Especie de lienzo crudo.

gánster *com.* Delincuente que actúa formando una banda con otros.

ganzúa *s. f.* **1.** Garfio para abrir sin llaves las cerraduras. **2.** *fig.* Ladrón.

gañán *s. m.* **1.** Mozo de labranza. **2.** Hombre fuerte y rudo.

gañanía *s. f.* Conjunto de gañanes.

gañido *s. m.* Aullido del perro cuando le maltratan.

gañil *s. m.* Agallas de los peces. Se usa más en pl.

gañir *v. intr.* Dar el perro y otros animales gritos agudos cuando los maltratan.

gañón *s. m., fam.* Gañote.

gañote *s. m., fam.* Garguero o gaznate.

gaón *s. m.* Remo parecido al canalete que se usa en algunas embarcaciones pequeñas de los mares de la India.

garabatear *v. intr.* Hacer garabatos.

garabato *s. m.* Rasgo irregular hecho con la pluma, lápiz, etc.

garabito *s. m.* Asiento en alto y casilla de madera que usan las vendedoras en la plaza.

garaje *s. m.* Cochera para guardar automóviles.

garambaina *s. f.* Adorno de mal gusto.

garandumba *s. f., Amér. del S.* Embarcación grande a manera de balsa.

garante *adj.* Que da garantía.

garantía *s. f.* **1.** Fianza, prenda. **2.** Compromiso temporal del fabricante o vendedor que le obliga a reparar gratuitamente lo vendido en caso de que sufra una avería. **3.** Documento que garantiza este compromiso.

garantir *v. tr.* Garantizar, dar garantía.

garantizar *v. tr.* Dar garantía.

garañón *s. m.* Asno grande destinado a la procreación.

garapiña *s. f.* Estado del líquido que se solidifica en grumos.

garapiñar *v. tr.* **1.** Poner un líquido en estado de garapiña. **2.** Bañar golosinas en el almíbar que forma grumos.

garapiñera *s. f.* Vasija que sirve para garapiñar o congelar los líquidos.

garapita *s. f.* Red espesa y pequeña.

garapito *s. m.* Insecto hemíptero que vive en las aguas estancadas.

garapullo *s. m.* Rehilete, especie de flechilla.

garatura *s. f.* Instrumento cortante para raer las pieles.

garatusa *s. f.* **1.** *fam.* Halago para ganar la voluntad de alguien. **2.** Treta para herir de estocada en el rostro o pecho.

garay *s. m.* Embarcación filipina, especie de chalana.

garbanzal *s. m.* Tierra sembrada de garbanzos.

garbanzo *s. m.* Planta leguminosa, de fruto en vaina, con una o dos semillas comestibles.

garbanzuelo *s. m.* Esparaván, tumor.

garbear *v. intr.* Afectar garbo o bizarría.

garbera *s. f.* Montón de gavillas.

garbías *s. m. pl.* Guiso compuesto de varios manjares cocidos, hecho tortilla y frito.

garbillar *v. tr.* Ahechar grano.

garbillo *s. m.* Especie de zaranda de esparto con que se garbilla el grano.

garbino *s. m.* Viento del Sudoeste.

garbo *s. m.* **1.** Gentileza. **2.** Gracia.

garbón *s. m.* Macho de la perdiz.

garboso, sa *adj.* Airoso, gallardo.

garbullo *s. m.* Barullo, confusión.

garceta *s. f.* Ave zancuda de plumaje blanco y cabeza con penacho, del cual salen dos plumas filiformes pendientes.

gardenia *s. f.* Planta rubiácea de hojas ovaladas y flores blancas y olorosas.

garduña *s. f.* Mamífero carnívoro, nocturno y muy perjudicial.

garduño, ña *s. m. y s. f.* Persona que hurta con maña y disimulo.

garete, ir al *fra.* A la deriva, sin dirección o propósito fijo.

garfa *s. f.* Cada una de las uñas corvas de algunos animales.

garfada *s. f.* Acción de procurar coger o agarrar con las uñas.

garfear *v. intr.* Echar los garfios para agarrar con ellos una cosa.

garfio *s. m.* Instrumento de hierro, corvo y puntiagudo, que sirve para aferrar algún objeto.

gargajear *v. intr.* Arrojar gargajos por la boca.

gargajeo *s. m.* Acción y efecto de gargajear.

gargajo *s. m.* Flema que se expele de la garganta.

gargajoso, sa *adj.* Que gargajea con frecuencia. También s. m. y s. f.

garganchón *s. m.* Garguero, tráquea.

garganta *s. f.* **1.** Parte anterior del cuello. **2.** Estrechura en una montaña.

gargantear *v. intr.* Cantar haciendo quiebros con la garganta.

gargantil *s. m.* Escotadura en la bacía del barbero para ajustarla al cuello.

gargantilla *s. f.* Collar de adorno.

gárgaras *s. f. pl.* Acción de mantener un líquido en la garganta, con la boca hacia arriba, sin tragarlo y arrojando el aliento.

gargarismo *s. m.* Licor que sirve para hacer gárgaras.

gargarizar *v. intr.* Hacer gárgaras.

gárgol *s. m.* Ranura en que se hace encajar el canto de una pieza.

gárgola *s. f.* Canal por donde se vierte el agua de los tejados o de las fuentes.

garguero *s. m.* Parte superior de la tráquea.

garifo, fa *adj.* Jarifo.

gariofilea *s. f.* Especie de clavel silvestre.

garita *s. f.* **1.** Torrecilla para abrigo y defensa de centinelas. **2.** Cuarto pequeño que suelen tener los porteros en el portal.

garito *s. m.* Local de ambiente sórdido y mala reputación.

garla *s. f., fam.* Plática o conversación.

garlador, ra *adj., fam.* Que garla. También s. m. y s. f.

garlar *v. intr., fam.* Hablar mucho y con poca discreción.

garlito *s. m.* **1.** Especie de nasa a modo de buitrón. **2.** *fig. y fam.* Celada o lazo que se arma a alguien para molestarlo.

garlopa *s. f.* Cepillo largo y con puño que sirve para igualar las superficies de la madera ya cepillada.

garnacha[1] *s. f.* Vestidura talar de los togados con mangas y sobrecuello grande.

garnacha[2] *s. f.* Especie de uva roja que tira a morada, muy dulce.

garniel *s. m.* **1.** Bolsa de cuero que llevan los arrieros sujeta al cinto. **2.** *Ec. y Méx.* Estuche para las navajas que se ponen a los gallos de pelea.

garo *s. m.* Condimento de mucho aprecio entre los romanos, que se hacía con los desperdicios de ciertos pescados.

garra *s. f.* Pata del animal armada de uñas corvas, fuertes y agudas.

garrafa *s. f.* Vasija ancha y redonda con cuello largo y angosto.

garrafal *adj.* Se dice de ciertas faltas graves.

garrafiñar *v. tr., fam.* Quitar una cosa agarrándola.

garrafón *s. m.* Aumentativo de garrafa.

garramar *v. tr., fam.* Hurtar, agarrar con astucia cuanto se encuentra.

garrancha *s. f., fam.* Espada.

garrancho *s. m.* Desgarrón en una rama o en un tallo.

garrapata *s. f.* Ácaro que vive parásito sobre ciertos animales, chupándoles la sangre.

garrapatear *v. intr.* Hacer garrapatos. También tr.

garrapatero *s. m., Col. y Ec.* Ave de pico corvo, pecho blanco y alas negras, que se alimenta de garrapatas que quita al ganado.

garrapato *s. m.* **1.** Cadillo, fruto espinoso de la planta de este nombre que se adhiere a la ropa. **2.** Garabato. ‖ *s. m. pl.* **3.** Escarabajo.

garrapiñado, da *adj.* Se dice de las almendras bañadas en almíbar.

garrapiñar *v. tr.* Garapiñar.

garrar *v. intr.* Ir hacia atrás un buque arrastrando el ancla.

garrideza *s. f., fig.* Elegancia y gallardía.

garrido, da *adj.* Galano.

garrir *v. intr.* Gritar el loro.

garroba *s. f.* Algarroba.

garrobilla *s. f.* Astillas de algarrobo, que se usan para curtir los cueros.

garrobo *s. m., Amér. C.* Saurio de fuerte piel escamosa.

garrocha *s. f.* Vara larga rematada en un hierro pequeño.

garrochear *v. tr.* Herir con la garrocha.

garrofa *s. f.* Algarroba.

garrón *s. m.* **1.** Espolón de ave. **2.** Extremo de la pata por donde se cuelgan los cuadrúpedos después de sacrificados.

garrotazo *s. m.* Golpe dado con el garrote.

garrote *s. m.* Palo grueso y fuerte.

garrotear *v. tr., Amér. del S.* Apalear, dar de palos.

garrotín *s. m.* Cierto baile de fines del s. XIX.

garrucha *s. f.* Polea.

garrucho *s. m.* Anillo de hierro o madera.

garrulería *s. f.* Charla de persona gárrula.

garrulo, la *adj.* Persona rústica y basta.

gárrulo, la *adj.* **1.** Se aplica al ave que canta o chirría mucho. **2.** *fig.* Se dice de la persona charlatana.

garúa *s. f., Amér. del S.* Llovizna.

garuar *v. intr., Amér. del S.* Lloviznar.

garujo *s. m.* Hormigón, argamasa.

garulla *s. f.* **1.** Granuja de la uva. **2.** *fig. y fam.* Conjunto desordenado de gente.

garullada *s. f., fig. y fam.* Garulla, multitud.

garvín *s. m.* Cofia hecha de red.

garza *s. f.* Ave zancuda, de cabeza pequeña y con un moño largo y gris.

garzo, za *adj.* De color azulado.

garzón *s. m.* **1.** Joven, mozo bien dispuesto. **2.** Niño, hijo.

garzota *s. f.* Ave zancuda que tiene en la nuca tres plumas largas e inclinadas hacia la cola.

gas *s. m.* Fluido sin forma ni volumen propios.

gasa *s. f.* Tela muy clara y sutil.

gaseiforme *adj.* Que se halla en estado de gas.

gaseoducto *s. m.* Conducto que se destina a llevar el gas natural hasta el lugar de su utilización.

gaseosa *s. f.* Bebida refrescante, efervescente y sin alcohol.

gaseoso, sa *adj.* Que se halla en estado de gas.

gasificación *s. f.* Acción de pasar un líquido al estado de gas.

gasificar *v. tr.* Hacer pasar un cuerpo al estado gaseoso.

gasógeno *s. m.* Aparato que sirve para obtener un gas.

gasoil *s. m.* Gasóleo.

gasoleno *s. m.* Gasolina.

gasóleo *s. m.* Derivado del petróleo que se emplea como carburante en cierto tipo de motores de explosión.

gasolina *s. f.* Mezcla de hidrocarburos, líquida, producto de la destilación del petróleo.

gasolinera *s. f.* **1.** Lancha automóvil con motor de gasolina. **2.** Establecimiento donde se vende gasolina.

gasometría *s. f.* Análisis químico basado en la medición de los gases desprendidos en las reacciones.

gasómetro *s. m.* Instrumento que sirve para medir el gas.

gastado, da *adj.* **1.** Disminuido, borrado con el uso. **2.** Se dice de la persona debilitada y decaída de su vigor físico.

gastador, ra *adj.* **1.** Que gasta mucho dinero. ‖ *s. m.* **2.** Persona que va condenada a los trabajos públicos en los presidios. **3.** Soldado de la escuadra que abre la marcha en los desfiles, para lo cual llevan picos, palas y hachas. **4.** Soldado que se aplica a los trabajos de abrir trincheras y otros semejantes.

gastar *v. tr.* **1.** Emplear el dinero en algo. **2.** Echar a perder con el uso.

gasterópodo, da *adj.* Se aplica a los moluscos terrestres o acuáticos que tienen un pie carnoso del cual se sirven para arrastrarse; la boca está rodeada de dos a seis tentáculos y su cuerpo está generalmente protegido por una concha, como el caracol. También s. m.

gasto *s. m.* Lo que se gasta o se ha gastado.

gastralgia *s. f.* Dolor de estómago.

gástrico, ca *adj.* Perteneciente o relativo al estómago.

gastritis *s. f.* Inflamación del estómago.

gastroenteritis *s. f.* Inflamación simultánea de la membrana mucosa del estómago y de la de los intestinos.

gastrointestinal *adj.* Perteneciente o relativo al estómago y a los intestinos.

gastronomía *s. f.* Arte de preparar una buena comida.

gastronómico, ca *adj.* Relativo a la gastronomía.

gastrónomo, ma *s. m. y s. f.* Persona aficionada al arte de la gastronomía.

gatada *s. f.* **1.** Acción propia del gato. **2.** *fig.* Acción en la que media astucia, engaño y simulación.

gatas, a *loc. adv., fam.* Modo de andar con los pies y las manos en el suelo, como los gatos y demás cuadrúpedos.

gatear *v. intr.* **1.** Trepar por un árbol o tronco como los gatos, valiéndose de los brazos y las piernas. **2.** Andar a gatas.

gatera *s. f.* Agujero en la pared, tejado o puerta para que puedan pasar los gatos.

gatería *s. f.* **1.** Concurrencia de muchos gatos. **2.** *fig. y fam.* Simulación hipócrita para lograr alguna cosa.

gatesco, ca *adj.* Gatuno.

gatillazo *s. m.* Golpe que da el gatillo en las escopetas, especialmente cuando no sale el tiro.

gatillo *s. m.* En las armas de fuego portátiles, percusor o palanca para dispararlo.

gato, ta *s. m.* **1.** Mamífero carnívoro, doméstico, de la familia de los félidos. Tiene cabeza redonda, lengua muy áspera, patas cortas. **2.** Máquina compuesta de un engranaje de piñón y cremallera, que se utiliza para levantar grandes pesos a poca altura.

gatuno, na *adj.* Perteneciente o relativo al gato.

gatuña *s. f.* Hierba leguminosa, con tallos ramosos, delgados, duros y con espinas.

gatuperio *s. m.* **1.** Mezcla de varias sustancias incoherentes. **2.** *fig. y fam.* Embrollo, enjuague, intriga.

gauchada *s. f., Arg., Chil. y Per.* Acción propia de un gaucho, hecha con astucia, audacia y habilidad.

gauchesco, ca *adj.* Perteneciente o relativo al gaucho.

gaucho, cha *adj.* **1.** *Arg. y Chil.* Natural de las pampas argentinas y uruguayas. También s. m. y s. f. **2.** *Arg. y Chil.* Buen jinete.

gavanza *s. f.* Flor del gavanzo.

gavanzo *s. m.* Agavanzo, escaramujo.

gaveta *s. f.* Cajón corredizo que hay en los escritorios.

gavia *s. f.* **1.** Jaula de madera en la cual se encerraba al que estaba loco o furioso. **2.** Vela que se coloca en el mastelero mayor.

gavial *s. m.* Reptil o saurio parecido al cocodrilo.

gaviero *s. m.* Marinero que cuida la gavia y registra todo cuanto se pueda ver desde ella.

gavieta *s. f.* Gavia pequeña a modo de garita.

gavilán *s. m.* Ave rapaz falcónida, con plumaje gris azulado y pardo.

gavilla *s. f.* Haz pequeño de sarmientos, cañas, mieses, ramas, hierba, etc.

gavillar¹ *s. m.* Terreno que está cubierto de gavillas.

gavillar² *v. tr.* Agavillar.

gavión *s. m.* **1.** Cestón relleno de tierra o piedra que se usa en fortificaciones, construcciones hidráulicas, etc. **2.** *fig. y fam.* Sombrero grande de copa y ala.

gaviota *s. f.* Ave palmípeda, que vive en las costas y se alimenta de peces.

gavota *s. f.* Baile de origen francés y de movimiento moderado a dos tiempos.

gay *adj.* **1.** Homosexual, especialmente referido al hombre. **2.** Perteneciente o relativo a los homosexuales.

gaya *s. f.* **1.** Lista de diverso color que el fondo. **2.** Insignia de victoria que se daba a los vencedores. **3.** Urraca, picaza.

gayadura *s. f.* Guarnición y adorno del vestido u otra cosa, hecho con listas de distinto color.

gayar *v. tr.* Adornar con gayas una cosa.

gayo, ya *adj.* Alegre, vistoso.

gayola *s. f.* **1.** Jaula. **2.** *fig. y fam.* Cárcel.

gayuba *s. f.* Mata ericácea, verde y ramosa, sobre cuyas raíces vive una cochinilla que da color rojo.

gaza *s. f.* Lazo que se hace en el extremo de un cabo doblándolo.

gazafatón *s. m., fam.* Gazapatón.

gazapa *s. f., fam.* Mentira, embuste.

gazapatón *s. m.* Disparate en el hablar.

gazapera *s. f.* Madriguera de los conejos.

gazapina *s. f.* **1.** *fam.* Junta de truhanes y gente ordinaria. **2.** *fam.* Pendencia, alboroto. **3.** *fig.* Conjunto de gazapos.

gazapo¹ *s. m.* Cría del conejo.

gazapo² *s. m.* Equivocación que se escapa al hablar o escribir.

gazapón *s. m.* Garito.

gazmol *s. m.* Pepita de las aves de rapiña que les sale en la lengua y en el paladar.

gazmoñada *s. f.* Gazmoñería.

gazmoñería *s. f.* Afectación de modestia, devoción o escrúpulos.

gazmoño, ña *adj.* Que afecta devoción, escrúpulos y virtudes que no tiene.

gaznápiro, ra *adj.* Palurdo, torpe.

gaznar *v. intr.* Graznar.

gaznatada *s. f.* Manotada violenta que se da en el gaznate.

gaznate *s. m.* **1.** Garguero. **2.** Fruta de sartén en forma de gaznate. **3.** Dulce hecho de piña o coco.

gazofilacio *s. m.* Lugar donde se recogían las limosnas, rentas y riquezas del templo de Jerusalén.

gazpacho *s. m.* Sopa fría que se hace con agua, aceite, vinagre, sal, ajo, cebolla, pepino, tomate, trozos de pan, etc.

gazuza *s. f., fam.* Hambre.

gea *s. f.* Descripción del reino inorgánico de un país o región.

gecónido, da *adj.* Se dice de reptiles saurios de pequeño tamaño, cabeza triangular y cuerpo deprimido, con expansiones laterales en algunos casos, como la salamanquesa, el dragón, etc. También s. m.

gehena *s. f.* Infierno.

géiser *s. m.* Fuente termal intermitente en forma de surtidor de agua y vapor, de origen volcánico.

geisha *s. f.* En Japón, joven instruida desde su infancia en el baile, canto, música y conversación para agradar a los hombres.

gelatina *s. f.* Sustancia incolora y transparente, que se saca de algunas partes blandas de los animales y de sus huesos.

gelatinoso, sa *adj.* Que abunda en gelatina o parecido a ella.

gélido, da *adj.* Helado o muy frío.

gema *s. f.* Cualquier piedra preciosa.

gemación *s. f.* Reproducción asexual de muchos animales invertebrados y plantas por yemas o tubérculos.

gemelo, la *adj.* **1.** Se dice de cada uno de dos o más hermanos que han nacido en un mismo parto. También s. m. y s. f. ‖ *s. m. pl.* **2.** Anteojos.

gemido *s. m.* Acción y efecto de gemir.

geminación *s. f.* **1.** Acción y efecto de geminar. **2.** Reduplicación de una letra o de una sílaba.

geminado, da *adj.* Partido, dividido.

geminar *v. tr.* Duplicar, repetir.

gemíparo, ra *adj.* Se dice de los animales o plantas reproducidos por medio de yemas.

gemiquear *v. intr., Arg. y Chil.* Gimotear.

gemir *v. intr.* **1.** Expresar con voces quejumbrosas la pena y dolor. **2.** *fig.* Aullar algunos animales.

gen *s. m.* Cada una de las partículas que se encuentran formando parte de los cromosomas de las células y determinan la aparición de los caracteres hereditarios de los seres vivos.

genciana *s. f.* Planta cuya raíz se emplea en medicina.

gencianáceo, a *adj.* Se dice de las plantas dicotiledóneas amargas, con hojas opuestas, envainadoras, flores terminales o axilares y semillas con albumen carnoso, como la genciana. También s. f.

genciáneo, a *adj.* Gencianáceo.

gendarme *s. m.* Guardia civil de algunos países para mantener el orden y la seguridad pública.

gendarmería *s. f.* Cuerpo de tropa de los gendarmes.

gene *s. m.* Gen.

genealogía *s. f.* Serie de progenitores y ascendientes de cada individuo.

genealógico, ca *adj.* Perteneciente o relativo a la genealogía.

genealogista *com.* Persona que se dedica a la genealogía.

geneático, ca *adj.* Que pretende adivinar el destino del ser humano por las circunstancias de su nacimiento.

generable *adj.* Que se puede producir por generación.

generación *s. f.* **1.** Sucesión de descendientes en línea recta. **2.** Conjunto de todos los vivientes coetáneos.

generador, ra *adj.* **1.** Que engendra. **2.** Se dice de la línea o figura que al moverse engendra una superficie o un sólido. ‖ *s. m.* **3.** Máquina o aparato que produce la fuerza o energía.

general *adj.* **1.** Común a todos o a la mayoría. ‖ *com.* **2.** Oficial que tiene cualquiera de los cuatro grados superiores de la milicia. **3.** Prelado superior de una Orden religiosa.

generala *s. f.* Toque para que las fuerzas de una guarnición o campo se pongan sobre las armas.

generalato *s. m.* Oficio del general de las órdenes religiosas.

generalidad *s. f.* Mayoría de las personas u objetos que componen una clase o todo.

generalización *s. f.* Acción y efecto de generalizar.

generalizador, ra *adj.* Que generaliza.

generalizar *v. tr.* Hacer común o pública una cosa. También prnl.

generar *v. tr.* Engendrar.

generativo, va *adj.* Se dice de lo que tiene virtud de engendrar.

generatriz *adj.* **1.** Se dice de la línea o figura generadora. También s. f. **2.** Se dice de la máquina que convierte la energía mecánica en eléctrica. También s. f.

genérico, ca *adj.* Común a muchas especies.

género *s. m.* **1.** Conjunto de seres o de cosas que tienen caracteres comunes. **2.** Modo de hacer una cosa. **3.** Accidente gramatical mediante el cual los sustantivos, adjetivos, pronombres y artículos se clasifican en masculinos, femeninos o neutros.

generosidad *s. f.* **1.** Nobleza heredada de los mayores. **2.** Largueza, liberalidad.

generoso, sa *adj.* Que obra con magnanimidad y nobleza de ánimo.

genesiáco, ca *adj.* Perteneciente o relativo a la génesis.

genésico, ca *adj.* Perteneciente o relativo a la generación.

génesis *s. f.* Origen o principio de una cosa.

genética *s. f.* Parte de la biología que trata de la herencia.

genético, ca *adj.* Perteneciente o relativo a la génesis u origen de las cosas.

genetlíaca *s. f.* Práctica de pronosticar a alguien su fortuna por el día en que nace.

genial *adj.* Propio del genio o inclinación de alguien.

genialidad *s. f.* Singularidad propia del carácter de una persona.

geniecillo *s. m.* Espíritu travieso que aparece en los cuentos o fábulas, al que se le atribuyen poderes especiales y la capacidad para intervenir en los asuntos del ser humano.

genio *s. m.* **1.** Carácter de una persona. **2.** Aptitud capaz de crear o inventar. **3.** *fig.* Deidad pagana particular a cada persona, estado, lugar, etc., que regía y compartía su destino.

genital *adj.* **1.** Que sirve para la generación. ‖ *s. m. pl.* **2.** Órganos sexuales externos.

genitivo, va *adj.* **1.** Que puede engendrar. ‖ *s. m.* **2.** Uno de los casos de la declinación. Denota relación de propiedad, posesión, pertenencia o materia de que está hecha una cosa.

genitor, ra *adj.* Que engendra.

genízaro, ra *adj.* Jenízaro.

genocidio *s. m.* Exterminio sistemático de un grupo étnico por motivos políticos, religiosos o raciales.

genocito *s. m.* Conjunto de los genes existentes en cada uno de los núcleos celulares de los individuos pertenecientes a una especie.

genol *s. m.* Cada una de las piezas del buque que se amadrinan a las varengas para formar las cuadernas.

genotipo *s. m.* Conjunto de los genes existentes en cada uno de los núcleos celulares de los individuos pertenecientes a una especie.

gente *s. f.* Pluralidad de personas.

gentecilla *s. f.* Gente ruin y despreciable.

gentil *adj.* **1.** Idólatra o pagano. **2.** Gracioso, brioso, galán.

gentileza *s. f.* Gallardía, garbo, bizarría.

gentilicio, cia *adj.* **1.** Perteneciente o relativo a las gentes o naciones. **2.** Perteneciente o relativo al linaje o familia.

gentílico, ca *adj.* Perteneciente o relativo a los gentiles.

gentilidad *s. f.* Religión que profesan los gentiles.

gentilismo *s. m.* Gentilidad.

gentilizar *v. tr.* Dar carácter gentílico a alguna cosa.

gentío *s. m.* Afluencia de un número considerable de personas.

gentuza *s. f.* Gente despreciable.

genuflexión *s. f.* Acción y efecto de doblar la rodilla en señal de reverencia, sumisión o adoración.

genuino, na *adj.* Puro, propio, natural.

geocéntrico *adj.* **1.** Perteneciente o relativo al centro de la Tierra. **2.** Que tiene la Tierra como centro. **3.** Se aplica a la latitud y longitud de un planeta visto desde la Tierra.

geoda *s. f.* Hueco de una roca, revestido de una sustancia generalmente cristalizada.

geodesia *s. f.* Ciencia que determina la figura y magnitud del globo terrestre y construye los mapas correspondientes.

geodésico, ca *adj.* Relativo o perteneciente a la geodesia.

geofagia *s. f.* Costumbre de algunos animales de comer tierra o sustancias no nutritivas.

geófago, ga *adj.* Que come tierra. También s. m. y s. f.

geofísica *s. f.* Parte de la geología que estudia la física terrestre.

geogenia *s. f.* Parte de la geología que estudia el origen de la Tierra y su formación.

geogénico, ca *adj.* Perteneciente o relativo a la geogenia.

geognosia *s. f.* Parte de la geología que estudia la estructura, composición y disposición de los elementos que forman la Tierra.

geognosta *com.* Persona que profesa o estudia la geognosia.

geognóstico, ca *adj.* Relativo o perteneciente a la geognosia.

geogonía *s. f.* Geogenia.

geogónico, ca *s. m.* Relativo a la geogonía.

geografía *s. f.* Ciencia que describe la Tierra.

geográfico, ca *adj.* Perteneciente o relativo a la geografía.

geógrafo, fa *s. m. y s. f.* Persona que estudia la geografía.

geoide *s. m.* Forma teórica de la Tierra determinada por la geodesia.

geología *s. f.* Ciencia que trata de la constitución del globo terrestre.

geológico, ca *adj.* Perteneciente o relativo a la geología.

geomancia *s. f.* Especie de adivinación que se hace valiéndose de los cuerpos terrestres, líneas, círculos o puntos trazados en la Tierra.

geómetra *com.* Persona que por profesión o estudio se dedica a la geometría, o está muy documentada en esta rama de las matemáticas.

geometría *s. f.* Parte de las matemáticas que trata de las propiedades y medidas de la extensión.

geométrico, ca *adj.* **1.** Perteneciente o relativo a la geometría. **2.** Muy exacto.

geonomía *s. f.* Ciencia que estudia las propiedades de la tierra vegetal.

geopolítica *s. f.* Parte de la geografía que estudia la vida de los pueblos en relación con el territorio que ocupan.

geórgica *s. f.* Obra que está relacionada con la agricultura. Se usa más en pl.

geotropismo *s. m.* Tropismo obediente a la influencia de la gravedad.

geraniáceo, a *adj.* Se dice de hierbas o matas dicotiledóneas, de hojas palmeadas alternas u opuestas, y flores solitarias o en umbela, de carpelos prolongados en aristas que se reúnen formando pico. También s. f.

geranio *s. m.* Planta de jardín, de tallo carnoso y flores zigomorfas.

gerbo *s. m.* Jerbo.

gerencia *s. f.* **1.** Cargo de gerente. **2.** Oficina del gerente.

gerente *com.* Persona que dirige una empresa o sociedad mercantil.

geriatría *s. f.* Rama de la medicina que trata de las enfermedades de la vejez.

gerifalte *s. m.* Ave rapaz, especie de halcón grande, que se utiliza en cetrería.

germanía *s. f.* Jerga o manera de hablar de ladrones o rufianes, que se llamaban entre sí germanos o germanes.

germanio *s. m.* Metal blanco parecido al bismuto.

germanismo *s. m.* Giro propio de la lengua alemana.

germen *s. m.* **1.** Principio orgánico. **2.** Parte de la semilla de la que se forma la planta.

germinación *s. f.* Acción de germinar.

germinal *s. m.* Séptimo mes del año en el calendario republicano francés.

germinar *v. intr.* Brotar y desarrollarse las plantas.

germinativo, va *adj.* Que puede germinar o causar la germinación.

gerundiano, na *adj., fam.* Se aplica al estilo hinchado y ridículo.

gerundio *s. m.* Forma no personal del verbo, invariable del modo infinitivo, que denota la idea del verbo abstracto y por lo común tiene carácter adverbial.

gesta *s. f.* Conjunto de hazañas o hechos memorables de una persona o pueblo.

gestación *s. f.* Desarrollo del óvulo fecundado, hasta el nacimiento del nuevo ser.

gestatorio, ria *adj.* Que se lleva a brazos.

gestear *v. intr.* Hacer gestos.

gestero, ra *adj.* Que tiene costumbre de hacer demasiados gestos.

gesticulación *s. f.* Acción y efecto de gesticular.

gesticular[1] *adj.* Perteneciente o relativo al gesto.

gesticular[2] *v. intr.* Hacer gestos.

gestión *s. f.* **1.** Acción y efecto de gestionar. **2.** Acción y efecto de administrar.

gestionar *v. tr.* Hacer diligencias para conseguir algo.

gesto *s. m.* Movimiento de la cara o manos que se hace por costumbre o que expresa un estado de ánimo.

gestor, ra *adj.* **1.** Que gestiona. ‖ *s. m. y s. f.* **2.** Miembro de una sociedad mercantil que participa en la administración de esta.

gestual *adj.* **1.** Perteneciente o relativo a los gestos. **2.** Que hace gestos.

gestudo, da *adj., fam.* Que tiene por costumbre poner mal gesto. También s. m. y s. f.

geyser *s. m.* Géiser.

ghetto *s. m.* Gueto.

giba *s. f.* Corcova.

gibar *v. tr.* **1.** Corcovar. **2.** *fig. y fam.* Fastidiar, molestar.

gibosidad *s. f.* Cualquier protuberancia en forma de giba.

giboso, sa *adj.* Que tiene giba o corcova. También s. m. y s. f.

giga *s. m.* Gigabyte.

gigabyte *s. m.* Unidad de almacenamiento de información equivalente a un millón de *kilobytes*.

gigante *adj.* De gran tamaño.

gigantea *s. f.* Girasol.

gigantesco, ca *adj.* **1.** Relativo a los gigantes. **2.** *fam.* Excesivo o muy sobresaliente en su línea.

gigantez *s. f.* Tamaño que excede bastante de lo regular.

gigantismo *s. m.* **1.** Anomalía caracterizada por un crecimiento excesivo. **2.** Tamaño excesivo de una célula o núcleo.

gigantón, na *s. m. y s. f.* Cada una de las figuras gigantescas que se llevan en algunas procesiones.

gigoló *s. m.* Amante joven mantenido por una mujer mayor y rica.

gigote *s. m.* Guiso de carne picada rehogada en manteca.

gilipollas *adj., vulg.* Tonto, lelo.

gimnasia *s. f.* Arte de desarrollar el cuerpo por medio de ciertos ejercicios.

gimnasio *s. m.* Lugar destinado a ejercicios gimnásticos.

gimnasta *com.* Persona que practica ejercicios gimnásticos.

gimnástico, ca *adj.* Relativo a la gimnasia.

gímnico, ca *adj.* Perteneciente o relativo a la lucha de los atletas.

gimnospermo, ma *adj.* Se dice de las plantas fanerógamas cuyos carpelos no están diferenciados en ovario, estilo y estigma; sus óvulos y semillas no se forman en cavidades cerradas, quedando al descubierto.

gimnoto *s. m.* Pez teleósteo, especie de anguila grande, que produce descargas eléctricas.

gimotear *v. intr.* Gemir con insistencia y con poca fuerza, por causa leve.

gimoteo *s. m., fam.* Acción y efecto de gimotear.

ginandra *adj.* Se dice de las plantas con flores hermafroditas cuyos estambres están soldados con el pistilo.

ginebra *s. f.* Alcohol de semillas aromatizado con las bayas del enebro.

ginebrada *s. f.* Tarta de hojaldre pequeña, que está rellena de leche cuajada.

gineceo *s. m.* Departamento retirado que los griegos antiguos destinaban para habitación de sus mujeres.

ginecogracia *s. f.* Gobierno de las mujeres.

ginecología *s. f.* Parte de la medicina que trata de las enfermedades especiales de la mujer.

ginecológico, ca s. m. Perteneciente o relativo a la ginecología.

ginecólogo, ga s. m. y s. f. Persona que ejerce o profesa la ginecología.

ginesta s. f. Hiniesta.

gineta s. f. Jineta.

gingival adj. Perteneciente o relativo a las encías.

gingivitis s. f. Inflamación de las encías.

ginseng s. m. Nombre común de ciertas plantas herbáceas angiospermas y dicotiledóneas, de flores blancas y fruto en baya roja, cuya semilla gruesa y aromática se usa en medicina como estimulante; crece en China.

gira s. f. **1.** Paseo, excursión emprendida por una reunión de personas con fin recreativo. **2.** Serie de actuaciones de una compañía teatral o un artista en diferentes localidades.

girada s. f. Acción y efecto de girar.

giralda s. f. Veleta de torre, cuando tiene figura humana o de animal.

giraldete s. m. Roquete sin mangas.

giraldilla s. f. Baile popular del norte de España, principalmente asturiano.

girándula s. f. Rueda de cohetes que gira despidiéndolos.

girar v. intr. **1.** Moverse alrededor o circularmente. **2.** Expedir letras u otras órdenes de pago. También tr.

girasol s. m. Planta compuesta de fruto con semillas comestibles y oleaginosas.

giratorio, ria adj. Que gira o se mueve alrededor.

giro s. m. **1.** Acción y efecto de girar. **2.** Manera de estar ordenadas las palabras de una frase para expresar su concepto. **3.** Tratándose del lenguaje o estilo, estructura especial de la frase. **4.** Movimiento o traslación de caudales por medio de letras, libranzas, etc. **5.** Conjunto de operaciones o negocios de una casa, compañía o empresa.

girola s. f. Nave que rodea el ábside en las iglesias románicas y góticas.

girómetro s. m. **1.** Aparato para medir la velocidad de rotación de un eje vertical o de una máquina. **2.** Instrumento que señala los cambios de rumbo de un avión.

giroscópico, ca adj. Relativo al giroscopio.

giroscopio s. m. **1.** Giróstato simétrico centrado y suspendido, ideado por Foucault en 1852, que demuestra la rotación del globo terrestre. **2.** Aparato para apreciar los movimientos circulares del viento.

girostático, ca adj. Perteneciente o relativo al giróstato.

giróstato o girostato s. m. Aparato constituido por un volante pesado que gira rápidamente y tiende a conservar el plano de rotación reaccionando contra cualquier fuerza que lo aparte de dicho plano.

giróvago, ga adj. Vagabundo.

gis s. m. **1.** Clarión. **2.** Pizarrín.

gitano, na adj. Se dice de cierto pueblo nómada, que parece proceder del norte de la India, y cuyas tribus se esparcieron por Europa a fines del s. XIII.

glabro, bra adj. Calvo, lampiño.

glaciación s. f. **1.** Formación de glaciares en una región y época determinada. **2.** Cada una de las grandes invasiones de hielo que en épocas remotas acontecieron en zonas muy extensas de distintos continentes.

glacial adj. Helado.

glaciar s. m. Helero, masa grande de hielo en las montañas.

glacis s. m. En una fortificación permanente, declive desde el camino cubierto hacia el campo.

gladiador, ra s. m. y s. f. Persona que en los juegos públicos de los romanos batallaba a muerte con otra o con una bestia feroz.

gladio s. m. Espadaña de agua, planta.

gladíolo o gladiolo s. m. Estoque, planta.

glamour s. m. Glamur.

glamur s. m. Encanto y sensualidad que embelesan.

glande s. m. Cabeza del pene, que queda cubierta por el prepucio.

glandífero, ra adj., poét. Que da o lleva bellotas.

glandígero, ra adj. Glandífero.

glándula s. f. Órgano que sirve para la secreción y excreción de humores.

glandular adj. Propio de las glándulas.

glanduloso, sa adj. Que tiene glándulas.

glasé s. m. Tafetán de mucho brillo.

glaseado, da adj. Que imita o se parece al glasé.

glasear v. tr. Dar brillo a la superficie de algunas cosas, como al papel, la ropa, algunos manjares, etc.

glasto s. m. Planta crucífera cuyas hojas dan un colorante parecido al añil.

glaucio s. m. Hierba papaverácea, de flores solitarias, de cuatro pétalos amarillos, que crece en terrenos estériles y arenosos.

glauco, ca adj. Verde claro.

glaucoma s. m. Enfermedad de los ojos, así denominada por el color verdoso que toma la pupila.

gleba s. f. **1.** Terrón que se levanta con el arado. **2.** Gente del pueblo bajo.

glena s. f. Cavidad poco profunda de un hueso, en la cual encaja la extremidad articular de otro.

glenoideo, a adj. Relativo o perteneciente a una glena.

glicerina s. f. Líquido incoloro, inodoro, dulce, de consistencia de jarabe, que se obtiene por la saponificación de las grasas y aceites.

glicina s. f. El más simple de los aminoácidos proteicos, presente en la caña de azúcar y en los colágenos.

glicógeno s. m. Glucógeno.

gliconio adj. Se dice de cierto verso de la versificación clásica, que se compone de tres pies: un espondeo, yambo o coreo y dos dáctilos.

glíptica s. f. Arte de grabar en acero los cuños para monedas, sellos, etc.

global adj. Total, tomado en conjunto.

globo s. m. Cuerpo esférico.

globoso, sa adj. De figura de globo.

globular adj. **1.** De figura de glóbulo. **2.** Compuesto de glóbulos.

globulariáceo, a adj. Se dice de las plantas dicotiledóneas con hojas alternas, simples y sin estípulas, de flores zigomorfas con corola bilabiada, agrupadas en cabezuelas globosas, y frutos cariópsides con semilla de albumen carnoso.

glóbulo s. m. **1.** Cuerpo esférico pequeño. **2.** Corpúsculo unicelular que se encuentra en muchos líquidos del cuerpo de los animales.

globuloso, sa adj. Compuesto de glóbulos.

gloria s. f. **1.** Bienaventuranza. **2.** Cielo, lugar de los bienaventurados. **3.** Reputación, fama.

gloriado, da adj., Amér. del S. y Amér. C. Especie de ponche hecho con aguardiente.

gloriar v. tr. **1.** Glorificar. ‖ v. prnl. **2.** Preciarse demasiado de una cosa. **3.** Complacerse, alegrarse.

glorieta s. f. **1.** Cenador de un jardín. **2.** Plazoleta.

glorificable adj. Digno de ser glorificado.

glorificación s. f. **1.** Acción y efecto de glorificar. **2.** Alabanza que se hace a una cosa digna de honor o aprecio.

glorificador, ra adj. Que glorifica. También s. m. y s. f.

glorificar v. tr. **1.** Dar la gloria a alguno. **2.** Reconocer y ensalzar al que es glorioso.

glorioso, sa adj. Digno de gloria.

glosa s. f. Explicación o comentario de un texto difícil de entender.

glosador, ra adj. Que glosa. También s. m. y s. f.

glosar v. tr. Comentar palabras o dichos propios o ajenos, ampliándolos.

glosario s. m. **1.** Diccionario de palabras oscuras o desusadas, con definición o explicación de cada una de ellas. **2.** Catálogo de palabras de una misma disciplina, de un mismo campo de estudio, etc., definidas y comentadas.

glose s. m. Acción de glosar, o poner notas en un instrumento o libro de cuentas.

glosopeda s. f. Enfermedad epizoótica de los ganados, que se caracteriza por el desarrollo de vesículas en la boca y entre las pezuñas.

glótico, ca adj. Relativo o perteneciente a la glotis.

glotis s. f. Abertura u orificio superior de la laringe.

glotón, na adj. Que come con exceso.

glotonear v. intr. Comer glotonamente.

glotonería s. f. **1.** Acción de glotonear. **2.** Calidad de glotón.

glucemia s. f. Presencia de glucosa en la sangre.

glucina s. f. Óxido de glucinio que entra en la composición del berilo y de la esmeralda, y que combinado con los ácidos forma sales de sabor dulce.

glucinio s. m. Metal semejante al aluminio; se le da este nombre por el sabor dulce de sus sales.

glucógeno s. m. Hidrato de carbono, de color blanco, que se encuentra abundantemente en el hígado, y en menor cantidad en los músculos y otros tejidos; es una sustancia de reserva formada por la unión de moléculas de glucosa.

glucómetro s. m. Aparato destinado para medir la cantidad de azúcar que tiene un líquido.

glucosa s. f. Glúcido monosacárido que se encuentra en todos los seres vivos.

glucósido s. m. Sustancia orgánica compleja que se obtiene de algunos vegetales, y uno de cuyos componentes es la glucosa.

glucosuria s. f. Estado patológico caracterizado por la presencia de glucosa en la orina, síntoma de diabetes.

gluglutear v. intr. Emitir el pavo la voz que le es característica.

gluma s. f. Cada una de las dos brácteas que encierran las espiguillas de las gramíneas antes de abrirse las flores y que están insertas debajo del ovario.

gluten s. m. Materia albuminoidea, insoluble en el agua, que se encuentra, juntamente con el almidón, en las harinas de los cereales.

glúteo, a adj. **1.** Perteneciente o relativo a la nalga. ‖ s. m. **2.** Músculo de la nalga.

glutinosidad s. f. Cualidad de glutinoso.

glutinoso, sa adj. Pegajoso.

gneis s. m. Roca metamórfica de estructura pizarrosa e igual composición que el granito y otras rocas feldespáticas.

gnéisico, ca adj. Perteneciente o relativo al gneis.

gnetáceo, a adj. Se dice de los árboles o arbustos tropicales, gimnospermos, con hojas aovadas, amentos y frutos con una sola semilla de albumen carnoso, como el bejuco.

gnómica s. f. Ciencia que enseña el arte de construir los relojes solares.

gnómico, ca adj. Perteneciente o relativo a la gnómica.

gnomo *s. m.* Ser fantástico, dotado de poder sobrenatural que se ha imaginado en figura de enano, y que guarda o trabaja los veneros de las minas.

gnomon *s. m.* Antiguo instrumento de astronomía, con un indicador de las horas vertical, por medio de cuya sombra se determinaban el acimut y altura del Sol.

gnomónica *s. f.* Ciencia que enseña el arte de construir los relojes solares.

gnomónico, ca *adj.* Perteneciente o relativo a la gnomónica.

gnoseología *s. f.* Teoría del conocimiento.

gnosticismo *s. m.* Doctrina filosófica y religiosa de los primeros siglos de la Iglesia, mezcla de la cristiana con creencias judaicas y orientales, que se dividió en varias sectas y pretendía tener un conocimiento intuitivo y misterioso de las cosas divinas.

gnóstico, ca *adj.* Que profesa el gnosticismo. También s. m. y s. f.

gobelino *s. m.* Tapiz hecho por los gobelinos o a la manera de éstos.

gobernable *adj.* Que puede ser gobernado.

gobernación *s. f.* **1.** Gobierno, acción y efecto de gobernar. **2.** Ejercicio del gobierno.

gobernador, ra *s. m. y s. f.* Jefe superior de una provincia, ciudad o territorio.

gobernalle *s. m.* Timón.

gobernanta *s. f.* Encargada de la administración en una institución.

gobernante *s. m., fam.* Persona que se mete a gobernar una cosa.

gobernar *v. tr.* **1.** Regir, mandar. También intr. **2.** Guiar, dirigir. También prnl.

gobernativo, va *adj.* Gubernativo.

gobierna *s. f.* Veleta que señala la dirección del viento.

gobierno *s. m.* **1.** Acción y efecto de gobernar o gobernarse. **2.** (ORT.: may. inicial) Conjunto de los ministros superiores de un Estado. **3.** Forma política según la cual es gobernada una nación, provincia, plaza, etc. **4.** Empleo, ministerio y dignidad del gobernador. **5.** Edificio en que tiene su despacho.

gobio *s. m.* Pez de río, comestible, cuya carne se vuelve roja al cocerla.

goce *s.* Acción y efecto de gozar o disfrutar una cosa.

gocho, cha *s. m. y s. f.* Cochino, cerdo.

godesco, ca *adj.* Alegre, placentero.

godible *adj.* Godesco.

gofio *s. m.* **1.** Harina de maíz tostado. **2.** Especie de alfajor hecho con harina de maíz o de cazabe y papelón.

gofo, fa *adj.* Necio, ignorante y grosero.

gol *s. m.* En algunos juegos de pelota, suerte de entrar el balón en la portería.

gola *s. f.* **1.** Garganta de una persona. **2.** Pieza de la armadura que se ponía sobre el peto.

goldre *s. m.* Carcaj en que se llevan las saetas.

goleada *s. f.* Acción y efecto de golear.

golear *v. intr.* Marcar muchos goles. También tr.

goleta *s. f.* Embarcación ligera, de bordas poco elevadas, con dos o tres palos y un cangrejo en cada uno.

golf *s. m.* Juego de origen escocés que consiste en meter una pelota en determinados hoyos, con diferentes palos a manera de mazas.

golfán *s. m.* Nenúfar.

golfante *s. m.* Golfo, sinvergüenza.

golfear *v. intr.* Vivir a la manera de un golfo.

golfería *s. f.* **1.** Conjunto de golfos o pilluelos. **2.** Acción propia de un golfo.

golfín *s. m.* Ladrón que generalmente iba con otros en cuadrilla.

golfo *s. m.* Gran porción de mar que se interna en la tierra entre dos cabos.

golfo, fa *s. m. y s. f.* Pilluelo, vagabundo.

golilla *s. f.* Adorno, especie de cuello que han usado los ministros togados y demás curiales.

gollería *s. f.* Manjar exquisito y delicado.

golletazo *s. m.* Estocada en la tabla del cuello del toro, que penetra en el pecho y atraviesa los pulmones.

gollete *s. m.* **1.** Parte superior de la garganta. **2.** Cuello estrecho de algunas vasijas.

gollizno *s. m.* Garganta de un río, desfiladero.

golondrina *s. f.* Pájaro de pico negro, de cuerpo negro, azulado por encima y blanco por debajo, alas puntiagudas y cola larga.

golondrino *s. m.* **1.** Pollo de la golondrina. **2.** *fig.* Infarto glandular en la axila.

golondro *s. m.* Deseo y antojo de una cosa.

golosear *v. intr.* Golosinar.

golosina *s. f.* Manjar delicado, exquisito, que sirve más para el gusto que para el sustento.

golosinar *v. intr.* Andar comiendo o buscando golosinas.

golosinear *v. intr.* Golosinar.

goloso, sa *adj.* Aficionado a las golosinas.

golpazo *s. m.* Golpe violento o ruidoso.

golpe *s. m.* **1.** Encuentro violento y repentino de dos cuerpos. **2.** Desgracia imprevista.

golpeadero *s. m.* **1.** Parte donde se golpea mucho. **2.** Sitio en que choca el agua al caer desde lo alto.

golpeadura *s. f.* Acción y efecto de golpear.

golpear *v. tr.* Dar repetidos golpes. También intr.

golpete *s. m.* Palanca de metal, que sirve para mantener abierta una hoja de puerta o ventana.

golpetear *v. tr.* Dar golpes poco fuertes pero seguidos.

golpeteo *s. m.* Acción y efecto de golpetear.

goma *s. f.* **1.** Cualquiera de las sustancias exudadas por ciertas plantas, que se endurece al aire y forma en el agua disoluciones y sirve para pegar. **2.** Tira o banda de goma elástica a modo de cinta.

gomaespuma *s. f.* Caucho natural o sintético de gran elasticidad.

gomia *s. f.* Tarasca, sierpe monstruosa.

gomorresina *s. f.* Sustancia lechosa exudada por ciertas plantas, formando goma y resina y que se solidifica al aire.

gomosidad *s. f.* Cualidad de gomoso.

gomoso, sa *adj.* Que tiene goma o se parece a ella.

gónada *s. f.* Glándula sexual masculina o femenina.

gonce *s. m.* **1.** Gozne. **2.** Articulación de los huesos.

góndola *s. f.* Embarcación de recreo usada especialmente en los canales de Venecia.

gondolero, ra *s. m. y s. f.* Persona que tiene por oficio dirigir la góndola o remar en ella.

gonela *s. f.* Túnica antigua de piel o de seda.

gong *s. m.* **1.** Batintín o tantán. **2.** Campana grande de barco.

gongo *s. m.* Gong.

goniómetro *s. m.* Instrumento que sirve para medir ángulos.

gonococo *s. m.* Microorganismo en forma de elementos oviodes.

gonorrea *s. f.* Flujo mucoso de la uretra.

gordal *adj.* Que excede en gordura a las cosas de su especie.

gordana *s. f.* Unto de res.

gordiano *adj., fig.* Se dice de cualquier nudo muy enredado e imposible de desatar.

gordiflón, na *adj., fam.* Que tiene muchas carnes, pero flojas.

gordinflón, na *adj., fam.* Gordiflón, persona demasiado gruesa.

gordo, da *adj.* **1.** Que tiene muchas carnes. **2.** Muy abultado y corpulento. **3.** Pingüe, graso y mantecoso.

gordolobo *s. m.* Planta escrofulariácea, que tiene hojas blanquecinas, gruesas, oblongas, flores amarillas y fruto capsular con varias semillas. Las flores sirven para envarbascar el agua.

gordura *s. f.* Abundancia de carne y grasa.

gorga *s. f.* **1.** Comida o alimento para las aves de cetrería. **2.** Remolino que forman las aguas de un río en determinados lugares, escarbando hoyas en la arena del fondo.

gorgojarse *v. prnl.* Agorgojarse.

gorgojo *s. m.* **1.** Nombre de algunos insectos coleópteros que atacan a las semillas de los cereales, causando grandes destrozos. **2.** *fig. y fam.* Persona muy chica.

gorgojoso, sa *adj.* Corroído del gorgojo.

gorgorán *s. m.* Tela de seda con cordoncillo.

gorgorita *s. f.* Burbuja pequeña.

gorgoritear *v. intr., fam.* Hacer quiebros con la voz en la garganta, especialmente en el canto.

gorgorito *s. m., fam.* Quiebro que se hace con la voz en la garganta.

gorgorotada *s. f.* Porción de cualquier licor, que se bebe de un golpe.

gorgoteo *s. m.* Ruido producido por el movimiento de un líquido o un gas en el interior de alguna cavidad.

gorguera *s. f.* Adorno del cuello.

gorigori *s. m., fam.* Voz con que vulgarmente se alude al canto lúgubre de los entierros.

gorila *s. m.* Mono antropomorfo, membrudo y muy fiero, de estatura igual a la del hombre, que habita en África.

gorja *s. f.* Garganta.

gorjal *s. m.* Parte de la vestidura del sacerdote que rodea el cuello.

gorjeador, ra *adj.* Que gorjea.

gorjear *v. intr.* **1.** Hacer en la garganta quiebros con la voz. **2.** Cantar el pájaro.

gorjeo *s. m.* **1.** Quiebro que se hace con la voz en la garganta. **2.** Canto de los pájaros. **3.** Articulaciones imperfectas en la voz de los niños.

gorra *s. f.* Prenda sin copa ni alas, para abrigar la cabeza.

gorrada *s. f.* Cortesía hecha con la gorra.

gorrear *v. intr., fam.* Comer, vivir de gorra.

gorrero, ra *s. m. y s. f.* Gorrón, que vive a costa ajena.

gorretada *s. f.* Cortesía hecha con la gorra.

gorrinería *s. f.* Porquería, suciedad.

gorrino, na *s. m. y s. f.* **1.** Cerdo pequeño menor de cuatro meses. **2.** *fig.* Persona desaseada o grosera. También adj.

gorrión, na *s. m. y s. f.* Pájaro pequeño, con plumaje pardo, con manchas negras y rojizas.

gorrista *adj.* Que vive a costa de otro.

gorro *s. m.* Prenda de tela o punto para cubrir y abrigar la cabeza.

gorrón, na *adj.* Que tiene por costumbre vivir o divertirse a costa ajena.

gorronear *v. intr.* Comer o vivir a costa ajena.

gorullo *s. m.* Pella de lana, engrudo, etc.

gota *s. f.* **1.** Partícula de agua o de cualquier líquido que adopta en su caída una forma esferoidal. **2.** Pequeña cantidad de cualquier cosa. **3.** Enfermedad que causa hinchazón muy dolorosa en ciertas articulaciones.

goteado, da *adj.* Manchado con gotas.

gotear *v. intr.* Caer gota a gota un líquido.

gotelé *s. m.* Técnica de pintar paredes consistente en aplicar sobre ellas gotas de pintura espesa para que queden granuladas.

goteo *s. m.* Acción y efecto de gotear.

gotera *s. f.* Hendidura o parte del techo por donde cae agua.

gotero *s. m.* Aparato con que se administran medicamentos por vía intravenosa.

goterón *s. m.* **1.** Gota muy grande de lluvia. **2.** Canal en la cara inferior de la corona de la cornisa.

gótico, ca *adj.* Se dice del estilo arquitectónico de origen francés que en Europa occidental se desarrolla por evolución del románico desde el s. XII hasta el Renacimiento. También s. m.

gotoso, sa *adj.* Que padece gota. También s. m. y s. f.

gozar *v. tr.* **1.** Tener o poseer algo útil o agradable. También intr. ‖ *v. intr.* **2.** Sentir placer, experimentar gratas sensaciones.

gozne *s. m.* Herraje articulado con que se fijan las hojas de las puertas y ventanas al quicial para que giren.

gozo *s. m.* Alegría, placer.

gozoso, sa *adj.* Que tiene o siente gozo.

gozque *adj.* Se dice del perro pequeño muy ladrador. También s. m.

grabación *s. f.* **1.** Acción y efecto de grabar. **2.** Operación de grabar el sonido en discos, cintas, etc.

grabado *s. m.* **1.** Acción o arte de grabar. **2.** Procedimiento para grabar. **3.** Estampa que se produce por medio de la impresión de láminas grabadas al efecto.

grabador, ra *s. m. y s. f.* Persona que tiene por oficio grabar.

grabadura *s. f.* Acción y efecto de grabar.

grabar *v. tr.* **1.** Esculpir o señalar algo con el buril o el cincel. **2.** Registrar los sonidos en discos gramofónicos. **3.** Fijar profundamente en el ánimo alguna impresión.

grabazón *s. f.* Adorno formado de cosas grabadas.

gracejada *s. f., Amér. C. y Méx.* Payasada.

gracejar *v. intr.* **1.** Hablar o escribir con gracejo. **2.** Decir chistes.

gracejo *s. m.* Gracia y donaire festivo.

gracia *s. f.* **1.** Don natural que hace agradable a la persona que lo posee. **2.** Cierto donaire y atractivo que se advierte en la fisonomía de ciertas personas. **3.** Afabilidad y buen modo en el trato con las personas. **4.** Beneficio, concesión gratuita.

graciable *adj.* Inclinado a hacer gracias y afable en el trato.

grácil *adj.* Sutil, menudo.

graciola *s. f.* Hierba vivaz de las escrofulariáceas, de olor nauseabundo, con flores en forma de embudo, blancas o amarillentas. Se usó antiguamente como antídoto de las tercianas.

graciosidad *s. f.* **1.** Gracia, hermosura. **2.** Chiste, ocurrencia.

gracioso, sa *adj.* **1.** Se aplica a la persona o cosa que tiene gracia, donaire o atractivo. **2.** Chistoso, agudo, lleno de donaire y gracia.

grada[1] *s. f.* **1.** Peldaño. **2.** Asiento a manera de escalón corrido. **3.** Conjunto de estos asientos en los teatros y otros lugares públicos. **4.** Plano inclinado hecho de cantera, a orillas del mar o de un río, sobre el cual se construyen o carenan los barcos.

grada[2] *s. f.* Instrumento parecido a unas parrillas grandes, que sirve para allanar la tierra después de arada.

gradación *s. f.* Disposición o realización de una cosa en grados sucesivos.

gradado, da *adj.* Que tiene gradas.

gradar *v. tr.* Allanar con la grada la tierra después de arada.

gradeo *s. m.* Acción y efecto de gradar.

gradería *s. f.* Conjunto o serie de gradas.

gradiente *s. m.* **1.** Variación de un elemento meteorológico siguiendo una dirección determinada. **2.** *Chil. y Ec.* Pendiente, declive, subida, repecho.

gradilla[1] *s. f.* Escalerilla portátil.

gradilla[2] *s. f.* Marco para fabricar ladrillos.

grado *s. m.* **1.** Peldaño. **2.** En la enseñanza media y superior, título que se alcanza al superar algunos ciclos de estudio. **3.** Cada lugar de la escala dentro de una jerarquía. **4.** Cada uno de los estados, valores o calidades que puede tener una cosa. **5.** Unidad de medida en la escala de varios instrumentos destinados a apreciar la cantidad o intensidad de una energía o de un estado físico.

graduable *adj.* Que se puede graduar.

graduación *s. f.* **1.** Acción y efecto de graduar. **2.** Cantidad de alcohol que contiene una bebida espiritosa proporcionalmente. **3.** Categoría de un militar en su carrera.

graduado, da *adj.* Se dice de la persona que ha alcanzado algún grado académico en una universidad. También s. m. y s. f.

graduador *s. m.* Instrumento que sirve para graduar la cantidad o calidad de una cosa.

gradual *adj.* Que está por grados o que va de grado en grado.

graduando, da *s. m. y s. f.* Persona que está próxima a recibir un grado por la universidad.

graduar *v. tr.* **1.** Dar a una cosa el grado o calidad que le corresponde, o apreciar el que tiene. **2.** Apreciar una cosa en el grado o calidad que tiene. **3.** Dividir y ordenar una cosa en una serie de grados o estados correlativos. **4.** Señalar los grados en que se divide una cosa.

grafema *s. f.* Unidad mínima e indivisible de la escritura de una lengua.

grafía *s. f.* Modo de escribir o representar los sonidos, y, en especial, empleo de tal letra o tal signo gráfico para representar un sonido dado.

gráfico, ca *adj.* Se aplica a las descripciones, operaciones y demostraciones que se representan por medio de figuras, signos o dibujos.

gráfila *s. f.* Orlita que tienen las monedas en su anverso o reverso.

grafio *s. m.* Instrumento que sirve para esgrafiar.

grafioles *s. m. pl.* Especie de melindres que se hacen en figura de s, de masa de bizcocho y manteca de vaca.

grafiti *s. m.* Inscripción o dibujo realizado con aerosoles sobre paredes o muros de lugares públicos.

grafito *s. m.* Mineral de carbono de textura compacta, color negro agrisado y lustre metálico, que se emplea para hacer lápices, crisoles refractarios, etc.

grafología *s. f.* Arte de pretender conocer, por las particularidades de la letra, algunas cualidades psicológicas de la persona que la escribe.

grafomanía *s. f.* Manía de escribir.

grafómetro *s. m.* Semicírculo graduado que sirve para medir cualquier ángulo en las operaciones topográficas.

gragea *s. f.* **1.** Confite muy menudo. **2.** Píldoras medicamentosas.

graja *s. f.* Hembra del grajo.

grajear *v. intr.* Cantar o chillar los grajos o los cuervos.

grajo *s. m.* Ave de la familia de los córvidos, parecido al cuervo, con el plumaje de color violáceo negruzco, el pico y los pies rojos y las uñas negras.

grama *s. f.* Planta medicinal gramínea, con el tallo rastrero que echa raicillas por los nudos y flores en espigas.

gramal *s. m.* Terreno que está cubierto de grama.

gramalla *s. f.* **1.** Vestidura antigua a manera de bata. **2.** Cota de malla.

gramalote *s. m., Col. Ec. y Per.* Hierba forrajera de la familia de las gramíneas.

gramática *s. f.* Ciencia que estudia las leyes y formas básicas de una lengua, englobando su contenido significativo.

gramatical *adj.* Perteneciente o relativo a la gramática.

gramático, ca *adj.* **1.** Gramatical. ‖ *s. m. y s. f.* **2.** Persona entendida en la gramática.

gramatiquear *v. intr.* **1.** *fam. y desp.* Tratar de materias gramaticales. **2.** *fam. y desp.* Corregir enfadosamente el lenguaje ajeno.

gramil *s. m.* Instrumento de carpintería para trazar paralelas en la madera.

gramilla[1] *s. f.* Tabla donde se colocan los manojos de lino o cáñamo para agramarlos.

gramilla[2] *s. f.* Planta gramínea, que se utiliza para pasto.

gramíneo, a *adj.* Se dice de las plantas monocotiledóneas de tallo cilíndrico, nudoso y generalmente hueco, hojas alternas que abrazan el tallo, y flores dispuestas en espiguillas reunidas en espigas, racimos o panículas. Su fruto es una cariópside y su semilla es rica en albumen.

gramo *s. m.* Unidad de masa del sistema métrico decimal.

gramófono *s. m.* Instrumento que reproduce las vibraciones de la voz humana o de otro sonido cualquiera.

gramola *s. f.* Nombre industrial de ciertos gramófonos eléctricos.

gran *adj.* Apócope de grande.

grana[1] *s. f.* Semilla de algunos vegetales.

grana[2] *s. f.* **1.** Cochinilla, insecto. **2.** Quermes, insecto.

granada *s. f.* **1.** Fruto del granado. **2.** Globo lleno de pólvora.

granadero *s. m.* Soldado que por su elevada estatura era escogido para arrojar granadas de mano.

granadilla *s. f.* **1.** Flor de la pasionaria. **2.** *Amér. del S. y Ant.* Planta pasiflorácea. **3.** *Amér. del S. y Ant.* Fruto de esta planta, que es agridulce.

granadina[1] *s. f.* **1.** Tejido calado, que se hace con seda retorcida. **2.** Variedad del cante andaluz, especialmente de Granada.

granadina[2] *s. f.* Refresco hecho con zumo de granada.

granado *s. m.* Árbol punicáceo, con flores rojas y con los pétalos plegados, cuyo fruto es la granada.

granado, da *adj.* **1.** *fig.* Notable, principal, ilustre y escogido. **2.** *fig. y fam.* Notable, principal, ilustre y escogido.

granalla *s. f.* Metal reducido a granos menudos.

granar *v. intr.* Formarse y crecer el grano de los frutos en algunas plantas.

granate *s. m.* **1.** Piedra fina cuyo color varía según la composición. **2.** Color rojo oscuro.

granazón *s. m.* Acción y efecto de granar.

grancé *adj.* Se dice del color rojo que resulta de teñir los paños con la raíz de la rubia o granza.

grande *adj.* Que excede a lo común y regular.

grandevo, va *adj., poét.* Se dice de la persona que tiene mucha edad, anciano.

grandeza *s. f.* **1.** Tamaño excesivo. **2.** Majestad y poder.

grandillón, na *adj., fam.* Que excede del tamaño regular.

grandilocuencia *s. f.* **1.** Elocuencia muy elevada. **2.** Estilo sublime.

grandilocuente *adj.* Que habla o escribe con grandilocuencia.

grandílocuo, cua *adj.* Grandilocuente.

grandiosidad *s. f.* Admirable grandeza, magnificencia.

grandioso, sa *adj.* Sobresaliente, magnífico.

grandisonar *v. intr.* Resonar o tronar con fuerza.

grandísono, na *adj.* Que resuena con fuerza.

grandor *s. m.* Tamaño de las cosas.

grandullón, na *adj., fam.* Se dice especialmente de los niños muy crecidos para su edad. También s. m. y s. f.

graneado, da *adj.* **1.** Reducido a grano. **2.** Salpicado de pintas.

granear *v. tr.* **1.** Esparcir el grano o semilla en un terreno. **2.** Convertir en grano la masa preparada de que se compone la pólvora.

granel, a *loc.* Hablando de cosas menudas, sin orden, número ni medida.

granero *s. m.* Sitio para guardar el grano.

granguardia *s. f.* Tropa de caballería, apostada a mucha distancia de un campamento, para guardar las avenidas y dar avisos.

granillo *s. m.* Diminutivo de grano.

granítico, ca *adj.* Que pertenece al granito o se le asemeja.

granito *s. m.* Roca compacta y dura, granular, cristalina, compuesta de feldespato, cuarzo y mica.

granívoro, ra *adj.* Se dice de los animales que se alimentan solo de granos.

granizada *s. f.* **1.** Precipitación de granizo que cae de una vez. **2.** Multitud de cosas que caen o se manifiestan continuada y abundantemente.

granizado *s. m.* Refresco que se hace con hielo machacado al que se le agrega alguna esencia o jugo de fruta.

granizar *v. intr.* Caer granizo.

granizo *s. m.* Agua congelada que cae de las nubes en forma de granos.

granja *s. f.* Hacienda de campo.

granjear *v. tr.* **1.** Adquirir caudal traficando. **2.** Adquirir, conseguir, captar. También prnl.

granjeo *s. m.* Acción y efecto de granjear.

granjería *s. f.* Beneficio de las haciendas de campo y venta de sus frutos, ganados, etc.

granjero, ra *s. m. y s. f.* **1.** Persona que cuida de una granja. **2.** Persona que se emplea en granjerías.

grano *s. m.* **1.** Fruto de los cereales. **2.** Semillas pequeñas de varias plantas. **3.** Trozo pequeño, redondeado, de cualquier sustancia. **4.** Especie de tumorcillo que nace en la piel.

granoso, sa *adj.* Se dice de la superficie cubierta de granos.

granuja *s. f.* **1.** Uva desgranada. **2.** Granillo interior de algunas frutas. ‖ *s. m.* **3.** Muchacho vagabundo, pilluelo.

granujada *s. f.* Acción propia de un granuja.

granujería *s. f.* Granujada.

granujiento, ta *adj.* Que tiene muchos granos.

granujo *s. m., fam.* Grano o tumor.

granulación *s. f.* **1.** Acción y efecto de granular. **2.** Cada uno de los gránulos susceptibles de tinción que se encuentran en el protoplasma celular. **3.** Formación de pequeñas masas carnosas en la superficie de heridas y úlceras.

granular[1] *adj.* Que presenta granos.

granular[2] *v. tr.* **1.** Reducir a granillos una masa. **2.** Desmenuzar algo en granos muy pequeños.

gránulo *s. m.* Bolita de azúcar y goma arábiga con muy corta dosis de algún medicamento.

granuloso, sa *adj.* Se dice de la sustancia cuya masa forma granos pequeños.

granza *s. f.* Rubia, planta.

granzas *s. f. pl.* Desechos que quedan del yeso cuando se cierne.

granzón *s. m.* **1.** Pedazo grueso de mineral que no pasa por la criba. **2.** Arena gruesa.

grañón *s. m.* **1.** Especie de sémola de trigo cocida en grano. **2.** El mismo grano cocido.

grao *s. m.* Playa que sirve de desembarcadero.

grapa *s. f.* **1.** Pieza de hierro u otro metal que, doblada por los extremos, se clava para unir o sujetar dos tablas u otras cosas. **2.** Pieza metálica pequeña que se usa para sujetar papeles.

grapadora *s. f.* Utensilio que sirve para grapar.

grapar *v. tr.* Sujetar con grapas.

grasa *s. f.* **1.** Manteca, unto o sebo de un animal. **2.** Mugre o suciedad de la ropa. **3.** Nombre genérico de sustancias orgánicas formadas por la combinación de ácidos grasos con la glicerina.

grasera *s. f.* Vasija donde se hecha la grasa.

grasero *s. m.* Lugar donde se echan las grasas de un metal.

graseza *s. f.* Calidad de graso.

grasiento, ta *adj.* Que está untado o lleno de grasa.

graso, sa *adj.* Pingüe, mantecoso.

graspo *s. m.* Especie de brezo.

grasura *s. f.* Grosura.

grata *s. f.* Escobilla de metal que sirve para limpiar, raspar o bruñir.

gratar *v. tr.* Limpiar o bruñir con la grata.

gratificación *s. f.* Recompensa pecuniaria o remuneración fija de un servicio.

gratificador, ra *adj.* Que gratifica. También s. m. y s. f.

gratificar *v. tr.* **1.** Recompensar con una gratificación. **2.** Dar gusto, complacer.

grátil *s. m.* Orilla o extremidad de la vela por donde se une al palo o a la verga.

gratín *s. m.* Salsa espesa con que se cubren ciertas viandas y que se tuesta al horno antes de servirla.

gratinar *v. tr.* Hacer que un alimento se tueste por encima en el horno.

gratis *adv. m.* De balde.

gratitud *s. f.* Sentimiento por el cual nos vemos obligados a agradecer el favor recibido y corresponder a él.

grato, ta *adj.* Gustoso, agradable.

gratonada *s. f.* Especie de guiso de pollo.

gratuidad *s. f.* Cualidad de gratuito.

gratuito, ta *adj.* **1.** De balde o de gracia. **2.** Arbitrario, sin fundamento.

gratulación *s. f.* Acción y efecto de gratular.

gratularse *v. prnl.* Alegrarse, complacerse.

gratulatorio, ria *adj.* Se dice de la carta, discurso, etc., en el que se da el parabién por un suceso próspero.

grava *s. f.* Piedra machacada con que se cubre y allana el piso de los caminos y carreteras.

gravamen *s. m.* **1.** Carga, obligación que pesa sobre alguien. **2.** Carga impuesta sobre un inmueble o caudal.

gravar *v. tr.* **1.** Cargar. **2.** Imponer un gravamen.

grave *adj.* **1.** Se dice de lo que pesa. También *s. m.* **2.** Se aplica al que está enfermo de cuidado. **3.** *fig.* Serio. **4.** *fig.* Se aplica a la palabra cuyo acento prosódico carga en su penúltima sílaba.

gravear *v. intr.* Gravitar un cuerpo sobre otro.

gravedad *s. f.* **1.** Tendencia de los cuerpos a dirigirse al centro de la Tierra cuando cesa la causa que lo impide. **2.** Cualidad de grave. **3.** *fig.* Grandeza, importancia.

gravidez *s. f.* Preñez.

grávido, da *adj.* Cargado, lleno.

gravímetro *s. m.* Areómetro de volumen constante y peso variable, que sirve para determinar el peso específico de los cuerpos.

gravitación *s. f.* **1.** Acción y efecto de gravitar. **2.** Acción atractiva mutua que se ejerce a distancia entre las masas de los cuerpos, especialmente de los celestes.

gravitar *v. intr.* Moverse un cuerpo por la atracción gravitatoria de otro cuerpo.

gravoso, sa *adj.* Molesto, pesado y a veces intolerable.

graznador, ra *adj.* Que grazna.

graznar *v. intr.* Dar graznidos.

graznido *s. m.* Canto desigual que disuena al oído.

greba *s. f.* Pieza de la armadura que cubría la pierna.

greca *s. f.* Adorno que está formado por una faja en que se repite la misma combinación de elementos decorativos, y especialmente la compuesta por líneas que forman ángulos rectos.

grecolatino, na *adj.* Perteneciente o relativo a griegos y latinos, y especialmente a sus respectivos idiomas.

grecorromano, na *adj.* Común a griegos y romanos.

greda *s. f.* Arcilla arenosa que se usa especialmente para quitar manchas.

gredal *adj.* Se aplica a la tierra que tiene greda en abundancia.

gredoso, sa *adj.* Perteneciente o relativo a la greda o que tiene sus cualidades.

gregal[1] *s. m.* Viento que viene de entre levante y tramontana.

gregal[2] *adj.* Que anda junto y acompañado con otros de su especie.

gregario, ria *adj.* **1.** Se dice del animal que vive en rebaños o manadas. **2.** Se dice de la persona que está en compañía de otras sin distinción.

gregarismo *s. m.* **1.** Tendencia de algunos animales a vivir en sociedad. **2.** Tendencia a seguir, sin pensar, la ideas de la mayoría.

gregoriano, na *adj.* Se dice del canto religioso reformado por el papa Gregorio I.

greguería *s. f.* Algarabía, gritería confusa.

gregüescos *s. m. pl.* Calzones muy anchos usados en los siglos XVI y XVII.

grelo *s. m.* Brote de la planta del nabo. Es muy tierno y de agradable sabor.

gremial *adj.* Perteneciente o relativo a un gremio, oficio o profesión.

gremio *s. m.* **1.** Corporación formada por los maestros, oficiales y aprendices de una misma profesión u oficio. **2.** Conjunto de personas que tienen un mismo ejercicio, profesión o estado social.

greña *s. f.* **1.** Cabellera revuelta. **2.** Lo que está enredado.

greñudo, da *adj.* Que tiene greñas.

gres *s. m.* Pasta con que en alfarería se fabrican objetos, que, después de cocidos, son resistentes, impermeables y refractarios.

gresca *s. f.* **1.** Bulla, algazara. **2.** Riña.

grey *s. f.* **1.** Rebaño del ganado. **2.** Por ext., ganado mayor. **3.** *fig.* Congregación de los fieles cristianos bajo sus pastores.

grial *s. m.* Vaso o plato místico que en los libros de caballerías se suponía haber servido para la institución de la eucaristía.

grieta *s. f.* **1.** Quiebra o abertura longitudinal que se hace naturalmente en la tierra o en cualquier cuerpo sólido. **2.** Pequeña hendidura de la piel o de las membranas mucosas.

grietado, da *adj.* Que tiene grietas.

grietarse *v. prnl.* Abrirse un cuerpo sólido, especialmente la tierra, formándose en él grietas.

grietoso, sa *adj.* Lleno de grietas.

grifería *s. f.* **1.** Conjunto de grifos o llaves. **2.** Tienda donde se venden.

grifo[1] *s. m.* Animal fabuloso medio águila, medio león.

grifo[2] *s. m.* Llave para dar salida a un líquido.

grill *s. m.* Fuego superior que tienen algunos hornos para gratinar los alimentos.

grilla *s. f.* Hembra del grillo.

grillar *v. intr.* Cantar los grillos.

grillarse *v. prnl., fig. y fam.* Guillarse, chiflarse.

grillera *s. f.* **1.** Cuevecilla en que se recogen los grillos en el campo. **2.** *fig. y fam.* Lugar donde todo el mundo habla a la vez y es muy difícil hacerse entender.

grillete *s. m.* Arco de hierro con dos agujeros por los cuales se pasa un perno, que sirve para asegurar una cadena al pie de un presidiario, a un punto de una embarcación o a cualquier otra parte.

grillo *s. m.* Insecto de color negro rojizo, que produce un sonido agudo y mantenido.

grima *s. f.* Desazón, horror.

grimoso, sa *adj.* Que da grima, horroroso.

grímpola *s. f.* Gallardete muy corto.

gringo, ga *adj., fam. y desp.* Extranjero, especialmente de Estados Unidos, y en general todo el que habla una lengua que no sea la española. También s. m. y s. f.

griñolera *s. f.* Arbusto de la familia de las rosáceas, con flores rosadas en corimbo y fruto globoso.

griñón[1] *s. m.* Toca que usan las beatas y las monjas.

griñón[2] *s. m.* Variedad del melocotón pequeño, de piel lisa y muy colorada.

gripal *adj.* Perteneciente o relativo a la gripe.

gripe *s. f.* Enfermedad infecciosa, generalmente epidémica.

gris *adj.* **1.** Se dice del color que resulta de mezclar el blanco con el negro. **2.** *fig.* Triste, lánguido, apagado.

grisáceo, a *adj.* De color que tira a gris.

gríseo, a *adj.* De color gris.

grisma *s. f., Chil., Guat. y Hond.* Gota, pizca, miaja, lágrima.

griseta *s. f.* Cierta tela de seda con dibujo menudo.

grisú *s. m.* Gas que se desprende en las minas de carbón y se vuelve inflamable en contacto con el aire.

grita *s. f.* Confusión de voces altas y desentonadas.

gritadera *s. f., Col. y Ven.* Griterío.

gritador, ra *adj.* Que grita. También s. m. y s. f.

gritar *v. intr.* Levantar la voz más de lo acostumbrado.

gritería *s. f.* Griterío.

griterío *s. m.* Confusión de voces altas y desentonadas.

grito *s. m.* **1.** Voz esforzadísima y levantada. **2.** Expresión pronunciada en voz muy alta. **3.** Manifestación de un sentimiento general.

gritón, na *adj., fam.* Que grita mucho. También s. m. y s. f.

gro *s. m.* Tela de seda sin brillo.

groar *v. intr.* Croar.

groera *s. f.* Agujero hecho en una plancha, para dar paso a un cabo.

grog *s. m.* Bebida compuesta de aguardiente o ron, agua caliente con azúcar y limón.

grogui *adj.* Atontado por agotamiento físico o emocional.

gromo *s. m.* Yema o cogollo en los árboles.

grosella *s. f.* Fruto del grosellero, que es una baya jugosa de color rojo y de sabor agridulce, de cuyo zumo se hace jarabe.

grosellero *s. m.* Arbusto saxifragáceo, de flores amarilloverdosas en racimo.

grosería *s. f.* **1.** Descortesía. **2.** Tosquedad en el trabajo manual.

grosero, ra *adj.* **1.** Basto, ordinario y sin arte. **2.** Descortés. También s. m. y s. f.

grosor *s. m.* Grueso de un cuerpo.

grosularia *s. f.* Variedad de granate, de color verdoso amarillento.

grosulariáceo, a *adj.* Saxifragáceo.

grosura *s. f.* Sustancia crasa o mantecosa.

grotesco, ca *adj.* Ridículo y extravagante.

grúa *s. f.* Máquina para levantar pesos, compuesta de un brazo montado sobre un eje giratorio y con una o varias poleas.

gruesa *s. f.* Doce docenas.

grueso, sa *adj.* **1.** Corpulento y abultado. **2.** Obeso, gordo. Corpulencia o cuerpo de una cosa. **3.** Parte principal y más fuerte de un todo. **4.** Una de las tres dimensiones de los sólidos.

gruir *v. intr.* Gritar las grullas.

grujir *v. tr.* Igualar los bordes de los vidrios después de cortados estos con el diamante.

grulla *s. f.* Ave zancuda, de pico recto y cónico, cuello largo y alas grandes.

grumete *s. m.* Marino de clase inferior.

grumo *s. m.* Parte de un líquido que se coagula.

grumoso, sa *adj.* Lleno de grumos.

gruñido *s. m.* **1.** Voz del cerdo. **2.** *fig.* Sonidos inarticulados, roncos, que emite una persona como señal, casi siempre, de mal humor.

gruñidor, ra *adj.* Que gruñe.

gruñimiento *s. m.* Acción y efecto de gruñir.

gruñir *v. intr.* **1.** Dar gruñidos. **2.** Mostrar disgusto. **3.** Chirriar, rechinar una cosa.

gruñón, na *adj., fam.* Que gruñe con frecuencia. También s. m. y s. f.

grupa *s. f.* Ancas de una caballería.

grupera *s. f.* Almohadilla que se pone detrás del borrén trasero en las sillas de montar.

grupo *s. m.* **1.** Pluralidad de seres o cosas que forman un conjunto. **2.** Conjunto de figuras pintadas o esculpidas.

gruta *s. f.* **1.** Cavidad abierta en riscos o peñas. **2.** Estancia subterránea artificial que imita más o menos los peñascos naturales.

grutesco, ca *adj.* **1.** Relativo o perteneciente a la gruta. **2.** Se dice del adorno caprichoso de bichos, quimeras y follajes.

guaba *s. f., Amér. C. y Ec.* Fruto del guabo.

guabina *s. f., Ant., Col. y Ven.* Pez de río, de carne suave y gustosa.

guabiyú *s. m., Arg., Par. y Ur.* Árbol de la familia de las mirtáceas, de propiedades medicinales y fruto comestible, dulce y negro, del tamaño de una guinda.

guabo *s. m., C. Ric. y Ec.* Guamo.

guaca *s. f.* **1.** Sepulcro de los antiguos pueblos indígenas, en el cual se encuentran a menudo objetos de valor. **2.** Amér. del S. Tesoro escondido o enterrado.

guacal *s. m.* **1.** Amér. C. Árbol que produce unos frutos redondos de pericarpio leñoso, los cuales, partidos por la mitad y extraída la pulpa, se utilizan como vasijas. **2.** Amér. C. La vasija así hecha. **3.** Ant., Can., Col. y Méx. Especie de cesta o jaula formada de varillas de madera, que se utiliza para el transporte de la loza, cristal, frutas, etc.

guacamaya *s. f., Amér. C., Col. y Méx.* Guacamayo.

guacamayo *s. m.* Ave prensora de América, especie de papagayo, con plumaje rojo, azul y amarillo y la cola muy larga.

guacamole *s. m., Amér. C. y Cub.* Ensalada de aguacate con cebolla, tomate y chile verde.

guachapear *v. tr., fam.* Golpear y agitar con los pies el agua.

guachapelí *s. m., C. Ric., Ec. y Ven.* Árbol de la familia de las mimosáceas parecido a la acacia.

guacharaca *s. f., Col. y Ven.* Especie de gallina.

guácharo, ra *adj.* Se dice de la persona enfermiza.

guacharrada *s. f.* Caída de golpe de alguna cosa en el agua o en el lodo.

guachinango, ga *adj., Cub., Méx. y P. Ric.* Astuto, zalamero, bromista.

guaco *s. m., amer.* Ave gallinácea sudamericana, de carne muy estimada y tan grande como el pavo, con un penacho rectal de plumas muy negras en lo alto de la cabeza.

guadafiones *s. m. pl.* Maniotas o trabas.

guadamací o guadamacil *s. m.* Cuero adobado y adornado con dibujos de pintura o relieve.

guadamacilería *s. f.* Oficina o establecimiento donde se fabrican o se venden guadameciles.

guadaña *s. f.* Instrumento para segar formado por una cuchilla puntiaguda enastada en un mango largo de madera.

guadañar *v. tr.* Segar hierba con la guadaña.

guadapero[1] *s. m.* Peral silvestre.

guadapero[2] *s. m.* Mozo que lleva la comida a los segadores.

guadarnés *s. m.* Lugar o sitio donde se guardan los arneses.

guadrapear *v. tr.* Colocar varios objetos de manera que alternativamente vaya uno en posición contraria a otro.

guadua *s. f., Col., Ec. y Ven.* Especie de bambú muy grueso y alto que se utiliza generalmente para la construcción de casas.

guagua *s. f., Can., Cub. y P. Ric.* Omnibús que presta servicio en un itinerario fijo.

guaina *adj., Arg., Bol. y Chil.* Mozo, joven. También s. m.

guaira *s. f.* **1.** Arenal de barro en el que se fundían los minerales de plata aprovechando la fuerza del viento. **2.** Vela triangular. **3.** Especie de flauta de varios tubos.

guairo *s. m.* Embarcación pequeña y con dos guairas o velas.

guaita *s. f.* Soldado que estaba en acecho durante la noche.

guájar *s. f.* Guájara.

guájara *s. f.* Fragosidad, lo más áspero de una sierra.

guaje *s. m.* Niño, muchacho, jovenzuelo.

guajiro, ra *s. m. y s. f., amer.* Campesino de la isla de Cuba.

gualda *s. f.* Hierba resedácea, de tallos ramosos, hojas enteras y frutos capsulares.

gualdera *s. f.* Cada uno de los dos tablones laterales, que forman una escalera, cureña, etc., y que son parte principal de algunas armazones.

gualdo, da *adj.* De color amarillo.

gualdrapa *s. f.* Cobertura larga que cubre las ancas de la cabalgadura.

gualdrapazo *s. m.* Golpe que dan las velas de un buque contra los árboles y jarcias.

gualdrapear *v. intr.* Dar gualdrapazos.

gualdrapero, ra *s. m. y s. f.* Persona que anda vestida de andrajos.

guama *s. f.* Fruto del guamo que contiene unas semillas ovales cubiertas de una sustancia comestible muy dulce, blanca, que parece copos de algodón.

guamá *s. m., Amér. del S.* Árbol de la familia de las leguminosas, maderable, de cuya corteza se hacen cuerdas, y sirve para dar sombra también al café.

guamazo, za *s. m., C. Ric. y Méx.* Guantada, manotazo.

guamo *s. m.* Árbol leguminoso que se planta para dar sombra al café. Su fruto es la guama.

guanábana s. f., Amér. del S. Fruta del guanábano.

guanabanada s. f., Amér. del S. Bebida refrescante de guanábana.

guanábano s. m. Árbol de la famillia de las anonáceas, con fruto acorazonado de corteza verdosa, pulpa blanca de sabor muy grato, dulce y refrigerante.

guanacaste s. m., Amér. C. Árbol gigantesco, de la familia de las leguminosas.

guanaco, ca s. m. y s. f. Mamífero rumiante parecido a la llama, que habita en los Andes meridionales.

guanajo s. m., Can. Persona holgazana.

guanche adj. Se dice del pueblo que habitaba las Islas Canarias al tiempo de su conquista.

guando s. m., Col., Chil., Ec. y Per. Andas, parihuelas.

guanera s. f. Paraje o lugar donde se encuentra el guano.

guangoche s. m., C. Ric. y Méx. Tela basta, especie de arpillera.

guanín s. m. **1.** Ant. y Col. Entre los colonizadores de América, oro de baja ley. **2.** Ant. y Col. Joya fabricada con ese metal.

guano s. m. Abono formado por el excremento de aves marinas.

guantada s. f. Golpe que se da con la mano abierta.

guantazo s. m. Golpe que se da con la mano abierta.

guante s. m. Prenda de piel, punto, etc. que sirve para abrigar o proteger la mano, y de la misma forma que esta.

guantelete s. m. Manopla, pieza de la armadura.

guantera s. f. Compartimento del salpicadero de los automóviles donde se guardan diversos objetos.

guantón s. m., Arg., Col. y Per. Guantada, guantazo.

guao s. m., Cub., Ec. y Méx. Árbol cuya corteza despide un jugo lechoso y cáustico; su semilla alimenta al ganado de cerda y la madera se usa para hacer carbón.

guapear v. intr., fam. Ostentar guapeza.

guaperas s. m., fam. Persona guapa y presumida.

guapetón, na adj., fam. Valentón, atrevido.

guapeza s. f. **1.** Cualidad de guapo, de bien parecido. **2.** fam. Bizarría y ánimo en los peligros. **3.** fam. Ostentación en los vestidos.

guapo, pa adj. **1.** fam. Bien parecido. **2.** fam. Que desprecia los peligros. También s. m. y s. f. **3.** fam. Ostentoso en el modo de vestir.

guapote adj. **1.** fam. Bonachón, de buen genio. **2.** fam. De buen parecer.

guapura s. f., fam. Cualidad de guapo o bien parecido.

guaraca s. f., Col., Chil., Ec. y Per. Honda, zurriago.

guaracha s. f., Cub., Chil. y P. Ric. Baile semejante al zapateado.

guaragua s. f., Amér. del S. Contoneo.

guaraná s. f. Amér. C. Arbusto sapindáceo, cuya semilla se usa para preparar una bebida refrescante y febrífuga.

guarango s. m., Ec. y Per. Especie de aromo silvestre.

guarango, ga adj., Arg. y Chil. Incivil, mal educado.

guaraní s. m. Unidad monetaria del Paraguay.

guarapo s. m. **1.** Jugo de la caña dulce exprimida que, por vaporización, produce el azúcar. **2.** Bebida fermentada que se hace con este jugo.

guarda com. **1.** Persona que guarda o cuida una cosa. ‖ s. f. **2.** Hoja de papel que ponen los encuadernadores al principio o al fin de los libros. Se usa más en pl.

guardabarrera com. Persona que en las líneas de ferrocarriles cuida de un paso a nivel.

guardabarros s. m. Alero del coche.

guardabosque o guardabosques com. Persona que guarda un bosque.

guardabrazo s. m. Pieza de la armadura antigua, para cubrir y defender el brazo.

guardabrisa s. m. Fanal de cristal abierto por arriba y por abajo, dentro del cual se colocan las velas.

guardacantón s. m. **1.** Poste de piedra para resguardar de los carruajes las esquinas de los edificios. **2.** Cada uno de los postes de piedra colocados a los lados de los caminos para que no salgan de ellos los carruajes.

guardacoches com. Persona que aparca y vigila los coches en algunos establecimientos, como hoteles, salas de fiestas, etc.

guardacostas s. m. Barco destinado a la defensa del litoral.

guardaespaldas com. Persona que acompaña asiduamente a otra con la misión de protegerla.

guardafreno com. Empleado en los ferrocarriles, que tiene a su cargo el manejo de los frenos.

guardagujas com. Persona empleada en los ferrocarriles, encargada del manejo de las agujas.

guardainfante s. m. **1.** Especie de tontillo muy hueco, hecho de alambres con cintas, que se ponían las mujeres debajo de la basquiña. **2.** Conjunto de los trozos de madera que se suelen colocar sobre el cilindro de un cabrestante para aumentar su diámetro.

guardalado s. m. Pretil o antepecho.

guardalobo s. m. Mata perenne de la familia de las santaláceas, con flores dioicas, pequeñas, verdosas o amarillentas, y fruto en drupa roja y casi seca. Tanto este como la raíz tienen propiedades astringentes.

guardamalleta s. f. Pieza de adorno que pende sobre el cortinaje por la parte superior.

guardamano s. m. Guarnición de la espada.

guardameta s. m. y s. f. En el juego de fútbol, jugador que se coloca ante el recinto que sirve de meta para evitar la entrada del balón.

guardamonte *s. m.* **1.** En las armas de fuego, pieza de metal sobre el disparador para protegerlo. **2.** Capote de campo. **3.** Pedazo de piel que se pone sobre las ancas del caballo para evitar la mancha del sudor.

guardamuebles *s. m.* Local destinado para guardar muebles.

guardapelo *s. m.* Medallón en que se guarda pelo, retratos, etc.

guardapesca *s. m.* Buque de pequeño porte destinado a vigilar la pesca.

guardapiés *s. m.* Especie de falda.

guardapolvo *s. m.* **1.** Resguardo que se pone encima de una cosa para preservarla del polvo. **2.** Tejadillo voladizo constituido sobre un balcón, para desviar las aguas llovedizas. **3.** Pieza de cuero unida al botín de montar y que cae sobre el empeine del pie. **4.** En los coches, hierros que van desde la vara de guardia hasta el eje. **5.** Tapa interior que suele haber en los relojes de bolsillo.

guardapuerta *s. f.* Cortina que se pone delante de una puerta.

guardar *v. tr.* **1.** Cuidar, custodiar, tener vigilancia sobre una cosa. **2.** Conservar. **3.** Preservar una persona o cosa del daño que le puede sobrevenir. **4.** Tener, observar. **5.** Observar y cumplir lo que es debido.

guardarropa *s. m.* Local destinado en las casas y en establecimientos públicos para custodiar la ropa.

guardarropía *s. f.* En el teatro, cinematografía y televisión, conjunto de trajes, muebles y accesorios necesarios en las representaciones escénicas.

guardasellos *s. m. y s. f.* Funcionario que custodia un sello oficial.

guardasilla *s. f.* Moldura de madera que se clava en la pared para evitar que esta sea rozada con los respaldos de las sillas.

guardavela *s. m.* Cabo que trinca las velas de gavia a los calceses de los palos.

guardavía *com.* Persona encargada de vigilar un trozo de línea férrea.

guardería *s. f.* Institución destinada al cuidado de los niños durante las horas en que sus padres no pueden atenderlos.

guardés, sa *s. m. y s. f.* Persona encargada de custodiar una cosa.

guardia *s. f.* **1.** Acción de guardar o vigilar. **2.** Defensa, custodia. **3.** Servicio especial que con este fin se encomienda a una o más personas. **4.** En algunas profesiones, servicio que se presta fuera del horario obligatorio. **5.** Nombre que se da a los cuerpos de defensa o vigilancia. **6.** (ORT.: may. inicial) Cuerpo de tropa. **7.** Manera de defenderse en la esgrima. **8.** Conjunto de soldados o gente armada, que defiende una persona o un puesto. ‖ *com.* **9.** Persona perteneciente a un cuerpo de guardia.

guardián, na *s. m. y s. f.* Persona que guarda una cosa y cuida de ella.

guardilla[1] *s. f.* Buhardilla.

guardilla[2] *s. f.* Cada una de las dos púas gruesas del peine.

guardoso, sa *adj.* **1.** Se dice de la persona que tiene cuidado de no malbaratar sus cosas. **2.** Miserable, mezquino y escaso.

guarecer *v. tr.* Acoger a alguien, darle asilo.

guaricha *s. f., Col., Ec. y Ven., desp.* Hembra, mujer.

guarida *s. f.* Cueva o espesura donde se guarecen los animales.

guarimán *s. m.* Árbol americano de la familia de las magnoliáceas, cuya corteza es de olor y sabor parecido a la canela; el fruto es una baya con muchas semillas de albumen carnoso.

guarín *s. m.* Lechoncillo, el último nacido de una cría.

guarir *v. intr.* **1.** Subsistir o mantenerse. **2.** Recobrar un enfermo la salud.

guarismo *s. m.* Cada uno de los signos o cifras arábigas que expresan una cantidad.

guarne *s. m.* Cada una de las vueltas de un cabo alrededor de la pieza en que ha de funcionar.

guarnecedor, ra *adj.* Que guarnece. También *s. m. y s. f.*

guarnecer *v. tr.* **1.** Poner guarnición a alguna cosa. **2.** Colgar, adornar, vestir. **3.** Dotar, proveer, equipar.

guarnecido *s. m.* Revoque con que se revisten las paredes.

guarnición *s. f.* **1.** Adorno en los vestidos, colgaduras y cosas semejantes. **2.** Defensa en las armas blancas para preservar la mano. **3.** Tropa que guarnece una plaza, castillo o buque de guerra. **4.** Acompañamiento de carnes y pescados, compuesto por diversas combinaciones de patatas, champiñones, verduras, etc.

guarnicionar *v. tr.* Poner guarnición en una plaza fuerte.

guarnicionería *s. f.* **1.** Lugar o establecimiento donde se hacen o venden guarniciones para caballerías. **2.** Por ext., lugar donde se venden objetos de cuero.

guarnicionero, ra *s. m. y s. f.* Persona que trabaja o hace objetos de cuero, como maletas, bolsos, correas, etc.

guarniel *s. m.* Bolsa de cuero que traen los arrieros sujeta al cinto.

guarnigón *s. m.* Pollo de la codorniz.

guarnir *v. tr.* **1.** Guarnecer. **2.** Colocar los cuadernales de un aparejo.

guaro[1] *s. m., Amér. del S.* Especie de loro pequeño.

guaro[2] *s. m., Amér. C.* Aguardiente de caña.

guarrada *s. f.* Porquería, inmundicia.

guarrería *s. f.* **1.** Porquería, suciedad. **2.** *fig.* Acción sucia.

guarro, rra *adj.* **1.** Cochino. ‖ *s. m. y s. f.* **2.** Persona ruin y despreciable.

guasa *s. f.* Chanza, burla.

guasanga *s. f., Amér. C., Col. y Méx.* Bulla, algazara.

guasca *s. f., Amér. C.* Ramal de cuero o cuerda que sirve de rienda o de látigo.

guascazo *s. m., Amér. del S.* Latigazo dado con la guasca.

guasearse *v. prnl.* Chancearse.

guasería *s. f.* **1.** *Arg., Bol. y Chil.* Acción o dicho propios del guaso. **2.** *Arg., Bol. y Chil.* Torpeza, sosería.

guaso, sa *adj., fig. y Amér. del S.* Tosco, grosero, incivil.

guasón, na *adj., fam.* Burlón, chancero.

guata *s. f.* Lámina gruesa de algodón en rama, engomada, que sirve para acolchados o como material de relleno.

guate *s. m., Amér. C.* Maíz tierno que se emplea como forraje.

guateque *s. m.* **1.** *fam.* Baile bullanguero, jolgorio. **2.** *fam.* Fiesta casera, generalmente de gente joven, en que se merienda y se baila.

guatusa *s. f., C. Ric., Ec. y Hond.* Agutí.

guau *onomat.* con que se representa la voz del perro.

guay *adj., fam.* Estupendo, magnífico.

¡guay! *interj.* ¡Ay!

guaya *s. f.* Lloro o lamento.

guayaba *s. f.* Fruto del guayabo, del tamaño y figura de una pera mediana, que se conserva en forma de jalea.

guayabal *s. m.* Lugar poblado de guayabos.

guayabera *s. f.* Chaquetilla corta de tela ligera.

guayabo *s. m.* Arbusto mirtáceo, de América tropical, que tiene por fruto la guayaba.

guayaca *s. f.* **1.** *Amér. del S.* Bolsa, talega hecha de piel de cabrito. **2.** *fig.* Amuleto.

guayacán *s. m., amer.* Árbol de América tropical, de la familia de las cigofiláceas, del cual se extrae una resina aromática y cuya madera, negruzca y dura, se emplea en ebanistería.

guayaco *s. m., amer.* Guayacán.

guayacol *s. m.* Principio medicinal del guayaco.

guayate *s. m.* Rorro, niño pequeño.

guayo *s. m.* Árbol de la familia de las rosáceas, de madera dura y colorada.

guayuco *s. m., Col. y Ven.* Taparrabo.

gubernamental *adj.* **1.** Perteneciente o relativo al gobierno del Estado. **2.** Respetuoso o benigno para con el gobierno o favorecedor del principio de autoridad. **3.** Partidario del gobierno en caso de discordias.

gubernativo, va *adj.* Perteneciente o relativo al gobierno.

gubia *s. f.* Formón de mediacaña.

guedeja *s. f.* Cabellera larga.

guedejoso, sa *adj.* Guedejudo.

guedejudo, da *adj.* Que tiene muchas guedejas.

güegüecho *s. m., Amér. C.* Papera, bocio.

güeldo *s. m.* Cebo que emplean los pescadores.

güemul *s. m., Arg. y Chil.* Cuadrúpedo semejante al ciervo.

guerra *s. f.* **1.** Rompimiento de la paz entre dos o más potencias. **2.** Lucha armada. **3.** Cualquier lucha o combate. **4.** Oposición.

guerreador, ra *adj.* Que guerrea. También s. m. y s. f.

guerrear *v. intr.* Hacer guerra.

guerrera *s. f.* Chaqueta de uniforme ajustada y abrochada desde el cuello.

guerrero, ra *adj.* **1.** Perteneciente o relativo a la guerra. **2.** Que guerrea. **3.** Marcial e inclinado a la guerra. **4.** *fam.* Travieso, molesto.

guerrilla *s. f.* **1.** Partida de tropa ligera, que hace las descubiertas y rompe las primeras escaramuzas. **2.** Partida de paisanos, por lo común no muy numerosa, que al mando de un jefe particular y con poca o ninguna dependencia del ejército, acosa y molesta al enemigo.

guerrillear *v. intr.* Pelear en guerrillas.

guerrillero, ra *s. m. y s. f.* Persona que sirve en una guerrilla o es jefe de ella.

gueto *s. m.* **1.** Minoría marginada por razones étnicas o religiosas. **2.** Barrio en el que eran obligados a vivir los judíos. **3.** Situación marginal en que vive un pueblo, una clase social, etc.

guía *com.* **1.** Persona que enseña y dirige a otra. ‖ *s. f.* **2.** Tratado en que se dan preceptos o noticias para gobernarse en cosas ya espirituales, ya puramente mecánicas.

guiadera *s. f.* Cada uno de los maderos o barrotes paralelos que sirven para dirigir el movimiento rectilíneo de un objeto.

guiador, ra *adj.* Que guía. También s. m. y s. f.

guiar *v. tr.* Ir delante mostrando el camino.

guija *s. f.* Piedra pelada y chica que se encuentra en las orillas de los ríos y arroyos.

guijarral *s. m.* Terreno abundante en guijarros.

guijarrazo *s. m.* Golpe dado con un guijarro.

guijarreño, ña *adj.* **1.** Abundante en guijarros o perteneciente a ellos. **2.** *fig.* Se aplica a la persona de complexión dura y fuerte.

guijarro *s. m.* Canto rodado.

guijarroso, sa *adj.* Se dice del terreno que tiene abundancia de guijarros.

guijeño, ña *adj.* **1.** Perteneciente o relativo a la guija o que tiene su naturaleza. **2.** *fig.* Duro, empedernido.

guijo *s. m.* Conjunto de guijas, que se usa para consolidar o rellenar los caminos.

guijoso, sa *adj.* Se dice del terreno que abunda en guijo.

guilalo s. m. Embarcación filipina de cabotaje, de poco calado.

guilla s. f. Cosecha copiosa y abundante.

guilladura s. f. Chifladura, manía.

guillame s. m. Cepillo estrecho de carpintero.

guillarse v. prnl. Chiflarse, perder la cabeza.

guillote s. m. **1.** Cosechero o usufructuario. **2.** Holgazán, desaplicado. **3.** Bisoño y no impuesto en las fullerías de los tahúres.

guillotina s. f. **1.** Máquina inventada y usada en Francia para decapitar a los sentenciados a pena de muerte. **2.** Máquina de cortar papel.

guillotinar v. tr. Quitar la vida con la guillotina.

guimbalete s. m. Palanca con que se da juego al émbolo de la bomba aspirante.

guimbarda s. f. Cepillo de carpintero de cuchilla estrecha, que se utiliza para labrar el fondo de las cajas y ranuras.

guinchar v. tr. Picar con la punta de un palo.

guincho s. m. Pincho de palo.

guinda s. f. Fruto del guindo.

guindal s. m. Guindo.

guindalera s. f. Sitio plantado de guindos.

guindaleta s. f. Cuerda de cáñamo o cuero del grueso de un dedo.

guindaleza s. f. Cabo grueso y largo.

guindamaina s. f. Saludo que hacen los buques con su bandera, arriándola e izándola.

guindar v. tr. **1.** Subir una cosa que ha de quedar colocada en alto. También prnl. **2.** fam. Ahorcar. También prnl.

guindaste s. m. Armazón de tres maderos en forma de horca.

guindilla s. f. Pimiento pequeño y encarnado que pica mucho.

guindo s. m. Árbol rosáceo, parecido al cerezo, pero de hojas más pequeñas y fruto más redondo y, comúnmente, ácido.

guindola s. f. **1.** Pequeño andamio volante compuesto de tres tablas. **2.** Aparato salvavidas, que consiste en un largo cordel cuyo chicote se sujeta a bordo y que, colgado por fuera del barco, puede ser lanzado al agua. Suele llevar una luz que se enciende automáticamente.

guinja s. f. Azufaifa.

guinjo s. m. Azufaifo.

guinjolero s. m. Guinjo.

guiñada s. f. **1.** Acción de guiñar. **2.** Desvío de la proa de un buque hacia un lado o hacia el otro del rumbo a que se navega.

guiñador, ra adj. Que guiña los ojos.

guiñadura s. f. Guiñada.

guiñapiento, ta adj. Guiñaposo.

guiñapo s. m. **1.** Andrajo. **2.** fig. Persona que anda vestida de manera andrajosa.

guiñaposo, sa adj. Lleno de guiñapos o andrajos.

guiñar v. tr. **1.** Cerrar un ojo momentáneamente quedando el otro abierto, generalmente por vía de señal disimulada. **2.** Dar guiñadas el buque.

guiño s. m. Acción de guiñar.

guion s. m. **1.** Signo ortográfico (-) que, puesto al final de un renglón, indica que la última palabra continúa en el siguiente; también separa los componentes de una palabra compuesta. **2.** Argumento de una obra cinematográfica. **3.** Escrito en que se apuntan algunas ideas para que sirva de guía.

guionaje s. m. Oficio de guía o conductor.

guionista s. m. y s. f. Autor o autora de argumentos de cine o televisión.

guipar v. tr. Ver, notar, percibir.

guipur s. m. Encaje de mallas gruesas.

güira s. f., amer. Árbol tropical de la familia de las bignoniáceas, de fruto globoso, con corteza dura y blanquecina, lleno de pulpa blanca. De este fruto, serrado en dos partes iguales, hacen los campesinos de América tazas, platos, jofainas, etc., según el tamaño.

guirigay s. m. **1.** fam. Lenguaje oscuro y difícil de entender. **2.** fam. Griterío, bullicio.

guirindola s. f. Chorrera de la camisola.

guirlache s. m. Pasta comestible de almendras tostadas y caramelo.

guirnalda s. f. Corona abierta, tejida de flores, hierbas o ramas, con que se ciñe la cabeza.

güiro s. m. **1.** Bol. y Per. Tallo del maíz verde. **2.** Cub. y P. Ric. Planta rastrera que produce un calabacín largo y cilíndrico. **3.** Ant. Instrumento musical que tiene como caja una calabaza de güiro.

guisa s. f. Modo, manera.

guisado s. m. Guiso preparado con salsa.

guisador, ra adj. Que guisa la comida. También s. m. y s. f.

guisantal s. m. Tierra sembrada de guisantes.

guisante s. m. Planta papilionácea con fruto en vaina, que contiene diversas semillas esféricas.

guisar v. tr. **1.** Preparar los manjares sometiéndolos a la acción del fuego, especialmente haciéndolos cocer en una salsa después de rehogados. **2.** Ordenar, componer una cosa.

guiso s. m. Manjar guisado.

guisote s. m., desp. Guiso ordinario, hecho con poco cuidado.

güisqui s. m. Bebida alcohólica obtenida por la fermentación de la cebada y otros cereales.

guita[1] s. f. Cuerda delgada de cáñamo.

guita² *s. f., fam.* Dinero.

guitar *v. tr.* Coser o labrar con guita.

guitarra *s. f.* Instrumento musical de seis cuerdas, compuesto de una caja de madera, con un agujero circular en el centro de la tapa y un mástil con trastes.

guitarreo *s. m.* Toque de guitarra repetido o cansado.

guitarrero, ra *s. m. y s. f.* Guitarrista.

guitarrillo *s. m.* Instrumento musical más pequeño que una guitarra, que tiene cuatro cuerdas.

guitarrista *com.* Persona que tiene por oficio tocar la guitarra.

guitarro *s. m.* Guitarrillo.

guitarrón *s. m., fig. y fam.* Hombre sagaz y picarón.

guitón, na *adj.* Pícaro, vagabundo.

guizque *s. m.* Palo con un gancho en una extremidad para alcanzar algo que está alto.

gula *s. f.* Exceso en la comida o bebida.

gules *s. m. pl.* Color rojo heráldico.

gulusmear *v. intr.* Andar oliendo o probando lo que se guisa. También tr.

gúmena *s. f.* Maroma gruesa para atar las áncoras.

gumía *s. f.* Especie de daga encorvada que usaron los moros.

gumneráceo, a *adj.* Se dice de hierbas perennes angiospermas dicotiledóneas con hojas de grandes peciolos, flores en panoja y fruto en drupa. También s. f.

gurbio, bia *adj.* Se dice de los instrumentos de metal que tienen alguna curvatura.

gurbión *s. m.* Goma del euforbio.

gurdo, da *adj.* Necio, simple.

gurriato *s. m.* Pollo del gorrión.

gurrumina *s. f.* **1.** *Cub. y Méx.* Pequeñez, fruslería. **2.** *Ec., Guat. y Méx.* Cansera, molestia. **3.** *Hond.* Persona lista, astuta.

gurrumino, na *adj., fam.* Ruin.

gurú *s. m.* **1.** En la India, dirigente espiritual de un grupo religioso. **2.** Por ext., director espiritual de una comunidad religiosa, en general de inspiración oriental.

gurullada *s. f., fam.* Cuadrilla de gente.

gurullo *s. m.* Burujo.

gurupa *s. f.* Grupa.

gusa *s. f., fam.* Hambre.

gusanear *v. intr.* Hormiguear.

gusanera *s. f.* Sitio donde se crían gusanos.

gusanería *s. f.* Muchedumbre de gusanos.

gusaniento, ta *adj.* Que tiene gusanos.

gusanillo *s. m.* **1.** Cierto género de labor menuda que se hace en los tejidos de lienzo y otras telas. **2.** Hilo de oro, plata, seda, etc., ensortijado para formar con él ciertas labores.

gusano *s. m.* **1.** Animal metazoo invertebrado, de cuerpo blando, sin esqueleto, ni patas articuladas. **2.** Persona mezquina y despreciable. **3.** Programa similar a un virus, que tiene la propiedad de duplicarse a sí mismo. **4.** *fig.* Persona de poca importancia, tímida y abatida.

gusanoso, sa *adj.* Que tiene gusano.

gusarapiento, ta *adj.* **1.** Que tiene gusarapos. **2.** *fig.* Muy inmundo o corrompido.

gusarapo, pa *s. m. y s. f.* Cualquiera de los animalejos de forma de gusanos, que se crían en los líquidos.

gustable *adj.* **1.** Perteneciente o relativo al gusto. **2.** *Le. y Chil.* Gustoso, sabroso.

gustadura *s. f.* Acción de gustar.

gustar *v. tr.* **1.** Sentir y percibir en el paladar el sabor de una cosa. **2.** Experimentar. ‖ *v. intr.* **3.** Agradar una cosa; parecer bien. **4.** Desear, tener complacencia en una cosa.

gustativo, va *adj.* Perteneciente o relativo al sentido del gusto.

gustazo *s. m., fam.* Gusto grande que alguien se da a sí mismo haciendo algo no habitual, o incluso perjudicial.

gustillo *s. m.* Dejo o saborcillo que se percibe en algunas cosas, cuando el sabor principal no apaga del todo otro más vivo y penetrante que hay en ellas.

gusto *s. m.* **1.** Uno de los cinco sentidos corporales, con el cual percibimos el sabor de las cosas. **2.** Placer que se experimenta por algún motivo.

gustoso, sa *adj.* **1.** Sabroso. **2.** Que hace con gusto una cosa. **3.** Agradable.

gutagamba *s. f.* Árbol de la India, de la familia de las gutíferas, del que fluye una gomorresina sólida, amarilla, que se emplea en farmacia y en pintura.

gutapercha *s. f.* Goma translúcida, sólida, flexible e insoluble en el agua, que se obtiene mediante incisiones en el tronco de cierto árbol sapotáceo de la India.

gutiámbar *s. f.* Cierta goma de color amarillo, que sirve para iluminaciones y miniaturas.

gutífero, ra *adj.* Se dice de las plantas dicotiledóneas que tienen hojas anchas y sin estípulas, flores en forma de corimbo y fruto capsular.

gutural *adj.* **1.** Perteneciente o relativo a la garganta. **2.** Se dice de las consonantes que se articulan contra el paladar, como la *g*, la *j* y la *k*. **3.** Se dice del sonido articulado que se produce por estrechamiento y contracción de la garganta, como la *j* aspirada en algunas partes de Andalucía.

guzla *s. f.* Instrumento musical de una sola cuerda de crin, a modo de rabel.

guzmán *s. m.* Noble que servía en la Armada y en el Ejército de España como soldado distinguido.

h *s. f.* Octava letra del abecedario español y sexta de sus consonantes.

haba *s. f.* **1.** Planta herbácea anual, de la familia de las papilonáceas, con fruto en vaina con cinco o seis semillas grandes y comestibles. **2.** Fruto y semilla de esta planta.

habanera *s. f.* **1.** Danza de origen cubano, en compás de dos por cuatro y de ritmo lento. **2.** Música y canto de esta danza.

habano *s. m.* Cigarro puro elaborado en la isla de Cuba con hojas de tabaco de aquel país.

habar *s. m.* Terreno sembrado de habas.

hábeas corpus *s. m.* Derecho de todo ciudadano, detenido o preso, a comparecer inmediata y públicamente ante un juez o tribunal para que este decida sobre la validez de su detención.

haber[1] *s. m.* Hacienda, caudal, conjunto de bienes y derechos de una persona.

haber[2] *v. aux.* **1.** En la conjugación verbal, sirve para formar los tiempos compuestos. ‖ *v. impers.* **2.** Acaecer, ocurrir.

haberío *s. m.* Ganado o conjunto de los animales domésticos.

habichuela *s. f.* Judía, planta.

hábil *adj.* Inteligente y dispuesto para cualquier ejercicio, oficio o ministerio.

habilidad *s. f.* Capacidad para una cosa.

habilidoso, sa *adj.* Que tiene habilidad.

habilitación *s. f.* Acción y efecto de habilitar o habilitarse.

habilitado, da *s. m. y s. f.* Persona que, por encargo de otras, gestiona y efectúa el pago de haberes, pensiones, etc.

habilitar *v. tr.* Hacer a una persona o cosa hábil o apta.

habitabilidad *s. f.* Cualidad de habitable, en general.

habitable *adj.* Que puede habitarse.

habitación *s. f.* Edificio o parte de él que se destina para vivienda.

habitáculo *s. m.* **1.** Habitación. **2.** Lugar que presenta las condiciones adecuadas para que viva una especie animal o vegetal.

habitante *s. m. y s. f.* Cada una de las personas que constituyen la población de una ciudad, provincia, barrio, casa, etc.

habitar *v. tr.* Vivir, morar. También *intr.*

hábitat *s. m.* Medio físico o geográfico en el cual viven las especies animales o vegetales.

hábito *s. m.* **1.** Vestido o traje que cada uno usa según su estado, ministerio, etc., especialmente el que usan los religiosos y religiosas. **2.** Modo particular de proceder o comportarse, adquirido por la repetición de actos de la misma especie.

habituación *s. f.* Acción y efecto de habituar o habituarse.

habitual *adj.* Que se hace o posee con continuación o por costumbre.

habituar *v. tr.* Acostumbrar o hacer que alguien se acostumbre a algo. También *prnl.*

habla *s. f.* **1.** Facultad de hablar. **2.** Manera especial de hablar. **3.** Realización del sistema lingüístico llamado lengua.

hablador, ra *adj.* Que habla demasiado.

habladuría *s. f.* Dicho o expresión inoportuna que desagrada.

hablar *v. intr.* Articular, proferir palabras para darse a entender.

hablilla *s. f.* Rumor, mentira que corre en el vulgo.

hablista *com.* Persona que se distingue por la pureza, propiedad y elegancia del lenguaje.

habón *s. m.* Bultillo que aparece en la piel en forma de haba.

hacendado, da *adj.* Que tiene hacienda en bienes raíces.

hacendar *v. tr.* Dar o conferir el dominio de haciendas o bienes raíces.

hacendera *s. f.* Trabajo de utilidad común a que debe acudir todo el vecindario.

hacendero, ra *adj.* Se dice de la persona que cuida con esmero de su casa o hacienda.

hacendoso, sa *adj.* Solícito y diligente en las faenas domésticas.

hacer *v. tr.* **1.** Producir una cosa; darle el primer ser. **2.** Fabricar, dar la figura que debe tener a una cosa. **3.** Ejecutar un trabajo o acción. **4.** Causar, ocasionar. **5.** Perfeccionar algo. **6.** Habituar, acostumbrar. **7.** Ocupar un lugar en una serie. **8.** Cumplir años. ‖ *v. impers.* **9.** Haber transcurrido algún tiempo.

hacha[1] *s. f.* Vela de cera, grande y gruesa, con cuatro pabilos.

hacha[2] *s. f.* Herramienta cortante de pala acerada, con filo algo curvo y ojo para engastarla y, a veces, con peto.

hachazo *s. m.* Golpe dado con el hacha.

hachear *v. intr.* Dar golpes con el hacha.

hachero *s. m.* Candelero o blandón que se utiliza para poner el hacha de cera.

hachís *s. m.* Sustancia extraída de distintas partes de una variedad de cáñamo, que se mezcla con otros productos y se emplea como droga.

hacho *s. m.* **1.** Leño resinoso o manojo de paja o esparto encendido para alumbrar. **2.** Lugar elevado cerca de la costa.

hachón *s. m.* Especie de brasero alto, fijo sobre un pie derecho, en que se encienden algunas materias que producen llama.

hachote *s. m.* Vela corta y gruesa usada a bordo en los faroles de combate y de señales.

hacia *prep.* que determina la dirección del movimiento con respecto al punto de su término.

hacienda *s. f.* **1.** Finca agrícola. **2.** Cúmulo de bienes y riquezas que alguien tiene.

hacina *s. f.* **1.** Conjunto de haces colocados unos sobre otros, apretada y ordenadamente. **2.** *fig.* Montón o rimero.

hacinamiento *s. m.* Acción y efecto de hacinar o hacinarse.

hacinar *v. tr.* Poner los haces unos sobre otros formando hacina.

hada *s. f.* Ser fantástico con forma de mujer, a quien se atribuía poderes mágicos y el don de adivinar el futuro.

hado *s. m.* **1.** Divinidad desconocida que, según las creencias populares, disponía lo que había de suceder. **2.** Destino.

hafiz *s. m.* Guarda, conservador.

hagiografía *s. f.* Historia de las vidas de los santos.

hagiógrafo, fa *s. m.* **1.** Autor de cualquiera de los libros de la Biblia. ‖ *s. m. y s. f.* **2.** Persona que escribe vidas de santos.

¡hala! *interj.* que se emplea para meter prisa, dar ánimos, indicar sorpresa, etc.

halagador, ra *adj.* Que halaga.

halagar *v. tr.* **1.** Dar a alguien muestras de afecto. **2.** Adular interesadamente.

halago *s. m., fig.* Cosa que halaga.

halagüeño, ña *adj.* Que halaga.

halar *v. tr.* Tirar de un cabo, de una lona o de un remo en el acto de bogar.

halcón *s. m.* Ave rapaz diurna de las falcónidas, que se emplea en la caza de cetrería.

halconería *s. f.* Caza que se hace con halcones.

halda *s. f., Ar., Ál. y Víz.* Enfaldo de la saya.

haldear *v. intr.* Andar de prisa las personas que llevan faldas.

haldeta *s. f.* Pieza de un traje, que cuelga desde la cintura hasta un poco más abajo.

¡hale! *interj.* ¡Hala!

halieto *s. m.* Ave rapaz diurna que vive en las costas y se alimenta de peces.

hálito *s. m.* **1.** Aliento. **2.** Vapor que una cosa arroja.

hall *s. m.* Vestíbulo.

hallar *v. tr.* **1.** Dar con una persona o cosa sin buscarla. **2.** Encontrar lo que se busca. **3.** Inventar, descubrir.

hallazgo *s. m.* Cosa hallada.

hallulla *s. f.* Pan cocido en rescoldo o en piedras muy calientes.

halo *s. m.* **1.** Círculo luminoso de colores que aparece a veces alrededor del Sol y de la Luna. **2.** Círculo luminoso que suele colocarse detrás de la cabeza de las imágenes religiosas.

halófilo, la *adj.* Se dice de las plantas que viven en los terrenos salinos.

halógeno, na *adj:* Se dice de cada uno de los elementos de la familia del cloro, que forman sales al combinarse con un metal.

haloideo, a *adj.* Se dice de las sales formadas por la combinación de un metal con un halógeno.

haloque *s. m.* Embarcación pequeña usada antiguamente.

halotecnia *s. f.* Tratado sobre la extracción de las sales industriales.

halterofilia *s. f.* Deporte olímpico que consiste en el levantamiento de pesos.

hamaca *s. f.* Red alargada que, asegurada por los extremos entre dos árboles o estacas, queda pendiente en el aire y sirve de cama, columpio, etc.

hamadríade *s. f.* Dríade, ninfa de los bosques.

hámago *s. m.* Fastidio.

hamaquear *v. tr., amer.* Columpiar o mecer. También prnl.

hambre *s. f.* **1.** Deseo y necesidad de comer. **2.** Escasez de alimentos básicos.

hambrear *v. intr.* **1.** Padecer hambre. **2.** Exhibir alguna necesidad, mendigando remedio para ella.

hambriento, ta *adj.* **1.** Que tiene mucha hambre o necesidad de comer. **2.** *fig.* Deseoso de alguna cosa.

hambrón, na *adj., fam.* Se aplica a la persona que demuestra gran afán por comer o come con avidez.

hambruna *s. f.* Hambre o escasez generalizada de alimentos.

hamburguesa *s. f.* Filete de carne picada, preparado con ajo, perejil, etc., que tiene forma circular y se come frito o asado.

hamburguesería *s. f.* Establecimiento donde se preparan y venden hamburguesas.

hamo *s. m.* Anzuelo de pescar.

hampa *s. f.* Género de vida de los pícaros que vivían antiguamente en España; estaban unidos en una especie de sociedad y usaban un lenguaje particular, llamado jerigonza o germanía.

hampesco, ca *adj.* Perteneciente o relativo al hampa.

hampón *adj.* **1.** Valentón, bravo. **2.** Bribón, maleante, haragán.

hámster *s. m.* Mamífero roedor de la familia de los cricétidos, que mide unos 10 cm de longitud, de cabeza abultada, cuerpo redondeado y cola y patas cortas.

hándicap *s. m.* **1.** Prueba en la que ciertos participantes reciben una determinada ventaja con el fin de que se igualen las posibilidades de victoria de todos los competidores. **2.** Obstáculo.

hangar *s. m.* Cobertizo grande, especialmente el destinado a guardar o reparar aviones.

haplología *s. f.* Eliminación de la sílaba de una palabra por ser semejante a otra contigua de la misma palabra, como «cejunto» por *cejijunto.*

haragán, na *adj.* Que rehúye el trabajo y pasa la vida en el ocio.

haraganear *v. intr.* Holgazanear, estar ocioso cuando se debería estar trabajando.

haraganería *s. f.* Ociosidad.

harapiento, ta *adj.* Andrajoso.

harapo *s. m.* Trozo desgarrado de ropa vieja.

haraposo, sa *adj.* Andrajoso.

haraquiri *s. f.* Suicidio ritual practicado en Japón, que consiste en abrirse el vientre.

harén *s. m.* Departamento de las casas musulmanas destinado a las mujeres.

harija *s. f.* Polvillo que el aire levanta del grano cuando se muele, o de la harina cuando se cierne.

harina *s. f.* Polvo que resulta de moler el trigo u otras semillas.

harinoso, sa *s. f.* **1.** Que tiene mucha harina. **2.** Se aplica a las cosas parecidas a la harina en su aspecto, propiedades, etc.

harmonía *s. f.* Armonía.

harnero *s. m.* Especie de criba.

harón, na *adj.* Lerdo, perezoso, holgazán.

haronear *v. tr.* Emperezarse; andar flojo o tardo.

harpa *s. f.* Arpa.

harpía *s. f.* **1.** Arpía. **2.** Águila de plumaje blanco coronada por un penacho bífido, que habita en las selvas americanas.

harpillera *s. f.* Arpillera.

¡harre! *interj.* ¡Arre!.

harriero *s. m.* **1.** Arriero. **2.** Ave trepadora de Cuba, que se caracteriza por su larga cola, plumaje rojizo y alas de color gris verdoso.

hartar *v. tr.* Saciar el apetito de comer o beber. También prnl.

hartazgo *s. m.* **1.** Acción y efecto de hartar o hartarse de comer o de beber. **2.** Acción o efecto de hartar o hartarse de cualquier cosa.

harto, ta *adj.* Bastante o sobrado.

hartura *s. f.* **1.** Abundancia, sobra. **2.** *fig.* Logro de un deseo o apetito.

hasta *prep.* **1.** Expresa el término de tiempo, lugares, acciones o cantidades. **2.** Se usa como conjunción copulativa, con valor incluyente, seguida de *cuando* o de un gerundio; con valor excluyente, seguida de *que.*

hastial *s. m.* Fachada de una casa, en la parte superior de la cual descansan las dos vertientes del tejado o cubierta.

hastiar *v. tr.* Causar hastío, repugnancia o disgusto. También prnl.

hastío *s. m.* **1.** Repugnancia a la comida. **2.** Disgusto, tedio o aburrimiento.

hastioso, sa *adj.* Fastidioso.

hatajo *s. m.* **1.** Pequeño grupo de ganado. **2.** *desp.* Conjunto, grupo de personas o cosas.

hatear *v. tr.* **1.** Recoger la ropa y objetos de uso personal para ir de viaje. ‖ *v. intr.* **2.** Dar la hatería a los pastores.

hatería *s. f.* Provisión de víveres con que se abastece para unos días a los pastores, jornaleros y mineros.

hatijo *s. m.* Cubierta de esparto o de otra materia semejante, para tapar la boca de las colmenas o de otro vaso.

hato *s. m.* **1.** Ropa y objetos personales que una persona precisa para el uso ordinario. **2.** Porción de ganado mayor o menor, como bueyes, ovejas, etc.

haya *s. f.* Árbol fagáceo, con tronco grueso y liso, de corteza gris y ramas altas que forman una copa redonda y espesa.

hayedo *s. m.* Terreno poblado de hayas.

hayo *s. m.* **1.** *Col. y Ven.* Coca. **2.** *Col. y Ven.* Mezcla de hojas de coca y sales calizas o de sosa, que mascan algunas poblaciones indígenas de Colombia.

hayuco *s. m.* Fruto del haya.

haz *s. m.* Porción atada de mieses, lino, leña o cosas semejantes.

haza *s. f.* Porción de tierra de cultivo.

hazaña *s. f.* Hecho importante y heroico.

hazañería *s. f.* Demostración o expresión afectada de temor, admiración o entusiasmo.

hazañero, ra *adj.* Que hace hazañerías.

hazañoso, sa *adj.* Se dice de la persona que ejecuta hazañas.

hazmerreír *s. m., fam.* Persona que resulta ridícula y extravagante.

he *adv.* Unido a los adverbios *aquí, ahí* y *allí* o a los pronombres *me, te, la, le, lo, las, los*, sirve para señalar o mostrar una persona o cosa.

hebdomadario, ria *adj.* Semanal.

hebén *adj.* Se dice de una variedad de uva blanca, gorda y vellosa, y también de las vides que la producen.

hebilla *s. f.* Pieza, generalmente de metal, que se hace con una patilla y uno o más clavillos en medio, asegurados por un pasador, que sirve para ajustar y unir las orejas de los zapatos, las correas, cintas, etc.

hebra *s. f.* Porción de hilo, seda u otra materia semejante hilada.

hebroso, sa *adj.* Fibroso.

hebrudo, da *adj., C. Ric. y Le.* Hebroso, fibroso.

hecatombe *s. f.* **1.** Cualquier sacrificio solemne en que es crecido el número de víctimas. **2.** *fig.* Matanza, mortandad de personas. **3.** *fig.* Desgracia, catástrofe.

hechicería *s. f.* **1.** Arte supersticioso de hechizar. **2.** Hechizo del que se valen los hechiceros para el logro de sus fines.

hechicero, ra *adj.* **1.** Que practica el arte de hechizar. **2.** Que por su hermosura o buenas prendas atrae la voluntad y cariño de las gentes.

hechizar *v. tr.* Someter a alguien a supuestas influencias maléficas mediante ciertas prácticas supersticiosas.

hechizo *s. m.* Cualquier cosa supersticiosa de que se valen los hechiceros para el logro de sus fines.

hecho *s. m.* **1.** Acción u obra. **2.** Cosa que sucede.

hechura *s. f.* **1.** Acción y efecto de hacer. **2.** Forma externa que se da a las cosas. **3.** Trabajo de cortar y coser la tela de una prenda de vestir.

hectárea *s. f.* Medida de superficie, que equivale a 100 áreas.

hectiquez *s. f.* Tisis, tuberculosis.

hectógrafo *s. m.* Aparato que sirve para sacar muchas copias de un escrito o dibujo.

hectogramo *s. m.* Medida de peso, igual a 100 gramos.

hectolitro *s. m.* Medida de capacidad, igual a 100 litros.

hectómetro *s. m.* Medida de longitud, igual a 100 metros.

hedentina *s. f.* Olor malo y penetrante.

heder *v. intr.* Arrojar de sí mal olor.

hediondez *s. f.* **1.** Cosa hedionda. **2.** Hedor.

hediondo, da *adj.* **1.** Que arroja de sí hedor. **2.** *fig.* Molesto, enfadoso.

hedonismo *s. m.* Doctrina filosófica que considera el placer como único fin de la vida.

hedor *s. m.* Olor muy desagradable.

hegemonía *s. f.* Supremacía que un Estado ejerce sobre otro.

hégira *s. f.* Era de los mahometanos, que se cuenta desde el 15 de julio del año 622, en que Mahoma huyó de La Meca.

helada *s. f.* Congelación producida por la frialdad del tiempo en los líquidos.

heladería *s. f.* Establecimiento donde se hacen o venden helados.

heladero, ra *s. m. y s. f.* Persona que fabrica o vende helados.

helado, da *adj.* **1.** Muy frío. **2.** Se dice de la bebida o manjar helado.

helador, ra *adj.* Que hiela.

heladura *s. f.* Defecto de las maderas, producida por el frío.

helar *v. tr.* Convertir un líquido en sólido por la acción del frío, especialmente el agua. Se usa más como intr. y prnl.

helecho *s. m.* Planta criptógama vivaz, con tallo subterráneo y frondas divididas en una especie de hojuelas coriáceas, que llevan adheridos en el envés los órganos de la fructificación, en forma de cápsulas, con muchas esporas.

helenio *s. m.* Planta compuesta, de flores amarillas, fruto capsular casi cilíndrico y estriado, de raíz amarga y aromática, usada en medicina para la composición de triaca.

helenista *s. m. y s. f.* Especialista en el estudio de la lengua y literatura griegas.

helera *s. f.* Tumorcillo de las aves.

helero *s. m.* Masa de hielo que rodea las nieves perpetuas en las altas montañas.

helgado, da *adj.* Que tiene los dientes ralos y desiguales.

helgadura *s. f.* Hueco o espacio que hay entre diente y diente.

helíaco, ca o heliaco, ca *adj.* Se dice del orto u ocaso de los astros, que salen o se ponen una hora antes o después que el Sol.

heliantemo *s. m.* Planta de flores de color amarillo dorado, que en medicina se emplea contra la tisis.

helianto *s. m.* Planta compuesta, de hojas ásperas y cabezuelas amarillas.

hélice *s. f.* Conjunto de aletas helicoidales que giran alrededor de un eje, y al girar empujan el fluido ambiente y producen una fuerza propulsora.

helicoidal *adj.* En figura de hélice.

helicoide *s. m.* Superficie generada por una curva plana o alabeada que gira en torno a una recta fija a la vez que se traslada según la dirección de dicha recta, de modo que la proporción entre velocidades de ambos movimientos se mantenga constante.

helicón *s. m.* Instrumento de viento cuyo tubo, de forma circular, permite colocarlo alrededor del cuerpo y apoyarlo sobre el hombro de quien lo toca.

Helicónides *n. p.* Las Musas, así llamadas porque moraban en el monte Helicón.

helicóptero *s. m.* Aparato de aviación que se eleva merced a la acción de dos hélices que giran horizontalmente y en sentido inverso.

helio *s. m.* Cuerpo simple gaseoso, incoloro y de poca actividad química.

heliocéntrico, ca *adj.* Se aplica a los sistemas que consideran el Sol como centro del universo.

heliogábalo *s. m., fig.* Hombre dominado por la gula.

heliograbado *s. m.* Procedimiento para obtener, en planchas convenientemente preparadas y mediante la acción de la luz solar, grabado en relieve.

heliografía *s. f.* Descripción del Sol.

heliógrafo *s. m.* **1.** Instrumento de telecomunicación que transmite mensajes mediante destellos, por medio de la reflexión de un rayo de Sol en un espejo plano. **2.** Instrumento que registra la duración del tiempo de insolación.

heliómetro *s. m.* Telescopio muy parecido al ecuatorial, que sirve para la medida de distancias angulares entre dos astros o su diámetro aparente; especialmente el del Sol.

helioplastia *s. f.* Arte de producir moldes para imprimir, que se hacen de gelatina endurecida en la cual se ha obtenido una prueba fotográfica.

helioscopio *s. m.* Telescopio para mirar al Sol, sin que su resplandor dañe la vista.

helióstato o heliostato *s. m.* Instrumento geodésico para hacer señales a larga distancia.

heliotelegrafía *s. f.* Telegrafía por medio del heliógrafo.

helioterapia *s. f.* Método curativo que consiste en exponer a la acción de los rayos solares todo el cuerpo del enfermo o parte de él.

heliotropismo *s. m.* Fenómeno que ofrecen ciertas plantas de dirigir sus flores, sus tallos o sus hojas hacia el Sol.

heliotropo *s. m.* Planta borraginácea, de jardín, con flores pequeñas de un color entre azul y rosa, en espigas, vueltas todas al mismo lado y en cimas escorpioides.

helminto *adj.* Se dice de los animales articulados que carecen de sistema nervioso y se reproducen por gemación, siendo parásitos del intestino y del hígado.

hematemesis *s. f.* Vómito de sangre que procede de una lesión de la mucosa digestiva.

hematíe *s. m.* Glóbulo rojo de la sangre, que contiene la hemoglobina.

hematites *s. f.* Mineral de hierro oxidado, de color rojo o pardo y estructura fibrosa, que por su dureza sirve para bruñir metales.

hematocele *s. m.* Nombre de cualquier tumor sanguíneo.

hematófago *adj.* Se dice de todo animal que se alimenta de sangre, como muchos insectos chupadores o, entre los mamíferos, los quirópteros, llamados vampiros.

hematología *s. f.* Tratado o estudio de la sangre.

hematoma *s. m.* Tumor producido por una contusión con acumulación de sangre en cualquier parte del cuerpo.

hematosis *s. f.* Conversión de la sangre venosa en arterial.

hematuria *s. f.* Fenómeno morboso que consiste en orinar sangre.

hembra *s. f.* **1.** Animal del sexo femenino. **2.** Mujer.

hembraje *s. f., Amér. del S.* Conjunto de hembras del ganado.

hembrilla *s. f.* Pieza pequeña en que otra se introduce.

hemerálope *adj.* Se dice de la persona que de noche pierde total o parcialmente la facultad de ver.

hemeroteca *s. f.* Biblioteca en que se guardan y sirven al público diarios y otras publicaciones periódicas.

hemiciclo *s. m.* **1.** Semicírculo. **2.** Sala semicircular que suele estar provista de gradas.

hemiedría *s. f.* Género particular de simetría de ciertos cristales, caracterizado por la identidad física de la mitad de las partes geométricas iguales de estos cristales.

hemiplejía *s. f.* Parálisis de todo un lado del cuerpo.

hemíptero, ra *adj.* Se dice de los insectos de metamorfosis sencilla, provistos de trompa chupadora y pico articulado.

hemisférico, ca *adj.* **1.** Perteneciente o relativo al hemisferio. **2.** Que tiene forma de hemisferio.

hemisferio *s. m.* **1.** Cada una de las dos mitades de una esfera dividida por un plano que pase por su centro. Específicamente, del globo terráqueo o del globo celeste. **2.** Cada una de las mitades del cerebro y del cerebelo.

hemistiquio *s. m.* Cada una de las dos mitades de un verso, separadas por una cesura.

hemofilia *s. f.* Enfermedad hereditaria que se caracteriza por dificultad de la sangre para coagularse.

hemofílico, ca *adj.* Que padece hemofilia. También s. m. y s. f.

hemoglobina *s. f.* Sustancia roja que constituye la parte esencial de los glóbulos rojos de la sangre.

hemolisina *s. f.* Sustancia producida en el organismo que destruye los glóbulos rojos.

hemopatía *s. f.* Enfermedad de la sangre en general.

hemoptisis *s. f.* Hemorragia de la membrana mucosa pulmonar.

hemorragia *s. f.* Flujo de sangre de cualquier parte del cuerpo.

hemorrea *s. f.* Hemorragia que no ha sido directamente provocada.

hemorroidal *adj.* Perteneciente o relativo a las hemorroides.

hemorroide *s. f.* Pequeño tumor sanguíneo que se forma en la parte exterior del ano o en el final del intestino.

hemostasis *s. f.* Conjunto de mecanismos para la contención de la salida de sangre por medios fisiológicos o artificiales.

hemostático *adj.* Se dice del medicamento que se emplea para contener la hemorragia.

henal *s. m.* Henil, lugar donde se guarda el heno.

henar *s. m.* Lugar poblado de heno.

henchimiento *s. m.* Acción y efecto de henchir o henchirse.

henchir *v. tr.* **1.** Llenar, rellenar, ocupar plenamente, colmar con abundancia. **2.** *fig.* Llenar a alguien de favores o de ofensas.

hendedura *s. f.* Hendidura.

hender *v. tr.* **1.** Hacer o causar una hendidura. También prnl. **2.** *fig.* Atravesar un fluido o líquido.

hendidura *s. f.* Raja o grieta prolongada en un cuerpo sólido, cuando no llega a dividirlo por completo.

hendimiento *s. m.* Acción y efecto de hender o henderse.

henequén *s. m.* Planta amarilidácea, especie de pita.

hénide *s. f., poét.* Ninfa de los prados.

henificar *v. tr.* Segar plantas forrajeras y secarlas al sol, para conservarlas como heno.

henil *s. m.* Lugar donde se guarda el heno.

heno *s. m.* **1.** Planta gramínea, de cañitas delgadas, hojas estrechas y flores en panoja. **2.** Hierba segada, seca, para alimento del ganado.

henojil *s. m.* Liga para sujetar las medias.

heñir *v. tr.* Amasar con los puños.

hepática *s. f.* Nombre genérico de cierto tipo de plantas ranunculáceas, sin raíces y con frondas sin nervios, que debe su nombre a su parecido, en la forma, al hígado.

hepático, ca *adj.* **1.** Que padece del hígado. **2.** Perteneciente o relativo a este órgano.

hepatitis *s. f.* Inflamación del hígado.

hepatología *s. f.* Tratado acerca del hígado y de sus enfermedades.

heptacordio *s. m.* Heptacordo.

heptacordo *s. m.* Escala usual compuesta de las siete notas.

heptaedro *s. m.* Sólido terminado por siete caras.

heptagonal *adj.* De figura de heptágono.

heptágono, na *adj.* Se aplica al polígono de siete lados. También s. m.

heptarquía *s. f.* País dividido en siete reinos.

heptasílabo, ba *adj.* Que consta de siete sílabas.

heráldica *s. f.* Ciencia relacionada con los escudos nobiliarios.

heráldico, ca *adj.* Perteneciente o relativo a la heráldica

heraldo *s. m.* **1.** Caballero que en la Edad Media cuidaba del ceremonial palaciego y llevaba los registros de la nobleza. **2.** Mensajero.

herbáceo, a *adj.* Se aplica a las plantas que tienen la naturaleza de la hierba.

herbajar *v. tr.* Apacentar el ganado en prado o dehesa.

herbaje *s. m.* Conjunto de hierbas de los prados.

herbajear *v. tr.* Herbajar.

herbajero, ra *s. m. y s. f.* Persona que arrienda un prado.

herbar *v. tr.* Adobar con hierbas las pieles o cueros.

herbario *s. m.* **1.** Colección de hierbas y plantas seca. **2.** Primera cavidad del estómago de los rumiantes.

herbazal *s. m.* Sitio poblado de hierbas.

herbecer *v. intr.* Empezar a nacer la hierba.

herbero *s. m.* Esófago del animal rumiante.

herbicida *adj.* Se dice particularmente del producto químico que obstaculiza el desarrollo de las malas hierbas. También s. m.

herbívoro, ra *adj.* Se dice del animal que se alimenta de vegetales.

herbolario, ria *s. m. y s. f.* **1.** Persona que se dedica a recoger o vender hierbas y plantas medicinales. ‖ *s. m.* **2.** Tienda donde se venden estas plantas.

herboristería *s. f.* Tienda donde se venden plantas medicinales.

herborización *s. f.* Acción y efecto de herborizar.

herborizar *v. intr.* Andar por montes valles y campos reconociendo y cogiendo hierbas y plantas.

herboso, sa *adj.* Poblado de hierba.

herciano, na *adj.* Se dice de las ondas electromagnéticas.

hercio *s. m.* Unidad de medida de la frecuencia o número de oscilaciones por segundo en corrientes alternas.

hércules *s. m., fig.* Hombre de mucha fuerza.

heredad *s. f.* **1.** Terreno cultivado perteneciente a un mismo dueño. **2.** Hacienda de bienes raíces de una persona.

heredamiento *s. m.* Hacienda de campo.

heredar *v. tr.* Suceder por disposición testamentaria o legal en los bienes y acciones que tenía uno, al tiempo de su muerte.

heredero, ra *adj.* Se dice de la persona que por testamento o ley sucede, a título universal, en todo o parte de una herencia.

hereditario, ria *adj.* **1.** Perteneciente o relativo a la herencia o que se adquiere por ella. **2.** Se aplica a las inclinaciones, virtudes, vicios o enfermedades que pasan de padres a hijos.

hereje *com.* Persona que defiende y sostiene una herejía.

herejía *s. f.* Error en materia de fe, sostenido con pertinencia.

herén *s. m.* Yero, planta leguminosa.

herencia *s. f.* Bienes y derechos que se heredan.

heresiarca *s. m.* Autor o seguidor de una herejía.

herético, ca *adj.* Relativo a la herejía o al hereje.

herida *s. f.* Rotura hecha en las carnes con un instrumento o por efecto de un golpe.

herido, da *adj.* Que tiene heridas. También s. m. y s. f.

herir *v. tr.* Dañar en un organismo algún tejido con un golpe, arma, etc. También prnl.

herma *s. m.* Busto sin brazos colocado sobre un estípite.

hermafrodita *adj.* Que tiene los dos sexos.

hermafroditismo *s. m.* Cualidad de hermafrodita.

hermanado, da *adj., fig.* Igual o semejante en todo a una cosa.

hermanamiento *s. m.* Acción y efecto de hermanar o hermanarse.

hermanar *v. tr.* Unir espiritualmente, hacer a uno hermano de otro. También prnl.

hermanastro, tra *s. m. y s. f.* Hijo de uno de los dos cónyuges respecto al hijo del otro.

hermanazgo *s. m.* Hermandad.

hermandad *s. f.* **1.** Parentesco entre hermanos. **2.** Cofradía, congregación de devotos.

hermandarse *v. prnl.* Hacerse alguien hermano de otro en sentido espiritual.

hermano, na *s. m. y s. f.* **1.** Nacido de los mismos padres, o solo del mismo padre o de la misma madre. **2.** *fig.* Persona considerada en cuanto a los vínculos espirituales que la unen a los demás miembros de una entidad, como la familia humana, una Orden religiosa, etc.

hermenéutica *s. f.* Técnica de interpretación de los textos, fundamentalmente antiguos, para fijar su verdadero sentido.

hermético, ca *adj.* **1.** Se dice de lo que cierra una abertura de modo que no deja pasar el aire ni otra materia gaseosa. **2.** *fig.* Impenetrable, incomprensible.

hermosear *v. tr.* Hacer o poner hermosa una persona o cosa. También prnl.

hermosilla *s. f.* Planta de la familia de las campanuláceas, de raíz carnosa, que se cultiva en los jardines.

hermoso, sa *adj.* Dotado de hermosura.

hermosura *s. f.* Belleza de las cosas.

hernia *s. f.* Tumor blando producido por la salida de una víscera u otra parte blanda, fuera de la cavidad en que está encerrada.

herniarse *v. prnl.* Producírsele a alguien una hernia.

héroe *s. m.* **1.** Hombre ilustre por sus hazañas o virtudes. **2.** Protagonista de un poema épico, leyenda, drama, etc.

heroicidad *s. f.* **1.** Cualidad de heroico. **2.** Acción heroica.

heroico, ca *adj.* Relativo a los héroes y heroínas.

heroida *s. f.* Composición poética en que el autor hace hablar a un héroe o personaje célebre.

heroína *s. f.* **1.** Mujer ilustre por sus hazañas. **2.** Protagonista de un drama, poema, novela, etc.

heroísmo *s. m.* Esfuerzo de la voluntad que lleva a la persona a realizar hechos extraordinarios.

herpes *s. amb.* Erupción cutánea originada por pequeñas vesículas que dejan rezumar, cuando se rompen, un humor que al secarse forma costras.

herpético, ca *adj.* Perteneciente o relativo al herpes.

herpetología *s. f.* Tratado de los reptiles.

herpil *s. m.* Saco de red de tomiza con mallas anchas para llevar paja, melones, etc.

herrada *s. f.* Cubo de madera, con grandes aros de hierro, más ancho por la base que por la boca.

herradero *s. m.* Acción y efecto de marcar o señalar con el hierro los ganados.

herradura *s. f.* Hierro circular que se le pone a las caballerías en los cascos para que no se dañen al andar.

herraj *s. m.* Erraj, combustible para brasero.

herraje *s. m.* Conjunto de piezas de hierro o acero con que se guarnece una puerta, un cofre, etc.

herramienta *s. f.* Instrumento de hierro o acero con que trabajan los artesanos.

herranza *s. f.* Acción de herrar.

herrar *v. tr.* Ajustar y clavar las herraduras.

herrén *s. m.* Forraje de avena, trigo, centeno, cebada, etc., que se da al ganado.

herrería *s. f.* **1.** Fábrica en que se funde metal y labra el hierro en grueso. **2.** Taller del herrero. **3.** Oficio del herrero.

herrerillo *s. m.* Pájaro de unos 12 cm de largo y 2 dm de envergadura, con la cabeza azul, nuca y cejas blancas, lomo verde azulado, pecho y abdomen amarillo. Es insectívoro y muy común en España.

herrero, ra *s. m. y s. f.* Persona que tiene por oficio labrar el hierro.

herreruelo *s. m.* Pájaro insectívoro, de plumaje negro con el pecho blanco.

herrete *s. m.* Remate de alambre, hojalata u otro metal, que se pone en cintas o cordones, para que pueda entrar con facilidad por los ojetes, o por adorno.

herretear *v. tr.* Poner herrete a las agujetas, cordones, etc.

herrezuelo *s. m.* Pieza pequeña de hierro.

herrial *adj.* Se dice de una especie de uva gruesa y tinta, y de la vid que la produce.

herrín *s. m.* Herrumbre.

herrón *s. m.* Especie de disco de hierro horadado con que se jugaba, tirando desde cierta distancia, a fin de meterlo en un clavo hincado en la tierra.

herrumbrar *v. tr.* Aherrumbrar. También prnl.

herrumbre *s. m.* Óxido del hierro.

herrumbroso, sa *adj.* Que cría herrumbre o la tiene.

hertz *s. m.* Hercio.

hertziano, na *adj.* Herciano.

herventar *v. tr.* Meter una cosa en agua y tenerla dentro hasta que dé algún hervor.

hervidero *s. m.* **1.** Movimiento y ruido que hacen los líquidos cuando hierven. **2.** *fig.* Muchedumbre.

hervido *s. m., Cat. y Val.* Guiso de judías verdes con patatas, condimentado con aceite y vinagre.

hervidor *s. m.* Utensilio de cocina para hervir líquidos.

hervir *v. intr.* Moverse agitadamente un líquido bajo el efecto del calor, produciendo burbujas.

hervor *s. m.* Acción y efecto de hervir.

hervoroso, sa *adj.* Fogoso, impetuoso, ardoroso, vehemente.

hesitación *s. f.* Duda, vacilación.

hesitar *v. intr.* Dudar, vacilar.

hesperidio *s. m.* Fruto carnoso de corteza gruesa y esponjosa, rico en esencias, dividido interiormente en secciones o gajos, envueltos en telillas membranosas; como el limón y la naranja.

hetera *s. f.* Prostituta.

heteróclito, ta *adj., fig.* Irregular, extraño.

heterodoxia *s. f.* Disconformidad con el dogma católico y, en general, con cualquier doctrina o sistema.

heterodoxo, xa *adj.* En desacuerdo a las doctrinas ortodoxas en religión, filosofía, etc.

heterogeneidad *s. f.* Cualidad de heterogéneo.

heterogéneo, na *adj.* **1.** Compuesto de partes de diversa naturaleza. **2.** Diferente.

heteromancia *s. f.* Adivinación supersticiosa por el vuelo de las aves.

heteroplastia *s. f.* Injerto realizado con una porción de tejido de un animal de diferente especie que el que lo recibe.

heterópsido, da *adj.* Se aplica a las sustancias metálicas que carecen del brillo propio del metal.

heteróptero *adj.* Se dice de los insectos hemípteros, con cuatro alas, de las que las dos posteriores son membranosas y las anteriores coriáceas en su base. Algunos son parásitos y ápteros, como la chinche. También *s. m.*

heteroscio *adj.* Se aplica al habitante de las zonas templadas, el cual a mediodía hace sombra siempre hacia un mismo lado.

heterosexual *adj.* Se dice de la relación sexual entre individuos de distinto sexo.

heterótrofo, fa *adj.* Se dice de los organismos que no se nutren por sí mismos, sino con sustancias elaboradas por otros seres vivos; como los animales y vegetales sin clorofila.

hético, ca *adj.* Tísico, tuberculoso.

hetiquez *s. f.* Tisis, tuberculosis.

heurística *s. f.* Arte de inventar.

hexacordo *s. m.* Sistema musical medieval que se basa en una escala diatónica de seis notas.

hexaedro *s. m.* Sólido de seis caras.

hexagonal *adj.* Que tiene figura de hexágono o semejante a él.

hexágono, na *adj.* Se aplica al polígono de seis ángulos y seis lados.

hexámetro *adj.* Se dice del verso de la poesía griega y latina de seis pies.

hexápodo *adj.* Que tiene seis patas. También *s. m. y s. f.*

hexasílabo *adj.* De seis sílabas. También *s. m. y s. f.*

hexástilo *s. m.* Pórtico o templo con seis columnas en su parte delantera.

hez *s. f.* **1.** Poso o sedimento de algunos líquidos. ‖ *s. f. pl.* **2.** Excrementos que arroja el cuerpo por el ano.

hialino, na *adj.* Se dice de lo que es diáfano como el vidrio o que es parecido a él.

hialografía *s. f.* Arte de grabar en vidrio.

hialógrafo *s. m.* Instrumento que sirve para copiar en perspectiva los objetos, utilizando la transparencia de un vidrio.

hialoideo, a *adj.* Que se parece al vidrio o que tiene sus propiedades.

hialotecnia *s. f.* Arte de fabricar y de trabajar el vidrio.

hialurgia *s. f.* Hialotecnia.

hiato *s. m.* Encuentro de dos vocales que se pronuncian en sílabas distintas.

hibernación *s. f.* Estado de letargo a que están sujetos ciertos animales durante el invierno.

hibernal *adj.* Invernal.

hibernar *v. intr.* Pasar el invierno, especialmente en letargo.

hibridación *s. f.* Producción artificial de seres híbridos.

hibridismo *s. m.* Cualidad de híbrido.

híbrido, da *adj.* Se aplica al animal o vegetal procreado por dos individuos de distinta especie.

hicaco *s. f.* **1.** Arbusto que se da de forma espontánea en las Antillas y América intertropical, con fruto en drupa del tamaño, forma y color de la ciruela claudia. Se consume en almíbar o en conserva. **2.** Fruto de este árbol.

hicotea *s. f.* Reptil quelonio emídido, especie de tortuga de agua dulce que se cría en América; es comestible.

hidalgo, ga *s. m. y s. f.* Miembro del escalafón más bajo de la antigua nobleza.

hidalguía *s. f.* **1.** Cualidad de hidalgo. **2.** *fig.* Nobleza de ánimo.

hidátide *s. f.* **1.** Equinococo. **2.** Quiste hidatídico.

hidatídico, ca *adj.* Se dice del quiste que afecta a órganos del ser humano producido por la tenia del perro.

hidra *s. f.* **1.** Nombre genérico de diversas especies de celentéreos de agua dulce. Su estructura es un tubo cerrado por una cavidad digestiva simple, en un extremo, y por varios tentáculos urticantes, en el otro. **2.** Monstruo con siete cabezas.

hidrácido *s. m.* Compuesto formado por hidrógeno y un no metal.

hidrargiro *s. m.* Mercurio o azogue.

hidrartrosis *s. f.* Acumulación de líquido seroso en un orificio articular.

hidratación *s. f.* Acción y efecto de hidratar.

hidratar *v. tr.* Combinar una sustancia o cuerpo con el agua. También prnl.

hidrato *s. m.* Combinación de un cuerpo con el agua.

hidráulica *s. f.* Parte de la física mecánica que estudia el equilibrio y movimiento de los líquidos.

hidráulico, ca *adj.* Perteneciente o relativo a la hidráulica.

hidria *s. f.* Vasija grande, a modo de cántaro o tinaja, usada por los romanos para contener agua.

hidroavión *s. m.* Aeroplano provisto de flotadores o de fuselaje en forma de casco de barco para poder posarse sobre el agua.

hidrobiología *s. f.* Ciencia que estudia los seres que pueblan las aguas continentales.

hidrocarburo *s. m.* Carburo de hidrógeno.

hidrocefalia *s. f.* Hidropesía de la cabeza, acumulación de líquido cefalorraquídeo en las cavidades del cerebro.

hidrocele *s. f.* Acumulación serosa entre las membranas testiculares.

hidrodinámica *s. f.* Parte de la mecánica que estudia el movimiento de los fluidos.

hidroeléctrico, ca *adj.* Perteneciente o relativo a la energía eléctrica obtenida por energía hidráulica.

hidráfana *s. f.* Variedad de ópalo que adquiere transparencia dentro del agua.

hidrofilacio *s. m.* Concavidad subterránea llena de agua, de la que muchas veces se alimentan los manantiales.

hidrófilo, la *adj.* Que absorbe el agua con gran facilidad.

hidrofobia *s. f.* Dificultad para tragar que padecen los que han sido mordidos por animales rabiosos, que antiguamente interpretaron como horror al agua, dando ese nombre a la enfermedad.

hidrófobo, ba *adj.* Que padece hidrofobia.

hidrófugo, ga *adj.* Se dice de las sustancias que evitan la humedad o las filtraciones.

hidrógeno *s. m.* Gas incoloro, inodoro, insípido, combustible y el más ligero de todos.

hidrogogía *s. f.* Arte de canalizar las aguas.

hidrografía *s. f.* Parte de la geografía física que trata de las aguas del globo terrestre.

hidrográfico, ca *adj.* Perteneciente o relativo a la hidrografía.

hidrólisis o hidrolisis *s. f.* Desdoblamiento de la molécula de algunos compuestos orgánicos, por exceso de agua o por la presencia de fermento de ácido.

hidrología *s. f.* Parte de las ciencias naturales que trata de las aguas.

hidromancia *s. f.* Arte de adivinar supersticiosamente por medio del agua.

hidromel *s. m.* Aguamiel, agua mezclada con miel.

hidrometría *s. f.* Parte de la hidrodinámica que trata del modo de medir el caudal, la velocidad o la fuerza de los líquidos en movimiento.

hidrómetro *s. m.* Instrumento para medir el caudal, la velocidad o la fuerza de las corrientes líquidas.

hidromiel *s. f.* Hidromel.

hidropatía *s. f.* Método curativo por medio del agua.

hidropesía *s. f.* Derrame o acumulación anormal de humor seroso en cualquier cavidad del cuerpo o su infiltración en el tejido celular.

hidrópico, ca *adj.* **1.** Que padece hidropesía, especialmente de vientre. También s. m. y s. f. **2.** *fig.* Sediento con exceso.

hidroplano *s. m.* Hidroavión.

hidroscopia *s. f.* Arte de averiguar la existencia y condiciones de las aguas ocultas.

hidrosfera *s. f.* Conjunto de las partes líquidas del globo terráqueo.

hidrostática *s. f.* Parte de la mecánica que estudia el equilibrio de los fluidos.

hidrotecnia *s. f.* Arte de construir máquinas y aparatos hidráulicos.

hidroterapia *s. f.* Tratamiento de las enfermedades por medio de aguas medicinales.

hidrotórax *s. m.* Hidropesía del pecho.

hidruro *s. m.* Compuesto de hidrógeno y otro elemento, especialmente un metal.

hiedra *s. f.* Planta trepadora araliácea, siempre verde, con pequeñas raíces en el tallo, de hojas coriáceas y lustrosas, y flores en umbelas.

hiel *s. f.* **1.** Bilis. **2.** *fig.* Amargura, aspereza.

hielo *s. m.* Forma sólida del agua por efecto de un descenso suficiente de temperatura.

hiemación *s. f.* Propiedad que poseen algunas plantas de crecer durante el invierno.

hiena *s. f.* Nombre común a varias especies de una familia de animales carnívoros de África y de Asia, de pelaje áspero, gris amarillento, con listas o manchas en el lomo y en los flancos.

hienda *s. f.* **1.** Estiércol. **2.** *Extr. y Le.* Hendidura.

hierático, ca *adj.* **1.** Muy serio, impasible. **2.** Se dice de la antigua escritura egipcia que era una abreviación de la jeroglífica.

hierba *s. f.* Toda planta que conserva su tallo siempre verde y tierno, no lignificado, a lo sumo algo leñoso en la base.

hierbabuena *s. f.* Planta labiada, de hojas vellosas y flores rojizas, que se emplea como condimento.

hieroscopia *s. f.* Adivinación por las entrañas de los animales.

hierra *s. f., amer.* Acción de marcar a los ganados.

hierro *s. m.* Metal de color gris azulado, dúctil, maleable, muy tenaz, que puede recibir gran pulimento y es el más empleado en la industria y en las artes.

higa *s. f.* Ademán de desprecio o en contra del mal de ojo, hecho con el puño cerrado y el dedo corazón estirado.

higadillo *s. m.* Hígado de los animales, en especial de las aves, que se vende para el consumo. Se emplea más en pl.

hígado *s. m.* Órgano situado a la derecha, bajo el diafragma, que segrega la bilis y realiza además importantes funciones metabólicas y antitóxicas.

higiene *s. f.* Parte de la medicina que trata de los medios de conservar la salud individual y colectiva por medio de la prevención de enfermedades.

higiénico, ca *adj.* Perteneciente o relativo a la higiene.

higo *s. m.* Fruto que da la higuera, de sabor dulce y color encarnado.

higrometría *s. f.* Parte de la física que tiene por objeto la determinación de las causas productoras de la humedad atmosférica y la medida de sus variaciones.

higrómetro *s. m.* Instrumento para medir el grado de humedad de la atmósfera.

higroscopia *s. f.* Higrometría.

higroscopicidad *s. f.* Propiedad de algunos cuerpos inorgánicos, y de todos los orgánicos, de absorber y de exhalar la humedad según las circunstancias que los rodean.

higroscopio *s. m.* Instrumento que indica el estado higrométrico.

higuera *s. f.* Árbol frutal moráceo, de savia láctea y hojas grandes y lobuladas.

higuerón *s. m.* Árbol americano de la familia de las moráceas, con tronco corpulento y madera fuerte, de color blanco amarillento, usada para construir embarcaciones.

hijadalgo *s. f.* Hidalga.

hijastro, tra *s. m. y s. f.* Respecto de uno de los cónyuges, hijo o hija tenido por el otro en matrimonio anterior.

hijear *v. intr., Cub. y Hond.* Ahijar, retoñar.

hijo, ja *s. m. y s. f.* Persona o animal, respecto de su padre o de su madre.

hijodalgo *s. m.* Hidalgo.

hijuela *s. f.* **1.** Documento donde se reseñan los bienes que tocan en una partición a uno de los partícipes en el caudal que dejó el difunto. **2.** Conjunto de los mismos bienes.

hijuelo *s. m.* Hablando de árboles, retoño.

hilacha *s. f., desp.* Pedazo de hilo que se desprende de la tela.

hilachento, ta *adj., Arg., Col. y Chil.* Hilachoso.

hilachoso, sa *adj.* Que tiene muchas hilachas.

hilada *s. f.* **1.** Hilera, formación en línea. **2.** Serie de ladrillos o piedras que se van poniendo en la construcción de un edificio.

hiladillo *s. m.* **1.** Hilo que sale de la maraña de la seda, el cual se hila en la rueca como el lino. **2.** Cinta estrecha de hilo o seda.

hilado *s. m.* **1.** Acción y efecto de hilar. **2.** Porción de lino, cáñamo, seda, etc., reducida a hilo.

hilandero, ra *s. m. y s. f.* Persona que tiene por oficio hilar.

hilar *v. tr.* Reducir a hilo el lino, lana, algodón, etc.

hilaracha *s. f.* Hilacha.

hilarante *adj.* Que mueve a risa o inspira alegría.

hilaridad *s. f.* Algazara en una reunión.

hilatura *s. f.* **1.** Arte de hilar la lana, el algodón y otras materias semejantes. **2.** Industria y comercialización del hilado.

hilaza *s. f.* Hilado, porción de lino cáñamo, etc., reducida a hilo.

hilemorfismo *s. m.* Doctrina filosófica, que propone la dualidad: materia y forma, como constitutivo de toda realidad. No puede existir materia sin forma, pero sí forma sin materia. Esta forma sin materia es la esencia de las cosas.

hilera *s. f.* Formación en línea de un número de personas o cosas.

hilero *s. m.* Corriente secundaria o derivación de una corriente principal.

hilo *s. m.* **1.** Hebra larga y delgada formada por un conjunto de fibras sacadas de una materia textil. **2.** Alambre muy delgado que se saca de los metales.

hilván *s. m.* Costura de puntadas largas con que se prepara lo que se ha de coser después de otra manera.

hilvanar *v. tr.* Unir con hilvanes.

himen *s. m.* Repliegue membranoso que reduce el orificio externo de la vagina de las mujeres vírgenes. Suele desaparecer en los primeros contactos sexuales o bien después del parto.

himeneo *s. m.* Boda o casamiento.

himenóptero, ra *adj.* De alas membranosas.

himnario *s. m.* Colección de himnos.

himno *s. m.* Composición poética en honor de dioses o héroes.

himplar *v. intr.* Emitir su voz natural la onza o la pantera.

hincada *s. f.* **1.** *Chil., Ec. y P. Ric.* Genuflexión. **2.** *Per. y P. Ric.* Punzada, dolor agudo.

hincadura *s. f.* Acción y efecto de hincar o fijar una cosa.

hincapié *s. m.* Acción de hincar o afirmar el pie para sostenerse o hacer fuerza.

hincar *v. tr.* Introducir una cosa en otra.

hincha *adj.* Partidario entusiasta de un equipo deportivo.

hinchado, da *adj., fig.* Vano, presumido.

hinchar *v. tr.* **1.** Hacer que un cuerpo aumente de volumen, llenándolo de aire u otra cosa. También *prnl.* **2.** Envanecerse.

hinchazón *s. m.* **1.** Inflamación cutánea. **2.** *fig.* Vanidad, soberbia o engreimiento.

hincón *s. m.* Madero que se hinca en las márgenes de los ríos, en el cual se asegura la maroma de las barcas.

hiniesta *s. f.* Retama, planta leguminosa.

hinojo *s. m.* Planta umbelífera, silvestre, aromática y de flores pequeñas y amarillas.

hintero *s. m.* Mesa usada por los panaderos para amasar el pan.

hioideo, a *adj.* Se dice de la región próxima al hioides.

hioides *s. m.* Hueso situado en la raíz de la lengua y encima de la laringe.

hipálage *s. f.* Figura retórica que consiste en aplicar un adjetivo o complemento a otra palabra diferente a la que debería referirse en buena lógica.

hipar *v. intr.* **1.** Dar hipos reiteradamente. **2.** Llorar produciendo sonidos parecidos al hipo.

hiperbático, ca *adj.* Que tiene hipérbaton.

hipérbato o hipérbaton *s. m.* Figura que consiste en invertir el orden que en el discurso deben tener las palabras con arreglo a las leyes de la sintaxis regular.

hipérbola *s. f.* Curva cónica, simétrica respecto de dos ejes perpendiculares entre sí, con dos focos, compuesta de dos porciones abiertas, dirigidas en sentido opuesto, que se aproximan indefinidamente a dos asíntotas.

hipérbole *s. f.* Figura que consiste en aumentar o disminuir exageradamente la verdad de aquello de que se habla.

hiperbólico, ca *adj.* **1.** Perteneciente o relativo a la hipérbola. **2.** Perteneciente o relativo a la hipérbole.

hiperbolizar *v. intr.* Usar de hipérboles.

hiperboloide *s. m.* Superficie cuyas secciones planas son elipses, círculos o hipérbolas, y que se extiende indefinidamente en dos sentidos opuestos.

hiperbóreo, a *adj.* Se aplica a las regiones muy septentrionales.

hiperdulía *s. f.* Culto que se da a la Santísima Virgen.

hiperemia *s. f.* Superabundancia de sangre en alguna parte del cuerpo.

hiperespacio *s. m., fam.* En ciencia-ficción, espacio de más de tres dimensiones.

hiperestesia *s. f.* Sensibilidad excesiva y patológica.

hipermercado *s. m.* Gran superficie comercial, localizada preferentemente en la periferia de las ciudades, que ofrece precios muy competitivos.

hipermetropía *s. f.* Defecto del ojo que impide ver bien de cerca.

hipermnesia *s. f.* Excitación morbosa de la memoria.

hipertensión *s. f.* Tensión arterial superior a la normal.

hipertrofia *s. f.* Desarrollo excesivo del volumen de un órgano.

hipertrofiarse *v. prnl.* Desarrollarse con exceso un órgano.

hípico, ca *adj.* **1.** Perteneciente o relativo al caballo; sobre todo a la equitación. ‖ *s. f.* **2.** Deporte que se practica a caballo.

hipido *s. m.* Acción y efecto de hipar o gimotear.

hipnal *s. m.* Cierta víbora, la cual, según los antiguos, infundía un sueño mortal con su mordedura.

hipnosis *s. m.* Estado singular del sistema nervioso, semejante al sonambulismo, producido por el hipnotismo.

hipnótico, ca *adj.* Perteneciente o relativo al hipnotismo.

hipnotismo *s. m.* Procedimiento para producir por sugestión la hipnosis.

hipnotización *s. f.* Acción de hipnotizar.

hipnotizador, ra *adj.* Que hipnotiza. También s. m. y s. f.

hipnotizar *v. tr.* Producir la hipnosis en alguna persona o animal.

hipo *s. m.* Denominación onomatopéyica para designar el movimiento convulsivo del diafragma, al que acompaña un ruido gutural característico.

hipocampo *s. m.* Pez teleósteo, lofobranquio, llamado también caballito de mar, porque su cabeza recuerda la de un caballo.

hipocastanáceo, a *adj.* Se dice de árboles y plantas con hojas compuestas palmeadas, flores en racimos o en panojas y fruto capsular con semillas gruesas.

hipocausto *s. m.* Habitación griega y romana que se calentaba por medio de hornillos.

hipocondría *s. f.* Afección caracterizada por una gran sensibilidad del sistema nervioso con depresión habitual.

hipocondríaco, ca *adj.* **1.** Perteneciente o relativo a la hipocondría. **2.** Que la padece.

hipocondrio *s. m.* Cada una de las dos partes laterales de la región superior del abdomen, a ambos lados del epigastrio.

hipocresía *s. f.* Fingimiento de sentimientos que no se tienen.

hipócrita *adj.* Que finge o aparenta lo que no es o siente.

hipodérmico, ca *adj.* Que está o se pone debajo de la piel.

hipódromo *s. m.* Lugar destinado a carreras de caballos y carros.

hipófisis *s. f.* Glándula situada en la parte anterior del encéfalo.

hipogastrio *s. m.* Parte inferior del vientre.

hipogeo *s. m.* **1.** Bóveda subterránea donde los antiguos conservaban los cadáveres sin quemarlos. **2.** Capilla o edificio subterráneo.

hipogloso, sa *adj.* Que está debajo de la lengua.

hipogrifo *s. m.* Animal fabuloso, mitad grifo con alas y mitad caballo.

hipopótamo *s. m.* Mamífero paquidermo artiodáctilo africano, de patas cortas y cabeza y boca enormes.

hiposo, sa *adj.* Que tiene hipo.

hipóstasis *s. f.* El ser o la sustancia subyacente de la cual los fenómenos son una manifestación.

hipóstilo, la *adj.* Se dice del edificio cuyo techo está sostenido por columnas.

hipoteca *s. f.* Finca afectada a la seguridad del pago de un crédito.

hipotecar *v. tr.* Gravar bienes inmuebles con la hipoteca para responder con ellos de un pago.

hipotecario, ria *adj.* Perteneciente o relativo a la hipoteca.

hipotensión *s. f.* Tensión muy baja de la sangre.

hipotenusa *s. f.* En un triángulo rectángulo, el lado opuesto al ángulo recto.

hipótesis *s. f.* Proposición no demostrada que se admite para orientar las investigaciones y experimentos.

hipotético, ca *adj.* Perteneciente o relativo a la hipótesis o que se funda en ella.

hippie **o** *hippy* *adj.* Jipi.

hipsómetro *s. m.* Termómetro muy sensible que sirve para medir la altitud de un lugar, observando la temperatura a que allí hierve el agua.

hirco *s. m.* Cabra montés.

hircocervo *s. m.* Animal quimérico que estaba compuesto de macho cabrío y ciervo.

hirsuto, ta *adj.* Se dice del pelo áspero y duro, y de lo que está cubierto de pelo de esta clase o de púas o espinas.

hirundinaria *s. f.* Celidonia, planta.

hiscal *s. m.* Cuerda de esparto de tres ramales.

hisopear *v. tr.* Rociar o echar agua con el hisopo.

hisopillo *s. m.* **1.** Muñequilla de trapo que, empapada en un líquido, sirve para humedecer la boca y la garganta de los enfermos. **2.** Mata de las labiadas, aromática, útil para condimentos y medicinal.

hisopo *s. m.* **1.** Mata muy olorosa de las labiadas, empleada en medicina y perfumería. **2.** Palo corto que en su extremidad lleva una escobilla de cerdas o una bola de metal hueca con agujeros, y sirve para rociar el agua bendita en las iglesias.

hispanidad *s. f.* Conjunto de pueblos de lengua y cultura hispánica, y conjunto de caracteres que comparten.

hispanismo *s. m.* **1.** Giro o modo de hablar propio de la lengua española. **2.** Afición propia del hispanófilo.

hispanista *com.* Persona versada en la cultura, lengua y literatura españolas.

hispanizar *v. tr.* Españolizar.

hispanófilo, la *adj.* Se dice del extranjero aficionado a la cultura, historia y costumbres de España. También s. m. y s. f.

híspido, da *adj.* De pelo áspero y duro.

hispir *v. tr.* Ahuecar una cosa. También intr. y prnl.

histamina *s. f.* Compuesto orgánico que interviene en algunos procesos biológicos, como las reacciones alérgicas.

histeria *s. f.* Histerismo.

histérico, ca *adj.* **1.** Perteneciente o relativo al útero. **2.** Perteneciente o relativo al histerismo. **3.** Que padece histerismo.

histerismo *s. m.* Enfermedad de origen psíquico, consistente en un estado patológico, caracterizado por una gran excitabilidad emocional.

histología *s. f.* Parte de la anatomía que estudia la estructura de los tejidos animales y vegetales.

historia *s. f.* Exposición sistemática de los acontecimientos relativos a los pueblos y a cualquiera de sus actividades.

historiado, da *adj.* **1.** Se aplica al cuadro o dibujo que representa una escena o acción en que toman parte los distintos personajes. **2.** Complicado, recargado de adornos o de colores mal combinados.

historiador, ra *s. m. y s. f.* Persona que investiga o escribe historia.

historial *adj.* De la historia.

historiar *v. tr.* Componer historias.

historicidad *s. f.* Cualidad de histórico.

histórico, ca *adj.* **1.** Perteneciente o relativo a la historia. **2.** Averiguado, comprobado, cierto. **3.** Digno de figurar en la historia. **4.** Se dice de la obra literaria cuyo argumento trata sobre sucesos o personajes de la historia.

historieta *s. f.* Fábula o relación breve y divertida de suceso de poca importancia.

historiografía *s. f.* **1.** Conocimientos sobre el método de escribir la historia. **2.** Conjunto de obras y de investigaciones históricas.

histrión *s. m.* Persona que representaba disfrazada en la comedia o tragedia.

histriónico, ca *adj.* Perteneciente o relativo al histrión.

histrionisa *s. f.* Mujer que representaba o bailaba en el teatro.

histrionismo *s. m., desp.* Aparatosidad, teatralidad, etc.

hita *s. f.* Clavo pequeño y sin cabeza.

hitar *v. tr.* Amojonar.

hito, ta *adj.* **1.** Unido, inmediato. **2.** Fijo, firme.

hitón *s. m.* Clavo grande, cuadrado y sin cabeza.

hobachón, na *adj.* Se aplica al que, siendo corpulento, es perezoso o tiene poca disposición para el trabajo.

hobby *s. m.* Afición.

hocicar *v. intr.* **1.** Dar de hocicos en el suelo, o contra la pared, etc. || *v. tr.* **2.** Tropezar con un obstáculo o dificultad.

hocico *s. m.* Parte más o menos prolongada de la cabeza de algunos animales, en que están la boca y las narices.

hocicón, na *adj.* Hocicudo.

hocicudo, da *adj.* **1.** Se dice de la persona que tiene jeta o boca saliente. **2.** Se dice del animal de mucho hocico.

hocino *s. m.* Instrumento corvo de hierro acerado, especie de hoz, que se usa para cortar la leña y para trasplantar.

hociquear *v. tr.* Hocicar.

hockey *s. m.* Juego que se practica entre dos equipos compuestos de once jugadores, cada uno de los cuales procura introducir una pequeña pelota en la meta contraria, impulsándola con palos curvos especiales para este juego.

hoco *s. m.* Calabacín.

hodómetro *s. m.* Aparato para contar los pasos.

hogaño *adv. t., fam.* En el año presente o en esta época.

hogar *s. m.* **1.** Sitio donde se coloca la lumbre en las cocinas, etc. **2.** Sitio donde vive una persona con su familia.

hogareño, ña *adj.* **1.** Amante del hogar y de la vida de familia. **2.** Perteneciente o relativo al hogar.

hogaza *s. f.* Pan grande, de forma circular.

hoguera *s. f.* Porción de materias combustibles que al arder levantan mucha llama.

hoja *s. f.* **1.** Cada una de las partes, generalmente verdes, planas y delgadas, que nacen en la extremidad de los tallos y ramas de los vegetales. **2.** Lámina delgada de cualquier materia, como papel, metal, etc. **3.** En las puertas, ventanas, etc., cada una de las partes que se abren y cierran.

hojalata *s. f.* Lámina de hierro o acero, estañada por las dos caras.

hojalatero, ra *s. m. y s. f.* Persona que tiene por oficio hacer o vender piezas de hojalata.

hojaldra *s. f., Amér. del S. y Murc.* Hojaldre.

hojaldrar *v. tr.* Trabajar la masa para hacer hojaldre.

hojaldre *s. m.* Masa de harina con manteca trabajada de cierta manera, que al ser cocida al horno, hace hojas delgadas y superpuestas.

hojaranzo *s. m.* Variedad de jara.

hojarasca *s. f.* Conjunto de las hojas caídas de los árboles.

hojear *v. tr.* **1.** Mover o pasar las hojas de un libro o cuaderno. **2.** Leer algo de prisa y superficialmente.

hojoso, sa *adj.* **1.** De estructura de forma de hojas o láminas. **2.** Que tiene muchas hojas.

hojudo, da *adj.* Hojoso.

hojuela *s. f.* Masa frita, extendida y delgada.

¡hola! *interj.* que se emplea para denotar extrañeza y como salutación familiar.

holanda *s. f.* Lienzo muy fino para hacer camisas, sábanas, etc.

holding *s. m.* Organización de empresas en la que una sociedad financiera controla otras empresas mediante la adquisición de la mayor parte de sus acciones.

holgado, da *adj.* **1.** Desocupado. **2.** Ancho y sobrado para lo que se ha de contener. **3.** *fig.* Se dice de la persona que sin ser rica vive con bienestar.

holganza *s. f.* Placer, diversión y regocijo.

holgar *v. intr.* **1.** Descansar, tomar aliento después de una fatiga. **2.** Estar ocioso.

holgazán, na *adj.* Vagabundo, ocioso.

holgazanear *v. intr.* Estar voluntariamente inactivo, cuando se debería estar trabajando.

holgazanería *s. f.* Haraganería.

holgón, na *adj.* Se aplica a la persona amiga de darse a la buena vida. También s. m. y s. f.

holgorio *s. m., fam.* Regocijo, fiesta, diversión.

holgura *s. f.* **1.** Anchura. **2.** Regocijo, diversión entre muchos. **3.** Espacio vacío que queda entre dos piezas o superficies que deberían encajar.

holladero, ra *adj.* Se dice de la parte de camino por donde se transita ordinariamente.

holladura *s. f.* Acción de hollar.

hollar *v. tr.* **1.** Pisar con los pies. **2.** *fig.* Abatir, humillar.

hollejo *s. m.* Piel delgada que cubre algunas frutas y legumbres.

hollín *s. m.* Sustancia grasa y negra que el humo deposita.

holocausto *s. m.* **1.** Gran matanza de seres humanos. **2.** Acto de renuncia o sacrificio que realiza una persona por el bien de otras.

holoceno *s. m.* Periodo geológico actual.

holografía *s. f.* Técnica fotográfica basada en la luz producida por el láser, que genera imágenes tridimensionales.

hológrafo, fa *adj.* Ológrafo.

holómetro *s. m.* Instrumento que se utiliza para medir la altura angular de un punto sobre el horizonte.

holostérico *adj.* Enteramente sólido.

holoturia *s. f.* Nombre común que reciben las diversas especies de equinodermos, a los que suelen llamar pepinos de mar.

holotúrido, da *adj.* Se dice de los equinodermos sin caparazón y de forma alargada.

hombre *s. m.* **1.** Animal racional. **2.** Varón. **3.** El que ha llegado a la edad viril.

hombrear *v. intr.* **1.** Querer el joven parecer un hombre. **2.** Hacer fuerza con los hombros para sostener o empujar algo.

hombrera *s. f.* Pieza de la armadura antigua que defendía los hombros.

hombretón *s. m.* Hombre corpulento y valiente.

hombrillo *s. m.* Tira de tela con que se refuerza la camisa por el hombro.

hombro *s. m.* Parte superior y lateral del tronco humano y de los primates, de donde nace el brazo.

homenaje *s. m.* **1.** Acto o serie de ellos que se celebran en honor de una persona. **2.** *fig.* Sumisión, veneración, respeto a una persona.

homenajear *v. tr.* Rendir homenaje.

homeópata *adj.* Se dice del médico que profesa la homeopatía. También com.

homeopatía *s. f.* Sistema curativo que administra dosis muy pequeñas de las mismas sustancias que, en mayor cantidad, provocan la enfermedad que se pretende combatir.

homicida *adj.* Se dice de la persona que ocasiona la muerte de otra. También com.

homicidio *s. m.* Muerte causada a una persona por otra.

homilía *s. f.* En la liturgia católica, sermón que el sacerdote dirige a los fieles para explicar los textos bíblicos.

hominal *adj.* Perteneciente o relativo al hombre.

hominicaco *s. m.* Hombre pusilánime y de mala traza.

homocentro *adj.* De centro común a dos o más circunferencias.

homofonía *s. f.* Conjunto de voces o sonidos simultáneos y unísonos.

homófono, na *adj.* Se dice de las palabras que con distinta significación se pronuncian de igual modo.

homogeneidad *s. f.* Cualidad de homogéneo.

homogéneo, a *adj.* Se dice del compuesto cuyos elementos son de igual naturaleza.

homógrafo, fa *adj.* Se aplica a las voces de distinta significación que se escriben de igual manera.

homologar *v. tr.* **1.** Poner en relación de igualdad dos cosas. **2.** Confirmar el juez ciertos actos y convenios de las partes. **3.** Hacer que un producto se ajuste a unas normas determinadas. **4.** Declarar válidos en un país unos estudios realizados en otro.

homología *s. f.* Relación entre figuras, cuerpos, etc., homólogos.

homólogo, ga *adj.* Se dice de los elementos, órganos, etc., que en dos o más figuras, organismos, etc., se corresponden por su estructura, función, etc.

homonimia *s. f.* Cualidad de homónimo.

homónimo, ma *adj.* Se aplica a las palabras que tienen distinta significación, a pesar de ser iguales por su forma.

homóptero, ra *adj.* Se dice de los insectos hemípteros cuyas alas anteriores son de textura uniforme y más o menos membranosas.

homosexual *adj.* Se dice de la relación sexual entre individuos del mismo sexo.

homosexualidad *s. f.* Inclinación sexual hacia individuos del mismo sexo.

honda *s. f.* Tira de cuero o trenza de lana u otra materia, para tirar piedras u otros proyectiles con violencia, haciéndola girar.

hondear *v. tr.* **1.** Sondear, reconocer el fondo con la sonda. **2.** Sacar carga de una embarcación.

hondillos *s. m. pl.* Entrepiernas de los calzones.

hondo, da *adj.* **1.** Que tiene profundidad. **2.** *fig.* Tratándose de un sentimiento, intenso, extremado.

hondón *s. m.* Parte del estribo donde se apoya el pie.

hondonada *s. f.* Espacio de terreno hondo.

hondura *s. f.* Profundidad de una cosa.

honestar *v. tr.* Honrar.

honestidad *s. f.* Decencia en la persona.

honesto, ta *adj.* Honrado, decente.

hongo *s. m.* Planta talofita sin clorofila, que vive sobre materia orgánica en descomposición, o es parásita de vegetales o animales, aunque puede habitar en medios acuáticos.

honor *s. m.* **1.** Cualidad moral que nos hace conducirnos con rectitud y cumplir nuestros deberes respecto al prójimo y nosotros mismos. **2.** Gloria que se sigue a las acciones heroicas.

honorabilidad *s. f.* Cualidad de una persona honorable.

honorable *adj.* Digno de ser honrado.

honorarios *s. m. pl.* Sueldo que se da en las profesiones liberales.

honorífico, ca *adj.* Que da honor.

honoris causa *loc. lat.* que significa «por razón o causa de honor» y que se aplica a los grados universitarios concedidos de forma honorífica.

honra *s. f.* Estima y respeto de la dignidad propia.

honradez *s. f.* Cualidad de honrado.

honrado, da *adj.* **1.** Que procede con rectitud e integridad. **2.** Ejecutado honrosamente.

honrar *v. tr.* **1.** Respetar a una persona. **2.** Enaltecer o premiar su mérito de algún modo. **3.** Dar honor o celebridad.

honrilla *s. f.* Se toma en el sentido de cierta vergüenza que impulsa a hacer o dejar de hacer una cosa por el qué dirán.

honroso, sa *adj.* Que da honra y estimación.

hontanar *s. m.* Sitio en que nacen fuentes y manantiales.

hopa *s. f.* Especie de vestidura en forma de túnica cerrada.

hopalanda *s. f.* Túnica grande y holgada, especialmente la que vestían los estudiantes que iban a las universidades.

hopear *v. intr.* Menear la cola los animales, especialmente la zorra cuando la siguen.

hopo *s. m.* Copete o mechón de pelo.

hora *s. f.* Cada una de las 24 partes en que se divide el día solar.

horadar *v. tr.* Agujerear una cosa atravesándola de parte a parte.

horado *s. m.* Agujero que atraviesa de parte a parte una cosa.

horario *s. m.* **1.** Manecilla del reloj que señala las horas. **2.** Conjunto de horas durante las cuales se desarrolla una determinada actividad.

horca *s. f.* Conjunto de tres palos, uno de ellos horizontal y sostenido por los otros dos, del que cuelga una cuerda para ahorcar a los condenados.

horcado, da *adj.* En forma de horca.

horcadura *s. f.* Parte del tronco de los árboles, donde se dividen en ramas.

horcajadas, a *loc. adv.* Denota la postura de la persona que monta a caballo, en moto, etc., echando cada pierna para un lado, con la horcajadura sobre la silla del caballo, el asiento de la moto, etc.

horcajadura *s. f.* Ángulo que forman los dos muslos o piernas en su nacimiento.

horcajo *s. m.* **1.** Horca de madera que se pone al pescuezo de las mulas para trabajar. **2.** Horquilla que forma la viga del molino de aceite en el extremo en que se cuelga el peso. **3.** Confluencia de dos ríos o arroyos. **4.** Punto en que se unen dos montañas o cerros.

horcate *s. m.* Arreo de madera en forma de herradura, que se pone al cuello de las caballerías.

horchata *s. f.* Bebida hecha de almendras, chufas, pepitas de melón o sandía, u otro fruto semejante, todo machacado y exprimido con agua y sazonado con azúcar.

horchatería *s. f.* Establecimiento donde se hace o vende horchata.

horco *s. m.* Ristra de ajos o de cebollas.

horcón *s. m.* Horca para sostener las ramas de los árboles, parrales, etc.

horda *s. f.* **1.** Grupo de nómadas que forman una comunidad. **2.** Grupo de gente armada que no pertenece a un ejército regular.

horizontal *adj.* Que está en el horizonte o paralelo a él.

horizontalidad *s. f.* Cualidad de horizontal.

horizonte *s. m.* Línea que limita la parte de superficie terrestre visible desde un punto.

horma *s. f.* **1.** Molde con que se fabrica o da forma a una cosa. **2.** Pared de piedra sin argamasa.

hormaza *s. f.* Horma o pared de piedra sin argamasa.

hormazo *s. m., Córd. y Gran.* Quinta con jardín.

hormiga *s. f.* Insecto himenóptero, de cabeza gruesa, tórax y abdomen casi iguales.

hormigón *s. m.* Mezcla de piedras menudas y mortero de cal o cemento y arena.

hormigonera *s. f.* Aparato para mezclar mecánicamente las piedras y el mortero con que se hace el hormigón.

hormiguear *v. intr.* Experimentar alguna parte del cuerpo una sensación, semejante a la que resultaría si por él bulleran o corrieran hormigas.

hormigueo *s. m.* Acción y efecto de hormiguear.

hormiguero *s. m.* Lugar donde se crían y recogen las hormigas.

hormiguillo *s. m.* Enfermedad que padecen las caballerías en los cascos y que poco a poco se los va gastando.

hormilla *s. f.* Pieza circular y pequeña, de madera u otra materia que, forrada, forma un botón.

hormona *s. f.* Producto de la secreción interna de ciertos órganos que, transportado por la circulación sanguínea, es capaz de estimular, disminuir o suspender la función de otros.

hormonal *adj.* Relativo a la hormona o a su naturaleza.

hornablenda *s. f.* Variedad de anfíbol cristalizado.

hornacho *s. m.* Agujero que se hace en las montañas donde se cavan algunos minerales o tierras.

hornachuela *s. f.* Especie de covacha o choza.

hornacina *s. f.* Hueco o nicho en forma de arco, practicado en un muro.

hornada *s. f.* Cantidad de pan, cerámica etc., que se cuece de una vez en el horno.

hornaguear *v. tr., And.* Mover algo de un lado para otro para hacerlo entrar en un lugar en el que apenas cabe.

hornaguera *s. f.* Carbón de piedra.

hornaguero, ra *adj.* **1.** Flojo, holgado o espacioso. **2.** Se aplica al terreno en que hay hornaguera.

hornaza *s. f.* Horno pequeño de los plateros y fundidores de metales.

hornear *v. intr.* Tener un alimento durante cierto tiempo en el horno para que se cueza o dore.

hornero, ra *s. m. y s. f.* Persona que tiene por oficio cocer pan y templar para ello el horno.

hornija *s. f.* Leña menuda para el horno.

hornilla *s. f.* Hueco efectuado en la pared del palomar a fin de que las palomas aniden en él.

hornillo *s. m.* Horno manual que se emplea en laboratorios, cocinas y usos industriales, para calentar, fundir o tostar.

horno *s. m.* Obra de albañilería, dentro de la cual se produce calor por la combustión de gas, carbón, etc., provista de chimenea y de una o varias bocas, donde se funden o cuecen cosas.

horópter *s. m.* Línea recta que pasa por la intersección de los dos ejes ópticos, paralela a la que une los centros de los dos ojos del observador.

horóscopo *s. m.* Observación que los astrólogos hacen del estado del cielo en el momento del nacimiento de una persona para predecir los sucesos de su futuro.

horqueta *s. f.* Parte del árbol donde el tronco y la rama forman un ángulo agudo.

horquilla *s. f.* Alfiler doblado que se utiliza para sujetar el pelo.

horrar *v. intr., Guat. y Hond.* Quedarse la res sin cría porque se muere esta.

horrendo, da *adj.* Horroroso.

hórreo *s. m.* Construcción que se hace sobre cuatro pilotes para guardar el grano.

horrible *adj.* **1.** Que produce horror. **2.** Muy desagradable a la vista.

hórrido, da *adj.* Horroroso.

horrífico, ca *adj.* Horroroso.

horripilar *v. tr.* Horrorizar. También prnl.

horrísono, na *adj.* Se dice de un sonido que causa horror.

horro, rra *adj.* Se dice del esclavo que alcanza la libertad.

horror *s. m.* Algo que desagrada o disgusta exageradamente.

horrorizar *v. tr.* Causar horror.

horroroso, sa *adj.* **1.** Que causa horror. **2.** Muy feo.

horrura *s. f.* Escoria.

hortaliza *s. f.* Verduras y plantas comestibles que se cultivan en huerto.

hortelano, na *adj.* **1.** Perteneciente o relativo a la huerta. ‖ *s. m. y s. f.* **2.** Persona que por oficio cuida y cultiva huertas

hortense *adj.* Perteneciente o relativo a las huertas.

hortensia *s. f.* Arbusto saxifragáceo de jardín, de hojas simples y dentadas, flores olorosas, en inflorescencias globulosas y tallos ramosos de un metro de altura.

hortera *s. f.* **1.** Escudilla o cazuela de madera. ‖ *adj.* **2.** Se dice de la persona de gusto vulgar y llamativo. También com.

horterada *s. f.* Cualquier cosa vulgar o de mal gusto.

horticultor, ra *s. m. y s. f.* Persona que se dedica a la horticultura.

horticultura *s. f.* Cultivo de los huertos.

hosanna *interj.* Se usa en la liturgia católica, para expresar alegría y júbilo.

hosco, ca *adj.* Ceñudo e intratable.

hospedaje *s. m.* Alojamiento y asistencia que se da a una persona.

hospedar *v. tr.* Recibir uno en su casa huéspedes. También prnl.

hospedería *s. f.* Casa que se destina al alojamiento de visitantes o viandantes.

hospiciano, na *adj.* Se dice del niño que vive en el hospicio o la persona que se ha criado en él.

hospicio *s. m.* **1.** Casa donde se alberga a niños huérfanos, pobres o abandonados. **2.** Hospedaje donde se aloja a peregrinos y pobres.

hospital *s. m.* Establecimiento público o privado en que se curan enfermos.

hospitalario, ria *adj.* Que socorre y alberga a los extranjeros y necesitados.

hospitalidad *s. f.* Virtud que se ejercita con todos los necesitados prestándoles la debida asistencia y acogida.

hospitalizar *v. tr.* Internar a alguien en un hospital o clínica para prestarle la asistencia que necesita.

hosquedad *s. f.* Cualidad de hosco.

host *s. m.* En internet, anfitrión, ordenador o computadora que puede recibir o enviar información a otro ordenador o computadora.

hostal *s. m.* Establecimiento de huéspedes equivalente a un hotel.

hostelería *s. f.* Conjunto de servicios que proporcionan alojamiento y comida a los viajeros.

hostelero, ra *s. m. y s. f.* Persona que tiene a su cargo una hostería.

hostería *s. f.* Casa donde se da de comer y alojamiento al que lo paga.

hostia *s. f.* Oblea redonda y fina de pan ázimo con que el sacerdote administra la comunión en la misa.

hostiario *s. m.* Caja donde se guardan hostias sin consagrar.

hostigador, ra *adj.* Que hostiga. También s. m. y s. f.

hostigamiento *s. m.* Acción de hostigar.

hostigar *v. tr.* **1.** Azotar. **2.** *fig.* Perseguir, molestar a alguien.

hostil *adj.* Contrario o enemigo.

hostilidad *s. f.* Agresión armada de un pueblo, ejército o tropa.

hostilizar *v. tr.* Molestar continuamente a alguien.

hotel *s. m.* Establecimiento público de más categoría que el hostal, donde se da alojamiento y comida a los clientes.

hotelero, ra *adj.* Perteneciente o relativo al hotel.

hoy *adv. t.* En este día, en el día presente.

hoya *s. f.* **1.** Cavidad grande en el terreno. **2.** Sepultura. **3.** Llanura extensa rodeada de montañas.

hoyanca *s. f., fam.* Fosa común en los cementerios, para enterrar los cadáveres de los que no pagan sepultura particular.

hoyo *s. m.* Concavidad formada naturalmente en la tierra o hecha por alguien.

hoyuela *s. f.* Hoyo en la pared inferior de la garganta donde comienza el pecho.

hoyuelo *s. m.* Hoyo en el centro de la barbilla y también el que se forma en la mejilla de algunas personas al reírse.

hoz[1] *s. f.* Instrumento que sirve para segar mieses y hierbas, de hoja acerada, corva y cortante, sujeta a un mango de madera.

hoz[2] *s. f.* Angostura de un valle profundo, o la que forma un río que corre por entre dos sierras.

hozar *v. tr.* Remover la tierra con el hocico.

huaca *s. f., amer.* Guaca, término para denominar todo lo sagrado.

huacal *s. m., amer.* Guacal.

huacamole *s. m., amer.* Guacamole.

huacatay *s. m., amer.* Especie de hierbabuena americana que se usa como condimento.

huairo *s. m.* Árbol de Perú que da flores hermosas; su fruto es el harriero.

huango *s. m., amer.* Peinado de las indias ecuatorianas, consistente en una sola trenza fajada estrechamente y que cae por la espalda.

huapango *s. m., Méx.* Danza popular mexicana de ritmo muy vivo.

huasca *s. f., Amér. del S.* Guasca, trozo de cuerda o correa.

hucha *s. f.* Recipiente con una ranura para guardar el dinero ahorrado.

huchear *v. intr.* Llamar, gritar.

huebra *s. f.* Tierra de labor que se ara en un día.

hueco, ca *adj.* **1.** Cóncavo o vacío por dentro. **2.** Presumido, vano.

huecograbado *s. m.* Sistema para obtener fotograbados en cilindros de metal adaptables a las máquinas rotativas.

huelga *s. f.* **1.** Tiempo en que se está sin trabajar. **2.** Sitio que invita a la recreación.

huelgo *s. m.* Aliento, resuello.

huelguista *com.* Persona que toma parte en una huelga.

huella *s. f.* **1.** Señal que deja el pie en la tierra por donde ha pasado. **2.** Señal, vestigio en general.

huello *s. m.* Parte inferior del casco del animal.

huérfano, na *adj.* Se dice de la persona de menor edad que pierde a sus padres o a alguno de los dos. También s. m. y s. f.

huero, ra *adj.* **1.** Vacío. **2.** Insustancial.

huerta *s. f.* Terreno destinado al cultivo de árboles frutales y hortalizas.

huerto s. m. Terreno pequeño, que suele estar cercado, en el que se plantan verduras, legumbres y árboles frutales.

huesa s. f. Sepultura u hoyo para enterrar en él un cadáver.

huesera s. f., Chil. y Le. Osario.

huesillo s. m. **1.** Amér. del S. Melocotón secado al sol. **2.** Cub. Árbol leguminoso, de madera amarilla pardusca, dura y de gran brillo.

hueso s. m. Cada una de las partes sólidas y resistentes del cuerpo, formadas por sustancia orgánica y sales minerales, que constituyen el esqueleto de la mayoría de los vertebrados.

huésped, da s. m. y s. f. Persona alojada en casa ajena.

hueste s. f. **1.** Ejército en campaña. **2.** fig. Conjunto de secuaces o partidarios de una persona o causa.

huesudo, da adj. Que tiene los huesos muy marcados.

hueva s. f. Masa que forman los huevos de ciertos pescados, contenida en una bolsa oval.

huevar v. intr. Comenzar las aves a tener huevos.

huevera s. f. Recipiente de metal o cartón en el que se guardan o transportan huevos.

huevería s. f. Tienda donde se venden huevos.

huevero, ra s. m. y s. f. **1.** Persona que vende huevos o se dedica a su producción. ‖ s. f. **2.** Recipiente de metal o cartón en el que se guardan o transportan huevos.

huevo s. m. Cuerpo esferoidal que producen las hembras de muchos animales para la multiplicación de la especie, formado por una sola célula y que encierra el embrión con las sustancias adecuadas a su primer desarrollo.

huida s. f. Acción de huir.

huidizo, za adj. Que huye o es inclinado a huir.

huila adj. **1.** Méx. Tullido. ‖ s. f. **2.** Chil. Harapo.

huipil s. m., Amér. C. y Méx. Camisa suelta de mujer, sin mangas y con vistosos bordados.

huir v. intr. Alejarse rápidamente de un sitio para evitar un daño o peligro. También prnl.

hule s. m. Tela pintada al óleo y barnizada por un lado para hacerla impermeable.

hulero s. m., Amér. C. Trabajador que recoge el hule o caucho.

hulla s. f. Carbón fósil, muy negro brillante o mate y duro, que se quiebra en aristas. Tiene un alto poder calorífico y calcinado produce gas y coque.

humanar v. tr. Hacer a uno humano, familiar y afable.

humanidad s. f. **1.** Condición de ser humano. **2.** Género humano.

humanismo s. m. Cultivo de las letras clásicas o de las humanas.

humanista com. Persona instruida en letras humanas.

humanístico, ca adj. Perteneciente o relativo al humanismo o a las humanidades.

humanitario, ria adj. **1.** Que mira o se refiere al bien del género humano. **2.** Benigno, caritativo, compasivo.

humanitarismo s. m. Humanidad, compasión de las desgracias ajenas.

humanización s. f. Adquisición de un caracter más agradable y asequible.

humanizar v. tr. Humanar, hacer humano.

humano, na adj. **1.** Se aplica a la persona que se compadece de las desgracias ajenas. ‖ s. m. **2.** Hombre o persona.

humareda s. f. Gran cantidad de humo.

humear v. intr. Exhalar, echar de sí humo, vapor o vaho. También prnl.

humectación s. f. Acción de humedecer.

humectar v. tr. Dar humedad a algo.

humedad s. f. **1.** Agua de que está impregnado un cuerpo. **2.** Cantidad de vapor de agua que hay en el aire atmosférico.

humedal s. m. Terreno húmedo.

humedecer v. tr. Producir o causar humedad.

húmedo, da adj. Ligeramente impregnado de agua o de otro líquido.

humera s. f., fam. Borrachera.

humeral adj. Paño blanco que se pone el sacerdote sobre los hombros para coger la custodia o el copón.

humero s. m. Tubo de chimenea por el que sale el humo.

húmero s. m. Hueso del brazo, entre el hombro y el codo.

húmido, da adj., poét. Húmedo, humedad.

humildad s. f. Condición de los que no presumen de sus méritos y cualidades, y reconocen sus errores y defectos.

humilde adj. **1.** Que tiene humildad. **2.** Perteneciente o relativo a una clase o posición social baja.

humillación s. f. Acción y efecto de humillar o humillarse.

humilladero s. m. Lugar devoto que suele haber a las entradas de los pueblos con una cruz o imagen.

humillar v. tr. Bajar, inclinar una parte del cuerpo en señal de acatamiento.

humillo s. m., fig. Vanidad, presunción, engreimiento.

humita s. f., Arg., Chil. y Méx. Pasta de maíz tierno, rallado, mezclado con ají y otros condimentos que, envuelto en las hojas de la mazorca, se cuece en agua o se asa en el rescoldo.

humo s. m. Producto que se desprende en forma gaseosa de una combustión incompleta, compuesto de vapor de agua y anhídrido carbónico, que llevan consigo carbón en polvo muy tenue.

humor *s. m.* **1.** Cualquiera de los líquidos del cuerpo del animal. **2.** Estado de ánimo. **3.** Jovialidad. **4.** Agudeza para demostrar lo que hay de divertido o ridículo en una cosa.

humorada *s. f.* **1.** Dicho o hecho festivo, caprichoso o extravagante. **2.** Breve composición de carácter poético que encierra una advertencia moral o un pensamiento filosófico, en forma cómico-sentimental.

humorado, da *adj.* Que tiene humor.

humoral *adj.* Perteneciente o relativo a los humores del organismo.

humorismo *s. m.* Estilo artístico, y especialmente literario, que resulta de la facultad de descubrir y expresar los elementos cómicos y ridículos de las situaciones y personas.

humorista *adj.* Que se dedica profesionalmente al humorismo.

humorístico, ca *adj.* Perteneciente o relativo al humorismo en la literatura.

humorosidad *s. f.* Abundancia de humores.

humoroso, sa *adj.* Que tiene humor.

humosidad *s. f.* Fumosidad.

humoso, sa *adj.* Que echa de sí humo.

humus *s. m.* Mantillo o capa superior del suelo, tierra vegetal, formada por la descomposición de materia orgánica.

hunche *s. m., Col.* Hollejo del maíz y otros cereales.

hunco *s. m., Bol.* Poncho de lana sin flecos.

hundimiento *s. m.* **1.** Acción y efecto de hundir o hundirse. **2.** Parte de una superficie que está más hundida.

hundir *v. tr.* **1.** Sumir, meter en lo hondo. También prnl. **2.** *fig.* Abrumar, abatir. **3.** *fig.* Confundir a alguien, vencerle con razones. ‖ *v. prnl.* **4.** Arruinarse un edificio, sumergirse una cosa.

hupe *s. f.* Descomposición de algunas maderas que se convierten en una sustancia blanda y esponjosa. Una vez seca se emplea como yesca.

hura *s. f.* Agujero pequeño.

huracán *s. m.* **1.** Ciclón tropical, viento muy impetuoso que gira en grandes círculos a modo de torbellino. **2.** *fig.* Persona muy impetuosa.

huracanado, da *adj.* Que tiene la fuerza o los caracteres propios del huracán.

huracanarse *v. prnl.* Arreciar el viento hasta convertirse en huracán.

hurañía *s. f.* Repugnancia de una persona al trato de gentes.

huraño, ña *adj.* Que huye de la gente.

hurgar *v. tr.* Menear o remover una cosa.

hurgón *s. m.* Instrumento de hierro para remover y atizar la lumbre.

hurgonada *s. f.* **1.** Acción de hurgonear o menear. **2.** *fam.* Estocada.

hurgonear *v. tr.* Menear y remover la lumbre con el hurgón.

hurgonero *s. m., Arg.* Instrumento para atizar la lumbre.

hurguetear *v. tr., Chil. y Arg.* Fisgar.

hurguillas *com.* Persona bullidora y apremiante.

hurí *s. f.* Mujer virgen bellísima que, según la creencia de los musulmanes, habita en el paraíso de Mahoma.

hurón *s. m.* Mamífero carnívoro, mustélido, de cuerpo pequeño y prolongado, cabeza pequeña y glándulas anales que despiden un olor muy desagradable.

hurona *s. f.* Hembra del hurón.

huronear *v. intr.* **1.** Cazar con hurón. **2.** *fig. y fam.* Procurar saber y escudriñar cuanto sucede.

huronera *s. f.* **1.** Madriguera del hurón. **2.** *fig. y fam.* Lugar en que uno está escondido.

¡hurra! *interj.* que denota entusiasmo.

hurraca *s. f.* Urraca.

hurtadillas, a *loc. adv.* Furtivamente, sin que nadie lo note.

hurtador, ra *adj.* Que hurta. También s. m. y s. f.

hurtagua *s. f.* Especie de regadera que lleva los agujeros en el fondo.

hurtar *v. tr.* **1.** Robar a escondidas, sin intimidación en las personas ni fuerza en las cosas. **2.** *fig.* Desviar, apartar. ‖ *v. prnl.* **3.** *fig.* Ocultarse, desviarse.

hurto *s. m.* Cosa hurtada.

husada *s. f.* Porción de lino, lana o alambre que, ya hilada, cabe en el huso.

húsar *s. m.* Soldado de caballería ligera vestido a la húngara.

husera *s. f.* Bonetero, arbusto.

husero *s. m.* Cuerno recto que tiene el gamo de un año.

husillo *s. m.* Tornillo de prensas y máquinas análogas.

husma *s. f.* Husmeo.

husmeador, ra *adj.* Que husmea. También s. m. y s. f.

husmear *v. tr.* **1.** Rastrear con el olfato. **2.** *fig. y fam.* Andar indagando una cosa con arte y disimulo.

husmeo *s. m.* Acción y efecto de husmear.

huso *s. m.* Instrumento manual para torcer y enrollar, en el hilado hecho a mano, el hilo que se va formando.

huta *s. f.* Choza en donde se esconden los monteros para echar los perros a la caza cuando esta pasa por allí.

hutía *s. f.* Mamífero roedor, abundante en las Antillas, semejante a la rata. Es comestible.

¡huy! *interj.* ¡Uy!

i *s. f.* Novena letra del abecedario español y tercera de sus vocales.

íbice *s. m.* Especie de cabra montés.

ibídem *adv. lat.* Allí mismo, en el mismo lugar.

ibis *s. f.* Nombre de varias aves zancudas de pico largo.

icaco *s. m.* Hicaco.

ícaro *adj., fig.* Atrevido, osado.

icástico, ca *adj.* Natural, sin adorno.

iceberg *s. m.* Gran masa de hielo que flota sobre la superficie de los mares polares.

icho *s. m.* Planta gramínea abundante en las punas y otras zonas de alta montaña de la cordillera de los Andes.

icnografía *s. f.* Delineación de la planta de un edificio.

icnográfico, ca *adj.* Perteneciente o relativo a la icnografía o hecho según ella.

icónico, ca *adj.* **1.** Perteneciente o relativo al icono. **2.** Se dice del signo que participa de la naturaleza de la cosa significada.

icono o ícono *s. m.* **1.** En las iglesias orientales, toda pintura religiosa de pincel o relieve, realizada sobre una tabla. **2.** Representación gráfica y simbólica de alguna idea o materia. **3.** Imagen que en la pantalla de un ordenador representa a un fichero o un programa o un conjunto de los mismos.

iconoclasta *adj.* Se dice de la persona que niega el culto a las imágenes sagradas.

iconógeno *s. m.* Sustancia química usada en fotografía como revelador.

iconografía *s. f.* Descripción de imágenes, retratos, cuadros, estatuas o monumentos.

iconográfico, ca *adj.* Perteneciente o relativo a la iconografía.

iconólatra *adj.* Adorador de imágenes. También com.

iconolatría *s. f.* Adoración de las imágenes.

iconología *s. f.* **1.** Representación de las virtudes, vicios u otras cosas morales o naturales, con la figura o apariencia de personas. **2.** Ciencia que estudia las imágenes, emblemas y alegorías con que los artistas han representado a los personajes mitológicos, históricos o religiosos.

iconológico, ca *adj.* Perteneciente o relativo a la iconología.

iconómaco *adj.* Iconoclasta. También s. m. y s. f.

iconomanía *s. f.* Pasión exagerada por las obras de escultura y pintura.

iconomaníaco, ca *adj.* Que padece iconomanía.

iconoscopio *s. m.* **1.** Dispositivo de lente divergente, que muestra a escala reducida la imagen que se desea fotografiar. **2.** Cámara electrónica, empleada en televisión, provista de un mosaico de material fotoemisor, cerio por lo general, sobre el cual se enfoca la imagen óptica.

iconostasio *s. m.* Mampara o biombo de tres puertas, decorada con pinturas de imágenes sagradas, que en las iglesias orientales se cierra para aislar el presbiterio y su altar durante el tiempo de la consagración.

icor *s. m.* **1.** *poét.* La sangre de los dioses en los poemas homéricos. **2.** Denominación aplicada por la antigua cirugía a un líquido seroso procedente de ciertas úlceras malignas.

icoroso, sa *adj.* Que participa de la naturaleza del icor, o relativo a él.

icosaedro *s. m.* Sólido de veinte caras.

icoságono, na *adj.* Que tiene veinte ángulos. También s. m. y s. f.

ictericia *s. f.* Enfermedad producida por la acumulación de pigmentos biliares en la sangre.

ictérico, ca *adj.* **1.** Perteneciente o relativo a la ictericia. **2.** Que la padece. También s. m. y s. f.

ictérido *adj.* Se dice de ciertas aves americanas con el pico cónico y aguzado, patas robustas y alas con nueve rémiges primarias. Su plumaje suele ser negro, mezclado de amarillo, rojo y anaranjado. También s. m.

ictíneo *adj.* Que es semejante a un pez.

ictiófago, ga *adj.* Que se alimenta exclusiva o principalmente de peces.

ictiografía *s. f.* Parte de la zoología que se ocupa de la descripción de los peces.

ictiol *s. m.* Aceite medicinal, obtenido por la destilación de rocas bituminosas ricas en peces fósiles.

ictiología *s. f.* Parte de la zoología dedicada al estudio de los peces.

ictiológico, ca *adj.* Perteneciente o relativo a la ictiología.

ictiólogo, ga *s. m. y s. f.* Persona que por profesión o estudio se dedica a la ictiología.

ictiosauro *s. m.* Reptil fósil marino, de tamaño gigantesco, de cráneo alargado, ojos grandes, cuello muy corto, aletas natatorias y cuerpo en forma de pez, que vivió en la era secundaria, principalmente en el terreno jurásico.

ictiosis *s. f.* **1.** Enfermedad hereditaria de la piel que se caracteriza por cubrirse esta de un tejido escamoso. **2.** Nombre genérico con que se designan las enfermedades que se caracterizan por la desecación de las partes afectadas.

ictus *s. m.* **1.** Acento. **2.** En medicina, cuadro que se presenta de un modo súbito y violento, como producido por un golpe.

ida *s. f.* Acción de ir de un lugar a otro.

idea *s. f.* **1.** Primero de los actos del entendimiento, que se limita al conocimiento de una cosa. **2.** Opinión formada de una persona o cosa. **3.** Plan para la formación de una obra. **4.** Intención de hacer una cosa. **5.** Ingenio para inventar o trazar una cosa.

ideación *s. f.* Génesis y proceso en la formación de las ideas en la mente.

ideal *adj.* **1.** Que no es físico, real y verdadero, sino que está en la fantasía. **2.** Excelente, perfecto en su línea. ‖ *s. m.* **3.** Prototipo, modelo o ejemplar de perfección. **4.** Por ext., aquello que se pretende o a lo que se aspira. Se usa también en pl. ‖ *s. m. pl.* **5.** *fig.* Doctrina, ideas, etc., que alguien profesa apasionadamente.

idealismo *s. m.* **1.** Tendencia hacia lo ideal o búsqueda del ideal. **2.** Tendencia a idealizar, a dejarse influir más por ideales que por consideraciones prácticas.

idealista *adj.* **1.** Se dice de la persona que tiende a idealizar las cosas. **2.** Que idealiza, que se deja guiar más por ideales que por consideraciones prácticas. También com.

idealización *s. f.* Acción y efecto de idealizar.

idealizar *v. tr.* Atribuir a una persona o cosa características y excelencias ideales.

idear *v. tr.* **1.** Acción y efecto de idealizar. **2.** Formar idea de una cosa. **3.** Trazar, inventar.

ideario *s. m.* **1.** Repertorio o conjunto de las principales ideas de un autor, escuela o colectividad. **2.** Conjunto de ideas fundamentales que caracterizan una manera de pensar.

ideático, ca *adj.* **1.** Relativo a la idea. **2.** *amer.* Extravagante, caprichoso, maniático. **3.** *fig.* Ingenioso.

ídem *pron.* Significa «el mismo», «lo mismo».

idéntico, ca *adj.* Se dice de lo que es lo mismo que otra cosa con que se compara.

identidad *s. f.* Conjunto de circunstancias que distinguen a una persona.

identificable *adj.* Que puede ser identificado.

identificación *s. f.* Acción y efecto de identificar o identificarse.

identificar *v. tr.* Hacer que dos o más cosas diversas aparezcan y se consideren como una misma. También prnl.

ideografía *s. f.* Representación de las ideas por medio de imágenes o símbolos.

ideográfico, ca *adj.* Perteneciente o relativo a la ideografía o a los ideogramas.

ideograma *s. m.* **1.** Cada uno de los signos o elementos de la escritura ideográfica. **2.** Imagen convencional o símbolo que en la escritura de ciertas lenguas significa una palabra, morfema o frase determinados, sin representar cada una de sus sílabas o fonemas.

ideología *s. f.* **1.** Rama de la filosofía que estudia las ideas, sus caracteres, clasificación y origen. **2.** Conjunto de ideas que caracterizan el pensamiento de una persona o de un colectivo.

ideológico, ca *adj.* **1.** Perteneciente o relativo a la ideología. **2.** Perteneciente o relativo a una idea o a las ideas.

ideólogo, ga *s. m. y s. f.* **1.** Persona que profesa la ideología. **2.** Persona creadora o estudiosa de una ideología. **3.** Persona que, entregada a la ideología, desatiende la realidad. ‖ *adj.* **4.** Iluso, soñador, utópico.

idílico, ca *adj.* Perteneciente o relativo al idilio.

idilio *s. m.* Composición poética que tiene por tema las cosas del campo y los afectos amorosos de los pastores.

idiolecto *s. m.* La lengua tal como la usa un individuo en particular.

idiología *s. f.* Manera peculiar de hablar.

idioma *s. m.* Lengua de una nación o pueblo, o común a varios.

idiomático, ca *adj.* Propio y peculiar de una lengua determinada.

idiosincrasia *s. f.* Índole del carácter de cada individuo o colectividad, por la cual se distingue de los demás.

idiosincrásico, ca *adj.* Perteneciente o relativo a la idiosincrasia.

idiota *adj., fig.* De poco entendimiento.

idiotez *s. f., fig. y fam.* Tontería, estupidez.

idiotismo *s. m.* Ignorancia.

idiotizar *v. intr.* Atontar. También prnl.

idólatra *adj.* **1.** Que adora ídolos o falsas deidades. También com. **2.** *fig.* Que ama excesivamente a una persona o cosa.

idolatrar *v. tr.* **1.** Adorar ídolos. **2.** Amar excesivamente a una persona o cosa. También intr.

idolatría *s. f.* **1.** Adoración de los ídolos. **2.** *fig.* Amor excesivo a una persona o cosa.

ídolo *s. m.* **1.** Figura de una falsa deidad a la que se da adoración. **2.** *fig.* Persona o cosa excesivamente amada.

idología *s. f.* Ciencia que trata de los ídolos.

idoneidad *s. f.* Cualidad de idóneo.

idóneo, a *adj.* Que es apropiado o adecuado para algo.

iglesia *s. f.* **1.** Templo destinado para la celebración del culto religioso. **2.** Congregación de fieles que siguen las enseñanzas de Cristo. **3.** Estado eclesiástico que comprende a los ordenados y su jerarquía.

iglú *s. m.* Vivienda de bloques de hielo, de forma semiesférica, que construyen los esquimales para pasar el invierno.

ignaro, ra *adj.* Ignorante.

ignavia *s. f.* Pereza.

ignavo, va *adj.* Indolente, flojo, cobarde.

ígneo, a *adj.* **1.** De fuego o que tiene alguna de sus cualidades. **2.** De color de fuego.

ignición *s. f.* Acción y efecto de estar un cuerpo encendido o enrojecido por un fuerte calor.

ignícola *adj.* Que adora el fuego. También com.

ignífero, ra *adj., poét.* Que arroja o contiene fuego.

ignífugo, ga *adj.* Se dice de las materias, sustancias o productos que protegen contra el incendio.

ignito, ta *adj.* Que tiene fuego o está encendido.

ignívomo, ma *adj., poét.* Que vomita fuego.

ignografía *s. f.* Icnografía.

ignominia *s. f.* Afrenta pública que alguien padece con causa o sin ella.

ignominioso, sa *adj.* Que es ocasión o causa de ignominia.

ignorancia *s. f.* **1.** Falta de instrucción. **2.** Falta de conocimientos acerca de una materia dada.

ignorante *adj.* **1.** Que ignora. **2.** Que no tiene noticia de las cosas. **3.** Que carece de instrucción.

ignorar *v. tr.* **1.** No saber una o muchas cosas, debiendo saberla o saberlas. **2.** *fig.* No prestar atención deliberadamente a alguien o a algo.

ignoto, ta *adj.* No conocido ni descubierto.

igual *adj.* **1.** De la misma naturaleza, forma, cantidad o calidad de otra cosa. **2.** Liso. **3.** Muy parecido o semejante.

iguala *s. f.* Ajuste por el que se contratan los servicios de alguien por un precio determinado y durante cierto tiempo.

igualación *s. f.* Acción y efecto de igualar o igualarse.

igualamiento *s. m.* Acción y efecto de igualar o igualarse.

igualar *v. tr.* **1.** Poner al igual con otra a una persona o cosa. También prnl. **2.** Allanar. **3.** *fig.* Convenirse con pacto sobre una cosa. También prnl.

igualatorio, ria *adj.* Que tiende a establecer la igualdad.

igualdad *s. f.* **1.** Condición de ser una cosa igual que otra en naturaleza, forma, calidad o cantidad. **2.** Expresión de la equivalencia de dos cantidades.

igualitario, ria *adj.* Que entraña igualdad o tiende a ella.

iguana *s. f.* Nombre genérico de unos reptiles saurios de América Central y del Sur.

iguánido *adj.* Se dice de ciertos reptiles cuyo tipo es la iguana.

iguanodonte *s. m.* Género de reptil saurio fósil gigantesco, con las extremidades posteriores mucho más largas que las anteriores, que vivió en la era secundaria. Era herbívoro.

igüedo *s. m.* Cabrón, macho cabrío de unos dos años.

ijada *s. f.* Cualquiera de las dos cavidades colocadas simétricamente entre las costillas falsas y los huesos de las caderas.

ijadear *v. tr.* Mover aceleradamente las ijadas, por efecto del cansancio.

ijar *s. m.* Ijada.

ilación *s. f.* Conexión lógica entre antecedente y consecuente.

ilapso *s. m.* Éxtasis contemplativo.

ilativo, va *adj.* **1.** Que se infiere o puede inferirse. **2.** Perteneciente o relativo a la ilación.

ilegal *adj.* Contrario a las prescripciones de las leyes.

ilegalidad *s. f.* Falta de legalidad, acto ilegal.

ilegibilidad *s. f.* Cualidad de ilegible.

ilegible *adj.* Que no se puede leer.

ilegitimar *v. tr.* Privar a alguien de la legitimidad.

ilegitimidad *s. f.* Falta de alguna circunstancia o requisito para ser legítima una cosa.

ilegítimo, ma *adj.* No legítimo.

íleo *s. m.* Enfermedad que origina oclusión intestinal a nivel del intestino delgado.

íleon *s. m.* **1.** Tercera porción del intestino delgado de los mamíferos. **2.** Hueso de la cadera.

ileso, sa *adj.* Que no ha recibido daño.

iletrado, da *adj.* Falto de cultura.

ilíaco, ca o iliaco, ca *adj.* **1.** Perteneciente o relativo al íleon. **2.** Perteneciente o relativo a las paredes laterales de la pelvis.

ilicíneo, a *adj.* Se dice de arbustos y árboles dicotiledóneos siempre verdes, con hojas alternas, sencillas, coriáceas y dentadas, flores pequeñas y blancas y fruto en drupa abayada, como el acebo. También s. f.

ilícito, ta *adj.* No permitido.

ilicitud *s. f.* Cualidad de ilícito.

ilimitable *adj.* Que no puede limitarse.

ilimitado, da *adj.* Que no tiene límites.

ilion *s. m.* Uno de los tres huesos que dan lugar, por su unión, a la formación del ilíaco o coxal del adulto.

ilíquido, da *adj.* Se dice de la cuenta, deuda, etc., que está por liquidar.

iliterato, ta *adj.* Ignorante y no versado en ciencias ni letras humanas.

ilógico, ca *adj.* Que carece de lógica.

ilota *com.* Persona que se encuentra desposeída de los derechos de ciudadano.

ilotismo *s. m.* Condición de ilota.

iludir *v. tr.* Burlar.

iluminación *s. f.* **1.** Acción y efecto de iluminar. **2.** Conjunto de luces que iluminan un lugar.

iluminado, da *adj.* Se dice de la persona que ve visiones en materia de religión.

iluminar *v. tr.* **1.** Alumbrar, dar luz. **2.** Adornar con luces una fachada, un templo, etc. **3.** *fig.* Ilustrar el entendimiento con ciencias o estudios. **4.** *fig.* Ilustrar interiormente Dios a la criatura con luces sobrenaturales.

iluminaria *s. f.* Luminaria en señal de fiesta o regocijo público.

ilusión *s. f.* **1.** Falsa percepción de un objeto que aparece en la conciencia distinto de como es en realidad, debido a la imaginación o a una interpretación anormal de los datos de los sentidos. **2.** Esperanza de conseguir algo que se desea.

ilusionar *v. tr.* **1.** Hacer que alguien conciba ilusiones. **2.** Hacer sentir gusto por algo. También prnl. **3.** Despertar esperanzas especialmente atractivas. ‖ *v. prnl.* **4.** Hacerse ilusiones.

ilusionismo *s. m.* Prestidigitación.

ilusionista *adj.* Se dice del artista que produce efectos ilusorios mediante juegos de manos, trucos, etc.

ilusivo, va *adj.* Falso, engañoso, aparente.

iluso, sa *adj.* **1.** Engañado. **2.** Propenso a ilusionarse, soñador.

ilusorio, ria *adj.* Engañoso, irreal.

ilustración *s. f.* **1.** Cultura. **2.** Estampa, grabado o dibujo que adorna un libro.

ilustrado, da *adj.* **1.** Se dice de la persona culta. **2.** Que tiene dibujos o ilustraciones.

ilustrador, ra *adj.* Que ilustra. También s. m. y s. f.

ilustrar *v. tr.* **1.** Dar luz al entendimiento con ciencias y estudios. También prnl. **2.** Adornar un impreso con láminas o grabados alusivos al texto. **3.** *fig.* Instruir, civilizar. También prnl.

ilustrativo, va *adj.* Que ilustra.

ilustre *adj.* Insigne, célebre.

ilustrísimo, ma *adj.* Se aplica como tratamiento a ciertas personas por razón de su cargo o dignidad.

imagen *s. f.* **1.** Representación y apariencia de una persona o cosa imitada por el dibujo, la escultura o la pintura. **2.** Efigie de un personaje sagrado o divinidad.

imaginable *adj.* Que se puede imaginar.

imaginación *s. f.* Facultad de evocar imágenes de cosas reales o ideales.

imaginar *v. tr.* **1.** Representar idealmente una cosa, crearla en la imaginación. **2.** Presumir, sospechar. También prnl.

imaginaria *s. f.* Soldado que, por turno, vela durante la noche en cada compañía o dormitorio de un cuartel.

imaginario, ria *adj.* **1.** Que solo tiene existencia en la imaginación. **2.** Imaginero. También s. m. y s. f.

imaginativa *s. f.* Facultad de imaginar.

imaginativo, va *adj.* Que continuamente imagina o piensa.

imaginería *s. f.* Talla o pintura de imágenes sagradas.

imaginero, ra *s. m. y s. f.* Artista escultor, tallador o iluminador que trabaja las imágenes religiosas.

imán[1] *s. m.* Guía o modelo espiritual y religioso de una sociedad musulmana.

imán[2] *s. m.* Sustancia que posee o ha adquirido la propiedad de atraer el hierro.

imanación *s. f.* Acción y efecto de imanar o imanarse.

imanar *v. tr.* Imantar.

imantación *s. f.* Acción y efecto de imantar o imantarse.

imantar *v. tr.* Comunicar a un cuerpo la propiedad magnética. También prnl.

imbatible *adj.* Que no puede ser derrotado.

imbatilidad *s. f.* Cualidad de imbatible.

imbécil *adj.* Alelado, escaso de razón.

imbecilidad *s. f.* Escasez de razón.

imbele *adj., poét.* Incapaz de guerrear, débil, sin fuerza ni resistencia.

imberbe *adj.* Se dice del joven que no tiene barba.

imbibición *s. f.* Acción y efecto de embeber.

imbíbito *adj., Guat. y Méx.* Comprendido, incluido, implícito.

imbornal *s. m.* Agujero por donde se vacía el agua de lluvia de los terrados.

imborrable *adj.* Indeleble.

imbricación *s. f.* **1.** Acción y efecto de imbricar. **2.** Adorno arquitectónico que imita las escamas de un pez.

imbricado, da *adj.* Se dice de las hojas, semillas y escamas que están sobrepuestas unas a otras.

imbricar *v. tr.* Disponer una serie de cosas iguales de manera que queden parcialmente superpuestas, como las tejas o las escamas de los peces.

imbuir *v. tr.* Infundir, persuadir.

imitable *adj.* **1.** Que se puede imitar. **2.** Digno de imitación.

imitación *s. f.* Cosa hecha imitando a otra.

imitador, ra *adj.* Que imita. También s. m. y s. f.

imitar *v. tr.* Hacer o tratar de hacer lo mismo o algo parecido a lo hecho por otro.

imitativo, va *adj.* Perteneciente o relativo a la imitación.

imoscapo *s. m.* Parte curva con que empieza el fuste de una columna.

impacción *s. f.* Choque con penetración.

impaciencia *s. f.* Falta de paciencia.

impacientar *v. tr.* Hacer que alguien pierda la paciencia.

impaciente *adj.* Que no tiene paciencia.

impactar *v. tr.* **1.** Provocar un choque físico. **2.** Producir una fuerte impresión.

impacto *s. m.* **1.** Choque de un proyectil. **2.** Huella o señal que deja.

impagable *adj.* **1.** Que no se puede pagar. **2.** Valioso en extremo.

impago *s. m.* Situación en que se halla lo que todavía no se ha pagado.

impala *s. m.* Antílope africano extremadamente ágil, caracterizado por tener los cuernos finos, anillados y dispuestos en forma de lira.

impalpable *adj., fig.* Poco perceptible.

impar *adj.* Que no tiene par o igual.

imparable *adj.* Que no se puede parar o detener.

imparcial *adj.* **1.** Que juzga o procede con imparcialidad, y no sacrifica la justicia a consideraciones personales. **2.** Que denota imparcialidad. **3.** Que no se adhiere a ningún partido o no entra en ninguna parcialidad.

imparcialidad *s. f.* Falta de prevención en favor o en contra de personas o cosas, que permite juzgar con rectitud.

imparisílabo, ba *adj.* Se dice de las voces o versos que tienen un número impar de sílabas.

impartible *adj.* Que no puede partirse.

impartir *v. tr.* Repartir, comunicar, dar.

impasibilidad *s. f.* Cualidad de impasible.

impasible *adj.* **1.** Que no es capaz de padecer. **2.** Indiferente, imperturbable.

impavidez *s. f.* Denuedo, valor y serenidad de ánimo ante los peligros.

impávido, da *adj.* Libre de pavor.

impecabilidad *s. f.* Cualidad de impecable.

impecable *adj., fig.* Perfecto.

impecune *adj.* Que no tiene dinero, bienes, etc.

impedancia *s. f.* Impediencia.

impedido, da *adj.* Que no puede usar alguno de sus miembros.

impediencia *s. f.* Resistencia aparente que un circuito, con capacidad y autoinducción, ofrece al paso de las corrientes alternas.

impedimenta *s. f.* Bagaje que suele llevar la tropa e impide la celeridad en la marcha.

impedimento *s. m.* Obstáculo, estorbo.

impedir *v. tr.* Imposibilitar la ejecución de una cosa.

impeditivo, va *adj.* Se dice de lo que impide, estorba o embaraza.

impeler *v. tr.* Dar empuje a una cosa.

impenetrabilidad *s. f.* Propiedad de los cuerpos que impide que, al mismo tiempo, uno esté en el lugar que ocupa otro.

impenetrable *adj., fig.* Difícil de entender o de descifrar.

impenitencia *s. f.* Obstinación en el pecado.

impenitente *adj.* Que se obstina en el pecado sin arrepentirse.

impensable *adj.* Absurdo.

impensado, da *adj.* Se aplica a las cosas que suceden sin pensar en ellas.

impepinable *adj., fam.* Inevitable, indiscutible, seguro.

imperador, ra *adj.* Que impera o manda.

imperar *v. intr.* Dominar, mandar.

imperativo, va *adj.* **1.** Que impera o manda. **2.** Se dice del modo del verbo, con el cual se manda, exhorta o ruega. También s. m.

imperatorio, ria *adj.* Perteneciente o relativo al emperador o a la potestad imperial.

imperceptibilidad *s. f.* Cualidad de imperceptible.

imperceptible *adj.* Que no se puede percibir.

imperdible *s. m.* Alfiler que se abrocha metiendo su punta dentro de un gancho, de modo que no pueda abrirse fácilmente.

imperdonable *adj.* Que no se debe o puede perdonar.

imperecedero, ra *adj.* **1.** Que no perece. **2.** *fig.* Se aplica a lo que hiperbólicamente se quiere calificar de inmortal.

imperfección *s. f.* **1.** Falta de perfección. **2.** Defecto ligero en lo moral.

imperfecto, ta *adj.* Empezado y no concluido o perfeccionado.

imperforación *s. f.* Defecto orgánico que consiste en tener cerrados órganos o conductos que, dada su naturaleza, deben estar abiertos para ejercer sus funciones.

imperial *adj.* **1.** Perteneciente o relativo al emperador o al imperio. **2.** Se dice del sitio con asientos que algunos carruajes tienen encima de la cubierta.

imperialismo *s. m.* Sistema político que pretende la dominación de un Estado sobre otro u otros por medio de la fuerza o por influjos económicos y políticos abusivos.

imperialista *adj.* Se dice de la persona o Estado que lo propugna o practica. También com.

impericia *s. f.* Falta de pericia.

imperio *s. m.* **1.** Espacio de tiempo que dura el gobierno de un emperador. **2.** Tiempo durante el cual hubo emperadores en determinado país. **3.** Estados sujetos a un emperador.

imperioso, sa *adj.* **1.** Que manda autoritariamente. **2.** Que es necesario o imprescindible. **3.** Se aplica a la orden dada de manera autoritaria. **4.** Que conlleva fuerza o exigencia.

imperito *adj.* Que carece de pericia.

impermeabilidad *s. f.* Cualidad de impermeable.

impermeabilización *s. f.* Acción y efecto de impermeabilizar.

impermeabilizar *v. tr.* Hacer impermeable alguna cosa.

impermeable *adj.* **1.** Impenetrable al agua o a otro fluido. ‖ *s. m.* **2.** Sobretodo hecho con tela impermeable.

impermutabilidad *s. f.* Cualidad de impermutable.

impermutable *adj.* Que no puede permutarse.

impersonal *adj.* Que no pertenece o se aplica a ninguna persona en particular.

impersonalidad *s. f.* Carácter de lo impersonal, falta de personalidad.

impersonalizar *v. tr.* Usar como impersonal algún verbo que por su índole es personal.

impertérrito, ta *adj.* Se dice de aquel a quien no se infunde fácilmente terror.

impertinencia *s. f.* **1.** Dicho o hecho fuera de propósito. **2.** Importunidad molesta y enfadosa.

impertinente *adj.* **1.** Que no viene al caso, o que molesta de palabra o de obra. ‖ *s. m. pl.* **2.** Anteojos con manija que suelen usar las señoras.

imperturbabilidad *s. f.* Cualidad de imperturbable.

imperturbable *adj.* Que no se perturbar.

impétigo *s. m.* Erupción cutánea infecciosa.

impetración *s. f.* Acción y efecto de impetrar.

impetrador, ra *adj.* Que impetra. También s. m. y s. f.

impetrar *v. tr.* Solicitar algo con ahínco.

impetratorio, ria *adj.* Que sirve para impetrar.

ímpetu *s. m.* Movimiento acelerado y violento.

impetuosidad *s. f.* Precipitación.

impetuoso, sa *adj.* Violento, precipitado.

impiedad *s. f.* Falta de piedad.

impío, a *adj.* Falto de piedad.

impla *s. f.* Velo de la cabeza usado en la Edad Media por las mujeres.

implacabilidad *s. f.* Cualidad de implacable.

implacable *adj.* Que no se puede aplacar.

implantación *s. f.* **1.** Acción y efecto de implantar o implantarse. **2.** Fijación, inserción o injerto de un tejido, sustancia u órgano en otro.

implantar *v. tr.* **1.** Injertar. **2.** Establecer, instaurar una doctrina, reforma, etc.

implar *v. tr.* Llenar, inflar.

implaticable *adj.* Que no admite plática o conversación.

implementar *v. tr.* Aplicar ciertos métodos e instrucciones para realizar algo.

implemento *s. m.* Utensilio. Se usa más en pl.

implicación *s. f.* **1.** Acción y efecto de implicar. **2.** Contradicción, oposición de los términos entre sí. **3.** Repercusión de una cosa.

implicancia *s. f.* **1.** Contradicción de los términos entre sí. **2.** *Amér. del S.* Incompatibilidad o impedimento legal y moral.

implicar *v. tr.* **1.** Enredar. También prnl. **2.** *fig.* Significar. ‖ *v. intr.* **3.** Impedir, envolver contradicción.

implicatorio, ria *adj.* Que envuelve o contiene en sí contradicción o implicación.

implícito, ta *adj.* Se dice de lo que se entiende incluido en otra cosa sin expresarlo.

imploración *s. f.* Acción y efecto de implorar.

implorador, ra *adj.* Que implora.

implorar *v. tr.* Pedir con ruegos.

implosión *s. f.* **1.** Acción de romperse hacia dentro y con estruendo las paredes de una cavidad en cuyo interior hay menos presión que en el exterior. **2.** Fenómeno cósmico que consiste en la disminución brusca del tamaño de un astro.

implosivo, va *adj.* Se dice de cualquier consonante situada en final de sílaba.

implume *adj.* Que no tiene plumas.

impluvio *s. m.* Espacio descubierto en medio del atrio de las casas romanas por donde entraban las aguas de la lluvia.

impolarizable *adj.* Que no puede polarizarse.

impolítico, ca *adj.* Falto de política o contrario a ella.

impoluto, ta *adj.* Limpio, sin mancha.

imponderabilidad *s. f.* Cualidad de imponderable.

imponderable *adj.* Que no puede pesarse, medirse o precisarse.

imponente *adj.* Que sorprende por alguna cualidad extraordinaria. También com.

imponer *v. tr.* **1.** Poner carga, obligación, etc. **2.** Atribuir falsamente a otro una cosa. **3.** Infundir respeto o miedo, dominar. **4.** Poner dinero a rédito o en depósito.

imponible *adj.* Que se puede gravar con impuesto o tributo.

impopular *adj.* Que no es popular.

impopularidad *s. f.* Desafecto, mal concepto entre el público.

importación s. f. Acción de introducir en el país mercancías extranjeras.

importador, ra adj. Que importa mercancías extranjeras.

importancia s. f. Cualidad de lo que es conveniente o interesante.

importante adj. Conveniente o interesante.

importar v. intr. **1.** Convenir, interesar, hacer al caso. ‖ v. tr. **2.** Hablando del precio de las cosas, sumar, valer tal cantidad la cosa comprada o ajustada. **3.** Introducir en un país géneros, artículos o costumbres extranjeros.

importe s. m. Cuantía de un precio, crédito, deuda, etc.

importunación s. f. Instancia porfiada y molesta.

importunar v. tr. Incomodar o molestar con una pretensión o solicitud.

importunidad s. f. **1.** Cualidad de importuno. **2.** Incomodidad o molestia causada por una solicitud o pretensión.

importuno, na adj. Molesto, enfadoso.

imposibilidad s. f. Falta de posibilidad para existir una cosa o para hacerla.

imposibilitado, da adj. Impedido.

imposibilitar v. tr. **1.** Quitar la posibilidad de ejecutar o conseguir una cosa. ‖ v. prnl. **2.** Quedarse impedido, tullido.

imposible adj. **1.** No posible. **2.** Muy difícil.

imposición s. f. **1.** Acción de imponer. **2.** Carga, tributo u obligación que se impone.

impositivo, va adj. **1.** Que impone. **2.** Perteneciente o relativo a los impuestos públicos.

impositor, ra adj. Que impone. También s. m. y s. f.

imposta s. f. **1.** Hilada de sillares, algo voladiza, sobre la cual va sentado un arco. **2.** Faja que corre horizontalmente en la fachada de los edificios a la altura de los diversos pisos.

impostación s. f. Acción y efecto de impostar.

impostar v. tr. Fijar la voz en las cuerdas vocales para emitir el sonido en su plenitud sin vacilación ni temor.

impostergable adj. Que no se puede postergar.

impostor, ra adj. **1.** Se dice de la persona que calumnia o atribuye falsamente a alguien alguna cosa. **2.** Se dice de la persona que engaña con apariencia de verdad.

impostura s. f. Imputación falsa y maliciosa.

impotable adj. Que no es potable.

impotencia s. f. **1.** Falta de poder para hacer una cosa. **2.** Incapacidad de engendrar o concebir.

impotente adj. Que no tiene potencia.

impracticabilidad s. f. Cualidad de impracticable.

impracticable adj. Que no se puede practicar.

imprecación s. m. **1.** Acción de imprecar. **2.** Figura que consiste en imprecar.

imprecar v. tr. Proferir palabras que denotan el vivo deseo que se tiene de que alguien reciba un mal, daño, etc.

imprecatorio, ria adj. Que implica o denota imprecación.

imprecisión s. f. Falta de precisión.

impreciso, sa adj. No preciso, vago, indefinido.

impredecible adj. Que no se puede predecir.

impregnable adj. Se dice de los cuerpos capaces de ser impregnados.

impregnación s. f. Acción y efecto de impregnar.

impregnar v. tr. **1.** Introducir entre las moléculas de un cuerpo las de otro en cantidad perceptible sin combinación. También prnl. **2.** Empapar una cosa con un líquido. **3.** fig. Influir en alguien decisivamente.

impremeditación s. f. Falta de premeditación.

impremeditado, da adj. No premeditado, irreflexivo.

imprenta s. f. **1.** Arte de imprimir. **2.** Taller o lugar donde se imprime. **3.** Impresión, calidad o forma de letra.

imprescindible adj. Se dice de aquello de lo que no se puede prescindir.

imprescriptibilidad s. f. Cualidad de lo que es imprescriptible.

imprescriptible adj. Que no puede prescribir.

impresentable adj. Que no es digno de presentarse o de ser presentado.

impresión s. f. Marca que una cosa deja en otra al apretar sobre ella.

impresionabilidad s. f. Cualidad de impresionable.

impresionable adj. Fácil de impresionarse o de recibir una impresión.

impresionante adj. Que causa gran asombro o admiración.

impresionar v. tr. Exponer una superficie convenientemente preparada a la acción de las vibraciones luminosas o acústicas, de modo que queden fijadas en ella y puedan ser reproducidas por métodos fotográficos o fonográficos.

impresionismo s. m. Movimiento literario, pictórico, escultórico y musical de vanguardia del último cuarto del s. XIX que intenta sintetizar en una sola impresión sensible efectos simultáneos de luz, espacio y color.

impresionista adj. Partidario del impresionismo. También com.

impreso s. m. Libro, folleto u hoja impresa.

impresor, ra adj. **1.** Que imprime. ‖ s. f. **2.** Máquina de imprimir.

imprevisible adj. Que no se puede prever.

imprevisión s. f. Falta de previsión, inadvertencia, irreflexión.

imprevisor, ra adj. Que no prevé.

imprevisto, ta adj. No previsto.

imprimación s. f. Acción y efecto de imprimar.

imprimadera s. f. Instrumento en figura de cuchilla o media luna con el que se imprimen los lienzos, paredes, etc.

imprimador, ra adj. Que imprima. También s. m. y s. f.

imprimar v. tr. Preparar con los ingredientes necesarios las cosas que han de ser pintadas o teñidas.

imprimátur s. m., fig. Licencia otorgada por la autoridad eclesiástica para imprimir un escrito.

imprimir v. tr. Dejar en el papel u otra materia, mediante la presión mecánica, la huella de un dibujo, texto, etc., grabando sobre una plancha metálica caracteres o letras movibles.

improbabilidad s. f. Falta de probabilidad.

improbable adj. No probable.

improbar v. tr. Desaprobar, reprobar una cosa.

improbidad s. f. Falta de probidad.

ímprobo, ba adj. **1.** Malo, malvado. **2.** Se dice del trabajo excesivo y continuado.

improcedencia s. f. Falta de oportunidad, de fundamento o de derecho.

improcedente adj. **1.** No conforme a derecho. **2.** Inadecuado, extemporáneo.

improductivo, va adj. Que no produce.

improfanable adj. Que no se puede profanar.

improlongable adj. Que no se puede prolongar.

impromptu s. m. Composición musical que improvisa el ejecutante.

impronta s. f. Reproducción de imágenes en hueco o de relieve, en cualquier materia blanda o dúctil, como papel humedecido, lacre, cera, escayola, etc.

impronunciable adj. **1.** Imposible de pronunciar o de muy difícil pronunciación. **2.** Inefable, que no se puede explicar con palabras. **3.** Que no debería decirse para no ofender el buen gusto, la moral, etc.

improperio s. m. Injuria grave de palabra.

impropiedad s. f. **1.** Cualidad de impropio. **2.** Falta de propiedad en el lenguaje.

impropio, pia adj. Falto de las cualidades convenientes según las circunstancias.

improporción s. f. Falta de proporción.

improporcionado, da adj. Que no tiene proporción.

improrrogable adj. Que no se puede prorrogar.

impróvido, da adj. Desprevenido, falto de lo necesario.

improvisación s. f. **1.** Acción de improvisar. **2.** Obra o composición improvisada.

improvisador, ra adj. Que improvisa. También s. m. y s. f.

improvisar v. tr. Hacer una cosa de pronto, sin preparación alguna.

improviso, sa adj. Que no se prevé o previene.

improvisto, ta adj. No previsto.

imprudencia s. f. **1.** Falta de prudencia. **2.** Acción o dicho imprudente.

imprudente adj. Que no tiene prudencia.

impúber adj. Que no ha llegado aún a la pubertad.

impudencia s. f. Descaro, desvergüenza.

impudente adj. Desvergonzado, sin pudor.

impudicia s. f. Deshonestidad, descaro, desvergüenza.

impúdico, ca adj. Deshonesto, sin pudor.

impudor s. m. Falta de pudor y de honestidad.

impuesto s. m. Tributo, carga.

impugnable adj. Que se puede impugnar.

impugnación s. f. Acción y efecto de impugnar.

impugnador, ra adj. Que impugna. También s. m. y s. f.

impugnar v. tr. Combatir, refutar.

impugnativo, va adj. Se dice de lo que impugna o sirve para impugnar.

impulsar v. tr. Impeler.

impulsión s. f. Impulso.

impulsividad s. f. Cualidad de impulsivo.

impulsivo, va adj. Se dice de lo que impele o puede impeler.

impulso s. m. **1.** Acción y efecto de impeler. **2.** Instigación, sugestión.

impulsor, ra adj. Que impele.

impune adj. Que queda sin castigo.

impunidad s. f. Falta de castigo.

impuntual adj. No puntual.

impureza s. f. **1.** Mezcla de partículas extrañas a un cuerpo o a una materia. **2.** Materia que, en una sustancia, deteriora alguna o algunas de sus cualidades. **3.** Falta de pureza o castidad.

impuridad s. f. Impureza.

impurificación s. f. Acción y efecto de impurificar.

impurificar v. tr. **1.** Hacer impura a una persona o cosa. **2.** Causar impureza.

impuro, ra adj. No puro.

imputabilidad s. f. Cualidad de imputable.

imputable adj. Que se puede imputar.

imputación s. f. **1.** Acción de imputar. **2.** Cosa imputada.

imputador, ra adj. Que imputa. También s. m. y s. f.

imputar v. tr. Atribuir a otro una culpa, delito o acción.

imputrescible adj. Que no se pudre fácilmente.

inabarcable adj., fig. Que no se puede abarcar.

inabordable adj. Que no se puede abordar.

inacabable adj. Que no se puede acabar, que no se le ve el fin.

inaccesibilidad s. f. Cualidad de inaccesible.

inaccesible adj. No accesible.

inacción s. f. Falta de acción, ociosidad.

inacentuado, da adj. Se dice de la vocal, sílaba o palabra que se pronuncia sin acento prosódico.

inaceptable adj. No aceptable.

inactividad s. f. Falta de actividad o de vigor.

inactivo, va adj. Sin acción, quieto.

inadaptabilidad s. f. Cualidad de inadaptable.

inadaptable *adj.* No adaptable.

inadaptación *s. f.* Falta de adaptación.

inadaptado, da *adj.* Se dice de la persona o ser vivo que no se aviene a ciertas condiciones o circunstancias. También s. m. y s. f., aplicado a personas.

inadecuación *s. f.* Falta de adecuación.

inadecuado, da *adj.* No adecuado.

inadmisible *adj.* No admisible.

inadoptable *adj.* No adoptable.

inadvertencia *s. f.* Falta de advertencia.

inadvertido, da *adj.* Se dice de la persona que no advierte o repara en las cosas que debiera.

inafectado, da *adj.* No afectado.

inagotable *adj.* Que no se puede agotar.

inaguantable *adj.* Que no se puede aguantar o sufrir.

inalámbrico, ca *adj.* Se aplica a todo sistema de comunicación eléctrica sin alambres conductores.

in albis *loc. adv.* Sin comprender lo que se oye o sin lograr lo que se esperaba.

inalcanzable *adj.* Que no se puede alcanzar.

inalienabilidad *s. f.* Cualidad de inalienable.

inalienable *adj.* Que no se puede enajenar.

inalterabilidad *s. f.* Cualidad de inalterable.

inalterable *adj.* Que no se puede alterar.

inalterado, da *adj.* Que no tiene alteración.

inamovible *adj.* Que no es movible.

inamovilidad *s. f.* Cualidad de inamovible.

inanalizable *adj.* No analizable.

inane *adj.* Vano, fútil, inútil.

inanición *s. f.* Extremada debilidad por falta de alimento o por otras causas.

inanidad *s. f.* **1.** Cualidad de inane. **2.** Futilidad, vacuidad.

inanimado, da *adj.* Que no tiene vida.

inapagable *adj.* Que no se puede apagarse.

inapeable *adj.* Que no se puede apear.

inapelable *adj.* Se aplica a la sentencia o fallo que no se puede apelar.

inapercibido, da *adj.* Inadvertido.

inapetencia *s. f.* Falta de apetito o de ganas de comer.

inapetente *adj.* Que no tiene apetencia.

inaplazable *adj.* Que no se puede aplazar.

inaplicable *adj.* Que no se puede aplicar o acomodar a una cosa o en una ocasión determinada.

inaplicación *s. f.* Desaplicación.

inaplicado, da *adj.* Desaplicado.

inapreciable *adj.* Que no se puede apreciar, por su mucho valor o mérito o por su extremada pequeñez u otro motivo.

inaprensible *adj.* Que no se puede coger.

inaprensivo, va *adj.* Que no tiene aprensión.

inapropiable *adj.* Que no puede ser objeto de apropiación.

inaprovechado, da *adj.* No aprovechado.

inarmónico, ca *adj.* Falto de armonía.

inarrugable *adj.* Que no se arruga con el uso.

inarticulable *adj.* Que no se puede articular.

inarticulado, da *adj.* No articulado.

in artículo mortis *expr. lat.* En el artículo de la muerte, en la hora de la muerte.

inasequible *adj.* No asequible.

inasible *adj.* Que no se puede asir o coger.

inasistencia *s. f.* Falta de asistencia.

inasistente *adj.* Que no asiste. También com.

inatacable *adj.* Que no puede ser atacado.

inatención *s. f.* Falta de atención.

inatendible *adj.* Que no se merece atención.

inatento, ta *adj.* No atento.

inaudito, ta *adj.* **1.** Nunca oído. **2.** *fig.* Monstruoso, extremadamente vituperable.

inauguración *s. f.* Acto de inaugurar.

inaugurador, ra *adj.* Que inaugura.

inaugural *s. f.* Perteneciente o relativo a la inauguración.

inaugurar *v. tr.* Dar principio a una cosa con cierta pompa o solemnidad.

inaveriguable *adj.* Que no se puede averiguar.

inaveriguado, da *adj.* No averiguado.

incachable *adj., Amér. C.* Inútil, que no sirve.

incalculable *adj.* Que no se puede calcular.

incalificable *adj.* **1.** Que no se puede calificar. **2.** Muy vituperable.

incandescencia *s. f.* Cualidad de incandescente.

incandescente *adj.* Candente.

incansable *adj.* Que no se cansa.

incapacidad *s. f.* **1.** Falta de capacidad para hacer, recibir o aprender una cosa. **2.** *fig.* Falta de preparación o de los medios necesarios para realizar algo.

incapacitación *s. f.* Acción y efecto de incapacitar.

incapacitado, da *adj.* Se dice de la persona sujeta a interdicción civil.

incapacitar *v. tr.* Hacer imposible a alguien la ejecución de cualquier acto.

incapaz *adj.* **1.** Falto de cabida. **2.** Que carece de aptitud o de medios para hacer algo.

incasable *adj.* Que no puede casarse.

incausto *s. m.* Encausto.

incautación *s. f.* Acción y efecto de incautarse.

incautarse *v. prnl.* Tomar posesión un tribunal u otra autoridad competente, de dinero o bienes de otra clase. U. t. c. tr.

incauto, ta *adj.* Que no tiene cautela.

incendaja *s. f.* Materia combustible a propósito para incendiar. Se usa más en pl.

incendiar v. tr. Prender fuego a una cosa que no está destinada a arder, como mieses, edificios, etc. También prnl.

incendiario, ria adj. **1.** Que incendia con premeditación. **2.** fig. Escandaloso, subversivo.

incendio s. m. Fuego grande que destruye lo que no está destinado a arder, como edificios, mieses, etc.

incensación s. f. Acción y efecto de incensar.

incensar v. tr. **1.** Dirigir con el incensario el humo del incienso hacia una persona o cosa. **2.** Lisonjear.

incensario s. m. Braserillo con cadenillas y tapa, que sirve para incensar.

incensurable adj. Que no se puede censurar.

incentivar v. tr. Estimular para que alguien o algo se desarrolle o aumente.

incentivo, va adj. Que mueve o excita a hacer una cosa. Se usa más como s. m.

incertidumbre s. f. Falta de certidumbre.

incesable adj. Que no cesa o no puede cesar.

incesante adj. Que no cesa.

incesto s. m. Relación sexual entre parientes dentro de los grados en que está prohibido el matrimonio.

incestuoso, sa adj. **1.** Que comete incesto. **2.** Perteneciente o relativo al incesto.

incidencia s. f. Lo que sobreviene en el discurso de un asunto o negocio y tiene con él alguna conexión.

incidental adj. **1.** Se dice de lo que sobreviene en algún asunto por tener alguna relación con él. **2.** Se dice de lo que es accesorio o de menor importancia.

incidente s. m. Hecho que sobreviene en el discurso de un asunto o negocio y tiene con él algún enlace.

incidir v. intr. Incurrir en una falta, error, etc.

incienso s. m. Gomorresina aromática en forma de lágrimas, de sabor acre, que se extrae de varios árboles, y que se quema en las ceremonias del culto.

incierto, ta adj. No verdadero, falso.

incinerable adj. Que ha de incinerarse. Se dice especialmente de los billetes de banco que se retiran de la circulación para ser quemados.

incineración s. f. Acción y efecto de incinerar.

incinerador, ra adj. Se dice de la instalación o aparatos destinados a incinerar.

incinerar v. tr. Reducir una cosa a cenizas.

incipiente adj. Que empieza.

íncipit s. m. En una descripción bibliográfica, término con que se designan las primeras palabras de un escrito o de un impreso antiguo.

incircunciso, sa adj. No circuncidado.

incircunscripto, ta adj. Incircunscrito.

incircunscrito, ta adj. No comprendido dentro de determinados límites.

incisión s. f. Hendidura hecha en algunos cuerpos con instrumentos cortantes.

incisivo, va adj. Apto para abrir o cortar.

inciso s. m. **1.** Cada uno de los miembros que, en los periodos, encierra un sentido parcial. **2.** Por ext., lo que se intercala en una exposición que está relacionado con el tema solo de manera indirecta.

incisorio, ria adj. Que corta o puede cortar. Se dice generalmente de los instrumentos de cirugía.

incisura s. f. Fisura, hendidura.

incitación s. f. Acción y efecto de incitar.

incitador, ra adj. Que incita.

incitamiento s. m. Lo que incita.

incitante adj. Estimulante.

incitar v. tr. Estimular a alguien para que ejecute una cosa; moverle vivamente.

incivil adj. Falto de civilidad o cultura.

incivilidad s. f. Falta de civilidad o cultura.

incivilizado, da adj. Incivil.

inclasificable adj. Que no se puede clasificar.

inclaustración s. f. Ingreso en una Orden monástica.

inclaustrar v. tr. Enclaustrar.

inclemencia s. f. **1.** Falta de clemencia. **2.** fig. Rigor del tiempo.

inclemente adj. Falto de clemencia.

inclinación s. f., fig. Disposición del ánimo hacia una cosa, propensión, afecto, etc.

inclinado, da adj. Que tiene inclinación.

inclinar v. tr. **1.** Apartar una cosa de su posición perpendicular. También prnl. **2.** fig. Persuadir a alguien a que diga o haga lo que dudaba decir o hacer. ‖ v. prnl. **3.** Propender a hacer, pensar o sentir una cosa.

inclinativo, va adj. Se dice de lo que inclina o puede inclinar.

ínclito, ta adj. Ilustre, afamado.

incluir v. tr. Poner una cosa dentro de otra o dentro de sus límites.

inclusa s. f. Casa en donde se recogen y crían los niños expósitos.

inclusero, ra adj., fam. Que se cría o se ha criado en inclusa.

inclusión s. f. Acción y efecto de incluir.

inclusive adv. m. Con inclusión.

inclusivo, va adj. Que incluye o puede incluir una cosa.

incluso adv. m. **1.** Con inclusión de. ‖ prep. **2.** Hasta, aun.

incoación s. f. Acción de incoar.

incoagulable adj. Que no se puede coagular.

incoar v. tr. Comenzar una cosa. Se dice de un proceso, pleito, etc.

incoativo, va adj. Que denota el principio de una cosa o de una acción.

incobrable *adj.* Que no se puede cobrar o es de muy dudosa cobranza.

incoercible *adj.* Que no puede ser coercido.

incógnita *s. f.* **1.** Cantidad desconocida que es preciso determinar en una ecuación o problema para resolverlos. **2.** *fig.* Causa o razón oculta de un hecho que se examina.

incógnito, ta *adj.* No conocido.

incognoscible *adj.* Que no se puede conocer.

incoherencia *s. f.* Falta de coherencia.

incoherente *adj.* No coherente, carente de unidad o trabazón.

íncola *s. m.* Habitante de un pueblo o lugar.

incoloro, ra *adj.* Que carece de color.

incólume *adj.* Sano, sin lesión.

incolumidad *s. f.* Estado o calidad de incólume.

incombinable *adj.* Que no puede combinarse.

incombustibilidad *s. f.* Calidad de incombustible.

incombustible *adj.* Que no se puede quemar.

incomerciable *adj.* Se dice de aquello con lo cual no se puede comerciar.

incomestible *adj.* Que no es comestible.

incomible *adj.* Que no se puede comer. Se dice principalmente de lo que está mal condimentado.

incomodador, ra *adj.* Que incomoda.

incomodar *v. tr.* Causar incomodidad.

incomodidad *s. f.* Molestia, fatiga.

incomodo *s. m.* Falta de comodidad.

incómodo, da *adj.* **1.** Que incomoda. **2.** Que carece de comodidad.

incomparable *adj.* Que no tiene o no admite comparación.

incomparecencia *s. f.* Falta de asistencia a un acto o lugar al que hay obligación de comparecer.

incompasivo, va *adj.* Que carece de compasión.

incompatibilidad *s. f.* Imposibilidad legal para ejercer alguna función determinada o para ejercer dos o más cargos a la vez.

incompatible *adj.* No compatible con otra cosa.

incompetencia *s. f.* Falta de competencia o de jurisdicción.

incompetente *adj.* No competente.

incomplejo, ja *adj.* Desunido, sin trabazón ni coherencia.

incompleto, ta *adj.* No completo.

incomportable *adj.* No comportable.

incomposición *s. f.* Falta de composición o de debida proporción en las partes que forman un todo.

incomprehensibilidad *s. f.* Incomprensibilidad.

incomprehensible *adj.* Incomprensible.

incomprensibilidad *s. f.* Cualidad de incomprensible.

incomprensible *adj.* Que no se puede comprender.

incomprensión *s. f.* Falta de comprensión.

incomprensivo, va *adj.* Se dice de la persona reacia a comprender el sentimiento o la conducta de los demás; que es poco dúctil y razonable.

incompresibilidad *s. f.* Cualidad de incompresible.

incompresible *adj.* Que no se puede comprimir o reducir a menor volumen.

incomunicabilidad *s. f.* Cualidad de incomunicable.

incomunicable *adj.* No comunicable.

incomunicación *s. f.* Aislamiento temporal de procesados o testigos, que acuerdan los jueces instructores de un sumario.

incomunicado, da *adj.* Que no tiene comunicación.

incomunicar *v. tr.* Privar de comunicación a personas o cosas.

inconcebible *adj.* Que no puede concebirse o comprenderse.

inconciliable *adj.* Que no puede conciliarse.

inconcino, na *adj.* Desordenado, descompuesto, desarreglado.

inconcluso, sa *adj.* No acabado, no terminado.

inconcreto, ta *adj.* Que no es concreto.

inconcuso, sa *adj.* Firme, sin duda ni contradicción.

incondicionado, da *adj.* Que no está sometido a ninguna condición.

incondicional *adj.* Absoluto, sin restricción ni requisito.

inconexión *s. f.* Falta de conexión o unión de una cosa con otra u otras.

inconexo, xa *adj.* Que no tiene conexión con una cosa.

inconfesable *adj.* Se dice de lo que por ser vergonzoso no puede confesarse.

inconfeso, sa *adj.* Se dice del presunto reo que no confiesa el delito que se le imputa.

inconforme *adj.* **1.** Que mantiene actitud hostil a lo establecido en el orden político, social, moral, estético, etc. También com. **2.** Disconforme. También s. m. y s. f.

inconformidad *s. f.* Cualidad o condición de inconforme.

inconformismo *s. m.* Actitud o tendencia del inconforme.

inconformista *adj.* Partidario del inconformismo. También com.

inconfundible *adj.* Que no se puede confundir.

incongruencia *s. f.* Falta de congruencia.

incongruente *adj.* No congruente.

inconmensurabilidad *s. f.* Cualidad de inconmensurable.

inconmensurable *adj.* No conmensurable.

inconmovible *adj.* Que no se puede conmover o alterar.

inconmutabilidad *s. f.* Cualidad de inconmutable.

inconmutable *adj.* No conmutable.

inconquistable *adj.* Que no se puede conquistar.

inconsciencia *s. f.* Estado en que el individuo no se da cuenta exacta del alcance de sus palabras o acciones.

inconsciente adj. No consciente.

inconsecuencia s. f. Falta de consecuencia en lo que se dice o hace.

inconsecuente adj. Que procede con inconsecuencia.

inconsideración s. f. Falta de consideración y reflexión.

inconsiderado, da adj. No considerado ni reflexionado.

inconsistencia s. f. Falta de consistencia.

inconsistente adj. Falto de consistencia.

inconsolable adj. Que no puede ser consolado o consolarse.

inconstancia s. f. **1.** Falta de estabilidad y permanencia de una cosa. **2.** Ligereza con que uno cambia de opinión, amigos, etc.

inconstante adj. No estable ni permanente.

inconstitucional adj. No conforme a la constitución del Estado.

inconstitucionalidad s. f. Carácter de lo inconstitucional.

inconsútil adj. Sin costura.

incontable adj. **1.** Que no puede contarse. **2.** Muy difícil de contar, numerosísimo.

incontaminado, da adj. No contaminado.

incontenible adj. Que no puede ser contenido o refrenado.

incontestable adj. Que no se puede impugnar ni dudar con fundamento.

incontinencia s. f. Falta de continencia, especialmente en el refrenamiento del deseo sexual.

incontinente adj. Desenfrenado en el deseo sexual.

incontinuo, nua adj. No continuo.

incontrarrestable adj. Que no se puede contrarrestar.

incontrastable adj. **1.** Que no se puede contrastar. **2.** fig. Que no se deja reducir o convencer.

incontrito, ta adj. No contrito.

incontrolable adj. Que no se puede controlar.

incontrolado, da adj. Que obra o funciona sin control, sin orden ni disciplina. También s. m. y s. f.

incontrovertible adj. Que no admite duda ni discusión.

inconveniencia s. f. Incomodidad.

inconveniente adj. **1.** No conveniente, poco oportuno. || s. m. **2.** Impedimento, dificultad que hay para hacer una cosa.

inconvertible adj. No convertible.

incoordinación s. f. Falta de coordinación normal de dos o más funciones o de los movimientos musculares.

incordiar v. tr. Importunar, fastidiar, molestar.

incordio s. m. **1.** Tumor grande. **2.** fam. Persona o cosa incómoda, molesta.

incorporación s. f. Acción y efecto de incorporar o incorporarse.

incorporal adj. Incorpóreo.

incorporar v. tr. **1.** Agregar, unir dos o más cosas para que hagan un todo y un cuerpo entre sí. **2.** Levantar la parte superior del cuerpo la persona que está echada.

incorporeidad s. f. Cualidad de incorpóreo.

incorpóreo, a adj. No corpóreo.

incorrección s. f. **1.** Cualidad de incorrecto. **2.** Dicho o hecho incorrecto.

incorrecto, ta adj. No correcto.

incorregibilidad s. f. Cualidad de incorregible.

incorregible adj. No corregible.

incorrupción s. f. Estado de una cosa que no se corrompe.

incorruptibilidad s. f. Cualidad de incorruptible.

incorruptible adj. No corruptible.

incorrupto, ta adj. Que está sin corromperse.

incrasante adj. Que incrasa.

incrasar v. tr. En medicina, engrasar.

increado, da adj. No creado.

incredibilidad s. f. Imposibilidad o dificultad que hay para que sea creída una cosa.

incredulidad s. f. **1.** Repugnancia o dificultad en creer una cosa. **2.** Falta de fe y creencia religiosa.

incrédulo, la adj. Que no cree con facilidad.

increíble adj. Que no puede creerse.

incrementar v. tr. Aumentar, multiplicar. También prnl.

incremento s. m. **1.** Aumento, crecimiento. **2.** Aumento gradual o progresivo de una cosa.

increpación s. f. Reprensión fuerte y severa.

increpador, ra adj. Que increpa. También s. m. y s. f.

increpar v. tr. Reprender a alguien con dureza y severidad.

incriminación s. f. Acción y efecto de incriminar.

incriminar v. tr. Acusar de un delito.

incristalizable adj. Que no se puede cristalizar.

incriticable adj. Que no se puede criticar.

incruento, ta adj. No sangriento.

incrustación s. f. **1.** Acción de incrustar. **2.** Cosa incrustada.

incrustante adj. Que incrusta o puede incrustar.

incrustar v. tr. **1.** Embutir en una superficie lisa y dura piedras, metales, maderas, etc., formando dibujos. **2.** Cubrir una superficie con una costra dura.

incubación s. f. Acción y efecto de incubar.

incubadora s. f. Aparato especial, en forma de caja de cristal con abertura lateral, que se emplea para el cuidado de los niños nacidos prematuramente o en circunstancias anormales.

incubar v. intr. **1.** Encobar. || v. tr. **2.** Empollar el ave los huevos. || v. prnl. **3.** fig. Desarrollar el organismo una enfermedad desde que empieza a obrar la causa morbosa hasta que se manifiestan sus efectos.

íncubo *adj.* Se dice del demonio que según la opinión vulgar, tiene relaciones sexuales con una mujer, bajo la apariencia de hombre. También s. m.

incuestionable *adj.* No cuestionable.

inculcación *s. f.* Acción y efecto de inculcar.

inculcador, ra *adj.* Que inculca. También s. m. y s. f.

inculcar *v. tr., fig.* Infundir con ahínco en el ánimo de alguien una idea, un concepto, etc.

inculpabilidad *s. f.* Exención de culpa.

inculpable *adj.* Que carece de culpa o no puede ser culpado.

inculpación *s. f.* Acción y efecto de inculpar.

inculpar *v. tr.* Culpar a alguien de una cosa.

incultivable *adj.* Que no puede cultivarse.

inculto, ta *adj.* **1.** Que no tiene cultivo ni labor. **2.** *fig.* Se aplica a la persona, pueblo o nación de modales rústicos y groseros o de poca cultura.

incultura *s. f.* Falta de cultivo o de cultura.

incumbencia *s. f.* Obligación y cargo de hacer una cosa.

incumbir *v. intr.* Estar a cargo de alguien una cosa.

incumplido, da *adj.* Que no cumple con sus obligaciones o con lo que promete.

incumplimiento *s. m.* Falta de cumplimiento.

incumplir *v. tr.* No llevar a efecto, dejar de cumplir un mandato, ley, precepto, etc.

incunable *adj.* Se aplica a las ediciones hechas desde la invención de la imprenta hasta principios del s. XVI.

incurabilidad *s. f.* Cualidad de incurable.

incurable *adj.* Que no se puede curar.

incuria *s. f.* Falta de cuidado, negligencia.

incurioso, sa *adj.* Descuidado, negligente. También s. m. y s. f.

incurrimiento *s. m.* Acción y efecto de incurrir.

incurrir *v. intr.* Construido con la preposición *en* y sustantivo que signifique culpa, error o castigo, ejecutar la acción o merecer la pena expresada por el sustantivo.

incursión *s. f.* **1.** Acción de incurrir. **2.** Operación que consiste en penetrar en territorio enemigo, generalmente de forma brusca.

incursionar *v. intr.* **1.** *amer.* Realizar una incursión de guerra. **2.** Hablando de un escritor o de un artista plástico, hacer una obra de género distinto del que habitualmente cultiva.

incusar *v. tr.* Acusar, imputar.

incuso, sa *adj.* Se aplica a la moneda o medalla que tiene por una cara el mismo cuño en hueco que por la opuesta en relieve.

indagación *s. f.* Acción y efecto de indagar.

indagador, ra *adj.* Que indaga. También s. m. y s. f.

indagar *v. tr.* Tratar de llegar al conocimiento de una cosa discurriendo o por medio de conjeturas y señales.

indagatoria *s. f.* Declaración que, acerca del delito que se está averiguando, se toma al presunto reo sin recibirle juramento.

indagatorio, ria *adj.* Que tiene o conduce a indagar.

indayé *s. m.* Especie de gavilán inofensivo de Argentina.

indebido, da *adj.* Que no es obligatorio ni exigible.

indecencia *s. f.* **1.** Falta de decencia o de modestia. **2.** Dicho o hecho vituperable.

indecente *adj.* No decente, indecoroso.

indecible *adj.* Que no se puede decir o explicar.

indecisión *s. f.* Irresolución, dificultad de alguien para decidirse.

indeciso, sa *adj.* **1.** Se dice de la cosa sobre la cual no ha caído resolución. **2.** Irresoluto, dudoso, perplejo.

indecisorio *adj.* Se dice del juramento cuyas afirmaciones solo son aceptadas como decisivas en cuanto perjudican al que jura.

indeclarable *adj.* Que no se puede declarar.

indeclinable *adj.* Que necesariamente tiene que hacerse o cumplirse.

indecoro *s. m.* Falta de decoro.

indecoroso, sa *adj.* Que no tiene decoro o lo ofende.

indefectibilidad *s. f.* Cualidad de indefectible.

indefectible *adj.* Que no puede faltar o dejar de ser.

indefendible *adj.* Que no puede ser defendido.

indefensión *s. f.* **1.** Falta de defensa; situación de la persona que está indefensa. **2.** Abandono, desamparo.

indefenso, sa *adj.* Que carece de defensa.

indeficiente *adj.* Que no puede faltar.

indefinible *adj.* Que no se puede definir.

indefinido, da *adj.* No definido.

indehiscente *adj.* No dehiscente.

indeleble *adj.* Que no se puede borrar o quitar.

indeliberado, da *adj.* Hecho sin deliberación ni reflexión.

indelicadeza *s. f.* Falta de delicadeza, de cortesía, etc.

indelicado, da *adj.* Falto de delicadeza.

indemne *adj.* Libre o exento de daño.

indemnidad *s. f.* Estado de la persona que está libre de padecer daño o perjuicio.

indemnización *s. f.* **1.** Acción y efecto de indemnizar o indemnizarse. **2.** Cosa con que se indemniza.

indemnizar *v. tr.* Resarcir de un daño o perjuicio.

indemostrable *adj.* Que no puede demostrarse.

independencia *s. f.* **1.** Cualidad o condición de independiente. **2.** Libertad, autonomía, especialmente la de un Estado que no depende de otro.

independiente *adj.* **1.** Que no tiene dependencia. **2.** Autónomo.

independizar *v. tr.* Hacer independiente a un país, persona o cosa. También prnl.

indescifrable *adj.* Que no se puede descifrar.

indescriptible *adj.* Que no se puede describir.

indeseable *adj.* Indigno de ser deseado.

indesignable *adj.* Imposible o muy difícil de señalar.

indestructible *adj.* Que no se puede destruir.

indeterminable *adj.* Que no se puede determinar.

indeterminación *s. f.* Falta de determinación en las cosas o de resolución en las personas.

indeterminado, da *adj.* No determinado, o que no implica determinación alguna.

indeterminismo *s. m.* Doctrina filosófica que, frente al determinismo, defiende el libre albedrío.

indeterminista *s. m . y s. f.* Partidario del indeterminismo.

indevoto, ta *adj.* Falto de devoción.

indiana *s. f.* Tela de lino o algodón, o de mezcla de ambos, estampada por un lado.

indiano, na *adj.* Se dice de la persona que vuelve rica de América. También s. m. y s. f.

indicación *s. f.* **1.** Acción y efecto de indicar. **2.** Lo que sirve para indicar, informar o avisar. **3.** Observación o corrección.

indicador, ra *adj.* Que indica o sirve para indicar.

indicar *v. tr.* Dar a entender una cosa con indicios, señales, gestos o palabras.

indicativo, va *adj.* **1.** Que indica o sirve para indicar. **2.** Se dice del modo verbal con que se indica o denota afirmación sencilla y absoluta. También s. m.

indicción *s. f.* Convocación para una junta sinodal o conciliar.

índice *s. m.* **1.** Indicio o señal de una cosa. **2.** Lista breve y ordenada del contenido de un libro, de los objetos de una colección, etc.

indiciado, da *adj.* Que tiene contra sí la sospecha de haber cometido un delito. También s. m. y s. f.

indiciar *v. tr.* **1.** Dar indicios de una cosa que permitan llegar a conocerla. **2.** Sospechar una cosa por indicios.

indicio *s. m.* Cualquier acto o señal que da a conocer lo oculto.

indiferencia *s. f.* Estado del ánimo en que no se siente ni inclinación ni repugnancia hacia un objeto, persona o negocio.

indiferente *adj.* Que no siente inclinación, afecto o interés.

indiferentismo *s. m.* Estado del ánimo que hace ver con indiferencia los hechos; se aplica especialmente referido a cuestiones de religión o de política.

indígena *adj.* Originario del país de que se trata.

indigencia *s. f.* Falta de medios para alimentarse, vestirse etc.

indigente *adj.* Falto de medios para vivir.

indigestarse *v. prnl.* No sentar bien un manjar o comida.

indigestible *adj.* Que no se puede o es difícil digerir.

indigestión *s. f.* Trastorno que se padece por no haber digerido bien los alimentos.

indigesto, ta *adj.* Que no se digiere o se digiere con dificultad.

indignación *s. f.* Enojo, ira, enfado contra una persona o contra sus actos.

indignar *v. tr.* Irritar, enfadar a alguien.

indignidad *s. f.* Falta de merecimientos y de disposición para una cosa.

indigno, na *adj.* **1.** Que no tiene mérito ni disposición para una cosa. **2.** Vil, ruin.

índigo *s. m.* Añil.

indiligencia *s. f.* Falta de diligencia y de cuidado.

indirecta *s. f.* Medio indirecto de que alguien se vale para no significar claramente una cosa y darla, sin embargo, a entender.

indirecto, ta *adj.* Que no va rectamente a un fin, aunque se encamine a él.

indisciplina *s. f.* Falta de disciplina.

indisciplinable *adj.* Incapaz de disciplina.

indisciplinado, da *adj.* Falto de disciplina.

indisciplinarse *v. prnl.* Infringir o quebrantar la disciplina.

indiscreción *s. f.* **1.** Falta de discreción y prudencia. **2.** Dicho o hecho indiscreto.

indiscreto, ta *adj.* **1.** Que obra sin discreción. **2.** *fig.* Que se hace sin discreción.

indisculpable *adj.* Que no tiene disculpa.

indiscutible *adj.* No discutible.

indisolubilidad *s. f.* Cualidad de indisoluble.

indisoluble *adj.* Que no se puede disolver o desatar.

indispensable *adj.* Que es necesario o muy aconsejable que suceda.

indisponer *v. tr.* Privar una cosa de la disposición conveniente.

indisposición *s. f.* **1.** Falta de disposición y de preparación para una cosa. **2.** Desazón o quebranto leve de la salud.

indispuesto, ta *adj.* Que se siente algo enfermo o con alguna alteración en la salud.

indisputable *adj.* Que no admite disputa.

indistinguible *adj.* Que no se puede distinguir.

indistinto, ta *adj.* Que no se distingue de otra cosa.

individuación *s. f.* Acción y efecto de individuar.

individual *adj.* Particular, propio y característico de una persona o cosa.

individualidad *s. f.* Cualidad de una persona o cosa por la cual se da a conocer o se señala singularmente.

individualismo *s. m.* Egoísmo de cada cual, en los afectos, intereses, etc.

individualista *adj.* Que practica el individualismo. También com.

individualizar *v. tr.* Individuar.

individuar *v. tr.* **1.** Especificar una cosa, tratar de ella con particularidad y por menor. **2.** Determinar individuos comprendidos en una especie.

individuo, dua *adj.* **1.** Individual. **2.** Indivisible. ‖ *s. m.* **3.** Cada ser organizado, sea animal o vegetal, respecto de la especie a la que pertenece.

indivisibilidad *s. f.* Cualidad de indivisible.

indivisible *adj.* Que no puede ser dividido.

indivisión *s. f.* Carencia de división.

indiviso, sa *adj.* No dividido en partes.

indócil *adj.* Que no tiene docilidad.

indocilidad *s. f.* Falta de docilidad.

indocto, ta *adj.* Falto de instrucción, inculto.

indocumentado, da *adj.* Se dice de la persona que carece de documento oficial por el cual pueda identificarse.

indoeuropeo, a *adj.* Se dice de cada una de las razas y lenguas procedentes de un tronco común, extendidas desde la India hasta el occidente de Europa.

índole *s. f.* Condición e inclinación natural propia de cada uno.

indolencia *s. f.* Cualidad de indolente.

indolente *adj.* Que no siente dolor.

indoloro, ra *adj.* Que no causa dolor.

indomable *adj.* Que no se puede domar.

indomado, da *adj.* Que está sin domar.

indomesticable *adj.* Que no se puede domesticar.

indoméstico, ca *adj.* Que está sin domesticar.

indómito, ta *adj.* No domado.

indormía *s. f., Col. y Ven.* Maña, arbitrio.

indotación *s. f.* Falta de dotación.

indotado, da *adj.* Que está sin dotar.

indubitable *adj.* Indudable.

indubitado, da *adj.* Cierto y que no admite duda.

inducción *s. f.* **1.** Acción y efecto de inducir. **2.** Razonamiento que va de lo particular a lo general, de las partes al todo, de los hechos a las leyes, de los efectos a las causas, etc.

inducido, da *adj.* Producido por inducción.

inducidor, ra *adj.* Que induce. También s. m. y s. f.

inducir *v. tr.* **1.** Instigar, persuadir a alguien. **2.** Producir un cuerpo electrizado por inducción fenómenos eléctricos o magnéticos a otro situado a cierta distancia de él.

inductivo, va *adj.* Que se hace por inducción.

inductor, ra *adj.* **1.** Que induce. **2.** Calificación penal de la persona que induce a otra a cometer un delito. ‖ *s. m.* **3.** Órgano de las máquinas eléctricas destinado a producir la inducción magnética.

indudable *adj.* Que no puede dudarse.

indulgencia *s. f.* **1.** Facilidad en perdonar o disimular las culpas o en conceder gracias. **2.** Remisión que hace la Iglesia de las penas debidas por los pecados.

indulgente *adj.* Inclinado a perdonar y disimular culpas o a conceder gracias.

indultar *v. tr.* Perdonar a alguien total o parcialmente la pena que tiene impuesta, o conmutarla por otra.

indulto *s. m.* Gracia por la cual el superior conmuta una pena o exceptúa y exime a alguien de la ley o de otra obligación.

indumentaria *s. f.* **1.** Estudio histórico del traje. **2.** Conjunto de prendas de vestir.

indumentario, ria *adj.* Perteneciente o relativo al vestido.

indumento *s. m.* Vestidura.

induración *s. f.* **1.** Endurecimiento. **2.** Técnica de preparación y conservación de los tejidos para su posterior estudio.

indurar *v. tr.* **1.** Tratar un tejido para aumentar su consistencia. ‖ *v. prnl.* **2.** Endurecerse un tejido.

industria *s. f.* **1.** Destreza o artificio para hacer una cosa. **2.** Conjunto de operaciones ejecutadas para la obtención, transformación o transporte de uno o varios productos naturales. **3.** Instalación destinada a estas operaciones. **4.** Suma y conjunto de las industrias de uno o varios géneros, de todo un país o de parte de él.

industrial *adj.* **1.** Perteneciente o relativo a la industria. ‖ *com.* **2.** Persona que vive del ejercicio de una industria.

industrialismo *s. m.* Tendencia al predominio de los intereses industriales.

industrialista *adj.* Partidario del industrialismo.

industrialización *s. f.* Acción y efecto de industrializar.

industrializar *v. tr.* **1.** Hacer que una cosa sea objeto de industria o elaboración. **2.** Dar predominio a las industrias en la economía de un país.

industriar *v. tr.* **1.** Instruir o amaestrar a alguien. ‖ *v. prnl.* **2.** Ingeniarse, sabérselas componer.

industrioso, sa *adj.* Que obra con industria.

inedia *s. f.* Estado de la persona que está sin alimentarse más tiempo del regular.

inédito, ta *adj.* **1.** Escrito y no publicado. **2.** Desconocido, nuevo.

ineducación *s. f.* Falta de educación.

ineducado, da *adj.* Falto de educación o de buenos modales.

inefabilidad *s. f.* Cualidad de inefable.

inefable *adj.* Que no se puede explicar con palabras.

ineficacia *s. f.* Falta de eficacia y actividad.

ineficaz *adj.* No eficaz.

ineficiencia *s. f.* Ineficacia.

ineficiente *s. f.* Ineficaz.

inelegible *adj.* Que no se puede elegir.

ineluctable *adj.* Se dice de aquello contra lo cual no puede lucharse.

ineludible *adj.* Que no se puede eludir.

inenarrable *adj.* Inefable.

inepcia *s. f.* Ineptitud.

ineptitud *s. f.* Falta de aptitud o capacidad.

inepto, ta *adj.* **1.** Que carece de aptitud para una cosa. **2.** Necio, incapaz.

inequívoco, ca *adj.* Que no admite duda.

inercia *s. f.* **1.** Flojedad, desidia, inacción. **2.** Falta de energía física o moral.

inerme *adj.* Que está sin armas.

inerrable *adj.* Que no se puede errar.

inerte *adj.* Inactivo, ineficaz, inútil, átono.

inervación *s. f.* **1.** Acción del sistema nervioso sobre las funciones de los demás órganos del cuerpo del animal. **2.** Distribución de nervios o de energía nerviosa en una parte del organismo.

inervador, ra *adj.* Que produce la inervación.

inescrutable *adj.* Que no se puede saber ni averiguar.

inescudriñable *adj.* Inescrutable.

inesperado, da *adj.* Que sucede sin esperarse.

inestabilidad *s. f.* Falta de estabilidad.

inestable *adj.* No estable.

inestimabilidad *s. f.* Cualidad de inestimable.

inestimable *adj.* Incapaz de ser estimado como corresponde.

inestimado, da *adj.* **1.** Que está sin apreciar ni tasar. **2.** Que no se estima tanto como debería.

inevitable *adj.* Que no se puede evitar.

inexactitud *s. f.* Falta de exactitud.

inexacto, ta *adj.* Que carece de exactitud.

inexcusable *adj.* Que no se puede dejar de hacer, que no admite pretextos.

inexhausto, ta *adj.* Que por su abundancia o plenitud no se agota ni se acaba.

inexistencia *s. f.* Falta de existencia.

inexistente *adj.* Que carece de existencia.

inexorabilidad *s. f.* Cualidad de inexorable.

inexorable *adj.* Que no se deja vencer por los ruegos.

inexperiencia *s. f.* Falta de experiencia.

inexperto, ta *adj.* Falto de experiencia.

inexplicable *adj.* Que no se puede explicar.

inexplorado, da *adj.* No explorado.

inexpresable *adj.* Que no se puede expresar.

inexpresivo, va *adj.* **1.** Que carece de expresión. **2.** Incapaz de expresar o expresarse.

inexpugnable *adj., fig.* Que no se deja vencer ni persuadir.

inextensible *adj.* Que no se puede extender.

in extenso *loc. lat.* que significa «por extenso».

inextenso *adj.* Que carece de extensión.

inextinguible *adj.* No extinguible.

inextirpable *adj.* Que no se puede extirpar.

in extremis *loc. lat.* que significa «en los últimos instantes de la existencia».

inextricable *adj.* Difícil de desenredar, muy intrincado y confuso.

infacundo, da *adj.* No facundo, que no halla fácilmente palabras para explicarse.

infalibilidad *s. f.* Cualidad de infalible.

infalible *adj.* Que no puede equivocarse.

infalsificable *adj.* Que no se puede falsificar.

infamación *s. f.* Acción y efecto de infamar.

infamador, ra *adj.* Que infama. También s. m. y s. f.

infamante *adj.* Que causa deshonra.

infamar *v. tr.* Cubrir de ignominia a una persona o cosa personificada.

infamatorio, ria *adj.* Que infama.

infame *adj.* Que carece de honra o crédito.

infamia *s. f.* **1.** Descrédito, deshonra, vergüenza pública. **2.** Maldad, vileza.

infancia *s. f.* **1.** Periodo de la vida de una persona desde que nace hasta el comienzo de su pubertad. **2.** *fig.* Conjunto o clase de los niños de tal edad.

infando, da *adj.* Torpe e indigno de que se hable de ello.

infanta *s. f.* **1.** Niña que aún no ha llegado a los siete años de edad. **2.** Hija legítima del rey no heredera del trono. **3.** Parienta del rey que por gracia real obtiene este título.

infantado *s. m.* Territorio de un infante o infanta real.

infante *s. m.* **1.** Niño que aún no ha llegado a los siete años de edad. **2.** Hijo varón y legítimo del rey no heredero del trono.

infantería *s. f.* Tropa que sirve a pie en la milicia.

infanticida *adj.* Se dice de la persona que mata a un niño, sobre todo si es recién nacido o está a punto de nacer. También com.

infanticidio *s. m.* Muerte dada a un niño, sobre todo si es recién nacido o está próximo a nacer.

infantil *adj.* **1.** Relativo a la infancia. **2.** *fig.* Inocente, cándido, ingenuo, inofensivo. **3.** *fig.* Se dice del comportamiento aniñado o pueril en un adulto.

infantilismo *s. m.* Estado de algunas personas que conservan en la juventud y en la edad adulta caracteres orgánicos propios de la niñez.

infanzón, na *s. m. y s. f.* Hijodalgo o hijadalgo que en sus heredamientos tenían potestad y señorío limitados.

infanzonazgo *s. m.* Territorio o solar del infanzón.

infanzonía *s. f.* Calidad de infanzón.

infartar *v. tr.* Causar un infarto a un órgano o parte del cuerpo. También prnl.

infarto *s. m.* Hinchazón u obstrucción de un órgano o parte del cuerpo.

infatigable *adj.* Incansable.

infatuación *s. f.* Acción y efecto de infatuar o infatuarse.

infatuar *v. tr.* Engreír a alguien. También prnl.

infausto, ta *adj.* Desgraciado, infeliz.

infebril *adj.* Sin fiebre.

infección *s. f.* **1.** Acción y efecto de infectar. **2.** Alteración, local o generalizada, producida en el organismo por la presencia de ciertos gérmenes.

infeccionar *v. tr.* Causar infección.

infeccioso, sa *adj.* **1.** Que es causa de infección. **2.** Se dice de lo causado por la infección.

infectar *v. tr.* **1.** Inficionar. **2.** Contaminar un organismo o una cosa con los gérmenes de una enfermedad.

infectivo, va *adj.* Se dice de lo que infecta o puede infectar.

infecto, ta *adj.* Inficionado, contagiado.

infecundidad *s. f.* Falta de fecundidad.

infecundo, da *adj.* No fecundo.

infelice *adj., poét.* Infeliz.

infelicidad *s. f.* Desgracia, suerte adversa.

infeliz *adj.* Desgraciado.

inferencia *s. f.* Acción y efecto de inferir.

inferior *adj.* Que está situado debajo de otra cosa o más bajo que ella.

inferioridad *s. f.* **1.** Cualidad de inferior. **2.** Situación de una cosa que está más baja que otra o debajo de ella.

inferir *v. tr.* Sacar una consecuencia de una cosa.

infernáculo *s. m.* Juego de niños, parecido a la rayuela, que consiste en sacar un tejo de un trazado en el suelo.

infernal *adj.* **1.** Relativo al infierno. **2.** *fig.* Muy malo, perjudicial en su línea.

infernar *v. tr.* **1.** Ocasionar a alguien la pena del infierno o su condenación. También prnl. **2.** *fig.* Inquietar, perturbar, irritar. También prnl.

infernillo *s. m.* Cocinilla, infiernillo para calentar.

inferno, na *adj., poét.* Infernal.

infestación *s. f.* Acción y efecto de infestar o infestarse.

infestar *v. tr.* **1.** Inficionar, apestar. **2.** Invadir un lugar los animales o las plantas perjudiciales.

infesto, ta *adj., poét.* Dañoso, perjudicial.

inficionar *v. tr.* **1.** Infectar, causar infección. **2.** *fig.* Corromper con malas doctrinas o ejemplos.

infidelidad *s. f.* Falta de fidelidad.

infidencia *s. f.* Falta a la confianza y fe debida a otro.

infidente *adj.* Que comete infidencia. También com.

infiel *adj.* **1.** Falto de fidelidad, desleal. **2.** Que no profesa la fe considerada como verdadera.

infiernillo *s. m.* Cocinilla para calentar.

infierno *s. m.* Lugar destinado por la divina justicia para eterno castigo de los malos.

infijo, ja *adj.* Afijo con función o significado propios, que se introduce en el interior de una palabra o de su raíz.

infiltración *s. f.* Acción y efecto de infiltrar o infiltrarse.

infiltrar *v. tr.* **1.** Introducir gradualmente un líquido entre los poros de un sólido. **2.** Infundir en el ánimo ideas o doctrinas.

ínfimo, ma *adj.* **1.** Que en su situación está muy bajo. **2.** En el orden y graduación de las cosas, se dice de la que es última y menos que las demás.

infinible *adj.* Que no se acaba o no puede tener fin.

infinidad *s. f.* **1.** Cualidad de infinito. **2.** *fig.* Gran muchedumbre de personas o cosas.

infinitesimal *adj.* Se dice de las cantidades infinitamente pequeñas.

infinitivo *adj.* Se dice del modo del verbo que no expresa, por sí mismo, número, ni persona, ni tiempo determinados.

infinito, ta *adj.* **1.** Que no tiene, ni puede tener, fin ni término. **2.** Muy numeroso, grande y excesivo en cualquier línea.

infinitud *s. f.* Infinidad, cualidad de infinito.

inflación *s. f.* **1.** Acción y efecto de inflar. **2.** Aumento en el volumen del poder adquisitivo suficiente para producir, en un periodo relativamente corto, un aumento notable de los precios.

inflamabilidad *s. f.* Cualidad de inflamable.

inflamable *adj.* Que se enciende con facilidad.

inflamación *s. f.* **1.** Acción y efecto de inflamar o inflamarse. **2.** Alteración patológica en una parte cualquiera del organismo, caracterizada generalmente por enrojecimiento, calor y dolor.

inflamador, ra *adj.* Que inflama.

inflamar *v. tr.* **1.** Encender una cosa levantando llama. ‖ *v. prnl.* **2.** Producirse inflamación en una parte del organismo.

inflamativo, va *adj.* Que causa inflamación o procede de la misma.

inflamatorio, ria *adj.* Que causa inflamación.

inflamiento *s. m.* Acción y efecto de inflar.

inflar *v. tr.* **1.** Hinchar una cosa. **2.** *fig.* Engreír. También prnl.

inflativo, va *adj.* Que infla o tiene virtud de inflar.

inflexibilidad *s. f.* **1.** Cualidad de inflexible. **2.** *fig.* Constancia y firmeza de ánimo para no conmoverse ni doblegarse.

inflexible *adj.* **1.** Incapaz de torcerse o de doblarse. **2.** *fig.* Que por su firmeza de ánimo no se conmueve ni se doblega.

inflexión *s. f.* **1.** Torcimiento de una cosa que estaba recta o plana. **2.** Elevación o atenuación hecha con la voz, quebrándola o pasando de un tono a otro.

infligir *v. tr.* **1.** Hablando de castigos y penas corporales, imponerlas, condenar a ellas. **2.** Producir un daño.

inflorescencia *s. f.* Forma con que aparecen colocadas las flores al brotar en las plantas.

influencia *s. f.* **1.** Acción y efecto de influir. **2.** Poder, valimiento, autoridad de una persona para con otra u otras o para intervenir en un negocio.

influenciar *v. tr.* Influir.

influir *v. intr.* **1.** Producir unas cosas sobre otras ciertos efectos. || *v. tr.* **2.** *fig.* Ejercer una persona o cosa predominio o fuerza moral en el ánimo. También intr. **3.** *fig.* Contribuir al éxito de un negocio.

influjo *s. m.* **1.** Influencia. **2.** Flujo de la marea.

influyente *adj.* Que goza de influencia.

infolio *s. m.* Libro en folio.

información *s. f.* **1.** Acción y efecto de informar o informarse. **2.** En los periódicos, noticia detallada sobre un suceso.

informador, ra *adj.* **1.** Que informa. También s. m. y s. f. || *s. m. y s. f.* **2.** Periodista.

informal *adj.* Que carece de formalidad.

informalidad *s. f.* **1.** Cualidad de informal. **2.** *fig.* Cosa reprimible por informal.

informar *v. tr.* **1.** Enterar, dar noticia de una cosa. || *v. intr.* **2.** Hablar en estrados los fiscales y los abogados.

informática *s. f.* Conjunto de conocimientos científicos y técnicas que hacen posible el tratamiento automático de la información por medio de calculadoras electrónicas, ordenadores, computadores, etc.

informativo, va *adj.* Se dice de lo que informa o sirve para dar noticia de una cosa.

informe[1] *s. m.* Noticia o instrucción que se da de un negocio o suceso, o acerca de una persona.

informe[2] *adj.* **1.** Que no tiene la forma, figura y perfección que le corresponde. **2.** De forma vaga e indeterminada.

informidad *s. f.* Cualidad de informe.

infortuna *s. f.* Influjo adverso de los astros.

infortunado, da *adj.* Desafortunado.

infortunio *s. m.* **1.** Estado desgraciado en que se encuentra una persona. **2.** Hecho o acaecimiento desgraciado.

infosura *s. f.* Enfermedad de las caballerías que se presenta con dolores en dos o en los cuatro remos.

infracción *s. f.* Quebrantamiento de una ley, pacto y tratado, o de una norma moral, lógica o doctrinal.

infractor, ra *adj.* Transgresor.

in fraganti *adv. m.* En el mismo instante de la comisión del delito o acción reprobable.

infraganti *adv. m.* In fraganti.

infrangible *adj.* Que no se puede quebrar o quebrantar.

infranqueable *adj.* Imposible o difícil de franquear.

infrarrojo, ja *adj.* Se aplica a la radiación del espectro luminoso que se encuentra más allá del rojo visible y de mayor longitud de onda.

infrascripto, ta *adj.* Infrascrito. También s. m. y s. f.

infrascrito, ta *adj.* Que firma al fin de un escrito.

infravalorar *v. tr.* Atribuir a alguien o a algo valor inferior al que tiene.

infrecuencia *s. f.* **1.** Falta de frecuencia, rareza. **2.** Cualidad de infrecuente.

infrecuente *adj.* Que no es frecuente.

infringir *v. tr.* Quebrantar leyes, órdenes, convenios, etc.

infructífero *adj.* **1.** Que no produce fruto. **2.** Que no es de utilidad ni provecho.

infructuoso, sa *adj.* Inútil para algún fin.

infrutescencia *s. f.* Fructificación formada por agrupación de varios frutillos procedentes de las flores de una inflorescencia y con apariencia de unidad.

ínfulas *s. f. pl., fig.* Presunción o vanidad.

infumable *adj.* Se dice del tabaco muy malo, por su calidad o por defecto de elaboración.

infundado, da *adj.* Que carece de fundamento real o racional.

infundio *s. m.* Mentira, patraña, embuste.

infundioso, sa *adj.* Embustero, mentiroso, que acostumbra a propagar infundios. También s. m. y s. f.

infundir *v. tr.* **1.** *fig.* Comunicar Dios al alma un don o gracia. **2.** *fig.* Causar en el ánimo un impulso moral o afectivo.

infusibilidad *s. f.* Cualidad de infusible.

infusible *adj.* Que no puede fundirse o derretirse.

infusión *s. f.* **1.** Acción y efecto de infundir. **2.** Preparado en forma líquida que resulta de la extracción de los principios activos de ciertas plantas por la acción del agua hirviendo, del alcohol o más raramente de otro solvente.

infuso, sa *s. f.* Se aplica a los conocimientos que, según la religión católica, Dios infunde o comunica al hombre. Se usa sobre todo en la expresión «ciencia infusa».

infusorio *s. m.* Célula o microorganismo que vive en los líquidos, en los que se desplaza por medio de cilios.

inga *s. m.* Árbol tropical de las regiones americanas, de la familia de las mimosáceas. Su madera es pesada y muy parecida a la del nogal.

ingeniar *v. tr.* Trazar ingeniosamente.

ingeniería *s. f.* Arte de aplicar los conocimientos científicos a la invención, perfeccionamiento o utilización de la técnica industrial en todas sus dimensiones.

ingeniero, ra *s. m. y s. f.* Persona que profesa o ejerce la ingeniería.

ingenio *s. m.* **1.** Facultad en el ser humano para discurrir o inventar con prontitud y facilidad. **2.** Persona dotada de esta facultad. **3.** Máquina o artificio mecánico.

ingeniosidad *s. f.* **1.** Cualidad de ingenioso. **2.** Idea artificiosa y sutil.

ingenioso, sa *adj.* Que tiene ingenio.

ingénito, ta *adj.* No engendrado.

ingente *adj.* Muy grande.

ingenuidad *s. f.* Sinceridad, candor.

ingenuo, nua *adj.* Real, candoroso, sincero, sin doblez.

ingerir *v. tr.* Introducir por la boca comida, bebida o medicamentos.

ingestión *s. f.* Acción de ingerir.

ingle *s. f.* Parte del cuerpo en que se juntan los muslos con el vientre.

inglete *s. m.* **1.** Ángulo de 45 grados que con cada uno de los catetos forma la hipotenusa del cartabón. **2.** Unión a escuadra de los trozos de una moldura.

inglosable *adj.* Que no se puede glosar.

ingobernable *adj.* Que no se puede gobernar.

ingratitud *s. f.* Desagradecimiento.

ingrato, ta *adj.* **1.** Desagradecido, que olvida o desconoce los beneficios recibidos. **2.** Desabrido, áspero, desagradable.

ingravidez *s. f.* Cualidad de ingrávido.

ingrávido, da *adj.* Ligero, leve, tenue y sin peso, como la gasa o la niebla.

ingrediente *s. m.* Cualquier cosa que entra con otras en un compuesto, guiso, etc.

ingresar *v. intr.* **1.** Entrar. **2.** Meter algunas cosas, como el dinero, en un lugar para su custodia. **3.** Entrar a formar parte en una corporación, sociedad, etc.

ingreso *s. m.* **1.** Entrada, lugar por donde se entra a alguna parte. **2.** Caudal de dinero que entra en poder de alguien y que le es de cargo en las cuentas.

inguinal *adj.* Relativo a la ingle.

inguinario, ria *adj.* Inguinal.

ingurgitación *s. f.* Acción y efecto de ingurgitar.

ingurgitar *v. tr.* Engullir.

inhábil *adj.* **1.** Torpe, desmañado. **2.** Inepto, incapaz, incompetente.

inhabilidad *s. f.* Falta de habilidad, talento o instrucción.

inhabilitación *s. f.* **1.** Acción y efecto de inhabilitar o inhabilitarse. **2.** Pena aflictiva que incapacita para ciertos empleos o priva de algún derecho.

inhabilitar *v. tr.* **1.** Imposibilitar para alguna cosa. También prnl. **2.** Incapacitar a alguien para ejercer cargos públicos o para ejercer derechos civiles o políticos.

inhabitable *adj.* No habitable.

inhabitado, da *adj.* No habitado.

inhacedero, ra *s. f.* No hacedero.

inhalación *s. f.* Acción de inhalar.

inhalador *s. m.* Aparato para efectuar inhalaciones.

inhalar *v. tr.* Aspirar, con fin terapéutico, algún gas, vapor o líquido pulverizado.

inherencia *s. f.* Unión de cosas inseparables por su naturaleza.

inherente *adj.* Se dice de aquello que por su naturaleza está de tal manera unido a otra cosa, que no se puede separar de ella.

inhibición *s. f.* Acción y efecto de inhibir o inhibirse.

inhibir *v. tr.* **1.** Impedir que un juez prosiga en el conocimiento de una causa. ‖ *v. prnl.* **2.** Salirse de un asunto o abstenerse de intervenir en él.

inhibitorio, ria *adj.* Se aplica al despacho, decreto o letras que inhiben al juez.

inhonestidad *s. f.* Falta de honestidad o decencia.

inhonesto, ta *adj.* **1.** Deshonesto. **2.** Indecente e indecoroso.

inhospitalario, ria *adj.* **1.** Falto de hospitalidad. **2.** Se dice de lo que no ofrece seguridad ni abrigo.

inhóspito, ta *adj.* Inhospitalario.

inhumación *s. f.* Acción y efecto de inhumar.

inhumanidad *s. f.* Falta de humanidad, barbarie, crueldad.

inhumanitario, ria *adj.* No humanitario.

inhumano, na *adj.* Falto de humanidad.

inhumar *v. tr.* Enterrar un cadáver.

iniciación *s. f.* Acción y efecto de iniciar o iniciarse.

iniciador, ra *adj.* Que inicia.

inicial *adj.* Perteneciente o relativo al origen de las cosas.

iniciar *v. tr.* **1.** Comenzar una cosa. **2.** Instruir en una enseñanza.

iniciativa *s. f.* **1.** Derecho de hacer una propuesta. **2.** Cualidad personal que inclina a esta acción.

inicuo, cua *adj.* Malvado, injusto.

in illo témpore *loc. lat.* que se usa en el sentido de «en otros tiempos» o «hace mucho tiempo».

inimaginable *adj.* No imaginable.

inimicísimo, ma *adj. sup.* de enemigo.

inimitable *adj.* No imitable.

ininteligible *adj.* No inteligible.

ininterrumpido, da *adj.* Continuado, sin interrupción.

iniquidad *s. f.* Maldad, injusticia grande.

injerencia *s. f.* Acción y efecto de injerirse.

injeridura *s. f.* Parte por donde se ha injertado el árbol.

injerir *v. tr.* **1.** Injertar plantas. **2.** Introducir una cosa en otra. **3.** Introducir en un escrito una palabra, una nota, una aclaración, etc. **4.** prnl. Introducirse en una dependencia o negocio.

injertable *adj.* Que se puede injertar.

injertador, ra *adj.* Que injerta. También s. m. y s. f.

injertar *v. tr.* **1.** Insertar en la rama o tronco de un árbol alguna parte de otro, en la cual debe haber yema para que pueda brotar. **2.** Aplicar una porción de un tejido vivo en una lesión, de modo que se establezca una unión orgánica.

injertera *s. f.* Plantación formada de árboles sacados de la almáciga.

injerto *s. m.* **1.** Parte de una planta con una o más yemas que, aplicada al patrón o tronco principal en el que se va a injertar, se suelda con él. **2.** Porción de un tejido vivo que se injerta.

injuria *s. f.* Ultraje que se hace al nombre u honor de alguien con obras o palabras.

injuriador, ra *adj.* Que injuria. También s. m. y s. f.

injuriar *v. tr.* **1.** Ultrajar con obras o palabras a alguien. **2.** Dañar, menoscabar.

injurioso, sa *adj.* Que injuria.

injusticia *s. f.* Acción contraria a la justicia.

injustificable *adj.* Que no se puede justificar.

injustificado *adj.* No justificado.

injusto, ta *adj.* No justo.

inmaculado, da *adj.* Que no tiene mancha.

inmadurez *s. f.* Falta de madurez.

inmaduro, ra *adj.* No maduro.

inmanejable *adj.* No manejable.

inmanencia *s. f.* Cualidad de inmanente.

inmanente *adj.* Se dice de lo que es inherente a un ser o va unido de un modo inseparable a su esencia.

inmarcesible *adj.* Que no se puede marchitar.

inmarchitable *adj.* Inmarcesible.

inmaterial *adj.* No material.

inmaterialidad *s. f.* Cualidad de inmaterial.

inmediación *s. f.* **1.** Calidad de inmediato. **2.** Conjunto de derechos atribuidos al sucesor inmediato en una vinculación.

inmediato, ta *adj.* Contiguo o muy cercano.

inmejorable *adj.* Que no se puede mejorar.

inmemorable *adj.* Inmemorial

inmemorial *adj.* Tan antiguo que no hay memoria de cuándo comenzó.

inmensidad *s. f.* **1.** Cualidad de inmenso. **2.** Infinidad en la extensión; atributo exclusivo de Dios. **3.** *fig.* Muchedumbre, número o extensión grande.

inmenso, sa *adj.* Tan grande que no puede medirse.

inmensurable *adj.* **1.** Que no se puede medir. **2.** *fig.* De muy difícil medida.

inmerecido, da *adj.* No merecido.

inmérito, ta *adj.* Inmerecido, injusto.

inmersión *s. f.* Acción de introducir o introducirse una cosa en un líquido.

inmerso *adj.* Sumergido, abismado.

inmigración *s. f.* Acción y efecto de inmigrar.

inmigrante *adj.* Que inmigra.

inmigrar *v. intr.* Llegar a un país, para establecerse en él, los habitantes de otro.

inmigratorio, ria *adj.* Perteneciente o relativo a la inmigración.

inminencia *s. f.* Cualidad de inminente, especialmente hablando de un riesgo.

inminente *adj.* Que amenaza o está para suceder prontamente.

inmiscuir *v. tr.* **1.** Poner una sustancia en otra para que resulte una mezcla. ‖ *v. prnl.* **2.** Entrometerse en algo.

inmobiliario, ria *adj.* **1.** Perteneciente o relativo a cosas inmuebles. ‖ *s. f.* **2.** Empresa dedicada a la construcción, venta, arrendamiento o administración de viviendas.

inmoble *adj.* Que no se mueve.

inmoderación *s. f.* Falta de moderación.

inmoderado, da *adj.* Falto de moderación.

inmodestia *s. f.* Falta de modestia.

inmodesto, ta *adj.* No modesto.

inmódico, ca *adj.* Excesivo, inmoderado.

inmodificable *adj.* Que no puede ser modificado.

inmolación *s. f.* Acción y efecto de inmolar.

inmolador, ra *adj.* Que inmola. También s. m. y s. f.

inmolar *v. tr.* **1.** Sacrificar una víctima. ‖ *v. prnl.* **2.** Dar la vida, la hacienda, etc., en provecho de una persona, ideal, etc.

inmoral *adj.* Que se opone a la moral o a las buenas costumbres.

inmoralidad *s. f.* **1.** Falta de moralidad, desarreglo en las costumbres. **2.** Acción inmoral.

inmortal *adj.* No mortal o que no puede morir.

inmortalidad *s. f.* **1.** Cualidad de inmortal. **2.** Duración indefinida de una cosa en la memoria de las personas.

inmortalizar *v. tr.* Hacer perpetua una cosa en la memoria de las personas.

inmotivado, da *adj.* Sin motivo.

inmoto, ta *adj.* Que no se mueve.

inmovible *adj.* Inmoble.

inmóvil *adj.* Que no se mueve.

inmovilidad *s. f.* Cualidad de inmóvil.

inmovilismo *s. m.* Tendencia a mantener sin cambios una situación política, social, económica, ideológica, etc., establecida.

inmovilista *adj.* Partidario del inmovilismo. También com.

inmovilización *s. f.* Acción y efecto de inmovilizar o inmovilizarse.

inmovilizar *v. tr.* **1.** Hacer que una cosa quede inmóvil. ‖ *v. prnl.* **2.** Quedarse o permanecer inmóvil.

inmueble *adj.* **1.** Se dice del bien que, poseyendo una situación fija, no es desplazable sin menoscabo. ‖ *s. m.* **2.** Casa o edificio.

inmundicia *s. f.* Suciedad, basura.

inmundo, da *adj.* **1.** Sucio, asqueroso. **2.** *fig.* Impuro.

inmune *adj.* Exento de ciertos oficios, cargos, gravámenes o penas.

inmunidad *s. f.* **1.** Cualidad de inmune. **2.** Privilegio local concedido a templos e iglesias, en virtud del cual los delincuentes que a ellos se acogían no eran castigados con pena corporal en ciertos casos. **3.** Estado del organismo que le impide contraer una enfermedad. Puede ser espontáneo o provocado principalmente por medio de vacunas.

inmunización *s. f.* Acción y efecto de inmunizar.

inmunizar *v. tr.* Hacer inmune.

inmunodeficiencia *s. f.* Estado patológico del organismo que se caracteriza por la disminución funcional de los linfocitos B y T, de los productos de su biosíntesis o de alguna de sus actividades específicas.

inmunología *s. f.* Conjunto de conocimientos sobre los fenómenos de la inmunidad, sus causas y sus aplicaciones.

inmunológico, ca *adj.* Relativo a la inmunología.

inmunólogo, ga *s. m. y s. f.* Persona que cultiva la inmunología o tiene especiales conocimientos de ella.

inmutabilidad *s. f.* Cualidad de inmutable.

inmutable *adj.* No mudable.

inmutación *s. f.* Acción y efecto de inmutar o inmutarse.

inmutar *v. tr.* **1.** Alterar o variar una cosa. ‖ *v. prnl.* **2.** *fig.* Sentir cierta conmoción repentina del ánimo.

inmutativo, va *adj.* Que inmuta o tiene virtud de inmutar.

innatismo *s. m.* Sistema filosófico que enseña que las ideas o nociones fundamentales del pensamiento son connaturales a la razón y nacen con ella, es decir, no son adquiridas por la experiencia.

innato, ta *adj.* Se dice de los caracteres que se presentan desde el nacimiento y, no obstante, no son hereditarios.

innatural *adj.* Que no es natural.

innavegable *adj.* **1.** No navegable. **2.** Se dice también de la embarcación que se halla en tal estado que no se puede navegar con ella.

innecesario, ria *adj.* No necesario.

innegable *adj.* Que no se puede negar.

innoble *adj.* Que no es noble.

innocuidad *s. f.* Inocuidad.

innocuo, cua *adj.* Inocuo.

innominado, da *adj.* Que no tiene nombre especial.

innovación *s. f.* Acción y efecto de innovar.

innovador, ra *adj.* Que innova. También s. m. y s. f.

innovar *v. tr.* Mudar o alterar las cosas, introduciendo una novedad en ellas.

innumerabilidad *s. f.* Muchedumbre grande e incontable.

innumerable *adj.* **1.** Que no se puede reducir a número. **2.** Copioso, muy abundante.

innúmero, ra *adj.* Innumerable.

inobediencia *s. f.* Falta de obediencia.

inobediente *adj.* No obediente.

inobservable *adj.* Que no puede observarse.

inobservancia *s. f.* Falta de observancia.

inobservante *adj.* No observante.

inocencia *s. f.* Condición de inocente.

inocentada *s. f.* **1.** *fam.* Acción o palabra candorosa o simple. **2.** *fam.* Engaño ridículo en que alguien cae por descuido o por falta de malicia. **3.** *fam.* Broma que se hace a alguien el día de los Santos Inocentes.

inocente *adj.* **1.** Libre de culpa. **2.** Cándido, sin malicia, fácil de engañar.

inocentón, na *adj., fig. y fam.* Aumentativo de inocente, en el significado de cándido.

inocuidad *s. f.* Cualidad de inocuo.

inoculable *adj.* Que puede inocularse.

inoculación *s. f.* Acción y efecto de inocular.

inoculador, ra *adj.* Que inocula. También s. m. y s. f.

inocular *v. tr.* Comunicar por medios artificiales los gérmenes de una enfermedad contagiosa. También prnl.

inocuo, cua *adj.* Que no hace daño.

inodoro, ra *adj.* **1.** Que no tiene olor. ‖ *s. m.* **2.** Aparato sanitario que se deshace de los excrementos y la orina, y que cuenta con un sifón que evita los malos olores.

inofensivo, va *adj.* Incapaz de ofender.

inoficioso, sa *adj.* Que lesiona los derechos de herencia forzosa.

inolvidable *adj.* Que no puede o no debe olvidarse.

inoperable *adj.* Se dice del enfermo que no puede ser operado o de la enfermedad en que no procede la intervención quirúrgica.

inopia *s. f.* Pobreza, indigencia.

inopinado, da *adj.* Que sucede sin pensar en ello o sin esperarlo.

inoportunidad *s. f.* Falta de oportunidad.

inoportuno, na *adj.* Fuera de tiempo o de propósito.

inordenado, da *adj.* Desordenado.

inorgánico, ca *adj.* No orgánico. Se dice de cualquier cuerpo sin órganos para la vida, como los minerales.

inoxidable *adj.* Que no se puede oxidar.

inquebrantable *adj.* Que persiste sin quebranto o no puede quebrantarse.

inquietador, ra *adj.* Que inquieta. También s. m. y s. f.

inquietar *v. tr.* Causar inquietud, quitar el sosiego. También prnl.

inquieto, ta *adj.* **1.** Que no está quieto o es de índole bulliciosa. **2.** *fig.* Desasosegado por un temor, aprensión, duda, etc.

inquietud *s. f.* Falta de quietud, desazón.

inquilinato *s. m.* Arriendo, alquiler de una casa o parte de ella.

inquilino, na *s. m. y s. f.* Persona que ha tomado una casa o parte de ella en alquiler.

inquina *s. f.* Aversión, mala voluntad.

inquinamento *s. m.* Infección.

inquinar *v. tr.* Manchar, contagiar.

inquiridor, ra *adj.* Que inquiere. También s. m. y s. f.

inquirir *v. tr.* Indagar o examinar cuidadosamente una cosa.

inquisición *s. f.* **1.** Acción y efecto de inquirir. **2.** Tribunal eclesiástico, establecido para inquirir y castigar los delitos contra la fe.

inquisidor, ra *adj.* **1.** Inquiridor. También s. m. y s. f. ‖ *s. m.* **2.** Juez del tribunal de la Inquisición que conocía de las causas de fe.

inquisitivo, va *adj.* Perteneciente o relativo a la indagación o averiguación.

inquisitorial *adj.* **1.** Perteneciente o relativo a la Inquisición o al inquisidor. **2.** Se dice de los procedimientos semejantes a los usados por el tribunal de la Inquisición.

inquisitorio, ria *adj.* **1.** Que tiene virtud para inquirir. **2.** Perteneciente o relativo a la inquisición o averiguación de las cosas.

inri *s. m.* Nombre que resulta de leer como una palabra las iniciales de «Ieus Nazarenus Rex Iudaeorum», rótulo latino de la santa Cruz.

insaciabilidad *s. f.* Cualidad de insaciable.

insaciable *adj.* Que tiene apetitos o deseos tan desmedidos que no los puede saciar o hartar.

insaculación *s. f.* Acción y efecto de insacular.

insaculador, ra *s. m. y s. f.* Persona que insacula.

insacular *v. tr.* Poner en un saco, cántaro o urna, cédulas o boletos con números o con nombres de personas o cosas para sacar una o más por suerte.

insalivación *s. f.* Acción y efecto de insalivar.

insalivar *v. tr.* Mezclar los alimentos con la saliva en la cavidad bucal.

insalubre *adj.* Malsano, dañoso a la salud.

insalubridad *s. f.* Falta de salubridad.

insanable *adj.* Que no se puede sanar; incurable.

insania *s. f.* Locura.

insano, na *adj.* **1.** Malsano. **2.** Demente.

insatisfecho, cha *adj.* No satisfecho.

inscribible *adj.* Que puede inscribirse.

inscribir *v. tr.* **1.** Grabar letreros en metal, piedra u otra materia. **2.** Tomar razón, en algún registro, de los documentos o las declaraciones que han de asentarse en él, según las leyes.

inscripción *s. f.* **1.** Escrito sucinto grabado en piedra, metal, etc., para conservar la memoria de una persona, cosa o acontecimiento importante. **2.** Letrero rectilíneo en las monedas y medallas.

insecticida *adj.* Que sirve para matar insectos. Se dice de los productos destinados a este fin. También s. m.

insectívoro, ra *adj.* Se dice de los animales que se alimentan principalmente de insectos. También s. m.

insecto *adj.* Se dice del artrópodo de respiración traqueal, con un par de antenas, tres pares de patas y el cuerpo dividido en cabeza, tórax y abdomen.

inseguridad *s. f.* Falta de seguridad.

inseguro, ra *adj.* Falto de seguridad.

inseminación *s. f.* Llegada del semen al óvulo, tras la cópula sexual.

insenescencia *s. f.* Cualidad de lo que no se envejece.

insensatez *s. f.* **1.** Necedad, falta de sentido o de razón. **2.** Dicho o hecho insensato.

insensato, ta *adj.* Tonto, necio, fatuo.

insensibilidad *s. f.* Falta de sensibilidad.

insensibilizador, ra *adj.* Que insensibiliza.

insensibilizar *v. tr.* Quitar la sensibilidad o privar de ella a alguien. También prnl.

insensible *adj.* **1.** Que carece de sensibilidad. **2.** Privado de sentido.

inseparable *adj.* Que no se puede separar.

insepulto, ta *adj.* No sepultado.

inserción *s. f.* **1.** Acción y efecto de insertar. **2.** Lugar por donde se inserta un órgano en otro.

inserir *v. tr.* Injerir.

insertar *v. tr.* **1.** Incluir una cosa en otra. ‖ *v. prnl.* **2.** Introducirse más o menos profundamente un órgano entre las partes de otro o adherirse a su superficie.

inserto, ta *adj.* Incluido en algo.

inservible *adj.* No servible.

insidia *s. f.* Asechanza. Se usa más en pl.

insidioso, sa *adj.* Que arma asechanzas.

insigne *adj.* Célebre, famoso.

insignia *s. f.* **1.** Señal, distintivo o divisa honorífica. **2.** Bandera. **3.** Pendón, estandarte, etc., de una hermandad o cofradía.

insignificancia *s. f.* Pequeñez.

insignificante *adj.* **1.** Que no significa nada. **2.** Baladí, pequeño, despreciable.

insinceridad *s. f.* Falta de sinceridad.

insincero, ra *adj.* No sincero, simulado, doble.

insinuación *s. f.* **1.** Acción y efecto de insinuar o insinuarse. **2.** Presentación de un instrumento público ante el juez competente, para que este interponga en él su autoridad y decreto judicial. Se aplica especialmente a las donaciones.

insinuador, ra *adj.* Que insinúa. También *s. m.* y *s. f.*

insinuar *v. tr.* **1.** Dar a entender una cosa no haciendo más que indicarla ligeramente. ‖ *v. prnl.* **2.** Introducirse mañosamente en el ánimo de alguien.

insinuativo, va *adj.* Se dice de lo que tiene virtud para insinuar o insinuarse.

insipidez *s. f.* Cualidad de insípido.

insípido, da *adj.* Falto de sabor.

insipiente *adj.* **1.** Falto de sabiduría o ciencia. **2.** Falto de juicio.

insistencia *s. f.* Reiteración y porfía acerca de una cosa.

insistente *adj.* Que insiste.

insistir *v. intr.* Instar reiteradamente; mantenerse firme en una cosa.

ínsito, ta *adj.* Propio y connatural a una cosa y como nacido en ella.

in situ *loc. lat.* que significa «en el lugar» o «en el sitio».

insobornable *adj.* **1.** Que no se puede sobornar. **2.** Que no se deja llevar por ninguna influencia ajena.

insociabilidad *s. f.* Falta de sociabilidad.

insociable *adj.* Intratable, huraño.

insocial *adj.* Insociable.

insolación *s. f.* Conjunto de síntomas de variable intensidad que aparecen como consecuencia de una exposición excesiva al sol o al calor.

insolar *v. tr.* **1.** Poner al sol una cosa, como hierba, planta, etc., para facilitar su fermentación o secarla. ‖ *v. prnl.* **2.** Sufrir una insolación, enfermarse por demasiado calor del sol.

insoldable *adj.* Que no se puede soldar.

insolencia *s. f.* **1.** Cualidad de insolente. **2.** Dicho o hecho ofensivo e insultante.

insolentar *v. tr.* Hacer a alguien insolente y atrevido.

insolente *adj.* Que falta al debido respeto.

insólito, ta *adj.* No común ni ordinario.

insolubilidad *s. f.* Cualidad de insoluble.

insoluble *adj.* Que no puede disolverse ni diluirse.

insolvencia *s. f.* Incapacidad de pagar una deuda.

insolvente *adj.* Que no tiene con qué pagar.

insomne *adj.* Que no duerme, desvelado.

insomnio *s. m.* Vigilia, desvelo.

insondable *adj.* **1.** Que no se puede sondear. **2.** *fig.* Que no se puede averiguar.

insonoridad *s. f.* Cualidad de insonoro.

insonorización *s. f.* Acción y efecto de insonorizar.

insonorizar *v. tr.* Aislar un local de sonidos o ruidos exteriores, o atenuar los que se producen en su interior, utilizando dispositivos adecuados.

insonoro, ra *adj.* Falto de sonoridad.

insoportable *adj.* **1.** Insufrible, intolerable. **2.** *fig.* Muy incómodo, enfadoso.

insoslayable *adj.* Que no se puede soslayar o pasar por alto.

insospechable *adj.* Que no puede sospecharse.

insospechado *adj.* No sospechado.

insostenible *adj.* Que no se puede sostener.

inspección *s. f.* **1.** Acción y efecto de inspeccionar. **2.** Casa, despacho u oficina del inspector.

inspeccionar *v. tr.* Examinar, reconocer atentamente una cosa.

inspector, ra *s. m.* y *s. f.* Empleado público o particular que tiene a su cargo la inspección y vigilancia en el ramo a que pertenece.

inspiración *s. f.* **1.** *fig.* Ilustración o movimiento sobrenatural que Dios comunica al individuo. **2.** *fig.* Cosa inspirada.

inspirador, ra *adj.* Que inspira. También *s. m.* y *s. f.*

inspirar *v. tr.* **1.** Aspirar, atraer el aire a los pulmones. **2.** *fig.* Sugerir ideas. **3.** *fig.* Iluminar Dios el entendimiento de alguien o excitar y mover su voluntad.

inspirativo, va *adj.* Que tiene virtud de inspirar.

instabilidad *s. f.* Inestabilidad.

instable *adj.* Inestable.

instalación *s. f.* Conjunto de cosas instaladas.

instalar *v. tr.* **1.** Colocar en un edificio o en otro lugar los aparatos o enseres para algún servicio. ‖ *v. prnl.* **2.** Establecerse.

instancia *s. f.* Memorial, solicitud.

instantánea *s. f.* Impresión fotográfica que se hace instantáneamente.

instantáneo, a *adj.* Que solo dura un instante.

instante *s. m.* Porción brevísima de tiempo.

instar *v. tr.* **1.** Insistir en una petición o súplica. ‖ *v. intr.* **2.** Apretar o urgir la pronta ejecución de una cosa.

in statu quo *expr. lat.* que se emplea para indicar que las cosas están o deben estar en la misma situación que antes tenían.

instauración *s. f.* Acción y efecto de instaurar.

instaurador, ra *adj.* Que instaura. También *s. m.* y *s. f.*

instaurar *v. tr.* Renovar, restaurar.

instaurativo, va *adj.* Se dice de lo que tiene virtud de instaurar. También *s. m.*

instigación *s. f.* Acción y efecto de instigar.

instigador, ra *adj.* Que instiga. También *s. m.* y *s. f.*

instigar *v. tr.* Incitar a alguien a que haga una cosa.

instilación *s. f.* Acción y efecto de instilar.

instilar *v. tr.* **1.** Echar poco a poco, gota a gota, un líquido en otra cosa. **2.** Infundir insensiblemente en el ánimo una doctrina, afecto, etc.

instintivo, va *adj.* Que es resultado de un instinto y no del juicio o la reflexión.

instinto *s. m.* **1.** Estímulo interior que determina a los animales a una acción dirigida a su conservación o reproducción. **2.** Por ext., toda actividad especialmente mental, adaptada a una finalidad, que entra en juego espontáneamente sin que sea el resultado de la experiencia ni de la educación, y sin que exija reflexión.

institución *s. f.* **1.** Establecimiento o fundación de una cosa. **2.** Cada una de las organizaciones fundamentales de un Estado, nación o sociedad.

institucional *adj.* Perteneciente o relativo a la institución.

institucionalizar *v. tr.* **1.** Convertir algo en institucional. También prnl. **2.** Conferir el carácter de institución.

instituidor, ra *adj.* Que instituye. También s. m. y s. f.

instituir *v. tr.* Fundar.

instituto *s. m.* **1.** Institución científica, literaria, artística, benéfica, etc., y edificio en el que está instalada. **2.** Instituto de enseñanza secundaria, o de formación profesional. Centro oficial donde se siguen estudios de enseñanza secundaria. **3.** Instituto de belleza. Centro donde se ofrecen servicios de peluquería, maquillaje, etc.

institutor, ra *adj.* Instituidor. También s. m. y s. f.

institutriz *s. f.* Maestra encargada de la educación o instrucción de uno o varios niños, en el propio hogar.

instrucción *s. f.* **1.** Acción de instruir o instruirse. **2.** Caudal de conocimientos adquiridos. **3.** Curso que sigue un proceso o expediente que se tramita o instruye. **4.** Conjunto de reglas para algún fin. Se usa más en pl.

instructivo, va *adj.* Que instruye.

instructor, ra *adj.* Que instruye.

instruido, da *adj.* Que tiene bastante caudal de conocimientos adquiridos.

instruir *v. tr.* **1.** Enseñar, doctrinar. **2.** Comunicar conocimientos o doctrinas. **3.** Informar a alguien acerca de una cosa. También prnl. **4.** Formalizar un proceso o expediente conforme a las reglas de derecho y prácticas recibidas.

instrumentación *s. f.* Acción y efecto de instrumentar.

instrumental *adj.* **1.** Relativo al instrumento. **2.** Perteneciente o relativo a los instrumentos musicales. || *s. m.* **3.** Conjunto de instrumentos destinados a un fin determinado.

instrumentar *v. tr.* Escribir o arreglar las partes de una pieza de música, que han de tocar diferentes instrumentos.

instrumentista *s. m. y s. f.* Músico que toca un instrumento.

instrumento *s. m.* **1.** Aquello de que nos servimos para hacer una cosa. **2.** Escritura con que se justifica o prueba una cosa.

insuave *adj.* Desagradable a los sentidos, o que causa una sensación áspera y desagradable.

insuavidad *s. f.* Cualidad de insuave.

insubordinación *s. f.* Falta de subordinación.

insubordinado, da *adj.* Que falta a la subordinación. También s. m. y s. f.

insubordinar *v. tr.* **1.** Introducir la insubordinación. || *v. prnl.* **2.** Sublevarse.

insubsanable *adj.* Que no puede subsanarse.

insubsistencia *s. f.* Falta de subsistencia.

insubstancial *adj.* Insustancial.

insubstancialidad *s. f.* Insustancialidad.

insubstituible *adj.* Insustituible.

insuficiencia *s. f.* Falta de suficiencia.

insuficiente *adj.* No suficiente.

insuflación *s. f.* Acción y efecto de insuflar.

insuflador *s. m.* Aparato que sirve para insuflar.

insuflar *v. tr.* Introducir soplando en una cavidad del cuerpo u órgano un gas, vapor, líquido o sustancia pulverulenta.

insufrible *adj., fig.* Muy difícil de sufrir.

ínsula *s. f.* Isla.

insulano, na *s. f.* Isleño. También s. m. y s. f., aplicado a personas.

insular *adj.* Isleño. También com., aplicado a personas.

insulina *s. f.* Hormona que segrega el páncreas y que, vertida en la sangre, regula la cantidad de glucosa de esta.

insulsez *s. f.* **1.** Cualidad de insulso. **2.** Dicho insulso.

insulso, sa *adj.* Insípido, falto de sabor.

insultante *adj.* Se dice de las palabras o acciones con que se insulta.

insultar *v. tr.* Ofender a alguien provocándole con palabras o acciones.

insulto *s. m.* Acción y efecto de insultar.

insume *adj.* Costoso, de mucho precio.

insumergible *adj.* No sumergible.

insumisión *s. f.* Falta de sumisión.

insumiso, sa *adj.* Desobediente, rebelde.

insuperable *adj.* No superable.

insurgente *adj.* Levantado, sublevado.

insurrección *s. f.* Acción de insurreccionarse un pueblo, una nación, etc.

insurreccionar *v. tr.* **1.** Concitar a las gentes para que se amotinen contra las autoridades. || *v. prnl.* **2.** Sublevarse, alzarse contra la autoridad pública.

insurrecto, ta *adj.* Levantado contra la autoridad pública; rebelde.

insustancial *adj.* De poca o ninguna sustancia.

insustancialidad *s. f.* Cualidad de insustancial.

insustituible *adj.* Que no puede sustituirse.

intachable *adj.* Que no admite o merece tacha.

intacto, ta *adj.* **1.** No tocado o palpado. **2.** Que no ha sufrido alteración, menoscabo o deterioro. **3.** *fig.* Puro, sin mezcla.

intangibilidad *s. f.* Cualidad de intangible.

intangible *adj.* Que no puede o no debe tocarse.

integérrimo, ma *adj. sup.* de íntegro.

integrable *adj.* Que se puede integrar.

integración *s. f.* Operación que consiste en hallar la integral de una diferencial o de una ecuación diferencial.

integral *adj.* **1.** Global, total. **2.** Se aplica a las partes que entran en la composición de un todo. **3.** Resultado de integrar una expresión diferencial.

integrante *adj.* Se dice de las partes que entran en la composición de un todo.

integrar *v. tr.* **1.** Componer un todo con sus partes integrantes. **2.** Determinar por el cálculo una cantidad de la que solo se conoce la expresión diferencial.

integridad *s. f.* Cualidad de íntegro.

íntegro, gra *adj.* **1.** Se dice de aquello a lo que no le falta ninguna de sus partes. **2.** Se dice de la persona recta, intachable.

integumento *s. m.* **1.** Envoltura o cobertura. **2.** *fig.* Disfraz, ficción, fábula.

intelección *s. f.* Acción y efecto de entender.

intelectiva *s. f.* Facultad de entender.

intelectivo, va *adj.* Que tiene virtud de entender.

intelecto *s. m.* Entendimiento.

intelectual *adj.* **1.** Relativo al entendimiento. **2.** Se dice de la persona dedicada al cultivo de las ciencias y letras. También com.

intelectualidad *s. f., fig.* Conjunto de las personas cultas de un país, región, etc.

inteligencia *s. f.* Facultad de entender o comprender.

inteligente *adj.* **1.** Sabio, instruido. **2.** Dotado de inteligencia.

inteligibilidad *s. f.* Cualidad de inteligible.

inteligible *adj.* **1.** Que puede ser entendido. **2.** Que se oye clara y distintamente.

intemperancia *s. f.* Falta de templanza.

intemperante *adj.* Falto de templanza.

intemperie *s. f.* Destemplanza del tiempo.

intempestivo, va *adj.* Que está fuera de tiempo y razón.

intención *s. f.* Determinación de la voluntad en relación a un fin.

intencionado, da *adj.* Que tiene alguna intención.

intencional *adj.* **1.** Relativo a los actos interiores del alma. **2.** Deliberado, hecho a sabiendas.

intendencia *s. f.* **1.** Dirección, cuidado y gobierno de una cosa. **2.** Empleo del intendente.

intendente *s. m.* **1.** Jefe superior económico. **2.** Jefe de fábricas u otras empresas explotadas por cuenta del erario.

intensidad *s. f.* Grado de energía de un agente natural o mecánico, de una cualidad, de una expresión, etc.

intensificación *s. f.* **1.** Acción de intensificar. **2.** Aumento de intensidad.

intensificar *v. tr.* Hacer que una cosa adquiera mayor intensidad de la que tenía. También prnl.

intensión *s. f.* **1.** Intensidad. **2.** Primera fase de la articulación de un fonema.

intensivo, va *adj.* Que intensifica.

intenso, sa *adj.* **1.** Que tiene intensidad. **2.** *fig.* Muy vehemente y vivo.

intentar *v. tr.* **1.** Preparar o iniciar la ejecución de algo. **2.** Procurar o pretender.

intento *s. m.* **1.** Propósito, designio. **2.** Cosa intentada.

intentona *s. f., fam.* Intento temerario.

ínter *s. m.* Descanso o receso.

interacción *s. f.* Acción que se ejerce recíprocamente entre dos o más objetos, agentes, fuerzas, funciones, etc.

interaccionar *v. intr.* Ejercer una interacción.

interactivo, va *adj.* **1.** Que procede por interacción. **2.** Se dice de los programas que permiten una interacción, a modo de diálogo entre el computador y el usuario. También s. m.

interarticular *adj.* Que está situado en las articulaciones.

intercadencia *s. f.* Desigualdad o inconstancia en la conducta o en los afectos.

intercadente *adj.* Que tiene intercadencia.

intercalación *s. f.* Acción y efecto de intercalar.

intercaladura *s. f.* Intercalación.

intercalar *v. tr.* Poner una cosa entre otras.

intercambiable *adj.* Se dice de las piezas similares que se pueden cambiar entre sí.

intercambiar *v. tr.* Cambiar mutuamente dos o más personas o entidades, ideas, proyectos, informes, publicaciones, etc.

intercambio *s. m.* **1.** Acción y efecto de intercambiar. **2.** Reciprocidad e igualdad de consideraciones y servicios entre corporaciones análogas de diversos países o del mismo país.

interceder *v. intr.* Rogar o mediar por otro para alcanzarle una gracia o librarle de un mal.

intercelular *adj.* Se dice de la materia orgánica situada entre las células.

interceptar *v. tr.* **1.** Detener una cosa en su camino. **2.** Interrumpir u obstruir una vía de comunicación.

intercesión *s. f.* Acción y efecto de interceder.

intercesor, ra *adj.* Que intercede.

intercolumnio *s. m.* Espacio que hay entre dos columnas.

intercomunicación *s. f.* Comunicación recíproca.

intercomunicador *s. m.* Aparato destinado a la intercomunicación.

interconexión *s. f.* Acción y efecto de conectar.

intercontinental *adj.* Que llega de uno a otro continente.

intercostal *adj.* Que está entre las costillas.

intercurrente *adj.* Se dice de la enfermedad que sobreviene durante el curso de otra.

interdecir *v. tr.* Vedar o prohibir alguna cosa.

interdental *adj.* **1.** Se dice del sonido producido al articular algunas consonantes entre los dientes, como el de la *c* y *z* españolas. **2.** Se dice de la letra que representa este sonido.

interdependencia *s. f.* Dependencia recíproca.

interdicción *s. f.* Acción y efecto de interdecir.

interdicto *s. m.* Entredicho.

interdigital *adj.* Se dice de cualquiera de las membranas, músculos, etc., situados entre los dedos.

interés *s. m.* **1.** Provecho, utilidad, ganacia. **2.** Valor que en sí tiene una cosa. **3.** Lucro producido por el capital prestado o que nos deben. **4.** Inclinación más o menos vehemente del ánimo hacia un objeto, persona, etc., que lo conmueve o atrae. **5.** Cualidad del objeto, persona o asunto capaz de interesar.

interesado, da *adj.* **1.** Que tiene interés en una cosa. **2.** Que se deja llevar demasiado del interés, o solo se mueve por él. **3.** Se dice de la persona que firma una solicitud, promueve un expediente, pleito, etc. por cuenta propia.

interesante *adj.* Que interesa o que es digno de interés.

interesar *v. intr.* **1.** Tener interés en algo. ‖ *v. tr.* **2.** Dar parte a alguien en una negociación o comercio en que pueda tener utilidad o interés. **3.** Hacer tomar parte a uno en los negocios o intereses ajenos. **4.** Inspirar interés o afecto. **5.** Afectar.

interestelar *adj.* Se dice del espacio comprendido entre dos o más astros.

interfecto, ta *adj.* Se dice de la persona muerta violentamente.

interferencia *s. f.* Acción recíproca de las ondas, ya sea en el agua, en la propagación de la luz, del sonido, etc., que produce aumento, disminución o neutralización del movimiento ondulatorio.

interferir *v. tr.* **1.** Interponer o mezclarse una acción en otra. También *prnl.* **2.** Causar interferencia. También *intr.*

interfoliar *v. tr.* Intercalar entre las hojas impresas de un libro, otras en blanco.

interglaciar *adj.* Se aplica al periodo de clima, relativamente cálido, comprendido entre dos glaciaciones.

ínterin *adv. t.* Entretanto, mientras.

interinidad *s. f.* **1.** Cualidad de interino. **2.** Tiempo que dura el desempeño interino de un cargo.

interino, na *adj.* Que sirve por algún tiempo en sustitución de otra persona o cosa. Se aplica más comúnmente al que ejerce un cargo o empleo por ausencia o falta de otro.

interior *adj.* **1.** Que está en la parte de adentro. ‖ *s. m.* **2.** Ánimo o espíritu.

interioridad *s. f.* **1.** Cualidad de interior. ‖ *s. f. pl.* **2.** Cosas privativas, por lo general secretas, de las personas, familias, etc.

interjección *s. f.* Voz que, formando por sí sola una oración elíptica o abreviada, expresa los estados afectivos súbitos, como sorpresa, júbilo, dolor, etc.

interlineado *s. m.* Espacio que queda entre las líneas de un escrito.

interlineal *adj.* Escrito o impreso entre dos líneas o renglones.

interlinear *v. tr.* **1.** Escribir entre dos renglones. **2.** Espaciar la composición poniendo regletas entre los renglones.

interlocución *s. f.* Cada una de las personas que toman parte en un diálogo real o fingido.

interlocutor, ra *s. m. y s. f.* Cada una de las personas que toman parte en un diálogo.

interlocutorio, ria *adj.* Se aplica al auto o sentencia que se da antes de la definitiva.

interludio *s. m.* Composición breve que ejecutan los organistas a modo de intermedio en la música instrumental.

interlunio *s. m.* Tiempo de la conjunción en que no se ve la Luna.

intermediar *v. intr.* Mediar.

intermediario, ria *adj.* Que media entre dos o más personas para algún fin; se dice especialmente de la persona que media entre el productor y el consumidor de géneros o mercaderías.

intermedio, dia *adj.* **1.** Que está en medio de los extremos de lugar, tiempo, calidad, etc. ‖ *s. m.* **2.** Espacio que hay de un tiempo a otro o de una acción a otra. **3.** Baile, música, etc. ejecutado entre los actos de una obra dramática. **4.** Espacio de tiempo durante el cual queda interrumpida la representación de un espectáculo u obra teatral, desde que termina cada uno de los actos o partes de la función hasta que empieza el acto o la parte siguiente.

interminable *adj.* Que no tiene fin.

interministerial *adj.* Que se refiere a varios ministerios.

intermisión *s. f.* Interrupción de una labor o de cualquiera otra cosa por algún tiempo.

intermitencia *s. f.* **1.** Cualidad de intermitente. **2.** Discontinuación de la calentura o de cualquier otro síntoma que cesa y vuelve.

intermitente *adj.* Que se interrumpe o cesa y prosigue o se repite.

intermitir *v. tr.* Suspender por algún tiempo la continuación de una cosa; interrumpir su continuación.

intermuscular *adj.* Que está situado entre los músculos.

internacional *adj.* Relativo a dos o más naciones.

internacionalizar *v. tr.* Someter a la autoridad conjunta de varias naciones, o de un organismo que las represente, territorios o asuntos que dependían de la autoridad de una sola nación.

internado *s. m.* **1.** Estado y régimen de personas que viven internas en establecimientos sanitarios o benéficos. **2.** Conjunto de alumnos internos. **3.** Establecimiento donde viven alumnos u otras personas internas.

internar *v. tr.* **1.** Hacer que alguien resida en una institución o local, con determinada finalidad. **2.** Instalar a un enfermo en un centro sanitario. **3.** Conducir o mandar trasladar tierra adentro a una persona o cosa. **4.** Tomar una medida de seguridad por la que se obliga a una persona a no abandonar un país o una localidad.

internauta *com.* Usuario de internet.

internet *amb.* Red informática mundial.

interno, na *adj.* **1.** Interior. **2.** Se dice del alumno que vive dentro de un centro de enseñanza. **3.** Perteneciente o relativo a la parte más interior de un organismo. Se dice de los órganos situados en el interior de las cavidades abdominal y torácica.

internodio *s. m.* Espacio que hay entre dos nudos.

inter nos *loc. lat.* que significa «entre nosotros».

internuncio *s. m.* Hombre que habla por otra.

interoceánico, ca *adj.* Que pone en comunicación dos océanos.

interóseo, a *adj.* Que está situado entre los huesos.

interpaginar *v. tr.* Interfoliar.

interpelación *s. f.* Acción y efecto de interpelar.

interpelar *v. tr.* **1.** Dirigir la palabra a alguien solicitando su amparo y protección. **2.** Compeler a alguien para que dé explicaciones sobre un hecho cualquiera.

interplanetario, ria *adj.* Se dice del espacio existente entre dos o más planetas.

interpolación *s. f.* Acción y efecto de interpolar.

interpolar *v. tr.* Poner una cosa entre otras.

interponer *v. tr.* **1.** Interpolar una cosa entre otras. **2.** Poner por mediador a alguien.

interposición *s. f.* Acción y efecto de interponer o interponerse.

interprender *v. tr.* Tomar u ocupar por sorpresa una cosa.

interpretable *adj.* Que se puede interpretar.

interpretación *s. f.* **1.** Acción y efecto de interpretar. **2.** Reproducción o ejecución de una pieza musical, obra teatral o cinematográfica por un artista.

interpretador, ra *adj.* Que interpreta. También s. m. y s. f.

interpretar *v. tr.* **1.** Explicar el sentido de una cosa y especialmente el de textos faltos de claridad. **2.** Traducir de una lengua a otra. **3.** Explicar, acertadamente o no, acciones, dichos o sucesos que pueden ser entendidos de diferentes modos. **4.** Representar una obra de teatro o ejecutar una composición musical, baile, etc. **5.** Concebir, ordenar o expresar de un modo personal la realidad.

interpretativo, va *adj.* Que sirve para interpretar una cosa.

intérprete *com.* **1.** Persona que interpreta. **2.** Persona que se ocupa en explicar a otras, en idioma que entienden, lo dicho en lengua que les es desconocida.

interpuesto, ta *adj.* Se dice de la persona que presta su nombre a otra para facilitarle ventajas que esta última no obtendría directamente.

interregno *s. m.* Espacio de tiempo en que un Estado no tiene soberano.

interrogación *s. f.* **1.** Pregunta. **2.** Signo ortográfico (¿?) que se pone al principio y fin de palabra o cláusula interrogativa.

interrogante *s. m.* **1.** Problema no aclarado, cuestión dudosa, incógnita. **2.** Pregunta.

interrogar *v. tr.* Preguntar.

interrogativo, va *adj.* Que implica o denota interrogación.

interrogatorio *s. m.* **1.** Serie de preguntas, generalmente formuladas por escrito. **2.** Papel o documento que las contiene. **3.** Acto de dirigirlas a quien las ha de contestar.

interrumpir *v. tr.* **1.** Cortar la continuación de una acción en el lugar o en el tiempo. **2.** Suspender o parar por algún tiempo la continuación de algo. **3.** Atravesarse uno con su palabra mientras otro está hablando.

interrupción *s. f.* **1.** Acción y efecto de interrumpir. **2.** Abrupción.

interruptor, ra *adj.* **1.** Que interrumpe. ‖ *s. m.* **2.** Aparato destinado a abrir o cerrar, a discreción, el paso de la corriente en un circuito eléctrico.

intersecarse *v. prnl.* Cortarse dos líneas o superficies entre sí.

intersección *s. f.* Encuentro de dos líneas, dos superficies o dos sólidos que recíprocamente se cortan.

intersticial *adj.* Se dice de lo que ocupa los intersticios que existen en un cuerpo o entre dos o más.

intersticio *s. m.* Espacio pequeño que media entre dos cuerpos o entre dos partes de un mismo cuerpo.

intertanto *adv. t., Chil. y Guat.* Entretanto.

intertropical *adj.* Perteneciente o relativo a los países situados entre los dos trópicos, y a sus habitantes.

interurbano, na *adj.* Se dice de las relaciones y servicios de comunicación entre distintas poblaciones o entre distintos barrios de una misma ciudad.

intervalo *s. m.* Espacio o distancia que hay de un tiempo a otro o de un lugar a otro.

intervención *s. f.* **1.** Acción y efecto de intervenir. **2.** Operación quirúrgica.

intervencionismo *s. m.* Sistema que confía a la acción del Estado el dirigir y suplir, en la vida del país, la iniciativa privada.

intervenir *v. intr.* **1.** Tomar parte en algo. **2.** Mediar o interceder por alguien.

interventor, ra *adj.* **1.** Que interviene. ‖ *s. m. y s. f.* **2.** Funcionario que autoriza y fiscaliza ciertas operaciones a fin de que se hagan con legalidad.

interviú *s. amb.* Entrevista.

intervocálico, ca *adj.* Se dice de la consonante que se halla entre dos vocales.

interyacente *adj.* Que está en medio o entre dos cosas yacentes.

intestado, da *adj.* Que muere sin hacer testamento válido.

intestinal *adj.* Relativo a los intestinos.

intestino, na *adj.* **1.** Interno, interior. **2.** *fig.* Civil, doméstico. ‖ *s. m.* **3.** Conducto membranoso que forma parte del aparato digestivo de gusanos, artrópodos, moluscos, procordados y vertebrados y que se extiende desde el estómago al ano.

intimación *s. f.* Acción y efecto de intimar.

intimar *v. tr.* **1.** Declarar, notificar, hacer saber una cosa. ‖ *v. prnl.* **2.** *fig.* Introducirse en el afecto o ánimo de alguien.

intimatorio, ria *adj.* Se dice de las cartas, despachos o letras con que se intima un decreto u orden.

intimidación *s. f.* Acción y efecto de intimidar.

intimidad *s. f.* **1.** Amistad íntima. **2.** Zona espiritual íntima y reservada de una persona o de un grupo, y especialmente de una familia.

intimidar *v. tr.* Causar o infundir miedo.

íntimo, ma *adj.* **1.** Lo más interior o interno. **2.** Se dice de la amistad muy estrecha y del amigo de confianza. **3.** Perteneciente o relativo a la intimidad.

intitular *v. tr.* **1.** Poner título a un libro o escrito. **2.** Dar un título particular a una persona o cosa. También prnl.

intolerabilidad *s. f.* Cualidad de intolerable.

intolerable *adj.* Que no se puede tolerar.

intolerancia *s. f.* **1.** Falta de tolerancia. Se dice generalmente en materia religiosa. **2.** Imposibilidad de que un enfermo tolere o soporte un medicamento.

intolerante *adj.* Que no tiene tolerancia.

intonso, sa *adj.* **1.** Que no tiene cortado el pelo. **2.** *fig.* Ignorante, rústico. También s. m. y s. f.

intoxicación *s. f.* Acción y efecto de intoxicar o intoxicarse.

intoxicar *v. tr.* Envenenar, emponzoñar.

intradós *s. m.* Superficie interior y cóncava de un arco o bóveda, que queda a la vista por la parte inferior del edificio de que forma parte.

intrahistoria *s. f.* Voz introducida por M. de Unamuno para designar la vida tradicional, que constituye la base permanente de la historia cambiante y visible.

intramuros *adv. l.* Dentro de una ciudad, villa o lugar.

intramuscular *adj.* Que está o se pone dentro de los músculos.

intranet *s. f.* Red interna privada que conecta todos los ordenadores de una empresa, una organización… con el fin de que accedan a los mismos servicios.

intranquilidad *s. f.* Falta de tranquilidad, inquietud.

intranquilizador, ra *adj.* Que intranquiliza.

intranquilizar *v. tr.* Quitar la tranquilidad, inquietar, desasosegar.

intranquilo, la *adj.* Falto de tranquilidad.

intransferible *adj.* No transferible.

intransigencia *s. f.* Condición de la persona que no transige con lo que es contrario a sus gustos, hábitos, ideas, etc.

intransigente *adj.* Que no transige.

intransitable *adj.* Se dice del lugar o sitio por donde no se puede transitar.

intransitivo, va *adj.* Se dice del verbo que al expresar el juicio no pide el complemento directo.

intransmisible *adj.* Que no puede ser transmitido.

intransmutable *adj.* Que no se puede transmutar.

intrascendencia *s. f.* Cualidad de intrascendente.

intrascendente *adj.* Que no es trascendente.

intratabilidad *s. f.* Cualidad de intratable.

intratable *adj.* **1.** No tratable ni manejable. **2.** *fig.* Insociable o de genio áspero.

intrauterino, na *adj.* Que está situado u ocurre dentro del útero.

intravenoso, sa *adj.* Que está o se pone dentro de las venas.

intrepidez *s. f.* **1.** Arrojo, valor en los peligros. **2.** *fig.* Osadía, irreflexión.

intrépido, da *adj.* Que no teme en los peligros.

intriga *s. f.* Enredo, embrollo.

intrigar *v. intr.* **1.** Emplear intrigas, usar de ellas. ‖ *v. tr.* **2.** Inspirar viva curiosidad una cosa o persona.

intrincación *s. f.* Acción y efecto de intrincar.

intrincado, da *adj.* Enredado, complicado, confuso.

intrincamiento *s. m.* Intrincación.

intrincar *v. tr.* **1.** Enredar una cosa. **2.** *fig.* Confundir los pensamientos o conceptos.

intríngulis *s. m., fam.* Intención solapada que se entrevé en una persona o acción.

intrínseco, ca *adj.* Íntimo, esencial.

introducción *s. f.* **1.** Acción y efecto de introducir o introducirse. **2.** Preparación, disposición para llegar al fin que alguien se ha propuesto. **3.** Exordio de una obra literaria o científica.

introducir *v. tr.* **1.** Dar entrada a una persona en un lugar. **2.** *fig.* Hacer adoptar, poner en uso. **3.** *fig.* Atraer, ocasionar.

introductor, ra *adj.* Que introduce. También s. m. y s. f.

introito *s. m.* **1.** Principio de un escrito o de una oración. **2.** Lo primero que decía el sacerdote al dar principio a la misa.

intromisión *s. f.* Acción y efecto de entrometer o entrometerse.

introspección *s. f.* Reflexión de los propios actos y estados de ánimo.

introspectivo, va *adj.* Propio de la introspección o relativo a ella.

introversión *s. f.* Acción y efecto de penetrar el alma humana dentro de sí misma, abstrayéndose de los sentidos.

introverso, sa *adj.* Que practica la introversión o es dado a ella.

introvertido, da *adj.* Dado a la introversión. También s. m. y s. f.

intrusión *s. f.* Acción y efecto de introducirse sin derecho en una dignidad, jurisdicción, oficio, etc.

intruso, sa *adj.* Que se ha introducido sin derecho.

intubación *s. f.* Acción y efecto de intubar.

intubar *v. tr.* Colocar un tubo metálico o cánula dentro de la laringe para permitir el acceso del aire a las vías respiratorias y evitar la asfixia del enfermo.

intuición *s. f.* Percepción clara, instantánea, de una idea o una verdad, sin el concurso del razonamiento.

intuir *v. tr.* Percibir clara e instantáneamente una idea o una verdad tal como si se la tuviera a la vista.

intuitivo, va *adj.* Relativo a la intuición.

intumescencia *s. f.* Efecto de hincharse.

intumescente *adj.* Que se va hinchando.

inulto, ta *adj.* No vengado o castigado.

inundación *s. f.* **1.** Acción y efecto de inundar o inundarse. **2.** *fig.* Multitud excesiva de una cosa.

inundar *v. tr.* Cubrir el agua los terrenos y, a veces, las poblaciones.

inurbanidad *s. f.* Falta de urbanidad, desatención, descortesía.

inurbano, na *adj.* Falto de urbanidad.

inusitado, da *adj.* Inusual, insólito, raro.

inútil *adj.* No útil.

inutilidad *s. f.* Calidad de inútil.

inutilizar *v. tr.* Hacer inútil, vana o nula a una persona o cosa. También prnl.

invadir *v. tr.* Acometer, entrar por fuerza en alguna parte.

invaginación *s. f.* Acción y efecto de invaginar.

invaginar *v. tr.* Doblar los bordes de la boca de un tubo, o de una vejiga, haciendo que se introduzcan en el interior del mismo.

invalidación *s. f.* Acción y efecto de invalidar.

invalidar *v. tr.* Hacer inválida, nula o de ningún valor y efecto una cosa.

invalidez *s. f.* Cualidad de inválido.

inválido, da *adj.* **1.** Que padece una deficiencia física o psíquica. **2.** *fig.* Nulo y de ningún valor por no tener las condiciones que exigen las leyes.

invariabilidad *s. f.* Cualidad de invariable.

invariable *adj.* Que no padece o no puede padecer variación.

invasión *s. f.* Acción y efecto de invadir.

invasor, ra *adj.* Que invade.

invectiva *s. f.* Discurso o escrito acre y violento contra alguien o algo.

invencible *adj.* Que no puede ser vencido.

invención *s. f.* **1.** Cosa inventada. **2.** Hallazgo, acción de hallar.

inventar *v. tr.* **1.** Descubrir con ingenio y estudio, o por mero azar, alguna cosa nueva o no conocida. **2.** Idear, imaginar, crear su obra el poeta o el artista.

inventariar *v. tr.* Hacer inventario.

inventario *s. m.* **1.** Asiento de los bienes y demás cosas pertenecientes a una persona o comunidad, hecho con orden y precisión. **2.** Papel o documento en que están escritas dichas cosas.

inventiva *s. f.* Facultad para inventar.

inventivo, va *adj.* Que tiene disposición para inventar.

invento *s. m.* **1.** Acción y efecto de inventar. **2.** Cosa inventada, invención.

inventor, ra *adj.* Que inventa.

inverecundia *s. f.* Desvergüenza, desfachatez.

inverecundo, da *adj.* Que no tiene vergüenza.

invernáculo *s. m.* Lugar cubierto y abrigado artificialmente con el fin de defender las plantas de la acción del frío.

invernada *s. f.* Estación de invierno.

invernadero *s. m.* Sitio a propósito para pasar el invierno y destinado a este fin.

invernal adj. **1.** Perteneciente o relativo al invierno. ‖ s. m. **2.** Establo en los invernaderos para guarecerse el ganado.

invernar v. intr. Pasar el invierno en determinado lugar.

inverosímil adj. Que no tiene apariencia de verdad.

inverosimilitud s. f. Cualidad de inverosímil.

inversión s. f. Acción y efecto de invertir.

inverso, sa adj. Alterado, trastornado.

inversor, ra adj. Que invierte.

invertebrado, da adj. Se dice de los animales que no tienen columna vertebral.

invertir v. tr. **1.** Trastornar las cosas o el orden de ellas. **2.** Emplear caudales en aplicaciones productivas. **3.** Ocupar el tiempo de una u otra manera. **4.** Cambiar los lugares que ocupan en una proporción los dos términos de cada razón.

investidura s. f. **1.** Acción y efecto de investir. **2.** Carácter que se adquiere con la toma de posesión de ciertos cargos o dignidades.

investigación s. f. **1.** Acción y efecto de investigar. **2.** Actividad encaminada al descubrimiento de nuevos conocimientos en el campo de las ciencias, las artes o las letras.

investigador, ra s. m. y s. f. Persona que se dedica a la investigación.

investigar v. tr. **1.** Hacer diligencias para descubrir alguna cosa. **2.** Discurrir, examinar o experimentar a fondo alguna materia de estudio.

investir v. tr. Conferir una dignidad o cargo importante.

inveterado, da adj. Antiguo, arraigado, envejecido.

inveterarse v. prnl. Envejecer.

invicto, ta adj. No vencido.

invidencia s. f. Ceguera, falta del sentido de la vista.

invidente adj. Que no ve, ciego. También com.

invierno s. m. **1.** Estación del año que, astronómicamente, comienza en el solsticio del mismo nombre y termina en el equinoccio de primavera. **2.** En la zona ecuatorial, temporada de lluvias que dura unos seis meses. **3.** Época más fría del año. En el hemisferio septentrional corresponde a los meses de diciembre, enero y febrero; en el hemisferio austral corresponde a los meses de junio, julio y agosto.

inviolabilidad s. f. Cualidad de inviolable.

inviolable adj. Que no se debe o no se puede violar o profanar.

inviolado, da adj. Que se conserva en toda su integridad y pureza.

invisibilidad s. f. Cualidad de invisible.

invisible adj. Incapaz de ser visto.

invitación s. f. Cédula o tarjeta con que se invita o se es invitado.

invitado, da s. m. y s. f. Persona que ha recibido invitación.

invitar v. tr. **1.** Llamar a alguien para un convite o para asistir a algún acto. **2.** Incitar.

invocación s. f. **1.** Acción y efecto de invocar. **2.** Parte del poema en que el poeta invoca a un ser divino, verdadero o falso.

invocar v. tr. **1.** Llamar uno a otro en su auxilio. **2.** Acogerse a una ley, costumbre o razón; exponerla, alegarla.

involución s. f. **1.** Fase regresiva de un proceso biológico, o modificación retrógrada de un órgano, en especial del útero después del parto. **2.** Por ext., cambio retrógrado o proceso regresivo de otra índole.

involucrar v. tr. Implicar a alguien en algo.

involuntario, ria adj. No voluntario.

invulnerabilidad s. f. Cualidad de invulnerable.

invulnerable adj. Que no puede ser herido o afectado.

inyección s. f. Fluido inyectado.

inyectar v. tr. Introducir a presión un gas, un líquido o una masa fluida en el interior de un cuerpo o cavidad.

inyector s. m. **1.** Aparato para introducir el agua en las calderas de vapor, aspirándola directamente del depósito. **2.** Aparato o sistema utilizado para introducir un haz de electrones en un acelerador de partículas. **3.** Aparato de los motores de combustión empleado para introducir combustible en los cilindros.

ion s. m. Radical simple o compuesto que se disocia de las sustancias al disolverse éstas.

ionizar v. tr. Disociar una molécula en iones o convertir un átomo o molécula en ión. También prnl.

ionosfera s. f. Capa superior de la atmósfera terrestre.

iota s. f. Novena letra del alfabeto griego, equivalente a nuestra i.

ipso facto loc. lat. que significa «inmediatamente» o «en el acto».

ir v. intr. **1.** Moverse de un lugar a otro. También prnl. **2.** Andar de acá para allá. **3.** Ser una cosa adecuada o conveniente para algo o para alguien. **4.** Diferenciarse una persona o cosa de otra. **5.** Conducir a cierto sitio más o menos apartado. **6.** Extenderse una cosa desde los dos puntos que se señalan. **7.** Considerar algo como encaminado a un fin determinado.

ira s. f. **1.** Pasión que mueve a indignación y enojo. **2.** fig. Violencia de los elementos.

iracundia s. f. **1.** Propensión a la ira. **2.** Cólera o enojo.

iracundo, da adj. Propenso a la ira.

irascibilidad s. f. Cualidad de irascible.

irascible adj. Propenso a irritarse.

iridáceo, a adj. Se dice de hierbas angiospermas monocotiledóneas, con rizomas, tubérculos o bulbos, hojas estrechas, flores con el periantio formado por dos verticilos de aspecto de corola, fruto en cápsula y semillas con albumen córneo o carnoso. También s. f.

íride *s. m.* Lirio.

irídeo, a *adj.* Iridáceo.

iridio *s. m.* Metal blanco amarillento, quebradizo y casi tan pesado como el oro.

iridiscente *adj.* Lo que muestra o refleja los colores del arco iris.

iris *s. m.* **1.** Diafragma musculoso, opaco y contráctil, en cuyo centro se halla la pupila del ojo. **2.** Arco de colores que se forma cuando el Sol refleja su luz en la lluvia.

irisación *s. f.* **1.** Acción y efecto de irisar. **2.** Vislumbre producido en las láminas delgadas de los metales cuando, candentes, se pasan por el agua.

irisado, da *adj.* Que brilla con colores semejantes a los del arco iris.

irisar *v. tr.* Presentar un cuerpo reflejos de luz, con todos los colores del arco iris.

iritis *s. f.* Inflamación del iris del ojo.

ironía *s. f.* **1.** Burla fina y disimulada. **2.** Figura consistente en dar a entender lo contrario de lo que se dice.

irónico, ca *adj.* Que denota o implica ironía, o concerniente a ella.

ironizar *v. intr.* Hablar con ironía, ridiculizar. También tr.

irracional *adj.* Opuesto a la razón.

irracionalidad *s. f.* Cualidad de irracional.

irradiación *s. f.* Cantidad de radiación que incide sobre la unidad de superficie.

irradiar *v. tr.* Despedir un cuerpo rayos de luz, calor u otra energía en todas direcciones.

irrazonable *adj.* No razonable.

irreal *adj.* No real, falto de realidad.

irrealidad *s. f.* Cualidad de lo que no es real.

irrealizable *adj.* No realizable.

irrebatible *adj.* No refutable.

irreconciliable *adj.* Incompatible.

irrecuperable *adj.* Que no se puede recuperar.

irrecusable *adj.* Inevitable.

irredento, ta *adj.* Que permanece sin redimir. Se dice especialmente del territorio que una nación pretende anexionarse por razones históricas, de raza, lengua, etc.

irredimible *adj.* Que no se puede redimir.

irreducible *adj.* Se aplica al acto fisiológico que no se puede explicar por otros más simples.

irreductible *adj.* Irreducible.

irreflexión *s. f.* Falta de reflexión.

irreflexivo, va *adj.* Que no reflexiona.

irreformable *adj.* Que no se puede reformar.

irrefragable *adj.* Que no se puede contrarrestar.

irrefrenable *adj.* Que no se puede refrenar.

irrefutable *adj.* Que no se puede refutar.

irregular *adj.* Que no tiene regla.

irregularidad *s. f., fam.* Malversación, inmoralidad en la gestión o administración pública, o en la privada.

irreligioso, sa *adj.* Falto de religión.

irremediable *adj.* Que no se puede remediar.

irremisible *adj.* Que no se puede perdonar.

irreparable *adj.* Que no se puede reparar.

irreprensible *adj.* Que no merece reprensión.

irreprimible *adj.* Que no se puede reprimir.

irreprochable *adj.* Que no puede ser reprochado.

irresarcible *adj.* Que no se puede resarcir.

irrescindible *adj.* Que no puede rescindirse.

irresistible *adj.* Que no se puede resistir.

irresoluble *adj.* Que no se puede resolver.

irresolución *s. f.* Falta de resolución.

irresoluto, ta *adj.* Que carece de resolución.

irrespetuoso, sa *adj.* No respetuoso.

irrespirable *adj.* Que no puede respirarse.

irresponsabilidad *s. f.* **1.** Cualidad de irresponsable. **2.** Impunidad resultante de no residenciar a los que son responsables.

irresponsable *adj.* **1.** Se dice de la persona a quien no se puede exigir responsabilidad. **2.** Se dice de la persona que adopta decisiones importantes sin la debida meditación. **3.** Se dice del acto resultante de una falta de previsión o meditación.

irrestañable *adj.* Que no se puede restañar.

irresuelto, ta *adj.* Irresoluto.

irreverencia *s. f.* Falta de reverencia.

irreverente *adj.* Contrario a la reverencia o respeto debido.

irrevocable *adj.* Que no se puede revocar.

irrigación *s. f.* Acción y efecto de irrigar.

irrigar *v. tr.* Rociar con un líquido alguna parte del cuerpo.

irrisible *adj.* Digno de risa y desprecio.

irrisión *s. f.* Burla con que se provoca a risa.

irrisorio, ria *adj.* Que provoca a risa.

irritabilidad *s. f.* Propensión a conmoverse o irritarse con violencia o facilidad.

irritable *adj.* Capaz de irritación o propenso a la irritabilidad.

irritación *s. f.* Acción y efecto de irritar o irritarse.

irritar *v. tr.* **1.** Hacer sentir ira. También prnl. **2.** Causar excitación morbosa en un órgano o parte del cuerpo. También prnl.

irrogación *s. f.* Acción y efecto de irrogar o irrogarse.

irrogar *v. tr.* Tratándose de daños o perjuicios, causarlos. También prnl.

irrompible *adj.* Que no se puede romper.

irruir *v. tr.* Acometer con ímpetu, invadir un lugar.

irrumpir *v. intr.* Entrar violentamente en un lugar.

irrupción *s. f.* Acometimiento impetuoso.

isagoge *s. f.* Exordio, introducción.

isagógico, ca *adj.* Perteneciente o relativo a la isagoge.

isba *s. f.* Vivienda de madera que construyen algunos pueblos del norte de Europa y de Asia, especialmente de Rusia.

isla *s. f.* Porción de tierra rodeada enteramente de agua.

islam *n. p.* Islamismo.

islámico, ca *adj.* Perteneciente o relativo al Islam.

islamismo *s. m.* Conjunto de dogmas y preceptos que constituyen la religión de Mahoma.

islán *s. m.* Velo guarnecido de encajes, con que antiguamente se cubrían la cabeza las mujeres cuando no llevaban manto.

isleño, ña *adj.* Natural de una isla.

isleo *s. m.* Isla pequeña situada junto a otra mayor.

islote *s. m.* Isla pequeña y despoblada.

isóbara *s. f.* Línea imaginaria que pasa por todos los puntos de la misma presión atmosférica media.

isocromático, ca *adj.* Que tiene el mismo color.

isocronismo *s. m.* Igualdad de duración en los movimientos de un cuerpo.

isócrono, na *adj.* Se aplica a los movimientos que se hacen en tiempos de igual duración.

isodáctilo, la *adj.* Que tiene los dedos iguales.

isodinámico, ca *adj.* Que tiene la misma fuerza o intensidad.

isofonía *s. f.* Igualdad de sonoridad.

isogamia *s. f.* Reproducción sexual en que los dos gametos son iguales.

isógono, na *adj.* Se aplica a cuerpos cristalizados de ángulos iguales.

isomería *s. f.* Cualidad de isómero.

isómero, ra *adj.* Se aplica a los cuerpos que, poseyendo una composición química idéntica, tienen diferentes propiedades físicas a causa de una diferencia en la estructura molecular.

isomorfismo *s. m.* Cualidad de isomorfo.

isomorfo, fa *adj.* Se aplica a cuerpos de diferente composición química, pero con la misma estructura molecular e igual forma cristalina.

isoperímetro, tra *adj.* Se aplica a las figuras que, siendo diferentes, tienen igual perímetro.

isópodo, da *adj.* Que tiene las patas iguales.

isoquímena *s. f.* Línea que pasa por todos los puntos de la Tierra que tienen la misma temperatura media en el invierno.

isósceles *s. m.* Triángulo que tiene dos lados iguales.

isótera *s. f.* Línea ideal que pasa por todos los puntos de la Tierra que tienen la misma temperatura media en el verano.

isotermo, ma *adj.* De igual temperatura.

isótopo *s. m.* Diferentes formas de un mismo elemento que están situadas en el mismo lugar del sistema periódico y solo se distinguen por su peso molecular.

isquiático, ca *adj.* Perteneciente o relativo al isquion o a la cadera.

isquion *s. m.* Hueso posterior e inferior de los tres que forman la región coxal.

ístmico, ca *adj.* Perteneciente o relativo a un istmo.

istmo *s. m.* Lengua de tierra que une dos continentes o una península y un continente.

italianismo *s. m.* Empleo, en otro idioma, de los giros propios de la lengua italiana.

ítem *adv. lat.* **1.** Se usa para hacer distinción de artículos o capítulos en un escrito u otro instrumento, y también como señal de adición. **2.** *fig.* Cada uno de dichos artículos o capítulos.

iterable *adj.* Capaz de repetirse.

iteración *s. f.* Acción y efecto de iterar.

iterar *v. tr.* Repetir.

iterativo, va *adj.* **1.** Que se repite. **2.** Se aplica a la palabra que indica reiteración.

itinerario *s. m.* Descripción de un camino o viaje, expresando los lugares, accidentes, paradas, etc., que existen a lo largo de él.

itria *s. f.* Óxido de itrio, sustancia blanca, terrosa, insoluble en agua y que se extrae de algunos minerales poco comunes.

itrio *s. m.* Metal trivalente que forma un polvo brillante y negruzco y cuyas propiedades son muy poco conocidas.

izar *v. tr.* Hacer subir una cosa tirando de la cuerda de que está colgada, la cual, para este fin, pasa por un punto más elevado.

izquierda *s. f.* **1.** En las asambleas parlamentarias, los representantes de los partidos no conservadores. **2.** Por ext., conjunto de personas que postulan una modificación del sistema político y social, en un sentido no conservador.

izquierdo, da *adj.* **1.** Se dice de lo que está en la mitad longitudinal del cuerpo humano que aloja la mayor parte del corazón. **2.** Se dice de lo que está situado a esa parte del cuerpo de un observador. **3.** Se dice de la parte de un ser que se hallaría en el oeste si dicho ser se orientara al norte. **4.** Se dice de lo que, referido a dicho objeto, cae hacia su parte izquierda. **5.** En los móviles, se dice de lo que hay en su parte izquierda, considerada en el sentido de su marcha o avance.

j *s. f.* Décima letra del abecedario español y séptima de sus consonantes.

jaba *s. f.* **1.** *Cub.* Especie de cesta de junco. **2.** *Chil.* Especie de jaula para embalaje y transporte.

jabado, da *adj., Murc.* Que tiene dos o tres colores en figura de escamas, especialmente las aves.

jabalcón *s. m.* Madero que se coloca oblicuamente ensamblado en uno vertical.

jabalconar *v. tr.* Formar con jabalcones el tendido del tejado.

jabalí *s. m.* Mamífero que se considera como un cerdo salvaje.

jabalina *s. f.* **1.** Hembra del jabalí. **2.** Vara larga y delgada que se emplea en los ejercicios atléticos.

jabardear *v. intr.* Dar jabardos las colmenas.

jabardillo *s. m.* **1.** Bandada grande, susurradora e inquieta, de insectos o avecillas. **2.** *fam.* Remolino de mucha gente que se mueve con confusión y ruido.

jabardo *s. m.* Enjambre pequeño producido por una colmena.

jabato *s. m.* Cachorro de la jabalina.

jabeca *s. f.* Horno de destilación, usado antiguamente en las minas de azogue de Almadén.

jábega¹ *s. f.* Red muy larga, compuesta de un copo y dos bandas, de las cuales se tira desde tierra.

jábega² *s. f.* Embarcación más pequeña que el jabeque que se utiliza para pescar.

jabegote *s. m.* Cada una de las personas que tiran de los cabos de la jábega.

jabeguero *s. m.* Pescador de jábega.

jabeque *s. m.* Barco velero de tres palos, con velas latinas.

jabera *s. f.* Especie de canto popular andaluz.

jabí *s. m.* Se dice de una especie de manzana silvestre y pequeña y también de cierta especie de uva pequeña. También com.

jabillo *s. m.* Árbol de América tropical, de la familia de las euforbiáceas, cuya madera se emplea para hacer canoas.

jabino *s. m.* Variedad enana del enebro.

jabirú *s. m.* Ave zancuda de Brasil.

jabera *s. f.* Especie de canto popular andaluz, en compás de tres por ocho.

jable *s. m.* Gárgol en que se encajan las tiestas de las tapas de toneles y botas.

jabón *s. m.* Producto soluble en el agua que sirve para lavar.

jabonada *s. f.* **1.** *Chil.* Jabonado o jabonadura. **2.** *Méx.* Reprimenda.

jabonado *s. m.* **1.** Jabonadura. **2.** Conjunto de ropa blanca que se jabona.

jabonadura *s. f.* **1.** Acción y efecto de jabonar. ‖ *s. f. pl.* **2.** Agua que queda mezclada con el jabón y su espuma. **3.** Espuma que se forma al jabonar.

jabonar *v. tr.* **1.** Fregar la ropa u otras cosas con jabón y agua. **2.** Humedecer la barba con agua jabonosa para afeitarla.

jaboncillo *s. m.* Pastilla de jabón aromático.

jabonería *s. f.* Fábrica o tienda de jabón.

jabonero, ra *adj* **1.** Se dice del toro cuya piel es de color amarillento. ‖ *s. m. y s. f.* **2.** Persona que fabrica o vende jabón. ‖ *s. f.* **3.** Caja que hay para el jabón en los lavabos y tocadores. **4.** Planta de la familia de las cariofiláceas, cuyo zumo da espuma y sirve para lavar la ropa.

jaboneta *s. f.* Jabonete.

jabonete *s. m.* Pastilla de jabón aromatizado.

jabonoso, sa *adj.* Que es de jabón.

jaborandi *s. m.* Árbol de la familia de las rutáceas, originario de Brasil, cuya infusión es eficaz para promover la salivación y la transpiración.

jaca *s. f.* Caballo cuya alzada no llega a siete cuartas.

jacamara *s. m., amer.* Ave trepadora que habita en los bosques de Brasil.

jacapa *s. f.* Pájaro que vive en los bosques de América Central y Meridional.

jacapucayo *s. m., amer.* Planta de América tropical, de la familia de las mirtáceas, cuyo fruto es del tamaño de una cabeza humana.

jácara *s. f.* **1.** Romance alegre. **2.** Grupo de gente alegre que de noche anda cantando por las calles. **3.** Cuento.

jacarandá *s. m., amer.* Género de plantas de América tropical del que se cultivan varias especies en los jardines.

jacarando, da *adj.* **1.** Propio de la jácara o relativo a ella. ‖ *s. m.* **2.** Jácaro, baladrón.

jacarandoso, sa *adj., fam.* Donairoso, alegre, desenvuelto.

jacarear *v. intr.* Cantar jácaras.

jacarero, ra *s. m. y s. f.* **1.** Persona que anda por las calles cantando jácaras. **2.** *fig. y fam.* Persona alegre y chancera.

jácaro, ra *adj.* **1.** Perteneciente o relativo al guapo y baladrón. ‖ *s. m.* **2.** El guapo y baladrón.

jacerina *s. f.* Cota de malla. También adj.

jachalí *s. m., amer.* Árbol de América tropical de fruto drupáceo, aromático y sabroso y de madera dura, muy apreciada en ebanistería.

jacilla *s. f.* Señal que deja una cosa sobre la tierra en que ha estado por un tiempo.

jacinto *s. m.* Planta liliácea, de flores olorosas, acampanadas y de diversos colores.

jaco[1] *s. m.* Cota de malla de manga corta.

jaco[2] *s. m.* Caballo pequeño y ruin.

jacobeo, a *adj.* Perteneciente o relativo al apóstol Santiago.

jacobinismo *s. m.* Doctrina de los jacobinos.

jacobino, na *adj.* **1.** Se dice del individuo del partido más demagógico y sanguinario de Francia en tiempo de la Revolución. **2.** Por ext., demagogo partidario de la revolución violenta y sanguinaria. Se usa más como s. m. y s. f.

jactancia *s. f.* Alabanza propia, desordenada y presuntuosa.

jactancioso, sa *adj.* Que se jacta. También s. m. y s. f.

jactarse *v. prnl.* Alabarse presuntuosamente.

jaculatoria *s. f.* Oración breve.

jaculatorio, ria *adj.* Breve y fervoroso.

jáculo *s. m.* Dardo.

jade *s. m.* Piedra muy dura y de aspecto jabonoso, susceptible de pulimento.

jadear *v. intr.* Respirar anhelosamente.

jadeo *s. m.* Acción de jadear.

jaecero, ra *s. m. y s. f.* Persona que hace jaeces.

jaez *s. m.* Cualquier adorno que se pone a las caballerías. Se usa más en pl.

jaezar *v. tr.* Enjaezar.

jagua *s. f., amer.* **1.** Árbol de América tropical de fruto drupáceo y de pulpa agridulce. **2.** *Col.* Arenilla que queda en la batea donde se lava el oro.

jaguar *s. m.* Mamífero félido carnívoro, parecido a la pantera, que vive en América. Su piel es por lo general amarillenta con anillos negros y blanquecina en el pecho y en el abdomen.

jaguarzo *s. m.* Arbusto cistáceo, de flores blancas y fruto capsular, pequeño, liso y globoso.

jaguay *s. m.* **1.** *Cub.* Árbol de madera amarilla, empleada en ebanistería. **2.** *Per.* Jagüey o balsa.

jagüey *s. m.* **1.** *Cub.* Bejuco que crece enlazándose con otro árbol, al cual mata. **2.** *Amér. del S.* Balsa, pozo o zanja llena de agua, artificialmente o por filtraciones del terreno.

jagüilla *s. f.* **1.** *Cub.* Árbol de madera de color blanco amarillo. **2.** *Hond.* Variedad de puerco silvestre.

jaharí *adj.* Se dice de una especie de higos que se cría en Andalucía. También s. m.

jaharrar *v. tr.* Revocar una pared con yeso o mortero.

jahuel *s. m., Arg., Bol. y Chil.* Jagüey.

jaiba *s. f.* **1.** *Cub.* Cangrejo de río. **2.** *Chil.* Cámbaro. **3.** *Ant. y Méx.* Se dice de la persona lista para los negocios.

jaique *s. m.* Capa árabe con capucha.

¡jajay! *interj.* que denota burla o risa.

jalapa *s. f.* Raíz de una planta vivaz americana, que se usa como purgante.

jalar *v. tr.* **1.** *fam.* Halar. **2.** *fam.* Tirar, atraer.

jalbelgador, ra *adj.* Que jalbega. También s. m. y s. f.

jalbelgar *v. tr.* **1.** Enjalbegar. **2.** *fig.* Componer el rostro con afeites. También prnl.

jalbegue *s. m.* **1.** Blanqueo de las paredes hecho con cal o arcilla blanca. **2.** *fig.* Afeite que solían usar las mujeres para blanquearse el rostro.

jalde *adj.* Amarillo subido.

jaldre *s. m.* Color jalde.

jalea *s. f.* Conserva transparente y gelatinosa hecha del zumo de algunas frutas.

jaleador, ra *adj.* Que jalea. También s. m. y s. f.

jalear v. tr. **1.** Llamar a los perros a voces para que sigan la caza. **2.** Animar.

jaleo s. m. Juerga ruidosa.

jalifa s. f. Autoridad suprema del antiguo protectorado español en Marruecos.

jalifato s. m. Territorio gobernado por el jalifa.

jalisco, ca adj. **1.** Guat. y Méx. Ebrio, borracho. ‖ s. m. **2.** Méx. Sombrero de paja hecho en Jalisco.

jalmería s. f. Arte y obra de los jalmeros.

jalmero s. m. Enjalmero.

jalón s. m. **1.** Vara con regatón de hierro para clavar en tierra y determinar puntos fijos cuando se levanta el plano de un terreno. **2.** Situación importante o punto de referencia en la vida de alguien o en el desarrollo de algo.

jalonar v. tr. Alinear por medio de jalones.

jaloque s. m. Viento sudeste.

jamaica s. f. Planta de la familia de las malváceas, de cuyos cálices se hace una infusión diurética y refrescante.

jamar v. tr., fam. Comer.

jamás adv. t. Nunca.

jamba s. f. Cualquiera de las dos piezas que, puestas verticalmente en los lados de las puertas o ventanas, sostienen el dintel.

jambaje s. m. Conjunto de las dos jambas y el dintel que forman el marco de una puerta o ventana.

jamelgo s. m. Caballo flaco y desgarbado.

jamerdana s. f. En los mataderos, lugar donde se arroja la inmundicia de los vientres de las reses.

jamerdar v. tr. Limpiar los vientres de las reses.

jamete s. m. Rica tela de seda, que solía entretejerse de oro.

jamón s. m. Carne curada de la pierna del cerdo.

jamona adj., fam. Se aplica a la mujer cuando ha pasado de la juventud, especialmente cuando es gruesa. Se usa más como s. f.

jampara s. f. Árbol medicinal cuyo fruto se emplea para combatir la disentería.

jamugas s. f. pl. Silla de tijera que se coloca sobre el aparejo de las caballerías para montar cómodamente a las damas.

jamurar v. tr. Achicar el agua.

janano, na adj., Guat., Nic. y El Salv. Se dice de la persona que tiene labio leporino.

jándalo, la adj. Se aplica a los andaluces por su pronunciación gutural. También s. m. y s. f.

jangada s. f. **1.** Idea necia. **2.** Trastada. **3.** Balsa de maderos unidos unos con otros.

jangua s. f. Embarcación pequeña de Oriente.

japuta s. f. Pez del suborden de los acantopterigios, comestible, de color plomizo, que vive en el Mediterráneo.

jaque s. m. **1.** Lance del ajedrez, en que el rey o la reina de un jugador están amenazados por alguna pieza del otro, quien tiene obligación de avisarlo. **2.** Especie de peinado liso que antiguamente usaban las mujeres.

jaquear v. tr. **1.** Dar jaques en el juego de ajedrez. **2.** fig. Hostigar al enemigo.

jaqueca s. f. Dolor de cabeza que ataca solamente en un lado o parte de ella.

jaquecoso, sa adj. Fastidioso, cargante.

jaquel s. m. Escaque del blasón.

jaquelado, da adj. Dividido en escaques.

jaquero s. m. Peine pequeño antiguo que servía para hacer el jaque, peinado liso.

jaquetón s. m., fam. Jaque.

jáquima s. f. Cabezada de cordel, correa.

jara s. f. Planta cistácea, cuyo arbusto segrega a veces una resina aromática.

jarabe s. m. **1.** Bebida compuesta de azúcar y sustancias medicinales. **2.** fig. Bebida excesivamente dulce.

jaraíz s. m. Lagar.

jaral s. m. Sitio poblado de jaras.

jaramago s. m. Planta crucífera, común entre los escombros.

jarana s. f., fam. Diversión bulliciosa de un grupo de gente.

jaranear v. intr., fam. Andar en jaranas.

jaranero, ra adj. Aficionado a jaranas.

jarano adj. Se dice de un sombrero de fieltro blanco, falda ancha y bajo de copa. También s. m.

jarca s. f. Harca.

jarcha s. f. Breve estrofa, escrita en dialecto mozárabe, que constituye la parte final de una composición de la lírica culta, escrita en árabe o en hebreo, denominada moaxaja. Es la primera manifestación lírica conocida de la lengua romance.

jarcia s. f. Aparejos y cabos de un buque. Se usa más en pl.

jarciar v. tr. Enjarciar.

jardín s. m. Terreno donde se cultivan plantas y flores de adorno.

jardinería s. f. Arte de cultivar los jardines.

jardinero, ra s. m. y s. f. **1.** Persona que por oficio cuida y cultiva un jardín. ‖ s. f. **2.** Mueble para colocar en él macetas con plantas de adorno.

jareta s. f. Dobladillo que se hace en la ropa para meter en él una cinta o cordón.

jaretón s. m. Dobladillo muy ancho.

jarife s. m. Jerife.

jarifo, fa adj. Rozagante, bien compuesto o adornado.

jarilla s. f. Arbusto de ramas vellosas, hojas largas y delgadas, y flores pequeñas.

jarillo s. m. Aro.

jaripeo *s. m.* Deporte que consiste en montar potros o reses sin silla.

jaro, ra *adj.* Se dice del animal que tiene el pelo rojizo. También s. m. y s. f.

jarocho, cha *s. m. y s. f.* Persona de modales bruscos y algo insolentes.

jaropar *v. tr., fam.* Dar a alguien muchos jaropes medicinales.

jarope *s. m.* **1.** Jarabe. **2.** *fig. y fam.* Trago amargo o bebida desabrida.

jaropear *v. tr.* Dar con frecuencia jaropes.

jaropeo *s. m., fam.* Uso frecuente y excesivo de jaropes.

jaroso, sa *adj.* Lleno de jaras.

jarra *s. f.* Vasija con cuello y boca anchos y una o más asas.

jarrazo *s. m.* Golpe dado con una jarra o jarro.

jarrear *v. intr., fig.* Llover copiosamente.

jarrero, ra *s. m. y s. f.* Persona que hace o vende jarros.

jarrete *s. m.* **1.** Corva de la rodilla. **2.** Parte alta y carnuda de la pantorrilla hacia la corva.

jarretera *s. f.* Liga con que se ata la media o el calzón por el jarrete.

jarro *s. m.* Vasija a manera de jarra y con solo un asa.

jarrón *s. m.* Vaso labrado.

jasar *v. tr.* Sajar.

jaspe *s. m.* Piedra silícea de grano fino, de colores variados formando vetas.

jaspeado, da *adj.* Veteado o salpicado de pintas como el jaspe.

jaspear *v. tr.* Pintar imitando las vetas y salpicaduras del jaspe.

jaspón *s. m.* Mármol de grano grueso.

jatía *s. f.* Árbol americano de madera correosa que se emplea en ebanistería.

jato, ta *s. m. y s. f.* Ternero.

jauja *s. f.* Nombre con que se denota todo lo que quiere presentarse como tipo de prosperidad y abundancia.

jaula *s. f.* Caja hecha con listones de madera, mimbres, alambres, etc., dispuesta para encerrar animales.

jauría *s. f.* Conjunto de perros de caza.

jayán, na *s. m. y s. f.* Persona de gran estatura y de mucha fuerza.

jayao *s. m., amer.* Pez de carne estimada, del mar Caribe.

jazmín *s. m.* Arbusto oleáceo de jardín, de flores blancas muy olorosas.

jazmíneo, a *adj.* Se dice de las plantas de la familia de las oleáceas, dicotiledóneas, derechas o trepadoras, con hojas opuestas y sencillas o alternas y compuestas, sin estípulas, con flores hermafroditas y regulares, cáliz persistente y fruto en baya con dos semillas; como el jazmín. También s. f.

jebe *s. m.* Alumbre.

jedive *s. m.* Título del virrey de Egipto.

jefatura *s. f.* Cargo de jefe.

jefe, fa *s. m. y s. f.* Superior de un cuerpo u oficio. U.c. com. la forma s. m.

Jehová *n. p.* Nombre de Dios, el Ser Supremo en la lengua hebrea.

jeito *s. m.* Red usada en el Cantábrico para la pesca de la anchoa y la sardina.

jején *s. m., amer.* Insecto díptero, más pequeño que el mosquito y de picadura más irritante. Abunda en América.

jemal *adj.* Que tiene la distancia y la longitud del jeme.

jeme *s. m.* Distancia que hay desde la extremidad del dedo pulgar a la del dedo índice.

jenabe *s. m.* Mostaza.

jengibre *s. m.* Planta cingiberácea, cuyo rizoma es de olor aromático y de sabor acre y picante. Se usa en medicina y como especia.

jenízaro *s. m.* Soldado de infantería de la antigua guardia del emperador de los turcos.

jeque *s. m.* Régulo que entre los musulmanes y otros pueblos orientales gobierna un territorio.

jequesa *s. f.* Mujer de un jeque.

jerapillina *s. f.* Vestido viejo o andrajoso.

jerarca *s. m.* Superior en la jerarquía eclesiástica.

jerarquía *s. f.* Orden o grado.

jerárquico, ca *adj.* Perteneciente o relativo a la jerarquía.

jerarquizar *v. tr.* Organizar jerárquicamente alguna cosa.

jerbo *s. m.* Mamífero roedor, del tamaño de una rata, y que vive en el norte de África.

jeremiada *s. f.* Lamentación exagerada de dolor.

jeremías *com., fig.* Persona que continuamente se está lamentando.

jerez *s. m.* Vino blanco y de calidad que se elabora en Jerez de la Frontera.

jerga[1] *s. f.* Tela tosca de lana.

jerga[2] *s. f.* Lenguaje especial que usan los personas de ciertas profesiones y oficios.

jergón *s. m.* Colchón de paja, esparto o hierba, sin bastas.

jerguilla *s. f.* Tela delgada de seda o lana, o mezcla de una y otra, que se parece en el tejido a la jerga.

jeribeque *s. m.* Guiño, visaje, contorsión.

jerife *s. m.* Descendiente de Mahoma por su hija Fátima, esposa de Alí.

jerigonza *s. f.* **1.** Lenguaje especial de estudiantes, toreros, etc. **2.** Lenguaje difícil de entender. **3.** Acción ridícula.

jeringa *s. f.* Instrumento para aspirar o impeler líquidos.

jeringar *v. tr.* **1.** Inyectar un líquido por medio de la jeringa. **2.** *fig. y fam.* Molestar, enfadar a alguien. También prnl.

jeringazo *s. m.* **1.** Acción de arrojar el líquido introducido en la jeringa. **2.** Líquido así arrojado.

jeringuilla *s. f.* Jeringa pequeña en la que se enchufa una aguja hueca de punta aguda cortada a bisel, y sirve para inyectar sustancias medicamentosas en tejidos u órganos.

jeroglífico *s. m.* Conjunto de signos y figuras con que se expresa una frase, y cuyo descifre constituye generalmente un pasatiempo o juego de ingenio.

jerpa *s. f.* Sarmiento estéril que las vides echan junto al tronco.

jerricote *s. m.* Guiso compuesto de almendras, azúcar, salvia y jengibre, cocido todo en caldo de gallina.

jersey *s. m.* Prenda de vestir, que cubre desde los hombros hasta la cintura.

jervilla *s. f.* Zapatilla, calzado ligero.

Jesucristo *n. p.* Para los cristianos, nombre del hijo de Dios hecho hombre.

jesuita *adj.* Se dice del religioso de la Compañía de Jesús. También s. m.

Jesús *n. p.* Jesucristo.

jeta *s. f.* **1.** Boca saliente. **2.** Cara o parte anterior de la cabeza. **3.** Hocico de cerdo.

jetudo, da *adj.* Que tiene la jeta grande. También s. m. y s. f.

ji *s. f.* Vigésima segunda letra del alfabeto griego.

jíbaro, ra *adj.* **1.** *amer.* Campesino, silvestre. **2.** *Hond.* Hombre alto y vigoroso.

jibia *s. f.* Molusco cefalópodo muy parecido al calamar y comestible.

jibión *s. m.* Concha de la jibia.

jícama *s. f., Amér. C. y Méx.* Nombre de varios tubérculos medicinales o comestibles.

jícara *s. f.* Vasija pequeña que suele emplearse para tomar chocolate.

jícaro *s. m., Amér. C.* Güira, árbol.

jicote *s. m., Méx. y Amér. C.* Avispa gruesa.

jifa *s. f.* Desperdicio que se tira en el matadero al descuartizar las reses.

jifería *s. f.* Oficio de jifero, consistente en matar y desollar las reses.

jifero, ra *adj.* **1.** Relativo al matadero. || *s. m.* **2.** Cuchillo con que matan las reses. **3.** Oficial que mata las reses.

jifia *s. f.* Pez.

jigua *s. f., amer.* Árbol de Cuba, de madera sólida y pesada que se usa en ebanistería.

jijallo *s. m.* Planta semejante al caramillo.

jijón *s. m., amer.* Árbol de Cuba, cuya madera se parece a la de caoba.

jijona[1] *s. f.* Variedad de trigo manchega y murciana.

jijona[2] *s. m.* Turrón blando que se fabrica en la ciudad del mismo nombre, en la provincia de Alicante.

jilguera *s. f.* Hembra del jilguero.

jilguero *s. m.* Pájaro que canta bien y se domestica fácilmente.

jilote *s. m., Amér. C. y Méx.* Mazorca de maíz, cuando sus granos no han cuajado aún.

jimelga *s. f.* Refuerzo de madera que se da a los palos, vergas, etc.

jinestada *s. f.* Salsa de leche, harina de arroz, especias, dátiles y otros ingredientes.

jineta *s. f.* Mamífero carnívoro, esbelto, con hocico y cuello largos, color gris oscuro y cola larga con rayas blancas y negras.

jinete *s. m.* **1.** Soldado que peleaba con lanza y adarga montado a caballo. || *com.* **2.** Persona que monta a caballo o que es diestra en la equitación.

jinetear *v. intr.* Andar a caballo alardeando de gala y primor, principalmente por los sitios públicos.

jinglar *v. intr.* Moverse de una parte a otra colgado, como en el columpio.

jingoísmo *s. m.* Patriotería exaltada que propugna la agresión contra las demás naciones.

jingoísta *adj.* Partidario del jingoísmo. También com.

jinjol *s. m.* Azufaifa.

jinjolero *s. m.* Azufaifo.

jiña *s. f.* **1.** *Chil.* Cosa muy pequeña, nonada. **2.** *Cub.* Excremento humano.

jiote *s. m., Amér. C y Méx.* Enfermedad cutánea.

jipi *s. f.* Se dice de lo relacionado con el movimiento cultural que surgió en los años sesenta del siglo XX, caracterizado por el inconformismo, la defensa del pacifismo y la vuelta a la vida natural.

jipijapa *s. f.* Tira flexible que se emplea para tejer sombreros y otros objetos.

jiquilete *s. m.* Planta papilionácea, común en las Antillas, de cuyas hojas, por maceración y añadiendo al líquido filtrado una disolución de cal, se obtiene añil de calidad superior.

jíquima *s. f., Cub. y Ec.* Jícama.

jira[1] *s. f.* Pedazo algo grande y largo que se corta o rasga de una tela.

jira[2] *s. f.* Banquete o merienda campestre.

jirafa *s. f.* **1.** Mamífero rumiante de cuello largo y esbelto, y pelaje rubio con manchas leonadas. **2.** Brazo alargado y móvil que permite mover el micrófono sobre los actores durante un rodaje.

jirapliega *s. f.* Electuario purgante compuesto de acíbar, miel clarificada y otros ingredientes.

jirel *s. m.* Gualdrapa rica de caballo.

jíride *s. f.* Lirio hediondo, íride, cuyo rizoma se ha usado en medicina.

jiroflé s. m. Árbol del clavo.

jirofina s. f. Salsa de bazo de carnero, pan tostado y otros ingredientes.

jirón s. m. Pedazo desgarrado del vestido o de otra prenda cualquiera.

jisca s. f. Carrizo, planta gramínea.

jiu-jitsu s. m. Sistema de lucha japonesa.

Job s. f. Hombre de mucha paciencia.

¡jobar! interj. que denota admiración, sorpresa o enfado.

jobo s. m., Amér. C. y Ant. Árbol americano, de la familia de las terebintáceas, de fruto amarillo parecido a la ciruela.

jockey s. m. Yóquey o yoqui.

jocó s. m. Orangután.

jocoserio, ria adj. Que participa de lo serio y de lo jocoso.

jocosidad s. f. **1.** Cualidad de jocoso. **2.** Chiste, donaire.

jocoso, sa adj. Gracioso, festivo.

jocundidad s. f. Alegría, apacibilidad.

jocundo, da adj. Jovial, plácido, alegre y agradable.

joder v. intr., vulg. **1.** Practicar el coito, fornicar. ‖ v. tr. **2.** Molestar, fastidiar. También prnl.

jofaina s. f. Vasija ancha y poco profunda.

jolgorio s. m., fam. Diversión ruidosa.

jollín s. m., fam. Gresca, jolgorio.

jolote s. m., Hond., Guat. y Méx. Pavo.

jónico s. m. Orden arquitectónico de la antigua Grecia.

jonjobar v. tr., fam. Engatusar, lisonjear.

jora s. f., Amér. del S. Maíz germinado para hacer chicha.

jordán s. m., fig. Lo que remoza, hermosea y purifica.

jorfe s. m. **1.** Muro de sostenimiento de tierras. **2.** Peñasco tajado que forma despeñadero.

jorguín, na s. m. y s. f. Hechicero.

jorguinería s. f. Hechicería.

jornada s. f. Camino que se anda en un día de viaje.

jornal s. m. Estipendio que gana el trabajador por cada día de trabajo.

jornalero, ra s. m. y s. f. Persona que trabaja a jornal.

joroba s. f. Deformidad producida por desviación de la columna.

jorobado, da adj. Corcovado, cheposo.

jorobar v. tr., fig. Fastidiar, molestar. También prnl.

josa s. f. Huerto sin cerca plantado de vides y árboles frutales.

jostrado, da adj. Se aplica al virote guarnecido de un cerco de hierro.

jota s. f. Baile popular propio de Aragón, Valencia y Navarra.

joule s. m. Nombre del julio en la nomenclatura internacional.

joven adj. De poca edad. También com.

jovenado s. m. Tiempo que están los religiosos o religiosas en algunas órdenes, después de la profesión, bajo la dirección de un maestro.

jovenzuelo, la adj. Despectivamente, joven.

jovial adj. **1.** Perteneciente o relativo a Jove o Júpiter. **2.** Alegre, festivo.

jovialidad s. f. Alegría y apacibilidad de carácter.

joya s. f. Objeto de metal precioso, algunas veces con perlas o piedras finas, que sirve para adorno de las personas.

joyante adj. Se dice de la seda muy fina y de mucho lustre.

joyel s. m. Joya pequeña.

joyelero s. m. Guardajoyas, joyero.

joyería s. f. Establecimiento donde se hacen o venden joyas.

joyero, ra s. m. **1.** Estuche para guardar joyas. ‖ s. m. y s. f. **2.** Persona que tiene por oficio hacer o vender joyas.

joyo s. m. Cizaña.

juanas s. f. pl. Palillos que usan los guanteros para ensanchar los dedos de los guantes.

juanete s. m. Hueso del nacimiento del dedo grueso del pie, cuando sobresale demasiado.

juanetero s. m. Marinero encargado de la maniobra de los juanetes.

juanetudo, da adj. Que tiene juanetes.

juarda s. f. Suciedad que sacan el paño o la seda por estar estos mal desengrasados en el momento de su fabricación.

juardoso, sa adj. Que tiene juarda.

jubete s. m. Coleto cubierto de malla de hierro que usaron los soldados españoles hasta fines del s. XV.

jubilación s. f. Haber pasivo que disfruta la persona jubilada.

jubilar v. tr. **1.** Eximir del servicio a un funcionario, por razón de ancianidad o imposibilidad física. ‖ v. prnl. **2.** Conseguir la jubilación.

jubileo s. m. **1.** Fiesta pública que celebraban los hebreos cada cincuenta años. **2.** Entre los cristianos, indulgencia plenaria, solemne y universal concedida por el Papa.

júbilo s. m. Gran alegría, manifestada especialmente con signos exteriores.

jubiloso, sa adj. Lleno de júbilo, alegre.

jubón s. m. Vestidura que cubre desde los hombros hasta la cintura, y que va ceñida y ajustada al cuerpo.

jubonero, ra s. m. y s. f. Persona que tenía por oficio hacer jubones.

júcaro s. m., amer. Árbol de las Antillas, de madera muy dura, pero que se agrieta fácilmente, de flores sin corola y fruto parecido a la aceituna.

judaica s. f. Púa de equino fósil, lisa, espinosa o estriada y siempre con un piececillo que la unía a la concha del animal.

judas *s. m.* Hombre traidor.

judería *s. f.* Barrio de los judíos.

judía *s. f.* Planta leguminosa que se cultiva en las huertas por su fruto, comestible lo mismo seco que verde, de tallos volubles, hojas trifoliadas, flores blancas y fruto en vainas aplastadas con varias semillas.

judiar *s. m.* Tierra sembrada de judías.

judicatura *s. f.* **1.** Ejercicio de juzgar. **2.** Dignidad o empleo de juez y tiempo que dura.

judicial *adj.* Perteneciente o relativo al juicio, a la administración de justicia o a la judicatura.

judiciario, ria *s. m. y s. f.* Persona que profesa o se dedica a esta ciencia.

judío, a *adj. y s. m. y s. f.* **1.** Se dice del individuo de un antiguo pueblo semítico que conquistó y habitó Palestina en la Antigüedad, o de aquello relacionado con dicho pueblo. **2.** Se dice de las personas cuya religión es el judaísmo, o de aquello relacionado con dicha religión.

judión *s. m.* Variedad de judía, de hoja mayor y más redonda, y con las vainas más anchas.

juego *s. m.* **1.** Acción y efecto de jugar. **2.** Actividad recreativa sometida a ciertas reglas y en la cual se gana o se pierde.

juerga *s. f., fam.* Diversión.

juerguista *adj.* Aficionado a las juergas.

jueves *s. m.* Día de la semana comprendido entre el miércoles y el viernes.

juez *com.* Persona que tiene potestad para juzgar y sentenciar.

jueza *s. f.* Mujer que tiene potestad para juzgar y sentenciar.

jugada *s. f.* **1.** Acción de jugar el jugador cuando le toca el turno. **2.** Lance de juego que de este acto se origina.

jugador, ra *adj.* **1.** Que juega. También s. m. y s. f. **2.** Que tiene el vicio de jugar. También s. m. y s. f.

jugar *v. intr.* **1.** Entretenerse, divertirse tomando parte en uno de los juegos sometidos a reglas. U. t. c. tr. **2.** Retozar.

jugarreta *s. f., fam.* Jugada mal hecha.

juglándeo, a *adj.* Se dice de los árboles dicotiledóneos de hojas compuestas de varias hojuelas, flores unisexuales y fruto en drupa, con las semillas sin albumen, como el nogal. También s. m.

juglar *s. m.* Hombre que por dinero iba por cortes, castillos y fiestas recitando, cantando, bailando y haciendo juegos.

juglaresa *s. f.* Mujer juglar.

juglaresco, ca *adj.* Propio del juglar o relativo a él.

juglaría *s. f.* Arte de los juglares.

jugo *s. m.* Líquido contenido en ciertas sustancias animales o vegetales, que puede extraerse por presión, cocción, etc.

jugosidad *s. f.* Calidad de jugoso.

jugoso, sa *adj.* **1.** Que tiene jugo. **2.** *fig.* Sustancioso.

juguete *s. m.* Objeto hecho expresamente para que jueguen los niños.

juguetear *v. intr.* Entretenerse jugando.

jugueteo *s. m.* Acción de juguetear.

juguetería *s. f.* Fábrica o comercio de juguetes.

juguetón, na *adj.* Que juega o retoza con frecuencia.

juicio *s. m.* **1.** Facultad del ser humano, gracias a la cual puede distinguir el bien del mal y lo verdadero de lo falso. **2.** *fig.* Seso, cordura. **3.** *fig.* Opinión.

juicioso, sa *adj.* Que tiene juicio.

julepe *s. m.* **1.** Poción de aguas destiladas, jarabes y otras materias medicinales. **2.** Cierto juego de naipes.

juliana *s. f.* Planta de jardín, de la familia de las crucíferas, muy apreciada por el brillo y perfume de sus flores.

juliano, na *adj.* Se dice de la sopa que se hace cociendo en caldo verduras cortadas en tiras.

julio[1] *s. m.* Séptimo mes del año.

julio[2] *s. m.* Unidad de trabajo.

julo *s. m.* Res o caballería que va a la cabeza de las demás en el ganado o la recua.

juma *s. f., fam.* Borrachera.

jumarse *v. prnl., fam., Col. y Cub.* Emborracharse, embriagarse.

jumenta *s. f.* Hembra del asno.

jumental *adj.* Perteneciente o relativo al jumento o asno.

jumento *s. m.* Asno.

jumera *s. f., fam.* Borrachera.

juncada *s. f.* Fruta de sartén, cilíndrica y larga.

juncal *adj.* **1.** Perteneciente o relativo al junco. **2.** *fig.* Se dice del cuerpo humano flexible, airoso.

juncar *s. m.* Sitio poblado de juncos.

júnceo, a *adj.* Se dice de las plantas monocotiledóneas, propias de terrenos húmedos, herbáceas, vivaces, de rizoma cundidor, hojas alternas envainadoras, flores poco aparentes y fruto capsulado, como el junco. También s. f.

juncia *s. f.* Planta ciperácea, medicinal y olorosa, especialmente su rizoma.

junciana *s. f., fig. y fam.* Jactancia vana y sin fundamento.

junciera *s. f.* Vaso de barro, en el que se ponen hierbas o raíces aromáticas con vinagre para perfumar.

juncino, na *adj.* De juncos o compuesto con ellos.

junco *s. m.* Planta juncácea, que se cría en parajes húmedos.

juncoso, sa *adj.* **1.** Parecido al junco. **2.** Se aplica al terreno poblado de juncos.

jungla *s. f.* Extensión de terreno con abundantísima flora. Se encuentra principalmente en Asia y América.

junio *s. m.* Sexto mes del año.

júnior *adj.* **1.** Se dice de la categoría que engloba a los deportistas más jóvenes. **2.** Que es más joven que otra persona, generalmente su padre, con la que comparte el nombre.

junior, ra *s. m. y s. f.* Persona que, después de haber hecho el noviciado, realiza un periodo de formación espiritual.

junípero *s. m.* Enebro.

junquera *s. f.* Junco, planta.

junquillo *s. m.* Planta de jardinería, especie de narciso, de flores amarillas muy olorosas y tallo liso.

junta *s. f.* **1.** Reunión de varias personas para tratar de un asunto. **2.** Unión de dos o más cosas.

juntar *v. tr.* **1.** Unir unas cosas con otras. **2.** Agrupar en un mismo lugar. También *prnl.*

juntera *s. f.* Garlopa que se utiliza para cepillar el canto de las tablas.

junto, ta *adj.* **1.** Unido, cercano. ‖ *adv. l.* **2.** Seguido de la prep. *a*, cerca de.

juntorio *s. m.* Cierto tipo de tributo antiguo.

juntura *s. f.* Parte o lugar en que se juntan o unen dos o más cosas.

jupa *s. f.* **1.** *C. Ric.* Calabaza redonda. **2.** *Hond.* Cabeza.

jura *s. f.* Juramento.

jurado *s. m.* Tribunal que tiene a su cargo determinar y declarar el hecho justiciable o la culpabilidad del acusado.

jurador, ra *adj.* Que declara en juicio con juramento. También s. m. y s. f.

juraduría *s. f.* Cargo y dignidad de jurado.

juramentar *v. tr.* **1.** Tomar juramento a alguien. ‖ *v. prnl.* **2.** Obligarse con juramento.

juramento *s. m.* Aseveración de una cosa, poniendo a Dios por testigo, en sí mismo o en sus criaturas.

jurar *v. tr.* Afirmar o negar una cosa por un juramento.

jurásico, ca *adj.* Se dice del segundo periodo geológico de la era secundaria o mesozoica. También s. m.

jurdía *s. f.* Especie de red para pescar.

jurel *s. m.* Pez teleósteo marino.

jurero, ra *adj., Chil. y Ec.* Se dice del testigo que jura en falso por dinero.

jurídico, ca *adj.* Que atañe al derecho o se ajusta a él.

jurisconsulto, ta *s. m. y s. f.* Persona que se dedica a la ciencia del derecho.

jurisdicción *s. f.* Autoridad que tiene alguien para gobernar y poner en ejecución las leyes.

jurisdiccional *adj.* Perteneciente o relativo a la jurisdicción.

jurispericia *s. f.* Jurisprudencia.

jurisperito, ta *s. m. y s. f.* Persona versada en el derecho civil y canónico.

jurisprudencia *s. f.* Ciencia del derecho.

jurista *com.* Persona que estudia o profesa la ciencia del derecho.

juro *s. m.* Derecho perpetuo de propiedad.

jusello *s. m.* Potaje que se hacía con caldo de carne, perejil, queso y huevos.

justa *s. f.* **1.** Pelea o combate singular a caballo y con lanza. **2.** *fig.* Certamen en una rama del saber.

justar *v. intr.* Pelear en las justas.

justicia *s. f.* Virtud que consiste en poner en práctica el derecho que asiste a toda persona.

justiciar *v. tr.* Condenar, sentenciar.

justiciero, ra *adj.* Que observa y hace observar estrictamente la justicia.

justificable *adj.* Que se puede justificar.

justificación *s. f.* **1.** Acción o efecto de justificar o justificarse. **2.** Prueba que se hace de la inocencia o bondad de una persona, un acto o una cosa.

justificado, da *adj.* **1.** Conforme a justicia y razón. **2.** Que obra según justicia y razón.

justificante *s. m.* Documento justificativo.

justificar *v. tr.* **1.** Probar una cosa con razones o argumentos. **2.** Rectificar una cosa. **3.** Hacer Dios justo a alguien dándole la gracia.

justificativo, va *adj.* Que sirve para justificar una cosa.

justillo *s. m.* Prenda interior de vestir, ceñida y sin mangas, que no baja de la cintura.

justipreciación *s. f.* Acción y efecto de justipreciar.

justipreciar *v. tr.* Apreciar o tasar una cosa.

justiprecio *s. m.* Aprecio o tasación de una cosa.

justo, ta *adj.* Que obra según justicia y razón.

juta *s. f., Ec. y Per.* Ave palmípeda, variedad de ganso doméstico.

jutía *s. f., Cub y Rep. Dom.* Mamífero roedor de las Antillas.

juvenil *adj.* Perteneciente o relativo a la juventud.

juventud *s. f.* **1.** Edad que media entre la niñez y la edad adulta. **2.** Conjunto de jóvenes.

juzgado *s. m.* **1.** Junta de jueces que concurren a dar sentencia. **2.** Sitio donde se juzga.

juzgador, ra *adj.* Que juzga.

juzgamundos *adj., fam.* Se dice de la persona murmuradora.

juzgar *v. tr.* **1.** Deliberar, quien tiene autoridad para ello, acerca de la culpabilidad de una persona o acerca de alguna cuestión, y pronunciar sentencia. **2.** Persuadirse de una cosa, creerla.

k *s. f.* Undécima letra del abecedario español y octava de sus consonantes.

ka *s. f.* Nombre de la letra *k*.

kabuki *s. m.* Género teatral japonés que trata principalmente temas míticos o históricos, con gran aparato de disfraces y preludios musicales y de danza.

káiser *s. m.* Título de emperador de Alemania.

kamikaze *s. m.* **1.** Nombre dado en la Segunda Guerra Mundial a los aviadores japoneses que estrellaban intencionadamente sus aparatos contra objetivos enemigos. ‖ *s. m. y s. f.* **2.** Persona que se juega la vida realizando una acción temeraria.

kan *s. m.* Príncipe o jefe, entre los tártaros.

kantismo *s. m.* Sistema filosófico fundado por Kant a fines del s. XVIII, basado principalmente en la crítica del conocimiento.

kappa *s. f.* Décima letra del alfabeto griego.

karaoke *s. m.* Local público dotado de un escenario, al que se accede para cantar una canción con la música pregrabada.

kárate *s. m.* Método de lucha, principalmente de autodefensa.

karateca *adj.* Que practica kárate.

karma *s. f.* Creencia de la religión y filosofía hinduista según la cual los hechos realizados en una vida anterior mediatizan las vidas posteriores.

karst *s. m.* Tipo de relieve peculiar de las zonas calizas, que se caracteriza por la presencia de cañones, galerías, uvalas, dolinas y poljés.

kárstico, ca *adj.* Perteneciente o relativo al karst, o con características de él.

karstificación *s. f.* Acción disolvente del agua que da lugar a la formación de relieves calizos.

kart *s. m.* Vehículo de competición u ocio dotado de motor de explosión, con un chasis simple sin carrocería y desprovisto de suspensiones.

katiuska *s. f.* Bota de goma que no deja pasar el agua y que llega hasta media pierna o hasta la rodilla.

kéfir *s. m.* Leche fermentada artificialmente y que contiene ácido láctico, alcohol y ácido carbónico.

kenaf *s. m.* Planta de la familia del algodón, de la que se obtiene una fibra que se emplea en la confección de sacos y papel.

kendo *s. m.* Arte marcial japonés que se practica con espadas de bambú.

kermés o quermés / kermese o quermese *s. f.* Fiesta popular al aire libre, generalmente de carácter benéfico.

kétchup *s. m.* Salsa de tomate condimentada con vinagre, azúcar y especias.

kiliárea *s. f.* Extensión superficial que tiene 1000 áreas, es decir 10 hectáreas.

kílim o kilim *s. m.* Alfombra oriental de pequeñas dimensiones, con motivos geométricos y de vivos colores.

kilo *s. m.* **1.** Kilogramo. **2.** *fam.* Un millón de las extintas pesetas.

kilobyte *s. m.* Unidad de medida en informática equivalente a 1024 *bytes*.

kilocaloría *s. f.* Unidad de energía térmica equivalente a 1000 calorías.

kilociclo *s. m.* Kilohercio.

kilográmetro s. m. Unidad de trabajo mecánico capaz de levantar un kilogramo a un metro de altura.

kilogramo s. m. Unidad de masa en el Sistema Internacional, que equivale a 1000 gramos.

kilohercio s. m. Unidad de frecuencia que equivale a 1000 hercios.

kilolitro s. m. Medida de capacidad que tiene 1000 litros.

kilometraje s. m. **1.** Medida de una distancia en kilómetros. **2.** Cantidad de kilómetros recorridos.

kilometrar v. tr. Medir una distancia en kilómetros, señalando cada uno de ellos con hitos o postes.

kilométrico, ca adj. Perteneciente o relativo al kilómetro.

kilómetro s. m. Medida de longitud en el Sistema Internacional que tiene 1000 metros.

kilopondio s. m. Unidad de fuerza en el Sistema Técnico igual al peso de un kilogramo sometido a la fuerza de la gravedad a nivel del mar.

kilovatio s. m. Unidad de potencia eléctrica equivalente a 1000 vatios.

kilt s. m. Falda de tela de cuadros que forma parte del traje nacional masculino de los escoceses.

kimono s. m. Quimono.

kiosco s. m. Quiosco.

kirsch s. m. Bebida alcohólica, llamada también aguardiente de cerezas, que se obtiene por destilación del zumo fermentado de las cerezas maduras.

kit s. m. **1.** Colección de cosas que se empaquetan conjuntamente para un uso concreto. **2.** Conjunto de piezas acompañadas de instrucciones para que el usuario pueda montar él mismo un objeto.

kiwi s. m. **1.** Ave nocturna con un gran pico curvado y alas rudimentarias, que habita en los bosques de Nueva Zelanda. **2.** Arbusto trepador de flores blancas o amarillas y fruto comestible de piel vellosa y pulpa de color verde.

klínex s. m. Pañuelo desechable de papel.

knock-out s. m. Nocaut.

koala s. m. Mamífero marsupial que pasa la mayor parte de su vida en los árboles de los bosques australianos.

l *s. f.* **1.** Duodécima letra del abecedario español y novena de sus consonantes. **2.** Letra que tiene el valor de 50 en la numeración romana.

la¹ *art. det.* **1.** Forma del artículo determinado en género femenino y número singular. ‖ *pron. pers.* **2.** Forma átona del pronombre personal de tercera persona, género femenino y número singular, que funciona como complemento directo.

la² *s. m.* Nota musical, sexta voz de la escala fundamental.

lábaro *s. m.* Estandarte de los emperadores romanos, en el cual mandó Constantino bordar la cruz y el monograma de Cristo.

labelo *s. m.* Pétalo mayor de la flor de las orquídeas, por lo común dirigido hacia abajo y de forma extraordinaria.

laberíntico, ca *adj.* **1.** Perteneciente o relativo al laberinto. **2.** *fig.* Enmarañado, confuso.

laberinto *s. m.* **1.** Lugar artificiosamente formado de calles, encrucijadas y plazuelas intrincadas para que, confundiéndose la persona que está dentro, no pueda acertar con la salida. **2.** *fig.* Cosa confusa y enredada.

labia *s. f., fam.* Verbosidad persuasiva y gracia en el hablar.

labiado, da *adj.* Se aplica a plantas angiospermas dicotiledóneas, hierbas, matas y arbustos, que se distinguen por sus hojas opuestas, cáliz persistente, corola labiada y un fruto formado por cuatro aquenios situados en el fondo del cáliz.

labial *adj.* **1.** Perteneciente o relativo a los labios. **2.** Se dice del sonido consonante que se articula en los labios.

labializar *v. tr.* Dar carácter labial a un sonido.

labiérnago *s. m.* Arbusto o arbolillo de las oleáceas, de 2 o 3 m de altura, con ramas mimbreñas, de corteza cenicienta, hojas persistentes, estrechas y de color verdinegro; flores de corola blanquecina en hacecillos axilares, y fruto en drupa globosa y negruzca, del tamaño de un guisante.

labihendido, da *adj.* Que tiene hendido o partido el labio superior.

lábil *adj.* **1.** Que resbala o se desliza fácilmente. **2.** Frágil, caduco, débil. **3.** Se dice del compuesto fácil de transformar en otro más estable.

labio *s. m.* Cada una de las dos partes exteriores, carnosas y movibles de la boca que cubren la dentadura.

labiodental *adj.* **1.** Se dice de las consonantes que se articulan aplicando el labio inferior al borde de los incisivos superiores, como la f. **2.** Se dice de la letra que representa este sonido.

labioso, sa *adj., Hond. y Méx.* Que tiene labia.

labor *s. f.* Labranza, en especial la de las tierras que se siembran.

laborable *adj.* Que se puede trabajar.

laboral *adj.* Perteneciente o relativo al trabajo, en su aspecto económico, jurídico y social.

laborar *v. tr.* **1.** Labrar. ‖ *v. intr.* **2.** *fig.* Gestionar o intrigar con algún designio.

laboratorio *s. m.* Local dispuesto para llevar a cabo en él experimentos científicos, operaciones químicas, farmacéuticas, etc.

laborear *v. tr.* Labrar o trabajar una cosa.

laboreo *s. m.* **1.** Cultivo del campo. **2.** Arte de explotar las minas, haciendo las labores o excavaciones necesarias, fortificándolas, disponiendo el tránsito por ellas y extrayendo las menas aprovechables.

laborío *s. m.* Labor.

laboriosidad *s. f.* Aplicación al trabajo.

laborioso, sa *adj.* Trabajador, aficionado al trabajo.

labra *s. f.* Acción y efecto de labrar piedra, maderas, etc.

labrada *s. f.* Tierra barbechada y dispuesta para sembrarla al año siguiente.

labradero, ra *adj.* Que se puede labrar.

labradío, a *adj.* Labrantío. También s. m.

labrado, da *adj.* Se aplica a las telas o géneros que tienen alguna labor, en contraposición de los lisos.

labrador, ra *adj.* Que labra la tierra.

labradorita *s. f.* Feldespato laminar de color gris.

labrandero, ra *s. m. y s. f.* Persona que sabe labrar.

labrantín *s. m. y s. f.* Labrador de poco caudal.

labrantío, a *adj.* Se aplica al campo o tierra de labor.

labranza *s. f.* Cultivo de los campos.

labrar *v. tr.* **1.** Trabajar en un oficio. **2.** Cultivar la tierra. **3.** Arar. **4.** Coser o bordar, o hacer otras labores de costura.

labriego, ga *s. m. y s. f.* Labrador rústico.

labrusca *s. f.* Vid silvestre.

laca *s. f.* **1.** Sustancia resinosa, traslúcida y frágil, formada en las ramas de varios árboles de Oriente. **2.** Barniz duro y brillante fabricado con esta sustancia.

lacayo *s. m.* Criado de librea, cuya principal ocupación era acompañar a su amo a pie, a caballo o en coche.

laceador, ra *s. m. y s. f., Amér. del S.* Persona que tiene por oficio echar el lazo a las reses y caballos.

lacear *v. tr.* **1.** Adornar con lazos. **2.** Atar con lazos.

laceración *s. f.* Acción y efecto de lacerar o lastimar.

lacerado, da *adj.* Infeliz, desdichado.

lacerar *v. tr.* **1.** Lastimar, magullar, herir. **2.** *fig.* Dañar, vulnerar.

laceria *s. f.* **1.** Miseria, pobreza. **2.** Trabajo, molestia, fatiga.

lacería *s. f.* Conjunto de lazos, en labores de adorno y en la ornamentación arquitectónica.

lacerioso, sa *adj.* Que padece laceria o miseria.

lacero, ra *s. m. y s. f.* Persona diestra en manejar el lazo para apresar toros, caballos, etc.

lacerta *s. amb.* Género de reptiles saurios, de la familia de los lacértidos.

lacértido, da *adj.* Se dice de los reptiles saurios, de miembros pentadáctilos bien desarrollados, cola larga y frágil, regenerables, provistos de párpados, lengua bífida y placas anchas, que cubren la parte dorsal de la cabeza; son de colores muy vivos y su tamaño varía de 10 a 50 cm.

lacertiforme *adj.* De forma o figura de lagarto.

lacertoso, sa *adj.* Musculoso, membrudo, fornido.

lacha[1] *s. f.* Especie de sardina pequeña, haleche.

lacha[2] *s. f., fam.* Vergüenza.

lacinia *s. f.* Cada una de las tirillas estrechas y largas, de forma irregular, en que se dividen las hojas, sépalos o pétalos de algunas plantas.

laciniado, da *adj.* Que tiene lacinias.

lacio, cia *adj.* **1.** Marchito, ajado. **2.** Flojo, sin vigor.

lacón *s. m.* Brazuelo del cerdo, y especialmente su carne curada.

lacónico, ca *adj.* Breve, conciso.

laconismo *s. m.* Calidad de lacónico.

lacra *s. f.* **1.** Reliquia o señal de una enfermedad. **2.** Defecto o vicio de una cosa, físico o moral.

lacrar[1] *v. tr.* **1.** Dañar la salud de alguien, pegarle una enfermedad. También prnl. **2.** *fig.* Dañar o perjudicar a alguien en sus intereses.

lacrar[2] *v. tr.* Cerrar con lacre.

lacre *s. m.* Pasta compuesta de goma, laca y trementina, con añadidura de bermellón o de otro color, que se emplea derretida, para cerrar y sellar cartas, documentos, etc.

lacrimal *adj.* Perteneciente o relativo a las lágrimas.

lacrimatorio, ria *adj.* Se dice de ciertos vasos hallados en sepulcros antiguos, erróneamente se creyó que estaban destinados a guardar las lágrimas derramadas por los deudos del difunto; pero de hecho contenían perfumes. También s. m.

lacrimógeno, na *adj.* Que produce lagrimeo. Se dice especialmente de algunos gases.

lacrimoso, sa *adj.* Que tiene lágrimas.

lactación *s. f.* Acción de mamar.

lactancia *s. f.* Periodo de la vida en que la criatura mama.

lactante *adj.* Que lacta. También com.

lactar *v. tr.* **1.** Amamantar. **2.** Criar con leche.

lactato *s. m.* Cualquier sal formada por la combinación del ácido láctico con una base o un alcohol.

lácteo, a *adj.* Perteneciente o relativo a la leche o parecido a ella.

lactescencia *s. f.* Calidad de lactescente.

lactescente *adj.* De aspecto de leche.

lacticinio *s. m.* Leche o cualquier manjar compuesto con ella.

láctico *adj.* Perteneciente o relativo a la leche.

lactífero, ra *adj.* Se dice de los conductos por donde pasa la leche hasta llegar a los pezones de la mamas.

lactina *s. f.* Lactosa, el azúcar de la leche.

lactómetro *s. m.* Instrumento para medir la densidad de la leche.

lactosa *s. f.* Lactina, azúcar de la leche.

lactumen *s. m.* Costra láctea, erupción cutánea que suelen padecer los niños que maman.

lacunario *s. m.* Cada uno de los huecos del artesonado.

lacustre *adj.* Perteneciente o relativo a los lagos.

lada *s. f.* Jara.

ládano *s. m.* Sustancia resinosa que fluye de las hojas y ramas de la jara.

ladear *v. tr.* **1.** Inclinar y torcer una cosa hacia un lado. También *intr.* y *prnl.* ‖ *v. intr.* **2.** Andar o caminar por las laderas.

ladera *s. f.* Declive de un monte o de una altura.

ladería *s. f.* Llanura pequeña en la ladera de un monte.

ladilla *s. f.* Insecto unipolar, próximo a los piojos, que vive parásito en las partes vellosas del cuerpo humano.

ladillo *s. m.* Composición muy breve que suele colocarse en el margen de la plana para indicar el contenido del texto.

ladino, na *adj.*, *fig.* Sagaz, taimado.

lado *s. m.* Lo que está a la derecha o a la izquierda de un todo.

ladrador, ra *adj.* Que ladra.

ladrar *v. intr.* Dar ladridos el perro.

ladrido *s. m.* **1.** Voz del perro. **2.** *fig.* y *fam.* Murmuración, censura, calumnia con que se zahiere a alguien.

ladrillado, da *s. m.* Ensolado de ladrillos.

ladrillar[1] *s. m.* Sitio donde se fabrica ladrillo.

ladrillar[2] *v. tr.* Poner ladrillos, enladrillar.

ladrillazo *s. m.* Golpe dado con un ladrillo.

ladrillero, ra *s. m. y s. f.* Persona que hace ladrillos.

ladrillo *s. m.* Masa de arcilla cocida, en forma de paralelepípedo rectangular, usado en albañilería.

ladrón, na *adj.* **1.** Que hurta o roba. ‖ *s. m.* **2.** Portillo hecho en un río para sacarle agua o en las acequias para robarla.

lagar *s. m.* Recipiente donde se pisa la uva.

lagareta *s. f.* **1.** Charco de agua u otro líquido. **2.** *And.* Pocilga de cerdos.

lagarta *s. f.* Insecto lepidóptero parecido al gusano de seda.

lagartado, da *adj.* Semejante en el color a la piel del lagarto.

lagartija *s. f.* Nombre común a aquellas especies de saurios de la familia de los lacértidos, cuya longitud no suele pasar de los 15 cm; son muy ágiles y asustadizas.

lagarto *s. m.* Reptil saurio de cuerpo largo y casi cilíndrico, con cola larga y cónica, sumamente ágil, inofensivo y muy útil para la agricultura.

lago *s. m.* Gran masa de agua en hondonadas del terreno.

lagopo *s. m.* Especie de trébol.

lagotear *v. intr.*, *fam.* Hacer halagos y zalamerías para conseguir una cosa.

lagotería *s. f.*, *fam.* Zalamería.

lagotero, ra *adj.*, *fam.* Que lagotea. También *s. m. y s. f.*

lágrima *s. f.* Cada una de las gotas del humor que destila la glándula lagrimal y que vierten los ojos por causas morales o físicas.

lagrimable *adj.* Digno de ser llorado.

lagrimal *adj.* **1.** Se dice de los órganos de secreción y excreción de las lágrimas. ‖ *s. m.* **2.** Extremidad del ojo próxima a la nariz. **3.** Úlcera que suele formarse en la axila de las ramas cuando estas se desgajan algún tanto del tronco.

lagrimar *v. intr.* Llorar.

lagrimear *v. intr.* Secretar con frecuencia lágrimas la persona que llora fácil o involuntariamente.

lagrimeo *s. m.* Acción de lagrimear.

lagrimoso, sa *adj.* Se aplica a los ojos tiernos y húmedos y a la persona o animal que así los tiene.

laguna *s. f.* Depósito natural de agua, por lo común de agua dulce y de menores dimensiones que el lago.

lagunajo *s. m.* Charco que queda en el campo después de haber llovido o haberse inundado.

lagunar *s. m.* **1.** Hueco que dejan los maderos con que se forma un techo artesonado. **2.** Charco, lagunajo.

lagunato *s. m.*, *Cub. y Hond.* Charco.

lagunazo *s. m.* Charco.

lagunero, ra *adj.* Perteneciente o relativo a la laguna.

laical *adj.* Perteneciente o relativo a los legos.

laicidad *s. f.* **1.** *Amér. del S.* Laicismo. **2.** Carácter autónomo que, frente a la religión, poseen las diversas esferas o campos de la vida social, técnica o política.

laicismo *s. m.* Doctrina que defiende la total independencia del ser humano o de la sociedad, y más particularmente del Estado, de toda influencia eclesiástica o religiosa.

laicista *s. m. y s. f.* Partidario del laicismo.

laicización *s. f.* Acción y efecto de laicizar.

laicizar *v. tr.* Hacer laico o independiente de toda influencia religiosa.

laico, ca *adj.* Lego o que no tiene órdenes clericales.

laísmo *s. m.* Empleo indebido de las formas *la* o *las* del pronombre personal, como objeto indirecto.

laísta *adj.* Se dice de la persona que comete laísmos. También com.

laja *s. f.* **1.** Lancha, piedra lisa. **2.** Bajo de piedra, a manera de meseta llana.

lama[1] *s. f.* **1.** Cieno blando, que se halla en el fondo del mar o de los ríos, y en el de los vasos o parajes donde hay o ha habido agua estancada. **2.** Ova o alga de los charcales.

lama[2] *s. m.* Autoridad de la doctrina budista del Tibet.

lambda *s. f.* Undécima letra del alfabeto griego que corresponde a nuestra *l*.

lambel *s. m.* Pieza que tiene la figura de una faja con tres caídas muy semejantes a las gotas de la arquitectura.

lambetazo *s. m.* Lengüetada.

lambisquear v. tr. Buscar los muchachos migajas y golosinas para comérselas.

lambrequín s. m. Adorno, generalmente en forma de hojas de acanto, que baja de lo alto del casco y rodea el escudo.

lambrija s. f. **1.** Lombriz de tierra. **2.** fig. y fam. Persona muy flaca.

lambrijo, ja adj. Flaco.

lambucear v. intr. Lamer, por glotonería, un plato o vasija.

lamé s. f. Tela muy brillante con hilos de oro o plata.

lameculos adj., fam. Adulón.

lamedal s. m. Sitio con mucho cieno.

lamedor, ra adj. Que lame. También s. m. y s. f.

lamedura s. f. Acción y efecto de lamer.

lamelibranquio, quia adj. Se dice de los moluscos marinos o de agua dulce, comestibles, no articulados, con branquias en forma de láminas, generalmente de concha bivalva que se cierra por ambos lados y se introducen en arena o madera, como el mejillón o la almeja.

lamentable adj. **1.** Que es digno de ser sentido o de llorarse. **2.** Que infunde tristeza y horror.

lamentación s. f. Queja con alguna muestra de dolor.

lamentar v. tr. Sentir una cosa con llanto u otra demostración de dolor. También intr. y prnl.

lamento s. m. Lamentación, queja.

lamentoso, sa adj. Que prorrumpe en lamentos o quejas.

lameplatos adj., fig. y fam. **1.** Se aplica a la persona que se alimenta de las sobras. **2.** fig. y fam. Se dice de la persona golosa.

lamer v. tr. Pasar repetidas veces la lengua por una cosa. También prnl.

lamerón, na adj., fam. Laminero, goloso.

lametón s. m. Acción de lamer con ansia.

lamia s. f. Monstruo fabuloso de la mitología grecorromana que tenía rostro de mujer y cuerpo de dragón.

lamido, da adj. **1.** Se dice de la persona flaca y de la muy pulida y limpia. **2.** fig. Relamido, afectado. **3.** fig. Que tiene aspecto muy terso y liso, por sobra de trabajo y esmero.

lámina s. f. **1.** Plancha delgada, especialmente de un metal. **2.** Plancha metálica en la cual está grabado un dibujo para estamparlo. **3.** Figura que se traslada al papel u otra materia; estampa.

laminación s. f. Proceso mecánico originado por presiones o tensiones, en el que aparecen estructuras planas, a favor de las cuales se producen desplazamientos.

laminado, da adj. **1.** Guarnecido de láminas o planchas de metal. ‖ s. m. **2.** Acción y efecto de laminar.

laminador, ra adj. **1.** Se dice de la persona que tiene por oficio hacer láminas de metal. ‖ s. m. y s. f. **2.** Máquina compuesta esencialmente de dos cilindros que, girando

en sentido contrario y comprimiendo masas de metales maleables, los reducen a láminas o planchas.

laminar[1] adj. De forma de lámina.

laminar[2] v. tr. **1.** Tirar láminas, planchas o barras. **2.** Guarnecer con láminas.

laminero, ra adj. Goloso. También s. m. y s. f.

laminoso, sa adj. Se aplica a los cuerpos cuya tersura es laminar.

lamiscar v. tr., fam. Lamer deprisa y con ansia.

lamoso, sa adj. Que tiene o cría lama.

lampa s. f., Amér. del S. Azada.

lampacear v. tr. Enjugar la humedad de las cubiertas y costados de una embarcación con el lampazo.

lampar v. tr. **1.** Alampar. También intr. ‖ v. prnl. **2.** Alamparse.

lámpara s. f. Utensilio para dar luz.

lamparería s. f. Taller en que se hacen o venden lámparas.

lampárido, da adj. Se dice de los coleópteros provistos de órganos luminosos abdominales, como la luciérnaga.

lamparilla s. f. Mariposa, candelilla que se enciende en un vaso con aceite.

lamparón s. m. Mancha que cae en la ropa, especialmente la de grasa.

lampazo s. m. Planta compuesta, de tallo grueso, flores purpúreas y de raíz diurética y depurativa.

lampear v. tr., Chil. y Per. Remover la tierra con la lampa.

lampero, ra s. m. y s. f., Chil. y Per. Persona que lampea.

lampiño, ña adj. **1.** Que no tiene barba. **2.** Que tiene poco pelo o vello.

lampión s. m. Farol de alumbrar.

lampista s. m. y s. f., Cat. Fontanero.

lampistería s. f., Cat. Fontanería.

lampo s. m., poét. Resplandor pronto y fugaz, como el del relámpago.

lamprea s. f. Nombre de varios peces ciclóstomos de la familia de los petromizóntidos, de cuerpo cilíndrico y cola aplastada, sin escamas y con mucosas que los hacen muy escurridizos. Los hay de mar y de agua dulce.

lamprear v. tr. Guisar una vianda friéndola o asándola primero, y cociéndola después en vino o agua con azúcar o miel y especia fina, a lo cual se añade agrio a la hora de servirla.

lampreílla s. f. Pez de río parecido a la lamprea de agua dulce.

lampuga s. f. Pez que algunos llaman dorada; es marino y su carne es comestible, pero poco apreciada.

lana s. f. Pelo de las ovejas y carneros y de otros animales que lo tienen parecido al de estas reses, que sirve como materia textil.

lanada s. f. Instrumento para limpiar y refrescar el alma de las piezas de artillería después de haberlas disparado.

lanado, da adj. Lanuginoso, que tiene pelusa o vello.

lanar *adj.* Se dice del ganado o la res que tiene lana.

lance *s. m.* **1.** Acción de echar la red para pescar. **2.** Pesca que se saca de una vez. **3.** Trance u ocasión crítica. **4.** En el poema dramático o en la novela, suceso, situación interesante o notable.

lanceado, da *adj.* De figura semejante al hierro de lanza, lanceolada.

lancear *v. tr.* Herir con lanza.

lancéola *s. f.* Especie de llantén de pequeño tamaño.

lanceolado, da *adj.* Se aplica a los objetos que tienen forma de lanza.

lancera *s. f.* Armero para colocar las lanzas.

lancero *s. m.* Soldado que pelea con lanza.

lanceta *s. f.* Instrumento de acero, de corte en ambos lados y punta agudísima, que sirve para sangrar y también para abrir tumores y otras cosas.

lancha[1] *s. f.* Piedra naturalmente lisa, plana y delgada.

lancha[2] *s. f.* Bote grande, propio para ayudar en las faenas que se ejecutan en los buques y para transportar carga y pasajeros en el interior de los puertos o entre puntos cercanos de la costa.

lanchaje *s. m.* Transporte de mercaderías en lanchas u otra embarcación menor, y flete que se paga por ello.

lanchar *s. m.* Cantera de donde se sacan lajas o lanchas de piedra.

lanchazo *s. m.* Golpe que se da de plano con una lancha de piedra.

lanchero, ra *s. m. y s. f.* Conductor o patrón de una lancha.

lancinante *adj.* Se dice del dolor semejante al que produciría una herida de lanza.

lancinar *v. tr.* Punzar, desgarrar la carne.

lancurdia *s. f.* Trucha pequeña.

landa *s. f.* Gran llanura de tierra en la que solo se crían plantas silvestres.

landó *s. m.* Coche de cuatro ruedas, con capota delantera y trasera.

landre *s. f.* Tumor del tamaño de una bellota, que se forma en las zonas glandulosas, como el sobaco, la ingle o el cuello.

landrecilla *s. f.* Pedacito de carne redondo que se halla en varias partes del cuerpo.

landrilla *s. f.* **1.** Larva de ciertos insectos que se fija debajo de la lengua y en las fosas nasales de diversos mamíferos. **2.** Cada uno de los granos que levanta en su picadura.

lanería *s. f.* Tienda donde se vende lana.

lanero, ra *adj.* **1.** Perteneciente o relativo a la lana. ‖ *s. m. y s. f.* **2.** Persona que comercia con lanas.

langa *s. f.* **1.** Bacalao curado. **2.** Reptil ofidio de 1 m de longitud que vive en Madagascar y aunque tiene glándula venenosa es prácticamente inofensivo.

langosta *s. f.* **1.** Nombre común de diversos insectos ortópteros, saltadores y de costumbres migratorias, que se reproducen copiosamente y llegan a constituir verdaderas plagas que arrasan comarcas enteras. **2.** Crustáceo marino con caparazón muy fuerte y sin pinzas, cuya carne se tiene por manjar delicado.

langostín *s. m.* Langostino.

langostino *s. m.* Crustáceo decápodo marino, de color grisáceo que se vuelve rosa con la cocción y cuya carne es muy apreciada.

langostón *s. m.* Insecto ortóptero parecido a la langosta.

languidecer *v. intr.* Adolecer de languidez, perder el espíritu o el vigor.

languidez *s. f.* **1.** Flaqueza, debilidad. **2.** Falta de espíritu, valor o energía.

languideza *s. f.* Languidez.

lánguido, da *adj.* **1.** Flaco, débil, fatigado. **2.** De poco espíritu, valor y energía.

languor *s. m.* Languidez.

lanífero, ra *adj., poét.* Que lleva o tiene lana.

lanificación *s. f.* Lanificio.

lanificio *s. m.* **1.** Arte de labrar lana. **2.** Obra hecha de lana.

lanilla *s. f.* **1.** Pelillo que le queda al paño por el haz. **2.** Tejido de poca consistencia hecho con lana fina.

lanío, a *adj.* Lanar.

lanolina *s. f.* Sustancia parecida a la grasa, que se extrae de la lana de la oveja y del casco del caballo. Se utiliza en terapéutica y cosmética como excipiente en pomadas o cremas penetrantes, por su propiedad de absorber agua, glicerina o soluciones salinas en cantidad igual o mayor que su peso.

lanosidad *s. f.* Pelusa o vello que tienen las hojas de algunas plantas, las frutas y otras cosas.

lanoso, sa *adj.* Que tiene mucha lana o vello.

lantano *s. m.* Metal raro de color del plomo que tiene la propiedad de arder fácilmente y descomponer el agua a la temperatura ordinaria.

lanteja *s. f.* Lenteja.

lanudo, da *adj.* **1.** Que tiene mucha lana, velludo. **2.** Con pelos muy abundantes y cruzados a la manera de borra.

lanuginoso, sa *adj.* **1.** Que tiene lanosidad, pelusa o vello. **2.** Con pelos cortos y blandos.

lanza *s. f.* Arma ofensiva compuesta de un asta en cuya extremidad está fijo un hierro puntiagudo y cortante.

lanzabombas *adj.* Se dice del cañón o artefacto para lanzar bombas a distancia. También s. m.

lanzacabos *adj.* Se dice de un cañón pequeño que dispara un proyectil especial con un cabo delgado unido a otro más grueso, por el cual, palmeándose, pueden salvarse los náufragos.

lanzadera s. f. Instrumento de figura de barquichuelo con una canilla dentro, que usan los tejedores para tramar.

lanzador, ra adj. Que lanza o arroja. También s. m. y s. f.

lanzallamas s. m. Aparato usado en las guerras modernas para lanzar a corta distancia un chorro de líquido inflamado.

lanzamiento s. m. **1.** Acción de lanzar o arrojar una cosa. **2.** Pruebas deportivas incluidas en el atletismo internacional. Las hay de martillo, peso, jabalina, etc.

lanzar v. tr. **1.** Arrojar. También prnl. **2.** Soltar, dejar libre.

lanzatorpedos s. m. Aparato que sirve para lanzar torpedos.

lanzón s. m. Lanza corta y gruesa, con un rejón de hierro ancho y grande.

laña s. f. Grapa, pieza de metal que sirve para unir o sujetar algunas cosas.

lañador, ra s. m. y s. f. Persona que por medio de lañas compone objetos rotos, especialmente de barro o loza.

lañar v. tr. Trabar, unir con lañas una cosa.

lapa s. f. **1.** Nombre de algunos moluscos gasterópodos comestibles, que viven asidos fuertemente a las piedras de las costas. **2.** fig. Persona excesivamente insistente e inoportuna.

lapachar s. m. Terreno cenagoso o excesivamente húmedo.

lapacho s. m., Amér. del S. Árbol cuya madera, fuerte e incorruptible, notable por su belleza, se emplea en la construcción y en ebanistería, existiendo las variedades gris, negra, roja y amarilla, según el color de sus flores.

lápade s. f. Lapa, molusco.

laparotomía s. f. Operación que consiste en abrir las paredes abdominales y el peritoneo.

lapicera s. f. **1.** Amér. del S. Lapicero. **2.** Chil. Portaplumas.

lapicero s. m. **1.** Instrumento en que se coloca el lápiz para servirse de él. **2.** Lápiz, barrita de grafito.

lápida s. f. Piedra llana en que ordinariamente se pone una inscripción con carácter conmemorativo.

lapidación s. f. Acción y efecto de lapidar.

lapidar v. tr. Apedrear, matar a pedradas.

lapidario, ria adj. **1.** Perteneciente o relativo a las piedras preciosas. **2.** Perteneciente o relativo a las inscripciones en lápidas.

lapídeo, a adj. De piedra o perteneciente a ella.

lapidificación s. f. Acción y efecto de lapidificar o lapidificarse.

lapidificar v. tr. Compactar o bien cementar los sedimentos sueltos transformándose en roca resistente.

lapidoso, sa adj. Lapídeo.

lapislázuli s. m. Mineral de color azul intenso, silicato de aluminio, cal y sosa.

lápiz s. m. Nombre genérico de varias sustancias minerales que sirven para dibujar.

lapizar[1] s. m. Mina o cantera de grafito.

lapizar[2] v. tr. Dibujar o rayar con lápiz.

lapo s. m., fam. Cintarazo, bastonazo o varazo.

lapso s. m. **1.** Curso de un espacio de tiempo transcurrido. **2.** Caída en una culpa o error.

lapsus s. m. **1.** Lapso. **2.** Falta de memoria o amnesia pasajera.

laqueado, da adj. Cubierto o barnizado de laca.

lar s. m. **1.** Cada uno de los dioses de la casa u hogar en Roma. **2.** Hogar, sitio de la lumbre en la cocina. ‖ s. m. pl. **3.** fig. Casa propia u hogar.

larario s. m. Entre los romanos, lugar destinado en cada casa para adorar los lares o dioses domésticos.

lardáceo, a adj. **1.** Parecido o semejante al lardo. **2.** Se dice de la forma de degeneración grasa o amiloidea.

lardar v. tr. Lardear.

lardear v. tr. Untar con lardo o grasa lo que se está asando.

lardero, ra adj. Se aplica al jueves que precede a las carnestolendas.

lardo s. m. **1.** Lo gordo del tocino. **2.** Grasa o unto de los animales.

lardón s. m. Adición hecha al margen en el original o en las pruebas.

lardoso, sa adj. Grasiento, pringoso.

larga s. f. Pedazo de suela que ponen los zapateros en la parte posterior de la horma para que salga más largo el zapato.

largar v. tr. **1.** Aflojar, ir soltando poco a poco. **2.** Desplegar, soltar una cosa, como la bandera, las velas, etc. **3.** fig. Soltar, dejar libre, especialmente lo que es molesto, nocivo o peligroso. ‖ v. prnl. **4.** Irse alguien con presteza o disimulo.

largo, ga adj. Que tiene más o menos longitud.

largomira s. m. Catalejo.

largueado, da adj. Adornado con listas.

larguero, ra s. m. Cada uno de los dos palos que se ponen a lo largo de una obra de carpintería, como los de las camas.

largueza s. f. **1.** Largura. **2.** Liberalidad.

larguirucho, cha adj., fam. Se aplica a las personas y cosas desproporcionadamente largas.

largura s. f. Longitud.

lárice s. m. Alerce.

laricino, na adj. Perteneciente o relativo al lárice.

laringe s. f. Órgano de la voz situado en las fauces delante del esófago; comunica por una abertura con el fondo de la boca y se une interiormente con la tráquea.

laringitis s. f. Inflamación de la laringe.

laringología s. f. Parte de la patología, que estudia las enfermedades de la laringe.

laringólogo, ga s. m. y s. f. Especialista que se dedica al estudio y tratamiento de las enfermedades de la laringe.

laringoscopia s. f. Exploración de la laringe y de partes inmediatas a ella.

laringoscopio s. m. Instrumento que sirve para la exploración de la laringe.

laringotomía s. f. Incisión que se hace en la laringe para extraer cuerpos extraños, extirpar tumores, pólipos, etc.

larva s. f. Insecto después de salir del huevo y antes de su primera transformación; su cuerpo es prolongado y cilíndrico.

larvado, da adj. Se aplica a las enfermedades que se presentan con síntomas que ocultan su verdadera naturaleza.

larval adj. Perteneciente o relativo a la larva.

larvario, ria adj. Se aplica al estado en el que se encuentran algunos insectos para sufrir metamorfosis.

las art. det. **1.** Forma del artículo determinado en género femenino y número plural. ‖ pron. pers. **2.** Forma átona del pronombre personal de tercera persona en género femenino y número plural, que funciona como objeto directo.

lasaña s. f. Plato típico italiano hecho a base de carne picada o verdura, recubierto de pasta, para cuya elaboración se requiere un horno.

lasca s. f. Trozo pequeño y delgado desprendido de una piedra.

lascar v. tr. Aflojar o arriar muy poco a poco un cabo.

lascivia s. f. Propensión, tendencia a los placeres sexuales.

lascivo, va adj. Perteneciente o relativo a la lascivia o a la sensualidad.

láser s. m. **1.** Dispositivo electrónico que, basado en la emisión inducida, amplifica un haz de luz monocromática y coherente de extraordinaria intensidad. **2.** Este mismo haz.

laserpicio s. m. Planta umbelífera de flores blancas y frutos ovoides.

lasitud s. f. Desfallecimiento, cansancio, falta de vigor y fuerzas.

laso, sa adj. **1.** Cansado. **2.** Flojo.

lastar v. tr. Suplir lo que otro debe pagar, con el derecho de reintegrarse.

lástima s. f. Enternecimiento y compasión que excitan los males de otro.

lastimador, ra adj. Se dice de lo que lastima o hace daño.

lastimadura s. f. Acción y efecto de lastimarse, magulladura.

lastimar v. tr. **1.** Herir o hacer daño. También prnl. **2.** Compadecer. **3.** fig. Agraviar, ofender en la estimación u honra.

lastimero, ra adj. **1.** Se aplica a las quejas, gemidos, lágrimas y otras demostraciones de dolor que mueven a lástima y compasión. **2.** Que hiere o hace daño.

lastimoso, sa adj. Que mueve a lástima y compasión.

lastón s. m. Planta graminea cuya caña es de unos 60 cm de altura, con las hojas muy largas, cuyos ramos llevan multitud de florecillas con cabillo y con arista.

lastra s. f. Lancha, piedra plana y delgada.

lastrar v. tr. Poner el lastre a la embarcación.

lastre s. m. Piedra, arena, agua u otra cosa de peso que se pone en el fondo de la embarcación para que esta se sumerja hasta donde convenga.

lata[1] s. f. **1.** Hoja de lata. **2.** Envase hecho de hojalata, con su contenido o sin él. **3.** fig. Discurso o conversación fastidiosa y, en general, todo lo que cansa o harta.

lata[2] s. f. Escollo plano y semisumergido, sobre el cual rompe el mar en los días de fuertes marejadas.

latastro s. m. Plinto.

lataz s. m. Nutria marina que vive a orillas del océano Pacífico septentrional.

latebra s. f. Escondrijo, cueva, madriguera, refugio.

latebroso, sa adj. Que se oculta y se esconde y no se deja conocer.

latente adj. Oculto, escondido.

lateral adj. Que pertenece o está situado al lado de una cosa.

látex s. m. Jugo lechoso, de composición muy compleja, propio de los vegetales, que se coagula al contacto del aire y constituye las gomas, resinas, etc.

laticífero adj. Se dice de los vasos de los vegetales que contienen látex.

latido s. m. Movimiento alternativo de contracción y dilatación del corazón y las arterias.

latifundio s. m. Finca rústica de gran extensión, en especial cuando pertenece a un solo dueño.

latifundista com. Persona que posee uno o varios latifundios.

latigazo s. m. Golpe dado con el látigo.

látigo s. m. Azote con que se aviva y castiga, especialmente a las caballerías.

latigudo, da adj., Amér. del S. Craso.

latiguear v. intr. Dar chasquidos con el látigo.

latigueo s. m. Acción de latiguear.

latiguera s. f. Látigo, cuerda o correa.

latiguero, ra s. m. y s. f. Persona que hace o vende látigos.

latiguillo s. m. **1.** Estolón, vástago que nace de la base del tallo. **2.** fig. y fam. Exceso declamatorio del actor u orador que, exagerando la expresión de los afectos o usando palabras o frases rimbombantes, pretende lograr un aplauso.

latín s. m. Lengua indoeuropea e itálica del Lacio hablada por los romanos antiguos.

latinajo s. m., fam. y desp. Voz o frase latina usada en castellano. Se usa más en pl.

latinar v. intr. Hablar o escribir en latín.

latinear v. intr. **1.** Latinar. **2.** fam. Emplear latinajos con frecuencia.

latinismo s. m. Empleo en otro idioma de voces o giros que pertenecen a la lengua latina.

latinista com. Persona versada en la lengua y literatura latina.

latinización s. f. Acción y efecto de latinizar.

latinizador, ra adj. Que latiniza. También s. m. y s. f.

latinizar v. tr. Dar forma latina a voces de otra lengua.

latir v. intr. Dar latidos el corazón, las arterias, el pulso, etc.

latitud s. f. **1.** Extensión de un territorio, tanto en ancho como en largo. **2.** La menor de las dos dimensiones principales de una figura plana cualquiera, en contraposición a la mayor o longitud.

latitudinal adj. Que se extiende a lo ancho.

latitudinario, ria adj. Se aplica al que sostiene que puede haber salvación fuera de la Iglesia católica.

lato, ta adj. Dilatado, extendido.

latón s. m. Aleación de cobre y cinc de color amarillo pálido, susceptible de gran brillo y pulimento.

latonería s. f. Taller o tienda donde se fabrican o venden obras de latón.

latonero, ra s. m. y s. f. Persona que por oficio hace o vende objetos de latón.

latoso, sa adj. Fastidioso, pesado.

latréutico, ca adj. Perteneciente o relativo a la latría.

latría s. f. Adoración, culto que solo se debe a Dios.

latrocinio s. m. Hurto o costumbre de hurtar o defraudar a los demás.

latu sensu expr. lat. que significa «en sentido lato» o «latamente».

laucha s. f., Arg. y Chil. Especie de ratón pequeño.

laúd s. m. Instrumento musical de cuerda, de caja cóncava en su parte inferior, que se toca pulsando las cuerdas.

laudable adj. Digno de alabanza.

láudano s. m. Tintura o extracto de opio.

laudar v. tr. Fallar una cuestión el juez árbitro o el amigable componedor.

laudatoria s. f. Escrito u oración en alabanza de personas o cosas.

laudatorio, ria adj. Que alaba o contiene alabanza.

laude s. f. Lápida sepulcral, por lo común con una inscripción o escudo de armas.

laudemio s. m. Derecho que se paga al señor del dominio directo cuando se enajenan las tierras y posesiones dadas a enfiteusis.

laudes s. f. pl. Una de las partes del oficio divino, que se dice después de maitines, y que en el oficio romano, comprende cuatro salmos, antífonas, un cántico, un capítulo, un himno, un versículo y el Canto de Zacarías.

laudo s. m. Fallo que dictan los árbitros o amigables componedores.

launa s. f. Lámina o plancha de metal.

lauráceo, a adj. Se aplica a plantas dicotiledóneas de hojas coriáceas persistentes, alternas y opuestas algunas veces, que llevan en su parénquima un aceite esencial, flores hermafroditas en umbela o panoja, y fruto en baya o drupa de una sola semilla sin albumen, como el laurel común y el aguacate.

laureado, da adj. Que ha sido recompensado con honor y gloria. Se dice especialmente de los militares que obtienen la cruz de san Fernando y también de esta insignia.

laurear v. tr. **1.** Coronar con laurel. **2.** Premiar, honrar.

lauredal s. m. Lugar poblado de laureles.

laurel s. m. Árbol siempre verde, de hojas lanceoladas, aromáticas, que se usan mucho para condimento y entran en algunas preparaciones farmacéuticas; su fruto es en baya.

laurente s. m. Oficial que en los molinos de papel asiste a las tinas con las formas y hace los pliegos.

láureo, a adj. De laurel, o de hoja de laurel.

laureola s. f. **1.** Corona de laurel con la cual se premiaban las acciones heroicas o se coronaban los sacerdotes de los gentiles. **2.** Aureola.

laurífero, ra adj. Que produce o lleva laurel, corona o triunfo.

lauríneo, a adj. Lauráceo.

laurino, na adj. Perteneciente o relativo al laurel.

lauro s. m. Gloria, alabanza, triunfo.

lauroceraso s. m. Árbol de la familia de las rosáceas, de flores blancas, fruto semejante a la cereza, de cuyas hojas se obtiene un agua muy venenosa, empleada en medicina y perfumería. Se cultiva en Europa.

lava s. f. Materias derretidas que salen de los volcanes al tiempo de la erupción.

lavable adj. Que puede lavarse.

lavabo s. m. **1.** Mesa con jofaina y demás recado para la limpieza y aseo personal. **2.** Cuarto dispuesto para este aseo.

lavación s. f. Lavadura o loción.

lavacoches s. m. y s. f. En los garajes y talleres de automóviles, empleado que tiene a su cargo limpiar y lavar los coches y realizar otros trabajos subalternos.

lavadero s. m. **1.** Lugar en que se lava. **2.** Pila de lavar la ropa.

lavado s. m. Pintura a la aguada hecha con un solo color.

lavadora s. f. Máquina que lava automáticamente.

lavadura s. f. Acción y efecto de lavar o lavarse.

lavafrutas s. m. Recipiente con agua que se pone en la mesa para lavar las frutas y enjugarse los dedos.

lavaje s. m. Lavado de las lanas.

lavajo s. m. Charca de agua llovediza, que rara vez se seca.

lavamanos s. m. Depósito de agua con caño, llave y pila para lavarse las manos.

lavamiento s. m. Acción y efecto de lavar o lavarse.

lavanda s. f. Espliego, sobre todo en perfumería.

lavandera s. f. Ave paseriforme de larga cola y plumaje gris y negro combinado con blanco y amarillo.

lavandería s. f. Establecimiento industrial para el lavado, planchado y secado de la ropa.

lavandero, ra s. m. y s. f. Persona que tiene por oficio lavar la ropa.

lavándula s. f. Espliego.

lavaplatos com. **1.** Persona que por oficio lava platos. ‖ **2.** amb. Máquina para lavar la vajilla, los cubiertos, etc.

lavar v. tr. **1.** Limpiar una cosa con agua u otro líquido. También prnl. **2.** Dar los albañiles la última mano al blanqueado con un paño mojado.

lavativa s. f. **1.** Enema. **2.** Instrumento manual para realizarlo.

lavatorio s. m. Ceremonia de lavar los pies a algunos pobres que se hace el Jueves Santo, en memoria de haberlos lavado Jesucristo a sus apóstoles la noche de la Cena.

lavavajillas s. m. Máquina para lavar los platos.

lavazas s. f. pl. Agua sucia o mezclada con las impurezas de lo que se lavó en ella.

lavotear v. tr. **1.** fam. Lavar deprisa, mucho y mal. ‖ v. prnl. **2.** Lavarse una persona mucho y con esmero.

laxación s. f. Acción y efecto de laxar.

laxamiento s. m. Laxitud.

laxante s. m. Medicamento para mover el vientre.

laxar v. tr. Aflojar, disminuir la tensión de una cosa, suavizarla. También prnl.

laxativo, va adj. Que laxa o tiene virtud de laxar. También s. m.

laxidad s. f. Laxitud.

laxismo s. m. **1.** Doctrina en que domina la moral laxa o relajada. **2.** Estado de conciencia inclinado a tener por leve lo que es grave.

laxitud s. f. Calidad de laxo.

laxo, xa adj. Flojo.

laya s. f. Pala de hierro con cabo de madera que sirve para labrar y remover la tierra.

layador, ra s. m. y s. f. Persona que laya.

layar v. tr. Labrar la tierra con la laya.

lazada s. f. Atadura o nudo que se hace con hilo, cinta o cosa parecida, que se desata fácilmente tirando de uno de sus cabos.

lazar v. tr. Coger o sujetar con lazo.

lazareto s. m. Lugar fuera de poblado, donde se somete a observación y desinfección a los viajeros procedentes de lugares atacados por alguna epidemia.

lazarillo s. m. Muchacho que guía y dirige a un ciego.

lazo s. m. **1.** Atadura de cintas o cosa parecida que sirve de adorno. **2.** fig. Unión.

lazulita s. f. Fosfato alumínico-magnésico hidratado, de color azul celeste que se utiliza en joyería como gema secundaria.

le pron. pers. **1.** Forma del pronombre personal de tercera persona del singular en masculino, femenino o neutro, que funciona como complemento indirecto. **2.** Forma del pronombre personal de tercera persona del singular en masculino, que se acepta que funcione como complemento directo cuando se refiere a una persona de sexo masculino.

leal adj. Incapaz de traicionar, que guarda la debida fidelidad a personas o a cosas.

lealtad s. f. Cumplimiento de lo que exigen las leyes de la fidelidad y las del honor.

lebeche s. m. En el litoral Mediterráneo, viento sudoeste.

lebení s. m. Bebida típica de los países árabes que se prepara con leche agria.

lebrada s. f. Cierto guiso de liebre.

lebrato s. m. Liebre joven o de poco tiempo.

lebrel, la adj. Se dice del perro que tiene el labio superior y las orejas caídas, el hocico recio, el lomo recto, el cuerpo largo y las piernas hacia atrás.

lebrero, ra adj. Se dice del perro que sirve para cazar liebres.

lebrillo s. m. Vasija más ancha por el borde que por el fondo.

lebroncillo s. m. Lebrato, liebre de poco tiempo.

lebruno, na adj. Perteneciente a la liebre o semejante a ella.

leca s. f., Ál. Vaina de alubias sin desgranar.

lecanomancía s. f. Arte de adivinar por el sonido que hacen las piedras preciosas u otros objetos al caer en una zafa.

lección s. f. **1.** Lectura o acción de leer. **2.** Comprensión de un texto. **3.** Conjunto de conocimientos que cada vez da un maestro a sus discípulos o les señala para que lo estudien.

leccionario s. m. Libro de coro que contiene las lecciones de maitines.

leccionista s. m. y s. f. Maestro o maestra que da lecciones en casas particulares.

lecha s. f. **1.** Licor seminal de los peces. **2.** Cada una de las dos bolsas que lo contienen.

lechada *s. f.* Masa fina de cal o yeso, o de cal mezclada con arena, o de yeso con tierra, que sirve para blanquear paredes, para unir piedras o hiladas de ladrillo.

lechal *adj.* Se aplica al animal de cría que aún mama, en especial al cordero.

lechar[1] *adj.* **1.** Lechal. **2.** Que cría o tiene virtud para criar leche en las hembras de especies vivíparas.

lechar[2] *v. tr., Amér. del S.* Ordeñar.

lechazo *s. m.* Cordero lechal.

leche *s. f.* Líquido blanco y opaco que se forma en los pechos de las mujeres y de las hembras de los animales vivíparos para alimento de sus hijos o crías.

lechecillas *s. f. pl.* **1.** Mollejas de cabrito, cordero, ternera, etc. **2.** Asadura, entrañas del animal.

lechera *s. f.* Vasija en que se tiene o sirve la leche.

lechería *s. f.* Puesto donde se vende leche.

lechero, ra *adj.* **1.** Se aplica a las hembras de animales que se tienen para que den leche. ‖ *s. m. y s. f.* **2.** Persona que por oficio vende leche.

lechetrezna *s. f.* Nombre vulgar de unas plantas del género Euphorbia, con látex blanco, más o menos acre, que se ha usado en medicina.

lechigada *s. f.* Conjunto de animalillos que han nacido de un parto y se crían juntos en un mismo sitio.

lechino *s. m.* Clavo de hilas que se introduce, a modo de drenaje, en las úlceras y heridas para facilitar la supuración.

lecho *s. m.* **1.** Cama con colchones, sábanas, etc., para descansar y dormir. **2.** *fig.* Terreno por donde corre un río.

lechón, na *s. m. y s. f.* Cochinillo que todavía mama.

lechoso, sa *adj.* **1.** Que tiene apariencia o cualidades de leche. **2.** Se aplica a las plantas y frutos que tienen un jugo blanco semejante a la leche.

lechuga *s. f.* Planta hortense herbácea, compuesta, que se cultiva en las huertas y sus hojas se comen en ensalada.

lechugado, da *adj.* Que tiene forma de hoja de lechuga.

lechuguero, ra *s. m. y s. f.* Persona que vende lechugas.

lechuguino *s. m., fig. y fam.* Hombre joven que se compone mucho y sigue la moda. También *adj.*

lechuza *s. f.* Ave rapaz nocturna, de cabeza redonda, pico corto y encorvado en la punta, ojos grandes y plumaje suave y amarillento.

lechuzo *s. m., fig. y fam.* Hombre que se asemeja a la lechuza en alguna de sus propiedades. También *adj.*

lectivo, va *adj.* Se dice del tiempo y días destinados para dar lección en las universidades y demás centros de enseñanza.

lector, ra *adj.* **1.** Que lee. También s. m. y s. f. ‖ *s. m.* **2.** Aparato de leer microfilmes o microfichas. ‖ *s. m. y. s. f.*

3. En la enseñanza de idiomas extranjeros, profesor auxiliar cuya lengua materna es la que se enseña.

lectorado *s. m.* Cargo de lector de idiomas.

lectoral *adj.* Se dice de la canonjía que se confía por oposición a un doctor o licenciado en teología, con la obligación de explicar la Escritura, y del canónigo que la desempeña.

lectoría *s. f.* En las comunidades religiosas, cargo de lector.

lectura *s. f.* **1.** Acción de leer. **2.** Obra o cosa leída.

ledo, da *adj., poét.* Alegre, plácido, contento.

leedor, ra *adj.* Lector, que lee. También s. m. y s. f.

leer *v. tr.* **1.** Pasar la vista por lo escrito o impreso, haciéndose cargo del valor y significación de los caracteres empleados. **2.** Enseñar un profesor a sus oyentes alguna materia sobre un texto. **3.** *fig.* Penetrar el interior de alguien, por lo que exteriormente aparece, o adivinarle un secreto.

lega *s. f.* Monja profesa exenta de coro, que sirve en las haciendas caseras del convento.

legacía *s. f.* Cargo de legado.

legación *s. f.* Cargo diplomático que da un Gobierno a un individuo para que le represente cerca de otro Gobierno extranjero.

legado *s. m.* **1.** Manda que el testador deja en su testamento a una o varias personas. **2.** Personas que una suprema potestad eclesiástica o civil envía a otra para tratar un negocio.

legadura *s. f.* Cuerda, cinta u otra cosa que sirve para liar o atar.

legajar *v. tr., Col., Chil. y Hond.* Enlegajar.

legajo *s. m.* Atado de papeles o conjunto de los reunidos por tratar de una misma materia.

legal *adj.* Prescrito por la ley y conforme a ella.

legalidad *s. f.* Calidad de legal.

legalista *adj.* Que antepone a toda otra consideración la aplicación literal de las leyes.

legalización *s. f.* Acción de legalizar.

legalizar *v. tr.* **1.** Dar estado legal a una cosa. **2.** Certificar o comprobar la autenticidad de un documento o una firma.

légamo *s. m.* Cieno, lodo pegajoso.

legamoso, sa *adj.* Que tiene légamo.

légano *s. m.* Légamo.

legaña *s. f.* Humor producido por las glándulas sebáceas de los párpados, que se acumula en el borde de estos y en los ángulos de la abertura ocular.

legañoso, sa *adj.* Que tiene muchas legañas.

legar *v. tr.* Dejar una persona a otra alguna donación en su testamento.

legatorio, ria *s. m. y s. f.* Persona individual o colectiva favorecida por un legado.

legenda *s. f.* Historia o actas de la vida de un santo.

legendario, ria *adj.* Perteneciente o relativo a las leyendas.

legible *adj.* Que se puede leer.

legión *s. f.* **1.** Cuerpo de tropa romana compuesto de infantería y caballería. **2.** *fig.* Número indeterminado y copioso de personas o espíritus.

legionario, ria *s. m.* **1.** Soldado que servía en la legión romana. **2.** En los ejércitos modernos, soldado de algún cuerpo de los que tienen nombre de legión.

legislable *adj.* Que puede o debe legislarse.

legislación *s. f.* **1.** Conjunto de leyes de un Estado o que hacen relación a una materia determinada. **2.** Ciencia de las leyes.

legislador, ra *adj.* Que legisla. También s. m. y s. f.

legislar *v. intr.* Dar o establecer leyes. También tr.

legislativo, va *adj.* Se aplica al derecho de hacer leyes.

legislatura *s. f.* Tiempo durante el cual funcionan los cuerpos legislativos del Estado.

legisperito *s. m.* Jurisperito.

legista *com.* Persona que profesa o estudia la jurisprudencia o leyes.

legítima *s. f.* Porción de la herencia de que el testador no puede disponer libremente por asignarla la ley a determinados herederos.

legitimación *s. f.* Acción y efecto de legitimar.

legitimador, ra *adj.* Que legitima. También s. m. y s. f.

legitimar *v. tr.* **1.** Justificar la verdad de una cosa o la calidad de una persona o cosa conforme a las leyes. **2.** Hacer legítimo al hijo que no lo era.

legitimidad *s. f.* Calidad de legítimo.

legítimo, ma *adj.* **1.** Conforme a las leyes. **2.** Cierto, genuino y verdadero.

lego, ga *adj.* **1.** Que no tiene órdenes clericales. **2.** Falto de letras o noticias.

legón *s. m.* Especie de azadón.

legra *s. f.* **1.** Instrumento que se emplea para legrar. **2.** En odontología, se utiliza para limpiar el sarro de los dientes.

legrado *s. m.* Acción y efecto de legrar.

legrar *v. tr.* **1.** Raer la superficie de los huesos con la legra, separando el periostio y la parte más superficial de la sustancia ósea. **2.** Raer la mucosa del útero.

legua *s. f.* Medida itineraria equivalente a 5572 m y 7 dm.

leguario, ria *adj.* Perteneciente o relativo a la legua.

leguleyo, ya *s. m. y s. f.* Persona que trata de leyes no conociéndolas sino vulgar y escasamente.

legumbre *s. f.* Todo fruto o semilla seco que se cría en vaina.

legúmina *s. f.* Proteína, rica en nitrógeno y perteneciente a la familia de las globulinas, que se extrae de las semillas de algunas leguminosas.

leguminoso, sa *adj.* Se dice de hierbas, matas, arbustos, y árboles angiospermos dicotiledóneos con hojas casi siempre alternas, por lo general compuestas y con estípulas; sus flores son de corola irregular, amariposada, y fruto en legumbre con varias semillas sin albumen, como la acacia, el garbanzo, etc.

leíble *adj.* Legible, que se puede leer.

leída *s. f.* Lectura, acción de leer.

leído, da *adj.* Se dice de la persona que ha leído mucho y es erudita.

leísmo *s. m.* Empleo indebido de la forma *le* del pronombre personal como objeto directo, cuando se trata de personas de género femenino o de cosas.

leísta *adj.* Se dice de los que defienden que *le* debe ser el único acusativo masculino del pronombre *él*. También com.

lejanía *s. f.* Parte distante o remota de un lugar.

lejano, na *adj.* Distante, apartado en el tiempo o en el espacio.

lejía *s. f.* Agua que tiene en disolución álcalis o sales alcalinas, sobre todo la empleada para la colada, por sus cualidades detergentes y blanqueadoras.

lejos *adv. l. y t.* A gran distancia; en lugar y tiempo distante o remoto.

lelo, la *adj.* Fatuo, simple y como pasmado.

lema *s. m.* **1.** Argumento que precede a ciertas composiciones literarias para indicar en términos breves el asunto de la obra. **2.** Letra o mote que se pone en los emblemas y empresas.

lemanita *s. f.* Especie de jade.

lemnáceo, a *adj.* Se dice de toda planta acuática, monocotiledónea, con tallo y hojas transformadas en una fronda verde, pequeña y en forma de disco e inflorescencia en acalladas.

lemnisco *s. m.* Cinta o corbata que acompañaba a las coronas y palmas de los atletas vencedores, en señal de recompensa honorífica.

lempira *s. m.* Unidad monetaria de Honduras.

lémur *s. m.* **1.** Género de mamíferos cuadrúmanos, con los dientes incisivos de la mandíbula inferior inclinados hacia delante y la cola muy larga. Son propios de Madagascar. ‖ *s. m. pl.* **2.** Fantasmas, duendes.

lémurido, da *adj.* Se aplica a los mamíferos prosimios trepadores y de hocico prolongado, propios de África.

len *adj.* Se dice del hilo o seda cuyas hebras están blandas, por poco torcidas, entre las hilanderas.

lena *s. f.* Aliento, vigor.

lencería *s. f.* **1.** Conjunto de lienzos de distintos géneros. **2.** Tienda donde se vende ropa femenina de lencería.

lencero, ra *s. m. y s. f.* Persona que trabaja en lienzos o los vende.

lendel *s. m.* Huella en forma de circunferencia que deja en el suelo la caballería que saca agua de una noria o da movimiento a otra máquina semejante.

lendrera *s. f.* Peine de púas finas y espesas, a propósito para limpiar la cabeza.

lendrero *s. m.* Lugar en que hay liendres.

lendroso, sa *adj.* Que tiene muchas liendres.

lene *adj.* **1.** Suave o blando al tacto. **2.** Dulce, benévolo.

lengua *s. f.* **1.** Órgano muscular situado en la cavidad de la boca y que sirve para gustar, deglutir y articular los sonidos de la voz. **2.** Sistema abstracto y normativo de signos que adopta convencionalmente un grupo social para intercomunicarse.

lenguado *s. m.* Pez acantopterigio que vive en el fondo del mar, echado siempre del mismo lado, de cuerpo comprimido y oblongo, boca lateral y torcida y ojos en un mismo lado del cuerpo. Su carne es comestible y muy estimada.

lenguaje *s. m.* **1.** Conjunto de signos lingüísticos, o de sonidos articulados, con que el ser humano manifiesta la comprensión de pensamiento y afectos. **2.** Facultad de comunicarse por medio de estos sonidos. **3.** Estilo y modo de hablar y escribir de cada uno en particular.

lenguarada *s. f.* Lengüetazo, lengüetada, lamedura.

lenguaraz *adj. desus.* **1.** Se aplica a la persona que comprende y habla dos o más lenguas. **2.** *adj.* Deslenguado, atrevido en el hablar.

lenguaz *adj.* Que habla mucho con impertinencia, necedad.

lengüeta *s. f.* **1.** Epiglotis, lámina cartilaginosa que tapa el orificio de la laringe. **2.** Fiel de la balanza o de la romana. **3.** Laminilla móvil de metal que en el tubo de ciertos instrumentos musicales de viento produce el sonido.

lengüetada *s. f.* Acción de tomar o de lamer una cosa con la lengua.

lengüetazo *s. m.* Lamedura, lenguarada.

lenición *s. f.* Término definido por Thurneysen como «una mutación de consonantes que normalmente tiene su origen en una reducción de la energía empleada en su articulación».

lenidad *s. f.* Blandura en exigir el cumplimiento de algo o en castigar las faltas.

lenificación *s. f.* Acción y efecto de lenificar.

lenificar *v. tr.* Suavizar, ablandar.

lenificativo, va *adj.* Lenitivo, que puede ablandar y dulcificar.

lenitivo, va *adj.* **1.** Que tiene virtud de suavizar y ablandar. **2.** *fig.* Medio para mitigar los sufrimientos del ánimo.

lenocinio *s. m.* Alcahuetería.

lente *s. amb.* Cristal o medio refringente limitado por dos caras curvas o una curva y otra plana que se emplea en varios instrumentos ópticos.

lentecer *v. intr.* Reblandecerse, ablandarse una cosa. También prnl.

lenteja *s. f.* Planta leguminosa de la familia de las papilionáceas, de semillas en forma de disco de 0.5 cm de diámetro, muy alimenticias y nutritivas.

lentejar *s. m.* Campo sembrado de lentejas.

lentejuela *s. f.* Laminilla o disco de metal brillante, que se cose en la ropa para adornar.

lenticular *adj.* De forma parecida a la semilla de la lenteja.

lentiscal *s. m.* Terreno montuoso poblado de lentiscos.

lentisco *s. m.* Arbusto mediterráneo anacardiáceo, siempre verde, de hojas persistentes, de madera rojiza dura, aromática y útil para algunas obras de ebanistería.

lentitud *s. f.* **1.** Tardanza o calma con que se ejecuta una cosa. **2.** Velocidad escasa en el movimiento.

lento, ta *adj.* Tardo o pausado en el movimiento o en la operación.

lentor *s. m.* Viscosidad que cubre los dientes y la parte interior de los labios en los enfermos de calenturas tíficas.

lenzuelo *s. m.* Pieza de lienzo fuerte, del tamaño de la sábana, con un cordón o trenza de pezuelo en cada extremo, que se emplea en las faenas agrícolas, como son la trilla para llevar la paja y otros usos.

leña *s. f.* Parte de los árboles y matas cortadas, hechas trozos, destinada para la lumbre.

leñador, ra *s. m. y s. f.* Persona que tiene por oficio cortar leña.

leñame *s. m.* Provisión de leña.

leñazo *s. m., fam.* Garrotazo, golpe con un leño.

leñera *s. f.* Sitio para guardar la leña.

leñero, ra *s. m. y s. f.* Persona que tiene por oficio vender leña.

leño *s. m.* **1.** Trozo de árbol después de cortado y limpio de ramas. **2.** Parte más consistente del tronco y tallo de los vegetales, bajo la corteza, y más externa que la médula.

leñoso, sa *adj.* Hablando de arbustos, plantas, frutos, etc., que tiene consistencia y dureza como la de la madera.

león *s. m.* **1.** Mamífero carnívoro, félido; muy corpulento, de cabeza grande, dientes y uñas muy fuertes y la cola larga. El macho tiene una larga melena que le cubre la nuca y el cuello. **2.** *fig.* Hombre audaz, imperioso y valiente.

leona *s. f.* **1.** Hembra del león. **2.** *fig.* Mujer audaz, imperiosa y valiente.

leonado, da *adj.* De color rubio oscuro, parecido al pelo del león.

leonera *s. f.* **1.** Lugar en que se tienen encerrados los leones. **2.** *fig. y fam.* Aposento en que se guardan muchas cosas en desorden.

leonería *s. f.* Bizarría, bravata, fieros.

leónica *s. f.* Vena situada en la cara inferior de la lengua.

leonina *s. f.* Especie de lepra en que la piel toma el aspecto de la del león.

leonino, na *adj.* **1.** Perteneciente o relativo al león. **2.** Se dice del contrato oneroso en que toda la ventaja se atribuye a una de las partes, sin equitativa conmutación entre éstas.

leopardo *s. m.* Mamífero carnívoro, félido, cuyo aspecto general es el de un gato grande, de pelaje blanco en el pecho y el vientre y rojizo, con manchas negras y redondas regularmente distribuidas, en todo el resto del cuerpo.

leopoldina *s. f.* **1.** Quepis más bajo que el ordinario y sin orejeras. **2.** Cadenilla pendiente del reloj de bolsillo.

leotardo *s. m.* Prenda que cubre el cuerpo desde la cintura hasta los pies, ciñéndose a él. Se usa también en pl.

lépero, ra *adj.* **1.** *Méx.* Se dice del individuo soez, ordinario, poco decente. **2.** *Cub.* Astuto. También s. m. y s. f.

lepidio *s. m.* Planta perenne de la familia de las crucíferas, medicinal, que abunda en terrenos húmedos; cuyas hojas tienen un sabor muy picante y suelen emplearse contra el escorbuto y el mal de piedra.

lepidóptero, ra *adj.* Se aplica a los insectos de metamorfosis compleja que, después de experimentar los estados de oruga y crisálida, tienen cabeza pequeña con grandes antenas y una especie de trompa para chupar los jugos de las flores, con cuatro alas cubiertas de escamitas microscópicas de diversos colores.

lepisma *s. f.* Insecto tisanuro nocturno, que roe el azúcar, el papel y la tela.

leporino, na *adj.* **1.** Perteneciente o relativo a la liebre. **2.** Se dice del labio superior del ser humano, cuando está hendido por defecto congénito en la forma en que normalmente lo tiene la liebre.

lepra *s. f.* Enfermedad crónica infecciosa, que se manifiesta por manchas, tubérculos, ulceraciones y desnutrición.

leprosería *s. f.* Hospital de leprosos.

leproso, sa *adj.* Que padece lepra. También s. m. y s. f.

leptorrino, na *adj.* Se dice de los animales que tienen el pico o el hocico delgado y muy saliente.

lercha *s. f.* Junquillo con que se ensartan aves o peces muertos, para llevarlos de un lugar a otro.

lerdo, da *adj.* **1.** Pesado y torpe en el andar. **2.** *fig.* Tardo y torpe para comprender o ejecutar una cosa.

lerdón *s. m.* Tumor sinovial que padecen las caballerías cerca de las rodillas.

les *pron. pers.* **1.** Forma del pronombre personal de tercera persona del plural en masculino o femenino, que funciona como complemento indirecto. **2.** Forma del pronombre personal de tercera persona del plural en masculino, que se acepta que funcione como complemento directo cuando se refiere a personas de sexo masculino.

lesbianismo *s. f.* Tendencia o práctica de las relaciones lesbianas.

lesbiano, na *adj.* Se dice del amor y la sexualidad de mujeres entre sí. También s. f.

lesión *s. f.* **1.** Daño corporal causado por una herida, golpe o enfermedad. **2.** *fig.* Cualquier daño, perjuicio o detrimento.

lesionar *v. tr.* Causar lesión.

lesivo, va *adj.* Que causa o puede causar lesión o daño, especialmente en el orden moral y jurídico.

lesna *s. f.* Lezna.

lesnordeste *s. m.* Viento medio entre el este y el nordeste.

leso, sa *adj.* Agraviado, lastimado.

leste *s. m.* Entre los marineros, Este.

letal *adj.* Mortífero, capaz de ocasionar la muerte.

letanía *s. f.* Oración formada por una súplica que se hace a Dios, invocando a la Santísima Trinidad y poniendo por medianeros a Jesucristo, a la Virgen y a los santos.

letárgico, ca *adj.* Que padece letargo.

letargo *s. m.* Estado patológico que consiste en la suspensión del uso de los sentidos y de las facultades del ánimo.

letargoso, sa *adj.* Que aletarga.

letificar *v. tr.* Alegrar, regocijar.

letífico, ca *adj.* Que alegra.

letra *s. f.* **1.** Cada uno de los signos con que se representan los sonidos de un idioma. **2.** Conjunto de las palabras que llevan música e integran una canción, himno, etc. **3.** Forma de pago que realiza un deudor directo y que garantizan solidariamente cuantos tienen intervención firmando el documento. Su nombre completo es *letra de cambio*.

letrado, da *adj.* **1.** Sabio, docto e instruido. ‖ *s. m. y s. f.* **2.** Abogado, perito en el derecho.

letrero *s. m.* Palabra o conjunto de palabras escritas para publicar o hacer saber una cosa.

letrilla *s. f.* Composición poética de versos cortos que suele ponerse en música.

letrina *s. f.* Lugar destinado en la casa para expeler en él los excrementos.

letuario *s. m.* Especie de mermelada.

leucemia *s. f.* Enfermedad que se manifiesta por un exceso anormal de leucocitos en la sangre.

leucocitemia *s. f.* Aumento anormal de los leucocitos en la sangre.

leucocito *s. m.* Cada uno de los glóbulos blancos de la sangre.

leucoma *s. f.* Manchita blanca opaca en la córnea transparente del ojo.

leucorrea *s. f.* Flujo blanquecino dependiente de una irritación de la membrana mucosa del útero y de la vagina.

leudar *v. tr.* **1.** Dar fermento a la masa con la levadura. ‖ *v. prnl.* **2.** Fermentar la masa con la levadura.

leudo, da *adj.* Se aplica a la masa o pan fermentado con levadura.

leva *s. f.* **1.** Partida de las embarcaciones del puerto. **2.** Recluta de gente para el servicio de un Estado.

levada *s. f.* En la cría de los gusanos de seda, porción de estos que se alza y muda de una parte a otra.

levadizo, za *adj.* Que se puede levantar.

levadura *s. f.* Masa constituida principalmente por microorganismos, capaces de actuar como fermentos.

levantado, da *adj., fig.* Elevado.

levantador, ra *adj.* Que levanta. También s. m. y s. f.

levantamiento *s. m.* Alzamiento, alboroto.

levantar *v. tr.* **1.** Mover de abajo hacia arriba una cosa. También prnl. **2.** Poner una cosa en lugar más alto que el que antes estaba. También prnl. **3.** Poner derecha a una persona o cosa que antes estaba inclinada, tendida, etc. También prnl.

levante *s. m.* **1.** (ORT.: may. inicial) Oriente o punto por donde sale el Sol. **2.** Viento que sopla de la parte oriental.

levantisco, ca *adj.* De genio inquieto y turbulento.

levar *v. tr.* Hablando de las anclas, arrancar y suspender la que está fondeada.

leve *adj.* Ligero, de poco peso.

levedad *s. f.* **1.** Calidad de leve. **2.** Inconstancia de ánimo y ligereza en las cosas.

Leviatán *n. p.* Monstruo marino, descrito en el *Libro de Job*, y que los Santos Padres entienden en el sentido de demonio.

levigación *s. f.* Acción y efecto de levigar.

levigar *v. tr.* Desleír en agua una materia en polvo para separar la parte más leve de la más pesada, que se deposita en el fondo de la vasija.

levirrostro *adj.* **1.** De pico ligero. ‖ *s. m.* **2.** Pájaro trepador cuyo pico es grande y de poco peso.

levita *s. f.* Vestidura masculina, cuyos faldones, a diferencia de los del frac, llegaban a cruzarse por delante.

levitación *s. f.* Acción y efecto de levitar.

levitar *v. intr.* Elevarse en el espacio personas, animales o cosas sin intervención de agentes físicos conocidos.

levítico, ca *adj., fig.* Aficionado a la Iglesia, o supeditado a los eclesiásticos.

levógiro, ra *adj.* Se dice del cuerpo o sustancia que desvía hacia la izquierda el plano de polarización de la luz.

lexema *s. m.* Unidad léxica mínima que posee un significado pleno, en oposición al gramatical que aportan los morfemas.

léxico, ca *adj.* **1.** Perteneciente o relativo al vocabulario o diccionario de una lengua o región. ‖ *s. m.* **2.** Caudal de voces, modismos y giros de una lengua, autor o una persona en su lenguaje escrito o hablado.

lexicografía *s. f.* Arte de componer léxicos o diccionarios.

lexicógrafo, fa *s. m. y s. f.* Persona versada en lexicografía.

lexicología *s. f.* Tratado de lo relativo a la analogía, significación y etimología de los vocablos que han de entrar en un léxico.

lexicólogo, ga *s. m. y s. f.* Persona versada en lexicología.

lexicón *s. m.* Léxico, diccionario.

ley *s. f.* **1.** Regla universal y norma constante e invariable a la que están sujetos los fenómenos de la naturaleza. **2.** Norma jurídica dictada, reflexiva y solemnemente, por la legítima autoridad estatal. **3.** Fidelidad, lealtad. **4.** Calidad, peso o medida que han de tener las cosas.

leyenda *s. f.* **1.** Obra que se lee. **2.** Relación de sucesos que generalmente tienen más de maravillosos que de verdaderos. **3.** Inscripción de moneda, medalla, sello, etc., o del pie de un cuadro, grabado o mapa.

lezna *s. f.* Instrumento que se compone de un hierrecillo con punta muy sutil y un mango de madera que usan los zapateros y otros artesanos para agujerear y coser.

lía *s. f.* Soga de esparto machacado, tejida como trenza, para atar y asegurar los fardos, cargas y otras cosas.

liana *s. f.* **1.** *Amér. del S.* Nombre que se aplica a diversas plantas de la selva tropical, que tomando como soporte los árboles, se encaraman sobre ellos hasta alcanzar la parte alta y despejada, donde se ramifican con abundancia. **2.** *Amér. del S.* Por ext., enredadera o planta trepadora de otros países.

liar *v. tr.* **1.** Ligar, atar y asegurar los fardos y cargas con lías. **2.** Envolver una cosa sujetándola con papeles, cuerda, etc.

liara *s. f.* Aliara, vaso de cuerno.

liásico, ca *adj.* Se dice del terreno sedimentario correspondiente a la parte inferior del jurásico.

liatón *s. m.* Soguilla de esparto.

libación *s. f.* **1.** Acción de libar. **2.** Ceremonia religiosa de los antiguos paganos, que consistía en llenar un vaso de vino u otro líquido determinado y derramarlo sobre el suelo, fuego o altar de los dioses, después de probado.

libamen *s. m.* Ofrenda en el sacrificio.

libamiento *s. m.* Especies que se libaban en el sacrificio.

libar *v. tr.* **1.** Chupar el jugo de una cosa suavemente. **2.** Hacer la libación para el sacrificio. **3.** Probar o gustar un licor.

libatorio *s. m.* Vaso con que los antiguos romanos hacían las libaciones.

libelista *s. m. y s. f.* Autor de uno o varios libelos.

libelo *s. m.* **1.** Escrito denigratorio o infamante contra personas o cosas. **2.** Petición o memorial.

libélula *s. f.* Nombre de varios insectos arquípteros, de abdomen largo y delgado, con cuatro alas largas y estrechas; sus larvas son acuáticas.

líber *s. m.* Conjunto de capas delgadas de tejido fibroso, que forman la parte interior de la corteza de los vegetales dicotiledones.

liberación *s. f.* **1.** Acción de poner en libertad. **2.** Recibo que se extiende a un deudor al cancelar la deuda.

liberador, ra *adj.* Libertador. También s. m. y s. f.

liberal *adj.* Que obra con liberalidad.

liberalidad *s. f.* **1.** Virtud que consiste en distribuir alguien generosamente sus bienes, sin esperar recompensa. **2.** Generosidad, desprendimiento.

liberalismo *s. m.* Orden de ideas que profesan los partidarios del sistema liberal político.

liberalizar *v. tr.* Hacer liberal en el orden político a una persona o cosa.

liberar *v. tr.* Libertar, eximir a alguien de una obligación.

libérrimo, ma *adj. sup.* de libre.

libertad *s. f.* **1.** Inmunidad de determinación respecto de los actos. **2.** Propiedad de la voluntad por la que el ser humano es dueño de sus acciones.

libertado, da *adj.* Libre, sin sujeción.

libertador, ra *adj.* Que liberta o libera. También s. m. y s. f.

libertar *v. tr.* **1.** Poner a alguien en libertad, sacarle de esclavitud y sujeción. También prnl. **2.** Eximir a alguien de una obligación. También prnl.

libertario, ria *adj.* Que defiende la libertad absoluta, la supresión de todo gobierno y toda ley.

liberticida *adj.* Se dice de la persona que destruye la libertad.

libertinaje *s. m.* Desenfreno en la conducta.

libertino, na *adj.* Se dice de la persona entregada al libertinaje. También s. m. y s. f.

liberto, ta *s. m. y s. f.* Esclavo a quien se había dado la libertad.

libídine *s. f.* Lujuria.

libidinoso, sa *adj.* Lujurioso, lascivo.

libra *s. f.* Peso antiguo, variable según las provincias.

libración *s. f.* Movimiento como de oscilación que un cuerpo, ligeramente perturbado en su equilibrio, efectúa hasta recuperarlo poco a poco.

libraco *s. m., desp.* Libro.

librado, da *adj.* **1.** Que libra. ‖ *s. m. y s. f.* **2.** Persona sobre la cual se gira una letra de cambio, cheque o cualquier instrumento de cambio.

libramiento *s. m.* **1.** Acción y efecto de librar de un daño o peligro. **2.** Orden que se da por escrito para que alguien pague una cantidad de dinero u otro género.

librancista *com.* Persona que tiene una o varias libranzas a su favor.

libranza *s. f.* Orden de pago que se da contra alguien que tiene fondos a disposición del que la expide.

librar *v. tr.* **1.** Sacar o preservar a alguien de un trabajo, mal o peligro. También prnl. **2.** Tratándose de la confianza, ponerla o fundarla en una persona o cosa. ‖ *v. intr.* **3.** Expulsar la placenta la mujer al dar a luz.

libratorio *s. m.* Locutorio con reja de los conventos y cárceles.

libre *adj.* **1.** Que tiene facultad para obrar o no a su gusto. **2.** Que no es esclavo, ni está sujeto a un poder exterior o a una autoridad arbitraria, ni constreñido por una obligación, deber, disciplina, etc. **3.** Que no ofrece obstáculos.

librea *s. f.* Traje que ciertas personas, como príncipes, señores y algunas entidades, dan a sus criados, generalmente uniforme y con distintivos.

librecambio *s. m.* Sistema económico fundado en el librecambismo.

librecambismo *s. m.* Doctrina opuesta al proteccionismo, conforme a la cual toda actividad económica debe desenvolverse sin la intervención del Estado, basada únicamente en el interés individual.

librecambista *adj.* Perteneciente o relativo al librecambio.

librepensador, ra *adj.* Partidario del librepensamiento. También s. m. y s. f.

librepensamiento *s. m.* Doctrina que reclama para la razón individual independencia absoluta de todo criterio sobrenatural en materia religiosa.

librería *s. f.* **1.** Biblioteca, local en que se tienen libros, o conjunto de éstos. **2.** Establecimiento donde se venden libros.

libreril *adj.* Perteneciente o relativo al comercio de libros.

librero, ra *s. m. y s. f.* Persona que tiene por oficio vender libros.

libresco, ca *adj.* Perteneciente o relativo al libro.

libreta *s. f.* Cuaderno que se destina a escribir en él anotaciones, cuentas, etc.

libretista *s. f.* Autor de uno o más libretos.

libreto *s. m. y s. f.* Obra dramática escrita para ser puesta en música total o parcialmente.

libro *s. m.* Conjunto de hojas de papel, vitela, etc., manuscritas o impresas, encuadernadas juntas en un volumen.

licantropía *s. f.* Creencia popular muy extendida de que el ser humano, en determinadas circunstancias, podía transformarse accidentalmente en lobo.

licántropo, pa *s. m. y s. f.* Persona afectada de licantropía.

liceísta *s. m. y s. f.* Socio de un liceo.

licencia *s. f.* **1.** Facultad o permiso para hacer una cosa. **2.** Documento en que consta la licencia. **3.** Libertad abusiva en decir u obrar.

licenciado, da *s. m. y s. f.* **1.** Persona que ha obtenido en una facultad el grado que la habilita para ejercer. **2.** *amer.* Tratamiento que se da a los abogados en varios países de América.

licenciamiento *s. m.* **1.** Licenciatura, acto de recibir el grado de licenciado. **2.** Acción y efecto de licenciar a los soldados.

licenciar *v. tr.* **1.** Dar a alguien permiso o licencia. **2.** Despedir a alguien. **3.** Conferir a alguien el grado de licenciado. **4.** Dar a los soldados licencia absoluta o temporal. ‖ *v. prnl.* **5.** Tomar el grado de licenciado.

licenciatura *s. f.* **1.** Grado de licenciado. **2.** Acto de recibirlo. **3.** Estudios necesarios para obtener este grado.

licenciosidad *s. f.* Licencia, libertinaje, desenfreno.

licencioso, sa *adj.* Libre, atrevido, disoluto.

liceo *s. m.* Nombre de ciertas sociedades literarias o recreativas.

licitación *s. f.* Acción y efecto de licitar.

licitar *v. tr.* Ofrecer precio por una cosa en subasta o almoneda.

lícito, ta *adj.* Justo, permitido.

licitud *s. f.* Calidad de lícito.

licnobio, bia *adj.* Se dice de la persona que hace su vida ordinaria con luz artificial y duerme de día.

licopodio *s. m.* Planta criptógama, cuyas esporas constituyen el azufre vegetal o polvo de licopodio, usado en farmacia; crece en lugares húmedos y sombríos.

licor *s. m.* Bebida espiritosa obtenida por destilación del alambique, maceración o mezcla de diversas sustancias, y compuesta de alcohol, agua, azúcar y esencias aromáticas variadas.

licorera *s. f.* Utensilio de mesa donde se colocan las botellas de licor y a veces los vasos o copas en que se sirve.

licorista *com.* Persona que hace o vende licores.

licoroso, sa *adj.* **1.** Rico en alcohol, parecido a un licor. **2.** Se aplica al vino espiritoso y aromático.

lictor *s. m.* Ministro de Justicia o especie de alguacil de la antigua Roma.

licuable *adj.* Se dice del cuerpo que se puede hacer líquido.

licuación *s. f.* Acción y efecto de licuar o licuarse.

licuado *s. m.* Bebida que se prepara a base de frutas licuadas con leche o con agua.

licuadora *s. f.* Aparato eléctrico para licuar frutas u otros alimentos.

licuar *v. tr.* Liquidar o hacer líquida una cosa sólida. También prnl.

licuefacción *s. f.* Paso de un sólido o un gas al estado líquido.

licuefacer *v. tr.* Licuar, hacer líquida una cosa. También prnl.

licurgo, ga *adj.* Inteligente, astuto, hábil.

lid *s. f.* **1.** Combate, pelea. **2.** *fig.* Disputa, contienda de razones y argumentos.

líder *com.* **1.** Dirigente, jefe, caudillo de un partido político, de un grupo social o de otra colectividad. **2.** Persona que va a la cabeza de una competición deportiva.

lideresa *s. f.* Dirigente o conductora de un partido político, de un grupo social o de otra colectividad.

lidia *s. f.* Conjunto de suertes que se practican con el toro desde que se le da suelta del toril hasta que se le arrastra.

lidiador, ra *s. m. y s. f.* Persona que lidia.

lidiar *v. intr.* **1.** Batallar, pelear. **2.** *fig.* Hacer frente a alguien, oponérsele. ‖ *v. tr.* **3.** Sortear al toro luchando con él y esquivando sus acometidas hasta darle muerte, según las reglas de la tauromaquia.

liebrático *s. m.* Lebrato.

liebre *s. f.* **1.** Mamífero roedor muy tímido, solitario y de veloz carrera, de pelo suave, cabeza pequeña, orejas largas, cuerpo estrecho, cola y extremidades posteriores más largas que las anteriores. **2.** *fig. y fam.* Persona tímida y cobarde.

liendre *s. f.* Huevecillo del piojo.

lientera *s. f.* Diarrea de alimentos no digeridos.

lientería *s. f.* Lientera.

lientérico, ca *adj.* Perteneciente o relativo a la lientería.

liento, ta *adj.* Húmedo, poco mojado.

lienza *s. f.* Tira o lista estrecha de tela.

lienzo *s. m.* **1.** Tela que se fabrica de lino, cáñamo o algodón. **2.** Pintura sobre lienzo.

liga *s. f.* **1.** Cinta con que se aseguran las medias y los calcetines. **2.** Unión o mezcla. **3.** Aleación. **4.** Unión, confederación que hacen entre sí los Estados para defenderse de sus enemigos.

ligación *s. f.* Acción y efecto de ligar.

ligada *s. f.* Ligadura, vuelta con que se aprieta una cosa.

ligadura *s. f.* **1.** Vuelta que se da apretando una cosa con liga u otra atadura cualquiera. **2.** Acción y efecto de ligar o unir. **3.** Cinta o venda con que se aprieta y da garrote.

ligamaza *s. f.* Viscosidad, materia pegajosa especialmente, la que envuelve las semillas de algunas plantas.

ligamen *s. m.* Impedimento dirimente que para un nuevo matrimonio supone el anterior no disuelto legalmente.

ligamento *s. m.* **1.** Acción de ligar. **2.** Cordón fibroso, que liga los huesos de las articulaciones, o pliegue membranoso que sostiene en la debida posición cualquier órgano del cuerpo de un animal.

ligamentoso, sa *adj.* Que tiene ligamentos.

ligamiento *s. m.* **1.** Acción y efecto de ligar o atar. **2.** Unión, acuerdo, conformidad de las voluntades.

ligar *v. tr.* **1.** Atar. **2.** Unir, conciliar, enlazar.

ligazón *s. f.* Unión, trabazón de una cosa.

ligereza *s. f.* **1.** Presteza, agilidad. **2.** Levedad, liviandad.

ligero, ra *adj.* **1.** Que pesa poco. **2.** Ágil, veloz, pronto.

lignario, ria *adj.* De madera o perteneciente a ella.

lignina *s. f.* Sustancia que impregna los tejidos de la madera y les da su consistencia.

lignito *s. m.* Carbón fósil que no produce coque cuando se calcina en vasos cerrados.

liguilla *s. f.* **1.** Cierta clase de liga o venda estrecha. **2.** Liga en la que participa un número reducido de equipos.

lígula *s. f.* Especie de estípula situada en la junción del limbo y el pecíolo, y de ciertos pétalos en su base.

ligustre *s. m.* Flor del ligustro.

ligustrino, na *adj.* Perteneciente o relativo al ligustro.

ligustro *s. m.* Alheña, arbusto.

lija *s. f.* **1.** Pez marino, selacio, de piel sin escamas, pero cubierta de una especie de granillos córneos muy duros, que la hacen áspera. **2.** Papel rugoso o cubierto de pequeñas partículas duras destinado a pulir la madera u otros materiales.

lijar *v. tr.* Alisar y pulir una cosa con lija o papel de lija.

lila *s. f.* Arbusto oleáceo, de flores pequeñas, olorosas y de color morado claro en racimos piramidales, originario de Persia.

lilac *s. f.* Lila, arbusto y su flor.

lilaila *s. f.* Una tela fina de lana o seda.

lilao *s. m. fam.* Ostentación vana en el porte o en palabras y acciones.

liliáceo, a *adj.* Se dice de plantas monocotiledóneas, del orden de las liliflorales, herbáceas, bulbosas o tuberculosas, hojas radicales y a veces sobre el tallo, enteras y dentadas, flores terminales y fruto capsular, con muchas semillas de albumen carnoso, como el tulipán, la cebolla y el jacinto.

liliputiense *adj., fig.* Se dice de la persona muy pequeña y endeble.

lima[1] *s. f.* **1.** Fruto del limero, de forma esferoidal aplanada y de unos 5 cm de diámetro, corteza lisa y amarilla, pulpa verdosa, jugosa y comestible de sabor algo dulce y dividida en gajos. **2.** Limero, árbol.

lima[2] *s. f.* Instrumento de acero templado, estriado, propio para desgastar los metales y otras materias duras.

limadura *s. f.* **1.** Acción y efecto de limar. **2.** Partículas muy menudas que con la lima se arrancan de alguna pieza de metal o de materia semejante.

limalla *s. f.* Conjunto de limaduras.

limar *v. tr.* Cortar, pulir los metales, la madera, etc., con la lima.

limatón *s. m.* Lima redonda, gruesa y áspera.

limaza *s. f.* Babosa, molusco.

limazo *s. m.* Viscosidad o babaza.

limbo *s. m.* Lugar donde las almas de los justos del Antiguo Testamento esperaban la redención del género humano.

limen *s. m.* **1.** *poét.* Umbral. **2.** *poét.* Paso primero o entrada al conocimiento de una materia.

limera *s. f.* Abertura en la bovedilla de popa, para el paso de la cabeza del timón.

limero *s. m.* Árbol rutáceo, con tronco liso y ramoso, copa abierta, hojas alternas y persistentes, y de flores blancas, olorosas y pequeñas. Su fruto es la lima.

limeta *s. f.* Botella de vientre ancho y corto y cuello bastante largo.

limitable *adj.* Que puede limitarse.

limitación *s. f.* Término, demarcación.

limitado, da *adj.* **1.** Se dice de la persona que tiene corto entendimiento. **2.** Referido a cosas, escaso, pequeño, reducido.

limitáneo, a *adj.* Perteneciente o relativo a los límites o fronteras de un país.

limitar *v. tr.* **1.** Poner límite a un terreno. **2.** *fig.* Cortar, ceñir, reducir, restringir. También prnl.

limitativo, va *adj.* Restrictivo.

límite *s. m.* **1.** Término o lindero de reinos, provincias, posesiones, etc. **2.** *fig.* Fin, término.

limítrofe *adj.* Confinante, aledaño.

limo *s. m.* Lodo o légamo.

limón *s. m.* Fruto del limonero, de un amarillo pálido, cáscara delgada y pulpa muy jugosa, agria y digestiva.

limonada *s. f.* Bebida compuesta de agua, azúcar y zumo de limón.

limonado, da *adj.* De color de limón.

limonar *s. m.* Sitio o terreno plantado de limones.

limonero *s. m.* Árbol rutáceo, siempre verde, florido y con fruto; tronco liso y ramoso, copa abierta, hojas alternas elípticas; flores olorosas, de color rosa por fuera y blancas por dentro.

limonita *s. f.* Término genérico que se aplica a los óxidos de hierro hidratados, constituidos por varias especies minerales, entre las cuales la más frecuente es la goethita. Es una mena muy importante del hierro.

limosidad *s. f.* **1.** Calidad de limoso. **2.** Sarro que se cría en la dentadura.

limosna *s. f.* Lo que se da para socorrer una necesidad a una persona necesitada.

limosnear *v. tr.* Pordiosear, mendigar.

limosnero, ra *adj.* **1.** Caritativo, que da limosna con frecuencia. **2.** *And. y Amér. del S.* Mendigo, pordiosero.

limoso, sa *adj.* Lleno de limo o lodo.

limpia *s. f.* **1.** Acción y efecto de limpiar. ‖ *s. m.* **2.** *fam.* Abreviatura de limpiabotas.

limpiabarros *s. m.* Utensilio que suele estar en las entradas de las casas y edificios públicos, para que quienes entren de fuera se limpien el barro del calzado.

limpiabotas *com.* Persona que tiene por oficio limpiar y lustrar botas y zapatos.

limpiachimeneas *com.* Persona que por oficio deshollina chimeneas.

limpiadera *s. f.* Cepillo de carpintero.

limpiadientes *s. m.* Mondadientes, palillo o instrumento semejante de otra materia para limpiar los dientes.

limpiador, ra *adj.* Que limpia. También s. m. y s. f.

limpiadura *s. f.* Limpia.

limpiamiento *s. m.* Acción y efecto de limpiar.

limpiaparabrisas *s. m.* Mecanismo que se adapta a la parte exterior del parabrisas y que, moviéndose de un lado a otro, aparta la lluvia o la nieve que cae sobre aquél.

limpiapeines *s. m.* Instrumento de metal con que se limpian las púas de los peines.

limpiaplumas *s. m.* Paño, con adorno o sin él, o cepillito que sirve para limpiar las plumas de escribir.

limpiar *v. tr.* **1.** Quitar la suciedad de una cosa. También prnl. **2.** *fig. y fam.* Hurtar o robar algo.

limpiavías *s. m.* Empleado de los tranvías que tiene a su cargo limpiar los raíles.

limpidez *s. f., poét.* Calidad de límpido.

límpido, da *adj., poét.* Limpio, puro, terso.

limpieza *s. f.* **1.** Calidad de limpio. **2.** Acción y efecto de limpiar o limpiarse.

limpio, pia *adj.* Que no tiene mancha ni suciedad.

limpión, na *s. m. y s. f.* **1.** *fam.* Persona que tiene a su cargo la limpieza de una cosa. ‖ *s. m.* **2.** *C. Ric., Col. y Ven.* Paño para limpiar.

lináceo, a *adj.* Se dice de las plantas herbáceas o leñosas dicotiledóneas, de hojas alternas, sencillas, enteras y estrechas; flores pentámeras, blancas, azules o rosadas, y fruto seco, capsular de cuatro o cinco divisiones y ocho o diez celdillas con otras tantas simientes. También s. f.

linaje *s. m.* Ascendencia o descendencia de cualquier familia.

linajista *com.* Persona que sabe o escribe de linajes.

linajudo, da *adj.* Se aplica al que es o se precia de ser de gran linaje. También s. m. y s. f.

lináloe *s. m.* **1.** Áloe. **2.** Jugo de esta planta.

linar *s. m.* Tierra sembrada de lino.

linaria *s. f.* Planta escrofulariácea, que vive en terrenos áridos y se ha empleado en medicina como depurativo y purgante.

linaza *s. f.* Simiente del lino que, molida, proporciona una harina muy usada para cataplasmas emolientes.

lince *s. m.* **1.** Mamífero carnívoro, parecido al gato cerval, al que en la antigüedad atribuían una agudeza de vista extraordinaria. **2.** *fig.* Persona aguda y sagaz.

lincear *v. tr., fig. y fam.* Descubrir o notar lo que difícilmente puede verse.

linceo, a *adj.* Perteneciente o relativo al lince.

linchamiento *s. m.* Acción de linchar.

linchar *v. tr.* Castigar, usualmente con la muerte, sin proceso y tumultuariamente, a un sospechoso o a un reo.

lindar *v. intr.* Estar contiguos dos territorios, terrenos, locales, fincas, etc.

lindazo *s. m.* Linde, en especial si se halla señalado con mojones.

linde *s. amb.* Límite, término o línea que divide unas heredades de otras.

lindera *s. f.* Límite o línea que divide un terreno de otros.

lindero, ra *adj.* **1.** Que linda con una cosa. ‖ *s. m.* **2.** Linde o lindes de dos terrenos.

lindeza *s. f.* **1.** Calidad de lindo. **2.** Hecho o dicho gracioso.

lindo, da *adj.* **1.** Hermoso, apacible y grato a la vista. **2.** *fig.* Bueno, primoroso y exquisito.

lindura *s. f.* **1.** Lindeza. **2.** Persona o cosa linda.

línea *s. f.* **1.** Raya en un cuerpo cualquiera. **2.** Extensión considerada en dimensión de la longitud. **3.** Renglón, conjunto de palabras o caracteres escritos o impresos. **4.** Vía terrestre, marítima o aérea.

lineal *adj.* **1.** Perteneciente o relativo a la línea. **2.** Se aplica al dibujo que se representa por medio de líneas solamente.

linealidad *s. f.* Propiedad del lenguaje que deriva de su sucesión en el tiempo.

lineamento *s. m.* Delineación o dibujo de un cuerpo, por el cual se distingue su forma o contorno.

linear *v. tr.* Tirar líneas.

linfa *s. f.* Humor acuoso, casi transparente, que corre por los vasos llamados linfáticos y sirve de intermediario en los cambios nutritivos entre la sangre y los tejidos.

linfático, ca *adj.* **1.** Que abunda en linfa. **2.** Perteneciente o relativo a este humor.

linfocito *s. m.* Variedad de los leucocitos de pequeño tamaño, con núcleo único, esférico, muy rico en cromatina, rodeado de una pequeña franja de protoplasma.

lingote *s. m.* Trozo o barra de metal en bruto.

lingotera *s. f.* Molde metálico o de arena refractaria donde se echa el metal fundido para hacer los lingotes.

lingual *adj.* **1.** Perteneciente o relativo a la lengua. **2.** Se dice de las consonantes que se pronuncian con intervención de la lengua, como la *l.*

linguete *s. m.* Barra de hierro, giratoria por uno de sus extremos y que por el otro se puede encajar en un hueco para impedir el movimiento de retroceso de un cabrestante u otra máquina.

lingüista *com.* Persona versada en lingüística.

lingüística *s. f.* Ciencia del lenguaje, al que tiende a estudiar de forma autónoma y comparativa.

lingüístico, ca *adj.* **1.** Perteneciente o relativo a la lingüística. **2.** Perteneciente o relativo al lenguaje.

linimento *s. m.* Preparación menos espesa que el ungüento, que se aplica exteriormente en fricciones.

lino *s. m.* Planta anual linácea, de la cual se emplean las fibras como materia textil, las semillas en medicina y el aceite en la preparación de pintura.

linóleo *s. m.* Tela fuerte e impermeable, formada por un tejido de yute cubierto con una capa muy comprimida de corcho en polvo, amasado con aceite de linaza bien oxidado.

linón *s. m.* Tela de hilo muy ligera, clara y fuertemente engomada.

linotipia *s. f.* Máquina de composición mecánica, utilizada preferentemente para la composición de textos.

lintel *s. m.* Dintel de puertas y ventanas.

linterna *s. f.* Farol portátil, con una sola cara de vidrio y un asa en la opuesta.

liño *s. m.* Línea de árboles o plantas.

lío *s. m.* **1.** Porción de ropa o de otras cosas atadas. **2.** *fig. y fam.* Embrollo.

liorna *s. f., fam.* Algazara, desorden.

lioso, sa *adj.* **1.** *fam.* Embrollador o embrollado. **2.** *fam.* Se dice también de las cosas cuando están embrolladas.

lipidia *s. f.* **1.** *Cub. y Méx.* Impertinencia, majadería. **2.** *C. Ric.* Miseria, pobreza.

lipidioso, sa *adj., Cub. y Méx.* Majadero, fastidioso.

lipoideo, a *adj.* Se dice de toda sustancia que tiene aspecto de grasa.

lipoma *s. m.* Tumor formado de tejido adiposo.

lipotimia *s. f.* Pérdida súbita y pasajera del sentido y del movimiento.

liquen *s. m.* Planta criptógama constituida por la asociación simbiótica de un hongo y un alga; en ella no se distinguen hojas ni tallos sino una especie de lacinias.

liquidable *adj.* Que se puede liquidar.

liquidación *s. f.* Venta al por menor, con gran rebaja de precios, que hace una casa de comercio por cesación, quiebra, reforma o traslado del establecimiento, etc.

liquidador, ra *adj.* Que liquida en cuenta o negocio. También s. m. y s. f.

liquidámbar *s. m.* Líquido bellísimo de color amarillo rojizo y de sabor acre, que tiene propiedades emolientes y purificadoras.

liquidar *v. tr.* **1.** Hacer líquido un cuerpo sólido o gaseoso. También prnl. **2.** *fig.* Poner término a una cosa o a un estado de cosas, desistir de un negocio o empeño.

liquidez *s. f.* Calidad de líquido.

líquido *s. m.* Uno de los estados de la materia en el que las moléculas del cuerpo tienen tan poca trabazón, que se adaptan a la forma de la cavidad que los contiene y tienden siempre a ponerse a nivel.

lira *s. f.* Instrumento de música antiguo de cuerda, que se tocaba con las dos manos o con un plectro.

liria *s. f.* Liga, materia viscosa.

lírica *s. f.* Conjunto de composiciones literarias poéticas que conforman el género lírico en una clasificación de la literatura.

lírico, ca *adj.* Perteneciente o relativo a la lira o a la poesía propia para el canto.

lirio *s. m.* Planta iridácea, de flores terminales, ranillas, sépalos muy estrechos en la base, los externos encorvados hacia atrás y los internos erguidos, azules o morados y a veces blancos.

lirismo *s. m.* **1.** Cualidad de lírica, inspiración lírica. **2.** Abuso de las características de la poesía lírica, o empleo indebido de este género de poesía o del estilo lírico en la expresión literaria, musical o de cualquier arte.

lirón *s. m.* Mamífero roedor, parecido al ratón, que vive en los árboles, de cuyos frutos se alimenta; pasa el invierno adormecido y oculto, y su carne era considerada como manjar exquisito por los romanos.

lis *s. f.* **1.** Lirio. **2.** En heráldica, flor de lis.

lisa *s. f.* **1.** Pez de río, parecido a la locha de carne insípida. **2.** Pez acantopterigio que busca su alimento en el fango.

lisiado, da *adj.* **1.** Se dice de la persona que tiene alguna imperfección orgánica, especialmente en las extremidades. También s. m. y s. f. **2.** Baldado, tullido.

lisiadura *s. f.* **1.** Lesión orgánica permanente. **2.** Acción y efecto de lisiar o lisiarse.

lisiar *v. tr.* Producir una lesión en alguna parte del cuerpo, especialmente si es permanente. También prnl.

lisimaquia *s. f.* Planta herbácea primulácea, propia de terrenos húmedos, que se ha empleado contra las hemorragias.

liso, sa *adj.* Se dice de una superficie que no presenta asperezas, adornos, ni realces.

lisonja *s. f.* Alabanza afectada, para ganar la voluntad de alguien.

lisonjeador, ra *adj.* Lisonjero. También s. m. y s. f.

lisonjear *v. tr.* **1.** Adular. **2.** *fig.* Deleitar, agradar.

lisonjero, ra *adj.* **1.** Que lisonjea. **2.** Que agrada y deleita.

lista *s. f.* **1.** Tira de tela, papel, etc. **2.** Línea que, por combinación de un color con otro, se coloca en un cuerpo cualquiera, especialmente en los tejidos. **3.** Catálogo, relación de personas o cosas.

listado, da *adj.* Que forma o tiene listas.

listar *v. tr.* Alistar, sentar en lista.

listeado, da *adj.* Listado.

listel *s. m.* Fiel o miembro de moldura, filete.

listeza *s. f.* Calidad de listo; prontitud, sagacidad.

listín *s. m.* **1.** Lista pequeña o extractada de otra más extensa. **2.** Por lo común, la lista de los números telefónicos de una población.

listo, ta *adj.* **1.** Diligente, expedito. **2.** Apercibido, preparado o dispuesto para hacer una cosa. **3.** Sagaz, avisado, astuto.

listón *s. m.* Pedazo de tabla angosto que sirve para hacer marcos y otros usos.

listonado *s. m.* Obra o entablado hecho de listones.

listonar *v. tr.* Hacer un entablado de listones.

listonería *s. f.* Conjunto de listones.

listonero, ra *s. m. y s. f.* Persona cuyo oficio es hacer listones.

lisura *s. f.* Igualdad y tersura de la superficie de una cosa.

litar *v. tr.* Hacer un sacrificio agradable a la Divinidad.

litargirio *s. m.* Óxido de plomo, que se obtiene calentando el plomo en contacto con el aire y dejándolo cristalizar.

lite *s. f.* Pleito, litigio judicial.

litera *s. f.* Cada una de las camas de los camarotes de los buques, trenes, cuarteles, dormitorios, etc., y que por economía se suelen colocar una encima de otra.

literal *adj.* Conforme a la letra del texto o al sentido exacto y propio de las palabras.

literalidad *s. f.* Calidad de literal.

literario, ria *adj.* Perteneciente o relativo a la literatura.

literato, ta *adj.* Se dice de la persona versada en literatura o que, por profesión o estudio, la cultiva.

literatura *s. f.* **1.** Arte bello de la expresión por medio de la palabra. **2.** Teoría de la composición literaria. **3.** Conjunto de las obras literarias de una nación, de una época, de un género y, por ext., conjunto de obras que versan sobre una ciencia o arte.

litiasis *s. f.* Mal de piedra.

litigación *s. f.* Acción y efecto de litigar.

litigar *v. tr.* **1.** Pleitear, disputar en juicio sobre alguna cosa. || *v. intr.* **2.** *fig.* Altercar, contender, disputar.

litigio *s. m.* **1.** Pleito, alteración en juicio. **2.** *fig.* Disputa, contienda, altercado.

litigioso, sa *adj.* **1.** Se dice de lo que está en pleito. **2.** Propenso a mover pleitos y litigios.

litina *s. f.* Óxido de litio, parecido a la sosa, que existe en ciertos minerales y disuelto en ciertas aguas medicinales.

litio *s. m.* Metal alcalino, de color blanco de plata, blando y ligero.

litis *s. f.* Pleito.

litispendencia *s. f.* Estado del pleito antes de su terminación.

litocálamo *s. m.* Caña fósil.

litoclasa *s. f.* Grieta de las rocas.

litófago, ga *adj.* Se dice de los moluscos que perforan las rocas y viven en ellas.

litofotografía *s. f.* Fotolitografía.

litogenesia *s. f.* **1.** Parte de la geología que trata de las causas que han originado las rocas. **2.** Litogénesis.

litogénesis *s. f.* **1.** Proceso de formación de cálculos o piedras en el organismo. **2.** Proceso en el que se forma o modifica una roca.

litografía *s. f.* Arte de grabar o dibujar en piedra preparada al efecto, para reproducir los ejemplares de un dibujo o escrito.

litografiar *v. tr.* Dibujar o escribir en piedra.

litográfico, ca *adj.* Perteneciente o relativo a la litografía.

litógrafo, fa *s. m. y s. f.* Persona que se ejercita en la litografía.

litología *s. f.* Ciencia que estudia y describe los caracteres de las rocas y las clasifica sistemáticamente.

litoral *s. m.* Costa de un mar, país o territorio.

litosfera *s. f.* Nombre científico de la corteza de la Tierra.

lítote *s. f.* Atenuación, figura de dicción.

litotomía *s. f.* Operación de la talla.

litotricia *s. f.* Operación de pulverizar, dentro de la vejiga, los cálculos que en ella se encuentran para facilitar su eliminación por la uretra.

litro *s. m.* Unidad de capacidad del sistema métrico decimal que equivale a un decímetro cúbico.

liturgia *s. f.* Orden y forma, que la Iglesia ha aprobado, para celebrar los oficios divinos y especialmente el sacrificio de la misa.

litúrgico, ca *adj.* Perteneciente o relativo a la liturgia.

liviandad *s. f.* Calidad de liviano.

liviano, na *adj.* **1.** Leve, ligero, de poco peso. **2.** *fig.* Fácil, inconstante, voluble. **3.** *fig.* Lascivo, incontinente, impúdico.

lividez *s. f.* Calidad de lívido.

lívido, da adj. **1.** Amoratado, que tira a morado. **2.** Se dice del color intensamente pálido de la cara.

livor s. m. Color cárdeno.

lixiviación s. f. Acción y efecto de lixiviar.

lixiviar v. tr. Tratar una sustancia compleja con el disolvente adecuado para obtener la parte soluble de ella.

liza s. f. Lid, combate.

lizo s. m. Hilo fuerte que sirve de urdimbre para ciertos tejidos.

llaca s. f. Mamífero marsupial de pelaje ceniciento, con una mancha negra sobre cada ojo.

llaga s. f. **1.** Úlcera. **2.** fig. Daño o infortunio que causa pena, dolor y pesadumbre.

llagar v. tr. Hacer o producir llagas. Se usa más como prnl.

llama[1] s. f. Masa gaseosa en combustión que se eleva de los cuerpos que arden.

llama[2] s. f. Mamífero rumiante de los camélidos, propio de América del Sur, del que se aprovecha su leche, carne, cuero y pelo.

llamada s. f. Señal que, en impresos o manuscritos, sirve para llamar la atención desde un lugar hacia otro, en que se pone una cita, nota, corrección o advertencia.

llamadera s. f. Aguijada.

llamado s. m. Llamamiento.

llamador s. m. Aldaba.

llamamiento s. m. **1.** Acción de llamar. **2.** Acto de nombrar legítimamente a alguien para una herencia o sucesión.

llamar v. tr. **1.** Gritar o hacer gestos a alguien para que venga o atienda. **2.** Convocar, citar. **3.** Nombrar, dar nombre a una persona o cosa. **4.** Establecer una comunicación telefónica. ‖ v. prnl. **5.** Tener alguien tal o cual nombre o apellido.

llamarada s. f. Llama grande y de poca duración.

llamargo s. m. Llamazar.

llamativo, va adj., fig. Que llama la atención exageradamente.

llamazar s. m. Terreno pantanoso.

llambria s. f. Parte de una peña que forma un plano muy inclinado.

llamear v. intr. Despedir llamas.

llana s. f. Herramienta usada por los albañiles para extender el yeso y la argamasa.

llanada s. f. Llanura.

llanero, ra s. m. y s. f. Habitante de las llanuras.

llaneza s. f., fig. Sencillez en el trato.

llano, na adj. **1.** Igual, sin altos ni bajos. **2.** Se dice de la persona de trato sencillo. **3.** fig. Se aplica a aquellas palabras que llevan el acento tónico en la penúltima sílaba. **4.** fig. Se aplica al estilo sencillo y sin ostentación.

llanta s. f. Cerco metálico exterior de las ruedas de los coches, carros, bicicletas, etc.

llantén s. m. Planta herbácea plantaginácea, muy común en sitios húmedos, que posee aplicaciones medicinales.

llantera s. f., fam. Llorera.

llanto s. m. Efusión de lágrimas acompañada de lamentos y sollozos.

llanura s. f. **1.** Igualdad de la superficie de una cosa. **2.** Terreno sin altos ni bajos.

llapa s. f., Amér. del S. Yapa.

llapango, ga adj., amer. Se dice de la persona que no usa calzado.

llapar v. tr., Amér. del S. Yapar.

llar s. m., Ast. y Cant. Fogón.

llave s. f. **1.** Instrumento generalmente metálico, utilizado para abrir o cerrar el pestillo de una cerradura. **2.** Clave. **3.** En algunos deportes de lucha, movimiento o conjunto de movimientos que se realizan con la intención de inmovilizar al contrario.

llavero, ra s. m. Anillo en que se llevan las llaves.

llavín s. m. Llave pequeña con que se abre el picaporte.

lleco, ca adj. Se dice del campo que nunca se ha labrado para sembrar.

llegada s. f. Acción y efecto de llegar a un sitio.

llegar v. intr. **1.** Arribar de un sitio a otro. **2.** Llevarse a efecto una cosa. **3.** Durar alguien o algo hasta un tiempo determinado. **4.** Ascender, importar cierta suma. **5.** Ser suficiente una cantidad de dinero. ‖ v. prnl. **6.** Acercarse a un sitio.

llena s. f. Crecida que hace desbordarse a un río.

llenar v. tr. **1.** Ocupar con algo un espacio vacío. También prnl. **2.** Abarrotar un lugar con muchas cosas. **3.** fig. Satisfacer algo a alguien. ‖ v. intr. **4.** Llegar la Luna al plenilunio. ‖ v. prnl. **5.** fam. Saciarse de comida o bebida.

lleno, na adj. **1.** Ocupado o henchido de otra cosa. **2.** Gordo, grueso. **3.** Saciado.

llenura s. f. Plenitud.

lleta s. f. Tallo recién nacido.

llevar v. tr. **1.** Transportar una cosa de una parte a otra. **2.** Guiar, dirigir. **3.** Contener algo. **4.** Vestir una prenda. **5.** Estar al cargo de un asunto o negocio. **6.** Tolerar, sufrir. También prnl. **7.** Haber estado cierto tiempo en una actividad o lugar. **8.** Necesitar el espacio, tiempo o condición que se indica. **9.** Cobrar lo que corresponde a un servicio realizado. **10.** Seguir adecuadamente un ritmo. **11.** Exceder en tiempo, méritos, etc., a otra persona. También prnl. ‖ v. prnl. **12.** Estar de moda.

llorador, ra adj. Que llora. También s. m. y s. f.

lloraduelos com., fig. y fam. Persona que llora su mala suerte.

llorar v. intr. Derramar lágrimas.

lloredo *s. m.* Lauredal.

llorera *s. f.* Lloro fuerte.

llorica *com., fam.* Persona que llora por cualquier cosa.

lloriquear *v. intr.* Gimotear.

lloriqueo *s. m.* Gimoteo.

lloro *s. m.* Acción de llorar.

llorón, na *adj.* **1.** Perteneciente o relativo al llanto. **2.** Se dice de la persona que llora mucho o fácilmente. **3.** Se dice de la persona que se queja mucho.

lloroso, sa *adj.* Que muestra marcas de haber llorado.

llovedizo, za *adj.* Se dice de las bóvedas o cubiertas que dejan pasar el agua de lluvia.

llover *v. intr.* Caer agua de las nubes.

llovizna *s. f.* Lluvia menuda.

lloviznar *v. intr.* Soltar las nubes pequeñas gotas.

llueca *adj.* Clueca.

lluvia *s. f.* **1.** Acción de llover. **2.** Advenimiento de algo por sorpresa.

lluvioso, sa *adj.* Se aplica al tiempo o al lugar en que llueve mucho.

lo *art. det.* **1.** Forma del artículo determinado en género neutro, que precede a los adjetivos, sustantivándolos. **2.** Seguido de un adverbio o de *que*, tiene valor expresivo. ‖ *pron. pers.* **3.** Forma átona del pronombre personal de tercera persona, género masculino o neutro y número singular, que funciona como complemento directo.

loa *s. f.* Acción y efecto de loar.

loable *adj.* Laudable.

loador, ra *adj.* Que loa. También s. m. y s. f.

loanda *s. f.* Especie de escorbuto.

loar *v. tr.* Alabar.

loba[1] *s. f.* Hembra del lobo.

loba[2] *s. f.* Sotana, vestidura de eclesiásticos.

lobagante *s. m.* Bogavante, crustáceo.

lobanillo *s. m.* Tumor superficial, indolente, generalmente enquistado, que se forma debajo de la piel en algunas partes del cuerpo.

lobato *s. m.* Cachorro de lobo.

lobeliáceo, a *adj.* Se dice de plantas dicotiledóneas, hierbas o matas lechosas, con hojas alternas y sin estípulas, flores zigomorfas y por lo común azules, y fruto seco en cápsula o baya con muchas semillas de albumen carnoso. También s. f.

lobera *s. f.* Monte en que hacen guarida los lobos.

lobero, ra *adj.* Perteneciente o relativo a los lobos.

lobezno *s. m.* **1.** Lobo pequeño. **2.** Lobato.

lobina *s. f.* Róbalo, pez teleósteo marino.

lobo *s. m.* Mamífero carnívoro parecido a ciertos perrros, muy voraz, de pelaje gris oscuro, orejas tiesas y cola larga peluda.

loboso, sa *adj.* Se aplica al terreno en que se crían muchos lobos.

lóbrego, ga *adj.* Oscuro, tenebroso.

lobreguecer *v. tr.* Hacer lóbrega una cosa.

lobreguez *s. f.* Oscuridad.

lobulado, da *adj.* **1.** De figura de lóbulos. **2.** Que tiene lóbulos.

lóbulo *s. m.* Cada una de las partes, a manera de ondas, que sobresalen en el borde de una cosa.

lobuno, na *adj.* Perteneciente o relativo al lobo, mamífero.

locación *s. f.* Arrendamiento.

local *adj.* **1.** Municipal o provincial, por oposición a general o nacional. ‖ *s. m.* **2.** Sitio o paraje cerrado y cubierto.

localidad *s. f.* **1.** Lugar o pueblo, población. **2.** Asiento en los locales de espectáculos públicos. **3.** Billete que da derecho a entrar, o a ocupar asiento en dichos espectáculos.

localismo *s. m.* **1.** Calidad de local, perteneciente a un lugar o territorio. **2.** Vocablo o locución que solo tienen uso en determinada localidad.

localización *s. f.* Acción y efecto de localizar o localizarse.

localizar *v. tr.* Fijar, encerrar en límites determinados. También prnl.

locatario, ria *s. m. y s. f.* Arrendatario.

locatis *adj.* Se dice de la persona alocada, de poco juicio.

locativo *s. m.* Caso de la declinación, en algunas lenguas indoeuropeas, que expresa fundamentalmente la relación de lugar en donde.

locería *s. f., Amér. del S. y And.* Alfarería, fábrica de loza.

locero, ra *s. m. y s. f., fam.* Ollero.

locha *s. f.* Pez malacopterigio abdominal, comestible, propio de los lagos y ríos de agua fría.

loción *s. f.* **1.** Lavadura, acción de lavar. **2.** Producto preparado para la limpieza del cabello.

loco, ca *adj.* Se dice de la persona que tiene perturbadas sus facultades mentales.

locomoción *s. f.* Traslación de un punto a otro.

locomotivo, va *adj.* Locomotor.

locomotor, ra *adj.* **1.** Propio para la locomoción o que la produce. ‖ *s. f.* **2.** Máquina que, montada sobre ruedas y movida por medio de vapor ordinariamente, motor térmico o electricidad, arrastra los vagones de un tren.

locomotriz *adj.* Propia para la locomoción.

locomovible *adj.* Que puede llevarse de un lugar a otro.

locomóvil *adj.* Que puede llevarse de un sitio a otro.

locro *s. m., Amér. del S.* Guiso de carne, patatas y maíz o trigo y otros ingredientes.

locuacidad *s. f.* Calidad de locuaz.

locuaz *adj.* Que habla mucho.

locución *s. f.* Expresión, giro o modo de hablar.

locuela *s. f.* Modo y tono particular de hablar de cada uno.

lóculo *s. m.* Cada una de las celdillas en que están encerradas las semillas de un fruto.

locura *s. f.* Privación del juicio o del uso de la razón.

locutor, ra *s. m. y s. f.* Persona que habla ante el micrófono en las estaciones de radiodifusión para dar avisos, leer anuncios y comunicar toda clase de indicaciones relativas a la emisión.

locutorio *s. m.* Departamento dividido comúnmente por una reja, para que los visitantes puedan hablar con las monjas o los presos.

lodachar *s. m.* Lodazal.

lodazal *s. m.* Terreno o sitio lleno de lodo.

lodazar *s. m.* Lodazal.

lodo *s. m.* Barro que resulta de la mezcla de la lluvia con la tierra cuando llueve.

lodoso, sa *adj.* Lleno de lodo.

lofobranquio, quia *adj.* Se dice de los peces teleóstomos que tienen las branquias en forma de penacho como el caballito marino.

loganiáceo, a *adj.* Se dice de las plantas exóticas, dicotiledóneas, de hojas opuestas con estípulas y enteras que florece en racimos o en corimbos y algunas veces solitarias, y fruto en cápsula, baya o drupa, con semillas de albumen carnoso o coriáceo, como el maracure. También s. f.

logarítmico, ca *adj.* Perteneciente o relativo a los logaritmos.

logaritmo *s. m.* Exponente a que es necesario elevar una cantidad positiva para que resulte un número determinado.

logia *s. f.* **1.** Local donde se celebran asambleas de francmasones. **2.** Cada una de estas asambleas. **3.** Conjunto de individuos que la constituyen.

lógica *s. f.* Ciencia que expone las leyes, modos y formas del conocimiento científico.

lógico, ca *adj.* Que se produce de acuerdo con las leyes del pensamiento o que se sigue de los antecedentes o de las circunstancias concurrentes.

login s. m. Pantalla de identificación para iniciar un servicio o un sistema basada habitualmente en el nombre de usuario y la contraseña.

logística *s. f.* **1.** Parte del arte militar, que comprende lo relativo a la ejecución de las operaciones de guerra. **2.** Aspecto de la lógica que se sirve de los métodos y símbolos matemáticos. **3.** Medios y métodos necesarios para llevar a cabo la organización de una empresa de distribución.

logístico, ca *adj.* Perteneciente o relativo a la logística.

logo *s. m.* Forma abreviada para *logotipo*, distintivo formado por letras, abreviaturas, imágenes, etc., que identifica una empresa, una marca, un producto...

logogrifo *s. m.* Enigma que consiste en hacer diversas combinaciones con las letras de una palabra, de manera que formen otra cuyo significado, además del de la voz principal, se propone con alguna oscuridad.

logomaquia *s. f.* Discusión en que se atiende a las palabras y no al fondo del asunto.

lograr *v. tr.* **1.** Conseguir lo que se intenta o desea. **2.** Gozar o disfrutar una cosa.

logrear *v. intr.* Emplearse en dar o recibir a logro.

logrería *s. f.* Ejercicio del logrero.

logrero, ra *s. m. y s. f.* **1.** Persona que presta dinero a un alto interés. **2.** Persona que acapara mercancías para venderlas a precio excesivo. **3.** *Amér. del S.* Persona que procura lucrarse por cualquier medio.

logro *s. m.* **1.** Lucro, ganancia. **2.** Usura, ganancia excesiva.

loísmo *s. m.* Uso indebido de la forma *lo* del pronombre personal como objeto indirecto.

loísta *adj.* Se dice de la persona que usa el pronombre personal *lo* como objeto indirecto. También com.

loma *s. f.* Altura pequeña y prolongada.

lombarda *s. f.* **1.** Antiguo cañón. **2.** Variedad de berza, muy semejante al repollo, pero de color que tira a morado.

lombardear *v. tr.* Disparar la lombarda contra un sitio o edificio.

lombardería *s. f.* Conjunto de piezas de artillería llamadas lombardas.

lombardero *s. m.* Soldado que disparaba las lombardas.

lombricera *s. f., Méx. y P. Ric.* Hierba lombriguera.

lombriguera *adj.* Hierba medicinal, compuesta, de sabor muy amargo.

lombriz *s. f.* Nombre con que se designan diversos órdenes de gusanos que tienen el cuerpo delgado, blando y cilíndrico.

lomear *v. intr.* Mover los caballos el lomo, encorvándolo con violencia.

lomera *s. f.* Correa que se acomoda en el lomo de la caballería para que mantenga las demás piezas de la guarnición.

lometa *s. f.* Altozano, cerro de poca altura.

lomienhiesto, ta *adj.* **1.** Alto de lomos. **2.** *fig. y fam.* Engreído, presuntuoso.

lomillería *s. f., Amér. del S.* Taller donde se hacen lomillos, riendas, lazos, etc.

lomillo *s. m.* Parte superior de la albarda.

lominhiesto, ta *adj.* Lomienhiesto.

lomo *s. m.* **1.** Parte inferior y central de la espalda. **2.** Todo el espinazo de los cuadrúpedos. **3.** Parte del libro opuesta al corte por donde se cosen los pliegos.

lomudo, da *adj.* Que tiene grandes lomos.

lona *s. f.* Tela fuerte de algodón o cáñamo para velas de navío, toldos y otros usos.

loncha *s. f.* Cosa plana y delgada de piedra u otras materias.

lonco *s. m.* Cuello o pescuezo.

lóndiga *s. f.* Casa pública de compraventa de granos, comestibles y algunas otras raras mercancías; alhóndiga.

loneta *s. f.* **1.** Tejido muy parecido a la lona pero más fino que esta. **2.** *Chil.* Lona delgada que se emplea en velas de botes y otros usos. **3.** *Cub.* Tejido blanco, grueso, que se emplea para toldos, pantalones de obreros, etc.

longa *s. f.* Nota de la música antigua que valía cuatro compases o dos breves

longanimidad *s. f.* Grandeza y constancia de ánimo en las adversidades.

longánimo, ma *adj.* Magnánimo, constante.

longaniza *s. f.* Pedazo de tripa, rellena de carne de cerdo picada y adobada.

longevidad *s. f.* Largo vivir.

longevo, va *adj.* Muy anciano, que vive mucho tiempo.

longincuo, cua *adj.* Distante, apartado, lejano.

longísimo, ma *adj. sup.* de luengo.

longitud *s. f.* La mayor de las dos dimensiones de una figura plana en contraposición a la menor, que se llama anchura.

longitudinal *adj.* **1.** Perteneciente o relativo a la longitud. **2.** Hecho o colocado en el sentido o dirección de ella.

longuera *s. f.* Porción de tierra larga y angosta.

longuísimo, ma *adj. sup.* de luengo.

lonja[1] *s. f.* Parte larga, ancha y de poco grosor que se corta o se separa de otra.

lonja[2] *s. f.* Edificio público donde se reúnen comerciantes para sus operaciones.

lonjista *s. m. y s. f.* Persona que tiene lonja o tienda.

lontananza *s. f.* Términos de un cuadro más distantes del plano principal.

loor *s. m.* Alabanza.

loquear *v. intr.* Decir o hacer locuras.

loquería *s. f., Chil. y Per.* Manicomio.

loquero, ra *s. m. y s. f.* **1.** Psiquiatra. ‖ *s. f.* **2.** *Amér. del S., fam.* Locura, privación de la razón.

loquesco, ca *adj.* Alocado, de poco juicio.

loquios *s. m. pl.* Líquidos que salen normalmente por la vía vaginal de la mujer durante el puerperio.

lorantáceo, a *adj.* Se dice de las plantas dicotiledóneas parásitas, siempre verdes de hojas enteras, opuestas, sin estípulas y flores unisexuales, las masculinas sin corola y con el cáliz partido en tiras y las femeninas con cuatro pétalos, y fruto en baya.

lord *s. m.* Título de honor de los miembros de la primera nobleza del Reino Unido.

loriga *s. f.* Especie de coraza de láminas pequeñas de acero.

lorigado, da *adj.* Armado con loriga. También s. m. y s. f.

loriguero, ra *adj.* Perteneciente o relativo a la loriga.

loro *s. m.* Nombre vulgar de algunas aves que se distinguen por el predominio del color verde en el plumaje, la cola y las alas rojas, habituarse a la domesticidad y a repetir palabras y frases.

lorza *s. f.* Pliegue para acortar una prenda.

los *art. det.* **1.** Forma del artículo determinado en género masculino y número plural. ‖ *pron. pers.* **2.** Forma masculina plural del pronombre personal átono de tercera persona, que funciona como objeto directo.

losa *s. f.* **1.** Piedra llana y de poco grosor, casi siempre labrada, que sirve para solar y otros usos. **2.** *fig.* Sepulcro de cadáver.

losado, da *adj.* Que está cubierto de losas.

losange *s. m.* Figura de rombo en la que uno de los ángulos agudos queda por pie y su opuesto por cabeza.

losar *v. tr.* Cubrir el suelo con losetas.

loseta *s. f.* Ladrillo fino para solar, baldosa.

lote *s. m.* **1.** Cada una de las partes en que se divide un todo para su distribución. **2.** Conjunto de objetos similares que se agrupan con un fin determinado.

lotería *s. f.* **1.** Especie de rifa en que se sortean diversos premios. **2.** Juego público en que se premian, con diversas cantidades, varios billetes sacados a la suerte entre un gran número de ellos que se ponen a la venta.

lotero, ra *s. m. y s. f.* Persona que tiene a su cargo un despacho de billetes de lotería.

loto *s. m.* Planta ninfeácea, de hojas muy grandes y fruto globoso, con semillas que se comen después de tostadas y molidas.

loxodromia *s. f.* Curva trazada sobre una superficie esférica como la terrestre y que forma un mismo ángulo en su intersección con todos los meridianos y sirve para navegar con ritmo constante.

loxodrómico, ca *adj.* Perteneciente o relativo a la loxodromia.

loza *s. f.* Barro fino, cocido y barnizado, de que están hechos platos, tazas, etc.

lozanear *v. intr.* Ostentar lozanía.

lozanía *s. f.* **1.** Frondosidad y verdor en las plantas. **2.** Vigor, robustez, gallardía en el hombre y los animales.

lozano, na *adj.* Que tiene lozanía.

lúa *s. f.* Especie de guante de esparto, sin separaciones de los dedos, que se emplea para limpiar las caballerías.

lubina *s. f.* Pez teleóstomo serránido, de cuerpo oblongo, cuya carne es apreciadísima.

lubricación *s. f.* Acción y efecto de lubricar.

lubricador, ra *adj.* Que lubrica.

lubricante *adj.* Se dice de toda sustancia útil para lubricar. También s. m.

lubricar *v. tr.* Hacer resbaladiza una cosa.

lubricativo, va *adj.* Que sirve para lubricar.

lubricidad *s. f.* Calidad de lúbrico.

lúbrico, ca *adj.* **1.** Resbaladizo. **2.** *fig.* Propenso a un vicio y, particularmente, a la lujuria. **3.** *fig.* Libidinoso, lascivo.

lubrificación *s. f.* Lubricación, acción y efecto de lubrificar.

lubrificante *adj.* Lubricante. También s. m.

lubrificar *v. tr.* Lubricar, hacer resbaladiza o lúbrica una cosa.

lucera *s. f.* Ventana o claraboya, en la parte alta de los edificios.

lucerna *s. f.* **1.** Araña grande para alumbrar. **2.** Abertura alta de una habitación que proporciona ventilación y luz.

lucero *s. m.* Cada astro grande y brillante.

lucha *s. f.* **1.** Pelea entre dos, en que abrazándole uno a otro, cada cual procura dar con su contrario en tierra. **2.** Lid, combate. **3.** *fig.* Disputa, debate.

luchador, ra *s. m. y s. f.* Persona que lucha.

luchar *v. intr.* **1.** Contender dos personas a brazo partido. **2.** Pelear, combatir. **3.** *fig.* Disputar, bregar.

lucharniego, ga *adj.* Se aplica al perro adiestrado para la caza nocturna.

lucidez *s. f.* Calidad de lúcido.

lucido, da *adj.* Que hace o desempeña las cosas con gracia, liberalidad y esplendor.

lúcido, da *adj., fig.* Claro en el razonamiento, en el estilo, etc.

lucidor, ra *adj.* Que luce.

luciérnaga *s. f.* Insecto coleóptero, de cuerpo blando, cuya hembra carece de alas y está dotada de un aparato fosforescente, que despide una luz de color blanco verdoso.

Lucifer *n. p.* El príncipe de los ángeles rebeldes.

luciferino, na *adj.* Perteneciente o relativo a Lucifer.

lucífero, ra *adj., poét.* Resplandeciente, que da luz.

lucífugo, ga *adj., poét.* Que huye de la luz.

lucilina *s. f.* Petróleo refinado.

lucillo *s. m.* Urna de piedra que sirve de sepultura.

lucimiento *s. m.* Acción y efecto de lucir o lucirse.

lucio *s. m.* Pez teleóstomo, semejante a la parca, de la familia de los esócidos, propio de los ríos y de lagos, de 1 a 1.5 m de longitud, de gran ferocidad y acometividad; su carne es muy apreciada.

lucio, cia *adj.* Terso, lúcido.

lucir *v. intr.* Brillar, resplandecer.

lucrar *v. prnl.* Sacar provecho de un negocio o encargo.

lucrativo, va *adj.* Que produce ganancia.

lucro *s. m.* Ganancia que se regula por la que produce el dinero en el tiempo que ha estado en empréstito.

lucroso, sa *adj.* Que produce lucro.

luctuosa *s. f.* Derecho que tenían en algunas provincias los señores y prelados a conservar una alhaja de la herencia de sus súbditos.

luctuoso, sa *adj.* Triste y digno de llanto.

lucubración *s. f.* Acción de lucubrar.

lucubrar *v. tr.* Trabajar velando y con aplicación en obras de ingenio.

ludibrio *s. m.* Escarnio, mofa.

lúdico, ca *adj.* Perteneciente o relativo al juego.

ludimiento *s. m.* Acción y efecto de ludir.

ludión *s. m.* Aparato destinado a hacer palpable la teoría del equilibrio de los cuerpos sumergidos en los líquidos.

ludir *v. tr.* Frotar una cosa con otra.

ludópata *com.* Persona que padece ludopatía.

ludopatía *s. f.* Adicción patológica al juego.

luego *adv. t.* Prontamente, sin dilación.

luengo, ga *adj.* Largo.

lúes *s. f.* Sifilis.

luético, ca *adj.* Sifilítico.

lugano *s. m.* Pájaro del tamaño del jilguero, de plumaje verdoso, que imita el canto de otros pájaros.

lugar *s. m.* **1.** Espacio ocupado ya o que puede ser ocupado por un cuerpo. **2.** Sitio o paraje. **3.** Ciudad, pueblo, especialmente si es pequeño.

lugareño, ña *adj.* Habitante de una población pequeña.

lugarteniente *s. m.* Hombre que tiene autoridad y poder para hacer las veces de otra en un ministerio o empleo.

lugre *s. m.* Embarcación pequeña, con tres palos, velas al tercio y gavias volantes.

lúgubre *adj.* Triste, funesto, melancólico.

luición *s. f.* Exención de censos.

luir *v. tr.* Redimir un censo.

luismo *s. m.* Laudemio.

lujación *s. f.* Luxación.

lujo *s. m.* Demasía en el adorno, en la pompa y en el regalo.

lujoso, sa *adj.* **1.** Que tiene o gasta lujo. **2.** Se dice de la cosa con que se ostenta lujo.

lujuria *s. f.* Uso abundante o apetito desordenado de los deleites carnales.

lujuriante *adj.* Muy lozano y que tiene excesiva abundancia.

lujuriar *v. intr.* Cometer lujuria.

lujurioso, sa *adj.* Dado a la lujuria.

lumbago *s. m.* Dolor reumático de la musculatura lumbar.

lumbar *adj.* Perteneciente o relativo a los lomos.

lumbrada *s. f.* Cantidad grande de lumbre.

lumbrarada *s. f.* Lumbrada.

lumbre *s. f.* Materia combustible encendida.

lumbrera *s. f.* **1.** Cuerpo que despide luz. **2.** *fig.* Persona sabia, insigne y virtuosa.

lumbrerada *s. f.* Lumbrada.

lumbrical *adj.* Se dice de cada uno de los cuatro músculos que en la mano y en el pie sirven para el movimiento de todos sus dedos, menos el pulgar.

lumbroso, sa *adj.* Luminoso.

lumen *s. m.* Unidad de flujo luminoso.

luminar *s. m.* Cualquiera de los astros que despiden luz y claridad.

luminaria *s. f.* Luz que se pone en ventanas, balcones, torres y calles como señal de fiesta y regocijo público.

lumínico, ca *adj.* Se aplica al principio o agente hipotético de los fenómenos de la luz. También s. m.

luminiscencia *s. f.* Propiedad que poseen ciertas sustancias de despedir radiaciones luminosas características.

luminosidad *s. f.* Calidad de luminoso.

luminoso, sa *adj.* Que despide luz.

luminotecnia *s. f.* Arte de la iluminación por medio de la electricidad con fines artísticos o industriales.

lumpen *s. m.* **1.** En las grandes ciudades, grupo social constituido por las personas más marginadas e indigentes. **2.** Perteneciente o relativo a este grupo social urbano.

Luna *n. p.* Astro satélite de la Tierra que ofrece diferentes aspectos o fases según que el Sol ilumine una parte mayor o menor de ella.

lunación *s. f.* Tiempo que emplea la Luna desde una conjunción con el Sol hasta la siguiente.

lunado, da *adj.* Que tiene figura de media luna.

lunanco, ca *adj.* Se aplica a los cuadrúpedos que tienen un anca más alta que la otra.

lunar *s. m.* Pequeña mancha de melanina en el rostro o en otra parte del cuerpo.

lunarejo, ja *adj., Arg., Col. y Per.* Se dice de la persona que tiene uno o más lunares.

lunario, ria *adj.* Perteneciente o relativo a las lunaciones.

lunático, ca *adj.* Que padece locura por intervalos.

lunch *s. m.* Comida, almuerzo, aperitivo o refrigerio.

lunecilla *s. f.* Media luna, adorno o joya.

lunel *adj.* De figura en forma de flor compuesta de cuatro medias lunas unidas por sus puntas.

lunes *s. m.* Día de la semana comprendido entre el domingo y el martes.

luneta *s. f.* Lente de los anteojos.

luneto *s. m.* Bovedilla en forma de media luna, abierta en la bóveda principal, para dar luz a esta.

lúnula *s. f.* Espacio blanquecino semilunar en la raíz de las uñas.

lupa *s. f.* Lente de aumento provista de un mango.

lupanar *s. m.* Mancebía, casa de prostitutas.

lupino, na *adj.* Perteneciente o relativo al lobo.

lupulino *s. m.* Polvo resinoso y medicinal que rodea los aquenios en los frutos del lúpulo; es amargo y sedante.

lúpulo *s. m.* Planta trepadora cannabácea, cuyos frutos, desecados, se utilizan para aromatizar y dar sabor amargo a la cerveza.

lupus *s. m.* Enfermedad de la piel o de las mucosas de origen tuberculoso.

luquete *s. m.* Redecilla del limón o naranja que se echa en el vino.

lusitanismo *s. m.* Giro o modo de hablar propio de la lengua portuguesa.

lustración *s. f.* Acción y efecto de lustrar o purificar.

lustrar *v. tr.* Dar lustre a metales, piedras, etc.

lustre *s. m.* **1.** Brillo de las cosas tersas o bruñidas. **2.** *fig.* Esplendor, fama, gloria.

lústrico, ca *adj.* Perteneciente o relativo al lustro.

lustrina *s. f.* Tela vistosa, de seda, oro y plata, empleada en ornamentos de iglesia.

lustro *s. m.* Espacio de cinco años.

lustroso, sa *adj.* Que tiene lustre.

lútea *s. f.* Oropéndola.

lúteo, a *adj.* De lodo.

luteranismo *s. m.* Doctrina predicada por Lutero quien sostenía que la justificación del hombre ante Dios se realizaba por la fe sola, sin que se tengan en cuenta las obras ni la voluntad humanas. Negaba la existencia del purgatorio, reducía los sacramentos al bautismo, penitencia y eucaristía; no reconocía el carácter de institución divina al sacerdocio y la jerarquía eclesiástica.

luterano, na *adj.* Que profesa el luteranismo. También s. m. y s. f.

luto *s. m.* **1.** Signo exterior de duelo en ropas, adornos y otros objetos. **2.** Duelo, aflicción por la muerte de una persona.

lutria *s. f.* Nutria.

lux *s. m.* Unidad de intensidad de iluminación.

luxación *s. f.* Dislocación de un hueso.

luz *s. f.* **1.** Agente físico que ilumina los objetos y los hace visibles. **2.** Claridad que irradian los cuerpos en combustión. **3.** *fig.* Día o tiempo que dura la claridad del Sol sobre el horizonte.

Luzbel *n. p.* Lucifer, príncipe de los ángeles rebeldes.

m *s. f.* Decimotercera letra del abecedario español y décima de sus consonantes.

mabinga *s. f.* **1.** *Cub. y Méx.* Estiércol. **2.** *Cub. y Méx.* Tabaco de calidad inferior.

mabita *adj.* Se dice de la persona desafortunada que tiene desgracia con todo.

mabolo *s. m.* Árbol de Filipinas, de la familia de las ebenáceas, de 10 u 11 m de altura, con flores dioicas, hojas alternas y fruto muy parecido al melocotón.

maca *s. f.* Señal que queda en la fruta por algún daño que ha recibido.

macabro, bra *adj.* Se dice de lo que participa de lo feo y repulsivo de la muerte.

macaca *s. f.* Hembra del macaco.

macachín *s. m.* Planta de la familia de las oxalidáceas, de flores amarillas y violadas en otoño, hojas parecidas a las del trébol y tubérculo comestible.

macacinas *s. m. pl., Hond. y Méx.* Zapatos toscos, de cuero, sin tacón, usados por los habitantes originarios de la zona.

macaco *s. m.* **1.** Cuadrumano parecido a la mona, pero más pequeño que ella, con cola corta, cuerpo robusto y cabeza grande con el hocico saliente y aplastado. **2.** *fig., Cub., Chil. y Méx.* Feo, deforme.

macacoa *s. f.* **1.** *Ven.* Murria, tristeza. **2.** *P. Ric.* Mala suerte.

macadam *s. m.* Macadán.

macadamizar *v. tr.* Pavimentar con macadam.

macadán *s. m.* Pavimento formado con piedra machacada, que una vez tendida se comprime con el rodillo.

macagua *s. f.* **1.** *Amér. del S.* Ave rapaz diurna que habita en los bosques; se alimenta de cuadrúpedos pequeños y reptiles. **2.** *Ven.* Serpiente venenosa de unos 2 m de largo, que vive en zonas cálidas y costeras. **3.** *Cub.* Árbol silvestre, moráceo, de flores blancas, cuyo fruto, del tamaño de la bellota, comen los cerdos. Su madera se usa en carpintería.

macana *s. f.* Palo corto y grueso a manera de machete, usado por los primitivos habitantes de América.

macanazo *s. m.* Golpe dado con la macana.

macanear *v. tr.* **1.** *Arg., Bol., Chil. y Par.* Contar o inventar paparruchas. **2.** *Arg.* Hacer mal una cosa. *Col. y Hond.* Trabajar con asiduidad. En Nicaragua, se usa como prnl. **3.** *Cub., P. Ric. y R. Dom.* Golpear con la macana.

macanudo, da *adj., fam. y amer.* Extraordinario, excelente, magnífico.

macareno, na *adj., fig.* Guapo, majo, baladrón. También *s. m. y s. f.*

macareo *s. m.* Oleada grande que sube río arriba a partir de la desembocadura del mismo durante las mareas vivas.

macarra *adj.* **1.** Vulgar, de mal gusto. También *s. m. y s. f.* **2.** *fig. y fam.* Se dice de la persona agresiva y provocadora. También *com.* ‖ *s. m.* **3.** *fam.* Hombre que vive a costa de las ganancias de sus prostitutas.

macarrón *s. m.* **1.** Pasta alimenticia de harina de trigo en figura de tubos largos, de paredes gruesas y de color blanco, amarillo o gris. Se usa más en pl. **2.** Extremo de las cuadernas que sobresale de las bordas del buque. Se usa más en pl. **3.** Tubo delgado de plástico flexible, que se usa para recubrir cables eléctricos.

macarronea *s. f.* Composición burlesca en verso en la que se combinan palabras latinas con otras de una lengua vulgar a las que se da terminación latina.

macarrónico, ca *adj.* Se dice del latín muy defectuoso y del lenguaje vulgar e incorrecto.

macasar *s. m.* **1.** Pieza de encaje, tela, etc., para proteger el respaldo de un sillón, butaca, mecedora, etc. **2.** Cierto aceite para el cabello.

macaurel *s. f., amer.* Serpiente de Venezuela, no venenosa.

macaz *s. m., Per.* Especie de paca, mamífero roedor.

macazuchil *s. m., amer.* Planta de la familia de las piperáceas, cuyo fruto empleaban los mexicanos para perfumar el chocolate y otras bebidas.

maceador, ra *s. m. y s. f.* Persona que macea.

macear *v. tr.* Dar golpes con el mazo o la maza.

macedonia *s. f.* En repostería, ensalada de frutas que se obtiene mezclando diversas frutas cortadas y preparadas con vino, azúcar, licores, etc.

maceo *s. m.* Acción y efecto de macear.

maceración *s. f.* Acción y efecto de macerar o macerarse.

maceramiento *s. m.* Maceración.

macerar *v. tr.* Ablandar una cosa estrujándola, golpeándola o manteniéndola durante algún tiempo sumergida en un líquido.

macero *s. m.* Hombre que lleva la maza delante de los cuerpos o personas que usan esta señal de dignidad.

maceta *s. f.* Vaso de barro cocido, que lleno de tierra sirve para cultivar plantas.

macetero *s. m.* Soporte destinado a colocar en él macetas de flores.

macfarlán *s. m.* Gabán con esclavina y sin mangas.

mach *s. m.* Nombre internacional de una unidad de velocidad, aplicada generalmente a los aviones, y que equivale a la del sonido.

macha *s. f.* Molusco de mar, comestible, muy abundante en los mares de Chile y Perú.

machaca *s. f.* **1.** Instrumento con que se machaca. || *adj.* **2.** *fig.* Se dice de la persona pesada con su conversación.

machacadera *s. f.* Instrumento con que se machaca.

machacador, ra *adj.* Que machaca. También s. m. y s. f.

machacante *s. m.* **1.** Soldado destinado a servir a un sargento. **2.** *fam.* Duro, moneda de cinco de las extintas pesetas.

machacar *v. tr.* Golpear una cosa para romperla o deformarla.

machacón, na *adj.* Impertinente, pesado, que repite mucho las cosas. También s. m. y s. f.

machaconería *s. f., fam.* Insistencia, pesadez.

machada *s. f.* Hato de machos cabríos.

machado *s. m.* Hacha para cortar madera.

machamartillo, a *loc. adv.* con que se pondera la firmeza material o moral.

machango, ga *adj.* **1.** *Chil.* Machacón. **2.** *Cub.* Se dice de las personas de modales torpes y groseros. || *s. m.* **3.** *Cub. y Ven.* Especie de mono.

machaqueo *s. m.* Acción y efecto de machacar.

machaquería *s. f.* Pesadez, importunidad.

machar *v. tr.* Machacar.

machear *v. intr.* Fecundar el macho a la hembra.

machera *s. f., Extr.* Criadero de alcornoques.

machero *s. m., Extr.* Planta de alcornoque.

machetazo *s. m.* Golpe dado con el machete.

machete *s. m.* Arma blanca más corta que la espada, ancha, de mucho peso y de un solo filo.

machetear *v. tr.* Golpear con el machete.

machetero, ra *s. m. y s. f.* Persona que desmonta con machete los pasos obstaculizados con árboles, maleza, etc.

machihembrar *v. tr.* Ensamblar dos piezas de madera a caja y espiga o a ranura y lengüeta.

machina *s. f.* Grúa que se utiliza en los puertos marítimos.

machismo *s. m.* Ideas o actitud de una persona o grupo de personas cuyo punto de vista es discriminatorio con respecto al sexo femenino.

machista *adj.* **1.** Perteneciente o relativo al machismo. **2.** Partidario del machismo. También com.

macho[1] *s. m.* **1.** Animal del sexo masculino. **2.** Planta que fecunda a otra de su especie con el polen de sus estambres. **3.** *fig.* En los artefactos, pieza que entra dentro de otra; como el tornillo en la tuerca. **4.** Pilar que sostiene un techo, arco, etc., o fortalece una pared. || *adj.* **5.** *fig.* Fuerte, robusto.

macho[2] *s. m.* Mulo.

macho[3] *s. m.* Mazo grande de herrero.

machón *s. m.* Macho, pilar que sostiene un techo.

machorra *s. f.* Hembra estéril.

machorro, rra *adj.* Estéril, infructífero.

machota *s. f., fam.* Marimacho.

machote *s. m., fam.* Hombre fuerte, valiente y robusto.

machucadura *s. f.* Acción y efecto de machucar.

machucamiento *s. m.* Machucadura.

machucar *v. tr.* Machacar.

machucho, cha *adj.* Sosegado, juicioso.

machuelo *s. m.* Germen de un ser orgánico.

macia *s. f.* Macis.

macicez *s. f.* Cualidad de macizo.

maciega *s. f., Amér. del S.* Hierba que nace en los lugares pantanosos y orillas de los ríos, de hoja parecida a la de la espadaña.

macilento, ta *adj.* Flaco, descolorido, triste.

macillo *s. m.* Pieza del piano con la cual, a impulso de la tecla, se hiere la cuerda correspondiente.

macis *s. f.* Corteza olorosa de la nuez moscada, en forma de red y de color rojo.

macizar *v. tr.* Rellenar un hueco con material bien apretado.

macizo, za *adj.* **1.** Lleno, sin huecos, sólido. También s. m. **2.** Se dice de la persona musculosa, de carnes duras. ‖ *s. m.* **3.** Conjunto de montañas que culminan en uno o más picos.

macolla *s. f.* Conjunto de vástagos, flores o espigas que nacen de un mismo pie.

macón *s. m.* Entre colmeneros, panal sin miel, reseco y de color oscuro.

macona *s. f.* Banasta grande.

macrobiótico, ca *adj.* **1.** Que facilita una vida más duradera. **2.** Perteneciente o relativo al sistema de vida o alimentación macrobiótica. ‖ *s. f.* **3.** Sistema de vida que pretende a través de un cuerpo sano y equilibrado, conseguido por una alimentación basada en el consumo de vegetales, vivir más y en mejores condiciones.

macrocefalia *s. f.* Cualidad de macrocéfalo.

macrocéfalo, la *adj.* De cabeza muy grande y desproporcionada en relación con el cuerpo. También s. m. y s. f.

macrocosmos *s. m.* Según ciertos filósofos, el universo considerado como un ser animal semejante al hombre y, como él, compuesto de cuerpo y alma.

macroeconomía *s. f.* Rama del análisis económico que estudia las relaciones entre los agregados (producción, renta, ahorro, inversión, etc.) de una economía nacional, regional, etc.

macroestructura *s. f.* Estructura general de minerales y rocas que puede observarse a simple vista.

macromolécula *s. f.* Molécula de gran tamaño y peso molecular elevado, formada por un número alto de átomos.

macroscópico, ca *adj.* Se dice de lo que se ve a simple vista, sin ayuda del microscopio.

macrospora *s. f.* Espora femenina de ciertos helechos.

macruro, ra *adj.* Se dice de los crustáceos decápodos con el abdomen muy desarrollado y extendido a manera de cola; como la langosta de mar, etc. También s. m.

macsura *s. f.* Recinto reservado en una mezquita para el califa o el imán en las oraciones públicas, o para contener el sepulcro de un personaje tenido en opinión de santidad.

macuache *s. m.* Indígena mexicano sin instrucción alguna.

macuba *s. f.* **1.** Tabaco aromático que se cultiva en el término de Macuba, población de la Martinica. **2.** Insecto coleóptero de 3 o 4 cm de largo y de color verde bronceado brillante.

macuco, ca *adj.* **1.** *Chil.* Cuco, taimado. **2.** *Arg. y Col.* Muchacho grandullón.

mácula *s. f.* Mancha que ensucia un cuerpo.

macular *v. tr., poét.* Manchar, poner sucia una cosa, deslustrar la buena fama.

maculatura *s. f.* Pliego que se desecha por mal impreso o manchado.

macuquero, ra *s. m. y s. f.* Persona que sin permiso se dedica a extraer metales de las minas abandonadas.

macuto *s. m.* Mochila de soldado.

madama *s. f.* Irónica o familiarmente, tratamiento de cortesía dado a las señoras.

madamisela *s. f.* Damisela.

madapolán *s. m.* Especie de percal blanco y de buena calidad.

madefacción *s. f.* Acción de humedecer ciertas sustancias para preparar con ellas un medicamento.

madeja *s. f.* Hilo recogido en vueltas iguales para que se pueda devanar con facilidad.

madera *s. f.* Parte sólida de los árboles debajo de la corteza.

maderable *adj.* Se aplica al árbol, bosque, etc. que da madera útil para construcciones o ebanistería.

maderada *s. f.* Conjunto de maderos que se transporta por un río.

maderaje *s. m.* Maderamen.

maderamen *s. m.* Conjunto de maderas o vigas que sirven para la construcción de un edificio.

maderería *s. f.* Establecimiento en que se vende madera.

maderero, ra *adj.* **1.** Perteneciente o relativo a la industria de la madera. ‖ *s. m. y s. f.* **2.** Persona que se dedica a conducir las maderas por los ríos.

madero *s. m.* Pieza larga de madera escuadrada o rolliza.

madona *s. f.* Nombre dado a la Virgen María.

mador *s. m.* Ligera humedad que cubre la superficie del cuerpo, sin llegar a ser sudor.

madoroso, sa *adj.* Que tiene mador.

madrás *s. m.* Tela fina de algodón que se usa para camisas y trajes femeninos.

madrastra *s. f.* Mujer del padre respecto de los hijos que este tiene de un matrimonio anterior.

madraza *s. f., fam.* Madre que mima mucho a sus hijos.

madre *s. f.* **1.** Hembra que ha parido. **2.** Hembra respecto de su hijo o hijos. **3.** Título que se da a algunas religiosas. **4.** *fig.* Heces del mosto, vino o vinagre.

madrearse *v. prnl.* Ahilarse la levadura, el vino, etc.

madrecilla *s. f.* Huevera, oviducto de las aves.

madreña *s. f.* Almadreña.

madreperla *s. f.* Molusco lamelibranquio, de concha casi circular, que se cría en el fondo de los mares intertropicales, donde se pesca para recoger las perlas que suele contener en su interior y aprovechar el nácar de la concha.

madrépora *s. f.* Celentéreo antozoo de los mares intertropicales, que forma un polipero pétreo y arborescente.

madrepórico, ca *adj.* Perteneciente o relativo a la madrépora.

madrero, ra *adj., fam.* Se dice de la persona que está muy encariñada con su madre.

madreselva *s. f.* Arbusto sarmentoso de las caprifoliáceas, con tallos largos, hojas compuestas, flores olorosas, en cabezuelas terminales con largo pedúnculo, y fruto en baya pequeña y carnosa.

madrigado, da *adj.* **1.** Se dice de la mujer casada en segundas nupcias. **2.** Se dice del macho de ciertos animales, especialmente del toro que ha padreado. **3.** *fig. y fam.* Se dice de la persona experimentada.

madrigal *s. m.* Composición lírica en endecasílabos y heptasílabos breves, de tema amoroso o pensamiento delicado.

madrigalesco, ca *adj.* **1.** Perteneciente o relativo al madrigal. **2.** *fig.* Elegante y delicado en la expresión de los afectos.

madriguera *s. f.* Cueva pequeña en que habitan ciertos animales, especialmente los conejos.

madrina *s. f.* **1.** Mujer que presenta o asiste a una persona en algún sacramento, especialmente el bautismo. **2.** Mujer que ocupa la presidencia de honor de una asociación o de un acto. **3.** *fig.* La que favorece o protege a otra persona en sus pretensiones.

madrinazgo *s. m.* **1.** Acto de asistir como madrina. **2.** Cargo o título de madrina.

madroncillo *s. m.* Fresa, fruto de esta planta.

madroñal *s. m.* Terreno poblado de madroños.

madroñera *s. f.* **1.** Madroñal. **2.** Madroño, arbusto.

madroño *s. m.* **1.** Arbusto ericáceo, de hojas lanceoladas, flores de corola globosa, fruto esférico, encarnado, granuloso y comestible. **2.** Fruto de este arbusto.

madrugada *s. f.* Alba, principio del día.

madrugador, ra *adj.* Que madruga, y especialmente que tiene costumbre de madrugar.

madrugar *v. intr.* Levantarse al amanecer o muy temprano.

madrugón *s. m., fam.* Acción de levantarse muy temprano.

maduración *s. f.* Acción y efecto de madurar o madurarse.

maduradero *s. m.* Sitio para madurar las frutas.

madurador, ra *adj.* Que hace madurar.

madurar *v. tr.* **1.** Dar sazón a los frutos. **2.** *fig.* Meditar una idea, un proyecto, etc. **3.** *fig.* Activar la supuración en los tumores. ‖ *v. intr.* **4.** *fig.* Crecer en edad y juicio.

madurativo, va *adj.* Que tiene propiedades para hacer madurar. También s. m.

madurez *s. f.* **1.** Sazón de los frutos. **2.** *fig.* Buen juicio, prudencia o sensatez con que una persona procede. **3.** *fig.* Edad adulta.

maduro, ra *adj.* **1.** Que está en sazón. **2.** Juicioso, prudente. **3.** Se dice de la persona entrada en años.

maesa *s. f.* Única abeja fecunda del enjambre.

maesil *s. m.* Maestril.

maesilla *s. f.* Cordel usado para mover los lizos de un par de bolillos de pasamanería.

maestral *adj.* **1.** Perteneciente al maestro o al maestrazgo. **2.** Maestril.

maestralizar *v. intr.* En el Mediterráneo, declinar la brújula hacia la parte de donde viene el viento maestral.

maestrante *s. m.* Cada uno de los caballeros de la maestranza.

maestranza *s. f.* **1.** Sociedad de caballeros cuyo objetivo es ejercitarse en la equitación, y fue además en su origen escuela que enseñaba el manejo de las armas a caballo. **2.** Conjunto de talleres y oficinas donde se recomponen y construyen los montajes para las piezas de artillería.

maestrazgo *s. m.* Dignidad de maestre de cualquiera de las órdenes militares.

maestre *s. m.* Superior de cualquiera de las órdenes militares.

maestrear *v. tr.* Intervenir con otras personas como maestro en una operación.

maestreescuela *s. m.* Maestrescuela.

maestresala *s. m.* Criado principal que asistía a la mesa de un señor y se encargaba de probar lo que se servía, para garantizar que no contuviera veneno.

maestrescolía *s. f.* Dignidad de maestrescuela.

maestrescuela *s. m.* Dignidad de algunas catedrales, que tenía la misión de enseñar las ciencias eclesiásticas.

maestría *s. f.* **1.** Arte y destreza en enseñar o ejecutar una cosa. **2.** Título de maestro.

maestril *s. m.* Celdilla del panal de miel donde se transforma en insecto adulto la larva de la abeja maestra.

maestro, tra *adj.* **1.** Se dice de la persona u obra de relevante mérito entre las de su clase. ‖ *s. m. y s. f.* **2.** Persona que enseña una ciencia, oficio, etc., o tiene título para hacerlo. **3.** Persona que es perita en una materia, arte o actividad. **4.** Compositor de música. **5.** Persona que dirige el personal o las operaciones de un servicio.

mafia *s. f.* **1.** Organización criminal clandestina de origen siciliano. **2.** Por ext., cualquier organización clandestina criminal.

mafioso, sa *adj.* Perteneciente o relativo a la mafia. También s. m. y s. f.

magacín *s. m.* **1.** Publicación periódica de información general. **2.** Espacio de radio o televisión en el que se realizan reportajes, entrevistas, etc., de temas diversos.

magancear *v. intr., Col. y Chil.* Trapacear.

magancería *s. f.* Engaño.

maganel *s. m.* Máquina militar que servía para batir las murallas.

magaña *s. f.* Ardid, astucia, engaño.

magarza *s. f.* Matricaria.

magazine *s. m.* Magacín.

magdalena *s. f.* Bollo pequeño elaborado con los mismos ingredientes que el bizcocho de confitería.

magdaleón *s. m.* Rollito largo y delgado que se hace de un emplasto.

magenta *adj.* Se dice del color rosa oscuro utilizado como uno de los cuatro colores base en imprenta. También *s. m.*

magia *s. f.* **1.** Arte o ciencia oculta que pretende producir efectos extraordinarios, con ayuda de seres sobrenaturales o de fuerzas secretas de la naturaleza. **2.** Trucos que realizan los magos para simular que hacen aparecer y desaparecer algo, que adivinan cosas, etc. **3.** *fig.* Encanto o atractivo con que una persona o cosa deleita.

mágica *s. f.* **1.** Ciencia o arte de la magia. **2.** Mujer que ejerce la magia. **3.** Mujer que realiza encantamientos.

mágico, ca *adj.* **1.** Perteneciente o relativo a la magia. **2.** Fantástico, maravilloso, estupendo.

magín *s. m., fam.* Imaginación.

magisterial *adj.* Perteneciente o relativo al magisterio.

magisterio *s. m.* **1.** Cargo o profesión de maestro. **2.** Conjunto de los maestros de una nación, provincia, etc.

magistrado, da *s. m. y s. f.* Superior en el orden civil, en especial ministro de Justicia, como corregidor, consejero, etc.

magistral *adj.* Se dice de lo que se hace con maestría.

magistratura *s. f.* **1.** Dignidad y cargo de magistrado. **2.** Tiempo que dura su ejercicio.

magma *s. m.* Materia ígnea en fusión, existente en el interior de la Tierra, cuya solidificación ha originado ciertos minerales.

magnanimidad *s. f.* Grandeza y elevación de ánimo.

magnánimo, ma *adj.* Que tiene magnanimidad.

magnate *s. m.* Hombre muy importante en el terreno empresarial o financiero por su cargo o poder.

magnesia *s. f.* Sustancia blanca, terrosa, ligeramente alcalina, la cual, mezclada con ciertos ácidos, forma sales que se utilizan como purgantes.

magnesiano, na *adj.* Que contiene magnesia.

magnésico, ca *adj.* Perteneciente o relativo al magnesio.

magnesita *s. f.* Silicato de magnesia hidratado, espuma de mar.

magnético, ca *adj.* **1.** Perteneciente a la piedra imán. **2.** Que tiene las propiedades del imán. **3.** Perteneciente o relativo al magnetismo.

magnetismo *s. m.* Fuerza atractiva de un imán.

magnetita *s. f.* Óxido de hierro cúbico que tiene la propiedad de atraer el hierro y el acero.

magnetizable *adj.* Susceptible de ser magnetizado.

magnetización *s. f.* Acción y efecto de magnetizar.

magnetizador, ra *s. m. y s. f.* Persona o cosa que magnetiza.

magnetizar *v. tr.* Comunicar a algún cuerpo la propiedad magnética.

magneto *s. f.* Generador de electricidad de alto potencial, usado especialmente en los motores de explosión.

magnetofón *s. m.* Magnetófono.

magnetofónico, ca *adj.* Perteneciente o relativo al magnetófono.

magnetófono *s. m.* Aparato que permite registrar los sonidos sobre una cinta magnética para su ulterior reproducción.

magnetoscopio *s. m.* **1.** Aparato que sirve para detectar las fuerzas magnéticas. **2.** Aparato que graba y reproduce videocasetes.

magnicida *com.* Persona que comete un magnicidio. También *adj.*

magnicidio *s. m.* Muerte que se da a una persona relevante por su cargo o poder.

magnificador, ra *adj.* Que magnifica.

magnificar *v. tr.* Engrandecer, ensalzar. También *prnl.*

magníficat *s. m.* Cántico que dirigió a Dios la Virgen María en la visitación a su prima santa Isabel.

magnificencia *s. f.* **1.** Liberalidad para grandes gastos o disposición para grandes empresas. **2.** Ostentación, grandeza.

magnificente *adj.* **1.** Espléndido. **2.** Excelente.

magnífico, ca *adj.* Espléndido, suntuoso.

magnitud *s. f.* Tamaño de un cuerpo.

magno, na *adj.* Grande.

magnolia *s. f.* **1.** Árbol magnoliáceo, de hojas persistentes y coriáceas, flores hermosas, solitarias, muy blancas y olorosas. **2.** Flor o fruto de este árbol.

magnoliáceo, a *adj.* Se dice de árboles y arbustos angiospermos dicotiledóneos, con hojas alternas, coriáceas, casi siempre enteras, flores grandes, solitarias, y fruto en folículo múltiple. También *s. f.*

magnolio *s. m.* Magnolia, árbol.

mago, ga *adj.* **1.** Se dice de la persona versada en la magia o que la practica. También *s. m.* y *s. f.* **2.** Se dice de los tres reyes que fueron a adorar a Jesús recién nacido en Belén. También *n. p.*

magosto *s. m.* Hoguera para asar castañas.

magra *s. f.* Lonja de jamón.

magrear *v. tr., fig. y vulg.* Sobar, manosear lascivamente a alguien.

magreo *s. m., vulg.* Acción de magrear, sobar.

magrez *s. f.* Cualidad de magro.

magro, gra *adj.* **1.** Flaco o enjuto, con poca o ninguna grasa. ‖ *s. m.* **2.** *fam.* Carne del cerdo próxima al lomo.

magrura *s. f.* Magrez.

magüeto, ta *s. m. y s. f.* Novillo, res vacuna de dos o tres años.

maguillo *s. m.* Manzano silvestre de fruto más pequeño y menos sabroso que la manzana común.

magulladura *s. f.* Acción y efecto de magullar o magullarse.

magullamiento *s. m.* Magulladura.

magullar *v. tr.* Causar a un cuerpo contusiones.

mahatma *s. m.* Título honorífico que reciben en la India las autoridades religiosas más destacadas.

mahometano, na *adj.* Que profesa la religión islámica. También s. m. y s. f.

mahometismo *s. m.* Religión fundada por Mahoma.

mahón *s. m.* Tela fuerte de algodón escogido y de diversos colores.

mahonés, sa *adj.* **1.** Natural de la ciudad de Mahón. **2.** Perteneciente o relativo a esta ciudad balear.

mahonesa *s. f.* **1.** Mayonesa. **2.** Planta de jardín, de la familia de las crucíferas, con flores pequeñas, en gran número y moradas.

maicillo *s. m.* Planta de la familia de las gramíneas, muy parecida al mijo y de fruto muy nutritivo.

mailing *s. m.* **1.** Envío masivo de publicidad por correo. **2.** Reparto de propaganda por los buzones particulares.

maillot *s. m.* **1.** Camiseta deportiva, especialmente la usada por los ciclistas. **2.** Prenda de vestir elástica parecida a un bañador, que se utiliza especialmente en danza y en gimnasia rítmica.

maimón *s. m.* **1.** Mico, mono. **2.** Especie de sopa de pan con aceite, propia de Andalucía. Se usa más en pl.

mainel *s. m.* **1.** Miembro arquitectónico largo y delgado, que divide un hueco en dos partes verticalmente. **2.** Barandilla de una escalera.

maitinada *s. f.* Alborada, tiempo de amanecer y música con que se festeja a una persona durante ese tiempo.

maitines *s. m. pl.* Primera de las horas canónicas que antiguamente se rezaba antes de amanecer.

maíz *s. m.* Planta gramínea, de tallo macizo, hojas largas y puntiagudas, flores masculinas en racimo y femeninas en espigas axilares envueltas en una vaina.

maizal *s. m.* Tierra sembrada de maíz.

majada *s. f.* Lugar donde se recoge de noche el ganado y se cobijan los pastores.

majadal *s. m.* Lugar de pasto a propósito para ganado menor.

majadear *v. intr.* Hacer noche el ganado en una majada.

majadería *s. f.* Dicho o hecho necio, imprudente y molesto.

majaderico *s. m.* Especie de guarnición usada antiguamente.

majaderillo, to *s. m.* Bolillo para hacer encajes y pasamanería.

majadero, ra *adj., fig.* Necio, porfiado.

majador, ra *adj.* Que maja. También s. m. y s. f.

majadura *s. f.* Acción y efecto de majar.

majagranzas *s. m., fig. y fam.* Hombre pesado y necio.

majal *s. m.* Banco de peces.

majamiento *s. m.* Majadura.

majano *s. m.* Montón de cantos sueltos.

majar *v. tr.* **1.** Machacar. **2.** *fig. y fam.* Molestar, importunar.

majara *adj.* Majareta. También com.

majareta *adj.* Se dice de la persona que está un poco chiflada.

majencia *s. f., fam.* Majeza. También s. m. y s. f.

majestad *s. f.* **1.** Grandeza, superioridad de algo o alguien. **2.** Título que se da a Dios y también a emperadores y reyes.

majestoso, sa *adj.* Majestuoso.

majestuosidad *s. f.* Cualidad de majestuoso.

majestuoso, sa *adj.* Que tiene majestad.

majeza *s. f.* Cualidad de majo.

majo, ja *adj.* **1.** *fam.* Ataviado, lujoso. **2.** *fam.* Bonito, vistoso.

majolar *s. m.* Terreno poblado de majuelos.

majoleta *s. f.* Fruto del majoleto.

majoleto *s. m.* Majuelo.

majorca *s. f.* Mazorca.

majuela *s. f.* Fruto del majuelo.

majuelo *s. m.* **1.** Arbusto espinoso, de flores blancas, olorosas y fruto rojo y dulce. **2.** Viña o cepa nueva.

mal[1] *adj.* **1.** Apócope de malo. ‖ *s. m.* **2.** Lo contrario al bien; lo que se aparta de lo lícito y honesto. **3.** Desgracia, calamidad. **4.** Enfermedad, dolencia.

mal[2] *adv. m.* **1.** Contrariamente a lo que es debido. **2.** Desacertadamente.

malabares *adj.* Se dice de los juegos que consisten en ejercicios de agilidad y destreza, manteniendo objetos en equilibrio, lanzándolos al aire y recogiéndolos, etc.

malabarismo *s. m.* Arte de ejercicios de equilibrio y habilidad.

malabarista *com.* Persona que hace juegos malabares.

malacate *s. m.* Máquina movida por dos caballerías, muy usada en las minas para sacar minerales y agua.

malacia *s. f.* Deseo de comer materias impropias para la nutrición, como arena, carbón, tierra, yeso, etc.

malacología *s. f.* Parte de la zoología que trata de los moluscos.

malacológico, ca *adj.* Perteneciente o relativo a la malacología.

malaconsejado, da *adj.* Que obra desatinadamente llevado de malos consejos.

malacopterigio *adj.* Se dice de los peces teleósteos, caracterizados por carecer de aletas abdominales o tenerlas colocadas detrás del abdomen o debajo de las branquias. También s. m.

malacostráceo, a *adj.* Se dice del grupo de los crustáceos de organización superior que tienen el cuerpo dividido en varios segmentos y un caparazón relativamente débil.

malacostumbrado, da *adj.* Que tiene malos hábitos y costumbres.

malacostumbrar *v. tr.* Hacer que alguien adquiera malos hábitos o costumbres.

malacuenda *s. f.* **1.** Harpillera. **2.** Hilaza de estopa.

málaga *s. m.* Vino dulce elaborado con la uva de la tierra de Málaga.

malagradecido, da *adj.* Desagradecido, ingrato.

malagueña *s. f.* Aire popular propio de la provincia de Málaga, parecido al fandango.

malagueta *s. f.* Fruto pequeño, de olor y sabor aromático que se usa como especia y es producto de un árbol tropical.

malaje *adj., fam.* Se dice de la persona malvada o malintencionada. También com.

malaleche *com., fig. y vulg.* Persona malintencionada.

malandante *adj.* Desafortunado, infeliz.

malandanza *s. f.* Mala fortuna, desgracia.

malandrín, na *adj.* Maligno, perverso.

malapata *com.* **1.** *fig. y fam.* Persona desgraciada, de mala suerte. **2.** *fig. y fam.* Persona desgarbada, sin gracia.

malaquita *s. f.* Mineral de hermoso color verde, que suele emplearse en joyería.

malar *adj.* Perteneciente a la mejilla.

malaria *s. f.* Fiebre palúdica.

malasangre *adj.* Se dice de la persona de condición perversa.

malasombra *adj., fig. y fam.* Se dice de la persona carente de gracia y simpatía. También com.

malavenido, da *adj.* Mal avenido.

malaventura *s. f.* Desventura, infortunio.

malaventurado, da *adj.* Infeliz o de mala ventura.

malaventuranza *s. f.* Infelicidad, infortunio.

malbaratador, ra *adj.* Que malbarata. También s. m. y s. f.

malbaratar *v. tr.* **1.** Vender la hacienda a bajo precio. **2.** Disiparla, malgastarla.

malbaratillo *s. m.* Baratillo.

malcarado, da *adj.* Que tiene mala cara o aspecto repulsivo.

malcasar *v. tr.* Casar a una persona sin las circunstancias necesarias para la felicidad del matrimonio. También intr. y prnl.

malcaso *s. m.* Traición, acción infame.

malcomer *v. tr.* Comer escasamente o con poco gusto o alimentos de mala calidad.

malcomido, da *adj.* Poco alimentado.

malcontento, ta *adj.* **1.** Descontento. **2.** Revoltoso, perturbador del orden público.

malcorte *s. m.* Quebrantamiento de las ordenanzas y estatutos, al sacar de los montes altos madera de construcción o leña para combustible y carboneo.

malcriado, da *adj.* Falto de buena educación, descortés.

malcriar *v. tr.* Educar mal a los hijos, dándoles demasiados caprichos.

maldad *s. f.* **1.** Cualidad de malo. **2.** Acción mala e injusta.

maldadoso, sa *adj., Chil. y Méx.* Acostumbrado a cometer maldades. También s. m. y s. f.

maldecidor, ra *adj.* Que maldice o denigra. También s. m. y s. f.

maldecir *v. tr.* **1.** Echar maldiciones contra una persona o cosa. ‖ *v. intr.* **2.** Hablar con mordacidad en perjuicio de alguien, denigrándole.

maldiciente *adj.* Detractor por hábito.

maldición *s. f.* Manifestación de enojo o aversión contra alguien o algo.

maldispuesto, ta *adj.* Que carece de la disposición de ánimo necesaria para una cosa.

maldito, ta *adj.* Perverso, de malas intenciones.

maleabilidad *s. f.* Cualidad de maleable.

maleable *adj.* Se dice de los metales que pueden batirse y extenderse en planchas o láminas.

maleante *adj.* **1.** Burlador, maligno. ‖ *s. m. y s. f.* **2.** Delincuente.

malear *v. tr.* **1.** Dañar, echar a perder una cosa, estropear. También prnl. **2.** *fig.* Pervertir a alguien. También prnl.

malecón *s. m.* Murallón que se construye para defenderse de las aguas.

maledicencia *s. f.* Acción de maldecir o denigrar.

maleducado, da *adj.* Se dice de la persona descortés e irrespetuosa. También s. m. y s. f.

maleficencia *s. f.* Hábito de hacer el mal.

maleficiar *v. tr.* **1.** Causar daño a alguien o algo. **2.** Hechizar con prácticas supersticiosas.

maleficio *s. m.* **1.** Daño causado por arte de hechicería. **2.** Hechizo con que se pretende causarlo.

maléfico, ca *adj.* Que ocasiona o puede ocasionar daño.

maleolar *adj.* Perteneciente o relativo al maléolo.

maléolo *s. m.* Tobillo.

malestar *s. m.* Desazón, incomodidad.

maleta *s. f.* Caja pequeña, hecha de lona, cuero, etc., que sirve para llevar ropa y otros efectos personales en los viajes.

maletero *s. m.* Parte destinada en un vehículo para colocar las maletas u otros equipajes.

maletín *s. m.* Maleta pequeña.

malevaje *s. m., Arg., Par. y Ur.* Conjunto de malevos.

malevo, va *adj., Arg., Par. y Ur.* Malhechor.

malevolencia *s. f.* Mala voluntad.

malevolente *adj.* Que tiene mala voluntad hacia alguien.

malévolo, la *adj.* Inclinado a hacer mal o con malas intenciones.

maleza *s. f.* **1.** Abundancia de hierbas malas que perjudican a los sembrados. **2.** Espesura de arbustos.

malformación *s. f.* Deformidad o defecto congénito en alguna parte del organismo.

malgama *s. f.* Amalgama.

malgastador, ra *adj.* Que malgasta.

malgastar *v. tr.* Gastar el dinero en cosas malas o inútiles; se dice también referido al tiempo, la paciencia, etc.

malhablado, da *adj.* Desvergonzado o atrevido en el hablar.

malhadado, da *adj.* Infeliz, desventurado.

malhechor, ra *adj.* Que comete delitos habitualmente.

malherir *v. tr.* Herir gravemente.

malhojo *s. m.* Marojo.

malhumor *s. m.* Estado de ánimo caracterizado por una actitud negativa ante todo y una conducta desagradable.

malhumorado, da *adj.* Que está de mal humor.

malicia *s. f.* **1.** Maldad, cualidad de malo. ‖ *s. f. pl.* **2.** *fam.* Sospecha, recelo.

maliciar *v. tr.* **1.** Sospechar, presumir algo con malicia. También prnl. **2.** Malear.

malicioso, sa *adj.* **1.** Que por malicia ve mala intención en lo que dicen y hacen los demás. **2.** Que contiene malicia.

malignar *v. tr.* Viciar, inficionar.

malignidad *s. f.* Tendencia a pensar u obrar mal.

maligno, na *adj.* **1.** Propenso a pensar u obrar mal. También s. m. y s. f. **2.** De índole perniciosa.

malintencionado, da *adj.* Que tiene mala intención.

malinterpretar *v. tr.* Interpretar equivocadamente.

malla *s. f.* **1.** Cada uno de los cuadriláteros que constituyen el tejido de la red. **2.** Por ext., tejido semejante al de la malla de la red. **3.** Vestido ajustado al cuerpo, de tejido muy fino y elástico, usado por gimnastas, bailarinas, etc.

mallar *v. intr.* Hacer malla.

mallero, ra *s. m. y s. f.* **1.** Persona que hace malla. ‖ *s. m.* **2.** Molde para hacer malla.

mallo *s. m.* Juego en que se hacen correr por el suelo unas bolas dándoles con unos mazos.

malmandado, da *adj.* Que no obedece, o que hace las cosas de mala gana. También s. m. y s. f.

malmeter *v. tr.* **1.** Malbaratar, malgastar. **2.** Inducir a alguien a cometer malas acciones.

malmirado, da *s. f.* **1.** Malquisto. **2.** Descortés.

malo, la *adj.* **1.** Que carece de la bondad que debe tener según su naturaleza o destino. **2.** Que es de mala vida y costumbres. **3.** Enfermo.

malogramiento *s. m.* Acción de malograrse.

malograr *v. tr.* **1.** No aprovechar una cosa, como la ocasión, el tiempo, etc. ‖ *v. prnl.* **2.** Frustrarse lo que se pretendía o se esperaba conseguir.

malogro *s. m.* Efecto de malograrse una cosa.

maloliente *adj.* Que exhala mal olor.

malparado, da *adj.* Que ha sufrido notable menoscabo en cualquier línea.

malparar *v. tr.* Poner en mal estado.

malpensado, da *adj.* Que piensa mal de las personas y de la conducta de éstas.

malpigiáceo, a *adj.* Se dice de arbustos o arbolillos propios de América, angiospermos, dicotiledóneos, de hojas generalmente opuestas y con estípulas, hermosas flores en corimbos o en racimos, y fruto seco o abayado con una sola semilla sin albumen. También s. f.

malqueda *com., fam.* Persona que no cumple su palabra.

malquerencia *s. f.* Mala voluntad, aversión a una persona o cosa.

malquerer *v. tr.* Tener mala voluntad a una persona o cosa.

malquistar *v. tr.* Poner mal a una persona con otra u otras.

malquisto, ta *adj.* Que está enemistado con una o varias personas.

malrotar *v. tr.* Disipar, malgastar los bienes.

malsano, na *adj.* Nocivo para la salud.

malsín *s. m.* Cizañero, soplón.

malsonante *adj.* Se aplica a las palabras o expresiones groseras, de mal gusto o gramaticalmente incorrectas.

malsufrido, da *adj.* Que tiene poco aguante o poca paciencia.

malta *s. f.* **1.** Cebada que, germinada artificialmente y luego tostada, se emplea en la fabricación de la cerveza. ‖ *s. m.* **2.** Granos de cebada o de trigo tostados para sustituir al café.

maltasa *s. f.* Fermento existente en el organismo, que convierte la maltosa en glucosa.

maltosa *s. f.* Azúcar blanco, cristalino, compacto, dextrógiro, formado por acción de la diastasa sobre el almidón.

maltratamiento *s. m.* Acción y efecto de maltratar o maltratarse.

maltratar *v. tr.* **1.** Tratar mal a alguien de palabra u obra. También prnl. **2.** Menoscabar, echar a perder.

maltrato *s. m.* Acción y efecto de maltratar o maltratarse.

maltrecho, cha *adj.* Maltratado.

malucho, cha *adj., fam.* Que está algo malo.

malva *s. f.* **1.** Planta malvácea, de tallo ramoso y velludo, y flores grandes y violáceas, que se usa mucho en medicina. ‖ *adj.* **2.** Se dice del color morado pálido tirando a rosáceo, como el de la flor de la malva. También s. m.

malváceo, a *adj.* Se dice de las plantas dicotiledóneas, herbáceas, de hojas alternas con estípulas y flores axilares, con muchos estambres unidos formando un tubo que cubre el ovario; su fruto es seco, dividido en numerosas celdillas con semillas sin albumen.

malvado, da *adj.* Muy malo, perverso.

malvar¹ *s. m.* Lugar poblado de malvas.

malvar² *v. tr.* Corromper o hacer mala a una persona o cosa. También prnl.

malvarrosa *s. f.* Planta de jardín, de la familia de las malváceas, de tallo recto y erguido, y flores grandes, encarnadas, blancas o róseas.

malvasía *s. f.* **1.** Uva muy dulce y fragante. **2.** Vino que se hace de esta uva.

malvavisco *s. m.* Planta malvácea, de hojas suaves, flores axilares de color blanco rojizo, cuya gruesa raíz se emplea como emoliente.

malvender *v. tr.* Vender a bajo precio, sin apenas ganancia.

malversación *s. f.* **1.** Acción y efecto de malversar. **2.** Apropiación de bienes públicos por un funcionario.

malversador, ra *adj.* Que malversa. También s. m. y s. f.

malversar *v. tr.* Invertir ilícitamente los bienes ajenos que alguien tiene a su cargo.

malvezar *v. tr.* Acostumbrar mal a alguien.

malvís *s. m.* Tordo de plumaje verde oscuro manchado de negro y rojo.

malviz *s. m.* Malvís.

malware *s. m.* Programa diseñado para causar daños en ordenadores, sistemas o redes.

mama *s. f.* Teta de los mamíferos.

mamá *s. f., fam.* Madre.

mamacona *s. f.* Cada una de las mujeres vírgenes y ancianas dedicadas al servido de los templos entre los antiguos incas, y a cuyo cuidado estaban las vírgenes del Sol.

mamada *s. f., fam.* Acción de mamar.

mamadera *s. f.* Instrumento para aliviar los pechos en el periodo de la lactancia.

mamado, da *adj., vulg.* Ebrio, borracho.

mamador, ra *adj.* Que mama.

mamantón, na *adj.* Se dice del animal que mama todavía.

mamar *v. tr.* **1.** Chupar con los labios y lengua la leche de los pechos. **2.** *fig.* Aprender algo en la infancia. **3.** *fig. y fam.* Emborrachar. También prnl.

mamario, ria *adj.* Perteneciente a las mamas.

mamarrachada *s. f., fam.* Acción desconcertada y ridícula.

mamarracho *s. m.* **1.** *fam.* Cosa extravagante y ridícula. **2.** *fig.* Persona informal, que no merece respeto.

mambla *s. f.* Montecillo aislado de forma redondeada.

mambo *s. m.* Baile de ritmo sincopado, originario de las Antillas, muy popular en Europa en la década de los 50.

mambrú *s. m.* Chimenea del fogón de los buques.

mamella *s. f.* Cada uno de los apéndices largos y ovalados que tienen en el cuello algunos animales, especialmente las cabras.

mamellado, da *adj.* Que tiene mamellas.

mameluco *s. m.* **1.** Soldado de una milicia privilegiada de Egipto. **2.** Hombre necio, tonto. **3.** *Arg., Cub. y Chil.* Pijama infantil de una sola pieza.

mamey *s. m.* **1.** Árbol americano de la familia de las gutíferas, de flores blancas, olorosas, y fruto casi redondo, con pulpa amarilla, aromática y sabrosa. **2.** Fruto de este árbol. **3.** Árbol americano de la familia de las sapotáceas, de flores de color blanco rojizo y fruto ovoide, con pulpa roja, dulce y muy suave. **4.** Fruto de este árbol.

mamífero, ra *adj.* Se dice de los animales vertebrados de temperatura constante, cuyas hembras alimentan a sus crías con la leche de sus mamas. También s. m.

mamila *s. f.* **1.** Mama de la hembra, exceptuando el pezón. **2.** Tetilla en el hombre.

mamilar *adj.* Perteneciente o relativo a la mamila.

mamografía *s. f.* Radiografía de las mamas.

mamola *s. f.* Caricia o burla amistosa que se hace a alguien dándole golpecitos debajo de la barbilla.

mamón, na *adj.* **1.** Que todavía está mamando. También s. m. y s. f. ‖ *s. m y s. f.* **2.** Persona malvada.

mamoso, sa *adj.* **1.** Que mama mucho. **2.** Se dice de cierta especie de panizo.

mamotreto *s. m., fig. y fam.* Libro o legajo muy abultado, cuando es deforme.

mampara *s. f.* Armazón vertical de cristal, madera, plástico, etc., que sirve para dividir una habitación, cubrir las puertas y para otros usos.

mamparo *s. m.* Tabique con que se divide en compartimentos el interior de un barco.

mamporro *s. m., fam.* Golpe, coscorrón.

mampostear *v. tr.* Trabajar en mapostería.

mampostería *s. f.* Obra hecha con mampuestos colocados con argamasa.

mampostero, ra *s. m. y s. f.* Persona que trabaja en mampostería.

mampresar *v. tr.* Empezar a domar las caballerías cerriles.

mampuesto, ta *adj.* Se dice del material usado en las obras de mampostería.

mamujar *v. tr.* Mamar con desgana, dejando el pecho y volviéndolo a tomar.

mamut *s. m.* Especie de elefante fósil, de la era cuaternaria, que tenía el cuerpo cubierto de pelo largo y los incisivos superiores muy desarrollados.

maná *s. m.* Milagroso manjar enviado por Dios desde el cielo, a modo de escarcha, para alimentar al pueblo de Israel en el desierto.

manada *s. f.* Conjunto de ciertos animales de una misma especie que andan reunidos.

manadero, ra *adj.* **1.** Se dice de lo que mana. **2.** Manantial.

mánager *s. m. y s. f.* **1.** Gerente. **2.** Apoderado.

manantial *s. m.* **1.** Nacimiento de las aguas. **2.** *fig.* Origen y principio de donde proviene una cosa.

manantío, a *adj.* Que mana. También s. m. y s. f.

manar *v. intr.* **1.** Brotar un líquido de alguna parte. También tr. **2.** *fig.* Abundar.

manatí *s. m.* Mamífero sirenio, herbívoro, de cuerpo grueso y redondeado, y miembros torácicos muy desarrollados.

manato *s. m.* Manatí.

manazas *s. m. y s. f., vulg.* Persona torpe.

mancamiento *s. m.* **1.** Acción y efecto de mancar o mancarse. **2.** Falta, defecto de una cosa.

mancar *v. tr.* **1.** Lisiar, herir a alguien en las manos. También prnl. **2.** Por ext., imposibilitar el uso de otros miembros. **3.** Herir, lastimar.

mancarrón, na *adj.* Matalón. También s. m. y s. f.

manceba *s. f.* Concubina.

mancebía *s. f.* **1.** Prostíbulo. **2.** Travesura o diversión deshonesta.

mancebo, ba *s. m. y s. f.* Joven.

mancera *s. f.* Esteva del arado.

mancerina *s. f.* Plato con una abrazadera circular en el centro, donde se coloca y sujeta la jícara en que se sirve el chocolate.

mancha *s. f.* Señal que una cosa hace en un cuerpo, ensuciándolo o echándolo a perder.

manchadizo, za *adj.* Que fácilmente se mancha.

manchado, da *adj.* Que tiene manchas.

manchar *v. tr.* Poner sucia una cosa.

mancilla *s. f.* Mancha, deshonra.

mancillar *v. tr.* Amancillar.

mancipación *s. f.* Enajenación, en el antiguo derecho romano, de una propiedad con ciertas solemnidades y con la presencia de cinco testigos.

manco, ca *adj.* Se aplica a la persona o animal a quien falta un brazo o mano.

mancomún, de *loc. adv.* De acuerdo dos o más personas, o en unión de ellas.

mancomunar *v. tr.* Unir personas, fuerzas o caudales para un fin. También prnl.

mancomunidad *s. f.* **1.** Acción y efecto de mancomunar o mancomunarse. **2.** Corporación constituida legalmente por agrupación de municipios o provincias.

mancorna *s. f.* **1.** *Col., Chil., Méx. y Ven.* Gemelos o juego de dos botones iguales. **2.** *Méx.* Broche, presilla.

mancornar *v. tr.* Atar dos reses por los cuernos para que anden juntas.

mancuerda *s. f.* Tormento que consistía en apretar las ligaduras que ataban al reo por medio de las vueltas de una rueda, hasta que confesase o corriese peligro su vida.

mancuerna *s. f.* **1.** Pareja de animales o de cosas mancornadas. **2.** Correa de que se sirven los vaqueros para mancornar las reses.

manda *s. f.* **1.** Oferta, donación. **2.** Legado en testamento o codicilo.

mandado, da *s. m.* **1.** Orden, mandamiento. ‖ *s. m. y s. f.* **2.** Persona que realiza encargos o cumple órdenes ajenas.

mandamás *com.* **1.** *fam.* Nombre que se da irónicamente a la persona que tiene mando. También adj. **2.** *com.* Persona que abusa demasiado de su autoridad.

mandamiento *s. m.* **1.** Precepto u orden de un superior a un inferior. **2.** Cada uno de los preceptos del decálogo y de la Iglesia. **3.** Despacho del juez por escrito.

mandanga *s. f.* **1.** Calma, lentitud. ‖ *s. f. pl.* **2.** Tonterías, cuentos.

mandante *com.* Persona que en un mandato delega en otra su representación personal, o la gestión de uno o más negocios.

mandar *v. tr.* **1.** Ordenar el superior a su súbdito. **2.** Legar algo en testamento. **3.** Enviar algo a alguien.

mandarín *s. m.* En la China antigua, alto funcionario que tenía a su cargo el gobierno de una ciudad o la administración de justicia.

mandarina *s. f.* Fruto del mandarino, especie de naranja de cáscara muy fácil de separar y pulpa muy dulce.

mandarino *s. m.* Árbol rutáceo, originario de China, de hojas alternas, flores blancas y olorosas, cuyo fruto es la mandarina.

mandarria *s. f.* Maza de hierro de que se sirven los calafates para meter o sacar los pernos en los costados de los buques.

mandatario, ria *s. m. y s. f.* Persona que acepta del mandante representarlo personalmente en la gestión o desempeño de uno o más negocios.

mandato *s. m.* **1.** Orden o precepto de un superior. **2.** Encargo o representación que por la elección se confiere a los diputados, concejales, etc.

mandíbula *s. f.* Cada una de las dos piezas óseas de la boca de los vertebrados en las que están implantados los dientes.

mandibular *adj.* Perteneciente a las mandíbulas.

mandil *s. m.* Prenda de cuero o tela fuerte que protege desde el cuello hasta por debajo de las rodillas.

mandilar *v. tr.* Limpiar el caballo con un paño o mandil.

mandilete *s. m.* **1.** Pieza de la armadura que protegía la mano. **2.** Portezuela que cierra la tronera de una batería.

mandilón *s. m., fig. y fam.* Hombre de poco espíritu y cobarde.

mandioca *s. f.* Arbusto euforbiáceo, de cuya raíz se extrae almidón, harina y tapioca.

mando *s. m.* **1.** Autoridad y poder que tiene el superior sobre sus súbditos. **2.** Persona o conjunto de personas que tiene dicha autoridad.

mandoble *s.m.* Cuchillada o golpe grande que se da esgrimiendo el arma con ambas manos.

mandolina *s. f.* Instrumento musical semejante al laúd, con cuatro o seis cuerdas pareadas.

mandón, na *adj.* Que ostenta demasiado su autoridad y manda más de lo que le corresponde.

mandrágora *s. f.* Planta solanácea, sin tallo, de hojas anchas y rugosas, y flores blanquecinas y rojizas, que se ha usado en medicina como narcótico.

mandria *adj.* Apocado y de escaso o ningún valor. También com.

mandril *s. m.* Primate catarrino africano, de robusta constitución, con el hocico alargado y marcado con profundos surcos, muchas veces coloreados.

mandrón *s. m.* Bola grande que se arrojaba con la mano, como proyectil de guerra.

manducación *s. f., fam.* Acción de manducar.

manducar *v. tr., fam.* Comer. También intr.

manducatoria *s. f., fam.* Comida, sustento.

manea *s. f.* Maniota.

manear *v. tr.* Poner maneas a una caballería.

manecilla *s. f.* **1.** Broche con que cierran algunas cosas. **2.** Saetilla del reloj que sirve para señalar las horas, minutos, etc.

manejable *adj.* Que se maneja fácilmente.

manejado, da *adj.* Con los adverbios *mal* o *bien* y otros semejantes, pintado con soltura o sin ella.

manejar *v. tr.* **1.** Usar algo con las manos. **2.** *fig.* Dirigir, gobernar.

manejo *s. m.* **1.** Acción y efecto de manejar o manejarse. **2.** Arte de manejar los caballos. **3.** *fig.* Dirección y gobierno de un asunto o negocio. **4.** *fig.* Treta, maquinación.

manera *s. f.* **1.** Modo con que se ejecuta o sucede una cosa. **2.** Porte y modales de una persona. Se usa más en pl.

manes *s. m. pl.* Las almas de los difuntos.

manezuela *s. f.* **1.** Manecilla, especie de broche. **2.** Manija.

manga *s. f.* **1.** Parte del vestido en que se mete el brazo y lo cubre total o parcialmente. **2.** Tubo de cuero, caucho, etc. que se acopla a las bombas o bocas de riego. **3.** Anchura mayor de un buque.

mangana *s. f.* Lazo que se arroja a las manos de un caballo o toro para hacerle caer y sujetarlo.

manganear *v. tr.* Echar manganas.

manganeo *s. m.* Fiesta en que se juntan muchas personas para divertirse en manganear.

manganesa *s. f.* Mineral de manganeso algo más duro que el yeso. Se emplea mucho en la industria para la obtención de oxígeno, fabricación de acero, vidrio, etc.

manganeso *s. m.* Metal de color y brillo acerados, quebradizo y muy oxidable.

manganilla *s. f.* Engaño, ardid de guerra.

mangante *s. m. y s. f., vulg.* Truhan, sinvergüenza.

manglar *s. m.* Sitio poblado de mangles.

mangle *s. m.* Arbusto rizoforáceo, cuyas ramas dan unos vástagos que descienden hasta tocar el suelo y arraigar en él.

mango[1] *s. m.* Parte por donde se coge con la mano un utensilio.

mango[2] *s. m.* **1.** Árbol de la familia de las anacardiáceas, originario de la India, de fruto oval, amarillo, aromático y de sabor agradable. **2.** Fruto de este árbol.

mangón *s. m.* Revendedor.

mangonada *s. f.* **1.** Engaño. **2.** Golpe dado con el brazo y la mano.

mangoneador, ra *adj.* Que mangonea.

mangonear *v. intr.* Entrometerse alguien en cosas que no le incumben, dirigiéndolas o mandando en ellas.

mangoneo *s. m., fam.* Acción y efecto de mangonear.

mangonero, ra *adj., fam.* Aficionado a mangonear o entrometerse.

mangorrero, ra adj., fam. Inútil o de poca estimación.

mangorrillo s. m. Mancera, esteva del arado.

mangosta s. f. Cuadrúpedo carnívoro, que habita en África.

mangote s. m. **1.** fam. Manga ancha y larga. **2.** Cada una de las mangas postizas de tela negra que usaban durante el trabajo algunos oficinistas.

manguera s. f. Manga de las bocas de riego.

manguero, ra s. m. y s. f. Persona que tiene el cargo de manejar las mangas de las bombas o de las bocas de riego.

mangueta s. f. Bolsa con pitón que servía para poner ayudas.

mangui s. m. y s. f., fam. Ladronzuelo, ratero.

manguita s. f. Funda.

manguitería s. f. Peletería.

manguitero, ra s. m. y s. f. Peletero.

manguito s. m. **1.** Rollo, con aberturas en ambos lados, de piel y algodonado por dentro, que utilizan las señoras para llevar abrigadas las manos. **2.** Mangote de oficinista. **3.** Cilindro hueco que sirve para empalmar dos tubos cilíndricos iguales unidos al tope en una máquina o en conducciones.

maní s. m. **1.** Cacahuete, planta. **2.** Fruto de esta planta.

manía s. f. **1.** Especie de locura, caracterizada por agitación y tendencia al furor. **2.** Extravagancia, capricho por algo determinado. **3.** Ojeriza.

maníaco, ca o maniaco, ca adj. Enajenado, que padece manía. También s. m. y s. f.

manialbo, ba adj. Maniblanco.

maniatar v. tr. Atar las manos.

maniático, ca adj. Que tiene manías.

maniblanco, ca adj. Se dice del caballo que tiene la parte inferior de las patas de color claro.

manicero, ra s. m. y s. f., Cub. Persona que vende manises.

manicomio s. m. Hospital para enfermos mentales.

manicorto, ta adj., fig. y fam. Poco generoso o dadivoso. También s. m. y s. f.

manicuro, ra s. m. y s. f. **1.** Persona que tiene por oficio cuidar las manos, y especialmente cortar y pulir las uñas. ‖ s. f. **2.** Cuidado de las manos y especialmente de las uñas. **3.** Oficio de manicuro.

manida s. f. Vivienda, guarida.

manido, da adj. **1.** Sobado, ajado. **2.** Se dice de la carne, pescado, etc., que está a punto de pudrirse.

manifacero, ra adj. Revoltoso, entrometido.

manifestación s. f. **1.** Acción y efecto de manifestar o manifestarse. **2.** Reunión política, generalmente al aire libre, en la cual las personas que a ella concurren expresan sus protestas o la reclamación de algo.

manifestante com. Persona que toma parte en una manifestación.

manifestar v. tr. **1.** Declarar, dar a conocer. También prnl. **2.** Descubrir, poner a la vista. También prnl.

manifiesto, ta adj. **1.** Patente, ostensible, claro. ‖ s. m. **2.** Escrito que una persona, partido o agrupación dirige a la opinión pública.

manija s. f. Mango, puño o manubrio de ciertos utensilios y herramientas.

manilargo, ga adj. Que tiene largas las manos.

manilla s. f. **1.** Pulsera. **2.** Grillete para las muñecas.

manillar s. m. Pieza de la bicicleta o de la motocicleta, que está formada por un tubo transversal encorvado y se emplea para apoyar los manos y dar dirección a la rueda delantera.

maniluvio s. m. Baño de la mano. Se usa más en pl.

maniobra s. f. **1.** Cualquier operación que se realiza con las manos. ‖ s. f. pl. **2.** Simulacros en que se ejercita la tropa.

maniobrar v. intr. Ejecutar maniobras.

maniota s. f. Cuerda con que se atan las manos de un animal para que no huya.

manipulación s. f. Acción y efecto de manipular.

manipulador, ra adj. **1.** Que manipula. También s. m. y s. f. ‖ s. m. **2.** Aparato telegráfico transmisor.

manipular v. tr. **1.** Realizar algo con las manos o con cualquier instrumento. **2.** fig. y fam. Manejar alguien los negocios a su manera o mezclarse en los ajenos.

manípulo s. m. Ornamento sagrado que por medio de un fijador se sujetaba al antebrazo izquierdo sobre la manga del alba.

maniqueísmo s. m. Visión dualista de la realidad sin matices entre lo bueno y lo malo.

maniqueo, a adj. Se aplica a cualquier comportamiento que denota maniqueísmo.

maniquete s. m. Mitón de tul negro con calados y labores.

maniquí s. m. Figura movible, de aspecto humano, que puede ser colocada en diversas actitudes.

manir v. tr. Hacer que las carnes y algunos manjares se pongan más tiernos, dejando pasar el tiempo conveniente antes de condimentarlos.

manirroto, ta adj. Demasiado liberal, pródigo. También s. m. y s. f.

manisero, ra adj., Amér. del S. Vendedor de maní tostado.

manivela s. f. Manubrio.

manjar s. m. Cualquier cosa comestible.

manjolar v. tr. En cetrería, llevar el ave sujeta en una jaula o cesta, o en la mano.

mano s. f. Parte del cuerpo humano, que comprende desde la muñeca hasta la punta de los dedos.

manobrero *s. m.* Operario que cuida de la limpieza de los brazales de las acequias.

manojera *s. f.* Conjunto de manojos de sarmientos destinados a la lumbre.

manojo *s. m.* Hacecillo de hierbas o de otras cosas que se puede coger con la mano.

manoletina *s. f.* **1.** Suerte taurina creada por Manolete que consiste en sujetar la muleta con las dos manos por detrás de la espalda. **2.** Zapatilla plana semejante a la de los toreros. Se usa más en pl.

manómetro *s. m.* Instrumento destinado a medir la presión de líquidos y gases.

manopla *s. f.* Guante sin separaciones para los dedos, excepto para el pulgar.

manoseador, ra *adj.* Que manosea.

manosear *v. tr.* Tocar repetidamente una cosa con las manos.

manoseo *s. m.* Acción y efecto de manosear.

manotada *s. f.* Golpe dado con la mano.

manotazo *s. m.* Golpe dado con la mano.

manotear *v. tr.* **1.** Dar manotazos. ‖ *v. intr.* **2.** Mover las manos para dar mayor fuerza a lo que se habla o para mostrar un estado de ánimo.

manoteo *s. m.* Acción y efecto de manotear.

manquear *v. intr.* Moverse o actuar con torpeza.

manquedad *s. f.* Condición de manco.

mansalva, a *loc. adv.* Sin peligro, sobre seguro.

mansedumbre *s. f.* Suavidad, benignidad.

mansejón, na *adj.* Se dice del animal muy manso.

mansión[1] *s. f.* Casa grande con propiedades y personas de servicio.

mansión[2] *s. f.* **1.** Detención, permanencia. **2.** Morada, albergue.

manso, sa *adj.* **1.** Benigno y suave en su condición. **2.** *fig.* Apacible, sosegado.

mansurrón, na *adj., fam.* Manso con exceso.

manta *s. f.* Pieza de forma rectangular y de un tejido grueso y tupido que sirve para abrigar, especialmente en la cama.

manteamiento *s. m.* Acción y efecto de mantear.

mantear *v. tr.* Lanzar al aire a una persona puesta en una manta, tirando a un tiempo de las orillas varias personas.

manteca *s. f.* **1.** Gordura de los animales, especialmente la del cerdo. **2.** Sustancia grasa de la leche.

mantecada *s. f.* **1.** Rebanada de pan untada con mantequilla y azúcar. **2.** Especie de bollo compuesto de harina, mantequilla, huevos y azúcar, que se suele cocer en una cajita cuadrada de papel.

mantecado *s. m.* **1.** Bollo amasado con manteca de cerdo. **2.** Helado de leche, azúcar, huevos, etc.

mantecoso, sa *adj.* Que tiene mucha manteca.

mantel *s. m.* Pieza de tela, plástico o papel con que se cubre la mesa para comer.

mantelería *s. f.* Juego de mantel y servilletas.

manteleta *s. f.* Especie de esclavina grande, a manera de chal, que usan las mujeres para abrigo o como adorno.

mantelete *s. m.* Vestidura con dos aberturas para sacar los brazos, que llevan los obispos y prelados sobre el roquete.

mantellina *s. f.* Mantilla de la cabeza.

mantelo *s. m.* Especie de delantal de paño que cubre la saya casi por completo.

mantener *v. tr.* **1.** Proveer a alguien del alimento necesario. También prnl. **2.** Conservar una cosa en su ser.

mantenido, da *s. f.* **1.** Mujer a la que su amante mantiene económicamente. ‖ *s. m.* **2.** Hombre que vive a expensas del trabajo de su mujer.

mantenimiento *s. m.* **1.** Efecto de mantener o mantenerse. **2.** Serie de operaciones y cuidados necesarios para el óptimo funcionamiento de una instalación, fábrica, etc.

manteo *s. m.* Capa larga con cuello, que llevan los eclesiásticos sobre la sotana.

mantequera *s. f.* Recipiente en que se guarda o se sirve la manteca.

mantequería *s. f.* Establecimiento comercial donde se venden mantequilla, quesos, fiambres, etc.

mantequero, ra *adj.* **1.** Perteneciente o relativo a la manteca. ‖ *s. m. y s. f.* **2.** Persona que hace o vende manteca. ‖ *s. m.* **3.** Recipiente en que se guarda o se sirve la manteca.

mantequilla *s. f.* **1.** Manteca que se obtiene de la leche de vaca. **2.** Pasta blanda y suave de manteca de vaca batida y mezclada con azúcar.

mantequillero, ra *s. m. y s. f.* **1.** *Amér. del S.* Persona que hace o vende manteca. ‖ *s. m.* **2.** *Amér. del S.* Recipiente en que se sirve la manteca.

mantilla *s. f.* Prenda femenina de tul, encaje, etc., utilizada para cubrir la cabeza.

mantillo *s. m.* Capa superior del suelo, formada por la descomposición parcial de materias animales y vegetales.

mantisa *s. f.* Fracción decimal que sigue a la característica en un logaritmo.

manto *s. m.* **1.** Prenda suelta que se lleva sobre el vestido y cubre desde la cabeza o los hombros hasta los pies. **2.** Mantilla grande sin adornos.

mantón *s. m.* Pañuelo grande que se echa sobre los hombros.

mantudo, da *adj.* Se dice del ave cuando tiene caídas las alas.

manual *adj.* **1.** Que se ejecuta con las manos. ‖ *s. m.* **2.** Libro en que se compendia lo más sustancial de una materia.

manualidad *s. f.* **1.** Trabajo realizado con las manos. ‖ *s. f. pl.* **2.** Trabajos manuales realizados en la escuela.

manubrio *s. m.* Empuñadura de un instrumento.

manuela *s. f.* Antiguo coche de alquiler, abierto y tirado por un caballo.

manuella *s. f.* Barra del cabrestante.

manufactura *s. f.* **1.** Obra hecha a mano o con ayuda de máquina. **2.** Fábrica.

manufacturar *v. tr.* Fabricar algo con medios mecánicos.

manumisión *s. f.* Acción y efecto de manumitir.

manumiso, sa *adj.* Que ha conseguido la libertad.

manumisor, ra *s. m. y s. f.* Persona que manumite.

manumitir *v. tr.* Dar libertad a un esclavo.

manuscrito, ta *adj.* **1.** Escrito a mano. ‖ *s. m.* **2.** Papel o libro escrito a mano, especialmente el de algún valor o antigüedad.

manutención *s. f.* Acción y efecto de mantener o mantenerse.

manutener *v. tr.* Mantener o amparar.

manzana *s. f.* **1.** Fruto del manzano. **2.** Pomo de la espada.

manzanal *s. m.* **1.** Terreno poblado de manzanos. **2.** Manzano.

manzanar *s. m.* Terreno plantado de manzanos.

manzanilla *s. f.* Hierba compuesta, de flores olorosas, que se toman en infusión.

manzanillo *adj.* Se dice de una variedad de olivo que produce una aceituna muy pequeña. También s. m.

manzano *s. m.* Árbol rosáceo, de hojas sencillas y ovaladas y flores en umbela, cuyo fruto es la manzana.

maña *s. f.* **1.** Destreza. **2.** Astucia. **3.** Vicio o mala costumbre. Se usa más en pl.

mañana *s. f.* Tiempo desde que amanece hasta el mediodía.

mañanero, ra *adj.* **1.** Madrugador. **2.** Perteneciente o relativo a la mañana.

mañanita *s. f.* Prenda femenina, de punto o tela, que se echa sobre los hombros cuando se está sentada en la cama.

mañear *v. tr.* **1.** Disponer una cosa con maña. ‖ *v. intr.* **2.** Proceder mañosamente.

mañero, ra *adj.* **1.** Sagaz, astuto. **2.** Fácil de tratar, ejecutar o manejar.

mañoco *s. m.* **1.** Tapioca. **2.** Masa cruda de harina de maíz.

mañoso, sa *adj.* Que tiene maña.

mapa *s. m.* Representación geográfica de la Tierra o parte de ella en una superficie plana.

mapache *s. m.* Mamífero carnívoro, de pelaje grisáceo denso y cola poblada, anillada con bandas negras.

mapamundi *s. m.* Mapa que representa la superficie de la Tierra dividida en dos hemisferios.

maque *s. m.* Laca.

maquear *v. tr.* Adornar muebles u otros objetos con maque.

maqueta *s. f.* Modelo exacto en tamaño reducido, de un monumento, edificio, etc.

maquetista *com.* Persona que se dedica a hacer maquetas.

maqui *s. m. y s. f.* Maquis.

maquí *s. m.* Monte bajo mediterráneo formado por vegetación cerrada, arbustiva de hoja perenne, como laurel, madroño, romero, retama, jara, lentisco, boj, etc.

maquiavélico, ca *adj.* **1.** Perteneciente o relativo al maquiavelismo. **2.** Taimado, pérfido.

maquiavelismo *s. m.* **1.** Sistema político atribuido a Maquiavelo, según el cual para lograr el fin no se debe reparar en los medios. **2.** *fig.* Modo de proceder con astucia y perfidia para alcanzar un fin.

maquiavelista *adj.* Que sigue la doctrina de Maquiavelo. También com.

maquila *s. f.* Porción de grano, harina o aceite que corresponde al molinero por la molienda.

maquilar *v. tr.* Cobrar el molinero la maquila.

maquillador, ra *s. m. y s. f.* Persona que se dedica a maquillar.

maquillaje *s. m.* **1.** Acción y efecto de maquillar o maquillarse. **2.** Producto cosmético utilizado para maquillar el rostro.

maquillar *v. tr.* **1.** Aplicar productos cosméticos al rostro de alguien para embellecerlo o caracterizarlo. **2.** *fig.* Tergiversar los datos de un resultado, encuesta, etc. para que ofrezca una apariencia mejor.

máquina *s. f.* Artificio para aprovechar, dirigir o regular la acción de una fuerza o para producirla.

maquinación *s. f.* Asechanza oculta dirigida generalmente a un mal fin.

maquinador, ra *adj.* Que maquina. También s. m. y s. f.

maquinal *adj.* **1.** Perteneciente o relativo a los movimientos y efectos de la máquina. **2.** *fig.* Se aplica a los actos y movimientos ejecutados sin deliberación.

maquinar *v. tr.* Urdir, tramar algo oculta y artificiosamente.

maquinaria *s. f.* **1.** Conjunto de máquinas para un fin determinado. **2.** Arte que enseñaba a fabricar las máquinas.

maquinismo *s. m.* Tendencia en la industria moderna a sustituir el trabajo del hombre por máquinas.

maquinista *com.* **1.** Persona que inventa o fabrica máquinas. **2.** Persona que maneja una máquina.

maquis *s. m.* **1.** Nombre colectivo que designó a las fuerzas irregulares, adictas al general francés De Gaulle, que buscaron refugio en los bosques y montes durante la Segunda Guerra Mundial, para resistir a los alemanes. **2.** Por ext., se aplica a cualquier persona o grupo que pasa a la resistencia política y se refugia en el monte.

mar s. amb. Masa de agua salada que cubre la mayor parte de la superficie de la Tierra.

marabú s. m. Ave zancuda africana de las cicónidas, parecida a la cigüeña, de patas delgadas, alas grandes, cabeza y cuello desnudo y plumaje blanco en el vientre.

marabunta s. f. **1.** Enorme enjambre de hormigas que devora todo lo que encuentra a su paso. **2.** fig. Multitud de gente que causa alboroto y destrucción.

maraca s. f. Instrumento musical, consistente en una calabaza seca, con granos de maíz o chinas en su interior, para acompañar el canto.

maracure s. m., amer. Bejuco del que se extrae el curare.

marantáceo, a adj. Se dice de plantas angiospermas, dicotiledóneas, herbáceas, de hojas asimétricas, flores irregulares y fruto en baya o nuez. También s. f.

maraña s. f. **1.** Maleza, espesura de arbustos. **2.** fig. Situación intrincada y de difícil salida.

marañero, ra adj. Amigo de marañas, enredador. También s. m. y s. f.

marañón s. m., Amér. C. Árbol de la familia de las anacardiáceas, cuyo fruto, sostenido por un pedúnculo grueso en forma de pera, es una nuez de cubierta cáustica y con almendra comestible.

marañoso, sa adj. Marañero. También s. m. y s. f.

marasmo s. m. Grado extremo de extensión o enflaquecimiento del cuerpo humano.

maratón com. **1.** Carrera pedestre de resistencia en una longitud que actualmente está fijada en 42 195 km. **2.** Por ext., cualquier otra competición de resistencia. **3.** fig. Actividad intensa que se desarrolla sin interrupción.

maratoniano, na adj. Agotador, extenuante.

maravedí s. m. Moneda española, efectiva o imaginaria, que ha tenido diferentes valores y calificativos.

maravilla s. f. **1.** Suceso o cosa extraordinaria, que causa admiración. **2.** Acción y efecto de maravillar o maravillarse.

maravillar v. tr. Admirar. También prnl.

maravilloso, sa adj. Extraordinario, admirable.

marbete s. m. **1.** Cédula que se adhiere a un objeto para indicar la marca de fábrica, contenido, cualidades, etc. **2.** Cédula pegada en los equipajes, fardos, etc., en el ferrocarril, para anotar el punto de destino y el número de registro. **3.** Orilla, perfil.

marca s. f. **1.** Provincia, distrito fronterizo. **2.** Señal hecha en una persona, animal o cosa para distinguirla de otra o denotar calidad o pertenencia. **3.** Acción de marcar. **4.** Huella. **5.** El mejor resultado obtenido por un deportista en determinada prueba.

marcación s. f. **1.** Cerco en que encajan puertas y ventanas. **2.** Conjunto de estos cercos.

marcador, ra adj. **1.** Que marca. También s. m. y s. f. ‖ s. m. **2.** Tablero en que se van señalando los tantos obtenidos por cada equipo. **3.** Instrumento semejante al bolígrafo o lápiz de tinta que escribe o dibuja con un trazo ancho mediante una punta gruesa de fieltro u otro material; rotulador.

marcaje s. m. Acción y efecto de marcar a un jugador del equipo contrario.

marcar v. tr. **1.** Poner una señal a algo o alguien. **2.** Colocar en el cabello rulos, pinzas, etc., para darle determinada forma. También prnl. **3.** fig. Ejercer una fuerte influencia sobre alguien. **4.** fig. Señalar un aparato cantidades o magnitudes. **5.** fig. Indicar en un producto comercial su precio. **6.** fig. Resaltar alguna cosa. **7.** fig. Teclear en un teléfono el número al que se quiere llamar. **8.** fig. En el fútbol y otros deportes, conseguir un tanto.

marcasita s. f. Especie de pirita de hierro que se emplea en joyería.

marceador, ra adj. Que marcea.

marcear v. tr. Esquilar las bestias.

marceo s. m. Corte que se hace en los panales en primavera para limpiarlos.

marcescente adj. Se aplica a los cálices y corolas marchitos que persisten alrededor del ovario, y a las hojas que permanecen secas en la planta hasta que brotan las nuevas.

marcha s. f. **1.** Acción de marchar o marcharse. **2.** Grado de celeridad en el andar de un buque, locomotora, etc. **3.** Funcionamiento de un mecanismo. **4.** Desarrollo de un proyecto o actividad.

marchador, ra s. m. y s. f. Persona que toma parte en las competiciones de marcha atlética.

marchamar v. tr. Marcar los géneros o fardos en las aduanas.

marchamo s. m. Marca que se pone en los fardos o bultos en las aduanas, en prueba de que están reconocidos.

marchante adj. **1.** Mercantil. ‖ s. m. y s. f. **2.** Traficante.

marchapié s. m. Cabo pendiente a lo largo de las vergas, que sirve para sostener a la marinería que trabaja en ellas.

marchar v. intr. **1.** Caminar, andar. También prnl. **2.** Ir o partir de un lugar. También prnl. **3.** Funcionar un mecanismo.

marchitable adj. Que puede marchitarse.

marchitar v. tr. **1.** Ajar, quitar el jugo y frescura a las hierbas, flores y otras cosas. También prnl. **2.** fig. Enflaquecer, quitar el vigor. También prnl.

marchito, ta adj. Ajado, falto de vigor y lozanía.

marcial adj., fig. Bizarro, varonil, franco.

marcialidad s. f. Cualidad de marcial.

marciano, na *s. m. y s. f.* Supuesto habitante del planeta Marte.

marco *s. m.* **1.** Cerco en que encajan algunas cosas. **2.** Reborde de madera u otro material para enmarcar cuadros, tapices, etc. **3.** Dintel de las puertas. **4.** *fig.* Ámbito en el que se desarrolla algo. **5.** *fig.* Límites en que se encuadra una etapa histórica, una cuestión, etc.

marconigrama *s. m.* Telegrama transmitido por telegrafía sin hilos.

marea *s. f.* Movimiento periódico y alternativo de ascenso y descenso de las aguas del mar, debido a las atracciones combinadas del Sol y la Luna.

mareaje *s. m.* **1.** Arte o profesión de marear o navegar. **2.** Rumbo de las embarcaciones.

mareamiento *s. m.* Acción y efecto de marear o marearse.

marear *v. tr.* **1.** Poner en movimiento una embarcación en el mar; gobernarla, dirigirla. **2.** *fig.* Molestar, aturdir. **3.** *fig.* Llevar de un sitio a otro sin rumbo fijo. ‖ *v. prnl.* **4.** Sentir alguien que le da vueltas la cabeza y se le revuelve el estómago.

marejada *s. f.* Movimiento tumultuoso de grandes olas, aunque no haya borrasca.

marejadilla *s. f.* Marejada de escasa intensidad.

maremagno *s. m., fam.* Mare mágnum.

maremágnum *expr. lat.* **1.** *fig. y fam.* Significa «abundancia», «grandeza» o «confusión». **2.** *fig. y fam.* Significa «revoltijo de personas o cosas».

maremoto *s. m.* Agitación violenta de las aguas del mar a consecuencia de una sacudida del fondo.

marengo *adj.* Se dice del gris muy oscuro.También s. m.

mareo *s. m.* Efecto de marearse.

mareógrafo *s. m.* Instrumento que sirve para medir y registrar las variaciones de las mareas.

mareta *s. f.* **1.** Movimiento de las olas del mar, cuando empiezan a levantarse o a sosegarse. **2.** *fig.* Rumor de la muchedumbre que empieza a agitarse o a sosegarse.

márfaga *s. f.* Tela gruesa y tosca.

marfil *s. m.* Sustancia de que están formados los dientes de los vertebrados y, especialmente, los colmillos de los elefantes. Es compacta, dura, muy blanca y recubierta por esmalte; se emplea para la fabricación de diversos objetos.

marfileño, ña *adj.* **1.** De marfil. **2.** Perteneciente o semejante al marfil.

marfilina *s. f.* Cierto material que imita al marfil utilizado para fabricar figuras y bolas de billar.

marga *s. f.* Roca compuesta de carbonato de cal y arcilla que se usa como abono.

margal *s. m.* Terreno en que abunda la marga.

margallón *s. m.* Palmito, planta.

margar *v. tr.* Abonar las tierras con marga.

margarina *s. f.* Sustancia grasa de consistencia blanda, que se obtiene de las grasas y aceites vegetales.

margarita *s. f.* **1.** Perla de los moluscos. **2.** Planta herbácea compuesta de flores terminales de centro amarillo y corola blanca.

margen *s. amb.* **1.** Extremidad y orilla de una cosa. **2.** Espacio que queda en blanco a cada uno de los cuatro lados de una página manuscrita o impresa. Se usa más como s. m. **3.** Cuantía del beneficio que se puede obtener en un negocio teniendo en cuenta el precio de coste y el de venta.

marginado, da *adj.* Se dice de la persona que no está integrada en la sociedad. También s. m. y s. f.

marginal *s.* **1.** Perteneciente o relativo al margen. **2.** Que está al margen. **3.** Se dice de lo que es secundario o de poca importancia. **4.** Se dice de la persona que no está integrada en la sociedad.

marginar *v. tr.* **1.** Apostillar. **2.** Dejar márgenes en el papel en que se escribe o imprime. **3.** *fig.* Dejar de lado un asunto. **4.** *fig.* Excluir a una persona de una actividad o grupo. **5.** *fig.* Dejar a una persona o grupo en condiciones sociales de inferioridad.

margoso, sa *adj.* Se dice del terreno o de la roca en cuya composición entra la marga.

marguera *s. f.* Barrera o veta de marga.

marhojo *s. m.* Marojo.

mariachi o mariachis *s. m.* **1.** Música y baile populares mexicanos. **2.** Orquesta popular mexicana que ejecuta esta música. **3.** Cada uno de los músicos de esta orquesta.

mariano, na *adj.* Perteneciente a la Virgen María, y especialmente a su culto.

marica *s. f.* **1.** Urraca. ‖ *s. m.* **2.** *fam.* Hombre homosexual o afeminado.

maricón *s. m.* **1.** *vulg.* Marica, hombre afeminado. También adj. **2.** *vulg.* Homosexual. También adj.

mariconada *s. f.* **1.** *vulg.* Mala pasada, jugada sucia. **2.** *vulg.* Tontería, estupidez.

mariconera *s. f.* Bolso de mano masculino.

maridaje *s. m.* **1.** Unión y conformidad de los casados. **2.** *fig.* Unión, analogía de unas cosas con otras.

maridar *v. intr.* **1.** Casarse, contraer matrimonio. **2.** *fig.* Unir o enlazar.

marido *s. m.* Hombre casado, con respecto a su mujer.

mariguana *s. f.* Marihuana.

marihuana *s. f.* Hojas del cáñamo índico que se fuman mezcladas con tabaco y producen efectos narcóticos.

marimacho *s. m., fam.* Mujer de aspecto o comportamiento parecido al del hombre.

marimandona *s. f.* Mujer autoritaria y dominante.

marimba *s. f.* Especie de tambor usado en algunos lugares de África.

marimorena *s. f., fam.* Riña, pelea.

marina *s. f.* Parte de tierra junto al mar.

marinaje *s. m.* Ejercicio de la marinería.

marinar *v. tr.* **1.** Dar cierta sazón al pescado para conservarlo. **2.** Tripular de nuevo un buque.

marinear *v. intr.* Ejercitar el oficio de marinero.

marinera *s. f.* **1.** Prenda de vestir, a modo de blusa, que usan los marineros. **2.** Por ext., blusa que tiene una confección similar.

marinería *s. f.* **1.** Profesión de marinero. **2.** Conjunto de marineros.

marinero, ra *adj.* **1.** Se dice del buque que navega con facilidad y seguridad. ‖ *s. m. y s. f.* **2.** Persona que presta servicio en un barco.

marinesco, ca *adj.* Perteneciente a los marineros.

marino, na *adj.* **1.** Perteneciente al mar. ‖ *s. m. y s. f.* **2.** Persona que se ejercita en la náutica. **3.** Persona que sirve en la Marina.

marión *s. m.* Esturión.

marioneta *s. f.* **1.** Títere movido por medio de hilos. **2.** *fig.* Persona que se deja dominar y manejar por otra fácilmente. ‖ *s. f. pl.* **3.** Representación teatral de marionetas.

mariposa *s. f.* **1.** Insecto lepidóptero en su fase adulta. **2.** Especie de candelilla que se pone en un vaso con aceite para conservar luz de noche.

mariposear *v. intr., fig.* Variar con frecuencia de aficiones y caprichos.

mariquita *s. f.* Insecto coleóptero con élitros cupuliformes de color rojo y puntos negros, que se alimenta de pulgones.

marisabidilla *s. f., fam.* Mujer engreída que presume de sabia.

mariscada *s. f.* Comida a base de marisco variado.

mariscador, ra *adj.* Que tiene por oficio mariscar.

mariscal *s. m.* Grado más alto del Ejército en ciertos países.

mariscalía *s. f.* Dignidad o empleo de mariscal.

mariscar *v. tr.* Coger mariscos.

marisco *s. m.* Cualquier molusco o crustáceo, en especial los comestibles.

marisma *s. f.* Terreno bajo y pantanoso inundado por las aguas del mar.

marisquería *s. f.* Establecimiento donde se venden o consumen mariscos.

marital *adj.* Perteneciente al marido o a la vida conyugal.

marítimo, ma *adj.* Perteneciente o relativo al mar.

marjal *s. m.* Terreno bajo y pantanoso.

marjoleta *s. f.* Fruto del marjoleto.

marjoleto *s. m.* **1.** Espino arbóreo de hojas de borde velloso, flores en corimbos, madera dura y fruto aovado, que abunda en Sierra Nevada. **2.** Majuelo, espino.

marketing *s. m.* Mercadotecnia.

marlota *s. f.* Vestidura morisca, a modo de sayo que cubre todo el cuerpo y se abrocha por detrás.

marmita *s. f.* Olla de metal, con tapadera ajustada y una o dos asas.

marmitako *s. m.* Guiso elaborado a base de atún, bonito u otros pescados, patatas y pimientos.

marmitón, na *s. m. y s. f.* Persona que trabaja en la cocina en las tareas más humildes.

mármol *s. m.* **1.** Piedra caliza metamórfica, de textura compacta y cristalina, susceptible de buen pulimento y mezclada generalmente con sustancias que le dan colores diversos o figuran manchas o vetas. **2.** Obra artística hecha con este material.

marmolejo *s. m.* Columna pequeña.

marmolería *s. f.* **1.** Conjunto de mármoles de un edificio. **2.** Obra de mármol. **3.** Taller de marmolista.

marmolista *s. m. y s. f.* **1.** Artífice que trabaja en mármoles, o los vende. **2.** Por ext., persona que trabaja en otras piedras y, especialmente, la que labra lápidas funerarias.

marmoración *s. f.* Estuco de cal y polvo de mármol con que se cubren las paredes.

marmóreo, a *adj.* **1.** De mármol. **2.** Semejante al mármol en alguna de sus cualidades.

marmoroso, sa *adj.* De mármol.

marmota *s. f.* **1.** Mamífero roedor, de cabeza grande, orejas pequeñas y pelaje largo y espeso. **2.** *fig.* Persona que duerme mucho.

maro *s. m.* Planta herbácea de las labiadas, de fruto seco con semillas menudas; es de olor fuerte y sabor amargo, y se usa como antiespasmódico.

marojo *s. m.* Planta parecida al muérdago.

marola *s. f.* Marejada del mar.

maroma *s. f.* Cuerda gruesa de esparto o cáñamo.

maromero, ra *s. m. y s. f.* **1.** *Amér. del S.* Acróbata, volatinero. ‖ *adj.* **2.** Se dice de la persona astuta. **3.** *Cub., Méx. y Per.* Se dice del político versátil.

maromo *s. m.* **1.** *fam.* Individuo. **2.** *fam.* Novio, pretendiente, esposo, amante.

marón *s. m.* Esturión.

marqués, sa *s. m. y s. f.* Título de nobleza, inferior al de duque y superior al de conde.

marquesado *s. m.* Título o dignidad de marqués.

marquesina *s. f.* Cubierta, generalmente de cristal, que se pone en una puerta, escalinata, parada de transporte público, etc., para resguardarlos de la lluvia.

marquesita *s. f.* Marcasita, pirita.

marquesota *s. f.* Cuello alto, blanco y almidonado, usado por los hombres como prenda de adorno.

marqueta *s. f.* Pan de cera sin labrar.

marquetería *s. f.* **1.** Ebanistería. **2.** Taracea.

marra[1] *s. f.* Falta de una cosa donde debiera estar.

marra[2] *s. f.* Mazo para romper piedras.

marrajo, ja *adj.* **1.** *fig.* Hipócrita, astuto. ‖ *s. m.* **2.** Tiburón.

marranada *s. f.* **1.** *fig. y fam.* Grosería, obscenidad. **2.** *fig. y fam.* Jugarreta, mala pasada. **3.** *fig. y fam.* Chapuza.

marranería *s. f., fig. y fam.* Marranada.

marrano, na *s. m. y s. f.* **1.** Cerdo, animal. **2.** *fig. y fam.* Persona sucia y desaseada. También adj.

marrar *v. intr.* **1.** Faltar, errar. **2.** *fig.* Desviarse de lo recto.

marras, de *loc.* que indica que la persona o cosa de que se habla es conocida sobradamente.

marrasquino *s. m.* Licor hecho con el zumo de cierta variedad de cerezas amargas y gran cantidad de azúcar.

marrazo *s. m.* Hacha de dos bocas, usada por los soldados para cortar leña.

marrear *v. tr.* Dar golpes con la marra.

marrillo *s. m.* Palo corto y algo grueso.

marro *s. m.* **1.** Juego. **2.** Falta, yerro.

marrón[1] *s. m.* Piedra para jugar al marro.

marrón[2] *adj.* Se dice del color castaño. También s. m.

marroquinería *s. f.* Industria de artículos de piel o imitación, como carteras, bolsos, billeteros, etc.

marrubial *s. m.* Terreno cubierto de marrubios.

marrubio *s. m.* Planta herbácea labiada, de flores medicinales, blancas, en falsos verticilos, y fruto seco con semillas menudas. Abunda en parajes secos.

marrullería *s. f.* Astucia con que, halagando a alguien, se pretende confundirlo.

marrullero, ra *adj.* Que usa marrullerías.

marsopa *s. f.* Cetáceo parecido al delfín, pero más pequeño y con el hocico obtuso.

marsopla *s. f.* Marsopa.

marsupial *adj.* Se dice de los mamíferos cuyas hembras no tienen placenta sino marsupio. También s. m.

marsupio *s. m.* Repliegue tegumentario, a modo de bolsa, que tienen en el abdomen la mayoría de los marsupiales, en la cual tienen las mamas y hacen la vida las crías en sus primeros meses.

marta *s. f.* Mamífero carnívoro mustélido, de cabeza pequeña, cuerpo delgado, cola larga, patas cortas y pelo espeso y suave.

martagón *s. m.* Planta herbácea de jardín, liliácea, de flores rosadas con puntos purpúreos, que abunda en España.

martellina *s. f.* Martillo de cantero.

martes *s. m.* Día de la semana comprendido entre el lunes y el miércoles.

martillar *v. tr.* **1.** Batir, golpear con el martillo. **2.** *fig.* Oprimir, atormentar. También prnl.

martillazo *s. m.* Golpe fuerte dado con el martillo.

martillear *v. tr.* **1.** Dar repetidos golpes con el martillo. **2.** *fig.* Atormentar, abrumar. **3.** *fig.* Repetir algo con insistencia.

martilleo *s. m.* **1.** Acción y efecto de martillear. **2.** *fig.* Ruido que produce. **3.** *fig.* Cualquier ruido parecido al del martillo.

martillo *s. m.* **1.** Herramienta de percusión, compuesta de una cabeza de hierro o acero y un mango, generalmente de madera. **2.** Hueso del oído medio.

martina *s. f.* Pez teleósteo comestible, del suborden de los fisóstomos, de cuerpo cilíndrico, hocico puntiagudo y aletas pectorales pequeñas, que vive en el Mediterráneo.

martinete[1] *s. m.* Ave zancuda, de blancas y largas plumas occipitales a modo de cintas que se erizan en las ceremonias de cortejo.

martinete[2] *s. m.* Mazo de gran peso, para batir algunos metales, etc.

martingala *s. f.* Cada una de las calzas que llevaban los hombres de armas debajo de los quijotes.

martiniega *s. f.* Tributo que se debía pagar el día de san Martín.

mártir *adj.* Se dice de la persona que muere o padece mucho en defensa de una creencia o causa.

martirio *s. m.* Tormento que alguien padece por sostener la verdad de su creencia.

martirizador, ra *adj.* Que martiriza. También s. m. y s. f.

martirizar *v. tr.* **1.** Atormentar a alguien o matarle por motivos religiosos. **2.** *fig.* Afligir, maltratar. También prnl.

martirologio *s. m.* Libro o catálogo de los mártires y de todos los santos.

marullo *s. m.* Marea, movimiento de las olas del mar.

marxismo *s. m.* **1.** Corriente de pensamiento inspirada en las ideas políticas, sociales, económicas y filosóficas de K. Marx y F. Engels. Es la base teórica del socialismo y del comunismo contemporáneos. **2.** Designación de varios movimientos políticos que se inspiran en dicha doctrina.

marxista *adj.* Perteneciente o relativo al marxismo.

marzal *adj.* Perteneciente al mes de marzo.

marzo *s. m.* Tercer mes del año.

marzoleta *s. f.* Fruto del marzoleto.

marzoleto *s. m.* Majuelo.

mas *conj. advers.* Pero, sino.

más *adv. compar.* Denota mayor cantidad numérica o mayor intensidad de las cualidades máximas.

masa *s. f.* Mezcla consistente y homogénea que se hace incorporando un líquido con una materia pulverizada.

masacrar *v. tr.* Asesinar, matar en masa.

masacre *s. f.* Matanza colectiva de personas indefensas.

masada *s. f.* Casa de campo y de labor, con tierras, aperos y ganado.

masadero, ra *s. m. y s. f.* Colono de una masada.

masaje *s. m.* Método terapéutico manual o instrumental que consiste en presionar, frotar, etc., el cuerpo o una parte concreta del mismo.

masajista *com.* Persona experta en dar masajes.

masar *v. tr.* Amasar.

masato *s. m., Ec., Col. y Per.* Bebida fermentada de plátano, yuca o mandioca, y maíz.

mascabado, da *adj.* Se dice del azúcar de caña, de segunda producción.

mascador, ra *adj.* Que masca. También s. m. y s. f.

mascadura *s. f.* Acción y efecto de mascar.

mascar *v. tr.* Partir y triturar un alimento con la dentadura.

máscara *s. f.* Pieza de cartón, tela, etc., imitando un rostro humano o animal, con que una persona se tapa la cara o parte de ella para no ser conocida.

mascara *s. f.* **1.** Fiesta de personas enmascaradas. **2.** Comparsa de máscaras.

mascarilla *s. f.* **1.** Máscara que solamente cubre la parte superior del rostro. **2.** Vaciado que se saca sobre el rostro de una persona o escultura.

mascarón *s. m.* Cara disforme o fantástica que se usa como adorno en algunas obras de arquitectura.

mascota *s. f.* **1.** Persona, animal o cosa que se supone trae buena suerte. **2.** Animal de compañía.

mascujar *v. tr., fam.* Mascullar.

masculinidad *s. f.* Cualidad de masculino.

masculino, na *adj.* Se dice del ser que está dotado de órganos para fecundar.

mascullar *v. tr., fam.* Hablar entre dientes o pronunciando mal las palabras.

masera *s. f.* Artesa grande para amasar.

masería *s. f.* Masada.

masetero *adj.* Se dice del músculo que sirve de elevador de la mandíbula inferior, situado en la parte posterior de la mejilla.

masía *s. f.* Casa de campo.

masicote *s. m.* Óxido de plomo, de color amarillo, usado mucho en pintura.

masificación *s. f.* Acción y efecto de masificar.

masificar *v. tr.* **1.** Hacer de un grupo de personas un todo homogéneo sin personalidad propia. **2.** Hacer que un lugar se llene de gente.

masilla *s. f.* Pasta hecha de tiza y aceite de linaza, usada para sujetar los cristales.

masivo, va *adj., fig.* Se dice de lo que se aplica en gran cantidad.

maslo *s. m.* Tronco de la cola de los cuadrúpedos.

masoca *s. m. y s. f., fam.* Masoquista.

masón, na *s. m. y s. f.* Persona que pertenece a la masonería.

masonería *s. f.* Francmasonería.

masónico, ca *adj.* Perteneciente o relativo a la masonería.

masoquismo *s. m.* Práctica sexual de la persona que goza con verse humillada o maltratada por una persona.

masoquista *com.* Persona que practica el masoquismo.

mass media *s. m. pl.* Medios de comunicación.

mastaba *s. f.* Tumba egipcia en forma de pirámide truncada, cuya base superior presenta una abertura que da acceso a un pozo que lleva a la cámara mortuoria.

mástel *s. m.* Palo derecho que sirve para mantener una cosa.

mastelero *s. m.* Palo menor que se pone en los navíos y demás embarcaciones sobre cada uno de los mayores.

máster *s. m.* Curso de posgrado o para licenciados.

masticación *s. f.* Acción y efecto de masticar.

masticador, ra *adj.* Que mastica. También s. m. y s. f.

masticar *v. tr.* Partir y triturar con los dientes un alimento.

masticatorio, ria *adj.* Que sirve para masticar.

masticino, na *adj.* Perteneciente o relativo al mástique.

mástil *s. m.* **1.** Palo de una embarcación. **2.** Cualquiera de los palos derechos que sostienen una cosa, como la cama, el coche, etc. **3.** Parte más estrecha de algunos instrumentos de cuerda sobre la que se tensan éstas.

mastín, na *adj.* Se dice del perro grande y fornido. Es muy valiente, leal y el mejor para la guarda de los ganados. También s. m.

mástique *s. m.* Resina.

mastitis *s. f.* Inflamación de la mama.

mastodonte *s. m.* Mamífero paquidermo fósil, parecido al elefante y al mamut, cuyos restos se encuentran en los terrenos terciarios.

mastodóntico, ca *adj.* Se dice de la persona o cosa de gran tamaño.

mastoides *adj.* De forma de mama. Se dice de la apófisis del hueso temporal situada detrás y debajo de la oreja.

mastología *s. f.* Tratado de la constitución, funciones y enfermedades de la mama.

mastozoología *s. f.* Parte de la zoología que trata de los mamíferos.

mastranzo *s. m.* Planta herbácea, labiada, de hojas elípticas, flores pequeñas en espiga terminal y fruto seco, encerrado en el cáliz. Es aromática y medicinal.

masturzo *s. m.* Planta herbácea, hortense, crucífera, que se come en ensalada y es de sabor picante.

masturbación *s. f.* Acción y efecto de masturbar o masturbarse.

masturbar *v. tr.* Procurar placer sexual estimulando los órganos sexuales o zonas erógenas con la mano o por otros medios. Se usa más como prnl.

mata *s. f.* Planta de tallo bajo, ramificado y leñoso, que vive varios años.

matacán *s. m.* Composición venenosa para matar perros.

matacandelas *s. m.* Instrumento de hojalata que, fijo en el extremo de una caña, sirve para apagar las velas o cirios colocados en lo alto.

matacandil *s. m.* Planta herbácea crucífera, con hojas pecioladas, flores de pétalos pequeños y amarillos y fruto en vainillas con semillas elipsoidales.

matachín *s. m.* **1.** Matarife. **2.** *fig. y fam.* Hombre pendenciero, camorrista.

matadero *s. m.* Sitio donde se mata y desuella el ganado para abasto público.

matador, ra *adj.* **1.** Que mata. También s. m. y s. f. ‖ *s. m.* **2.** Torero.

matadura *s. f.* Llaga que se hace el animal por ludirle el aparejo.

matafuego *s. m.* Instrumento para apagar los fuegos.

matalascallando *adj.* Se dice de la persona astuta que persigue sus fines en secreto.

matalobos *s. m.* Acónito, planta.

matalón, na *adj.* Se dice de la caballería flaca y llena casi siempre de llagas.

matalotaje *s. m.* Provisión de comida que se lleva en una embarcación.

matalote *s. m.* Buque anterior y buque posterior a cada uno de los que forman una columna.

matamoscas *s. m.* Instrumento o producto para matar moscas.

matanza *s. f.* Época del año en que generalmente se matan los cerdos.

matapolvo *s. m.* Lluvia o riego pasajero y menudo.

matar *v. tr.* **1.** Quitar la vida. También prnl. **2.** Herir a un animal con el roce de un aparejo. También prnl.

matarife *s. m.* Hombre que tiene por oficio matar y descuartizar las reses.

matarratas *s. m.* **1.** Veneno preparado para matar a las ratas. **2.** *fam.* Aguardiente de mala calidad y muy fuerte.

matasanos *s. m., fig. y fam.* Mal médico.

matasellos *s. m.* Estampilla con que se inutilizan los sellos de las cartas y otros envíos postales en las oficinas de correos.

matasiete *adj., fam.* Fanfarrón, hombre preciado de valiente.

matasuegras *s. f.* Tubo enroscado de papel que contiene un extremo cerrado, y el otro terminado en una boquilla por la que se sopla para que se desenrosque bruscamente el tubo y asuste por broma.

matatías *s. m. y s. f.* Prestamista, usurero.

match *s. m.* **1.** Encuentro entre dos jugadores o equipos. **2.** En boxeo, combate, pelea.

mate¹ *adj.* Sin brillo, apagado.

mate² *s. m.* Lance del juego de ajedrez que pone término a la partida.

matear¹ *v. tr.* Sembrar las simientes o plantar las matas a cierta distancia unas de otras.

matear² *v. intr., Amér. del S.* Tomar mate.

matemática *s. f.* Ciencia que estudia la cantidad, sus relaciones y propiedades, mediante el método deductivo. Se usa más en pl.

matemático, ca *adj., fig.* Exacto, preciso.

materia *s. f.* **1.** Sustancia extensa, impenetrable, divisible e inerte, capaz de recibir toda clase de formas. **2.** Sustancia de que está hecha una cosa. **3.** Sustancia corpórea, en oposición a espíritu. **4.** Pus. **5.** Asunto de que trata una obra literaria, científica, etc. **6.** Asignatura, disciplina científica.

material *adj.* **1.** Perteneciente o relativo a la materia. **2.** Opuesto a lo espiritual o formal. ‖ *s. m.* **3.** Ingrediente. **4.** Cuero curtido. **5.** Cualquiera de las materias o conjunto de ellas que se necesitan para una obra. **6.** Conjunto de máquinas, herramientas, etc., necesarias para un servicio o profesión, o que entran en la construcción de una obra.

materialidad *s. f.* **1.** Cualidad de material. **2.** Apariencia de las cosas.

materialismo *s. m.* Doctrina que admite como única sustancia la materia, negando la espiritualidad y la inmortalidad del alma humana, así como la causa primera y las leyes metafísicas.

materialista *adj.* Se dice de la persona que concede demasiada importancia a los bienes materiales.

materialización *s. f.* Acción y efecto de materializar.

materializar *v. tr.* **1.** Considerar como material una cosa que no lo es. **2.** Hacer realidad proyectos o ideas que se tenían en la mente.

maternal *adj.* Materno.

maternidad *s. f.* Estado de madre.

materno, na *adj.* Perteneciente o relativo a la madre.

mático *s. m.* Planta piperácea, cuyas hojas contienen un aceite esencial aromático y balsámico.

matidez *s. f.* Sonido mate que se percibe en la percusión.

matinal *adj.* De la mañana o relativo a ella.

matiné *s. f.* **1.** Fiesta, reunión, espectáculo, que tiene lugar en las primeras horas de la tarde. **2.** En México y Puerto Rico, función de cine por la mañana.

matiz *s. m.* Unión de diversos colores mezclados con proporción en las pinturas, bordados, etc.

matización *s. f.* Acción y efecto de matizar.

matizar *v. tr.* **1.** Armonizar con proporción diversos colores. **2.** Graduar con delicadeza sonidos, expresiones, conceptos, etc.

mato *s. m.* Matorral.

matojo *s. m.* Planta de monte muy poblada y espesa.

matón *s. m., fam.* Espadachín, pendenciero.

matorral *s. m.* Campo sin cultivar lleno de matas y malezas.

matoso, sa *adj.* Lleno y cubierto de matas.

matraca *s. f.* Instrumento hecho de tablas fijas, en forma de aspa, entre las que cuelgan mazos que, al girar aquel, producen un ruido grande y desapacible.

matracalada *s. f.* Revuelta, muchedumbre de gente.

matraquear *v. intr., fam.* Hacer ruido continuado con la matraca.

matraqueo *s. m., fam.* Acción y efecto de matraquear.

matraz *s. m.* Vasija o frasco de vidrio o de cristal, de figura esférica y que termina en un tubo angosto y recto, que se emplea en los laboratorios químicos.

matrería *s. f.* Perspicacia astuta y suspicaz.

matrero, ra *adj.* **1.** Astuto, sagaz. **2.** Suspicaz, receloso.

matriarca *s. f.* Mujer que ejerce el matriarcado.

matriarcado *s. m.* Sistema de organización social de algunos pueblos, en virtud del cual se da la primacía del parentesco por línea materna y las mujeres ejercen la autoridad preponderante en la familia.

matricaria *s. f.* Planta herbácea, compuesta, olorosa, cuyas flores, cocidas, se usan como antiespasmódico.

matricida *com.* Persona que mata a su madre. También adj.

matricidio *s. m.* Delito de matar a la propia madre.

matrícula *s. f.* **1.** Lista de los nombres de las personas que se asientan para un fin determinado por las leyes o reglamentos. **2.** Acción y efecto de matricular o matricularse. **3.** Inscripción oficial y placa asignada a un vehículo al ponerse en circulación.

matriculación *s. f.* Acción y efecto de matricular o matricularse.

matricular *v. tr.* **1.** Inscribir o hacer inscribir el nombre de uno en la matrícula. **2.** Registrar un vehículo para que le sea asignada una matrícula. ‖ *v. prnl.* **3.** Hacer uno que inscriban su nombre en la matrícula.

matrimonial *adj.* Perteneciente o relativo al matrimonio.

matrimoniar *v. intr.* Contraer matrimonio.

matrimonio *s. m.* Unión de un hombre y una mujer, concertada mediante determinados ritos o formalidades legales.

matriz *s. f.* Órgano, situado en el interior de la pelvis de la mujer y de las hembras de los mamíferos, en que se desarrolla el feto.

matrona *s. f.* **1.** Madre de familia noble y respetable. **2.** Mujer autorizada para asistir en los partos.

maturranga *s. f.* Treta, marrullería.

maturrango, ga *adj.* **1.** *Arg.* Se dice del mal jinete. También s. m. y s. f. **2.** *Chil.* Se dice de la persona pesada y tosca en sus movimientos.

matusalén *s. m.* Hombre de mucha edad.

matute *s. m.* Introducción de géneros en una población eludiendo el impuesto de consumos.

matutear *v. intr.* Introducir matute.

matutero, ra *s. m. y s. f.* Persona que se dedica a matutear.

matutinal *adj.* Matutino.

matutino, na *adj.* Perteneciente o relativo a las horas de la mañana.

maula *s. f.* **1.** Cosa inútil y despreciable. **2.** Engaño o artificio encubierto.

maulería *s. f.* Establecimiento donde se venden restos de diferentes telas.

maulero, ra *s. m. y s. f.* Persona que por oficio vende retales de telas.

maullador, ra *adj.* Que maúlla mucho.

maullar *v. intr.* Dar maullidos.

maullido *s. m.* Voz del gato.

maúllo *s. m.* Maullido.

máuser *s. m.* Especie de fusil de repetición.

mausoleo *s. m.* Sepulcro monumental y suntuoso.

mavorcio, cia *adj., poét.* Perteneciente a la guerra.

maxila *s. f.* Cada una de las dos piezas que forman en los artrópodos el segundo y el tercer par de apéndices bucales, llamados así maxila superior e inferior.

maxilar *adj.* Perteneciente o relativo a la quijada o mandíbula.

maxilofacial *adj.* Perteneciente o relativo al maxilar y al rostro.

máxima *s. f.* **1.** Sentencia o doctrina buena que contiene un precepto moral. **2.** Norma o designio a que se ajusta la manera de obrar.

maximalismo *s. m.* Actitud de los maximalistas.

maximalista *adj.* Se dice del partidario de las soluciones más extremadas en la consecución de un fin. También com.

máxime *adv. m.* Principalmente.

maximizar *v. tr.* **1.** En matemáticas, buscar el máximo de una función. **2.** *fig.* Optimizar.

máximo, ma *adj.* **1.** Se dice de lo que es tan grande en su especie, que no lo hay mayor ni igual. ‖ *s. m.* **2.** Límite superior o extremo a que puede llegar una cosa.

máximum *s. m.* Máximo, límite o extremo a que puede llegar una cosa.

maya *s. f.* Planta herbácea compuesta, de flor única terminal, con el centro amarillo y circunferencia blanca o matizada de rojo por la cara inferior.

mayador, ra *adj.* Maullador.

mayal *s. m.* Palo del cual tira la caballería que mueve los molinos de aceite, tahonas o malacates.

mayar *v. intr.* Maullar.

mayate *s. m.* Cierto coleóptero mexicano de color negro.

mayear *v. intr.* Hacer el tiempo propio del mes de mayo.

mayestático, ca *adj.* Propio o relativo a la majestad.

mayido *s. m.* Maullido.

mayo *s. m.* Quinto mes del año.

mayólica *s. f.* Loza común de esmalte metálico, fabricada por los árabes y españoles.

mayonesa *s. f.* Salsa espesa elaborada a base de yemas de huevo y aceite, sazonada con sal y vinagre.

mayor *adj.* **1.** Comparativo de *grande.* Que excede a una cosa en cantidad, calidad o tamaño. **2.** Se dice de la persona que tiene más edad que otra. **3.** Se dice de la persona de edad avanzada. ‖ *s. m.* **4.** Superior o jefe de una comunidad o cuerpo. ‖ *s. m. pl.* **5.** Abuelos o antepasados, sean o no progenitores de una persona determinada.

mayoral *s. m.* **1.** Pastor principal de los rebaños. **2.** Persona que gobernaba el tiro de mulas o caballos en las galeras y diligencias.

mayorazgo *s. m.* **1.** Institución del derecho civil, destinada a perpetuar en una familia la propiedad de ciertos bienes. **2.** Conjunto de estos bienes.

mayordomear *v. tr.* Administrar o gobernar una hacienda o casa.

mayordomía *s. f.* Cargo o empleo de mayordomo.

mayordomo, ma *s. m. y s. f.* Criado principal a cuyo cargo está el gobierno económico de una casa o hacienda.

mayoría *s. f.* **1.** Edad fijada por la ley en que una persona puede ejercer y asumir plenamente sus derechos y obligaciones civiles. **2.** Mayor número de votos conformes en una votación. **3.** Parte mayor de los individuos que componen una colectividad o asamblea.

mayoridad *s. f.* Cualidad de mayor.

mayorista *s. m. y s. f.* Comerciante que vende al por mayor.

mayoritario, ria *adj.* **1.** Perteneciente o relativo a la mayoría. **2.** Que constituye mayoría.

mayúsculo, la *adj.* **1.** Algo mayor que lo ordinario en su especie. **2.** Se dice de la letra de mayor tamaño y diferente figura que la minúscula, y que se utiliza como inicial de nombre propio y en otros casos varios. También *s. f.*

maza *s. f.* Arma antigua, de hierro o de palo, a modo de bastón, con la cabeza gruesa.

mazacote *s. m.* **1.** Hormigón. **2.** Cualquier objeto de arte tosco, en el cual se ha procurado más la solidez que la elegancia.

mazamorra *s. f., Amér. del S.* Comida de harina de maíz con azúcar o miel hervida.

mazapán *s. m.* Pasta hecha con almendras molidas y azúcar, y cocida al horno.

mazar *v. tr.* Batir la leche dentro de un odre para que se separe la manteca.

mazazo *s. m.* Golpe dado con la maza o el mazo.

mazmorra *s. f.* Prisión subterránea.

maznar *v. tr.* **1.** Amasar con las manos. **2.** Machacar el hierro mientras está caliente.

mazo *s. m.* **1.** Martillo grande de madera. **2.** Porción de mercaderías u otras cosas juntas, formando grupo.

mazonería *s. f.* Fábrica de cal y canto.

mazorca *s. f.* Espiga en que se crían los frutos muy juntos y dispuestos alrededor de un eje, como la del maíz.

mazorral *adj.* Grosero, rudo, basto.

mazurca *s. f.* **1.** Danza de origen polaco, de movimiento al compás de tres por cuatro. **2.** Música de esta danza.

me *pron. pers.* Forma átona del pronombre personal de primera persona, género masculino o femenino y número singular, que puede funcionar como complemento directo o como indirecto.

meada *s. f.* **1.** Orina que se expele de una vez. **2.** Sitio que moja o señal que deja.

meadero *s. m.* Lugar destinado para orinar.

meado *s. m.* **1.** Orina que se expele de una vez, meada. ‖ *s. m. pl.* **2.** Orines.

meandro *s. m.* Cada una de las curvas que describe un río durante su recorrido.

meapilas *s. m. y s. f., fam.* Santurrón.

mear *v. intr., fam.* Orinar. También tr. y prnl.

meato *s. m.* Cada uno de ciertos orificios o conductos del cuerpo.

¡mecachis! *interj.* que expresa extrañeza o enfado.

mecánica *s. f.* Parte de la física que trata del movimiento y del equilibrio, y de las fuerzas que pueden producirlos.

mecanicismo *s. m.* **1.** Sistema biológico y médico que explica los fenómenos vitales por las leyes de la mecánica de los cuerpos inorgánicos. **2.** Doctrina según la cual toda realidad natural puede explicarse mecánicamente.

mecánico, ca *s. m. y s. f.* Persona que tiene por oficio manejar y arreglar máquinas, especialmente en un taller de automóviles.

mecanismo *s. m.* Estructura de un cuerpo natural o artificial y combinación de sus partes constitutivas.

mecanización *s. f.* Acción y efecto de mecanizar o mecanizarse.

mecanizar *v. tr.* **1.** Implantar el uso de máquinas en una determinada actividad. También prnl. **2.** *fig.* Convertir en maquinal o indeliberado un trabajo o actividad humana por medio del ejercicio, el hábito, etc.

mecanografía *s. f.* Arte de escribir a máquina.

mecanografiar *v. tr.* Escribir a máquina.

mecanógrafo, fa *s. m. y s. f.* Persona que tiene por oficio mecanografiar.

mecedero *s. m.* Mecedor, instrumento para mecer líquidos.

mecedor, ra *adj.* **1.** Que mece o sirve para mecer. ‖ *s. m.* **2.** Instrumento de madera usado para mecer líquidos diversos. **3.** Columpio.

mecedora *s. f.* Silla de brazos cuyos pies terminan en forma curva, en la que puede mecerse el que se sienta.

mecedura *s. f.* Acción de mecer o mecerse.

mecenas *com., fig.* Persona o institución poderosa que patrocina las letras y las artes.

mecenazgo *s. m.* **1.** Cualidad de mecenas. **2.** Protección dispensada a un escritor o artista.

mecer *v. tr.* **1.** Menear y mover un líquido para que se mezcle. **2.** Mover una cosa acompasadamente de un lado a otro sin que cambie de lugar. También *prnl.*

mecha *s. f.* **1.** Cuerda retorcida de filamentos combustibles, que se pone dentro de las lámparas o bujías. **2.** Tubo de algodón, relleno de pólvora o cuerda preparada, para dar fuego a minas y barrenos.

mechar *v. tr.* Introducir lonchas de tocino gordo en la carne que se ha de asar.

mechazo *s. m.* Combustión de una mecha sin inflamar el barreno.

mechera *adj.* Se dice de la aguja de mechar. También *s. f.*

mechero *s. m.* **1.** Canutillo en donde se pone la mecha para alumbrar o para encender lumbre. **2.** Encendedor de bolsillo.

mechinal *s. m.* Agujero cuadrado que se deja en las paredes de un edificio para formar los andamios.

mechón *s. m.* Porción de pelos, hilos, etc., separada de un conjunto de la misma clase.

mechoso, sa *adj.* Que tiene abundancia de mechas.

meconio *s. m.* **1.** Alhorre de los recién nacidos. **2.** Jugo sacado de la cabeza de las adormideras.

medalla *s. f.* **1.** Pedazo de metal batida o acuñada, generalmente de forma redonda, con alguna figura, símbolo o emblema. **2.** Distinción honorífica concedida en exposiciones y certámenes. **3.** Condecoración.

medallón *s. m.* Bajorrelieve de figura redonda o elíptica.

médano *s. m.* **1.** Duna. **2.** Montón de arena casi a flor de agua.

medaño *s. m.* Médano.

media[1] *s. f.* **1.** Mitad de algunas cosas, especialmente de unidades de medida. **2.** Promedio.

media[2] *s. f.* Prenda de seda, espuma, etc., que le cubre pie y la pierna hasta la rodilla o poco más arriba.

mediacaña *s. f.* **1.** Moldura cóncava, cuyo perfil es generalmente semicircular. **2.** Formón de boca arqueada.

mediación *s. f.* Acción y efecto de mediar.

mediado, da *adj.* Se dice de lo que solo contiene la mitad, poco más o menos, de su cabida.

mediador, ra *adj.* Que media.

medial *adj.* Se dice de la consonante que se halla en el interior de una palabra.

medialuna *s. f.* **1.** Cualquier cosa en forma de media luna. **2.** Panecillo en forma de media luna.

mediana *s. f.* **1.** Taco de billar algo mayor que los comunes. **2.** En un triángulo, recta que une un vértice con el punto medio del lado opuesto.

medianería *s. f.* Pared común a dos casas contiguas.

medianero, ra *adj.* Se dice de la cosa que está en medio de otras cosas.

medianía *s. f.* Término medio entre dos extremos.

medianil *s. m.* Medianería, pared común a dos casas.

mediano, na *adj.* De calidad intermedia.

medianoche *s. f.* **1.** Hora en que el Sol está en el punto opuesto al de mediodía. **2.** *fig.* Bollo pequeño relleno de jamón, queso, carne, etc.

mediante *prep.* En atención a, por razón de.

mediar *v. intr.* **1.** Llegar a la mitad de una cosa. **2.** Interceder por alguien. **3.** Interponerse entre dos o más personas que riñen, tratando de reconciliarlas.

mediastino *s. m.* Espacio irregular comprendido entre una y otra pleura.

mediatización *s. f.* Acción y efecto de mediatizar.

mediatizar *v. tr.* **1.** Influir de modo decisivo en el poder, privando al gobierno de un Estado de la autoridad suprema que pasa a otro Estado, pero conservando aquel la soberanía nominal. **2.** Influir decisivamente en la autoridad, poder, función o negocio que otro ejerce.

mediato, ta *adj.* Se dice de lo que en tiempo, lugar o grado está próximo a una cosa, mediando otra entre las dos, como el nieto respecto del abuelo.

medicable *adj.* Que puede curarse con medicinas.

medicación *s. f.* **1.** Empleo terapéutico de los medicamentos. **2.** Conjunto de medicamentos y medios curativos que tienden a un mismo fin.

medicamento *s. m.* Cualquier sustancia que, siendo aplicada interior o exteriormente al organismo, produce generalmente efectos curativos.

medicamentoso, sa *adj.* Que sirve de medicamento.

medicastro, tra *s. m. y s. f.* Médico indocto, matasanos.

medicina *s. f.* Ciencia y arte de prevenir y curar las enfermedades del cuerpo humano.

medicinal *adj.* Perteneciente o relativo a la medicina. Se dice propiamente de las cosas que tienen cualidades o usos terapéuticos.

medicinar *v. tr.* Administrar medicinas al enfermo.

medición *s. f.* Acción y efecto de medir.

médico, ca *adj.* **1.** Perteneciente o relativo a la medicina. ‖ *s. m. y s. f.* **2.** Persona que por profesión se dedica a la medicina hallándose legalmente autorizado para ejercerla.

medida *s. f.* **1.** Acción y efecto de medir. **2.** Unidad que sirve para medir. **3.** Cordura, prudencia.

medidor, ra *adj.* **1.** Que mide algo. También s. m. y s. f., aplicado a personas. ‖ *s. m.* **2.** Fiel, aguja de las balanzas. **3.** *Chil. y Per.* Contador de agua, electricidad, gas, etc.

mediero, ra *s. m. y s. f.* Cada una de las personas que van a medias en la administración de algún negocio o empresa con otra u otras.

medieval *adj.* Perteneciente o relativo a la Edad Media de la historia.

medievo *s. m.* Edad Media.

medio, dia *adj.* **1.** Igual a la mitad de una cosa. **2.** Que está entre dos extremos, en el centro de algo o entre dos cosas. ‖ *s. m.* **3.** Parte que en una cosa equidista de sus extremos. **4.** Aquello que puede servir para determinado fin. **5.** Procedimiento que se toma en un negocio o asunto. **6.** Ambiente social, económico, político o cultural en que vive una persona o grupo de personas. **7.** Sector o ambiente social. Se usa más en pl.

medioambiente *s. m.* Condiciones exteriores a un ser vivo que influyen en su desarrollo y en sus actividades.

medioambiental *adj.* Perteneciente o relativo al medio ambiente o circunstancias físicas en que se desarrolla un ser vivo.

mediocre *adj.* De poca calidad.

mediocridad *s. f.* Cualidad de mediocre.

mediodía *s. m.* Hora en que está el Sol en el más alto punto de su elevación sobre el horizonte.

medioevo *s. m.* Medievo.

mediopaño *s. m.* Tejido de lana, más delgado y de menos duración que el paño.

medir *v. tr.* Determinar la longitud, extensión, volumen o capacidad de alguna cosa.

meditabundo, da *adj.* Que medita o reflexiona en silencio.

meditación *s. f.* Acción y efecto de meditar.

meditar *v. tr.* **1.** Aplicar con atención el pensamiento a la consideración de una cosa. **2.** Discurrir con atención.

meditativo, va *adj.* Propio de la meditación o referente a ella.

médium *com.* Persona a la que se supone dotada de facultades para ejercer de intermediario en los fenómenos paranormales o comunicación con espíritus.

medra *s. f.* Aumento, mejora, progreso.

medrana *s. f.*, *fam.* Miedo, temor.

medrar *v. intr.* **1.** Crecer los animales y plantas. **2.** *fig.* Mejorar alguien de fortuna aumentando sus bienes, reputación, etc.

medriñaque *s. m.*, *Méx. y Filip.* Tejido de fibras de abacá, etc., que se usa en Europa y América para forrar y ahuecar los vestidos femeninos.

medro *s. f.* **1.** Medra. **2.** Crecimiento de animales y plantas.

medroso, sa *adj.* **1.** Temeroso. **2.** Que infunde o causa miedo.

médula *s. f.* Sustancia grasa y blanquecina que se halla dentro de algunos huesos de los animales.

medular *adj.* Perteneciente o relativo a la médula.

meduloso, sa *adj.* Que tiene médula.

medusa *s. f.* Animal marino de la clase de los acalefos, que tiene forma de campana con tentáculos colgantes.

mefistofélico, ca *adj.* Diabólico, perverso.

mefítico, ca *adj.* Se dice de lo que, respirado, puede causar daño y especialmente cuando es fétido.

megabyte *s. m.* Unidad de medida de almacenamiento de bits de información equivalente a 1024 K o *kilobytes*.

megafonía *s. f.* Conjunto de aparatos e instalaciones necesarios para aumentar el volumen del sonido.

megáfono *s. m.* Aparato utilizado para reforzar la voz cuando se tiene que hablar a gran distancia.

megalítico, ca *adj.* **1.** Propio del megalito o perteneciente a él. **2.** Construido a base de grandes bloques de piedra sin labrar.

megalito *s. m.* Monumento prehistórico construido con grandes piedras sin labrar.

megalomanía *s. f.* Manía o delirio de grandeza.

megalómano, na *adj.* Que padece megalomanía.

megalópolis *s. f.* Ciudad de grandes proporciones.

megaterio *s. m.* Mamífero desdentado fósil, con huesos más robustos que los del elefante.

megatón *s. m.* Unidad que sirve para medir la potencia de las bombas atómicas. Es equivalente a la fuerza de un millón de toneladas de trinitrotolueno.

mego, ga *adj.* Manso, apacible, tratable y halagüeño.

mejana *s. f.* Isleta de un río.

mejicanismo *s. m.* Mexicanismo.

mejido, da *adj.* Se dice del huevo o yema de huevo batido con azúcar y disuelto en leche o agua caliente.

mejilla *s. f.* Cada una de las dos prominencias que hay en el rostro humano debajo de los ojos.

mejillón *s. m.* Molusco lamelibranquio marino, comestible, de valvas casi triangulares y de color negro azulado.

mejor *adj.* Comparativo de bueno. Superior a otra cosa y que la excede en una cualidad natural o moral.

mejora *s. f.* Adelantamiento y aumento de una cosa.

mejorable *adj.* Que se puede mejorar.

mejoramiento *s. m.* Acción y efecto de mejorar.

mejorana *s. f.* Hierba labiada, medicinal, de hojas vellosas y flores olorosas en espiga, que se cultiva en los jardines.

mejorar *v. tr.* Hacer pasar una cosa de un estado bueno a otro mejor.

mejoría *s. f.* Alivio en una dolencia o enfermedad.

mejunje *s. m.* Cosmético o medicamento formado por la mezcla de varios ingredientes.

melado, da *adj.* **1.** De color de miel. ‖ *s. m.* **2.** Zumo de la caña dulce concentrado al fuego sin que llegue a cristalizar.

meladucha *adj.* Se dice de una especie de manzana muy dulce, pero poco sustanciosa.

meláfido *s. m.* Roca volcánica compuesta de feldespato y augita con algo de hierro magnético.

melampo *s. m.* En el teatro, candelero de pantalla, de que se sirve el traspunte.

melancolía *s. f.* Tristeza vaga, profunda y permanente.

melancólico, ca *adj.* **1.** Perteneciente o relativo a la melancolía. **2.** Que tiene melancolía.

melancolizar *v. tr.* Entristecer o afligir a alguien dándole una mala noticia, o haciendo algo que le cause pena. También prnl.

melanina *s. f.* Pigmento protéico de color negro o pardo negruzco que existe en forma de gránulos en el protoplasma de ciertas células de los vertebrados y al cual deben su coloración especial la piel, los pelos, etc.

melanita *s. f.* Variedad del granate, muy brillante, negra y opaca.

melanosis *s. f.* Alteración de los tejidos orgánicos, caracterizada por el color oscuro que presentan.

melanuria *s. f.* Enfermedad que se manifiesta por la coloración negra de la orina.

melapia *s. f.* Cierta variedad de la manzana común, entre la camuesa y la asperiega.

melar[1] *adj.* Que sabe a miel. También s. m. y s. f.

melar[2] *v. intr.* **1.** En los ingenios de azúcar, dar la segunda cocción al zumo de la caña, hasta que se pone en consistencia de miel. **2.** Hacer las abejas la miel y ponerla en las celdillas de los panales. También tr.

melaza *s. f.* Líquido más o menos consistente de sabor muy dulce, que queda como residuo de la cristalización del azúcar.

melcocha *s. f.* Miel que, estando muy concentrada y caliente, se echa en agua fría y amasándola queda muy correosa.

melcochero, ra *s. m. y s. f.* Persona que por oficio hace o vende melcocha.

melena *s. f.* **1.** Cabello largo y suelto. **2.** Crin del león.

melenera *s. f.* Parte superior del testuz de los bueyes, en la cual se asienta el yugo.

meleno *adj.* Se aplica al toro que tiene un mechón grande de pelo sobre la frente.

melenudo, da *adj.* Que tiene el cabello abundante y largo.

melero, ra *s. m. y s. f.* Persona que tiene por oficio vender miel.

melgacho *s. m.* Lija, pez selacio.

melgar *s. m.* Campo sembrado de mielgas.

melgo, ga *adj.* Mellizo.

meliáceo, a *adj.* Se dice de plantas dicotiledóneas, árboles y arbustos tropicales, de hojas alternas, rara vez sencillas, flores en panoja y fruto capsular, como la caoba y el cinamomo.

mélico, ca *adj.* **1.** Perteneciente al canto. **2.** Perteneciente a la poesía lírica, especialmente la griega.

melífero, ra *adj.* Que lleva o tiene miel.

melificar *v. tr.* Hacer las abejas la miel.

melifluidad *s. f., fig.* Cualidad de melifluo.

melifluo, flua *adj.* Que tiene miel o es parecido a ella en sus propiedades.

meliloto *s. m.* Planta leguminosa papilionácea, cuyas flores amarillentas y olorosas se usan en medicina como emolientes.

melindre *s. m.* **1.** Fruta de sartén, hecha con miel y harina. **2.** *fig.* Delicadeza afectada en palabras, acciones y ademanes. Se usa más en pl.

melindrear *v. intr.* Hacer acciones o ademanes afectados.

melindrería *s. f.* Costumbre de melindrear.

melindrero, ra *adj.* Melindroso. También s. m. y s. f.

melindroso, sa *adj.* Que afecta demasiada delicadeza en acciones y palabras. También s. m. y s. f.

melinita *s. f.* Sustancia explosiva a base de ácido pícrico.

melión *s. m.* Pigargo, ave rapaz que se alimenta de reptiles.

melisa *s. f.* Toronjil.

melito *s. m.* Jarabe de miel y una sustancia medicamentosa.

mella *s. f.* **1.** Rotura o hendidura en el filo o en el borde de una herramienta o arma. **2.** *fig.* Menoscabo, merma.

mellado, da *adj.* Falto de uno o más dientes. También s. m. y s. f.

melladura *s. f.* Mella.

mellar *v. tr.* **1.** Hacer mellas. **2.** Menoscabar, mermar una cosa no material.

mellizo, za *adj.* Se dice de cada uno de los hermanos nacidos en un mismo parto. También s. m. y s. f.

mellón *s. m.* Manojo de paja encendida, a manera de hachón.

melocotón *s. m.* **1.** Melocotonero. **2.** Fruto de este árbol.

melocotonar *s. m.* Campo plantado de melocotoneros.

melocotonero *s. m.* Árbol frutal, variedad del pérsico, cuyo fruto es el melocotón.

melodía *s. f.* Dulzura y suavidad de la voz o del sonido de un instrumento.

melódico, ca *adj.* Perteneciente o relativo a la melodía.

melodioso, sa *adj.* Dulce y agradable al oído.

melodrama *s. m.* **1.** Ópera, drama puesto en música. **2.** Obra dramática que trata de conmover al auditorio por la violencia de las situaciones y la exageración de los sentimientos.

melodramático, ca *adj.* **1.** Perteneciente o relativo al melodrama. **2.** Se aplica también a lo que participa de sus malas cualidades.

melodreña *adj.* Se dice de la piedra de amolar.

melografía *s. f.* Arte de escribir música.

meloja *s. f.* Lavaduras de miel.

melojar *s. m.* Terreno poblado de melojos.

melojo *s. m.* Árbol cupulífero, parecido al roble albar, de tronco bajo e irregular y copa ancha, que se cría en España.

melolonta *s. m.* Insecto coleóptero, propio del antiguo continente, cuyas larvas se alimentan de raíces y vegetales.

melomanía *s. f.* Afición exagerada por la música.

melómano, na *s. m. y s. f.* Persona fanática por la música.

melón *s. m.* Planta herbácea, cucurbitácea, cuyo fruto de forma elipsoidal, corteza verde o amarillenta y pulpa blanquecina, es comestible.

melonar *s. m.* Terreno sembrado de melones.

melonero, ra *s. m. y s. f.* Persona cuyo oficio es cultivar o vender melones.

melopea *s. f.* **1.** Melopeya. **2.** *vulg.* Borrachera.

melopeya *s. f.* **1.** Arte de producir melodías. **2.** Entonación rítmica con que puede recitarse algo en verso o en prosa.

melosidad *s. f., fig.* Dulzura, suavidad o blandura de una cosa no material.

meloso, sa *adj.* **1.** De calidad o naturaleza de miel. **2.** *fig.* Se dice de las personas excesivamente blandas y suaves.

melote *s. m.* Residuo que queda de azúcar después de cocer el guarapo.

melva *s. f.* Pez muy parecido al bonito.

membrana *s. f.* **1.** Piel delgada o túnica a modo de pergamino. **2.** Tejido flexible, elástico, delgado, que envuelve ciertos órganos o absorbe, exhala o segrega ciertos fluidos.

membranáceo, a *adj.* Membranoso, parecido a la membrana.

membranoso, sa *adj.* Compuesto de membranas.

membrete *s. m.* Nombre, título o anagrama de una persona o corporación, puesto a la cabeza de la primera plana, al final del escrito que se les dirige o estampado en el papel que usan para escribir.

membrillar *s. f.* **1.** Terreno plantado de membrillos. **2.** Membrillo, árbol.

membrillate *s. m.* Dulce o carne de membrillo.

membrillo *s. m.* **1.** Arbusto rosáceo, frutal, muy ramoso, de fruto en pomo, amarillo, muy aromático, de carne áspera y granulosa. **2.** Fruto de este arbusto. **3.** Carne de membrillo, dulce de este fruto.

membrudo, da *adj.* Fornido y robusto de cuerpo y miembros.

memento *s. m.* Cada una de las dos oraciones del canon de la misa, en que se hace conmemoración de los fieles vivos y difuntos.

memez *s. f.* Simpleza, mentecatez.

memo, ma *adj.* Tonto, simple, mentecato.

memorable *adj.* Digno de memoria.

memorando *s. m.* Memorándum.

memorándum *s. m.* **1.** Librito para anotar las cosas que alguien debe recordar. **2.** Comunicación diplomática por lo común no firmada, en que se recapitulan hechos y razones para que se tengan presentes en un asunto grave.

memorar *v. tr.* Recordar una cosa, hacer memoria de ella. También prnl.

memorativo, va *adj.* Conmemorativo.

memoria *s. f.* **1.** Potencia de la mente, por la cual recordamos ideas u objetos ya conocidos, refiriéndolos al pasado de nuestra vida. **2.** Recuerdo.

memorial *s. m.* **1.** Libro o cuaderno en que se apunta una cosa para un fin. **2.** Escrito en que se pide una gracia, alegando los méritos en que se funda la petición.

memorialista *com.* Persona que tiene por oficio escribir memoriales y otros documentos que se le soliciten.

memorión *adj.* Memorioso. También s. m. y s. f.

memorioso, sa *adj.* Que tiene mucha memoria. También s. m. y s. f.

memorismo *s. m.* Abuso de la memoria en la enseñanza, sin cultivar la inteligencia.

memorizar *v. tr.* Aprender de memoria.

mena *s. f.* Mineral metalífero tal como se extrae del criadero y antes de limpiarlo.

menaje *s. m.* Muebles y accesorios de una casa.

mención *s. f.* Recuerdo o memoria que se hace de una persona o cosa.

mencionar *v. tr.* Hacer mención de alguien.

mendacidad *s. f.* Hábito o costumbre de mentir.

mendaz *adj.* Mentiroso. También com.

mendicante *adj.* Que mendiga de puerta en puerta. También com.

mendicidad *s. f.* **1.** Estado o situación de mendigo. **2.** Acción de mendigar.

mendigar *v. tr.* **1.** Pedir limosna de puerta en puerta. También intr. **2.** *fig.* Solicitar el favor de alguien con humillación.

mendigo, ga *s. m. y s. f.* Persona que habitualmente pide limosna.

mendoso, sa *adj.* Errado, mentiroso o equivocado.

mendrugo *s. m.* Pedazo de pan duro.

menear *v. tr.* Mover o agitar una cosa de una parte a otra. También prnl.

meneo *s. m., fam.* Vapuleo.

menester *s. m.* Falta o necesidad de una cosa.

menesteroso, sa *adj.* Necesitado, que carece de una cosa o de muchas.

menestra *s. f.* Guiso de diferentes hortalizas y trozos pequeños de carne o jamón.

menestral, la *s. m. y s. f.* Persona que tiene un oficio mecánico.

menestralía *s. f.* Cuerpo o conjunto de menestrales.

menestrete *s. m.* Instrumento de hierro, especie de tenazas, para arrancar clavos.

mengano, na *s. m. y s. f.* Voz para designar a una persona cuyo nombre no se conoce o se quiere ocultar.

mengua *s. f.* **1.** Acción y efecto de menguar. **2.** Falta que padece una cosa para estar perfecta. **3.** Pobreza, escasez que se padece de una cosa. **4.** *fig.* Descrédito, deshonra.

menguado, da *adj.* Tonto, falto de juicio. También s. m. y s. f.

menguante *s. f., fig.* Decadencia o decrecimiento de una cosa.

menguar *v. intr.* Disminuir o irse consumiendo una cosa física o moralmente.

mengue *s. m., fam.* El diablo.

menhir *s. m.* Monumento megalítico formado por una piedra larga hincada verticalmente en el suelo.

menina *s. f.* Señora de corta edad que entraba a servir a la reina o a las infantas niñas.

meninge *s. f.* Cada una de las tres membranas que envuelven el encéfalo y la médula espinal.

meníngeo, a *adj.* Propio de las meninges, o perteneciente a ellas.

meningitis *s. f.* Inflamación de las meninges.

menino *s. m.* Caballero que desde niño entraba en palacio a servir a la reina o a los príncipes niños.

menisco *s. m.* Vidrio cóncavo por una cara y convexo por la otra.

menopausia *s. f.* Cesación natural de la menstruación de la mujer.

menor *adj.* Comparativo de pequeño. Que tiene menos cantidad, intensidad o calidad que otra cosa de la misma especie.

menoría *s. f.* Inferioridad, subordinación con que uno está sujeto a otro.

menoridad *s. f.* Menoría.

menorragia *s. f.* Menstruación excesiva.

menos *adv. compar.* **1.** Denota idea de falta, disminución, restricción o inferioridad en comparación expresa o sobrentendida. ‖ *s. m.* **2.** Signo de sustracción o resta, que se representa por una raya horizontal (-).

menoscabar *v. tr.* Disminuir una cosa, quitándole una parte. También prnl.

menoscabo *s. m.* Efecto de menoscabar o menoscabarse.

menospreciable *adj.* Digno de menosprecio.

menospreciador, ra *adj.* Que menosprecia. También s. m. y s. f.

menospreciar *v. tr.* **1.** Tener a una persona o cosa en menos de lo que merece. **2.** Despreciar.

menospreciativo, va *adj.* Que implica o denota menosprecio.

menosprecio *s. m.* **1.** Poco aprecio, poca estimación. **2.** Desprecio, desdén.

menostasia *s. f.* Retención de la regla en la mujer, por obstáculo mecánico de su salida.

mensaje *s. m.* **1.** Recado oral o escrito que envía una persona a otra. **2.** Idea profunda transmitida por una obra intelectual o artística.

mensajería *s. f.* **1.** Carruaje público que realizaba servicios periódicos a puntos determinados. **2.** Empresa o sociedad que los tenía establecidos. Se usa más en pl.

mensajero, ra *s. m. y s. f.* Persona que lleva un mensaje, recado o noticia a otra.

menstruación *s. f.* Fenómeno fisiológico del ciclo sexual femenino, por el que se elimina periódicamente el material celular uterino con flujo sanguíneo.

menstruar *v. intr.* Realizar la menstruación.

menstruo *s. m.* Menstruación.

mensual *adj.* **1.** Que sucede cada mes. **2.** Que dura un mes.

mensualidad *s. f.* Sueldo o salario de un mes.

ménsula *s. f.* **1.** Repisa o apoyo para sustentar una cosa. **2.** Miembro arquitectónico que sobresale de un plano vertical para sostener alguna cosa.

mensura *s. f.* Medida.

mensurabilidad *s. f.* Aptitud de un cuerpo para ser medido.

mensurable *adj.* Que se puede medir.

mensural *adj.* Que sirve para medir.

mensurar *v. tr.* Medir.

menta *s. f.* Hierbabuena.

mentado, da *adj.* Que tiene fama, célebre, famoso.

mental *adj.* Perteneciente o relativo a la mente.

mentalidad *s. f.* **1.** Capacidad, actividad mental. **2.** Cultura y modo de pensar que caracteriza a una persona, a un pueblo, a una generación, etc.

mentalizar *v. tr.* Concienciar a alguien para que haga algo.

mentar *v. tr.* Mencionar a alguien o algo.

mente *s. f.* **1.** Potencia intelectual del alma. **2.** Pensamiento, designio, propósito, voluntad.

mentecatería *s. f.* Necedad, falta de juicio.

mentecatez *s. f.* Mentecatería.

mentecato, ta *adj.* Tonto, falto de juicio, necio. También s. m. y s. f.

mentidero *s. m., fam.* Sitio o lugar donde concurre la gente ociosa para conversar.

mentido, da *adj.* Mentiroso, engañoso.

mentir *v. intr.* **1.** Decir o manifestar lo contrario de lo que se piensa, cree o sabe. **2.** Fingir, aparentar.

mentira *s. f.* Expresión o manifestación contraria a lo que se sabe, cree o piensa.

mentiroso, sa *adj.* Que tiene costumbre de mentir. También s. m. y s. f.

mentís *s. m.* Voz injuriosa con que se desmiente a una persona.

mentol *s. m.* Parte sólida de la esencia de menta.

mentolado, da *adj.* Que contiene mentol.

mentón *s. m.* Barbilla o prominencia de la mandíbula inferior.

mentor, ra *s. m. y s. f.* **1.** *fig.* Consejero o guía de una persona. **2.** *fig.* Persona que sirve de ayo.

menú *s. m.* **1.** Conjunto de platos que constituyen una comida. **2.** Carta donde se relacionan las comidas y bebidas de un restaurante. **3.** Lista presentada en la pantalla de un ordenador de las distintas posibilidades que ofrece un programa.

menudear *v. tr.* **1.** Hacer una cosa muchas veces. ‖ *v. intr.* **2.** Caer o suceder una cosa con frecuencia o a menudo.

menudencia *s. f.* **1.** Pequeñez de una cosa. **2.** Esmero y escrupulosidad con que se considera y reconoce una cosa. ‖ *s. f. pl.* **3.** Despojos del cerdo.

menudeo *s. m.* **1.** Acción de menudear. **2.** Venta al por menor.

menudillos *s. m. pl.* Hígado, molleja y otras vísceras de las aves.

menudo, da *adj.* **1.** Pequeño, chico. **2.** Despreciable, de poca importancia. **3.** Exacto, minucioso.

meñique *adj.* Se dice del dedo más pequeño de la mano. También s. m.

meollar *s. m.* Especie de cordel que se forma torciendo tres o más hilos.

meollo *s. m.* **1.** Médula. **2.** *fig.* Sustancia, fondo o lo más principal de una cosa.

meón, na *adj.* Que mea mucho o frecuentemente.

mequetrefe *s. m. coloq.* Hombre entrometido, bullicioso y que no sirve para nada.

merar *v. tr.* Mezclar un licor con otro con el fin de aumentar su fuerza, calidad, o para templarlo; especialmente agua con vino.

merca *s. f., fam.* Acción y efecto de mercar.

mercachifle *s. m., desp.* Mercader de poca importancia.

mercadear *v. intr.* Comerciar.

mercader, ra *s. m. y s. f.* Persona que trata o comercia con géneros vendibles.

mercadería *s. f.* Mercancía.

mercadillo *s. m.* Mercado de puestos ambulantes.

mercado *s. m.* Sitio público destinado permanentemente o en días señalados para comerciar.

mercadotecnia *s. f.* Conjunto de técnicas de estudio de mercado cuyo objetivo es aumentar las ventas de un producto.

mercaduría *s. f.* Mercancía.

mercancía *s. f.* **1.** Trato de vender y comprar, comerciando en géneros. **2.** Todo género vendible. **3.** Cosa que se hace objeto de trato o venta.

mercante *adj.* **1.** Mercantil. ‖ *s. m. y s. f.* **2.** Mercader.

mercantil *adj.* Perteneciente o relativo al mercader, a la mercancía o al comercio.

mercantilismo *s. m.* Sistema económico iniciado en el s. XVII que atiende primordialmente al desarrollo del comercio, principalmente al de exportación, y considera la posesión de metales preciosos como signos característicos de riqueza.

mercantilista *adj.* Perteneciente o relativo al mercantilismo.

mercar *v. tr.* **1.** Comprar. También prnl. **2.** *fig.* Traficar, especialmente con estupefacientes.

merced *s. f.* Cualquier beneficio que se hace a alguien.

mercenario, ria *adj.* Se aplica al soldado que sirve en la guerra por dinero.

mercería *s. f.* Comercio de cosas menudas de poco valor, como alfileres, hilos, etc. ción de termómetros.

mercerizar *v. tr.* Tratar los hilos y tejidos de algodón con una solución de sosa cáustica para que resulten brillantes.

mercero, ra *s. m. y s. f.* Persona que comercia con artículos de mercería.

merchante *adj.* **1.** Mercante. ‖ *s. m.* **2.** Hombre que compra y vende algunos géneros sin tener tienda fija.

merchero, ra *adj.* Se dice de un pueblo de mercaderes nómadas, cuyo origen parece situarse en la India y asociado actualmente a los quinquis.

mercúrico, ca *adj.* Perteneciente o relativo al mercurio.

mercurio *s. m.* Metal blanco y brillante, líquido a temperatura normal, que se emplea, entre otras funciones, en la elaboración de termómetros.

merdellón, na *s. m. y s. f., fam.* Criado o criada que sirve con desaseo.

merdoso, sa *adj.* Asqueroso, sucio.

merecedor, ra *adj.* Que merece.

merecer *v. tr.* Hacerse alguien digno de premio o de castigo.

merecido, da *adj.* Castigo de que se juzga digno a alguien. También s. m.

merecimiento *s. m.* Acción y efecto de merecer.

merendar *v. intr.* **1.** Tomar la merienda. ‖ *v. prnl.* **2.** *fam.* Lograr algo con facilidad.

merendero *s. m.* Sitio en que se merienda.

merendola *s. f.* Merendona.

merendona *s. f., fig.* Merienda espléndida y abundante.

merengar *v. tr., fam.* Fastidiar.

merengue *s. m.* **1.** Dulce hecho con claras de huevo y azúcar. **2.** Danza popular de varios países del Caribe.

meretricio, cia *adj.* Perteneciente o relativo a las meretrices.

meretriz *s. f.* Prostituta.

mergánsar *s. m.* Mergo.

mergo *s. m.* Cuervo marino.

meridiano, na *adj.* **1.** Perteneciente o relativo a la hora del mediodía. **2.** *fig.* Clarísimo, luminosísimo. ‖ *s. m.* **3.** Círculo máximo de la esfera celeste que pasa por los polos del mundo. **4.** Cualquiera de los círculos máximos de la esfera terrestre que pasan por los dos polos. **5.** Cualquier semicírculo de la esfera terrestre que va de polo a polo. **6.** Línea de intersección de una superficie de revolución con un plano que pasa por su eje.

meridional *adj.* Perteneciente o relativo al sur o mediodía.

merienda *s. f.* Comida ligera que se toma por la tarde antes de la cena.

merindad *s. f.* **1.** Territorio de la jurisdicción del merino. **2.** Distrito con una villa o ciudad importante que defendía los intereses de los pueblos de su demarcación.

merino, na *adj.* **1.** Se dice de una raza de carneros y ovejas que dan una lana muy fina, corta y rizada. ‖ *s. m.* **2.** Juez que tenía jurisdicción en un territorio determinado.

meristemo, ma *s. m.* Tejido joven formado por células que originan todos los tejidos de los órganos.

mérito *s. m.* **1.** Acción que hace a una persona digna de premio o de castigo. **2.** Lo que da valor a una cosa. **3.** Resultado de las buenas acciones que hacen digna de aprecio a una persona.

meritorio, ria *adj.* **1.** Digno de premio o galardón. ‖ *s. m. y s. f.* **2.** Persona que trabaja sin sueldo, solo para hacer méritos a fin de conseguir una plaza remunerada. **3.** Aprendiz de un despacho.

merla *s. f.* Mirlo.

merlín *s. m.* Cabo delgado de cáñamo alquitranado, que se emplea en coseduras y otros usos parecidos.

merlo *s. m.* Zorzal marino.

merluza *s. f.* Pez marino malacopterigio, de cuerpo alargado y fusiforme, cuya carne es muy apreciada.

merma *s. f.* **1.** Acción y efecto de mermar. **2.** Porción que se consume naturalmente o se sustrae o sisa de una cosa.

mermar *v. intr.* **1.** Bajar o disminuir una cosa o consumirse una parte de lo que antes tenía. También prnl. ‖ *v. tr.* **2.** Quitar una parte de aquello que le corresponde a alguien.

mermelada *s. f.* Conserva de membrillo u otras frutas con miel o azúcar.

mero *s. m.* Pez marino acantopterigio, de carne muy fina y delicada, que vive principalmente en el Mediterráneo.

mero, ra *adj.* Puro, simple y que no tiene mezcla de otra cosa.

merodeador, ra *adj.* Que merodea. También s. m. y s. f.

merodear *v. intr.* Vagar por las inmediaciones de un lugar, generalmente con malas intenciones.

merodeo *s. m.* Acción y efecto de merodear.

mes *s. m.* **1.** Cada una de las doce partes en que se divide el año. **2.** Mensualidad.

mesa *s. f.* Mueble compuesto por una tabla lisa sostenida por uno o varios pies, y que sirve para comer, escribir, etc.

mesada *s. f.* Porción de dinero u otra cosa que se da o paga mensualmente.

mesadura *s. f.* Acción de mesar o mesarse.

mesana *s. amb.* **1.** Mástil que está más a popa en el buque de tres palos. ‖ *s. f.* **2.** Vela atravesada en el mástil que se sujeta a la verga llamada cangrejo.

mesar *v. tr.* Arrancar o estrujar los cabellos o barbas con las manos. También prnl.

mescolanza *s. f., fam.* Mezcolanza.

meseguería *s. f.* Guarda de las mieses.

meseguero, ra *adj.* Perteneciente o relativo a las mieses.

mesentérico, ca *adj.* Perteneciente o relativo al mesenterio.

mesenterio *s. m.* Repliegue del peritoneo que fija las diferentes porciones del intestino a las paredes abdominales.

mesenteritis *s. f.* Inflamación del mesenterio.

meseta *s. f.* **1.** Descansillo de una escalera. **2.** Terreno elevado y llano de gran extensión, a considerable altura sobre el nivel del mar.

mesiánico, ca *adj.* Perteneciente o relativo al Mesías o al mesianismo.

mesianismo *s. m.* **1.** Doctrina relativa al Mesías. **2.** *fig.* Confianza inmotivada en un agente bienhechor que se espera.

mesías *n. p.* **1.** El Hijo de Dios, prometido por los profetas al pueblo hebreo. ‖ *s. m.* **2.** *fig.* Sujeto real o imaginario en cuyo advenimiento hay puesta confianza desmedida.

mesidor *s. m.* Décimo mes del año según el calendario republicano francés.

mesilla *s. f.* Mueble pequeño, generalmente con cajones, que se coloca al lado de la cama.

mesillo *s. m.* Primera menstruación después del parto.

mesnada *s. f.* **1.** Compañía de gente de armas, que antiguamente servía a un rey o a un noble. **2.** Compañía, junta, congregación.

mesnadero *s. m.* Hombre que servía en la mesnada.

mesocarpio *s. m.* Parte intermedia del pericarpio en los frutos carnosos.

mesocracia *s. f.* Forma de gobierno en que la clase media tiene preponderancia.

mesolítico, ca *adj.* **1.** (ORT.: may. inicial) Se dice del periodo prehistórico de transición entre el Paleolítico y el Neolítico. También s. m. **2.** Perteneciente o relativo a este periodo.

mesón *s. m.* **1.** Posada donde se da albergue a viajeros, caballerías y carruajes. **2.** Restaurante típico.

mesonero, ra *s. m. y s. f.* Patrón o dueño de un mesón.

mesosfera *s. f.* Capa atmosférica, situada entre la estratosfera y la ionosfera.

mesotórax *s. m.* **1.** Parte media del pecho. **2.** Segmento medio del tórax de los insectos.

mesozoico, ca *adj.* Secundario, periodo geológico.

mestal *s. m.* Terreno poblado de mestos y otros arbustos.

mestizaje *s. m.* Cruce de razas.

mestizar *v. tr.* Cruzar individuos de distintas razas.

mestizo, za *adj.* Se dice de la persona nacida de padre y madre de raza distinta y, especialmente, del hijo de padre de raza blanca y madre de raza india o al contrario.

mesto *s. m.* Árbol mestizo, producto del alcornoque y la encina.

mesura *s. f.* **1.** Gravedad y compostura en la actitud y el semblante. **2.** Reverencia, cortesía, demostración exterior de sumisión y respeto. **3.** Moderación, comedimiento.

mesurado, da *adj.* **1.** Moderado, modesto, circunspecto. **2.** Reglado, templado o parco.

mesurar *v. tr.* **1.** Infundir mesura en la actitud o en el semblante. ‖ *v. prnl.* **2.** Contenerse, moderarse.

meta *s. f.* **1.** Término señalado a una carrera. **2.** En el fútbol y otros juegos, portería. **3.** *fig.* Fin a que tienden las acciones o deseos de una persona.

metabolismo *s. m.* Conjunto de reacciones químicas que se producen en las células vivas en virtud de dos procesos, uno de asimilación y otro de desintegración.

metacarpiano, na *adj.* **1.** Perteneciente o relativo al metacarpo. **2.** Se dice de cada uno de los cinco huesos que constituyen el metacarpo.

metacarpo *s. m.* Esqueleto de la parte de la mano comprendida entre la muñeca y las falanges de los dedos.

metacrilato *s. m.* Éster del ácido metacrílico. Es un sólido trasparente, rígido y resistente, utilizado en la industria del plástico.

metacrílico, ca *s. f.* Se dice del compuesto ácido que se obtiene por acción del ácido sulfúrico sobre el nitrilo, formando un sólido cristalino, soluble al agua y cuyos ésteres, los metacrilatos, se usan en la fabricación de plásticos y vidrios.

metadona *s. f.* Analgésico sintético de efectos similares a los de la morfina.

metafísica *s. f.* Parte de la filosofía que trata del ser, en cuanto tal, y de sus causas, principios y atributos primeros.

metafísico, ca *adj.* **1.** Oscuro y difícil de comprender. **2.** *fig.* Perteneciente o relativo a la metafísica.

metáfora *s. f.* Tropo que consiste en trasladar el sentido recto de las voces en otro figurado, en virtud de una comparación tácita.

metafórico, ca *adj.* Concerniente a la metáfora, que la incluye o contiene, o que abunda en tropos de esta clase.

metaforizar *v. tr.* Usar metáforas o alegorías.

metal *s. m.* Cuerpo simple, sólido a la temperatura ordinaria, conductor del calor y de la electricidad y que con el oxígeno forma óxidos básicos.

metalenguaje *s. m.* El lenguaje cuando se usa para hablar del lenguaje mismo.

metalepsis *s. f.* Tropo que consiste en tomar el antecedente por el consiguiente, o al contrario.

metálico, ca *adj.* **1.** De metal o perteneciente a él. ‖ *s. m.* **2.** Dinero en efectivo.

metalífero, ra *adj.* Que contiene metal.

metalingüístico, ca *adj.* Perteneciente o relativo al metalenguaje.

metalista *s. m. y s. f.* Artífice que trabaja en metales.

metalistería s. f. Arte de trabajar en metales.

metalizar v. tr. Hacer que un cuerpo adquiera propiedades metálicas.

metalla s. f. Pedazos pequeños de oro con que los doradores sanan en el dorado las partes que quedan descubiertas.

metaloide s. m. Denominación usada antiguamente para designar a los elementos no-metales.

metalurgia s. f. Arte o industria que tiene por objeto beneficiar los minerales y extraer los metales que contienen.

metalúrgico, ca adj. Perteneciente o relativo a la metalurgia.

metamorfismo s. m. Transformación natural ocurrida en una roca después de su consolidación primitiva.

metamorfosear v. tr. Transformar. También prnl.

metamorfosis s. f. **1.** Transformación de una cosa en otra. **2.** Conjunto de transformaciones que experimentan los insectos y anfibios, desde que salen del huevo hasta que llegan a su estado perfecto. **3.** Cambio extraordinario en la fortuna, el carácter o el estado de una persona.

metano s. m. Hidrocarburo gaseoso e incoloro, producido por la descomposición de sustancias vegetales y que se desprende del cieno de algunos pantanos, del fondo de las minas de carbón, piedra, etc. Forma con el aire una mezcla inflamable.

metaplasma s. m. Sustancia propia de una célula que no es materia viva.

metaplasmo s. m. Nombre genérico de las figuras de dicción.

metástasis s. f. Reproducción de un fenómeno patológico en distinto lugar de aquel en que se presentó primero.

metatarso s. m. Esqueleto de la parte del pie comprendida entre el tarso y las falanges de los dedos.

metátesis s. f. Metaplasmo que consiste en alterar el orden de las letras de un vocablo.

metazoo adj. Se dice de los animales no protozoos, es decir, los pluricelulares que están constituidos por células diferenciadas y agrupadas en tejidos.

metedor, ra s. m. y s. f. Persona que introduce una cosa en otra.

metedura s. f. Acción y efecto de meter.

meteduría s. f. Acción de introducir contrabando.

metempsicosis s. f. Doctrina filosófico-religiosa, según la cual el alma del hombre, después de la muerte, transmigra a otros cuerpos más o menos perfectos, conforme a los merecimientos alcanzados en la existencia anterior.

metemuertos s. m. y s. f. Empleado que en los teatros retiraba los muebles en las mutaciones escénicas.

meteórico, ca adj. Perteneciente o relativo a los meteoros.

meteorismo s. m Abultamiento del vientre por gases acumulados en el tubo digestivo.

meteorito s. m. Aerolito.

meteorizar v. tr. **1.** Causar meteorismo. ‖ v. prnl. **2.** Recibir la tierra la influencia de los meteoros. **3.** Padecer meteorismo.

meteoro s. m. Cualquier fenómeno atmosférico, aéreo, acuoso, luminoso o eléctrico, como el viento, la lluvia la nieve, el arco iris o el rayo.

meteorología s. f. Ciencia que trata de los meteoros.

meteorológico, ca adj. Perteneciente o relativo a la meteorología o a los meteoros.

meteorólogo, ga s. m. y s. f. Persona que profesa la meteorología o tiene en ella especiales conocimientos.

metepatas com. Persona inoportuna que siempre mete la pata.

meter v. tr. **1.** Introducir o incluir una cosa dentro de otra o en alguna parte. También prnl. **2.** Colocar una persona a otra en algún cargo, lugar, etc., gracias a su situación personal. **3.** Con palabras como miedo, ruido, etc., causar, producir. **4.** Inducir a alguien a que participe de algo. **5.** Recoger en las costuras de una prenda la tela sobrante. **6.** Engañar, hacer circular un rumor falso. **7.** Ingresar dinero en alguna entidad bancaria o invertirlo en algún negocio.

meticón, na adj., fam. Entrometido, fisgón.

meticulosidad s. f. Cualidad de meticuloso.

meticuloso, sa adj. Concienzudo, minucioso. También s. m. y s. f.

metido s. m. Tela metida en las costuras de una prenda.

metílico, ca adj. **1.** Se dice de los compuestos que tienen metilo. **2.** Se dice del alcohol que se obtiene por destilación de la madera.

metilo s. m. Radical monovalente, componente del alcohol metílico y de otros cuerpos.

metimiento s. m. Acción y efecto de meter una cosa en otra.

metódico, ca adj. **1.** Hecho con método. **2.** Que usa de método.

metodizar v. tr. Poner método y orden en una cosa.

método s. m. **1.** Modo de decir o hacer con orden una cosa para llegar a un resultado o fin determinado. **2.** Modo de obrar o proceder que cada uno tiene. **3.** Procedimiento que se sigue en las ciencias para hallar la verdad y enseñarla. **4.** Obra que enseña los elementos de una ciencia o arte.

metodología s. f. **1.** Ciencia del método. **2.** Aplicación de determinado método en una investigación o exposición.

metodológico, ca adj. Perteneciente o relativo a la metodología.

metomentodo *com.* Persona entrometida.

metonimia *s. f.* Tropo que consiste en designar una cosa con el nombre de otra contigua.

metonímico, ca *adj.* Perteneciente a la metonimia, o que la incluye o contiene.

metopa *s. f.* Espacio que media entre dos triglifos en el friso dórico.

metoposcopia *s. f.* Arte de adivinar por las líneas del rostro el porvenir de las personas.

metraje *s. m.* Longitud de una película cinematográfica.

metralla *s. f.* Munición menuda con que se cargan ciertos explosivos.

metrallazo *s. m.* Disparo de una pieza de artillería hecho con metralla.

metralleta *s. f.* Arma de fuego que repite automáticamente los disparos; es portátil y constituye una variedad del subfusil.

métrica *s. f.* Ciencia que trata de la medida de los versos, de sus tipos y de las combinaciones que con ellos pueden formarse.

métrico, ca *adj.* **1.** Perteneciente o relativo al metro o medida. **2.** Perteneciente al metro o medida del verso.

metrificar *v. intr.* Versificar. También tr.

metro¹ *s. m.* **1.** Medida particular de cada clase de versos. **2.** Unidad de longitud, base del sistema métrico decimal. **3.** Utensilio empleado para medir, que tiene marcada la longitud del metro y sus divisores. **4.** Cantidad de materia que tiene la longitud de un metro.

metro² *s. m., fam.* Apócope de metropolitano, ferrocarril subterráneo.

metrología *s. f.* Ciencia que estudia los sistemas de pesas y medidas.

metrónomo *s. m.* Máquina, a manera de reloj, que sirve para indicar el compás y el movimiento de una obra musical.

metrópoli *s. f.* Ciudad principal, cabeza de provincia o Estado.

metropolitano, na *adj.* **1.** Perteneciente o relativo a la metrópoli. ‖ *s. m.* **2.** Ferrocarril subterráneo o elevado que enlaza los barrios extremos de las grandes ciudades.

mexicanismo *s. m.* Giro o modo de hablar propio de los mexicanos.

mezcal *s. m.* **1.** Variedad de agave. **2.** Aguardiente que se obtiene de esta planta.

mezcla *s. f.* **1.** Acción y efecto de mezclar o mezclarse. **2.** Agregación de varias sustancias o cuerpos que no tienen entre sí acción química. **3.** Tejido de hilos de diferentes clases y colores. **4.** Argamasa de cal, arena y agua.

mezclable *adj.* Que se puede mezclar.

mezcladora *s. f.* Máquina que sirve para mezclar.

mezcladura *s. f.* Acción y efecto de mezclar.

mezclamiento *s. m.* Mezcladura.

mezclar *v. tr.* **1.** Juntar, incorporar una cosa con otra. También prnl. **2.** Desordenar las cosas. **3.** Meter a alguien en un asunto que no le incumbe o no le interesa. ‖ *v. prnl.* **4.** Introducirse o meterse uno entre otros.

mezcolanza *s. f., fam.* Mezcla extraña y confusa y algunas veces ridícula.

mezquindad *s. f.* **1.** Cualidad de mezquino. **2.** Acción o cosa mezquina.

mezquino, na *adj.* **1.** Avaro, miserable. **2.** Pequeño, diminuto.

mezquita *s. f.* Edificio en que los musulmanes practican sus ceremonias religiosas.

mezzosoprano *s. f.* **1.** Voz femenina intermedia entre contralto y soprano. **2.** Mujer que posee este registro de voz.

mi¹ *s. m.* Tercera nota de la escala música.

mi² *adj. pos.* Forma apocopada de *mío, a* cuando precede al sustantivo.

mí *pron. pers.* Forma tónica del pronombre personal de primera persona, género masculino o femenino y número singular, que, precedida siempre de preposición, funciona como complemento.

miaja *s. f.* Migaja.

mialgia *s. f.* Dolor muscular.

miasma *s. m.* Efluvio maligno que se desprende de cuerpos enfermos, materias en descomposición o aguas estancadas.

miasmático, ca *adj.* Que produce o contiene miasmas.

miau *onomat.* del maullido del gato.

mica *s. f.* Mineral compuesto de hojuelas brillantes, elásticas y sumamente delgadas. Es un silicato nativo múltiple, de coloraciones diversas.

micáceo, a *adj.* Que contiene mica o se asemeja a ella.

micacita *s. f.* Roca de textura pizarrosa, compuesta de cuarzo y mica.

micado *s. m.* Nombre dado al emperador de Japón en poesía y en circunstancias solemnes.

micción *s. f.* Acción de mear.

micelio *s. m.* Talo vegetativo de los hongos, constituido por filamentos muy ramificados.

michelín *s. m., fam.* Acumulación de grasa que se forma alrededor de la cintura.

mico, ca *s. m.* **1.** Mono de cola larga. **2.** Forma cariñosa de llamar a los niños pequeños.

micología *s. f.* Parte de la botánica que trata de los hongos.

micosis *s. f.* Infección producida por ciertos órganos en alguna parte del organismo.

micra *s. f.* Medida de longitud que equivale a la milésima parte de un milímetro.

microbicida *adj.* Que destruye o mata microbios. También s. m.

micróbico, ca *adj.* Perteneciente o relativo a los microbios.

microbio *s. m.* Ser microscópico y unicelular que se desarrolla en el aire, en el agua y en toda clase de organismos.

microbiología *s. f.* Ciencia cuyo objeto es el estudio de los microbios.

microbiólogo, ga *s. m. y s. f.* Persona que profesa la microbiología.

microbús *s. m.* Autobús pequeño.

microcefalia *s. f.* Cualidad de microcéfalo.

microcéfalo, la *adj.* Se dice del animal que tiene la cabeza más pequeña de lo normal en su especie.

microcirugía *s. f.* Cirugía realizada con micromanipuladores.

microclima *s. m.* Conjunto de condiciones climáticas de un área restringida que difieren de las generales de la región.

micrococo *s. m.* Cada uno de los microbios de forma esférica que se presentan aislados unos de otros.

microcopia *s. f.* Copia fotográfica de tamaño muy reducido.

microcosmos *s. m.* Según ciertos filósofos, el hombre, considerado como un resumen del universo o macrocosmo.

microeconomía *s. f.* Parte de la teoría económica que estudia los componentes individuales de la economía, como el comprador, el vendedor y la empresa, así como sus relaciones.

microelectrónica *s. f.* Técnica de realización de circuitos electrónicos en miniatura.

microficha *s. f.* Ficha de reducido tamaño que contiene varias microcopias de un libro, documento, etc.

microfilmación *s. f.* Acción y efecto de microfilmar.

microfilmar *v. tr.* Reproducir en microfilme impresos, documentos, etc.

microfilme *s. m.* Película de reducido tamaño en la que se fijan imágenes de documentos, impresos, etc., de modo que puedan ser ampliadas posteriormente en proyección o fotografía.

micrófono *s. m.* Aparato que transforma las ondas acústicas en corrientes eléctricas para su amplificación.

micrografía *s. f.* Descripción de objetos vistos a través del microscopio.

micromanipulador *s. m.* Aparato para manejar objetos microscópicos.

micrómetro *s. m.* Instrumento destinado a medir cantidades lineales o angulares muy pequeñas.

micrón *s. m.* Micra.

microonda *s. f.* Onda electromagnética cuya longitud está comprendida en el intervalo del milímetro al metro.

microondas *s. m.* Horno que cuenta con un sistema que genera ondas electromagnéticas de alta frecuencia y sirve para cocinar con gran rapidez.

microordenador *s. m.* Pequeño ordenador, cuya unidad central de tratamiento es un microprocesador.

microorganismo *s. m.* Microbio.

microprocesador *s. m.* Circuito integrado que hace las funciones de la unidad central de tratamiento de un microordenador.

microscópico, ca *adj.* **1.** Perteneciente o relativo al microscopio. **2.** Tan pequeño que solo puede observarse con el microscopio. **3.** Por ext., se dice de todo aquello que es muy pequeño.

microscopio *s. m.* Instrumento óptico consistente en un sistema de lentes, destinado a observar de cerca objetos extremadamente pequeños.

micrótomo *s. m.* Instrumento que sirve para cortar los objetos que han de ser observados con el microscopio.

midriasis *s. f.* Dilatación anormal de la pupila con inmovilidad del iris.

miedo *s. m.* Perturbación angustiosa del ánimo, por peligro real o imaginario.

miedoso, sa *adj., fam.* Que de cualquier cosa tiene miedo. También s. m. y s. f.

miel *s. f.* Sustancia viscosa, muy dulce, que producen las abejas a partir del néctar de las flores.

mielga *s. f.* Planta herbácea anual, papilionácea, muy usada como forraje.

mielina *s. f.* Sustancia que sirve de envoltura y protección a las fibras nerviosas.

mielitis *s. f.* Inflamación de la médula espinal.

miembro *s. m.* **1.** Cualquiera de las extremidades del ser humano o de los animales, articuladas con el tronco. **2.** Individuo que forma parte de una comunidad, secta, sociedad, etc.

mientras *adv. t.* **1.** En tanto, entre tanto. || *conj. temp.* **2.** Durante el tiempo en que.

miera *s. f.* Aceite muy espeso y amargo, obtenido de las bayas y ramas del enebro, usado por los pastores para curar la roña del ganado.

miércoles *s. m.* Día de la semana comprendido entre el martes y el jueves.

mierda *s. f.* **1.** Excremento humano. **2.** Excremento de algunos animales.

mies *s. f.* Cereal maduro, de cuya semilla se hace el pan.

miga *s. f.* **1.** Migaja, porción de pan o de cualquier cosa. **2.** Parte más blanda del pan, cubierta por la corteza. **3.** *fam.* Sustancia y virtud interior de las cosas físicas.

migaja *s. f.* Porción pequeña de cualquier cosa.

migajada *s. f.* Migaja, porción pequeña de una cosa.

migar *v. tr.* Desmenuzar el pan en pedazos muy pequeños para hacer migas u otra cosa semejante.

migración *s. f.* **1.** Emigración. **2.** Acción y efecto de pasar de un país a otro para establecerse en él. **3.** Viaje periódico que hacen las aves, peces y otros animales.

migraña *s. f.* Jaqueca.

migratorio, ria *adj.* **1.** Que emigra. **2.** Perteneciente o relativo a migración o emigración de personas. **3.** Perteneciente o relativo a los viajes periódicos que realizan ciertos animales. **4.** Perteneciente o relativo a estos animales.

miguelear *v. tr., amer.* Enamorar, cortejar.

miguero, ra *adj.* Relativo a las migas.

mihrab *s. m.* Hornacina que en las mezquitas señala el sitio adonde han de mirar los que oran.

mije *s. m.* **1.** *Cub.* Árbol de la familia de las mirtáceas, de fruto parecido al de la grosella. **2.** *Méx.* Tabaco ordinario.

mijo *s. m.* Planta gramínea, de tallo robusto, flores en panojas terminales y grano redondo, pequeño y amarillento.

mil *adj. num.* Diez veces cien. También pron. y s. m.

milagrear *v. intr.* Hacer milagros.

milagrería *s. f.* Tendencia a tomar como milagros hechos naturales.

milagrero, ra *adj.* **1.** Se dice de la persona que tiende a tomar por milagros cosas que acaecen naturalmente, y las publica por tales. **2.** Se dice también de la que finge milagros.

milagro *s. m.* **1.** Hecho sensible del poder divino, superior al orden natural. **2.** Cualquier suceso o cosa rara, extraordinaria y maravillosa.

milagroso, sa *adj.* **1.** Que excede a las fuerzas de la naturaleza. **2.** Que obra o hace milagros. **3.** Maravilloso, asombroso.

milano *s. m.* Ave rapaz falconera, diurna, de plumaje rojizo y cola y alas muy largas.

mildiu o mildiú *s. m.* Enfermedad de la vid, producida por un hongo microscópico que ataca a las hojas y también a los tallos y al fruto.

mildo *s. m.* Masa de avellanas tostadas y molida, a la que a veces se agrega miel.

milenario, ria *adj.* **1.** Perteneciente al número mil o al millar. **2.** Se dice de lo que ha durado uno o varios milenios. ‖ *s. m.* **3.** Espacio de mil años.

milenio *s. m.* Periodo de mil años.

milenrama *s. f.* Planta herbácea de la familia de las compuestas, con flores blancas o rojizas y fruto seco con una semilla suelta. El cocimiento de sus flores se ha usado como tónico y astringente.

milenta *adj., fam.* Mil.

milésimo, ma *adj. num.* Que ocupa el último lugar en una serie ordenada de mil.

milhojas *s. m.* Pastel de hojaldre, relleno de crema o mermelada de manzana, y merengue.

milhombres *s. m., fam.* Sobrenombre irónico que se da al hombre pequeño, altanero y bullicioso.

mili *s. f., fam.* Servicio militar.

miliar[1] *adj.* Que tiene el tamaño y la forma de un grano de mijo.

miliar[2] *adj.* Se dice de la columna, piedra, etc., que antiguamente indicaba la distancia de mil pasos.

miliárea *s. f.* Medida de superficie que equivale a la milésima parte de un área.

milibar *s. m.* Unidad de medida de la presión atmosférica.

milicia *s. f.* **1.** Arte de hacer la guerra y de disciplinar a los soldados para ella. **2.** Servicio o profesión militar.

miliciano, na *s. m. y s. f.* miliciano, na

milico *s. m., desp.* Soldado, militar.

miligramo *s. m.* Medida de peso equivalente a la milésima parte de un gramo.

mililitro *s. m.* Medida de capacidad equivalente a la milésima parte de un litro.

milimetrado, da *adj.* Dividido en milímetros.

milimétrico, ca *adj.* **1.** Perteneciente o relativo al milímetro. **2.** Exacto.

milímetro *s. m.* Medida de longitud equivalente a la milésima parte de un metro.

militante *adj.* Que milita.

militar[1] *adj.* **1.** Relativo a la milicia o a la guerra, por contraposición a civil. ‖ *com.* **2.** Persona que profesa la milicia.

militar[2] *v. intr.* **1.** Servir en la guerra o profesar la milicia. **2.** *fig.* Figurar en un partido o colectividad.

militarismo *s. m.* Predominio del elemento militar en el gobierno del Estado.

militarista *adj.* Partidario del militarismo. También com.

militarización *s. f.* Acción y efecto de militarizar.

militarizar *v. tr.* **1.** Inculcar en otros la disciplina o el espíritu militar. **2.** Organizar de forma militar un cuerpo o servicio civil.

milla *s. f.* Antigua medida para la vías romanas, equivalente a cerca de un cuarto de legua.

millar *s. m.* Conjunto de mil unidades.

millarada *s. f.* Cantidad como de mil.

millardo *s. m.* Un millar de millones.

millo *s. m.* **1.** Mijo. **2.** Semilla de esta planta.

millón *s. m.* Mil millares.

millonada *s. f.* Cantidad muy grande, especialmente de dinero.

millonario, ria *adj., fam.* Que tiene mucho dinero.

millonésimo, ma *adj. num.* Se dice de cada una del millón de partes, iguales entre sí, en que se divide un todo. También s. m. y s. f.

milmillonésimo, ma *adj. num.* Se dice de cada una de las mil millones de partes iguales en que se divide un todo. También s. m. y s. f.

miloca *s. f.* Ave rapaz nocturna, muy parecida al búho.

milocha *s. f.* Cometa, juguete.

milonga *s. f.* Tonada popular argentina, sencilla y bailable, parecida a la saeta española, que se canta acompañada de guitarra.

mimar *v. tr.* **1.** Hacer caricias y halagos. **2.** Tratar con excesivo regalo y condescendencia a alguien, especialmente a los niños.

mimbral *s. m.* Mimbreral.

mimbre *s. amb.* **1.** Mimbrera, arbusto. **2.** Cada una de las varitas que produce la mimbrera, especialmente la desnuda que se usa en cestería.

mimbrear *v. intr.* Moverse o agitarse con flexibilidad, como el mimbre. También prnl.

mimbreño, ña *adj.* De naturaleza de mimbre, flexible.

mimbrera *s. f.* Arbusto salicáceo, común a orillas de los ríos, de ramillas largas, delgadas y flexibles.

mimbreral *s. m.* Sitio o terreno poblado de mimbreras.

mimbrón *s. m.* Mimbre, arbusto.

mímesis *s. f.* Imitación que se hace de una persona, enmendándola en el modo de hablar y gesticular, especialmente para burlarse de ella.

mimético, ca *adj.* **1.** Que imita por mímesis. **2.** Que imita por mimetismo.

mimetismo *s. m.* Propiedad que tienen algunos animales y plantas de asemejarse a los seres y objetos del medio en que viven, que les sirve para protegerse o disimular su presencia.

mímica *s. f.* Arte de imitar, representar o darse a entender por medio de gestos, ademanes o actitudes.

mímico, ca *adj.* **1.** Perteneciente al mimo y a la representación de sus fábulas. **2.** Perteneciente a la mímica.

mimo[1] *s. m.* **1.** Entre griegos y romanos, representación teatral ligera y festiva. **2.** Actor que representaba estas farsas. ‖ *s. m. y s. f.* **3.** Intérprete teatral que se vale exclusiva o preferentemente de gestos y de movimientos corporales.

mimo[2] *s. m.* **1.** Cariño, demostración expresiva de ternura. **2.** Excesiva condescendencia con que se trata a alguien, especialmente a los niños.

mimodrama *s. f.* Pantomima.

mimógrafo, fa *s. m. y s. f.* Autor de mimos o farsas.

mimosa *s. f.* Género de plantas exóticas, mimosáceas, arbustivas o arbóreas, de hojas bipinnadas y flores amarillas.

mimosáceo, a *adj.* Se dice de plantas angiospermas dicotiledóneas, arbustivas o trepadoras en su mayoría, con hojas compuestas, flores actinomorfas y fruto en legumbre, como la sensitiva y la acacia.

mimoso, sa *adj.* Melindroso, delicado.

mina *s. f.* **1.** Yacimiento de minerales de útil explotación. **2.** Excavación hecha para extraer un mineral. **3.** Paso subterráneo para alumbrar o conducir aguas, para establecer una comunicación cualquiera o para volar las fortificaciones de una plaza, derribar muros, etc., poniendo en él un explosivo. **4.** Barrita de grafito que lleva en su interior un lápiz. **5.** *fig.* Oficio o negocio del que con poco trabajo se obtiene mucha ganancia. **6.** Artefacto dispuesto para hacer explosión al ser rozado su dispositivo. **7.** Arg., Bol. y Ur. Mujer.

minado *s. m.* Acción y efecto de minar.

minador, ra *adj.* **1.** Que mina. **2.** Se dice del buque destinado a colocar minas submarinas. También s. m. ‖ *s. m. y s. f.* **3.** Ingeniero o artífice que abre minas.

minar *v. tr.* **1.** Abrir caminos o galerías por debajo de tierra. **2.** *fig.* Consumir, destruir poco a poco. **3.** *fig.* Hacer minas cavando la tierra o colocar los artefactos explosivos del mismo nombre para volar y derribar muros, edificios, etc.

minarete *s. m.* Alminar.

mineraje *s. m.* Labor y beneficio de las minas.

mineral *s. m.* Sustancia inorgánica existente en las diversas capas de la corteza terrestre o en la superficie.

mineralización *s. f.* Acción y efecto de mineralizar o mineralizarse.

mineralizar *v. tr.* Comunicar a una sustancia en el seno de la tierra las condiciones de mineral o mena. También prnl.

mineralogía *s. f.* Ciencia que estudia los minerales.

mineralogista *com.* Persona que profesa la mineralogía o tiene en ella especiales conocimientos.

minería *s. f.* **1.** Arte de laborear las minas. **2.** Conjunto de personas que se dedican a este trabajo. **3.** Conjunto de las minas y explotaciones mineras de una nación o comarca.

minero, ra *s. m. y s. f.* Persona que trabaja en las minas.

mineromedicinal *adj.* Se dice del agua mineral usada en medicina para la curación de algunas dolencias.

mingitorio, ria *adj.* **1.** Perteneciente o relativo a la micción. ‖ *s. m.* **2.** Urinario.

mingo *s. m.* Bola que al empezar cada mano del juego de billar se coloca en la cabecera de la mesa.

miniar *v. tr.* Pintar una cosa en miniatura.

miniatura *s. f.* Pintura de pequeñas dimensiones hecha generalmente sobre papel, pergamino, marfil, etc.

miniaturista *s. m. y s. f.* Pintor de miniatura.

miniaturizar *v. tr.* Producir piezas sumamente pequeñas.

minifalda *s. f.* Falda corta por encima de la rodilla.

minifundio *s. m.* Finca rústica que, por su reducida extensión, no puede ser objeto por sí sola de cultivo en condiciones remuneradoras.

minigolf *s. m.* Deporte similar al golf que se juega en un campo o pista de reducidas dimensiones.

minimizar *v. tr.* **1.** Empequeñecer algo. **2.** En matemáticas, buscar el mínimo de una función. **3.** *fig.* Menospreciar.

mínimo, ma *adj. sup.* **1.** De pequeño. ‖ *adj.* **2.** Se dice de lo que es tan pequeño en su especie que no lo hay menor ni igual. ‖ *s. m.* **3.** Límite inferior a que puede reducirse una cosa. **4.** Valor más pequeño que puede tener una variable.

mínimum *s. m.* Mínimo, límite o extremo.

minino, na *s. m. y s. f., fam.* Gato.

minio *s. m.* Óxido de plomo en forma de cuerpo pulverulento, de color rojo.

ministerial *adj.* **1.** Perteneciente al ministerio o gobierno del Estado, o a alguno de sus ministros. **2.** Se dice de la persona que apoya habitualmente a un ministerio.

ministerio *s. m.* **1.** Gobierno del Estado, considerado en el conjunto de los varios departamentos en que se divide. **2.** Cargo de ministro de un Estado y tiempo que dura su ejercicio.

ministro, tra *s. m. y s. f.* Jefe de cada uno de los departamentos en que se divide la gobernación del Estado.

mino *s. m.* Voz familiar usada para llamar al gato.

minoración *s. f.* Acción y efecto de minorar o minorarse.

minorar *v. tr.* Aminorar. También prnl.

minorativo, va *adj.* Se dice del remedio que se usa como purgante. También s. m.

minoría *s. f.* **1.** En un país, grupo, etc., parte menor de sus componentes. **2.** Conjunto de votos opuestos a la opinión de la mayoría. **3.** En materia internacional, parte de la población de un Estado que difiere de la mayoría de la misma población, por la raza, la lengua o la religión. **4.** Tiempo de la menor edad legal de una persona.

minoridad *s. f.* Minoría de edad legal de una persona.

minorista *adj.* **1.** Comerciante al por menor. **2.** Se dice del comercio al por menor.

minoritario, ria *adj.* **1.** Perteneciente o relativo a la minoría. **2.** Que se encuentra en minoría numérica.

minucia *s. f.* Menudencia, cosa de poco valor y entidad.

minuciosidad *s. f.* Cualidad de minucioso.

minucioso, sa *adj.* Que se detiene en las cosas más pequeñas.

minué *s. m.* Danza de origen francés para dos personas, de moda en el s. XVIII.

minuendo *s. m.* Cantidad de la que ha de restarse otra.

minúsculo, la *adj.* **1.** Que es de muy pequeñas dimensiones o de muy poca entidad. **2.** Se dice de la letra que se usa constantemente en la escritura, excepto cuando debe emplearse la mayúscula. También s. f.

minusvalía *s. f.* **1.** Detrimento o disminución del valor de alguna cosa. **2.** Deficiencia física o psíquica que disminuye las capacidades de una persona.

minusválido, da *adj.* Se dice de la persona incapacitada, por lesión física o psíquica, para determinados trabajos, movimientos, deportes, etc. También s. m. y s. f.

minusvalorar *v. tr.* Subestimar, valorar alguna cosa menos de lo debido.

minuta *s. f.* **1.** Borrador que se hace de un contrato, anotando las cláusulas esenciales. **2.** Borrador que se hace de un oficio, exposición, etc. para copiarlo después en limpio. **3.** Borrador original que en una oficina queda de cada orden o comunicación que por ella se expide. **4.** Cuenta que de sus honorarios presentan los abogados y curiales. **5.** Lista o catálogo de personas o cosas. **6.** Lista de los platos que se sirven en una comida.

minutar *v. tr.* **1.** Hacer el borrador de una consulta, escritura, contrato, etc. **2.** Pasar una minuta al cobro.

minutario *s. m.* Cuaderno en que el notario guarda las minutas o borradores de las escrituras o instrumentos públicos que se otorgan ante él.

minutero *s. m.* Manecilla del reloj que señala los minutos.

minutisa *s. f.* Planta herbácea de jardín, de la familia de las cariofiláceas, cultivada por la belleza de sus flores, olorosas y de colores variados del blanco al rojo.

minuto *s. m.* **1.** Cada una de las sesenta partes iguales en que se divide una hora. **2.** Cada una de las sesenta partes iguales en que se divide un grado de círculo.

miñosa *s. f.* Lombriz de tierra.

mío, a *adj. pos.* Forma del posesivo masculino y femenino de la primera persona del singular. Indica posesión o pertenencia a la persona que habla. También pron.

miocardio *s. m.* Parte musculosa del corazón, entre el pericardio y el endocardio.

miocarditis *s. f.* Inflamación del miocardio.

mioceno *adj.* Se dice del terreno terciario que sigue inmediatamente en edad al oligoceno. También s. m.

miodinia *s. f.* Dolor de los músculos.

miografía *s. f.* Parte de la anatomía que tiene por objeto la descripción de los músculos.

miología s. f. Parte de la anatomía que trata de los músculos.

mioma s. f. Tumor formado por elementos musculares.

miope adj. Se dice de la persona que padece miopía. También com.

miopía s. f. Defecto o imperfección del ojo a causa del cual las refracciones de los rayos de luz procedentes de los objetos lejanos se reúnen un poco antes de llegar a la retina. Este defecto obliga a aproximarse mucho a los objetos para verlos.

miosis s. f. Contracción anormal permanente de la pupila del ojo.

mira s. f. **1.** Toda pieza que en ciertos instrumentos sirve para dirigir una visual. **2.** Regla graduada para las operaciones topográficas. **3.** En las armas de fuego, pieza para asegurar la puntería. **4.** Ángulo que tiene la adarga en la parte superior.

mirabel s. m. Planta herbácea de la familia de las quenopodiáceas, de forma piramidal, que se cultiva en los jardines por su hermoso aspecto.

mirada s. f. **1.** Acción y efecto de mirar. **2.** Ojeada, vistazo. **3.** Modo de mirar.

miradero s. m. Lugar desde donde se mira.

mirado, da adj. **1.** Se dice de la persona cauta, circunspecta y reflexiva. Se usa con los adverbios muy, tan, más y menos. **2.** Digno de buen o mal concepto. Se usa precedido de los adverbios bien, mal, mejor, peor.

mirador s. m. Corredor, galería o terrado para explayar la vista.

miraguano s. m. Palmera de poca altura, que crece en América y Oceanía.

miramiento s. m. Respeto y circunspección que se debe observar en la ejecución de algo o que se guarda a una persona.

miranda s. f. Paraje alto desde el cual se descubre una gran extensión de terreno.

mirar v. tr. **1.** Fijar atentamente la vista en algún objeto. También prnl. **2.** Observar. **3.** Tener una finalidad al realizar algo. **4.** Ver con atención y cuidado una cosa, registrar. ‖ v. intr. **5.** Hallarse frente a algo. **6.** Atañer, concernir, guardar relación. **7.** fig. Cuidar, atender a alguien.

mirasol s. m. Girasol.

miríada s. f. Cantidad muy grande e indefinida.

miriámetro s. m. Medida de longitud equivalente a diez mil metros.

miriápodo adj. Miriópodo. También s. m.

mirificar v. tr. Hacer admirable; enaltecer, ensalzar una cosa.

mirífico, ca adj. Admirable, maravilloso.

mirilla s. f. **1.** Abertura en una pared o en una puerta para observar quién llama. **2.** Ventanillo de la puerta exterior

de las casas. **3.** Pequeña abertura que en algunos instrumentos topográficos sirve para dirigir visuales.

miriñaque s. m. **1.** Tela rígida o muy almidonada, a veces con aros, que se coloca debajo de las faldas para darles vuelo. **2.** Alhajuela de poco valor que sirve para adorno o diversión.

miriópodo adj. Se dice de animales artrópodos terrestres, con respiración traqueal, cuerpo segmentado, con uno o dos pares de patas en cada elemento, con antenas y mandíbulas, como el ciempiés.

mirística s. f. Árbol de la India, de la familia de las miristicáceas, de 15 a 20 m de alto, hojas ovales, flores generalmente amarillas y fruto en baya globosa, cuya semilla es la nuez moscada.

miristicáceo, a adj. Se dice de árboles angiospermos dicotiledóneos, originarios de países tropicales, de hojas coriáceas, flores irregulares y apétalas, y fruto en drupa. También s. f.

mirlo s. m. Ave paseriforme túrdida, de plumaje oscuro y pico amarillo, apreciada por su canto melodioso.

mirobálano s. m. Árbol de la India, combretáceo, cuyos frutos, parecidos unos a la ciruela y otros a la aceituna, se usan en medicina y tintorería.

mirón, na adj. **1.** Que mira, y especialmente que mira demasiado o con curiosidad. También s. m. y s. f. **2.** Se dice de la persona que, sin participar, observa cómo otras trabajan o juegan. También s. m. y s. f.

mirra s. f. Gomorresina en forma de lágrimas, de gusto amargo, aromática, que procede de un árbol de Arabia y Abisinia de la familia de las burseráceas.

mirrado, da adj. Compuesto o mezclado con mirra.

mirtáceo, a adj. Se dice de plantas angiospermas dicotiledóneas, propias de zonas cálidas y templadas, de hojas opuestas, flores hermafroditas y fruto en drupa o cápsula, como el arrayán o el eucalipto.

mirtino, na adj. De mirto o parecido a él.

mirto s. m. Arrayán.

misa s. f. Ceremonia ritual del culto cristiano en que se conmemora la muerte y Resurrección de Jesucristo.

misacantano s. m. Sacerdote que celebra su primera misa.

misal s. m. Libro litúrgico en que se contiene el orden y modo de celebrar la misa.

misantropía s. f. Cualidad de misántropo.

misántropo, pa s. m. y s. f. Persona que siente aversión a la sociedad humana.

misar v. intr. **1.** fam. Decir misa. **2.** fam. Oír misa.

miscelánea s. f. **1.** Mezcla, unión de cosas diversas. **2.** Obra o escrito en que se tratan muchas materias inconexas y mezcladas.

misceláneo, a *adj.* Mixto, compuesto de cosas distintas o de géneros diferentes.

miscible *adj.* Mezclable.

miserable *adj.* **1.** Pobre, desdichado, infeliz. **2.** Perverso, canalla.

miseración *s. f.* Lástima por las penalidades y miserias ajenos.

miserere *s. m.* Salmo penitencial que empieza con esta palabra.

miseria *s. f.* **1.** Desgracia, infortunio. **2.** Pobreza extremada. **3.** Mezquindad.

misericordia *s. f.* Virtud que inclina al ánimo a compadecerse de las penalidades y miserias ajenas y a tratar de aliviarlas.

misericordioso, sa *adj.* Se dice de la persona que se compadece de las penalidades y miserias ajenas.

misero, ra *adj., fam.* Que gusta de oír muchas misas.

mísero, ra *adj.* **1.** Infeliz, desgraciado. **2.** Avaro, tacaño. **3.** Canalla. **4.** De escaso valor.

misérrimo, ma *adj. sup.* de mísero.

misil *s. m.* Proyectil de largo alcance, autodirigido o teledirigido.

misión *s. f.* **1.** Acción de enviar. **2.** Poder que se da a una persona de ir a desempeñar algún cometido. **3.** El propio cometido. **4.** Comisión temporal dada por un Gobierno a un diplomático o agente especial para un determinado fin. **5.** Salida o peregrinación que hacen los religiosos para predicar el evangelio. **6.** Lugar donde llevan a cabo su labor de evangelización los misioneros. **7.** Casa o iglesia de los misioneros.

misional *adj.* Perteneciente o relativo a los misioneros o a las misiones.

misionero, ra *s. m. y s. f.* Persona de una Orden religiosa que predica el evangelio.

misivo, va *adj.* Se dice de los escritos remitidos a alguien. Se usa más como s. f.

mismo, ma *adj.* **1.** Indica que es una persona o cosa la que se ha visto o de que se hace mérito y no otra. **2.** Semejante o igual.

misoginia *s. f.* Aversión u odio a las mujeres.

misógino, na *adj.* Que odia a las mujeres. Se usa más como s. m.

misoneísmo *s. m.* Aversión a las novedades.

misoneísta *adj.* Que siente recelo ante cualquier novedad.

miss *s. f.* **1.** Tratamiento inglés equivalente a señorita. **2.** Ganadora de un concurso de belleza.

mistagogo *s. m.* Sacerdote de la paganidad grecorromana que iniciaba en los misterios.

mistar *v. tr.* Musitar. Se usa más como neg.

mistela *s. f.* Vino obtenido de la mezcla de mosto de uva y alcohol vínico.

mister *s. m.* Tratamiento inglés equivalente al de señor.

míster *s. m.* **1.** Ganador en un concurso de belleza. **2.** Entrenador de fútbol.

misterio *s. m.* **1.** En la religión cristiana, cosa inaccesible a la razón y que es objeto de fe. **2.** Cosa secreta en cualquier religión. **3.** Cosa incomprensible.

misterioso, sa *adj.* Que implica misterio o un sentido oculto.

mística *s. f.* **1.** Parte de la teología que trata de la vida espiritual y contemplativa y del conocimiento y dirección de los espíritus. **2.** Vivencia de lo divino. **3.** Manifestación literaria de esta vivencia.

misticismo *s. m.* **1.** Estado de la persona que se dedica mucho a Dios o a las cosas espirituales. **2.** Estado extraordinario de perfección religiosa, que consiste esencialmente en cierta unión inefable del alma con Dios por el amor, y que va acompañada accidentalmente de éxtasis y revelaciones. **3.** Doctrina religiosa que enseña la comunicación directa entre el hombre y la divinidad, en la visión intuitiva o en el éxtasis.

místico, ca *adj.* **1.** Que incluye misterio. **2.** Perteneciente a la mística o al misticismo. **3.** Que se dedica a la vida espiritual. **4.** Que escribe o trata de mística.

mistificación *s. f.* Acción y efecto de mistificar.

mistificar *v. tr.* **1.** Embaucar, engañar. **2.** Falsear, falsificar, deformar.

mistral *adj.* Se dice del viento entre poniente y tramontana. También s. m.

mitad *s. f.* **1.** Cada una de las dos partes iguales en que se divide un todo. **2.** Parte que en una cosa equidista de sus extremos.

mítico, ca *adj.* Perteneciente o relativo al mito.

mitificación *s. f.* Acción y efecto de mitificar.

mitificar *v. tr.* Hacer de algo o alguien un mito.

mitigación *s. f.* Acción y efecto de mitigar o mitigarse.

mitigador, ra *adj.* Que mitiga. También s. m. y s. f.

mitigar *v. tr.* Disminuir, moderar o suavizar una cosa áspera o rigurosa. También prnl.

mitigatorio, ria *adj.* Que mitiga o tiene la virtud de mitigar.

mitin *s. m.* Reunión donde se discuten públicamente asuntos políticos o sociales.

mito *s. m.* **1.** Relato fabuloso basado en los dioses, héroes, o en un hecho real o histórico, y especialmente en materia religiosa. **2.** Fábula, ficción. **3.** Persona o cosa considerada arquetipo de una idea o cualidad.

mitocondria *s. f.* Orgánulo citoplásmico celular de fundamental importancia metabólica.

mitografía *s. f.* Ciencia que trata del origen y explicación de los mitos.

mitología *s. f.* **1.** Conjunto de mitos de un pueblo o cultura. **2.** Estudio de los mitos.

mitológico, ca *adj.* Perteneciente o relativo a la mitología.

mitomanía *s. f.* Propensión a mentir y a inventar cosas fantásticas con el fin de adquirir notoriedad.

mitómano, na *adj.* Se dice de la persona inclinada a la mitomanía. También s. m. y s. f.

mitón *s. m.* Guante de punto que cubre desde la muñeca hasta la mitad del pulgar y el nacimiento de los demás dedos.

mitosis *s. f.* Tipo de división celular en la que se mantiene constante la dotación cromosómica y en la que el núcleo sufre una serie de modificaciones antes de separarse.

mitote *s. m., Amér. del S.* Fiesta casera.

mitra *s. f.* Toca alta y apuntada con que en las grandes solemnidades se cubren la cabeza los arzobispos, obispos y otras dignidades eclesiásticas.

mitrado, da *adj.* Se dice del eclesiástico que puede usar mitra.

mitral *adj.* Se dice de la válvula que existe entre la aurícula y el ventrículo izquierdo del corazón.

mitrar *v. intr., fam.* Obtener un obispado.

mítulo *s. m.* Mejillón.

mixtifori *s. m., fam.* Embrollo o mezcla de cosas heterogéneas.

mixtilíneo, a *adj.* Se dice dela figura cuyos lados son rectos unos y curvos otros.

mixtión *s. f.* Mezcla, mixtura.

mixto, ta *adj.* Se dice de lo formado por la reunión de elementos de naturaleza distinta. Se usa más como s. m.

mixtote *s. m.* Plato elaborado con carne de pollo, carnero, cerdo o conejo metida en un saquito hecho con la membrana que recubre la penca del maguey o en papel aluminio; se hierve al vapor.

mixtura *s. f.* Mezcla de varias cosas.

mízcalo *s. m.* Hongo comestible que crece en los pinares.

mnemónica *s. f.* Mnemotecnia.

mnemónico, ca *adj.* Perteneciente o relativo a la memoria.

mnemotecnia *s. f.* Arte de desarrollar la memoria, basándose principalmente en la asociación de ideas.

mnemotécnica *s. f.* Mnemotecnia.

mnemotécnico, ca *adj.* **1.** Perteneciente a la mnemotecnia. **2.** Que sirve para auxiliar a la memoria.

moaré *s. m.* Tela fuerte que forma ondulaciones o brillos.

moaxaja *s. f.* Poema en árabe o hebreo clásicos, dispuesto en estrofas y basado rítmicamente en el acento,

cuya estrofa final, llamada jarcha, está escrita en lengua mozárabe.

mobiliario, ria *adj.* **1.** Mueble, aplicado por lo común a los efectos públicos al portador o transferibles por endoso. ‖ *s. m.* **2.** Conjunto de muebles de una casa.

moblaje *s. m.* Mobiliario.

moca *s. m.* **1.** Café de muy buena calidad, procedente de la ciudad yemení del mismo nombre. **2.** Crema elaborada a base de café, mantequilla, vainilla y azúcar.

mocán *s. m., Can.* Árbol cuya madera se emplea en la fabricación de coches y carretas.

mocar *v. tr.* Sonar, limpiar los mocos. Se usa más como prnl.

mocarro *s. m., fam.* Moco que cuelga de la nariz.

mocasín *s. m.* Calzado usado por los nativos norteamericanos, hecho de piel sin curtir.

mocear *v. intr.* Comportarse como gente joven.

mocedad *s. f.* Época de la vida humana desde la pubertad hasta la edad adulta.

mocejón *s. m.* Molusco lamelibranquio, cuya concha tiene las valvas casi negras y más largas que anchas.

moceril *adj.* Propio de gente joven.

mocerío *s. m.* Grupo o conjunto de gente joven.

mocetón, na *s. m. y s. f.* Persona joven, alta y robusta.

mocha *s. f.* **1.** Reverencia que se hacía bajando la cabeza. **2.** *fam.* Cabeza humana.

mochada *s. f.* **1.** Topetada. **2.** Golpe dado con la mocha o cabeza.

mochar *v. tr.* **1.** Desmochar, cortar. **2.** Dar golpes con la mocha o cabeza.

mochazo *s. f.* Golpe dado con la mocha o cabeza.

mocheta *s. f.* **1.** Extremo grueso y romo opuesto a la parte punzante o cortante de ciertas herramientas, como azadones, hachas, etc. **2.** Rebajo en el marco de las puertas y ventanas, donde encaja el renvalso. **3.** Ángulo diedro entrante en la esquina de una pared.

mochete *s. m.* Cernícalo.

mochila *s. f.* **1.** Caja forrada de cuero, sujeta a la espalda con correas, que usan los soldados para llevar el equipo. **2.** Saco o bolsa de tela fuerte, plástico, etc. que llevan sujeta a la espalda los cazadores y excursionistas.

mochín *s. m.* Verdugo, ejecutor de la justicia.

mocho, cha *adj.* **1.** Se dice de todo aquello a que falta la punta o la debida terminación. **2.** *fig. y fam.* Pelado o con el pelo cortado.

mochuelo *s. m.* **1.** Ave rapaz nocturna, de cabeza grande con ojos frontales y pico ganchudo. **2.** *fig. y fam.* Asunto o trabajo difícil o enojoso, del que nadie quiere hacerse cargo. **3.** *fig. y fam.* Omisión de una o más palabras, miembro del discurso, frase, etc. que se comete al componer el texto.

moción *s. f.* **1.** Acción y efecto de mover, moverse o ser movido. **2.** *fig.* Alteración del ánimo. **3.** *fig.* Proposición que se hace en una junta que delibera.

mocito, ta *adj.* Que están en el principio de la mocedad. También s. m. y s. f.

moco *s. m.* **1.** Humor espeso y pegajoso segregado por una membrana mucosa, especialmente la nasal. **2.** Extremidad del pabilo de una vela encendida.

mocoso, sa *adj.* **1.** Que tiene la nariz llena de mocos. **2.** Se aplica al niño o muchacho que pretende comportarse como una persona mayor. Se usa más como s. m. y s. f.

moda *s. f.* Uso, modo o costumbre que está en boga durante algún tiempo, principalmente en el modo de vestir, vivir, etc.

modal *adj.* **1.** Que comprende o incluye modo o determinación particular. **2.** Perteneciente o relativo al modo verbal. ‖ *s. m. pl.* **3.** Acciones externas de cada persona, con que cada uno da a conocer su buena o mala educación.

modalidad *s. f.* Modo de ser o de manifestarse una cosa.

modelable *adj.* Que puede ser modelado.

modelado *s. m.* Acción y efecto de modelar.

modelador, ra *adj.* Que modela.

modelar *v. tr.* Formar de cera, barro, etc., una figura o adorno.

modélico, ca *adj.* Que sirve o puede servir de modelo.

modelo *s. m.* **1.** Prenda de vestir diseñada por determinado modista. **2.** Por ext., cualquier prenda de vestir de moda. **3.** Arquetipo que se pretende imitar o reproducir. **4.** Ejemplar que debe ser imitado por su perfección física o moral. **5.** Copia reducida de alguna cosa. **6.** Objeto, construcción, etc., o conjunto de ellos, realizados según un mismo diseño. ‖ *com.* **7.** Persona u objeto que copia el artista. **8.** Persona que se encarga de exhibir prendas de vestir.

módem *s. m.* Dispositivo utilizado en la transmisión y recepción de datos, capaz de modular los datos que envía y demodular los que recibe.

moderación *s. f.* Templanza en las palabras o acciones.

moderado, da *adj.* Que tiene moderación.

moderador, ra *adj.* **1.** Que modera. También s. m. y s. f. ‖ *s. m. y s. f.* **2.** Persona que dirige los debates públicos.

moderar *v. tr.* Templar, arreglar una cosa, evitando el exceso. También prnl.

moderativo, va *adj.* Que modera o tiene virtud para moderar.

modernidad *s. f.* Cualidad de moderno.

modernismo *s. m.* Movimiento artístico y literario que se desarrolló a fines del XIX y principios del XX, caracterizado por su tendencia hacia la libertad formal.

modernista *adj.* Perteneciente o relativo al modernismo. También com., aplicado a personas.

modernización *s. f.* Acción y efecto de modernizar o modernizarse.

modernizar *v. tr.* Dar forma moderna a cosas antiguas.

moderno, na *adj.* **1.** Que pertenece a la edad moderna de la historia. **2.** Que existe desde hace poco tiempo. **3.** Que ha sucedido recientemente. **4.** Que sigue las modas de su tiempo.

modestia *s. f.* **1.** Virtud que modera y equilibra las acciones. **2.** Humildad, recato. **3.** Pobreza, escasez.

modesto, ta *adj.* Que tiene modestia.

modicidad *s. f.* Cualidad de módico.

módico, ca *adj.* Moderado, limitado.

modificación *s. f.* Acción y efecto de modificar o modificarse.

modificador, ra *adj.* Que modifica. También s. m. y s. f.

modificar *v. tr.* Transformar una cosa cambiando alguno de sus accidentes. También prnl.

modificativo, va *adj.* Que modifica o sirve para modificar.

modillón *s. m.* Saliente con que se adorna por debajo una cornisa.

modismo *s. m.* Modo particular de hablar propio y característico de una lengua.

modisto, ta *s. m. y s. f.* Persona que tiene por oficio hacer trajes y otras prendas de vestir.

modo *s. m.* **1.** Forma variable que puede recibir o no un ser sin que cambie su esencia. **2.** Templanza en las acciones o palabras. **3.** Forma de realizar algo. **4.** Forma en que el predicado se une al sujeto de un juicio. **5.** Cada una de las formas del silogismo. **6.** Disposición de los sonidos que forman una escala musical. **7.** Cada una de las distintas maneras generales de manifestarse la significación del verbo.

modorra *s. f.* **1.** Sueño muy pesado. **2.** Enfermedad del ganado lanar.

modorrar *v. tr.* Causar modorra.

modorro, rra *adj.* **1.** Que padece modorra. **2.** *fig.* Ignorante, torpe, lerdo.

modoso, sa *adj.* Que se comporta con educación.

modrego *s. m., fam.* Persona desmañada y sin habilidad para nada.

modulación *s. f.* **1.** Acción y efecto de modular. **2.** Modificación de las características de las ondas eléctricas para la mejor transmisión de las señales.

modulador *s. m.* Dispositivo utilizado en la transmisión de datos, que cambia los datos digitales en una señal continua susceptible de ser transmitida por un enlace de comunicaciones.

modular[1] *v. intr.* **1.** Variar de tono de voz en el habla o en el canto. **2.** Modificar una onda portadora en función de una señal electromagnética para su transmisión radiada. **3.** Pasar de una tonalidad a otra.

modular[2] *adj.* Perteneciente o relativo al módulo.

módulo *s. m.* **1.** Medida tomada como unidad para establecer la proporción entre las diferentes partes de algo. **2.** Cada una de ciertas piezas que se repiten en una construcción con el fin de hacerla más sencilla y económica. **3.** Cantidad que sirve de tipo de comparación en determinados cálculos.

modus operandi *loc. lat.* que significa «modo de obrar».

modus vivendi *loc. lat.* que significa «modo de vivir», «arreglo» o «transacción entre dos partes».

mofa *s. f.* Burla y escarnio que se hace de una persona o cosa.

mofar *v. tr.* Hacer mofa. Se usa más como prnl.

mofeta *s. f.* Cualquiera de los gases perniciosos que se desprenden de las minas y otros sitios subterráneos.

moflete *s. m., fam.* Carrillo demasiado grueso y carnoso.

mofletudo, da *adj.* Que tiene mofletes.

mogate *s. m.* Baño que cubre alguna cosa, y en particular el barniz que usan los alfareros.

mogollón *s. m.* Entrometimiento de alguien donde no le llaman o no es invitado.

mogón, na *adj.* Se dice de la res vacuna a la cual falta un asta, o la tiene rota por la punta.

mogote *s. m.* Montículo aislado, de forma cónica y rematado en punta roma.

moharra *s. f.* Punta de la lanza, comprendiendo la cuchilla y el cubo.

moharracho *s. m.* Persona que se disfraza ridículamente en una función.

mohatra *s. f.* **1.** Venta fingida que se hace fraudulentamente. **2.** Fraude, engaño.

mohatrar *v. intr.* Hacer mohatras.

moheda *s. f.* Monte alto con malezas.

mohedal *s. m.* Moheda.

mohín *s. m.* Mueca, gesto.

mohína *s. f.* Enojo, enfado.

mohíno, na *adj.* Triste, disgustado.

moho *s. m.* **1.** Nombre genérico de varias especies de hongos que se desarrollan sobre algunos cuerpos orgánicos y producen su descomposición. **2.** Capa que se forma en la superficie de un cuerpo metálico por alteración química de su materia, como la herrumbre.

mohoso, sa *adj.* Cubierto de moho.

mojábana *s. f.* Torta de harina con queso.

mojadura *s. f.* Acción y efecto de mojar o mojarse.

mojama *s. f.* Cecina de atún.

mojar *v. tr.* Humedecer una cosa con agua u otro líquido. También prnl.

mojarra *s. f.* Pez teleósteo del suborden de los acantopterigios, de cabeza ancha, ojos grandes y cuerpo ovalado y comprimido, apreciado por su carne blanca y fino sabor.

mojarrilla *adj., fam.* Se dice de la persona que siempre está alegre y de broma.

moje *s. m.* Salsa o caldo de cualquier guiso.

mojel *s. m.* Cajeta de meollar utilizada para dar vuelta al cable y al virador cuando se zarpa el ancla.

mojicón *s. m.* Especie de bizcocho de mazapán.

mojiganga *s. f.* Fiesta pública que se hace con disfraces ridículos.

mojigatería *s. f.* **1.** Cualidad de mojigato. **2.** Acción propia de él.

mojigato, ta *adj.* **1.** Que afecta humildad o cobardía para lograr sus intenciones. **2.** Beato, santurrón.

mojinete *s. m.* **1.** Albardilla que se pone en los muros. **2.** Caballete de un tejado.

mojón *s. m.* Señal permanente que se pone para fijar los linderos de heredades, términos y fronteras.

mol *s. m.* Molécula.

mola *s. f.* Harina de cebada, tostada y mezclada con sal, que los paganos utilizaban en sus sacrificios, echándola en la frente de la res y en la hoguera en que esta debía ser quemada.

molar[1] *adj.* **1.** Perteneciente o relativo a la muela. **2.** Apto para moler.

molar[2] *adj.* Se dice de la solución que contiene un mol de soluto en mil gramos de disolución.

molar[3] *v. intr.* **1.** *fam.* Gustar o apetecer una cosa. **2.** *fam.* Fardar, presumir.

molaridad *s. f.* En una solución, número de moléculas de soluto disueltas en mil gramos de disolución.

molcajete *s. m.* Mortero de piedra o de barro cocido, con tres pies.

moldar *v. tr.* **1.** Amoldar, ajustar a un molde. **2.** Hacer molduras en una cosa.

molde *s. m.* Pieza en la que se hace, en hueco, la figura que en sólido quiere darse a la materia fundida que, en él, se vacía, como la cera, un metal, etc.

moldeable *adj.* Que puede ser moldeado.

moldeado *s. m.* **1.** Acción y efecto de moldear. **2.** Peinado que consiste en rizar el cabello por medios artificiales.

moldear *v. tr.* **1.** Moldurar. **2.** Sacar el molde de una figura.

moldura *s. f.* Parte saliente y corrida, de perfil uniforme, que sirve para adornar obras de arquitectura, carpintería y otras artes.

moldurar *v. tr.* Hacer molduras en una cosa.

mole *s. f.* Cosa de gran bulto o corpulencia.

molécula *s. f.* Agrupación definida y ordenada de átomos que es la menor porción que puede separarse de un cuerpo sin que se altere su composición química.

molecular *adj.* Perteneciente o relativo a las moléculas.

moledera *s. f.* Piedra en que se muele.

moledor, ra *adj.* **1.** Que muele. **2.** *fig. y fam.* Se dice de la persona que cansa o fatiga con su pesadez.

moledura *s. f.* Agotamiento, cansancio, fatiga.

moler *v. tr.* Quebrantar una cosa reduciéndola a partes muy pequeñas o hasta hacerla polvo.

molestar *v. tr.* Causar molestia.

molestia *s. f.* **1.** Fastidio, inquietud del ánimo. **2.** Desazón cuya causa es un leve daño físico o la falta de salud.

molesto, ta *adj.* **1.** Que causa molestia. **2.** *fig.* Que la siente.

moleta *s. f.* **1.** Piedra que se emplea para moler drogas, colores, etc. **2.** Aparato para alisar y pulir el cristal.

molibdeno *s. m.* Metal de color y brillo plomizos, difícilmente fusible.

molicie *s. f.* **1.** Blandura de las cosas al tacto. **2.** *fig.* Tendencia a la excesiva pereza y ociosidad.

molienda *s. f.* Cantidad de caña de azúcar, trigo, aceituna, etc., que se muele de una vez.

molificar *v. tr.* Ablandar o suavizar.

molimiento *s. m.* **1.** Acción de moler. **2.** *fig.* Agotamiento, molestia.

molinar *s. m.* Lugar donde hay muchos molinos.

molinería *s. f.* **1.** Conjunto de molinos. **2.** Industria molinera.

molinero, ra *s. m. y s. f.* **1.** Persona que tiene a su cargo un molino. **2.** Persona que trabaja en él.

molinete *s. m.* Ruedecilla con aspas que se pone en las vidrieras de una habitación para renovar el aire.

molinillo *s. m.* Instrumento pequeño para moler, especialmente café.

molino *s. m.* **1.** Máquina para moler, laminar o quebrantar algo. **2.** Casa o edificio en que hay un molino.

molla *s. f.* Parte magra de la carne.

mollar *adj.* **1.** Blando y fácil de partir o quebrantar. **2.** *fig.* Se dice de las cosas que dan mucha utilidad, sin carga considerable.

mollear *v. intr.* **1.** Ceder una cosa a la fuerza o presión. **2.** Doblarse por su blandura.

molledo *s. m.* **1.** Parte carnosa y redonda de los brazos, muslos y pantorrillas. **2.** Miga del pan.

molleja *s. f.* Estómago muscular de las aves, de paredes gruesas, donde los alimentos sufren una trituración.

mollera *s. f.* **1.** Parte más alta de la cabeza, junto a la comisura coronal. **2.** *fig.* Caletre, seso.

molleta *s. f.* Torta de pan hecha con flor de harina.

mollete *s. m.* Panecillo de forma ovalada, esponjado y de poca cocción.

mollizna *s. f.* Llovizna.

molliznar *v. intr.* Lloviznar.

molondra *s. f., Ál. y Murc.* Cabeza grande.

molondro *s. m., fam.* Hombre perezoso y falto de enseñanza.

molondrón *s. m., fam.* Molondro.

moloso *s. m.* Pie de la poesía clásica compuesto de tres sílabas largas.

moltura *s. f.* Molienda.

molusco *adj.* Se aplica a los animales invertebrados de cuerpo blando y sin segmentar, dividido en cabeza, pie musculoso, masa visceral y manto.

momentáneo, a *adj.* Que solo dura un momento.

momento *s. m.* **1.** Espacio muy breve de tiempo. **2.** Oportunidad, coyuntura. **3.** Tiempo presente.

momia *s. f.* Cadáver que se deseca con el transcurso del tiempo sin entrar en putrefacción.

momificación *s. f.* Acción y efecto de momificar o momificarse.

momificar *v. tr.* Convertir en momia un cadáver. Se usa más como prnl.

momio, mia *adj.* **1.** Magro y sin gordura. También s. m. || *s. m.* **2.** *fig.* Ganga, cosa que se adquiere a bajo precio.

momo *s. m.* Gesto, figura o mofa hecha para divertir en juegos, danzas, etc.

momórdiga *s. f.* Balsamina, planta.

mona *s. f.* **1.** Hembra del mono. **2.** *fig. y fam.* Persona que hace las cosas por imitación. **3.** *fig. y fam.* Borrachera.

monacal *adj.* Perteneciente o relativo a los monjes o a las monjas.

monacato *s. m.* **1.** Estado o profesión de monje. **2.** Institución monástica.

monacordio *s. m.* Instrumento musical antiguo de teclado parecido a la espineta.

monada *s. f.* **1.** Acción propia de un mono. **2.** *fig.* Acción graciosa, especialmente de los niños.

mónada *s. f.* Protozoo minúsculo.

monago *s. m., fam.* Monaguillo.

monaguillo *s. m.* Niño que ayuda al sacerdote durante la celebración de la misa.

monaquismo *s. m.* Profesión de monje.

monarca *com.* Soberano de una monarquía.

monarquía *s. f.* Estado regido por un monarca.

monárquico, ca *adj.* **1.** Partidario de la monarquía. **2.** Perteneciente o relativo a la monarquía.

monarquismo *s. m.* Adhesión a la monarquía.

monasterial *adj.* Perteneciente o relativo al monasterio.

monasterio *s. m.* Casa o convento donde viven en comunidad los monjes.

monástico, ca *adj.* Perteneciente al estado de los monjes o al monasterio.

monda *s. f.* **1.** Acción y efecto de mondar. **2.** Mondadura.

mondadientes *s. m.* Instrumento pequeño y rematado en punta utilizado para limpiarse los dientes.

mondador, ra *adj.* Que monda. También s. m. y s. f.

mondadura *s. f.* Despojo o desperdicio de las cosas que se mondan.

mondar *v. tr.* **1.** Limpiar una cosa quitándole lo superfluo o adherido que está mezclado con ella. **2.** Quitar la cáscara a las frutas, la corteza o piel a los tubérculos o la vaina a las legumbres.

mondejo *s. m.* Cierto relleno de la panza del puerco.

mondo, da *adj.* Limpio de cosas superfluas o extrañas.

mondón *s. m.* Tronco de árbol sin corteza.

mondongo *s. m.* Intestinos y panza de las reses, especialmente los del cerdo.

mondonguería *s. f.* Tienda en que se venden mondongos.

mondonguero, ra *s. m. y s. f.* Persona que vende o hace mondongos.

monear *v. intr., fam.* Hacer monadas.

moneda *s. f.* Pieza de metal, en figura de disco y acuñada, que sirve de medida común para el precio de las cosas.

monedero *s. m.* Bolsa pequeña o cartera que sirve para guardar el dinero, especialmente monedas.

monema *s. m.* **1.** Unidad mínima significativa. **2.** Cada uno de los términos que integran un sintagma.

monería *s. f.* **1.** *fig.* Gesto o acción graciosa de los niños. **2.** *fig.* Cualquier cosa fútil y de poca importancia o que suele ser enfadosa en personas mayores.

monesco, ca *adj.* Propio de los monos o de las monas, o parecido a sus gestos y visajes.

monetario, ria *adj.* Perteneciente o relativo a la moneda.

monetarismo *s. m.* Teoría económica caracterizada por la supremacía de la política monetaria en la economía de un país.

monetizar *v. tr.* Dar curso legal como moneda a billetes de banco u otros signos pecuniarios.

mongólico, ca *adj.* Que padece mongolismo. También s. m. y s. f.

mongolismo *s. m.* Enfermedad caracterizada por un retraso mental y ciertas anomalías somáticas.

moniato *s. m.* Boniato.

monicaco *s. m., desp.* Persona insignificante.

monición *s. f.* Admonición.

monigote *s. m.* **1.** Lego de convento. **2.** *fig. y fam.* Muñeco o figura ridícula.

monís *s. m., fam.* Dinero.

monismo *s. m.* Conjunto de doctrinas metafísicas que incluyen toda la realidad en un tipo de ser único, del cual todos los otros seres serían manifestaciones externas.

monista *s. m. y s. f.* Partidario del monismo.

monitor, ra *s. m. y s. f.* **1.** Instructor, animador de cursos relacionados especialmente con los deportes, actividades de tiempo libre, campamentos juveniles, etc. || *s. m.* **2.** Receptor de imagen. **3.** Aparato para controlar la calidad de una emisión, visual o sonora, durante la transmisión de la misma.

monitoria *s. f.* Consejo, advertencia.

monitorio, ria *adj.* Se dice de lo que sirve para avisar, y de la persona que lo hace.

monja *s. f.* Religiosa de alguna de las órdenes aprobadas por la Iglesia.

monje *s. m.* Religioso de una de las órdenes monacales, cuyos miembros sirven en monasterios y llevan vida de comunidad.

monjía *s. f.* Plaza y derechos que el monje tiene en su monasterio.

monjil *adj.* **1.** Propio de las monjas o relativo a ellas. || *s. m.* **2.** Hábito o túnica de monja. **3.** Traje de lana que usaban por luto las mujeres. **4.** Manga perdida propia de este traje.

monjío *s. m.* Conjunto de monjas.

mono, na *adj.* **1.** *fig.* Pulido, delicado. || *s. m.* **2.** Nombre genérico con que se designa a cualquiera de los animales del orden de los primates. **3.** *fig.* Traje de faena compuesto de cuerpo y pantalones en una sola pieza y de tela fuerte.

monocameral *adj.* Se dice del sistema parlamentario formado por una sola cámara.

monocarril *s. m.* Elemento de transporte que se desplaza sobre una sola vía férrea.

monocerote *s. m.* Unicornio, animal fabuloso.

monociclo *s. m.* Velocípedo de una sola rueda usado por los equilibristas.

monoclamídeo, a *adj.* Se dice de las plantas dicotiledóneas que tienen perigonio sencillo, como las urticáceas.

monocolor *adj.* **1.** De un solo color. **2.** Se dice del gobierno en el que la mayoría la tiene un solo partido.

monocorde *adj.* **1.** Se dice del instrumento musical que solo tiene una cuerda. **2.** Por ext., se dice de la sucesión de sonidos que repite una misma nota. **3.** Monótono, sin variaciones.

monocordio *s. m.* Instrumento antiguo de caja armónica, como la guitarra, y una sola cuerda.

monocotiledóneo, a *adj.* Se dice de las plantas cuyo embrión tiene un solo cotiledón. También s. f.

monocromático, ca *adj.* Monocromo.

monocromo, ma *adj.* De un solo color.

monóculo *s. m.* Lente para un solo ojo.

monocultivo *s. m.* Cultivo único o sobresaliente de un producto dentro de una región.

monodia *s. f.* Composición musical para una sola voz característica de los s. XVI y XVII.

monofásico, ca *adj.* Se dice de la corriente eléctrica alterna de una sola fase.

monogamia *s. f.* **1.** Régimen familiar que veda la pluralidad de esposas. **2.** Cualidad de monógamo.

monógamo, ma *adj.* Casado con una sola persona. También s. m.

monografía *s. f.* Descripción o tratado especial de determinada parte de una ciencia o de algún asunto en particular.

monográfico, ca *adj.* Perteneciente o relativo a la monografía.

monograma *s. m.* Cifra que como abreviatura se emplea en sellos, marcas, etc.

monoico, ca *adj.* Se dice de las plantas que tienen separadas las flores de cada sexo, pero en un mismo pie.

monolingüe *adj.* **1.** Que solo habla una lengua. También com. **2.** Que está escrito en un solo idioma.

monolítico, ca *adj.* **1.** Perteneciente o relativo al monolito. **2.** Que está hecho de una sola piedra.

monolito *s. m.* Monumento de piedra de una sola pieza.

monólogo *s. m.* **1.** Soliloquio. **2.** Especie de obra dramática en que habla un solo personaje.

monomanía *s. f.* Locura parcial sobre una sola idea o un solo orden de ideas.

monomaníaco, ca o monomaniaco, ca *adj.* Que padece monomanía. También s. m. y s. f.

monomaniático, ca *adj.* Monomaniaco.

monomaquia *s. f.* Duelo o desafío singular, o de uno a uno.

monomio *s. m.* Expresión algebraica que consta de un solo término.

monopatín *s. m.* Plancha de madera u otro material sobre ruedas que sirve para desplazarse.

monopétalo, la *adj.* Se dice de las flores o de sus corolas que tienen un solo pétalo.

monoplano *s. m.* Aeroplano con solo un par de alas que forman un mismo plano.

monopolio *s. m.* Privilegio exclusivo de vender algo en un lugar o territorio.

monopolización *s. f.* Acción de monopolizar.

monopolizar *v. tr.* **1.** Tener, adquirir o atribuirse el monopolio de alguna cosa. **2.** Acaparar a alguien o algo.

monóptero, ra *adj.* Se dice del templo u otro edificio redondo que tiene por muros un círculo de columnas que sustentan el techo.

monoptongación *s. f.* Acción y efecto de monoptongar.

monoptongar *v. tr.* Reducir un diptongo a una única vocal.

monorrimo, ma *adj.* De una sola rima.

monosabio *s. m.* Mozo que en las plazas de toros cuida de los caballos, limpia el ruedo, ayuda a los picadores, etc.

monosacáridos *s. m. pl.* Hidratos de carbono que no pueden descomponerse en otros más sencillos.

monosépalo, la *adj.* Se dice de las flores o de sus cálices que tienen un solo sépalo.

monosilábico, ca *adj.* De una sola sílaba.

monosílabo, ba *adj.* Se aplica a la palabra de una sola sílaba. También s. m.

monospermo, ma *adj.* Se aplica al fruto que solo contiene una semilla.

monoteísmo *s. m.* Doctrina teológica de los que reconocen un solo Dios.

monoteísta *adj.* Partidario del monoteísmo. También com.

monotipia *s. f.* **1.** Máquina para componer que funde los caracteres uno a uno a medida que son necesarios. **2.** Procedimiento de composición tipográfica por medio de esta máquina.

monotipo *s. f.* Monotipia.

monotonía *s. f.* **1.** Uniformidad, igualdad de tono en la persona que habla, en la voz, música, etc. **2.** *fig.* Falta de variedad.

monótono, na *adj.* Que adolece de monotonía.

monovalente *adj.* Que tiene una sola valencia.

monseñor *s. m.* Título honorífico que otorga el papa a determinados eclesiásticos.

monserga *s. f., fam.* Lenguaje confuso y embrollado.

monstruo *s. m.* **1.** Producción contra el orden regular de la naturaleza. **2.** Cosa excesivamente grande o extraordinaria en cualquier línea. **3.** Persona muy cruel y perversa.

monstruosidad *s. f.* **1.** Deformidad grave en la proporción natural de las cosas. **2.** Fealdad exagerada. **3.** Cosa monstruosa.

monstruoso, sa *adj.* **1.** Que es contrario al orden natural. **2.** Excesivamente grande, extraordinario.

monta *s. f.* **1.** Acción y efecto de montar. **2.** Lugar donde el caballo monta la yegua. **3.** Toque de clarín para que monte la caballería. **4.** Suma de varias partidas. **5.** Valor y estimación intrínseca de una cosa.

montacargas *s. m.* Ascensor destinado a elevar pesos.

montadero *s. m.* Poyo a la puerta de una casa para montar fácilmente en las caballerías.

montado *s. m.* Rebanada de pan con una loncha de lomo frito encima.

montador, ra *s. m. y s. f.* Persona que monta.

montaje *s. m.* **1.** Acción y efecto de colocar en el lugar adecuado las piezas de un aparato o máquina. **2.** Combinación de las distintas partes de un todo. **3.** Proceso de unión de fotogramas definitivos de una película. **4.** Organización de todos los elementos de una representación teatral. **5.** Engarce de los distintos elementos que forman una joya. **6.** Trama para ocultar la verdad. ‖ *s. m. pl.* **7.** Cureña de las piezas de artillería.

montanear *v. intr.* Pastar bellota o hayuco el ganado de cerda en los montes o dehesas.

montanera *s. f.* Pasto de bellota o hayuco que el ganado de cerda tiene en los montes o dehesas.

montanero, ra *s. m. y s. f.* Guarda de monte o dehesa.

montano, na *adj.* Perteneciente o relativo al monte.

montante *s. m.* **1.** Suma o importe. **2.** Listón o columnata que divide el vano de una ventana. **3.** Ventana sobre la puerta de una habitación.

montaña *s. f.* **1.** Monte, elevación natural del terreno. **2.** Territorio cubierto de montes. **3.** Gran cantidad o número de algo. **4.** *fig. y fam.* Problema o dificultad de difícil solución.

montañero, ra *s. m. y s. f.* **1.** Persona que practica el montañismo. ‖ *adj.* **2.** Perteneciente o relativo a la montaña.

montañés, sa *adj.* Natural de una montaña. También s. m. y s. f.

montañismo *s. m.* Alpinismo.

montañoso, sa *adj.* **1.** Perteneciente o relativo a las montañas. **2.** Abundante en ellas.

montar *v. intr.* **1.** Subirse encima de una cosa. También prnl. **2.** Cabalgar. También tr. ‖ *v. tr.* **3.** Engastar las piedras preciosas.

montaraz *adj.* **1.** Que anda por los montes o se ha criado en ellos. **2.** Se aplica al genio y propiedades agrestes y feroces.

montazgar *v. tr.* Cobrar y percibir el montazgo.

montazgo *s. m.* Tributo pagado por el tránsito de ganado por un monte.

monte *s. m.* **1.** Gran elevación natural de terreno. **2.** Tierra sin roturar. **3.** Naipes que quedan para robar después de repartidos a cada jugador los que le tocan. **4.** Cierto juego de envite y azar.

montea¹ *s. f.* Acción de montear la caza.

montea² *s. f.* **1.** Acción de montear. **2.** Dibujo de tamaño natural que se hace de una obra arquitectónica, para hacer el despiezo, sacar las plantillas, etc. **3.** Estereotomía, arte de cortar piedras y maderas. **4.** Sagita de un arco o bóveda.

monteador, ra *s. m. y s. f.* Persona que montea una obra.

montear¹ *v. tr.* Buscar y perseguir la caza en los montes u ojearla hacia un sitio.

montear² *v. tr.* **1.** Trazar la montea de una obra. **2.** Formar arcos.

montepío *s. m.* Depósito de dinero, formado con los descuentos hechos a los miembros de un cuerpo para socorrer a sus viudas y huérfanos o auxiliarles en sus necesidades.

montera *s. f.* **1.** Prenda, generalmente de paño, para abrigo de la cabeza. **2.** Cubierta de cristales sobre un patio, galería, etc.

montería *s. f.* Caza mayor.

montero, ra *s. m. y s. f.* Persona que busca y persigue la caza en el monte, o la ojea.

monterrey *s. m.* Especie de pastel de figura abarquillada.

montés *adj.* Que anda, está o se cría en el monte.

montesa *adj., poét.* Montés.

montículo *s. m.* Monte pequeño, por lo común aislado, obra de la naturaleza o de la mano del hombre.

montón *s. m.* Conjunto de cosas puestas sin orden unas sobre otras.

montonera *s. f.* Montón, cantidad grande de alguna cosa.

montuno, na *adj.* Perteneciente o relativo al monte.

montuosidad *s. f.* Cualidad de montuoso.

montuoso, sa *adj.* Relativo a los montes.

montura *s. f.* **1.** Cabalgadura, bestia en que se cabalga. **2.** Conjunto de los arreos de una caballería de silla. **3.** Montaje, acción de montar las distintas piezas de un aparato o máquina.

monumental *adj.* **1.** Perteneciente o relativo al monumento. **2.** Se dice de la parte antigua de algunas ciudades que poseen abundancia de monumentos artísticos. **3.** *fig. y fam.* Muy excelente o señalado en su línea. **4.** *fig. y fam.* Muy grande.

monumento *s. m.* **1.** Obra escultórica o arquitectónica que se erige en conmemoración de una persona, una acción heroica, etc. **2.** Por ext., cualquier tipo de construcción notable por su valor artístico, arqueológico o histórico. **3.** Obra científica o literaria de gran valor. **4.** Documento histórico de gran trascendencia. **5.** Altar adornado en el cual el día de Jueves Santo se expone la urna que contiene la hostia consagrada que se guarda para tomarla el Viernes Santo. **6.** Persona muy atractiva físicamente.

monzón *s. m.* Viento periódico que sopla en ciertos mares, particularmente en el océano Índico, unos meses en una dirección y otros en la opuesta.

moña *s. f.* Muñeca, maniquí o figurilla de mujer que sirve de juguete a los niños.

moño *s. m.* **1.** Castaña o rodete que se hace con el cabello. **2.** Grupo de plumas que sobresale en la cabeza de algunas aves.

moñón, na *adj.* Moñudo.

moñudo, da *adj.* Se dice de las aves que tienen moño.

moquear *v. intr.* Echar mocos.

moqueo *s. m.* Secreción nasal abundante.

moquero *s. m.* Pañuelo para limpiarse los mocos.

moqueta *s. f.* **1.** Tela fuerte de lana cuya trama es de cáñamo, de la que se hacen alfombras y tapices. **2.** Revestimento de tejido sintético encolado a los suelos y paredes de las habitaciones.

moquete *s. m.* Puñetazo dado en el rostro, especialmente en las narices.

moquetear¹ *v. intr.* Moquear frecuentemente.

moquetear² *v. tr.* Dar moquetes.

moquillo *s. m.* Enfermedad catarral de algunos animales.

moquita *s. f.* Moco claro que fluye de la nariz.

mora¹ *s. f.* **1.** Dilación o tardanza en cumplir una obligación, generalmente la de pagar un vencimiento. **2.** Unidad de medida de la cantidad silábica, equivalente a una sílaba breve.

mora² *s. f.* Fruto de la morera, similar al del moral, pero más pequeño.

morabito *s. m.* **1.** Anacoreta o ermitaño mahometano. **2.** Ermita en la que vive un morabito.

moráceo, a *adj.* Se dice de las plantas dicotiledóneas, árboles y arbustos, de flores unisexuales y fruto en nuez o drupa, como el moral y la higuera.

morada *s. f.* **1.** Casa o habitación. **2.** Estancia más o menos continuada en un lugar.

morado, da *adj.* De color entre carmín y azul. También *s. m.*

moradura *s. f.* Cardenal.

moraga *s. f.* **1.** Manojo que forman las espigadoras. **2.** *And.* Acto de asar con fuego de leña y al aire libre frutas secas, sardinas u otros peces. **3.** *Rioja* Matanza del cerdo.

moral¹ *s. f.* Ciencia o doctrina de la conducta y de las acciones humanas en orden a su bondad o malicia.

moral² *s. m.* Árbol moráceo, de tronco grueso, copa amplia, hojas ásperas y flores unisexuales, cuyo fruto es la mora.

moraleja *s. f.* Enseñanza provechosa que se deduce de un cuento, fábula, etc.

moralidad *s. f.* Conformidad de una acción o doctrina con los preceptos de la sana moral.

moralina *s. f.* Moralidad inoportuna, superficial o falsa.

moralista *com.* **1.** Profesor de moral. **2.** Autor de obras de moral. **3.** Persona que estudia moral.

moralizador, ra *adj.* Que moraliza. También *s. m.* y *s. f.*

moralizar *v. tr.* Reformar las malas costumbres enseñando las buenas.

morapio *s. m., fam.* Vino tinto.

morar *v. intr.* Residir habitualmente en un lugar.

morato *adj.* Se aplica al trigo moreno.

moratoria *s. f.* Plazo concedido para el pago de una deuda vencida.

morbidez *s. f.* Cualidad de mórbido, blando o suave.

mórbido, da *adj.* **1.** Que padece enfermedad o la ocasiona. **2.** Blando, suave.

morbo *s. m.* **1.** Enfermedad. **2.** *fig.* Inclinación enfermiza por los sucesos crueles o desagradables.

morbosidad *s. f.* **1.** Cualidad de morboso. **2.** Conjunto de casos patológicos que caracterizan el estado sanitario de un país.

morboso, sa *adj.* **1.** Que causa enfermedad o concierne a ella. **2.** *fig.* Que se recrea en sucesos crueles o desagradables. **3.** *fig.* Que manifiesta inclinación por este tipo de acontecimientos.

morcajo *s. m.* Mezcla de trigo y centeno.

morcella *s. f.* Chispa que salta del pabilo de una luz y, en general, de una hoguera o de la lumbre.

morcilla *s. f.* **1.** Trozo de tripa rellena de sangre cocida y condimentada con cebolla, especias, etc. **2.** *fig. y fam.* Añadidura de palabras de su invención que hace un actor en su papel.

morcillero, ra *s. m.* y *s. f.* Persona que hace o vende morcillas.

morcillo *s. m.* Parte carnosa del brazo, desde el hombro hasta cerca del codo.

morcillón *s. m.* Estómago del cerdo, carnero u otro animal, relleno como la morcilla.

morcón *s. m.* Morcilla hecha del intestino ciego.

mordacidad *s. f.* Cualidad de mordaz.

mordaga *s. f., fam.* Borrachera.

mordaz *adj.* **1.** Corrosivo. **2.** Áspero, picante al paladar. **3.** *fig.* Que critica con acritud o maldad. **4.** *fig.* Que ofende con maledicencia acre y punzante. **5.** *fig.* Propenso a criticar con acritud o maldad.

mordaza *s. f.* **1.** Instrumento que se pone en la boca para impedir hablar. **2.** Aparato para disminuir el retroceso de las piezas de artillería. **3.** Máquina sencilla de hierro que detiene e impide la salida de la cadena del ancla. **4.** Instrumento con el que se sujeta la parte alta del escroto, para evitar derrames en la castración.

mordedor, ra *adj.* **1.** Que muerde. **2.** *fig.* Que satiriza o murmura.

mordedura *s. f.* **1.** Acción de morder. **2.** Daño ocasionado con ella.

mordente *s. m.* **1.** Sustancia que se emplea para fijar los colores o panes de oro. **2.** Adorno que consiste en acompañar una nota de otras muy ligeras.

morder *v. tr.* **1.** Asir con los dientes una cosa clavándolos en ella. **2.** Asir una cosa a otra, haciendo presa en ella. **3.** Gastar poco a poco quitando partes pequeñas.

mordicar *v. tr.* Picar o punzar como mordiendo.

mordido, da *adj.* **1.** *fig.* Menoscabado, desfalcado. || *s. f.* **2.** Mordedura.

mordiente *s. m.* **1.** Sustancia que en ciertas artes sirve para fijar los colores o los panes de oro. **2.** Agua fuerte con que se muerde una plancha para grabarla.

mordiscar *v. tr.* Morder repetidamente y con poca fuerza.

mordisco *s. m.* **1.** Mordedura ligera y leve. **2.** Pedazo que se saca de una cosa mordiéndola. **3.** *fig.* Beneficio que se obtiene de un asunto.

mordisquear *v. tr.* Picar como mordiendo.

moreda *s. f.* Moral.

morena *s. f.* Pez marino malacopterigio ápodo, comestible, de cuerpo cilíndrico alargado, sin aletas pectorales y con la dorsal unida con la cola.

morenillo *s. m.* Masa de carbón molido y vinagre, empleada por los esquiladores para curar las cortaduras.

moreno, na *adj.* **1.** Se dice del color muy oscuro. **2.** En la raza blanca, se dice del color de la piel menos claro y del pelo negro o castaño.

móreo, a *adj.* Moráceo.

morera *s. f.* Árbol moráceo, originario de Asia y muy cultivado en España para aprovechar la hoja, que sirve de alimento al gusano de seda; es muy parecido al moral, pero su fruto es blanco.

moretón *s. m., fam.* Moradura en la piel.

morfa *s. f.* Hongo parásito que ataca los naranjos y limoneros.

morfema *s. m.* Sonido o conjunto de sonidos que tiene valor morfológico, por ejemplo las desinencias, prefijos y sufijos. Su significación varía según las escuelas lingüísticas.

morfina *s. f.* Sustancia narcótica, alcaloide del opio.

morfinomanía *s. f.* Uso indebido y persistente de la morfina o del opio.

morfinómano, na *adj.* Que tiene el hábito de abusar de la morfina y del opio. También s. m. y s. f.

morfología *s. f.* **1.** Parte de la biología que trata de la forma de los seres orgánicos y de las modificaciones que experimentan. **2.** Tratado de las formas de las palabras. **3.** Estudio de las formas del relieve terrestre, origen de las mismas y su evolución.

morfológico, ca *adj.* Perteneciente o relativo a la morfología.

morfosintaxis *s. f.* Parte de la lingüística que combina el estudio de la mofología y de la sintaxis.

morga *s. f.* Líquido fétido de las aceitunas.

morganático, ca *adj.* **1.** Se dice del matrimonio entre un príncipe y una mujer de linaje inferior, o viceversa, en el cual cada cónyuge conserva su condición anterior. En la ceremonia el esposo da a la esposa la mano izquierda. **2.** Se dice de la persona que contrae este matrimonio.

moribundo, da *adj.* Que se está muriendo o muy cercano a morir. También s. m. y s. f., aplicado a personas.

morigeración *s. f.* Templanza en las costumbres y en el modo de vida.

morigerado, da *adj.* De buenas costumbres, bien criado.

morigerar *v. tr.* Contener, evitar los excesos de los afectos y acciones. También prnl.

morillo *s. m.* Caballete puesto en el hogar de la chimenea para sustentar la leña.

morir *v. intr.* **1.** Acabar la vida. También prnl. **2.** *fig.* Acabar del todo cualquier cosa, aunque no sea material ni viviente. **3.** *fig.* Sentir violentamente alguna pasión, afecto u otra cosa. **4.** *fig.* Apagarse la luz o el fuego. **5.** *fig.* Cesar una cosa en su curso, detenerse. || *v. prnl.* **6.** Entumecerse un miembro del cuerpo.

morito *s. m.* Ave caradriforme, algo menor que el ibis, de pico largo, curvo y grueso en la punta; cuello algo retraído y en forma de S; plumaje de color rojo castaño en la cabeza, garganta y pecho, y verde con reflejos cobrizos en las alas, dorso y cola. Se encuentra en las marismas del Guadalquivir y en África.

morlaco *s. m.* Toro de lidia de gran tamaño.

morlaco, ca *adj.* Que finge tontería o ignorancia. También s. m. y s. f.

mormón, na *s. m. y s. f.* Persona que profesa el mormonismo.

mormonismo *s. m.* Religión creada en Estados Unidos, en 1830, por J. Smith.

morocada *s. f.* Topetada de carnero.

morojo *s. m.* Madroño.

morondanga *s. f., fam.* Mezcla de cosas inútiles y de poca entidad.

morondo, da *adj.* Pelado o mondado de cabellos o de hojas.

morosidad *s. f.* **1.** Lentitud, tardanza. **2.** Falta de actividad o puntualidad.

moroso, sa *adj.* **1.** Que incurre en morosidad. **2.** Que denota o implica. **3.** Retrasado en el pago de impuestos o deudas.

morra *s. f.* Parte superior de la cabeza.

morrada *s. f.* **1.** Golpe dado con la cabeza. **2.** *fig.* Guantada, bofetada.

morral *s. m.* Talego que contiene el pienso y se cuelga de la cabeza de las bestias para que coman cuando no están en el pesebre.

morralla *s. f.* **1.** Pescado menudo. **2.** *fig.* Conjunto de cosas inútiles y despreciables.

morrear *v. tr., vulg.* Besar. También intr. y prnl.

morreo *s. m., vulg.* Besuqueo.

morrillo *s. m.* Porción carnosa de las reses en la parte superior y anterior del cuello.

morriña *s. f., fig. y fam.* Tristeza, melancolía, especialmente la nostalgia de la tierra natal.

morriñoso, sa *adj.* Que tiene morriña.

morrión *s. m.* **1.** Armadura de la parte superior de la cabeza, que está hecha en forma de casco. **2.** Prenda antigua del uniforme militar, a manera de sombrero de copa sin alas y con visera, usada para cubrir la cabeza.

morro *s. m.* **1.** Parte de la cabeza de algunos animales donde se encuentra la nariz y la boca. **2.** Saliente que forman los labios abultados o gruesos. **3.** Cualquier cosa redonda de figura semejante a la de la cabeza. **4.** Monte o peñasco pequeño y redondo. **5.** Guijarro pequeño y redondo.

morrocotudo, da *adj., fam.* De mucha importancia o dificultad.

morrocoy *s. m.* Galápago americano de Cuba, cuyo caparazón es de color oscuro con cuadros amarillos.

morrón *adj.* Se dice de una variedad de pimiento más grueso que el de las otras castas.

morrongo, ga *s. m. y s. f., fam.* Gato, animal.

morroñoso, sa *adj.* **1.** *Guat. y Hond.* Áspero, rugoso. **2.** *Per.* Débil, raquítico.

morrudo, da *adj.* **1.** Que tiene morro. **2.** Bezudo, hocicudo.

morsa *s. f.* Mamífero pinnípedo, muy parecido a la foca pero de mayor tamaño, con dos largos caninos de más de medio metro en la mandíbula superior.

morse *s. m.* Alfabeto compuesto de combinaciones de puntos y rayas, o sus equivalentes en sonido, usado para la comunicación telegráfica.

mortadela *s. f.* Embutido grueso de carne picada de cerdo o de vaca, especie de salchichón.

mortaja *s. f.* **1.** Vestidura en que se envuelve el cadáver para sepultarle. **2.** Muesca en una cosa para encajar otra.

mortal *adj.* **1.** Que ha de morir. **2.** Por antonom., se dice del ser humano. **3.** Que causa o puede causar la muerte espiritual o corporal. **4.** Se aplica a las pasiones que mueven a desear a alguien la muerte.

mortalidad *s. f.* Número proporcional de defunciones en una población o tiempo determinados.

mortandad *s. f.* Multitud de muertes debidas a epidemias, guerras, etc.

mortecino, na *adj., fig.* Que se está casi muriendo o apagándose.

mortero *s. m.* **1.** Utensilio con forma de vaso de cavidad semiesférica, que sirve para machacar en él especias, semillas, etc. **2.** Pieza de artillería más corta que un cañón del mismo calibre y destinada a lanzar bombas. **3.** Piedra plana y circular de los molinos de aceite. **4.** Argamasa o mezcla de arena, conglomerante y agua.

mortífero, ra *adj.* Que ocasiona o puede ocasionar la muerte.

mortificación *s. f.* **1.** Acción y efecto de mortificar o mortificarse. **2.** Lo que mortifica.

mortificador, ra *adj.* Que mortifica.

mortificar *v. tr.* **1.** Privar de vitalidad alguna parte del cuerpo, dañarla. **2.** *fig.* Domar las pasiones castigando el cuerpo y refrenando la voluntad. **3.** *fig.* Afligir, causar pesadumbre o molestia. También prnl.

mortuorio, ria *adj.* **1.** Relativo a la persona que ha muerto o a las honras que por ella se hacen. ‖ *s. m.* **2.** Preparativos para enterrar a una persona que ha fallecido.

morucho *s. m.* **1.** Novillo embolado que lidian los aficionados. **2.** Designación popular del toro negro.

morueco *s. m.* Carnero padre o que ha servido para la propagación.

morugo, ga *adj.* Se dice de la persona huraña.

mórula *s. f.* Masa esférica, semejante a la mora, que resulta de la primera segmentación del huevo fecundado al comenzar el desarrollo embrionario.

mosaico, ca *adj.* Se dice de la obra taraceada de piedras, vidrios, etc., de varios colores enlosada, por lo general, en el suelo. También s. m.

mosca *s. f.* **1.** Insecto díptero, muy común y molesto, de unos seis mm de largo, de boca en forma de trompa chupadora y alas transparentes. **2.** Nombre de varios insectos parecidos al anterior. **3.** Pelo que nace al hombre entre el labio inferior y el comienzo de la barba. **4.** *fam.* Moneda corriente. **5.** *fig. y fam.* Persona impertinente, molesta y pesada. **6.** *fig. y fam.* Desazón, mal humor.

moscada *adj.* Se utiliza junto con *nuez* para denominar a la semilla y fruto de la mirística. Se emplea como condimento y para sacar el aceite, que contiene en abundancia.

moscar *v. tr.* Hacer una oquedad o corte.

moscarda *s. f.* **1.** Especie de mosca de unos ocho mm de largo, que se alimenta de carne muerta. **2.** En algunas partes, huevecillos de la reina de las abejas.

moscardear *v. intr.* En algunas partes, poner la reina de las abejas la moscarda o cresa en los alvéolos.

moscardón *s. m.* Moscón.

moscareta *s. f.* Pájaro insectívoro, común en España, de canto agradable y vuelo corto; rara vez está quieto y habita en las rocas y peñascos.

moscatel *adj.* **1.** Se dice de una variedad de uva de grano redondo y muy dulce. **2.** Se dice también del viñedo que la produce y del vino que se elabora con ella.

moscón *s. m.* **1.** Especie de mosca con las alas manchadas de rojo. **2.** Especie de mosca zumbadora que deposita los huevos en las carnes frescas. **3.** *fam.* Persona impertinente.

mosconear *v. tr.* Molestar con impertinencia y pesadez.

mosqueado, da *adj.* Salpicado de pintas.

mosqueador *s. m.* **1.** Instrumento, especie de abanico para ahuyentar las moscas. **2.** *fig. y fam.* Cola de una caballería o de una res vacuna.

mosquear *v. tr.* **1.** Ahuyentar las moscas. También prnl. **2.** *fig.* Azotar, vapulear. **3.** *fig.* Replicar alguien con viveza y como picado.

mosqueo *s. m.* Acción de mosquear o mosquearse.

mosquero *s. m.* Haz de hierba o conjunto de tiras de papel para espantar las moscas o matarlas.

mosqueta *s. f.* Rosal con tallos flexibles, muy espinoso, de flores blancas y de olor almizclado.

mosquete *s. m.* Arma de fuego antigua, más larga y de mayor calibre que el fusil.

mosquetero *s. m.* Soldado armado de mosquete.

mosquetón *s. m.* **1.** Carabina corta de cañón rayado. **2.** Anilla que se abre y cierra mediante un muelle.

mosquitera *s. f.* Mosquitero.

mosquitero *s. m.* Colgadura de cama hecha de gasa para impedir el acceso de los mosquitos.

mosquito *s. m.* **1.** Insecto díptero, con patas largas y finas, alas transparentes, cabeza con dos antenas y trompa armada de un aguijón. **2.** Nombre de cualquiera de los insectos parecidos al anterior. **3.** Larva de la langosta.

mostacera *s. f.* Tarro en que se prepara y sirve la mostaza.

mostacho *s. m.* **1.** Bigote del hombre. **2.** Cada uno de los cabos gruesos con que se asegura el bauprés a una y otra banda.

mostachón *s. m.* Bollo pequeño elaborado a base de almendra, azúcar, harina y otras especias.

mostacilla *s. f.* **1.** Munición del tamaño de la semilla de mostaza, que se emplea para cazar pájaros y animales pequeños. **2.** Abalorio de cuentecillas muy pequeñas.

mostaza *s. f.* Planta anual crucífera, abundante en los campos, de hojas alternas, flores amarillas en espiga y semillas negras y muy pequeñas, de frecuente empleo en condimentos y medicina.

mostear *v. intr.* Destilar las uvas el mosto.

mostela *s. f.* Haz o gavilla.

mostelera *s. f.* Lugar donde se guardan o hacinan las mostelas.

mostellar *s. m.* Árbol de la familia de las rosáceas, de flores blancas y fruto ovoide, rojo y dulce, cuya madera se emplea en ebanistería y tornería. Es común en los bosques de España.

mostillo *s. m.* **1.** Masa de mosto cocido, condimentado con anís, canela o clavo. **2.** Salsa que se elabora a base de mosto y mostaza.

mosto *s. m.* Zumo de la uva, antes de fermentar y hacerse vino.

mostrador *s. m.* Mesa que hay en las tiendas, bares, etc., para presentar los géneros que los clientes van a comprar o consumir.

mostrar *v. tr.* **1.** Exponer a la vista una cosa, enseñarla para que se vea. **2.** Explicar una cosa o convencer de su certidumbre. **3.** Hacer patente un afecto. **4.** Dar a entender o conocer un estado de ánimo. || *v. prnl.* **5.** Portarse alguien de determinada manera.

mostrenco, ca *adj.* **1.** Se dice de los bienes, tanto muebles como raíces, que carecen de dueño conocido. **2.** *fig. y fam.* Se dice de la persona que no tiene casa, ni hogar, ni amo conocido. **3.** *fig. y fam.* Ignorante o tardo de entendimiento. **4.** *fig. y fam.* Se dice de la persona muy gorda y pesada.

mota *s. f.* **1.** Nudillo o granillo que se forma en el paño. **2.** Partícula de hilo o cosa semejante que se pega a los vestidos.

mote *s. m.* Apodo dado a las personas.

motear *v. tr.* Salpicar de motas una tela.

motejador, ra *adj.* Que moteja. También s. m. y s. f.

motejar *v. tr.* Notar, censurar las acciones de alguien con motes o apodos.

motel *s. m.* Establecimiento público, situado generalmente fuera de los núcleos urbanos y en las proximidades de las carreteras, en el que se facilita el alojamiento en departamentos con entradas independientes desde el exterior y con garajes.

motete *s. m.* **1.** Breve composición musical, sobre versículos de la Escritura, para cantar en las iglesias. **2.** Apodo, denuesto.

motilar *v. tr.* Cortar el pelo o raparlo.

motilón, na *adj.* Pelón, que tiene poco pelo. También s. m. y s. f.

motín *s. m.* Rebelión, generalmente contra el gobierno constituido.

motivación *s. f.* Acción y efecto de motivar.

motivar *v. tr.* **1.** Dar motivo para una cosa. **2.** Explicar la razón o motivo que se ha tenido para hacer una cosa.

motivo *s. m.* **1.** Causa o razón que mueve para hacer una cosa. **2.** Tema de una composición.

moto *s. f.* Apócope de motocicleta.

motocarro *s. m.* Vehículo de tres ruedas movido por motor, utilizado para transportar cargas ligeras.

motocicleta *s. f.* Vehículo automóvil de dos ruedas propulsado por un motor de explosión.

motociclismo *s. m.* Conjunto de actividades deportivas que se realizan con motocicletas.

motociclista *com.* **1.** Persona que conduce una motocicleta. ‖ *adj.* **2.** Perteneciente o relativo a la motocicleta.

motocross *s. m.* Competición motociclista de velocidad que se realiza en un circuito cerrado de tierra con dificultades orográficas.

motocultor *s. m.* Arado provisto de motor utilizado en jardinería, horticultura y trabajos agrícolas menores.

motolito, ta *adj.* Necio, bobalicón. También s. m. y s. f.

motonáutica *s. f.* Conjunto de actividades deportivas que se realizan con embarcaciones a motor.

motonave *s. f.* Nave con motor.

motor, ra *adj.* **1.** Que produce movimiento. También s. m. **2.** Se dice de aquello que impulsa el desarrollo de algo. ‖ *s. m.* **3.** Máquina que transforma una determinada clase de energía en energía mecánica o movimiento.

motora *s. f.* Embarcación pequeña provista de motor.

motorismo *s. m.* Deporte de los aficionados a viajar en vehículo automóvil y especialmente en motocicleta.

motorista *com.* Persona que conduce un vehículo automóvil y se ocupa del motor.

motorización *s. f.* Acción y efecto de motorizar o motorizarse.

motorizar *v. tr.* **1.** Proveer de medios mecánicos de tracción o transporte. También prnl. ‖ *v. prnl.* **2.** *fam.* Comprarse un automóvil.

motricidad *s. f.* **1.** Capacidad para moverse o producir movimiento. **2.** Propiedad de los centros nerviosos de provocar la contracción muscular.

motriz *adj.* Que mueve.

motu proprio *loc. lat.* que significa «voluntariamente» o «de propia voluntad».

mousse *amb.* Claras de huevo batidas, o cualquier otro ingrediente como chocolate, fuagrás, pescado, etc., que presentan el mismo aspecto que la espuma.

movedizo, za *adj.* **1.** Fácil de moverse o ser movido. **2.** Inseguro, que no está firme.

mover *v. tr.* **1.** Hacer que un cuerpo ocupe lugar distinto del que ocupaba. También prnl. **2.** Menear, agitar. **3.** *fig.* Dar motivo para una cosa; inducir, persuadir o incitar a ella. **4.** *fig.* Acompañado de la preposición *a*, producir, ocasionar, motivar. **5.** *fig.* Conmover, alterar. **6.** *fig.* Influir, incitar.

movible *adj.* **1.** Que puede moverse o ser movido. **2.** *fig.* Variable, voluble.

móvil *adj.* **1.** Que puede moverse o ser movido. ‖ *s. m.* **2.** Lo que mueve material o moralmente a una cosa. **3.** Cuerpo en movimiento.

movilidad *s. f.* Cualidad de movible.

movilización *s. f.* Acción y efecto de movilizar.

movilizar *v. tr.* **1.** Poner en actividad o movimiento tropas, partidos políticos, etc. **2.** Incorporar a filas, poner en pie de guerra tropas u otros elementos militares.

movimiento *s. m.* **1.** Acción y efecto de mover. **2.** Estado de los cuerpos mientras cambian de posición o de lugar.

moviola *s. f.* En los estudios cinematográficos o de televisión, máquina que permite proyectar un filme, secuencia a secuencia, sobre una pequeña pantalla incorporada a la misma, con el fin de efectuar un montaje adecuado a las necesidades del montador.

moxa *s. f.* Cilindro lleno de material combustible que se quema sobre la piel para cauterizarla.

moyo *s. m.* Medida de capacidad que se usa para el vino, y en algunas comarcas para áridos.

moyuelo *s. m.* Salvado muy fino.

mozalbete *s. m.* Mozo de pocos años.

mozárabe *s. m. y s. f.* Cristiano que vivía en los territorios de la península ibérica dominados por musulmanes.

mozo, za *adj.* **1.** Joven. También s. m. y s. f. **2.** Célibe, soltero. También s. m. y s. f. ‖ *s. m.* **3.** Hombre que sirve en las casas o al público en oficios humildes.

mozuelo, la *s. m. y s. f.* Muchacho, chico.

mu *onomat.* Representa la voz del toro o de la vaca.

muaré *s. m.* Tela fuerte de seda, lana o algodón, labrada o tejida de manera que forma aguas.

mucamo, ma *s. m. y s. f., amer.* Sirviente.

muceta *s. f.* Esclavina abotonada que usan el Papa, los cardenales, los obispos y otras dignidades, y también los licenciados y doctores universitarios.

muchachada *s. f.* **1.** Acción propia de muchachos. **2.** Grupo de muchachos.

muchachear *v. intr.* Ejecutar o hacer cosas propias de muchachos.

muchachez *s. f.* Estado y propiedades de muchacho.

muchacho, cha *s. m. y s. f.* Niño o niña que no ha llegado a la adolescencia.

muchedumbre *s. f.* Abundancia, multitud de personas o cosas.

mucho, cha *adj.* **1.** Abundante, numeroso o que excede a lo ordinario o preciso. ‖ *adv. c.* **2.** Con abundancia, en gran cantidad; más de lo preciso. **3.** Antepuesto a ciertos adverbios, denota valor aumentativo. **4.** Con verbos expresivos de tiempo, denota larga duración.

mucilaginoso, sa *adj.* Que contiene mucílago.

mucílago *s. m.* Sustancia viscosa que se halla en algunos vegetales o se prepara disolviendo en agua materias gomosas.

mucina *s. f.* Albuminoide que se halla en las secreciones salivales o mucosas, con función lubrificante y protectora.

mucolítico, ca *adj.* Se dice de toda sustancia o agente que disuelve o destruye el moco.

mucosidad *s. f.* Materia glutinosa de las membranas mucosas.

mucoso, sa *adj.* Que tiene mucosidad o la produce. También s. f.

mucronato, ta *adj.* Terminado en punta.

muda *s. f.* **1.** Acción de mudar una cosa. **2.** Ropa que se muda de una vez, se refiere generalmente a la ropa interior. **3.** Tiempo de mudar las aves la pluma o la piel algunos animales. **4.** Cambio del timbre de voz que experimentan los muchachos generalmente cuando alcanzan la pubertad.

mudable *adj.* Que con gran facilidad se muda.

mudadizo, za *adj.* Mudable, inconstante.

mudanza *s. f.* **1.** Acción y efecto de mudar o mudarse. **2.** Cambio de domicilio o de habitación. **3.** Cierto número de movimientos que se hacen a compás en los bailes. **4.** Inconstancia de los afectos o dictámenes. **5.** Cambio convencional del nombre de las notas en el solfeo antiguo, para poder representar el si cuando aún no tenía nombre.

mudar *v. tr.* **1.** Dar o tomar otro ser o naturaleza, otro estado, figura, etc. **2.** Dejar una cosa y tomar otra en su lugar. **3.** Apartar de un sitio o empleo. **4.** Realizar un ave la muda de la pluma. **5.** Renovar periódicamente la piel las culebras y otros animales. **6.** Cambiar de voz un muchacho. **7.** *fig.* Variar, cambiar. ‖ *v. prnl.* **8.** Cambiarse de domicilio. **9.** Ponerse otra ropa o vestido, dejando el que antes se usaba.

mudéjar *adj.* **1.** Se dice del musulmán que vivía en los reinos cristianos de la península ibérica. También com. **2.** Se dice del estilo arquitectónico que floreció desde el siglo XII hasta el XVI, caracterizado por la fusión de los elementos románicos y góticos con el de la ornamentación árabe.

mudez *s. f.* Imposibilidad física de hablar.

mudo, da *adj.* Privado físicamente de la facultad de hablar. También s. m. y s. f.

mueblaje *s. m.* Mobiliario.

mueblar *v. tr.* Amueblar.

mueble *s. m.* Objeto movible que sirve para comodidad o adorno en las casas, oficinas, etc.

mueblería *s. f.* **1.** Taller en que se hacen muebles. **2.** Tienda donde se venden.

mueblista *com.* Persona cuyo oficio es hacer o vender muebles. También adj.

mueca *s. f.* Contorsión del rostro, generalmente burlesca.

muecín *s. m.* Musulmán que convoca desde el alminar.

muela *s. f.* **1.** Disco de piedra que gira rápidamente sobre la solera, para moler lo que entre ambas piedras se interpone. **2.** Piedra redonda de asperón usada para afilar. **3.** Cada uno de los dientes posteriores a los caninos y que sirven para triturar los alimentos. **4.** Cerro escarpado en lo alto y con cima plana. **5.** Cerro artificial. **6.** Unidad de medida que sirve para apreciar la cantidad de agua que llevan las acequias. **7.** *fig.* Rueda o corro.

muelle[1] *adj.* **1.** Delicado, suave, blando. ‖ *s. m.* **2.** Pieza elástica, generalmente de metal, colocada de modo que pueda utilizarse la fuerza que hace al recobrar su posición natural cuando ha sido separada de ella. **3.** Adorno compuesto de varios relicarios o dijes, que las mujeres de distinción traían pendiente a un lado de la cintura.

muelle[2] *s. m.* **1.** Obra construida en la orilla del mar o de un río navegable, para facilitar el embarque y desembarque de cosas y personas. **2.** Andén alto, que se destina para la carga y descarga de mercancías en las estaciones de ferrocarril.

muérdago *s. m.* Planta lorantácea, que vive parásita sobre los troncos y ramas de los árboles, cuyo fruto es una baya pequeña con un jugo pegajoso.

muerdo *s. m.* **1.** *fam.* Acción y efecto de morder. **2.** *fam.* Trozo que se arranca con los dientes.

muermo *s. m.* **1.** Enfermedad de las caballerías, caracterizada por ulceración y flujo de la mucosa nasal e infarto de los ganglios linfáticos. **2.** *fig.* Sopor, modorra. **3.** *fig.* Persona, cosa o situación muy pesada y aburrida.

muerte *s. f.* **1.** Cesación de la vida. **2.** Separación del cuerpo y del alma, en el pensamiento tradicional. **3.** *fig.* Ruina, aniquilamiento, destrucción.

muerto, ta *adj.* **1.** Que está sin vida. **2.** Se aplica al yeso o a la cal apagados con agua. **3.** Apagado, sin actividad, marchito. **4.** *fig. y fam.* Extenuado.

muesca *s. f.* **1.** Concavidad o hueco que hay o se hace en una cosa para encajar otra. **2.** Corte que en forma semicircular se hace al ganado vacuno en la oreja para que sirva de señal.

muestra *s. f.* **1.** Pequeña cantidad de una mercancía que se enseña para dar a conocer su calidad. **2.** Modelo que se ha de copiar o imitar. **3.** Porción que se extrae de un conjunto y que puede ser considerada representativa del mismo. **4.** Parte de una pieza de paño, donde va la marca de fábrica. **5.** Porte, postura, ademán.

muestrario *s. m.* Colección de muestras de mercancías.

muestreo *s. f.* Acción de escoger muestras representativas de la calidad o condiciones medias de un todo y técnica empleada para esta selección.

mufla *s. f.* Hornillo colocado dentro de un horno a fin de reconcentrar el calor y conseguir la fusión de diversos cuerpos.

muflón *s. m.* Mamífero artiodáctilo, de la familia de los bóvidos, de pelo largo de color pardo rojizo y grandes cuernos arqueados hacia atrás. Habita en Europa.

muga[1] *s. f.* Mojón, término o límite.

muga[2] *s. f.* **1.** Desove de los peces. **2.** Fecundación de las huevas, en los peces y anfibios.

mugar *v. intr.* **1.** Desovar los peces. **2.** Fecundar las huevas.

mugido *s. m.* Voz del toro y de la vaca.

múgil *s. m.* Mújol.

mugir *v. intr.* **1.** Dar mugidos la res vacuna. **2.** *fig.* Producir un gran ruido el viento o el mar.

mugre *s. f.* Suciedad de la lana, vestidos, etc.

mugriento, ta *adj.* Lleno de mugre.

mugrón *s. m.* **1.** Sarmiento que, sin cortarlo de la vid, se entierra para que arraigue y produzca una nueva planta. **2.** Vástago de otras plantas.

mugroso, sa *adj.* Mugriento.

muguete *s. m.* Planta vivaz liliácea, cuya infusión se usa en medicina contra las enfermedades cardíacas.

muharra *s. f.* Moharra.

mujer *s. f.* **1.** Persona del sexo femenino. **2.** La casada, con relación al marido.

mujeriego *adj.* Se dice del hombre aficionado a las mujeres.

mujeril *adj.* Perteneciente o relativo a la mujer.

mujerío *s. m.* Grupo de mujeres.

mújol *s. m.* Pez acantopterigio, cuya carne y huevas son muy estimadas.

mula *s. f.* Hija de asno y yegua o de caballo y burra.

mulada *s. f.* Hato de ganado mular.

muladar *s. m.* Lugar donde se echa el estiércol o basura de las casas.

muladí *adj.* Se dice del cristiano español que, durante la dominación árabe en España, abrazaba el islamismo y vivía entre los musulmanes. También com.

mular *adj.* Perteneciente o relativo al mulo o a la mula.

mulatero, ra *s. m. y s. f.* **1.** Persona que alquila mulas. **2.** Mozo de mulas.

mulato, ta *adj.* Se aplica a la persona hija de madre de raza negra y padre blanco, o al contrario. También s. m. y s. f.

múleo *s. m.* Calzado que usaban los patricios romanos.

mulero *s. m.* **1.** Mozo de mulas. **2.** Se llama así un tipo especial de freno, grande y pesado, con barbada de argolla, indicado para contener a las mulas fuertes de boca.

muleta *s. f.* Especie de bastón alto con un travesaño en uno de sus extremos, que se coloca debajo de la axila para apoyarse al andar.

muletilla *s. f.* **1.** Muleta antigua de toreo, mucho más pequeña que la actual. **2.** *fig.* Frase o voz que se repite mucho por hábito en la conversación.

muletillero, ra *s. m. y s. f.* Persona que usa muletillas o bordones en la conversación.

muleto, ta *s. m. y s. f.* Mulo de poca edad o cerril.

muletón *s. m.* Tela suave y afelpada, de algodón o lana.

mulilla *s. f.* Múleo, calzado.

mulillas *s. f. pl.* Tiro de mulas que arrastran los toros y caballos muertos en las corridas.

mullido *s. m.* Cosa blanda a propósito para rellenar colchones, asientos, etc.

mullidor, ra *adj.* Que mulle. También s. m. y s. f.

mullir *v. tr.* **1.** Esponjar una cosa para que esté blanda y suave. **2.** *fig.* Tratar y disponer las cosas industriosamente para conseguir un intento. **3.** *fig.* Cavar alrededor de las cepas, ahuecando la tierra.

mullo *s. m.* Salmonete.

mulo *s. m.* Cuadrúpedo, híbrido de asno y yegua o de caballo y burra.

mulso, sa *adj.* Mezclado con miel o azúcar.

multa *s. f.* Pena pecuniaria que se pone por una infracción, falta o delito.

multar *v. tr.* Imponer una multa a alguien.

multicolor *adj.* De muchos colores.

multicopiar *v. tr.* Reproducir en copias por medio de multicopista.

multicopista *adj.* Se dice de la máquina utilizada para sacar de una vez varias copias de un escrito. También s. f.

multifloro, ra *adj.* Que produce o encierra muchas flores.

multiforme *adj.* Que tiene muchas o varias figuras o formas.

multilateral *adj.* Perteneciente o relativo a varios lados, aspectos o partes.

multilátero, ra *adj.* Se aplica a los polígonos de más de cuatro lados.

multimedia *adj.* Se dice del sistema informático interactivo capaz de operar con sonidos, gráficos, textos, animación y vídeo en forma combinada.

multimillonario, ria *adj.* Que tiene fortuna por valor de varios millones.

multinacional *adj.* **1.** Perteneciente o relativo a muchas naciones. ‖ *s. f.* **2.** Empresa cuyos intereses y actividades se desarrollan en varios países.

multípara *adj.* Se dice de las hembras que tienen varios hijos en un solo parto.

múltiple *adj.* Vario, de muchas maneras; se opone a simple.

multiplicable *adj.* Que se puede multiplicar.

multiplicación *s. f.* **1.** Acción y efecto de multiplicar o multiplicarse. **2.** Operación de multiplicar.

multiplicador, ra *adj.* **1.** Que multiplica. ‖ *s. m.* **2.** Factor que indica las veces que el multiplicando ha de tomarse como sumando.

multiplicando *s. m.* Factor que ha de ser multiplicado.

multiplicar *v. tr.* **1.** Aumentar en número considerable el número o la cantidad de cosas de una especie. También prnl. e intr. **2.** En matemáticas, hallar abreviadamente el producto de dos factores, tomando uno de ellos tantas veces por sumando como unidades contiene el otro. ‖ *v. prnl.* **3.** Reproducirse los seres vivos.

multiplicativo, va *adj.* Que multiplica o aumenta.

multíplice *adj.* Múltiple.

multiplicidad *s. f.* **1.** Cualidad de múltiple. **2.** Muchedumbre, abundancia excesiva de algunos hechos, especies o individuos.

múltiplo, pla *adj.* Se dice del número o cantidad que contiene a otro u otra varias veces exactamente.

multitud *s. f.* Número grande de personas o cosas.

multitudinario, ria *adj.* **1.** Que forma multitud. **2.** Propio o característico de las multitudes.

mundanal *adj.* Perteneciente o relativo al mundo humano.

mundanalidad *s. f.* Cualidad de mundanal.

mundanear *v. intr.* Atender demasiado a las cosas del mundo, a sus pompas, vanidades y placeres.

mundano, na *adj.* Perteneciente o relativo al mundo.

mundial *adj.* **1.** Relativo al mundo entero. ‖ *s. m.* **2.** Campeonato en el que pueden participar países de todo el mundo.

mundificar *v. tr.* Limpiar, purificar, purgar.

mundillo *s. m.* Almohadilla empleada para hacer encaje.

mundo *s. m.* **1.** La Tierra, nuestro planeta. **2.** Totalidad de los hombres que pueblan la Tierra. **3.** Sociedad humana. **4.** Parte de la sociedad humana, caracterizada por alguna cualidad o circunstancia común a todos sus individuos. **5.** Vida secular, por oposición a la monástica. **6.** Esfera con que se representa el globo terráqueo. **7.** Experiencia de la vida y del trato social. **8.** Círculo en el que una persona vive o trabaja. **9.** Mundillo.

mundología *s. f.* Experiencia y habilidad para defenderse en la vida.

mundonuevo *s. m.* Cajón que contenía un cosmorama portátil o una colección de figuras de movimiento.

mundovisión *s. f.* Televisión retransmitida por medio de satélites artificiales, que permite el envío directo de imágenes entre dos puntos cualesquiera de la Tierra.

munición *s. f.* **1.** Pertrechos y bastimentos necesarios en un ejército o en una plaza fuerte. **2.** Carga de las armas de fuego.

municionar *v. tr.* Proveer de municiones una plaza o una fuerza armada.

municipal *s. m.* Miembro del cuerpo de policía que depende del ayuntamiento.

municipalidad *s. f.* Ayuntamiento de un término municipal.

municipalizar *v. tr.* Asignar al municipio un servicio público, antes a cargo de una empresa privada.

munícipe *s. m. y s. f.* Vecino de un municipio.

municipio *s. m.* **1.** Conjunto de habitantes de un término jurisdiccional, regido por un ayuntamiento. **2.** El mismo ayuntamiento. **3.** El término municipal.

munificencia *s. f.* **1.** Generosidad espléndida. **2.** Largueza, liberalidad del rey o de un magnate.

munificente *adj.* Que ejerce munificiencia.

munífico, ca *adj.* Munificente.

munitoria *s. f.* Arte de fortificar una plaza.

munúsculo *s. m.* Don o regalo insignificante.

muñeca *s. f.* **1.** Parte del cuerpo humano, en donde se articula la mano con el antebrazo. **2.** Juguete que tiene forma de figurilla de mujer. **3.** Maniquí para trajes y vestidos femeninos.

muñeco *s. m.* Juguete que tiene forma de figurilla de hombre.

muñeira *s. f.* Baile popular de Galicia.

muñequear *v. tr.* **1.** *Arg. y Ur.* Mover influencia para obtener algo. **2.** En esgrima, jugar las muñecas meneando la mano.

muñequera *s. f.* **1.** Tira de cuero, venda, etc., con que se rodea la muñeca para apretarla o protegerla. **2.** Pulsera de reloj.

muñidor, ra *s. m.* **1.** Criado de cofradía, encargado de convocar a los hermanos o cofrades para las fiestas y ejercicios. ‖ *s. m. y s. f.* **2.** Persona que gestiona para concertar tratos o fraguar intrigas.

muñir *v. tr.* **1.** Convocar a las juntas o a otra cosa. **2.** Concertar, disponer, manejar las voluntades de otros.

muñón *s. m.* **1.** Parte de un miembro cortado que permanece adherida al cuerpo. **2.** El músculo deltoides y la región del hombro limitada por él.

mural *adj.* **1.** Perteneciente o relativo al muro. **2.** Se aplica a las cosas que, extendidas, ocupan una buena parte de pared o muro. ‖ *s. m.* **3.** Pintura o decoración realizada sobre una pared.

muralla s. f. Muro que ciñe y encierra para su defensa una plaza, una ciudad, etc.

murallón s. m. Muro robusto.

murar[1] v. tr. Cercar con muro una ciudad, fortaleza o cualquier recinto.

murar[2] v. tr., Ast., Le. y Pal. Acechar el gato al ratón.

murciélago s. m. Mamífero quiróptero, insectívoro y nocturno, con membranas en las extremidades anteriores que le sirven para volar.

murcielaguina s. f. Estiércol de los murciélagos, muy apreciado como abono, que se acumula en las cuevas en que se albergan estos animales durante el día.

murga s. f., fam. Compañía de músicos que toca a las puertas de las casas con la esperanza de recibir algún obsequio.

murguista s. m. y s. f. Músico que forma parte de una murga.

muriático, ca adj. Se dice de las combinaciones del cloro y del hidrógeno.

muriato s. m. Combinación del ácido clorhídrico con una base, clorhidrato.

múrice s. m. Molusco marino univalvo, que segrega, como la púrpura, un licor muy usado antiguamente en tintorería.

múrido adj. Se dice de mamíferos del orden de los roedores, que tienen clavículas, los incisivos inferiores agudos y tres o cuatro molares tuberculosos y con raíces a cada lado de ambas mandíbulas, el hocico afilado y la cola larga. También s. m.

muriforme adj. Se dice del cúmulo más o menos esférico compuesto por varias unidades menores de la misma forma, que presenta el aspecto de una mora.

murmujear v. intr., fam. Murmurar.

murmullar v. intr. Murmurar.

murmullo s. m. Ruido continuado y confuso de algunas cosas.

murmuración s. f. Conversación en perjuicio de un ausente.

murmurador, ra adj. Que murmura. También s. m. y s. f.

murmurar v. intr. **1.** Hacer ruido blando y apacible la corriente de las aguas, las hojas de los árboles, etc. **2.** fig. Hablar entre dientes, manifestando queja por alguna cosa. También tr. **3.** fig. y fam. Conversar en perjuicio de un ausente, censurando sus acciones. También tr.

murmureo s. m. Murmullo continuado.

murmurio s. m. **1.** Ruido seguido y confuso del hablar. **2.** Ruido seguido y confuso de otras cosas.

muro s. m. **1.** Pared o tapia. **2.** Muralla.

murria s. f., fam. Tristeza, melancolía.

múrrino, na adj. Se aplica a una especie de copa, taza o vaso muy estimado en la antigüedad.

murrio, rria adj. Triste, melancólico.

murta s. f. **1.** Arrayán. **2.** Murtón, fruto del murto.

murtal s. m. Sitio poblado de murtas.

murto s. m. Arrayán, mirto.

murtón s. m. Fruto del arrayán o murto.

murucuyá s. f., Arg. y Ven. Granadilla o pasionaria.

murueco s. m. Morueco.

mus s. m. Cierto juego de naipes y de envite.

musa s. f. **1.** Cada una de las deidades que, según la fábula, habitaban en el Parnaso o en el Helicón y protegían las ciencias y las artes liberales, especialmente el canto y la poesía. **2.** fig. Numen o inspiración del poeta.

musáceo, a adj. Se dice de plantas herbáceas monocotiledóneas, perennes, con el tallo formado por las vainas de las hojas caídas, de flores irregulares con pedúnculos axilares o radicales y hojas alternas, simples y enteras con pecíolos envainadores, como el abacá. También s. f.

musaraña s. f. Cualquier sabandija, insecto o animal pequeño.

muscaria s. f. Moscareta.

muscarina s. f. Alcaloide que contiene un fuerte veneno y que se encuentra en algunos hongos y en el pescado descompuesto.

musco s. m. Musgo.

muscología s. f. Parte de la botánica que se ocupa del estudio de los musgos.

muscular adj. Perteneciente o relativo a los músculos.

musculatura s. f. Conjunto y disposición de los músculos de todo el cuerpo o de parte de él.

músculo s. m. Cada uno de los órganos de tejido compuesto por fibras carnosas y contráctiles que sirven para producir el movimiento en el ser humano y en los animales.

musculoso, sa adj. Que tiene los músculos muy abultados y visibles.

museístico, ca adj. Perteneciente o relativo al museo.

muselina s. f. Tela de algodón, lana, seda, etc., fina y poco tupida.

museo s. m. **1.** Edificio o lugar destinado al estudio de las ciencias, letras humanas y artes liberales. **2.** Lugar en que se guardan, para su estudio y exposición al público, colecciones de objetos de gran valor artístico, científico, histórico o de otro tipo. **3.** Por ext., lugar donde se encuentran numerosas obras artísticas.

museografía s. f. Estudio de las técnicas relativas al funcionamiento de un museo.

museográfico, ca adj. Perteneciente o relativo a la museografía.

museógrafo, fa s. m. y s. f. Persona versada en museografía.

museología *s. f.* Ciencia que trata de la historia de los museos y de las técnicas de conservación y catalogación.

museológico, ca *adj.* Perteneciente o relativo a la museología.

museólogo, ga *s. m. y s. f.* Especialista en museología.

muserola *s. f.* Correa de la brida, que da vuelta al hocico del caballo por encima de la nariz.

musgaño *s. m.* Mamífero insectívoro, de pequeño tamaño, hocico alargado y puntiagudo, cola desarrollada y pelaje denso.

musgo *s. m.* Cada una de las plantas criptógamas que crecen en lugares sombríos, formando capa sobre la tierra, las rocas, los troncos y los árboles y aun en el agua.

musgoso, sa *adj.* **1.** Perteneciente o relativo al musgo. **2.** Cubierto de musgo.

música *s. f.* **1.** Arte de expresar determinados sentimientos por medio de sonidos armónicos, melódicos y rítmicos. **2.** Concierto de instrumentos o voces, o de ambas cosas a la vez.

musicable *adj.* Que puede ponerse en música.

musical *adj.* **1.** Perteneciente o relativo a la música. **2.** Se dice de aquello en que la música constituye el elemento esencial.

musicalidad *s. f.* Cualidad o carácter musical.

músico, ca *adj.* **1.** Perteneciente o relativo a la música. ‖ *s. m. y s. f.* **2.** Persona que profesa o sabe el arte de la música. **3.** Persona que toca algún instrumento.

musicógrafo, fa *s. m. y s. f.* Persona que se dedica a escribir obras acerca de la música.

musicología *s. f.* Estudio científico de la teoría y de la historia de la música.

musicólogo, ga *s. m. y s. f.* Persona versada en la musicología.

musicomanía *s. f.* Melomanía.

musicómano, na *adj.* Melómano.

musiquero *s. m.* Mueble a propósito para colocar en él partituras y libros de música.

musiquilla *s. f.* Tonillo de la voz de una persona.

musitar *v. intr.* Hablar entre dientes.

musivario, ria *adj.* Perteneciente o relativo al mosaico.

muslera *s. f.* Venda elástica que se coloca como protección en el muslo.

muslim o muslime *adj.* Musulmán. También com.

muslímico, ca *adj.* Perteneciente o relativo a los muslimes.

muslo *s. m.* Parte de la pierna, desde la cadera hasta la rodilla.

musmón *s. m.* Híbrido de carnero y cabra.

mustaco *s. m.* Bollo de harina amasada con mosto, manteca y otros ingredientes.

mustela *s. f.* Tiburón de carne comestible, cuya piel se utiliza como lija.

mustélido, da *adj.* Se dice de los mamíferos carnívoros, semiplantígrados, con el cuello largo y el cuerpo muy flexible.

mustiar *v. tr.* Marchitar. Se usa más como prnl.

mustio, tia *adj.* **1.** Melancólico, triste. **2.** Lánguido, marchito.

musulmán, na *adj.* Que profesa la religión islámica. También s. m. y s. f.

mutabilidad *s. f.* Cualidad de mudable.

mutación *s. f.* **1.** Acción y efecto de mudar o mudarse. **2.** Cambio de decorado en una escena teatral. **3.** Destemple de la estación en determinado tiempo del año. **4.** Cambio súbito de un gen determinado. **5.** Cambio fonético.

mutacionismo *s. m.* Teoría que sostiene que las mutaciones son la causa principal de la evolución de las especies.

mutante *adj.* **1.** Que muda. ‖ *s. m.* **2.** Nuevo gen que resulta de una mutación. **3.** Organismo producido por mutación.

mutar *v. tr.* **1.** Mudar. También prnl. **2.** Mudar, cambiar o apartar de un puesto o empleo.

mutatis mutandis *loc. lat.* que significa «cambiando lo que se deba cambiar».

mutilación *s. f.* Acción y efecto de mutilar o mutilarse.

mutilador, ra *adj.* Que mutila.

mutilar *v. tr.* Cortar o cercenar un miembro o parte del cuerpo de un ser vivo. También prnl.

mutis *s. m.* **1.** Voz que se usa en el teatro para hacer que un actor se retire de la escena. **2.** El acto de retirarse de la escena y, por ext., de otros lugares. **3.** *fam.* Voz que se emplea para imponer silencio o para indicar que una persona queda callada.

mutismo *s. m.* Silencio voluntario o impuesto.

mutual *adj.* Mutuo, recíproco.

mutualidad *s. f.* **1.** Cualidad de mutual. **2.** Régimen de prestaciones mutuas que sirven de base a determinadas asociaciones.

mutualismo *s. m.* Conjunto de asociaciones fundadas en la mutualidad.

mutualista *s. m. y s. f.* Miembro de una mutualidad o sociedad de socorros mutuos.

mutuario, ria *s. m. y s. f.* Persona que recibe el préstamo.

mutuo, tua *adj.* Se aplica a lo que recíprocamente se hace entre dos o más personas, animales o cosas.

muz *s. m.* Extremidad superior y más avanzada del tajamar.

muy *adv. c.* Apócope de *mucho.*

n *s. f.* Decimocuarta letra del abecedario español y undécima de sus consonantes.

naba *s. f.* Planta crucífera, de raíz carnosa muy grande, amarillenta o rojiza, parecida al nabo, comestible.

nabab *s. m.* Gobernador de una provincia en la India mahometana.

nabal *adj.* Nabar. También s. m.

nabar *s. m.* Tierra sembrada de nabos.

nabería *s. f.* **1.** Conjunto de nabos. **2.** Potaje hecho con ellos.

nabí *s. m.* Entre los árabes, profeta.

nabicol *s. m.* Especie de nabo parecido a la remolacha.

nabiforme *adj.* Fusiforme, con forma de raíz de nabo.

nabiza *s. f.* Hoja tierna del nabo.

nabla *s. f.* Instrumento musical muy antiguo, semejante a la lira, de marco rectangular y diez cuerdas.

nabo *s. m.* Planta crucífera, de raíz carnosa, comestible, blanca o amarillenta.

nácar *s. m.* Sustancia dura, blanca, brillante y con reflejos irisados, que se forma en el interior de ciertas conchas.

nacarado, da *adj.* **1.** Del color y brillo del nácar. **2.** Adornado con nácar.

nacáreo, a *adj.* Nacarino.

nacarino, na *adj.* Propio del nácar.

nacarón *s. m.* Nácar de inferior calidad.

nacela *s. f.* Escocia o moldura cóncava que se pone en las basas de las columnas.

nacencia *s. f.* **1.** *Le.* y *Sal.* Nacimiento. **2.** Origen, linaje o familia de una persona. **3.** *fig.* Bulto o tumor que nace en cualquier parte del cuerpo sin causa manifiesta.

nacer *v. intr.* **1.** Salir el animal del vientre materno o del huevo. **2.** Empezar a salir un vegetal de su semilla. **3.** Salir el vello, pelo o pluma en el cuerpo del animal. **4.** Aparecer las hojas, flores, frutos o brotes en la planta. **5.** Descender de una familia o linaje. **6.** *fig.* Empezar a levantarse un astro en el horizonte. **7.** *fig.* Tomar principio una cosa de otra. **8.** *fig.* Prorrumpir o brotar. **9.** *fig.* Criarse en un hábito o costumbre. **10.** *fig.* Empezar una cosa desde otra, como saliendo de ella. **11.** *fig.* Inferirse una cosa de otra. **12.** *fig.* Dejarse ver o sobrevenir de repente una cosa que estaba oculta, que se ignoraba o no se esperaba. **13.** *fig.* Con las preposiciones *a* o *para*, tener disposición o estar destinado a un fin. ‖ *v. prnl.* **14.** Entallecerse una raíz o semilla al aire libre. **15.** Abrirse la ropa por las costuras que tienen borde escaso.

nacido, da *adj.* **1.** Connatural y propio de una cosa. **2.** Propio, apto para una cosa. **3.** Se dice de cualquiera de los seres humanos que existen o han existido. Se usa más como s. m. y s. f., y en pl. **4.** Se dice del feto con figura humana desprendido del seno materno y que vive al menos 24 horas.

naciente *adj.* Muy reciente, que empieza a ser o a manifestarse.

nacimiento *s. m.* Principio de una cosa.

nación *s. f.* **1.** Conjunto de personas de un mismo origen étnico y que generalmente hablan un mismo idioma y tienen una tradición común. **2.** Conjunto de los habitantes de un país regido por el mismo gobierno.

nacional *adj.* Natural de una nación.

nacionalidad *s. f.* Condición y carácter peculiar de los pueblos e individuos de una nación.

nacionalismo *s. m.* Apego de los naturales de una nación a ella propia y a cuanto le pertenece.

nacionalista *adj.* Partidario del nacionalismo.

nacionalización *s. f.* Acción y efecto de hacer pasar al Estado una propiedad, explotación o servicio que estaba en poder de particulares.

nacionalizar *v. tr.* **1.** Naturalizar en un país personas o cosas de otro. También prnl. **2.** Atribuir al Estado bienes o empresas de personas individuales o colectivas.

nacionalsocialismo *s. m.* Movimiento político y social alemán, de carácter fascista y antisemita.

nacionalsocialista *adj.* Partidario del nacionalsocialismo. También com.

nacrita *s. f.* Variedad de talco, de brillo igual al del nácar.

nada *s. f.* **1.** El no ser o la carencia absoluta de todo ser. **2.** *fig.* Cosa mínima o de muy escasa entidad. ‖ *pron. indef.* **3.** Ninguna cosa. ‖ *adv. neg.* **4.** De ninguna manera.

nadadera *s. f.* Cada una de las calabazas, vejigas, etc., para aprender a nadar.

nadador, ra *s. m. y s. f.* Persona diestra en nadar.

nadar *v. intr.* **1.** Mantenerse una persona o un animal sobre el agua, o ir por ella sin tocar el fondo. **2.** Flotar en un líquido cualquiera. **3.** *fig.* Abundar en una cosa. **4.** *fig. y fam.* Estar una cosa muy holgada dentro de otra que le debiera venir ajustada.

nadería *s. f.* Cosa de poca importancia.

nadie *pron. indef.* Ninguna persona.

nadir *s. m.* Punto de la esfera celeste diametralmente opuesto al cénit.

nafrar *v. tr.* Llagar o herir, especialmente por rozamiento.

nafta *s. f.* Líquido incoloro, volátil, inflamable, compuesto de hidrocarburos de poco peso molecular.

naftaleno *s. m.* Hidrocarburo aromático, que se encuentra en grandes cantidades en el alquitrán de hulla.

naftalina *s. f.* Nombre vulgar del naftaleno.

naftol *s. m.* Compuesto fenólico derivado del naftaleno; se encuentra en pequeña cantidad en el alquitrán de hulla.

nagua *s. f.* Saya interior de tela blanca, enagua. Se usa más en pl.

naíf o naif *s. m.* **1.** Estilo pictórico que se caracteriza por hacer uso de una ingenuidad buscada de manera consciente y aplicada tanto en la representación de la realidad como en los colores utilizados para ello. ‖ *adj.* **2.** Ingenuo.

nailon *s. m.* Materia textil sintética obtenida a partir del carbón, aire y agua.

naipe *s. m.* Cada una de las cartulinas rectangulares que se usan para jugar, que llevan pintadas en una de las caras una figura o cierto número de objetos correspondientes a cada uno de los cuatro palos de la baraja.

naire *s. m.* Persona que cuida los elefantes y los adiestra.

najarse *v. prnl., vulg.* Largarse, huir, irse.

nalga *s. f.* Cada una de las dos porciones carnosas y redondeadas que constituyen el trasero.

nalgada *s. f.* Pernil del puerco.

nalgar *adj.* Perteneciente o relativo a las nalgas.

nalgatorio *s. m., fam.* Conjunto de ambas nalgas.

nalgudo, da *adj.* Que tiene gruesas las nalgas.

nana *s. f.* **1.** *fam.* Abuela. **2.** Canción de cuna.

¡nanay! *interj., fam.* con que se niega rotundamente una cosa.

nanear *v. intr.* Andar como los patos.

nansa *s. f.* **1.** Nasa. **2.** Estanque pequeño para peces.

nansú *s. m.* Tela fina de algodón, blanqueada o teñida en colores claros, superior al lienzo, pero inferior a la batista.

nao *s. f.* Nave.

naonato, ta *adj.* Se dice de la persona nacida en una embarcación que navega.

napa *s. f.* Conjunto de las fibras textiles que se agrupan al salir de una máquina cardadora, para formar un conjunto continuo de espesor constante e igual anchura que la máquina.

napalm *s. m.* Tipo de bomba especial que, al explotar, se disgrega en infinitas partículas inflamadas, por lo que se emplea con fines militares para producir incendios en extensas áreas.

napias *s. f. pl., fam.* Narices, órgano olfativo.

naranja *s. f.* **1.** Fruto del naranjo, de forma más o menos globosa, de color entre rojo o amarillo, como el de la pulpa; en el interior tiene ocho o doce gajos con pelos muy jugosos, agridulces y cada uno con dos a tres pepitas. ‖ *s. m.* **2.** Color anaranjado.

naranjada *s. f.* Agua de naranja.

naranjado, da *adj.* Anaranjado.

naranjal *s. m.* Sitio plantado de naranjos.

naranjero, ra *adj.* **1.** Perteneciente o relativo a la naranja. **2.** Se dice de la cañería cuyo interior es de ocho a diez cm. ‖ *s. m. y s. f.* **3.** Persona que vende naranjas. ‖ *s. m.* **4.** En algunas partes, naranjo.

naranjilla *s. f.* Naranja verde con la que se suele hacer conserva.

naranjo *s. m.* Árbol rutáceo, de hojas coriáceas persistentes, flores blancas y fruto en hesperidio, comestible.

narceína *s. f.* Alcaloide narcótico que existe en el opio, en pequeñas dosis.

narcisismo *s. m.* Manía del que presume de narciso.

narcisista *s. m. y s. f.* Enamorado de sí mismo. También adj.

narciso *s. m.* **1.** Planta amarilidácea con flores blancas o amarillas y olorosas. **2.** Persona que cuida demasiado de su aspecto físico y manifiesta un excesivo enamoramiento de sí mismo.

narcosis *s. f.* Producción del narcotismo, modorra, embotamiento de la sensibilidad.

narcótico, ca *adj.* Se dice de la droga o medicamento que produce sopor, relajación muscular y embotamiento de la sensibilidad.

narcotina *s. f.* Alcaloide que se extrae del opio.

narcotismo *s. m.* Estado más o menos profundo de adormecimiento, debido al uso de los narcóticos.

narcotización *s. f.* Acción y efecto de narcotizar.

narcotizador, ra *adj.* Que narcotiza.

narcotizar *v. tr.* Producir narcotismo. También prnl.

narcotraficante *adj.* Traficante de drogas. También com.

narcotráfico *s. m.* Comercio de drogas.

nardo *s. m.* Planta liliácea de jardín, de hojas radicales y flores blancas, muy olorosas, en espiga.

narguile *s. m.* Pipa para fumar que usan los orientales.

narigón *s. m.* Argolla con o sin cuerda, que se coloca en las narices horadadas de algunos animales para conducirlos de un lado a otro.

narigudo, da *adj.* **1.** Que tiene grandes las narices. También s. m. y s. f. **2.** De figura de nariz.

nariguera *s. f.* Pendiente que algunos indígenas llevan en la nariz.

narina *s. f.* Orificio nasal externo.

nariz *s. f.* Órgano olfativo, parte prominente del rostro humano entre la frente y la boca, con dos orificios que comunican con la membrana pituitaria y el aparato de la respiración.

narizón, na *adj., fam.* Narigudo.

narizotas *com.* Persona que tiene narices grandes. Se usa frecuentemente como insulto.

narrable *adj.* Que puede ser narrado.

narración *s. f.* **1.** Acción y efecto de narrar. **2.** Parte del discurso retórico en que se refieren los hechos. **3.** Obra literaria de carácter narrativo o novelesco.

narrador, ra *adj.* Que narra. También s. m. y s. f.

narrar *v. tr.* Contar, referir lo sucedido.

narrativa *s. f.* **1.** Narración, acción de narrar. **2.** Habilidad en contar las cosas. **3.** Obra literaria de carácter narrativo o novelesco de un autor, un país o una época. **4.** Género literario de carácter narrativo que abarca novelas, cuentos, etc.

narrativo, va *adj.* Perteneciente o relativo a la narración.

narratología *s. f.* Estudio crítico o ensayístico del funcionamiento de las obras literarias de carácter narrativo.

narratológico, ca *adj.* Relativo o perteneciente a la narratología.

narratorio, ria *adj.* Narrativo.

narria *s. f.* Cajón o escalera de carro, a propósito para llevar arrastrando cosas de gran peso.

nártex *s. m.* Parte de la basílica cristiana que se reservaba a los catecúmenos y a ciertos penitentes.

narval *s. m.* Mamífero cetáceo de unos 6 m de largo del cual se utilizan su grasa y el marfil de su diente mayor.

narvaso *s. m., Ast. y Cant.* Caña del maíz con su follaje, sin el fruto de la mazorca, que se usa como alimento para el ganado vacuno.

nasa *s. f.* **1.** Arte de pesca, formada por un cilindro de juncos, red, etc., con una especie de embudo dirigido hacia dentro en una de sus bases. **2.** Cesta de boca estrecha en que los pescadores echan la pesca. **3.** Cesto o vasija para guardar pan, harina, etc.

nasal *adj.* **1.** Perteneciente o relativo a la nariz. **2.** Se dice del sonido articulado en cuya pronunciación el aire aspirado sale total o parcialmente por la nariz. Son nasales la m, n y ñ. También s. f.

nasalidad *s. f.* Cualidad de nasal.

nasalización *s. f.* Acción de nasalizar.

nasalizar *v. tr.* Hacer nasal o pronunciar como tal un sonido o letra.

naso *s. m., fam.* Nariz grande.

nasofaringe *s. f.* Parte del cuerpo que comprende la nariz y faringe.

nasofaríngeo, a *adj.* Se dice de lo que está situado en la faringe por encima del velo del paladar y detrás de las fosas nasales.

nasofaringitis *s. f.* Inflamación nasofaríngea.

nata *s. f.* Sustancia grasa un poco amarillenta, que forma una capa sobre la leche que se deja en reposo.

natación *s. f.* Arte de nadar.

natal *s. m.* Nacimiento.

natalicio, cia *adj.* Perteneciente o relativo al día del nacimiento. También s. m.

natalidad *s. f.* Número proporcional de nacimientos en población y tiempo determinados.

natatorio, ria *adj.* Perteneciente o relativo a la natación.

natillas *s. f. pl.* Dulce de yema de huevo, leche y azúcar.

Natividad *n. p.* Nacimiento, especialmente el de Jesucristo, el de la Virgen Santísima y el de san Juan Bautista.

nativo, va *adj.* Natural, nacido en el lugar de que se trata.

nato, ta *adj.* Se dice de la cualidad que una persona tiene desde el momento de su nacimiento.

natrón *s. m.* Sal blanca, traslúcida, cristalizable y eflorescente.

natura *s. f.* Naturaleza.

natural *adj.* **1.** Perteneciente o relativo a la naturaleza o conforme a la calidad de las cosas. **2.** Originario de un pueblo o nación. **3.** Sin afectación, sin doblez, ingenuo. **4.** Hecho sin mezcla ni composición alguna. Se dice de las cosas que imitan a la naturaleza. **5.** Regular y que comúnmente sucede, y por eso fácilmente creíble. **6.** Que se produce por la sola intervención de las fuerzas de la naturaleza; no milagroso, ni sobrenatural.

naturaleza *s. f.* **1.** Esencia y propiedad característica de cada ser. **2.** Estado natural del ser humano, por oposición al estado de gracia. **3.** En sentido moral, luz que nace con el ser humano y le hace capaz de discernir el bien del mal. **4.** Conjunto de las obras de creación, por oposición a las de las personas o del arte. **5.** Principio universal de todas las operaciones naturales. **6.** Virtud, calidad o propiedad de las cosas. **7.** Origen que alguien tiene según el país o lugar donde ha nacido. **8.** Propensión o inclinación de las cosas, con que pretenden su conservación y aumento. **9.** Conjunto de espacios naturales, por oposición a los urbanizados. **10.** *fig.* Complexión o temperamento de cualidades en el cuerpo animal.

naturalidad *s. f.* Ingenuidad y sencillez.

naturalismo *s. m.* Doctrina filosófica que atribuye todas las cosas a la naturaleza como primer principio.

naturalista *adj.* **1.** Que profesa el Naturalismo. ‖ *com.* **2.** Persona que profesa las ciencias naturales.

naturalización *s. f.* Acción y efecto de naturalizar o naturalizarse.

naturalizar *v. tr.* **1.** Admitir en un país, como si de él fuera natural, a una persona extranjera. **2.** Conceder a un extranjero los derechos de los naturales del país en que fue admitido. **3.** Introducir o adoptar en un país vocablos, costumbres, etc., de otros países. **4.** Aclimatar una especie animal o vegetal. También prnl. ‖ *v. prnl.* **5.** Vivir en un país una persona extranjera como si de él fuera natural. **6.** Adquirir los derechos y privilegios de los naturales de un país.

naturismo *s. m.* Doctrina que preconiza el empleo de los agentes naturales para conservar la salud y curar las enfermedades.

naturista *adj.* Partidario del naturismo o que lo practica. También com.

naufragar *v. intr.* **1.** Irse a pique o perderse la embarcación. Se dice también de las personas que van en ella. **2.** *fig.* Salir mal de un intento o negocio.

naufragio *s. m.* Acto o hecho de naufragar.

náufrago, ga *adj.* Que ha padecido naufragio. También s. m. y s. f.

náusea *s. f.* **1.** Basca, ansia de vomitar. **2.** *fig.* Repugnancia.

nauseabundo, da *adj.* Que produce náuseas.

nauseativo, va *adj.* Nauseabundo.

nauta *s. m., poét.* Hombre de mar.

náutico, ca *adj.* **1.** Perteneciente o relativo a la navegación. ‖ *s. f.* **2.** Ciencia o arte de navegar.

nautilo *s. m.* Argonauta, molusco.

nava *s. f.* Tierra baja y llana entre montañas.

navacero, ra *s. m. y s. f.* Persona que forma y cultiva los navazos, huertos.

navaja *s. f.* **1.** Cuchillo cuya hoja puede doblarse sobre el mango para guardar el filo entre dos cachas. **2.** Molusco lamelibranquio de dos conchas simétricas y carne comestible poco apreciada.

navajada *s. f.* **1.** Golpe dado con la navaja. **2.** Herida que produce.

navajazo *s. m.* Navajada.

navajería *s. f.* Lugar donde se hacen o venden navajas.

navajero, ra *adj.* **1.** Que emplea la navaja como arma. También s. m. y s. f. ‖ *s. m. y s. f.* **2.** Persona que tiene por oficio fabricar, reparar o vender navajas.

naval *adj.* Perteneciente o relativo a las naves, a la navegación o a las empresas navieras.

navazo *s. m.* Huerto, en algunos puntos de Andalucía, formado ahondando el arenal de una marisma.

nave *s. f.* **1.** Barco, embarcación. **2.** Espacio que entre muros o filas de arcadas se extiende a lo largo de las iglesias y otros edificios.

navegable *adj.* Se dice del río, lago, canal, etc. donde se puede navegar.

navegación *s. f.* **1.** Acción de navegar. **2.** Viaje que se hace con la nave. **3.** Tiempo que este dura. **4.** Náutica.

navegador, ra *adj.* Que navega. También s. m. y s. f.

navegar *v. intr.* **1.** Hacer viaje o andar por el agua con embarcación. También tr. **2.** Andar el buque o embarcación. **3.** Por analogía, andar por el aire en globo o en aeroplano.

naveta *s. f.* Vaso en forma de navecilla, que sirve en la iglesia para guardar el incienso.

navícula *s. f.* Género de algas macroscópicas en forma de navecilla, vive en aguas dulces y saladas.

navicular *adj.* De forma abarquillada.

navidad *n. p.* **1.** Fiesta conmemorativa del nacimiento de Jesucristo y día en que se celebra. **2.** (ORT.: may. inicial) Tiempo inmediato a este día, hasta la festividad de Reyes. U. t. en pl. con el mismo significado que en sing.

naviero, ra *s. m.* Dueño de un navío o embarcación capaz de navegar en alta mar.

navío *s. m.* Nave grande, de cubierta, con velas y muy fortificada, aunque no sea de guerra y se aplique para el comercio, correos, etc.

náyade *s. f.* Cualquiera de las ninfas de los ríos y fuentes.

nazareno, na *adj.* Se dice de la imagen de Jesucristo que viste un ropón morado.

nazi *adj.* Nacionalsocialista.

nazismo *s. m.* Nacionalsocialismo.

názula *s. f.* En algunas partes, requesón, cuajada que se saca de los residuos de la leche después de hecho el requesón.

neánico *s. m.* Periodo adolescente en el ciclo de la vida de un individuo.

nébeda *s. f.* Planta herbácea de la familia de las labiadas, de olor y sabor parecidos a los de la menta y con las mismas propiedades excitantes.

nebí *s. m.* Neblí.

nebladura *s. f.* Daño que causa la niebla a los sembrados.

neblí *s. m.* Ave de rapiña, variedad del halcón.

neblina *s. f.* Niebla espesa y baja.

nebral *s. m.* Aféresis de enebral.

nebreda *s. f.* Enebral.

nebrina *s. f.* Fruto del enebro.

nebro *s. m.* Aféresis de enebro.

nebulón *s. m.* Hombre taimado e hipócrita.

nebulosa *s. f.* Masa de materia cósmica celeste, difusa y luminosa, que ofrece diversas formas, de contorno impreciso.

nebulosidad *s. f.* Pequeña oscuridad.

nebuloso, sa *adj.* Que abunda en nieblas o cubierto de ellas.

necear *v. intr.* **1.** Decir necedades. **2.** Porfiar neciamente en una cosa.

necedad *s. f.* Dicho o hecho necio.

necesario, ria *adj.* **1.** Que inevitablemente ha de ser o suceder. ‖ *s. f.* **2.** Letrina, excusado.

neceser *s. m.* Estuche o caja con diversos objetos de tocador o costura.

necesidad *s. f.* **1.** Impulso irresistible que hace que las causas obren infaliblemente en cierto sentido. **2.** Todo aquello de lo que no puede uno prescindir.

necesitado, da *adj.* Pobre, falto de lo necesario. También *s. m. y s. f.*

necesitar *v. tr.* Tener necesidad de alguien o de alguna cosa.

necio, cia *adj.* Ignorante.

nécora *s. f.* Cangrejo de mar, de cuerpo liso y elíptico, cuyo caparazón es de color rojo parduzco y está cubierto de pilosidad. Vive al fondo del litoral y su carne es muy apreciada.

necrofagia *s. f.* Acción de comer cadáveres o carroña.

necrófago, ga *adj.* **1.** Que se alimenta de cadáveres. **2.** Se dice de ciertos insectos coleópteros que se alimentan de carroñas o depositan sus huevos en ellas.

necrofilia *s. f.* Afición por la muerte o por alguno de sus aspectos.

necrófilo, la *adj.* Perteneciente o relativo a la necrofilia. También *s. m. y s. f.*

necrofobia *s. f.* Miedo insistente de morir.

necróforo, ra *adj.* Se dice de algunos insectos coleópteros que entierran los cadáveres de otros animales con el fin de depositar en ellos sus huevos. También *s. m.*

necrología *s. f.* **1.** Biografía de una persona notable, muerta recientemente. **2.** Lista o noticia de muertos en estadísticas y periódicos.

necrológico, ca *adj.* Perteneciente o relativo a la necrología.

necromancia *s. f.* Nigromancia.

necrópolis *s. f.* Cementerio de gran extensión, en que abundan los monumentos fúnebres.

necropsia *s. f.* Necroscopia.

necroscopia *s. f.* Autopsia o examen de los cadáveres.

necrosis *s. f.* Muerte local de células y tejidos en el organismo vivo, especialmente del tejido óseo.

néctar *s. m., fig.* Cualquier licor delicioso y suave.

nectario *s. m.* Glándula de las flores de ciertas plantas que segrega un jugo azucarado.

necton *s. m.* Conjunto de animales marinos o lacustres que pueden moverse por su propio impulso a través del agua.

nefandario, ria *adj.* Se aplica a la persona que comete pecado nefando.

nefando, da *adj.* Muy malo, torpe, del que no se puede hablar sin repugnancia.

nefario, ria *adj.* Sumamente malvado, impío e indigno del trato humano.

nefas, por fas o por *loc adv., fam.* Justa o injustamente, por una cosa o por otra.

nefasto, ta *adj.* Aplicado a día o a cualquier otra división de tiempo, triste, funesto, ominoso.

nefelismo *s. m.* Conjunto de caracteres con que se nos presentan las nubes, tales como forma, clase, altura, coloración, dirección, etc.

nefrítico, ca *adj.* Perteneciente o relativo a los riñones.

nefritis *s. f.* Inflamación de los riñones.

nefrología *s. f.* Rama de la medicina que estudia el riñón y sus enfermedades.

negable *adj.* Que se puede negar.

negación *s. f.* **1.** Falta total de una cosa. **2.** Partícula o voz que sirve para negar.

negado, da *adj.* Incapaz o inepto para una cosa. También *s. m. y s. f.*

negar *v. tr.* **1.** Declarar que no es verdad una cosa sobre la cual se pregunta. **2.** Decir que no a lo que se pretende o se pide, o no concederlo.

negativismo *s. m.* Doctrina que niega toda realidad y creencia.

negativo, va *adj.* **1.** Que expresa, implica o contiene negación. **2.** Perteneciente o relativo a la negación. ‖ *s. m.* **3.** Película fotográfica que reproduce los claros y oscuros o los colores del original pero invertidos, y que sirve para positivar las copias. ‖ *s. f.* **4.** Negación o denegación, o lo que la contiene. **5.** Repulsa o no concesión de lo que se pide.

negatrón *s. m.* Electrón negativo.

negligencia *s. f.* Descuido, omisión.

negligente *adj.* Descuidado, omiso.

negociable *adj.* Que se puede negociar.

negociación *s. f.* Acción y efecto de negociar.

negociado *s. m.* Cada una de las dependencias de una organización administrativa.

negociador, ra *adj.* **1.** Que negocia. También s. m. y s. f. **2.** Se dice del ministro o agente diplomático que gestiona los asuntos concernientes a su cargo. También s. m. y s. f.

negociante *com.* Comerciante.

negociar *v. intr.* **1.** Tratar y comerciar, comprando, vendiendo o cambiando géneros, mercaderías o valores. ‖ *v. tr.* **2.** Ajustar el traspaso o descuento de un efecto, vale o letra comercial. **3.** Tratándose de valores, descontarlos. **4.** Tratar asuntos públicos o privados procurando su mejor logro. También intr. **5.** Tratar por la vía diplomática, de potencia a potencia, un asunto, como un tratado de alianza, de comercio, etc. También intr.

negocio *s. m.* Cualquier ocupación hecha por lucro o interés.

negra *s. f.* Pez de la familia de los escuálidos,. Su piel se utiliza como la de la lija, denominación con la que también se le conoce.

negral *adj.* **1.** Que tira a negro. **2.** *And. y Cast.* Se dice del pino marítimo para diferenciarlo del pino piñonero cuya corteza es más clara. ‖ *s. m.* **3.** Moradura o equimosis.

negrear *v. intr.* Tirar a negro.

negrecer *v. intr.* Ponerse negro. También prnl.

negrero, ra *adj.* **1.** Se decía de la persona que se dedicaba a la trata de esclavos de raza negra. También s. m. y s. f. ‖ *s. m. y s. f.* **2.** *fig.* Por ext., persona cruel e inhumana.

negreta *s. f.* Ave palmípeda de medio metro de largo, que vive en las orillas del mar y se alimenta de pececillos.

negrilla *s. f.* Hongos parásito que atacan a los olivos, naranjos y limoneros.

negrillo *s. m.* Olmo, árbol.

negro, gra *adj.* **1.** De color totalmente oscuro, como el carbón. **2.** Se dice de la persona perteneciente a la raza negra.

negrura *s. f.* Hongo parásito del olivo perteneciente al género torula.

negruzco, ca *adj.* De color moreno, algo negro.

neguijón *s. m.* Enfermedad de los dientes, que los carcome y pone negros.

neguilla *s. f.* Planta cariofilácea, lanuginosa y fosforescente, de flores rojizas.

neguillón *s. m.* Neguilla, planta de la familia de las cariofiláceas. Es muy frecuente en los campos de cereales, en los que impurifica el trigo, haciendo nociva su harina por contener saponinas tóxicas.

neis *s. m.* Gneis.

nema *s. f.* Cierre o sello de una carta.

nematelminto *adj.* Se dice del gusano de cuerpo cilíndrico o fusiforme y no segmentado, desprovisto de apéndi-

ces locomotores, en forma de cordón muy delgado y carente de vasos sanguíneos. Se usa más como s. m.

némesis *s. f., fig.* Castigo.

nemoroso, sa *adj., poét.* Perteneciente o relativo al bosque.

nemotecnia *s. f.* Mnemotécnia.

nemotécnica *s. f.* Mnemotécnica.

nemotécnico, ca *adj.* Mnemotécnico.

nene, na *s. m. y s. f., fam.* Niño pequeño.

nenúfar *s. m.* Planta acuática ninfeácea, de rizoma largo y nudoso, fijo al fondo de los estanques, lagos o ríos en que habitan; su fruto es capsular.

neo *s. m.* Neón, gas noble que está contenido en proporción muy pequeña en el aire atmosférico. Es incoloro y se halla mezclado con el argón.

neo- *elem. compos.* Reciente, nuevo.

neoclásico, ca *adj.* Se dice del arte o estilo modernos que tratan de imitar los usados antiguamente en Grecia o Roma.

neodimio *s. m.* Metal de color blanco plateado y muy brillante que se encuentra combinado con el cerio, el lantano y otros metales raros.

neófito, ta *s. m. y s. f.* **1.** Persona, especialmente adulta, recién bautizada o admitida recientemente al estado eclesiástico o religioso. **2.** Persona recientemente afiliada a una causa o incorporada a un colectivo o asociación.

neofobia *s. f.* Horror a todo lo nuevo.

neolatino, na *adj.* Que procede o se deriva de los latinos o de la lengua latina.

neolector, ra *s. m. y s. f.* Persona alfabetizada recientemente.

neolítico, ca *adj.* **1.** (ORT.: may. inicial) Perteneciente o relativo a la segunda Edad de Piedra, o sea la de la piedra pulimentada, que sigue al Paleolítico y que se desarrolló entre los años 5000 y 2000 a. C. También s. m. **2.** Perteneciente o relativo este periodo.

neológico, ca *adj.* Perteneciente o relativo al neologismo.

neologismo *s. m.* Vocablo, acepción o giro nuevo en una lengua determinada.

neólogo, ga *s. m. y s. f.* Persona que emplea neologismos.

neomenia *s. f.* Primer día de la Luna o Luna nueva.

neón *s. m.* Neo, gas noble, poco activo, que se encuentra en el aire, incoloro e inodoro.

neonato, ta *s. m. y s. f.* Recién nacido.

neoplasia *s. f.* Formación anormal de un tejido cuyos elementos sustituyen invasoramente a los de los tejidos normales.

neoplasma *s. f.* Tejido celular anormal de nueva formación.

neopreno *s. m.* Primer caucho sintético comercial.

neorama *s. m.* Especie de panorama en el que se representa el interior de un edificio.

neozoico, ca *adj.* Era terciaria.

neperiano *adj.* Perteneciente o relativo al matemático inglés J. Neper. Se aplica especialmente a los logaritmos inventados por este matemático.

nepote *s. m.* Pariente y privado del Papa.

nepotismo *s. m.* Favoritismo hacia los parientes para las gracias o empleos públicos.

neptuniano, na *adj.* Neptúnico.

neptúnico, ca *adj.* Se dice de los terrenos y de la rocas que se han formado en el seno de las aguas, sean marinas o lacustres.

neptuno *s. m., poét.* El mar.

nequáquam *adv. neg., fam.* En modo alguno, de ninguna manera.

nequicia *s. f.* Maldad, perversidad.

nereida *s. f.* Cualquiera de las ninfas que residían en el mar y eran jóvenes hermosas de medio cuerpo para arriba y como peces en lo restante.

nerita *s. f.* Nombre que se da a varias especies de moluscos gasterópodos marinos, todas comestibles, abundantes entre las peñas de las costas españolas.

nerítico, ca *adj.* **1.** Se dice del medio acuático de la zona que sigue inmediatamente a la litoral: las aguas son poco profundas, la luz solar llega hasta el fondo y la fotosíntesis se realiza en toda su extensión. **2.** Se dice de la orilla marina comprendida entre la orilla y los 200 m de profundidad.

nerítidos *s. m. pl.* Familia de moluscos gasterópodos de concha globulosa o algo cónica, de cabeza ancha, tentáculos largos, ojos pedunculados y pie ovalado, que viven en los mares calientes y templados.

nerol *s. m.* Alcohol superior no saturado, que se encuentra en la naturaleza en la rosa, azahar, bergamota, etc.

neroli *s. m.* Producto que se obtiene destilando flores de distintos naranjos, en particular las del naranjo amargo.

nerón *s. m., fig.* Hombre muy cruel.

nervado, da *adj.* Provisto de nervios.

nervadura *s. f.* **1.** Nervio, arco que sirve para formar la estructura de las bóvedas góticas. **2.** Conjunto de los nervios de una hoja.

nérveo, a *adj.* Perteneciente o relativo a los nervios o que se asemeja a ellos.

nerviación *s. f.* Nervadura de una hoja.

nervio *s. m.* **1.** Cada uno de los órganos en forma de cordón blanquecino que, partiendo del cerebro, la médula espinal u otros centros, se distribuyen por todas las partes del cuerpo, conduciendo los impulsos nerviosos.

2. Cualquier tendón o tejido blanco, duro y resistente. **3.** Haz fibroso que, en forma de hilo o cordoncillo, corre a lo largo de las hojas de las plantas por su envés. **4.** *fig.* Fuerza o vigor. **5.** Arco que, cruzándose con otro u otros, forma la bóveda de crucería. Es elemento característico del estilo gótico.

nerviosidad *s. f.* Estado pasajero de excitación nerviosa.

nerviosismo *s. m.* Nerviosidad, excitación.

nervioso, sa *adj.* **1.** Que tiene nervios. **2.** Perteneciente o relativo a los nervios. **3.** Se aplica a la persona cuyos nervios fácilmente se excitan.

nervosidad *s. f.* Fuerza y actividad de los nervios.

nervudo, da *adj.* **1.** Que tiene fuertes y robustos nervios. **2.** Que tiene muy desarrollados los tendones y músculos. **3.** *fig.* Fuerte, vigoroso.

nesciencia *s. f.* Ignorancia, falta de ciencia.

nesciente *adj.* Que no sabe.

nesga *s. f.* Pieza de lienzo o paño de forma triangular que se añade a un vestido para darle vuelo.

nesgado, da *adj.* Que tiene nesgas.

nesgar *v. tr.* Cortar una tela en dirección oblicua a la de sus hilos.

neto, ta *adj.* **1.** Limpio y puro. **2.** Que resulta líquido en la suma, precio o valor de una cosa después de comparar el cargo con la data.

neuma *s. m.* Signo usado para escribir la música antes del sistema actual.

neumático, ca *adj.* **1.** Se dice de varios aparatos destinados a operar con el aire. || *s. m.* **2.** Tubo de goma que, lleno de aire comprimido, sirve de llanta a las ruedas de los automóviles, bicicletas, etc.

neumococo *s. m.* Diplococo que es el agente patógeno de algunas pulmonías.

neumogástrico *s. m.* Nervio que se extiende desde el bulbo a las cavidades del tórax y el abdomen, y forma el décimo par craneal, llamado también vago.

neumología *s. f.* Estudio o tratado de las enfermedades de los pulmones o de las vías respiratorias en general.

neumonía *s. f.* Pulmonía.

neumónico, ca *adj.* **1.** Perteneciente o relativo al pulmón. **2.** Que padece neumonía. También s. m. y s. f.

neumotórax *s. m.* Acumulación natural o provocada de aire u otros gases en la cavidad de la pleura.

neura *s. f., fam.* Obsesión.

neuralgia *s. f.* Dolor vivo a lo largo de un nervio y de sus ramificaciones.

neurálgico, ca *adj.* Perteneciente o relativo a la neuralgia.

neurastenia *s. f.* Enfermedad producida por debilidad nerviosa, caracterizada por una depresión de las fuerzas vitales, entre otros síntomas.

neurasténico, ca *adj.* Se dice de la persona que padece neurastenia. También s. m. y s. f.

neuritis *s. f.* Lesión inflamatoria o degenerativa de un nervio.

neuroesqueleto *s. m.* Conjunto de los huesos protectores de la porción céntrica del sistema nervioso en los vertebrados.

neurología *s. f.* Parte de la anatomía que estudia el sistema nervioso y sus enfermedades.

neurólogo, ga *s. m. y s. f.* Médico dedicado especialmente al estudio del sistema nervioso.

neuroma *s. f.* Tumor circunscrito formado por tejido nervioso y acompañado de intenso dolor.

neurona *s. f.* Célula nerviosa con prolongaciones protoplasmáticas, constituyente del sistema nervioso.

neurópata *com.* Persona que padece enfermedades nerviosas.

neuropatía *s. f.* Afección nerviosa.

neuróptero, ra *adj.* Se dice de los insectos masticadores, de cabeza redonda, cuerpo prolongado y no muy consistente, y cuatro alas membranosas y reticulares, como la libélula. También s. m.

neurosis *s. f.* Enfermedad nerviosa.

neurótico, ca *adj.* Perteneciente o relativo a la neurosis.

neuston *s. m.* Conjunto de organismos de pequeño tamaño que viven en la superficie de las aguas.

neutonio *s. m.* Unidad de fuerza basada en el metro, el kilogramo, el segundo y el amperio, equivalente a cien mil dinas.

neutral *adj.* **1.** Que, entre dos partes que contienden, no es ni de una ni de otra; se dice de personas y cosas. **2.** Tratándose de una nación, Estado o de sus súbditos, se dice de los que no toman parte en la guerra movida por otros o se acogen al sistema de obligaciones y derechos inherentes a tal actitud; se distingue de la no beligerancia en que, en esta situación, el país que la posee se abstiene solamente de la intervención armada, pero puede influir en favor de uno de los bandos contendientes. También com.

neutralidad *s. f.* Cualidad de neutral.

neutralismo *s. m.* Sistema político que defiende la neutralidad, sobre todo en los conflictos internacionales.

neutralista *adj.* Relativo al neutralismo o partidario del mismo.

neutralización *s. f.* **1.** Acción y efecto de neutralizar o neutralizarse. **2.** Acción de dar un estatuto de no beligerancia. **3.** Anulación de efectos perjudiciales en circuitos eléctricos.

neutralizar *v. tr.* **1.** Hacer neutral un estado o territorio. También prnl. **2.** Reducir o vencer a un atacante o contrincante. **3.** *fig.* Debilitar el efecto de una causa por la concurrencia de otra opuesta. También prnl. **4.** *fig.* Hacer neutra una sustancia.

neutrino *s. m.* Partícula eléctricamente neutra y cuya masa es inapreciable.

neutro, tra *adj.* **1.** Se dice del compuesto químico en que no predominan las propiedades de ninguno de sus elementos. **2.** Se dice del cuerpo que posee cantidades iguales de electricidad positiva y negativa. **3.** Se dice de algunos animales que no tienen sexo.

neutrón *s. m.* Uno de los tres constituyentes corpusculares del núcleo atómico, de carga eléctrica nula.

nevada *s. f.* Cantidad de nieve caída de una vez y sin interrupción sobre la tierra.

nevadilla *s. f.* Hierba de tallos vellosos, hojas puntiagudas, flores pequeñas y verdosas.

nevado, da *adj.* **1.** Cubierto de nieve. || *s. m.* **2.** *amer.* Montaña cubierta de nieves perpetuas.

nevar *v. intr.* Caer nieve.

nevasca *s. f.* **1.** Acción de nevar. **2.** Nevada. **3.** Ventisca de nieve.

nevatilla *s. f.* Aguzanieves.

nevazón *s. m., Arg., Chil. y Ec.* Nevasca, temporal de nieve.

nevera *s. f.* **1.** Sitio en que se guarda o conserva nieve. **2.** Armario frigorífico para el enfriamiento o conservación de alimentos y bebidas.

nevero *s. m.* Paraje de las montañas elevadas donde se conserva la nieve todo el año.

nevisca *s. f.* Nevada corta de copos menudos.

neviscar *v. intr.* Nevar ligeramente.

nevoso, sa *adj.* **1.** Que frecuentemente lo cubre la nieve. **2.** Se dice del temporal que está dispuesto para nevar.

newton *s. m.* **1.** Unidad de fuerza, equivalente a la fuerza que comunica una aceleración de un metro por segundo a una masa de un kilogramo. **2.** Nombre del neutonio en la nomenclatura internacional.

nexo *s. m.* Nudo, unión o vínculo de una cosa con otra.

ni *conj. cop.* Cópula que enlaza vocablos o frases, denotando negación, precedida o seguida de otra u otras.

niara *s. f.* Especie de pajar hecho en el campo, que se forma con un montón de paja cubierta de hierbas, para protegerla, y en cuyo interior se suele conservar el grano.

nicho *s. m.* Concavidad en el espesor de un muro.

nicociana *s. f.* Tabaco, planta.

nicol *s. m.* Prisma destinado a polarizar la luz.

nicotina *s. f.* Alcaloide venenoso, sin oxígeno, líquido, oleaginoso, que se extrae del tabaco.

nicotismo *s. m.* Conjunto de trastornos morbosos producidos por el abuso del tabaco.

nictálope *adj.* Se dice de la persona o animal que ve mejor de noche que de día. También com.

nictalopía *adj.* **1.** Enfermedad de la persona que, viendo bien de día, ve poco o nada por la noche o con luz débil. **2.** Por error y más comúnmente, enfermedad de la persona que ve mejor de noche que de día.

nictitante *adj.* Se dice de la membrana casi transparente que forma el tercer párpado de las aves.

nidada *s. f.* Conjunto de los huevos puestos en el nido.

nidal *s. m.* Lugar donde las gallinas u otras aves domésticas suelen poner sus huevos.

nidificar *v. intr.* Hacer nidos las aves.

nido *s. m.* **1.** Especie de lecho, de formas y materiales distintos, que forman las aves para poner sus huevos y criar los pollos. **2.** Por ext., cavidad, agujero o conjunto de celdillas donde procrean otros animales. **3.** *fig.* Casa, patria o habitación de alguien.

niebla *s. f.* Nube en contacto con la Tierra y que oscurece más o menos la atmósfera.

niel *s. m.* Labor en hueco sobre metales preciosos, rellena con esmalte negro.

nielar *v. tr.* Adornar con nieles.

nieto, ta *s. m. y s. f.* Respecto de una persona, hijo o hija de su hijo o de su hija.

nieve *s. f.* Agua helada que se desprende de las nubes, en forma de pequeños cristales, los cuales, agrupándose al caer, llegan al suelo en copos blancos.

nigromancia *s. f.* Arte supersticioso de adivinar lo futuro evocando a los muertos.

nigromante *com.* Persona que ejerce la nigromancia.

nigromántico, ca *adj.* Perteneciente o relativo a la nigromancia.

nigua *s. f., amer.* Insecto americano y africano parecido a la pulga, pero más pequeño y de trompa más larga. Las hembras fecundadas penetran bajo la piel de los animales y de las personas, principalmente en los pies, y allí depositan la cría, que ocasiona mucha picazón y úlceras graves.

nihilidad *s. f.* Condición de no ser nada.

nihilismo *s. m.* Doctrina que niega la existencia de toda creencia o realidad sustancial.

nihilista *adj.* Que profesa el nihilismo. También com.

nilón *s. m.* Nailon.

nimbar *v. tr.* Rodear de nimbo o aureola una figura o imagen.

nimbo *s. m.* **1.** Aureola, disco luminoso de las cabezas de las imágenes. **2.** Capa de nubes formada por cúmulos.

nimiedad *s. f.* **1.** Exceso, demasía. **2.** Prolijidad, minuciosidad.

nimio, mia *adj.* **1.** Excesivo, exagerado; en general, se dice de las cosas no materiales. **2.** Prolijo, minucioso.

ninfa *s. f.* Cualquiera de las fabulosas deidades de las aguas, bosques, selvas, etc., representadas por mujeres.

ninfea *s. f.* Género de plantas de la familia de las Ninfeáceas.

ninfeáceo, a *adj.* Se dice de plantas dicotiledóneas acuáticas, con rizoma rastrero y carnoso, hojas grandes, flotantes y de pecíolo largo y flores regulares, con muchos pétalos; como el nenúfar y el loto. También s. f.

ninfómana *s. f.* Mujer que padece ninfomanía.

ninfomanía *s. f.* Exagerado deseo o apetito sexual en la mujer.

ningún *adj.* Apócope de ninguno.

ninguno, na *adj. indef.* Ni uno solo de aquello que significa el sustantivo al que acompaña.

ninot *s. m.* Muñeco de proporciones regulares, que se pone en las calles de Valencia durante las Fallas.

niña *s. f.* Pupila del ojo.

niñada *s. f.* Dicho o hecho impropio de la edad adulta, sin advertencia ni reflexión.

niñato, ta *s. m. y s. f.* **1.** Persona inexperta, especialmente los jóvenes. **2.** *desp.* Persona que habla y actúa irreflexivamente o con mala educación.

niñear *v. intr.* Hacer niñadas o portarse alguien como si fuera un niño.

niñero, ra *s. m. y s. f.* Persona que cuida niños por oficio.

niñería *s. f., fig.* Hecho o dicho de poca entidad o sustancia.

niñero, ra *adj.* Que gusta de niños o de niñerías.

niñeta *s. f.* Pupila, niña del ojo.

niñez *s. f.* Primer periodo de la vida humana, desde el nacimiento hasta la adolescencia.

niño, ña *s. m. y s. f.* **1.** Persona que se halla en la niñez. ‖ *adj.* **2.** Por ext., que tiene pocos años. **3.** *fig. y desp.* Que tiene poca experiencia y que obra con poca reflexión y advertencia.

niobio *s. m.* Metal muy raro, pulverulento, de color gris de acero, que se asemeja al tantalio y le acompaña en ciertos minerales.

nipis *s. m.* Tejido fino casi transparente y de color amarillento, fabricado con las fibras más tenues sacadas de los pecíolos de las hojas del abacá en Filipinas.

níquel *s. m.* Metal duro, magnético, dúctil, de color y brillo semejante a los de la plata, algo más pesado que el hierro, difícil de fundir y de oxidar.

niquelado *s. m.* Acción y efecto de niquelar.

niquelar *v. tr.* Cubrir con un baño de níquel otro metal.

niquelina *s. f.* Arseniato natural de níquel rojo.

niqui *s. m.* Especie de blusa de punto.

nirvana *s. m.* En el budismo, suprema y eterna beatitud consistente en una existencia despojada de todo atributo corpóreo.

níscalo *s. m.* Hongo comestible que crece en los pinares.

níspero *s. m.* Árbol rosáceo, de tronco tortuoso, delgado y con ramas abiertas; hojas grandes, flores blancas axilares y fruto aovado del mismo nombre.

níspola *s. f.* Fruto del níspero, blando, pulposo, dulce y comestible cuando está pasado.

nistagmo *s. m.* Movimiento inconsciente y rápido del globo ocular, ocasionado por afección del cerebelo.

nitidez *s. f.* Cualidad de nítido.

nítido, da *adj.* Limpio, claro, resplandeciente.

nitral *s. m.* Criadero de nitro.

nitrato *s. m.* Compuesto derivado de la combinación del ácido nítrico con una sal.

nitrería *s. f.* Lugar o sitio donde se recoge, extrae o beneficia el nitro.

nítrico, ca *adj.* Perteneciente o relativo al nitro o al nitrógeno.

nitrificación *s. f.* Transformación en nitratos del amoniaco y sus sales.

nitrificante *adj.* Se dice del microorganismo que vive en las raíces de las leguminosas y otras plantas, y tiene la propiedad de transformar y fijar el nitrógeno atmosférico.

nitrificar *v. tr.* Fijar los microorganismos en la tierra el nitrógeno de la atmósfera.

nitrilo *s. m.* Compuesto orgánico derivado del cianuro de hidrógeno.

nitro *s. m.* Nitrato potásico que se encuentra en forma de agujas o de polvillo blanquecino en la superficie de los terrenos húmedos y salados.

nitrogenado, da *adj.* Que contiene nitrógeno.

nitrógeno *s. m.* Elemento gaseoso, incoloro, transparente, insípido e inodoro, que constituye las cuatro quintas partes del aire atmosférico.

nitroglicerina *s. f.* Líquido pesado, aceitoso, inodoro y explosivo, que resulta de la acción del ácido nítrico en la glicerina.

nitrosidad *s. f.* Cualidad de nitroso.

nitroso, sa *adj.* Que tiene nitro o se le parece en alguna de sus propiedades.

nivel *s. m.* Aparato para averiguar la diferencia de altura entre dos puntos o comprobar si tienen la misma.

nivelación *s. f.* Acción y efecto de nivelar.

nivelar *v. tr.* **1.** Echar el nivel para ver la condición de horizontalidad. **2.** Poner un plano en la posición horizontal justa y, por extensión, poner a igual altura dos o más cosas. **3.** *fig.* Igualar o proporcionar una cosa con otra material o inmaterial. También prnl.

níveo, a *adj.* De nieve o semejante a ella.

nivoso, sa *s. f.* **1.** Nevoso, que frecuentemente tiene nieve. **2.** Cuarto mes del año del calendario republicano francés.

no *adv. neg.* **1.** Con este sentido se emplea principalmente respondiendo negativamente a una pregunta. **2.** En una frase, se aplica al verbo para indicar la falta de lo significado por él. **3.** En una frase, se aplica al verbo para indicar la falta de lo significado por él. **4.** Antecede al verbo a que sigue el adverbio *nada* u otro vocablo que exprese negación. **5.** En sentido interrogativo, suele emplearse como reclamando o pidiendo contestación afirmativa. **6.** En frases seguido de la preposición *sin*, forma con ella sentido afirmativo. **7.** Se usa repetido para dar más fuerza a la negación.

nobiliario, ria *adj.* Se dice del libro que trata de la nobleza.

noble *adj.* **1.** Preclaro, ilustre, generoso. **2.** Se dice de la persona y, por extensión, de sus parientes, que por su nacimiento o por gracia del príncipe tiene algún título del reino que la distingue de las demás.

nobleza *s. f.* Conjunto o cuerpo de los nobles de una región o Estado.

noblote, ta *adj.* Que procede con nobleza.

noca *s. f.* Crustáceo marino, parecido a la centolla, de caparazón fuerte y muy convexo. Es comestible y vive en las costas de España.

nocaut *s. m.* En boxeo, fuera de combate.

noceda *s. f.* Sitio plantado de nogales, nogueral.

noche *s. f.* Tiempo comprendido entre la puesta y la salida del Sol.

Nochebuena *n. p.* Noche de la víspera de Navidad.

Nochevieja *n. p.* La última del año.

nocible *adj.* Nocivo, pernicioso, dañino.

noción *s. f.* Conocimiento o idea que se tiene de una cosa.

nocional *adj.* Relativo a la noción.

nocividad *s. f.* Calidad de dañoso o nocivo.

nocivo, va *adj.* Dañoso, perjudicial.

noctambulismo *s. m.* Cualidad de noctámbulo.

noctámbulo, la *adj.* Se dice de la persona que anda vagando durante la noche.

noctiluco, ca *adj.* **1.** Que luce en la oscuridad. ‖ *s. f.* **2.** Luciérnaga, sapito de luz. **3.** Protozoo con un solo flagelo, marino, de cuerpo voluminoso y esférico, cuyo protoplasma contiene numerosas partículas de grasa que al oxidarse producen fosforescencia.

nocturnidad *s. f.* Circunstancia agravante de responsabilidad, resultante de ejecutarse de noche ciertos delitos.

nocturno, na *adj.* **1.** Perteneciente o relativo a la noche, o que se hace en ella. ‖ *s. m.* **2.** Composición de melodía dulce y de carácter poético referente a la noche.

nodación *s. f.* Impedimento ocasionado por un nodo en el juego de una articulación o en la movilidad de un tendón o ligamento.

nodátil *adj.* Se dice de la juntura que forman dos huesos entrando la cabeza o nudo de uno en la cavidad del otro, y que sirve para el movimiento.

nodo *s. m.* Cada uno de los dos puntos opuestos en que la órbita de un astro corta la Eclíptica.

nodriza *s. f.* Mujer que da de mamar a una criatura ajena, ama de cría.

nódulo *s. m.* **1.** Concreción de poco volumen. **2.** Mineral o agregado de minerales de forma elipsoidal.

noesis *s. f.* Visión intelectual, pensamiento.

nogal *s. m.* Árbol juglandáceo, de tronco corto y robusto, copa grande; hojas puntiagudas dentadas y de olor aromático; flores blanquecinas y por fruto la nuez.

nogalina *s. f.* Color obtenido de la cáscara de la nuez, usado para pintar imitando el color de nogal.

noguera *s. f.* Nogal.

nogueral *s. m.* Sitio plantado de nogales.

nolición *s. f.* Acto de no querer.

noluntad *s. f.* Acto de no querer, nolición.

noma *s. f.* Gangrena de la mucosa de las mejillas que se manifiesta en niños durante el curso de las enfermedades infecciosas.

nómada *adj.* Se dice del individuo, familia, pueblo o especie animal que anda vagando sin domicilio fijo.

nomadismo *s. m.* Estado social y económico de las épocas primitivas o de los pueblos de asentamientos inhóspitos que consiste en fijar su residencia según las necesidades del momento.

nombradía *s. f.* Notoriedad, reputación.

nombrado, da *adj.* Célebre, famoso.

nombramiento *s. m.* Documento en que consta un nombramiento para un cargo u oficio.

nombrar *v. tr.* **1.** Decir el nombre o mencionar a una persona o cosa. **2.** Hacer mención particular de alguien o algo.

nombre *s. m.* **1.** Palabra que se aplica a una persona o cosa para distinguirla de las demás. **2.** Sobrenombre que se da a alguien.

nomenclátor *s. m.* Catálogo de nombres, de pueblos, de sujetos o de voces técnicas de una ciencia o facultad.

nomenclatura *s. f.* **1.** Lista o catálogo. **2.** Conjunto de voces técnicas de una ciencia o facultad.

nomeolvides *s. f.* **1.** Flor de la raspilla. **2.** Pulsera que lleva el nombre grabado.

nómina *s. f.* **1.** Lista o catálogo de nombres de personas o cosas. **2.** Relación nominal de los individuos que en una oficina han de percibir haberes. **3.** Estos haberes.

nominación *s. f.* Acción y efecto de nombrar.

nominal *adj.* Que tiene nombre de una cosa y le falta la realidad de ella en todo o en parte.

nominar *v. tr.* Dotar de nombre a una persona o cosa, nombrar.

nominativo, va *adj.* **1.** Se aplica a los títulos e inscripciones del Estado o de las sociedades mercantiles que han de extenderse o llevar el nombre de su propietario, en oposición a los que son al portador. ‖ *s. m.* **2.** Caso de la declinación que designa el sujeto de la oración y no lleva preposición.

nominilla *s. f.* En las oficinas, autorización que se entrega a los que cobran como pasivos para que, presentándola, puedan percibir su haber.

nómino *s. m.* Sujeto capaz de ejercer en la república los empleos y cargos honoríficos por nominación que se hace para ellos de su persona.

nomografía *s. f.* Tratado sobre las leyes.

nomograma *s. m.* Representación gráfica de una nomografía.

non *adj.* Impar. También com.

nona *s. f.* Última de las cuatro partes iguales en que dividían los romanos el día artificial.

nonada *s. f.* Cosa sin importancia.

nonagenario, ria *adj.* Que ha cumplido la edad de noventa años y no llega a la de cien.

nonagésimo, ma *adj. num.* **1.** Se dice de cada una de las 90 partes iguales en que se divide un todo. También s. m. **2.** Que ocupa el último lugar en una serie ordenada de 90.

nonágono, na *adj.* Se dice del polígono de nueve ángulos y nueve lados. También s. m.

nonato, ta *adj.* **1.** No nacido naturalmente, sino extraído del claustro materno mediante la operación cesárea. **2.** Algo que aún no ha sucedido o que todavía no existe.

noningentésimo, ma *adj. num.* Se dice de cada una de las 900 partes iguales en que se divide un todo.

nonio *s. m.* Pieza de varios instrumentos matemáticos y que se aplica sobre una regla o limbo graduados, a fin de apreciar las fracciones de las divisiones menores de la graduación.

nono, na *adj. num.* Noveno.

non plus ultra *expr. lat.* que se usa en castellano como sustantivo masculino para ponderar las cosas, exagerándolas y levantándolas a lo más que pueden llegar.

nónuplo, pla *adj. num.* Que contiene un número exactamente nueve veces. También s. m.

nopal *s. m.* Planta cactácea, con tallos formados por paletas ovales, erizadas de espinas que representan las hojas, flores grandes, y por fruto el higo chumbo o tuna.

nopaleda *s. f.* Terreno poblado de nopales.

nopalera *s. f.* Nopaleda.

noque *s. m.* Pequeño estanque o pozuelo en que se ponen a curtir las pieles.

noquear *v. tr.* En boxeo, dejar fuera de combate.

noquero *s. m.* Curtidor.

Nordeste *s. m.* Punto del horizonte situado a igual distancia del Norte y del Este.

nórdico, ca *adj.* Se dice de los pueblos germánicos del norte de Europa. También s. m. y s. f.

noria *s. f.* Máquina compuesta de dos grandes ruedas, una horizontal, a manera de linterna, movida por una palanca, y otra vertical, que engrana en la primera y lleva colgada una maroma con arcaduces para sacar agua de un pozo.

noriega *s. f.* Pez marino seláceo, de la familia de las rayas, de gran tamaño y cuerpo romboidal cubierto de espinas.

norma *s. f.* **1.** Escuadra que usan los artífices para arreglar maderas, piedras, etc. **2.** *fig.* Regla que se debe seguir o a que se deben ajustar las operaciones, conductas, etc.

normal *adj.* **1.** Que se halla en su estado natural. **2.** Se dice de lo que por su naturaleza, forma o magnitud se ajusta a ciertas normas fijadas de antemano. **3.** Que sirve de norma o regla.

normalidad *s. f.* Cualidad o condición de normal.

normalización *s. f.* Acción y efecto de normalizar.

normalizar *v. tr.* Poner en buen orden lo que no lo estaba.

normativo, va *adj.* **1.** Normal, que sirve de norma. ‖ *s. f.* **2.** Conjunto de normas aplicables a una determinada materia o actividad.

norte *n. p.* **1.** (ORT.: may. inicial) Punto cardinal que cae frente a un observador a cuya derecha da el Oriente. ‖ *s. m.* **2.** *fig.* Dirección, guía, por alusión a la estrella polar, que sirve de guía a los navegantes.

norteño, ña *adj.* Perteneciente o relativo a personas, tierras o cosas situadas hacia el norte.

nórtico, ca *adj.* Perteneciente o relativo al Norte.

nos *pron. pers.* Forma átona del pronombre personal de primera persona, género masculino o femenino y número plural, que puede funcionar como complemento directo o como complemento indirecto.

nosocomio *s. m.* Hospital de enfermos.

nosogenia *s. f.* Origen y desarrollo de las enfermedades.

nosografía *s. f.* Parte de la nosología que trata de la descripción de las enfermedades.

nosología *s. f.* Parte de la medicina que tiene por objeto diferenciar, describir y clasificar las enfermedades.

nosológico, ca *adj.* Perteneciente o relativo a la nosología.

nosotros, tras *pron. pers.* Forma átona del pronombre personal de primera persona, género masculino o femenino y número plural, que puede funcionar como sujeto o como pronombre con preposición.

nostalgia *s. f.* Pena de verse ausente de la patria o de los deudos o amigos.

nostálgico, ca *adj.* Perteneciente o relativo a la nostalgia.

nota *s. f.* **1.** Marca o señal que se pone en una cosa para darla a conocer. **2.** Advertencia, comentario, etc., que en impresos o manuscritos va fuera de texto. **3.** Calificación de un tribunal de exámenes. **4.** Noticia breve de un hecho que aparece en la prensa escrita. **5.** Cuenta, factura. **6.** Cualquiera de los signos de que usan los músicos para representar los sonidos. **7.** Mensaje breve escrito que no tiene forma de carta.

nota bene *loc. lat.* que significa «nota, observa o repara bien». Se emplea con el fin de llamar la atención hacia alguna particularidad, y generalmente en su abreviatura *N. B.*

notabilidad *s. f.* Persona notable por sus cualidades o méritos.

notable *adj.* **1.** Digno de nota, reparo, atención o cuidado. **2.** En la calificación de exámenes, nota inmediatamente inferior a la de sobresaliente.

notación *s. f.* Representación por medio de un sistema de signos convencionales.

notar *v. tr.* **1.** Señalar una cosa para que se conozca o se advierta. **2.** Reparar, observar o advertir.

notaría *s. f.* Profesión de notario.

notariado, da *adj.* Se dice de lo autorizado ante notario.

notarial *adj.* Perteneciente o relativo al notario.

notariato *s. m.* Título o nombramiento de notario.

notario, ria *s. m. y s. f.* Funcionario público autorizado para dar fe de los contratos, testamentos y otros actos extrajudiciales, conforme a las leyes.

noticia *s. f.* **1.** Noción, conocimiento elemental. **2.** Suceso que se comunica.

noticiar *v. tr.* Dar noticia o hacer saber una cosa.

noticiario *s. m.* Programa de radio o de televisión en que se transmiten noticias.

noticiero, ra *adj.* **1.** Que da noticias. ‖ *s. m. y s. f.* **2.** Persona que da noticias por oficio.

notición *s. m., fam.* Noticia extraordinaria o poco digna de crédito.

noticioso, sa *adj.* Sabedor o que tiene noticia de una cosa.

notificación *s. f.* Documento en que se hace constar.

notificar *v. tr.* Hacer saber una resolución de la autoridad con las formalidades preceptuadas para el caso.

notificativo, va *adj.* Que sirve para notificar.

noto *s. m.* **1.** Austro, viento del sur. **2.** Sur, punto cardinal.

notocordio *s. m.* Cuerda dorsal o columna vertebral que tienen los animales del tipo de los cordados.

notoriedad *s. f.* Nombradía, fama.

notorio, ria *adj.* Público y sabido de todos.

nova *s. f.* Estrella temporaria cuyo brillo experimenta bruscas variaciones.

novación *s. f.* Acción y efecto de novar.

novador, ra *adj.* Inventor de novedades.

noval *adj.* Se aplica a la tierra que se cultiva de nueva, y también a las plantas y frutos que esta produce.

novar *v. tr.* Sustituir una obligación a otra otorgada anteriormente, la cual queda anulada con este acto.

novatada *s. f.* Broma y molestias causadas a los alumnos en las academias, colegios, ejército, etc., por los veteranos a los novatos, quintos, etc.

novato, ta *adj.* Nuevo o principiante en cualquier facultad o materia.

novecientos, tas *adj. num.* Nueve veces ciento. También pron. y s. m.

novedad *s. f.* **1.** Estado de las cosas recién hechas o discurridas, o nuevamente vistas, oídas o descubiertas. **2.** Ocurrencia reciente, noticia. ‖ *s. f. pl.* **3.** Géneros o mercaderías adecuadas a la moda.

novedoso, sa *adj.* Que tiene novedad.

novel *adj.* Novato, sin experiencia.

novela *s. f.* **1.** Obra literaria en prosa de cierta extensión, en que se narra una acción fingida, en todo o en parte, caracteres, personajes, etc. **2.** Género literario constituido por estas narraciones.

novelar *v. intr.* Componer o escribir novelas.

novelería *s. f.* **1.** Afición a novedades. **2.** Afición o inclinación a leer o escribir fábulas o novelas. **3.** Cuentos, fábulas o novedades fútiles.

novelero, ra *adj.* Amigo de novedades, ficciones y cuentos. También s. m. y s. f.

novelesco, ca *adj.* Propio o característico de las novelas.

novelista *com.* Persona que escribe novelas literarias.

novelística *s. f.* Tratado histórico o preceptivo de la novela.

novelón *s. m.* Novela extensa, muy dramática o mal escrita.

novena *s. f.* Ejercicio devoto dedicado a un determinado culto por el espacio de nueve días.

novenario *s. m.* Espacio de nueve días que se dedica a la memoria de un difunto.

noveno, na *adj. num.* Que ocupa el último lugar en una serie ordenada de nueve.

noventa *adj. num.* Nueve veces diez. También pron. y s. m.

noventavo, va *adj. num.* Se dice de cada una de las 90 partes iguales en que se divide un todo. También s. m. y s. f.

noviazgo *s. m.* **1.** Estado o condición de novio o novia. **2.** Tiempo que dura.

noviciado *s. m.* **1.** Tiempo de prueba por el que pasa un religioso antes de profesar órdenes. **2.** Casa en que habitan los novicios.

novicio, cia *s. m. y s. f.* **1.** Religioso que aún no ha profesado. **2.** *fig.* Principiante en cualquier arte, oficio o facultad.

noviembre *s. m.* Undécimo mes del año; consta de 30 días.

novillada *s. f.* Lidia o corrida de novillos.

novillero, ra *s. m. y s. f.* Lidiador de novillos.

novillo, lla *s. m. y s. f.* Toro o vaca de dos o tres años, en especial cuando todavía no están domados.

novilunio *s. m.* Conjunción de la Luna con el Sol.

novio, via *s. m. y s. f.* Persona que va a contraer matrimonio.

novísimo, ma *adj. sup.* de nuevo.

novocaína *s. f.* Derivado de la cocaína, usado como analgésico general.

nubada *s. f.* Golpe abundante de agua.

nubarrado, da *adj.* Se dice de las telas coloreadas en figura de nubes.

nubarrón *s. m.* Nube grande y separada del resto.

nube *s. f.* **1.** Masa de vapor acuoso suspendida en la atmósfera y que por la acción de la luz aparece de color blanco, oscuro o de diverso matiz. **2.** *fig.* Cualquier cosa que oscurece o encubre otra, como lo hacen las nubes con el Sol. **3.** *fig.* Gran cantidad de personas o cosas juntas.

nubífero, ra *adj.* Que trae nubes.

núbil *adj.* Se dice de la persona que ha llegado a la edad en que es apta para el matrimonio.

nubilidad *s. f.* Edad en que hay aptitud para contraer matrimonio.

nublado, da *adj.* **1.** Se aplica al cielo cubierto de nubes. ‖ *s. m.* **2.** Nube, en especial la tempestuosa.

nublar *v. tr.* Anublar. También prnl.

nublo, bla *adj.* **1.** Nubloso. ‖ *s. m.* **2.** Nublado.

nubloso, sa *adj.* Cubierto de nubes.

nubosidad *s. f.* Estado o condición de nuboso.

nuboso, sa *adj.* Nubloso.

nuca *s. f.* Parte alta de la cerviz, correspondiente al lugar en que se une el espinazo con la cabeza.

nuclear *adj.* **1.** Relativo al núcleo, especialmente en física aplicado al del átomo. **2.** *fig.* Referido a la parte fundamental de una cosa.

nucleario, ria *adj.* Perteneciente o relativo al núcleo.

nucleico, ca *adj.* Se dice de los ácidos constituyentes no proteínicos de las nucleoproteínas.

núcleo *s. m.* **1.** Almendra o parte mollar de los frutos de cáscara dura. **2.** Hueso o pepita de las frutas. **3.** *fig.* Elemento primigenio y fundamental al que se unen otros para constituir un todo. **4.** *fig.* Agrupación básica dentro de una multitud. **5.** Masa esferoidal ubicada en el interior de la célula. **6.** Parte o punto central de alguna cosa.

nucléolo *s. m.* Corpúsculo secundario de que consta el núcleo de la célula.

nucleoproteínas *s. f. pl.* Compuestos formados por una proteína y el ácido nucleico.

núcula *s. f.* Fruto seco indehiscente, de pericarpio óseo o coriáceo.

nudillo *s. m.* Cualquiera de las articulaciones de las falanges de los dedos.

nudismo *s. m.* Doctrina que propugna que la desnudez completa es conveniente para un perfecto equilibrio físico y moral.

nudista *adj.* Se dice de la persona que practica el nudismo. También com.

nudo *s. m.* **1.** Lazo que se estrecha y cierra de modo que con dificultad se puede soltar. **2.** En los poemas épico y dramático y en la novela, parte en que los obstáculos complican la marcha de la acción, que precede al desenlace. **3.** Protuberancia en los tejidos de una planta. **4.** Punto donde se cruzan dos o más líneas, nervios, etc. **5.** Refiriéndose a la velocidad de una nave, equivale a milla.

nudosidad *s. f.* Tumefacción en forma de nudo.

nudoso, sa *adj.* Que tiene nudos o nudosidades.

nuera *s. f.* Mujer del hijo, respecto de los padres de este.

nuestro, tra *adj. pos.* Forma del posesivo masculino y femenino de la primera persona del plural. Indica posesión o pertenencia a dos o más personas, incluida la que habla. También pron.

nueva *s. f.* Noticia que no se ha dicho o no se ha oído antes.

nueve *adj. num.* Ocho y uno. También pron. y s. m.

nuevo, va *adj.* Recién hecho o fabricado.

nuez *s. f.* Fruto del nogal.

nueza *s. f.* Planta herbácea cucurbitácea, trepadora, de flores de color verde amarillento y fruto encarnado en baya.

nugatorio *adj.* Engañoso, que burla la esperanza que se había concebido o el juicio que se tenía hecho de él.

nulidad *s. f., fam.* Persona incapaz, inepta.

nulípara *adj.* Se dice de la mujer que no ha tenido hijos.

nulo, la *adj.* Falto de valor y fuerza para obligar o tener efecto legal.

numen *s. m.* Inspiración del escritor o artista.

numerable *adj.* Que se puede reducir a número.

numeración *s. f.* Arte de expresar de palabra o por escrito todos los números con una cantidad limitada de vocablos y de caracteres o guarismos.

numerador *s. m.* Guarismo que señala el número de partes iguales de la unidad que contiene un quebrado.

numeral *adj.* Perteneciente o relativo al número.

numerar *v. tr.* **1.** Contar por el orden de los números. **2.** Marcar con números.

numerario, ria *adj.* **1.** Que es del número o perteneciente a él. ‖ *s. m.* **2.** Moneda acuñada o dinero efectivo.

numérico, ca *adj.* Compuesto o ejecutado con números.

número *s. m.* Expresión de la cantidad computada con relación a una unidad.

numeroso, sa *adj.* Que incluye gran número de personas o cosas.

numerus clausus *expr. lat.* que denota la existencia de un número limitado de plazas.

numismática *s. f.* Ciencia que trata del conocimiento de las monedas y medallas, principalmente de las antiguas.

numular *adj.* Se dice del esputo extendido y redondo como una moneda.

numulario, ria *s. m. y s. f.* Persona que comercia o trata con dinero.

numulita *s. f.* Especie de conchas fósiles pertenecientes a un género de protozoarios raspados, que caracterizan ciertos niveles de los depósitos terciarios inferiores.

nunca *adv. t.* En ningún tiempo.

nunciatura *s. f.* **1.** Dignidad de nuncio. **2.** Tribunal de la Rota de la nunciatura apostólica en España.

nuncio *s. m.* **1.** Persona que lleva aviso o noticia de un sujeto a otro. **2.** Representante diplomático del Papa.

nuncupativo, va *adj.* Se dice del acto que se realiza oral y públicamente aunque después se reduzca a escritura.

nuncupatorio, ria *adj.* Se aplica al escrito con que se dedica una obra, o en que se nombra e instituye a alguien por heredero o se le confiere un empleo.

nupcial *adj.* Perteneciente o relativo a las bodas.

nupcialidad *s. f.* Número proporcional de matrimonios en un tiempo y lugar determinados.

nupcias *s. f. pl.* Boda.

nurse *s. f.* Niñera.

nutación *s. f.* Ligera oscilación periódica del eje de la Tierra.

nutria *s. f.* Mamífero carnívoro de los mustélidos, de cabeza ancha y aplastada, cuerpo delgado, patas cortas, cola larga y gruesa, y pelaje espeso y muy fino.

nutricio, cia *adj.* Nutritivo. Que procura alimento para otra persona.

nutrición *s. f.* Acción y efecto de nutrir o nutrirse.

nutricional *adj.* Propio o relativo a la nutrición.

nutrido, da *adj.* Lleno, alimentado, abundante.

nutrimento *s. m.* **1.** Nutrición. **2.** Sustancia de los alimentos. **3.** *fig.* Causa de aumento, actividad o fuerza de una cosa.

nutrir *v. tr.* Proporcionar a un organismo viviente las sustancias que necesita para su crecimiento y para reparar sus pérdidas. También prnl.

nutritivo, va *adj.* Capaz de nutrir.

nutriz *s. f.* Nodriza.

nylon *s. m.* Nailon.

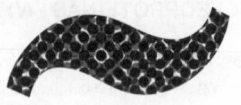

ñ *s. f.* Decimoquinta letra del abecedario español y decimo-segunda de sus consonantes.

ña *s. f., vulg., amer.* Doña.

ñacaniná *s. f., Arg., Bol. y Par.* Víbora grande y venenosa que habita en el Chaco.

ñácaro, ra *adj.* Descarado.

ñachi *s. m., amer.* Guiso elaborado con la sangre cruda de cordero.

ñaco *s. m., Chil.* Gachas de maíz tostado con azúcar o miel.

ñacundá *s. f., Arg.* Nombre vulgar de un ave nocturna que habita en Argentina, de unos 20 cm de longitud y pluma-je pardo.

ñacurutú *s. m., Arg., Par. y Ur.* Ave nocturna parecida a la lechuza, de color amarillento y grisáceo.

ñafitear *v. tr., amer.* Robar.

ñafiteo *s. m., amer.* Robo.

ñafrar *v. tr.* Hilar.

ñagaza *s. f.* Objeto que sirve para atrapar aves.

ñagual *s. m., Méx.* Rodete de hierba o tierra para asentar las ollas o cántaros.

ñame *s. m.* **1.** *amer.* Planta herbácea dioscoreácea, de tallos endebles, hojas grandes, flores pequeñas y ver-dosas, y raíz tuberculosa comestible. Raíz de esta plan-ta. **2.** *fig., Ant., Col. y Ven.* Pie deforme.

ñancu *s. m., vulg., amer.* Aguilucho.

ñandú *s. m.* Ave corredora, parecida al avestruz, que se diferencia de esta por tener tres dedos en cada pie y ser algo más pequeña y de plumaje gris.

ñandubay *s. m., Arg., Bol. y Par.* Árbol de la familia de las mimosáceas, de madera rojiza muy dura, utilizada para diversos fines.

ñandutí *s. m., Amér. del S.* Tejido muy fino que imita el de la telaraña. Se utiliza para toda clase de ropa blan-ca.

ñanga *s. m.* **1.** *amer.* Fango. **2.** *amer.* Pizca. **3.** *Ec.* Raíz del mangle.

ñango, ga *adj., amer.* Desgarbado.

ñaña *s. f.* **1.** *Chil. y P. Ric.* Niñera. **2.** *Arg. y Chil.* Hermana mayor. **3.** *Col. y Chil.* Amiga preferida.

ñaño, ña *adj.* **1.** *Col. y Pan.* Mimado. **2.** *Col., Chil., Ec. y Per.* Unido por amistad íntima. ‖ *s. m.* **3.** *Arg. y Chil.* Her-mano mayor.

ñapa *s. f., Col., P. Ric., Rep. Dom. y Ur.* Añadidura.

ñapindá *s. m., Arg.* Planta de la familia de las mimosá-ceas, especie de zarza muy espinosa, con flores amari-llentas.

ñaque *s. m.* Conjunto de cosas generalmente inútiles.

ñarro, rra *adj.* Se dice de las personas o cosas que son muy pequeñas.

ñato, ta *adj., fam., amer.* Chato.

ñeco *s. m., Ec.* Golpe que se da con el puño.

ñeque *adj.* **1.** *C. Ric., Hond. y Nic.* Fuerte. **2.** *Chil., Ec. y Per.* Puñetazo. ‖ *s. m.* **3.** *Per.* Valor, coraje.

ñica *s. f.* **1.** *amer.* Excremento. **2.** *amer.* Porción mínima de algo.

ñinquil *s. m., Chil.* Planta de la familia de las icacináceas, con determinadas aplicaciones en la medicina.

ñipe *s. m., Chil.* Arbusto de la familia de las mirtáceas, cu-yas ramas se emplean para teñir.

ñiquiñaque *s. m., fam.* Persona o cosa despreciable.

ñire *s. m., Chil.* Árbol de la familia de las fagáceas, de unos 20 m de altura, de hojas elípticas y aserradas.

ñisñil *s. m., Chil.* Planta de la familia de las tifáceas con cuyas hojas se fabrican canastos, esteras y asientos de sillas.

ñizca *s. f., Chil. y Per.* Pizca.

ñocha *s. f., Chil.* Hierba de la familia de las bromeliáceas, cuyas hojas se utilizan para hacer sombreros, esteras y sillas.

ñoclo *s. m.* Especie de dulce hecho de harina, azúcar, huevos, vino y anís.

ñoco, ca *adj., Col., P. Ric., Rep. Dom. y Ven.* Mutilado.

ñongue *s. m., amer.* Planta de la familia de las solanáceas, con determinadas aplicaciones en la medicina.

ñoña *s. f., Chil. y Ec.* Estiércol.

ñoñería *s. f.* Acción o dicho propio de persona ñoña.

ñoñez *s. f.* **1.** Cualidad de ñoño. **2.** Ñoñería.

ñoño, ña *adj.* **1.** *fam.* Se dice de la persona muy apocada o melindrosa. **2.** Dicho de una cosa, de poca sustancia.

ñoqui *s. m.* Alimento de origen italiano con forma de concha, elaborado a base de sémola, leche y huevo.

ñor, ra *s. m. y s. f., vulg., amer.* Abreviatura del tratamiento de señor y señora.

ñora[1] *s. f., Murc.* Noria.

ñora[2] *s. f., Murc.* Pimiento seco que se usa como condimento.

ñorbo *s. m.* **1.** *Ec. y Per.* Flor pequeña, utilizada para el adorno de las ventanas. ‖ *s. m. pl.* **2.** *fig.* Ojos de hermosas pestañas.

ñoro *s. m., Murc.* Ñora.

ñu *s. m.* Mamífero que habita en África del Sur, perteneciente a los bóvidos, caracterizado por su gran velocidad. Tiene cabeza ancha y corta, y cuernos cilíndricos colocados hacia delante y arriba.

ñublo *adj.* Nublado.

ñubloso, sa *adj.* Nubloso.

ñudo *s. m.* Nudo.

ñudoso, sa *adj.* Nudoso.

ñulñul *s. m., Chil.* Mamífero muy parecido a la nutria.

ñuñu *s. m., Chil.* Planta de la familia de las iridáceas, cuyo fruto es comestible.

ñuto, ta *adj.* **1.** *Ec.* Se dice de lo que está molido o pulverizado. ‖ *s. m.* **2.** *Per.* Añicos, trizas, polvo.

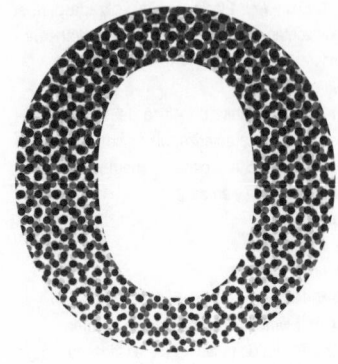

o¹ *s. f.* Decimosexta letra del abecedario español y cuarta de sus vocales.

o² *conj. disy.* Denota diferencia, separación o alternancia entre dos o más personas, cosas o ideas.

oasis *s. m.* **1.** Paraje con vegetación y a veces con manantiales, en medio de un desierto. **2.** *fig.* Tregua, descanso.

obcecación *s. f.* Ofuscación tenaz y persistente.

obcecar *v. tr.* Cegar, deslumbrar. También prnl.

obducción *s. f.* Autopsia que se efectúa con fines médicos o legales.

obduración *s. f.* Resistencia a dejarse convencer.

obedecer *v. tr.* Cumplir la voluntad de quien manda.

obedecimiento *s. m.* Obediencia.

obediencia *s. f.* Acción de obedecer.

obediente *adj.* Propenso a obedecer.

obelisco *s. m.* Monumento en forma de pilar muy alto, de sección cuadrada y remate piramidal.

óbelo *s. m.* **1.** Obelisco. **2.** Señal que se pone al margen de los libros.

obencadura *s. f.* Conjunto de los obenques.

obenque *s. m.* Cada uno de los cabos gruesos que sujetan la cabeza de un palo o de un mastelero a la mesa de guarnición o a la cofa correspondiente.

obertura *s. f.* Pieza instrumental con que se da principio a una ópera, oratorio, etc.

obesidad *s. f.* Calidad de obeso.

obeso, sa *adj.* Se dice de la persona excesivamente gruesa.

óbice *s. m.* Obstáculo, estorbo.

obispado *s. m.* **1.** Dignidad de obispo. **2.** Perteneciente o relativo a la ortografía.

obispal *adj.* Episcopal.

obispalía *s. f.* **1.** Palacio o casa del obispo. **2.** Dignidad de obispo. **3.** Territorio bajo la jurisdicción del obispo.

obispillo *s. m.* **1.** Morcilla grande y gruesa. **2.** Rabadilla de las aves.

obispo *s. m.* Prelado dotado de jurisdicción sobre una diócesis.

óbito *s. m.* Fallecimiento de una persona.

obituario *s. m.* Libro parroquial en que se anotan las partidas de defunción y de entierro.

objeción *s. f.* Razón con que se impugna una proposición o una afirmación ajena.

objetar *v. tr.* Oponer reparo a una opinión o designio; proponer una razón contraria a lo que se ha dicho o intentado.

objetividad *s. f.* Calidad de objetivo.

objetivo, va *adj.* **1.** Perteneciente o relativo al objeto en sí y no a nuestro modo de pensar. **2.** Se dice de lo que existe realmente, fuera del sujeto que lo conoce. ‖ *s. m.* **3.** Lente o sistema de lentes colocados en los extremos de los microscopios, anteojos, etc., en la parte dirigida hacia los objetos. **4.** Aquello que se desea conseguir.

objeto *s. m.* **1.** Todo lo que puede ser materia de conocimiento o sensibilidad de parte del sujeto. **2.** Materia y sujeto de una ciencia.

objetor, ra *adj.* Que objeta. También s. m. y s. f.

objetual *adj.* Relativo al objeto.

oblación *s. f.* Ofrenda y sacrificio que se hace a Dios.

oblada *s. f.* Ofrenda que se lleva a la iglesia y se da por los difuntos, que normalmente es un pan o rosca.

oblata *s. f.* Dinero que se da a la iglesia por el gasto de vino, hostias, cera u ornamentos para decir las misas.

oblativo, va *adj.* Perteneciente o relativo a la oblación.

oblato, ta *adj.* **1.** Se dice del niño ofrecido por sus padres a Dios y confiado a un monasterio. También s. m. y s. f. ‖ *s. m. y s. f.* **2.** Religioso de algunas de las congregaciones que se denominan a sí mismas de oblatos u oblatas.

oblea *s. f.* Hoja muy delgada de masa de harina y agua, cocida en molde.

oblicuángulo, la *adj.* Se dice de la figura o del poliedro en que no es recto ninguno de sus ángulos. También s. m.

oblicuidad *s. f.* Inclinación que aparta del ángulo recto la línea o el plano que se considera, respecto de otra u otro.

oblicuo, cua *adj.* Que no es perpendicular ni paralelo a un plano, a una recta o a una dirección determinada.

obligación *s. f.* **1.** Imposición o exigencia moral que debe regir la voluntad libre. **2.** Vínculo que sujeta a hacer o abstenerse de hacer una cosa.

obligacionista *s. m. y s. f.* Portador o tenedor de una o varias obligaciones negociables.

obligado, da *adj.* Se dice de lo que es forzoso realizar por imposición legal, moral, social, etc.

obligar *v. tr.* **1.** Mover, compeler a alguien a cumplir una cosa. **2.** Ganar la voluntad de alguien con beneficios u obsequios. **3.** Hacer fuerza en una cosa para conseguir un efecto.

obligativo, va *adj.* Obligatorio.

obligatoriedad *s. f.* Cualidad de obligatorio.

obligatorio, ria *adj.* Se dice de lo que obliga a su cumplimiento y ejecución.

obliteración *s. f.* Acción y efecto de obliterar u obliterarse.

obliterar *v. tr.* Obstruir o cerrar un conducto del cuerpo.

oblongo, ga *adj.* Más largo que ancho.

obmutescencia *s. f.* Pérdida del habla.

obnubilación *s. f.* **1.** Ofuscamiento. **2.** Visión de los objetos como a través de una nube.

obnubilar *v. tr.* Oscurecer u ofuscar algo o a alguien. También prnl.

oboe *s. m.* Instrumento de viento, formado por un tubo cónico de madera, con agujeros y llaves, dividido en tres piezas.

óbolo *s. m.* **1.** Moneda griega antigua de plata. **2.** *fig.* Donativo escaso con que se contribuye para un fin determinado.

obra *s. f.* **1.** Cosa hecha o producida por un agente. **2.** Cualquier producción del entendimiento en ciencias, letras o artes. **3.** Edificio en construcción.

obrada *s. f.* Labor que en un día hace una persona cavando la tierra, o una yunta arándola.

obrador *s. m.* Taller, local en que se trabaja una obra de manos.

obraje *s. m.* Manufactura.

obrajero *s. m.* Capataz o jefe que gobierna las personas que trabajan en una obra.

obrar *v. tr.* **1.** Hacer una cosa, trabajar en ella. *v. intr.* **2.** Exonerar el vientre.

obrepción *s. f.* Falsa narración de un hecho, que se hace al superior para conseguir alguna ventaja, de modo que oculta el impedimento que haya para su logro.

obrepticio, cia *adj.* Que se pretende o consigue mediante obrepción.

obrerismo *s. m.* **1.** Régimen económico fundado en el predominio del trabajo obrero como elemento de producción. **2.** Conjunto de obreros considerado como entidad económica. **3.** Conjunto de doctrinas sociales dirigidas a mejorar las condiciones de vida de los obreros.

obrero, ra *s. m. y s. f.* Trabajador manual retribuido.

obscenidad *s. f.* Cosa obscena.

obsceno, na *adj.* Ofensivo al pudor.

obscurantismo *s. m.* Oscurantismo.

obscurantista *adj.* Oscurantista.

obscurecer *v. tr.* Oscurecer.

obscuridad *s. f.* Oscuridad.

obscuro, ra *adj.* Oscuro.

obsecración *s. f.* Ruego, instancia.

obsecuencia *s. f.* Sumisión, amabilidad, condescendencia.

obsecuente *adj.* Obediente, rendido, sumiso.

obsequiador, ra *adj.* Que obsequia. También s. m. y s. f.

obsequiar *v. tr.* Agasajar a alguien con atenciones, servicios o regalos.

obsequio *s. m.* Regalo.

obsequiosidad *s. f.* Calidad de obsequioso.

obsequioso, sa *adj.* Rendido, cortés, condescendiente.

observable *adj.* Que se puede observar.

observación *s. f.* **1.** Acción y efecto de observar. **2.** Nota aclaratoria. **3.** Objeción, advertencia.

observador, ra *adj.* **1.** Que observa. También s. m. y s. f. ‖ *s. m. y s. f.* **2.** Persona que es admitida en congresos, reuniones científicas, literarias, etc., sin ser miembro de pleno derecho.

observancia *s. f.* Cumplimiento exacto y puntual de lo mandado.

observante *adj.* Se dice de algunas religiones a diferencia de las reformadas.

observar *v. tr.* **1.** Cumplir exactamente lo que se manda. **2.** Advertir, reparar.

observatorio *s. m.* **1.** Lugar o posición que sirve para hacer observaciones. **2.** Edificio con inclusión de personal e instrumentos apropiados para las observaciones astronómicas o meteorológicas.

obsesión *s. f., fig.* Apoderamiento del espíritu por una idea o preocupación.

obsesionar *v. tr.* Causar obsesión. También prnl.

obsesivo, va *adj.* Perteneciente o relativo a la obsesión.

obseso, sa *adj.* Que padece obsesión. También s. m. y s. f.

obsidiana *s. f.* Mineral volcánico vítreo, de color negro o verde muy oscuro.

obsidional *adj.* Perteneciente al sitio de una plaza.

obsoleto, ta *adj.* Anticuado, caído en desuso.

obstaculizar *v. tr.* Impedir, obstruir, poner obstáculos o impedimentos.

obstáculo *s. m.* Impedimento, embarazo, inconveniente.

obstante *adj.* Que obsta.

obstar *v. intr.* Impedir, estorbar, hacer contradicción y repugnancia.

obstetricia *s. f.* Parte de la medicina que trata de la gestación, el parto y el tiempo que sigue a este.

obstinación *s. f.* Pertinacia, terquedad.

obstinado, da *adj.* Perseverante o tenaz en ideas o empresas.

obstinarse *v. prnl.* Mantenerse alguien en su resolución y tema, sin dejarse vencer por razonamientos, ruegos o amonestaciones, ni por obstáculos o reveses.

obstrucción *s. f.* Acción y efecto de obstruir.

obstruccionismo *s. m.* Ejercicio de la obstrucción en asambleas deliberantes.

obstruccionista *adj.* Que practica el obstruccionismo. También com.

obstructor, ra *adj.* Que obstruye. También s. m. y s. f.

obstruir *v. tr.* **1.** Estorbar el paso, cerrar un conducto o camino. **2.** Impedir la acción.

obtemperar *v. tr.* Obedecer, asentir.

obtención *s. f.* Acción y efecto de obtener.

obtener *v. tr.* **1.** Alcanzar, conseguir y lograr una cosa que se merece, solicita o pretende. **2.** Tener.

obtentor, ra *adj.* Se dice de la persona que obtiene o ha obtenido una cosa, especialmente un beneficio eclesiástico.

obtestación *s. f.* Figura que consiste en poner por testigo de una cosa a Dios, a los hombres, a la naturaleza, etc.

obturación *s. f.* Acción y efecto de obturar.

obturador *s. m.* Órgano mecánico que sirve para cerrar un recinto o interrumpir la comunicación entre dos canales o estancias.

obturar *v. tr.* Tapar o cerrar una abertura o conducto introduciendo o aplicando un cuerpo. También v. prnl.

obtusángulo, la *adj.* Se dice del triángulo que tiene obtuso uno de sus ángulos.

obtuso, sa *adj.* **1.** Romo, sin punta. **2.** *fig.* Torpe, tardo de comprensión.

obús *s. m.* Pieza de artillería para disparar granadas.

obvención *s. f.* Utilidad, fija o eventual, además del sueldo que se disfruta.

obviar *v. tr.* Evitar, rehuir, apartar y quitar de en medio obstáculos o inconvenientes.

obvio, via *adj.* Que se encuentra o pone delante de los ojos.

oca *s. f.* Ánsar o ganso, ave.

ocal *adj.* Se dice de ciertas peras y manzanas muy gustosas y delicadas.

ocarina *s. f.* Instrumento musical de forma ovoide, más o menos alargado y con ocho agujeros.

ocasión *s. f.* **1.** Oportunidad que se ofrece para ejecutar o conseguir una cosa. **2.** Peligro o riesgo.

ocasional *adj.* **1.** Se dice de lo que ocasiona. **2.** Que sobreviene accidentalmente.

ocasionar *v. tr.* **1.** Ser causa o motivo para que suceda una cosa. **2.** Mover o excitar. **3.** Poner en riesgo o peligro.

ocaso *s. m.* **1.** Puesta del Sol al trasponer el horizonte. **2.** *fig.* Decadencia, declinación, acabamiento.

occidental *adj.* Perteneciente al occidente.

occidente *s. m.* (ORT.: may. inicial) **1.** Punto cardinal del horizonte por donde se pone el Sol en los días equinocciales. **2.** Conjunto formado por Estados Unidos y otros países con el mismo sistema social, económico y cultural.

occipital *s. m.* Hueso del cráneo correspondiente al occipucio.

occipucio *s. m.* Parte inferoposterior de la cabeza por donde esta se une con las vértebras del cuello.

occisión *s. f.* Muerte violenta.

occiso, sa *adj.* Muerto violentamente.

oceánico, ca *adj.* Perteneciente o relativo al océano.

océano *s. m.* Masa total de agua salada que ocupa aproximadamente las tres cuartas partes de la Tierra.

oceanografía *s. f.* Ciencia que estudia los mares, con sus fenómenos, su fauna y su flora.

ocelado, da *adj.* Que tiene ocelos.

ocelo *s. m.* Ojo rudimentario de algunos animales inferiores.

ocelote *s. m.* Mamífero félido americano, de poco más de un metro de largo, cuerpo esbelto y pelaje suave y brillante con dibujos de varios matices.

ocena *s. m.* Afección de las fosas nasales caracterizada por costras verdosas de olor fétido, trastornos de secreción y modificación de la mucosa nasal.

ochava *s. f.* Octava parte de un todo.

ochavado, da *adj.* Se dice de toda figura con ocho ángulos iguales, que tiene cuatro lados alternados iguales entre sí.

ochavo *s. m.* Moneda de cobre con valor de dos maravedís.

ochenta *adj. num.* Ocho veces diez. También pron. y s. m.

ochentón, na *adj., fam.* Octogenario. También s. m. y s. f.

ocho *adj. num.* **1.** Siete y uno. También pron. y s. m. ‖ *s. m.* **2.** Signo o cifra con que se representa el número ocho.

ochocientos, tas *adj. num.* Ocho veces cien. También pron. y s. m.

ocio *s. m.* **1.** Cesación del trabajo, inacción o total omisión de la actividad. **2.** Diversión y ocupación reposada, por descanso de otras tareas.

ociosidad *s. f.* Vicio de no trabajar, perder el tiempo o gastarlo inútilmente.

ocioso, sa *adj.* Se dice de la persona que está sin trabajar o sin hacer alguna cosa.

oclocracia *s. f.* Gobierno de la muchedumbre o de la plebe.

ocluir *v. tr.* Cerrar un conducto con algo que lo obstruya. También prnl.

oclusión *s. f.* **1.** Acción y efecto de ocluir u ocluirse. **2.** Cierre del canal vocal de una articulación.

oclusivo, va *adj.* **1.** Perteneciente o relativo a la oclusión. **2.** Se dice de los sonidos o de las consonantes explosivas, las cuales se producen cerrando momentáneamente la salida del aire en algún lugar de la boca, como la *p, t, k*. También s. f.

ocre *s. m.* Mineral terroso, de color amarillo, que es un óxido de hierro hidratado. Se emplea en pintura.

octaedro *s. m.* Sólido de ocho caras o planos, que son otros tantos triángulos.

octagonal *adj.* Perteneciente o relativo al octágono.

octágono *s. m.* Polígono de ocho ángulos y ocho lados.

octano *s. m.* **1.** Hidrocarburo oleoso que se encuentra en el petróleo. **2.** Unidad para expresar el poder antidetonante de la gasolina u otros carburantes en relación con cierta mezcla de hidrocarburos que se toma como base.

octante *s. m.* Instrumento astronómico análogo al sextante, cuyo sector comprende solo la octava parte del círculo.

octava *s. f.* **1.** Toda composición métrica de ocho versos. **2.** Serie diatónica en que se incluyen los siete sonidos de una escala.

octavario *s. m.* Periodo de ocho días.

octavilla *s. f.* Papel impreso que se distribuye gratuitamente.

octavo, va *adj. num.* **1.** Que ocupa el último lugar en una serie ordenada de ocho. También pron. **2.** Se dice de cada una de las ocho partes iguales en que se divide un todo. También s. m.

octeto *s. m.* **1.** Composición para ocho instrumentos o voces. **2.** Conjunto de estos instrumentos o voces. **3.** Conjunto de ocho bits, también llamado byte.

octingentésimo, ma *adj. num.* **1.** Que ocupa el último lugar en una serie ordenada de 800. También pron. **2.** Se dice de cada una de las 800 partes iguales en que se divide un todo. También s. m. y s. f.

octogenario, ria *adj.* Que ha cumplido la edad de ochenta años y no llega a la de noventa. También s. m. y s. f.

octogésimo, ma *adj. num.* **1.** Que ocupa el último lugar en una serie ordenada de 80. También pron. **2.** Se dice

de cada una de las 80 partes iguales en que se divide un todo. También s. m. y s. f.

octogonal *adj.* Perteneciente o relativo al octógono.

octógono *s. m.* Octágono.

octópodo, da *adj.* Se dice de los moluscos cefalópodos dibranquiales con ocho tentáculos provistos de ventosas, como el pulpo.

octosilábico, ca *adj.* De ocho sílabas.

octosílabo *s. m.* Verso que tiene ocho sílabas.

octóstilo, la *adj.* Que tiene ocho columnas.

octubre *s. m.* Décimo mes del año.

óctuple *adj. num.* Que contiene un número exactamente ocho veces.

óctuplo, pla *adj. num.* Óctuple.

ocular *s. m.* Lente o combinación de cristales que los anteojos y otros aparatos de óptica tienen en la parte por donde mira o aplica el ojo el observador.

oculista *s. m. y s. f.* Médico que se dedica a las enfermedades de los ojos.

ocultación *s. f.* Acción y efecto de ocultar u ocultarse.

ocultar *v. tr.* Esconder, tapar, encubrir a la vista. También prnl.

ocultismo *s. m.* Conjunto de doctrinas y prácticas misteriosas que pretende investigar y someter al dominio humano las fuerzas ocultas de la naturaleza, las psíquicas y las de carácter misterioso.

oculto, ta *adj.* Que no se da a conocer, ni se deja ver ni sentir.

ocupación *s. f.* Empleo, oficio o dignidad.

ocupante *com.* Persona que viaja en un automóvil, avión, etc.

ocupar *v. tr.* **1.** Tomar posesión, apoderarse de una cosa. **2.** Llenar un espacio o lugar.

ocurrencia *s. f.* **1.** Encuentro, suceso casual. **2.** Idea inesperada, pensamiento, dicho agudo u original.

ocurrente *adj.* Se dice de la persona que tiene ocurrencias ingeniosas.

ocurrir *v. intr.* **1.** Prevenir, anticiparse o salir al encuentro. **2.** Acaecer, acontecer, suceder una cosa.

oda *s. f.* Composición poética del género lírico.

odalisca *s. f.* **1.** Esclava dedicada al servicio del harén del gran turco. **2.** Concubina turca.

odeón *s. m.* Teatro o lugar dedicado en Grecia para los espectáculos musicales.

odiar *v. tr.* Tener odio.

odio *s. m.* Aversión hacia alguna cosa o persona cuyo mal se desea.

odiosidad *s. f.* Cualidad de odioso.

odioso, sa *adj.* Digno de odio.

odisea *s. f., fig.* Viaje largo y en el cual, por comparación con la leyenda mitológica griega, abundan las aventuras adversas y favorables, y sucesos extraños.

odómetro *s. m.* Podómetro.

odontalgia *s. f.* Dolor de dientes o muelas.

odontocia *s. f.* Reblandecimiento de los dientes por descalcificación.

odontología *s. f.* Estudio de los dientes y del tratamiento de sus dolencias.

odontólogo, ga *s. m.* y *s. f.* Persona perita en odontología.

odorante *adj.* Oloroso, fragante.

odorífero, ra *adj.* Que huele bien, que tiene buen olor o fragancia.

odorífico, ca *adj.* Odorífero.

odorografía *s. f.* Descripción de los olores.

odre *s. m.* Recipiente de cuero que se utiliza para contener líquidos.

odrero, ra *s. m.* y *s. f.* Persona que hace o vende odres.

odrina *s. f.* Odre hecho con el cuero de un buey.

oenoteráceo, a *adj.* Se dice de matas o arbustos angiospermos dicotiledóneos, con hojas simples, flores axilares o terminales en espiga o racimo, con muchas semillas y sin albumen. También s. f.

oeste *n. p.* **1.** (ORT.: may. inicial) Occidente, punto cardinal. ‖ *s. m.* **2.** Viento que sopla de esta parte.

ofender *v. tr.* **1.** Hacer daño a alguien físicamente, hiriéndolo o maltratándolo. **2.** Injuriar de palabra o denostar a alguien. **3.** Causar molestia o asco.

ofendido, da *adj.* Que ha recibido alguna ofensa. También s. m. y s. f.

ofensa *s. f.* Situación o estado de la persona que pretende ofender o atacar.

ofensión *s. f.* Daño, molestia o agravio.

ofensiva *s. f.* Situación o estado de la persona que pretende ofender o atacar.

ofensivo, va *adj.* Que ofende o puede ofender.

ofensor, ra *adj.* Que ofende. También s. m. y s. f.

oferente *adj.* Que ofrece. También com.

oferta *s. f.* **1.** Promesa que se hace de dar, cumplir o ejecutar una cosa. **2.** Presentación de mercancía o mano de obra en solicitud de venta o contratación.

ofertorio *s. m.* Parte de la misa en que el sacerdote ofrece a Dios la hostia y el vino del cáliz, antes de consagrarlos.

oficial *adj.* **1.** Que es de oficio, y no particular o privado, que emana de la autoridad constituida. ‖ *com.* **2.** Persona que se ocupa o trabaja en un oficio. **3.** Persona que en oficio manual ha terminado el aprendizaje y no es maestro todavía. ‖ *com.* **4.** Militar que posee un cargo o empleo.

oficialía *s. f.* Empleo de oficial de contador, secretaría o cosa semejante.

oficialidad *s. f.* Conjunto de oficiales de Ejército.

oficializar *v. tr.* Dar carácter o validez oficial a lo que antes no los tenía.

oficiante *s. m.* Hombre que oficia en las iglesias.

oficiar *v. tr.* Ayudar a cantar las misas y demás oficios divinos.

oficina *s. f.* Sitio donde se hace, se ordena o trabaja una cosa.

oficinal *adj.* **1.** Se dice de cualquier planta que se use como medicina. **2.** Se dice del medicamento que se halla preparado de antemano en las boticas.

oficinesco, ca *adj.* Perteneciente a las oficinas del Estado, o propio y característico de ellas; se toma generalmente en sentido peyorativo.

oficinista *com.* Persona que está empleada en una oficina.

oficio *s. m.* **1.** Ocupación habitual. **2.** Profesión de alguna arte mecánica. **3.** Función propia o uso normal de alguna cosa.

oficionario *s. m.* Libro en que se contiene el oficio canónico.

oficiosidad *s. f.* **1.** Diligencia y aplicación al trabajo. **2.** Diligencia y cuidado en los oficios de amistad. **3.** Entretenimiento importuno y obsequioso.

oficioso, sa *adj.* **1.** Que se complace en ser útil y agradable a alguien. **2.** Provechoso, eficaz.

ofidio, dia *adj.* Se dice de los reptiles sin extremidades, con la boca dilatable y el cuerpo largo y estrecho, revestido de piel escamosa. También s. m.

ofimática *s. f.* Conjunto de material y programas informáticos utilizados en el trabajo de oficina.

ofiolatría *s. f.* Culto a las serpientes.

ofiómaco *s. m.* Insecto ortóptero, especie de langosta.

ofita *s. f.* Roca compuesta de feldespato, piroxeno y nódulos calizos o cuarzosos.

ofrecer *v. tr.* **1.** Presentar y dar voluntariamente una cosa. **2.** Manifestar y poner patente una cosa para que todos la vean. ‖ *v. prnl.* **3.** Entregarse voluntariamente a otro para ejecutar alguna cosa.

ofrecimiento *s. f.* Acción y efecto de ofrecer u ofrecerse.

ofrenda *s. f.* Don que se dedica a Dios o a los santos para implorar su auxilio o para cumplir con un voto u obligación.

ofrendar *v. tr.* Ofrecer dones y sacrificios a Dios por un beneficio recibido o en señal de rendimiento y adoración.

oftalmía *s. f.* Inflamación de los ojos.

oftálmico, ca *adj.* Perteneciente o relativo a los ojos.

oftalmología *s. f.* Parte de la patología que trata de las enfermedades de los ojos.

oftalmólogo, ga *s. m.* y *s. f.* Oculista.

oftalmoscopia *s. f.* Exploración del interior del ojo con el oftalmoscopio.

oftalmoscopio *s. m.* Instrumento para reconocer las partes interiores del ojo.

ofuscación *s. f.* Ofuscamiento.

ofuscamiento *s. m.* **1.** Turbación de la vista debida a un reflejo grande de luz que da en los ojos. **2.** *fig.* Oscuridad de la razón.

ofuscar *v. tr.* **1.** Turbar la vista. También prnl. **2.** *fig.* Trastornar, conturbar o confundir las ideas; alucinar. También prnl.

ogaño *adv. t.* Hogaño.

ogresa *s. f.* **1.** Ogro hembra. **2.** Mujer de carácter intratable.

ogro *s. m.* **1.** Gigante que se alimentaba de carne humana. **2.** Persona insociable o de mal carácter.

¡oh! *interj.* usada para manifestar diferentes emociones.

ohm *s. m.* Nombre del ohmio, en la nomenclatura internacional.

ohmio *s. m.* Unidad de resistencia eléctrica.

oídio *s. m.* Nombre genérico de ciertos hongos parásitos, como el que ataca la vid.

oído *s. m.* **1.** Sentido corporal con el cual se oyen los sonidos. **2.** Orificio en el taco de un barreno para colocar la mecha.

oidor *s. m.* Ministro togado que en las audiencias del reino oía y sentenciaba las causas y pleitos.

oír *v. tr.* **1.** Percibir los sonidos. **2.** Acceder a los ruegos, súplicas o avisos de alguien.

ojal *s. m.* **1.** Hendedura para abrochar un botón. **2.** Agujero que atraviesa de parte a parte algunas cosas.

¡ojalá! *interj.* que denota vivo deseo de que suceda una cosa.

ojalador, ra *s. m. y s. f.* **1.** Persona que tiene por oficio hacer ojales. ‖ *s. m.* **2.** Instrumento para hacerlos.

ojaladura *s. f.* Conjunto de ojales de un vestido.

ojalar *v. tr.* Hacer y formar ojales.

ojalatero *adj., fam.* Se aplica a la persona que, en las contiendas civiles, se limitaba a desear el triunfo de su partido. También s. m. y s. f.

ojaranzo *s. m.* Variedad de jara, ramosa, de tallos algo rojizos, hojas grandes y flores en corola grande y blanca.

ojeada *s. f.* Mirada rápida y ligera.

ojeador, ra *s. m. y s. f.* Persona que ojea o espanta con voces la caza.

ojear¹ *v. tr.* Dirigir los ojos y mirar a determinada parte.

ojear² *v. tr.* Espantar la caza y acosarla hasta que llegue al sitio conveniente.

ojén *s. m.* Aguardiente preparado con anís y azúcar hasta la saturación.

ojera *s. f.* Coloración más o menos cárdena alrededor de la base del párpado inferior. Se usa más en pl.

ojeriza *s. f.* Enojo y mala voluntad contra alguien.

ojeroso, sa *adj.* Que tiene ojeras.

ojete *s. m.* **1.** Ojal redondo, ordinariamente reforzado en su contorno con cordoncillo o con anillos de metal, para meter por él un cordón o cualquier otra cosa que afiance. **2.** Ano. **3.** *Méx.* Persona tonta.

ojetera *s. f.* Parte del corsé o jubón, en el cual van colocados los ojetes.

ojialegre *adj., fam.* Que tiene los ojos alegres, vivos y bulliciosos.

ojimiel *s. m.* Preparado farmacéutico antiguo a base de miel y vinagre.

ojimoreno, na *adj., fam.* Que tiene los ojos pardos.

ojinegro, gra *adj., fam.* Que tiene los ojos negros.

ojiprieto, ta *adj., fam.* Ojinegro.

ojituerto, ta *adj.* Que solo ve por un ojo.

ojiva *s. f.* **1.** Figura formada por dos arcos de círculo iguales, que presentan su concavidad contrapuesta y se cortan por uno de sus extremos. **2.** Arco que tiene esta figura.

ojival *adj.* Se aplica al estilo arquitectónico caracterizado por el empleo de la ojiva para toda clase de arcos.

ojizaino, na *adj., fam.* Que mira atravesado y con malos ojos.

ojizarco, ca *adj., fam.* Que tiene los ojos azules.

ojo *s. m.* **1.** Órgano de la vista en el hombre y en los animales. **2.** Malla de la red.

ojoso, sa *adj.* Que tiene muchos ojos, como el pan, queso, etc.

ojota *s. f., Arg., Bol., Chil. y Per.* Calzado a manera de sandalia, de cuero o de filamento vegetal, usado por los campesinos.

okupa *com.* Persona que vive ilegalmente en una vivienda.

ola *s. f.* Onda de gran amplitud, formada en la superficie de las aguas.

¡olé! *interj.* que se utiliza para denotar ánimo y aplauso. También s. m., y en pl.

oleáceo, a *adj.* Se dice de árboles y arbustos dicotiledóneos, cuyo tipo es el olivo. También s. f.

oleada¹ *s. f.* **1.** Ola grande. **2.** Embate y golpe de la ola. **3.** Movimiento impetuoso de una muchedumbre.

oleada² *s. f.* Cosecha abundante de aceite.

oleaginosidad *s. f.* Cualidad de oleaginoso.

oleaginoso, sa *adj.* Aceitoso.

oleaje *s. m.* Sucesión continuada de olas.

olear¹ *v. tr.* **1.** Administrar a un enfermo los santos óleos. **2.** Aceitar una ensalada u otra comida.

olear² *v. intr.* Hacer o producir olas, como el mar.

oleario, ria *adj.* Oleoso, aceitoso.

oleico, ca *adj.* Se dice de un ácido o sustancia que se halla en el aceite de oliva y en otras grasas.

oleicultura *s. f.* Arte de cultivar el olivo y de obtener el aceite.

oleína *s. f.* Sustancia líquida, ligeramente amarillenta, oleosa, soluble solo en éter y alcohol, que entra en la composición de las grasas.

óleo *s. m.* **1.** Aceite de oliva. **2.** El que usa la Iglesia en la extremaunción y otros rituales sacramentales. Se usa más en pl. **3.** Cuadro o lienzo realizado con pinturas cuyos colores están disueltos en aceite secante.

oleoducto *s. m.* Tubería provista de bombas y otros aparatos para la conducción del petróleo a larga distancia.

oleografía *s. f.* Cromo que imita la pintura al óleo.

oleómetro *s. m.* Instrumento usado para medir la densidad de los aceites.

oleosidad *s. f.* Cualidad de oleoso.

oleoso, sa *adj.* Aceitoso.

oler *v. tr.* **1.** Percibir los olores. **2.** *fig.* Inquirir con curiosidad lo que hacen otros. ‖ *v. intr.* **3.** Exhalar olor o hedor.

olfacción *s. f.* Acción de oler.

olfatear *v. tr.* **1.** Oler con ahínco y persistentemente. **2.** *fig.* Indagar, averiguar con diligencia.

olfateo *s. m.* Acción y efecto de olfatear.

olfativo, va *adj.* Perteneciente o relativo al sentido del olfato.

olfato *s. m.* **1.** Sentido corporal con que se perciben los olores. **2.** *fig.* Sagacidad e ingenio para descubrir lo que está oculto o encubierto.

olfatorio, ria *adj.* Perteneciente al olfato.

olíbano *s. m.* Incienso aromático, gomorresina.

oliera *s. f.* Vaso en que se guarda el santo óleo o crisma.

oligarca *s. m.* Cada uno de los individuos que componen una oligarquía.

oligarquía *s. f.* Forma de gobierno en que unas cuantas personas asumen todos los poderes del Estado.

oligisto *s. m.* Óxido de hierro de color gris negruzco, o pardo rojizo, muy duro y pesado, y de textura compacta, granujienta o terrosa, muy apreciado en siderurgia.

oligoceno, na *adj.* Se aplica al periodo geológico de la era terciaria que sucede al eoceno. También s. m.

oligoelemento *s. m.* Todo elemento químico que es indispensable para completar el crecimiento y el ciclo reproductivo de plantas y animales. Se halla en cantidades muy pequeñas.

oligofrenia *s. f.* Síndrome neurológico caracterizado por déficit intelectual y modificación global de la personalidad.

oligofrénico, ca *adj.* Se aplica al que padece oligofrenia. También s. m. y s. f.

oligopolio *s. m.* Sistema de mercado controlado por un reducido número de empresas.

olimpiada u olimpíada *s. f.* **1.** Fiesta o juego público que se hacía cada cuatro años en la antigua ciudad de Olimpia. **2.** Periodo de cuatro años comprendido entre dos celebraciones consecutivas de juegos olímpicos.

olímpico, ca *adj.* Perteneciente a los juegos públicos que se hacían en Olimpia y que, actualmente, se celebran en diferentes ciudades del mundo, cada cuatro años.

Olimpo *s. m.* Morada de los dioses del paganismo griego.

olio *s. m.* Óleo.

oliscar *v. tr.* **1.** Oler con cuidado y persistencia. **2.** *fig.* Averiguar, inquirir o procurar saber una noticia.

olisquear *v. tr.* **1.** Oliscar. **2.** Husmear, curiosear.

oliva *s. f.* Aceituna, fruto del olivo.

oliváceo, a *adj.* De color de aceituna.

olivar *s. m.* Sitio poblado de olivos.

olivarda *s. f.* Ave, variedad de halcón, de plumaje amarillo verdoso.

olivarero, ra *adj.* **1.** Perteneciente al cultivo y aprovechamiento del olivo. **2.** Que se dedica a este cultivo. También s. m. y s. f.

olivarse *v. prnl.* Levantarse ampollas en el pan al ser cocido.

olivera *s. f.* Olivo.

olivero *s. m.* Sitio donde se almacena la oliva o la aceituna.

olivícola *adj.* Perteneciente o relativo a la olivicultura.

olivicultura *s. f.* Arte de cultivar el olivo.

olivífero, ra *adj.* Abundante en olivos.

olivino *s. m.* Peridoto, mineral.

olivo *s. m.* Árbol oleáceo de cuyo fruto se extrae el aceite común.

olla *s. f.* **1.** Vasija redonda, de barro o metal, y con una o dos asas. **2.** Plato o guiso principal de la comida diaria en muchas regiones de España, compuesto de garbanzos, carne y tocino.

ollado *s. m.* Ollao.

ollao *s. m.* Cualquiera de los ojetes que se abren en las velas, toldos, fundas, etc., y que, reforzados como los ojales de la ropa, sirven para que por ellos pasen cabos.

ollar *s. m.* Cada uno de los dos orificios de la nariz de las caballerías.

ollería *s. f.* **1.** Fábrica donde se hacen ollas y otras vasijas de barro. **2.** Tienda o barrio donde se venden. **3.** Conjunto de ollas y otras vasijas de barro.

ollero, ra *s. m. y s. f.* Persona que hace y vende ollas y demás cosas de barro que sirven para los usos comunes.

olmeda *s. f.* Sitio poblado de olmos.

olmedo *s. m.* Olmeda.

olmo *s. m.* Árbol ulmáceo, de tronco robusto y derecho, copa ancha y excelente madera.

ológrafo, fa *adj.* Se dice del testamento o de la memoria testamentaria de puño y letra del testador. También s. m. y s. f.

olor *s. m.* **1.** Sensación que las emanaciones de ciertos cuerpos producen en el olfato. **2.** *fig.* Fama, opinión y reputación.

olorizar *v. tr.* Esparcir olor, perfumar.

oloroso, sa *adj.* **1.** Que exhala fragancia. ‖ *s. m.* **2.** Vino de Jerez.

olvidadizo, za *adj.* **1.** Que con facilidad se olvida de las cosas. **2.** *fig.* Desagradecido, ingrato.

olvidar *v. tr.* **1.** Perder la memoria de una cosa. También prnl. **2.** Descuidar inadvertidamente una cosa.

olvido *s. m.* **1.** Falta de memoria. **2.** Cesación del cariño que antes se tenía. **3.** Descuido.

omatidio *s. m.* Cada uno de los elementos de que está formado el ojo compuesto de los artrópodos.

ombligo *s. m.* **1.** Cicatriz redonda y arrugada que se forma en medio del vientre, después de romperse y secarse el cordón umbilical. **2.** *fig.* Centro de cualquier cosa.

ombliguero *s. m.* Venda que se pone a los niños recién nacidos para sujetar el pañito que cubre el ombligo, mientras este se seca.

omega *s. f.* Última letra del alfabeto griego.

ómicron *s. f.* O breve del alfabeto griego, decimoquinta del mismo.

ominar *v. tr.* Agorar.

ominoso, sa *adj.* Azaroso, de mal agüero, abominable, que predice desgracia.

omisión *s. f.* **1.** Incumplimiento parcial o total de una obligación. **2.** Descuido.

omiso, sa *adj.* Negligente y descuidado.

omitir *v. tr.* **1.** Dejar de hacer una cosa. **2.** Pasar en silencio una cosa. También prnl.

ómnibus *s. m.* Vehículo de gran capacidad que sirve para transportar personas dentro de las poblaciones, por precio módico.

omnímodo, da *adj.* Que lo abraza y comprende todo.

omnipotencia *s. f.* **1.** Poder omnímodo, atributo exclusivo de Dios. **2.** *fig.* Poder muy grande.

omnipotente *adj.* Que tiene omnipotencia, que todo lo puede.

omnipresencia *s. f.* Ubicuidad, capacidad de estar en todas partes.

omnisapiente *adj.* Omnisciente, que todo lo conoce o lo sabe.

omnisciencia *s. f.* Conocimiento de todas las cosas; atributo exclusivo de Dios.

omnisciente *adj.* Que lo sabe o conoce todo.

omniscio, cia *adj., fig.* Se dice de la persona que tiene sabiduría o conocimiento de muchas cosas.

omnívoro, ra *adj.* Se dice de los animales que se alimentan de toda clase de sustancias orgánicas, tanto vegetales como animales. También s. m.

omóplato u omoplato *s. m.* Cada uno de los dos huesos anchos y planos, situados a uno y otro lado de la espalda, donde se articulan los brazos.

on-line *expr.* Que está conectado a una red, especialmente internet.

onagra *s. f.* Planta o arbusto de la familia de las oenoteráceas, cuya raíz blanca, una vez seca, huele a vino.

onagrarieo, a *adj.* **1.** Se dice de plantas dicotiledóneas, de hojas alternas sin estípulas, flores regulares y fruto en cápsula, baya o drupa. También s. f. ‖ *s. f. pl.* **2.** Familia de estas plantas.

onagro *s. m.* Asno silvestre.

onanismo *s. m., fig.* Masturbación, placer sexual solitario.

once *adj. num.* Diez y uno. También pron. y s. m.

onceavo, va *adj. num.* Se dice de cada una de las 11 partes iguales en que se divide un todo. También s. m.

oncejera *s. f.* Lazo para cazar oncejos y otros pájaros pequeños.

oncejo *s. m.* Vencejo.

onceno, na *adj. num.* **1.** Que ocupa el último lugar en una serie ordenada de 11. También pron. **2.** Se dice de cada una de las 11 partes iguales en que se divide un todo.

oncogénico, ca *adj.* Perteneciente o relativo a los oncogenes.

oncogén *s. m.* Tipo de gen que produce tumores cancerosos.

oncología *s. f.* Parte de la medicina que estudia los tumores.

oncólogo, ga *s. m. y s. f.* Persona especialista en enfermedades del cáncer.

oncoma *s. m.* Tumor cancerígeno.

onda *s. f.* **1.** Porción de agua que alternativamente se eleva y deprime en la superficie del mar, de un lago, etc. **2.** Ola. **3.** Ondulación. **4.** *fig.* Cada una de las curvas, a manera de eses, que se forman en algunas cosas. **5.** *fig.* Cada uno de los recortes, a manera de semicírculo, con que se adornan algunos vestidos. **6.** Forma especial del movimiento vibratorio dentro de un medio o cuerpo elástico.

ondear *v. intr.* **1.** Hacer ondas el agua impelida por el aire. **2.** *fig.* Formar ondas los pliegues que se hacen en una cosa.

ondina *s. f.* Ninfa que residía en el agua.

ondoso, sa *adj.* Que tiene ondas o se mueve haciéndolas.

ondulación *s. f.* Formación en ondas de una cosa.

ondulado, da *adj.* Se aplica a los cuerpos cuya superficie o perímetro forma ondas pequeñas.

ondular *v. intr.* Moverse una cosa formando giros.

ondulatorio, ria *adj.* Que se extiende en forma de ondulaciones.

onerario, ria *adj.* Se aplica a las naves y bastimentos de carga que usaban los antiguos.

oneroso, sa *adj.* **1.** Pesado, molesto, gravoso. **2.** Que incluye conmutación de prestaciones recíprocas.

onfacino, na *adj.* Se dice del aceite que se extrae de la aceituna no madura y que se emplea en medicina.

onfálico, ca *adj.* Umbilical, perteneciente al ombligo.

onfalitis *s. f.* Inflamación del ombligo.

onicalgia *s. f.* Dolor en las uñas.

ónice *s. m.* Ágata veteada de colores alternativamente claros y muy oscuros, usada para hacer camafeos.

onicofagia *s. f.* Costumbre de morderse las uñas.

onicomancia *s. f.* Práctica supersticiosa de adivinar el porvenir por medio del examen de los trazos o figuras de las uñas, untadas previamente con aceite y hollín.

oniquina *s. f.* Se dice de la piedra ónice.

onírico, ca *adj.* Relativo a los sueños y ensueños.

onirismo *s. m.* Delirio onírico, alucinación parecida a un sueño.

onirología *s. f.* Estudio de los sueños.

oniromancia *s. f.* Arte supersticioso de adivinar el futuro interpretando los sueños.

ónix *s. f.* Ónice.

onocrótalo *s. m.* Alcatraz.

onomancia u onomancía *s. f.* Arte supersticioso de adivinar el porvenir de una persona por su nombre.

onomasiología *s. f.* Parte de la semántica que estudia los significantes de un concepto.

onomasiológico, ca *adj.* Perteneciente o relativo a la onomasiología.

onomástico, ca *adj.* Perteneciente o relativo a los nombres, y especialmente, a los propios.

onomatopeya *s. f.* Imitación del sonido de una cosa en el vocablo que se forma para significarla.

onomatopéyico, ca *adj.* Perteneciente a la onomatopeya; formado por onomatopeya.

onoquiles *s. f.* Planta herbácea anual, de la familia de las borragináceas, de flores purpúreas y raíz gruesa, de la que se extrae una sustancia roja que usan los confiteros para dar color a los dulces.

onosma *s. f.* Onoquiles.

ontina *s. f.* Planta de la familia de las compuestas, de tallos leñosos, cubiertos de hojas pequeñas y carnosas. Las flores nacen en racimos, son amarillentas y muy pequeñas; toda la planta exhala un olor agradable.

ontogenia *s. f.* Formación y desarrollo del individuo, referido al periodo embrionario.

ontogénico, ca *adj.* Perteneciente o relativo a la ontogenia.

ontología *s. f.* Parte de la metafísica que trata del ser en general y de sus propiedades transcendentales.

ontológico, ca *adj.* Perteneciente a la ontología.

onza[1] *s. f.* Peso que es una de la dieciseisava parte en que se divide la libra.

onza[2] *s. f.* Mamífero carnívoro félido.

onzavo, va *adj. num.* Onceavo.

oolítico, ca *adj.* Se dice de los terrenos formados de oolitos.

oolito *s. m.* Caliza compuesta de concreciones semejantes a las huevas de pescado.

oosfera *s. f.* Gameto inmóvil y de mayor tamaño, considerado como elemento femenino de los vegetales.

opacidad *s. f.* Cualidad de opaco.

opaco, ca *adj.* **1.** Que impide el paso a la luz. **2.** Oscuro, sombrío. **3.** *fig.* Triste y melancólico.

opado, da *adj.* **1.** Hinchado. **2.** Hablando del lenguaje, afectado, redundante o hiperbólico.

opalescencia *s. f.* Reflejos de ópalo.

opalescente *adj.* Que parece de ópalo o irisado como él.

opalino, na *adj.* De color entre blanco y azulado con reflejos irisados.

ópalo *s. m.* Mineral silíceo con algo de agua, lustre resinoso, duro, pero quebradizo y de colores diversos.

opción *s. f.* **1.** Libertad o facultad de elegir. **2.** La elección misma.

opcional *adj.* Perteneciente o relativo a la opción.

ópera *s. f.* Poema dramático compuesto en música todo él.

operable *adj.* **1.** Que puede obrarse o es factible. **2.** Que tiene virtud de operar o hacer efecto. **3.** Que puede ser operado.

operación *s. f.* **1.** Acción y efecto de operar. **2.** Ejecución de una cosa. **3.** Procedimiento terapéutico sobre el cuerpo enfermo. **4.** Negociación o contrato sobre valores o mercaderías. **5.** Cálculo que se realiza con cantidades o expresiones algebraicas o aritméticas, de acuerdo con unas reglas. **6.** Maniobra, acción de guerra.

operador, ra *adj.* **1.** Que opera. También *s. m.* y *s. f.* ‖ *s. m.* **2.** Carácter o símbolo que designa una operación aritmética o lógica, como más (+), menos (-), etc. ‖ *s. m.* y *s. f.* **3.** Cirujano o cirujana. **4.** Telegrafista o telefonista. **5.** Persona que opera o funciona con una máquina informática. **6.** Técnico que se encarga de la sección fotográfica en el rodaje de una película.

ópera prima *expr. lat.* que significa «primera obra de un artista».

operar *v. tr.* **1.** Llevar a cabo algo. También *prnl.* **2.** Ejecutar sobre el cuerpo animal vivo algún trabajo para curar una enfermedad, suplir la acción de la naturaleza o corregir un defecto físico. ‖ *v. intr.* **3.** Obrar una cosa. **4.** Maniobrar. **5.** Especular sobre valores, negociar sobre mercancías. **6.** Realizar operaciones matemáticas. ‖ *v. prnl.* **7.** Someterse a una intervención quirúrgica.

operario, ria *s. m.* y *s. f.* Obrero u obrera, trabajador manual.

operativo, va *adj.* Se dice de lo que obra y hace su efecto.

operatorio, ria *adj.* Relativo a las operaciones quirúrgicas.

opercular *adj.* Que sirve de opérculo.

opérculo *s. m.* Pieza que, a modo de tapadera, sirve para tapar ciertas aberturas, como la que cierra las agallas de los peces.

opereta *s. f.* Ópera musical de poca extensión y de carácter cómico.

operista *s. m.* y *s. f.* **1.** Actor que canta en las óperas. **2.** Músico que compone óperas.

operístico, ca *adj.* Perteneciente o relativo a la ópera.

operoso, sa *adj.* **1.** Que cuesta mucho trabajo o fatiga. **2.** Activo, eficaz.

opiáceo, a *adj.* Se dice de los compuestos de opio.

opiado, da *adj.* Compuesto con opio.

opilación *s. f.* **1.** Obstrucción en general. **2.** Hidropesía.

opilar *v. tr.* **1.** Obstruir, cerrar el paso. || *v. prnl.* **2.** Contraer opilación las mujeres.

opilativo, va *adj.* Que opila u obstruye.

opimo, ma *adj.* Rico, fértil, abundante.

opinable *adj.* Que puede ser defendido en pro y en contra.

opinar *v. intr.* **1.** Formar o tener opinión. **2.** Hacer conjeturas referentes a la verdad o certeza de una cosa.

opinión *s. f.* **1.** Concepto que se forma o se tiene de una cosa cuestionable. **2.** Fama.

opio *s. m.* Sustancia de propiedades narcóticas, que se emplea en medicina.

opíparo, ra *adj.* Copioso y espléndido, tratándose de banquete, comida, etc.

oploteca *s. f.* Colección o museo de armas antiguas, preciosas o raras.

opobálsamo *s. m.* Resina amarga, olorosa y medicinal, que fluye de un árbol anacardáceo de Siria.

oponer *v. tr.* **1.** Poner una cosa contra otra para robarle o impedirle su efecto. También prnl. **2.** Proponer una razón o discurso contra lo que otro dice o siente. || *v. prnl.* **3.** Ser una cosa contraria o repugnante a otra. **4.** Estar una cosa colocada frente a otra. **5.** Impugnar, estorbar un delito. **6.** Pretender un cargo o empleo en concurso con otros aspirantes.

oponible *adj.* Que se puede oponer.

opopánax *s. m.* Opopánaco.

opopónace *s. f.* Pánace, planta.

opopónaco *s. m.* Gomorresina de sabor amargo y de olor aromático muy fuerte que se obtiene de la pánace y algunas otras umbelíferas; se usa en farmacia y perfumería.

oporto *s. m.* Vino tinto fabricado principalmente en Oporto, ciudad de Portugal.

oportunidad *s. f.* Conveniencia de tiempo y lugar para determinado fin.

oportunismo *s. m.* Sistema político que atiende más a las circunstancias de tiempo que a principios o doctrinas.

oportunista *s. m. y s. f.* Partidario del oportunismo.

oportuno, na *adj.* **1.** Que se hace o sucede en tiempo a propósito y cuando conviene. **2.** Se dice también de la persona que es ocurrente en la conversación.

oposición *s. f.* **1.** Acción y efecto de oponer u oponerse. **2.** Contraposición, colocación de unas cosas enfrente de otras. **3.** Contrariedad o repugnancia de una cosa con otra. **4.** Procedimiento selectivo para ocupar un puesto de trabajo de la función pública. **5.** Contradicción o resistencia a lo que alguien hace o dice. **6.** Grupos o partidos que en un país se oponen a la política del Gobierno.

oposicionista *adj.* Perteneciente o relativo a la oposición.

opositar *v. intr.* Acudir a una oposición y tomar parte en ella.

opositor, ra *s. m. y s. f.* **1.** Persona que se opone a otra en cualquier materia. **2.** Candidato que toma parte en unas oposiciones.

opoterapia *s. f.* Procedimiento terapéutico que se basa en el empleo de zumos de órganos animales o de sus extractos.

opoterápico, ca *adj.* Relativo o perteneciente a la opoterapia.

opresión *s. f.* Molestia producida por algo que oprime.

opresivo, va *adj.* Que oprime.

opresor, ra *s. m. y s. f.* Que oprime a alguien.

oprimir *v. tr.* **1.** Ejercer presión sobre una cosa. **2.** *fig.* Afligir, tiranizar.

oprobiar *v. tr.* Vilipendiar, infamar, causar oprobio.

oprobio *s. m.* Ignominia, afrenta.

oprobioso, sa *adj.* Que causa oprobio.

optación *s. f.* Figura que consiste en manifestar vehemente deseo de alguna cosa.

optar *v. tr.* Escoger una cosa entre varias. También intr.

optativo, va *adj.* Que pende de opción o la admite.

óptica *s. f.* **1.** Parte de la física que estudia las leyes y los fenómenos de la luz. **2.** Arte de construir espejos, lentes e instrumentos de óptica.

óptico, ca *adj.* **1.** Perteneciente o relativo a la óptica. || *s. m. y s. f.* **2.** Comerciante de objetos de óptica, particularmente de anteojos.

optimación *s. f.* **1.** Acción y efecto de optimar. **2.** Procedimiento para obtener el mayor rendimiento de un sistema.

optimate *s. m.* Prócer, persona de relevancia.

optimismo *s. m.* Propensión a ver y juzgar las cosas en su aspecto más favorable.

optimista *adj.* Que propende a ver y juzgar las cosas en su aspecto más favorable. También com.

optimizar *v. tr.* Lograr el resultado óptimo.

óptimo, ma *adj. sup.* de bueno. Sumamente bueno, que no puede ser mejor.

optoacoplador *s. m.* Circuito integrado que permite la transmisión de datos por vía óptica y que permite aislar eléctricamente los sistemas transmisor y receptor.

optoaislador *s. m.* Optoacoplador.

optometría *s. f.* Graduación de la vista.

optómetro *s. m.* Instrumento para medir el límite de la visión distinta, calcular la dirección de los rayos luminosos en el ojo y elegir cristales, cuya aplicación principal es la graduación de la vista.

opuesto, ta adj. **1.** Enemigo o contrario. **2.** Se dice de las hojas, ramas y otras partes de la planta que nacen a un mismo nivel, una a cada lado del tallo.

opugnación s. f. **1.** Oposición con fuerza y violencia. **2.** Contradicción por fuerza de razones.

opugnador, ra s. m. y s. f. Persona que hace opugnación.

opugnar v. tr. **1.** Hacer oposición con fuerza y violencia. **2.** Contradecir o rechazar las razones.

opulencia s. f. Riqueza.

opulento, ta adj. Que tiene opulencia.

opúsculo s. m. Obra científica o literaria de poca extensión.

oquedad s. f. Espacio que en un cuerpo sólido queda vacío.

oquedal s. m. Monte de árboles altos, sin matas.

oqueruela s. f. Lazadilla que se forma en el hilo de coser cuando está muy retorcido.

ora conj. distrib. Implica alternancia entre los elementos que relaciona.

oración s. f. **1.** Discurso pronunciado en público para persuadir o mover el ánimo. **2.** Ruego que se hace a Dios y a los santos.

oracional adj. **1.** Concerniente a la oración gramatical. **2.** Libro que contiene oraciones o que trata de ellas.

oráculo s. m. **1.** Entre los gentiles, contestación dada por las pitonisas y sacerdotes en nombre de los dioses a las consultas que se hacían ante sus ídolos. **2.** Lugar, estatua o simulacro, donde se daba el oráculo y que representaba la deidad cuyas respuestas se pedían. **3.** fig. Persona sabia cuyo dictamen se considera como indiscutible.

orador, ra s. m. y s. f. **1.** Persona que ejerce la oratoria, que habla en público. **2.** Persona que pide y ruega.

oraga s. f. Pasto característico de los montículos de la Sierra de Gredos.

oraje s. m. Tiempo muy crudo de lluvias, vientos recios, nieve, etc.

oral adj. Expresado con la boca o con la palabra, a diferencia de lo escrito.

orangután s. m. Mono antropomorfo muy robusto e inteligente.

orante adj. Se dice de la figura humana pintada o esculpida en actitud de orar.

orar v. intr. **1.** Hablar en público para persuadir y convencer a los oyentes a mover su ánimo. **2.** Hacer oración a Dios, vocal o mentalmente. ‖ v. tr. **3.** Rogar, pedir, suplicar.

orario s. m. Estola grande que usa el Papa.

orate com. Persona que ha perdido el juicio.

oratoria s. f. Arte de hablar con elocuencia.

oratorio s. m. Lugar destinado para hacer oración a Dios.

orbe s. m. **1.** Redondez o círculo. **2.** Esfera celeste o terrestre.

orbicular adj. Redondo o circular.

órbita s. f. Curva que describe un cuerpo celeste o un satélite artificial en un campo de fuerzas gravitatorio.

orbital adj. Perteneciente a la órbita, especialmente la del ojo.

orbitario, ria adj. Orbital.

orca s. f. Cetáceo que puede medir 10 m de largo, y que vive en los mares del Norte.

orcaneta s. f. Onoquiles.

orcina s. f. Materia colorante de ciertos líquenes.

orco s. m. Infierno de los condenados, infierno pagano.

órdago s. m. Envite del resto en el juego del mus.

ordalías s. f. pl. Pruebas diversas que en la Edad Media hacían los acusados, llamadas comúnmente juicios de Dios.

orden s. amb. **1.** Colocación de las cosas en el lugar correspondiente. **2.** Concierto, buena disposición de las cosas entre sí. **3.** Regla para hacer las cosas. ‖ s. m. **4.** Sexto de los siete sacramentos de la Iglesia, por el cual son instituidos los sacerdotes y los ministros del culto. **5.** En botánica y zoología, cada uno de los grupos taxonómicos en que se dividen las clases. ‖ s. f. **6.** Instituto religioso aprobado por el papa y cuyos individuos viven bajo ciertas reglas. **7.** Mandato que se debe obedecer.

ordenación s. f. Disposición, prevención.

ordenada adj. Se aplica a la coordenada perpendicular al eje de las abscisas, en el sistema cartesiano. Se usa más como s. f.

ordenador s. m. **1.** Máquina que permite almacenar información y procesarla mediante determinados programas. Computadora. **2.** Ordenador personal. Ordenador para uso doméstico, para el trabajo de oficina, etc. PC. **3.** Ordenador portátil. Ordenador pequeño, diseñado para ser transportado y gozar de autonomía de funcionamiento.

ordenamiento s. m. Ley, pragmática u ordenanza que da el superior.

ordenancista adj. Se dice del jefe u oficial que cumple y aplica con rigor la ordenanza.

ordenando s. m. Persona que está para recibir alguna de las órdenes sagradas.

ordenanza s. f. **1.** Método, orden y concierto en las cosas que se ejecutan. **2.** Empleado subalterno en ciertas oficinas.

ordenar v. tr. **1.** Poner en orden una cosa. **2.** Mandar que se haga una cosa. **3.** Guiar, encaminar y dirigir a un fin. **4.** Conferir las órdenes a alguien. ‖ v. prnl. **5.** Recibir la tonsura, los grados o las órdenes sagradas.

ordeñadero s. m. **1.** Receptáculo en que cae la leche cuando se ordeña. **2.** Lugar donde se ordeña.

ordeñar v. tr. Extraer la leche exprimiendo la ubre.

ordeño s. m. Acción y efecto de ordeñar.

ordinal *adj.* **1.** Referente al orden. **2.** Se aplica al número y al adjetivo numeral que envuelven la idea de orden.

ordinariez *s. f.* Falta de urbanidad, grosería.

ordinario, ria *adj.* **1.** Común, regular. **2.** Plebeyo. **3.** Bajo, vulgar. ‖ *s. m.* **4.** Recadero que conduce personas o mercancías de un lugar a otro.

ordinativo, va *adj.* Perteneciente a la ordenación o arreglo de una cosa.

ordinograma *s. m.* Organigrama, representación gráfica del encadenamiento de las operaciones que debe resolver un programa informático.

ordo *s. m.* Libro para señalar el rezo de los eclesiásticos.

orea *s. f.* Ninfa que residía en los bosques y montes.

orear *v. tr.* Dar en una cosa el aire para que se seque o se le quite la humedad o el olor que ha contraído. Se usa más como prnl.

orégano *s. m.* Planta herbácea aromática, de la familia de las labiadas, cuyas hojas y flores se usan como condimento.

oreja *s. f.* Repliegue cutáneo sostenido por una lámina cartilaginosa que en las personas y en los mamíferos forma la parte externa del oído.

orejear *v. intr.* **1.** Mover las orejas un animal. **2.** *fig.* Hacer una cosa de mala gana y con repugnancia.

orejera *s. f.* Cada una de las dos piezas de la gorra o montera que cubren las orejas y se atan debajo de la barba.

orejón *s. m.* **1.** Pedazo de melocotón en forma de cinta secado al aire y al sol. Se usa más en pl. **2.** Tirón de orejas.

orejudo, da *adj.* Que tiene orejas grandes o largas.

orejuela *s. f.* Cada una de las dos asas pequeñas que suelen tener las escudillas, bandejas, etc.

orenga *s. f.* Varenga.

orenza *s. f., Ar.* Tolva del molino.

oreo *s. m.* Soplo del aire que da suavemente en una cosa.

oreoselino *s. m.* Planta herbácea de la familia de las umbelíferas, con tallo estriado, hojas grandes, flores pequeñas en umbela y fruto ovalado y ribeteado.

orespe *s. m.* Artífice que trabaja el oro.

orfanato *s. m.* Asilo de huérfanos.

orfandad *s. f.* Estado en que quedan los hijos por la muerte de sus padres o solo del padre.

orfebre *s. m. y s. f.* Artífice que trabaja objetos artísticos de oro o plata.

orfebrería *s. f.* Arte del orfebre.

orfelinato *s. m.* Orfanato.

orfeón *s. m.* Agrupación de cantantes en coro, sin instrumentos que los acompañen.

orfeonista *s. m. y s. f.* Miembro de un orfeón.

orfo *s. m.* Pescado semejante al besugo, de color rubio, ojos grandes y dientes como de sierra.

organdí *s. m.* Tela blanca de algodón muy fina y transparente.

organero, ra *s. m. y s. f.* Persona que fabrica y compone órganos.

orgánico, ca *adj.* Se aplica al cuerpo apto para la vida.

organigrama *s. m.* **1.** Esquema de la organización de una empresa o corporación. **2.** Representación gráfica de las diversas operaciones o estadios que intervienen en un determinado proceso.

organillo *s. m.* Órgano pequeño o piano portátil que se hace sonar por medio de un cilindro con púas movido por un manubrio, y encerrado en un cajón portátil.

organismo *s. m.* **1.** Conjunto de los órganos que constituyen un ser vivo. **2.** Conjunto de leyes, usos y costumbres por los que se rige un cuerpo o institución social.

organista *s. m. y s. f.* Músico que toca el órgano.

organización *s. f.* Disposición, orden.

organizador, ra *adj.* Que organiza o tiene especial aptitud para organizar.

organizar *v. tr.* **1.** Ordenar o disponer una cosa perteneciente a una serie para que tenga un fin determinado dentro del conjunto. **2.** Reunir a un grupo de personas, entidades, etc., para establecer un modo de actuar conjunto. También prnl. **3.** Poner algo en orden. **4.** Preparar algo. **5.** Llevar a cabo lo que se expresa. También prnl. ‖ *v. prnl.* **6.** Estructurarse uno mismo sus asuntos o trabajos.

órgano *s. m.* Instrumento musical compuesto de muchos tubos, donde se produce el sonido mediante el paso del aire impelido mecánicamente.

organogenia *s. f.* Estudio de la formación y desarrollo de los órganos.

organografía *s. f.* Parte de la zoología y de la botánica, que tiene por objeto la descripción de los órganos de los animales o de los vegetales.

organográfico, ca *adj.* Relativo a la organografía.

organoléptico, ca *adj.* Que produce una impresión percibida por los sentidos.

organología *s. f.* Tratado de los órganos de los animales o de los vegetales.

orgánulo *s. m.* Estructura o parte de una célula que en esta cumple la función de un órgano.

orgásmico, ca *adj.* **1.** Perteneciente o relativo al orgasmo. **2.** *fig.* Placentero o muy satisfactorio.

orgasmo *s. m.* Culminación o clímax de la excitación sexual.

orgía *s. f.* **1.** Banquete en que se cometen excesos. **2.** *fig.* Desenfreno en la satisfacción de apetitos o pasiones.

orgiástico, ca *adj.* Perteneciente o relativo a la orgía.

orgullo *s. m.* **1.** Estimación propia. **2.** Arrogancia o vanidad.

orgulloso, sa *adj.* Que tiene orgullo.

oribe *s. m.* Orífice, orfebre que trabaja en oro.

orientación *s. f.* Acción y efecto de orientar u orientarse.

orientador, ra *adj.* Que orienta.

oriental *adj.* Perteneciente al Oriente.

orientar *v. tr.* **1.** Colocar una cosa en posición determinada respecto a los puntos cardinales. **2.** Informar a alguien de lo que ignora en algún asunto que piensa emprender. También prnl.

oriente *s. m.* **1.** (ORT.: may. inicial) Punto cardinal del horizonte, por donde aparece el Sol en los equinoccios. **2.** Nacimiento o principio de una cosa.

orificación *s. f.* Acción y efecto de orificar.

orificar *v. tr.* Rellenar con oro la picadura de una muela o de un diente.

orífice *s. m.* Artífice que trabaja el oro.

orificio *s. m.* Boca o agujero.

oriflama *s. f.* Cualquier estandarte o bandera.

orifrés *s. m.* Galón de oro o plata.

origen *s. m.* **1.** Aquello de que una cosa procede o se deriva. **2.** Patria, país donde uno ha nacido o tuvo principio la familia, o de donde una cosa proviene. **3.** Ascendencia o familia. **4.** *fig.* Principio o causa moral de una cosa.

original *adj.* **1.** Perteneciente al origen. **2.** Se dice de toda obra humana que no es copia o imitación de otra. También s. m. y s. f. **3.** Se dice de lo que se distingue por cierto carácter de novedad, fruto de la creación espontánea. **4.** También se aplica al escritor o artista que da a sus obras este carácter de novedad. **5.** Aplicado a personas o cosas de la vida real, singular, extraño, contrario a lo acostumbrado. **6.** Manuscrito o impreso que se da a la imprenta para su reproducción.

originalidad *s. f.* **1.** Cualidad de original. **2.** Actitud o comportamiento originales.

originar *v. tr.* **1.** Ser o dar origen o principio a algo. ‖ *v. prnl.* **2.** Traer una cosa su origen o principio de otra.

originario, ria *adj.* **1.** Que da origen a una persona o cosa. **2.** Que trae su origen de determinado lugar, persona o cosa.

orilla *s. f.* **1.** Término, borde o extremo de la extensión superficial de algunas cosas. **2.** Extremo o remate de una tela de lana, de un vestido, etc.

orillar *v. tr.* **1.** *fig.* Dejar orillas al paño o a otra tela. **2.** *fig.* Guarnecer la orilla de una tela o vestido. ‖ *v. intr.* **3.** Llegarse o arrimarse a los bordes u orillas. También prnl.

orillo *s. m.* Orilla de paño que normalmente se hace de la lana más basta, y de uno o más colores.

orín[1] *s. m.* Óxido rojizo que se forma en la superficie del hierro.

orín[2] *s. m.* Orina. Se usa más en pl.

orina *s. f.* Secreción líquida excrementicia de los riñones, de color amarillo cetrino, conducida a la vejiga por los uréteres y expelida por la uretra.

orinal *s. m.* Vasija para recoger la orina.

orinar *v. intr.* Expeler naturalmente la orina. También prnl.

oriniento, ta *adj.* **1.** Tomado de orín o moho. **2.** *fig.* Entorpecido por no usarse.

orinque *s. m.* Cabo que une y sujeta una boya a un ancla fondeada.

oriol *s. m.* Oropéndola.

oripié *s. m., Murc.* Pie de un monte.

oriundez *s. f.* Origen, procedencia, ascendencia.

oriundo, da *adj.* Originario.

orive *s. m.* Artífice que trabaja en oro.

orla *s. f.* **1.** Orilla de paños u otras cosas, con algún adorno que las distingue. **2.** Adorno que se pone en las orillas de una hoja de papel en torno de lo escrito o impreso, o de un retrato, cifra, etc. **3.** Lámina en la que se agrupan las fotos de los alumnos de una promoción académica y de sus profesores.

orlar *v. tr.* Adornar un vestido u otra cosa con guarniciones al canto.

orlo *s. m.* Oboe rústico usado en los Alpes, de boca ancha y encorvada y sonido intenso y monótono.

ormesí *s. m.* Tela fuerte de seda, muy tupida y prensada, que hace visos y aguas.

ornamentación *s. f.* Acción y efecto de ornamentar.

ornamental *adj.* Perteneciente o relativo a la ornamentación.

ornamentar *v. tr.* Adornar.

ornamento *s. m.* **1.** Adorno ‖ *s. m. pl.* **2.** Vestiduras sagradas y adornos del altar.

ornar *v. tr.* Adornar. También prnl.

ornato *s. m.* Adorno, atavío, aparato.

ornitología *s. f.* Parte de la zoología que trata de las aves.

ornitológico, ca *adj.* Perteneciente o relativo a la ornitología.

ornitólogo, ga *s. m. y s. f.* Persona que profesa la ornitología y tiene en ella especiales conocimientos.

ornitomancia u ornitomancía *s. f.* Adivinación por el vuelo y canto de las aves.

ornitorrinco *s. m.* Mamífero de Australia, del tamaño aproximado de un conejo.

oro *s. m.* **1.** Metal amarillo, muy dúctil y maleable. ‖ *s. m. pl.* **2.** Uno de los cuatro palos de la baraja española.

orobias *s. m.* Incienso en granos menudos del tamaño de la algarroba.

orogenia *v. tr.* Parte de la geología que estudia la formación de las montañas.

orografía *s. f.* Parte de la geografía física que trata de la descripción de las montañas.

orondo, da *adj.* **1.** Se aplica a las vasijas de mucha concavidad. **2.** *fam.* Hueco. **3.** *fig. y fam.* Lleno de presunción.

oropel *s. m.* Lámina de latón, muy batida y adelgazada, que imita al oro.

oropéndola *s. f.* Pájaro de plumaje amarillo, con las alas y la cola negras, que hace el nido colgándolo de las ramas horizontales de los árboles.

oropimente *s. m.* Mineral compuesto de arsénico y azufre, de color de limón, de textura laminar o fibrosa.

orozuz *s. m.* Regaliz, planta.

orquesta *s. f.* Conjunto de músicos que ejecutan una obra instrumental.

orquestación *s. f.* Acción y efecto de orquestar.

orquestal *adj.* Perteneciente o relativo a la orquesta.

orquestar *v. tr.* Instrumentar para orquesta.

orquestina *s. f.* Orquesta de pocos instrumentos dedicada por lo general a ejecutar música moderna bailable.

orquidáceo, a *adj.* **1.** Se dice de plantas herbáceas, monocotiledóneas vivaces, de hojas radicales, flores zigomorfas, fruto capsular y raíz con dos tubérculos elipsoidales y simétricos. También *s. f.* ‖ *s. f.* **2.** Flor de una planta de esta familia.

orquídeo, a *adj.* **1.** Orquidáceo. ‖ *s. f.* **2.** Cualquier planta de la familia de las orquidáceas. **3.** Flor de una de estas plantas.

orquitis *s. f.* Inflamación del testículo.

ortiga *s. f.* Planta herbácea urticácea, con hojas cubiertas de pelos espinosos que segregan un líquido urente.

ortigal *s. m.* Terreno cubierto de ortigas.

orto *s. m.* Salida o aparición del Sol o de otro astro por el horizonte.

orto- *elem. compos.* Correcto, recto.

ortocromático, ca *adj.* Se dice de las placas y películas igualmente sensibles a los diferentes colores.

ortodoncia *s. f.* Rama de la odontología que procura corregir las malformaciones y defectos de la dentadura.

ortodoxia *s. f.* **1.** Conformidad con el dogma católico. **2.** Por ext., conformidad con la doctrina fundamental de cualquier secta o sistema.

ortodoxo, xa *adj.* **1.** Conforme con la doctrina fundamental de cualquier secta o sistema. **2.** Se dice de las Iglesias griega, rumana, rusa y otras orientales.

ortodromia *s. f.* Arco de círculo máximo, camino más corto que puede seguirse en la navegación entre dos puntos.

ortofonía *s. f.* Arte de enmendar la pronunciación defectuosa.

ortogonal *adj.* Se dice de lo que está en ángulo recto.

ortogonio, nia *adj.* Se dice del triángulo rectángulo.

ortografía *s. f.* Parte de la gramática que enseña a escribir correctamente.

ortográfico, ca *adj.* Perteneciente o relativo a la ortografía.

ortógrafo, fa *s. m. y s. f.* Persona experta en ortografía.

ortología *s. f.* Arte de pronunciar correctamente.

ortopedia *s. f.* Arte de corregir o de evitar las deformidades del cuerpo humano.

ortopédico, ca *adj.* Perteneciente o relativo a la ortopedia.

ortopedista *com.* Persona que ejerce o profesa la ortopedia.

ortóptero, ra *adj.* Se aplica a los insectos masticadores con un par de élitros consistentes y otro de alas membranosas plegadas longitudinalmente. También *s. m.*

oruga *s. f.* Larva de los insectos lepidópteros.

orujo *s. m.* Hollejo de la uva, después de exprimida y sacada toda la sustancia.

orvallar *v. intr., Ast. y Gal.* En algunas partes, lloviznar, caer una lluvia muy fina.

orvallo *s. m., Ast. y Gal.* En algunas partes, llovizna.

orza[1] *s. f.* Vasija vidriada de barro, alta y sin asas.

orza[2] *s. f.* **1.** Acción y efecto de orzar. **2.** Pieza suplementaria, metálica, con forma de triángulo rectángulo, cuyo cateto mayor se asegura exteriormente a la quilla de los balandros para aumentar su calado, darles mayor estabilidad y mejor gobierno para ceñir.

orzar *v. intr.* Inclinar la proa hacia la parte de donde viene el viento.

orzaya *s. f.* Niñera.

orzuelo[1] *s. m.* Divieso que nace en el borde de un párpado.

orzuelo[2] *s. m.* Especie de cepo para cazar las fieras por los pies.

os *pron. pers.* Forma átona del pronombre personal de segunda persona, género masculino o femenino y número plural, que puede funcionar como complemento directo o como complemento indirecto. No lleva nunca preposición y se puede usar como enclítica.

osadía *s. f.* Atrevimiento, audacia.

osado, da *adj.* Que tiene osadía.

osambre *s. m.* Osamenta.

osamenta *s. f.* Armazón óseo.

osar[1] *s. m.* Osario.

osar[2] *v. intr.* Atreverse. También *tr.*

osario *s. m.* Lugar destinado en las iglesias o cementerios para reunir los huesos que se sacan de las sepulturas.

oscilación *s. f.* Cada uno de los vaivenes de un movimiento oscilatorio.

oscilador *s. m.* Circuito eléctrico capaz de engendrar ondas periódicas de tensión corriente.

oscilar *v. intr.* Efectuar movimientos de vaivén a la manera de un péndulo o de un cuerpo colgado de un resorte o movido por él.

oscilatorio, ria *adj.* Se aplica al movimiento de los cuerpos que oscilan y a su aptitud o disposición para oscilar.

oscilometría *s. f.* Medida de la tensión arterial basada en el registro de las oscilaciones de las paredes de la arteria.

ósculo *s. m.* Beso de afecto.

oscurantismo *s. m.* Doctrina de los que defienden como conveniente el mantener en estado de incultura a las clases populares.

oscurantista *adj.* Partidario del oscurantismo. También com., aplicado a personas.

oscurecer *v. tr.* **1.** Privar de luz y claridad. **2.** *fig.* Disminuir la estimación de las cosas, desacreditarlas. **3.** *fig.* Ofuscar la razón.

oscuridad *s. f.* Falta de luz o de claridad para percibir las cosas.

oscuro, ra *adj.* **1.** Que carece de luz o claridad. **2.** Se dice del color que casi llega a ser negro. También s. m. ‖ *adj.* **3.** *fig.* Humilde.

óseo, a *adj.* De la naturaleza del hueso.

osera *s. f.* Cueva que sirve de guarida al oso.

osezno *s. m.* Cachorro del oso.

osificación *s. f.* Acción y efecto de osificarse.

osificarse *s. m.* Volverse, convertirse en hueso o adquirir la consistencia de tal una materia orgánica.

osífraga *s. f.* Osífrago.

osífrago *s. m.* Quebrantahuesos.

osmazomo *s. m.* Mezcla de varias sustancias azoadas procedentes de la carne, a las que debe el caldo su olor y sabor característicos.

osmio *s. m.* Metal semejante al platino, atacable por los ácidos, que forma con el oxígeno un ácido de olor muy fuerte y desagradable, y el más pesado de todos los cuerpos conocidos.

ósmosis *s. f.* Paso recíproco de líquidos de distinta densidad a través de una membrana que los separa.

oso *s. m.* Mamífero carnívoro plantígrado, que se pone en dos pies para acometer y defenderse; es de pelaje pardo y abundante, cabeza grande, ojos pequeños, extremidades fuertes y gruesas, cinco dedos en cada una, con uñas recias, y cola muy corta.

ostealgia *s. f.* Dolor intenso en un hueso.

osteítis *s. f.* Inflamación de los huesos.

ostensible *adj.* Manifiesto, patente.

ostensión *s. f.* Manifestación, a veces exagerada, de una cosa.

ostensivo, va *adj.* Que muestra u ostenta algo.

ostensorio *s. m.* Custodia que se emplea para la exposición del Santísimo en iglesias o procesiones.

ostentación *s. f.* Jactancia y vanagloria.

ostentador, ra *adj.* Que ostenta. También s. m. y s. f.

ostentar *v. tr.* Hacer patente una cosa.

ostentativo, va *adj.* Que hace ostentación de una cosa.

ostento *s. m.* Prodigio de la naturaleza o cosa milagrosa o monstruosa.

ostentoso, sa *adj.* Magnífico, suntuoso, pomposo.

osteoblasto *s. m.* Célula embrionaria que preside la formación del tejido óseo.

osteología *s. f.* Parte de la anatomía, que trata de los huesos.

osteológico, ca *adj.* Perteneciente o relativo a la osteología.

osteomielitis *s. f.* Inflamación simultánea del hueso y de la médula ósea.

osteotomía *s. f.* Resección de un hueso.

ostra *s. f.* Molusco acéfalo lamelibranquio, con una concha rugosa, que es marisco muy apreciado.

ostracismo *s. m.* **1.** Destierro político acostumbrado entre los antiguos griegos. **2.** *fig.* Exclusión voluntaria o forzosa de los oficios públicos.

ostral *s. m.* **1.** Ostrero, lugar en que se crían ostras. **2.** Lugar en que se crían las perlas.

ostrero, ra *adj.* **1.** Perteneciente o relativo a las ostras. ‖ *s. m. y s. f.* **2.** Persona que vende ostras. ‖ *s. m.* **3.** Lugar donde se crían y conservan vivas las ostras. **4.** Lugar en que se crían las perlas.

ostricultura *s. f.* Arte de criar ostras.

ostrífero, ra *adj.* Que cría ostras o abunda en ellas.

ostro[1] *s. m.* **1.** Cualquiera de los moluscos cuya tinta servía antiguamente para dar a las telas el color de la púrpura. **2.** *fig.* Color o tinte de púrpura.

ostro[2] *s. m.* Viento del Sur, austro.

ostrogodo, da *adj.* Se dice del individuo del pueblo godo que estuvo establecido al oriente del Dniéper. También s. m. y s. f.

osudo, da *adj.* Huesudo.

otalgia *s. f.* Dolor de oídos.

oteador, ra *adj.* Que otea. También s. m. y s. f.

otear *v. tr.* **1.** Registrar desde un lugar alto lo que está abajo. **2.** Escudriñar.

otero *s. m.* Cerro aislado que domina un llano.

otitis *s. f.* Inflamación del órgano del oído.

oto *s. m.* Autillo.

otocisto *s. m.* Órgano auditivo o sensorial de los animales invertebrados, lleno de líquido y oolitos.

otología *s. f.* Parte de la patología que estudia las enfermedades del oído.

otólogo, ga *s. m. y s. f.* Médico que se dedica especialmente a las enfermedades del oído.

otomán *s. m.* Tela acordonada para vestidos femeninos.

otoñada *s. f.* Pasto de otoño.

otoñal *adj.* Propio del otoño.

otoñar *v. tr.* **1.** Pasar el otoño. **2.** Brotar la hierba en el otoño. ‖ *v. prnl.* **3.** Sazonarse la tierra en el otoño.

otoño *s. m.* Estación del año que comienza en el equinocio del mismo nombre y termina en el solsticio de invierno.

otorgamiento *s. m.* Permiso, consentimiento, parecer favorable.

otorgar *v. tr.* Consentir, condescender o conceder algo.

otorrea *s. f.* Flujo mucoso o purulento procedente del oído.

otorrinolaringología *s. f.* Parte de la patología que trata de las enfermedades del oído, nariz y laringe.

otorrinolaringólogo, ga *s. m. y s. f.* Médico que se dedica especialmente a la otorrinolaringología.

otoscopia *s. f.* Exploración del órgano del oído.

otoscopio *s. m.* Instrumento para reconocer el órgano del oído.

otro, tra *adj. indef.* Se aplica a la persona o cosa distinta de aquella de que se habla. También pron.

otrosí *adv. c.* Demás de esto, además.

ova *s. f.* Planta de la familia de las algas, formada por frondas más o menos filamentosas. Se usa más en pl.

ovación *s. f.* Aplauso ruidoso que tributa una muchedumbre.

ovacionar *v. intr.* Aclamar, aplaudir.

ovado, da *adj.* Se aplica al ave después de haber sido sus huevos fecundados por el macho.

oval *adj.* De figura semejante a la de un huevo.

ovalado, da *adj.* Oval.

ovalar *v. tr.* Dar a figura de óvalo.

óvalo *s. m.* **1.** Cualquier curva cerrada, parecida a la elipse. **2.** Cualquier figura plana, oblonga y curvilínea.

ovante *adj.* Victorioso o triunfante.

ovar *v. intr.* Aovar.

ovárico, ca *adj.* Perteneciente o relativo al ovario.

ovario *s. m.* Glándula sexual femenina en la cual se forman los óvulos.

ovariotomía *s. f.* Operación que consiste en la extirpación de uno o de ambos ovarios.

ovas *s. f. pl.* Hueva de los peces.

oveja *s. f.* Hembra del carnero.

ovejero, ra *adj.* Que cuida de las ovejas. También s. m. y s. f.

ovejuno, na *adj.* Perteneciente o relativo a las ovejas.

overa *s. f.* Ovario de las aves.

overo, ra *adj.* Se aplica a los animales de color parecido al del melocotón. También s. m. y s. f.

óvido, da *adj.* Se dice de mamíferos rumiantes de la familia de los bóvidos, muchos cubiertos de lana, con cuernos de sección triangular y retorcidos en espiral o encorvados hacia atrás, como los carneros y las cabras. También s. m.

oviducto *s. m.* Conducto interno que desde los ovarios llevan los óvulos o huevos al útero. En la especie humana se llama trompa de Falopio.

ovil *s. m.* Redil, aprisco.

ovillar *v. intr.* Hacer ovillos.

ovillo *s. m.* Bola que se forma devanando hilos.

ovino, na *adj.* Se aplica al ganado lanar.

ovíparo, ra *adj.* Se aplica a las especies animales cuyas hembras ponen huevos. También s. m.

ovni *s. m.* Objeto considerado una nave espacial extraterrestre.

ovogénesis *s. f.* Conjunto de transformaciones que sufre el óvulo en la matriz.

ovoide *adj.* Aovado, de figura de huevo.

óvolo *s. m.* Adorno en figura de huevo con puntas de flecha intercaladas entre cada dos.

ovovivíparo, ra *adj.* Se aplica al animal de generación ovípara, cuyos huevos se abren en el trayecto de las vías uterinas; como la víbora. También s. m.

ovulación *s. f.* Desprendimiento natural de un óvulo en el ovario para que pueda recorrer su camino y ser fecundado.

ovular *v. intr.* Realizar la ovulación.

óvulo *s. m.* Macrogameto, vesícula que contiene el germen de un nuevo ser orgánico antes de la fecundación.

¡ox! *interj.* que se usa para espantar la caza y las aves domésticas.

oxalato *s. m.* Combinación del ácido oxálico y un radical.

oxálico, ca *adj.* Se dice del ácido que se extrae de las acederas y otras sustancias, y que forma los oxalatos.

oxalidáceo, a *adj.* Se dice de plantas dicotiledóneas, generalmente herbáceas, de hojas alternas, flores en umbela o axilares y solitarias, y frutos capsulares con semillas de albumen carnoso. También s. f.

oxalme *s. m.* Salmuera con vinagre.

oxear *v. tr.* Espantar las gallinas u otras aves domésticas.

oxidable *adj.* Que se puede oxidar.

oxidación *s. f.* Acción y efecto de oxidar u oxidarse.

oxidar *v. tr.* Transformar un cuerpo por la acción del oxígeno o de un oxidante. También prnl.

óxido *s. m.* Combinación del oxígeno con un metal o un metaloide, distinta de la de los ácidos.

oxigenación *s. f.* Acción y efecto de oxigenar u oxigenarse.

oxigenado, da *adj.* Que contiene oxígeno.

oxigenar *v. tr.* **1.** Combinar el oxígeno formando óxidos. También prnl. ǁ *v. prnl.* **2.** *fig.* Airearse, respirar el aire libre.

oxígeno *s. m.* Metaloide gaseoso, esencial a la respiración, algo más pesado que el aire y parte integrante de él, del agua, de los óxidos, de casi todos los ácidos y de gran número de sustancias orgánicas.

oxítono, na *s. m.* Se dice de la palabra cuyo acento prosódico recae en la última sílaba.

oxiuro *s. m.* Lombriz intestinal, blanca y delgada.

¡oxte! *interj.* que se usa para rechazar a la persona o cosa que molesta.

oyente *s. m. y s. f.* Asistente a un aula, no matriculado como alumno.

ozono *s. m.* Gas muy oxidante, incoloro y de olor a marisco.

ozonómetro *s. m.* Reactivo preparado para graduar el ozono existente en el aire.

p *s. f.* Decimosexta letra del abecedario español y decimotercera de sus consonantes.

pabellón *s. m.* **1.** Edificio aislado que depende de otro contiguo a él. **2.** Bandera nacional.

pabilo *s. m.* **1.** Mecha que está en el centro de la vela o antorcha. **2.** Parte carbonizada de esta torcida.

pábilo *s. m.* Pabilo.

pabilón *s. m.* Mecha de lana o estopa que pende algo separada del copo de la rueca.

pablar *v. intr.* Parlar o hablar. solo tiene uso en lenguaje festivo.

pábulo *s. m.* **1.** Pasto, comida. **2.** Cualquier sustento en las cosas inmateriales.

paca¹ *s. f.* Mamífero roedor, de unos cinco dm de largo, con pelaje espeso y lacio, pardo por el lomo y rojizo por el resto; cola y pies muy cortos, hocico agudo y orejas pequeñas y redondas. Es propio de América del Sur; se domestica con facilidad y su carne es muy estimada.

paca² *s. f.* Fardo o lío, especialmente de forrajes, lana o de algodón en rama.

pacana *s. f.* **1.** Árbol de la familia de las juglandáceas, propio de América del Norte, de unos 30 m de altura, copa magnífica; hojas compuestas, flores verdosas y fruto seco del tamaño de una nuez, de cáscara lisa y forma de aceituna, con almendra comestible. **2.** Fruto de este árbol.

pacato, ta *adj.* Muy pacífico y apacible.

pacaya *s. f., C. Ric. y Hond.* Palmera propia de montañas frías, cuyos cogollos se toman como legumbre.

pacedero, ra *adj.* Que tiene hierba para pasto.

pacedura *s. f.* Pasto del ganado.

pacer *v. intr.* Comer el ganado la hierba en los campos.

pachá *s. m.* Bajá.

pachamanca *s. f., amer.* Carne que se asa entre piedras caldeadas, condimentada con ají, típica de América del Sur.

pacho, cha *adj., Nic. y Méx.* Flaco, aplastado.

pachón, na *adj.* Se dice del perro de raza similar a la del perdiguero pero de extremidades más cortas y torcidas, con la cabeza redonda y la boca grande.

pachorra *s. f., fam.* Flema, tardanza.

pachorrudo, da *adj., fam.* Que gasta mucha pachorra.

pachucho, cha *adj., fig.* Flojo, alicaído, enfermo.

pachulí *s. m.* **1.** Planta perenne y muy olorosa, semejante al almizcle, procedente de Asia y Oceanía, usada en perfumería. **2.** Perfume de esta planta.

paciencia *s. f.* **1.** Virtud que consiste en sufrir con entereza los infortunios y trabajos. **2.** Espera o sosiego. **3.** Lentitud o tardanza en ejecutar alguna cosa.

paciente *adj.* **1.** Que tiene paciencia. ‖ *com.* **2.** Persona que padece una enfermedad, un mal físico.

pacienzudo, da *adj.* Que tiene mucha paciencia.

pacificación *s. f.* **1.** Acción y efecto de pacificar. **2.** Paz, sosiego. **3.** Ajuste de paces entre dos o más Estados.

pacificador, ra *adj.* **1.** Que pacifica un país afligido de guerras y disturbios. También *s. m. y s. f.* **2.** Que pone paz entre los enemistados. También *s. m. y s. f.*

pacificar *v. tr.* **1.** Establecer la paz donde había guerra, reconciliar a los enemistados. ‖ *v. intr.* **2.** Tratar de asentar paces. ‖ *v. prnl.* **3.** Sosegarse y aplacarse las cosas insensibles.

pacífico, ca *adj.* Quieto, sosegado, amigo de paz.

pacifismo *s. m.* Movimiento internacional que aboga por la supresión de ejércitos y carrera de armamentos como paso para el fin de las guerras.

pacifista *adj.* Partidario y activista del pacifismo. También com.

pación *s. f., Ast. y Cant.* Pasto que de tiempo en tiempo cría un prado desde que se siega en verano.

pack *s. m.* Lote que contiene varios productos de la misma clase.

paco *s. m.* **1.** Paca, mamífero roedor. **2.** *amer.* Mineral de plata con ganga ferruginosa.

pacotilla *s. f.* Porción de géneros que los marineros pueden embarcar sin pagar.

pacotillero, ra *adj.* Que negocia con pacotillas.

pactar *v. tr.* Poner condiciones para concluir un negocio u otra cosa entre partes, obligándose mutuamente a su observancia.

pacto *s. m.* Concierto o asiento entre dos o más personas o entidades que se obligan a su observancia.

pacul *s. m., Filip.* Plátano silvestre de Filipinas, del cual se saca un filamento textil.

pada *s. f.* Molusco gasterópodo prosobranquio, de concha muy alargada y cónica y unos 8 cm de longitud.

padecer *v. tr.* **1.** Sentir corporalmente un daño, dolor, enfermedad, etc. **2.** Sentir agravios, injurias, pesares, etc. **3.** Soportar, tolerar, sufrir.

padecimiento *s. m.* Acción de padecer o sufrir daño, injuria, enfermedad, etc.

padilla *s. f.* **1.** Sartén pequeña. **2.** Horno de pan con una abertura en el centro de la plaza.

padisah *s. m.* Título que se daba a ciertos monarcas islámicos.

padrastro *s. m.* Marido de la madre respecto de los hijos que esta tiene de un matrimonio anterior.

padrazo *s. m., fam.* Padre muy indulgente.

padre *s. m.* **1.** Varón o macho que ha engendrado. **2.** Varón respecto de su hijo o hijos. **3.** Religioso o sacerdote, dicho en señal de veneración y respeto. **4.** Creador de alguna cosa. ǁ *s. m. pl.* **5.** El padre y la madre. ǁ *adj.* **6.** *fam.* Muy grande.

padrear *v. intr.* **1.** Parecerse alguien a su padre en las facciones o en las costumbres. **2.** Engendrar.

padrejón *s. m.* Histerismo en el hombre.

padrenuestro *s. m.* Oración de la Iglesia que comienza con estas palabras.

padrinazgo *s. m., fig.* Protección, favor que alguien dispensa a otro.

padrino *s. m.* **1.** Hombre que presenta o asiste a otra que recibe el sacramento del bautismo, de la confirmación, del matrimonio o del orden, si es varón, o que profesa, si es religiosa. **2.** Influencias personales de las que una persona hace uso para conseguir algo.

padrón *s. m.* Nómina o lista que se hace en los pueblos para saber por sus nombres el número de vecinos o moradores.

paella *s. f.* **1.** Plato de arroz cocido y seco, con carne, legumbres, marisco, etc. **2.** Recipiente en el que se prepara la paella.

paellera *s. f.* Recipiente de metal, redondo y de poco fondo, con dos asas, que sirve para hacer la paella.

paflón *s. m.* Sofito.

paga *s. f.* **1.** Acción de pagar o satisfacer una cosa. **2.** Cantidad de dinero que se da en pago. **3.** Expiación de la culpa, delito o yerro, por medio de la pena correspondiente. **4.** Entre empleados y militares, sueldo de un mes.

pagable *adj.* Pagadero.

pagadero, ra *adj.* **1.** Que se ha de pagar en cierta fecha. **2.** Que puede pagarse fácilmente.

pagador, ra *adj.* **1.** Que paga. También s. m. y s. f. **2.** Se aplica a la persona encargada de satisfacer sueldos, pensiones, etc.

pagaduría *s. f.* Casa, sitio o lugar público donde se paga.

pagamento *s. m.* Paga, acción de pagar.

pagamiento *s. m.* Pagamento.

paganismo *s. m.* Religión de los paganos.

paganizar *v. intr.* Profesar el paganismo la persona que no era pagana.

pagano, na *adj.* Se aplica a los idólatras y politeístas, y a todo infiel no bautizado.

pagar *v. tr.* **1.** Dar a alguien lo que se le debe. **2.** *fig.* Expiar un delito por medio de la pena correspondiente. **3.** *fig.* Corresponder con gratitud al afecto u otro beneficio.

pagaré *s. m.* Obligación escrita de pagar cierta cantidad en tiempo determinado.

pagaya *s. f.* Remo filipino, especie de zagual.

pagel *s. m.* Pez marino acantopterigio, comestible, de cabeza y ojos grandes.

página *s. f.* **1.** Cada una de las dos planas de la hoja de un libro o cuaderno. **2.** Lo escrito o impreso en cada página. **3.** *fig.* Suceso digno de recuerdo en el curso de una vida o de una empresa.

página web *s. f.* Documento electrónico que se encuentra en internet y que contiene información sobre determinados temas.

paginación *s. f.* **1.** Acción y efecto de paginar. **2.** Serie de las páginas de un escrito.

paginar *v. tr.* Numerar páginas o planas.

pago *s. m.* **1.** Entrega de un dinero o especie que se debe. **2.** Satisfacción, recompensa.

pagoda *s. f.* Templo de los ídolos en algunos pueblos de Oriente.

pagote *s. m., fam.* Pagano, persona que paga por otros o recibe daño sin culpa.

pagro *s. m.* Pez acantopterigio, muy semejante al pagel, y con el hocico obtuso.

paguro *s. m.* Ermitaño, crustáceo marino.

paidología *s. f.* Ciencia que estudia lo referente al buen desarrollo físico o intelectual de la infancia.

paidológico, ca *adj.* Perteneciente o relativo a la paidología.

paila *s. f.* Vasija grande de metal, a modo de sartén.

pailebote *s. m.* Goleta pequeña, con dos palos, sin gavias, muy rasa y fina.

painel *s. m.* Panel.

paíño *s. m.* Nombre de varias aves de la familia de las hidrobátidas; la más conocida es el paíño común, de color negro, que habita en el sur y oeste de Europa.

paipái *s. m.* Abanico hecho con esta hoja, en forma de pala y con mango.

pairar *v. intr.* Estar quieta la nave con las velas tendidas y largas las escotas.

pairo *s. m.* Acción de pairar la nave. Se usa comúnmente en la locución *al pairo*.

país *s. m.* Nación, territorio.

paisaje *s. m.* País, pintura o dibujo.

paisajista *s. m. y s. f.* Pintor de paisajes.

paisanaje *s. m.* Circunstancia de ser de un mismo país dos o más personas y especie de conexión o vínculo que de ella procede.

paisano, na *adj.* Que es del mismo lugar, provincia o país que otro. También s. m. y s. f.

paisista *adj.* Se dice del pintor de paisajes. También com.

paja *s. f.* **1.** Caña de trigo y otras gramíneas, después de seca y separada del grano. **2.** *fig.* Lo inútil y desechado en cualquier materia, a distinción de lo escogido de ella. **3.** Caña o tubo artificial que sirve para sorber líquidos, especialmente refrescos.

pajada *s. f.* Paja mojada y revuelta con salvado, que se suele dar a las caballerías.

pajado, da *adj.* Pajizo, de color de paja.

pajar *s. m.* Lugar donde se guarda la paja.

pájara *s. f.,* **1.** *fig.* Mujer astuta. También adj. **2.** En ciclismo, bajada de glucosa que imposibilita al corredor continuar la carrera o el entrenamiento.

pajarear *v. intr., fig.* Andar vagando, sin trabajar o sin ocuparse en cosa alguna.

pajarel *s. m.* Pardillo, pájaro granívoro.

pajarera *s. f.* Jaula grande o aposento donde se crían pájaros.

pajarería *s. f.* Tienda donde se venden pájaros y otros animales domésticos.

pajarero, ra *adj.* Perteneciente o relativo a los pájaros.

pajarete *s. m.* Vino licoroso, muy fino y delicado.

pajarilla *s. f.* **1.** Bazo, y especialmente el del cerdo. **2.** Palomilla, mariposa.

pajarita *s. f.* Figura de papel con forma de pájaro que resulta de doblar este varias veces.

pájaro *s. m.* **1.** Nombre genérico que comprende toda especie de aves, sobre todo las pequeñas. **2.** *fig.* Hombre astuto. **3.** *fig.* Cualquiera de las aves terrestres voladoras, con pico recto, tarsos cortos y delgados y tamaño generalmente pequeño, como el tordo, la golondrina, el canario y la abubilla.

pajarota *s. f., fam.* Noticia falsa y engañosa.

pajarotada *s. f., fam.* Pajarota.

pajarraco, ca *s. m. y s. f., fig. y fam.* Persona disimulada y astuta.

pajaza *s. f.* Desecho de la paja larga que los caballos dejan en el pesebre.

pajazo *s. m.* Mancha a modo de cicatriz en la córnea transparente de las caballerías.

paje *s. m.* **1.** Criado joven para acompañar a sus amos, servir a la mesa, etc. **2.** *fig.* Mueble formado por un espejo con pie alto y una mesita para utensilios de tocador.

pajear *v. intr.* Comer mucha paja las caballerías.

pajecillo *s. m.* **1.** Palanganero. **2.** Mesina o bufete pequeño en que se ponen los velones y candeleros.

pajel *s. m.* Pagel.

pajera *s. f.* Pajar pequeño que suele haber en las caballerizas.

pajería *s. f.* Tienda donde se vende paja.

pajero, ra *s. m. y s. f.* Persona que conduce o lleva paja a vender de un lugar a otro.

pajil *adj.* Perteneciente o relativo a los pajes.

pajilla *s. f.* Cigarrillo hecho en una hoja de maíz recortada.

pajizo, za *adj.* **1.** Hecho o cubierto de paja. **2.** De color de paja.

pajo *s. m.* Especie de mango filipino, pero mucho menor, del que se hace dulce.

pajolero, ra *adj., fam.* Despreciable, molesto.

pajón *s. m.* Caña alta y gruesa de las rastrojeras.

pajoso, sa *adj.* **1.** Que tiene mucha paja. **2.** De paja o semejante a ella.

pajote *s. m.* Estera de cañas y paja con que se cubren ciertas plantas de jardín.

pajucero *s. m., Ar.* Lugar en que se pone a pudrir el pajuz.

pajuela *s. f.* Paja de centeno, tira de cañaheja o torcida de algodón, cubierta de azufre, que arde con llama.

pajuno, na *adj.* Perteneciente a los pajes.

pajuz *s. f.* **1.** *Ar.* Paja a medio pudrir y desechada de los pesebres. **2.** *Ar.* Paja muy menuda que se abandona en la era y se destina a estiércol.

pala *s. f.* **1.** Instrumento compuesto de una lámina de madera o hierro y un mango grueso, más o menos largo. **2.** Parte ancha de diversos instrumentos más o menos semejante a la hoja de la pala. **3.** Tabla de madera con mango para jugar a la pelota. **4.** Parte ancha del remo, con la cual se hace fuerza en el agua. **5.** Parte superior del calzado, que abraza el pie por encima. **6.** Cada una de las aletas o partes activas de una hélice.

palabra *s. f.* **1.** Sonido o conjunto de sonidos articulados que expresan una idea. **2.** Representación escrita de estos signos. **3.** Facultad de hablar.

palabreja *s. f., desp.* Palabra de escasa importancia o interés en el discurso.

palabreo *s. m.* Acción y efecto de hablar mucho y en vano.

palabrería *s. f.* Abundancia de palabras vanas y ociosas.

palabrero, ra *adj.* Que habla mucho. También s. m. y s. f.

palabrita *s. f.* Palabra ofensiva o que lleva mucha intención.

palabrón, na *adj.* Palabrero.

palabrota *s. f.* Dicho ofensivo, deshonesto o grosero.

palacete *s. m.* Palacio pequeño, tenido como casa de recreo.

palaciano, na *adj.* **1.** Palaciego. ‖ *s. m. y s. f.* **2.** *Nav.* Dueño de un palacio en Navarra.

palaciego, ga *adj.* **1.** Perteneciente o relativo a palacio. **2.** Se dice de la persona que sirve o asiste en palacio y sabe sus estilos y modas. También s. m. y s. f.

palacio *s. m.* Cualquier casa suntuosa, destinada a habitación de grandes personajes.

palacra *s. f.* Pepita de oro.

palacrana *s. f.* Palacra.

palada *s. f.* **1.** Porción que la pala puede recoger de una vez. **2.** Golpe que se da al agua con la pala del remo.

paladar *s. m.* **1.** Parte interior y superior de la boca. **2.** *fig.* Sensibilidad. **3.** *fig.* Gusto que se percibe de los manjares.

paladear *v. tr.* Tomar poco a poco el gusto de una cosa. También prnl.

paladeo *s. m.* Acción de paladear o paladearse.

paladial *adj.* Perteneciente o relativo al paladar.

paladín *s. m.* **1.** Caballero fuerte y valeroso que en la guerra se distingue por sus hazañas. **2.** *fig.* Defensor denodado de alguna causa.

paladino, na *adj.* Público, claro y patente.

paladio *s. m.* Metal bastante raro, parecido por sus cualidades a la plata y al platino, utilizado en joyería y en laboratorios químicos como absorbente del hidrógeno.

paladión *s. m., fig.* Objeto en que estriba la defensa y seguridad de una cosa.

palado, da *adj.* Se dice del escudo y de las figuras cargadas de palos.

palafito *s. m.* Vivienda lacustre primitiva construida en el agua o sobre suelo pantanoso, sobre estacas.

palafrén *s. m.* Caballo manso en que solían montar las damas y señoras.

palafrenero *s. m.* Criado que lleva del freno al caballo.

palamenta *s. f.* Conjunto de los remos de una embarcación.

palanca *s. f.* Barra inflexible que, apoyada o articulada en un punto, sirve para transmitir la fuerza, levantar pesos, etc.

palancada *s. f.* Golpe dado con la palanca.

palancana *s. f.* Jofaina, palangana.

palancón, na *adj., Arg. y Bol.* Se dice de la persona o animal muy grandes o largos, o de piernas desproporcionadas.

palangana *s. f.* Jofaina.

palanganero *s. m.* Mueble donde se coloca la palangana o jofaina.

palangre *s. m.* Cordel largo provisto de ramales con anzuelos para pescar.

palangrero *s. m.* **1.** Barco de pesca con palangre. **2.** Pescador que usa este anzuelo.

palanquear *v. tr.* **1.** *Arg., Chil. y Ur.* Apalancar. **2.** *Arg., Chil. y Ur.* Mover, incitar a una persona o empresa para que haga una cosa.

palanquera *s. f.* Valla de madera.

palanquero, ra *adj.* **1.** Que apalanca. ‖ *s. m.* **2.** Operario que movía el fuelle en las ferrerías.

palanqueta *s. f.* Barreta de hierro que usan los ladrones para forzar puertas o cerraduras.

palanquilla *s. f.* Hierro de sección cuadrada de 4 cm de lado.

palanquín *s. m.* Especie de andas usadas en Oriente para llevar en ellas a los personajes destacados.

palasan *s. m.* Rota, palmera.

palasita *s. f.* Roca meteórica que presenta hierro nativo en forma de esponja, cuyos espacios vacíos están reemplazados por silicatos.

palastro *s. m.* **1.** Chapa en que se coloca el pestillo de una cerradura. **2.** Hierro o acero laminado.

palatal *adj.* Se dice de las consonantes que se articulan entre la lengua y el paladar duro.

palatalizar *v. tr.* Pronunciar un sonido con articulación palatal.

palatina *s. f.* Especie de corbata ancha, de plumas o pieles, que usaban las mujeres para abrigar la garganta y el pecho.

palatino, na *adj.* Relativo al palacio.

palay *s. m., Filip.* Arroz con cáscara.

palazo *s. m.* Golpe dado con la pala.

palazón *s. f.* Conjunto de palos de que se compone una fábrica; como casa, barraca, embarcación, etc.

palco *s. m.* Localidad independiente con balcón en los teatros y otros lugares de espectáculo.

paleador, ra *s. m. y s. f.* Persona que trabaja con la pala o usa de ella.

paleal *adj.* Perteneciente o relativo al manto de los moluscos.

palear *v. tr.* Apalear, aventar el grano.

palenque *s. m.* Estacada de madera.

paleoantropología *s. f.* Parte de la antropología que estudia las formas humanas fósiles.

paleobiología *s. f.* Rama de las ciencias naturales que estudia los modos de vida de organismos pretéritos por comparación de los actuales con las formas fosilizadas.

paleoceno, na *adj.* Se dice del primer periodo de la era terciaria.

paleofitología *s. f.* Parte de la botánica que trata de las plantas fósiles.

paleógeno, na *adj.* Se dice de la primera etapa de la era terciaria en la que se incluyen los periodos paleoceno, eoceno y oligoceno.

paleografía *s. f.* Arte de leer las inscripciones y escritos de los libros y documentos antiguos.

paleográfico, ca *adj.* Perteneciente o relativo a la paleografía.

paleógrafo, fa *s. m. y s. f.* Persona que profesa la paleografía o tiene en ella especiales conocimientos.

paleolítico, ca *adj.* **1.** (ORT.: may. inicial) Se dice del primer periodo de la Edad de Piedra, caracterizado por el uso de piedra tallada. También *s. m.* **2.** *adj.* Perteneciente o relativo al primer periodo de la Edad de Piedra.

paleología *s. f.* Ciencia que estudia las lenguas antiguas.

paleólogo, ga *adj.* Versado en paleología. También *s. m. y s. f.*

paleontología *s. f.* Tratado de los seres orgánicos cuyos restos o vestigios se encuentran fósiles.

paleontológico, ca *adj.* Perteneciente o relativo a la paleontología.

paleontólogo, ga *s. m. y s. f.* Persona que profesa la paleontología o tiene en ella especiales conocimientos.

paleoterio *s. m.* Paquidermo fósil del periodo eoceno. Se supone que sea el antepasado del caballo.

paleozoico, ca *adj.* Se dice del segundo de los periodos de la historia de la Tierra, el más antiguo de los sedimentarios.

palera *s. f., Murc.* Nopal.

palería *s. f.* Arte u oficio de formar o limpiar los canales para desaguar las tierras bajas y húmedas.

palestra *s. f.* **1.** Lugar donde se lidia o lucha. **2.** *fig.* La misma lucha. **3.** *fig.* Sitio o paraje en que se celebran certámenes literarios públicos.

paléstrico, ca *adj.* Perteneciente o relativo a la palestra.

palestrita *com.* Persona que se ejercita en la palestra.

paleta *s. f.* **1.** Tabla delgada sin mango y con un agujero a uno de sus extremos, por donde mete el pintor el dedo pulgar izquierdo, y en la cual tiene ordenados los colores. **2.** Badil u otro instrumento semejante con que se remueve la lumbre.

paletada *s. f.* **1.** Porción que la paleta puede coger de una vez. **2.** Golpe dado con la paleta.

paletazo *s. f.* Golpe dado con una vara o palo.

paletear *v. intr.* **1.** Remar mal, metiendo y sacando la pala del remo en el agua, sin adelantar nada. **2.** Golpear el agua con las paletas de las ruedas sin arrancar del sitio por la poca fuerza del vapor o por algún accidente del buque.

paleteo *s. m.* Acción de paletear.

paletilla *s. f.* Ternilla en que termina el esternón y que corresponde a la región llamada boca del estómago.

paletina *s. f.* Palatina.

paleto, ta *s. m. y s. f., fig.* Persona rústica y zafia.

paletón *s. m.* Parte de la llave en que están los dientes y guardas de ella.

palia *s. f.* **1.** Lienzo, regularmente cuadrado sobre el que se extienden los corporales para decir misa. **2.** Cortina que se pone delante del sagrario o del altar.

paliación *s. f.* Acción y efecto de paliar.

paliar *v. tr.* **1.** Encubrir, disimular. **2.** Mitigar la violencia de ciertas enfermedades sin curarlas.

paliativo, va *adj.* Se dice de los remedios que se aplican a las enfermedades incurables para mitigar su violencia y refrenar su rapidez. También *s. m.*

paliatorio, ria *adj.* Capaz de encubrir o disimular una cosa.

palidecer *v. intr.* Ponerse pálido.

palidez *s. f.* Amarillez del rostro, falta del color natural.

pálido, da *adj.* **1.** Amarillo, macilento o descaecido de su color natural. **2.** *fig.* Falto de expresión y colorido.

paliducho, cha *adj.* Se dice de la persona de quebrado color.

palier *s. m.* En algunos vehículos, cada una de las dos mitades del eje de las ruedas motrices.

palillero *s. m.* Utensilio de mesa en que se colocan los palillos.

palillo *s. m.* **1.** Varilla en que se encaja la aguja para hacer media. **2.** Mondadientes de madera. **3.** Cualquiera de las dos varitas redondas que rematan en forma de perilla para tocar el tambor.

palimpsesto *s. m.* Manuscrito antiguo que conserva huellas de una escritura anterior borrada artificialmente.

palíndromo *s. m.* Palabra o frase que se lee igual de izquierda a derecha que en sentido inverso.

palingenesia *s. f.* Regeneración, resurrección de los seres.

palingenésico, ca *adj.* Perteneciente o relativo a la palingenesia.

palinodia *s. f.* Retractación pública de lo que se había dicho.

palio *s. m.* **1.** Prenda principal, exterior, del traje griego, a manera de manto, sujeta al pecho por una hebilla o broche. **2.** Insignia que da el papa a los prelados. **3.** Dosel portátil colocado sobre unas varas largas, bajo el cual, en las procesiones, va el sacerdote.

palique *s. m., fam.* Conversación de poca importancia.

paliquear *v. intr.* Estar de palique, charlar.

palisandro *s. m.* Madera americana parecida al palo santo, muy estimada en la construcción de muebles de lujo.

palitroque *s. m.* Palo pequeño y tosco.

paliza *s. f.* **1.** Zurra de golpes dados con palo. **2.** *fig. y fam.* Disputa en que alguien queda vencido.

palizada *s. f.* Presa o dique de estacas y terraplenado para impedir la salida de los ríos o dirigir su corriente.

palla *s. m.* Impala.

pallador, ra *s. m. y s. f.* Payador.

pallar *v. tr.* Entresacar o escoger la parte metálica o más rica de los minerales.

pallón *s. m.* Esterilla de oro o plata que resulta en la copela al hacer los ensayos de menas auríferas.

palma *s. f.* **1.** Palmera. **2.** Parte interior y algo cóncava de la mano desde la muñeca hasta los dedos. **3.** *fig.* Victoria del mártir. ‖ *s. f. pl.* **4.** Palmadas de aplausos.

palmacristi *s. f.* Ricino.

palmada *s. f.* **1.** Golpe dado con la palma de la mano. ‖ *s. f. pl.* **2.** Ruido que se hace golpeando una con otra las palmas de las manos.

palmado, da *adj.* Palmeado.

palmar[1] *s. m.* **1.** Perteneciente o relativo a la palma de la mano o al casco de los animales. **2.** Lugar donde se crían palmas.

palmar[2] *v. intr., fam.* Morir una persona.

palmario, ria *adj.* Claro, manifiesto.

palmatoria *s. f.* **1.** Palmeta de los maestros. **2.** Candelero bajo, con mango y pie.

palmeado, da *adj.* Se dice de los dedos de aquellos animales que los tienen ligados entre sí por una membrana.

palmear *v. intr.* Dar golpes con las palmas de las manos.

palmejar *s. m.* Tablón que, interiormente y de popa a proa, va endentado y clavado en las varengas del navío, para ligar entre sí las cuadernas e impedir las flexiones del casco.

palmeo *s. m.* Acción y efecto de palmear.

palmera *s. f.* Árbol con tronco áspero y cilíndrico, copa formada por las hojas con el nervio central recto y leñoso, y fruto en bayas oblongas y comestibles.

palmeral *s. m.* Bosque de palmas.

palmero, ra *s. m. y s. f.* Persona que acompaña con palmas ciertos bailes y cantes falmencos.

palmeta *s. f.* Tabla pequeña, redonda, que servía a los maestros para dar golpes en la palma de la mano.

palmetazo *s. m., fig.* Represión áspera y desabrida.

palmiche *s. m.* **1.** *amer.* Palma. **2.** *amer.* Fruto de este árbol. **3.** *amer.* Palma propia de grandes altitudes, de tronco muy delgado, cuya madera, en astillas, sirve para alumbrar en la caza de pájaros nocturnos.

palmífero, ra *adj.* Que lleva palmas o abunda en ellas.

palmilla *s. f.* **1.** Cierto género de paño. **2.** Plantilla del zapato.

palmípedo, da *adj.* Se dice de las aves que tienen los dedos palmeados, a propósito para la natación. También s. f.

palmitieso, sa *adj.* Se dice de la caballería que tiene los cascos con la palma plana o convexa.

palmito *s. m.* Planta con tronco subterráneo, hojas en figura de abanico y fruto rojizo, comestible y con hueso duro.

palmo *s. m.* Medida de longitud, cuarta parte de la vara.

palmotear *v. intr.* Palmear, dar palmadas.

palmoteo *s. m.* Acompañamiento de palmas en el cante.

palo *s. m.* **1.** Trozo de madera, generalmente cilíndrico y manejable, y mucho más largo que grueso. **2.** Golpe dado con un palo. **3.** Cada una de las cuatro series de naipes en que se divide la baraja. **4.** Trazo de algunas letras que sobresale de las demás, como en *p* o *d*. **5.** Estaca con que se golpea las bolas, en el billar. **6.** Cada una de las variedades tradicionales del cante flamenco.

paloduz *s. m.* Palo dulce, regaliz.

paloma *s. f.* Nombre común a varias especies de aves, que se distinguen por tener la mandíbula superior abovedada en la punta y los dedos libres.

palomadura *s. f.* Ligadura con que de trecho en trecho y a falta de costuras, se sujeta el cabo a su vela.

palomar[1] *s. m.* Edificio donde se recogen y crían las palomas.

palomar[2] *adj.* Se dice del hilo más delgado y retorcido que el regular.

palomariega *adj.* Se dice de la paloma criada en el palomar.

palomear *v. intr.* Andar a la caza de palomas.

palomera *s. f.* **1.** Palomar pequeño de palomas domésticas. **2.** Páramo de corta extensión.

palomería *s. f.* Caza de las palomas que van de paso.

palomero, ra *s. m. y s. f.* **1.** Persona que trata en la venta y compra de palomas. **2.** Persona aficionada a la cría de estas aves.

palometa *s. f.* Pez comestible, parecido al jurel, aunque algo mayor que este.

palomilla *s. f.* **1.** Mariposa nocturna, cenicienta, de alas horizontales y estrechas y antenas verticales. **2.** Parte anterior de la grupa de las caballerías.

palomina *s. f.* Excremento de las palomas.

palomino *s. m.* **1.** Pollo de la paloma brava. **2.** *fam.* Mancha de excremento en la parte posterior de la camisa.

palomita *s. f.* **1.** Roseta de maíz tostado reventado. **2.** Refresco de agua con algo de anís.

palomo *s. m.* Macho de la paloma.

palor *s. m.* Palidez.

palotada *s. f.* Golpe que se da con el palote o palillo.

palote *s. m.* **1.** Palo mediano, como las baquetas con que se tocan los tambores. **2.** Cada uno de los trazos que los niños hacen en el papel pautado como primer ejercicio de escritura.

paloteado *s. m.* **1.** Danza en que los bailarines hacen figuras, paloteando a compás de la música. **2.** *fig. y fam.* Riña o contienda ruidosa en que hay golpes.

palotear *v. intr.* **1.** Herir unos palos con otros o hacer ruido con ellos. **2.** *fig.* Hablar mucho y discutir acaloradamente.

paloteo *s. m.* Paloteado.

palpable *adj.* Que puede tocarse con las manos.

palpación *s. f.* **1.** Acción y efecto de palpar. **2.** Método exploratorio que se ejecuta aplicando los dedos o la mano sobre las partes externas del cuerpo o las cavidades accesibles.

palpadura *s. f.* Palpación.

palpar *v. tr.* **1.** Tocar con las manos una cosa para percibirla o reconocerla por el tacto. **2.** Andar a tientas o a oscuras, valiéndose de las manos para no caer o tropezar.

pálpebra *s. f.* Párpado.

palpebral *adj.* Perteneciente o relativo a los párpados.

palpitación *s. f.* Latido del corazón, sensible e incómodo para el enfermo, y más frecuente que el normal.

palpitar *v. intr.* Contraerse y dilatarse alternativamente el corazón.

pálpito *s. m.* Presentimiento, corazonada.

palpo *s. m.* Cada uno de los apéndices articulados y movibles que tienen los artrópodos alrededor de la boca con el fin de sujetar y palpar lo que comen.

palqui *s. m., amer.* Arbusto americano de la familia de las solanáceas, de olor fétido, con muchos tallos erguidos, hojas enteras y flores en panojas con brácteas. Su cocimiento se emplea en Chile contra la tiña.

palta *s. f.* Aguacate, fruto.

palto *s. m.* Aguacate, árbol.

palúdico, ca *adj.* Se dice de la fiebre causada por microbios procedentes de pantanos que lo inoculan ciertos insectos.

paludismo *s. m.* Enfermedad endémica infecciosa producida en el ser humano por un protozoo específico que se desarrolla en los pantanos o lugares pantanosos y se transmite mediante la hembra de un mosquito del género Anofeles.

palumbario *adj.* Se dice del halcón que se llama también azor.

palurdo, da *adj.* Tosco, grosero.

palustre[1] *s. m.* Paleta de albañil.

palustre[2] *adj.* **1.** Perteneciente o relativo a la laguna o pantano. **2.** Se dice de los sedimentos que se han depositado en regiones pantanosas o en embalses artificiales.

pamandabuán *s. m.* Embarcación filipina, mayor que la banca.

pamela *s. f.* Sombrero femenino de paja, ancho de alas.

pamema *s. f., fam.* Hecho o dicho insignificante, a que se ha querido dar importancia.

pampa *s. f.* Cualquiera de las llanuras extensas de América del Sur, desprovistas de arbolado.

pámpana *s. f.* Hoja de la vid.

pampanada *s. f.* Zumo que se saca de los pámpanos de la vid.

pampanaje *s. m.* **1.** Abundancia de pámpanos. **2.** *fig.* Hojarasca, cosa inútil.

pámpano *s. m.* **1.** Sarmiento verde, tierno y delgado, o pimpollo de la vid. **2.** Pámpana.

pampanoso, sa *adj.* Que tiene muchos pámpanos.

pampear *v. intr., Amér. del S.* Recorrer la pampa.

pampero, ra *adj.* Perteneciente o relativo a las pampas. También s. m. y s. f.

pampirolada *s. f.* **1.** Salsa de pan y ajos machacados y desleídos en agua. **2.** *fig. y fam.* Necedad o cosa insustancial.

pamplina *s. f.* **1.** Planta papaverácea, anual de flores amarillas en panojas pequeñas, muy abundante en los sembrados de suelo arenisco. **2.** *fig. y fam.* Cosa insignificante, de poca utilidad.

pamplinada *s. f.* Pamplina, cosa insignificante.

pamplinero, ra *adj.* Pamplinoso. También s. m. y s. f.

pamplinoso, sa *adj.* Propenso a decir pamplinas. También s. m. y s. f.

pamporcino *s. m.* Planta herbácea, vivaz, primulácea, con rizoma grande que sirve de alimento a los cerdos.

pamposado, da *adj.* Perezoso, desidioso.

pampringada *s. f.* **1.** Pringada. **2.** *fig. y fam.* Cosa insignificante o fuera de propósito.

pan *s. m.* **1.** Porción de masa de harina y agua, que después de fermentada y cocida en horno sirve de alimento al ser humano. **2.** *fig.* Todo lo que sirve para el sustento diario.

pana *s. f.* **1.** Tela gruesa, semejante en el tejido al terciopelo. **2.** Cada una de las tablas levadizas que forman el suelo de una embarcación menor.

pánace *s. f.* Planta herbácea, vivaz, de la familia de las umbelíferas, con tallo estriado, flores amarillas en umbelas, frutos aovados y raíz gruesa y jugosa de la que se obtiene el opopónaco.

panacea *s. f.* Medicamento a que se atribuye eficacia para curar diversas enfermedades.

panaché *s. m.* Comida compuesta por varias verduras cocidas.

panadear *v. tr.* Hacer pan para venderlo.

panadeo *s. m.* Acción de panadear.

panadería *s. f.* Sitio donde se hace o vende el pan.

panadero, ra *s. m. y s. f.* Persona que tiene por oficio hacer o vender pan.

panadizo *s. m.* **1.** Inflamación aguda del tejido celular de los dedos. **2.** *fig. y fam.* Persona que tiene el color muy pálido.

panado, da *adj.* Se dice del líquido en que se pone en infusión pan tostado, con lo cual en ocasiones se sustituyen los caldos.

panal *s. m.* Conjunto de celdillas prismáticas hexagonales de cera que las abejas forman dentro de la colmena para depositar la miel.

panamá *s. m.* Sombrero de pita.

panameñismo *s. m.* Giro o modo de hablar propio de los panameños.

panamericanismo *s. m.* Doctrina política que propugna la estrecha colaboración de las repúblicas americanas para combatir las influencias extrañas, especialmente las europeas.

panamericano, na *adj.* Perteneciente o relativo al panamericanismo.

panarra *s. m.* Hombre simple y perezoso.

panatela *s. f.* Especie de bizcocho grande y delgado.

panática *s. f.* Provisión de pan en las embarcaciones.

panavisión *s. f.* Técnica cinematográfica de filmación en la que se emplean lentes especiales y película de 65 mm.

panca[1] *s. f.* **1.** Embarcación filipina. **2.** Especie de abanico grande, rectangular, suspendido del techo, que se mueve tirando de una cuerda.

panca[2] *s. f., amer.* Hoja que cubre la mazorca del maíz.

pancarpia *s. f.* Corona hecha con diversas flores.

pancarta *s. f.* Pergamino que contiene copiados varios documentos.

panchito *s. m., fam.* Cacahuete pelado y frito.

pancho *s. m.* Cría del besugo.

pancista *adj., fam.* Se dice de la persona que para no perjudicar sus intereses renuncia a toda actuación política o social. También com.

panclastita *s. f.* Explosivo líquido muy poderoso.

panco *s. m.* Embarcación filipina de cabotaje.

pancrático, ca *adj.* Pancreático.

páncreas *s. m.* Glándula situada en la cavidad abdominal de los mamíferos, unida al intestino duodeno, donde vierte un jugo parecido a la saliva y que contribuye a la digestión.

pancreático, ca *adj.* Relativo al páncreas.

pancreatina *s. f.* Sustancia orgánica secretada por el páncreas de los mamíferos, que contiene importantes enzimas para la digestión y se usa en el tratamiento de las deficiencias de la misma.

pancronía *s. f.* Estudio de la lengua en sus diferentes aspectos, trascendiendo lo idiosincrónico.

panda *s. f.* Cada una de las galerías o corredores de un claustro.

pandáneo, a *adj.* Se dice de plantas vivaces de tallo sarmentoso rastrero y largo, o corto y casi nulo, con flores en espadas y frutos redondos con semillas de albumen carnoso. También s. f.

pandear *v. intr.* Torcerse una cosa encorvándose, especialmente en el medio. Se dice de las paredes, vigas y otras cosas. También prnl.

pandectas *s. f. pl.* Recopilación de obras de derecho que el emperador Justiniano puso en su colección de textos legales.

pandemia *s. f.* Enfermedad epidémica que se extiende a muchos países o que ataca a casi todos los individuos de una localidad o región.

pandemónium *s. m.* **1.** Capital imaginaria del infierno. **2.** *fig. y fam.* Lugar en que hay mucho ruido y confusión.

pandeo *s. m.* Acción y efecto de pandear o pandearse.

pandera *s. f.* Pandero.

panderada *s. f.* Conjunto de muchos panderos.

panderazo *s. m.* Golpe dado con el pandero o la pandera.

pandereta *s. f.* Pandero, instrumento con sonajas y cascabeles.

panderetazo *s. m.* Golpe dado con la pandereta.

panderetear *v. intr.* Tocar el pandero en bulla y alegría, o festejarse y bailar al son de él.

pandereteo *s. m.* **1.** Acción y efecto de panderetear. **2.** Regocijo y bulla al son del pandero.

panderetero, ra *s. m. y s. f.* Persona que toca el pandero.

pandero *s. m.* Instrumento rústico de percusión, formado de una piel estirada sobre un aro estrecho de madera, provisto de cascabeles.

pandiculación *s. f.* Desperezo.

pandilla *s. f.* **1.** Liga. **2.** Reunión de gente, y en especial la que se forma para divertirse.

pandillaje *s. m.* Influjo de personas reunidas en pandilla o confabulación.

pandillero, ra *s. m. y s. f.* Persona que forma o fomenta pandillas. También adj.

pandillista *com.* Persona que forma o fomenta pandillas.

pando, da *adj.* **1.** Que pandea. **2.** Se dice de lo que se mueve lentamente, como los ríos cuando forman remanso. **3.** *fig.* Se dice del sujeto calmoso. ‖ *s. m.* **4.** Terreno casi llano situado entre dos montañas.

pandorga *s. f., fig.* Mujer muy gorda y perezosa.

panegírico *s. m.* **1.** Discurso de alabanza de una persona. **2.** Elogio de alguna persona por escrito.

panegirista *com.* **1.** Orador que pronuncia el panegírico. **2.** *fig.* Persona que alaba a otra de palabra o por escrito.

panel *s. m.* **1.** Cada uno de los espacios en que para su ornamentación se dividen los lienzos de pared, las hojas de puertas, etc. **2.** Cada una de las tablas que forman el suelo movible de algunas embarcaciones pequeñas.

panela *s. f.* Bizcochuelo de figura prismática.

panera *s. f.* **1.** Cámara donde se guardan los cereales, el pan o la harina. **2.** Cesta de esparto sin asa para transportar pan.

panero *s. m.* **1.** Canasta redonda que sirve en las tahonas para echar el pan que se va sacando del horno. **2.** Ruedo, estera pequeña y redonda.

panetela *s. f.* Cigarro puro largo y delgado.

panfilismo *s. m.* Benignidad extremada.

pánfilo, la *adj.* Pausado, y tardo en obrar.

panfletario, ria *adj.* Se dice del estilo propio de los panfletos.

panfletista *s. m. y s. f.* Libelista, autor de panfletos.

panfleto *s. m.* Libelo, folleto.

pangelín *s. m.* Árbol del Brasil de tronco recto y grueso y copa espaciosa.

pango *s. m.* Embarcación pequeña filipina a modo de canoa realzada.

pangolín *s. m.* Mamífero desdentado, parecido al lagarto, y cubierto de escamas duras y puntiagudas.

paniaguado *s. m.* Servidor de una casa, que recibe habitación, alimento y salario.

pánico *s. m.* Miedo o terror grande.

panícula *s. f.* Panoja o espiga de flores.

paniculado, da *adj.* En forma de panícula.

panicular *adj.* Que tiene panículo.

panículo *s. m.* Capa subcutánea formada por un tejido.

paniego, ga *adj.* Que come mucho pan.

panificable *adj.* Que se puede panificar.

panificación *s. f.* Acción y efecto de panificar.

panificadora *s. f.* Establecimiento donde se cuece y se vende pan.

panificar *v. tr.* Convertir la harina en pan.

panilla *s. f.* Medida de capacidad para el aceite, que equivale a la cuarta parte de una libra.

panique *s. m., Filip.* Mamífero del tamaño del conejo, con la cabeza parecida a la del perro, cola corta y pelo oscuro que tira a rojizo.

panizo *s. m.* Planta anual gramínea, de cuya raíz salen varios tallos con hojas anchas y ásperas, y flores en panojas grandes.

panjí *s. m.* Árbol de la familia de las eleagnáceas, cuyas flores y hojas despiden olor aromático muy intenso. También llamado «árbol del paraíso».

panocha *s. f.* Panoja.

panoja *s. f.* **1.** Mazorca del maíz, del panizo o del mijo. **2.** Colgajo, racimo de uvas u otra fruta. **3.** Conjunto de espigas, simples o compuestas, que nacen de un eje o pedúnculo común, como en la grama.

panol *s. m.* Pañol.

panoli *adj., vulg.* Se dice de la persona necia, tonta o demasiado cándida.

panoplia *s. f.* **1.** Armadura de todas piezas. **2.** Colección de armas. **3.** Tabla, generalmente en forma de escudo, donde se colocan floretes, sables, etc., y otras armas de esgrima.

panóptico, ca *adj.* Se aplica al edificio construido de modo que toda su parte interior se pueda ver desde un solo punto. También s. m.

panorama *s. m.* **1.** Vista pintada en un gran cilindro hueco, para contemplarla desde el interior del mismo. **2.** Por ext., vista de un horizonte muy dilatado.

panorámico, ca *adj.* Relativo al panorama.

panoso, sa *adj.* Harinoso.

panqué *s. m.* Pequeño bollo de varias formas, que se hace con pasta suave y esponjosa y generalmente se presenta en un molde de papel rizado y rojo.

pansido, da *adj.* Se dice de las frutas pasas, como uvas y ciruelas.

panspermia *s. f.* Doctrina filosófica que admite la existencia en todas partes de gérmenes orgánicos que no se desarrollan hasta encontrar circunstancias favorables.

pantalán *s. m.* En Filipinas, muelle de madera o cañas que avanza en el mar.

pantaleta *s. f. U. t. c. pl.* **1.** En algunos países de América, braga. **2.** *fig.* Pantalón flojo y cómodo que se usa para estar en casa o para hacer deporte.

pantalla *s. f.* **1.** Lámina que se sujeta delante o alrededor de la luz artificial, para que no ofenda a los ojos o para dirigirla hacia donde se desee. **2.** *fig.* Persona o cosa que, puesta delante de otra la oculta o le hace sombra.

pantalón *s. m.* Prenda de vestir que ciñe al cuerpo en la cintura y baja cubriendo cada pierna hasta los tobillos. Se usa más en pl.

pantalonero, ra *s. m. y s. f.* Persona dedicada principalmente a confeccionar pantalones.

pantana *s. f.* Especie de calabacín de las Islas Canarias.

pantanal *s. m.* Tierra pantanosa.

pantano *s. m.* **1.** Hondonada donde se acumulan aguas, con fondo más o menos cenagoso. **2.** Gran depósito de agua, formado en un valle artificialmente, que sirve para alimentar las acequias de riego.

pantanoso, sa *adj.* Se dice del terreno donde hay pantanos.

panteísmo *s. m.* Sistema filosófico que identifica a Dios con el universo.

panteísta *adj.* Que sigue la doctrina del panteísmo. También com.

panteístico, ca *adj.* Perteneciente o relativo al panteísmo.

panteología *s. f.* Tratado de todos los dioses del paganismo.

panteólogo, ga *s. m. y s. f.* Persona versada en panteología.

panteón *s. m.* Monumento funerario destinado a dar sepultura a varias personas.

pantera *s. f.* Leopardo cuyas manchas circulares de la piel son todas anilladas.

panti *s. m.* Leotardos de nailon. Se usa más en pl.

pantocrátor *s. f.* Representación de Jesucristo sentado y en actitud de bendecir, enmarcado por una orla en forma de almendra.

pantógrafo *s. m.* Instrumento a modo de paralelogramo que sirve para copiar, ampliar o reducir un plano o dibujo.

pantómetra *s. f.* Especie de compás de proporción.

pantomima *s. f.* Representación hecha por medio de figuras y gestos sin que intervengan palabras.

pantomímico, ca *adj.* Perteneciente o relativo a la pantomima o al pantomimo.

pantomimo *s. m.* Representante que en los teatros imita diversas figuras.

pantoque *s. m.* Parte plana del casco de un barco, que forma el fondo junto a la quilla.

pantorra *s. f., fam.* Pantorrilla.

pantorrilla *s. f.* Parte carnosa y abultada de la pierna, por debajo de la corva.

pantorrilludo, da *adj.* Que tiene muy gordas las pantorrillas.

pantufla *s. m.* Calzado para casa a modo de zapato sin orejas ni talón.

panty s. m. Panti.

panza *s. f.* **1.** Barriga o vientre, especialmente el muy abultado. **2.** Parte convexa y más saliente de vasijas u otras cosas. **3.** Primera de las cuatro cavidades en que se divide el estómago de los rumiantes.

panzada *s. f.* **1.** Golpe que se da con la panza. **2.** *fam.* Hartazgo.

panzón, na *adj.* Panzudo.

panzudo, da *adj.* Que tiene mucha panza.

pañal *s. m.* Sabanilla o pedazo de lienzo en que se envuelve a los niños de teta.

pañería *s. f.* Comercio o tienda de paños.

pañero, ra *adj.* Perteneciente o relativo a los paños.

pañete *s. m.* Paño de inferior calidad.

pañito *s. m.* Trozo de tela adornado o labor hecha de encaje, bolillos, ganchillo, etc., de diferentes tamaños y formas, que se emplea para cubrir y adornar mesas, bandejas, sillones, etc.

paño *s. m.* **1.** Tela de lana muy tupida y con pelo corto. **2.** Trozo de tela cuadrado o rectangular empleado en la cocina para diversos usos. ‖ *s. m. pl.* **3.** Cualquier género de vestiduras.

pañol *s. m.* Cualquiera de los compartimientos que se hacen en el buque para guardar víveres, municiones, etc.

pañolería *s. f.* Tienda de pañuelos.

pañolero *s. m.* Marinero encargado de uno o más pañoles.

pañolero, ra *s. m. y s. f.* Persona que tiene por oficio vender pañuelos.

pañoleta *s. f.* Prenda triangular, a modo de medio pañuelo, que usan las mujeres al cuello como adorno o abrigo.

pañolón *s. m.* Mantón, pañuelo grande.

pañosa *s. f.* La capa y, por ext., la muleta.

pañoso, sa *adj.* Se dice de la persona desaliñada, harapienta.

pañuelo *s. m.* **1.** Pedazo de tela cuadrado y de una sola pieza, con guarnición o fleco o sin él. **2.** El que sirve y se usa para limpiarse el sudor y las narices.

papa *n. p.* Sumo Pontífice romano, vicario de Jesucristo, cabeza visible de la Iglesia católica.

papa[1] *s. f.* Patata.

papa[2] *s. f.* **1.** *fam.* Paparrucha, tontería. ‖ *s. f. pl.* **2.** *fig. y fam.* Cualquier especie de comida. **3.** *fig. y fam.* Sopa blanda que se da a los niños.

papá *s. m., fam.* Padre.

papable *adj.* **1.** Se dice del cardenal que tiene probabilidad de ser Papa. **2.** *fig.* Se aplica al que se designa como sujeto probable para obtener un empleo.

papada *s. f.* Abultamiento carnoso anormal que se forma debajo de la barba.

papadilla *s. f.* Parte de carne que hay debajo de la barba.

papado *s. m.* **1.** Dignidad de Papa. **2.** Tiempo que dura.

papafigo *s. m.* Ave de plumaje pardo verdoso en la espalda, alas y cola. Abunda en España y se alimenta principalmente de insectos y a veces de frutas, sobre todo higos; canta muy bien.

papagaya *s. f.* Hembra del papagayo.

papagayo *s. m.* Ave trepadora, de pico fuerte, grueso y encorvado, y plumaje amarillento en la cabeza y verde en el cuerpo.

papahígo *s. m.* Gorro de paño, que cubre el cuello y parte de la cara para resguardarlos.

papahuevos *com., fam.* Persona crédula y simple.

papaína *s. f.* Principio activo de la papaya o lechosa, el cual, como el jugo gástrico, disuelve la carne.

papal *adj.* Perteneciente o relativo al Papa.

papalina[1] *s. f.* **1.** Gorra o birrete con dos puntas que cubre las orejas. **2.** Cofia de mujer, de tela ligera y con adornos.

papalina[2] *s. f., fam.* Borrachera.

papalote *s. m., Méx. y Cub.* Especie de cometa, juguete.

papamoscas *s. m.* Pájaro dentirrostro con plumaje negruzco y blanco, moño amarillo o negro, frente y vientre blanco.

papanatas *com., fam.* Persona simple y crédula o demasiado cándida.

papandujo, ja *adj.* Flojo o pasado de maduro, como sucede a las frutas y otras cosas.

papar *v. tr.* **1.** Comer cosas blandas sin masticar. **2.** *fam.* Hacer inmotivadamente poco caso de las cosas, incurrir en descuido.

paparote, ta *s. m. y s. f.* Bobalías.

paparrabias *s. m. y s. f., fam.* Cascarrabias.

paparrasolla *s. f.* Ente imaginario con que se amedrenta a los niños a fin de que callen cuando lloran.

paparrucha *s. f.* Noticia falsa o irracional.

papasal *s. m.* Juego con que se divierten los niños consistente en hacer rayas en la ceniza.

papatoste *s. m. y s. f.* Papanatas.

papaveráceo, a *adj.* Se dice de ciertas plantas dicotiledóneas, herbáceas, de hojas alternas, flores regulares y fruto capsular con muchas semillas menudas, oleaginosas, como la adormidera. También s. f.

papaya *s. f.* Fruto del papayo, cuya parte mollar, semejante a la del melón, se emplea para hacer confitura.

papayáceo, a *adj.* Se dice de plantas dicotiledóneas, de flores unisexuales, cáliz muy pequeño, corola monopétala, fruto en baya, de carne apretada en el exterior y pulposa en el interior, y semillas semejantes a las de las cucurbitáceas, como el papayo.

papayo *s. m.* Arbolillo de las papayáceas, de madera blanda, cuyo fruto es la papaya.

papazgo *s. m.* Papado.

papel *s. m.* **1.** Hoja delgada consistente en fibras de celulosa reducidas a pasta por procedimientos químicos y mecánicos, y obtenidas de trapos, madera, esparto, etc. Se usa para escribir, dibujar, imprimir, etc. **2.** Carta, credencial, título, documento o manuscrito de cualquier clase. **3.** Personaje o parte de la obra dramática que ha de representar cada actor. **4.** *fig.* Carácter, representación o calidad con que alguien interviene en algún asunto. ‖ *s. m. pl.* **5.** Documentos con que se acredita el estado civil o la calidad de una persona.

papelear *v. intr.* **1.** Revolver papeles buscando en ellos alguna noticia u otra cosa. ‖ *v. tr.* **2.** *fig. y fam.* Pretender tener una función lucida en un acto.

papeleo *s. m.* Trámites de una empresa o asunto.

papelera *s. f.* **1.** Fábrica de papel. **2.** Cesto para echar papeles inservibles.

papelería *s. f.* Tienda en que se vende papel y objetos de escritorio.

papelero, ra *adj.* Farolero. También s. m. y s. f.

papeleta *s. f.* **1.** Cédula. **2.** Hoja en que se halla escrito un tema de examen u oposición.

papelina *s. f., fam.* Dosis de estupefaciente, que se vende envuelta en papel.

papelista *com.* **1.** Persona que maneja papeles o tiene conocimiento de ellos. **2.** Fabricante o almacenista de papel.

papelón, na *adj.* **1.** *fam.* Se dice de la persona que ostenta y aparenta más de lo que es. También s. m. y s. f. ‖ *s. m.* **2.** *fig.* Situación difícil o delicada.

papelorio *s. m., desp.* Fárrago de papel o de papeles.

papelucho *s. m., desp.* Papel o escrito despreciable.

papera *s. f.* **1.** Bocio. **2.** Parótida, tumor.

papialbillo *s. m.* Jineta.

papila *s. f.* Cada una de las pequeñas eminencias formadas debajo de la piel y en la superficie de las membranas mucosas, por ramificaciones nerviosas y vasculares.

papilar *adj.* Perteneciente o relativo a las papilas.

papilionáceo, a *adj.* **1.** De figura semejante a la de la mariposa. ‖ *s. f. pl.* **2.** Familia numerosa de plantas leguminosas caracterizadas por su corola amariposada, como el guisante y la habichuela.

papilla *s. f.* Sopa espesa que se da a los niños.

papillote *s. m.* **1.** Rizo de cabello formado y sujeto con un papel. **2.** A la papillote. Manera de asar carne, pescado o verduras que consiste en usar manteca y aceite y envolver el alimento en un papel antes de meterlo al horno.

papiloma *s. m.* Tumor pediculado en forma de botón o cabezuela.

papín *s. m.* Especie de dulce casero.

papión *s. m.* Zambo.

papiro *s. m.* **1.** Planta vivaz de Oriente, ciperácea, con hojas largas y estrechas, terminadas en un penacho de espigas con flores pequeñas y verdosas. **2.** Lámina sacada del tallo de esta planta y empleada por los antiguos para escribir en ella.

papiroflexia *s. f.* Arte de representar seres u objetos mediante el plegado de papel.

papirolada *s. f., fam.* Pampirolada.

papirología *s. f.* Rama de la filología clásica, que tiene por objeto la interpretación y estudio de los papiros.

papirotazo *s. m.* Papirote.

papirote *s. m.* **1.** Capirote. **2.** *fig. y fam.* Tonto, mentecato.

papismo *s. m.* Nombre que los protestantes y cismáticos dan a la Iglesia católica, a sus organismos y doctrinas.

papista *adj.* Nombre que los heterodoxos dan al católico romano. También com.

papo *s. m.* **1.** Parte abultada del animal entre la barba y el cuello. **2.** Buche de las aves. **3.** Nombre vulgar del bocio.

papón *s. m.* **1.** Fantasma para asustar a los niños. **2.** Encapuchado que sale en procesión en Semana Santa.

papón, na *adj.* **1.** *Sal.* Glotón, comilón. **2.** *Ast., Le. y Sal.* Babieca, simplón.

paporrear *v. tr.* Vapulear, azotar.

papudo, da *adj.* Que tiene crecido y grueso el papo. Se dice regularmente de las aves.

papujado, da *adj.* **1.** Se dice de las aves, especialmente de las gallinas, que tienen mucha pluma y carne en el papo. **2.** *fig.* Abultado, sobresaliente y hueco.

pápula *s. f.* Tumorcillo eruptivo que se presenta en la piel, sin pus ni serosidad.

papuloso, sa *adj.* Que tiene los caracteres de la pápula.

paquebote *s. m.* Embarcación que lleva el correo y los pasajeros de un puerto a otro.

paquete *s. m.* Envoltorio bien dispuesto y no muy abultado.

paquetero, ra *adj.* Que hace paquetes. También s. m. y s. f.

paquetería *s. f.* Género menudo de comercio que se guarda o vende en paquetes.

paquidermo *adj.* Se dice de los mamíferos ungulados artiodáctilos, omnívoros, de dentición completa, con la piel muy gruesa y dura. También s. m.

par *adj.* **1.** Igual o semejante totalmente. **2.** Se aplica al número dos y a todos sus múltiplos. ‖ *s. m.* **3.** Título de alta dignidad en algunos Estados.

para *prep.* **1.** Denota el fin o término a que se encamina una acción. **2.** Hacia, denota el lugar que es término de un viaje, movimiento, etc. **3.** Época o plazo en que se ha de ejecutar una cosa; uso o destino de una cosa. **4.** Finalidad o propósito de una acción. **5.** Relación, contraposición o comparación. **6.** Causa o motivo de una cosa. **7.** Aptitud, capacidad o preparación para hacer algo. **8.** Junto con los pronombres personales *mí, sí,* etc., y con algunos verbos, denota que la acción de estos es interior, secreta y no se comunica a otro. **9.** Junto con algunos nombres se usa supliendo al verbo *comprar.* **10.** Usado con la partícula *con,* explica la comparación de una cosa con otra.

parábasis *s. f.* Desfile. Pasaje característico de la comedia griega en el que después del prólogo o acto primero, el coro se volvía hacia el público y por boca del corifeo exponía las quejas y opiniones del autor.

parabién *s. m.* Felicitación.

parábola *s. f.* **1.** Narración de un suceso imaginario del que se deduce, por comparación o semejanza, una verdad importante o una enseñanza moral. **2.** Curva abierta,

simétrica respecto de un eje, con un solo foco que resulta de cortar un cono circular recto por un plano paralelo a una de sus generatrices que encuentra todas las otras en una sola hoja.

parabólico, ca *adj.* **1.** De figura de parábola o parecido a ella. ‖ *s. f.* **2.** Antena de televisión que concentra el haz que se recibe desde un satélite y permite captar emisoras situadas a gran distancia.

parabolizar *v. intr.* Ejemplificar, simbolizar.

paraboloide *s. m.* **1.** Superficie que puede dar una sección parabólica en cualquiera de sus puntos. **2.** Sólido limitado por un paraboloide elíptico y un plano perpendicular a su eje.

parabrisas *s. m.* Bastidor de cristal que lleva el automóvil en su parte anterior.

paracaídas *s. m.* Aparato hecho de tela resistente que al extenderse en el aire toma la forma de una sombrilla grande y cae lentamente gracias a la resistencia que el aire opone a su movimiento de descenso.

paracaidismo *s. m.* Actividad militar o deportiva que consiste en lanzarse con paracaídas desde un avión.

paracaidista *com.* Persona adiestrada en el manejo del paracaídas.

paracentesis *s. f.* Punción que se hace en una cavidad del cuerpo para evacuar la serosidad acumulada anormalmente en la cavidad del peritoneo.

parachoques *s. m.* Pieza que llevan en la parte anterior los automóviles y otros carruajes, a fin de amortiguar los efectos de un choque.

paracinesis *s. f.* Movimientos anormales, como convulsivos.

paracleto *s. m.* Paráclito.

paráclito *s. m.* Nombre que se da al Espíritu Santo, enviado, mensajero.

paracronismo *s. m.* Anacronismo que consiste en suponer acaecido un hecho después del tiempo en que sucedió.

paracusia *s. f.* Sensibilidad acústica anormal.

parada *s. f.* Lugar donde se para.

paradera *s. f.* Compuerta con que se desagua el caz del molino.

paradero *s. m.* **1.** Lugar donde se para o se va a parar. **2.** Fin o término de una cosa.

paradiástole *s. f.* Figura que consiste en contrastar voces de significación muy parecida dando a entender que la tienen diversa.

paradigma *s. m.* Ejemplo que sirve de norma.

paradigmático, ca *adj.* Relativo al paradigma.

paradina *s. f.* Monte bajo de pasto, con corrales para el ganado lanar.

paradisíaco, ca o paradisiaco, ca *adj.* Relativo al paraíso.

paradislero, ra *s. m. y s. f.* Cazador a espera o a pie quedo.

parado, da *adj.* **1.** Remiso, tímido. **2.** Desocupado, sin ejercicio o empleo.

paradoja *s. f.* **1.** Especie opuesta a la común opinión y especialmente, la que parece opuesta siendo exacta. **2.** Aserción inverosímil o absurda, presentada con apariencias de verdadera.

paradójico, ca *adj.* Que incluye paradoja o que usa de ella.

paradojo, ja *adj.* Paradójico.

parador, ra *adj.* **1.** Que para o se para. ‖ *s. m.* **2.** Parador nacional de turismo. En España, cierto tipo de establecimiento hotelero, por lo común lujoso o situado en edificios históricos, dependiente de un organismo oficial.

paraestatal *adj.* Se dice de los organismos o entidades que, sin ser estrictamente públicos, colaboran en la realización de los fines del Estado.

parafasia *s. f.* Forma de afasia, en la que los enfermos cambian la posición de las sílabas o de las palabras, cambiando el sentido.

parafernales *adj.* Se dice de los bienes que lleva la mujer al matrimonio fuera de la dote y los que adquiere durante él por título lucrativo, como herencia o donación.

parafernalia *s. f.* Lo que rodea a algo, otorgándole importancia.

parafina *s. f.* Sustancia sólida, blanca, menos densa que el agua y fácilmente fusible, que se obtiene destilando petróleo o materias bituminosas naturales.

parafraseador, ra *adj.* Que parafrasea. También s. m. y s. f.

parafrasear *v. tr.* Hacer la paráfrasis de un texto o escrito.

paráfrasis *s. f.* **1.** Explicación o interpretación amplificativa de un texto para ilustrarlo o hacerlo más inteligible. **2.** Traducción libre en verso de otro texto original.

parafraste *s. m. desus.* Autor de paráfrasis.

parafrástico, ca *adj.* Perteneciente o relativo a la paráfrasis; propio de ella, que la encierra o incluye.

paragoge *s. f.* Metaplasmo que consististe en añadir una letra al fin de un vocablo.

paragógico, ca *adj.* Que se añade por paragoge.

paragonar *v. tr.* Parangonar, comparar.

paragrafía *s. f.* Errores de la escritura, de origen psíquico.

parágrafo *s. m.* Párrafo.

paragranizo *s. m.* Cobertizo de tela basta o de hule para proteger contra el granizo algunos sembrados o frutos.

paraguas *s. m.* Utensilio portátil para resguardarse de la lluvia, compuesto de un bailón y un varillaje cubierto de tela que puede extenderse o plegarse.

paraguatán *s. m., Amér. del S.* Árbol de la familia de las rubiáceas, propio de Venezuela, de buena madera y de cuya corteza se hace una tinta roja.

paraguaya *s. f.* Fruta parecida al melocotón mollar, pero de forma más aplanada.

paraguayismo *s. m.* Giro o modo de hablar propio de los habitantes de Paraguay.

paragüería *s. f.* Tienda de paraguas.

paragüero *s. m.* Mueble dispuesto para colocar los paraguas y bastones.

parahusar *v. tr.* Taladrar con el parahúso.

parahúso *s. m.* Instrumento manual para taladrar.

paraíso *s. m.* **1.** Lugar amenísimo donde Dios puso a Adán después de crearlo, según la Biblia. **2.** Cielo, mansión de los ángeles y de los justos.

paraje *s. m.* Lugar, sitio o estancia.

parajismero, ra *s. m. y s. f.* Persona que gesticula mucho.

parajismo *s. m.* Ademán, gesticulación exagerada.

paral *s. m.* **1.** Madero que sale de un hueco de una fábrica y sostiene el extremo de un tablón de andamio. **2.** Madero que se aplica oblicuo a una pared y sirve para asegurar el puente de un andamio. **3.** Madero que tiene en medio una muesca que se unta de sebo para que, por ella se deslice la quilla de una embarcación al botarla al agua.

paraláctico, ca *adj.* Perteneciente o relativo a la paralaje.

paralaje *s. f.* **1.** Diferencia entre las posiciones aparentes que en la bóveda celeste tiene un astro, según el punto desde donde se supone observado. **2.** El ángulo que forman entre sí las direcciones de las visuales dirigidas a un objeto A desde dos puntos distintos B y C. **3.** Distorsión aparente de una imagen en pantalla al ser vista a través de otra pantalla.

paralalia *s. f.* Errores del lenguaje, de origen psíquico.

paralasis *s. f.* Paralaje.

paralaxi *s. f.* Paralaje.

paralelas *s. f. pl.* Barras paralelas para ejercicios gimnásticos.

paralelar *v. tr.* Parangonar, comparar, hacer paralelo. También prnl.

paralelepípedo *s. m.* Sólido terminado por seis paralelogramos, siendo iguales y paralelos cada dos opuestos entre sí.

paralelismo *s. m.* Calidad de paralelo.

paralelo, la *adj.* **1.** Se aplica a las líneas o planos equidistantes entre sí y que por más que se prolonguen no pueden encontrarse. **2.** Correspondiente o semejante. ‖ *s. m.* **3.** Cada uno de los círculos menores paralelos al ecuador.

paralelogramo *s. m.* Cuadrilátero cuyos lados opuestos son iguales y paralelos entre sí.

paralexia *s. f.* Errores de la lectura de origen psíquico.

paralimpiada o paralimpíada *s. f.* Olimpiada en la que únicamente participan personas con algún tipo de minusvalía.

parálisis *s. f.* Pérdida total o parcial de la sensibilidad y del movimiento voluntario de una parte del cuerpo.

paraliticarse *v. prnl.* Ponerse paralítico, paralizarse.

paralítico, ca *adj.* Calidad de paralelo.

paralización *s. f., fig.* Detención de una cosa dotada de actividad o movimiento.

paralizador, ra *adj.* Que paraliza.

paralizar *v. tr.* Causar parálisis a una parte del cuerpo. También prnl.

paralogismo *s. m.* Razonamiento falso.

paralogizar *v. tr.* Intentar persuadir con falsedades o argucias. También prnl.

paramagnético, ca *adj.* Se aplica a los cuerpos que, sometidos a la influencia de un campo magnético, se imanan y orientan paralelamente a las líneas de fuerza.

paramecio *s. m.* Protozoo ciliado de forma de zapatilla, propio de la aguas estancadas.

paramédico *adj.* Que tiene relación con la medicina sin pertenecer propiamente a ella.

paramentar *v. tr.* Adornar o ataviar una cosa.

paramento *s. m.* Adorno o atavío con que se cubre una cosa.

paramera *s. f.* Región o vasta extensión de territorio donde abundan los páramos.

parámero *s. m.* Cualquiera de los órganos pares de un animal y, en general, mitad derecha o izquierda en las especies de simetría bilateral.

parámetro *s. m.* Línea constante e invariable que entra en la ecuación de algunas curvas.

paramnesia *s. f.* Perturbación de la memoria, particularmente la que sufre alguien que no puede recordar el sentido de las palabras y el recuerdo erróneo de personas y cosas que no corresponde a la realidad.

páramo *s. m.* Terreno yermo, raso y desabrigado.

parancero, ra *s. m. y s. f.* Persona que caza con lazos, perchas, etc.

parangón *s. m.* Comparación.

parangonar *v. tr.* Hacer comparación de una cosa con otra.

paraninfo *s. m.* **1.** Padrino de las bodas. **2.** Salón de actos académicos en algunas universidades.

paranoia *s. f.* Perturbación mental.

paranoico, ca *adj.* Que padece paranoia. También s. m. y s. f.

paranoide *adj.* **1.** Perteneciente o relativo a la paranoia. **2.** Que la padece. También com.

paranomasia *s. f.* Paronomasia.

paranormal *adj.* Se dice de los fenómenos y problemas que estudia la parapsicología.

paranza *s. f.* Puesto donde el cazador de montería espera las reses.

parao *s. m.* Embarcación grande filipina, muy parecida al casco.

parapente *s. m.* **1.** Modalidad de paracaidismo que consiste en arrojarse desde una pendiente muy pronunciada y hacer un descenso controlado. **2.** Paracaídas rectangular con el que se practica esta modalidad.

parapetarse *v. prnl.* Resguardarse con parapetos u otra cosa que supla su falta.

parapeto *s. m.* Pared o baranda que se pone para evitar caídas en los puentes, escaleras, etc.

paraplejía *s. f.* Parálisis de la mitad inferior del cuerpo.

parapléjico, ca *adj.* Que padece paraplejía.

parapsicología *s. f.* Rama de la psicología, que estudia los fenómenos psíquicos que, por su excepcionalidad, discrepan de las actividades psicológicas corrientes de la generalidad de las personas.

parapsicológico, ca *adj.* Perteneciente o relativo a la parapsicología.

parapsicólogo, ga *s. m. y s. f.* Persona que cultiva la parapsicología.

paraqueratosis *s. f.* Alteración patológica del estrato más superficial y córneo de la piel.

parar *v. intr.* **1.** Cesar en el movimiento o en la acción. **2.** Llegar a un término o al fin. **3.** Venir en dominio o propiedad de alguna cosa, después de otros dueños. ‖ *v. tr.* **4.** Detener o impedir el movimiento o acción. **5.** Prevenir o preparar. **6.** Poner de pie o en posición vertical. También prnl.

pararrayos *s. m.* Artificio que para proteger contra el rayo los edificios se coloca en lo alto de los mismos.

parasceve *s. f.* Preparación, por alusión al viernes de los judíos como preparación del sábado.

paraselene *s. f.* Imagen de la Luna que se representa en una nube.

parasemo *s. f.* Mascarón de proa de las galeras de los antiguos griegos y romanos.

parasimpático *adj.* Se dice de la parte del sistema nervioso autónomo que contribuye a la regulación de diversas funciones y mantiene el equilibrio fisiológico. También s. m.

parasíntesis *s. f.* Formación de vocablos en que interviene la composición y la derivación.

parasintético, ca *adj.* Se dice de los vocablos formados por parasíntesis.

parasitar *v. tr.* Vivir una especie botánica o zoológica, transitoria o permanentemente, a costa de otro ser vivo.

parasitario, ria *adj.* Perteneciente o relativo a los parásitos.

parasiticida *adj.* Se dice de la sustancia que se emplea para destruir los parásitos.

parasítico, ca *adj.* Parasitario.

parasitismo *s. m., fig.* Condición o cualidad de parásito.

parásito, ta adj. **1.** Se dice del animal o vegetal que vive dentro o en la superficie de otro organismo, de cuyas sustancias se alimenta. También s. m. **2.** fig. Se dice de los ruidos que perturban las transmisiones radiofónicas. También s. m. pl. ‖ s. m. y s. f. **3.** fig. Persona que se arrima a otra para vivir a su costa.

parasitología s. f. Parte de la biología que estudia los parásitos.

parasitosis s. f. Infección o enfermedad producida por parásitos.

parasol s. m. En un automóvil, accesorio plegable colocado en el interior sobre el parabrisas y que sirve para evitar el deslumbramiento.

parástade s. m. Pilastra colocada junto a una columna y detrás de ella, para sostener mejor la techumbre.

parata s. f. Bancal pequeño y estrecho, formado en un terreno pendiente, cortándolo y allanándolo, para sembrar o hacer plantaciones en él.

parataxis s. f. Coordinación oracional.

paratífico, ca adj. Perteneciente o relativo a la paratifoidea.

paratifoidea s. m. Infección intestinal con muchos de los síntomas de la fiebre tifoidea aunque originada por un bacilo distinto.

paratiroides adj. Se dice de cada una de las pequeñas glándulas endocrinas, situadas en torno de la tiroides, y cuya lesión produce la tetania. También s. f.

parazonio s. m. Espada ancha y sin punta, que como insignia llevaban sujeta con una correa en el lado izquierdo de la cintura los jefes de las milicias griegas y romanas.

parca s. f., fig. y poét. La muerte.

parcela s. f. **1.** Porción pequeña de terreno. **2.** En el catastro, cada una de las tierras de distinto dueño que constituyen un pago o término.

parcelación s. f. Acción y efecto de parcelar.

parcelar v. tr. **1.** Medir las parcelas para el catastro. **2.** Dividir una finca grande en parcelas para venderla o arrendarla.

parcelario, ria adj. Perteneciente o relativo a la parcela del catastro.

parcha s. f., amer. Nombre genérico con que se conocen en América diversas plantas de la familia de las pasifloras.

parchazo s. m. **1.** Golpazo que pega una vela contra su palo o mastelero, por un cambio súbito del viento, o por un descuido en el gobierno del buque. **2.** fig. y fam. Burla o chasco.

parche s. m. **1.** Pedazo de tela, papel, piel, etc. que por medio de un aglutinante se pega sobre una cosa. **2.** fig. Tambor, instrumento musical.

parchear v. tr. Instalar una aplicación informática que subsana el error de un programa ya comercializado.

parchís s. m. Juego que consiste en avanzar una ficha por casillas sucesivas, según el número de puntos que saca cada jugador con un dado. Es adaptación de un juego usado en la India.

parcial adj. No cabal o completo.

parcialidad s. f. **1.** Unión de algunos que se confederan para un fin, separándole del común y formando cuerpo aparte. **2.** Amistad, familiaridad en el trato.

parcidad s. f. Parquedad.

parcionero, ra adj. Partícipe.

parcísimo, ma adj. sup. de parco.

parco, ca adj. Corto, sobrio, moderado en el uso o concesión de las cosas.

pardal s. m. **1.** Gorrión. **2.** Hombre bellaco, astuto.

pardear v. intr. Sobresalir el color pardo.

pardela s. f. Ave palmípeda, acuática, parecida a la gaviota, pero más pequeña.

pardilla s. f. Pardillo, ave.

pardillo s. m. Pájaro granívoro de plumaje pardo rojizo, negruzco en las alas y la cola, carmesí en la cabeza y en el pecho y blanco en el vientre.

pardo, da adj. Se dice del color de la tierra o de la piel del oso común, intermedio entre blanco y negro.

pardomente s. m. Cierto paño ordinario que se usaba para capas en el s. XVIII.

pardusco, ca adj. Que tira a pardo.

pareado s. m. Estrofa de dos versos que van unidos y aconsonantados.

parear v. tr. Juntar, igualar dos cosas comparándolas entre sí.

parecer[1] s. m. **1.** Opinión, juicio o dictamen. **2.** Orden de las facciones del rostro y disposiciones del cuerpo.

parecer[2] v. intr. **1.** Manifestarse, dejarse ver. **2.** Opinar, creer. Se usa más como impers. **3.** Tener determinado aspecto. ‖ v. prnl. **4.** Asemejarse.

parecido, da adj. **1.** Se dice de la persona que se parece a otra. ‖ s. m. **2.** Semejanza, calidad de semejante.

pared s. f. **1.** Obra de fábrica levantada a plomo con dimensiones proporcionadas para cerrar un espacio o sostener las techumbres. **2.** Tabique.

paredaño, ña adj. Que está pared en medio del lugar a que se alude.

paredón s. m. Pared que queda en pie en medio de unas ruinas.

pareja s. f. **1.** Conjunto de dos personas o cosas especialmente consortes o novios, con alguna correlación o semejanza. **2.** Compañero o compañera en los bailes. ‖ s. f. pl. **3.** En los naipes, dos cartas iguales en número o semejantes en figura.

parejo, ja *adj.* Igual o semejante.

parel *s. m.* Remo que hace juego con otro de la banda opuesta.

parella *s. f., Murc.* Rodilla, paño de limpiar.

paremia *s. f.* Refrán, proverbio.

paremiología *s. f.* Tratado de refranes.

paremiológico, ca *adj.* Perteneciente o relativo a la paremiología.

paremiólogo, ga *s. m. y s. f.* Persona que profesa la paremiología teniendo en ella especiales conocimientos.

parénesis *s. f.* Exhortación o amonestación.

parenético, ca *adj.* Perteneciente o relativo a la parénesis.

parénquima *s. m.* Tejido funcional de un órgano, generalmente glanduloso.

parenquimatoso, sa *adj.* Relativo al parénquima.

parentela *s. f.* Conjunto de todo género de parientes.

parentesco *s. m.* Vínculo, conexión, enlace por consanguinidad o afinidad.

paréntesis *s. m.* **1.** Signo ortográfico ( ) en que suele encerrarse la alabra o grupo de palabras que se intercala en el periodo sin enlace necesario con él y no altera su sentido. **2.** Suspensión o interrupción.

parentético, ca *adj.* Perteneciente o relativo al paréntesis.

pareo *s. m.* Tela en forma rectangular, sin corte ni adorno, que se utiliza como prenda de vestir y para otros usos.

parergón *s. m.* Aditamento a una cosa, que sirve de ornato.

paresia *s. f.* Parálisis leve por debilidad de las contracciones musculares.

parestesia *s. f.* Sensación o conjunto de sensaciones anormales y especialmente hormigueo, adormecimiento o ardor que experimentan en la piel ciertos enfermos del sistema nervioso o circulatorio.

pargo *s. m.* Pagro.

parhelio *s. m.* Fenómeno luminoso consistente en la aparición simultánea de varias imágenes del Sol reflejadas en las nubes.

parhilera *s. f.* Madero en que se afirman los pares y que forma el lomo de la armadura.

paria *com.* **1.** Persona de la casta ínfima de los indios que siguen la ley de Brahma. **2.** Persona considerada inferior y excluida de la vida social.

pariambo *s. m.* **1.** Pie de la poesía griega y latina que consta de una sílaba breve y dos largas. **2.** Pie de la poesía griega y latina que consta de una sílaba larga y cuatro breves. **3.** Pie griego y latino de dos breves.

parias *s. f. pl.* Placenta del útero.

parición *s. f.* Tiempo de parir el ganado.

parida *adj.* **1.** Se dice de la hembra que hace poco tiempo que parió. También s. f. ‖ *s. f.* **2.** *fig. y fam.* Tontería, dicho sin importancia.

paridad *s. f.* **1.** Comparación de una cosa con otra por ejemplo o símil. **2.** Igualdad o semejanza de las cosas entre sí.

paridera *adj.* Se dice de la hembra fecunda de cualquier especie.

paridora *adj.* Se dice de la hembra muy fecunda.

pariente, ta *s. m. y s. f.* Respecto de una persona, cada uno de los ascendientes, descendientes y colaterales de su misma familia, y por consanguinidad o afinidad.

parietal *s. m.* Cada uno de los dos huesos situados en las partes media y laterales de la cabeza.

parietaria *s. f.* Planta herbácea, anual, urticácea, con tallos rojizos, ramas muy cortas y flores en grupos, pequeñas y verdosas.

parificación *s. f.* Acción y efecto de parificar.

parificar *v. tr.* Probar o apoyar con una paridad o ejemplo lo que se ha dicho o propuesto.

parigual *adj.* Igual o muy semejante.

parihuela *s. f.* Mueble compuesto de dos varas gruesas como las de la silla de manos, con unas tablas atravesadas en medio, donde se coloca la carga para llevarla entre dos. Se usa más en pl.

paripé *s. m., fam.* Fingimiento.

paripinnado, da *s. f.* Se dice de la hoja compuesta sin folíolo terminal y, por lo tanto, constituida por un número par de folíolos.

parir *v. intr.* **1.** Expeler la hembra de cualquier especie vivípara el feto que tenía concebido. También tr. **2.** *fig.* Salir a luz lo que estaba oculto o ignorado.

parisilábico, ca *adj.* Parisílabo.

parisílabo, ba *adj.* Se dice del vocablo o del verso que consta de igual número de sílabas que otro.

paritario, ria *adj.* Se dice de los órganos de carácter social constituidos por representantes de patronos y obreros en número igual y con los mismos derechos.

paritorio *s. m.* Sala de un hospital preparada y destinada para los partos.

parka *s. f.* Prenda de abrigo con capucha forrada de piel.

parking *s. m.* Aparcamiento.

párkinson *s. m.* Enfermedad causada por una lesión cerebral y caracterizada por temblores y rigidez muscular.

parla *s. f.* Verbosidad insustancial.

parlador, ra *adj.* Hablador. También s. m. y s. f.

parladuría *s. f.* Habladuría.

parlaembalde *com., fig. y fam.* Persona que habla mucho y sin sustancia.

parlamentar *v. intr.* **1.** Hablar, conversar unos con otros. **2.** Entrar en tratos para un arreglo, capitulación.

parlamentario, ria *s. m. y s. f.* Miembro de un Parlamento.

parlamentarismo s. m. Doctrina, sistema parlamentario.

parlamento s. m. **1.** Órgano político formado por los representantes de la nación y compuesto por una o dos cámaras. **2.** (ORT.: may. inicial) Edificio donde tiene su sede este órgano.

parlanchín adj., fam. Que habla mucho y con imprudencia.

parlar v. tr. **1.** Hablar con soltura. **2.** Hablar mucho y sin sustancia. **3.** Hablar algunas aves.

parlería s. f. **1.** Flujo de habla o parlar. **2.** Chisme.

parlero, ra adj. **1.** Que habla mucho. **2.** Que lleva chismes o cuentos de una parte a otra. **3.** Se dice del ave cantora.

parlotear v. intr. Charlar mucho y sin sustancia.

parloteo s. m. Acción y efecto de parlotear.

parnaso s. m. **1.** Conjunto de todos los poetas, o de los de un pueblo o tiempo concreto. **2.** Colección de poesías de varios autores.

parné s. m. **1.** Hacienda, caudal, bienes de cualquier clase. **2.** fig. Moneda.

paro s. m. **1.** Interrupción de un ejercicio o de una explotación industrial o agrícola por parte de los patronos. **2.** Situación de la persona que se encuentra sin trabajo. **3.** Huelga. **4.** Conjunto de personas que no trabajan porque no encuentran empleo. **5.** Subsidio que perciben las personas que están desempleadas y cumplen ciertos requisitos.

parodia s. f. Imitación burlesca de una obra seria de literatura, del estilo de un escritor, de un género de poemas, etc.

parodiador, ra adj. Que parodia o hace una imitación burlesca. También s. m. y s. f.

parodiar v. tr. Hacer una parodia de una obra literaria, del estilo de un escritor, etc.

paródico, ca adj. Perteneciente o relativo a la parodia, que la encierra o incluye.

parodista com. Persona que escribe parodias.

parola s. f. **1.** fam. Labia, verbosidad. **2.** fam. Conversación larga e insustancial.

parolero, ra adj. Parlanchín.

paronimia s. f. Circunstancia de ser parónimos dos o más vocablos.

parónimo, ma adj. Se dice de cada uno de dos o más vocablos que tienen entre sí semejanza, por su etimología, por su forma o por su pronunciación.

paroniquiáceo, a adj. Se dice de plantas dicotiledóneas herbáceas, ramosas y rastreras, con flores pequeñas y estípulas grandes. Hoy se consideran incluidas en la familia de las cariofiláceas.

paronomasia s. f. Semejanza entre dos o más vocablos que solo se diferencian por la vocal acentuada en cada uno de ellos.

paronomástico, ca adj. Perteneciente o relativo a la paronomasia.

paropsia s. f. Alteración de la función visual en general.

parótida s. f. Cada una de las dos glándulas salivales situadas debajo del oído y detrás de la mandíbula inferior.

parotiditis s. f. Proceso inflamatorio de la glándula parótida.

paroxismal adj. Perteneciente o relativo al paroxismo.

paroxismo s. m. Exacerbación o acceso violento de una enfermedad.

paroxístico, ca adj. Paroxismal.

paroxítono, na adj. Se dice del vocablo que lleva su acento tónico en la penúltima sílaba.

parpadear v. intr. Abrir y cerrar los ojos.

parpadeo s. m. Acción de parpadear.

párpado s. m. Cada uno de los dos repliegues movibles cubiertos por la piel, que sirven para resguardar el ojo en el ser humano, los mamíferos, las aves y numerosos reptiles.

parpar v. intr. Gritar el pato.

parque s. m. Sitio cercado y con plantas, para caza o recreo.

parqué s. m. Entarimado construido de maderas policromadas, formando dibujos geométricos.

parquedad s. f. Moderación económica y prudente en el uso de las cosas.

parquímetro s. m. Aparato que, en los aparcamientos, marca el tiempo de permanencia de un automóvil, a efectos del pago del arbitrio correspondiente.

parra[1] s. f. Vid, especialmente la que está levantada artificialmente.

parra[2] s. f. Vaso de barro, bajo y ancho, con dos asas.

parrafada s. f. **1.** fam. Conversación detenida o confidencial entre dos o más personas. **2.** fam. Periodo oratorio largo y pronunciado sin pausas.

parrafear v. intr. Hablar excesivamente y sin sustancia.

párrafo s. m. Cada una de las divisiones de un escrito señaladas por letra mayúscula al principio del renglón y punto y aparte al final del trozo de escritura.

parral s. m. Conjunto de parras sostenidas con una armazón adecuada.

parranda s. f., fam. Jolgorio, diversión.

parrandear v. intr. Andar de parranda.

parrandeo s. m. Acción y efecto de parrandear.

parrandero, ra adj. Que parrandea. También s. m. y s. f.

parrar v. intr. Extender mucho sus ramas los árboles y plantas, al modo de las parras.

parresia s. f. Figura que consiste en decir alguien cosas ofensivas en apariencia y en realidad gratas o halagüeñas para aquel a quien se le dicen.

parricida adj. Persona que mata a su padre, a su madre o a su cónyuge. También com.

parricidio s. m. Muerte violenta que alguien da a su ascendiente, descendiente o cónyuge.

parrilla *s. f.* Utensilio de hierro en figura de rejilla, con mango y pies, que se usa para poner a la lumbre lo que se ha de asar.

parro *s. m.* Pato.

parrocha *s. f.* Sardina chica.

párroco *s. m.* Cura, sacerdote encargado de las almas de una feligresía. También adj.

parroquia *s. f.* **1.** Iglesia en que se administran los sacramentos a los fieles de cierta demarcación. **2.** Feligresía, conjunto de feligreses. **3.** Territorio que está bajo la jurisdicción espiritual del cura párroco. **4.** Conjunto de parroquianos de una tienda, establecimiento público, etc., que se sirven del mismo sastre, que se valen del mismo facultativo, etc.

parroquial *adj.* Perteneciente o relativo a la parroquia.

parroquiano, na *adj.* **1.** Perteneciente a determinada parroquia. También s. m. y s. f. || *s. m. y s. f.* **2.** Persona que suele comprar en una misma tienda lo que necesita, o servirse siempre de un artesano, oficial, etc. con preferencia de otros.

parsimonia *s. f.* **1.** Frugalidad y moderación en los gastos. **2.** Circunspección, templanza.

parsimonioso, sa *adj.* **1.** Que procede con parsimonia. **2.** Frugal, circunspecto.

parte *s. f.* **1.** Cada una de las fracciones que resultan de dividir un todo. **2.** Cantidad o porción especial o determinada de un agregado numeroso. **3.** Porción que le corresponde a alguien en un reparto. **4.** Sitio o lugar. **5.** Cada una de las personas que tienen interés en un contrato o participación en un mismo negocio. || *s. m.* **6.** Escrito, ordinariamente breve que se envía a una persona para darle aviso o noticia urgente. **7.** Comunicación de cualquier clase transmitida por el telégrafo o el teléfono.

partear *v. tr.* Asistir el facultativo o la comadrona a la mujer que está de parto.

parteluz *s. m.* Columnata que divide en dos el hueco de una ventana.

partencia *s. f.* Acto de partir, marcha.

partenogénesis *s. f.* Reproducción de la especie sin el concurso directo del sexo masculino.

partería *s. f.* Oficio de partear.

partero, ra *s. m. y s. f.* Persona que tiene por oficio asistir a la mujer que está de parto.

parterre *s. m.* Jardín o parte de él con césped, flores y anchos paseos.

partesana *s. f.* Arma ofensiva, a modo de alabarda, con el hierro muy grande, ancho y cortante por ambos lados.

partible *adj.* Que se puede o se debe partir.

partición *s. f.* Reparto o división entre algunas personas, de hacienda, herencia, etc.

particionero, ra *adj.* Partícipe.

participación *s. f.* **1.** Acción y efecto de participar. **2.** En la lotería, recibo en que un particular, poseedor de un billete, acredita que otra persona juega en su número una cantidad determinada.

participante *adj.* Que participa. También com.

participar *v. tr.* **1.** Dar parte, noticiar, comunicar. || *v. intr.* **2.** Tener alguien parte en una cosa o tocarle algo de ella.

participativo, va *adj., fam.* Que acostumbra a participar en actividades colectivas.

partícipe *adj.* Que tiene parte en algo o entra con otros a la parte en su distribución.

participial *adj.* Perteneciente al participio.

participio *s. m.* Forma no personal del verbo llamada así porque en sus varias aplicaciones participa, ya de la índole del verbo, ya de la del adjetivo.

partícula *s. f.* **1.** Parte pequeña. **2.** Parte indeclinable de la oración.

particular *adj.* **1.** Propio y privativo de una persona o cosa. **2.** Se dice de la persona que no tiene título o empleo que la distinga de los demás ciudadanos.

particularidad *s. f.* Singularidad, individualidad.

particularismo *s. m.* Preferencia excesiva que se da al interés particular sobre el general.

particularizar *v. tr.* **1.** Expresar una cosa con todas sus particularidades y circunstancias. || *v. prnl.* **2.** Distinguirse.

partida *s. f.* **1.** Acción de partir o salir de un punto para otro. **2.** Registro de bautismo, confirmación, matrimonio o entierro, que se hace en los libros de las parroquias o del registro civil. **3.** Copia certificada de alguno de estos registro. **4.** Cantidad o porción de un género de comercio. **5.** Conjunto de personas de ciertos trabajos u oficios. **6.** Guerrilla. **7.** Partido, grupo de jugadores.

partidario, ria *adj.* **1.** Que sigue un partido o bando o entra en él. **2.** Adicto a una persona o idea.

partidismo *s. m.* Celo exagerado en pro de un partido, tendencia u opinión.

partido *s. m.* **1.** Parcialidad o agrupación de los que siguen una misma opinión o doctrina. **2.** Provecho, utilidad. **3.** Cada una de las agrupaciones que concurren a unas elecciones democráticas. **4.** En el juego, conjunto de los que van, como compañeros, contra otros tantos. **5.** Distrito o territorio de una jurisdicción o administración.

partidor, ra *s. m. y s. f.* **1.** Persona que divide o reparte una cosa. || *s. m.* **2.** Instrumento con que se parte o rompe.

partidura *s. f.* Raya que divide el cabello en dos partes.

partija *s. f.* Partición, repartimiento.

partimento *s. m.* Partición.

partimiento *s. m.* Partición.

partiquino, na *s. m. y s. f.* Cantante que ejecuta en las óperas partes muy breves o de escasa importancia.

partir *v. tr.* **1.** Dividir una cosa en dos o más partes. **2.** Hender, rajar. **3.** Repartir o distribuir una cosa entre varios. ‖ *v. intr.* **4.** Tomar una fecha o cualquier otro antecedente base para un razonamiento o cómputo. **5.** *fig.* Empezar a caminar, ponerse en camino. ‖ *v. prnl.* **6.** *fam.* Desternillarse de risa.

partitivo, va *adj.* Se dice del nombre y del adjetivo numeral que expresan división de un todo en partes, como *mitad, medio, tercia, cuarta,* etc.

partitura *s. f.* Texto completo de una obra musical para varias voces o instrumentos.

parto *s. m.* **1.** Acción de parir. **2.** El ser que ha nacido.

parturienta *adj.* Se dice de la mujer que está de parto o lo ha estado recientemente. También s. f.

párulis *s. m.* Flemón, tumor en las encías.

parusía *s. f.* Advenimiento glorioso de Jesucristo al fin de los tiempos.

parva[1] *s. f.* Mies tendida en la era.

parva[2] *s. f.* Parvedad, pequeña porción de alimento.

parvada *s. f.* Conjunto de pollos recién nacidos.

parvedad *s. f.* **1.** Pequeñez, poquedad. **2.** Escasa porción de alimento que se toma por la mañana en los días de ayuno.

parvero *s. m.* Montón largo que se forma de la parva para aventarla.

parvidad *s. f.* Parvedad.

parvificar *v. intr.* Achicar, reducir el tamaño de alguna cosa.

parvificencia *s. f.* Escasez o cortedad en el porte y gasto.

parvífico, ca *adj.* Escaso, corto y miserable en el gastar.

parvo, va *adj.* Pequeño.

parvulez *s. f.* **1.** Pequeñez. **2.** Simplicidad, candor.

párvulo, la *adj.* **1.** Que está en la niñez. También s. m. y s. f. **2.** *fig.* Inocente, que sabe poco o es fácil de engañar.

pasa *s. f.* Uva seca. También adj.

pasable *adj.* Que se puede pasar con facilidad.

pasabola *s. f.* Lance del juego de billar, en que la bola que se lanza toca lateralmente a otra, va a dar a la banda opuesta y vuelve para tocar a la tercera.

pasacaballo *s. m.* Embarcación antigua, sin palos, muy aplanada en sus fondos.

pasacalle *s. m.* Marcha popular de compás muy movido, que se toca generalmente con guitarras o vihuelas.

pasacólica *s. f.* Cólico pasajero.

pasada *s. f., fig. y fam.* Mal comportamiento de una persona o cosa.

pasadera *s. f.* Cada una de las piedras que se ponen para atravesar charcos, arroyos, etc.

pasadero, ra *adj.* Que se puede pasar con facilidad.

pasadillo *s. m.* Especie de bordado que pasa por ambos lados de la tela.

pasadizo *s. m.* Paso estrecho que ataja.

pasado, da *adj.* **1.** Que ha sucedido en un tiempo pretérito. ‖ *s. m.* **2.** Tiempo que pasó, cosas que sucedieron en él.

pasador *s. m.* Barrita de hierro sujeta con grapas a una hoja de puerta o ventana, o a una tapa, que sirve para cerrar corriéndola hasta hacerla entrar en una hembrilla fija en el marco.

pasaje *s. m.* **1.** Lugar por donde se pasa. **2.** Estrecho entre dos islas o entre una isla y tierra firme. **3.** Trozo o lugar de un libro, escrito, composición literaria, musical, etc. que ofrece cierta particularidad.

pasajero, ra *s. m. y s. f.* **1.** Persona que viaja en un vehículo pagando, por lo general, el precio de transporte. ‖ *adj.* **2.** Que pasa presto o dura poco.

pasamanería *s. f.* **1.** Obra o fábrica de pasamanos. **2.** Oficio de pasamanero. **3.** Establecimiento donde se vende.

pasamanero, ra *s. m. y s. f.* Persona que por oficio hace pasamanos, franjas, etc.

pasamano *s. m.* **1.** Especie de galón, cordones, flecos y demás adornos de oro, plata, seda, etc., que se hacen y sirven para guarnecer y adornar los vestidos y otras cosas. **2.** Barandilla. También se usa *pasamanos*.

pasamiento *s. m.* Paso o tránsito.

pasamontañas *s. m.* Gorro para cubrir toda la cabeza salvo los ojos y nariz, usado en zonas de montaña contra el frío.

pasán *s. m.* Mamífero rumiante de los bóvidos, de pelaje gris claro en el dorso y blanquísimo en el vientre, cuyos cuernos llegan a medir hasta 1.20 m de longitud.

pasante *adj.* **1.** Se dice del animal que se pinta en el escudo en actitud de andar o pasar. ‖ *com.* **2.** Persona que asiste y acompaña al maestro de una facultad en el ejercicio de ella, para imponerse enteramente en su práctica. **3.** Persona que pasa o explica la lección a otra. **4.** *Méx.* Licenciado universitario que está preparando su tesis.

pasantía *s. f.* **1.** Ejercicio de pasante. **2.** Tiempo que dura este ejercicio.

pasapán *s. m., fig. y fam.* Garguero, tragadero.

pasaporte *s. m.* Licencia por escrito que se obtienen para poder pasar libre y seguramente de un pueblo o país a otro.

pasapuré *s. m.* Especie de colador usado para homogeneizar o triturar comidas como patatas, lentejas, verduras, etc., convirtiéndolas en puré.

pasar *v. tr.* **1.** Llevar, conducir de un sitio a otro. **2.** Penetrar o traspasar. **3.** Exceder, aventajar. También prnl. **4.** Traspasar una cosa de un sujeto a otro. También intr. **5.** Sufrir, tolerar. **6.** Hablando de comida o bebida, tragar. **7.** Disimular o no darse por entendido de una cosa. **8.** Ayudar a un facultativo para aprender su profesión. **9.** Aprobar un examen. ‖ *v. intr.* **10.** Convertirse una cosa en otra. **11.** Tener lo necesario para vivir. **12.** En algunos juegos de naipes, no entrar, y en el dominó, dejar de poner ficha. **13.** Con referencia al tiempo, ocuparlo de algún modo. **14.** Durar o mantenerse. También prnl. **15.** Cesar, acabarse una cosa. También prnl. ‖ *v. pml.* **16.** Olvidarse una cosa. **17.** Madurar demasiado o empezar a pudrirse las frutas, carnes, etc., y las comidas, cocerse demasiado. **18.** Filtrar, rezumar. **19.** Hablando de cerraduras, tornillos, etc., estar flojos, no ajustar convenientemente.

pasarela *s. f.* **1.** Puente pequeño o provisional. **2.** Pasillo estrecho por el que desfilan los modelos de ropa.

pasatiempo *s. m.* Diversión y entretenimiento en que se pasa el rato.

pasavolante *s. m.* Acción ejecutada ligeramente, o con brevedad y sin reparo.

pascal *s. m.* Unidad de presión del sistema Georgi, igual a un newton por metro cuadrado.

pascana *s. f., Arg., Bol. y Per.* Etapa, descanso o parada en un viaje.

pascua *s. f.* En la Iglesia católica, fiesta solemne de la Resurrección del Señor.

pascual *adj.* Perteneciente o relativo a la pascua.

pascuilla *s. f.* Domingo después del de pascua de Resurrección.

pase *s. m.* **1.** Licencia por escrito para pasar algunos géneros de un lugar a otro, transitar por algún sitio, entrar en un local, etc. **2.** Pasaporte, en algunos países ultramarinos. **3.** Cada una de las veces que el torero, después de haber llamado o citado al toro con la muleta, lo deja pasar, sin intentar clavarle la espada. **4.** Cada una de las proyecciones de una película o pieza teatral en un cine o teatro.

paseador, ra *adj.* Que pasea mucho y continuamente.

paseante *adj.* Que pasea o se pasea. También com.

pasear *v. intr.* **1.** Andar por diversión o por hacer ejercicio. También tr. y prnl. **2.** Andar, con iguales fines, a caballo, en carruaje, etc. También prnl. ‖ *v. tr.* **3.** Hacer paseos a alguien o a algo. **4.** *fig.* Llevar una cosa de una parte a otra, o mostrarla acá y allá. **5.** *fig.* Estar ocioso.

paseata *s. f.* Paseo largo.

paseíllo *s. m.* Desfile de las cuadrillas por el ruedo, antes de comenzar la corrida.

paseo *s. m.* **1.** Acción de pasear o pasearse. **2.** Lugar público destinado para pasearse.

pasera *s. f.* Lugar donde se ponen a desecar las frutas para que se hagan pasas.

pasibilidad *s. f.* Calidad de pasible.

pasible *adj.* Que puede o es capaz de padecer.

pasicorto, ta *adj.* Que tiene corto el paso.

pasiflora *s. f.* Pasionaria.

pasifloráceo, a *adj.* Se dice de las plantas dicotiledóneas tropicales, árboles, arbustos o hierbas, con hojas alternas, flores elegantes y fruto en baya o cápsula con muchas semillas, como la pasionaria. También s. f.

pasiflóreo, a *adj.* Pasifloráceo.

pasil *s. m.* **1.** Piedra puesta para pasar un río o arroyo. **2.** Parte por donde se puede atravesar a pie un río o arroyo. **3.** Paso estrecho, vereda.

pasilargo, ga *adj.* Que tiene largo el paso.

pasillo *s. m.* Pieza de paso, larga y angosta, en un edificio.

pasión *s. f.* Cualquier perturbación o afecto desordenado del ánimo.

pasional *adj.* Perteneciente o relativo a la pasión, especialmente amorosa.

pasionaria *s. f.* Planta pasiflorácea, con tallos trepadores, ramosos, flores olorosas, grandes y solitarias, y fruto amarillo del tamaño y figura de un huevo de paloma.

pasividad *s. f.* Calidad de pasivo.

pasivo, va *adj.* **1.** Se dice del sujeto que recibe la acción del agente, sin cooperar a ella. **2.** Se dice de la persona que deja obrar a las otras, quedando inactiva. **3.** Se dice del haber o pensión que disfrutan algunas personas en virtud de servicios prestados. **4.** Que implica o denota pasividad en sentido gramatical.

pasma *s. f., fam.* Policía.

pasmado, da *adj.* **1.** Se aplica a la persona torpe, inexpresiva, sin gracia. **2.** *fig.* Se dice también de la persona desconcertada, atónita.

pasmar *v. tr.* **1.** Enfriar mucho o bruscamente. **2.** Causar a alguien suspensión o pérdida de los sentidos y del movimiento.

pasmarote *com., fam.* Persona embobada.

pasmo *s. m.* **1.** Efecto de enfriamiento que se manifiesta por romadizo, dolor de huesos, etc. **2.** Admiración extremada que deja como suspensa la razón y el discurso.

pasmoso, sa *adj., fig.* Que causa pasmo o gran admiración y asombro.

paso *s. m.* **1.** Movimiento de cada uno de los pies que hace una persona al andar para ir de una parte a otra. **2.** Espacio comprendido en la longitud de un pie y la distancia entre este y el talón del que se ha movido hacia delante para ir de una parte a otra. **3.** Movimiento con que camina una caballería teniendo solo un pie en el aire y los otros asentados. **4.** Tránsito, acción de pasar. **5.** Lugar o sitio por donde se pasa. **6.** Huella que queda impresa al andar. **7.** Adelantamiento, progreso. **8.** Modo o manera de andar. **9.** Efigie o grupo escultórico que representa la Pasión de Jesucristo. **10.** Cada una de las mudanzas que se hacen en los bailes. **11.** Pieza dramática muy breve. **12.** Cada uno de los avances que registra un aparato contador. **13.** Estrecho de mar. ‖ *s. m. pl.* **14.** En baloncesto, falta que comete el jugador que da más de tres pasos llevando la pelota en la mano. ‖ *adv. m.* **15.** Con suavidad, quedo, en voz baja.

paso, sa *adj.* Se dice de la fruta curada y desecada al sol, y también por cualquier otro procedimiento.

pasodoble *s. m.* **1.** Composición musical en compás de cuatro por cuatro y ritmo muy marcado. **2.** Baile ejecutado con esta música.

pasota *s. m. y s. f., fam.* Que pasa o se desinteresa de un asunto.

pasotismo *s. m.* Actitud de indiferencia hacia todo.

pasquín *s. m.* Escrito anónimo de contenido satírico u ofensivo.

password *s. f.* Contraseña.

pasta *s. f.* **1.** Masa blanda formada con diversas cosas machacadas. **2.** Encuadernación de los libros que se hace de cartones cubiertos con pieles bruñidas, telas, etc.

pastadero *s. m.* Terreno donde pasta el ganado.

pastaflora *s. f.* Pasta hecha con harina, azúcar y huevo, que se deshace en la boca.

pastar *v. intr.* Pacer.

pastel *s. m.* **1.** Masa de harina y manteca, en que de ordinario se envuelve crema o dulce, cocida después al horno. **2.** Lápiz compuesto de una materia colorante y agua de goma. **3.** Pintura al pastel.

pastelear *v. intr., fig. y fam.* Contemporizar por miras interesadas.

pastelería *s. f.* Lugar donde se hacen o venden pasteles.

pastelero, ra *s. m. y s. f.* Persona que tiene por oficio hacer o vender pasteles.

pastelillo *s. m.* Especie de dulce hecho de masa de mazapán u otra masa delicada y relleno de dulce.

pastelista *s. m. y s. f.* Pintor o pintora que pinta al pastel.

pasterizar *v. tr.* Pasteurizar.

pastero, ra *s. m. y s. f.* Persona que echa en los capachos la pasta de la aceituna molida.

pasteurización *s. f.* Acción y efecto de pasteurizar.

pasteurizar *v. tr.* Esterilizar la leche, el vino y otros líquidos, según el procedimiento de Pasteur.

pastiche *s. m.* **1.** Imitación, sobre todo en obras de arte. **2.** *fig.* Conjunto desordenado de cosas pretendiendo parecer una composición.

pastilla *s. f.* Pequeña porción de pasta medicinal.

pastinaca *s. m.* Pez marino selacio, comestible, de cabeza puntiaguda, cuerpo aplastado, de medio metro de diámetro, liso, cola delgada y armada con un aguijón muy fuerte, a manera de anzuelo, con los bordes aserrados y con el cual hiere al animal para defenderse.

pastizal *s. m.* Terreno de abundante pasto para caballerías.

pasto *s. m.* **1.** Hierba que pace el ganado en el mismo terreno donde se cría. **2.** Cualquier cosa que sirve para el sustento del animal.

pastor, ra *s. m. y s. f.* **1.** Persona que guarda, guía y apacienta el ganado. **2.** Prelado o cualquier otro eclesiástico que tiene súbditos y obligación de cuidar de ellos.

pastoral *s. f.* Especie de drama bucólico, cuyos interlocutores son pastores y pastoras.

pastorear *v. tr.* Llevar los ganados al campo y cuidar de ellos mientras pacen.

pastorela *s. f.* **1.** Tañido y canto sencillo y alegre a modo del que usan los pastores. **2.** Composición poética en que intervienen generalmente un caballero y una pastora, desarrollada en la literatura provenzal de los siglos XI y XII.

pastoreo *s. m.* Ejercicio o acción de pastorear el ganado.

pastoría *s. f.* Oficio de pastor.

pastoril *adj.* Característico de los pastores.

pastosidad *s. f.* Calidad de pastoso.

pastoso, sa *adj.* Se dice de las cosas que al tacto son suaves y blandas a semejanza de la masa y la pasta.

pastueño *adj.* Se dice del toro de lidia que acude sin recelo al engaño.

pastura *s. f.* Porción de comida que se les da a los animales.

pasturaje *s. m.* Derechos que se pagan por llevar los ganados a pastar.

pata *s. f.* **1.** Pie y pierna de los animales. **2.** Pie, base o apoyo de algo. **3.** Hembra del pato. **4.** En las prendas de vestir, cartera, golpe, portezuela. **5.** *fam.* Pierna. **6.** *fam.* Pie, parte inferior de un mueble.

pataca *s. f.* **1.** Aguaturma. **2.** Raíz de esta planta, de color rojizo o amarillento, fusiforme, carne acuosa algo azucarada y buen comestible para el ganado.

patada *s. f.* Golpe dado de llano con la planta del pie o con la pata del animal.

patalear *v. intr.* Doblar las piernas o patas violentamente y con ligereza, para herir con ellas o en respuesta a un dolor.

pataleo *s. m.* Ruido hecho con las patas o los pies.

pataleta *s. f., fam.* Convulsión, enfado, especialmente cuando se cree que es fingido.

patán *s. m.* **1.** *fam.* Hombre inculto y rústico. **2.** *fam.* Hombre tosco y grosero.

patanería *s. f., fam.* Grosería, simpleza, ignorancia.

patarata *s. f.* Cosa ridícula y despreciable.

patata *s. f.* Planta herbácea con tallos ramosos, fruto en baya y raíces fibrosas con tubérculos redondeados o rojizos por dentro y que son uno de los alimentos más útiles y nutritivos para el ser humano.

patatal *s. m.* Terreno plantado de patatas.

patatar *s. m.* Patatal.

patatero, ra *adj.* Se dice de la persona aficionada a las patatas.

patatús *s. m., fam.* Accidente leve.

patay *s. m., Amer. del S.* Pasta seca alimenticia hecha de algarroba molida.

paté *s. m.* Pasta hecha de carne o hígado picado que se come fría.

pateadura *s. f.* **1.** Acción de patear. **2.** *fig. y fam.* Reprensión.

pateamiento *s. m.* Pateadura.

patear *v. tr.* **1.** *fam.* Dar golpes con los pies. **2.** *fig. y fam.* Tratar desconsiderada y rudamente a alguien, al reprenderle, al reprobar sus obras o al discutir con él. ‖ *v. intr.* **3.** *fam.* Dar patadas en señal de enojo, dolor o desagrado.

patena *s. f.* Platillo de oro, plata u otro metal dorado, en el cual se pone la hostia en la misa.

patentar *v. tr.* Obtener la patente de un invento.

patente *adj.* **1.** Manifiesto, visible. ‖ *s. f.* **2.** Título o despacho para el goce de un empleo o privilegio. **3.** Documento expedido por la hacienda pública, que acredita haber satisfecho determinada persona el impuesto que la ley exige para el ejercicio de algunas profesiones o industrias.

patentizar *v. tr.* Hacer patente una cosa.

pateo *s. m., fam.* Acción de patear o dar patadas en señal de enojo.

pátera *s. f.* Barca de poco calado.

paternal *adj.* Propio del afecto, cariño o solicitud de padre.

paternalismo *s. m.* Tendencia a aplicar las formas de protección propias del padre en la familia tradicional a relaciones sociales de otro tipo.

paternalista *adj.* Se aplica a quien adopta el paternalismo como forma de conducta.

paternidad *s. f.* Calidad de padre.

paterno, na *adj.* Perteneciente al padre, o propio suyo, o derivado de él.

pateta *s. m.* Persona que tiene un vicio en la conformación de los pies o de las piernas.

patético, ca *adj.* Capaz de conmover y agitar el ánimo con afectos vehementes, y con particularidad dolor, tristeza o melancolía.

patetismo *s. m.* Calidad de patético.

patiabierto, ta *adj., fam.* Que tiene las piernas torcidas e irregulares, y separadas una de otra.

patiblanco, ca *adj.* Se dice del animal que tiene blancas las patas.

patibulario, ria *adj.* Que por su repugnante aspecto o perversa condición produce horror o espanto, como en general los condenados al patíbulo.

patíbulo *s. m.* Tablado o lugar en que se ejecuta la pena de muerte.

paticojo, ja *adj., fam.* Cojo. También s. m. y s. f.

patidifuso, sa *adj., fig. y fam.* Patitieso, sorprendido.

patilla *s. f.* **1.** Porción de barba que se deja crecer en cada uno de los carrillos. **2.** Gozne de las hebillas.

patilludo, da *adj.* Que tiene patillas espesas y largas.

patín *s. m.* Aparato para patinar.

pátina *s. f.* Barniz de color aceitunado que, a consecuencia de la humedad, se aprecia en los objetos de bronce.

patinadero *s. m.* Lugar a propósito para patinar.

patinador, ra *adj.* Que patina. También s. m. y s. f.

patinar *v. intr.* **1.** Deslizarse con patines. **2.** Resbalar o dar vueltas las ruedas de un vehículo sin que este avance. ‖ *v. tr.* **3.** *fig.* Deslizarse, colarse.

patinazo *s. m.* **1.** Acción y efecto de patinar bruscamente la rueda de un coche. **2.** *fig.* Equivocación, metedura de pata.

patineta *s. f.* Juguete hecho de una plancha con ruedas y un mástil a modo de guía para patinar apoyando un pie en la misma y tomando impulso en el suelo con el otro.

patio *s. m.* **1.** Espacio cerrado con paredes o galerías, que en algunos edificios y casas se deja al descubierto. **2.** En los teatros, planta baja que ocupan las butacas y que en los corrales antiguos carecía de asientos casi toda ella.

patiquebrar *v. tr.* Romper una o más patas a un animal. También prnl.

patitieso, sa *adj.* **1.** *fam.* Se dice de la persona que, por un accidente repentino, se ha quedado sin sentido ni movimiento en las piernas. **2.** *fig. y fam.* Que se queda asombrado por la novedad o extrañeza que le causa una cosa.

patituerto, ta *adj.* Que tiene torcidas las piernas y patas.

patizambo, ba *adj.* Que tiene las piernas torcidas hacia fuera y junta mucho las rodillas.

pato *s. m.* Ave palmípeda, con el pico más ancho en la punta que en la base, cuello y tarsos cortos, y una mancha de reflejos metálicos en cada ala.

patochada *s. f.* Disparate, sandez.

patogenia *s. f.* Parte de la patología, que trata del origen y desarrollo de las enfermedades.

patogénico, ca *adj.* Perteneciente o relativo a la patogenia.

patógeno, na *adj.* Se dice de lo que origina las enfermedades.

patojo, ja *adj.* Que tiene las piernas o pies torcidos o desproporcionado.

patología *s. f.* Parte de la medicina que trata del estudio de las enfermedades.

patológico, ca *adj.* Perteneciente a la patología.

patólogo, ga *s. m. y s. f.* Persona especialista en patología.

patón, na *adj., fam.* Patudo, de grandes pies.

patoso, sa *adj.* Se dice de la persona sosa que presume de simpática y aguda.

patraña *s. f.* Mentira o noticia fabulosa.

patrañero, ra *adj.* Que suele contar o inventar patrañas. También s. m. y s. f.

patria *s. f.* **1.** Lugar, ciudad o país en que alguien ha nacido. **2.** Tierra natal o adoptiva a la que se pertenece por vínculos afectivos, históricos o jurídicos.

patriarca *s. m.* **1.** Nombre que se da a algunos personajes de la Biblia por haber sido cabezas de dilatadas y numerosas familias. **2.** Título de dignidad concedido por el papa a algunos prelados. **3.** *fig.* Persona que por su edad y sabiduría ejerce autoridad moral en una familia o en una colectividad.

patriarcado *s. m.* Sistema social fundado sobre el predominio de los hombres sobre las mujeres.

patriarcal *adj.* Perteneciente o relativo al patriarca y a su autoridad y gobierno.

patriciado *s. m.* Dignidad o condición de patricio considerada la primera después de la categoría imperial, desde Constantino.

patricida *com.* Persona que mata a su padre, a su madre o a su cónyuge.

patricidio *s. m.* Muerte que alguien da a su ascendiente o a su cónyuge.

patricio, cia *adj.* Descendiente de los primeros senadores romanos establecidos por Rómulo, cuyo conjunto constituía la clase social noble o privilegiada.

patrimonial *adj.* Perteneciente a alguien por razón de su patria, padre o antepasados.

patrimonio *s. m.* Hacienda que una persona hereda de sus ascendientes.

patrio, tria *adj.* Perteneciente a la patria.

patriota *com.* Persona que tiene amor a su patria o trabaja por ella.

patriótico, ca *adj.* Perteneciente al patriota o a la patria.

patriotismo *s. m.* Amor a la patria.

patrística *s. f.* Ciencia que tiene por objeto el conocimiento de la doctrina, obras e ideas de los Padres de la Iglesia.

patrístico, ca *adj.* Perteneciente o relativo a la patrística.

patrocinador, ra *s. m. y s. f.* **1.** Que patrocina. ‖ *s. m.* **2.** Empresa, institución o marca comercial que subvenciona una campaña, un deporte.

patrocinar *v. tr.* Defender, proteger.

patrocinio *s. m.* Amparo, auxilio, protección de la persona que patrocina algo.

patrología *s. f.* Tratado y colección de los escritos sobre los Santos Padres.

patrón, na *s. m. y s. f.* **1.** Santo titular de una iglesia, un pueblo, una congregación, etc. **2.** Amo, dueño de un negocio o de una explotación. **3.** Dueño de la casa donde alguien se hospeda. ‖ *s. m.* **4.** Dechado que sirve de muestra para sacar otra cosa igual.

patronal *s. f.* Conjunto de patronos o empresarios.

patronato *s. m.* **1.** Derecho, poder o facultad que tienen el patrono o patronos. **2.** Corporación que forman los patronos.

patronazgo *s. m.* Patronato.

patronear *v. tr.* Ejercer el cargo de patrón en una embarcación.

patronero *s. m.* Patrono, miembro de un patronato.

patronímico, ca *adj.* Se dice del apellido que antiguamente se daba en España a los hijos, formado del nombre de sus padres.

patrono, na *s. m. y s. f.* **1.** Defensor, protector, amparador. **2.** Persona que emplea obreros en trabajos manuales. **3.** Patrón, santo titular de una festividad religiosa. **4.** Amo o señor.

patrulla *s. f.* Pequeña partida de gente armada, que ronda en las plazas, campamentos y líneas avanzadas, para mantener su orden y seguridad.

patrullar *v. intr.* Rondar una patrulla.

patuco *s. m.* Calzado infantil de punto y en forma de bota.

patudo, da *adj., fam.* Que tiene grandes patas o piernas.

patulea *s. f.* **1.** *fam.* Soldadesca desordenada. **2.** *fam.* Gente desbandada o maleante.

patullar *v. intr.* Pisar con fuerza y desatentadamente.

paují *s. m., amer.* Ave de Perú, gallinácea, doméstica, comestible, del tamaño de un pavo, de plumaje negro con manchas blancas en el vientre y en la extremidad de la cola; pico grande con un tubérculo encima de forma ovoide, casi tan grande como la cabeza del animal y duro como una piedra.

paúl *s. m.* Sitio pantanoso cubierto de hierbas.

paular *s. m.* Pantano o atolladero.

paulatino, na *adj.* Que procede u obra despacio o lentamente.

paulilla *s. f.* Palomilla, mariposa.

paulina *s. f., fig. y fam.* Carta ofensiva anónima.

pauperismo *s. m.* Existencia de gran número de pobres en un Estado.

paupérrimo, ma *adj. sup.* de pobre, muy pobre.

pausa *s. f.* **1.** Breve interrupción del movimiento, acción o ejercicio. **2.** Tardanza, lentitud.

pausado, da *adj.* Que obra con pausa o lentitud.

pausar *v. intr.* Interrumpir o retardar un movimiento, ejercicio o acción.

pauta *s. f.* **1.** Instrumento para rayar el papel. **2.** *fig.* Norma, costumbre.

pautar *v. tr.* **1.** Rayar el papel con la pauta. **2.** *fig.* Dar reglas o determinar el modo de hacer o ejecutar una acción.

pava *s. f.* Fuelle grande usado en ciertos hornos metalúrgicos.

pavada *s. f.* **1.** Manada de pavos. **2.** *fig. y fam.* Sosería, insulsez.

pavana *s. f.* Antigua danza de origen español, grave y seria, de movimientos pausados.

pavés *s. m.* Escudo oblongo y de bastante tamaño que cubría casi todo el cuerpo.

pavesa *s. f.* Partícula incandescente que se desprende de una materia encendida y acaba en ceniza.

pavesina *s. f.* Pavés pequeño.

pavezno *s. m.* Pavipollo.

pavía *s. f.* Variedad del melocotón, cuyo fruto tiene la piel lisa y la carne jugosa y pegada al hueso.

pávido, da *adj., poét.* Tímido, cobarde.

pavimentación *s. f.* Acción y efecto de pavimentar.

pavimentar *v. tr.* Revestir el suelo con ladrillos, baldosines, etc.

pavimento *s. m.* Suelo, superficie artificial hecha para que el piso esté sólido y pulido.

pavipollo *s. m.* Pollo del pavo.

pavisoso, sa *adj.* Bobo, soso, sin gracia ni arte.

pavitonto, ta *adj.* Necio, estúpido.

pavo *s. m.* Ave gallinácea de plumaje pardo verdoso con reflejos cobrizos y manchas blanquecinas en los extremos de las alas y de la cola.

pavón *s. m.* **1.** Nombre de ciertas mariposas, llamadas así por tener ocelos redondeados en las alas como el pavo real. **2.** Color negro, azul o de café, con que se cubre la superficie de los objetos de hierro o de acero para que no se oxiden.

pavonada *s. f.* Ostentación o pompa con que alguien se deja ver.

pavonar *v. tr.* Dar pavón al hierro o al acero.

pavonazo *s. m.* Color mineral rojo oscuro con que se suple el carmín en la pintura al fresco.

pavonear *v. intr.* Hacer alguien vana ostentación de su gallardía. Se usa más como prnl.

pavoneo *s. m.* Acción de pavonear o pavonearse.

pavor *s. m.* Temor con espanto y sobresalto.

pavorido, da *adj.* Despavorido, lleno de pavor.

pavoroso, sa *adj.* Que causa pavor.

pavura *s. f.* Pavor, temor.

payada *s. f., Amér. del S.* Canto del payador.

payador, ra *s. m. y s. f., Amér. del S.* Cantor popular que, acompañándose con la guitarra, improvisa canciones en competencia con otro como él.

payar *v. intr., Arg. y Chil.* Cantar payadas.

payasada *s. f.* Acción o dicho propios de payaso.

payaso, sa *s. m. y s. f.* **1.** Titiritero que hace de gracioso con traje, ademanes y gestos ridículos en los circos y en las ferias. **2.** Persona poco seria.

payés, sa *s. m. y s. f.* Campesino o campesina de Cataluña o de las Islas Baleares.

payo, ya *adj.* **1.** Aldeano. También s. m. y s. f. ‖ *s. m. y s. f.* **2.** Para el gitano, persona que no pertenece a su raza. Se usa en sentido despectivo.

payuelas *s. f. pl.* Viruelas.

paz *s. f.* Equilibrio interior, estado de ánimo en tranquilidad.

pazguato, ta *adj.* Simple, que se pasma y admira de lo que ve y oye.

pazo *s. m.* En Galicia, casa solariega, formada por un palacete y jardín o parque.

pazote *s. m.* Planta herbácea anual, de la familia de las salsoláceas, aromática, de tallo ramoso, hojas lanceoladas algo dentadas y de color verde oscuro; flores aglomeradas en racimos laxos y sencillos, y las semillas, nítidas y de margen obtuso. Sus hojas y flores se toman en infusión, a manera de té.

pea *s. f.* Embriaguez, borrachera.

peaje *s. m.* Cantidad de dinero que hay que pagar por el derecho de tránsito en un lugar.

peajero, ra *s. m. y s. f.* Persona que cobra el peaje.

peal *s. m.* Parte de la media que cubre el pie.

peana *s. f.* **1.** Basa para colocar encima una figura u otra cosa. **2.** Tarima que hay delante del altar, arrimada a él.

peaña *s. f.* Peana.

peatón, na *s. m. y s. f.* Persona que camina a pie.

pebete *s. m.* Pasta hecha con polvos aromáticos, que encendida, exhala un humo muy fragante.

pebetero *s. m.* Vaso de quemar perfumes.

pebrada *s. f.* Pebre, salsa.

pebre *s. m.* **1.** Salsa de pimienta, ajo, perejil y vinagre, y con la cual se sazonan diversas viandas. **2.** En algunas partes, pimienta, fruto del pimentero.

peca *s. f.* Cualquiera de las manchas pequeñas y de color pardo que suelen salir en el cutis.

pecado *s. m.* **1.** Toda acción u omisión voluntaria contra la ley de Dios o algún precepto de la Iglesia. **2.** Lo que se aparta de lo recto y justo.

pecador, ra *adj.* Sujeto al pecado o que puede cometerlo. También s. m. y s. f.

pecaminoso, sa *adj., fig.* Se aplica a las cosas que están o parecen contaminadas de pecado.

pecar *v. intr.* **1.** Quebrantar la ley de Dios. **2.** Faltar a cualquier precepto o regla.

pecarí *s. m.* Nombre genérico de mamíferos americanos de la familia de los suidos, sin cola, con tres dedos en las patas posteriores y una glándula dorsal que segrega una especie de almizcle.

pecblenda *s. f.* Mineral constituido por óxido de uranio, con pequeñas cantidades de plomo y de elementos raros, como el torio, radio, itrio, nitrógeno, helio y argón.

peccata minuta *expr.* Error, falta o vicio leve.

pece[1] *s. f.* Tierra o argamasa amasada para hacer tapias, u otras obras.

pece[2] *s. m.* Lomo de tierra que queda entre dos surcos.

peceño, ña *adj.* Que tiene el color de la pez.

pecera *s. f.* Vasija o globo de cristal, llena de agua, para tener a la vista algunos peces de colores.

pechar *v. tr.* Pagar pecho o tributo.

peche *s. m.* Pechina.

pechera *s. f.* Pedazo de lienzo o paño con que se abriga el pecho.

pechero, ra *adj.* Obligado a pagar o contribuir con pecho o tributo. También s. m. y s. f.

pechiblanco, ca *adj.* Se dice del animal que tiene el pecho blanco.

pechigonga *s. f.* Juego de naipes en que se dan nueve cartas a cada jugador en tres veces; se puede envidar según se van recibiendo.

pechina *s. f.* Cada uno de los cuatro triángulos curvilíneos que forman el anillo de la cúpula junto con los arcos torales sobre los que estriba.

pechirrojo *s. m.* Pardillo, pájaro.

pecho *s. m.* Parte del cuerpo humano, comprendida entre el cuello y el vientre, y en cuya cavidad se contienen el corazón y los pulmones.

pechuga *s. f.* Pecho del ave, que está dividido en dos, a una y otra parte del esternón.

pechugón *s. m.* **1.** Manotada fuerte que se da en el pecho de otro. **2.** *fig.* Esfuerzo extremado o impulso fuerte.

pechugona *adj., fig.* Se dice de la mujer de pecho abultado. También s. f.

pechuguera *s. f.* Tos pectoral y tenaz.

peciento, ta *adj.* Del color de la pez.

pecilgo *s. m.* Pellizco.

pecina *s. f.* Cieno negruzco de los charcos o cauces en donde hay materias orgánicas en descomposición.

pecinal *s. m.* Charco o laguna de agua estancada que tiene mucha pecina.

pecinoso, sa *adj.* Que tiene pecina.

pecio *s. m.* **1.** Pedazo o fragmento de la nave que ha naufragado o porción de lo que ella contiene. **2.** Derecho que el señor del puerto de mar exigía de las naves que naufragaban en sus costas.

peciolado, da *adj.* Se dice de las hojas que tienen pecíolo.

pecíolo o peciolo *s. m.* Rabillo de la hoja.

pécora *s. f.* Cabeza de ganado lanar.

pecorea *s. f., fig.* Diversión ociosa y fuera de casa, andando de aquí para allí.

pecorear *v. tr.* Hurtar o robar ganado.

pecorino, na *adj.* Propio del ganado.

pecoso, sa *adj.* Que tiene pecas.

pectina *s. f.* Sustancia neutra que se encuentra en muchos tejidos vegetales y frutos.

pectíneo *s. m.* Músculo del muslo que hace doblar a este sobre la pelvis y que hace girar el fémur.

pectiniforme *adj.* De figura de peine o dentado como él.

pectoral *adj.* Perteneciente o relativo al pecho.

pectosa *s. f.* Sustancia contenida en los frutos sin madurar, a la que se atribuye el sabor áspero de estos y que por acción de cierto fermento se transforma en pectina.

pecuario, ria *adj.* Perteneciente al ganado.

peculado *s. m.* Delito que consiste en el hurto de caudales del erario público, hecho por quien los administra.

peculiar *adj.* Propio de cada persona o cosa.

peculiaridad *s. f.* Calidad de peculiar.

peculio *s. m.* Dinero que particularmente tiene cada uno.

pecunia *s. f., fam.* Moneda o dinero.

pecuniario, ria *adj.* Perteneciente al dinero efectivo.

pecunio *s. m.* Peculio.

pedagogía *s. f.* Arte o ciencia de educar e instruir a los niños.

pedagógico, ca *adj.* Perteneciente o relativo a la pedagogía.

pedagogo, ga *s. m. y s. f.* Perito en pedagogía.

pedal *s. m.* Palanca que pone en movimiento un mecanismo oprimiéndola con el pie.

pedalada *s. f.* Cada uno de los impulsos dados a un pedal con el pie.

pedalear *v. intr.* Poner en movimiento los pedales. Se dice especialmente de los de las bicicletas.

pedaleo *s. m.* Acción y efecto de pedalear.

pedáneo *adj., fig.* Se aplicaba al alcalde de un lugar o aldea que solo podía entender en negocios de escasa cuantía.

pedanía *s. f.* Pequeño grupo de población dependiente de un municipio.

pedante *adj.* Se dice de la persona que por engreimiento hace alarde inoportuno y vano de erudición, o afecta poseerla.

pedantear *v. intr.* Hacer, por engreimiento, alarde de erudición.

pedantería *s. f.* Vicio de pedante.

pedantesco, ca *adj.* Perteneciente o relativo a los pedantes o a su estilo o modo de hablar.

pedantismo *s. m.* Pedantería.

pedazo *s. m.* Parte o porción de una cosa separada del todo.

peder *v. intr.* Arrojar o expeler la ventosidad del vientre por el ano. También prnl.

pederasta *adj.* Persona que comete pederastia.

pederastia *s. f.* Abuso deshonesto cometido contra los niños.

pedernal *s. m.* Variedad de cuarzo de color gris amarillento, compacto, de fractura concoidea y translúcido en los bordes.

pedestal *s. m.* Cuerpo sólido, generalmente una basa con figura de paralelepípedo rectangular, que sostiene una columna, estatua, etc.

pedestre *adj.* **1.** Que anda a pie. **2.** *fig.* Llano, vulgar, inculto, bajo.

pedestrismo *s. m.* **1.** Calidad de pedestre. **2.** Conjunto de deportes pedestres.

pediatra *s. m. y s. f.* Médico de niños.

pediatría *s. f.* Parte de la medicina que se ocupa de las enfermedades de los niños.

pedicelo *s. m.* Columna carnosa que sostiene el sombrerillo de las setas.

pedicoj *s. m.* Salto que se da con un pie solo.

pedicular *adj.* Perteneciente o relativo al piojo.

pedículo *s. m.* Pedúnculo.

pediculosis *s. f.* Enfermedad de la piel producida por el insistente rascamiento que provoca el picor de los piojos.

pedicuro, ra *s. m. y s. f.* Callista.

pedido *s. m.* **1.** Encargo hecho a un fabricante o vendedor de géneros de su tráfico. **2.** Petición.

pedigrí *s. m.* **1.** Genealogía de un animal. **2.** Documento oficial en que consta tal genealogía.

pedigüeño, ña *adj.* Que pide con frecuencia e importunidad.

pediluvio *s. m.* Baño de pies medicinal.

pedimento *s. m.* Petición, pedidora.

pedir *v. tr.* **1.** Rogar a alguien que dé o haga una cosa, de gracia o de justicia. **2.** Querer, desear o apetecer.

pedo *s. m.* Ventosidad ruidosa que se expele del vientre por el ano.

pedorrear *v. intr., fam.* Expeler ventosidades de manera repetida.

pedorrera *s. f.* Frecuencia o muchedumbre de ventosidad expelidas del vientre.

pedorrero, ra *adj.* Que frecuentemente o sin reparo expele las ventosidades del vientre. También *s. m. y s. f.*

pedorreta *s. f.* Sonido que se hace con la boca imitando el pedo.

pedorro, rra *adj.* **1.** Pedorrero. También *s. m. y s. f.* **2.** *fig.* Tonto, necio.

pedrada *s. f.* Acción de lanzar una piedra contra alguna cosa.

pedrea *s. f.* Combate a pedradas.

pedregal *s. m.* Terreno cubierto casi todo él de piedras sueltas.

pedregoso, sa *adj.* Se dice del terreno naturalmente cubierto de piedras.

pedrejón *s. m.* Piedra grande suelta.

pedreñal *s. m.* Especie de trabuco de chispa de pedernal.

pedrera *s. f.* Cantera, sitio o lugar de donde se sacan las piedras.

pedrería *s. f.* Conjunto de piedras preciosas como diamantes, esmeraldas, rubíes, etc.

pedrero *s. m.* Cantero, hombre que labra las piedras.

pedrés *adj.* Se dice de la sal gema.

pedrisco *s. m.* Granizo grueso que cae de las nubes en abundancia.

pedrisquero *s. m.* Pedrisco, granizo.

pedrusco *s. m.* Pedazo de piedra sin labrar.

pedunculado, da *adj.* **1.** Se dice de las flores y frutos que tienen pedúnculo. **2.** Se dice del órgano o del individuo unido por un pedúnculo al resto del cuerpo o a un soporte.

pedúnculo *s. m.* Pezón, rabillo en las plantas.

peer *v. intr.* Peder. También *prnl.*

pega *s. f.* **1.** Baño que se da con la pez a los vasos o vasijas, tinajas, ollas, pellejos, etc. **2.** *fig.* Pregunta capciosa o difícil de contestar.

pegadizo, za *adj.* **1.** Pegajoso, que se pega. **2.** Contagioso.

pegado *s. m.* Parche o emplasto compuesto de cosas que se pegan.

pegador *s. m.* Operario que en las minas y canteras está encargado de pegar fuego a las mechas de los barrenos.

pegadura *s. f.* Unión física de dos cosas pegadas entre sí.

pegajosidad *s. f.* Glutinosidad.

pegajoso, sa *adj.* **1.** Que con facilidad se pega. **2.** De aspecto viscoso.

pegamento *s. m.* Sustancia propia para pegar o conglutinar.

pegamiento *s. m.* Acción de pegar o pegarse una cosa con otra.

pegamoide *s. m.* Celulosa disuelta con que se impregna una tela o papel y se obtiene una especie de hule resistente.

pegamoscas *s. f.* Planta de la familia de las gariofiláceas, cuya flor tiene el cáliz cubierto de pelos pegajosos, en los cuales quedan pegados los insectos.

pegar *v. tr.* **1.** Adherir una cosa con otra. **2.** *fig.* Castigar o maltratar dando golpes. ‖ *v. prnl.* **3.** Reñir, tener una disputa.

pegote *s. m.* **1.** Emplasto que se hace de pez u otra cosa para pegar. **2.** *fam.* Persona impertinente que no se aparta de otra.

pegotear *v. intr., fam.* Introducirse alguien en las casas a las horas de comer, sin ser convidado.

pegual *s. m., Amér. del S.* Cincha con argollas para sujetar los animales cogidos con lazo o para transportar objetos.

peguero, ra *s. m. y s f.* Persona que fabrica pez.

pegujal *s. m.* **1.** Peculio. **2.** *fig.* Pequeña porción de siembra, ganado o caudal.

pegujalero, ra *s. m. y s. f.* **1.** Labrador que tiene poca siembra o labor. **2.** Ganadero que tiene poco ganado.

pegujón *s. m.* Conjunto de lanas o pelos apretados y pegados unos con otros a manera de ovillo o pelotón.

pegunta *s. f.* Marca que se pone con pez derretida al ganado, especialmente a las ovejas.

peguntar *v. tr.* Marcar o señalar las reses con pez derretida.

peina *s. f.* Peineta.

peinado *s. m.* Adorno y compostura del cabello.

peinador *s. m.* Toalla o lienzo, que puesto al cuello, cubre el cuerpo del que se peina o afeita.

peinadura *s. f.* Acción de peinar o peinarse.

peinar *v. tr.* Desenredar, limpiar o componer el cabello a una persona. También prnl.

peine *s. m.* Utensilio de madera, marfil, etc., provisto de muchos dientes espesos, con el que se limpia y compone el pelo.

peinecillo *s. m.* Peineta pequeña.

peinería *s. f.* Taller donde se fabrican peines.

peineta *s. f.* Peine convexo que se usa para adornar o asegurar el peinado.

peje *s. m.* **1.** Pez, animal acuático. **2.** *fig.* Persona astuta, sagaz e industriosa.

pejepalo *s. m.* Abadejo sin aplastar y curado al humo.

pejerrey *s. m.* Pez marino acantopterigio comestible, de cuerpo fusiforme, y color plateado y reluciente.

pejesapo *s. m.* Pez marino acantopterigio comestible, con cabeza enorme, redonda y aplastada; boca grandísima, colocada, así como los ojos, en la parte superior de la cabeza.

pejiguera *s. f., fam.* Cualquier cosa de poco provecho, que causa dificultades.

pela *s. f.* Peladura.

peladera *s. f.* Alopecia, caída del cabello.

peladero *s. m.* **1.** Lugar o sitio donde se pelan los cerdos o las aves. **2.** *fig. y fam.* Sitio donde se juega con fullerías.

peladilla *s. f.* **1.** Almendra confitada, lisa y redonda. **2.** Canto rodado pequeño.

peladillo *s. m.* Árbol variedad del pérsico, cuyo fruto tiene la piel lustrosa y la carne dura y pegada al hueso.

pelado, da *adj.* **1.** *fig.* Se dice de la fruta sin monda o cáscara y del árbol sin corteza. **2.** *fig.* Se dice de las cosas principales o fundamentales que carecen de lo que naturalmente les viste, adorna, cubre o rodea. **3.** *fig.* Sin dinero, arruinado. **4.** *fig.* Estafado.

peladura *s. f.* Mondadura, corteza.

pelafustán, na *s. m. y s. f., fam.* Persona holgazana, perdida y pobretona.

pelagatos *s. m., fig. y fam.* Persona pobre y despreciable.

pelágico, ca *adj.* **1.** Perteneciente al piélago. **2.** Se dice de los animales o plantas que flotan o nadan en la superficie del mar. **3.** Se dice de las rocas sedimentarias formadas en el fondo del mar, a profundidades mayores que la plataforma continental.

pelagoscopio *s. m.* Aparato destinado para estudiar el fondo del mar.

pelagra *s. f.* Enfermedad crónica, con manifestaciones en la piel y perturbaciones digestivas y nerviosas.

pelaire *s. m.* Cardador de paños.

pelaje *s. m.* Naturaleza y calidad del pelo o de la lana que tiene un animal.

pelambrar *v. tr.* Apelambrar.

pelambre *s. m.* **1.** Porción de pieles que se apelambran. **2.** Conjunto de pelo en todo el cuerpo o en algunas partes de él.

pelambrera *s. f.* **1.** Lugar donde se apelambran las pieles. **2.** Porción de pelo o de vello espeso y crecido.

pelamen *s. m., fam.* Pelambre.

pelamesa *s. f.* Pelea en que los contendientes se asen de los cabellos o barba.

pelanas *s. m., fam.* Persona sin ningún valor.

pelandusca *s. f.* Ramera.

pelantrín *s. m.* Labrantín, pegujalero.

pelar *v. tr.* **1.** Cortar, arrancar o raer el pelo. **2.** Desplumar. **3.** Quitar la piel, la película o la corteza a una cosa. **4.** Quitar con engaño o violencia los bienes a otro.

pelargonio *s. m.* Planta de la familia de las geraniáceas, que comprende numerosas especies ornamentales a las que se conoce impropiamente como geranios.

pelazga *s. f., fam.* Pendencia, disputa.

peldaño *s. m.* Cada uno de los planos o travesaños de una escalera.

pelea *s. f.* Combate, contienda, riña.

pelear *v. intr.* Batallar, combatir o contender con armas o sin ellas.

pelechar *v. intr.* **1.** Echar los animales pelo o pluma. **2.** *fam.* Comenzar a medrar, a mejorar de fortuna o a recobrar la salud.

pelele *s. m.* **1.** Muñeco de figura humana, de paja o trapos, que se suele poner en los balcones o que mantea el pueblo en carnaval. **2.** *fig. y fam.* Persona cándida.

pelendengue *s. m.* Cualquier adorno de poco valor.

peleón, na *adj.* **1.** Pendenciero. **2.** *fam.* Se dice del vino muy ordinario.

peleona *s. f., fam.* Pendencia, riña o contienda.

pelerina *s. f.* Esclavina.

pelete *s. m., fig. y fam.* Persona pobre, de pocos haberes.

peletería *s. f.* Comercio de pieles finas, conjunto de ellas.

peletero, ra *s. m. y s. f.* Persona que tiene por oficio adobar y componer pieles finas y venderlas.

peliagudo, da *adj., fam.* Muy difícil de resolver.

peliblanco, ca *adj.* Que tiene blanco el pelo.

peliblando, da *adj.* Que tiene el pelo blando y suave.

pelícano *s. m.* Ave palmípeda, acuática, con plumaje blanco en general, pico ancho y muy largo, con la piel de la mandíbula inferior en forma de bolsa, donde deposita los alimentos.

pelicano, na *adj.* Que tiene cano el pelo.

pelicorto, ta *adj.* Que tiene corto el pelo.

película *s. f.* **1.** Piel o cubierta membranosa, delgada y delicada. **2.** Lámina de celuloide con forma de cinta, que contiene una serie continua de imágenes fotográficas para reproducirlas proyectándola en una pantalla.

peliculero, ra *s. m. y s. f., fam.* Persona muy dada a inventar historias o exagerar los hechos.

peliculón *s. m.* Película cinematográfica excepcional.

peligrar *v. intr.* Estar en peligro.

peligro *s. m.* **1.** Contingencia inminente de que suceda algún mal. **2.** Ocasión en que aumenta la inminencia del daño.

peligrosidad *s. f.* Calidad de peligroso.

peligroso, sa *adj.* Que ofrece un peligro o puede ocasionar daño.

pelilargo, ga *adj.* Que tiene largo el pelo.

pelillo *s. m., fig. y fam.* Causa o motivo muy leve de desazón, y que se debe despreciar. Se usa más en pl.

pelinegro, gra *adj.* Que tiene negro el pelo.

pelirrojo, ja *adj.* Que tiene rojo el pelo.

pelirrubio, bia *adj.* Que tiene rubio el pelo.

pelitieso, sa *adj.* Que tiene el pelo tieso y erizado.

pelitre *s. m.* Planta compuesta, herbácea, anual, cuya raíz, de sabor salino muy fuerte, se ha usado en medicina como masticatorio para provocar la salivación.

pelitrique *s. m., fam.* Cualquier cosa insignificante, y por lo común adorno inútil del vestido, tocado, etc.

pella *s. f.* Masa unida y apretada.

pellada *s. f.* Porción de yeso o argamasa que se sostiene con la mano o con la llana, para darla al oficial que está trabajando.

pelleja *s. f.* Piel quitada del cuerpo del animal.

pellejería *s. f.* Oficio o comercio de pellejero.

pellejero, ra *s. m. y s. f.* Persona que tiene por oficio adobar o vender pieles.

pellejina *s. f.* Pelleja pequeña.

pellejo *s. m.* **1.** Piel. **2.** Odre.

pellejudo, da *adj.* Que tiene la piel floja o sobrada.

pellica *s. f.* Cobertor de cama hecho de pellejos finos.

pellico *s. m.* Zamarra de pastor.

pelliza *s. f.* Prenda de abrigo hecha o forrada de pieles finas.

pellizcar *v. tr.* Asir con el dedo pulgar y cualquiera de los otros una pequeña porción de piel y carne, apretándola de suerte que cause dolor. También prnl.

pellizco *s. m.* **1.** Acción y efecto de pellizcar. **2.** Porción pequeña de una cosa.

pello *s. m.* Especie de zamarra fina.

pellón *s. m.* Vestido talar antiguo que se hacía regularmente de pieles.

pelma *s. m. y s. f., fam.* Pelmazo.

pelmacería *s. f., fam.* Tardanza o pesadez en las acciones.

pelmazo, za *s. m.* **1.** Cualquier cosa apretada o aplastada más de lo debido o conveniente. ‖ *s. m. y s. f.* **2.** *fig. y fam.* Persona calmosa y pesada en sus acciones.

pelo *s. m.* **1.** Cada uno de los filamentos cilíndricos, de naturaleza córnea, que nace y crece entre los poros de la piel de casi todos los mamíferos y de algunos otros animales. **2.** Cabello. **3.** Cualquier hebra delgada.

pelón, na *adj.* **1.** Que no tiene pelo o tiene muy poco. **2.** *fig. y fam.* Pobre.

pelonería *s. f., fam.* Pobreza, escasez o miseria.

pelopio *s. m.* Metal muy raro y semejante al niobio y al tantalio, a los que acompaña en ciertos minerales.

peloso, sa *adj.* Que tiene pelo.

pelota *s. f.* **1.** Bola maciza o hueca que se usa en varios juegos, hecha de goma o cualquier otra materia elástica. **2.** Juego que se hace con ella.

pelotari *com.* Persona que tiene por oficio jugar a la pelota vasca.

pelotazo *s. m.* Golpe dado con la pelota.

pelote *s. m.* Pelo de cabra, empleado para rellenar muebles de tapicería y para otros usos industriales.

pelotera *s. f., fam.* Riña, contienda.

pelotillero, ra *adj.* Adulador.

pelotón *s. m., fig.* Cuerpo de soldados, menor que una sección, al mando de un cabo o sargento.

pelta *s. f.* Adarga asiática que usaron los griegos y romanos.

peltado, da *adj.* Se dice de la hoja que tiene el pecíolo inserto en el centro.

peltre *s. m.* Aleación de cinc, plomo y estaño.

peltrero, ra *s. m. y s. f.* Persona que por oficio trabaja en cosas de peltre.

peluca *s. f.* **1.** Cabellera postiza. **2.** *fam.* Represión severa dada a un inferior.

peluche *s. m.* Muñeco frabricado de felpa.

pelucona *s. f., fam.* Onza de oro.

peludo, da *adj.* Que tiene mucho pelo.

peluquería *s. f.* Tienda del peluquero.

peluquero, ra *s. m. y s. f.* Persona que tiene por oficio peinar, cortar el pelo, o hacer o vender pelucas, rizos, etc.

peluquín *s. m.* Peluca pequeña o que solo cubre parte de la cabeza.

pelusa *s. f.* **1.** Vello de algunas frutas. **2.** Pelo que se desprende de las telas con el uso.

pelviano, na *adj.* Perteneciente o relativo a la pelvis.

pelvímetro *s. m.* Instrumento en forma de compás de piernas curvas, que se emplea para apreciar la forma y amplitud de la pelvis.

pelvis *s. f.* Cavidad del cuerpo humano en la parte interior del tronco, determinada por los dos coxales, el sacro y el cóccix, donde se alojan la terminación del tubo digestivo y algunos órganos del aparato excretor y genital, principalmente en la mujer.

pen drive *s. m.* Dispositivo de almacenamiento de datos informáticos, portátil y accesible a través de un puerto USB.

pena¹ *s. f.* **1.** Castigo impuesto al que ha cometido un delito o falta, por superior legítimo. **2.** Aflicción o sentimiento interior grande. **3.** Esfuerzo que cuesta una cosa.

pena² *s. f.* Cada una de las plumas grandes del ave, situadas en las extremidades de las alas o en el arranque de la cola y que sirven principalmente para dirigir el vuelo.

penable *adj.* Que puede recibir pena o ser penado.

penachera *s. f.* Penacho.

penacho *s. m.* Grupo de plumas que tienen algunas aves en la parte superior de la cabeza.

penadilla *s. f.* Penado, vasija.

penado *adj.* Se dice de una especie de vasija de boca muy estrecha usada antiguamente en España para beber. También s. m.

penal *s. m.* Lugar en que los penados cumplen condenas superiores a las de arresto.

penalidad *s. f.* **1.** Trabajo aflictivo, molestia, incomodidad. **2.** Sanción impuesta por la ley penal, las ordenanzas, etc.

penalti *s. m.* En fútbol, falta cometida por un equipo en su propia área de meta.

penar *v. tr.* **1.** Imponer a alguien una pena. ‖ *v. intr.* **2.** Sufrir un dolor o pena.

penca *s. f.* Hoja carnosa de ciertas plantas, como la del nopal y algunas hortalizas.

pencazo *s. m., fam.* Golpe dado con la penca.

penco *s. m., fam.* Jamelgo.

pendejo, ja *s. m. y s. f.* Persona de vida desordenada.

pendencia *s. f.* Contienda, riña.

pendenciar *v. intr.* Reñir.

pendenciero, ra *adj.* Propenso a riñas.

pender *v. intr.* Estar colgada, suspendida o inclinada alguna cosa.

pendiente *adj.* **1.** *fig.* Que está por resolver o terminarse. ‖ *s. m.* **2.** Arete con adorno colgante o sin él. ‖ *s. f.* **3.** Cuesta o declive de un terreno.

pendil *s. m.* Manto femenino.

pendol *s. m.* Operación que hacen los marineros con objeto de limpiar los fondos de una embarcación, cargando peso a una banda o lado y descubriendo así el fondo del costado opuesto.

péndola *s. f.* Cualquiera de las varillas verticales que sostienen el piso de un puente colgante o cosa parecida.

pendolista *com.* **1.** Persona que escribe diestra y gallardamente. **2.** Persona que por oficio escribe los documentos que se le pidan.

pendón, na *s. m.* **1.** Bandera o estandarte pequeño. **2.** *fig. y fam.* Persona moralmente despreciable.

pendonear *v. intr.* Pindonguear, irse de pingo.

pendular *adj.* Propio del péndulo o relativo a él.

péndulo *s. m.* Cuerpo grave que puede ser suspendido desde un punto fijo por la acción combinada de la gravedad y de la inercia.

pene *s. m.* Miembro viril.

peneque *adj., fam.* Borracho, ebrio.

penetrabilidad *s. f.* Calidad de penetrable.

penetrable *adj., fig.* Que fácilmente se penetra o entiende.

penetración *s. f.* Acción y efecto de penetrar.

penetrador, ra *adj.* Agudo, perspicaz, listo.

penetrante *adj.* Profundo, que entra mucho en alguna cosa.

penetrar *v. tr.* **1.** Introducirse un cuerpo en otro. **2.** *fig.* Comprender el interior de alguien o de una cosa dificultosa.

penetrativo, va *adj.* Que penetra, es capaz o tiene virtud de penetrar.

pénfigo *s. m.* Enfermedad cutánea caracterizada por la formación de ampollas amarillentas y llenas de un líquido seroso que fluye cuando se abren.

penicilina *s. f.* Antibiótico extraído de cierto moho.

penígero *adj., poét.* Alado, que tiene alas o plumas.

península *s. f.* Porción de tierra rodeada de agua, y que solo por una parte relativamente estrecha, llamada istmo, está unida con otra tierra de extensión mayor.

peninsular *adj.* **1.** Natural de una península. También com. **2.** Perteneciente a una península.

penique *s. m.* Moneda inglesa de cobre, duodécima parte del chelín. En la actualidad corresponde a la centésima parte de la libra esterlina.

penitencia *s. f.* Sacramento según el cual, por la absolución del sacerdote, se perdonan los pecados cometidos al que los confiesa con dolor, propósito de la enmienda y demás condiciones debidas.

penitencial *adj.* Perteneciente a la penitencia o que la incluye.

penitenciar *v. tr.* Imponer penitencia.

penitenciaría *s. f.* Establecimiento penitenciario en que sufren sus condenas los penados, sujetos a un régimen expiatorio y regenerador para enmendarlos y mejorarlos.

penitenciario, ria *adj.* Se aplica a cualquiera de los sistemas modernamente adoptados para castigo y corrección de los penados.

penitente *com.* Persona que hace penitencia.

penniforme *adj.* Que tiene forma de pluma.

penol *s. m.* Extremo de las vergas.

penoso, sa *s. m.* Trabajoso, que causa pena o tiene gran dificultad.

pensador , ra *s. m. y s. f.* Persona dedicada a estudios elevados.

pensamiento *s. m.* **1.** Facultad de pensar. **2.** Acto de pensar. **3.** Idea capital de una obra cualquiera.

pensar *v. tr.* **1.** Imaginar o discurrir. **2.** Reflexionar, examinar algo con cuidado.

pensativo, va *s. m.* Que medita intensamente y está absorto y embelesado.

pensel *s. m.* Flor que se vuelve al sol como los girasoles.

pensil *adj.* **1.** Pendiente o colgado en el aire. ‖ *s. m.* **2.** *fig.* Jardín delicioso.

pensión *s. f.* Cantidad anual que se asigna a alguien por méritos o servicios propios o extraños.

pensionado *s. m.* Colegio o establecimiento para pensionistas o alumnos internos.

pensionar *v. tr.* Conceder pensión a una persona o establecimiento.

pensionario, ria *s. m. y s. f.* **1.** Persona que paga una pensión. **2.** Consejero, abogado o dignidad de letras en una república.

pensionista *com.* **1.** Persona que tiene derecho a percibir una pensión. **2.** Persona que paga cierta pensión por estar en un colegio o casa particular, por sus alimentos y enseñanzas.

pentacordio *s. m.* Lira antigua de cinco cuerdas.

pentadáctilo, la *adj.* Que tiene cinco dedos o cinco divisiones en forma de dedos.

pentadecágono *s. m.* Pentedecágono.

pentado *s. m.* Válvula electrónica formada por cinco electrodos.

pentaedro *s. m.* Sólido de cinco caras.

pentágono *s. m.* Polígono de cinco ángulos y cinco lados.

pentagrama *s. m.* Renglonada formada con cinco rectas paralelas y equidistantes, sobre la cual se escribe la música.

pentámero, ra *adj.* Se dice de las flores compuestas de cinco partes o piezas.

pentámetro *adj.* Se dice del verso de la poesía griega y latina que se compone de un dáctilo o un espondeo, de otro dáctilo u otro espondeo, de una cesura, de dos dáctilos y de otra cesura. También s. m.

pentarquía *s. f.* Gobierno formado por cinco personas.

pentasílabo, ba *adj.* Que consta de cinco sílabas.

Pentateuco *n. p.* Conjunto de los cinco primeros libros canónicos del Antiguo Testamento, escritos por Moisés. Son el *Génesis*, el *Éxodo*, el *Levítico*, los *Números* y el *Deuteronomio*.

pentatlón *s. m.* Ejercicio que comprende cinco pruebas: salto de longitud con carrera, lanzamiento de jabalina, carrera de 200 m lisos, lanzamiento de disco y carrera de 1500 m lisos.

Pentecostés *n. p.* Festividad de la venida del Espíritu Santo, que la Iglesia celebra el domingo, quincuagésimo día que sigue al de pascua de Resurrección, contando ambos.

pentedecágono *adj.* Se dice del polígono de quince lados y de quince ángulos. También s. m.

penúltimo, ma *adj.* Inmediatamente antes de lo último.

penumbra *s. f.* Sombra débil entre la luz y la oscuridad.

penumbroso, sa *adj.* Que está en la penumbra.

penuria *s. f.* Escasez, estrechez.

peña *s. f.* **1.** Piedra grande sin labrar. **2.** Nombre que se da a algunos círculos de recreo, deportivos, etc.

peñascal *s. m.* Sitio cubierto de peñascos.

peñasco *s. m.* Peña grande y elevada.

peñascoso, sa *adj.* Se dice del terreno donde hay muchos peñascos.

peñol *s. m.* **1.** Peñón. **2.** Punta de la verga, penol.

péñola *s. f.* Pluma de ave para escribir.

peñón *s. m.* Monte peñascoso.

peón *s. m.* **1.** Persona que camina o anda a pie. **2.** Jornalero que sirve al oficial. **3.** Cualquiera de las ocho piezas iguales del juego de damas, del ajedrez y de algunos de otros tableros.

peonada *s. f.* Obra que un peón o jornalero hace en un día.

peonaje *s. m.* Conjunto de peones que trabajan en una obra.

peonería *s. f.* Tierra que ordinariamente labra una persona en un día.

peonía *s. f.* Planta perenne ranunculácea, de flores purpúreas, blancas, rosadas o amarillas, que se cultiva en los jardines.

peonza *s. f.* Juguete de madera que se hace bailar dándole con un látigo.

peor *adj.* De inferior calidad respecto de otra cosa con que se compara.

peoría *s. f.* Calidad de peor.

pepinar *s. m.* Terreno o sitio sembrado de pepinos.

pepinillo *s. m.* Variedad de pepino pequeño encurtido.

pepino *s. m.* **1.** Planta herbácea, de tallos rastreros y vellosos, flores amarillentas, fruto pulposo, cilíndrico, amarillo cuando está maduro y antes verde. **2.** Fruto de esta planta.

pepión *s. m.* Moneda menuda castellana del s. XIII, cuyo valor fijó don Alfonso el Sabio en la decimoctava parte de un metical.

pepita *s. f.* Simiente plana y larga de algunas frutas.

pepitoria *s. f.* Guiso que se hace con todas las partes comestibles del ave, cuya salsa tiene yema de huevo.

pepitoso, sa *adj.* Abundante en pepitas.

peplo *s. m.* Especie de vestidura exterior usada en la antigua Grecia, amplia y suelta, sin mangas, que bajaba de los hombros a la cintura, formando generalmente caídas en punta por delante.

pepón *s. m.* Sandía.

pepona *s. f.* Muñeca grande de cartón.

pepónide *s. f.* Baya de epicarpio coriáceo, endurecido a veces, unido al cáliz, como la calabaza, el pepino y el melón.

pepsina *s. f.* Fermento segregado por la membrana mucosa del estómago, que es el principio más importante del jugo gástrico y ayuda a la digestión.

peptona *s. f.* Sustancia compleja que resulta del desdoblamiento de los albuminoides, mediante la acción del jugo gástrico.

pequeñez *s. f.* Cosa insignificante.

pequeño, ña *adj.* **1.** Corto, limitado. **2.** De muy corta edad.

pequín *s. m.* Tela de seda, pintada generalmente de varios colores, que antiguamente se traía de China.

pequinés, sa *adj.* Se dice del perro faldero originario de China, de talla muy pequeña, cabeza redonda, nariz ancha y chata, ojos muy prominentes, orejas caídas y pelaje abundante. También s. m.

pera *s. f.* **1.** Fruto del peral, carnoso oval y redondo. **2.** *fig.* Porción de pelo que se deja crecer en la punta de la barba.

perada *s. f.* Conserva hecha de la pera rallada.

peral *s. m.* Árbol rosáceo, de tronco recto y liso, hojas puntiagudas, flores blancas y fruto en pomo.

peraleda *s. f.* Terreno poblado de perales.

peralejo *s. m.* Árbol de la familia de las malpigiáceas, de las regiones cálidas de América.

peraltar *v. tr.* **1.** Levantar la curva de un arco, bóveda o armadura a más altura de la correspondiente al semicírculo. **2.** Levantar el carril exterior en las curvas de las vías férreas o carreteras.

peralte *s. m.* En las carreteras, vías férreas, etc., la mayor elevación de la parte exterior de una curva en relación con la interior.

peralto *s. m.* Altura, dimensión de alto abajo.

perantón *s. m., fig. y fam.* Persona muy alta.

perborato *s. m.* Sal producida por la oxidación del borato.

perca *s. f.* Pez de río, acantopterigio, de cuerpo oblongo, escamas duras y ásperas, y carne comestible muy delicada.

percal *s. m.* Tela de algodón, más o menos fina, blanca o pintada, que sirve para vestidos femeninos y otros usos.

percalina *s. f.* Percal de un color solo que sirve para forros de vestidos y otros usos.

percance *s. m.* Contratiempo.

per cápita *expr. lat.* Por cabeza, individualmente.

percatar *v. intr.* Advertir, considerar, darse cuenta, observar. También prnl.

percebe *s. m.* Crustáceo cuya concha se compone de cinco valvas y un pedúnculo carnoso comestible. Se usa más en pl.

percepción *s. f.* Acción y efecto de percibir.

perceptibilidad *s. f.* Calidad de perceptible.

perceptible *adj.* Que se puede percibir o comprender.

perceptivo, va *adj.* Que tiene virtud de percibir.

perceptor, ra *adj.* Que percibe. También s. m. y s. f.

percha *s. f.* **1.** Madero o estaca larga y delgada que suele atravesarse en otras para sostener una cosa, como parras, etc. **2.** Pieza o mueble de madera o metal, con colgaderos para la ropa u otros objetos.

perchar *v. tr.* Colgar el paño y sacarle el pelo con la carda.

perchel *s. m.* Aparato de pesca que consiste en uno o varios palos dispuestos para colgar las redes.

perchero *s. m.* Conjunto de perchas o lugar en que las hay.

percherón, na *adj.* Se dice del caballo o yegua que, por su peso y corpulencia, es muy adecuado para arrastrar pesos.

percibir *v. tr.* **1.** Recibir o cobrar. **2.** Recibir por uno de los sentidos las impresiones exteriores.

percibo *s. m.* Acción y efecto de percibir o cobrar.

perclorato *s. m.* Cualquier sal del ácido perclórico.

perclórico *adj.* Se aplica a un ácido humeante, aceitoso e incoloro formado por cloro, oxígeno e hidrógeno.

percloruro *s. m.* Cloruro que contiene la cantidad máxima de cloro.

percocería *s. f.* Obra menuda de platería.

percuciente *adj.* Que hiere o golpea.

percudir *v. tr.* Penetrar la suciedad en alguna cosa.

percusión *s. f.* Familia de instrumentos musicales en los que el sonido se produce al ser golpeados con mazas, baquetas, etc., o haciendo que choquen entre sí, como el tambor, platillos.

percusor, ra *s. m. y s. f.* **1.** Persona que hiere. ‖ *s. m.* **2.** Pieza que golpea en cualquier máquina y se dice especialmente de la llave o martillo con que se hace denotar el cebo fulminante en algunas armas de fuego.

percutáneo, a *adj.* Se dice de lo que se recibe a través de la piel.

percutir *v. tr.* Golpear.

percutor *s. m.* Percusor, pieza de algunas armas.

perder *v. tr.* **1.** Verse privado alguien de una cosa o persona. **2.** Desperdiciar, o malgastar. **3.** No conseguir lo que se espera, desea o ama. **4.** Dejar de ganar o vencer en una lucha, juego, apuesta, etc. ‖ *v. prnl.* **5.** Errar alguien el camino, extraviarse. **6.** *fig.* Entregarse ciegamente a los vicios. **7.** *fig.* No hallar la manera de salir de una dificultad. **8.** *fig.* Borrarse la especie o ilación en un discurso.

perdición *s. f.* Acción de perder o perderse.

pérdida *s. f.* **1.** Carencia, privación de lo que se poseía. **2.** Daño o menoscabo que se recibe en una cosa.

perdido, da *adj.* **1.** Que no tiene o no lleva destino determinado. ‖ *s. m* y *s. f.* **2.** Persona sin provecho y sin moral.

perdigar *v. tr.* Soasar la perdiz o cualquier otra ave o vianda para que se conserve algún tiempo sin dañarse.

perdigón *s. m.* **1.** Pollo de la perdiz. **2.** Cada uno de los granos de plomo que forman la munición de caza.

perdigonada *s. f.* **1.** Tiro de perdigones. **2.** Herida que produce.

perdigonera *s. f.* Bolsa en que los cazadores llevan los perdigones.

perdiguero, ra *adj.* Se dice del animal que caza perdices.

perdimiento *s. m.* Perdición, pérdida.

perdis *s. m., fam.* Persona de poco juicio.

perdiz *s. f.* Ave gallinácea, de cuerpo grueso, cuello corto, cabeza pequeña, pies encarnados y plumaje color ceniciento rojizo con manchas encarnadas en las partes superiores.

perdón *s. m.* **1.** Acción y efecto de perdonar. **2.** Indulgencia, remisión de los pecados.

perdonable *adj.* Que puede ser perdonado o merece perdón.

perdonador, ra *adj.* Que perdona o remite. También *s. m.* y *s. f.*

perdonar *v. tr.* **1.** Remitir la deuda, ofensa, falta, delito u otra cosa que toque al que remite. **2.** *fig.* Renunciar a un derecho, goce o disfrute.

perdonavidas *s. m. y s. f., fig.* Fanfarrón, valentón, que se jacta de valentías o atrocidades.

perdulario, ria *adj.* **1.** Sumamente desaliñado en sus intereses o en su persona. **2.** Vicioso incorregible.

perdurabilidad *s. f.* **1.** Calidad o condición de perdurable. **2.** Condición de lo que perdura mucho.

perdurable *adj.* Perpetuo o que dura siempre.

perduración *s. f.* Acción y efecto de perdurar o durar mucho.

perdurar *v. intr.* Durar mucho, subsistir.

perecear *v. tr., fam.* Dilatar, retardar, diferir una cosa por negligencia o pereza.

perecedero, ra *adj.* Poco durable.

perecer *v. intr.* **1.** Acabar, morir. **2.** *fig.* Padecer un daño, trabajo o molestia.

perecimiento *s. m.* Acción de perecer.

pereda *s. f.* Peraleda.

peregrinación *s. f.* **1.** Viaje por tierras extrañas. **2.** Viaje que se hace a un santuario por devoción o por voto.

peregrinaje *s. m.* Peregrinación.

peregrinar *v. intr.* **1.** Andar alguien por tierras extrañas. **2.** Ir en romería a un santuario por devoción o por voto.

peregrino, na *adj.* **1.** Se aplica al que anda por tierras extrañas. **2.** Se dice del ave de paso. **3.** Raro, extraño, pocas veces visto.

perejil *s. m.* Planta herbácea, vivaz, de tallos angulosos, hojas lustrosas de color verde oscuro, flores blancas o verdosas y semillas menudas, parduscas aovadas y con venas muy finas que se usan como condimento.

perejila *s. f.* Juego de naipes que consiste en hacer treinta y un tantos, con otras varias suertes, y en el cual el siete de oros es comodín en este juego.

perenal *adj.* Continuo, incesante.

perencejo *s. m.* Voz que designa una persona indeterminada, perengano y fulano.

perención *s. f.* Prescripción o caducidad de la instancia.

perendengue *s. m.* **1.** Pendiente, arete. **2.** Cualquier adorno de poco valor.

perengano, na *s. m. y s. f.* Voz que se usa para aludir a una persona cuyo nombre se ignora o no se quiere expresar.

perennal *adj.* Perenne.

perenne *adj.* **1.** Incesante, continuo, perpetuo, que no tiene intermisión. **2.** Vivaz, que vive más de dos años.

perennidad *s. f.* Perpetuidad, continuación incesable.

perennizar *v. tr.* Hacer perenne, eternizar.

perentoriedad *s. f.* Calidad de perentorio.

perentorio, ria *adj.* **1.** Se dice del último plazo que se concede, o de la decisión que pone fin a cualquier asunto. **2.** Concluyente, decisivo, determinante.

perero *s. m.* Instrumento que se usaba antiguamente para mondar peras y otras frutas.

perestroika *s. f.* Reforma de apertura del sistema político soviético impulsada desde el poder que se dio en la extinta Unión Soviética a finales de los años ochenta del siglo XX.

pereza *s. f.* **1.** Negligencia o descuido en las cosas a que estamos obligados. **2.** Repugnancia al trabajo. **3.** Flojedad, tardanza en las acciones o movimientos.

perezoso, sa *adj.* Que tiene pereza.

perfección *s. f.* Calidad de perfecto.

perfeccionador, ra *adj.* Que perfecciona o da perfección a una cosa. También s. m. y s. f.

perfeccionamiento *s. m.* Acción y efecto de perfeccionar o perfeccionarse.

perfeccionar *v. tr.* Acabar enteramente una obra, dándole el mayor grado posible de excelencia. También prnl.

perfectibilidad *s. f.* Calidad de perfectible.

perfectible *adj.* Capaz de perfeccionarse o de ser perfeccionado.

perfectivo, va *adj.* Que da o puede dar perfección.

perfecto, ta *adj.* **1.** Que tiene el mayor grado posible de bondad o excelencia en su línea. **2.** De plena eficacia jurídica. **3.** Se dice, en general, de los tiempos verbales que presentan la acción como acabada.

perficiente *adj.* Que perfecciona.

perfidia *s. f.* Deslealtad, traición o quebrantamiento de la fe recibida.

pérfido, da *adj.* Desleal.

perfil *s. m.* **1.** Adorno sutil y delicado. **2.** Trazo fino y delicado. **3.** Postura en que solo se ve una de las dos mitades laterales del cuerpo.

perfilado, da *adj.* Se dice del rostro adelgazado y largo en proporción.

perfiladura *s. f.* **1.** Acción de perfilar una cosa. **2.** El mismo perfil.

perfilar *v. tr.* **1.** Presentar el perfil o sacar los perfiles de alguna cosa. **2.** *fig.* Afinar, rematar esmeradamente una cosa.

perfoliada *s. f.* Planta herbácea de la familia de las umbelíferas, con las hojas del tallo redondas por la base y aovadas por la punta.

perfoliado, da *adj.* Se dice de la hoja que rodea enteramente el tallo, pero sin formar tubo.

perfoliata *s. f.* Perfoliada.

perforación *s. f.* Acción y efecto de perforar.

perforado, da *adj.* Que tiene muescas o agujeros.

perforador, ra *adj.* Que perfora u horada. También s. m. y s. f.

perforar *v. tr.* Horadar.

perfumador *s. m.* Vaso o aparato para quemar perfumes y esparcirlos.

perfumar *v. tr.* **1.** Aromatizar quemando materias olorosas. **2.** *fig.* Esparcir cualquier olor bueno.

perfume *s. m.* Materia odorífica y aromática que puesta al fuego echa de sí un humo fragante y oloroso.

perfumear *v. tr.* Perfumar.

perfumería *s. f.* **1.** Tienda donde se preparan o venden perfumes. **2.** Arte de fabricarlos.

perfumero, ra *s. m. y s. f.* Persona que por oficio prepara o vende perfumes.

perfumista *s. m. y s. f.* Perfumero.

perfusión *s. f.* Baño, untura.

pergal *s. m.* Recorte de las pieles con el que se hacen las túrdigas para las abarcas.

pergaminero, ra *s. m. y s. f.* Persona que trabaja en pergaminos o los vende.

pergamino *s. m.* Piel de la res, raída, adobada y estirada, que se usa para escribir en ella, encuadernar libros, etc.

pergenio *s. m.* Pergeño.

pergeñar *v. tr., fam.* Ejecutar una cosa con más o menos habilidad.

pergeño *s. m.* **1.** *fam.* Traza, esbozo, apariencia, aspecto de una persona o cosa. **2.** *fam.* Destreza, ingenio, habilidad para algunas cosas.

pérgola *s. f.* Jardín que tienen algunas casas sobre la techumbre.

periantio *s. m.* Envoltura de los órganos sexuales de una planta.

pericardio *s. m.* Tejido membranoso seroso que envuelve el corazón.

pericarditis *s. f.* Inflamación aguda o crónica del pericardio.

pericarpio *s. m.* Parte exterior del fruto que envuelve y protege a las semillas.

pericia *s. f.* Sabiduría, práctica, experiencia o habilidad en una ciencia o arte.

pericial *adj.* Perteneciente o relativo al perito.

periclitar *v. intr.* Peligrar, decaer, declinar.

perico *s. m.* **1.** Ave de las trepadoras, especie de papagayo pequeño. **2.** Abanico grande. **3.** Espárrago de gran tamaño.

pericón, na *adj.* **1.** Se dice del que suple por todos y especialmente de la caballería que en el tiro hace todos los puestos. También s. m. y s. f. *s. m.* **2.** Abanico muy grande.

pericote[1] *s. m., Amér. del S.* Rata grande del campo.

pericote[2] *s. m.* Nombre de un baile popular asturiano.

pericráneo *s. m.* Membrana fibrosa que cubre el exterior del periostio del cráneo.

peridoto *s. m.* Mineral cristalino, compuesto de magnesia y hierro, que suele encontrarse entre las rocas volcánicas.

periferia *s. f.* Término, contorno de una figura curvilínea.

periférico, ca *adj.* Perteneciente o relativo a la periferia.

perifollo *s. m., fig. y fam.* Adornos, especialmente los que son excesivos o de mal gusto.

perifonear *v. tr.* Transmitir por radiodifusión una pieza de música, un discurso o una noticia.

perifonía *s. f.* Acción y efecto de perifonear.

periforme *adj.* **1.** En forma de pera. **2.** Se dice de algunos adornos y remates que tienen dicha figura.

perifrasear *v. intr.* Usar de perífrasis.

perífrasis *s. f.* Figura que consiste en expresar con un rodeo de palabras algo que hubiera podido decirse con menos.

perifrástico, ca *adj.* Perteneciente o relativo a la perífrasis; abundante en ellas.

perigallo *s. m.* Pellejo que con exceso pende de la barba o de la garganta.

perigeo *s. m.* Punto en que un cuerpo celeste se halla más próximo a la Tierra en la órbita.

perigonio *s. m.* Envoltura, sencilla o doble, de los órganos sexuales de una planta.

perihelio *s. m.* Punto más próximo al Sol, en la órbita de un planeta.

perilla *s. f.* **1.** Adorno en figura de pera. **2.** Porción de pelo que se deja crecer en la punta de la barba.

perillán, na *s. m. y s. f., fam.* Persona pícara, astuta.

perillo *s. m.* Panecillo de masa dulce, muy pequeño y con piquitos alrededor.

perilustre *adj.* Muy ilustre.

perímetro *s. m.* Contorno de una figura.

perimisio *s. m.* Membrana de tejido conjuntivo, blanca y brillante, que cubre el músculo.

perínclito, ta *adj.* Heroico, ínclito en sumo grado.

perindola *s. f.* Peonza pequeña.

periné *s. m.* Espacio que media entre el ano y las partes sexuales.

perineal *adj.* Perteneciente o relativo al perineo.

perineo *s. m.* Espacio comprendido entre el ano y las partes sexuales.

perineumonía *s. f.* Pulmonía.

perineuritis *s. f.* Inflamación del tejido conjuntivo que rodea un nervio.

perinola *s. f.* **1.** Peonza pequeña. **2.** Adorno. **3.** Mujer pequeña.

perinquina *s. f.* Inquina.

perinquinoso, sa *adj.* Que tiene perinquina.

períoca *s. f.* Sumario, argumento de un libro o tratado.

periodicidad *s. f.* Calidad de periódico.

periódico, ca *adj.* **1.** Que guarda un periodo determinado. **2.** Se dice del impreso que se publica con determinados intervalos de tiempo. También s. m.

periodismo *s. m.* Ejercicio o profesión de periodista.

periodista *com.* **1.** Persona que compone o edita un periódico. **2.** Persona legalmente autorizada para ejercer el periodismo.

periodístico, ca *adj.* Perteneciente o relativo a periódicos y periodistas.

período o periodo *s. m.* **1.** Espacio de tiempo que una cosa tarda en volver al estado o posición que tenía al principio. **2.** Menstruación, evacuación del menstruo. **3.** Ciclo.

periostio *s. m.* Membrana fibrosa adherida a los huesos, que sirve para su nutrición y renovación.

periostitis *s. f.* Inflamación del periostio.

peripatético, ca *adj., fig. y fam.* Ridículo o extravagante en sus opiniones.

peripecia *s. f.* Accidente imprevisto que cambia el estado de las cosas.

periplo *s. m.* **1.** Navegación alrededor del mundo. **2.** Obra antigua en que se refiere un viaje alredor del mundo.

períptero, ra *adj.* Se dice del edificio rodeado de columnas que deja paso entre estas y el muro.

peripuesto, ta *adj., fam.* Que se adereza y viste con demasiado esmero y afectación.

periquete *s. m. fam.* Brevísimo espacio de tiempo.

periquito *s. m.* Perico, ave.

periscio, cia *adj.* Se dice del habitante de las zonas polares, en torno al cual gira su sombra cada veinticuatro horas en la época del año en que no se pone el Sol en dichas zonas. También s. m. y s. f., y más comúnmente en pl.

periscópico, ca *adj.* Perteneciente o relativo al periscopio.

periscopio *s. m.* Aparato óptico que usan los submarinos, cuando navegan sumergidos, para ver los objetos sobre la superficie del mar.

perisodáctilo, la *adj.* Se aplica a los animales del suborden de mamíferos ungulados que tienen un número impar de dedos en cada pata.

perisología *s. f.* Vicio de la elocuencia, que consiste en repetir o amplificar inútilmente los conceptos.

perista *s. m. y s. f., fam.* Comprador de cosas robadas.

peristáltico, ca *adj.* Que tiene la propiedad de contraerse. Se dice especialmente de los movimientos de contracción del estómago y los intestinos, para impulsar los materiales de la digestión y expeler los excrementos.

perístasis *s. f.* Tema o argumento del discurso.

peristilo *s. m.* Galería de columnas que rodea un edificio o parte de él.

perístole *s. f.* Contracción peristáltica del conducto intestinal.

peritación *s. f.* Trabajo que hace un perito.

peritaje *s. f.* **1.** Peritación. **2.** Carrera, estudios para el título de perito.

perito, ta *adj.* Sabio, experimentado.

peritoneal *adj.* Perteneciente o relativo al peritoneo.

peritoneo *s. m.* Membrana serosa que cubre la superficie interior del vientre.

peritonitis *s. f.* Inflamación del peritoneo.

perjudicar *v. tr.* Ocasionar daño o menoscabo material o moral. También prnl.

perjudicial *adj.* Que perjudica o puede perjudicar.

perjuicio *s. m.* Efecto de perjudicar o perjudicarse.

perjurador, ra *adj.* Perjuro. También s. m. y s. f.

perjurar *v. intr.* Jurar en falso.

perjurio *s. m.* Delito de jurar en falso.

perjuro, ra *adj.* Que jura en falso. También s. m. y s. f.

perla *s. f.* Concreción esferoidal, nacarada, de color blanco agrisado y reflejo brillante, que se forma en el interior de las conchas de diversos moluscos.

perlado, da *adj.* De color perla.

perlar *v. tr., poét.* Cubrir de gotas.

perlático, ca *adj.* Que padece perlesía. También s. m. y s. f.

perlé *s. m.* Hilo de algodón que se utiliza en labores de costura.

perlería *s. f.* Conjunto de muchas perlas.

perlero, ra *adj.* Perteneciente o relativo a la perla.

perlesía *s. f.* Parálisis.

perlino, na *adj.* De color de perla.

perlita *s. f.* Vidrio volcánico en el que existen multitud de fracturas curvas concéntricas.

perlón *s. m.* Denominación de una fibra sintética que se fabrica en Alemania, desde 1942, de usos análogos al nailon.

perlongar *v. intr.* Navegar a lo largo de la costa.

permanecer *v. intr.* Mantenerse sin mutación en un mismo lugar, estado o calidad.

permaneciente *adj.* Permanente.

permanencia *s. f.* Estado de permanente, duración firme, estancia en algún lugar.

permanente *adj.* Se dice de la ondulación artificial del cabello que dura largo tiempo.

permanganato *s. m.* Cualquier sal formada por la combinación del ácido derivado del manganeso con una base.

permansión *s. f.* Permanencia.

permeabilidad *s. f.* Calidad de permeable.

permeable *adj.* Que puede ser penetrable por el agua u otro fluido.

pérmico, ca *adj.* Se dice del período geológico que sigue inmediatamente al carbonífero.

permisible *adj.* Que se puede permitir.

permisión *s. f.* Acción de permitir.

permisivo, va *adj.* Que incluye la facultad o licencia de hacer una cosa.

permiso *s. m.* Licencia, consentimiento dado a alguien para hacer o decir algo.

permisor, ra *adj.* Que permite. También s. m. y s. f.

permistión *s. f.* Mezcla de algunas cosas, por lo común líquidas.

permitir *v. tr.* Dar alguien su consentimiento para que otros hagan o dejen de hacer algo.

permuta *s. f.* Acción y efecto de permutar.

permutabilidad *s. f.* Calidad o condición de permutable.

permutable *adj.* Que se puede permutar.

permutación *s. f.* Acción y efecto de permutar.

permutar *v. tr.* **1.** Cambiar una cosa por otra. **2.** Variar la disposición u orden en que estaban dos o más cosas.

perna *s. f.* Molusco lamelibranquio, propio de los mares tropicales, cuya concha, rugosa y negruzca por el exterior y nacarada por dentro, tiene forma semejante a la de un pernil.

pernada *s. f.* Ramal de algunas cosas bifurcadas.

pernales *s. m. pl., Le.* Estacas largas que se ponen en los bordes del carro para sujetar y aumentar la altura de los cañizos.

perneador, ra *adj.* Que tiene mucha fuerza en las piernas y puede andar mucho.

pernear *v. intr.* Mover violentamente las piernas.

pernera *s. f.* Pernil del pantalón.

pernería *s. f.* Conjunto o provisión de pernos.

pernicioso, sa *adj.* Muy perjudicial.

pernigón *s. m.* Especie de ciruela redonda y tierna, que venía de Génova en dulce.

pernil *s. m.* **1.** Anca y muslo del animal. **2.** Parte del pantalón que cubre cada pierna.

pernio *s. m.* Gozne que se pone en las puertas y ventanas para que giren las hojas.

perniosis *s. f.* Alteración cutánea producida por el frío, en zonas terminales del cuerpo expuestas a la intemperie.

perniquebrar *v. tr.* Romper, quebrar una pierna o las dos. También prnl.

pernituerto, ta *adj.* Que tiene torcidas las piernas.

perno *s. m.* Clavo corto o pieza larga y cilíndrica, de cabeza redonda por un extremo, y que por el otro se asegura con un remache; se usa para afirmar piezas de gran volumen.

pernoctar *v. intr.* Pasar la noche en alguna parte, fuera del propio domicilio.

pernotar *v. tr.* Notar, advertir.

pero *conj. advers.* Contrapone a un concepto otro diverso o ampliativo del anterior.

perogrullada *s. f., fam.* Verdad o especie que por sabida es necedad el decirla.

perogrullesco, ca *adj., fam.* Perteneciente o relativo a la perogrullada.

Perogrullo *n. p.* Personaje al que se atribuyen máximas tan sabidas y probadas, que su sola enunciación constituye una sandez.

perol *s. m.* Vasija de metal, en forma de media esfera.

perola *s. f.* Perol más pequeño que el ordinario.

peroné *s. m.* Hueso largo y delgado de la pierna situado detrás de la tibia.

peroración *s. f.* Última parte del discurso, en que se sacan las conclusiones.

peroral *adj.* Se dice de lo que se recibe o aplica por la boca o a través de ella.

perorar *v. intr.* Pronunciar un discurso u oración.

perorata *s. f.* Discurso molesto o inoportuno.

peróxido *s. m.* En la serie de los óxidos, el que tiene la mayor cantidad posible de oxígeno.

perpendicular *adj.* Se aplica a la línea o al plano que forma ángulo recto con otra línea o con otro plano.

perpendicularidad *s. f.* Calidad de perpendicular.

perpendículo *s. m.* Altura de un triángulo.

perpetración *s. f.* Acción y efecto de perpetrar.

perpetrador, ra *adj.* Que perpetra. También s. m. y s. f.

perpetrar *v. tr.* Consumar, cometer.

perpetua *s. f.* Planta herbácea de la familia de las amarantáceas, anual, de tallo derecho y ramoso, hojas vellosas, flores en cabezuela, con tres brácteas, y fruto en forma de caja que encierra una sola semilla. Las flores son pequeñas, moradas o anacaradas y, cogidas poco antes de granar la simiente, persisten meses enteros sin padecer alteración, por lo cual sirven para hacer guirnaldas, coronas, etc. Se cultiva también en nuestros jardines, pero se cría en la India.

perpetuación *s. f.* Acción de perpetuar o perpetuarse una cosa.

perpetuar *v. tr.* Hacer perpetua o perdurable una cosa. También prnl.

perpetuidad *s. f.* Duración sin fin.

perpetuo, tua *adj.* Que dura y permanece para siempre.

perpiaño *s. m.* Piedra que atraviesa toda la pared.

perplejidad *s. f.* Confusión, irresolución.

perplejo, ja *adj.* Dudoso, irresoluto.

perpunte *s. m.* Jubón fuerte, conchado y pespuntado, que se usaba a modo de armadura.

perqué *s. m.* Libelo infamatorio, escrito en igual forma de pregunta y respuesta.

perquirir *v. tr.* Investigar, buscar con cuidado y diligencia.

perrada *s. f.* **1.** Conjunto de perros. **2.** *fig. y fam.* Vileza o acción desleal.

perrera *s. f.* **1.** Lugar o sitio donde se guardan o encierran los perros. **2.** *fam.* Perra, rabieta de niño.

perrería *s. f., fig.* Acción vil.

perrero, ra *s. m. y s. f.* Persona que cuida perros de caza o los tiene a su cargo.

perrezno *s. m.* Cachorro del perro.

perrillo *s. m.* Gatillo de las armas de fuego.

perro, rra *s. m. y s. f.* **1.** Mamífero carnívoro doméstico, de tamaño, forma y pelaje muy diversos según las razas. Es muy leal al hombre, tiene el olfato muy fino y es inteligente. **2.** Persona o cosa despreciable. ‖ *s. f.* **3.** *fig.* Rabieta de niño.

perruna *s. f.* Pan muy moreno hecho de harina sin cerner, que ordinariamente se da a los perros.

perruno, na *adj.* Perteneciente o relativo al perro.

per se *loc. lat.* Por sí o por sí mismo.

persecución *s. f.* Acción de perseguir.

persecutorio, ria *adj.* Que persigue al que huye.

perseguidor, ra *adj.* Que persigue. También s. m. y s. f.

perseguimiento *s. m.* Persecución.

perseguir *v. tr.* **1.** Seguir al que huye para alcanzarle. **2.** *fig.* Molestar, fatigar a alguien; procurar hacerle daño.

perseverancia *s. f.* Firmeza y constancia en la ejecución de los propósitos y empresas.

perseverante *adj.* Que persevera.

perseverar *v. intr.* Mantenerse constantemente en una manera de ser o de obrar.

persiana *s. f.* Especie de celosía, formada de tablillas fijas o movibles que dejan paso al aire y no al Sol.

pérsico *s. m.* Árbol frutal rosáceo, de flores de color de rosa claro y fruto carnoso.

persignar *v. tr.* Signar y santiguar a continuación. También prnl.

pérsigo *s. m.* Pérsico.

persistencia *s. f.* Insistencia, constancia.

persistente *adj.* Que persiste.

persistir *v. intr.* **1.** Mantenerse firme o constante en una cosa. **2.** Durar por largo tiempo.

persona *s. f.* Individuo de la especie humana.

personada *adj.* Se dice de la corola monopétala, irregular, cuya garganta está cerrada por una protuberancia.

personaje *s. m.* **1.** Sujeto de distinción, calidad o representación en la vida pública. **2.** Cada uno de los seres humanos, ideados por el escritor, y que como dotados de vida propia toman parte en la acción de una obra literaria. **3.** Criatura de ficción que interviene en una obra literaria.

personal *adj.* **1.** Perteneciente a la persona o propio o particular de ella. **2.** Perteneciente o relativo a la persona gramatical. ‖ *s. m.* **3.** Mano de obra de una empresa. ‖ *s. f.* **4.** En baloncesto, falta que comete un jugador cuando toca o empuja a otro del equipo contrario.

personalidad *s. f.* **1.** Diferencia individual que constituye a cada persona y la distingue de otra. **2.** Conjunto de cualidades que constituyen a la persona o supuesto inteligente. **3.** Personaje de marcado relieve en la vida social.

personalismo *s. m.* Tendencia a subordinar el interés común a miras personales.

personalizar *v. tr.* Incurrir en personalidades o dichos ofensivos, aludiendo a personas determinadas. También prnl.

personarse *v. prnl.* Presentarse personalmente en alguna parte.

personificación *s. f.* **1.** Acción y efecto de personificar. **2.** Prosopopeya, figura retórica.

personificar *v. tr.* Atribuir vida o cualidades propias del ser racional al irracional, o a las cosas inanimadas, abstractas.

perspectiva *s. f.* **1.** Arte que enseña el modo de representar en una superficie los objetos de tres dimensiones. **2.** *fig.* Punto de vista, manera de considerar un asunto.

perspicacia *s. f.* **1.** Agudeza de la vista. **2.** *fig.* Penetración de ingenio y de entendimiento.

perspicaz *adj.* **1.** Se dice de la vista, la mirada, etc., muy aguda y que alcanza mucho. **2.** *fig.* Se aplica al ingenio agudo y al que lo tiene.

perspicuidad *s. f.* Calidad de perspicuo.

perspicuo, cua *adj.* Claro, transparente y terso.

persuadir *v. tr.* Inducir, mover, obligar a alguien con razones a hacer o creer una cosa. También prnl.

persuasible *adj.* Se dice de lo que puede creerse o hacerse creer en fuerza de razones o fundamentos que lo apoyan.

persuasión *s. f.* Acción y efecto de persuadir o persuadirse.

persuasiva *s. f.* Facultad, virtud o eficacia para persuadir.

persuasivo, va *adj.* Que tiene fuerza y eficacia para persuadir.

persuasor, ra *adj.* Que persuade. También s. m. y s. f.

persuasorio, ria *adj.* Persuasivo.

pertenecer *v. intr.* **1.** Ser propia de alguien alguna cosa o serle debida. **2.** Referirse o hacer relación una cosa a otra, o formar parte integrante de ella.

pertenencia *s. f.* **1.** Acción o derecho que alguien tiene a la propiedad de una cosa. **2.** Integración en un conjunto. **3.** Cosa accesoria o consiguiente a la principal, y que entra con ella en la propiedad.

pértica *s. f.* Medida agraria de longitud que equivale aproximadamente a 2 m 70 cm.

pértiga *s. f.* Vara larga.

pertigal *s. f.* Pértiga.

pértigo *s. m.* Lanza del carro.

pertiguería *s. f.* Empleo de pertiguero.

pertiguero *s. m.* Ministro secular que en las catedrales asiste acompañando a los que oficina en el altar, coro, púlpito y otros ministerios, llevando en la mano una pértiga guarnecida de plata.

pertinacia *s. f.* **1.** Obstinación, terquedad o tenacidad en una opinión. **2.** *fig.* Gran duración.

pertinaz *adj.* **1.** Obstinado, terco. **2.** *fig.* Muy duradero o persistente.

pertinencia *s. f.* Calidad de pertinente.

pertinente *adj.* Que viene a propósito.

pertrechar *v. tr.* Disponer o preparar lo necesario para la ejecución de una cosa.

pertrechos *s. m. pl.* Instrumentos necesarios para cualquier operación.

perturbable *adj.* Que se puede perturbar.

perturbación *s. f.* Acción y efecto de perturbar o perturbarse.

perturbado, da *adj.* Enfermo mental, loco, demente. También s. m. y s. f.

perturbador, ra *adj.* Que perturba. También s. m. y s. f.

perturbar *v. tr.* Alterar el orden y concierto de las cosas o su quietud y sosiego. También prnl.

peruanismo *s. m.* Vocablo, giro o modo de hablar propio de los peruanos.

peruétano *s. m.* Peral silvestre cuyo fruto es pequeño, con corteza verde y sabor acerbo.

perversidad *s. f.* Suma maldad o corrupción de las costumbres o de la calidad o estado debido.

perversión *s. f.* Estado de inmoralidad o corrupción de costumbres.

perverso, sa *adj.* Sumamente malo.

pervertidor, ra *adj.* Que pervierte. También s. m. y s. f.

pervertimiento *s. m.* Perversión, acción de pervertir.

pervertir *v. tr.* **1.** Perturbar el orden o estado de las cosas. **2.** Viciar, corromper con malas doctrinas o ejemplos.

pervigilio *s. m.* Falta y privación de sueño, vigilia prolongada.

pervivencia *s. f.* Supervivencia.

pervivir *v. intr.* Seguir viviendo a pesar del tiempo o de las dificultades.

pervulgar *v. tr.* Divulgar, hacer pública y notoria una cosa.

pesa *s. f.* **1.** Pieza de determinado peso que sirve para medir el peso de otra cosa. **2.** Pieza de peso suficiente que, colgada de una cuerda, se emplea para dar movimiento a ciertos relojes o de contrapeso para subir y bajar lámparas, etc. **3.** Barra de hierro con pesos en los extremos para hacer ejercicios gimnásticos.

pesacartas *s. m.* Balanza delicada con un platillo para pesar las cartas y otros objetos ligeros.

pesadez *s. f.* Calidad de pesado.

pesadilla *s. f.* **1.** Sueño angustioso y tenaz. **2.** *fig.* Preocupación grave y continua.

pesado, da *adj.* **1.** Que pesa mucho. **2.** *fig.* Que resulta molesto. **3.** *fig.* Tardo o muy lento.

pesadumbre *s. f.* Molestia, disgusto.

pesalicores *s. m.* Areómetro para líquidos menos densos que el agua.

pésame *s. m.* Expresión con que se significa a alguien el sentimiento que se tiene de su pena o aflicción, especialmente con motivo de algún fallecimiento.

pesantez *s. f.* Gravedad, fuerza que atrae los cuerpos hacia el centro de la tierra.

pesar[1] *s. m.* **1.** Sentimiento o dolor interior que molesta y desazona. **2.** Dicho o hecho que causa sentimiento o disgusto. **3.** Arrepentimiento.

pesar[2] *v. intr.* **1.** Tener peso. **2.** *fig.* Causar un hecho o dicho arrepentimiento o dolor. Se usa solo en las terceras personas con los pronombres *me, te, se, le*, etc. **3.** Determinar el peso de alguna cosa. **4.** *fig.* Hacer fuerza en el ánimo la razón o la causa de una cosa.

pesario *s. m.* Instrumento que se coloca en la vagina para corregir el descenso de la matriz.

pesaroso, sa *adj.* Arrepentido.

pesca *s. f.* Oficio y arte de pescar.

pescadería *s. f.* Establecimiento donde se vende pescado.

pescadero, ra *s. m. y s. f.* Persona que se dedica a vender pescado, especialmente al por menor.

pescadilla *s. f.* Merluza pequeña.

pescado *s. m.* Pez comestible sacado del agua por cualquiera de los procedimientos de pesca.

pescador, ra *adj.* Que pesca. También s. m. y s. f.

pescante *s. m.* **1.** En los coches, asiento del cochero. **2.** En los teatros, tramoya.

pescar *v. tr.* Coger con redes, cañas u otros instrumentos peces, mariscos, etc.

pescozón *s. m.* Golpe dado con la mano en el pescuezo o en la cabeza.

pescozudo, da *adj.* Que tiene muy grueso el pescuezo.

pescuezo *s. m.* Parte del cuerpo del animal desde la nuca hasta el tronco.

pescuño *s. m.* Cuña gruesa y larga con que se aprietan la esteva, reja y dental de la cama del arado.

pesebre *s. m.* Especie de cajón donde comen las bestias.

peseta *s. f.* Unidad monetaria en España de curso legal desde 1869 hasta 2002.

pésete *s. m.* Especie de juramento, maldición o execración.

pesetero, ra *adj., desp.* Se aplicaba a la persona tacaña, regateadora. También s. m. y s. f.

pesiar *v. intr.* Echar maldiciones y reniegos.

pesillo *s. m.* Balanza pequeña y muy exacta, propia para pesar monedas.

pesimismo *s. m.* Propensión a ver y a juzgar las cosas por el lado más desfavorable.

pesimista *adj.* Que propende a ver y juzgar las cosas por el lado más desfavorable.

pésimo, ma *adj. sup.* de malo.

peso *s. m.* **1.** Fuerza de gravitación ejercida sobre una materia. **2.** Balanza. **3.** Unidad monetaria de la República Dominicana, Colombia, Argentina (peso argentino), Chile (peso chileno), Uruguay (peso uruguayo), Cuba (peso cubano) y México (nuevo peso).

pésol *s. m.* Guisante.

pespuntador, ra *adj.* Que pespunta. También s. m. y s. f.

pespuntar *v. tr.* Coser o hacer pespuntes.

pespunte *s. m.* Labor de costura, con puntadas unidas, que se hacen volviendo la aguja hacia atrás para meter la hebra por el mismo sitio por donde pasó antes.

pespuntear *v. tr.* Pespuntar.

pesquera *s. f.* Sitio o lugar donde frecuentemente se pesca.

pesquería *s. f.* **1.** Trato o ejercicio de los pescadores. **2.** Acción de pescar.

pesquero, ra *adj.* Que pesca. Se aplica a las embarcaciones y a las industrias con ella relacionadas. También s. m.

pesquis *s. m., fam.* Agudeza, perspicacia.

pesquisa *s. f.* Investigación.

pesquisar *v. tr.* Hacer pesquisa de una cosa.

pesquisidor, ra *adj.* Que pesquisa. También s. m. y s. f.

pestaña *s. f.* **1.** Cada uno de los pelos que nacen en los bordes de los párpados, para defensa de los ojos. **2.** Adorno angosto que se pone al canto de las telas o vestidos. **3.** Orilla o extremidad del lienzo que se deja para que no se vayan los hilos en la costura. **4.** Parte saliente y angosta en el borde de alguna cosa, como en la llanta de una rueda de locomotora, en la orilla de un papel. **5.** Pelos rígidos que están colocados en el borde de dos superficies opuestas, sin hacer parte ni de una ni de otra.

pestañear *v. intr.* Mover los párpados.

pestañeo *s. m.* Movimiento rápido y repetido de los párpados.

pestañoso, sa *adj.* **1.** Que tiene grandes pestañas. **2.** Que tiene pestañas, como algunas plantas.

peste *s. f.* **1.** Enfermedad contagiosa que causa gran mortandad. **2.** Mal olor. **3.** *fig.* Cualquier cosa mala. || *s. f. pl.* **4.** Palabras de enojo o amenaza.

pesticida *adj.* Se dice del producto tóxico que se usa para combatir una plaga.

pestífero, ra *adj.* **1.** Que puede causar peste o daño grave, o que es muy malo. **2.** Que tiene muy mal olor.

pestilencia *s. f.* Peste.

pestilencial *adj.* Pestífero.

pestilencioso, sa *adj.* Perteneciente o relativo a la pestilencia.

pestilente *adj.* Que tiene muy mal olor.

pestillo *s. m.* Pasador con que se asegura una puerta o ventana corriéndolo a modo de cerrojo.

pestiño *s. m.* Fruta de sartén, hecha de masa de harina y huevo batidos, bañada con miel.

pestorejazo *s. m.* Pestorejón.

pestorejo *s. m.* Parte exterior de la cerviz, especialmente cuando es abultada.

pestorejón *s. m.* Golpe dado en el pestorejo.

pesuña *s. f.* Pezuña.

pesuño *s. m.* Cada uno de los dedos, cubiertos con su uña, de los animales de pata hendida.

petaca *s. f.* Estuche de cuero, metal, etc. para llevar cigarros o tabaco picado.

pétalo *s. m.* Cada una de las hojas que forman la corola de la flor.

petanca *s. f.* Juego que consiste en lanzar una bola pequeña y después otras algo mayores que han de quedar lo más cerca posible de la pequeña.

petanque *s. m.* Mineral de plata nativa.

petar *v. tr., fam.* Agradar, complacer.

petardear *v. tr.* **1.** Batir una puerta con petardos. **2.** Estafar, engañar, pedir algo de prestado con ánimo de no volverlo.

petardo *s. m.* Trozo de tubo que se llena de pólvora y se ataca y liga fuertemente para que, prendiéndole fuego, produzca una gran detonación.

pétaso *s. m.* Sombrero de copa baja y anchas alas que los romanos usaban en los viajes y en la caza.

petate *s. m.* **1.** Esterilla de palma usada en los países cálidos para dormir. **2.** Lío de la cama y la ropa de cada marinero o de cada soldado en el cuartel y de cada penado en su prisión.

petenera *s. f.* Aire popular parecido a la malagueña, con coplas de cuatro versos octosílabos.

petequia *s. f.* Mancha roja viva debida a una hemorragia cutánea.

petequial *adj.* **1.** Referente a la petequia. **2.** Que tiene petequia.

petera *s. f.* **1.** *fam.* Riña, pelea. **2.** *fam.* Obstinación, terquedad infantil.

peteretes *s. m. pl.* Golosinas, bocados apetitosos.

petición *s. f.* Acción de pedir.

peticionario, ria *adj.* Que pide o solicita oficialmente una cosa. También s. m. y s. f.

petigrís *s. m.* Nombre que recibe en peletería la ardilla común y su piel.

petillo *s. m.* **1.** Pedazo de tela cortado triangular, que las mujeres usaron por adorno delante del pecho. **2.** Joya de la misma figura.

petimetre, tra *s. m. y s. f.* Persona que cuida excesivamente de su compostura y de seguir las modas.

petirrojo *s. m.* Pájaro del tamaño del pardillo, de color verde de oliva, con la frente, cuello, garganta y pecho de color rojo vivo uniforme y el resto de las partes inferiores, blanco brillante.

petiseco, ca *adj.* Se dice de las plantas y frutos marchitos. Se aplica por extensión a personas.

petiso, sa *adj., Amér. del S.* Pequeño, bajo, rechoncho.

petisú *s. m.* Pequeño pastel elaborado con una masa de harina azucarada y frita, relleno de crema pastelera o nata.

petit comité *loc. adv.* Modo de hacer algo entre pocas personas, sin contar con otras.

petitoria *s. f., fam.* Petición, acción de pedir y palabras con que se pide.

petitorio, ria *adj.* **1.** Perteneciente o relativo a la petición o súplica, o que la contiene. || *s. m.* **2.** *fam.* Cuaderno impreso de los medicamentos de que debe haber surtido en una farmacia.

petizo, za *adj., Arg., Bol., Chil. y Par.* Pequeño, de baja estatura.

peto *s. m.* **1.** Armadura del pecho. **2.** Parte de algunas herramientas opuesta a la pala y en el otro lado del ojo.

petral *s. m.* Correa que asida por ambos lados a la parte delantera de la silla de montar rodea el pecho de la cabalgadura.

petraria *s. f.* Máquina de guerra para lanzar piedras gruesas.

petrel *s. m.* Ave palmípeda muy voladora, común en todos los mares, que vive en bandadas entre las rocas.

pétreo, a *adj.* De piedra, roca o peñasco.

petrificación *s. f.* Acción y efecto de petrificar o petrificarse.

petrificar *v. tr.* Convertir en piedra, o dar a una cosa la dureza de la piedra de modo que lo parezca. También prnl.

petrífico, ca *adj.* Que petrifica o que tiene virtud de petrificar.

petrodólar *s. m.* Cualquier divisa, referida al dólar, que procede de la venta de petróleo.

petroglifo *s. m.* Roca toscamente esculturada, propia de las culturas primitivas.

petrografía *s. f.* Parte de las ciencias naturales que estudia, describe y clasifica las rocas.

petrográfico, ca *adj.* Concerniente o relativo a la petrografía.

petrolear *v. tr.* **1.** Pulverizar algo con petróleo. **2.** Bañar algo en petróleo.

petróleo *s. m.* Líquido oleoso de color oscuro y olor fuerte, que se encuentra nativo formando a veces grandes manantiales en el interior de la tierra.

petroleología *s. f.* Estudio del petróleo.

petrolero *s. m.* Buque cisterna dedicado al transporte de petróleo.

petrolífero, ra *adj.* Que contiene petróleo.

petrología *s. f.* Parte de la geología que estudia, además de los carácteres petrográficos de las rocas, los procesos mediante los cuales han sido originados.

petroquímico, ca *adj.* **1.** Perteneciente o relativo a la industria del petróleo. **2.** Industria o ciencia que emplea el petróleo o el gas para la obtención de productos químicos.

petroso, sa *adj.* Se dice del paraje en que hay muchas piedras.

petulancia *s. f.* **1.** Insolencia o atrevimiento. **2.** Vana y ridícula presunción.

petulante *adj.* Que tiene petulancia.

petunia *s. f.* Planta de jardín, con flores olorosas y color blanquecino o púrpura violáceo.

peucédano *s. m.* Servato.

peyorativo, va *adj.* Despectivo, despreciativo.

pez[1] *s. m.* Animal acuático, vertebrado, de respiración branquial, sangre roja, siempre o casi siempre con aletas, piel cubierta de escamas y generación ovípara.

pez[2] *s. f.* Sustancia negra, resinosa, sólida, quebradiza, que se obtiene echando en agua fría el residuo que deja la trementina al acabar de sacarle el aguarrás.

pezolada *s. f.* Porción de hilos sueltos sin tejer que están en los principios y fines de las piezas de paño.

pezón *s. m.* **1.** Rabillo que sostiene la hoja, la flor o el fruto de las plantas. **2.** Botoncito eréctil que sobresale en los pechos o tetas de las hembras por donde los hijos chupan la leche.

pezonera *s. f.* Especie de dedal que usan las mujeres para formar los pezones cuando crían.

pezuña *s. f.* Conjunto de los pesuños de una misma pata en los animales de pata hendida.

pi *s. f.* **1.** Decimosexta letra del alfabeto griego equivalente a la que en el nuestro se llama *pe*. **2.** Símbolo del número trascendente 3.141592…, que expresa el cociente entre la longitud de la circunferencia y la de su diámetro (Símb. π).

piador, ra *adj.* Que pía.

piadoso, sa *adj.* **1.** Inclinado a la piedad y conmiseración. **2.** Religioso, devoto.

piafar *v. intr.* Alzar el caballo, cuando está preparado, ya una mano, ya otra, dejándola caer con fuerza y rapidez casi en el mismo sitio donde las levantó.

pialar *v. tr., Amér. del S.* Enlazar un animal por sus patas.

piamadre *s. f.* Piamáter.

piamáter *s. f.* La más interior de las tres meninges que envuelven el cerebro y la médula espinal.

pian *s. m.* Enfermedad contagiosa propia de países cálidos, con erupciones en pies, manos y genitales de excrecencias fungosas blancas o rojas, susceptibles de ulcerarse, y que afecta principalmente a jóvenes.

pianista *com.* Persona que ejercita el arte de tocar el piano.

piano *s. m.* Instrumento musical de teclado y percusión.

pianola *s. f.* Piano que puede tocarse mecánicamente por medio de corriente eléctrica o pedales.

piar *v. intr.* Emitir los polluelos y algunas aves cierto género de sonido o voz.

piara *s. f.* Manada de cerdos, y por ext., la de yeguas, mulas, etc.

pibe, ba *s. m. y s. f., fam.* Muchacho, muchacha.

piariego, ga *adj.* Se dice de la persona que tiene piaras de yeguas, mulas o puercos.

pica *s. f.* **1.** Especie de lanza larga, con un hierro pequeño y agudo en el extremo superior. **2.** Puya del picador de toros.

picacero, ra *adj.* Se dice de las aves de rapiña que cazan picazas, como el halcón, el azor, etc.

picacho *s. m.* Punta aguda, a modo de pico, que tienen algunos montes y riscos.

picada *s. f.* **1.** Picotazo. **2.** Picadura, punzada.

picadero *s. m.* Lugar donde los picadores adiestran los caballos, y las personas aprenden a montar.

picadillo *s. m.* Lomo de cerdo picado y adobado para hacer embutidos o freír.

picado, da *adj.* **1.** Se dice del patrón que se traza con picaduras para señalar el dibujo, principalmente entre las encajeras. **2.** Se dice de lo que está labrado con agujerillos puestos en orden. **3.** *amer.* Ebrio. ‖ *s. m.* **4.** En aviación, descenso rápido casi vertical de un aparato. **5.** Ángulo de toma por el cual la cámara se inclina sobre el objeto filmado.

picador, ra *s. m. y s. f.* **1.** Persona que tiene el oficio de domar y adiestrar caballos. ‖ *s. m.* **2.** Jinete que pica con puya a los toros.

picadura *s. f.* Mordedura o punzada de un ave o un insecto, o de ciertos reptiles.

picafigo *s. m.* Papafigo.

picaflor *s. m.* Colibrí.

picajón, na *adj., fam.* Picajoso. También s. m. y s. f.

picajoso, sa *adj.* Que fácilmente se pica o da por ofendido. También s. m. y s. f.

pical *s. m.* En varias comarcas de España, cruce o confluencia de caminos vecinales.

picamaderos *s. m.* Ave trepadora, de plumaje general negro, manchado de blanco en las alas y cuello, pico largo y muy fuerte. Se alimenta de insectos que caza entre las cortezas de los árboles; vive en los bosques y anida en los agujeros que practica en los troncos viejos y dañados. También conocido como «pájaro carpintero».

picana *s. f., Amér. del S.* Aguijada, vara para aguijar a los bueyes.

picanear *v. tr., Amér. del S.* Aguijar, picar a los bueyes con la aguijada.

picante *s. m.* Condimento de la comida, extraído principalmente del pimiento o la pimienta, con propiedades de acerbidad o acrimonia que avivan el sentido del gusto.

picapedrero, ra *s. m. y s. f.* Cantero, persona que labra las piedras.

picapica *s. f.* Polvos, hojas o pelusilla vegetales que, aplicados sobre la piel de las personas, causan mucho picor. Proceden de varias plantas trepadoras americanas del mismo nombre.

picapleitos *s. m. y s. f., fam.* Pleitista.

picaporte *s. m.* Llave para cerrar puertas y ventanas.

picaposte *s. m.* Picamaderos.

picapuerco *s. m.* Ave trepadora, de plumaje vistoso; es común en España y se alimenta de insectos que saca del charcal.

picar *v. tr.* **1.** Herir levemente con instrumento punzante. **2.** Herir el picador al toro con la garrocha, procurando detenerlo. **3.** Punzar o morder las aves, los insectos y ciertos reptiles. **4.** Cortar en trozos muy menudos. **5.** Morder el pez el cebo del anzuelo para pescarlo. **6.** Causar o producir escozor o picor. También intr. **7.** Enardecer el paladar ciertos alimentos picantes, como la pimienta, la guindilla, etc. También intr. **8.** Golpear con pico u otro instrumento adecuado las piedras para labrarlas, o las paredes para revocarlas. **9.** *fig.* Irritar y provocar a alguien con palabras y acciones. || *v. intr.* **10.** Calentar mucho el Sol. **11.** Tomar una ligera porción de un manjar. || *v. prnl.* **12.** Dañarse o empezar a pudrirse o agriarse algo. **13.** Agitarse la superficie del mar. **14.** Ofenderse, enfadarse.

picaraza *s. f.* Picaza, urraca.

picardear *v. intr.* Decir o hacer picardías.

picardía *s. f.* **1.** Acción baja, ruindad, vileza. **2.** Travesura de muchachos.

picardías *s. m.* Camisón corto y transparente.

picaresca *s. f.* Colección de relatos de pícaros, generalmente del Siglo de Oro español.

picaresco, ca *adj.* **1.** Perteneciente o relativo a los pícaros. **2.** Se aplica a las producciones literarias en que se pinta la vida de los pícaros, y a este género de literatura.

picaril *adj.* Picaresco, perteneciente a los pícaros.

picarizar *v. tr.* Picardear, enseñar picardías.

pícaro, ra *adj.* **1.** Bajo, ruin, falto de honra y vergüenza. **2.** Astuto, taimado.

picarón, na *adj.* Se aplica a personas con cierta picardía inocente. También s. m. y s. f.

picarro *s. m.* Picamaderos.

picatoste *s. m.* Rebanada de pan tostada.

picaza *s. f.* Urraca.

picazo[1] *s. m.* Golpe dado con la pica o con alguna cosa puntiaguda y punzante.

picazo[2] *s. m.* Pollo de la picaza.

picazo, za *adj.* Se dice de la caballería de color blanco y negro mezclados formando grandes manchas irregulares. También s. m.

picazón *s. f.* Desazón que causa una cosa que pica en alguna parte del cuerpo.

pícea *s. f.* Árbol parecido al abeto común del cual se distingue por tener las hojas puntiagudas y las piñas más delgadas y colgantes al extremo de las ramas superiores.

píceo, a *adj.* De pez o parecido a ella.

picha *s. f., vulg.* Pene, miembro viril.

pichel *s. m.* Vaso alto y redondo, ordinariamente de estaño y con tapa engoznada en el remate del asa.

pichelería *s. f.* Oficio de pichelero.

pichelero, ra *s. m. y s. f.* Persona que hace picheles.

pichi *s. m.* Prenda femenina con forma de vestido escotado y sin mangas para poner encima de otra prenda.

pichichi *s. m., fam.* En el fútbol español, trofeo que premia al mayor goleador de la temporada.

pichihuén *s. m.* Pez acantopterigio, muy estimado por su carne, de unos 40 cm de largo.

pichola *s. f.* Medida de vino usada en Galicia y equivalente a poco más de un cuartillo.

pichón, na *s. m.* Pollo de la paloma casera.

picnic *s. m.* Comida al aire libre.

pico *s. m.* **1.** Parte saliente de la cabeza de las aves. **2.** Parte puntiaguda que sobresale en la superficie o en el borde de alguna cosa. **3.** Herramienta de cantero, con dos puntas opuestas aguzadas, y engastada en un mango largo de madera. **4.** Punta acanalada que tienen en el borde algunas vasijas. **5.** Cúspide aguda de una montaña. **6.** Montaña de cumbre puntiaguda. **7.** Parte pequeña en que una cantidad excede a un número redondo. **8.** *fam.* Inyección de algún narcótico o estupefaciente, generalmente aplicado a la heroína.

picola *s. f.* Especie de pico pequeño de cantero.

picolete *s. m.* Grapa interior de la cerradura para sostener el pestillo.

picón, na *adj.* Se dice de la caballería cuyos dientes incisivos superiores sobresalen de los inferiores, por lo cual no puede cortar bien la hierba.

piconero *s. m.* Picador de toros.

picor *s. m.* Picazón, desazón que produce en el cuerpo algo que pica.

picota *s. f.* Juego infantil en que cada jugador tira un palo puntiagudo para clavarlo en el suelo y derribar el del contrario.

picotada *s. f.* Picotazo.

picotazo *s. m.* Golpe que dan las aves con el pico o punzada repentina y dolorosa de un insecto.

picote *s. m.* **1.** Tela áspera y basta de pelo de cabra. **2.** Cierta tela de seda muy lustrosa con la que se hacían vestidos. **3.** Saco, sayal.

picotear *v. tr.* **1.** Golpear o herir algo las aves con el pico. ‖ *v. intr.* **2.** *fam.* Hablar mucho y de cosas inútiles e insustanciales.

picotería *s. f., fam.* Prurito de hablar.

picotero, ra *adj.* Que habla mucho y con imprudencia o dice lo que debía callar.

picotillo *s. m.* Picote de baja calidad.

pícrico *adj.* Se dice del ácido que forma un cuerpo sólido, amarillo, poco soluble en agua y de sabor muy amargo. Se emplea como colorante reactivo fijador, explosivo y como desinfectante débil para quemaduras.

pícrico, ca *adj.* Pírrico.

picta *adj.* Se dice de la toga que usaban los magistrados romanos.

pictografía *s. f.* Escritura ideográfica cuyos signos representan gráficamente los objetos que han de explicarse con palabras.

pictográfico, ca *adj.* Perteneciente o relativo a la pictografía.

pictograma *s. m.* Signo de la escritura de figuras o símbolos.

pictórico, ca *adj.* Perteneciente o relativo a la pintura.

picuda *s. f., Cub.* Pez semejante a la aguja.

picudilla *s. f.* Ave zancuda, de paso en España, de pico delgado, largo y negruzco, cabeza pequeña, alas agudas, cola corta y redonda.

picudo, da *adj.* Que tiene pico o forma de pico.

pidientero, ra *s. m. y s. f.* Pordiosero.

pídola *s. f.* Juego infantil en el que el jugador desafortunado ha de encorvarse para que los otros jugadores salten por encima de él.

pie *s. m.* **1.** Parte terminal de las extremidades de cualquiera de los dos miembros inferiores del ser humano. **2.** Base o parte en que se apoya alguna cosa. **3.** Cada uno de los metros que se usan en la poesía castellana. **4.** Cada una de las partes, de dos o más sílabas, con las que se mide un verso, en aquellos poemas que atienden a la cantidad. **5.** Medida de longitud, que equivale aproximadamente a 28 cm. **6.** Parte o extremo posterior de una cosa. Se usa más en pl. **7.** Ocasión, pretexto o motivo. **8.** Palabra con que termina lo que dice un actor, y sirve de señal al que ha de hablar a continuación.

piedad *s. f.* **1.** Lástima, misericordia, compasión, conmiseración. **2.** Virtud que inspira, por el amor a Dios, devoción a las cosas santas y, por el amor al prójimo, actos de abnegación y compasión.

piedra *s. f.* **1.** Sustancia mineral, más o menos dura y compacta, que no es terrosa ni de aspecto metálico. **2.** Granizo grueso. **3.** Cálculo urinario.

piel *s. f.* **1.** Membrana exterior extendida sobre todo el cuerpo del ser humano o del animal. **2.** Cuero curtido. **3.** Cubierta exterior que cubre la pulpa de algunas frutas.

piélago *s. m.* Parte del mar que dista mucho de la tierra.

pielgo *s. m.* Piezgo.

pienso *s. m.* Porción de alimento seco que se da al ganado.

piérides *s. f. pl.* Las musas.

pierio, ria *adj., poét.* Perteneciente o relativo a las musas.

pierna *s. f.* **1.** Parte del miembro inferior de las personas comprendida entre el pie y la rodilla. **2.** Por ext., todo el miembro inferior. **3.** En los cuadrúpedos y aves, muslo.

piernitendido, da *adj.* Extendido de piernas.

pierrot *s. m.* Payaso.

pieza *s. f.* **1.** Cada una de las partes que unidas con otras forman un objeto. **2.** Moneda. **3.** Sala o aposento de una casa. **4.** Animal de caza o pesca.

piezgo *s. m.* **1.** Parte correspondiente a cualquiera de las extremidades del animal con cuyo cuero se ha hecho el odre. **2.** *fig.* Todo cuero preparado para transportar líquidos.

piezoelectricidad *s. f.* Conjunto de fenómenos eléctricos que se producen en algunos cuerpos sometidos a presión u otra acción mecánica.

piezoeléctrico, ca *adj.* Relativo a la piezoelectricidad.

piezómetro *s. m.* Instrumento que sirve para medir el grado de compresibilidad de los líquidos.

pífano *s. m.* Flautín de tono muy agudo.

pifia *s. f., fam.* Paso o dicho desacertado.

pifiar *v. tr.* Hacer una pifia en el billar.

pigargo *s. m.* Ave rapaz de gran tamaño con el pico corvo, que vive en las costas y se alimenta de peces y aves acuáticas.

pigmentación *s. f.* Coloración debida a los pigmentos.

pigmentar *v. tr.* **1.** Colorar. **2.** Producir en la piel y otros tejidos una coloración anormal.

pigmento s. m. **1.** Materia colorante empleada en pintura. **2.** Sustancia con coloración propia que se encuentra en muchas células animales y vegetales.

pignoración s. f. Acción y efecto de pignorar.

pignorar v. tr. Empeñar, dar en prenda.

pigre adj. Calmoso, negligente, desidioso.

pigricia s. f. Pereza, negligencia, descuido.

pigro, gra adj. Pigre.

pijama s. m. Traje de dormir compuesto de pantalón y blusa de tela ligera y lavable.

pijo, ja adj. **1.** fam. Tonto, idiota. **2.** fam. Se dice de la persona que ostenta afectadamente una buena posición social. También s. m. y s. f.

pijota s. f. Pescadilla.

pijotero, ra adj., fam. En numerosa regiones de España y de América, mezquino. En otras, cargante, molesto.

pila s. f. **1.** Montaña formada al poner unas sobre otras las cosas. **2.** Recipiente grande de piedra o de otra materia, cóncava y profunda, donde cae o se echa el agua para varios usos. **3.** Generador de corriente eléctrica que transforma energía química en eléctrica, de pequeño tamaño y usada en muchos aparatos portátiles.

pilar[1] s. m. **1.** Pilón, abrevadero. **2.** Hito o mojón que se pone para señalar los caminos. **3.** Especie de pilastra que se pone aislada en los edificios, o sirve para sostener otra fábrica o armazón cualquiera. **4.** fig. Columna, persona que sirve de amparo.

pilar[2] v. tr. Descascarar los granos, golpeándolos.

pilastra s. f. Columna cuadrada.

píldora s. f. Bolita que se hace mezclando un medicamento con un excipiente.

pildorero s. m. Aparato para hacer píldoras.

píleo s. m. Capelo de los cardenales.

pileta s. f. Pila pequeña que a veces hay en las casas para tomar agua bendita.

pilífero, ra adj. Que tiene pelos.

pillaje s. m. Hurto, rapiña, latrocinio.

pillar v. tr. **1.** Hurtar, robar. **2.** Coger, aprehender una cosa. **3.** fam. Sorprender a alguien en un descuido o mentira.

pillastre s. m. Pillo.

pillear v. intr., fam. Hacer vida de pillo.

pillería s. f. Acción propia de un pillo.

pillo, lla s. m. y s. f. **1.** fam. Pícaro desvergonzado. **2.** fam. Persona sagaz, astuta.

pilo s. m. Antigua arma arrojadiza, a modo de lanza o dardo.

pilón s. m. Receptáculo en las fuentes para recoger el agua y servir de abrevadero, lavadero y otros usos.

pilongo, ga adj. Flaco, extenuado.

píloro s. m. Abertura inferior del estómago, por la cual entran los alimentos en los intestinos.

pilosidad s. f. **1.** Calidad de piloso. **2.** Pelo o conjunto de pelos.

piloso, sa adj. Peludo.

pilotaje s. m. Ciencia y arte del piloto.

pilotar v. tr. **1.** Dirigir un buque. **2.** Dirigir un globo, automóvil, aeroplano, etc.

pilote s. m. Madero rollizo que se hinca en tierra para consolidar los cimientos.

pilotear v. tr. Pilotar.

piloto com. **1.** Persona que dirige un globo, un aeroplano, un automóvil, etc. **2.** El segundo de un buque mercante.

piltrafa s. f. Parte de carne flaca, que casi no tiene más que el pellejo.

pimental s. m. Terreno sembrado de pimientos.

pimentero s. m. Arbusto de la familia de las piperáceas, tropical, trepador, con tallos ramosos y nudos gruesos de trecho en trecho, de donde nacen raíces adventicias; hojas alternas, gruesas, nerviosas y de color verde oscuro; flores en espigas pequeñas y verdosas, cuyo fruto es la pimienta.

pimentón s. m. Polvo que se obtiene moliendo pimientos encarnados y secos.

pimienta s. f. Fruto del pimentero. Es una baya redonda que, una vez seca, toma color pardo y negruzco; es aromática, de gusto picante y muy usada para condimento.

pimiento s. m. Planta herbácea anual, solanácea, cuyo fruto es una baya hueca comestible, de color verde primero y luego rojo y con una multitud de pequeñas semillas planas.

pimpinela s. f. Planta herbácea, vivaz, con tallos rojizos, hojas compuestas de hojuelas elípticas, flores sin corola, con el cáliz purpurino, que se endurece y convierte en fruto elipsoidal, con dos o tres semillas alargadas, de color pardo. Se ha usado como tónica y abunda en España.

pimplar v. tr., fam. Beber vino. También prnl.

pimpleo, a adj. Perteneciente o relativo a las musas.

pimplón s. m., Ast. y Cant. Salto de agua.

pimpollar s. m. Sitio poblado de pimpollos.

pimpollecer v. intr. Brotar o echar renuevos o pimpollos.

pimpollo s. m. **1.** Árbol nuevo. **2.** Capullo de rosa. **3.** fam. Niño o niña, o persona joven que se distingue por su belleza.

pimpolludo, da adj. Que tiene muchos pimpollos.

pimpón s. m. Juego parecido al tenis, que se practica sobre una mesa rectangular de medidas reglamentarias, con una pelota ligera y pequeñas palas de madera, como raquetas.

pin[1] s. m. **1.** Chapa o insignia que se lleva sujeta a la ropa como adorno. **2.** Cada una de las pequeñas patillas de los conectores que sirven para comunicar placas, circuitos o dispositivos electrónicos entre sí. **3.** Am. Palo labrado.

pin² *s. m.* Contraseña numérica para acceder al uso de diversos aparatos electrónicos y tarjetas bancarias.

pina *s. f.* Mojón puntiagudo.

pinabete *s. m.* Abeto.

pinacoteca *s. f.* Museo de pinturas.

pináculo *s. m.* Parte superior y más alta de un edificio, templo o cúpula.

pinar *s. m.* Lugar o terreno poblado de pinos.

pinariego, ga *adj.* Perteneciente o relativo al pino.

pinaza *s. f.* **1.** Embarcación pequeña de remo y vela, a modo de barcaza, para la carga y descarga de buques. **2.** Hojarasca del pino y demás coníferas.

pincel *s. m.* Haz de pelos fijos en la extremidad de un mango de madera, de pluma, etc. con que el pintor asienta los colores sobre una superficie.

pincelada *s. f.* **1.** Trazo o golpe dado con el pincel. **2.** Expresión compendiosa de una idea o de un rasgo muy característico.

pincelar *v. tr.* **1.** Pintar. **2.** Retratar.

pinchadiscos *com.* Persona encargada de poner la música en locales de baile o discotecas.

pinchadura *s. f.* Acción y efecto de pinchar o pincharse.

pinchar *v. tr.* **1.** Picar, punzar o herir con una cosa aguda o punzante. También *prnl.* **2.** *fig.* Poner un disco en el tocadiscos para que suene. **3.** *fig.* Poner inyecciones. **4.** *fig.* Sufrir un pinchazo en una rueda. **5.** *fig.* Intervenir un teléfono para controlar las conversaciones.

pinchaúvas *s. m., fig. y fam.* Hombre despreciable.

pinchazo *s. m.* Punzadura o herida causada con instrumento o cosa que pincha.

pinche *com.* **1.** Persona ayudante de cocina. || **2.** *adj. C. Rica, El Salv. y Nic.* Tacaño. **3.** *malson. Méx.* Ruin, despreciable.

pincho *s. m.* Punta aguda de hierro u otra materia.

pinchón *s. m.* Pinzón.

pindonga *s. f., fam.* Mujer callejera.

pindonguear *v. intr.* Callejear.

pineal *adj.* De forma parecida a la de una piña.

pineda *s. f.* Pinar.

pingajo *s. m., fam.* Harapo.

pingajoso, sa *adj.* Andrajoso.

pingar *v. intr.* **1.** Gotear lo que está empapado en algún líquido. **2.** Brincar, saltar.

pingo *s. m.* **1.** *fam.* Pingajo. **2.** *fam.* Persona que lleva una vida irregular y licenciosa.

pingorote *s. m., fam.* Parte saliente y puntiaguda de una cosa.

pingorotudo, da *adj., fam.* Empinado, alto o elevado.

ping-pong *s. m.* Pimpón.

pingue *s. m.* Embarcación de carga, cuyas medidas aumentan en la bodega.

pingüe *adj.* **1.** Craso, mantecoso, gordo. **2.** *fig.* Abundante, fértil.

pingüedinoso, sa *adj.* Que tiene gordura.

pingüino *s. m.* Pájaro bobo, ave palmípeda, que se deja coger fácilmente a causa de sus malas condiciones para andar y volar.

pinífero, ra *adj.* Abundante en pinos.

pinillo *s. m.* Planta herbácea anual, de la familia de las labiadas, con tallos velludos y ramosos, y flores pequeñas y amarillas. Toda la planta es viscosa y despide un olor parecido al del pino.

pinito *s. m.* Primeros pasos del niño o del convaleciente.

pinjante *adj.* Se dice de la joya que se lleva colgando para adorno. Se usa más como s. m.

pinnado, da *adj.* Se aplica a la hoja compuesta de hojuelas insertas a ambos lados del pecíolo.

pinnípedo, da *adj.* Se dice de los mamíferos de vida anfibia, de cuatro extremidades cortas y anchas a propósito para la natación, como la foca y la morsa.

pino *s. m.* Árbol de madera resinosa, hojas muy estrechas y puntiagudas, que persisten durante el invierno. Da por fruto una piña cuya semilla es el piñón.

pino, na *s. f.* Muy pendiente o muy derecho.

pinocha *s. f.* Hoja del pino.

pinocho *s. m.* Piña de pino rodeno.

pinol *s. m., C. Ric., Ec. y Guat.* Pinole.

pinole *s. m.* Mezcla de polvos de vainilla y otras especies aromáticas, que daba exquisito sabor al chocolate.

pinoso, sa *adj.* Que tiene pinos.

pinrel *s. m., fam.* Pie.

pinsapar *s. m.* Sitio poblado de pinsapos.

pinsapo *s. m.* Árbol de adorno, de corteza blanquecina, hojas cortas, que persisten durante muchos años, y piñas derechas, más gruesas que las del abeto; crece espontáneo en una parte de la serranía de Ronda.

pinta¹ *s. f.* **1.** Mancha en el plumaje, pelo o piel de los animales y en la masa de un mineral. **2.** *fig.* Señal o muestra exterior que permite apreciar la calidad o aspecto de personas o cosas.

pinta² *s. f.* Medida para líquidos.

pintacilgo *s. m.* Jilguero.

pintada *s. f.* Letrero o conjunto de letreros, generalmente de carácter reivindicativo, que se han pintado en un determinado lugar.

pintalabios *s. m.* Producto cosmético, generalmente en forma de barra, constituido por sustancias colorantes y que sirve para colorear los labios.

pintamonas *com. fig. y fam.* **1.** Pintor de corta habilidad. **2.** Persona de poca o ninguna importancia pese a presumir de lo contrario.

pintar v. tr. **1.** Representar o figurar un objeto en una superficie, con las líneas y los colores convenientes. **2.** Cubrir con un color la superficie de una cosa. **3.** fig. Describir animadamente personas o cosas por medio de la palabra.

pintarrajear v. tr., fam. Pintorrear. También prnl.

pintarrajo s. m., fam. Pintura mal hecha y de colores impropios.

pintarroja s. f. Lija, pez.

pintear v. intr. Lloviznar.

pintiparado, da adj. **1.** Parecido, muy semejante a otro que en nada difiere de él. **2.** Se dice de lo que se acomoda perfectamente a otra cosa.

pintiparar s. f. **1.** Asemejar, hacer parecida una cosa a otra. **2.** fam. Comparar.

pintojo, ja adj. Que tiene pintas o manchas.

pintón, na adj. Se dice del racimo de uvas cuyos granos van tomando color.

pintor, ra s. m. y s. f. Persona que profesa o ejercita el arte de la pintura.

pintoresco, ca adj. Se dice de las cosas que presentan una imagen agradable, peculiar y digna de ser pintada.

pintorrear v. tr., fam. Manchar de varios colores y sin arte una cosa. También prnl.

pintura s. f. **1.** Arte de pintar. **2.** La obra pintada. **3.** Color preparado para pintar. **4.** Descripción viva y animada de personas o cosas por medio de la palabra.

pinturero, ra adj., fam. Se dice de la persona que con afectación se jacta de bien parecida, fina o elegante.

pínula s. f. Tablilla metálica con una abertura circular o longitudinal que en los instrumentos topográficos y astronómicos sirve para dirigir visuales.

pinza s. f. Instrumento de metal, a manera de tenacillas que sirve para coger o sujetar cosas menudas.

pinzamiento s. m. Opresión de un músculo o un nervio entre dos superficies.

pinzar v. tr. **1.** Sujetar con pinza. **2.** Plegar una cosa, pellizcándola con los dedos u otro instrumento.

pinzón s. m. Pájaro del tamaño de un gorrión, con plumaje rojo oscuro en la cara, pecho y abdomen, y pardo rojizo en el lomo; la hembra es de color pardo.

piña s. f. **1.** Fruto del pino. **2.** Ananás. **3.** fig. Conjunto de personas o cosas unidas o agregadas estrechamente.

piñata s. f. **1.** Olla, vasija. **2.** Vasija o cosa semejante, llena de dulces, que se cuelga del techo para romperla a palos con los ojos vendados.

piño s. m., fam. Diente. Se usa más en pl.

piñón[1] s. m. Simiente del pino.

piñón[2] s. m. Rueda pequeña dentada que engrana en una máquina con otra mayor.

piñonata s. f. Género de conserva hecha de almedra raspada y azúcar en punto para que se incorpore.

piñonate s. m. Pasta dulce de piñones y azúcar.

piñonear v. intr. Castañetear el macho de la perdiz cuando está en celo.

piñoneo s. m. Acción y efecto de piñonear.

piñonero adj. Se dice del pino que da piñones comestibles.

pío s. m. Voz del pollo o cualquier ave.

pío, a adj. Benigno, compasivo.

piocha s. f. Herramienta para desprender los revoques de las paredes y para escafilar los ladrillos.

piogenia s. f. Formación de pus.

piojento, ta adj. Perteneciente o relativo a los piojos.

piojera s. f. Abundancia de piojos.

piojillo s. m. Insecto diminuto sin alas, boca con palpos y mandíbulas ganchudas, que vive parásito sobre las aves, de cuya sangre se alimenta. Es fecundísimo y hay diversas especies.

piojo s. m. Insecto unipolar muy pequeño, que vive parásito sobre las personas y otros mamíferos, de cuya sangre se alimenta.

piojoso, sa adj., fig. Miserable, mezquino.

piolar v. tr. Pipiar los pollos o los pajaritos.

piolet s. m. Bastón de alpinista.

piornal s. f. Terreno poblado de piornos.

piorno s. m. Nombre vulgar de varias especies de plantas, en su mayoría de la familia de las papilionáceas, que forman matorrales en el grado subalpino de las montañas españolas, generalmente sobre sustrato silíceo.

piorrea s. f. Flujo de pus.

pipa[1] s. f. **1.** Tonel o cuba. **2.** Utensilio para fumar tabaco picado. **3.** Lengüeta de las chirimías y otros instrumentos de viento, por donde se echa el aire.

pipa[2] s. f. Pepita, semilla.

pipar v. intr. Fumar en pipa.

piperáceo, a adj. Se dice de las plantas dicotiledóneas, tropicales, de hojas gruesas enteras o aserradas, flores sin corola, hermafroditas o unisexuales, y fruto en baya, cápsula o drupa, con semillas de albumen cartilaginoso o carnoso. También s. f.

piperina s. f. Alcaloide extraído de la pimienta.

pipeta s. f. **1.** Tubo de cristal ensanchado en su parte media, que sirve para trasladar pequeñas cantidades de líquido. **2.** Tubo con el orificio superior tapado para que la presión atmosférica impida la salida del líquido, y que se rompe para que este salga cuando se necesita.

pipí s. m., fam. Orina, en lenguaje infantil.

pipián s. m. Guiso americano hecho de carne de gallina, carnero, pavo u otra ave, con almendras y tocino gordo.

pipiar *v. intr.* Piar las aves cuando son pequeñas o de poco tiempo.

pipiolo *s. m.* El principiante, novato o inexperto.

pipirigallo *s. m.* Planta leguminosa, herbácea, vivaz, que se cultiva en los jardines por la belleza de sus flores rojas.

pipiripao *s. m., fam.* Convite espléndido.

pipiritaña *s. f.* Silbato que suelen hacer los muchachos con las cañas del alcacer.

pipo *s. m.* Ave trepadora, insectívora, de plumaje negro manchado de blanco; anida en árboles.

pipote *s. m.* Pipa o cuba pequeña para licores, pescados, etc.

pipudo, da *adj., vulg.* Excelente, inmejorable.

pique *s. m.* **1.** Resentimiento ocasionado por una disputa u otra cosa semejante. **2.** Empeño en hacer una cosa por amor propio o por rivalidad.

piqué *s. m.* Tela de algodón que forma grano u otro género de labrado en relieve.

piquera *s. f.* Agujero practicado en las colmenas para el paso de las abejas.

piquería *s. f.* Tropa de piqueros.

piquero *s. m.* Soldado que servía con la pica en el ejército.

piqueta *s. f.* Herramienta de albañilería, con mango de madera y dos bocas opuestas, una plana, como de martillo, y otra aguzada, como de pico.

piquete *s. m.* Grupo de huelguistas encargado de vigilar e informar durante una huelga laboral.

pira *s. f.* Hoguera.

piragua *s. f.* Embarcación larga y estrecha, mayor que la canoa, hecha de una pieza o con bordas de tabla o cañas.

piragüero, ra *s. m. y s. f.* Persona que gobierna la piragua.

piragüismo *s. m.* Navegación en piragua.

piragüista *s. m. y s. f.* Deportista que forma parte de la tripulación de una piragua.

piramidal *adj.* De figura de pirámide.

pirámide *s. f.* Sólido que tiene por base un polígono cualquiera y cuyas caras son triángulos que se juntan en un solo punto común llamado vértice, y forman un ángulo poliedro.

piraña *s. f.* Pez cipriniforme carnívoro, con fuertes dientes.

pirarse *v. prnl., vulg.* Huir, fugarse.

pirata *s. m.* Ladrón que andaba robando por el mar.

piratear *v. intr., fig.* Copiar o duplicar ilegalmente algún documento.

piratería *s. f.* Ejercicio de pirata.

pirático, ca *adj.* Perteneciente o relativo al pirata o a la piratería.

pirca *s. f., Amér. del S.* Pared de piedra en seco.

pircar *v. tr., Amér. del S.* Cercar un paraje con pirca.

pirexia *s. f.* Fiebre esencial.

pírico, ca *adj.* Perteneciente o relativo al fuego, y especialmente a los fuegos artificiales.

piriforme *adj.* Que tiene figura de pera.

pirita *s. f.* Sulfuro de hierro, brillante, de color amarillo de oro, y tan duro que da chispas con el eslabón.

piritoso, sa *adj.* Que contiene pirita.

pirla *s. f.* Clase de peonza pequeña.

piroelectricidad *s. f.* Fenómeno de polarización eléctrica que se presenta en la superficie de ciertos cristales debido a los cambios de temperatura.

pirofobia *s. f.* Horror al fuego.

piróforo *s. m.* Cierto cuerpo que se inflama al contacto del aire.

pirogenia *s. f.* Origen de la fiebre.

pirógeno, na *adj.* Se aplica a los terrenos volcánicos.

pirograbado *s. m.* Procedimiento para grabar en madera por medio de una punta de platino incandescente.

pirología *s. f.* Estudio del fuego y sus aplicaciones.

piromanía *s. f.* Tendencia patológica a la provocación de incendios.

pirómano, na *adj.* Se dice de la persona que padece piromanía. También s. m. y s. f.

pirómetro *s. m.* Instrumento para medir temperaturas muy elevadas.

piropear *v. tr., fam.* Decir piropos.

piropo *s. m.* **1.** Variedad de granate, de color rojo de fuego. **2.** *fam.* Lisonja, requiebro, en especial el dicho por galantería.

piróscafo *s. m.* Buque de vapor.

piroscopio *s. m.* Termómetro diferencial, que sirve para estudiar los fenómenos de reflexión y de radiación del calor.

pirosfera *s. f.* Masa candente que, según algunos, ocupa el centro de la Tierra.

pirosis *s. f.* Sensación como de quemadura que sube desde el estómago hasta la faringe, producida por regurgitación de líquido estomacal cargado de ácido.

pirotecnia *s. f.* Arte que trata de todo género de invenciones de fuego en máquinas militares y en otros artificios para diversión y festejo.

pirotécnico, ca *s. m. y s. f.* Persona que conoce y practica la pirotecnia.

piroxeno *s. f.* Silicato de hierro, cal y magnesia, que forma parte integrante de diversas rocas.

piroxilina *s. f.* Pólvora de algodón.

piróxilo *s. m.* Producto de la acción del ácido nítrico sobre una materia semejante a la celulosa, como algodón, madera, etc.

pirrarse *v. prnl., fam.* Desear con vehemencia una cosa.

pírrico, ca *adj.* Se dice de la victoria muy costosa, con más daño para el vencedor que para el vencido.

pirriquio *s. m.* Pie de la poesía griega y latina compuesta por dos sílabas breves.

pirueta *s. f.* Cabriola.

piruleta *s. f.* Caramelo grande con forma redonda y plana sostenido por un palito.

pirulí *s. m.* Caramelo de forma alargada y puntiaguda que se chupa por un extremo; en su interior tiene un palillo con el fin de sostenerlo en los dedos.

pis *s. m.* Orina.

pisada *s. f.* Huella o señal que deja el pie en la tierra.

pisapapeles *s. m.* Utensilio que en las mesas de escritorio, mostradores, etc. se pone sobre los papeles para sujetarlos.

pisar *v. tr.* **1.** Poner el pie sobre alguna cosa. **2.** Apretar o estrujar una cosa con los pies o con algún instrumento. **3.** *fig.* Infringir una ley, orden, etc. **4.** *fig.* Pisotear. **5.** *fig.* Anticiparse a tomar o ejecutar lo que otro pretende.

pisasfalto *s. m.* Variedad de asfalto de consistencia parecida a la de la pez.

pisaverde *s. m., fig. y fam.* Hombre presumido y afeminado, que solo se ocupa de acicalarse y andar todo el día en busca de galanteos.

piscator *s. m.* Especie de almanaque con pronósticos meteorológicos.

piscatorio, ria *adj.* Perteneciente o relativo a la pesca o a los pescadores.

piscicultura *s. f.* Arte de dirigir y fomentar la reproducción de los peces y mariscos.

piscifactoría *s. f.* Establecimiento de piscicultura.

pisciforme *adj.* De forma de pez.

piscina *s. f.* **1.** Estanque en los jardines para tener peces. **2.** Estanque donde pueden bañarse diversas personas.

piscívoro, ra *adj.* Que come peces.

pisco *s. m., Chil. y Per.* Aguardiente superior de uva muy estimada, fabricado en Pisco, ciudad de Perú.

piscolabis *s. m.* Ligera porción de alimento que se toma por ocasión festiva o regalo.

pisiforme *adj.* Que tiene figura de guisante.

piso *s. m.* **1.** Suelo o pavimento de las habitaciones de las casas. **2.** Suelo natural o artificial de un terreno. **3.** Conjunto de habitaciones que constituyen vivienda independiente en una casa de varios altos. **4.** Suela de calzado.

pisón *s. m.* Instrumento de madera que sirve para apretar la tierra, piedras, etc.

pisotear *v. tr.* **1.** Pisar repetidamente una cosa maltratándola. **2.** *fig.* Humillar, maltratar de palabra a una o más personas.

pisoteo *s. m.* Acción de pisotear.

pisotón *s. m.* Pisada fuerte sobre el pie de otro.

pista *s. f.* **1.** Huella o rastro que dejan los animales en la tierra por donde han pasado. **2.** Sitio dedicado a las carreras y otros ejercicios. **3.** Carretera de gran anchura con un firme liso y resistente.

pistache *s. m.* Cierto dulce casero que se prepara con el fruto del pistachero.

pistachero *s. m.* Alfóncigo.

pistacho *s. m.* Fruto del alfóncigo, parecido al piñón, de grano verde y cáscara más blanda.

pistar *v. tr.* Machacar o comprimir una cosa o sacarle el jugo.

pistero *s. m.* Vasija, en forma de jarro pequeño o taza, con un pitón que sirve para dar caldo a los enfermos que no pueden incorporarse para beber.

pistilo *s. m.* Órgano femenino de la flor, que consta de ovario, estilo y estigma.

pisto *s. m.* Fritada de pimientos, tomates, huevo, cebolla, etc., picados y revueltos.

pistola *s. f.* **1.** Arma de fuego. **2.** Utensilio de forma similar que se utiliza para proyectar pintura y otras sustancias.

pistolera *s. f.* Estuche de cuero en que se guarda la pistola, generalmente llevado en la cintura.

pistolero, ra *s. m. y s. f.* Delincuente habitual que usa pistola, especialmente para atentados.

pistoletazo *s. m.* **1.** Disparo de pistola. **2.** Herida que resulta de él.

pistolete *s. m.* Arma de fuego más corta que la pistola.

pistón *s. m.* **1.** Émbolo de bomba o máquina. **2.** Parte central de la cápsula, donde está colocado el fulminante.

pistonudo, da *adj., vulg.* Muy bueno, superior.

pita[1] *s. f.* Planta vivaz, amarilidácea, con pencas carnosas, terminadas en un fuerte aguijón, en pirámide triangular, de color verde claro y flores amarillentas.

pita[2] *s. f., fam.* Pitada.

pitada *s. f.* **1.** Sonido del pito. **2.** *fig.* Muestra general de desagrado con silbidos.

pitaña *s. f.* Legaña.

pitañoso, sa *adj.* Legañoso.

pitanza *s. f.* Distribución diaria de una cosa, comestible o pecuniaria.

pitar *v. intr.* **1.** Tocar o sonar el pito. **2.** Abuchear, dar pitidos y silbidos.

pitarra *s. f.* Pitaña, legaña.

pitecántropo *s. m.* Supuesto ser intermedio entre el hombre y el mono, según la teoría darvinista.

pitido *s. m.* Silbido del pito o de los pájaros.

pitillera *s. f.* Petaca para guardar pitillos.

pitillo *s. m.* Cigarrillo.

pítima *s. f.* Emplasto aplicado sobre el corazón.

pitipié *s. m.* Escala, medida proporcional.

pito *s. m.* **1.** Flauta pequeña, como un silbato, de sonido agudo. **2.** Persona que toca este instrumento. **3.** Cigarrillo de papel. **4.** *fig. y fam.* Pene, miembro viril. **5.** Taba con que juegan los muchachos. ‖ *s. m. pl.* **6.** En el baile flamenco, ruido que hace el bailaor con los dedos haciéndolos chascar.

pitoche *s. m.* Expresión despectiva para designar alguna cosa que no tiene valor alguno.

pitoflero, ra *s. m. y s. f.* **1.** Músico que toca algún instrumento musical sin habilidad. **2.** *fig.* Persona chismosa, entremetida o chocarrera.

pitoitoy *s. m., Amér. del S.* Ave zancuda de las costas que al echar a volar lanza el grito especial de que proviene su nombre; de plumaje compacto, oscuro por el lomo y blanco con manchas por el vientre, pico corto y tarsos altos.

pitón[1] *s. m.* Género de reptiles ofidios no venenosos, de gran tamaño, que atacan a los grandes animales y algunas veces a las personas.

pitón[2] *s. m.* Punta del cuerno del toro.

pitonisa *s. f.* Encantadora, hechicera.

pitorrearse *v. prnl.* Guasearse, burlarse.

pitorreo *s. m.* Acción y efecto de pitorrearse.

pitorro *s. m.* Pitón de los botijos.

pitpit *s. m.* Pájaro insectívoro, con plumaje de aspecto general cenicientoverdoso y con manchas pardas, pero amarillento en la garganta y el pecho y blanco en el abdomen. Es bastante común en España.

pitufo, fa *s. m. y s. f.* **1.** *fam.* Niño. **2.** *fam.* Persona de baja estatura.

pituita *s. f.* Humor blanquecino y viscoso que segregan varios órganos del cuerpo animal, como las membranas de la nariz y los bronquios.

pituitario, ria *adj.* Que segrega pituita.

pituitoso, sa *adj.* Que abunda en pituita. Pituitario.

pituso, sa *adj.* Pequeño, gracioso, lindo, refiriéndose a niños. También s. m. y s. f.

piular *v. intr.* Piar el pollo.

pivotar *v. intr.* Encontrarse una cosa de tal manera que pueda girar y oscilar sobre un punto de apoyo.

pivote *s. m.* **1.** Espiga en que termina el extremo de una pieza. **2.** Punto de apoyo sobre el que gira un eje. **3.** Soporte sobre el cual puede girar y oscilar una cosa.

píxel o pixel *s. m.* Unidad mínima de color que forma parte de una imagen digital.

píxide *s. f.* Copón o capita en que se lleva la eucaristía a los enfermos.

piyama *s. f., amer.* Pijama.

pizarra *s. f.* **1.** Roca homogénea, de grano muy fino, de color negro azulado, que se usa en construcción para cubiertas y solados. **2.** Tablero pintado de negro para escribir en él con tiza.

pizarral *s. m.* Terreno en que se hallan las pizarras.

pizarrín *s. m.* Barrita de lápiz o de pizarra blanda con que se escribe, dibuja, etc. en las pizarras de piedra.

pizarroso, sa *adj.* Abundante en pizarra.

pizca *s. f., fam.* Porción mínima de una cosa.

pizmiento, ta *adj.* Atezado, de color de pez.

pizpireta *adj., fam.* Se dice de la mujer aguda, pronta y vivaracha.

pizza *s. f.* Masa redonda hecha de harina de trigo sobre la que se colocan diversos ingredientes y se hornea.

pizzería *s. f.* Lugar en que se elaboran, venden y degustan pizzas.

placa *s. f.* Plancha de metal u otra materia, en general rígida.

placebo *s. m.* Preparación farmacéutica que contiene sustancias inertes, es decir, no activas, utilizada en el tratamiento psicoterapéutico.

pláceme *s. m.* Felicitación.

placenta *s. f.* Masa esponjosa de carne, una de cuyas caras se adhiere a la superficie interna del útero, y de la opuesta nace el cordón umbilical.

placentario, ria *adj.* Perteneciente o relativo a la placenta.

placentero, ra *adj.* Agradable, alegre.

placer[1] *v. tr.* Agradar o dar gusto.

placer[2] *s. m.* **1.** Contento del ánimo. **2.** Sensación agradable. **3.** Diversión, entretenimiento.

plácet *s. m.* Fórmula de aprobación de las autoridades.

placidez *s. f.* Calidad de plácido.

plácido, da *adj.* **1.** Quieto, sosegado y sin perturbación. **2.** Grato, apacible.

plácito *s. m.* Parecer, dictamen, sentencia.

plafón *s. m.* Plano inferior del saliente de una cornisa.

plaga *s. f.* **1.** Calamidad grande pública. ‖ *s. m.* **2.** *fig.* Infortunio, trabajo, pesar.

plagar *v. tr.* Llenar a alguna persona o cosa de algo nocivo.

plagiar *v. tr., fig.* Copiar en lo sustancial ideas, palabras, obras ajenas, dándolas como propias.

plagiario, ria *adj.* Que plagia. También s. m. y s. f.

plagio *s. m.* Acción y efecto de plagiar.

plagióstomos *s. m. pl.* Orden de peces selacios que se distinguen por tener la boca transversal y en la parte inferior del cuerpo y cinco orificios branquiales a cada lado.

plan *s. m.* **1.** Altitud o nivel. **2.** Intento, proyecto, estructura. **3.** Extracto, traza o diseño de una cosa. **4.** Plano, representación gráfica de un terreno.

plana[1] *s. f.* Llana de albañil.

plana[2] *s. f.* **1.** Cada una de las dos caras o haces de una hoja de papel. **2.** Conjunto de líneas ya ajustadas de que se compone cada página. **3.** Porción extensa de país llano. **4.** Zona litoral con un escalón de superficie llana como consecuencia de una erosión marina en épocas pasadas.

planada *s. f.* Llanura.

plancha *s. f.* **1.** Lámina delgada y lisa de metal, madera, etc. **2.** Utensilio para planchar.

planchado *s. m.* Acción y efecto de planchar.

planchador, ra *s. m. y s. f.* Persona que plancha o tiene por oficio planchar.

planchar *v. tr.* Estirar y alisar la ropa pasando sobre ella una plancha caliente.

planchazo *s. m., fam.* Desacierto o error.

plancheta *s. f.* Instrumento topográfico que consiste en un tablero montado horizontalmente sobre un trípode, y en cuya superficie se trazan con lápiz las visuales dirigidas por medio de una alidada a los diferentes puntos del terreno.

plancton *s. m.* Conjunto de seres pelágicos que se hallan en suspensión en las aguas dulces o marinas y sirven de alimento a seres superiores.

planeador *s. m.* Avión sin motor.

planeadora *s. f.* Barca aerodinámica con motor fuera borda.

planeamiento *s. m.* **1.** Acción y efecto de planear, trazar un plan. **2.** Acción de planear con avión.

planear[1] *v. tr.* **1.** Trazar el plan de una obra. **2.** Hacer o forjar planes.

planear[2] *v. intr.* Sostenerse en el aire, volar o descender un avión lentamente con el motor parado.

planeta *s. m.* Cuerpo celeste que solo brilla por la luz refleja del Sol, alrededor del cual describe una órbita.

planetario *s. m.* Lugar destinado al estudio y observación de temas astronómicos.

planga *s. f.* Ave rapaz diurna, especie de alcatraz, de pico grueso, finamente dentado en los bordes, que vive de la caza y temporalmente acude a las lagunas en busca de peces.

planicie *s. f.* Llanura, campo sin altos ni bajos.

planificación *s. f.* **1.** Acción y efecto de planificar. **2.** Plan general, organizado y estudiado para alcanzar un objetivo determinado, en el campo económico, científico, industrial, etc.

planificar *v. tr.* Someter a plan determinado cualquier actividad.

planilla *s. f.* Nómina, relación de nombres.

planimetría *s. f.* Arte de medir superficies planas.

planímetro *s. m.* Instrumento que sirve para medir áreas de figuras planas.

planisferio *s. m.* Carta en que la esfera celeste o la terrestre se representa en un plano.

planning *s. m.* Conjunto de técnicas y programas para conseguir el máximo aprovechamiento de medios y recursos en la producción empresarial.

plano, na *adj.* **1.** Llano, liso, sin estorbos ni tropiezos. ‖ *s. m.* **2.** Superficie plana, representación de dos dimensiones.

planta *s. f.* **1.** Parte inferior del pie con que se pisa, y sobre la cual se sostiene el cuerpo. **2.** Vegetal, ser orgánico que vive y crece sin cambiar de sitio por impulso voluntario. **3.** Piso.

plantación *s. f.* Conjunto de lo plantado.

plantagináceo, a *adj.* Se dice de toda planta herbácea dicotiledónea, de hojas casi siempre estrechas y vellosas, flores solitarias o en espiga, de corola gamopétala, y fruto en caja, como el llantén. También s. f.

plantaina *s. f.* Llantén.

plantaje *s. m.* Conjunto de plantas.

plantar[1] *adj.* Perteneciente o relativo a la planta del pie.

plantar[2] *v. tr.* **1.** Meter en tierra una planta, un esqueje, etc., para que arraigue. **2.** Poblar de plantas un terreno. **3.** Fijar y poner derecha y enhiesta una cosa. **4.** Tratándose de golpes, darlos. **5.** Dejar a alguien burlado o abandonarle. ‖ *v. prnl.* **6.** *fig. y fam.* Llegar con brevedad a un lugar, trasladarse a él en poco tiempo. **7.** *fig. y fam.* En algunos juegos de naipes, no querer más de los que se tienen. También intr. **8.** *fig. y fam.* Resolverse a no hacer o a resistir alguna cosa.

plantario *s. m.* Almáciga, semillero.

plante *s. m.* Confabulación entre varias personas que hacen algo en común para exigir o rechazar airadamente alguna cosa.

planteamiento *s. m.* Acción y efecto de plantear.

plantear *v. tr.* Estudiar el plan de una cosa para alcanzar el acierto en ella.

plantel *s. m.* **1.** Criadero de plantas. **2.** *fig.* Lugar en que se forman personas capaces para una profesión, ejercicio, etc.

plantificación *s. f.* Acción y efecto de plantificar.

plantificar *v. tr.* **1.** Plantear, establecer. **2.** *fam.* Golpear. **3.** *fam.* Obligar a alguien a ponerse en un lugar contra su deseo.

plantígrado, da *adj.* Se dice de los cuadrúpedos que al andar apoyan en el suelo toda la planta de los pies y las manos, como el oso. También s. m.

plantilla *s. f.* **1.** Pieza de badana, corcho, etc., con que interiormente se cubre la planta del calzado. **2.** Tabla o plancha cortada con los mismos ángulos, figuras y tamaños que ha de tener la superficie de una pieza, y puesta sobre ella sirve de patrón para cortarla y labrarla. **3.** Plano reducido, o porción del plano total de una obra. **4.** Plantel, conjunto de empleados de una oficina o fábrica. **5.** Conjunto de jugadores de un equipo.

plantillar *v. tr.* Echar plantillas al calzado.

plantío, a *adj.* Se aplica a la tierra o sitio plantado o que se puede plantar.

plantón *s. m.* Pimpollo o arbolete nuevo para trasplantar.

plañidera *s. f.* Mujer contratada para llorar en los entierros.

plañidero, ra *adj.* Lloroso y lastimero.

plañido *s. m.* Lamento, queja y llanto.

plañir *v. intr.* Gemir y llorar sollozando.

plaqué *s. m.* Chapa muy delgada, de oro o de plata, que recubre la superficie de otro metal de menos valor.

plaqueta *s. f.* Elemento celular microscópico de la sangre, en forma de disco.

plasma *s. m.* Parte líquida de la sangre en circulación, formada de suero y parte coagulante.

plasmar *v. tr.* Crear una cosa, darle forma.

plasmático, ca *adj.* Perteneciente o relativo al plasma.

plasta *s. f.* **1.** Masa blanda. **2.** Cosa aplastada.

plaste *s. m.* Masa de yeso y agua de cola, para alisar la superficie del muro que se ha de pintar.

plastecer *v. tr.* Llenar, tapar con plaste.

plástica *s. f.* Arte de plasmar, de dar forma a cosas de barro, yeso, etc.

plasticidad *s. f.* Calidad o condición de plástico.

plástico, ca *adj.* **1.** Perteneciente o relativo a la plástica. **2.** Dúctil, blando, que se deja modelar fácilmente. ‖ *s. m.* **3.** Nombre genérico de ciertas materias sintéticas que generalmente se ablandan por el calor y pueden modelarse mediante presión.

plastificación *s. f.* Acción y efecto de plastificar.

plastificar *v. tr.* Recubrir de sustancia plástica una materia, especialmente el papel.

plastilina *s. f.* Material blando y modelable de diferentes colores.

plata *s. f.* Metal blanco brillante, dúctil y maleable, más pesado que el cobre y menos que el plomo.

plataforma *s. f.* **1.** Tablero horizontal, elevado sobre el suelo. **2.** Vagón descubierto y con bordes de poca altura en sus cuatro lados. **3.** Parte anterior y posterior de los tranvías, coches de ferrocarril, etc. en que se va de pie.

platanáceo, a *adj.* Se dice de las plantas dicotiledóneas, leñosas, con hojas esparcidas de tres o cinco lóbulos, con flores en cabezuelas esféricas y fruto en baya o drupa, como el plátano. También *s. f.*

platanal *s. m.* Platanar.

platanar *s. m.* Terreno poblado de plátanos.

platáneo, a *adj.* Platanáceo.

plátano *s. m.* **1.** Planta herbácea de la familia de las musáceas, de hasta cuatro metros, con tallo compuesto de varias cortezas herbáceas, metidas unas en otras, hojas divididas y flores rojizas y olorosas que dan un fruto largo, cubierto de una piel correosa, por lo común sin semilla, de olor agradable y gusto delicado. **2.** Fruto de esta planta.

platea *s. f.* **1.** Patio, parte baja de los teatros. **2.** Cada uno de los palcos situados en esta parte del teatro.

plateado, da *adj.* **1.** Bañado de plata. **2.** De color semejante al de la plata.

plateador, ra *s. m. y s. f.* Persona que platea objetos.

plateadura *s. f.* Acción y efecto de platear.

platear *v. tr.* Cubrir de plata una cosa.

platel *s. m.* Especie de plato o bandeja.

platelminto *adj.* Se dice del gusano de cuerpo aplanado, prolongado u oval, desprovisto de apéndices, con la cavidad general rellena de tejido conjuntivo.

platería *s. f.* Arte y oficio de platero.

platero, ra *s. m. y s. f.* Artífice que labra la plata.

plática *s. f.* **1.** Conversación, acto de hablar una o varias personas con otra u otras. **2.** Discurso breve que hacen los predicadores para exhortar a los actos de virtud o instruir en la doctrina cristiana.

platicar *v. intr.* Conversar, hablar unos con otros, tratar de un negocio o materia.

platija *s. f.* Pez marino malacopterigio, semejante al lenguado, pero de escamas más fuertes y unidas y de carne poco apreciada.

platillo *s. m.* **1.** Cada una de las dos piezas que tiene la balanza. **2.** Cada una de las dos chapas metálicas circulares que forman un instrumento de percusión, usado para acompañamiento.

platina *s. f.* **1.** Parte del microscopio en que se coloca el objeto que se quiere observar. **2.** Disco de vidrio deslustrado o de metal y perfectamente plano para que ajuste en su superficie el borde del recipiente de la máquina neumática.

platinado *s. m.* Acción y efecto de platinar.

platinar *v. tr.* Cubrir algo con una capa de platino.

platinífero, ra *adj.* Que contiene platino.

platino *s. m.* Metal el más pesado de todos, de color de plata aunque menos vivo y brillante, muy duro y menos dúctil que el oro.

platinoide *s. m.* Aleación de cobre, níquel y cinc para fabricar bobinas eléctricas de gran resistencia.

platinotipia *s. f.* Procedimiento que da imágenes positivas sobre papel sensibilizado con sales de platino.

platirrinia *s. f.* Anchura exagerada de la nariz.

platirrino, na *adj.* Se dice de cierta especie de monos que tienen la nariz muy ensanchada. También *s. m.*

plato *s. m.* **1.** Vasija baja y redonda, con una concavidad en medio y borde generalmente plano alrededor, que se emplea en las mesas para servir las viandas y comer en él. **2.** Manjar preparado para ser comido.

plató *s. m.* Recinto cubierto existente en los estudios cinematográficos, adecuadamente preparado para servir de escenario a la cinta que se va a rodar.

platónico, ca *adj.* Desinteresado, honesto, meramente ideal.

platudo, da *adj., vulg., Col., Chil., Méx. y P. Ric.* Adinerado, rico, que tiene plata.

plausibilidad *s. f.* Calidad de plausible.

plausible *adj.* Digno de aplauso.

playa *s. f.* Ribera del mar o de un río grande, formada de arenales en superficie casi plana.

playado, da *adj.* Se dice del río, mar, etc., que tiene playa.

playera *s. f.* Zapatilla con suela de goma que se usa para hacer deporte. Se usa más en pl.

plaza *s. f.* **1.** Lugar amplio y espacioso dentro de un poblado. **2.** Lugar fortificado con muros, baluartes, etc., para que la gente se pueda defender del enemigo.

plazo *s. m.* **1.** Término o tiempo señalado para una cosa. **2.** Cada parte de una cantidad pagadera en dos o más veces.

plazoleta *s. f.* Espacio, a manera de pequeña plaza, que suele haber en jardines y alamedas.

pleamar *s. f.* **1.** Fin o término de la marea creciente del mar. **2.** Tiempo que esta dura.

plebe *s. f.* Estado llano.

plebeyo, ya *adj.* Se dice de la persona que no es noble ni hidalga. También s. m. y s. f.

plebiscitario, ria *adj.* Perteneciente o relativo al plebiscito.

plebiscito *s. m.* Resolución tomada por todo un pueblo por mayoría de votos.

plectognato, ta *adj.* Se dice de los peces teleósteos que tienen la mandíbula superior fija al resto de la cabeza, carecen de costillas y de aletas abdominales. También s. m.

plectro *s. m.* Púa o pequeña pieza de marfil, hueso, madera, etc. que se usaba para tocar ciertos instrumentos de cuerda.

plegable *adj.* Capaz de plegarse.

plegadera *s. f.* Instrumento de madera, hueso, marfil, etc., a manera de cuchillo, para plegar o cortar papel.

plegadizo, za *adj.* Fácil de plegarse o doblarse.

plegado *s. m.* Plegadura.

plegador, ra *adj.* **1.** Que pliega. También s. m. y s. f. ‖ *s. m.* **2.** Instrumento para plegar. ‖ *s. f.* **3.** Máquina para doblar los pliegos una vez impresos.

plegadura *s. f.* Acción y efecto de plegar una cosa.

plegamiento *s. m.* Efecto de plegarse los estratos de la corteza terrestre por el movimiento conjunto de rocas sometidas a una presión lateral.

plegar *v. tr.* **1.** Hacer pliegues en una cosa. ‖ *v. prnl.* **2.** *fig.* Doblarse, someterse.

plegaria *s. f.* Deprecación o súplica humilde y ferviente para pedir una cosa.

pleguería *s. f.* Conjunto de pliegues, especialmente en las obras de arte.

pleguete *s. m.* Tijereta de las vides y de otras plantas.

pleistoceno *adj.* Se dice del primer periodo de la era cuaternaria y del terreno perteneciente a él, en que abundan restos humanos y de obras del hombre. También s. m.

pleita *s. f.* Tira de esparto entretejido que cosida con otras sirve para hacer esteras y sombreros.

pleiteador, ra *adj.* Que pleitea. También s. m. y s. f.

pleitear *v. tr.* Litigar o contender judicialmente sobre una cosa.

pleitista *adj.* Se dice de la persona revoltosa y que con ligero motivo mueve y ocasiona contiendas y pleitos. También com.

pleito *s. m.* **1.** Contienda, disputa, litigio judicial entre partes. **2.** Disputa, riña o pendencia doméstica o privada.

plenario, ria *adj.* Lleno, entero, total.

plenilunio *s. m.* Luna llena.

plenipotencia *s. f.* Poder pleno que se concede a otra persona para ejecutar, concluir o resolver una cosa.

plenipotenciario, ria *adj.* Se dice del diplomático que envían los soberanos o los Gobiernos a otros Estados con pleno poder para tratar convenios, ajustar paces, etc.

plenitud *s. f.* **1.** Totalidad, integridad o calidad de pleno. **2.** Abundancia o exceso de un humor en el cuerpo.

pleno, na *adj.* **1.** Entero, completo. ‖ *s. m.* **2.** Reunión o junta general de una corporación.

pleonasmo *s. m.* Figura de construcción, consistente en emplear en la oración, enfáticamente, más palabras de las necesarias.

pleonástico, ca *adj.* Perteneciente al pleonasmo; que lo encierra o incluye.

plepa *s. f., fam.* Persona, animal o cosa que tiene muchos defectos en lo físico o en lo moral, o que no sirve para nada.

plesiosauro *s. m.* Reptil marino gigantesco perteneciente al periodo geológico secundario y del que solo se han hallado algunos restos fósiles. Se suponía que tenía la figura de un enorme lagarto.

plétora *s. f.* **1.** Plenitud de sangre. **2.** Abundancia de humores en el organismo o en una parte de él.

pletórico, ca *adj., fig.* Eufórico, satisfecho.

pleura *s. f.* Cada una de las dos membranas serosas que en ambos lados del pecho cubren las paredes de la cavidad torácica y la superficie de los pulmones.

pleuresía *s. f.* Inflamación de la pleura.

pleuritis *s. f.* Inflamación crónica de la pleura.

pleurodinia *s. f.* Inflamación de los músculos de las paredes del pecho.

plexiglás *s. m.* **1.** Resina sintética que tiene el aspecto del vidrio. **2.** Material transparente y flexible del que se hacen telas, tapices, etc.

plexo *s. m.* Red formada por varios filamentos nerviosos o vasculares entrelazados.

pléyade *s. f., fig.* Grupo de personas señaladas, especialmente en las letras, que florecen por el mismo tiempo.

plica *s. f.* Sobre cerrado y sellado en que se reserva algún documento que no debe publicarse hasta fecha u ocasión determinada.

pliego *s. m.* Porción o pieza de papel de forma rectangular y doblada por medio.

pliegue *s. m.* Doblez que se hace en un papel, tela u otra cosa flexible.

plinto *s. m.* Base cuadrada de poca altura.

plioceno *adj.* Se dice del terreno que forma la parte superior o más moderna del terciario. También *s. m.*

plisar *v. tr.* Plegar, fruncir.

plomada *s. f.* Pesa de plomo o de otro metal, cilíndrica o cónica, que colgada de una cuerda sirve para señalar la línea vertical.

plomar *v. tr.* Poner un sello de plomo pendiente de hilos en un documento.

plomazo *s. m.* **1.** Golpe o herida que causa el perdigón disparado con arma de fuego. **2.** *fig. y fam.* Persona o cosa pesada o fastidiosa.

plomero, ra *s. m. y s. f.* Persona que trabaja o fabrica cosas de plomo.

plomífero, ra *adj.* **1.** Que contiene plomo. ‖ *s. m. y s. f.* **2.** *fig. y fam.* Persona, libro, etc., pesado.

plomizo, za *adj.* De color de plomo.

plomo *s. m.* Metal pesado, blando, fusible, de color gris ligeramente azulado.

pluma *s. f.* **1.** Cada una de las excrecencias epidérmicas córneas de que está cubierto el cuerpo de las aves. **2.** Pluma de ave que, cortada convenientemente en la extremidad del cañón, servía para escribir. **3.** Cualquier instrumento con que se escribe, en forma de pluma. **4.** Pluma artificial hecha a imitación de la verdadera. **5.** *fig.* Estilo o manera de escribir. **6.** *fig. y fam.* Expresividad exaltada del hombre afeminado.

plumaje *s. m.* Conjunto de plumas que adornan y visten al ave.

plumaria *adj.* Se dice del arte de bordar figurando aves o plumas con sus colores, en que se distinguieron varios pueblos de Oriente.

plumazo *s. m.* **1.** Colchón o almohada grande llena de plumas. **2.** Trazo fuerte de pluma.

plumbagináceo, a *adj.* Se dice de las plantas dicotiledóneas, hierbas y matas, con hojas sencillas, normalmente enteras, con estípulas o sin ellas, flores espigadas y fruto seco monospermo. También *s. f.*

plúmbeo, a *adj.* **1.** De plomo. **2.** *fig.* Que pesa como el plomo.

plúmbico, ca *adj.* Perteneciente o relativo al plomo.

plumear *v. tr.* Trazar líneas con el lápiz o la pluma, para sombrear un dibujo.

plúmeo, a *adj.* Que tiene plumas.

plumero *s. m.* Mazo de plumas, generalmente atadas a un mango de madera torneado, que sirve para quitar el polvo.

plumier *s. m.* Caja que sirve para guardar los útiles de escritura.

plumífero *s. m.* Prenda de abrigo confeccionada con tela impermeable y relleno de plumas.

plumilla *s. f.* Instrumento de metal que mojado en tinta sirve para escribir.

plumín *s. m.* Plumilla de la pluma estilográfica.

plumón *s. m.* Pluma muy delgada y sedosa que tienen las aves debajo del plumaje exterior.

plúmula *s. f.* Yemecilla que en el embrión de la planta contenido en la semilla es rudimento del tallo.

plural *adj.* Se dice del número que se refiere a dos o más personas o cosas.

pluralidad *s. f.* **1.** Multitud. **2.** Calidad de ser más de uno.

pluralismo *s. m.* Sistema por el cual se acepta o reconoce la pluralidad de doctrinas o métodos en materia política, económica, etc.

pluralista *adj.* Que sigue o defiende el pluralismo.

pluralizar *v. tr.* Atribuir a dos o más sujetos lo que solo es peculiar de uno.

pluricelular *adj.* Que está formado por más de una célula.

pluriempleado, da *adj.* Que tiene más de un empleo remunerado. También *s. m. y s. f.*

pluriempleo *s. m.* Situación social caracterizada por el desempeño de varios cargos, empleos, oficios, etc., por la misma persona.

plurilingüe *adj.* **1.** Se dice de la persona que habla varias lenguas. **2.** Escrito en diversos idiomas.

pluripartidismo *s. m.* Régimen político basado en la existencia de varios partidos.

plus *s. m.* Gratificación, remuneración adicional o sobresueldo.

pluscuamperfecto *adj.* Se dice del tiempo que enuncia que una cosa estaba ya hecha o podía estarlo cuando otra se hizo.

plusmarca *s. f.* Marca que supera a las demás en un ámbito regional, continental o mundial, por categorías o sexo y dentro de competiciones reglamentarias.

plusmarquista *s. m. y s. f.* Deportista que ha establecido una plusmarca.

plus ultra *expr. lat.* Más allá.

plusvalía *s. f.* Acrecentamiento del valor de una cosa por causas extrínsecas a ella.

plúteo *s. m.* Cada cajón de los armarios de libros.

plutocracia *s. f.* Preponderancia de los ricos en el gobierno del Estado.

plutócrata *s. m. y s. f.* Miembro de la plutocracia.

plutonio *s. m.* Elemento metálico radiactivo que se encuentra en ciertas variedades de sulfuro de cinc.

pluvia *s. f., poét.* Lluvia.

pluvial *adj.* Se dice del agua de lluvia.

pluvímetro *s. f.* Pluviómetro.

pluviómetro *s. m.* Aparato que sirve para medir la lluvia que cae en un lugar y tiempo dados.

pluviosidad *s. f.* Cantidad de lluvia que recibe un lugar en un periodo determinado de tiempo.

pluvioso, sa *adj.* LLuvioso.

poblacho *s. m., desp.* Pueblo ruin y destartalado.

población *s. f.* **1.** Número de personas de un pueblo, provincia, nación, etc. **2.** Ciudad, villa o lugar.

poblado *s. m.* Población.

poblador, ra *adj.* **1.** Que puebla. También s. m. y s. f. **2.** Que funda o establece una colonia. También s. m. y s. f. ‖ *s. m. y s. f.* **3.** Habitante de un lugar.

poblamiento *s. m.* Acción y efecto de poblar.

poblar *v. tr.* **1.** Fundar uno o más pueblos. También intr. **2.** Ocupar la gente un sitio para trabajar o habitar en él.

pobo *s. m.* Álamo.

pobre *adj.* **1.** Falto de lo necesario para vivir, o que lo tiene con escasez. **2.** Escaso, que carece de algo para su cumplimiento.

pobretón, na *adj.* Muy pobre. También s. m. y s. f.

pobreza *s. f.* **1.** Escasez o carencia de lo necesario para vivir. **2.** Falta, escasez.

pocero, ra *s. m. y s. f.* Persona que fabrica, hace pozos o trabaja en ellos.

pocho, cha *adj.* Podrido, especialmente la fruta.

pocholada *s. f.* Cualquier cosa bonita o graciosa.

pocholo, la *adj., fam.* Bonito, gracioso.

pocilga *s. f.* **1.** Establo para ganado de cerda. **2.** *fam.* Lugar hediondo y asqueroso.

pocillo *s. m.* Tinaja o vasija empotrada en la tierra para recoger un líquido.

pócima *s. f.* Cocimiento medicinal de materias vegetales.

poción *s. f.* Bebida.

poco, ca *adj.* Escaso, limitado y corto en cantidad o calidad.

póculo *s. m.* Vaso para beber.

poda *s. f.* Acción y efecto de podar.

podadera *s. f.* Herramienta de corte curvo y con mango que sirve para podar.

podador, ra *adj.* Que poda. También s. m. y s. f.

podadura *s. f.* Poda.

podagra *s. f.* Enfermedad de gota, y especialmente la que se padece en los pies.

podar *v. tr.* **1.** Cortar las ramas superfluas de los árboles, vides y otras plantas para que fructifiquen con más vigor. **2.** *fig.* Reprimir o desanimar a una persona.

poder[1] *s. m.* **1.** Facultad de hacer alguna cosa, material o inmaterial. **2.** Dominio, mando, jurisdicción. **3.** Gobierno de un Estado. **4.** Acto o instrumento en que consta la fa-

cultad que uno da a otro para que en lugar suyo pueda ejecutar una cosa. **5.** Fuerza, vigor, capacidad, posibilidad, poderío.

poder[2] *v. tr.* **1.** Tener expeditas la facultad o potencia de hacer una cosa. **2.** Tener facilidad, tiempo, lugar o autorización de hacer una cosa. **3.** Ser más fuerte que otro. ‖ *v. impers.* **4.** Ser contingente o posible que suceda una cosa.

poderdante *adj.* Se dice de la persona que da poder o comisión a otra para que la represente en juicio o fuera de él.

poderío *s. m.* **1.** Facultad de hacer o impedir una cosa. **2.** Vigor, fuerza grande.

poderoso, sa *adj.* **1.** Que tiene poder. **2.** Muy rico, colmado de bienes o de fortuna.

podio *s. m.* Pedestal largo en que estriban varias columnas.

podología *s. f.* Rama de la medicina que tiene por objeto el tratamiento de las afecciones y deformidades de los pies.

podólogo, ga *s. m. y s. f.* Médico que practica la podología.

podómetro *s. m.* Aparato en forma de reloj de bolsillo, para contar el número de pasos de quien lo lleva.

podre *s. f.* Putrefacción de algunas cosas.

podrecer *v. tr.* Pudrir. También intr. y prnl.

podredumbre *s. f.* Calidad dañosa que pudre las cosas.

podredura *s. f.* Putrefacción, corrupción.

podrir *v. tr.* Pudrir. También prnl.

poema *s. m.* Obra en verso o de contenido poético por su fondo o estilo, aunque esté escrito en prosa.

poemario *s. m.* Conjunto o colección de poemas.

poesía *s. f.* Expresión artística de la belleza por medio de la palabra sujeta a la medida, ritmo o cadencia de que resulta el verso o la prosa poética.

poeta *com.* Persona que compone obras poéticas y está dotada de las facultades necesarias para componerlas.

poetastro, tra *s. m. y s. f.* Mal poeta.

poética *s. f.* Poesía, arte de componer obras poéticas.

poético, ca *adj.* Relativo a la poesía.

poetisa *s. f.* Mujer poeta.

poetizar *v. intr.* Hacer o componer versos.

poker *s. m.* Póquer.

polacra *s. f.* Buque de cruz, de dos o tres palos enterizos y sin cofas.

polaina *s. f.* Especie de media calza, que cubre la pierna hasta la rodilla.

polar *adj.* Perteneciente o relativo a los polos.

polaridad *s. f.* Propiedad que tienen los agentes físicos de acumularse en los polos de un cuerpo y de polarizarse.

polarimetría *s. f.* Procedimiento empleado para medir la rotación del plano de polarización de la luz.

polariscopio *s. m.* Instrumento para observar la luz polarizada.

polarización *s. f.* Acción y efecto de polarizar o polarizarse.

polarizar *v. tr.* **1.** Modificar los rayos luminosos por medio de refracción o reflexión, de tal manera que queden incapaces de refractarse o reflejarse de nuevo en ciertas direcciones. ‖ *v. prnl.* **2.** *fig.* Concentrar la atención en una cosa.

polca *s. f.* Danza de origen bohemio, de movimiento rápido y en compás de dos por cuatro.

pólder *s. m.* En los Países Bajos, terreno pantanoso desecado ganado al mar y que se dedica al cultivo.

polea *s. f.* Rueda móvil alrededor de un eje, con una canal en su circunferencia, que sirve para levantar y mover pesos.

poleame *s. m.* Conjunto de poleas para una o más embarcaciones.

polémica *s. f.* **1.** Discusión por escrito o hablada sobre materias políticas, literarias, etc. **2.** *fig.* Riña, altercado.

polémico, ca *adj.* **1.** Perteneciente o relativo a la polémica. **2.** Poco claro o sujeto a múltiples interpretaciones.

polemista *s. m. y s. f.* Escritor que sostiene polémicas.

polemizar *v. intr.* Sostener o entablar una polémica.

polemoniáceo, a *adj.* Se dice de las plantas dicotiledóneas, arbustos o hierbas, de hojas enteras o partidas, flores en corimbo y fruto capsular con tres divisiones y muchas semillas menudas de albumen carnoso, como el polemonio. También s. f.

polemonio *s. m.* Planta herbácea de jardín, con tallos rojizos, hojas sentadas y partidas en gajos estrechos y lanceoladas; flores olorosas de corola azul, morada o blanca, y fruto en celdas que encierran muchas semillas pequeñas y puntiagudas; se usó antiguamente como sudorífico. Da flores en verano y otoño.

polen *s. m.* Polvillo fecundante contenido en las anteras de las flores.

polenta *s. f.* Puches de harina de maíz.

poleo *s. m.* Planta herbácea anual, labiada, de olor agradable, que se usa en infusión como estomacal.

poleví *s. m.* Ponleví, especie de calzado.

poliandria *s. f.* **1.** Régimen familiar en que se permite a la mujer vivir casada simultáneamente con dos o más hombres. **2.** Condición de la flor que tiene muchos estambres.

poliarquía *s. f.* Gobierno de muchos.

pólice *s. m.* Dedo pulgar.

polichinela *s. m.* Títere, muñeco.

policía *s. f.* **1.** Organización y reglamentación interna de un Estado, cumpliéndose las leyes u ordenanzas establecidas para guardar orden y seguridad pública. **2.** (ORT.: may inicial) Cuerpo encargado de vigilar el cumplimiento de las leyes de un Estado. ‖ *com.* **3.** Persona que pertenece a dicho cuerpo y desempeña las funciones del mismo.

policíaco, ca o policiaco, ca *adj.* Perteneciente o relativo a la policía.

policial *adj.* Perteneciente o relativo a la policía.

policitación *s. f.* Promesa que no ha sido aceptada todavía.

policlínica *s. f.* Consultorio médico con diversas secciones o especialidades.

policopia *s. f.* Aparato para sacar varias copias de un escrito.

policroísmo *s. m.* Propiedad de algunos minerales que ofrecen distinto color según se miren por reflexión o por refracción.

policromar *v. tr.* Decorar una cosa con varios colores, sobre todo estatuas y relieves.

policromía *s. f.* **1.** Calidad de polícromo. **2.** Obra hecha con dicho procedimiento.

polícromo, ma o policromo, ma *adj.* De varios colores.

polideportivo *s. m.* Se aplica al lugar destinado al ejercicio de varios deportes.

polidipsia *s. f.* Necesidad de beber con frecuencia y abundantemente.

poliédrico, ca *adj.* Perteneciente o relativo al poliedro.

poliedro *s. m.* Sólido limitado por todas partes por planos.

poliéster *s. m.* Materia plástica termoestable, usada en la fabricación de pintura, películas, fibras textiles, etc.

polifacético, ca *adj.* Que ofrece múltiples caras o aspectos.

polifagia *s. f.* Ingestión considerable de alimentos, debida al hambre extraordinaria y excesiva.

polífago, ga *adj.* Que tiene polifagia.

polifásico, ca *adj.* Se dice de la corriente eléctrica alterna, constituida por la combinación de varias corrientes monofásicas del mismo periodo, pero cuyas fases no concuerdan.

polifonía *s. f.* Conjunto de sonidos simultáneos en que cada uno expresa su idea musical y forma con los demás un todo armónico.

polifónico, ca *adj.* Perteneciente o relativo a la polifonía.

polígala *s. f.* Planta herbácea de la familia de las poligaláceas, de tallos delgados, hojas ovaladas, flores azules, violáceas o rosáceas, en espigas; fruto capsular y raíz amarga, aromática y perenne. El cocimiento de la raíz se usa en medicina contra el reumatismo.

poligaláceo, a *adj.* Se dice de plantas dicotiledóneas, hierbas o arbustos propias de climas templados, de flores hermafroditas en grupos terminales, y fruto en drupa o capsular con semilla de albumen carnoso o sin él. También s. f.

poligáleo, a *adj.* Poligaláceo.

poligamia *s. f.* Régimen familiar en que se permiten los matrimonios múltiples, poligínicos, un hombre con dos o más mujeres, o poliándricos, una mujer con dos o más hombres.

polígamo, ma *adj.* **1.** Se dice del hombre que tiene a un tiempo varias mujeres en calidad de esposas o de la mujer que tiene a un tiempo varios esposos. También s. m. y s. f. **2.** Se dice de las plantas que tienen en uno o más pies flores hermafroditas y unisexuales. **3.** Se dice del animal que se junta con varias hembras, y de la especie a que pertenece.

poliginia *s. f.* **1.** Condición de la flor que tiene muchos pistilos. **2.** Sistema matrimonial en el que se permite el matrimonio legal de un varón con dos o más mujeres.

políglota *com.* Persona que domina varias lenguas.

poligonáceo, a *adj.* Se dice de plantas dicotiledóneas, arbustos o hierbas, de tallos nudosos, hojas sencillas y alternas; flores hermafroditas y frutos en cariópsides o aquenios con una sola semilla de albumen harinoso. También s. f.

poligonal *adj.* Perteneciente o relativo al polígono.

polígono *s. m.* Porción de plano limitado por rectas.

poligrafía *s. f.* Arte de escribir por diferentes modos secretos, de suerte que lo escrito no sea inteligible sino para quien conozca la clave.

polígrafo, fa *s. m. y s. f.* Persona que se dedica al estudio y cultivo de la poligrafía.

polilla *s. f.* Mariposa nocturna, cenicienta, cuya larva destruye tejidos, pieles, etc.

polimatía *s. f.* Multitud de conocimientos diversos.

polimerización *s. f.* Acción y efecto de polimerizar o polimerizarse.

polimerizar *v. tr.* Convertir una sustancia en otra de la misma composición, pero con pesos moleculares múltiplos unos de otros.

polímero, ra *adj.* Se dice de los cuerpos obtenidos de otros por polimerización.

polimetría *s. f.* Variedad de metros en una misma composición.

polimorfismo *s. m.* Propiedad de los cuerpos que pueden cambiar de forma conservando su naturaleza.

polimorfo, fa *adj.* Que puede tener varias formas.

polín *s. m.* **1.** Rodillo, madero redondo. **2.** Trozo de madera prismática de longitud variable, que sirve para levantar del suelo diversos objetos.

polínico, ca *adj.* Perteneciente o relativo al polen.

polinización *s. f.* Transporte del polen desde el saco polínico de la antera hasta el estigma del pistilo.

polinizar *v. tr.* Efectuar la polinización.

polinomio *s. m.* Expresión algebraica que consta de más de un término.

poliomielitis *s. f.* Inflamación de la sustancia gris de la médula espinal.

polípero *s. f.* Formación concrecionada, generalmente dendrítica, obra de diversos géneros de zoófitos que en ella viven y mueren, compuesta de cal y, a veces, algo de sílice con materia aglutinante; está fija a las rocas y llega por su aglomeración a levantar escollos o formar islas.

polipétalo, la *adj.* Se dice de la flor o de la corola que tiene muchos pétalos.

pólipo *s. m.* Animal celentéreo, cuya boca, circundada de tentáculos, conduce a un estómago sencillo o seguido de intestinos.

polipodio *s. m.* Helecho.

poliptoton *s. f.* Figura retórica que consiste en la repetición de un sustantivo o verbo en diversas formas o tiempos.

polis *s. f.* Ciudad-estado en la antigua Grecia.

polisemia *s. f.* Multiplicidad de acepciones o significados en una palabra.

polisémico, ca *adj.* Se aplica a la palabra que tiene varios significados.

polisépalo, la *adj.* Se dice de la flor o del cáliz que tiene muchos sépalos.

polisílabo, ba *adj.* Se dice de la palabra que consta de muchas sílabas.

polisíndeton *s. m.* Figura que consiste en emplear repetidamente las conjunciones para dar fuerza a la expresión de los conceptos.

polisón *s. m.* Miriñaque que sobre la cintura usaron las mujeres, para que abultasen las faldas por detrás.

polistilo, la *adj.* Que tiene muchas columnas.

politécnico, ca *adj.* **1.** Que abraza muchas ciencias o artes. **2.** Se dice especialmente de los institutos o centros de enseñanza dedicados a la formación profesional.

politeísmo *s. m.* Religión o doctrina que admite pluralidad de dioses.

politeísta *adj.* Que profesa el politeísmo.

política *s. f.* Ciencia y arte de gobernar y dar leyes para mantener la seguridad de un Estado en sus asuntos interiores y exteriores.

político, ca *adj.* **1.** Perteneciente o relativo a la política. **2.** Versado en la cosas del gobierno y negocios del Estado. También s. m. y s. f. **3.** Aplicado a un nombre significativo de parentesco por consanguinidad, denota el correspondiente parentesco por afinidad. **4.** Persona dedicada a la actividad política o militante de un partido político. U. t. c. s. m. y s. f.

politizar *v. tr.* Dar orientación o contenido político a acciones, pensamientos, etc., que corrientemente no lo tienen. También prnl.

poliuretano *s. m.* Producto plástico muy utilizado en la industria en múltiples aplicaciones domésticas.

poliuria *s. f.* Excreción excesiva de orina.

polivalente *adj.* Se dice del elemento o función química que actúa con varias valencias.

polivalvo, va *adj.* Se dice de los testáceos cuya concha tiene más de dos valvas.

póliza *s. f.* **1.** Orden de cobro. **2.** Sello suelto con que se satisface el impuesto del timbre en ciertos documentos.

polizón, na *s. m. y s. f.* Persona que se embarca clandestinamente.

polizonte *com., desp.* Policía, agente.

polje *s. m.* Depresión cerrada de origen cárstico, cuyo fondo suele estar muy accidentado. Es mayor que la dolina, pudiendo alcanzar más de 60 km de longitud.

polla *s. f.* **1.** Gallina nueva, medianamente crecida, que no pone huevos o que hace poco tiempo que ha empezado a ponerlos. **2.** *vulg.* Pene, miembro viril.

pollada *s. f.* Conjunto de pollos que de una vez sacan las aves, particularmente las gallinas.

pollazón *s. f.* Echadura de huevos que de una vez empollan las aves.

pollera *s. f.* **1.** Lugar o sitio en que se crían los pollos. **2.** Falda.

pollería *s. f.* Lugar donde se venden gallinas y otras aves comestibles.

pollero, ra *s. m. y s. f.* Persona que cría o vende pollos.

pollino, na *s. m. y s. f.* **1.** Asno joven y cerril. **2.** Persona necia, ignorante o ruda.

pollo *s. m.* Cría que sacan de cada huevo las aves y especialmente las gallinas.

polo[1] *s. m.* Cualquiera de los dos extremos del eje de rotación de una esfera o cuerpo redondeado dotado de este movimiento real o imaginariamente.

polo[2] *s. m.* Juego entre grupos de jinetes que con mazas de astiles largos lanzan sobre el césped del terreno una bola, observando algunas reglas.

pololo *s. m.* **1.** Pantalón corto y bombacho que usan los niños. **2.** Prenda interior femenina en forma de pantalón bombacho.

polonesa *s. f.* Composición que sigue cierto aire de danza y canto polacos, en compás de tres por cuatro.

polonio *s. m.* Metal raro semejante al bismuto y considerado como un producto de la desintegración del radio, que se halla en ciertos residuos de tierras raras, descubierto en 1898 por los esposos Curie. Es radioactivo.

poltrón, na *adj.* **1.** Flojo, perezoso, haragán. ‖ *s. f.* **2.** Butaca ancha y cómoda.

poltronería *s. f.* Pereza, haraganería.

polución *s. f.* **1.** Contaminación intensa y dañina del agua o del aire producida por los residuos industriales o biológicos. **2.** Efusión del semen.

poluto, ta *adj.* Sucio, inmundo.

polvareda *s. f.* Cantidad de polvo que se levanta de la tierra.

polvera *s. f.* Vaso de tocador, que sirve para contener los polvos y la borla con que se suelen aplicar.

polvo *s. m.* **1.** Masa de partículas de tierra seca y de otros sólidos que se levanta en el aire con cualquier movimiento y se posa sobre los objetos. ‖ *s. m. pl.* **2.** Los de almidón, arroz, etc. que se usan como afeite.

pólvora *s. f.* Mezcla de salitre, azufre y carbón, que a cierto grado de calor se inflama desprendiendo gran cantidad de gases.

polvorear *v. tr.* Echar polvo o polvos sobre algo.

polvoriento, ta *adj.* Lleno de polvo.

polvorín *s. m.* Lugar o edificio convenientemente dispuesto para guardar la pólvora, municiones, etc.

polvorón *s. m.* Torta pequeña, de harina, manteca y azúcar, cocida en horno fuerte y que se deshace en polvo al comerla.

polvoroso, sa *adj.* Polvoriento.

poma *s. f.* **1.** Manzana, fruta. **2.** Cajita para perfumes.

pomáceo, a *adj.* **1.** Parecido a la manzana. **2.** Se dice de plantas dicotiledóneas con hojas alternas, flores hermafroditas en corimbos terminales, pentámeras, fruto en pomo y semilla sin albumen, como el peral. También *s. f.*

pomada *s. f.* Mixtura de una sustancia grasa con otros ingredientes, empleada como afeite o medicamento.

pomar *s. m.* Terreno o huerta donde hay árboles frutales, especialmente manzanos.

pomelo *s. m.* Toronja.

pómez *adj.* Se dice de la piedra de carácter volcánico, esponjosa y fuerte, que se utiliza para pulir y desgastar.

pomífero, ra *adj.* Que lleva o da pomas o manzanas.

pomo *s. m.* **1.** Empuñadura de las puertas. **2.** Extremo de la guarnición de la espada, que está encima del puño.

pomología *s. f.* Parte de la agricultura que trata de los frutos comestibles.

pompa *s. f.* **1.** Acompañamiento suntuoso y de gran aparato que se hace en una ceremonia de regocijo o fúnebre. **2.** Fausto, vanidad. **3.** Burbuja que forma el agua por el aire que se introduce.

pompático, ca *adj.* Pomposo, ostentoso.

pompear *v. intr.* **1.** Hacer pompa u ostentación de algo. ‖ *v. prnl.* **2.** *fam.* Pavonearse.

pompón *s. m.* Esfera metálica o bola de estambre o seda con que se adornaba la parte anterior y superior de los morriones.

pomponearse *v. prnl., fam.* Pavonearse.

pomposidad *s. f.* Calidad de pomposo.

pomposo, sa *adj.* Ostentoso, magnífico.

pómulo *s. m.* Hueso de cada una de las mejillas.

ponche *s. m.* Bebida que se hace mezclando ron u otro licor espiritoso en agua, limón, azúcar y a veces té.

ponchera *s. f.* Vasija semiesférica, en la que se prepara el ponche.

poncho *s. m.* Especie de capote sin mangas, pero sujeto a los hombros, que ciñe y cae a lo largo del cuerpo.

ponderable *adj.* **1.** Que se puede pesar. **2.** Digno de ponderación.

ponderación *s. f.* Atención, consideración con que se dice o hace una cosa.

ponderado, da *adj.* Se dice de la persona que procede con tacto y prudencia.

ponderal *adj.* Perteneciente al peso.

ponderar *v. tr.* **1.** Pesar. **2.** Examinar con cuidado un asunto. **3.** Exagerar, encarecer.

ponderativo, va *adj.* Que pondera o encarece una cosa.

ponderosidad *s. f.* Calidad de ponderoso.

ponderoso, sa *adj.* **1.** Pesado, que pesa mucho. **2.** *fig.* Serio, grave, circunspecto.

ponedero *s. m.* Lugar destinado para que pongan huevos las gallinas, palomas, etc.

ponedor, ra *adj.* **1.** Que pone. **2.** Que pone huevos.

ponencia *s. f.* **1.** Cargo de ponente. **2.** Informe o dictamen dado por el ponente.

ponente *adj.* Se dice de la persona a quien toca hacer relación de un asunto y proponer la resolución. También com.

ponentino, na *adj.* De poniente u occidente. También s. m. y s. f.

ponentisco, ca *adj.* Occidental. También s. m. y s. f.

poner *v. tr.* **1.** Colocar en un sitio una persona o cosa, o disponerla en el lugar o grado que debe tener. **2.** Disponer una cosa con lo que ha menester para algún fin. **3.** Apostar. **4.** Soltar el huevo las aves. **5.** Escribir una cosa en el papel. **6.** Tratándose de nombres, motes, etc., aplicarlos a personas o cosas. ‖ *v. prnl.* **7.** Vestirse o ataviarse. **8.** Hablando de los astros, ocultarse debajo del horizonte.

poni *s. m.* Caballo robusto y de poca alzada.

poniente *s. m.* **1.** Occidente, punto cardinal. **2.** Viento que sopla de la parte occidental.

ponleví *s. m.* Forma especial del calzado que arqueaba mucho el pie por tener el tacón muy alto.

pontana *s. f.* Cada una de las losas que cubren el cauce de un arroyo o de una acequia.

pontazgo *s. m.* Derechos que se pagan en algunas partes para pasar por los puentes.

pontear *v. tr.* Construir puentes sobre un río, brazo de mar, etc.

pontificado *s. m.* Dignidad de pontífice.

pontifical *adj.* **1.** Perteneciente o relativo al Sumo Pontífice. **2.** Perteneciente o relativo a un obispo o arzobispo.

pontificar *v. intr.* **1.** *fam.* Ser pontífice u obtener esta dignidad. **2.** *fig.* Exponer opiniones con tono dogmático.

pontífice *s. m.* **1.** Obispo o arzobispo de una diócesis. **2.** Por antonom., prelado supremo de la Iglesia católica romana.

pontificio, cia *adj.* Perteneciente o relativo al pontífice o a sus escritos.

pontín *s. m.* Embarcación filipina de cabotaje.

ponto *s. m., poét.* Mar.

pontón *s. m.* **1.** Barco chato para pasar los ríos o construir puentes, y en los puertos para limpiar su fondo con el auxilio de algunas máquinas. **2.** Buque viejo.

pontonero *s. m.* Persona empleada en el manejo de los pontones.

ponzoña *s. f.* Sustancia venenosa.

ponzoñoso, sa *adj.* Que tiene ponzoña.

pop *adj.* **1.** Música ligera y popular, de carácter moderno y alegre. U. t. c. s. m. **2.** Corriente artística inspirada en los aspectos más inmediatos de la sociedad de consumo. U. t. c. s. m.

popa *s. f.* Parte posterior de las embarcaciones, donde se coloca el timón y están las cámaras o habitaciones principales.

pope *s. m.* Sacerdote de la Iglesia ortodoxa rusa.

popelina *s. f.* Tela delgada de algodón, de seda o de una mezcla de algodón y seda o lana y seda para camisas y usos análogos.

poplíteo, a *adj.* Perteneciente a la corva.

populacho *s. m.* Multitud de personas en revuelta o desorden.

popular *adj.* Del pueblo o de la plebe.

popularidad *s. f.* Aceptación y aplauso que alguien tiene en el pueblo.

popularizar *v. tr.* Acreditar a alguien o algo, extendiendo su fama entre el público.

populeón *s. m.* Ungimiento calmante, compuesto de manteca de cerdo, hojas de adormidera, belladona, yemas de chopo o álamo negro.

populista *adj.* Perteneciente o relativo al pueblo.

populoso, sa *adj.* Poblado o lleno.

popurrí *s. m.* Composición formada con fragmentos o temas de diversas obras musicales.

poquedad *s. f.* **1.** Escasez, cortedad o miseria. **2.** Timidez, cobardía.

póquer *s. m.* Juego de naipes en que cada jugador recibe cinco; es de envite y gana el que reúne la combinación superior entre las establecidas.

por *prep.* Indica el lugar o tiempo en que se hace algo, o la causa o el modo de hacerlo.

porcelana *s. f.* Especie de loza fina, transparente.

porcentaje *s. m.* Tanto por ciento.

porche *s. m.* Soportal.

porcino, na *adj.* Perteneciente al puerco.

porción *s. f.* Cantidad segregada de otra mayor.

porcuno, na adj. Perteneciente o relativo al puerco.

pordiosear v. intr. **1.** Mendigar, pedir limosna. **2.** fig. Pedir porfiadamente y con humildad una cosa.

pordioseo s. m. Acción de pordiosear.

pordiosero, ra adj. Mendigo que pide limosna.

porfía s. f. Acción de porfiar.

porfiado, da adj. Se dice del sujeto obstinado y terco en su parecer, que se mantiene en él con tesón y necedad.

porfiador, ra adj. Que porfía mucho. También s. m. y s. f.

porfiar v. intr. **1.** Discutir y altercar obstinadamente. **2.** Importunar.

porfídico, ca adj. Perteneciente o relativo al pórfido.

pórfido s. m. Roca compacta y dura de color oscuro, formada por cristales de feldespato y cuarzo.

porfioso, sa adj. Porfiado.

pormenor s. m. Conjunto de circunstancias menudas y detalles de una cosa.

pormenorizar v. tr. Describir o enumerar minuciosamente una cosa.

pornografía s. f. **1.** Tratado acerca de la prostitución. **2.** Carácter obsceno de obras literarias, fotográficas o artísticas.

pornográfico, ca adj. Perteneciente o relativo a la pornografía.

poro s. m. **1.** Espacio que hay entre las partículas o moléculas que constituyen un cuerpo. **2.** Orificio, invisible a simple vista, que hay en la superficie de los animales y vegetales, especialmente los que en la piel de los mamíferos constituyen la abertura de las glándulas sudoríparas.

porosidad s. f. Calidad de poroso.

poroso, sa adj. Que tiene poros.

poroto s. m. **1.** Amér. del S. Especie de alubia de muchas variedades. **2.** Amér. del S. Guiso que se hace con esta legumbre.

porque conj. caus. **1.** Por causa o razón de que. ‖ conj. consec. **2.** Para que.

porqué s. m., fam. Causa, razón o motivo.

porquera s. f. Lugar o sitio en que habitan los jabalíes en el monte.

porquería s. f. **1.** Suciedad, basura. **2.** Acción sucia o indecente. **3.** fam. Grosería.

porqueriza s. f. Pocilga donde se crían y recogen los puercos.

porquerizo, za s. m. y s. f. Persona que guarda o cría los puercos.

porquero, ra s. m. y s. f. Porquerizo.

porqueta s. f. Cochinilla, crustáceo.

porra s. f. Palo cuyo grueso aumenta desde la empuñadura al extremo opuesto.

porráceo, a adj. De color verdinegro, parecido al del puerro.

porrada s. f. Porrazo.

porrazo s. m. Golpe dado con la porra.

porreta s. f. Hojas verdes del puerro.

porretada s. f. Conjunto de cosas semejantes.

porrillo, a loc., fam. En abundancia, copiosamente.

porrino s. m. Simiente de los puerros.

porro s. m., fam. Cigarro de hachís mezclado con tabaco.

porrón s. m. Redoma de vidrio, para beber vino a chorro por el pitón largo que tiene en la panza.

porta s. f. Cada una de las aberturas practicadas en los costados y popa de los buques para dar luz y ventilarlos.

portaaviones s. m. Buque de guerra dotado de las instalaciones necesarias para transportar aviones, con cubierta dispuesta para que de ella puedan despegar y aterrizar.

portabilidad s. f. Acción que consiste en cambiar de compañía telefónica, manteniendo el mismo número de teléfono, fijo o móvil.

portacartas s. m. Bolsa para llevar las cartas.

portada s. f. **1.** Obra de ornamentación en las fachadas principales de los edificios suntuosos. **2.** Primera plana de los libros impresos. **3.** Cara principal de cualquier cosa.

portadilla adj. Anteportada de un libro.

portador, ra adj. **1.** Que lleva o trae una cosa de una parte a otra. **2.** Persona que lleva en su cuerpo el germen de una enfermedad y lo propaga. También s. m. y s. f. **3.** Tenedor de efectos públicos o valores comerciales transmisibles sin endoso, por estar emitidos a favor de quienquiera que sea poseedor de ellos.

portaestandarte s. m. Oficial de caballería que lleva el estandarte.

portafolio s. m. Cartera.

portafusil s. m. Correa que pasa por dos asas del fusil, y sirve para echarlo a la espalda dejándolo colgado del hombro.

portal s. m. **1.** Primera pieza de la casa, donde está la entrada principal. **2.** Soportal cubierto. **3.** Pórtico de columnas.

portalada s. f. Portada, generalmente monumental y que da acceso al patio en que tienen su portal las casas señoriales.

portalámparas s. f. Pieza adecuada para sostener una lámpara.

portalibros s. m. Correas para sujetar los libros, usadas por los escolares.

portalón s. m. Abertura a manera de puerta, hecha en el costado del buque, que sirve para entrada y salida de personas y cosas.

portamonedas s. m. Bolsa pequeña o cartera para llevar dinero a mano.

portanario s. m. Píloro.

portante adj. Se dice del paso de las caballerías en el cual mueven a un tiempo la mano y el pie del mismo lado.

portantillo *s. m.* Paso menudo y apresurado de un animal, y especialmente del pollino.

portanuevas *com.* Persona que da noticias.

portañola *s. f.* Cañonera, tronera.

portaobjeto *s. m.* Lámina rectangular de cristal en que se colocan los objetos que se han de examinar microscópicamente.

portapaz *s. m.* Lámina de metal, adornada y de forma plana, con que en las iglesias se daba la paz a los fieles.

portapliegos *s. m.* Cartera pendiente del hombro o de la cintura, para llevar pliegos.

portaplumas *s. m.* Mango en que se coloca la pluma metálica para escribir.

portar *v. tr.* **1.** Llevar o traer alguna cosa. ‖ *v. prnl.* **2.** Conducirse, gobernarse.

portarretrato *s. m.* Marco utilizado para poner una fotografía.

portarrollo *s. m.* Utensilio que se fija a la pared y donde se coloca un rollo de papel para diferentes usos.

portátil *adj.* **1.** Fácil de transportarse. ‖ *s. m.* **2.** Ordenador portátil.

portaventanero, ra *s. m. y s. f.* Carpintero que hace puertas y ventanas.

portaviandas *s. m.* Fiambrera de cacerolas sobrepuestas.

portavoz *com.* Persona que, por su autoridad, lleva la voz de una colectividad.

portazgar *v. tr.* Cobrar el portazgo a una persona.

portazgo *s. m.* Derechos que se pagan por pasar por un sitio determinado de un camino.

portazo *s. m.* Golpe recio que se da con la puerta, o el que esta da movida por el viento.

porte *s. m.* **1.** Acción de portear mercancías de una parte a otra. Se usa más en pl. **2.** Conducta, modo de proceder. **3.** Aspecto, disposición de una persona en cuanto al modo de vestirse, modales, etc.

porteador, ra *adj.* Que portea.

portear[1] *v. tr.* Conducir o llevar una cosa de una parte a otra por el precio o porte convenido o señalado.

portear[2] *v. intr.* Dar golpes las puertas o ventanas o darlos con ellas.

portento *s. m.* Cualquier cosa, acción o suceso singular que por su extrañeza o novedad causa admiración, terror o pasmo.

portentoso, sa *adj.* **1.** Singular y admirable. **2.** Maravilloso, asombroso, milagroso.

portería *s. f.* **1.** Pieza del zaguán de los edificios o establecimientos públicos o particulares donde está situado el portero. **2.** Empleo de portero.

portero, ra *s. m. y s. f.* **1.** Persona encargada de guardar, cerrar y abrir las puertas, la limpieza del portal, etc.

2. Jugador que en algunos deportes defiende la meta de su bando.

portezuela *s. f.* Puerta de carruaje.

porticado, da *adj.* Se dice de la construcción que tiene soportales.

pórtico *s. m.* Lugar cubierto y con columnas que se construye delante de los templos u otros edificios suntuosos.

portier *s. m.* Antepuesta o cortinón.

portilla *s. f.* Cada una de las ventanillas pequeñas, cerradas con un cristal grueso, que se hacen en los costados de los buques.

portillo *s. m.* **1.** Abertura que hay en las murallas, paredes o tapias. **2.** Postigo o puerta chica en otra mayor.

portón *s. m.* Puerta que divide el zaguán del resto de la casa.

portuario, ria *adj.* Perteneciente o relativo al puerto de mar o a las obras del mismo.

porvenir *s. m.* Suceso o tiempo futuro.

pos *prep.* Significa detrás o después de.

posa *s. f.* Toque de difuntos.

posada *s. f.* **1.** Casa donde habita cada uno. **2.** Mesón. **3.** Casa de huéspedes.

posaderas *s. f. pl.* Nalgas.

posadero, ra *s. m. y s. f.* Persona que tiene una casa de huéspedes.

posar[1] *v. intr.* **1.** Alojar u hospedarse en una posada o casa particular. **2.** Descansar, asentarse, reposar. ‖ *v. prnl.* **3.** Hablando de las aves u otros animales que vuelan, detenerse y apoyarse con las patas en la tierra o en otra cosa, después de haber volado.

posar[2] *v. intr.* Permanecer en determinada postura para retratarse o para servir de modelo a un pintor o escultor.

posavasos *s. m.* Objeto de diferentes materiales, con figura de plato pequeño, que se coloca debajo de los vasos para proteger la mesa.

poscafé *s. m.* Licor o licores que suelen servirse con el café después de las comidas.

poscomunión *s. f.* Oración que se dice en la misa después de la comunión.

posdata *s. f.* Lo que se añade a una carta ya concluida y firmada.

posdiluviano, na *adj.* Posterior al diluvio universal.

posdorsal *adj.* **1.** Se dice del sonido en cuya articulación interviene la parte posterior de la lengua. **2.** Se dice de la letra que representa este sonido. También s. f.

pose *s. f.* Postura, actitud de posar para un público, la cámara, etc.

poseedor, ra *adj.* Que posee. También s. m. y s. f.

poseer *v. tr.* **1.** Tener alguien algo en su poder. **2.** Saber suficientemente una cosa, como arte, doctrina, idioma, etc.

poseído, da *adj.* Poseso.

posesión *s. f.* **1.** Acción de poseer o poseerse. **2.** Cosa poseída, especialmente terrenos o fincas.

posesional *adj.* Perteneciente a la posesión o que la incluye.

posesionar *v. tr.* Tomar alguien posesión de una cosa. También prnl.

posesivo, va *adj.* Que denota posesión.

poseso, sa *adj.* Se dice de la persona que padece posesión de algún espíritu.

posesor, ra *adj.* Poseedor. También s. m. y s. f.

posesorio, ria *adj.* Perteneciente o relativo a la posesión o que la denota.

posfecha *s. f.* Fecha posterior a la verdadera.

posguerra *s. f.* Tiempo inmediato a la terminación de una guerra, durante el cual subsisten las perturbaciones ocasionadas por la misma.

posibilidad *s. f.* **1.** Calidad de posible. **2.** Aquello que hace que una cosa sea posible.

posibilitar *v. tr.* Facilitar o hacer posible una cosa dificultosa y ardua.

posible *adj.* Que puede ser o suceder.

posición *s. f.* **1.** Modo de estar colocada una persona o cosa. **2.** Punto fortificado o naturalmente ventajoso para la guerra.

posicionamiento *s. m.* Acción y efecto de posicionar.

posicionar *v. tr.* Tomar posición. También prnl.

positivar *v. tr.* Pasar un negativo a positivo.

positivismo *s. m.* **1.** Calidad de positivo. **2.** Demasiada afición a comodidades y goces materiales. **3.** Sistema filosófico, formulado por Comte, que admite únicamente el método experimental y rechaza toda noción a priori y todo concepto universal y absoluto.

positivista *adj.* Partidario del positivismo. También com.

positivo, va *adj.* **1.** Cierto, verdadero, efectivo, que no ofrece duda. **2.** Se dice de la persona que busca la realidad de las cosas especialmente en cuanto a los goces de la vida y comodidades.

pósito *s. m.* Instituto de carácter municipal destinado a mantener acopio de granos, principalmente de trigo, y prestarlos en condiciones módicas a los labradores y vecinos durante los meses de escasez.

positrón *s. m.* Elemento del átomo que tiene la misma masa que el electrón, pero cargado de electricidad receptiva.

positura *s. f.* Estado o disposición de una cosa.

posma *s. f., fam.* Pesadez, flema, cachaza.

posmeridiano *s. m.* Relativo a la tarde, o que es después del mediodía.

posmodernidad *s. f.* Movimiento cultural del último tercio del s. XX, con manifestaciones en filosofía del pensamiento y bellas artes como sucesores y cuestionadores del modernismo y la modernidad.

posmoderno, na *adj.* **1.** Relativo a la posmodernidad. **2.** *fig.* Moderno.

poso *s. m.* **1.** Sedimento del líquido contenido en una vasija. **2.** Quietud, descanso.

posología *s. f.* Parte de la terapéutica que trata de las dosis en que deben administrarse los medicamentos.

pospalatal *adj.* Postpalatal. También s. f.

pospierna *s. f.* En las caballerías, muslo.

posponer *v. tr.* **1.** Poner a una persona o cosa después de otra, tanto en espacio como en tiempo. ‖ *v. intr.* **2.** *fig.* Apreciar a una persona o cosa menos que a otra.

posoperatorio, ria *adj.* Se dice de lo que se produce o aplica después de una operación quirúrgica. También s. m.

posposición *s. f.* Acción de posponer.

pospositivo, va *adj.* Que se pospone.

pospalatal *adj.* Se dice de la consonante para cuya pronunciación se choca la parte posterior de la lengua contra el velo del paladar, como la *k* ante vocal. También s. f.

posta *s. f.* Conjunto de caballerías preparadas para que, mudando los tiros, los correos y otras personas caminasen con toda diligencia.

postal *adj.* **1.** Relativo al ramo de correos. **2.** Se dice de la tarjeta de tamaño determinado, con un espacio dispuesto para escribir en él, que se expide por correo, como carta sin sobre.

postdata *s. f.* Posdata.

postdiluviano, na *adj.* Posdiluviano.

postdorsal *adj.* Posdorsal.

poste *s. m.* Madero, piedra o columna colocada verticalmente como apoyo o señal.

postema *s. f.* Absceso supurado.

postemero *s. m.* Instrumento a manera de bisturí grande para abrir las postemas.

póster *s. m.* Cartel grande, por lo general de carácter pictórico o decorativo.

postergación *s. f.* Acción y efecto de postergar.

postergar *v. tr.* Hacer sufrir atraso a una persona o cosa.

posteridad *s. f.* **1.** Descendencia o generación venidera. **2.** Fama póstuma.

posterior *adj.* Que está o viene después en el tiempo o en el espacio.

posteriori, a *loc.* Se dice de los conocimientos que provienen de la experiencia.

posterioridad *s. f.* Calidad de posterior.

postguerra *s. f.* Posguerra.

postigo *s. m.* **1.** Puerta falsa. **2.** Portezuela de una ventana.

postilar v. tr. Apostillar.

postilla s. f. Costra de las llagas o heridas cuando se van secando.

postillón s. m. Mozo que va a caballo delante de los que corren la posta, para guiarlos, o montado en una caballería de las delanteras del tiro de un carruaje, para dirigir el ganado y para guiar a los caminantes.

postilloso, sa adj. Que tiene postillas.

postín s. m. Presunción, vanidad, jactancia.

postinero, ra adj., fam. Presumido, farolero.

postizo, za adj. **1.** Que no es natural ni propio, sino añadido, fingido o sobrepuesto. ‖ s. m. **2.** Añadido o tejido de pelo que suple la falta o escasez de este.

postmeridiano, na adj. Posmeridiano.

postoperatorio, ria adj. Posoperatorio.

postor, ra s. m. y s. f. Persona que puja.

postpalatal adj. Pospalatal.

postración s. f. Abatimiento por enfermedad o aflicción.

postrar v. tr. **1.** Rendir, humillar o derribar una cosa. **2.** Debilitar, quitar el vigor y fuerza a alguien. ‖ v. prnl. **3.** Hincarse de rodillas humillándose por tierra.

postre s. m. Fruta, dulce y otras cosas que se sirven al fin de la comida.

postremero, ra adj. Postrimero.

postremo, ma adj. Postrero, último.

postrer adj. Apócope de postrero. Se usa siempre antepuesto al sustantivo.

postrero, ra adj. **1.** Último en orden. **2.** Que está, se queda o viene detrás.

postrimería s. f. Último periodo o últimos años de la vida.

postrimero, ra adj. Postrero, último.

postulación s. f. Acción y efecto de postular.

postulado s. m. Proposición que, sin ser evidente, se admite como cierta sin demostración y que es necesaria para servir de base en ulteriores razonamientos.

postulanta s. f. Mujer que pide ser admitida en una comunidad religiosa.

postulante adj. **1.** Que postula. **2.** com. **Aspirante a un cargo**.

postular v. tr. Pedir una cosa, especialmente donativos para fines benéficos.

póstumo, ma adj. Que sale a luz después de la muerte del padre o autor.

postura s. f. Colocación, actitud o modo en que está puesto alguien o algo.

pota s. f. Nombre de varias especies de moluscos cefalópodos parecidos al calamar pero de carne más basta.

potabilidad s. f. Calidad de potable.

potabilización s. f. Acción y efecto de potabilizar.

potabilizar v. tr. Hacer potable.

potable adj. Que se puede beber.

potación s. f. Acción de potar o beber.

potaje s. m. Caldo de olla u otro guiso.

potámide s. f. Ninfa de los ríos. Se usa más en pl.

potar v. tr. **1.** Igualar y marcar las pesas y medidas. **2.** Beber.

potasa s. f. Carbonato de potasio, base salificable, delicuescente al aire, obtenida principalmente de cenizas vegetales.

potásico, ca adj. Perteneciente o relativo al potasio.

potasio s. m. Metal de color argentino blando y ligero, que se extrae de la potasa.

pote s. m. **1.** Vaso de barro, alto, para beber o guardar licores y confecciones. **2.** Vasija redonda, con barriga y boca ancha y con tres pies, usada para cocer viandas al fuego.

potencia s. f. **1.** Poder para hacer una cosa o producir un efecto. **2.** Posibilidad, capacidad de ser o existir las cosas. **3.** Virtud generativa. **4.** Estado soberano. **5.** Fuerza motora de una máquina. **6.** Producto que resulta de multiplicar un número por sí mismo una o varias veces.

potenciación s. f. Elevación a una potencia.

potencial adj. Posible, que puede suceder o existir, en contraposición a actual.

potencialidad s. f. Capacidad de la potencia, independiente del acto.

potenciar v. tr. Dar impulso a un proyecto, animar.

potentado, da s. m. **1.** Príncipe o soberano que tiene dominio independiente en una provincia o Estado, pero toma investidura de otro príncipe superior. ‖ s. m. y s. f. **2.** Persona poderosa y opulenta.

potente adj. Que tiene poder, eficacia o virtud para producir un efecto.

poterna s. f. En las fortificaciones, puerta no principal, que da al foso o al extremo de una rampa.

potestad s. f. Dominio, poder o jurisdicción que se tiene sobre una cosa.

potestativo, va adj. Que está en la potestad de alguien.

potingue s. m. Cualquier preparado de botica.

potísimo, ma adj. Principal o muy poderoso.

poto s. m. Planta de interior, trepadora, con hojas en forma de corazón, verdes con vetas blancas.

potosí s. m., fig. Riqueza extraordinaria.

potra s. f. Yegua desde que nace hasta que muda los dientes de leche, aproximadamente a los cuatro años y medio de edad.

potranca s. f. Yegua menor de tres años.

potrero, ra s. m. y s. f. **1.** Persona que cuida de los potros en la dehesa. ‖ s. m. **2.** Sitio destinado a la cría y pasto de ganado caballar. **3.** Amér. del S. Finca rústica, cercada, destinada principalmente a la cría de ganado.

potril s. m. Dehesa para criar potros.

potro *s. m.* **1.** Caballo desde que nace hasta que muda los dientes de leche. **2.** Aparato de madera en el cual sentaban a los procesados para darles tormento.

poya *s. f.* Derecho que se pagaba en pan por cocer este en el horno común.

poyal *s. m.* **1.** Paño listado con que se cubren los poyos en las aldeas. **2.** Poyo, banco.

poyar *v. intr.* Pagar la poya.

poyata *s. f.* Vasar, anaquel que sirve para poner vasos y otras cosas.

poyo *s. m.* Banco de piedra, yeso, etc. que se fabrica arrimado a las paredes.

poza *s. f.* **1.** Charca de agua. **2.** Balsa para empozar y macerar el cáñamo o el lino.

pozal *s. m.* Cubo con que se saca el agua del pozo.

pozanco *s. m.* Poza que queda en las orillas de los ríos después de una avenida.

pozo *s. m.* **1.** Hoyo que se hace en la tierra vertical hasta encontrar una vena de agua. **2.** Paraje en donde los ríos tienen mayor profundidad. **3.** Hoyo profundo, aunque esté seco. **4.** *fig.* Cosa profunda o completa en su línea. **5.** *fig.* Hoyo profundo para bajar a las minas.

práctica *s. f.* **1.** Ejercicio de cualquier arte o facultad, conforme a sus reglas. **2.** Destreza adquirida con este ejercicio. **3.** Uso continuado, costumbre o estilo de una cosa. **4.** Ejercicio que bajo la dirección de un maestro tienen que hacer algunos para habilitarse y poder ejercer públicamente su profesión. **5.** Aplicación de una idea, doctrina, enseñanza o pensamiento; contraste experimental de una teoría.

practicable *adj.* **1.** Que se puede practicar a poner en práctica. **2.** De posible navegación o acceso.

practicante *com.* Persona que posee título para el ejercicio de la cirugía menor.

practicar *v. tr.* **1.** Ejercitar, poner en práctica una cosa que se ha aprendido. **2.** Usar o ejercer continuamente una cosa. **3.** Repetir varias veces algo para perfeccionarlo.

práctico, ca *adj.* **1.** Perteneciente a la práctica. **2.** Se dice de las facultades que enseñan el modo de hacer una cosa. **3.** Experimentado, versado y diestro en una cosa.

pradal *s. m.* Prado.

pradeño, ña *adj.* Perteneciente o relativo al prado.

pradera *s. f.* Prado grande.

pradería *s. f.* Conjunto de prados.

pradial *s. m.* Noveno mes del año según el calendario republicano francés.

prado *s. m.* Tierra húmeda o de regadío, en la que crece la hierba para el pasto de los ganados.

pragmático, ca *adj.* Relativo al pragmatismo.

pragmatismo *s. f.* Doctrina filosófica que considera al ser humano no como un ser pensante, sino como un ser práctico.

praliné *s. m.* **1.** Crema de chocolate y avellanas o almendras. **2.** Bombón relleno de esta crema.

prao *s. m.* Embarcación malaya de poco calado, muy larga y estrecha.

prasio *s. m.* Cristal de roca en cuya masa lleva incorporados muchos cristales largos, delgados y verdes, de silicato de magnesia, cal y hierro.

prasma *s. m.* Ágata de color verde oscuro.

pratense *adj.* Que se produce o vive en el prado.

praticultura *s. f.* Parte de la agricultura que trata del cultivo de los prados.

pravedad *s. f.* Maldad, depravación.

praviana *s. f.* Canción popular asturiana.

pravo, va *adj.* Perverso, malvado, de dañinas costumbres.

praxis *s. f.* Práctica, en oposición a teoría o teórica.

preámbulo *s. m.* **1.** Exordio, aquello que se dice antes de entrar en materia. **2.** Rodeo o digresión impertinente antes de decir claramente una cosa.

prebenda *s. f.* Renta anexa a un oficio eclesiástico.

prebendar *v. tr.* **1.** Conferir prebenda a alguien. ‖ *v. intr.* **2.** Obtenerla.

prebostal *adj.* Perteneciente a la jurisdicción del preboste.

preboste *s. m.* Sujeto que es cabeza de una comunidad y la preside o gobierna.

precariedad *s. f.* Calidad o estado de precario.

precario, ria *adj.* De poca estabilidad o duración.

precaución *s. f.* Cautela para evitar o prevenir los inconvenientes que pueden temerse.

precautelar *v. tr.* Prevenir o poner los medios necesarios para evitar o impedir un riesgo o peligro.

precaver *v. tr.* Prevenir o evitar un riesgo o peligro. También prnl.

precavido, da *adj.* Sagaz, cauto.

precedencia *s. f.* **1.** Anterioridad, prioridad de tiempo. **2.** Primacía, superioridad.

precedente *s. m.* Antecedente.

preceder *v. tr.* **1.** Ir delante de una persona o cosa en tiempo o lugar. **2.** Tener una persona o cosa preferencia sobre otra.

preceptista *adj.* Se dice de las personas que dan o enseñan preceptos o reglas.

preceptiva *s. f.* Conjunto de normas aplicables a determinada materia.

preceptivo, va *adj.* Que incluye o encierra en sí preceptos.

precepto *s. m.* Mandato u orden que el superior hace observar al inferior.

preceptor, ra *s. m. y s. f.* Persona que enseña, especialmente como maestro privado.

preceptuar *v. tr.* Dar o dictar preceptos.

preces *s. f. pl.* Ruegos, súplicas, plegarias.

precesión *s. f.* Reticencia, frase incompleta.

preciado, da *adj.* **1.** Precioso, de mucha estimación. **2.** Jactancioso, vano.

preciar *v. tr.* **1.** Apreciar, estimar. || *v. prnl.* **2.** Gloriarse, jactarse.

precintar *v. tr.* Asegurar y afianzar los cajones, poniéndoles a lo largo precintas.

precinto *s. m.* Ligadura sellada convenientemente con que se atan cajones, baúles, etc., a fin de que no se abran sino cuando y por quien corresponda.

precio *s. m.* Valor pecuniario en que se estima una cosa.

preciosidad *s. f.* Cosa preciosa.

precioso, sa *adj.* **1.** Excelente, exquisito, primoroso. **2.** *fig.* Hermoso.

preciosura *s. f., Arg. y Per.* Preciosidad, hermosura.

precipicio *s. m.* Despeñadero.

precipitación *s. f.* **1.** Acción y efecto de precipitar o precipitarse. **2.** Lluvia en forma sólida o líquida.

precipitado, da *adj.* **1.** Atropellado, alocado, irreflexivo. || *s. m.* **2.** Materia cristalina que se forma en un medio líquido, por adición de ciertos reactivos químicos.

precipitar *v. tr.* **1.** Despeñar, derribar de un lugar o alto. **2.** Atropellar, acelerar algo. **3.** *fig.* Exponer a alguien a una ruina temporal o espiritual. **4.** *fig.* Producir en una disolución un precipitado. || *v. prnl.* **5.** Arrojarse inconsideradamente a ejecutar o decir una cosa.

precípite *adj.* Puesto en peligro o riesgo de caer o precipitarse.

precipitoso, sa *adj.* **1.** Pendiente, resbaladizo. **2.** *fig.* Precipitado, atropellado.

precipuo, pua *adj.* Señalado o principal.

precisar *v. tr.* **1.** Fijar o determinar de un modo preciso. **2.** Obligar, forzar determinadamente y sin excusa a ejecutar algo.

precisión *s. f.* Determinación, exactitud.

preciso, sa *adj.* **1.** Necesario, indispensable para un fin. **2.** Exactamente determinado o definido. **3.** Distinto, claro y formal.

precitado, da *adj.* Antes citado.

precito, ta *adj.* Réprobo.

preclaro, ra *adj.* Esclarecido, ilustre, famoso y digno de admiración y respeto.

preclásico, ca *adj.* Se dice de lo que antecede a lo clásico en artes y en letras.

precocidad *s. f.* Calidad de precoz.

precocinado, da *adj.* Se dice de la comida que se vende ya cocinada y se tarda poco en preparar.

precognición *s. f.* **1.** Conocimiento anterior. **2.** En parapsicología, conocimiento anticipado del futuro.

precolombino, na *adj.* Se dice de lo relativo a América, antes de su descubrimiento.

preconcebir *v. tr.* Concebir, pensar con anterioridad una cosa.

preconización *s. f.* Acción y efecto de preconizar.

preconizar *v. tr.* Encomiar públicamente.

preconocer *v. tr.* Prever, conjeturar, conocer anticipadamente una cosa.

precordial *adj.* Se dice de la región o parte del pecho que corresponde al corazón.

precoz *adj.* **1.** Se dice del fruto temprano. **2.** Se dice del proceso que aparece antes de lo habitual.

precursor, ra *s. m. y s. f.* Persona que profesa o enseña doctrinas o acomete empresas adelantándose a sus tiempos.

predador, ra *adj.* Se dice del animal que apresa a otros de distinta especie para comérselos.

predatorio, ria *adj.* **1.** Perteneciente o relativo al acto de hacer presa. **2.** Perteneciente o relativo al robo o al saqueo.

predecesor, ra *s. m. y s. f.* Antecesor.

predecible *adj.* Que puede predecirse.

predecir *v. tr.* Anunciar por revelación, ciencia o conjetura algo que ha de suceder.

predefinición *s. f.* Decreto de Dios para la existencia de las cosas en un tiempo señalado.

predefinir *v. tr.* Determinar el tiempo en que han de existir las cosas.

predestinación *s. f.* Ordenación de la voluntad divina con que tiene elegidos a los que, por medio de su gracia, han de lograr la gloria.

predestinado, da *adj.* Elegido por Dios desde la eternidad para lograr la gloria. También s. m. y s. f.

predestinar *v. tr.* Destinar anticipadamente una cosa para un fin.

predeterminación *s. f.* Acción y efecto de predeterminar.

predeterminar *v. tr.* Determinar o resolver con anticipación una cosa.

prédica *s. f.* Sermón o plática.

predicable *adj.* Digno de ser predicado.

predicación *s. f.* Acción y efecto de predicar.

predicado *s. m.* **1.** Lo que se afirma del sujeto en una proposición. **2.** Segmento que junto con el sujeto, constituye una oración gramatical.

predicador, ra *adj.* Que predica.

predicamento *s. m.* Opinión, lugar o grado de estimación en que se halla alguien y que ha merecido por sus obras.

predicante *adj.* Se dice del ministro de una secta o falsa religión. También com.

predicar *v. tr.* **1.** Publicar, hacer patente y clara un cosa. **2.** Pronunciar un sermón. **3.** *fam.* Amonestar, hacer reproches.

predicativo, va *adj.* Perteneciente o relativo al predicado o que tiene carácter de tal.

predicción s. f. Acción y efecto de predecir.

predilección s. f. Preferencia con que se distingue a una persona o cosa entre otras.

predilecto, ta adj. Preferido por amor o afecto especial.

predio s. m. Tierra o posesión inmueble.

predisponer v. tr. Preparar, disponer anticipadamente el ánimo de las personas para un fin determinado. También prnl.

predisposición s. f. Tendencia biológica a contraer determinadas enfermedades.

predispuesto, ta adj. Decidido, preparado.

predominación s. f. Predominancia.

predominancia s. f. Acción y efecto de predominar.

predominante adj. Que predomina.

predominar v. tr. Prevalecer, tener mayor dominio. También intr.

predominio s. m. Imperio, poder, influjo que se tiene sobre una persona o cosa.

predorsal adj. **1.** Se dice de lo que está situado en la parte anterior de la espina dorsal. **2.** Se dice de la consonante en cuya articulación interviene principalmente la parte anterior del dorso de la lengua, como la *ch*. También s. f.

preelegir v. tr. Elegir a alguien con anticipación, predestinar.

preeminencia s. f. Privilegio, preferencia que goza alguien respecto de otro.

preeminente adj. Sublime, superior, honorífico y que está más elevado.

preescolar adj. Se dice del periodo de la educación anterior a la enseñanza primaria.

preexcelso, sa adj. Sumamente ilustre y excelso.

preexistencia s. f. Existencia anterior, con alguna de las prioridades de naturaleza u origen.

preexistente adj. Que preexiste.

preexistir v. intr. Existir con antelación.

prefabricar v. tr. Fabricar en serie las piezas de un barco, casa, etc., de forma que su construcción consista solo en sul acoplamiento y ajuste.

prefacio s. m. **1.** Prelación. **2.** Prólogo o introducción de un libro. **3.** Parte de la misa.

prefación s. f. Prólogo de un libro.

prefecto s. m. **1.** Entre los romanos, título de varios jefes militares o civiles. **2.** En Francia, gobernador de un departamento.

prefectura s. f. Dignidad o cargo de prefecto.

preferencia s. f. **1.** Primacía, ventaja que una persona o cosa tiene sobre otra. **2.** Elección de alguien o algo entre varios.

preferente adj. Que prefiere o se prefiere.

preferible adj. Digno de preferirse.

preferir v. tr. **1.** Dar la preferencia a alguna persona o cosa. **2.** Exceder, aventajar.

prefigurar v. tr. Representar anticipadamente una cosa.

prefijar v. tr. Fijar anticipadamente una cosa.

prefijo s. m. Afijo antepuesto a un vocablo.

prefinir v. tr. Señalar, fijar el término o plazo para ejecutar una cosa.

prefloración s. f. Disposición de las partes de una flor, unas respecto de otras, antes de la florescencia.

prefoliación s. f. Disposición de unas hojas respecto de otras, antes de abrirse la yema.

prefulgente adj. Muy resplandeciente y lúcido.

pregón s. m. Promulgación que se hace en voz alta por los lugares públicos de una cosa que conviene que sepan todos.

pregonar v. tr. **1.** Hacer notoria en voz alta una cosa para que venga a noticia de todos. **2.** Decir y publicar a voces alguien la mercancía que lleva para vender.

pregonería s. f. Oficio o ejercicio del pregonero.

pregonero, ra s. m. y s. f. Oficial público que en alta voz da los pregones.

preguerra s. f. Estado anterior a la declaración de guerra entre dos bandos.

pregunta s. f. Demanda o interrogación que se hace a alguien para que responda lo que sabe.

preguntar v. tr. Hacer preguntas a alguien para que diga y responda lo que sabe sobre un asunto. También prnl.

preguntón, na adj., fam. Molesto en preguntar.

prehistoria s. f. Ciencia que estudia la vida de los hombres con anterioridad a todo documento de carácter histórico.

prehistórico, ca adj. De tiempos a que no alcanza la historia.

preinserto, ta adj. Que se ha insertado antes.

prejuicio s. m. Acción y efecto de prejuzgar.

prejuzgar v. tr. Juzgar las cosas antes de tiempo o sin tener de ellas cabal conocimiento.

prelacía s. f. Dignidad u oficio de prelado.

prelación s. f. Preferencia con que una cosa debe ser atendida respecto de otra.

prelada s. f. Superiora de un convento de religiosas.

prelado s. m. Superior eclesiástico constituido en una de las dignidades de la Iglesia, como abad, obispo, etc.

prelaticio, cia adj. Propio del prelado.

prelatura s. f. Prelacía.

preliminar adj. Que sirve de preámbulo.

prelucir v. intr. Lucir con anticipación.

preludiar v. tr., fig. Preparar o iniciar una cosa, darle entrada.

preludio s. m. **1.** Lo que precede y sirve de preámbulo, preparación o principio a una cosa. **2.** Lo que se toca o canta para ensayar, antes de comenzar la ejecución de una obra musical. **3.** Composición musical independiente, que precede a una representación escénica. **4.** Obertura o sinfonía.

prelusión *s. f.* Preludio, introducción de un discurso o tratado.

premamá *adj.* Propio de la mujer embarazada.

prematrimonial *adj.* Que antecede al matrimonio.

prematuro, ra *adj.* **1.** Que no está en sazón. **2.** Que ocurre antes de tiempo.

premeditación *s. f.* Una de las circunstancias que agravan los delitos.

premeditar *v. tr.* Pensar reflexivamente una cosa antes de ejecutarla.

premiar *v. tr.* Remunerar, galardonar con privilegios, empleos o rentas los méritos y servicios de alguien.

premio *s. m.* **1.** Recompensa que se da por algún mérito. **2.** Cada uno de los lotes sorteados en una lotería.

premiosidad *s. f.* Calidad de premioso.

premioso, sa *adj.* **1.** Tan ajustado o apretado que dificultosamente se puede mover. **2.** Gravoso, molesto.

premisa *s. f.* Cada una de las dos primeras proposiciones del silogismo, de donde se infiere y saca la conclusión.

premiso, sa *adj.* Prevenido o enviado con anticipación.

premoción *s. f.* Moción anterior, que inclina a un efecto u operación.

premolar *adj.* Se dice de los dientes molares primero y segundo.

premonición *s. f.* Presentimiento, presagio.

premonitorio, ria *adj.* Que tiene carácter de premonición o advertencia.

premorir *v. intr.* Morir una persona antes que otra.

premura *s. f.* Aprieto, prisa, urgencia.

prenatal *adj.* Que antecede al nacimiento.

prenda *s. f.* **1.** Cosa que se da en garantía del cumplimiento de una obligación. **2.** Cualquiera de las partes que componen el vestido y calzado.

prendar *v. tr.* **1.** Sacar una prenda o alhaja como garantía de una obligación. ‖ *v. prnl.* **2.** Aficionarse, enamorarse de una persona o cosa.

prendedor *s. m.* Cualquier instrumento para prender o asir una cosa.

prender *v. tr.* **1.** Asir, agarrar, sujetar una cosa. **2.** Apoderarse de una persona privándola de la libertad, y principalmente ponerla en la cárcel por delito cometido. ‖ *v. intr.* **3.** Arraigar la planta en la tierra. **4.** Empezar a ejercer su cualidad o comunicar su virtud una cosa a otra, ya sea material o inmaterial. Se dice especialmente del fuego al comunicarse a las cosas. También tr.

prendería *s. f.* Establecimiento en que se compran y venden prendas, alhajas o muebles usados.

prendero, ra *s. m. y s. f.* Persona que tiene prendería o trafica en objetos usados.

prendido *s. m.* Adorno de las mujeres, especialmente el de la cabeza.

prendimiento *s. m.* Acción de prender, capturar.

prenoción *s. f.* Anticipada noción o primer conocimiento de la cosas.

prenombre *s. m.* Nombre que, entre los romanos, precedía al de familia.

prenotar *v. tr.* Notar con anticipación alguna cosa.

prensa *s. f.* **1.** Máquina para prensar o comprimir. **2.** *fig.* Imprenta. **3.** *fig.* Conjunto o generalidad de las publicaciones periódicas, y especialmente las diarias. **4.** *fig.* Conjunto de personas dedicadas al periodismo.

prensado *s. m* Lustre o labor que queda en los tejidos, por efecto de la prensa.

prensadura *s. f.* Acción de prensar.

prensar *v. tr.* Apretar en la prensa una cosa.

prensil *adj.* Que sirve para asir o coger.

prensión *s. f.* Acción y efecto de prender una cosa.

prensor, ra *adj.* Se dice de las aves de mandíbulas robustas, la superior encorvada desde la base, y las patas con dos dedos dirigidos hacia atrás; son tropicales, generalmente de bellos colores, como el guacamayo y el loro. También s. f.

prenunciar *v. tr.* Anunciar de antemano una cosa, pronosticar.

prenupcial *adj.* Relativo a lo que antecede a las nupcias.

preñado, da *adj.* **1.** Se dice de la hembra de cualquier especie que ha concebido y tiene el feto en el vientre. **2.** Lleno o cargado. **3.** Que incluye en sí algo que no se sabe.

preñar *v. tr.* **1.** Empreñar. **2.** *fig.* Llenar, henchir.

preñez *s. f.* Embarazo de la mujer o de la hembra de cualquier especie.

preocupación *s. f.* Acción y efecto de preocupar o preocuparse.

preocupar *v. tr.* **1.** Prevenir el ánimo de alguien con prejuicios. ‖ *v. prnl.* **2.** Estar prevenido o encaprichado en favor o en contra de una persona, opinión u otra cosa.

preordinar *v. tr.* Determinar Dios y disponer todas las cosas desde la eternidad para que tengan su efecto en los tiempos.

prepalatal *adj.* Se dice de la consonante para cuya pronunciación choca la parte superior de la lengua contra el paladar, como sucede con la *ch.*

preparación *s. f.* Acción y efecto de preparar o prepararse.

preparado *s. m.* Medicamento, droga.

preparador, ra *s. m. y s. f.* Persona que prepara.

preparar *v. tr.* **1.** Disponer una cosa para un fin. ‖ *v. prnl.* **2.** Disponerse, prevenirse para ejecutar una cosa.

preparativo, va *adj.* **1.** Cosa dispuesta y preparada. ‖ *s. m. pl.* **2.** Actos de preparación para una ceremonia o suceso.

preparatorio, ria *adj.* Se dice de lo que prepara y dispone.

preponderancia *s. f.* **1.** Exceso del peso, o mayor peso, de una cosa respecto de otra. **2.** *fig.* Superioridad de crédito, autoridad o prestigio.

preponderante *adj.* Que prepondera.

preponderar *v. intr.* Pesar más una cosa respecto de otra.

preponer *v. tr.* Anteponer o preferir una cosa a otra.

preposición *s. f.* Parte invariable de la oración cuyo oficio es denotar el régimen o relación que entre sí tienen dos palabras o términos.

prepositivo, va *adj.* Perteneciente o relativo a la preposición.

preposterar *v. tr.* Trastocar el orden de alguna cosa, con relación a otra u otras.

prepóstero, ra *adj.* Trastocado, hecho al revés y sin tiempo.

prepotencia *s. f.* Poder superior al de otros, o gran poder.

prepotente *adj.* Muy poderoso.

prepucio *s. m.* Piel móvil que cubre el bálano del pene.

prerrogativa *s. f.* **1.** Privilegio o exención que se concede a alguien. **2.** *fig.* Atributo de excelencia o dignidad muy honrosa en cosa inmaterial.

presa *s. f.* **1.** Acción de prender, asir o agarrar algo. **2.** Cosa apresada, cazada o robada. **3.** Animal que puede ser cazado o pescado. **4.** Acequia. **5.** Muro grueso, construido a través de un río, arroyo o canal, para detener el agua, a fin de conducirla fuera del cauce.

presada *s. f.* Agua que se junta y retiene en el caz del molino para servir de fuerza motriz durante cierto tiempo si la corriente no basta para el trabajo continuo.

presado, da *adj.* De color verde claro.

presagiar *v. tr.* Anunciar o prever una cosa, induciéndola de presagios o conjeturas.

presagio *s. m.* Señal que indica, previene y anuncia un suceso futuro.

présago, ga *adj.* Que anuncia o presagia.

presbicia *s. f.* Defecto o imperfección del présbita.

présbita *adj.* Se dice de la persona que por defecto de acomodación percibe confusamente los objetos próximos y con mayor claridad los lejanos.

presbiterado *s. m.* Sacerdocio.

presbiterianismo *s. m.* Secta de los presbiterianos.

presbiteriano, na *adj.* Se dice del protestante perteneciente a una secta nacida en Escocia en el s. XVI, que no reconoce la autoridad episcopal sobre los presbíteros. También s. m. y s. f.

presbiterio *s. m.* Área del altar mayor hasta el pie de las gradas por donde se sube a él.

presbítero *s. m.* Clérigo ordenado de misa, sacerdote.

presciencia *s. f.* Conocimiento de las cosas futuras.

prescindible *adj.* Se dice de aquello de lo que se puede prescindir o hacer abstracción.

prescindir *v. intr.* Hacer abstracción de una persona o cosa.

prescribir *v. intr.* Recetar el facultativo algún medicamento.

prescripción *s. f.* Acción y efecto de prescribir.

prescriptible *adj.* Que puede prescribir o prescribirse.

presea *s. f.* Alhaja o cosa preciosa.

presencia *s. f.* Asistencia personal, acto de estar una persona en un sitio.

presencial *adj.* Perteneciente o relativo a la presencia.

presenciar *v. tr.* Hallarse presente en un acontecimiento, etc.

presentable *adj.* Que está en condiciones de presentarse o ser presentado.

presentación *s. f.* Acción y efecto de presentar o presentarse.

presentador, ra *s. m. y s. f.* Persona encargada de dirigir o presentar un espectáculo público, ya sea en directo o grabado en algún medio.

presentáneo, a *adj.* Eficaz por su sola presencia, que tiene virtud para producir prontamente y sin dilación su efecto.

presentar *v. tr.* **1.** Poner una cosa en la presencia de alguien. **2.** Regalar a alguien una cosa. **3.** Tener determinadas características o apariencia. **4.** Introducir a uno en el trato de otro. **5.** Anunciar un espectáculo, programa de televisión o radio. ‖ *v. prnl.* **6.** Ofrecerse voluntariamente para un fin. **7.** Comparecer en algún lugar o acto.

presente *adj.* **1.** Que está en presencia o delante de algo o alguien. **2.** Se dice del tiempo actual. ‖ *s. m.* **3.** Don o regalo que una persona da a otra.

presentero *s. m.* Persona que presenta para prebendas o beneficios eclesiásticos.

presentimiento *s. m.* Acción y efecto de presentir.

presentir *v. tr.* Prever, por cierto movimiento interior del ánimo, o por indicios exteriores lo que ha de suceder.

presepio *s. m.* Establo.

preservación *s. f.* Acción y efecto de preservar o preservarse.

preservador, ra *adj.* Que preserva. También s. m. y s. f.

preservar *v. tr.* Proteger a una persona o cosa de algún daño o peligro. También prnl.

preservativo, va *adj.* **1.** Que tiene virtud o eficacia de preservar. También s. m. ‖ *s. m.* **2.** *fam.* Funda de goma con que se cubre el pene en el acto sexual para prevenir las infecciones y la fecundación.

presidario *s. m.* Presidiario.

presidencia *s. f.* **1.** Acción de presidir. **2.** Dignidad, empleo o cargo de presidente.

presidencial *adj.* Perteneciente a la presidencia.

presidente, ta *s. m. y s.f.* Persona que preside. U.c. com. la forma s. m.

presidiable *adj.* Que merece estar en presidio.

presidiar *v. tr.* Guarnecer con soldados un puesto, plaza, etc.

presidiario, ria *s. m. y s. f.* Penado que cumple en presidio su condena.

presidio *s. m.* Prisión en que cumplen sus condenas los penados por graves delitos.

presidir *v. tr.* Tener el primer lugar en una asamblea, corporación, junta, etc.

presilla *s. f.* Cordón pequeño, en forma de lazo, con que se asegura una cosa.

presintonía *s. f.* En un receptor de radio o televisión, dispositivo que memoriza la frecuencia de emisión.

presión *s. f.* **1.** Acción y efecto de apretar o comprimir. **2.** *fig.* Fuerza o coacción que se ejerce sobre una persona o una colectividad.

presionar *v. tr.* Ejercer presión sobre alguna persona o cosa.

preso, sa *adj.* Que permanece en prisión.

prest *s. m.* Haber diario que se da a los soldados.

prestación *s. f.* Cosa o servicio exigido por una autoridad o a consecuencia de un pacto o contrato.

prestador, ra *adj.* Que presta. También s. m. y s. f.

prestamista *com.* Persona que da dinero a préstamo.

préstamo *s. m.* Empréstito.

prestancia *s. f.* Excelencia, superior calidad.

prestante *adj.* Excelente.

prestar *v. tr.* **1.** Entregar a alguien dinero u otra cosa para usar de ella con la obligación de devolverla. **2.** Ayudar al logro de una cosa. **3.** Dar, comunicar. ‖ *v. intr.* **4.** Aprovechar, ser útil para algún fin. **5.** Dar de sí, extenderse. ‖ *v. prnl.* **6.** Ofrecerse, avenirse a una cosa.

prestatario, ria *adj.* Que toma dinero o préstamo. También s. m. y s. f.

preste *s. m.* Sacerdote que celebra la misa cantada asistido del diácono y del subdiácono.

presteza *s. f.* Prontitud y brevedad en hacer o decir una cosa.

prestidigitación *s. f.* Arte o habilidad para hacer juegos de manos y otros embelecos para distracción del público.

prestidigitador, ra *s. m. y s. f.* Jugador de manos, mago de juegos malabares.

prestigiar *v. tr.* Dar prestigio, autoridad o valor a una asamblea, corporación, etc.

prestigio *s. m.* **1.** Fascinación que se atribuye a la magia. **2.** Ascendiente, influencia.

prestigioso, sa *adj.* Que tiene prestigio.

prestimonio *s. m.* Préstamo, empréstito.

presto, ta *adj.* **1.** Pronto, ligero, diligente. **2.** Aparejado, preparado o dispuesto para ejecutar una cosa o para un fin.

presumible *adj.* Que se puede presumir.

presumido, da *adj.* Que presume, vano.

presumir *v. tr.* **1.** Conjeturar una cosa por tener indicios o señales para ello. ‖ *v. intr.* **2.** Vanagloriarse, engreírse.

presunción *s. f.* **1.** Acción y efecto de presumir. **2.** Cosa que por ministerio de la ley se tiene como verdad.

presunto, ta *adj.* Probable, supuesto.

presuntuosidad *s. f.* Presunción, vanagloria.

presuntuoso, sa *adj.* Lleno de presunción y orgullo.

presuponer *v. tr.* Dar por supuesta y notoria una cosa para pasar a tratar de otra.

presuposición *s. f.* Suposición previa.

presupuestar *v. tr.* Computar de antemano los gastos e ingresos de un negocio o proyecto.

presupuestario, ria *adj.* Relativo al presupuesto.

presupuesto *s. m.* Motivo, causa o pretexto con que se ejecuta una cosa.

presura *s. f.* **1.** Opresión, aprieto, congoja. **2.** Prisa.

presurizar *v. tr.* Mantener la presión atmosférica normal en un recinto, independientemente de la presión exterior.

presuroso, sa *adj.* Pronto, ligero, veloz.

prêt-à-porter *adj.* Se aplica a la ropa hecha en serie según unas medidas o tallas fijadas de antemano.

pretencioso, sa *adj.* Presuntuoso.

pretender *v. tr.* **1.** Solicitar una cosa, a la cual alguien aspira o cree tener cierto derecho. **2.** Procurar, intentar.

pretendido, da *adj.* Pretenso, imaginado, supuesto.

pretendienta *s. f.* La que pretende o solicita una cosa.

pretendiente *adj.* Novio, persona que alberga intenciones de matrimonio con otra persona. También com.

pretensión *s. f.* **1.** Solicitación para conseguir una cosa. **2.** Vanidad, presunción.

pretensor, ra *adj.* Que pretende. También s. m. y s. f.

preterición *s. f.* **1.** Acción y efecto de preterir. **2.** Forma de lo que no existe en el presente, pero que existió en algún tiempo. **3.** Figura que consiste en aparentar que se quiere omitir o pasar por alto aquello mismo que se dice expresa o encarecidamente.

preterir *v. tr.* **1.** Hacer caso omiso de una persona o cosa. **2.** Omitir en el testamento a un heredero forzoso.

pretérito, ta *adj.* Se dice de lo que ya ha pasado o sucedido.

pretermisión *s. f.* Omisión.

preternatural *adj.* Que se halla fuera del ser y estado natural de una cosa.

pretexta *s. f.* Especie de toga, orlada por abajo con una lista o tira de púrpura, que usaban los magistrados romanos, y que también llevaban, hasta salir de la edad pueril, los mancebos y doncellas nobles. También adj.

pretextar *v. tr.* Valerse de un pretexto.

pretexto *s. m.* Motivo o causa aparente que se alega para hacer una cosa o para excusarse de no haberla ejecutado.

pretil *s. m.* Murete o vallado de piedra u otra materia, que se pone en los puentes y otros parajes para preservar de caídas.

pretina *s. f.* Correa con hebilla para sujetar en la cintura una prenda de ropa.

pretor *s. m.* Magistrado romano.

pretorial *adj.* Perteneciente o relativo al pretor.

pretoriano, na *adj.* Se dice de los soldados de la guardia de los emperadores romanos.

pretorio *s. m.* Palacio de los emperadores romanos donde habitan y juzgan las causas.

pretura *s. f.* Empleo o dignidad de pretor.

prevalecer *v. intr.* Sobresalir alguien o algo.

prevaler *v. intr.* **1.** Prevalecer. ‖ *v. prnl.* **2.** Valerse o servirse de una cosa.

prevaricación *s. f.* Acción y efecto de prevaricar.

prevaricador, ra *adj.* **1.** Que prevarica. También s. m. y s. f. **2.** Que incita a prevaricar. También s. m. y s. f.

prevaricar *v. intr.* **1.** Faltar alguien a sabiendas a la obligación del cargo que desempeña. **2.** Cometer perjurio. **3.** Cometer el crimen de prevaricato. **4.** *fam.* Desvariar, decir desatinos.

prevaricato *s. m.* Acción de cualquier funcionario que de una manera análoga a la prevaricación falta a los deberes de su cargo.

prevención *s. f.* **1.** Acción y efecto de prevenir. **2.** Preparación para evitar un riesgo o ejecutar una cosa.

prevenido, da *adj.* **1.** Dispuesto para una cosa. **2.** Advertido, cuidadoso.

prevenir *v. tr.* **1.** Preparar. **2.** Prever, conocer de antemano un daño o perjuicio. **3.** Precaver, evitar o estorbar una cosa.

preventivo, va *adj.* Que previene.

prever *v. tr.* Ver con anticipación.

previo, via *adj.* Anticipado, que va delante o que sucede primero.

previsible *adj.* Que puede preverse o que entra dentro de las previsiones normales.

previsión *s. f.* Acción y efecto de prever.

previsor, ra *adj.* Que prevé. También s. m. y s. f.

previsto, ta *adj.* Anticipado, anunciado con antelación.

prez *s. amb.* Estima, gloria u honor que se adquiere o gana con una acción gloriosa.

priado *adv. t.* Pronto, presto, con rapidez.

prieto, ta *adj.* **1.** Se dice del color muy oscuro. **2.** *fig.* Misero, escaso, codicioso.

prima *s. f.* **1.** Primera de las cuatro partes iguales en que los romanos dividían el día artificial. **2.** En algunos instrumentos de cuerda, la que es primera en orden. **3.** Cantidad de dinero que se da a alguien a modo de gratificación o estímulo. **4.** Halcón hembra. **5.** Precio que el asegurado paga al asegurador. **6.** Suma que en ciertas operaciones de bolsa se obliga al comprador a plazos a pagar al vendedor por el derecho a rescindir el contrato. **7.** Cantidad que se paga por el traspaso de un derecho o una cosa además de su valor en venta. **8.** Precio concedido generalmente por el Estado a fin de estimular operaciones que se reputan de conveniencia pública.

primacía *s. f.* **1.** Superioridad. **2.** Dignidad o empleo de primado.

primada *s. f., fam.* Engaño que padece la persona que es poco cauta, pagando lo que otras gastan, o cosa parecida.

primado *s. m.* **1.** Primer lugar, grado, etc., que una cosa tiene respecto de otras de su especie. **2.** Primero y más preeminente de todos los arzobispos y obispos de un país o región.

primar *v. intr.* Sobresalir o aventajar.

primario, ria *adj.* **1.** Principal o primero en orden o grado. **2.** Perteneciente a los terrenos sedimentarios más antiguos.

primate *s. m.* **1.** Persona distinguida; prócer. Se usa más en pl. ‖ *s. m. pl.* **2.** Orden de mamíferos superiores que comprende a los monos y al hombre.

primavera *s. f.* **1.** Estación del año que, astronómicamente, comienza en el equinoccio del mismo nombre y termina en el solsticio de verano. **2.** Época templada del año, que en el hemisferio boreal corresponde los meses de marzo, abril y mayo y en el austral septiembre, octubre y noviembre. **3.** *fig.* Tiempo en que una cosa está en su mayor hermosura y vigor. **4.** *fig.* Planta herbácea perenne, de la familia de las primuláceas, con flores amarillas en figura de parasol.

primaveral *adj.* Perteneciente o relativo a la primavera.

primazgo *s. m.* **1.** Parentesco que tienen entre sí los primos. **2.** Primacía.

primer *adj.* Apócope de primero.

primerizo, za *adj.* **1.** Que hace por vez primera una cosa, o es novicio o principiante en un arte, profesión o ejercicio. **2.** Se dice especialmente de la hembra que pare por primera vez. También s. f.

primero, ra *adj.* **1.** Se dice de la persona o cosa que precede a las demás de su especie en orden, tiempo, etc. **2.** Excelente y que aventaja a otro.

primevo, va *adj.* Se dice de la persona de más edad respecto de otras.

primicia *s. f.* Fruto primero de cualquier cosa.

primigenio, nia *adj.* Primitivo, originario.

primípara *s. f.* Primeriza, hembra que pare por primera vez.

primitivo, va *adj.* **1.** Primero en su línea, que no tiene ni toma origen de otra cosa. **2.** Perteneciente a los orígenes de alguna cosa. **3.** Se dice de los pueblos aborígenes o de civilización poco desarrollada. **4.** Rudimentario, tosco.

primo, ma *adj.* **1.** Primero. **2.** Primoroso, excelente. ‖ *s. m. y s. f.* **3.** Respecto de una persona, hijo o hija de su tío o tía. **4.** *fam.* Persona demasiado cándida.

primogénito, ta *adj.* Se dice del hijo que nace primero.

primogenitura *s. f.* Dignidad, prerrogativa o derecho del primogénito.

primor *s. m.* Destreza, habilidad, esmero en hacer o decir algo.

primordial *adj.* **1.** Primitivo, primero. **2.** Se dice del principio fundamental de cualquier cosa.

primoroso, sa *adj.* **1.** Excelente, delicado y perfecto. **2.** Diestro, hábil.

prímula *s. f.* Planta herbácea perenne, con flores amarillas en figura de parasol.

primuláceo, a *adj.* Se dice de las plantas herbáceas dicotiledóneas, de hojas radicales o sobre el tallo; flores hermafroditas, pentámeras, cáliz persistente y corola de cuatro o cinco pétalos y fruto capsular con muchas semillas de albumen carnoso, como la primavera. También s. f.

prínceps *adj.* Se dice de la primera edición de una obra.

princesa *s. f.* **1.** Soberana de un principado. **2.** Mujer de un príncipe. **3.** En algunos países, hija del rey.

principado *s. m.* Territorio o lugar sujeto a la potestad de un príncipe.

principal *adj.* **1.** Se dice de la persona o cosa que tiene el primer lugar en estimación o importancia. **2.** Ilustre, esclarecido en nobleza. **3.** Esencial o fundamental.

principalidad *s. f.* Calidad de principal o de primero en su línea.

príncipe *s. m.* **1.** Soberano de un principado. **2.** Hijo del rey, heredero de su corona en los países donde la legislación marca la preferencia del varón, aunque sea menor, frente a la mujer.

principesco, ca *adj.* Perteneciente o relativo al príncipe o princesa.

principiante *adj.* Que empieza a estudiar, o a practicar un arte o profesión. Se usa más como s. m. y s. f.

principiar *v. tr.* Dar principio a una cosa.

principio *s. m.* **1.** Primer instante del ser de una cosa. **2.** Fundamento de un razonamiento o discurso. **3.** Origen de algo.

pringada *s. f.* Rebanada de pan empapada en pringue.

pringar *v. tr.* **1.** Empapar con pringue un alimento. **2.** Manchar con pringue.

pringoso, sa *adj.* Que tiene pringue.

pringue *s. m. y s. f.* **1.** Grasa que suelta el tocino u otra cosa semejante sometida a la acción del fuego. **2.** *fig.* Suciedad, grasa que se pega a la ropa o a otra cosa.

prior *adj.* **1.** En lo escolástico, se dice de lo que precede a otra cosa en cualquier orden. ‖ *s. m.* **2.** En algunas comunidades, superior o prelado ordinario del convento.

priora *s. f.* Prelada de algunos conventos de religiosas.

priorato *s. m.* Oficio, dignidad o empleo de prior o priora.

priori, a *loc. lat.* **1.** Se dice de los conocimientos que son independientes de la experiencia. **2.** En la filosofía escolástica, se dice del razonamiento que va de la causa al efecto o de la esencia de una cosa a sus propiedades.

prioridad *s. f.* Anterioridad de una cosa respecto de otra, en tiempo o en orden.

prioritario, ria *adj.* Se dice de lo que tiene prioridad sobre algo.

prioste *s. m.* Mayordomo de una hermandad o cofradía.

prisa *s. f.* Prontitud, rapidez con que sucede o se ejecuta una cosa.

priscal *s. f.* Lugar en el campo donde se recogen los ganados por la noche.

prisco *s. m.* Albérchigo.

prisión *s. f.* Cárcel o sitio donde se encierran y asesoran los presos.

prisionero, ra *s. m. y s. f.* Persona que en guerra cae en poder del enemigo.

prisma *s. m.* Sólido terminado por dos caras paralelas e iguales, llamadas bases, y por tantos paralelogramos cuantos lados tenga cada base.

prismáticos *s. m. pl.* Anteojos.

priste *s. m.* Pez marino selacio, de unos 5 m de largo, que tiene en la mandíbula superior un rostro o espolón, parecido a una espada, y con espinas laterales, triangulares y muy fuertes.

prístino, na *adj.* Antiguo, primitivo.

privación *s. f.* Carencia o falta de una cosa.

privado, da *adj.* **1.** Que se ejecuta a vista de pocos, familiar y domésticamente. **2.** Particular y personal de cada uno.

privar *v. tr.* **1.** Despojar a alguien de algo que poseía o de que gozaba. **2.** Prohibir, vedar una cosa a alguien.

privativo, va *adj.* **1.** Que causa o significa privación. **2.** Propio y especial de una persona o cosa.

privatización *s. f.* Acción y efecto de privatizar.

privatizar *v. tr.* Transferir una empresa pública al sector privado.

privilegiado, da *adj.* **1.** Que goza de privilegios. **2.** Que está colocado u ocupa un lugar preferente.

privilegiar *v. tr.* Conceder privilegio a alguien.

privilegio *s. m.* Gracia, prerrogativa o exención.

pro *s. m. y s. f.* Provecho.

proa *s. f.* Parte delantera de la nave, con la cual corta las aguas.

probabilidad *s. f.* **1.** Verosimilitud. **2.** Calidad de probable.

probable *adj.* **1.** Verosímil, que se funda en razón prudente. **2.** Que se puede probar.

probación *s. f.* Prueba.

probado, da *adj.* Acreditado por la experiencia.

probador *s. m.* En los talleres de costura o tiendas de ropa, aposento en que los clientes se prueban los trajes o vestidos.

probanza *s. f.* **1.** Averiguación o prueba jurídica que se hace de una cosa. **2.** Cosa o conjunto de ellas que acreditan una verdad o un hecho.

probar *v. tr.* **1.** Hacer examen de las cualidades de personas o cosas. **2.** Justificar o hacer patente la certeza de un hecho o la verdad de una cosa.

probatoria *s. f.* Término concedido por la ley o por el juez para hacer las pruebas.

probatorio, ria *adj.* Que sirve para probar o averiguar la verdad de una cosa.

probeta *s. f.* Tubo de cristal, con pie o sin él, cerrado por un extremo y destinado a contener líquidos o gases.

probidad *s. f.* Bondad, moralidad, rectitud del ánimo, integridad y honradez en el obrar.

problema *s. m.* **1.** Cuestión que se plantea e intenta solucionar, proposición dudosa. **2.** Proposición dirigida a averiguar el modo de obtener un resultado cuando se conocen ciertos datos. **3.** *fig.* Inconveniente, molestia. **4.** *fig.* Disgusto, preocupación. Se usa más en pl.

problemático, ca *adj.* **1.** Dudoso. **2.** Que causa problemas. ‖ *s. f.* **3.** Conjunto de cuestiones y dificultades relativas a una determinada dsiciplina.

probo, ba *adj.* Que tiene probidad.

probóscide *s. f.* Prolongación en forma de trompa o pico de la zona nasal o bucal de diferentes especies.

proboscidio *adj.* Se dice de los mamíferos terrestres de gran tamaño que poseen gruesas patas, trompa prensil y colmillos formados por los largos incisivos superiores, como el elefante. También s. m.

procacidad *s. f.* Desvergüenza, atrevimiento, insolencia.

procaz *adj.* Desvergonzado, atrevido.

procedencia *s. f.* **1.** Origen, principio de una cosa. **2.** Punto de salida de un barco, un tren, una persona, etc., cuando llega a término de su viaje.

procedente *adj.* Que procede o trae su origen de una persona, lugar o cosa.

proceder¹ *v. intr.* **1.** Ir en realidad o figuradamente algunas personas o cosas unas tras otras guardando cierto orden. **2.** Originarse una cosa de otra. **3.** Pasar a poner en ejecución una cosa a la cual precedieron algunas diligencias. **4.** Ser conforme a razón, derecho, mandato, práctica o conveniencia.

proceder² *s. m.* Modo de comportarse.

procedimiento *s. m.* **1.** Acción de proceder. **2.** Actuación por trámites judiciales o administrativos.

procela *s. f.* Borrasca, tormenta.

proceloso, sa *adj.* Borrascoso, tormentoso, tempestuoso.

prócer *adj.* **1.** Eminente, o alto. ‖ *s. m.* **2.** Persona de la primera distinción o constituida en alta dignidad.

procerato *s. m.* Dignidad de prócer.

proceridad *s. f.* **1.** Altura, eminencia o elevación. **2.** Vigor, lozanía, desarrollo anticipado.

proceroso, sa *adj.* Se dice de la persona de alta estatura, corpulenta o de aspecto respetable.

procesado, da *adj.* Declarado presunto reo en un proceso criminal.

procesal *adj.* Perteneciente o relativo al proceso.

procesamiento *s. m.* Acto de procesar.

procesar *v. tr.* **1.** Formar autos y procesos contra alguien. **2.** Declarar a una persona presunto reo de delito. **3.** Tratar la información de modo automatizado.

procesión *s. f.* **1.** Acción de proceder una cosa de otra. **2.** Acto de ir ordenadamente de un lugar a otro muchas personas con algún fin público y solemne, por lo general religioso.

procesionaria *s. f.* Nombre dado a orugas de diferentes especies de lepidópteros que causan graves estragos en pinos, encinas, etc. Suelen caminar juntas en filas largas y sus pelos producen irritaciones tan vivas como las de las ortigas.

proceso *s. m.* **1.** Progreso, acción de ir adelante. **2.** Transcurso del tiempo. **3.** Conjunto de las fases sucesivas de un fenómeno. **4.** Conjunto de diligencias judiciales de una causa.

proclama *s. f.* **1.** Notificación pública. **2.** Alocución política o militar.

proclamación *s. f.* Actos públicos y ceremonias con que se declara e inaugura un nuevo reinado, principado, etc., o un nuevo orden jurídico.

proclamar *v. tr.* **1.** Publicar en alta voz una cosa para que se haga notoria a todos. ‖ *v. prnl.* **2.** Declararse alguien investido de un cargo, autoridad o mérito.

proclisis *s. f.* Unión de una palabra proclítica con la que la sigue.

proclítico, ca *adj.* Se dice del monosílabo que, por no tener acento propio, se liga en la pronunciación a la palabra siguiente, aunque al escribirlo se mantenga separada.

proclive *adj.* Inclinado, propenso a una cosa mala o perversa.

proclividad *s. f.* Calidad de proclive.

procomún *s. m.* Utilidad pública.

procónsul *s. m.* Gobernador de una provincia entre los romanos, con jurisdicción e insignias consulares.

procreación *s. f.* Acción y efecto de procrear.

procrear *v. tr.* Multiplicar una especie.

procurador, ra *s. m. y s. f.* Persona que con la necesaria habilitación legal ejerce ante los tribunales la representación de cada interesado en un juicio civil o criminal.

procuraduría *s. f.* Cargo u oficina de procurador o procuradora.

procurar *v. tr.* **1.** Hacer diligencias o esfuerzos para conseguir algo. **2.** Ejercer el oficio de procurador.

procurrente *s. m.* Gran extensión de tierra que se adelanta y avanza mar adentro, como lo es toda Italia.

prodición *s. f.* Alevosía, traición.

prodigalidad *s. f.* **1.** Profusión. **2.** Copia, abundancia o multitud.

prodigar *v. tr.* **1.** Derrochar, malgastar. **2.** Dar con profusión y abundancia.

prodigio *s. m.* **1.** Hecho sobrenatural. **2.** Cosa primorosa en su línea. **3.** Milagro.

prodigiosidad *s. f.* Calidad de prodigioso.

prodigioso, sa *adj.* **1.** Extraordinario, maravilloso. **2.** Excelente, primoroso.

pródigo, ga *adj.* **1.** Disipador, que desperdicia y consume su hacienda en gastos inútiles y vanos. **2.** Muy dadivoso.

pródromo *s. m.* Malestar que precede a una enfermedad.

producción *s. f.* **1.** Acción de producir. **2.** Cosa producida, producto.

producir *v. tr.* **1.** Engendrar, procrear. **2.** Dar, rendir fruto los terrenos, árboles, etc. **3.** Rentar interés, utilidad o beneficio anual una cosa o un capital.

productividad *s. f.* Índice del rendimiento de una industria entre las horas invertidas y los productos elaborados.

productivo, va *adj.* Que tiene virtud de producir.

producto *s. m.* **1.** Cosa producida. **2.** Caudal que se obtiene de una cosa cuando se vende, arrienda o explota. **3.** Mercancía o género que se saca al mercado para su venta o consumo. **4.** Cantidad resultante de la multiplicación.

productor, ra *s. m. y s. f.* **1.** En la organización del trabajo, cada una de las personas que intervienen en la producción de bienes. **2.** Persona que, con responsabilidad financiera, asume la realización de una obra cinematográfica. **3.** Empresa que se dedica a la producción cinematográfica o discográfica.

proejar *v. intr.* Remar contra la corriente o contra la fuerza del viento.

proel *adj.* Se dice de lo que está cerca de la proa.

proemio *s. m.* Prólogo de un libro.

proeza *s. f.* Hazaña.

profanación *s. f.* Acción y efecto de profanar.

profanador, ra *adj.* Que profana. También s. m. y s. f.

profanar *v. tr.* Tratar una cosa sagrada sin el debido respeto o aplicarla a usos profanos.

profanidad *s. f.* Calidad de profano.

profano, na *adj.* **1.** Que no es sagrado ni sirve a usos sagrados. **2.** Libertino, muy aficionado a las cosas del mundo. También s. m. y s. f. **3.** Inmodesto, deshonesto en el fausto o compostura. **4.** Se dice de la persona que carece de conocimientos y autoridad en una materia. También s. m. y s. f.

profazar *v. tr.* Abominar, censurar o desacreditar a una persona o cosa.

profecía *s. f.* Don sobrenatural que consiste en conocer por inspiración divina las cosas distantes o futuras.

proferir *v. tr.* Pronunciar, decir palabras.

profesar *v. tr.* Ejercer una ciencia, arte u oficio.

profesión *s. f.* Empleo, facultad y oficio que cada uno tiene y ejerce públicamente.

profesional *adj.* Perteneciente a la profesión en general y particularmente al magisterio de ciencias y artes.

profesionalidad *s. f.* Calidad de profesional.

profeso, sa *adj.* Se dice del religioso que ha profesado.

profesor, ra *s. m. y s. f.* Persona que ejerce o enseña una ciencia o arte.

profesorado *s. m.* **1.** Cargo de profesor. **2.** Cuerpo de profesores.

profeta *s. m.* Hombre que posee el don de profecía.

profético, ca *adj.* Perteneciente o relativo a la profecía o al profeta.

profetisa *s. f.* Mujer que posee el don de profecía.

profetizar *v. tr.* Predecir las cosas distantes o futuras en virtud del don de profecía.

proficiente *adj.* Se dice de la persona que saca provecho de una cosa.

proficuo, cua *adj.* Provechoso.

profiláctica *s. f.* Higiene.

profiláctico, ca *adj.* Que previene.

profilaxis *s. f.* Tratamiento o régimen preservativo.

prófugo, ga *adj.* **1.** Fugitivo. **2.** Mozo que se ausenta o se oculta para evadirse del servicio militar.

profundidad *s. f.* **1.** Calidad de profundo. **2.** Hondura. **3.** Dimensión de los cuerpos perpendiculares a una superficie dada.

profundizar *v. tr.* **1.** Cavar una cosa para hacerla más profunda. **2.** *fig.* Discurrir con la mayor atención y examinar una cosa para llegar a su mejor conocimiento. También intr.

profundo, da *adj.* **1.** Que tiene el fondo muy distante de la boca o borde de la cavidad. **2.** Más hondo que lo normal. **3.** Que penetra mucho o va hasta muy adentro. **4.** *fig.* Intenso, o muy vivo y eficaz. **5.** *fig.* Difícil de penetrar o comprender. **6.** *fig.* Se dice de la persona cuyo entendimiento penetra mucho. ‖ *s. m.* **7.** Profundidad. **8.** La parte más honda de una cosa.

profusión *s. f.* Copia, abundancia excesiva en lo que se da, expende, etc.

profuso, sa *adj.* Abundante con exceso, copioso, superfluamente excesivo.

progenie *s. f.* Casta o familia de la cual desciende una persona.

progenitor *s. m.* Ascendiente en línea recta de quien procede una persona.

progenitura *s. f.* Progenie.

prognatismo *s. m.* Calidad de prognato.

prognato, ta *adj.* Se dice de la persona que tiene salientes las mandíbulas.

progne *s. f.* Golondrina, pájaro.

prognosis *s. f.* Conocimiento anticipado de algún suceso. Se dice particularmente de la predicción meteorológica del tiempo.

programa *s. m.* **1.** Anuncio público. **2.** Previa declaración de lo que se piensa hacer en alguna materia. **3.** Tema que se da para un discurso, cuadro, etc. **4.** Sistema y distribución de las materias de un curso o asignatura. **5.** Proyecto ordenado de actividades. **6.** Serie de las unidades temáticas que componen una emisión de radio o televisión. **7.** Conjunto de instrucciones escritas en lenguaje máquina o lenguaje de programación que ejecuta un ordenador y realizan determinadas operaciones sobre los datos.

programación *s. f.* **1.** Acción de programar. **2.** Conjunto de los programas de radio y televisión. **3.** Preparación por anticipado de un mecanismo para que realice una determinada función. **4.** Proceso de preparación, diseño y escritura de programas informáticos.

programador, ra *s. m. y s. f.* **1.** Persona que escribe o corrige programas informáticos. ǁ *s. m.* **2.** Dispositivo que sirve para programar un mecanismo.

programar *v. tr.* **1.** Proveer o disponer las acciones para su ejecución. **2.** Escribir programas para que un ordenador realice determinadas tareas. **3.** Idear el programa de un curso o una materia de estudio.

progre *adj., fam.* Progresista.

progresar *v. intr.* **1.** Hacer progresos o adelantos en una materia. **2.** Crear desarrollo en un país o región.

progresión *s. f.* **1.** Acción de avanzar o de proseguir alguna cosa. **2.** Serie de números o términos algebraicos en la cual cada tres consecutivos forman proporción continua.

progresista *adj.* Se dice en general de la persona que procura el progreso político de la sociedad. También com.

progresivo, va *adj.* Que progresa o aumenta en cantidad o en perfección.

progreso *s. m.* **1.** Acción de ir hacia delante. **2.** Adelantamiento.

prohibición *s. f.* Acción y efecto de prohibir.

prohibir *v. tr.* Vedar o impedir el uso o ejecución de una cosa.

prohibitivo, va *adj.* Se dice de lo que prohíbe o está prohibido.

prohijar *v. tr.* **1.** Recibir como hijo. **2.** Acoger como propias las opiniones ajenas.

prohombre *s. m.* Hombre que goza de especial consideración o fama entre las de su clase.

proís *s. m.* Objeto en que se amarra la embarcación.

prójimo, ma *s. m. y s. f.* Cualquier hombre o mujer respecto de otro, como miembro de la comunidad humana.

prolapso *s. m.* Descenso de una parte interna del cuerpo.

prole *s. f.* Linaje, descendencia de alguien.

prolegómeno *s. m.* Escrito preliminar que se pone al principio de una obra, en el cual se exponen los fundamentos de la materia que se ha de tratar.

prolepsis *s. f.* Anticipación, provisión de objeciones.

proletariado *s. m.* Clase social constituida por los proletarios.

proletario, ria *s. m. y s. f.* Persona de la clase trabajadora.

proliferación *s. f.* Multiplicación muy activa de elementos orgánicos semejantes.

proliferar *v. intr.* **1.** Multiplicarse con mucha actividad los elementos celulares. **2.** Por ext., se aplica a todo lo que es abundante o se multiplica.

prolífico, ca *adj.* Que tiene virtud de engendrar.

prolijo, ja *adj.* **1.** Demasiadamente cuidadoso. **2.** Largo, dilatado con exceso.

prologar *v. tr.* Escribir el prólogo de una obra.

prólogo *s. m.* Escrito antepuesto al cuerpo de la obra en un libro de cualquier clase.

prolongable *adj.* Que se puede prolongar.

prolongación *s. f.* Parte prolongada de algo.

prolongado, da *adj.* **1.** Más largo que ancho. **2.** Que dura cierto tiempo.

prolongamiento *s. m.* Prolongación.

prolongar *v. tr.* **1.** Alargar, dilatar o extender una cosa a lo largo. **2.** Hacer que dure una cosa más tiempo que lo regular.

proloquio *s. m.* Proposición, sentencia.

prolusión *s. f.* Prelación.

promediar *v. tr.* **1.** Repartir una cosa en dos partes iguales. ǁ *v. intr.* **2.** Mediar, servir de intermediario.

promedio *s. m.* **1.** Punto en que una cosa se divide por mitad o casi por la mitad. **2.** Término medio, cociente.

promesa *s. f.* **1.** Expresión de la voluntad de dar a alguien o hacer por él una cosa. **2.** Ofrecimiento hecho a Dios de ejecutar una obra piadosa.

prometedor, ra *adj.* Que promete.

prometer *v. tr.* **1.** Obligarse a hacer, decir o dar alguna cosa. ‖ *v. intr.* **2.** Dar una persona o cosa buenas muestras de sí para lo futuro o venidero.

prometido, da *s. m. y s. f.* Novio o novia, persona comprometida con otra para casarse.

prometimiento *s. m.* Promesa, ofrecimiento de hacer o dar alguna cosa.

prominencia *s. f.* Elevación de una cosa sobre lo que está alrededor o próxima a ella.

prominente *adj.* Que se eleva sobre lo que está a su alrededor o inmediación.

promiscuar *v. intr.* **1.** Comer en días de abstinencia carne y pescado en una misma comida. **2.** *fig.* Participar o mezclarse indistintamente en cosas heterogéneas u opuestas.

promiscuidad *s. f.* Mezcla, confusión.

promiscuo, cua *adj.* Mezclado confusa o indiferentemente.

promisión *s. f.* Promesa, ofrecimiento de hacer o dar alguna cosa.

promisorio, ria *adj.* Que encierra en sí promesa.

promoción *s. f.* Conjunto de individuos que obtienen un grado o empleo al mismo tiempo en determinada carrera o profesión.

promontorio *s. m.* **1.** Altura muy considerable de tierra. **2.** *fig.* Altura considerable de tierra que avanza dentro del mar.

promotor, ra *adj.* Que promueve una cosa, haciendo las diligencias conducentes para su logro. También s. m. y s. f.

promover *v. tr.* **1.** Iniciar una cosa procurando su logro. **2.** Elevar a alguien a una dignidad o empleo superior al que tenía.

promulgación *s. f.* Acción, y efecto de promulgar.

promulgar *v. tr.* Publicar una cosa solemnemente.

pronaos *s. m.* En los templos antiguos, pórtico que había delante del santuario.

prono, na *adj.* Inclinado demasiado a una cosa.

pronombre *s. m.* Parte de la oración que suple al nombre, lo determina y desempeña sus funciones.

pronominal *adj.* Perteneciente al pronombre o que participa de su naturaleza.

pronosticar *v. tr.* **1.** Conocer por algunos indicios lo futuro. **2.** Manifestar este conocimiento.

pronóstico *s. m.* **1.** Acción y efecto de pronosticar. **2.** Juicio que forma el médico respecto del curso, dirección y terminación de una enfermedad. **3.** Calendario en que se anuncian los fenómenos astronómicos y meteorológicos.

prontitud *s. f.* **1.** Celeridad. **2.** Viveza de ingenio.

pronto, ta *adj.* **1.** Veloz, acelerado, ligero. ‖ *adv. m.* **2.** Con anticipación al momento oportuno.

prontuario *s. m.* **1.** Resumen o apuntamiento en que se notan varias cosas para tenerlas presentes cuando se necesiten. **2.** Compendio de las reglas de una ciencia o arte.

prónuba *s. f.* Madrina de boda.

pronunciable *adj.* Que se pronuncia fácilmente.

pronunciación *s. f.* Acción y efecto de pronunciar.

pronunciamiento *s. m.* **1.** Rebelión militar. **2.** Cada una de las declaraciones, condenas o mandatos del juzgador.

pronunciar *v. tr.* **1.** Emitir y articular sonidos para hablar. **2.** Publicar la sentencia.

propagación *s. f.* Acción y efecto de propagarse.

propagador, ra *adj.* Que propaga.

propaganda *s. f.* Publicidad, difusión de algún mensaje, producto o imagen.

propagandista *adj.* Se dice de la persona que hace propaganda, especialmente en materia política. También com.

propagandístico, ca *adj.* Que pertenece o dice relación a la propaganda.

propagar *v. tr.* **1.** Multiplicar por generación u otra vía de reproducción. También prnl. **2.** *fig.* Extender o aumentar una cosa. También prnl.

propalador, ra *adj.* Que propala. También s. m. y s. f.

propalar *v. tr.* Divulgar una cosa oculta.

propano *s. m.* Hidrocarburo obtenido del gas de hulla y de las emanaciones de pozos petrolíferos, por reducción con polvo de cinc del yoduro de propilo.

proparoxítono, na *adj.* Esdrújulo.

propartida *s. f.* Tiempo inmediatamente anterior a la partida.

propasarse *v. prnl.* Excederse alguien de lo razonable en lo que hace o dice.

propedéutica *s. f.* Enseñanza preparatoria para el estudio de una ciencia.

propender *v. intr.* Inclinarse alguien a una cosa por especial afición u otro motivo.

propensión *s. f.* Inclinación de una persona o cosa a lo que es de su gusto o naturaleza.

propenso, sa *adj.* Con inclinación o afecto a lo que es natural a alguien.

propiciar *v. tr.* Aplacar la ira de alguien haciéndole favorable o captando su voluntad.

propicio, cia *adj.* Benigno, inclinado a hacer bien.

propiedad *s. f.* **1.** Derecho de disponer de una cosa, con exclusión del arbitrio ajeno, y de reclamar la devolución de ella si está en poder de otro. **2.** Cosa sobre que recae este derecho. **3.** Atributo o cualidad esencial de una persona o cosa.

propienda *s. f.* Cada una de las tiras de lienzo fijas en los banzos del bastidor para bordar.

propietario, ria *adj.* Que tiene derecho de propiedad sobre una cosa, y especialmente sobre bienes inmuebles.

propileo *s. m.* Peristilo de columnas.

propina *s. f.* Gratificación que sobre el precio convenido se da por algún servicio.

propinar *v. tr.* **1.** Dar a beber. **2.** Administrar un medicamento.

propincuidad *s. f.* Calidad de propincuo.

propincuo, cua *adj.* Allegado, cercano, próximo.

propio, pia *adj.* **1.** Perteneciente a alguien en propiedad. **2.** Conveniente y a propósito para un fin.

propóleos *s. m.* Sustancia cérea con que las abejas bañan las colmenas.

proponer *v. tr.* **1.** Manifestar a alguien con razones una cosa para inducirle a adoptarla. **2.** Determinar o hacer intención de ejecutar una cosa. También *prnl.* **3.** Consultar o presentar a alguien para un empleo o beneficio.

proporción *s. f.* Correspondencia debida de las partes de una cosa con el todo o entre cosas relacionadas entre sí.

proporcionado, da *adj.* Regular, competente o apto para algún fin.

proporcional *adj.* Perteneciente a la proporción o que la incluye en sí.

proporcionalidad *s. f.* Proporción.

proporcionar *v. tr.* **1.** Disponer una cosa con la debida proporción en sus partes. **2.** Entregar o poner a disposición de alguien lo que necesita o le conviene. También *prnl.*

proposición *s. f.* **1.** Acción y efecto de proponer. **2.** Expresión verbal de un juicio. **3.** Oración gramatical. **4.** Enunciación de una verdad demostrada o que se trata de demostrar.

propósito *s. m.* Intención de hacer o de no hacer una cosa.

propuesta *s. f.* **1.** Proposición o idea que se manifiesta y ofrece a alguien para un fin. **2.** Consulta.

propugnáculo *s. m.* Fortaleza o lugar murado y capaz de ser defendido contra el enemigo.

propugnar *v. tr.* **1.** Defender, amparar. **2.** Proponer o promover para un cargo a una persona.

propulsa *s. f.* Repulsa.

propulsar *v. tr.* **1.** Repulsar. **2.** Impeler hacia delante.

propulsión *s. f.* **1.** Propulsa. **2.** Acción de propulsar o impeler.

propulsor, ra *adj.* Que propulsa.

prorrata *s. f.* Cuota o porción que toca a alguien en el prorrateo.

prorratear *v. tr.* Repartir una cantidad entre varios.

prorrateo *s. m.* Distribución proporcional de una cantidad entre varios.

prórroga *s. f.* Prorrogación.

prorrogable *adj.* Que se puede prorrogar.

prorrogación *s. f.* Continuación de una cosa por un tiempo determinado.

prorrogar *v. tr.* **1.** Continuar, proseguir, dilatar un plazo u otra cosa por tiempo determinado. **2.** Suspender, diferir.

prorrumpir *v. tr.* **1.** Salir con ímpetu una cosa. **2.** *fig.* Exclamar repentinamente y con fuerza una voz, queja u otra demostración de dolor o pasión vehemente.

prosa *s. f.* Estructura o forma natural del lenguaje, no sujeta, como el verso, a medida y cadencia determinadas.

prosaico, ca *adj., fig.* Dicho de personas y de ciertas cosas, falto de idealidad o elevación; insulso, vulgar.

prosaísmo *s. m.* Defecto de la obra en verso o de cualquiera de sus partes, que consiste en la excesiva llaneza de la expresión, o en la vulgaridad del concepto.

prosapia *s. f.* Ascendencia de una persona.

proscenio *s. m.* **1.** En el antiguo teatro griego y latino, lugar entre la escena y la orquesta. **2.** Parte del escenario más inmediata al público, entre el borde del escenario y el primer orden de bastidores.

proscribir *v. tr.* **1.** Echar a alguien del territorio de su patria, comúnmente por razones políticas. **2.** Prohibir el uso de una cosa.

proscripción *s. f.* Acción y efecto de proscribir.

proscripto, ta *adj.* Proscrito. También *s. m.* y *s. f.*

proscriptor, ra *adj.* Que proscribe. También *s. m.* y *s. f.*

proscrito, ta *adj.* Perseguido por la ley o declarado culpable. También *s. m.* y *s. f.*

prosecución *s. f.* Seguimiento, persecución.

proseguir *v. tr.* Seguir, continuar, llevar adelante lo que se tenía empezado.

proselitismo *s. m.* Celo de ganar prosélitos.

proselitista *s. m.* y *s. f.* Que practica el proselitismo.

prosélito *s. m.* Partidario.

prosénquima *s. f.* Tejido fibroso de los animales y de las plantas.

prosificar *v. tr.* Poner en prosa una composición poética.

prosimio, mia *adj.* Se dice del mamífero carnívoro nocturno cuya estructura participa de la del mono y de la de los quirópteros; se encuentra principalmente en las grandes islas de Asia y África. También *s. m.*

prosinodal *adj.* Se dice del teólogo nombrado en un sínodo para examinar a los clérigos.

prosista *s. m.* y *s. f.* Escritor o escritora de obras en prosa.

prosodema *s. m.* Unidad de contenido significativo mínimo y que se diferencia por un rasgo prosódico.

prosodia *s. f.* Parte de la gramática que enseña la recta pronunciación y acentuación de las letras, sílabas y palabras.

prosódico, ca *adj.* Perteneciente o relativo a la prosodia.

prosopografía *s. f.* Descripción del exterior de una persona o de un animal.

prosopopeya s. f., fam. Afectación de gravedad y pompa.

prospección s. f. **1.** Exploración y sondeos de un terreno para reconocer sus posibilidades mineras. **2.** Exploración de posibilidades futuras basada en indicios presentes.

prospectiva s. f. Conjunto de análisis realizados con el fin de explorar o predecir el futuro en una materia.

prospectivo, va adj. Que se refiere al futuro.

prospecto s. m. Exposición breve que se hace al público sobre una obra, escrito, etc.

prosperar v. tr. **1.** Ocasionar prosperidad. ‖ v. intr. **2.** Tener o gozar prosperidad.

prosperidad s. f. Curso favorable de las cosas, éxito feliz.

próspero, ra adj. Favorable, propicio.

próstata s. f. Glándula pequeña que tienen los machos de los mamíferos unida al cuello de la vejiga de la orina y a la uretra.

prosternación s. f. Acción y efecto de prosternarse.

prosternarse v. prnl. Postrarse.

próstesis s. f. Prótesis, adición.

prostíbulo s. m. Casa de prostitución.

próstilo adj. Se dice del templo u otro edificio griego que tiene solo columnas a su frente.

prostitución s. f. Comercio que hace una persona de su cuerpo, entregándose a otros por dinero o chantaje.

prostituir v. tr. **1.** Exponer públicamente al comercio sexual. **2.** fig. Envilecer alguien su talento, empleo, autoridad, etc., a cambio de prebendas o influencias.

prostituto, ta s. m. y s. f. Persona que comercia sexualmente con su cuerpo.

protagonismo s. m. **1.** Acción de destacar o sobresalir. **2.** Afán desmedido por figurar en cualquier empresa.

protagonista com. **1.** Personaje principal de una obra literaria o dramática. **2.** Por ext., persona que en un suceso cualquiera tiene la parte principal.

protagonizar v. tr. **1.** Desempeñar la función de protagonista. **2.** Desempeñar el papel más importante en un hecho.

prótasis s. f. Primera parte del poema dramático o exposición.

proteáceo, a adj. Se aplica a plantas dicotiledóneas, por lo general árboles y arbustos, de flores hermafroditas, agrupadas en espiga o racimo. También s. f.

protección s. f. Acción y efecto de proteger.

proteccionismo s. m. Doctrina económica que pretende defender la agricultura y la industria de un país gravando la importación de productos extranjeros.

proteccionista adj. **1.** Partidario del proteccionismo. También com. **2.** Perteneciente o relativo al proteccionismo.

protector, ra adj. Que protege.

protectorado s. m. Parte de soberanía que un Estado ejerce en territorio que no pertenece a su país y en el cual existen autoridades propias.

proteger v. tr. Amparar, favorecer.

protegido, da s. m. y s. f. Favorito, ahijado.

proteico, ca adj. Se dice de las materias albuminoideas que fundamentalmente constituyen el protoplasma.

proteína s. f. Nombre de ciertos albuminoides, compuestos de carbono, hidrógeno, oxígeno, nitrógeno, y fundamentales en la constitución de organismos.

proteínico, ca adj. Relativo a las proteínas.

proteo s. m., fig. Hombre inconstante, que cambia con frecuencia de opiniones y afectos.

protervia s. f. Obstinación en la maldad, perversidad, impenitencia.

protervidad s. f. Protervia.

protervo, va adj. Que tiene protervia.

protésico, ca adj. **1.** Perteneciente o relativo a la prótesis. ‖ s. m. y s. f. **2.** Persona que construye piezas dentales postizas.

prótesis s. f. Procedimiento mediante el cual se suple o repara artificialmente la falta de un órgano o parte de él.

protesta s. f. Manifestación pública en contra de algo.

protestante adj. Que sigue el luteranismo o cualquiera de sus sectas. También com.

protestantismo s. m. Movimiento religioso nacido en el s. XVI y promovido por Lutero, que, al no reconocer la autoridad papal, entre otras diferencias de criterio, se separó de la Iglesia católica.

protestar v. tr. Manifestar públicamente y en grupo el desacuerdo por algo.

protesto s. m. Requerimiento que se hace ante notario por falta de aceptación o pago de una letra para que no se perjudiquen los derechos de los interesados.

prótido s. m. Cualquiera de los tipos de sustancias componentes de los seres vivos que forman la parte fundamental de las células, los órganos y los líquidos orgánicos.

protocolar adj. Relativo al protocolo.

protocolario, ria adj., fig. Se dice de lo que se hace con solemnidad no indispensable, aunque usual.

protocolizar v. tr. Incorporar al protocolo un documento.

protocolo s. m. Ordenada serie de escrituras matrices y otros documentos que un notario autoriza y custodia con ciertas formalidades.

protohistoria s. f. Periodo histórico en que faltan la cronología y los documentos, basado únicamente en tradiciones o inducciones.

protón s. m. Elemento del núcleo del átomo, que está provisto de carga eléctrica positiva, numéricamente igual a la negativa del electrón.

protónico, ca *adj.* Se dice del sonido o sílaba átona que en el vocablo precede a la tónica.

protoplasma *s. m.* Materia organizada y viviente que constituye la parte esencialmente activa y viva de la célula.

protoplasmático, ca *adj.* Perteneciente al protoplasma.

protosulfuro *s. m.* Primer grado de combinación de un radical con el azufre.

prototipo *s. m.* **1.** Modelo, original o primer molde en que se fabrica una cosa. **2.** *fig.* El más perfecto ejemplar de una virtud, vicio o cualidad.

protóxido *s. m.* Cuerpo que resulta de la combinación de oxígeno con un radical simple o compuesto, en su primer grado de oxidación.

protozoario *s. m.* Animal microscópico, perteneciente a una división del reino animal, que contiene las formas más elementales y es tránsito entre los del reino vegetal y animal.

protozoo *s. m.* Animal microscópico.

protráctil *adj.* Se dice de la lengua de algunos animales que puede proyectarse mucho fuera de la boca, como en el camaleón.

protutor *s. m.* Cargo instaurado por el código civil para intervenir las funciones de la tutela y asegurar su recto ejercicio.

protuberancia *s. f.* Prominencia más o menos redonda.

provecho *s. m.* **1.** Utilidad que se proporciona a otro. **2.** Aprovechamiento en las ciencias, artes o virtudes.

provechoso, sa *adj.* Que causa provecho o es de provecho o utilidad.

provecto, ta *adj.* **1.** Que está ya adelantado, o que ha aprovechado en una cosa. **2.** Maduro, entrado en años.

proveedor, ra *s. m. y s. f.* Persona encargada de proveer de todo lo necesario a una colectividad o casa de gran consumo.

proveeduría *s. f.* **1.** Cargo y oficio de proveedor. **2.** Casa donde se guardan y distribuyen las provisiones.

proveer *v. tr.* **1.** Prevenir y acopiar todas las cosas necesarias para un fin. También prnl. **2.** Decidir, resolver, dar salida a un negocio. **3.** Dar una dignidad, empleo, etc.

proveimiento *s. m.* Acción de proveer.

provena *s. f.* Mugrón de la vid.

provenir *v. intr.* Originarse una cosa de otro como de su principio.

provento *s. m.* Producto, renta.

proverbial *adj.* Muy notorio.

proverbio *s. m.* **1.** Refrán, máxima o adagio. ǁ *s. m. pl.* **2.** Libro de la Biblia que contiene varias sentencias de Salomón.

provicero *s. m.* Vaticinador.

providencia *s. f.* Disposición anticipada o prevención encaminada al logro de un fin.

providenciar *v. tr.* Dictar o tomar providencia.

providente *adj.* **1.** Avisado, prudente. **2.** Próvido, prevenido.

próvido, da *adj.* **1.** Prevenido, cuidadoso y diligente. **2.** Propicio, favorable.

provincia *s. f.* **1.** Cada una de las grandes divisiones de un territorio o Estado. **2.** Cada una de las demarcaciones administrativas del territorio español fijadas en 1833.

provincial *adj.* Perteneciente o relativo a una provincia.

provinciano, na *adj.* **1.** Se dice del habitante de una provincia, en contraposición al de la capital. También s. m. y s. f. **2.** Se dice de los giros, usos o costumbres de los habitantes de provincias.

provisión *s. f.* **1.** Acción y efecto de proveer. **2.** Acopio de cosas necesarias o útiles. **3.** Víveres o cosas que se previenen y tiene prontas para un fin. Se usa más en pl. **4.** Providencia o disposición conducente para el logro de una cosa.

provisional *adj.* Dispuesto interinamente.

provisor, ra *s. m. y s. f.* Proveedor.

provisto, ta *adj.* Equipado, con provisiones.

provocación *s. f.* Acción y efecto de provocar.

provocador *adj.* Que provoca o irrita.

provocar *v. tr.* **1.** Inducir a alguien a que ejecute una cosa. **2.** Irritar a alguien con palabras u obras para que se enoje.

provocativo, va *adj.* Que provoca o incita.

proxeneta *adj.* Alcahuete, tercero.

proxenetismo *s. m.* Acto u oficio de proxeneta.

proximidad *s. f.* Contorno, inmediaciones, cercanías. Se usa más en pl.

próximo, ma *adj.* Cercano, vecino.

proyección *s. f.* Acción y efecto de proyectar.

proyectar *v. tr.* **1.** Lanzar o dirigir una cosa hacia delante o a distancia. **2.** Trazar o preparar el plan de una obra. **3.** Hacer un proyecto de arquitectura o ingeniería.

proyectil *s. m.* Cualquier cuerpo arrojadizo, como saeta, bala, etc.

proyecto *s. m.* **1.** Plan y disposición que se forma para un tratado, una investigación, una obra artística, un asunto de importancia, etc. **2.** Designio o pensamiento de ejecutar algo.

proyector *s. m.* Cámara especial para proyectar películas cinematográficas o diapositivas.

proyectura *s. f.* Vuelo, lo que sobresale del paramento de una pared.

prudencia *s. f.* **1.** Una de las cuatro virtudes cardinales, que consiste en discernir y distinguir lo bueno de lo malo, para seguirlo o huir de ello. **2.** Cordura.

prudencial *adj.* Relativo a la prudencia.

prudente *adj.* Que tiene prudencia y obra con recato y circunspección.

prueba *s. f.* **1.** Razón, argumento, etc., con que se pretende hacer patente la verdad o falsedad de una cosa. **2.** Ensayo, experiencia que se hace de una cosa.

pruina *s. f.* Recubrimiento céreo que presentan algunas plantas.

pruna *s. f.* En algunas partes, ciruela.

pruno *s. m.* En algunas partes, ciruelo.

prurigo *s. m.* Nombre genérico de ciertas enfermedades de la piel, que ocasiona picazón, caracterizada por pápulas que se cubren de costras negruzcas.

prurito *s. m.* **1.** Comezón, picor. **2.** *fig.* Deseo persistente y vehemente.

psi *s. f.* Vigésima tercera letra del alfabeto griego, equivalente a *ps.*

psicagogia *s. f.* Arte de educar al alma.

psicastenia *s. f.* Enfermedad mental caracterizada por depresión, atonía o inercia general de las facultades espirituales.

psicoanálisis *s. m.* Método de exploración o tratamiento de ciertas enfermedades nerviosas o mentales, basado en el análisis retrospectivo de las causas morales y afectivas que determinan el estado morboso.

psicoanalista *s. m. y s. f.* Especialista en psicoanálisis.

psicoanalizar *v. tr.* Tratar a una persona con el psicoanálisis.

psicodelia *s. f.* Conjunto de experiencias o sensaciones que ocurren durante el tiempo que una droga hace su mayor efecto.

psicodélico, ca *adj.* **1.** Perteneciente o relativo a la psicodelia. **2.** *fam.* Raro, fuera de lo normal.

psicodrama *s. f.* Representación teatral con fines psicoterapéuticos.

psicofármaco *s. m.* Fármaco que actúa sobre el cerebro y la mente.

psicofísica *s. f.* Rama de la psicología que estudia experimentalmente las relaciones entre los fenómenos psíquicos y fisiológicos.

psicología *s. f.* Parte de la filosofía que trata del alma, sus facultades y operaciones.

psicológico, ca *adj.* Perteneciente a la psicología.

psicólogo, ga *s. m. y s. f.* Persona que profesa o estudia la psicología.

psicometría *s. f.* Medida de la actividad mental.

psicomotricidad *s. f.* Relacion existente entre la actividad psíquica y la función motriz del cuerpo humano.

psicópata *com.* Persona que padece alguna enfermedad mental.

psicopatología *s. f.* Psiquiatría.

psicopedagogía *s. f.* Rama de la psicología que estudia los fenómenos psicológicos y su aplicación a los métodos didácticos y pedagógicos.

psicosis *s. f.* Nombre general que se aplica a todas las enfermedades mentales.

psicosomático, ca *adj.* Se aplica a las influencias que ejercen sobre las enfermedades los factores psíquicos.

psicotecnia *s. f.* Rama de la psicología práctica que pretende orientar convenientemente a las personas según sus aptitudes psíquicas individuales.

psicoterapeuta *s. m. y s. f.* Médico psicoanalista.

psicoterapéutico, ca *adj.* Perteneciente o relativo a la psicoterapia.

psicoterapia *s. f.* Tratamiento de ciertas enfermedades, especialmente nerviosas y mentales, por la persuasión o sugestión.

psique *s. f.* El espíritu humano, el alma.

psiquiatra *s. m. y s. f.* Médico que practica la psiquiatría.

psiquiatría *s. f.* Parte de la medicina que trata de las enfermedades mentales.

psiquiátrico *s. m.* Hospital o institución en la que se ofrece tratamiento a los enfermos mentales.

psíquico, ca *adj.* Perteneciente o relativo al alma.

psiquis *s. f.* Psique.

psitácido, da *adj.* Se dice de las aves de la familia del papagayo.

psitaciforme *adj.* Se aplica a las aves del orden cuya familia principal es la de las psitácidas, con pico fuerte y ganchudo y dos dedos dirigidos hacia delante.

psitacismo *s. m.* Método de enseñanza en que se da excesiva importancia a la memoria.

psoas *s. m.* Nombre de dos músculos abdominales insertos en la parte anterior de las vértebras lumbares.

psoriasis *s. f.* Dermatosis general crónica.

pterodáctilo *s. m.* Reptil volador de gran tamaño y del cual se han encontrado restos fósiles.

ptialismo *s. m.* Salivación excesiva.

púa *s. f.* **1.** Cuerpo delgado y rígido que acaba en punta aguda. **2.** Diente de un peine. **3.** Cada uno de los pinchos o espinas del erizo, puerco espín, etc.

púber, ra *adj.* Que ha llegado a la pubertad. También *s. m. y s. f.*

pubertad *s. f.* Fase de la adolescencia en la que comienza la función de los órganos reproductores.

pubescencia *s. f.* **1.** Pubertad. **2.** Vellosidad.

pubescer *v. intr.* Llegar a la pubertad.

pubiano, na *adj.* Perteneciente o relativo al pubis.

pubis *s. m.* **1.** Parte inferior del vientre. **2.** El anterior de los tres huesos que forman el coxal; ocupa la parte inferior del vientre.

publicable *adj.* Que se puede publicar.

publicación *s. f.* **1.** Acción y efecto de publicar. **2.** Obra literaria o artística publicada.

publicar *v. tr.* **1.** Hacer notoria o patente una cosa para que llegue a noticia de todos. **2.** Revelar lo secreto u oculto y que se debía callar. **3.** Imprimir y poner a la venta un escrito, diario, libro, estampa, etc.

publicidad *s. f.* **1.** Calidad o estado de público. **2.** Conjunto de medios empleados para divulgar las cosas o los hechos.

publicista *com.* Persona que, con fines comerciales, se dedica a la divulgación de productos en los diferentes medios de comunicación.

publicitario, ria *adj.* Perteneciente o relativo a la publicidad utilizada con fines comerciales, políticos, etc.

público, ca *adj.* **1.** Notorio, manifiesto, visto o sabido por todos. **2.** Vulgar, común y notado de todos. **3.** Se dice de la potestad, jurisdicción y autoridad para hacer una cosa, como contrapuesto a privado. **4.** Perteneciente a todo el pueblo. ‖ *s. m.* **5.** El pueblo en general. **6.** Conjunto de las personas que participan de unas mismas aficiones o concurren a determinado lugar, espectáculo, etc.

puchada *s. f.* Especie de gachas para cebar los cerdos.

puchera *s. f., fam.* Olla, cocido español.

pucherazo *s. m.* **1.** Golpe dado con un puchero. **2.** *fam.* Fraude electoral que consiste en computar votos no emitidos.

puchero *s. m.* Vasija de barro, o de hierro, con asiento pequeño, panza abultada, cuello ancho y una sola asa junto a la boca, y que sirve comúnmente para cocer la comida.

puches *s. f. pl.* Gachas, cocido de harina con agua, sal y otros ingredientes.

pucia *s. f.* Vasija, ancha por abajo y estrecha por arriba, que se tapa con otra de la misma especie, pero más pequeña, y que servía para elaborar ciertas infusiones y cocimientos que habían de realizarse en un recipiente cerrado.

pudelación *s. f.* Acción y efecto de pudelar.

pudelar *v. tr.* Convertir en acero o hierro dulce el hierro colado, quemando parte de su carbono en hornos de reverbero.

pudendo, da *adj.* Torpe, feo, indecente.

pudibundo, da *adj.* Pudoroso, honesto.

pudicia *s. f.* Virtud consistente en observar honestidad en acciones y palabras.

púdico, ca *adj.* Honesto, casto, pudoroso.

pudiente *adj.* Poderoso, rico, hacendado.

pudin o pudín *s. m.* **1.** Dulce que se prepara con pan, bizcocho o bollo reblandecidos en leche, con azúcar y frutos secos. **2.** Por ext., cualquier plato semejante, no dulce.

pudinga *s. f.* Roca compuesta de fragmentos redondeados, de distinto tamaño, unidos entre sí por un cemento cuarzoso y calcáreo.

pudio, dia *adj.* Se dice de una especie de pino.

pudor *s. m.* Honestidad, recato, modestia.

pudoroso, sa *adj.* Lleno de pudor.

pudridero *s. m.* Sitio en que se pone una cosa para que se pudra o corrompa.

pudrir *v. tr.* Corromper o descomponer una materia orgánica. También *prnl.*

pueblerino, na *adj.* Lugareño.

pueblo *s. m.* **1.** Población, ciudad, villa etc. **2.** Conjunto de los habitantes de un lugar, región o país. **3.** Gente común y humilde de una población. **4.** Nación, conjunto de los habitantes de un país.

puente *s. m.* **1.** Fábrica de cemento, madera, hierro, etc., que se construye sobre los ríos, fosos y otros sitios, para poder pasarlos. **2.** Plataforma estrecha, colocada a cierta altura sobre la cubierta, desde la cual puede el oficial de guardia comunicar sus órdenes. **3.** Trozo de conductor eléctrico utilizado provisionalmente para cerrar un circuito.

puentear *v. intr.* **1.** Colocar un puente en un circuito eléctrico. **2.** *fam.* Saltar un escalón en una jerarquía para llegar al escalón inmediato superior.

puerco, ca *s. m. y s. f.* Mamífero paquidermo doméstico, que se cría y ceba para aprovechar su carne y grasa.

puercoespín *s. m.* Mamífero roedor del norte de África, cuyo cuerpo está cubierto de púas córneas de unos 20 cm de longitud, blancas y negras en zonas alternas.

puericia *s. f.* Edad de las personas que media entre la niñez (siete años) y la adolescencia (14 años).

puericultor, ra *s. m. y s. f.* Persona dedicada al estudio y práctica de la puericultura.

puericultura *s. f.* Ciencia que trata de la crianza y cuidado de los niños durante los primeros años de su infancia.

pueril *adj., fig.* Fútil, frívolo, trivial.

puerilidad *s. f., fig.* Cosa insignificante.

puérpera *s. f.* Mujer recién parida.

puerperio *s. m.* Tiempo que sigue al parto.

puerro *s. m.* Planta herbácea anual, cuyo bulbo es apreciado como condimento.

puerta *s. f.* Hueco abierto en una pared, cerca o verja, desde el suelo hasta la altura conveniente, para entrar y salir.

puertaventana *s. f.* Contraventana.

puerto *s. m.* Lugar en la costa, defendido de los vientos y que ofrece seguridad a las naves.

pues *conj. caus.* Denota causa, motivo o razón.

puesta *s. f.* **1.** Acción y efecto de poner. **2.** Acción de ponerse un astro. **3.** Acción de poner las aves sus huevos.

puesto *s. m.* **1.** Lugar señalado para la ejecución de una cosa. **2.** Tiendecilla, por lo general ambulante, en que se vende al por menor.

puf *s. m.* Asiento blando y bajo que carece de patas y respaldo.

pufo *s. m., fam.* Estafa, engaño, petardo.

púgil *s. m.* Boxeador.

pugilato *s. m.* **1.** Pelea a puñadas entre dos o más personas. **2.** Boxeo.

pugilístico, ca *adj.* Perteneciente o relativo al boxeo.

pugna *s. f.* **1.** Batalla, pelea. **2.** Oposición, enfrentamiento entre personas o entre naciones, bandos o parcialidades.

pugnar *v. intr.* Batallar, pelear.

pugnaz *adj.* Belicoso, guerrero.

puja[1] *s. f.* Acción de hacer fuerza para pasar adelante o proseguir.

puja[2] *s. f.* **1.** Acción y efecto de pujar en una subasta. **2.** Cantidad que se ofrece en ella.

pujante *adj.* Que tiene pujanza.

pujanza *s. f.* Fuerza grande, vigor para impulsar o ejecutar una acción.

pujar *v. tr.* Hacer fuerza para pasar adelante o proseguir una acción, procurando vencer el obstáculo que se encuentra.

pujavante *s. m.* Instrumento para cortar el casco de las caballerías.

pujo *s. m., fig.* Deseo o ansia de lograr un propósito.

pulcritud *s. f.* Esmero en el adorno y aseo personal o en la ejecución de una cosa.

pulcro, cra *adj.* Aseado, esmerado en el adorno de su persona.

pulga *s. f.* Insecto díptero, parásito, de color negro rojizo y patas saltadoras, que vive de la sangre de otros animales.

pulgada *s. f.* Medida de longitud, equivalente a algo más de 23 mm.

pulgar *s. m.* Dedo primero y más grueso de los de la mano. También adj.

pulgón *s. m.* Insecto hemíptero de color negro, bronceado o verdoso, sin alas las hembras y con cuatro los machos.

pulgoso, sa *adj.* Que tiene pulgas.

pulicán *s. m.* Tenaza, gatillo de dentista.

pulidez *s. f.* Calidad de pulido.

pulido, da *adj.* Agraciado, bello, pulcro.

pulidor *s. m.* Instrumento para pulir.

pulimentar *v. tr.* Alisar o dar lustre o tersura a una cosa.

pulimento *s. m.* Acción y efecto de pulir, alisar y dar lustre o tersura a una cosa.

pulir *v. tr.* **1.** Dar tersura y lustre a una cosa. **2.** Perfeccionar algo dándole la última mano para su mayor primor y adorno.

pulla *s. f.* **1.** Palabra o dicho obsceno. **2.** Expresión aguda y picante.

pullista *com.* Persona amiga de decir pullas.

pulmón *s. m.* Órgano de la respiración aérea del ser humano y de la mayor parte de los vertebrados.

pulmonaria *s. f.* Planta herbácea de las borrragináceas, con tallos vellosos, hojas ovales de color verde con manchas blancas, flores rojas en racimos terminales y fruto múltiple. Común en España, y su cocimiento se emplea como pectoral.

pulmonía *s. f.* Inflamación del pulmón o de una parte de él.

pulpa *s. f.* **1.** Parte mollar de las carnes o carne pura, sin huesos ni ternilla. **2.** Médula de las plantas leñosas.

pulpejo *s. m.* Parte carnosa y mollar de la palma de la mano, de donde sale el dedo pulgar, o de un miembro pequeño, como la oreja o el dedo.

pulpeta *s. f.* Tajada que se saca de la pulpa de la carne.

pulpitis *s. f.* Inflamación de la pulpa dental.

púlpito *s. m.* Plataforma pequeña con antepecho y tornavoz que hay en las iglesias en lugar adecuado, para dirigirse desde ella el predicador a los fieles.

pulpo *s. m.* Molusco cefalópodo, de carne comestible, con ocho tentáculos provistos de dos filas de ventosas.

pulposo, sa *adj.* Que tiene pulpa.

pulquérrimo, ma *adj. sup.* de pulcro.

pulsación *s. f.* Latido de una arteria.

pulsador *s. m.* Botón que al ser pulsado, pone en función un aparato o mecanismo.

pulsar *v. tr.* **1.** Tomar el pulso a un enfermo. **2.** *fig.* Tantear un asunto para descubrir el medio de tratarlo.

pulsatila *s. f.* Planta medicinal de las ranunculáceas, de raíz leñosa, hojas cortadas en tres segmentos divididos en lacinias, bohordo rollizo y velloso con una flor solitaria de color violáceo, sin corola, y con frutillos secos, indehiscentes. Se cría en Europa en parajes elevados, y el jugo acre y cáustico de sus hojas y de su flor se emplea contra la parálisis y otras enfermedades.

pulsear *v. intr.* Probar dos personas, asida mutuamente la mano derecha y puestos los codos en lugar firme, quién de ellas tiene más fuerza en el pulso.

pulsera *s. f.* Brazalete de metal o de otra materia o joya que se lleva en la muñeca.

pulso *s. m.* Latido intermitente de las arterias que se observa especialmente en las muñecas.

pultáceo, a *adj.* **1.** Que es de consistencia blanda. **2.** Que tiene apariencia de podrido o gangrenado o que lo está.

pulular *v. intr.* **1.** Empezar a echar renuevos o vástagos una planta. **2.** Provenir o nacer una cosa de otra.

pulverización *s. f.* Acción y efecto de pulverizar o pulverizarse.

pulverizador *s. m.* Aparato para pulverizar un líquido.

pulverizar *v. tr.* Reducir a polvo una cosa sólida. También prnl.

pulverulento, ta *adj.* Polvoriento.

¡pum! *interj.* que se usa para expresar ruido, explosión o golpe.

puma *s. m.* Mamífero carnívoro parecido al tigre, pero de pelo suave y leonado.

pumita *s. f.* Piedra pómez.

puna *s. f.* **1.** *Amér. del S.* Tierra alta próxima a la cordillera de los Andes. **2.** *Amér. del S.* Páramo. **3.** *Amér. del S.* Soroche.

puncha *s. f.* Púa, espina o punta delgada y aguda.

punchar *v. tr.* Picar, punzar.

punción *s. f.* Operación quirúrgica que consiste en atravesar con un instrumento cortante y punzante los tejidos hasta llegar a una cavidad, para reconocer o vaciar el contenido de esta.

puncionar *v. tr.* Hacer punciones.

pundonor *s. m.* Sentimiento de la dignidad personal, delicado y susceptible.

pundonoroso, sa *adj.* Que incluye en sí pundonor o lo causa. También s. m. y s. f.

pungimiento *s. m.* Acción y efecto de pungir.

pungir *v. tr.* **1.** Punzar. **2.** *fig.* Herir las pasiones, el ánimo o el corazón.

punible *adj.* Que merece castigo.

punición *s. f.* Castigo, pena.

punir *v. tr.* Castigar a un culpado.

punitivo, va *adj.* Perteneciente o relativo al castigo.

punk *s. m.* **1.** Movimiento musical y social de origen británico, que surgió como protesta en los años setenta del siglo XX y cuyos seguidores adoptan atuendos y comportamientos no convencionales. **2.** *adj.* Perteneciente o relativo al punk o seguidor de él.

punta *s. f.* **1.** Extremo agudo de un arma u otro instrumento con que se puede herir. **2.** Cuerno del toro. **3.** Lengua de tierra que penetra en el mar.

puntada *s. f.* Cada uno de los agujeros hechos con aguja, lezna, etc., en la tela, cuero u otra materia que se va cosiendo.

puntal *s. m.* **1.** Madero hincado en firme, para sostener la pared o el edificio que amenaza ruina. **2.** *fig.* Apoyo, fundamento.

puntapié *s. m.* Golpe dado con la punta del pie.

puntazo *s. m.* **1.** Herida producida por un arma punzante. **2.** *fig.* Indirecta dicha a una persona con afán de burla o crítica.

puntear *v. tr.* **1.** Marcar puntos en una superficie. **2.** Dibujar, pintar o grabar con puntos. **3.** Coser o dar puntadas. **4.** Tocar la guitarra u otro instrumento semejante hiriendo cada cuerda con un solo dedo.

punteo *s. m.* Acción y efecto de puntear la guitarra u otro instrumento semejante.

puntera *s. f.* Contrafuerte de piel que se coloca en la punta de la pala del calzado.

puntería *s. f.* Destreza del tirador para dar en el blanco.

puntero *s. m.* **1.** Vara con que se señala una cosa para llamar la atención sobre ella. **2.** Cincel de boca puntiaguda y cabeza plana, para labrar piedras muy duras.

puntiagudo, da *adj.* Que tiene aguda la punta.

puntilla *s. f.* **1.** Encaje muy angosto hecho en puntas, para guarnecer pañuelos, escotes, etc. **2.** Cachetero, puñal corto.

puntillero *s. m.* Torero que remata al toro.

puntillo *s. m.* Cualquier cosa leve en que una persona nimiamente pundonorosa repara o hace consistir el hono.

puntilloso, sa *adj.* Se dice de la persona que tiene mucho puntillo.

punto *s. m.* **1.** Señal de dimensiones poco o nada perceptibles que, por contraste de color o de relieve, es perceptible en una superficie. **2.** Signo ortográfico (.) que indica el final de una oración o periodo, y también la supresión de una letra o letras en las abreviaturas.

puntuable *adj.* Que puede ser calificado por puntos o unidades de tanteo.

puntuación *s. f.* Conjunto de los signos ortográficos que sirven para puntuar.

puntual *adj.* Diligente en la ejecución de las cosas, especialmente se dice de lo que se cumple a la hora o plazo convenidos.

puntualidad *s. f.* Calidad de puntual o exacto.

puntualización *s. f.* Aclaración precisa sobre un punto concreto.

puntualizar *v. tr.* Grabar con exactitud una cosa en la memoria.

puntuar *v. tr.* Poner los signos ortográficos en los escritos.

punzada *s. f.* **1.** Herida o picada de punta. **2.** *fig.* Dolor agudo, repentino y pasajero, pero que suele repetirse de tiempo en tiempo.

punzadura *s. f.* Punzada, pinchazo, herida de punta.

punzante *adj.* **1.** Que punza. **2.** *fig.* Mordaz.

punzar *v. tr.* **1.** Herir sutilmente con un alfiler, espina, etc. **2.** *fig.* Avivarse un dolor de cuando en cuando.

punzón *s. m.* **1.** Instrumento de hierro puntiagudo que sirve para abrir ojetes y otros usos. **2.** Pitón, cuerno.

puñado *s. m.* Porción de cualquier cosa que se puede contener en el puño.

puñal *s. m.* Arma corta ofensiva, de acero, de corto tamaño, que solo hiere de punta.

puñalada *s. f.* Golpe dado de punta con el puñal u otra arma semejante.

puñeta *s. f., fam.* Cualquier cosa molesta o difícil.

puñetazo *s. m.* Golpe dado con el puño.

puñetero, ra *adj., fam.* Se aplica a lo que causa fastidio.

puño *s. m.* **1.** Mano cerrada. **2.** Parte de las prendas de vestir que rodea la muñeca. **3.** Mango de algunas armas blancas.

pupa *s. f.* **1.** Erupción en los labios. **2.** Postilla que queda en la piel cuando se seca un grano.

pupila *s. f.* Abertura circular o en forma de rendija, situada en el centro del iris, por donde penetra la luz en la cámara posterior del ojo.

pupilo, la *s. m. y s. f.* Persona que se hospeda en casa particular por precio ajustado.

pupitre *s. m.* Mueble de madera, con tapa en forma de plano inclinado, para escribir sobre él.

puré *s. m.* Pasta de legumbres u otras cosas comestibles, cocidas y pasadas por colador.

purera *s. f.* Cigarrera, estuche para cigarros.

pureza *s. f.* Perfección, limpidez.

purga *s. f.* Medicina que se toma por la boca para descargar el vientre.

purgación *s. f.* Acción y efecto de purgar o purgarse.

purgante *adj.* Se dice generalmente de la medicina que se aplica o sirve para este efecto. También s. m.

purgar *v. tr.* **1.** Limpiar, purificar una cosa. **2.** Satisfacer con una pena, en todo o en parte, lo que alguien merece por su culpa o delito. **3.** Dar al enfermo la medicina conveniente para exonerar el vientre. **4.** Evacuar un humor. También prnl. e intr. **5.** *fig.* Corregir, moderar las pasiones.

purgativo, va *adj.* Que purga o tiene virtud de purgar.

purgatorio *s. m.* Lugar donde las almas de los que mueren en gracia se purifican de sus culpas leves con las penas que padecen, para ir después al cielo.

puridad *s. f.* **1.** Pureza, calidad de puro. **2.** Reserva, sigilo.

purificación *s. f.* Acción y efecto de purificar o purificarse.

purificador, ra *adj.* Que purifica. También s. m. y s. f.

purificar *v. tr.* **1.** Quitar de una cosa lo que le es extraño, dejándola en el ser y perfección que debe tener según su calidad. También prnl. **2.** Limpiar de toda imperfección una cosa no material. También prnl. **3.** Acrisolar Dios las almas por medio de las aflicciones y trabajos. También prnl.

purín *s. m., And.* Parte líquida que rezuma el estiércol.

Purísima *n. p.* Nombre antonomástico de la Virgen María en el misterio de su Inmaculada Concepción.

purismo *s. m.* Calidad de purista.

purista *adj.* Que escribe o habla con pureza.

puritanismo *s. m.* Calidad de puritano.

puritano, na *adj., fig.* Se dice de la persona que real o afectadamente profesa con rigor las virtudes públicas o privadas y hace alarde de ello. También s. m. y s. f.

puro *s. m.* Cigarro habano.

puro, ra *adj.* Libre y exento de toda mezcla de otra cosa.

púrpura *s. f.* **1.** Molusco gasterópodo marino, que segrega un líquido amarillento, el cual, por oxidación, se torna rojo o violado, muy usado antiguamente en tintontería y pintura. **2.** Color rojo subido que tira a violado.

purpurado *s. m.* Cardenal, prelado.

purpurar *v. tr.* Teñir de púrpura.

purpurear *v. intr.* Mostrar una cosa el color de púrpura que en sí tiene.

purpúreo, a *adj.* De color de púrpura.

purpurina *s. f.* **1.** Sustancia colorante roja, extraída de la raíz de la rubia. **2.** Polvo finísimo de bronce o de metal blanco, que se usa en pintura para dorar o platear.

purpurino, na *adj.* Purpúreo.

purrela *s. f.* Vino último o inferior de los que se llaman aguapié.

purrusalda *s. f.* Guiso compuesto de puerros, patatas y bacalao.

purulencia *s. f.* Supuración.

purulento, ta *adj.* Que contiene pus o es de la naturaleza del pus.

pus *s. m.* Secreción espesa, más o menos amarillenta, que fluye de los tejidos inflamados, llagas, tumores, etc.

pusilánime *adj.* Falto de ánimo y valor.

pusilanimidad *s. f.* Calidad de pusilánime, falta o encogimiento de ánimo.

pústula *s. f.* Vejiguilla inflamatoria de la piel llena de pus.

pustuloso, sa *adj.* Perteneciente o relativo a la pústula.

putativo, va *adj.* Reputado o tenido por padre, hermano, etc. no siéndolo.

puto, ta *s. m. y s. f., vulg.* Persona que ejerce la prostitución.

putrefacción *s. f.* Acción y efecto de pudrir o pudrirse.

putrefactivo, va *adj.* Que causa o puede causar putrefacción.

putrefacto, ta *adj.* Podrido, corrompido.

putrescencia *s. f.* Estado evolutivo en que se encuentra un cuerpo en vías de putrefacción.

putrescente *adj.* Se aplica a todo aquello que está en vías de putrefacción.

putridez *s. f.* Calidad de pútrido.

pútrido, da *adj.* Podrido, corrompido.

puya *s. f.* Punta acerada que en un extremo tienen las varas de los picadores y vaqueros, con la cual aguijan a las reses.

puyazo *s. m.* Herida que se hace con puya.

puzol *s. m.* Puzolana.

puzolana *s. f.* Roca volcánica muy desmenuzada, de la misma composición que el basalto que, mezclada con cal, se emplea para hacer mortero hidráulico.

puzle *s. m.* Rompecabezas, juego.

q *s. f.* Decimoctava letra del abecedario español y decimocuarta de sus consonantes.

que *pron. rel.* **1.** Con esta sola forma conviene a los géneros masculino, femenino y neutro y a los números singular y plural. Se emplea para introducir oraciones subordinadas adjetivas explicativas o especificativas, y puede tener como antecedente un nombre o un pronombre. Cuando introduce una oración subordinada adjetiva explicativa, equivale a *el cual, la cual,* etc. ‖ *pron. int.* **2.** Solo o agrupado con un sustantivo, introduce oraciones interrogativas. Es tónico y lleva acento gráfico. ‖ *conj.* **3.** Se emplea como conjunción comparativa. **4.** Se utiliza en vez de la conjunción copulativa *y,* pero denotando, en cierto modo, sentido adversativo.

quebracho *s. m.* Nombre común a varios árboles americanos, cuya corteza se ha empleado como la quina.

quebrada *s. f.* **1.** Abertura estrecha y áspera entre montañas. **2.** Hundimiento de gran tamaño en un terreno elevado.

quebradero *s. m.* Quebrador, que quiebra una cosa.

quebradillo *s. m.* Tacón de madera del calzado a la ponleví.

quebradizo, za *adj.* Fácil de quebrarse.

quebrado, da *adj.* **1.** Que ha hecho bancarrota o quiebra. También s. m. y s. f. **2.** Aplicado a terreno, camino, etc., desigual, escabroso, con altos y bajos. **3.** Se dice del número que expresa una o varias partes alícuotas de la unidad. También s. m.

quebrador, ra *adj.* Que quiebra una cosa. También s. m. y s. f.

quebradura *s. f.* **1.** Hendidura, rotura. **2.** Hernia.

quebraja *s. f.* Grieta, raja en la madera, etc.

quebrajar *v. tr.* Resquebrajar. También intr. y prnl.

quebrajoso, sa *adj.* Fácil de quebrajarse.

quebramiento *s. m.* Acción o efecto de quebrar o quebrarse.

quebrantable *adj.* Que se puede quebrantar.

quebrantador, ra *adj.* Que quebranta. También s. m. y s. f.

quebrantadura *s. f.* Quebrantamiento.

quebrantahuesos *s. m.* Ave rapaz, con plumaje de color pardo oscuro en la parte superior del cuerpo, leonado en el cuello, pecho y abdomen; pico rodeado de cerdas y tarsos cortos y emplumados. Se alimenta de pequeños mamíferos.

quebrantamiento *s. m.* Acción y efecto de quebrantar o quebrantarse.

quebrantaolas *s. f.* Boya pequeña asida a otra grande sumergida.

quebrantapiedras *s. f.* Planta herbácea anual, de la familia de las cariofiláceas, que se ha usado contra el mal de piedra.

quebrantar *v. tr.* **1.** Romper, separar con violencia las partes de un todo. **2.** Cascar o hender una cosa. También prnl.

quebranto *s. m.* **1.** Acción y efecto de quebrantar o quebrantarse. **2.** Debilidad, desaliento, falta de fuerza.

quebrar *v. tr.* **1.** Quebrantar, romper con violencia. También prnl. **2.** Traspasar, violar una ley u obligación. **3.** Doblar o torcer algo. También prnl. **4.** *fig.* Interrumpir o estorbar. **5.** *fig.* Ajar, afear el color natural del rostro. También prnl. **6.** Ceder, flaquear. **7.** Cesar en el comercio por no alcanzar el activo a cubrir el pasivo.

quebrazón *s. f., Amér. C., Chil., Col. y Méx.* Destrozo importante de objetos de vidrio o loza.

queche *s. m.* Embarcación usada en el norte de Europa, de un solo palo y de igual figura por la proa que por la popa.

quechemarín *s. m.* Pequeña embarcación de dos palos, con velas al tercio, algunos foques en un botalón a proa y gavias volantes en buen tiempo.

queda *s. f.* Hora de la noche, señalada en algunos pueblos con un toque de campana para que todos se recojan.

quedada *s. f.* Acción de quedarse en un sitio o lugar.

quedar *v. intr.* **1.** Estar, detenerse forzosa o voluntariamente en un paraje, con propósito de permanecer en él o de pasar a otro. También *prnl.* **2.** Subsistir parte de una cosa. **3.** Cesar, terminar. **4.** Con la preposición *en*, convenirse, llegar a un acuerdo u ofrecerse para algo. ‖ *v. prnl.* **5.** Junto con la preposición *con*, apropiarse o conservar alguien en su poder alguna cosa. U. t. c. tr.

quedo, da *adj.* **1.** Quieto. ‖ *adv. m.* **2.** En voz baja. **3.** Con tiento.

quehacer *s. m.* Ocupación.

queimada *s. f.* Bebida típica de Galicia que se prepara con orujo quemado, al que se añade azúcar, granos de café y limón.

queja *s. f.* **1.** Expresión de dolor, pena o sentimiento. **2.** Querella.

quejarse *v. prnl.* **1.** Expresar con la voz el dolor o la pena que se siente. **2.** Manifestar el resentimiento que se tiene. **3.** Querellarse, presentar querella, reclamar.

quejica *adj., fam.* Que se queja demasiado y sin motivo. También *com.*

quejicoso, sa *adj.* Quejica.

quejido *s. m.* Voz lastimosa motivada por un dolor o pena.

quejigal *s. m.* Terreno poblado de quejigos.

quejigar *s. m.* Quejigal.

quejigo *s. m.* Árbol de la familia de las fagáceas, con tronco grueso y copa recogida, hojas grandes, flores muy pequeñas, y por fruto bellotas parecidas a las del roble.

quejoso, sa *adj.* Se dice de la persona que tiene queja de alguien o de algo.

quejumbrar *v. intr.* Quejarse con frecuencia y sin motivo.

quejumbre *s. f.* Queja frecuente y, por lo común, con poco motivo.

quejumbroso, sa *adj.* Se dice de la voz, tono, etc., que se emplean para quejarse.

quelícero *s. m.* Cada uno de los órganos que sustituyen a las antenas, en los arácnidos.

quelonio *adj.* Se dice de los reptiles con cuatro extremidades cortas, mandíbulas córneas y sin dientes, y cuerpo protegido por una concha dura.

quema *s. f.* Incendio, fuego.

quemacocos *s. m.* En algunos automóviles, ventanilla corredera situada en el techo, que permite la entrada de la luz y el aire.

quemador *s. m.* Aparato que regula la combustión del carbón o del carburante en el hogar de las calderas, en las cocinas de gas, etc.

quemadura *s. f.* **1.** Descomposición de un tejido orgánico, producida por el contacto del fuego o de una sustancia corrosiva. **2.** Llaga o huella que queda.

quemar *v. tr.* **1.** Consumir una cosa por medio del fuego. **2.** Calentar con demasía. **3.** Abrasar, secar por excesivo calor.

quemazón *s. f.* **1.** Quema. **2.** Calor excesivo.

quemarropa, a *loc. adv.* Refiriéndose a un disparo de arma de fuego, desde muy cerca.

quena *s. f.* Instrumento musical, similar a la flauta, típico de América del Sur.

quenopodiáceo, a *adj.* Se aplica a plantas angiospermas dicotiledóneas, herbáceas, de flores en racimo y fruto monospermo. También *s. f.*

quepis *s. m.* Gorra, de forma ligeramente cónica y con visera horizontal.

queratina *s. f.* Proteína que forma parte del tejido epidérmico, piloso, córneo, etc.

queratitis *s. f.* Inflamación de la córnea transparente del ojo.

querella *s. f.* **1.** Discordia, pendencia. **2.** Acusación propuesta ante el juez por el agraviado a consecuencia de un delito.

querellarse *v. prnl.* **1.** Quejarse. **2.** Presentar ante el juez querella contra alguien.

querencia *s. f.* **1.** Acción de amar o querer bien a alguien o algo. **2.** Tendencia de los seres humanos y de ciertos animales a volver al sitio donde se han criado.

querencioso, sa *adj.* **1.** Se dice del animal que tiene mucha querencia. **2.** Se aplica también al sitio al que se la tienen los animales.

querer[1] *s. m.* Cariño, amor.

querer[2] *v. tr.* **1.** Desear o apetecer. **2.** Tener voluntad de ejecutar una cosa.

quermes *s. m.* Insecto hemíptero, parecido a la cochinilla, que vive en la coscoja.

querocha *s. f.* Conjunto de huevos que pone la reina de las abejas.

querochar *v. intr.* Poner las abejas y otros insectos la querocha.

queroseno *s. m.* Producto derivado del petróleo.

querube *s. m., poét.* Querubín.

querúbico, ca *adj., poét.* Perteneciente o parecido al querubín.

querubín *s. m.* Cada uno de los espíritus celestes caracterizados por la plenitud de ciencia con que ven y contemplan la belleza divina. Forman el segundo coro.

quesadilla *s. f.* **1.** Cierta clase de pastel, de queso y masa. **2.** Dulce relleno de almíbar, fruta en conserva, etc.

quesear *v. intr.* Hacer quesos.

quesera *s. f.* Vasija de barro destinada a guardar y conservar los quesos.

quesería *s. f.* Lugar en que se fabrican quesos.

queso *s. m.* Masa hecha de leche cuajada y privada del suero.

quetzal *s. m.* **1.** Ave trepadora, de unos 20 cm de longitud, propia de América tropical, de plumaje verde tornasolado y muy brillante en las partes superiores del cuerpo y rojo en el pecho y abdomen. **2.** Unidad monetaria de Guatemala.

quevedos *s. m. pl.* Lentes en forma circular con armadura dispuesta para que se sujete solo en la nariz.

¡quia! *interj., fam.* con que se expresa incredulidad o negación.

quicial *s. m.* Madero que asegura y afirma las puertas y ventanas, por medio de pernios y bisagras, para que girando se abran y cierren.

quicio *s. m.* Parte de las puertas y ventanas en que entra el espigón del quicial.

quid *s. m.* Esencia, causa de una cosa.

quídam *s. m. fam.* Persona despreciable y de poco valor, cuyo nombre se ignora o se quiere omitir.

quiebra *s. f.* **1.** Rotura de una cosa por alguna parte. **2.** Hendedura o abertura de la tierra en los montes o causada en los valles por abundantes lluvias.

quiebro *s. m.* **1.** Movimiento hecho con el cuerpo como quebrándolo por la cintura. **2.** Inflexión acelerada, dulce y graciosa de la voz.

quien **1.** *pron. rel.* Equivale al pronombre *que* o *a la que*, *el que*, etc. y algunas veces a *el cual*, *la cual*, etc. **2.** *pron. inter. y exclam.* (ORT.: may. inicial) Equivale al pronombre.

quienquiera *pron. indef.* Persona indeterminada, alguno, sea el que fuere.

quiescente *adj.* Que se encuentra quieto, aunque puede tener movimiento por sí mismo.

quietar *v. tr.* Aquietar, sosegar, apaciguar.

quiete *s. f.* Tiempo concedido en algunas comunidades para recreación después de comer.

quietismo *s. m.* Falta de actividad, quietud, inercia.

quieto, ta *adj.* **1.** Que no tiene o no hace movimiento. **2.** *fig.* Pacífico, sosegado.

quietud *s. f.* **1.** Falta de movimiento. **2.** *fig.* Sosiego, reposo, descanso.

quijada *s. f.* Cada una de las dos mandíbulas de los vertebrados.

quijarudo, da *adj.* Que tiene abultadas, grandes, las quijadas.

quijera *s. f.* Cada una de las dos correas de la cabezada de los caballos, que van de la frontalera a la muserola.

quijero *s. m.* Lado en declive de la acequia.

quijote *s. m.* Pieza del arnés que cubre el muslo.

quijote *s. m.* **1.** *fig.* Persona exageradamente seria o puntillosa. ‖ *s. m.* **2.** *fig.* Persona soñadora que pugna con las opiniones y los usos corrientes, por excesivo amor a lo ideal.

quijotería *s. f.* Modo de proceder propio de un quijote.

quijotesco, ca *adj.* Que obra con quijotería.

quijotismo *s. m.* **1.** Exageración en los sentimientos caballerosos. **2.** Engreimiento, orgullo.

quilatador, ra *s. m. y s. f.* Persona que quilata el oro, la plata y las piedras preciosas.

quilatar *v. tr.* Aquilatar.

quilate *s. m.* Unidad de peso utilizada para las perlas y piedras preciosas, que equivale a 205 miligramos.

quilatera *s. f.* Instrumento con agujeros de diversos tamaños, que se utiliza para apreciar los quilates de las perlas.

quilífero, ra *adj.* Se dice de cada uno de los vasos linfáticos de los intestinos que absorben el quilo durante la quilificación y lo conducen al canal torácico.

quilificación *s. f.* Acción y efecto de quilificar o quilificarse.

quilificar *v. tr.* Convertir en quilo el alimento. Se usa más como prnl.

quilla *s. f.* Pieza que va de popa a proa por la parte inferior del barco.

quillotranza *s. f.* Trance, conflicto, amargura.

quillotrar *v. tr., fam.* Excitar, estimular, avivar.

quilo *s. m.* Líquido que el intestino delgado secreta del quimo formado en el estómago con los alimentos.

quilogramo *s. m.* Kilogramo.

quilolitro *s. m.* Kilolitro.

quilómetro *s. m.* Kilómetro.

quimera *s. f.* **1.** Monstruo imaginario que vomitaba llamas y tenía cabeza de león, vientre de cabra y cola de dragón. **2.** *fig.* Aquello que alguien se imagina como posible y verdadero, no siéndolo.

quimérico, ca *adj.* Fabuloso, fingido o imaginado sin fundamento.

quimerista *adj.* **1.** Amigo de lo quimérico. También com. **2.** Pendenciero. También s. m. y s. f.

quimerizar *v. intr.* Fingir quimeras, imaginarlas.

química *s. f.* Ciencia que estudia la composición de las sustancias y sus transformaciones, y la acción que ejercen unas sobre otras.

químico, ca *adj.* **1.** Perteneciente o relativo a la química. **2.** Por contraposición a físico, concerniente a la composición de los cuerpos. ‖ *s. m. y s. f.* **3.** Persona que profesa la química.

quimificación *s. f.* Acción y efecto de quimificar o quimificarse.

quimificar *v. tr.* Convertir en quimo el alimento. Se usa más como prnl.

quimioterapia *s. f.* Método curativo de las enfermedades que se basa en el empleo de sustancias químicas.

quimo *s. m.* Masa homogénea y agria, que resulta de la digestión estomacal de los alimentos.

quimono *s. m.* Túnica larga japonesa o hecha a su semejanza, con mangas largas y anchas, que usan las mujeres.

quina *s. f.* Corteza del quino, de aspecto variable según la especie de árbol de que procede, muy usada en medicina.

quinal *s. m.* Cabo grueso que se coloca en los palos para aliviar los obenques en los malos tiempos.

quinario, ria *adj.* Compuesto de cinco elementos, unidades o guarismos.

quincalla *s. f.* Conjunto de objetos de metal de escaso valor, como tijeras, dedales, imitaciones de joyas, etc.

quincallería *s. f.* **1.** Fábrica de quincalla. **2.** Establecimiento donde se vende. **3.** Conjunto de quincalla.

quincallero, ra *s. m. y s. f.* Persona que fabrica o vende quincalla.

quince *adj. num.* Diez y cinco. También pron. y s. m.

quinceañero, ra *adj.* Que tiene quince años o esa edad aproximadamente. También s. m. y s. f.

quinceavo, va *adj. num.* Se dice de cada una de las 15 partes iguales en que se divide un todo. También s. m.

quincena *s. f.* Periodo de tiempo de quince días.

quincenal *adj.* **1.** Que se repite o sucede cada quincena. **2.** Que dura una quincena.

quincha *s. f.* **1.** *Amér. del S.* Tejido o trama de junco con que se refuerza un techo o pared de paja, cañas, totora, etc. **2.** *Amér. del S.* Pared hecha de cañas, varillas u otra materia parecida, que suele recubrirse de barro y se emplea en cercas, chozas, corrales, etc.

quincuagenario, ria *adj.* **1.** Que consta de cincuenta unidades. **2.** Cincuentón. También s. m. y s. f.

quincuagésimo, ma *adj. num.* Se dice de cada una de las cincuenta partes iguales en que se divide un todo.

quindécimo, ma *adj. num.* Qinceavo.

quindenio *s. m.* Espacio de quince años.

quingentésimo, ma *adj. num.* **1.** Que ocupa el último lugar en una serie ordenada de 500. También pron. **2.** Se dice de cada una de las 500 partes iguales en que se divide un todo. También s. m.

quiniela *s. f.* En el juego del fútbol, sistema reglamentario de apuestas en el que se pronostican los resultados de determinados partidos.

quinientos, tas *adj. num.* Cinco veces cien. También pron. y s. m.

quinina *s. f.* Alcaloide vegetal que se extrae de la quina y es el principio activo febrífugo de este medicamento.

quino *s. m.* Árbol americano, perteneciente a la familia de las rubiáceas, y de cuya corteza se extrae la quina.

quínola *s. f.* En cierto juego de naipes, lance principal, que consiste en reunir cuatro cartas de un palo.

quinqué *s. m.* Pequeña lámpara de petróleo con un tubo o pantalla de cristal.

quinquenal *adj.* **1.** Que se repite o sucede cada quinquenio. **2.** Que dura un quinquenio.

quinquenio *s. m.* Periodo de tiempo de cinco años.

quinqui *com.* Persona que pertenece a un grupo social marginado debido a su forma de vida.

quinta *s. f.* **1.** Casa de recreo en el campo, cuyos colonos solían pagar por renta la quinta parte de los frutos. **2.** Reemplazo que ingresa cada año en el servicio militar.

quintaesencia *s. f.* Esencia.

quintaesenciar *v. tr.* Refinar, depurar, alambicar una cosa.

quintal *s. m.* Peso de cien libras, que equivalía en Castilla a 46 kg.

quintana *s. f.* Quinta, casa de recreo.

quintar *v. tr.* **1.** Sacar por sorteo uno de cada cinco. **2.** Sacar por sorteo los nombres de los que han de cumplir el servicio militar.

quintería *s. f.* Casa de campo o cortijo.

quintero, ra *s. m. y s. f.* **1.** Persona que tiene arrendada una quinta o cultiva las heredades que pertenecen a la misma. ‖ *s. m.* **2.** Mozo o criado de labrador.

quinteto *s. m.* **1.** Combinación métrica de cinco versos de arte mayor aconsonantados y ordenados como los de la quintilla. **2.** Composición con cinco voces o instrumentos.

quintilla *s. f.* Combinación métrica de cinco versos octosílabos aconsonantados; riman generalmente el primero y cuarto y el segundo, tercero y quinto.

quinto, ta *adj. num.* **1.** Que ocupa el último lugar en una serie ordenada de cinco. ‖ *s. m.* **2.** Aquel a quien toca por sorteo ir al servicio militar.

quintuplicación *s. f.* Acción y efecto de quintuplicar o quintuplicarse.

quintuplicar *v. tr.* Hacer cinco veces mayor una cantidad. También *prnl.*

quíntuplo, pla *adj. num.* Que contiene un número exactamente cinco veces.

quinzavo, va *adj. num.* Quinceavo.

quiñón *s. m.* **1.** Parte de terreno que alguien siembra en común con otros. **2.** Porción de tierra de labor, de dimensión variable según los usos locales.

quiosco *s. m.* Pabellón que se construye en sitios públicos o en la calle, con el fin de vender periódicos, flores, etc.

quiquiriquí *s. m.* **1.** Voz imitativa del canto del gallo. **2.** *fig. y fam.* Persona que quiere sobresalir y gallear.

quiragra *s. f.* Gota de las manos.

quirófano *s. m.* Sala para realizar operaciones quirúrgicas.

quiromancia *s. f.* Adivinación de lo relativo a una persona por las rayas de su mano.

quiromántico, ca *adj.* **1.** Perteneciente o relativo a la quiromancia. ‖ *s. m. y s. f.* **2.** Persona que la profesa.

quiróptero, ra *adj.* Se dice del mamífero nocturno que vuela con alas formadas por una extensa membrana situada entre los dedos de las extremidades anteriores.

quirúrgico, ca *adj.* Perteneciente o relativo a la cirugía.

quisicosa *s. f.* **1.** *fam.* Enigma, problema o acertijo. **2.** *fam.* Cosa extraña.

quisquilla *s. f.* **1.** Reparo o dificultad de poca importancia. **2.** Camarón, crustáceo.

quisquilloso, sa *adj.* **1.** Que se para en quisquillas o cosas de poca importancia. **2.** Demasiado delicado en el trato.

quiste *s. m.* Vejiga membranosa que se desarrolla anormalmente en diferentes partes del cuerpo y que contiene materias alteradas.

quita *s. f.* Liberación que de la deuda o parte de ella hace el acreedor al deudor.

quitación *s. f.* Renta, sueldo o salario.

quitamanchas *s. m.* Producto natural o preparado que sirve para limpiar o quitar manchas.

quitanieves *s. m.* Máquina que se emplea para quitar la nieve de los caminos, calles o vías de ferrocarril.

quitanza *s. f.* Finiquito, liberación o carta de pago que se da al deudor cuando paga.

quitapesares *s. m., fam.* Consuelo o alivio en una pena.

quitapón *s. m.* Adorno de lana de colores con borlas, que suele ponerse en la testera de las cabezadas de las caballería.

quitar *v. tr.* **1.** Tomar una cosa separándola y apartándola de otras o del lugar en que estaba. **2.** Desempeñar. **3.** Hurtar. **4.** Impedir o estorbar.

quitasol *s. m.* Sombrilla.

quite *s. m.* **1.** Acción de quitar o estorbar. **2.** Suerte que ejecuta un torero, de ordinario con el capote, para librar a otro de la acometida del toro.

quitina *s. f.* Sustancia de que se compone la cutícula de los insectos y que proporciona rigidez y elasticidad a su parte externa.

quitinoso, sa *adj.* Que tiene quitina.

quitrín *s. m.* Carruaje abierto, usado en diversos países de América, con dos ruedas y una sola fila de asientos.

quizá *adv. dud.* Denota la posibilidad de aquello de que se habla.

quizás *adv. dud.* Quizá.

r *s. f.* Decimonovena letra del abecedario español y decimoquinta de sus consonantes.

raba *s. f.* **1.** Cebo que emplean los pescadores, hecho con huevas de bacalao. **2.** *Cant. y P. Vasco* Calamar rebozado y frito.

rabada *s. f.* Cuarto trasero de las reses después de matarlas.

rabadán *s. m.* Mayoral que cuida y gobierna a los hatos de ganado de una cabaña.

rabadilla *s. f.* Punta o extremidad del espinazo formada por la última pieza del hueso sacro y por todas las del cóccix.

rabal *s. m.* Barrio exterior de una ciudad.

rabanal *s. m.* Terreno plantado de rábanos.

rabanero, ra *adj., fig. y fam.* **1.** Se aplica al vestido corto, especialmente de las mujeres. **2.** Se dice de los ademanes y modo de hablar desvergonzados.

rabanillo *s. m.* Planta herbácea anual, de la familia de las crucíferas, con flores blancas o amarillas, fruto seco y raíz fusiforme de color blanco rojizo. Es una hierba nociva y muy común en los sembrados.

rabaniza *s. f.* **1.** Simiente del rábano. **2.** Planta herbácea anual, crucífera, con flores blancas, que abunda en terrenos incultos.

rábano *s. m.* **1.** Planta herbácea anual, crucífera, de tallo ramoso y velludo, y raíz carnosa y comestible. **2.** Raíz de esta planta.

rabear *v. intr.* Mover el rabo hacia una parte y otra.

rabel *s. m.* Antiguo instrumento musical pastoril parecido al laúd, pero con solo tres cuerdas, que se tocan con arco.

rabelero *s. m.* Tañedor de rabel.

rabeo *s. m.* Acción y efecto de rabear.

rabera *s. f.* Parte posterior de cualquier cosa.

rabí *s. m.* Título con que los israelitas honran a los sabios de su ley.

rabia *s. f.* **1.** Enfermedad caracterizada por ciertos desórdenes nerviosos, contracciones espasmódicas y dificultad de tragar. La padecen principalmente los perros y se comunica por la saliva a otros animales y a las personas. **2.** Irritación, enfado grande.

rabiar *v. intr.* **1.** Padecer el mal de rabia. **2.** Enojarse con muestras de cólera y enfado.

rabiatar *v. tr.* Atar por el rabo.

rabicano, na *adj.* Se dice del animal que tiene pelos blancos en el rabo.

rabiche *s. f., amer.* Especie de paloma que vuela en bandadas y construye su nido en los árboles.

rábico, ca *adj.* **1.** Perteneciente o relativo a la enfermedad de la rabia. **2.** Que padece de rabia.

rabicorto, ta *adj.* Se dice del animal que tiene corto el rabo.

rábida *s. f.* **1.** En Marruecos, convento. **2.** Fortaleza militar y religiosa edificada por los musulmanes en la frontera con los reinos cristianos.

rabieta *s. f., fam.* Enfado o enojo grande, por leve motivo y poca duración.

rabihorcado *s. m.* Ave palmípeda, propia de los países tropicales, de 3 m de envergadura, con cola ahorquillada, plumaje negro y pico largo, fuerte y encorvado por la punta. Anida en las costas y se alimenta de peces, que coge volando a flor de agua.

rabilargo, ga *adj.* **1.** Se aplica al animal que tiene largo el rabo. ‖ *s. m.* **2.** Pájaro de unos cuatro dm de largo, con plumaje negro brillante en la cabeza, azul claro en las alas y cola, y leonado en el resto del cuerpo. Abunda en los encinares de España.

rabillo *s. m.* **1.** Pedúnculo. **2.** Prolongación de una cosa en forma de rabo.

rabimocho, cha *adj., amer.* Rabón, animal que tiene el rabo muy corto o carece de él.

rabínico, ca *adj.* Perteneciente o relativo a los rabinos o al rabinismo.

rabinismo *s. m.* Doctrina que siguen y enseñan los rabinos.

rabino *s. m.* Maestro hebreo que interpreta la Sagrada Escritura.

rabión *s. m.* Corriente muy impetuosa del río en los parajes estrechos o inclinados.

rabioso, sa *adj.* **1.** Que padece rabia. **2.** Se dice de la persona muy enfadada.

rabiza *s. f.* Punta de la caña de pescar en la que se pone el sedal.

rabo *s. m.* **1.** Cola, especialmente la de los cuadrúpedos. **2.** Rabillo, pecíolo o pedúnculo de hojas y frutos. **3.** *fig. y fam.* Cualquier cosa colgante a semejanza de la cola de un animal.

rabón, na *adj.* Se dice del animal que tiene el rabo más corto que lo ordinario en su especie o que carece de él.

rabosear *v. tr.* Chafar o rozar levemente una cosa.

raboso, sa *adj.* Que tiene rabos o partes deshilachadas en la extremidad.

rabotear *v. tr.* Cortar el rabo o cola, en especial a las crías de las ovejas.

raboteo *s. m.* Época del año en que los pastores cortan el rabo de las ovejas y carneros.

rabudo, da *adj.* Que tiene grande el rabo.

rábula *s. m.* Abogado indocto, charlatán.

racamento *s. m.* Guarnimiento, especie de anillo que sujeta las vergas a sus palos o masteleros respectivos.

racanear *v. intr., fam.* Actuar con tacañería.

racaneo *s. m.* Racanería.

racanería *s. f., fam.* Acción y efecto de racanear.

rácano, na *adj.* **1.** *fam.* Se dice de la persona taimada. **2.** *fam.* Se dice de la persona avara. También s. m. y s. f.

racha *s. f.* **1.** Ráfaga de viento. **2.** *fam.* Periodo breve de fortuna o desgracia.

racheado, da *adj.* Se dice del viento que sopla a rachas.

rachear *v. intr.* Soplar el viento a rachas.

racial *adj.* Perteneciente o relativo a la raza.

racimado, da *adj.* En racimo.

racimarse *v. prnl.* Formar racimo.

racimo *s. m.* **1.** Porción de uvas unidas por sus pedúnculos a un mismo tallo. **2.** *fig.* Conjunto de cosas menudas que se han dispuesto con alguna semejanza de racimo. **3.** Conjunto de flores o frutos sostenidos por un eje común, y con rabillos casi iguales, más largos que las mismas flores.

racimoso, sa *adj.* Que tiene muchos racimos.

racimudo, da *adj.* Que tiene racimos grandes.

raciocinación *s. f.* Acción y efecto de raciocinar.

raciocinar *v. intr.* Usar del entendimiento y la razón para conocer y juzgar.

raciocinio *s. m.* Facultad de raciocinar.

ración *s. f.* **1.** Porción que se da para alimento en cada comida. **2.** Porción de cada vianda que en los bares, restaurantes, tabernas, etc., se sirve por determinado precio.

racionabilidad *s. f.* Facultad intelectiva que juzga de las cosas con razón, discerniendo entre lo bueno y lo malo o lo verdadero y lo falso.

racional *adj.* Dotado de razón.

racionalidad *s. f.* Calidad de racional.

racionalismo *s. m.* Preeminencia de la razón sobre cualquier otro tipo de sentimiento.

racionalista *adj.* Que profesa la doctrina del racionalismo. También com.

racionalización *s. f.* Acción y efecto de racionalizar.

racionalizar *v. tr.* **1.** Reducir a conceptos racionales. **2.** Organizar la producción o el trabajo de forma que con el mismo esfuerzo se puedan aumentar los rendimientos o reducir los costos.

racionamiento *s. m.* Acción y efecto de racionar o racionarse.

racionar *v. tr.* **1.** En épocas de escasez, limitar la adquisición de ciertos artículos. **2.** Distribuir raciones o proveer de ellas a las tropas. También prnl.

racionista *com.* **1.** Persona que goza de un sueldo o ración para mantenerse de ella. **2.** En el teatro, parte de por medio o actor de ínfima clase.

racismo *s. m.* **1.** Exaltación de la superioridad de la propia raza, especialmente cuando convive con otras. **2.** Doctrina política basada en este sentimiento y que suele motivar la persecución de un grupo étnico considerado inferior.

racista *adj.* **1.** Perteneciente o relativo al racismo. ‖ *s. m. y s. f.* **2.** Partidario del racismo.

racor *s. m.* **1.** Pieza de metal con dos roscas internas en sentido opuesto y que sirve para unir tubos. **2.** Por ext., pieza de metal o cualquier otro material que se aplica, sin rosca, para unir dos tubos.

rada *s. f.* Ensenada donde las naves pueden estar ancladas al abrigo de los vientos.

radar *s. m.* Sistema que permite descubrir la situación de un cuerpo que no se ve por medio de la emisión de ondas eléctricas de altísima frecuencia que, reflejadas en un obstáculo, vuelven al punto de partida. Las ondas del radar se propagan con la misma velocidad que la de la luz.

radiación *s. f.* Energía ondulatoria que se propaga a través del espacio.

radiactividad *s. f.* Desintegración nuclear espontánea de los átomos con emisión de radiaciones corpusculares o electromagnéticas. Se mide por el número de desintegraciones que se producen cada segundo. Su unidad es el curio.

radiactivo, va *adj.* **1.** Se dice de los cuerpos o sustancias que emiten radiaciones. **2.** Perteneciente o relativo a la radiactividad.

radiado, da *adj.* Se dice de las cosas dispuestas a la manera de los radios de una circunferencia con relación a su centro.

radiador *s. m.* Aparato de calefacción compuesto de uno o más cuerpos huecos, a través de los cuales pasa una corriente de agua o vapor a elevada temperatura.

radial *adj.* **1.** Se dice de la dirección del rayo visual. **2.** Perteneciente o relativo al radio.

radiante *adj.* **1.** Que radia. **2.** Que despide luz. **3.** *fig.* Que siente y manifiesta gran alegría.

radiar *v. tr.* **1.** Emitir señales, palabras o sonidos por radiodifusión. **2.** Producir la radiación de ondas o de partículas. **3.** Tratar una afección mediante los rayos X.

radicación *s. f.* **1.** Acción y efecto de radicar o radicarse. **2.** *fig.* Larga práctica y duración de un uso, costumbre, etc.

radical *adj.* **1.** Perteneciente o relativo a la raíz. **2.** Fundamental. **3.** En política, partidario de reformas extremas. También com. **4.** Se dice de la persona extremista en cualquier aspecto. También com. **5.** Se aplica al signo (√), con el que se indica la operación de extraer raíces. También s. m. ‖ *s. m.* **6.** Parte que queda de una palabra variable al quitarle la desinencia. **7.** Grupo de átomos que no puede ser aislado por no constituir un sistema saturado, y que en las reacciones químicas funciona como un solo átomo. **8.** Átomo o grupo de átomos que se considera como una unidad en un compuesto químico y pasa inalterado de unas combinaciones a otras.

radicalismo *s. m.* **1.** Calidad de radical. **2.** Doctrina política de los que pretenden cambiar radicalmente las prácticas existentes. **3.** Por ext., modo extremado de tratar los asuntos.

radicalizar *v. tr.* **1.** Hacer que alguien adopte una actitud radical. También prnl. **2.** Hacer más radical una postura o idea.

radicar *v. intr.* Arraigar. También prnl.

radicícola *adj.* Se dice del animal o vegetal que vive parásito sobre las raíces de una planta.

radícula *s. f.* Parte del embrión que al germinar formará la raíz de la nueva planta.

radicular *adj.* Perteneciente o relativo a las raíces.

radiestesia *s. f.* Sensibilidad para captar ciertas radiaciones como la de los zahoríes para descubrir manantiales subterráneos.

radio[1] *s. m.* **1.** Segmento rectilíneo comprendido entre el centro del círculo y la circunferencia, o entre el centro de la esfera y su superficie. **2.** Hueso contiguo al cúbito, con el cual forma el antebrazo.

radio[2] *s. m.* Metal muy raro, intensamente radiactivo.

radio[3] *s. f.* **1.** Término general aplicado al uso de las ondas radioeléctricas. **2.** *fam.* Apócope de radiodifusión. ‖ *s. amb.* **3.** *fam.* Apócope de radiorreceptor.

radioaficionado, da *s. m. y s. f.* Persona autorizada para emitir y recibir mensajes radiados privados, usando bandas de frecuencia legalizadas.

radiocasete *s. m.* Aparato electrónico que consta de un reproductor de casetes y una radio.

radiocomunicación *s. f.* Telecomunicación realizada por medio de las ondas radioeléctricas.

radiodifundir *v. tr.* Radiar, emitir noticias, música, etc.

radiodifusión *s. f.* Emisión radiotelefónica de noticias, conciertos, etc.

radiodifusor, ra *adj.* Que radiodifunde.

radioelectricidad *s. f.* Producción, propagación y recepción de ondas hertzianas.

radioemisor, ra *adj.* **1.** Se dice del aparato utilizado para las emisiones radiofónicas. ‖ *s. f.* **2.** Estación transmisora en la que se realizan este tipo de emisiones.

radioescucha *com.* Persona que oye las emisiones radiotelefónicas y radiotelegráficas.

radiofonía *s. f.* Parte de la física que estudia los fenómenos acústicos producidos por la energía radiante.

radiofónico, ca *adj.* Perteneciente o relativo a la radiofonía.

radiofrecuencia *s. f.* Frecuencia de las ondas electromagnéticas empleada en la radiocomunicación.

radiografía *s. f.* Obtención de una imagen fotográfica de un órgano interior o de un objeto oculto a la vista, por la impresión de una superficie sensible mediante los rayos X.

radiografiar *v. tr.* **1.** Transmitir por medio de la telegrafía o telefonía, noticias, música, etc. **2.** Hacer fotografías por medio de los rayos X.

radiograma *s. m.* Telegrama transmitido por medio de la telegrafía sin hilos.

radiolario *adj.* Se dice de los protozoos rizópodos con un esqueleto interno, generalmente silíceo. También s. m.

radiología *s. f.* Parte de la medicina que estudia las aplicaciones de los rayos X.

radiólogo, ga *s. m. y s. f.* Médico dedicado especialmente al estudio o manejo de los rayos X.

radiomensaje *s. m.* Mensaje radiado.

radionovela *s. f.* Obra difundida por radiofonía en varios capítulos.

radiorreceptor *s. m.* Aparato usado en radiotelegrafía y radiotelefonía para recoger y transformar en señales o sonidos las ondas emitidas por el radiotransmisor.

radioscopia *s. f.* Examen del interior del cuerpo humano y en general de los cuerpos opacos, mediante los rayos X.

radiotaxi *s. m.* Vehículo de servicio público dotado de una emisora conectada a una estación central de emisión, que le informa de los servicios que tiene que realizar.

radiotelefonía *s. f.* Telefonía sin hilos, sistema de comunicación telegráfica por medio de ondas hertzianas.

radioteléfono *s. m.* Teléfono en el que la comunicación se establece por medio de ondas electromagnéticas en lugar de hilos.

radiotelegrafía *s. f.* Telegrafía sin hilos, sistema de comunicación telegráfica por medio de ondas hertzianas.

radiotelegrafiar *v. tr.* Transmitir por medio de la telegrafía.

radiotelegrafista *com.* Persona que se ocupa del servicio radiotelegráfico.

radiotelégrafo *s. m.* Aparato receptor-emisor en el que la comunicación se establece por medio de ondas hertzianas.

radiotelegrama *s. f.* Telegrama cuyo origen o destino es una estación móvil.

radioterapia *s. f.* **1.** Empleo terapéutico de los rayos X. **2.** Empleo terapéutico del radio y otras sustancias radiactivas.

radiotransmisor *s. m.* Aparato empleado en radiotelegrafía y radiotelefonía para producir y enviar las ondas portadoras de señales y sonidos.

radioyente *com.* Persona que oye lo que se transmite por radiotelefonía.

radón *s. m.* Elemento químico o cuerpo simple que se produce al desintegrarse el radio.

raedera *s. f.* Instrumento para raer.

raedor, ra *adj.* Que rae. También s. m. y s. f.

raedura *s. f.* **1.** Acción y efecto de raer. **2.** Parte menuda que se rae de una cosa. Se usa más en pl.

raer *v. tr.* Quitar, como raspando la superficie de una cosa, con un instrumento cortante.

rafa *s. f.* Grieta en el casco del caballo.

ráfaga *s. f.* Golpe de viento, fuerte y repentino.

rafe *s. amb.* Cordoncillo que forma el funículo en algunas semillas.

rafia *s. f.* Género de palmeras de las cuales se saca una fibra resistente y muy flexible.

ragú *s. m.* **1.** Guiso de carne con patatas y verduras. **2.** *amer.* Sospecha fundada en conjeturas o indicios. **3.** *amer.* Cebo que se ofrece al animal para engordarlo o atraerlo.

ragua *s. f.* Remate de la caña de azúcar.

rahez *adj.* Se dice de la cosa o persona vil y despreciable.

raíble *adj.* Que se puede raer.

raído, da *adj.* Se dice de la prenda o tela muy gastada por el uso pero que aun no se ha roto.

raigambre *s. f.* Conjunto de raíces de los vegetales unidas entre sí.

raigón *s. m.* Raíz de las muelas y dientes.

raíl *s. m.* Carril de las vías férreas.

raíz *s. f.* **1.** Órgano de las plantas que crece en dirección inversa al tallo y que absorbe de la tierra las materias necesarias para el desarrollo de la planta. **2.** Parte de los dientes engastada en los alveolos.

raja *s. f.* **1.** Una de las partes de un leño que resultan de abrirlo al hilo con hacha, cuña, etc. **2.** Hendedura, quiebra de una cosa. **3.** Pedazo que se corta a lo largo o a lo ancho de un fruto u otra cosa, como melón, sandía, queso, etc.

rajá *s. m.* Soberano índico.

rajado, da *adj., fam.* Cobarde, que se vuelve atrás. También s. m. y s. f.

rajador, ra *s. m. y s. f.* Persona que raja madera o leña.

rajadura *s. f.* Raja, grieta, hendedura.

rajar *v. tr.* **1.** Dividir en rajas. **2.** Hender, partir. ‖ *v. intr.* **3.** *fam.* Hablar mucho. ‖ *v. prnl.* **4.** *fig. y fam.* Desistir de un empeño, desdecirse de lo prometido.

rajatabla, a *adv m.* Con todo rigor, de un modo absoluto.

ralea *s. f.* **1.** Especie, género de las cosas. **2.** *desp.* Raza o linaje de las personas.

ralear *v. intr.* Hacerse rala una cosa, perder la densidad.

ralentí *s. m.* Número de revoluciones por minuto a que debe funcionar un motor de explosión cuando está en reposo.

ralentización *s. f.* Acción y efecto de ralentizar.

ralentizar *v. tr.* Imprimir lentitud a alguna operación o proceso, disminuir su velocidad.

raleza *s. f.* Calidad de ralo.

rallador *s. m.* Utensilio de cocina, compuesto de una chapa de metal, curva y llena de agujeros de borde saliente, contra el cual se raspa el pan, el queso, etc.

ralladura *s. f.* Surco que deja el rallador, y por ext., cualquier surco menudo.

rallar *v. tr.* Desmenuzar una cosa restregándola con el rallador.

rally *s. m.* Carrera automovilística, por etapas contrarreloj, por una ruta previamente trazada en carreteras normales y campo a través.

ralo, la *adj.* Se dice de las cosas cuyas partes están separadas más de lo regular en su clase.

rama *s. f.* **1.** Cada una de las partes que nacen del tronco o tallo principal de la planta y en las cuales brotan hojas, flores y frutos. **2.** *fig.* Serie de personas que descienden de un mismo tronco. **3.** *fig.* Parte secundaria de una cosa que se deriva de otra principal. **4.** *fig.* Cada una de las partes en que se considera dividida una ciencia, arte, etc.

ramadán *s. m.* Noveno mes del año lunar de los mahometanos, durante el cual estos hacen riguroso ayuno.

ramaje *s. m.* Conjunto de ramas o ramos.

ramal *s. m.* **1.** Cada uno de los cabos de que se componen las cuerdas, sogas, etc. **2.** Parte en que se bifurca un camino, mina, etc.

ramalazo *s. m.* Dolor agudo y repentino.

ramasco *s. m.* Rama pequeña.

ramazón *s. m.* Conjunto de ramas separadas de los árboles.

rambla *s. f.* Lecho natural de las aguas pluviales cuando caen copiosamente.

rámeo, a *adj.* Perteneciente o relativo a la rama.

ramera *s. f.* Mujer que mantiene relaciones sexuales por dinero.

ramería *s. f.* Mancebía, burdel, casa donde las prostitutas ejercen su oficio.

ramificación *s. f.* **1.** Acción y efecto de ramificarse. **2.** *fig.* Conjunto de consecuencias necesarias de algún hecho o acontecimiento.

ramificar *v. intr.* **1.** Echar ramas un árbol. ‖ *v. prnl.* **2.** Esparcirse y dividirse en ramas una cosa. **3.** *fig.* Propagarse las consecuencias de un hecho o suceso.

ramillete *s. m.* Ramo pequeño formado artificialmente.

ramio *s. m.* Planta urticácea, de la India, con tallos herbáceos y ramosos, de los cuales se obtienen fibras textiles muy tenaces y resistentes a la humedad.

ramiza *s. f.* Conjunto de ramas cortadas.

ramnáceo, a *adj.* Se dice de árboles y arbustos dicotiledóneos, a veces espinosos, de hojas simples y estipuladas, flores pequeñas y fruto capsular o en drupa. También s. f.

ramo *s. m.* **1.** Rama que nace de la principal. **2.** Rama cortada de árbol. **3.** Conjunto de flores, ramas o hierbas o de unas y otras. **4.** *fig.* Cada una de las partes en que se considera dividida una ciencia, arte, etc.

ramón *s. m.* Ramojo con que los pastores apacientan los ganados en tiempo de nieve.

ramonear *v. intr.* Cortar las puntas de las ramas de los árboles.

ramoso, sa *adj.* Que tiene muchos ramos o ramas.

rampa *s. f.* Plano inclinado dispuesto para subir y bajar por él.

rampante *adj.* **1.** Se dice del animal que está en el campo del escudo de armas con la mano abierta y las garras tendidas en ademán de agarrar. **2.** Ganchudo, como las uñas de una fiera. **3.** Se dice de la persona trepadora, ambiciosa. **4.** Ascendiente, creciente. **5.** Se aplica a la construcción en declive, como la bóveda que tiene sus impostas oblicuas o a distinto nivel. También s. m.

rampar *v. intr.* **1.** Adoptar la postura del león rampante. **2.** Trepar, alzarse. **3.** Deslizarse como un reptil.

ramplón, na *adj., fig.* Tosco o vulgar.

ramplonería *s. f.* **1.** Calidad de ramplón, tosco o chabacano. **2.** Dicho o hecho tosco.

rampollo *s. m.* Rama cortada del árbol para plantarla.

ramujo *s. m.* Ramas que se cortan del olivo.

rana *s. f.* Batracio anuro, con ojos saltones y patas muy largas, que vive en agua dulce y camina o nada a saltos.

ranchera *s. f.* Canción y baile populares de diversos países de Hispanoamérica.

ranchería *s. f.* **1.** Conjunto de ranchos o chozas que forman como un lugar. **2.** En los cuarteles, cocina donde se guisa el rancho.

ranchero, ra *s. m. y s. f.* Persona que gobierna un rancho.

rancho *s. m.* **1.** Comida hecha para muchos en común y que, generalmente, se reduce a un solo guiso. **2.** Choza o casa pobre fuera de poblado, con techumbre de ramas o paja. **3.** *And.* Finca de labor más pequeña que el cortijo. **4.** *amer.* Granja donde se crían caballos y otros cuadrúpedos.

ranciar *v. tr.* Enranciar. También prnl.

ranciedad *s. f.* **1.** Calidad de rancio, dicho de los alimentos y de las cosas antiguas. **2.** *fig.* Cosa anticuada.

rancio, cia *adj.* **1.** Se dice del vino y de los comestibles grasientos que con el tiempo adquieren sabor y olor más fuertes, mejorándose o echándose a perder. **2.** *fig.* Se dice de las cosas antiguas y de las personas apegadas a ellas.

randa *s. f.* **1.** Encaje labrado con aguja o tejido que se suele poner en vestidos. ‖ *s. m.* **2.** *fam.* Ratero, granuja.

randero, ra *s. m. y s. f.* Persona que hace o vende randas.

ranero *s. m.* Terreno en que se crían muchas ranas.

rango *s. m.* Jerarquía, orden de importancia que observan las cosas o las personas.

ranking *s. m.* Clasificación de mayor a menor, útil para establecer criterios de valoración.

ránula *s. f.* Tumor blando que suele formarse debajo de la lengua.

ranunculáceo, a *adj.* Se dice de las plantas angiospermas dicotiledóneas, con hojas alternas, flores de color brillante y fruto seco o carnoso con semillas de albumen córneo. También s. f.

ranúnculo *s. m.* Planta anual, de la familia de las ranunculáceas, de tallo hueco, flores amarillas y fruto seco. Es común en los terrenos húmedos de España y su jugo acre es muy venenoso.

ranura *s. f.* Canal estrecha y larga que se abre en un madero, piedra u otro material.

raña *s. f.* Instrumento para pescar pulpos en fondos de roca, formado por una cruz de madera o hierro erizada de garfios.

raño *s. m.* Pez marino acantopterigio, de color amarillo en la cabeza y lomo, rojo amarillento en el vientre, y aletas pectorales encarnadas.

rapa *s. f.* Flor del olivo.

rapabarbas *s. m., fam.* Barbero.

rapacejo *s. m.* **1.** Hebra que sirve de alma para formar cordoncillo. **2.** Fleco liso.

rapacería[1] *s. f.* Rapacidad.

rapacería[2] *s. f.* Rapazada.

rapacidad *s. f.* Calidad de rapaz o inclinado al robo. Robo, acción y efecto de robar.

rapador, ra *s. m., fam.* Barbero o peluquero.

rapadura *s. f.* Acción y efecto de rapar o raparse.

rapagón *s. m.* Mozo imberbe.

rapapolvo *s. m., fam.* Represión áspera.

rapar *v. tr.* **1.** Afeitar la barba. También prnl. **2.** Cortar el pelo al rape.

rapaz *adj.* **1.** Inclinado al robo o hurto. ‖ *s. f. pl.* **2.** Orden de las aves carnívoras, de pico fuerte y encorvado, patas robustas y uñas encorvadas y puntiagudas, como el águila, el búho y el buitre. ‖ *s. m.* **3.** Muchacho de corta edad.

rapazada *s. f.* Acción propia de muchachos.

rape *s. m.* Pejesapo.

rape, al *expr.* A la orilla o casi de raíz.

rapé *adj.* Se dice del tabaco en polvo para sorberlo por las narices.

rapidez *s. f.* Movimiento acelerado.

rápido, da *adj.* Que se mueve a gran velocidad.

rapiña *s. f.* Robo ejecutado con violencia.

rapiñar *v. tr., fam.* Hurtar o arrebatar una cosa con violencia.

rapista *s. m., fam.* Barbero o peluquero.

raposa *s. f.* Zorra, mamífero.

raposear *v. intr.* Usar de ardides o trampas como la raposa.

raposo *s. m.* Zorro.

rappel *s. m.* Técnica de descenso utilizada por los alpinistas y por determinados grupos de élite del ejército, que consiste en deslizarse rápidamente por una pared vertical utilizando una cuerda.

rapsoda *s. m. y s. f.* Recitador de versos.

rapsodia *s. f.* **1.** Trozo de un poema épico, que se suele recitar de una vez. **2.** Obra compuesta de retazos ajenos.

raptar *v. tr.* Retener a una persona en contra de su voluntad con el fin de conseguir un rescate.

rapto *s. m.* **1.** Impulso. **2.** Secuestro de personas con el fin de obtener un rescate.

raptor, ra *adj.* Que comete el delito del rapto. También s. m. y s. f.

raque *s. m.* Acto de recoger los objetos perdidos en las costas por algún naufragio.

raquear *v. intr.* Andar al raque, buscar restos de un naufragio.

raquero, ra *adj.* Se dice de la embarcación pequeña que va pirateando o robando por las costas.

raqueta *s. f.* **1.** Bastidor de madera con mango, que sujeta una red o pergamino, y que se emplea como pala en varios juegos. **2.** Objeto similar a la raqueta de tenis que se pone en los pies para andar por la nieve.

raquialgia *s. f.* Dolor a lo largo del raquis.

raquídeo, a *adj.* Perteneciente al raquis.

raquis *s. m.* **1.** Raspa, eje de una espiga. **2.** Espinazo, columna vertebral. **3.** Nervio principal de una hoja compuesta.

raquítico, ca *adj.* **1.** Aplicado a personas, extremadamente delgado. **2.** Aplicado a las cosas, muy pequeño.

raquitis *s. f.* Enfermedad crónica infantil caracterizada por un reblandecimiento y encorvadura de los huesos, sobre todo del raquis o espinazo, con debilidad y entumecimiento de los tejidos.

raquitismo *s. m.* Raquitis.

rarefacción *s. f.* Acción y efecto de rarefacer o rarefacerse.

rarefacer *v. tr.* Enrarecer. También prnl.

rareza *s. f.* Cosa rara.

raro, ra *adj.* **1.** De poca densidad. **2.** Poco común, extraordinario. **3.** Insigne.

ras *s. m.* Igualdad en la superficie o altura de las cosas.

rasa *s. f.* Abertura o raleza que, al menor esfuerzo, se hace en las telas endebles y mal tejidas.

rasante *s. f.* Línea de una calle o camino considerada en su inclinación o paralelismo respecto del plano horizontal.

rasar *v. tr.* **1.** Igualar con el rasero las medidas de los áridos. **2.** Pasar rozando ligeramente un cuerpo con otro.

rascacielos *s. m.* Edificio muy alto y de muchos pisos.

rascadera *s. f.* Rascador.

rascador *s. m.* Cualquier instrumento que sirve para rascar.

rascadura *s. f.* Acción y efecto de rascar o rascarse.

rascar *v. tr.* **1.** Refregar con fuerza la piel. También prnl. **2.** Arañar, hacer arañazos.

rascatripas *com.* Persona que toca mal el violín o cualquier instrumento de arco.

rascazón *s. f.* Comezón o picazón que incita a rascarse.

rasero *s. m.* Palo cilíndrico para rasar las medidas de los áridos.

rasete *s. m.* Raso muy sencillo.

rasgadura *s. f.* Acción y efecto de rasgar.

rasgar *v. tr.* Hacer pedazos, sin el auxilio de ningún instrumento, cosas de poca consistencia, como tejidos, pieles, papel, etc.

rasgo *s. m.* **1.** Línea airosa trazada con la pluma por lo común para adorno de las letras al escribir. **2.** *fig.* Facción del rostro.

rasgón *s. m.* Rotura de un vestido o tela.

rasguear *v. tr.* **1.** Tocar la guitarra u otro instrumento rozando varias cuerdas a la vez con las puntas de los dedos. ‖ *v. intr.* **2.** Hacer rasgos con la pluma.

rasgueo *s. m.* Acción y efecto de rasguear.

rasguñar *v. tr.* Arañar o rascar una cosa con las uñas o con algún instrumento cortante.

rasguño *s. m.* Arañazo.

rasilla *s. f.* **1.** Tela de lana delgada. **2.** Ladrillo delgado y hueco para solar.

raso, sa *adj.* **1.** Liso, sin estorbos. **2.** Que carece de título, grado o distinción. **3.** Se dice de la atmósfera, cuando está libre de nubes y nieblas. ‖ *s. m.* **4.** Tela de seda lustrosa, de cuerpo intermedio entre el tafetán y el terciopelo.

raspa *s. f.* **1.** Arista del grano de trigo. **2.** Espina de los pescados.

raspado *s. m.* Acción de raspar.

raspador *s. m.* Instrumento para raspar, especialmente el usado para raspar lo escrito, que está formado por un mango y una cuchilla en figura de hierro de lanza.

raspadura *s. f.* **1.** Acción y efecto de raspar. **2.** Lo que se quita de la superficie raspando.

ráspano *s. m., Cant.* Arándano.

raspar *v. tr.* Raer ligeramente la superficie de una cosa.

raspear *v. intr.* Correr con aspereza la pluma, despidiendo chispitas de tinta.

raspilla *s. f.* Planta borraginácea, con tallos casi tendidos, angulares, con espinillas resueltas hacia abajo, hojas ásperas y flores azules, llamadas nomeolvides.

raspín *s. m.* Cincel de dientes, usado en las artes.

rasponazo *s. m.* Herida superficial producida por un cuerpo punzante que raspa.

rasposo, sa *adj.* **1.** Que tiene muchas raspas. **2.** *fig.* Que es áspero al tacto. **3.** *fig.* Desagradable en el trato.

rasqueta *s. f.* Planchuela de hierro, de cantos afilados y con mango de madera, que se usa para raer y limpiar los palos, cubiertas y costados de las embarcaciones.

rastra *s. f.* **1.** Rastro para recoger hierba. **2.** Vestigio que queda de algún hecho.

rastreador, ra *adj.* Que rastrea.

rastrear *v. tr.* **1.** Seguir el rastro o buscar alguna cosa por él. **2.** Inquirir una cosa discurriendo por conjeturas o señales.

rastreo *s. m.* Acción de rastrear por el fondo del agua.

rastrero, ra *adj.* **1.** Que va arrastrando. **2.** *fig.* Se dice de lo bajo, vil. **3.** Se dice del tallo de una planta que crece tendido por el suelo y echa raicillas de trecho en trecho.

rastrilla *s. f.* Rastro que tiene el mango en una de las caras estrechas del travesaño.

rastrillada *s. f.* **1.** Todo lo que se recoge o se barre de una vez con el rastrillo o rastro. **2.** *Arg. y Ur.* Surco o huellas que dejan los cascos de animales sobre el terreno.

rastrillaje *s. m.* Maniobra que se ejecuta con la rastra o rastrillo.

rastrillar *v. tr.* Limpiar el lino o cáñamo de la arista y estopa.

rastrillo *s. m.* Tabla con muchos dientes de alambre grueso, a manera de carda, sobre los que se pasa el lino o cáñamo para apartar la estopa y separar bien las fibras.

rastro *s. m.* **1.** Instrumento compuesto de un mango largo y delgado cruzado en uno de sus extremos por un travesaño armado de púas a manera de dientes, y que sirve para recoger hierba, paja, etc. **2.** Mercado callejero donde suelen venderse generalmente objetos de segunda mano.

rastrojar *v. tr.* Arrancar el rastrojo de un campo.

rastrojera *s. f.* Conjunto de tierras que han quedado de rastrojo.

rastrojo *s. m.* **1.** Residuo de las cañas de la mies que queda en la tierra después de segar. **2.** El campo, después de segar la mies y antes de recibir nueva labor. ‖ *s. m. pl.* **3.** Residuos que quedan de algo.

rasura *s. f.* Acción y efecto de rasurar.

rasuración *s. f.* **1.** Rasura, acción y efecto de rasurar. **2.** Raedura, acción y efecto de raer.

rasuradora *s. f.* Máquina de afeitar.

rasurar *v. tr.* Afeitar la barba.

rata *s. f.* Mamífero roedor con cabeza pequeña, hocico puntiagudo, orejas tiesas, cuerpo grueso, patas cortas, cola delgada y pelaje gris oscuro.

rataplán *s. m.* Voz onomatopéyica con que se imita el sonido del tambor.

ratear *v. tr.* **1.** Hurtar con destreza y sutileza cosas pequeñas. ‖ *v. intr.* **2.** Moverse arrastrando el cuerpo por tierra.

ratel *s. m.* Mamífero carnívoro de la India, parecido al tejón, de pelaje gris claro en el dorso y negro en el resto del cuerpo.

ratería *s. f.* **1.** Hurto de cosas de poco valor. **2.** Acción de hurtarlas con maña y cautela.

ratero, ra *adj.* Se dice del ladrón que hurta con maña y cautela cosas de poco valor.

raticida *s. m.* Sustancia venenosa empleada para exterminar ratas y ratones.

ratificación *s. f.* Acción y efecto de ratificar o ratificarse.

ratificar *v. tr.* Confirmar una cosa que se ha dicho o hecho, dándola por cierta.

ratificatorio, ria *adj.* Que ratifica o denota ratificación.

ratigar *v. tr.* Atar y asegurar con una soga el rátigo después que se ha colocado en el carro.

rátigo *s. m.* Conjunto de cosas diversas que lleva un carro.

ratio *s. f.* Relación que existe entre dos magnitudes que se comparan.

rato *s. m.* Espacio de tiempo, y especialmente cuando es corto.

ratón *s. m.* Mamífero roedor de pelaje gris, parecido a la rata, pero más pequeño, que vive en las casas, donde es muy perjudicial por lo que roe y destruye.

ratonar *v. tr.* **1.** Morder los ratones una cosa, como queso, pan, etc. ‖ *v. prnl.* **2.** Ponerse enfermo el gato de comer muchos ratones.

ratonera *s. f.* **1.** Trampa en que se cogen o cazan los ratones. **2.** Agujero que hace el ratón en las paredes, arcas, etc. para entrar y salir por él. **3.** Madriguera de ratones.

ratonero, ra *adj.* Ratonesco.

ratonesco, ca *adj.* Perteneciente a los ratones.

rauco, ca *adj., poét.* Ronco.

raudal *s. m.* **1.** Copia de agua que corre arrebatadamente. **2.** Abundancia de cosas que de golpe concurren o se derraman.

raudo, da *adj.* Rápido y violento.

raviole *s. m.* Ravioli.

ravioli *s. m. pl.* Emparedados de pasta alimenticia con carne picada, verdura, etc., que se sirven con salsa y queso rallado.

raya[1] *s. f.* **1.** Señal larga y estrecha que se hace o forma en un cuerpo cualquiera. **2.** Término, límite de una nación, región, provincia, distrito o predio extenso. **3.** Término que se pone a una cosa en lo físico y en lo moral. **4.** Señal que resulta en la cabeza de hacer una separación del pelo con el peine. **5.** Pliegue vertical que se marca al planchar los pantalones. **6.** En el lenguaje de la droga, dosis de cocaína. **7.** Guion un poco más largo que el ordinario, y que se emplea en distintos usos.

raya[2] *s. f.* Pez marino selacio, comestible, de cuerpo aplastado y cola ancha y delgada.

rayadillo *s. m.* Tela de algodón rayada, semejante al dril.

rayano, na *adj.* **1.** Que linda con una cosa. **2.** *fig.* Cercano, con semejanza que se aproxima a igualdad.

rayador *s. m., Amér. del S.* Ave que tiene el pico muy aplanado y delgado y la mandíbula superior mucho más corta que la inferior. Debe su nombre a que cuando vuela sobre el mar parece que va rayando el agua que roza con su cuerpo.

rayar *v. tr.* **1.** Hacer o tirar rayas. **2.** Tachar lo manuscrito o impreso con una o varias rayas.

rayo *s. m.* **1.** Cada una de las líneas, generalmente rectas, que parten del punto en que se produce una determinada forma de energía y marcan la dirección en que esta es transmitida. **2.** Línea de luz que procede de un cuerpo luminoso, y especialmente las que vienen del Sol. **3.** Chispa eléctrica de gran intensidad originada por descarga entre dos nubes o entre una nube y la tierra. **4.** Cualquiera de las piezas que a manera de radios de círculo unen el cubo a la llanta de una rueda. **5.** *fig.* Cualquier cosa que tiene mucho poder o gran eficacia en su acción. **6.** *fig.* Persona de gran agilidad mental. **7.** *fig.* Persona muy veloz en su actividad.

rayón *s. m.* Seda artificial.

rayoso, sa *adj.* Que tiene rayas.

rayuela *s. f.* Juego en el que, tirando monedas o tejos a una raya hecha en el suelo y a cierta distancia, gana el que la toca o se acerca más a ella.

rayuelo *s. m.* Ave zancuda, pequeña, que vuela bajo y se esconde en sitios pantanosos.

raza *s. f.* **1.** Casta o calidad del origen. **2.** Cada uno de los grupos de seres humanos que por el color de su piel y otros caracteres se distinguen en raza blanca, amarilla, cobriza y negra.

razia *s. f.* **1.** Incursión o correría sobre un país pequeño y sin más objeto que el botín. **2.** Batida, redada.

razón *s. f.* **1.** Facultad de discurrir. **2.** Argumento en que se apoya alguna cosa. **3.** Causa de un acto.

razonable *adj.* **1.** Conforme a razón. **2.** Regular, bastante en calidad o en cantidad.

razonamiento *s. m.* Serie de conceptos encaminados a demostrar una cosa o a persuadir o mover a lectores o a oyentes.

razonar *v. intr.* **1.** Discurrir manifestando lo que se discurre, o hablar dando razones para probar una cosa. ‖ *v. tr.* **2.** Tratándose de dictámenes, cuentas, etc., exponer las razones o documentos en que se apoyan.

razzia *s. f.* Razia.

re *s. m.* Segunda nota de la escala músical.

reabsorber *v. tr.* Volver a absorber.

reabsorción *s. f.* Acción y efecto de reabsorber.

reacción *s. f.* **1.** Acción que resiste o se opone a otra acción, obrando el sentido opuesto a ella. **2.** Tendencia tradicionalista en lo político contraria a las innovaciones. Se dice también del conjunto de sus valedores y partidarios. **3.** Forma en que alguien o algo reacciona ante un estímulo. **4.** Fuerza que un cuerpo sujeto a la acción de otro ejerce sobre él en dirección contraria. **5.** Acción orgánica que tiende a contrarrestar la de un agente que lleva consigo el germen de enfermedades o las ocasiona, o que responde a la aplicación de un remedio. **6.** Acción recíproca entre dos o más cuerpos de la cual resultan otro u otros diferentes de los primitivos.

reaccionar *v. intr.* **1.** Cambiar de disposición una persona o modificarse una cosa en virtud de una acción opuesta a otra anterior. **2.** Recuperar la actividad fisiológica que parecía perdida. **3.** Mejorar la salud. **4.** Recobrar algo la actividad que había perdido. **5.** Rechazar un ataque en una guerra. **6.** Oponerse categóricamente a algo. **7.** Modificarse una sustancia por la acción de un reactivo. **8.** Producir un cuerpo igual fuerza y contraria a la que actúa sobre él.

reaccionario, ria *adj.* **1.** Que propende a restablecer lo abolido. **2.** Opuesto a las innovaciones. **3.** Relativo a la reacción política.

reacio, cia *adj.* Que muestra resistencia a hacer algo.

reactivación *s. f.* Acción y efecto de reactivar.

reactivar *v. tr.* Volver a activar.

reactivo, va *adj.* **1.** Se dice de lo que produce reacción. Se usa más como s. m. **2.** Se dice de la sustancia empleada para producir una reacción o para revelar la presencia o medir la cantidad de otra sustancia.

reactor *s. m.* Dispositivo destinado a la producción y regulación de energía mediante la fisión nuclear de cuerpos radiactivos, provocando una reacción en cadena mediante los neutrones liberados en las mismas.

reacuñar *v. tr.* Resellar la moneda.

readaptación *s. f.* Acción y efecto de readaptar o readaptarse.

readaptar *v. tr.* Volver a adaptar. También prnl.

readmisión *s. f.* Admisión por segunda o más veces.

readmitir *v. tr.* Volver a admitir.

reafirmar *v. tr.* Afirmar de nuevo.

reagravar *v. tr.* Volver a agravar, o agravar más.

reagrupamiento *s. m.* Acción y efecto de reagrupar.

reagrupar *v. tr.* Agrupar de nuevo o de modo diferente.

reajustar *v. tr.* Volver a ajustar. Hablando de precios, salarios, puestos de trabajo, etc., aumentarlos o disminuirlos por diversos motivos.

reajuste *s. m.* Acción y efecto de reajustar.

real[1] *adj.* Que tiene existencia verdadera y efectiva.

real[2] *adj.* **1.** Perteneciente o relativo al rey o a la realeza. ‖ *s. m.* **2.** Moneda de níquel u otros metales que equivalía a 25 céntimos. **3.** Unidad monetaria de Brasil.

reala *s. f.* Rehala.

realce *s. m.* **1.** Adorno o labor que sobresale en la superficie de una cosa. **2.** *fig.* Lustre, estimación, grandeza sobresaliente.

realejo *s. m.* **1.** Lugar donde acampa el ejército. **2.** Órgano pequeño y manual.

realengo, ga *adj.* **1.** Se dice de los pueblos que no eran de señorío ni de las órdenes, sino que dependían directamente del rey. **2.** Se dice de los terrenos pertenecientes al Estado.

realeza *s. f.* Dignidad o soberanía real.

realidad *s. f.* **1.** Existencia real y efectiva de una cosa. **2.** Verdad, sinceridad.

realismo *s. m.* Forma de representar las cosas tal como son.

realista *adj.* Que actúa con sentido práctico.

realizable *adj.* Que se puede realizar.

realización *s. f.* Acción y efecto de realizar o realizarse.

realizar *v. tr.* Verificar, hacer real y efectiva una cosa.

realquilado, da *adj.* Se aplica a la persona que vive en régimen de alquiler en un lugar alquilado por otra persona.

realquilar *v. tr.* Tomar en alquiler un piso o local a una persona que no es su dueño sino el arrendatario.

realzar *v. tr.* **1.** Levantar o elevar una cosa más de lo que estaba. También prnl. **2.** *fig.* Engrandecer a alguien. También prnl.

reamar *v. tr.* Amar mucho.

reanimación *s. f.* **1.** Acción y efecto de reanimar. **2.** Conjunto de medidas terapéuticas destinadas a mantener o recuperar las constantes vitales de un organismo.

reanimar *v. tr.* **1.** Confortar, dar vigor, restablecer las fuerzas. **2.** Hacer que una persona recobre el conocimiento. **3.** *fig.* Infundir ánimo y valor al que está abatido.

reanudación *s. f.* Acción y efecto de reanudar.

reanudar *v. tr., fig.* Renovar o continuar, después de interrumpido, un trabajo, estudio, conferencia, etc. También prnl.

reaparecer *v. intr.* Volver a aparecer.

reaparición *s. f.* Acción y efecto de reaparecer.

reapertura *s. f.* Acción de volver a abrir un establecimiento o local.

rearar *v. tr.* Volver a arar.

rearguïr *v. tr.* Argüir de nuevo sobre el mismo asunto.

rearmar *v. tr.* Equipar o reforzar de nuevo con armamento militar un país, ejército, etc. También prnl.

rearme *s. m.* Acción y efecto de rearmar o rearmarse.

reasumir *v. tr.* Volver a tomar lo que antes se tenía o se había dejado.

reata *s. f.* **1.** Cuerda o correa que sirve para sujetar algunas cosas. **2.** Correa que ata y une dos o más caballerías para que vayan en hilera una detrás de otra.

reatar *v. tr.* **1.** Volver a atar. **2.** Atar apretadamente una cosa.

reato *s. m.* Obligación que queda a la pena correspondiente al pecado, aun después de perdonado.

reaventar *v. tr.* Volver a aventar o echar al viento una cosa.

reavivación *s. f.* Acción y efecto de reavivar.

reavivar *v. tr.* Volver a avivar, o avivar intensamente.

rebaba *s. f.* Porción de materia sobrante que forma resalto en los bordes o en la superficie de un objeto cualquiera.

rebaja *s. f.* Descuento de una cosa, particularmente en la cantidad o precio.

rebajamiento *s. m.* Acción y efecto de rebajar o rebajarse.

rebajar *v. tr.* **1.** Hacer más bajo el nivel o la altura de un terreno u otro objeto. **2.** Disminuir una cantidad, precio, etc. **3.** *fig.* Abatir, humillar a alguien. También prnl.

rebajo *s. m.* Parte del canto de un madero u otra cosa, donde se ha disminuido el espesor por medio de un corte a modo de espera o de ranura.

rebalaje *s. m.* **1.** Remolino que forma una corriente de agua al chocar con un obstáculo. **2.** Reflujo del agua del mar en una playa. **3.** Zona de la playa donde se da este reflujo. **4.** Escalón que forma este reflujo en la arena.

rebalsa *s. f.* Porción de agua que, detenida en su curso, forma balsa.

rebalsar *v. tr.* Detener y recoger el agua u otro líquido de modo que haga balsa.

rebanada *s. f.* Porción delgada, ancha y larga que se saca de una cosa, especialmente del pan.

rebanar *v. tr.* **1.** Hacer rebanadas una cosa, particularmente el pan. **2.** Cortar o dividir una cosa de una parte a otra.

rebanear *v. tr., fam.* Rebanar.

rebañadera *s. f.* Instrumento de hierro, compuesto de un arco, del cual penden varios garabatos, y al que se ata una soga o cuerda, que sirve para sacar con facilidad lo que se cayó en un pozo.

rebañar *v. tr.* **1.** Recoger alguna cosa sin dejar nada. **2.** Apurar los restos de comida de un plato.

rebaño *s. m.* Hato grande de ganado, especialmente del lanar.

rebasadero *s. m.* Lugar o paraje por donde un buque puede rebasar un peligro cualquiera.

rebasar *v. tr.* **1.** Pasar de cierto límite. **2.** En una marcha, dejar atrás. **3.** Pasar navegando más allá de un buque, cabo, escollo u otro peligro cualquiera.

rebate *s. m.* Reencuentro, combate, pendencia.

rebatible *adj.* Que se puede rebatir.

rebatimiento *s. m.* Acción y efecto de rebatir.

rebatir *v. tr.* **1.** Rechazar la fuerza o violencia de alguien. **2.** Refutar un argumento o una resolución.

rebato *s. m.* Convocación de los vecinos de uno o más pueblos, hecha por medio de campana u otra señal, con el fin de defenderse de un peligro.

rebautizar *v. tr.* Reiterar el sacramento del bautismo.

rebeca *s. f.* Chaqueta femenina de punto con cuello redondo y abotonada hasta arriba.

rebeco *s. m.* Gamuza.

rebelarse *v. prnl.* **1.** Levantarse, faltando a la obediencia debida a un superior o a la autoridad legítima. **2.** Oponer resistencia.

rebelde *adj.* Que se rebela o subleva, faltando a la obediencia debida.

rebeldía *s. f.* **1.** Calidad de rebelde. **2.** Acción propia del rebelde.

rebelión *s. f.* Delito contra el orden público, penado por la ley ordinaria y por la militar.

rebenque *s. m.* Látigo de cuero o cáñamo embreado, con el cual se castigaba a los galeotes.

reblandecer *v. tr.* Ablandar una cosa o ponerla tierna. También prnl.

reblandecimiento *s. m.* Acción y efecto de reblandecer o reblandecerse.

rebobinado *s. m.* Acción y efecto de rebobinar.

rebobinar *v. tr.* **1.** Sustituir el hilo de una bobina de un circuito eléctrico por otro. **2.** Enrollar el hilo o cinta de un carrete en otro.

rebocillo *s. m.* Rebociño.

rebociño *s. m.* Mantilla o toca corta usada por las mujeres para rebozarse.

rebojo *s. m.* Residuo de algunas cosas.

rebollar *s. m.* Rebolledo.

rebolledo *s. m.* Terreno poblado de rebollos.

rebollo *s. m.* Árbol fagáceo, de tronco grueso, copa ancha, corteza ceniciienta, hojas caedizas, oblongas, sinuosas y verdes; flores en amento, y bellotas solitarias.

rebombar *v. intr.* Sonar ruidosa o estrepitosamente.

reboño *s. m.* Suciedad o fango depositado en el cauce del molino.

reborde *s. m.* Faja estrecha y saliente a lo largo del borde de alguna cosa.

rebordear *v. tr.* Formar un reborde en alguna cosa que lo necesita.

rebosadero *s. m.* Lugar por donde rebosa un líquido.

rebosamiento *s. m.* Acción y efecto de rebosar.

rebosar *v. intr.* **1.** Derramarse un líquido por encima de los bordes de un recipiente en que no cabe. **2.** *fig.* Abundar con demasía una cosa. También tr.

rebotar *v. intr.* Botar repetidamente un cuerpo elástico al chocar con otro cuerpo.

rebote *s. m.* Cada uno de los botes que después del primero da el cuerpo que rebota.

rebotica *s. f.* Pieza que está detrás de la principal de la botica y le sirve de desahogo.

rebozar *v. tr.* **1.** Cubrir casi todo el rostro con la capa o manto. También prnl. **2.** Bañar un alimento en huevo batido, harina, etc.

rebozo *s. m.* **1.** Modo de llevar la capa o manto cuando con él se cubre casi todo el rostro. **2.** Simulación para encubrir un acto.

rebramar *v. intr.* **1.** Volver a bramar o bramar fuertemente. **2.** Responder a un bramido con otro.

rebrillo *s. m.* Resplandor, lustre.

rebrincar *v. intr.* Brincar con reiteración y alborozo.

rebrotar *v. tr.* **1.** Volver a dar brotes una planta. **2.** Volver a vivir lo que había perecido o se había amortiguado.

rebrote *s. m.* **1.** Retoño. **2.** Nuevo brote.

rebudiar *v. intr.* Roncar el jabalí cuando siente gente o percibe su olor.

rebudio *s. m.* Ronquido del jabalí.

rebufar *v. intr.* Volver a bufar o bufar con fuerza.

rebufe *s. m.* Bufido.

rebufo *s. m.* Expansión del aire alrededor de la boca del arma de fuego al salir el tiro.

rebujado, da *adj.* Enmarañado, enredado, en desorden.

rebujar *v. tr.* Arrebujar. También prnl.

rebujo *s. m.* **1.** Embozo usado por las mujeres para no ser conocidas. **2.** Envoltorio hecho con desaliño de papel, trapos, etc.

rebullicio *s. m.* Bullicio grande.

rebullir *v. intr.* Empezar a moverse lo que estaba quieto. También prnl.

rebumbar *v. tr.* Zumbar la bala de cañón.

rebusca *s. f.* **1.** Acción y efecto de rebuscar. **2.** *fig.* Desecho, desperdicio.

rebuscado, da *adj.* Se dice del lenguaje o de la expresión que muestra rebuscamiento.

rebuscamiento *s. m.* **1.** Rebusca, acción y efecto de rebuscar. **2.** Hablando del lenguaje y estilo, exceso de atildamiento que degenera en afectación, en las maneras y porte de las personas.

rebuscar *v. tr.* **1.** Buscar una cosa repetidamente con demasiado cuidado. **2.** Recoger el fruto que queda en los campos después de alzadas las cosechas.

rebuznador, ra *adj.* Que rebuzna.

rebuznar *v. intr.* Dar rebuznos.

rebuzno *s. m.* Voz del asno.

recabar *v. tr.* Conseguir con instancias o súplicas lo que se desea.

recadero, ra *s. m. y s. f.* Persona que tiene por oficio llevar recados de un lugar a otro.

recado *s. m.* **1.** Mensaje o respuesta que de palabra se da o se envía a otro. **2.** Encargo.

recaer *v. intr.* **1.** Volver a caer. **2.** Caer de nuevo enfermo de la misma dolencia la persona que estaba convaleciendo o había ya recobrado la salud. **3.** Reincidir en los errores, malos hábitos, etc.

recaída *s. f.* Acción y efecto de recaer.

recalada *s. f.* Acción de recalar un buque.

recalar *v. tr.* **1.** Penetrar poco a poco un líquido por los poros de un cuerpo seco, dejándolo húmedo. ‖ *v. intr.* **2.** Llegar la embarcación a la vista de un punto de la costa.

recalcar *v. tr.* **1.** Ajustar, apretar mucho una cosa con otra o sobre otra. **2.** *fig.* Tratándose de palabras, decirlas lentamente y con demasiada fuerza expresiva como para llamar la atención sobre ellas.

recalcificar *v. tr.* Aumentar mediante la terapéutica las sales de calcio en el organismo.

recalcitrante *adj.* Obstinado en una opinión o una conducta.

recalcitrar *v. intr.* **1.** Retroceder, volver atrás los pies. **2.** *fig.* Resistir con tenacidad a quien se debe obedecer.

recalentado *s. m.* **1.** Alimento de una comida previa que se caldea y consume después. **2.** Reunión para convivir y consumir los alimentos del día anterior.

recalentamiento *s. m.* Acción y efecto de recalentar o recalentarse.

recalentar *v. tr.* Volver a calentar o calentar demasiado una cosa.

recalentón *s. m.* Calentamiento fuerte y rápido.

recalzar *v. tr.* Arrimar tierra alrededor de las plantas y árboles.

recalzo *s. m.* Reparo que se hace en los cimientos de un edificio ya construido.

recamado *s. m.* Bordado de realce, en el que sobresalen mucho los adornos hechos con la aguja.

recamar *v. tr.* Bordar de realce.

recámara *s. f.* **1.** Juego de muebles del dormitorio. **2.** *Col., Méx. y Pan.* Dormitorio. **3.** En las armas de fuego, lugar del ánima del cañón al extremo opuesto a la boca, en el cual se coloca el cartucho.

recambiar *v. tr.* Hacer segundo cambio o trueque de alguna cosa.

recambio *s. m.* Repuesto de piezas de una máquina.

recapacitar *v. tr.* Recorrer la memoria refrescando ideas y reflexionando acerca de las mismas. Se usa más como intr.

recapitulación *s. f.* Acción y efecto de recapitular.

recapitular *v. tr.* Recordar sumaria y ordenadamente lo que se ha manifestado con alguna extensión por escrito o de palabra.

recargar *v. tr.* **1.** Volver a cargar. **2.** Aumentar carga.

recargo *s. m.* Nueva carga o aumento de carga.

recatado, da *adj.* **1.** Se dice de la persona circunspecta, cauta. **2.** Honrado, modesto.

recatar *v. tr.* **1.** Ocultar lo que no se quiere que se vea o se sepa. ‖ *v. prnl.* **2.** Mostrar recelo en tomar una resolución.

recato *s. m.* **1.** Cautela, reserva en las acciones y palabras. **2.** Honestidad, modestia.

recatón *s. m.* Regatón.

recatonazo *s. m.* Golpe dado con el recatón de la lanza.

recauchutado *s. m.* Acción y efecto de recauchutar.

recauchutar *v. tr.* Reparar un neumático, recubriéndole con una disolución de caucho.

recaudación *s. f.* **1.** Acción de recaudar. **2.** Cantidad recaudada. **3.** Tesorería para la entrega de caudales públicos.

recaudador, ra *s. m. y s. f.* Persona encargada de la recaudación o cobranza.

recaudación *s. f.* Cantidad recaudada.

recaudar *v. tr.* **1.** Cobrar o percibir caudales o efectos. **2.** Poner o tener en custodia.

recaudo *s. m.* **1.** Recaudación, acción de recaudar. **2.** Precaución, cuidado.

recavar *v. tr.* Volver a cavar una tierra.

recazo *s. m.* Guarnición o parte intermedia comprendida entre la hoja y la empuñadura de la espada y de otras armas blancas.

recebo *s. m.* Arena o piedra muy menuda que se extiende sobre el firme de una carretera para igualarlo y consolidarlo.

recelar *v. tr.* Temer, sospechar de algo o alguien. También prnl.

recelo *s. m.* Acción y efecto de recelar.

receloso, sa *adj.* Que tiene recelo.

recensión *s. f.* Noticia o reseña de una obra literaria o científica.

recentadura *s. f.* Porción de levadura que se reserva para otra fermentación.

recental *adj.* Se dice del cordero o ternero de leche o que no ha pastado todavía.

recentar *v. tr.* Poner en la masa del pan la porción de levadura que se dejó reservada para fermentar.

recepción *s. f.* **1.** Acción y efecto de recibir. **2.** Admisión en un empleo o sociedad. **3.** Ceremonia o fiesta celebrada para agasajar a un personaje importante. **4.** Reunión con carácter de fiesta que se celebra en algunas casas particulares. **5.** Acto solemne en el que desfilan ante alguna alta autoridad del Estado los representantes de cuerpos o clases. **6.** En hoteles, congresos, etc., oficina donde se inscriben los nuevos huéspedes, los asistentes al congreso, etc.

recepcionista *com.* Persona que se encarga de atender al público en una oficina de recepción.

receptáculo *s. m.* **1.** Cavidad en que se contiene o puede contenerse una sustancia. **2.** *fig.* Acogida, asilo, refugio.

receptador, ra *s. m. y s. f.* Persona que oculta o encubre delincuentes o cosas que son materia de delito.

receptar *v. tr.* **1.** Ocultar o encubrir delincuentes o cosas que son materia de delito. **2.** Recibir, acoger. También prnl.

receptividad *s. f.* Capacidad de recibir.

receptivo, va *adj.* Que recibe o es capaz de recibir.

receptor, ra *adj.* **1.** Que recibe. **2.** Se dice del motor que recibe la energía de un generador instalado a distancia. **3.** En telefonía y telegrafía, con hilos o sin ellos, se dice del aparato o parte de él en que la corriente eléctrica se convierte en señales visibles o sonidos. También *s. m.* ‖ *s. m. y s. f.* **4.** Persona que recibe el mensaje en un acto de comunicación.

receptoría *s. f.* **1.** Recetoría. **2.** Despacho o comisión del receptor.

recesión *s. f.* **1.** Acción y efecto de retirarse o retroceder. **2.** Depresión de las actividades económicas que repercute en la producción, el trabajo, los salarios, beneficios, etc.

recésit *s. m.* Recle.

recesivo, va *adj.* **1.** Se dice de los caracteres hereditarios que no se manifiestan en el fenotipo del individuo que los posee pero que puede transmitirlos a su descendencia. **2.** Que tiende a la recesión o la produce.

receso *s. m.* **1.** Separación, apartamiento, desvío. **2.** Suspensión de las actividades de una corporación. **3.** Tiempo que dura dicha suspensión. **4.** Recreo, suspensión de la clase.

receta *s. f.* **1.** Prescripción o fórmula facultativa. **2.** Nota escrita de esta prescripción.

recetar *v. tr.* Prescribir un medicamento con especificación de su dosis y uso.

recetario *s. m.* **1.** Asiento o apuntamiento de todo lo que el médico ordena que se suministre al enfermo. **2.** Libro para estos asientos, en los hospitales.

recetor *s. m.* Tesorero que recibe caudales públicos.

recetoría *s. f.* Tesorería donde entran los caudales que por los recetores se perciben.

rechazable *adj.* Que se puede rechazar.

rechazamiento *s. m.* Acción y efecto de rechazar.

rechazar *v. tr.* Resistir un cuerpo a otro, obligándole a retroceder en su curso o movimiento.

rechazo *s. m.* Retroceso que hace un cuerpo por encontrarse con alguna resistencia.

rechifla *s. f.* Acción de rechiflar.

rechiflar *v. tr.* **1.** Silbar con insistencia. ‖ *v. prnl.* **2.** Burlarse, mofarse de alguien.

rechinador, ra *adj.* Que rechina.

rechinamiento *s. m.* Acción y efecto de rechinar.

rechinar *v. intr.* Hacer o causar una cosa un sonido desapacible por frotar con otra.

rechistar *v. intr.* Chistar.

rechoncho, cha *adj., fam.* Se dice de la persona o animal grueso y de poca altura.

rechupete, de *loc., fam.* Muy exquisito y agradable.

recial *s. m.* Corriente impetuosa de los ríos.

reciario s. m. Gladiador cuya arma principal era una red que lanzaba sobre su adversario a fin de envolverle e impedirle cualquier movimiento.

recibí s. m. Expresión con que en los recibos u otros documentos se declara haber recibido aquello de que se trata.

recibidor s. m. Pieza que da entrada a las habitaciones de una casa.

recibimiento s. m. **1.** Acogida buena o mala hecha al que viene de fuera. **2.** En algunas partes, antesala.

recibir v. tr. **1.** Tomar alguien lo que le dan o le envían. **2.** Hacerse cargo de lo que le dan. **3.** Admitir dentro de sí una cosa a otra, como el mar, los ríos, etc.

recibo s. m. Resguardo firmado en que se declara haber recibido dinero u otra cosa.

reciclado s. m. Acción y efecto de reciclar.

reciclaje s. m. Acción y efecto de reciclar.

reciclar v. tr. Someter una materia a un mismo ciclo varias veces para incrementar los efectos de este.

recidiva s. f. Repetición de una enfermedad poco después de terminada la convalecencia.

reciedumbre s. f. Fuerza, vigor de las cosas o las personas.

recién adv. t. Poco tiempo antes.

reciente adj. Nuevo, fresco o acabado de hacer.

recinto s. m. Espacio comprendido dentro de ciertos límites.

recio, cia adj. **1.** Fuerte y robusto. **2.** Gordo, abultado. **3.** Áspero, duro de genio.

récipe s. m. **1.** Palabra que solía ponerse en abreviatura a la cabeza de la receta. **2.** fam. Receta, prescripción facultativa.

recipiendario, ria s. m. y s. f. Persona que es recibida solemnemente en una corporación para formar parte de ella.

recipiente s. m. Receptáculo, cavidad.

reciprocación s. f. Reciprocidad.

reciprocar v. tr. **1.** Hacer que dos cosas se correspondan. También prnl. **2.** Responder a una acción con otra semejante. Se usa más en Amér. ‖ v. prnl. **3.** Corresponderse una cosa con otra.

reciprocidad s. f. Correspondencia mutua de una persona o cosa con otra.

recíproco, ca adj. Igual en la correspondencia de uno a otro.

recitación s. f. Acción de recitar.

recitador, ra adj. Que recita, especialmente poesías. También s. m. y s. f.

recital s. m. **1.** Concierto compuesto por varias obras ejecutadas por un solo artista. **2.** Por ext., lectura o recitación de composiciones de un poeta.

recitar v. tr. Referir o decir en voz alta versos, discursos, lecciones, etc.

reclamación s. f. **1.** Acción y efecto de reclamar. **2.** Oposición o impugnación que se hace a una cosa como injusta, o mostrando no consentir en ella.

reclamar v. intr. **1.** Clamar contra una cosa, oponerse a ella de palabra o por escrito. **2.** poét. Resonar. ‖ v. tr. **3.** Clamar, llamar a alguien con repetición o mucha instancia. **4.** Pedir o exigir con razón una cosa. **5.** Llamar a las aves con el reclamo. ‖ v. prnl. **6.** Llamarse unas a otras ciertas aves de una misma especie. También tr.

reclamo s. m. **1.** Ave amaestrada que se lleva a la caza para que con su canto atraiga otras de su especie. **2.** Voz con que un ave llama a otra de su especie. **3.** Instrumento para llamar a las aves en la caza imitando su voz. **4.** fig. Cualquier cosa que atrae o convida. **5.** Propaganda, especialmente de un espectáculo, mercancía, libro, etc.

recle s. m. Tiempo en que se permite a las personas que tienen prebenda no asistir al coro, para su descanso y recreación.

reclinación s. f. Acción y efecto de reclinar o reclinarse.

reclinar v. tr. Inclinar el cuerpo, o parte de él, apoyándolo sobre alguna cosa. También prnl.

reclinatorio s. m. **1.** Cualquier cosa acomodada y dispuesta para reclinarse. **2.** Mueble acomodado para arrodillarse y orar.

recluir v. tr. Poner en reclusión.

reclusión s. f. **1.** Encierro o prisión voluntaria o forzada. **2.** Lugar o sitio en que alguien está recluido.

recluso, sa adj. Se dice de la persona encarcelada. También s. m. y s. f.

recluta s. f. **1.** Reclutamiento. ‖ com. **2.** Persona que libre y voluntariamente sienta plaza de soldado.

reclutador s. m. Encargado que recluta o alista reclutas.

reclutamiento s. m. Conjunto de los reclutas de un año.

reclutar v. tr. Alistar reclutas.

recobrar v. tr. **1.** Volver a tomar o adquirir lo que antes se tenía o poseía. ‖ v. prnl. **2.** Repararse de un daño recibido.

recobro s. m. Acción y efecto de recobrar o de recobrarse.

recocer v. tr. Volver a cocer o cocer mucho una cosa. También prnl.

recochinearse v. prnl. Actuar con recochineo.

recochineo s. m., fam. Burla o ironía molestas.

recocido, da adj. **1.** fig. Muy experimentado y práctico en cualquier materia. ‖ s. m. **2.** Acción y efecto de recocer o recocerse.

recocina s. f. Cuarto contiguo a la cocina.

recodar[1] v. intr. Recostarse o descansar sobre el codo.

recodar[2] v. intr. Formar recodo un río, un camino, etc.

recodo *s. m.* Ángulo o revuelta que forman las calles, caminos, ríos, etc., torciendo la dirección que traían.

recogedor *s. m.* Utensilio para recoger la basura que se amontona al barrer.

recogepelotas *com.* Persona encargada de recoger las pelotas en los campos de juego cuando estas quedan caídas en la pista durante un partido.

recoger *v. tr.* **1.** Volver a coger, tomar por segunda vez una cosa. **2.** Hacer la recolección de los frutos. **3.** Reunir ordenadamente las cosas cuando han dejado de usarse.

recogida *s. f.* Suspensión del curso de alguna cosa.

recogido *s. m.* Parte de una cosa que se recoge o junta.

recogimiento *s. m.* Acción y efecto de recoger o recogerse.

recolección *s. f.* **1.** Recopilación, resumen o compendio. **2.** Cosecha de los frutos.

recolectar *v. tr.* Recoger la cosecha.

recolector, ra *adj.* Que recolecta. También s. m. y s. f.

recolegir *v. tr.* Juntar, reunir.

recoleto, ta *adj.* **1.** *fig.* Se dice de la persona que vive con retiro y abstracción o viste modestamente. También s. m. y s. f. **2.** *fig.* Se dice del lugar solitario o poco frecuentado.

recomendable *adj.* Digno de recomendación, aprecio o estimación.

recomendación *s. f.* **1.** Encargo o súplica hecha a otro, poniendo a su cuidado y diligencia una cosa. **2.** Elogio, alabanza de un sujeto para introducirlo con otro.

recomendar *v. tr.* **1.** Encargar, pedir o dar orden a alguien para que tome a su cargo una persona o negocio. **2.** Hablar o empeñarse por alguien elogiándole.

recomenzar *v. tr.* Volver a comenzar.

recomerse *v. prnl.* Concomerse.

recompensa *s. f.* **1.** Acción y efecto de recompensar. **2.** Lo que sirve para recompensar.

recompensable *adj.* **1.** Que puede recompensar. **2.** Digno de recompensa.

recompensación *s. f.* Recompensa.

recompensar *v. tr.* **1.** Compensar el daño hecho. **2.** Remunerar un servicio. **3.** Premiar un beneficio, favor o mérito.

recomponer *v. tr.* Componer de nuevo.

reconcentramiento *s. m.* Acción y efecto de reconcentrar o reconcentrarse.

reconcentrar *v. tr.* **1.** Introducir una cosa en otra. **2.** Reunir en un punto las personas o cosas que estaban esparcidas.

reconciliación *s. f.* Acción y efecto de reconciliar o reconciliarse.

reconciliador, ra *adj.* Que reconcilia. También s. m. y s. f.

reconciliar *v. tr.* Volver a las amistades, o restablecer los ánimos que antes estaban desunidos. También prnl.

reconcomerse *v. prnl.* Impacientarse por una molestia física o moral.

reconcomio *s. m.* **1.** *fam.* Acción de reconcomerse. **2.** *fam.* Prurito, deseo. **3.** *fig. y fam.* Recelo que incita o mueve interiormente.

reconditez *s. f., fam.* Cosa recóndita.

recóndito, ta *adj.* Muy escondido, reservado y oculto.

reconducción *s. f.* Acción y efecto de reconducir.

reconducir *v. tr.* **1.** Dirigir algo de nuevo hacia donde estaba. **2.** Prorrogar tácita o expresamente un arrendamiento.

reconfortante *adj.* Que reconforta. También s. m.

reconfortar *v. tr.* Confortar de nuevo o con energía y eficacia.

reconocer *v. tr.* **1.** Examinar con cuidado a alguien o algo para enterarse de su identidad, naturaleza, etc. **2.** Percibir una persona o cosa ya conocida, comprobando su identidad y distinguiéndola de otras. **3.** Manifestar una persona que es cierto lo que otro dice. **4.** Examinar a una persona para diagnosticar sus estado de salud. || *v. prnl.* **5.** Acusarse o declararse culpable de una equivocación, delito, falta, etc. **6.** Tenerse a uno mismo por lo que realmente es.

reconocible *adj.* Que puede ser reconocido.

reconocido, da *adj.* Se dice de la persona que reconoce el favor o beneficio que otra le ha hecho.

reconocimiento *s. m.* **1.** Acción y efecto de reconocer o reconocerse. **2.** Gratitud, agradecimiento.

reconquista *s. f.* **1.** Acción y efecto de reconquistar. **2.** (ORT.: may. inicial) Por antonom., lucha de los cristianos contra los moros en la península ibérica hasta la expulsión de estos en 1492 en la toma de Granada.

reconquistar *v. tr.* **1.** Volver a conquistar una plaza, provincia o reino. **2.** *fig.* Recuperar la opinión, el afecto, la hacienda, etc.

reconsiderar *v. tr.* Considerar de nuevo un asunto, proposición, tema, etc.

reconstitución *s. f.* Acción y efecto de reconstituir o reconstituirse.

reconstituir *v. tr.* **1.** Volver a constituir, rehacer una cosa. También prnl. **2.** Dar o volver a la sangre y al organismo sus condiciones normales. También prnl.

reconstituyente *adj.* Se dice especialmente del remedio que tiene virtud de reconstituir. También s. m.

reconstrucción *s. f.* Acción y efecto de reconstruir.

reconstruir *v. tr.* **1.** Volver a construir una cosa. **2.** Unir en la memoria todas las circunstancias de un hecho para completar su conocimiento o el concepto de algo.

recontar *v. tr.* **1.** Contar o volver a contar el número de cosas. **2.** Referir, narrar.

reconvención *s. f.* **1.** Acción de reconvenir. **2.** Cargo o argumento con que se reconviene. **3.** Demanda que al contestar entabla el demandado contra el que promovió el juicio.

reconvenir *v. tr.* Hacer cargo a alguien, arguyéndole con su propio hecho o palabra.

reconversión *s. f.* **1.** Acción y efecto de reconvertir, retrotraer. **2.** Proceso de modernización de una industria.

reconvertir *v. tr.* **1.** Hacer que vuelva a su ser, estado o creencia lo que había experimentado un cambio. **2.** Efectuar una reconversión industrial. **3.** Modificar la estructura de algo.

recopilación *s. f.* **1.** Resumen de una obra o discurso. **2.** Colección de escritos diversos.

recopilador, ra *s. m. y s. f.* Persona que recopila.

recopilar *v. tr.* Juntar en compendio, recoger o unir diversas cosas.

récord *s. m.* Prueba fehaciente de una hazaña deportiva digna de registrarse.

recordable *adj.* **1.** Que se puede recordar. **2.** Digno de recordación.

recordación *s. f.* **1.** Acción de traer a la memoria una cosa. **2.** Memoria de una cosa.

recordar *v. tr.* Traer a la memoria una cosa.

recordatorio *s. m.* Aviso, advertencia, comunicación u otro medio para hacer recordar algo.

recorrer *v. tr.* **1.** Transitar de un cabo a otro un espacio determinado. **2.** Efectuar un trayecto. **3.** Registrar, andando de una parte a otra, para averiguar lo que se desea saber o hallar.

recorrido *s. m.* Espacio que recorre o ha de recorrer una persona o cosa.

recortable *adj.* **1.** Que se puede recortar. ‖ *s. m.* **2.** Hoja de papel con figuras que se recortan para jugar con ellas o reproducir un modelo.

recortado, da *adj.* **1.** Se dice de aquello que presenta bordes con entrantes y salientes. **2.** Se dice de las hojas y otras partes de las plantas cuyos bordes tienen muchas y muy señaladas desigualdades. ‖ *s. m.* **3.** Figura recortada de papel.

recortadura *s. f.* Recorte, acción y efecto de recortar.

recortar *v. tr.* **1.** Cortar o cercenar lo que sobra de una cosa. **2.** Cortar con arte el papel u otra cosa en varias figuras.

recorte *s. m.* **1.** Acción y efecto de recortar. **2.** Noticia breve de un periódico. **3.** Regate para evitar la cogida del toro. ‖ *s. m. pl.* **4.** Porciones excedentes de cualquier materia recortada que se trabaja hasta reducirla a la forma que conviene.

recoser *v. tr.* **1.** Volver a coser. **2.** Componer, zurcir la ropa, y especialmente la blanca.

recosido *s. m.* Acción y efecto de recoser.

recostadero *s. m.* Paraje o cosa para recostarse.

recostar *v. tr.* **1.** Reclinar la parte superior del cuerpo la persona que está de pie o sentada. También prnl. **2.** Reclinar, inclinar una cosa. También prnl.

recova *s. f.* **1.** Comercio de huevos, gallinas y otras cosas parecidas. **2.** Cuadrilla de perros de caza.

recoveco *s. m.* **1.** Vuelta y revuelta de un callejón, pasillo, arroyo, etc. **2.** Lugar escondido. **3.** *fig.* Fingimiento de que alguien se vale para conseguir un fin.

recre *s. m.* Recle.

recreación *s. f.* Diversión para alivio del trabajo.

recrear *v. tr.* **1.** Crear de nuevo una cosa. **2.** Causar regocijo y alegría. También prnl.

recreativo, va *adj.* Que recrea o es capaz de causar recreación.

recrecer *v. tr.* **1.** Aumentar, acrecentar una cosa. También intr. ‖ *v. intr.* **2.** Ocurrir u ofrecerse una cosa de nuevo. ‖ *v. prnl.* **3.** Reanimarse, cobrar bríos.

recreído, da *adj.* Se dice del ave de caza que perdiendo su docilidad se vuelve salvaje y recobra su libertad.

recreo *s. m.* **1.** Lugar dispuesto o apto para diversión. **2.** En los colegios, suspensión de la clase durante un breve periodo de tiempo destinado al juego.

recría *s. f.* Acción y efecto de recriar.

recriar *v. tr.* Fomentar, a fuerza de pasto y pienso, el desarrollo de animales nacidos y criados en región distinta.

recriminación *s. f.* Acción y efecto de recriminar.

recriminar *v. tr.* Responder a cargos o acusaciones con otros u otras.

recriminatorio, ria *adj.* Que recrimina a alguien.

recrudecer *v. intr.* Tomar nuevo incremento un mal físico o moral o un afecto o cosa desagradable, después de haber empezado a remitir o ceder. También prnl.

recrudecimiento *s. m.* Recrudescencia.

recrudescencia *s. f.* Acción y efecto de recrudecer o recrudecerse.

recrudescente *adj.* Que recrudece.

rectal *adj.* Perteneciente o relativo al intestino recto.

rectangular *adj.* **1.** Que tiene forma de rectángulo. **2.** Que tiene uno o más ángulos rectos.

rectángulo *s. m.* Paralelogramo que tiene los cuatro ángulos rectos y los lados contiguos desiguales.

rectificable *adj.* Que se puede rectificar.

rectificación *s. f.* Acción y efecto de rectificar.

rectificador, ra *adj.* Que rectifica.

rectificar *v. tr.* **1.** Reducir una cosa a la exactitud que debe tener. **2.** Procurar alguien corregir los dichos y hechos que se le atribuyen para reducirlos a la conveniente exactitud y certeza.

rectificativo, va *adj.* Se dice de lo que rectifica o puede rectificar. También s. m.

rectilíneo, a *adj.* Que se compone de líneas rectas.

rectitud *s. f.* **1.** Distancia más breve entre dos puntos. **2.** *fig.* Recta razón de lo que debemos hacer o decir.

recto, ta *adj.* **1.** Que no se inclina a ningún lado. **2.** Justo. **3.** Se dice de la última porción del intestino. También s. m.

rector, ra *adj.* **1.** Que rige o gobierna. ‖ *s. m.* y *s. f.* **2.** Superior encargado del gobierno de una comunidad, hospital o colegio. ‖ *s. m.* **3.** Superior de una universidad y su distrito. **4.** Párroco o cura propio.

rectorado *s. m.* **1.** Oficio, cargo y oficina del rector. **2.** Tiempo que se ejerce.

rectoral *adj.* **1.** Perteneciente o relativo al rector. ‖ *s. f.* **2.** Habitación del párroco en algunos lugares.

rectoría *s. f.* **1.** Empleo, oficio o jurisdicción del rector. **2.** Oficina del rector. **3.** Casa del párroco.

recua *s. f.* **1.** Conjunto de animales de carga que sirve para trajinar. **2.** Conjunto de cosas que van o siguen unas detrás de otras.

recuadrar *v. tr.* Cuadrar o cuadricular.

recuadro *s. m.* Compartimiento o división en forma de cuadro o cuadrilongo, en un paramento u otra superficie.

recubrimiento *s. m.* Acción y efecto de recubrir.

recubrir *v. tr.* Volver a cubrir.

recuelo *s. m.* **1.** Lejía muy fuerte y según sale del cernadero, que se emplea para colar la ropa más sucia. **2.** Café cocido por segunda vez.

recuento *s. m.* Cuenta o segunda cuenta que se hace de una cosa.

recuerdo *s. m.* **1.** Memoria que se hace de una cosa pasada. **2.** *fig.* Cosa que se regala en testimonio de buen afecto.

recular *v. intr.* Cejar o retroceder.

recuperable *adj.* Que puede o debe recuperarse.

recuperación *s. f.* **1.** Acción y efecto de recuperar o recuperarse. **2.** Examen que se realiza para aprobar una materia que había sido suspendida en un examen anterior.

recuperar *v. tr.* Volver a tener lo que se había perdido.

recurrencia *s. f.* Propiedad de algunas secuencias en las que cualquier término se puede calcular conociendo los precedentes.

recurrente *adj.* **1.** Se dice de lo que vuelve a suceder o aparecer después de un tiempo. ‖ *com.* **2.** Persona que entabla un recurso.

recurrible *adj.* Se dice del acto de la administración contra el cual cabe entablar recurso.

recurrir *v. intr.* Acudir a un juez o autoridad con una demanda o petición.

recurso *s. m.* **1.** Medio que se emplea para conseguir lo que se pretende. **2.** Memorial, solicitud, petición por escrito.

recusable *adj.* Que se puede recusar.

recusación *s. f.* Acción y efecto de recusar.

recusar *v. tr.* No querer admitir o aceptar una cosa, rechazándola.

red *s. f.* **1.** Aparejo hecho con hilos, cuerdas o alambres trabados en forma de mallas, utilizado para pescar, cazar, cercar, sujetar, etc. **2.** Labor o tejido de mallas.

red social *s. f.* Servicio web que permite a usuarios de internet crear su propio perfil y establecer diferentes tipos de relaciones (de amistad, afectiva, familiar, laboral…) con otros usuarios.

redacción *s. f.* **1.** Acción y efecto de redactar. **2.** Lugar u oficina donde se redacta. **3.** Conjunto de redactores de una publicación periódica, casa editorial, libro, etc. **4.** Ejercicio escrito usual en las escuelas.

redactar *v. tr.* Poner por escrito hechos, noticias, o una cosa pensada con anterioridad.

redactor, ra *adj.* **1.** Que redacta. **2.** Que forma parte de una redacción.

redada *s. f.* **1.** Lance de red. **2.** *fam.* Conjunto de personas o cosas tomadas de una vez.

redaño *s. m.* **1.** Prolongación del peritoneo, que cubre por delante los intestinos formando un extenso pliegue adherido al estómago, al colon transverso y a otras vísceras. ‖ *s. m. pl.* **2.** *fig.* Fuerzas, brío, valor.

redargüir *v. tr.* Convertir el argumento contra la persona que lo hace.

redecilla *s. f.* **1.** Tejido de mallas con que se hacen las redes. **2.** Segunda de las cuatro cavidades en que se divide el estómago de los rumiantes.

rededor *s. m.* Contorno de un lugar, territorio, etc.

redel *s. m.* Cada una de las cuadernas que se colocan en los puntos en que comienzan cada una de las partes de los extremos de popa y proa, en las que se estrecha el pantoque del buque.

redención *s. f.* **1.** Acción y efecto de redimir o redimirse. **2.** Por antonom., la que Jesucristo hizo del género humano por medio de su pasión y muerte. **3.** *fig.* Remedio, recurso, refugio.

redentor, ra *adj.* **1.** Que redime. ‖ *s. m.* **2.** Por antonom., Jesucristo.

redhibición *s. f.* Acción y efecto de redhibir.

redhibir *v. tr.* Deshacer el comprador la venta, según derecho, por no haberle manifestado el vendedor el vicio o gravamen de la cosa vendida.

redhibitorio, ria *adj.* Perteneciente o relativo a la redhibición, que da derecho a ella.

redicho, cha *adj., fam.* Se dice de la persona que habla pronunciando las palabras con una perfección afectada.

redil *s. m.* Aprisco circuido con un vallado de estacas y redes, o de trozos de barrera armados con listones.

redimir *v. tr.* Rescatar o sacar de esclavitud al cautivo mediante precio.

redingote *s. m.* Capote de poco vuelo y con mangas ajustadas.

redistribución *s. f.* Acción y efecto de redistribuir.

redistribuir *v. tr.* **1.** Distribuir algo de nuevo. **2.** Distribuir algo de forma diferente.

rédito *s. m.* Renta, utilidad renovable que rinde un capital.

redituable *adj.* Que rinde, periódica o renovadamente, utilidad o beneficio.

reditual *adj.* Que da utilidad o renta con regularidad.

redituar *v. tr.* Rendir o producir una cosa utilidad o rendimiento periódicamente.

redoblante *s. m.* Tambor de caja prolongada sin bordones en la cara inferior, por cuyo motivo su sonoridad es algo velada.

redoblar *v. tr.* **1.** Aumentar una cosa otro tanto al doble de lo que antes era. ‖ *v. intr.* **2.** Tocar redobles en el tambor.

redoble *s. m.* Toque vivo sostenido que se produce hiriendo rápidamente el tambor con los palillos.

redolo *s. m., Ast.* Círculo de personas o cosas.

redoma *s. f.* Vasija de vidrio, ancha en su fondo que va angostándose hacia la boca.

redomado, da *adj.* **1.** Muy cauteloso y astuto. **2.** Que posee en alto grado la cualidad negativa que se le atribuye.

redonda *s. f.* **1.** Comarca. **2.** Dehesa o coto de pasto. **3.** Semibreve.

redondeado, da *adj.* De forma que tira a redondo.

redondear *v. tr.* **1.** Poner redonda una cosa. También *prnl.* **2.** Hablando de cantidades, prescindir de fracciones para completar unidades de cierto orden.

redondel *s. m.* **1.** *fam.* Círculo o circunferencia. **2.** *fam.* Espacio destinado a la lidia, en las plazas de toros.

redondez *s. f.* Circuito de una figura curva.

redondilla *s. f.* Combinación métrica de cuatro versos octosílabos, en la cual riman el primero con el cuarto y el segundo con el tercero.

redondo, da *adj.* De figura de círculo o esfera o parecida a ellas.

redorar *v. tr.* Dorar de nuevo.

redova *s. f.* Danza polaca, compuesta de vals y de mazurca, y música de esta danza.

reducción *s. f.* Acción y efecto de reducir.

reducible *adj.* Que se puede reducir.

reducido, da *adj.* Estrecho, limitado en algún sentido.

reducir *v. tr.* **1.** Volver una cosa al lugar donde antes estaba o al estado que tenía. **2.** Disminuir o empequeñecer. **3.** Dividir un cuerpo en partes muy pequeñas.

reductible *adj.* Reducible.

reducto *s. m.* Obra de campaña cerrada, que consta de parapeto y una o más banquetas.

reductor, ra *adj.* Que reduce o sirve para reducir. También *s. m. y s. f.*

redundancia *s. f.* Demasiada abundancia de cualquier cosa o en cualquier línea.

redundante *adj.* Que redunda.

redundar *v. intr.* Rebosar, salirse una cosa de sus límites por demasiada abundancia.

reduplicación *s. f.* Acción y efecto de reduplicar.

reduplicar *v. tr.* Aumentar algo al doble.

reedición *s. f.* **1.** Acción y efecto de reeditar. **2.** Nueva edición de un libro o publicación.

reedificar *v. tr.* Volver a edificar o a construir de nuevo lo arruinado o lo que se derriba con tal intento.

reeditar *v. tr.* Volver a editar una obra.

reeducar *v. tr.* Volver a enseñar, por medio de movimientos y maniobras reglados, el uso de los miembros u otros órganos, perdidos o viciados por algunas enfermedades.

reelección *s. f.* Acción y efecto de reelegir.

reelegible *adj.* Que puede ser reelegido.

reelegir *v. tr.* Volver a elegir.

reembarcar *v. tr.* Volver a embarcar.

reembarque *s. m.* Acción y efecto de reembarcar.

reembolsar *v. tr.* Volver una cantidad a poder de la persona que la había desembolsado.

reembolso *s. m.* **1.** Acción y efecto de reembolsar o reembolsarse. **2.** Cantidad que en nombre del remitente reclaman al destinatario la administración de Correos o agencias similares a cambio del envío que le entregan.

reemplazable *adj.* Que puede ser reemplazado.

reemplazar *v. tr.* **1.** Sustituir una cosa por otra haciendo sus veces. **2.** Suceder a alguien en el empleo, cargo o comisión que tenía o hacer accidentalmente sus veces.

reemplazo *s. m.* **1.** Acción y efecto de reemplazar. **2.** Sustitución hecha de una persona o cosa por otra.

reemprender *v. tr.* Volver a emprender algo.

reencarnación *s. f.* Acción y efecto de reencarnar o reencarnarse.

reencarnar *v. intr.* Volver a encarnar. También *prnl.*

reencontrar *v. tr.* Volver a encontrar. También *prnl.*

reencuentro *s. m.* Encuentro de dos cosas que chocan una contra otra.

reenganchar *v. tr.* Volver a enganchar como soldado a alguien que ya había prestado dicho servicio. También *prnl.*

reenganche *s. m.* Acción y efecto de reenganchar o reengancharse.

reengendrar *v. tr.* Volver a engendrar.

reestrenar *v. tr.* Volver a estrenar una película u obra de teatro algún tiempo después de su estreno.

reestreno *s. m.* Acción y efecto de reestrenar.

reestructuración *s. f.* Acción y efecto de reestructurar.

reestructurar *v. tr.* Cambiar la estructura de una obra, proyecto, etc.

refacción *s. f.* Alimento moderado que se toma para reparar las fuerzas.

refajo *s. m.* Falda corta y con vuelo que usaban las mujeres, unas veces como prenda interior y otras encima de las enaguas.

refección *s. f.* **1.** Refacción, alimento moderado. **2.** Compostura, reparación de lo estropeado.

refectorio *s. m.* Habitación destinada en las comunidades y en algunos colegios para juntarse a comer.

referencia *s. f.* **1.** Narración o relación de una cosa. **2.** Informe que acerca de la integridad, solvencia u otras cualidades de tercero da una persona a otra.

referéndum *s. m.* Procedimiento jurídico por el que se someten al voto popular asuntos de interés común.

referente *adj.* **1.** Que refiere o que dice relación a otra cosa. ‖ *s. m.* **2.** En lingüística, realidad a la cual se refiere el signo.

referir *v. tr.* **1.** Expresar de palabra o por escrito un hecho verdadero o ficticio. ‖ *v. prnl.* **2.** Remitirse, atenerse a lo hecho o dicho.

refilón, de *adv. m.* **1.** Oblicuamente. **2.** *fig.* De pasada.

refinado, da *adj., fig.* Sobresaliente, muy fino en cualquier especie.

refinamiento *s. m.* Esmero, buen gusto.

refinar *v. tr.* Hacer una cosa más fina y pura, separando las heces y materias heterogéneas o groseras.

refinería *s. f.* Fábrica de refino de azúcar, petróleo, etc.

refino, na *adj.* **1.** Muy fino y acendrado. ‖ *s. m.* **2.** Acción y efecto de refinar.

refirmar *v. tr.* **1.** Apoyar una cosa sobre otra. **2.** Ratificar una especie.

reflectar *v. intr.* Reflejar la luz, el calor, etc.

reflector *s. m.* Aparato que lanza la luz de un foco en determinada dirección.

reflejar *v. intr.* **1.** Hacer retroceder o cambiar de dirección la luz, el sonido, el calor, etc., oponiéndoles una superficie lisa. También prnl. ‖ *v. tr.* **2.** Formarse en una superficie lisa, como un espejo o el agua, la imagen de algo. También prnl. **3.** *fig.* Dejarse ver una cosa en otra. También prnl. **4.** Hacer patente una cosa.

reflejo, ja *adj.* **1.** Se dice de los actos que obedecen a excitaciones no percibidas por la conciencia. ‖ *s. m.* **2.** Luz reflejada. **3.** Representación, imagen, muestra. **4.** Lo que pone de manifiesto una cosa. ‖ *s. m. pl.* **5.** *fig.* Capacidad de alguien para reaccionar rápida y eficazmente ante algo.

reflexión *s. f.* Advertencia o consejo con que uno intenta persuadir o convencer a otro.

reflexionar *v. tr.* Considerar nueva o detenidamente una cosa.

reflexivo, va *adj.* **1.** Que refleja. **2.** Prudente, sensato, caviloso.

reflorecer *v. intr.* **1.** Volver a florecer los campos o a echar flores las plantas. **2.** *fig.* Recobrar una cosa inmaterial el lustre y estimación que tuvo.

reflorecimiento *s. m.* Acción y efecto de reflorecer.

refluente *adj.* Que refluye.

refluir *v. intr.* Volver hacia atrás o hacer retroceso un líquido.

reflujo *s. m.* Movimiento de descenso de la marea.

refocilar *v. tr.* **1.** Recrear, alegrar. También prnl. ‖ *v. prnl.* **2.** Recrearse en algo grosero.

reforestación *s. f.* Acción y efecto de reforestar.

reforestar *v. tr.* Repoblar un terreno con árboles y otras especies forestales.

reforma *s. f.* Lo que se propone, proyecta o ejecuta como innovación o mejora en alguna cosa.

reformar *v. tr.* **1.** Volver a formar, rehacer. **2.** Modificar algo para mejorarlo. **3.** Corregir la conducta de una persona haciendo que abandone su comportamiento. ‖ *v. prnl.* **4.** Corregirse en las costumbres o porte.

reformatorio *s. m.* Centro en donde, por medios educativos especiales, se trata de modificar la inadecuada conducta de algunos jóvenes.

reformista *adj.* Partidario de reformas o ejecutor de ellas.

reforzar *v. tr.* Engrosar o añadir nuevas fuerzas a una cosa.

refracción *s. f.* Acción y efecto de refractar o refractarse.

refractar *v. tr.* Hacer que cambie de dirección el rayo de luz que pasa oblicuamente de un medio a otro de diferente densidad. También prnl.

refractario, ria *adj.* **1.** Se dice de la persona que rehúsa cumplir una promesa u obligación. **2.** Se dice del cuerpo que resiste la acción del fuego sin cambiar de estado ni descomponerse.

refrán *s. m.* Dicho agudo y sentencioso de uso común.

refranero *s. m.* Colección de refranes.

refrangible *adj.* Que puede refractarse.

refregadura *s. f.* **1.** Acción de refregar o refregarse. **2.** Señal que queda de haber o haberse refregado una cosa.

refregar *v. tr.* Restregar una cosa con otra. También prnl.

refregón *s. m.* **1.** *fam.* Refregadura. **2.** Ráfaga, movimiento violento del aire.

refrenable *adj.* Que se puede refrenar.

refrenar *v. tr.* **1.** Sujetar y reducir al caballo con el freno. **2.** *fig.* Contener, reprimir el ánimo o las maneras. También prnl.

refrendación *s. f.* Acción y efecto de refrendar.

refrendar *v. tr.* **1.** Autorizar un despacho u otro documento por medio de la firma de persona hábil para ello. **2.** Corroborar una cosa afirmándola.

refrendario, ria *s. m. y s. f.* Persona con autoridad pública que refrenda o firma un despacho después del superior.

refrescante *adj.* Que refresca.

refrescar *v. tr.* **1.** Disminuir o rebajar el calor de una cosa. **2.** *fig.* Renovar, reproducir una acción. ‖ *v. intr.* **3.** Coger fuerzas.

refresco *s. m.* **1.** Alimento moderado que se toma para fortalecerse y continuar en el trabajo. **2.** Bebida fría o del tiempo.

refriega *s. f.* Reencuentro o combate de menos importancia que la batalla.

refrigeración *s. f.* **1.** Acción y efecto de refrigerar o refrigerarse. **2.** Refrigerio, alimento.

refrigerador *s. m.* Electrodoméstico con refrigeración eléctrica para conservar alimentos.

refrigerar *v. tr.* **1.** Refrescar, disminuir el calor. **2.** *fig.* Reparar las fuerzas.

refrigerio *s. m.* **1.** Beneficio o alivio que se siente con lo fresco. **2.** *fig.* Corto alimento que se toma para reparar las fuerzas.

refringente *adj.* Que refringe.

refringir *v. tr.* Refractar.

refrito *s. m.* **1.** Aceite frito con ajo, cebolla y pimentón que sirve de aderezo a distintos guisos. **2.** *fig.* Cosa rehecha o aderezada de nuevo. Se dice generalmente de la refundición de una obra dramática o de otro escrito.

refuerzo *s. m.* **1.** Mayor grueso dado a una cosa, para hacerla más resistente. **2.** Reparo para fortalecer una cosa que puede flaquear o amenazar ruina.

refugiado, da *s. m. y s. f.* Persona que, a consecuencia de una guerra o persecución, tiene que buscar asilo en otro país.

refugiar *v. tr.* Acoger o amparar a alguien, sirviéndole de resguardo y asilo.

refugio *s. m.* Asilo, acogida o amparo.

refulgencia *s. f.* Resplandor que emite el cuerpo resplandeciente.

refulgente *adj.* Que emite resplandor.

refulgir *v. intr.* Resplandecer, emitir fulgor.

refundición *s. f.* **1.** Acción y efecto de refundir o refundirse. **2.** La obra refundida.

refundir *v. tr.* **1.** Volver a fundir los metales. **2.** *fig.* Dar nueva forma a una obra de ingenio, discurso, etc., con el fin de mejorarla.

refunfuñar *v. intr.* Emitir voces o palabras confusas en señal de enojo o desagrado.

refutable *adj.* Que puede refutarse o con facilidad se refuta.

refutación *s. f.* Argumento o prueba cuyo objeto es destruir las razones del contrario.

refutar *v. tr.* Contradecir con argumentos o razones lo que otros dicen.

refutatorio, ria *adj.* Que sirve para refutar.

regadera *s. f.* Vasija o recipiente portátil a propósito para regar.

regadío, a *adj.* Se dice del terreno que se puede regar.

regala *s. f.* Tablón que forma el borde de las embarcaciones y cubre todas las cabezas de las ligazones en su extremo superior.

regalar *v. tr.* **1.** Dar a alguien graciosamente una cosa. ‖ *v. prnl.* **2.** Tratarse bien, procurando tener toda suerte de comodidades.

regalía *s. f.* **1.** Preeminencia que, en virtud de suprema potestad, ejerce un soberano en su Estado, como el acuñar moneda, etc. **2.** Privilegio que la Santa Sede concede a los soberanos en algún punto relativo a la disciplina de la Iglesia.

regaliz *s. m.* **1.** Planta herbácea con tallos casi leñosos y pequeñas flores azuladas. El jugo de sus rizomas se emplea en medicina como pectoral y emoliente. **2.** Rizomas de dicha planta.

regaliza *s. f.* Regaliz.

regalo *s. m.* **1.** Dádiva hecha voluntariamente o por costumbre. **2.** Gusto o complacencia que se recibe.

regañadientes, a *adv. m.* De mala gana.

regañar *v. intr.* **1.** Dar muestras de enfado con palabras y gestos. **2.** *fam.* Reñir, disputar. ‖ *v. tr.* **3.** *fam.* Reprender.

regañina *s. f.* Regaño, reprensión.

regaño *s. m.* Gesto, acompañado de palabras ásperas, con que se muestra enfado.

regañón, na *adj., fam.* Se dice de la persona que tiene costumbre de regañar por cualquier cosa. También s. m. y s. f.

regar *v. tr.* Esparcir agua sobre una superficie.

regata[1] *s. f.* Surco por donde se lleva el agua del riego en las huertas y jardines.

regata[2] *s. f.* Pugna entre dos o más buques ligeros, para ganar un premio o apuesta el que llega antes a un punto determinado.

regate *s. m.* Movimiento pronto y rápido que se hace hurtando el cuerpo.

regatear *v. tr.* **1.** Debatir el comprador y el vendedor el precio de una cosa puesta en venta. ‖ *v. intr.* **2.** Hacer regates.

regateo *s. m.* Acción y efecto de regatear.

regatón *s. m.* Casquillo, cuento o virola que se pone en el extremo inferior de las lanzas, bastones, etc. para mayor firmeza.

regazo *s. m.* Enfaldo de la saya, que hace seno desde la cintura hasta la rodilla, estando la persona sentada.

regencia *s. f.* **1.** Acción de regir o gobernar. **2.** Gobierno de un Estado durante la menor edad, ausencia o incapacidad de su legítimo príncipe.

regeneración *s. f.* **1.** Acción y efecto de regenerar o regenerarse. **2.** Mecanismo de los organismos vivos mediante el cual pueden reconstruir las partes perdidas o dañadas.

regenerar *v. tr.* Dar nuevo ser a una cosa que degeneró, restablecerla o mejorarla.

regenerativo, va *adj.* Que regenera.

regenta *s. f.* Profesora en algunos establecimientos de educación.

regentar *v. tr.* Desempeñar temporalmente ciertos cargos o empleos.

regenta *s. f.* Mujer encargada de un establecimiento o negocio.

regente *com.* Persona que gobierna un Estado en la menor edad de su príncipe o por otro motivo.

regicida *adj.* Asesino de un rey o reina.

regicidio *s. m.* Acto y crimen del regicida.

regidor, ra *adj.* **1.** Que rige o gobierna. ‖ *s. m. y s. f.* **2.** Concejal.

regiduría *s. f.* Oficio de regidor.

régimen *s. m.* **1.** Modo de gobernarse o regirse en una cosa. **2.** Forma de gobierno. **3.** Constituciones, reglamentos o prácticas de un Gobierno en general o de una de sus dependencias. **4.** Conjunto de normas sobre los alimentos que debe observar una persona por motivos de salud. **5.** Relación de dependencia que entre sí guardan las palabras en la oración; en especial, preposición que pide un verbo o un adjetivo o caso que pide una preposición.

regimiento *s. m.* **1.** Acción y efecto de regir o regirse. **2.** Cuerpo de regidores en el concejo de una población. **3.** Oficio o empleo de regidor. **4.** Unidad orgánica de una misma arma cuyo jefe es un coronel.

regio, gia *adj., fig.* Suntuoso, magnífico.

región *s. f.* **1.** Porción de territorio determinada por caracteres étnicos o circunstancias especiales de clima, topografía, gobierno, etc. **2.** Cada una de las grandes divisiones territoriales dentro de una nación efectuadas en virtud de características geográficas e históricas particulares.

regional *adj.* Perteneciente o relativo a una región.

regionalismo *s. m.* **1.** Tendencia o doctrina política según la cual cada región de un Estado debe ser administrada y gobernada atendiendo particularmente a su modo de ser y a sus aspiraciones. **2.** Amor o apego a la propia región y a las cosas que pertenecen a ella.

regionalista *adj.* Partidario del regionalismo. También com.

regir *v. tr.* Dirigir, gobernar o mandar.

registrador, ra *adj.* Se dice de los aparatos que se destinan a señalar o inscribir determinados fenómenos físicos, como presión, temperatura, peso, velocidad, etc.

registrar *v. tr.* **1.** Mirar una cosa o persona con cuidado y diligencia. **2.** Copiar al pie de la letra en los libros de registro un privilegio, cédula, etc. librado por el rey o por un organismo competente. **3.** Señalar.

registro *s. m.* **1.** Matrícula y padrón. **2.** Protocolo, tratándose de cuestiones notariales. **3.** Libro a modo de inventario, en que se practican anotaciones.

regla *s. f.* **1.** Instrumento de materia rígida, usado para trazar líneas rectas. **2.** Ley universal que comprende lo sustancial que debe observar una colectividad. **3.** Ley por la que se rige una comunidad religiosa. **4.** Constitución, estatuto. **5.** Precepto en las ciencias o artes. **6.** Menstruación. **7.** Orden y concierto inmutable que siguen las cosas naturales. **8.** Método de hacer una operación.

reglado, da *adj.* Sujeto a precepto, ordenación o regla. Se dice comúnmente del ejercicio de autoridad pública cuando las disposiciones vigentes no lo han dejado a discrecional arbitrio de esta.

reglaje *s. m.* **1.** Acción y efecto de reglar papel. **2.** Reajuste de las piezas de una máquina para que siga funcionando bien.

reglamentación *s. f.* Acción y efecto de reglamentar.

reglamentar *v. tr.* Sujetar a reglamento un instituto o una materia determinada.

reglamentario, ria *adj.* Perteneciente o relativo al reglamento.

reglamento *s. m.* Colección ordenada de reglas o preceptos dada por autoridad competente para la ejecución de una ley, para el régimen de una corporación, etc.

reglar *v. tr.* **1.** Tirar o hacer líneas o rayas derechas, valiéndose especialmente de una regla. **2.** Medir u ordenar las acciones conforme a la regla. ‖ *v. prnl.* **3.** Medirse, templarse, moderarse, reducirse o reformarse.

regleta *s. f.* **1.** Soporte aislante sobre el cual se disponen uno o más componentes de un circuito eléctrico. **2.** Planchuela de metal, que sirve para regletear.

regletear *v. tr.* Espaciar la composición poniendo regletas entre los renglones.

regnícola *adj.* Natural de un reino. También com.

regocijar *v. tr.* Alegrar, causar gusto o placer.

regocijo *s. m.* **1.** Júbilo. **2.** Acto con que se manifiesta la alegría.

regodearse *v. prnl., fam.* Complacerse en lo que gusta o se goza, deteniéndose en ello.

regodeo *s. m.* Acción y efecto de regodearse.

regojo *s. m.* Pedazo de pan que queda de sobra en la mesa después de haber comido.

regoldar *v. tr.* Eructar.

regolfar *v. intr.* Retroceder el agua contra su corriente, haciendo un remanso. También prnl.

regordete, ta *adj., fam.* Se dice de la persona o de la parte de su cuerpo pequeña y gruesa.

regosto *s. m.* Apetito de repetir lo que con delectación se empezó a gustar o gozar.

regresar *v. intr.* Volver al lugar de donde se partió.

regresión *s. f.* **1.** Retroceso o acción de volver hacia atrás. **2.** Retroceso a estados psicológicos propios de etapas anteriores.

regresivo, va *adj.* Se dice de lo que hace volver hacia atrás.

regreso *s. m.* Acción de regresar.

reguera *s. f.* Canal que se hace en la tierra a fin de conducir el agua para el riego.

reguero *s. m.* Corriente, a modo de arroyo pequeño, que se hace en una cosa líquida.

regulación *s. f.* Acción y efecto de regular.

regulador, ra *adj.* **1.** Que regula. ‖ *s. m.* **2.** Mecanismo que sirve para regular el movimiento o los efectos de una máquina o de alguno de los órganos de ella.

regular[1] *adj.* Ajustado y conforme a regla.

regular[2] *v. tr.* Medir, ajustar o concertar una cosa según ciertas reglas.

regularidad *s. f.* **1.** Calidad de regular. **2.** Exacta observancia de la regla de una comunidad.

regularización *s. f.* Acción y efecto de regularizar.

regularizar *v. tr.* Regular, ajustar, poner en orden.

régulo *s. m.* Dominante o señor de un Estado pequeño.

regurgitación *s. f.* Acción y efecto de regurgitar.

regurgitar *v. intr.* Expeler por la boca, sin esfuerzo, sustancias sólidas o líquidas contenidas en el esófago o en el estómago.

rehabilitación *s. f.* Acción y efecto de rehabilitar o rehabilitarse.

rehabilitar *v. tr.* Habilitar de nuevo o restituir una persona o cosa a su antiguo estado.

rehacer *v. tr.* **1.** Volver a hacer lo que se había deshecho. **2.** Restablecer lo disminuido o deteriorado.

rehala *s. f.* **1.** Rebaño de ganado lanar formado por el de diversos dueños. **2.** Conjunto de perros de caza.

rehartar *v. tr.* Hartar mucho. También prnl.

rehecho, cha *adj.* De estatura mediana, grueso, fuerte y robusto.

rehén *s. m. y s. f.* Persona de estimación y calidad que, como prenda o garantía, queda en poder del enemigo mientras está pendiente un ajuste o tratado.

rehenchir *v. tr.* Volver a henchir una cosa reponiendo lo que se había menguado. También prnl.

rehilar *v. tr.* Hilar demasiado o torcer mucho lo que se hila.

rehilete *s. m.* **1.** Juguete de niños que consiste en una varilla en cuya punta hay una cruz o una estrella de papel, con las puntas en forma de aspa, que giran por la acción del viento. **2.** Banderilla para clavarla en el morrillo del toro.

rehogar *v. tr.* Sazonar un alimento a fuego lento, sin agua y tapado, en manteca, aceite y otros condimentos.

rehollar *v. tr.* Volver a hollar o pisar una cosa.

rehoyar *v. intr.* Renovar el hoyo hecho antes para plantar árboles.

rehuir *v. tr.* Retirar, apartar o evitar una cosa por algún temor, sospecha o recelo.

rehurtarse *v. prnl.* Echar la caza mayor o menor acosada del hombre o del perro por diferente rumbo del que desea el cazador.

rehusar *v. tr.* Excusar, no aceptar una cosa.

reimplantación *s. f.* Acción y efecto de reimplantar.

reimplantar *v. tr.* Volver a implantar.

reimplante *s. m.* Reimplantación.

reimportar *v. tr.* Importar en un país lo que se había exportado de él.

reimpresión *s. f.* **1.** Acción y efecto de reimprimir. **2.** Conjunto de ejemplares reimpresos de una vez.

reimprimir *v. tr.* Volver a imprimir, o repetir la impresión de una obra o escrito.

reina *s. f.* **1.** Esposa del rey. **2.** La que ejerce la potestad real por derecho propio. **3.** Pieza del juego de ajedrez, la más importante después del rey.

reinado *s. m.* **1.** Espacio de tiempo en que reina un rey o una reina. **2.** Por ext., aquel en que predomina alguna cosa o está en auge.

reinar *v. intr.* Regir un rey o reina un Estado.

reincidencia *s. f.* **1.** Repetición de una misma culpa o defecto. **2.** Circunstancia agravante de la responsabilidad criminal que consiste en haber sido el reo condenado antes por delito análogo al que se le imputa.

reincidente *adj.* Que reincide. También com.

reincidir *v. intr.* Volver a caer o incurrir en un error, falta o delito.

reincorporación *s. f.* Acción y efecto de reincorporar o reincorporarse.

reincorporar *v. tr.* Volver a incorporar. También prnl.

reingresar *v. intr.* Volver a ingresar.

reingreso *s. m.* Acción y efecto de reingresar.

reino *s. m.* **1.** Estado cuya organización política es una monarquía. **2.** Cada una de las subdivisiones en que se consideran distribuidos los seres naturales.

reinserción *s. f.* Acción y efecto de reinsertar o reinsertarse.

reinsertar *v. tr.* Volver a integrar en la sociedad a una persona que formaba parte de un grupo marginal. También prnl.

reinstalar *v. tr.* Volver a instalar.

reintegrable *adj.* Que se puede o se debe reintegrar.

reintegración *s. f.* Acción y efecto de reintegrar o reintegrarse.

reintegrar *v. tr.* **1.** Restituir o satisfacer íntegramente una cosa. ‖ *v. prnl.* **2.** Incorporarse de nuevo a una actividad o a un grupo.

reintegro *s. m.* En la lotería, premio igual a la cantidad jugada.

reír *v. intr.* **1.** Manifestar alegría y regocijo con determinados movimientos del rostro, acompañados de la emisión de sonidos explosivos e inarticulados. **2.** *fig.* Hacer burla de una persona o cosa.

reiteración *s. f.* **1.** Acción y efecto de reiterar o reiterarse. **2.** Circunstancia que puede ser agravante, derivada de anteriores condenas del reo por delitos de índole diversa del que se juzga. En esto se diferencia de la reincidencia.

reiterar *v. tr.* Volver a decir o ejecutar algo.

reiterativo, va *adj.* Que tiene la propiedad de reiterarse.

reivindicación *s. f.* Acción y efecto de reivindicar.

reivindicar *v. tr.* Recuperar alguien lo que le pertenece.

reivindicativo, va *adj.* Que reivindica.

reivindicatorio, ria *adj.* Que sirve para reivindicar, o atañe a la reivindicación.

reja[1] *s. f.* Pieza de hierro del arado que sirve para romper y revolver la tierra.

reja[2] *s. f.* Red formada de barras de hierro que se pone en las ventanas y otras aberturas.

rejalgar *s. m.* Sulfuro de arsénico, muy venenoso, de color rojo y lustre resinoso.

rejero, ra *s. m. y s. f.* Persona que tiene por oficio labrar o fabricar rejas para ventanas, verjas, etc.

rejilla *s. f.* **1.** Celosía fija o movible, tela metálica, etc., que suele ponerse en las ventanillas de los confesonarios, en el ventanillo de la puerta exterior de las casas, etc. **2.** Tejido claro hecho con tiritas de los tallos duros, flexibles, elásticos y resistentes de algunas plantas, como el bejuco. Sirve para respaldos y asientos de sillas y para otros usos.

rejón *s. m.* Barra o barrón de hierro cortante que remata en punta.

rejonazo *s. m.* Golpe y herida de rejón.

rejoneador, ra *s. m. y s. f.* Persona que rejonea.

rejonear *v. tr.* En el toreo de a caballo, herir con el rejón al toro.

rejoneo *s. m.* Acción de rejonear.

rejuela *s. f.* Braserito en forma de arquilla y con rejilla en la tapa, que sirve para calentarse los pies.

rejuvenecer *v. tr.* Dar a alguien la fortaleza y el vigor propios de la juventud.

rejuvenecimiento *s. m.* Acción y efecto de rejuvenecer o rejuvenecerse.

relación *s. f.* **1.** Acción y efecto de referir o referirse un hecho o una cosa a cierto fin. **2.** Conexión de una cosa con otra. **3.** Conexión, correspondencia de una persona con otra. **4.** Lista de nombres o elementos. **5.** Informe que se hace por escrito y se presenta ante una autoridad. ‖ *s. f. pl.* **6.** Noviazgo, tratándose de personas de distinto sexo.

relacionar *v. tr.* **1.** Hacer relación de un hecho. **2.** Poner en relación personas o cosas. También prnl.

relajación *s. f.* **1.** Acción y efecto de relajar o relajarse. **2.** Corrupción de las costumbres.

relajamiento *s. m.* Relajación.

relajante *adj.* Se dice particularmente del medicamento que tiene la virtud de relajar.

relajar *v. tr.* **1.** Ablandar, aflojar una cosa. También prnl. **2.** *fig.* Esparcir el ánimo con algún descanso. **3.** *fig.* Hacer más llevadera la observancia de las leyes, reglas, etc. También prnl. ‖ *v. prnl.* **4.** *fig.* Pervertirse, entregarse al vicio. **5.** *fig.* Conseguir un estado de absoluto reposo físico y psicológico.

relajo *s. m., Cub., Méx. y P. Ric.* Acción deshonesta, inmoral.

relamer *v. tr.* **1.** Volver a lamer. ‖ *v. prnl.* **2.** Lamerse los labios una y otra vez.

relamido, da *adj.* Afectado, pedante.

relámpago *s. m.* Resplandor vivísimo e instantáneo producido en las nubes por una descarga eléctrica.

relampaguear *v. intr.* **1.** Haber relámpagos. **2.** *fig.* Arrojar luz o brillar mucho con algunas intermisiones.

relampagueo *s. m.* Acción de relampaguear.

relance *s. m.* **1.** Segundo lance, redada o suerte. **2.** Suceso casual y dudoso.

relatar *v. tr.* **1.** Dar a conocer un hecho. **2.** Hacer relación de un proceso o pleito.

relatividad *s. f.* Calidad de relativo.

relativizar *v. tr.* Introducir en la consideración de un asunto aspectos que atenúen su importancia.

relativo, va *adj.* **1.** Que hace relación o concierne a una persona o cosa. **2.** Que no es absoluto.

relato *s. m.* Narración de un hecho real o ficticio.

relator, ra *adj.* Que relata o refiere una cosa. También s. m. y s. f.

relax *s. m.* Relajamiento físico o psicológico.

relazar *v. tr.* Enlazar o atar una cosa con varios lazos o vueltas.

relé *s. m.* Artificio o dispositivo que se emplea para regular y dirigir la corriente principal de un circuito dado.

releer *v. tr.* Leer de nuevo o volver a leer una cosa.

relegación *s. f.* **1.** Acción y efecto de relegar. **2.** Pena temporal o perpetua que ha de cumplirse en el lugar destinado por el Gobierno.

relegar v. tr. **1.** Desterrar, echar a alguien por justicia. **2.** fig. Apartar, posponer.

relejar v. intr. Atenuar algo físico o moral.

relente s. m. Humedad que en noches serenas se nota en la atmósfera.

relevancia s. f. Calidad o condición de relevante.

relevante adj. Se dice de lo que destaca.

relevar v. tr. **1.** Hacer de relieve o saliente una cosa. **2.** Exonerar de un peso o gravamen, y también de un empleo o cargo.

relevo s. m. **1.** Acción y efecto de reeemplazar a una persona con otra en una actividad o cargo. **2.** Acción de relevar o cambiar de guardia. **3.** Soldado o grupo que releva.

relicario s. m. Caja o estuche, regularmente precioso, para custodiar reliquias.

relieve s. m. **1.** Figura que resalta sobre el plano. **2.** Renombre de una persona o cosa.

religar v. tr. Volver a atar o ceñir más estrechamente alguna cosa.

religión s. f. Conjunto de creencias acerca de la divinidad y de prácticas rituales para darle culto.

religionario, ria s. m. y s. f. Sectario del protestantismo.

religiosidad s. f. Calidad de religioso.

religioso, sa adj. **1.** Perteneciente o relativo a la religión o a los que la profesan. **2.** Que tiene religión y, particularmente, que la profesa con celo. **3.** Que ha tomado hábito en una Orden religiosa regular. También s. m. y s. f.

relinchar v. intr. Emitir con fuerza su voz el caballo.

relincho s. m. Voz del caballo.

relinga s. f. Cada una de las cuerdas en que van colocados los corchos que sirven para sostener las redes en el agua.

relingar v. tr. **1.** Coser o pegar la relinga a una red. **2.** Izar una vela hasta poner tirantes sus relingas de caída.

reliquia s. f. **1.** Residuo que queda de un todo. **2.** Parte del cuerpo de un santo o lo que por haberle tocado es digno de veneración. **3.** fig. Vestigio de cosas pasadas.

rellano s. m. **1.** Meseta de escalera. **2.** Llano que interrumpe la pendiente de un terreno.

rellenar v. tr. **1.** Volver a llenar o llenar enteramente una cosa. **2.** Llenar de carne picada u otros ingredientes un ave u otro manjar. **3.** Cubrir con los datos necesarios un documento, instancia, etc.

relleno s. m. Material con que se rellena algo.

reloj s. m. Máquina con movimiento uniforme que sirve para medir el tiempo o dividir el día en horas, minutos y segundos.

relojería s. f. **1.** Arte de hacer relojes. **2.** Taller donde se hacen o arreglan relojes. **3.** Lugar o tienda donde se venden.

relojero, ra s. m. y s. f. Persona cuyo oficio es hacer, componer o vender relojes.

reluciente adj. Que reluce.

relucir v. intr. Despedir o reflejar luz una cosa resplandeciente.

reluctancia s. f. Resistencia que ofrece un circuito al flujo magnético.

reluctante adj. Se dice de la persona reacia.

relumbrar v. intr. Dar una cosa viva luz o alumbrar con exceso.

relumbrón s. m. Golpe de luz vivo y pasajero.

remachadora s. f. Máquina que sirve para remachar.

remachar v. tr. Machacar la punta o la cabeza del clavo ya clavado.

remache s. m. **1.** Acción y efecto de remachar. **2.** Roblón, especie de clavo.

remallar v. tr. Componer las mallas rotas.

remanente s. m. Residuo de una cosa.

remangar v. tr. Arremangar. También prnl.

remango s. m. Parte de ropa plegada que se recoge en la cintura al remangarse.

remansarse v. prnl. Detenerse o suspender el curso o la corriente de un líquido.

remanso s. m. Detención o suspensión de la corriente del agua o cualquier otro líquido.

remar v. intr. Mover convenientemente el remo para impeler la embarcación en el agua.

remarcar v. tr. Volver a marcar alguna cosa.

rematar v. tr. **1.** Acabar una cosa. **2.** Poner fin a la vida de la persona o del animal que está en trance de muerte.

remate s. m. Extremidad de una cosa.

rembolsar v. tr. Reembolsar.

rembolso s. m. Reeembolso.

remedar v. tr. **1.** Imitar o contrahacer una cosa, hacerla parecida a otra. **2.** Seguir uno las mismas huellas y ejemplo de otro o llevar su mismo método y disciplina.

remediar v. tr. **1.** Poner remedio al daño, repararlo; en general, enmendar una cosa. **2.** Socorrer una necesidad o urgencia. **3.** Apartar o separar de un riesgo a una persona o cosa.

remedio s. m. Medio que se toma para reparar un daño o inconveniente.

remedo s. m. Imitación de algo, particularmente cuando no es perfecto el parecido.

remembranza s. f. Recuerdo, memoria de una cosa pasada.

remembrar v. tr. Rememorar.

rememoración s. f. Acción y efecto de rememorar.

rememorar v. tr. Recordar, traer a la memoria alguna cosa.

rememorativo, va adj. Que recuerda o es capaz de hacer recordar una cosa.

remendar v. tr. Reforzar con remiendo lo que está viejo o roto.

remendón, na *adj.* Que tiene por oficio remendar. Se dice particularmente de los sastres y zapateros de viejo. También s. m. y s. f.

remera *s. f.* Cada una de las plumas largas y rígidas con que terminan las alas de las aves.

remero, ra *s. m. y s. f.* Persona que rema o que trabaja al remo.

remesa *s. f.* Envío que se hace de una cosa de una parte a otra.

remeter *v. tr.* Volver a meter o meter más adentro una cosa.

remiel *s. m.* Segunda miel que se saca de la caña dulce.

remiendo *s. m.* Pedazo de paño u otra tela que se cose a lo que está viejo o roto.

rémige *s. f.* Remera.

remilgado, da *adj.* Que afecta suma pulidez, delicadeza, compostura y gracia en porte, gestos y acciones.

remilgarse *v. prnl.* Repulirse y hacer gestos y ademanes con el rostro.

remilgo *s. m.* **1.** Acción y ademán de remilgarse. **2.** Melindre, afectación.

reminiscencia *s. f.* Facultad del alma, con que traemos a la memoria aquellas especies que no tenemos presente.

remirado, da *adj.* Que reflexiona escrupulosamente sobre sus acciones.

remirar *v. tr.* **1.** Volver a mirar o reconocer con reflexión y cuidado, lo que se había visto. ǁ *v. prnl.* **2.** Esmerarse mucho en lo que se hace o resuelve.

remisible *adj.* Que se puede remitir o perdonar.

remisión *s. f.* **1.** Acción y efecto de remitir o remitirse. **2.** Indicación en un escrito del lugar del mismo o de otro escrito a que se remite al lector.

remiso, sa *adj.* Tímido e indeciso.

remisoria *s. f.* Despacho con que el juez remite la causa o al preso a otro tribunal. Se usa más en pl.

remisorio, ria *adj.* Se dice de lo que tiene virtud o facultad de remitir o perdonar.

remite *s. m.* Consignación del nombre y dirección en un paquete o carta que se envía por correo de la persona que lo envía.

remitente *com.* Persona cuyo nombre consta en el remite de un sobre o paquete.

remitido *s. m.* Artículo o noticia que un particular envía a un periódico para que sea insertado mediante pago.

remitir *v. tr.* **1.** Enviar una cosa al lugar destinado. **2.** Perdonar, alzar la pena, libertar de una obligación. **3.** Disminuir, aflojar o perder una cosa parte de su fuerza.

remo *s. m.* Pala de madera, larga y estrecha, que sirve para mover las embarcaciones haciendo fuerza en el agua.

remodelación *s. f.* Acción y efecto de remodelar.

remodelar *v. tr.* **1.** Transformar la forma o estructura de un edificio, calle, etc. **2.** Reorganizar algo.

remojar *v. tr.* Empapar una cosa sumergiéndola en agua.

remojo *s. m.* **1.** Acción de remojar o empapar en agua una cosa. **2.** Operación de mantener en agua ciertos alimentos para ablandarlos o desalarlos antes de cocinarlos.

remojón *s. m.* Mojadura.

remolacha *s. f.* Planta herbácea anual quenopodiácea, de raíz carnosa, fusiforme, comestible y de la cual se extrae azúcar.

remolcador, ra *adj.* Que sirve para remolcar. Se aplica a embarcaciones. También s. m.

remolcar *v. tr.* **1.** Llevar una embarcación u otra cosa sobre el agua, tirando de ella por medio de un cable, cadena, etc. **2.** Llevar un vehículo por tierra tirando de él.

remolinar *v. intr.* Hacer o formar remolinos una cosa.

remolino *s. m.* Movimiento giratorio y rápido del aire, el agua, el polvo, el humo, etc.

remolón, na *adj.* Flojo, pesado y que huye del trabajo maliciosamente. También s. m. y s. f.

remolonear *v. intr.* Resistirse en hacer o admitir una cosa por pereza. También prnl.

remolque *s. m.* Cosa que se lleva remolcada por mar o por tierra.

remonta *s. f.* **1.** Compostura del calzado cuando se le pone nuevo el pie o las suelas. **2.** Compra, cría y cuidado de los caballos para proveer el ejército.

remontar *v. tr.* **1.** Ahuyentar una cosa. **2.** Echar nuevas suelas o pie al calzado.

remonte *s. m.* Acción y efecto de remontar o remontarse.

remoquete *s. m.* **1.** Puñetazo dado en el rostro. **2.** *fig.* Dicho agudo y satírico.

rémora *s. f.* **1.** Pez marino acantopterigio, fusiforme, de color ceniciento, con una aleta dorsal y otra ventral. **2.** Lo que sirve de obstáculo al progreso de algo o lo dificulta.

remorder *v. tr.* **1.** Volver a morder o morderse uno a otro. **2.** Causar remordimiento.

remordimiento *s. m.* Pesar interno que queda después de hacer una mala acción.

remosquearse *v. prnl., fam.* Mostrarse receloso a causa de lo que se oye o advierte.

remostar *v. intr.* Echar mosto en el vino añejo.

remosto *s. m.* Acción y efecto de remostar o remostarse.

remoto, ta *adj.* Distante o apartado.

remover *v. tr.* **1.** Pasar una cosa de un lugar a otro. **2.** Mover una cosa, dándole vueltas para que sus elementos se mezclen.

remozar *v. tr.* Dar cierta especie de robustez y lozanía propias de la juventud.

remplazar *v. tr.* Reemplazar.

remplazo *s. m.* Reemplazo.

remuda *s. f.* Muda de ropa.

remudar *v. tr.* Reemplazar a una persona o cosa con otra. También prnl.

remuneración *s. f.* **1.** Acción y efecto de remunerar. **2.** Lo que se da o sirve para remunerar.

remunerador, ra *adj.* Que remunera. Se dice particularmente del trabajo, gasto, etc. que produce beneficio suficiente. También s. m. y s. f.

remunerar *v. tr.* Recompensar a alguien por alguna cosa.

remunerativo, va *adj.* Que remunera o produce recompensa o provecho.

remuneratorio, ria *adj.* Se dice de lo que se hace o da en premio o remuneración de un beneficio u obsequio recibido.

renacer *v. intr.* **1.** Volver a nacer. **2.** Adquirir por el bautismo la vida de la gracia.

renacimiento *s. m.* Acción de renacer.

renacuajo *s. m.* **1.** Larva de la rana, mientras conserva la cola y respira por branquias. **2.** Larva de otros batracios.

renal *adj.* Perteneciente o relativo al riñón.

rencilla *s. f.* Cuestión o riña de la que queda algún encono.

renco, ca *adj.* Cojo por lesión de las caderas.

rencor *s. m.* Resentimiento arraigado y tenaz.

rencoroso, sa *adj.* Que tiene o guarda rencor.

rendaje *s. m.* Conjunto de riendas y demás correas de la brida de las cabalgaduras.

rendar *v. tr.* Binar, dar segunda labor a la tierra o segunda cava a las viñas.

rendición *s. f.* Acción y efecto de rendir o rendirse.

rendija *s. f.* Abertura larga y angosta, que se produce naturalmente en cualquier cuerpo sólido y lo atraviesa de parte a parte.

rendimiento *s. m.* **1.** Decaimiento de las fuerzas. **2.** Producto que da una cosa.

rendir *v. tr.* **1.** Obligar a las tropas, plazas fuertes enemigas, etc. a que se entreguen. **2.** Someter una cosa al dominio de alguien. También prnl. **3.** Dar a alguien lo que le corresponde. **4.** Causar fatiga.

renegado, da *adj.* Que abandona su religión.

renegar *v. tr.* **1.** Negar con insistencia una cosa. **2.** Detestar, abominar.

renegrido, da *adj.* Se dice del color cárdeno muy oscuro, especialmente hablando de contusiones.

renglón *s. m.* Serie de palabras o caracteres escritos o impresos en línea recta.

reniego *s. m.* **1.** Blasfemia. **2.** *fig. y fam.* Dicho injurioso y atroz.

reno *s. m.* Mamífero rumiante cérvido, con astas ramosas lo mismo el macho que la hembra, pelaje espeso y pezuñas gruesas.

renombrado, da *adj.* Se dice de la persona o cosa célebre.

renombre *s. m.* **1.** Apellido o sobrenombre propio. **2.** Celebridad que adquiere alguien por sus hechos gloriosos o por haber dado muestras de ciencia y talento.

renovación *s. f.* Acción y efecto de renovar o renovarse.

renovador, ra *adj.* Que renueva. También s. m. y s. f.

renovar *v. tr.* **1.** Hacer como de nuevo una cosa, o volverla a su primer estado. **2.** Restablecer una relación u otra cosa que se había interrumpido.

renquear *v. intr.* Andar como cojo, meneándose a un lado y a otro.

renta *s. f.* Beneficio que rinde anualmente una cosa, o lo que de ella se cobra.

rentabilidad *s. f.* **1.** Capacidad de producir renta. **2.** Calidad de rentable.

rentabilizar *v. tr.* Hacer rentable algo.

rentable *adj.* Que produce o puede producir abundante interés.

rentar *v. tr.* Producir una cosa beneficio o utilidad anualmente.

rentista *com.* **1.** Persona que percibe una renta de una propiedad cualquiera. **2.** Persona que principalmente vive de sus rentas.

rentoy *s. m.* Cierto juego de naipes, entre dos cuatro, seis u ocho personas.

renuencia *s. f.* Repugnancia que se deja ver al hacer una cosa.

renuente *adj.* Indócil y remiso.

renuevo *s. m.* Vástago que echa el árbol después de podado o cortado.

renuncia *s. f.* Dejación voluntaria de una cosa que se posee, o del derecho a ella.

renunciación *s. f.* Renuncia.

renunciamiento *s. m.* Renuncia.

renunciar *v. tr.* **1.** Hacer dejación voluntaria o dimisión de una cosa que se tiene o del derecho o acción que se puede tener. **2.** No querer aceptar una cosa.

renuncio *s. m., fig. y fam.* Mentira o contradicción en que se coge a alguien.

renvalso *s. m.* Rebajo que se hace en el canto de las hojas de puertas y ventanas para que encaje en el marco o unas con otras.

reñido, da *adj.* **1.** Que está enemistado con otro o negado a su trato. **2.** Asunto, oposición, concurso, etc., en el que hay mucha rivalidad entre las personas que se lo disputan.

reñir *v. intr.* **1.** Contender altercando de obra o de palabra. **2.** Enemistarse.

reo, a *s. m. y s. f.* Persona que por haber cometido una culpa merece castigo.

reóforo *s. m.* Cada uno de los dos conductores que establecen la comunicación entre un aparato eléctrico y un origen de electricidad.

reordenación *s. f.* Acción y efecto de reordenar.

reordenar *v. tr.* Volver a ordenar.

reorganización *s. f.* Acción y efecto de reorganizar.

reorganizar *v. tr.* Volver a organizar algo.

reostato o reóstato *s. m.* Instrumento para hacer variar la resistencia en un circuito eléctrico.

repantigarse o repantingarse *v. prnl.* Arrellenarse en el asiento o extenderse para mayor comodidad, repanchigarse.

reparación *s. f.* **1.** Acción y efecto de reparar, componer o enmendar. **2.** Satisfacción completa de una ofensa, daño o injuria.

reparador, ra *adj.* Que repara o mejora una cosa. También s. m. y s. f.

reparar *v. tr.* **1.** Componer, aderezar el menoscabo que ha sufrido alguna cosa. **2.** Notar, advertir una cosa. **3.** Reflexionar sobre un asunto. **4.** Corregir, enmendar.

reparo *s. m.* **1.** Restauración o remedio. **2.** Advertencia, nota sobre una cosa. **3.** Duda, dificultad que surge en un asunto.

repartición *s. f.* Acción de repartir.

repartidor, ra *adj.* Que reparte o distribuye. También s. m. y s. f.

repartimiento *s. m.* **1.** Acción y efecto de repartir. **2.** Instrumento en que consta lo que a cada uno se ha repartido.

repartir *v. tr.* Distribuir entre varios una cosa, dividiéndola por partes.

reparto *s. m.* **1.** Repartimiento. **2.** Relación de los personajes de una obra dramática, televisiva o cinematográfica, y de los actores que encarnan estos papeles.

repasar *v. tr.* **1.** Volver a pasar por un mismo sitio o lugar. **2.** Volver a mirar o registrar una cosa. **3.** Volver a estudiar la lección el alumno. **4.** Reconocer someramente un escrito, leerlo sin detenimiento. **5.** Zurcir la ropa.

repasata *s. f., fam.* Represión, corrección.

repaso *s. m.* Estudio ligero que se hace de lo que se tiene visto o estudiado, para mayor comprensión y firmeza en la memoria.

repatear *v. tr., fam.* Desagradar mucho una cosa o una persona. También intr.

repatriación *s. f.* Acción y efecto de repatriarse.

repatriado, da *adj.* Persona que es devuelta a su patria o que regresa después del exilio. También s. m. y s. f.

repatriar *v. tr.* Hacer que alguien regrese a su patria. También intr. y prnl.

repechar *v. intr.* Subir por un repecho.

repecho *s. m.* Cuesta bastante pronunciada y no larga.

repeinado, da *adj., fig.* Se dice de la persona aliñada con afectación y exceso, en especial en lo que toca a su rostro y cabeza.

repeinar *v. tr.* Volver a peinar o peinar por segunda vez.

repelar *v. tr.* **1.** Tirar del pelo a alguien o arrancarlo. **2.** Hacer dar al caballo una carrera corta. **3.** Cortar las puntas de la hierba.

repelencia *s. f.* **1.** Acción y efecto de repeler. **2.** Cualidad de repelente.

repelente *adj.* **1.** *fig. y fam.* Se dice de lo repulsivo. **2.** *fig. y fam.* Se dice de la persona impertinente y cursi. || *s. m.* **3.** Sustancia usada para ahuyentar a ciertos animales.

repeler *v. tr.* **1.** Arrojar, echar de sí una cosa con impulso o violencia. **2.** Rechazar, contradecir una idea, proposición, aserto, etc.

repelo *s. m.* **1.** Lo que no va al pelo. **2.** Parte pequeña de cualquier cosa que se levanta contra lo natural. **3.** *fig. y fam.* Riña o encuentro ligero.

repelón *s. m.* Tirón que se da del pelo.

repeloso, sa *adj.* **1.** Se dice de la madera que al labrarla levanta repelo. **2.** *fig. y fam.* Quisquilloso, irritable.

repelús *s. m.* Temor indefinido o repugnancia que inspira algo.

repensar *v. tr.* Volver a pensar una cosa con reflexión o detención.

repente *s. m., fam.* Movimiento súbito o no previsto de personas o animales.

repentino, na *adj.* Se dice de lo que llega o se acomete de manera impensada.

repentizar *v. intr.* Ejecutar a la primera lectura piezas de música un instrumentista o un cantante.

repercusión *s. f.* Hecho de tener resonancia una cosa.

repercutir *v. intr.* Producir efecto una cosa en otra ulterior.

repertorio *s. m.* **1.** Libro abreviado en que sucintamente se hace mención de cosas notables. **2.** Colección de obras o de noticias de una misma clase.

repesar *v. tr.* Volver a pesar una cosa, especialmente para asegurarse de la exactitud del primer peso.

repesca *s. f.* Acción y efecto de repescar.

repescar *v. tr., fig.* Admitir de nuevo, o dar una nueva oportunidad, a una persona que había sido eliminada en un examen.

repetición *s. f.* **1.** Acción y efecto de repetir o repetirse. **2.** Figura que consiste en repetir de propósito palabras o conceptos.

repetidor, ra *adj.* **1.** Se dice del alumno que repite un curso o una asignatura. || *s. m.* **2.** Aparato electrónico que devuelve amplificadas las señales electromagnéticas que le llegan. Se emplea en comunicaciones.

repetir *v. tr.* **1.** Volver a hacer lo que se había hecho, o decir lo que se había dicho. **2.** Volver a servirse una comida o bebida. || *v. intr.* **3.** Tratándose de manjares o bebidas, venir a la boca el sabor de la comida o bebida. **4.** Volver a cursar. || *v. prnl.* **5.** Volver a suceder una cosa.

repetitivo, va *adj.* Que se repite.

repicar *v. tr.* **1.** Picar mucho una cosa, reducirla a partes muy menudas. **2.** Tañer o sonar repetidamente y con cierto compás las campanas y otros instrumentos.

repintar *v. tr.* **1.** Pintar sobre lo ya pintado. ‖ *v. prnl.* **2.** Arreglarse con esmero.

repipi *adj., fam.* Se dice de la persona afectada y pedante. También com.

repique *s. m.* Acción y efecto de repicar o repicarse.

repiquetear *v. tr.* Repicar con viveza las campanas u otro instrumento sonoro.

repiqueteo *s. m.* Acción y efecto de repiquetear o repiquetearse.

repisa *s. f.* Miembro arquitectónico, que tiene más longitud que vuelo y sirve para sostener un objeto, o de piso a un balcón.

replantar *v. tr.* **1.** Volver a plantar en el sitio que ha estado plantado. **2.** Trasplantar.

replanteamiento *s. m.* Acción y efecto de replantear.

replantear *v. tr.* **1.** Trazar en el suelo o sobre el plano de cimientos la planta de una obra ya estudiada y proyectada. **2.** Volver a plantear un asunto.

replanteo *s. m.* Acción y efecto de replantear.

repleción *s. f.* Calidad de repleto.

replegar *v. tr.* Doblar algo muchas veces.

repleto, ta *adj.* Muy lleno.

réplica *s. f.* Argumento con que se replica.

replicar *v. intr.* Instar o argüir contra la respuesta o argumento.

repliegue *s. m.* Pliegue doble.

repoblación *s. f.* **1.** Acción y efecto de repoblar o repoblarse. **2.** Conjunto de árboles o especies vegetales en terrenos repoblados.

repoblar *v. tr.* **1.** Volver a poblar. También prnl. **2.** Volver a plantar árboles y otras especies vegetales en un lugar.

repollo *s. m.* Especie de col con hojas firmes, comprimidas y abrazadas estrechamente.

repolludo, da *adj.* **1.** Se dice de la planta que forma repollo. **2.** De figura de repollo. **3.** *fig.* Se dice de la persona gruesa y baja.

reponer *v. tr.* **1.** Volver a poner, colocar a una persona o cosa en el lugar o estado que antes tenía. **2.** Completar lo que falta o lo que se había sacado de alguna parte.

reportación *s. f.* Sosiego, serenidad, moderación.

reportaje *s. m.* Conjunto de noticias, más o menos glosadas, que se dan a conocer en los periódicos o en el cinematógrafo.

reportar *v. tr.* **1.** Reprimir una pasión del ánimo o al que la tiene. **2.** Alcanzar, lograr provecho de una cosa. **3.** Llevar o traer.

reporte *s. m.* **1.** Noticia, suceso o novedad. **2.** Chisme, noticia para molestar a alguien.

reportero, ra *adj.* Se dice del periodista que se dedica a los reportajes o noticias.

reposado, da *adj.* Se dice de lo sosegado, quieto.

reposar *v. intr.* **1.** Descansar, dar intermisión a la fatiga o al trabajo. ‖ *v. prnl.* **2.** Tratándose de líquidos, posarse. También intr.

reposición *s. f.* Acción y efecto de reponer o reponerse.

reposo *s. m.* Estado de inmovilidad de un cuerpo respecto de lo que se toma como referencia.

repostar *v. tr.* Reponer provisiones, combustible, munición, etc.

repostería *s. f.* **1.** Arte y oficio del repostero. **2.** Productos de este arte.

repostero, ra *s. m. y s. f.* Persona que tiene por oficio hacer o vender pastas, dulces y algunas bebidas.

reprehender *v. tr.* Reprender.

reprender *v. tr.* Amonestar a alguien vituperando lo que ha dicho o hecho.

reprensible *adj.* Digno de reprensión.

reprensión *s. f.* **1.** Acción de reprender. **2.** Expresión o razonamiento con que se reprende.

represa *s. f.* **1.** Acción de represar o recobrar. **2.** Obra para contener o regular el curso de las aguas.

represalia *s. f.* Derecho que se arrogan los enemigos para causarse recíprocamente igual o mayor daño que el recibido.

represar *v. tr.* **1.** Detener el agua corriente. **2.** *fig.* Detener, contener, reprimir.

representación *s. f.* **1.** Acción y efecto de representar o representarse. **2.** Nombre antiguo de la obra dramática. **3.** Cada una de las veces que se presenta al público.

representante *com.* **1.** Persona que representa a un ausente, cuerpo o comunidad. **2.** Persona que representa a una casa comercial fuera de la localidad donde aquella está establecida. **3.** Persona que gestiona los asuntos profesionales de los artistas.

representar *v. tr.* **1.** Hacer presente una persona o cosa en la imaginación por medio de figuras o palabras. **2.** Informar de algo. **3.** Sustituir a alguien.

representatividad *s. f.* Calidad de representativo.

representativo, va *adj.* Se dice de lo que sirve para representar otra cosa.

represión *s. f.* Acto ordenado desde el poder para castigar con violencia una actuación.

represivo, va *adj.* **1.** Se dice de lo que reprime. **2.** Que reprime el ejercicio de las libertades. **3.** Que reprime con violencia cualquier sublevación.

represor, ra *adj.* Que reprime. También s. m. y s. f.

reprimenda *s. f.* Amonestación vehemente.

reprimir *v. tr.* Contener, refrenar las acciones o palabras. También prnl.

reprobable *adj.* Digno de reprobación o que puede reprobarse.

reprobación *s. f.* Acción y efecto de reprobar.

reprobar *v. tr.* No aprobar a una persona o cosa, dar por malo.

reprobatorio, ria *adj.* Se dice de lo que reprueba o sirve para reprobar.

réprobo, ba *adj.* Condenado a las penas eternas.

reprochable *adj.* Que puede reprocharse o es digno de reproche.

reprochar *v. tr.* Echar en cara alguna cosa.

reproche *s. m.* **1.** Acción de reprochar. **2.** Expresión con que se reprocha.

reproducción *s. f.* **1.** Acción y efecto de reproducir o reproducirse. **2.** Cosa reproducida. **3.** Copia de un texto o un objeto de arte por medios mecánicos.

reproducir *v. tr.* **1.** Volver a producir o producir de nuevo. También prnl. **2.** Sacar copia de un escrito o una obra de arte por procedimientos mecánicos.

reproductivo, va *adj.* Que produce beneficio o provecho.

reproductor, ra *adj.* Que reproduce. También s. m. y s. f.

reprografía *s. f.* Reproducción de documentos por distintos medios mecánicos.

reps *s. m.* Tela de seda o de lana, fuerte y bien tejida, usada en obras de tapicería.

reptar *v. intr.* Andar arrastrándose como algunos reptiles.

reptil *adj.* Se dice de los vertebrados ovíparos u ovovivíparos, de sangre fría y respiración pulmonar, piel cubierta de escamas y escudos córneos; con pies muy cortos o sin ellos, como la culebra.

república *s. f.* **1.** (ORT.: may. inicial) Estado, cuerpo político. **2.** Organización del Estado cuya máxima autoridad es elegida por los ciudadanos o por el Parlamento para ejercer durante un tiempo establecido.

republicano, na *adj.* **1.** Perteneciente o relativo a la república. ‖ *s. m. y s. f.* **2.** Partidario de este género de gobierno.

repudiación *s. f.* Acción y efecto de repudiar o desechar.

repudiar *v. tr.* Rechazar algo.

repudio *s. m.* Acción y efecto de rechazar algo.

repuesto *s. m.* Prevención de comestibles u otras cosas para cuando sean necesarias.

repugnancia *s. f.* **1.** Oposición entre dos cosas. **2.** Aversión a las cosas o personas.

repugnante *adj.* Que causa repugnancia o aversión.

repugnar *v. tr.* **1.** Ser opuesta una cosa a otra. **2.** Realizar de mala gana una cosa o admitirla difícilmente. ‖ *v. intr.* **3.** Producir asco una cosa.

repujado *s. m.* Acción y efecto de repujar.

repujar *v. tr.* Labrar a martillo chapas metálicas de modo que en una de las caras resulten figuras de relieve, o hacerlas resaltar en cuero u otra materia adecuada.

repulgar *v. tr.* Hacer repulgos.

repulgo *s. m.* **1.** Dobladillo de la ropa. **2.** *fam.* Recelo de conciencia que se tiene sobre la bondad o necesidad de un acto.

repulir *v. tr.* **1.** Volver a pulir una cosa. **2.** Acicalar, componer con demasiada afectación a una persona. También prnl.

repulsa *s. f.* Condena tajante de un hecho.

repulsar *v. tr.* Desechar o despreciar algo.

repulsión *s. f.* **1.** Acción y efecto de repeler. **2.** Repulsa. **3.** Repugnancia hacia algo o alguien.

repulsivo *adj.* **1.** Que tiene acción o virtud de repulsar. **2.** Que causa repulsión o desvío.

repurgar *v. tr.* Volver a limpiar o purificar una cosa.

reputación *s. f.* Fama, opinión común sobre algo o alguien.

reputar *v. tr.* Estimar o hacer concepto de la calidad o estado de una persona o cosa. También prnl.

requebrador, ra *adj.* Que requiebra. También s. m. y s. f.

requebrar *v. tr.* **1.** Volver a quebrar en piezas más menudas lo que estaba ya quebrado. **2.** *fig.* Adular, lisonjear.

requemar *v. tr.* Volver a quemar o tostar con exceso alguna cosa.

requerimiento *s. m.* **1.** Acción y efecto de requerir, intimar o avisar. **2.** Acto judicial por el que se intima que se haga o se deje de ejecutar una cosa. **3.** Aviso, manifestación o pregunta que se hace, principalmente bajo fe notarial, a una persona para que declare su actitud o dé su respuesta.

requerir *v. tr.* **1.** Hacer saber o preguntar una cosa con autoridad pública. **2.** Necesitar algo.

requesón *s. m.* Masa blanca y mantecosa que se hace cuajando la leche en moldes de mimbres, por cuyas rendijas se escurre el suero sobrante.

requiebro *s. m.* Galantería.

réquiem *s. m.* Composición musical que se canta con el texto litúrgico de la misa de difuntos, o parte de él.

requinto *s. m.* Clarinete pequeño y de tono agudo usado en las bandas de música.

requisa *s. f.* Inspección de las personas o de las dependencias de un establecimiento.

requisar *v. tr.* Expropiar ciertos bienes considerados aptos para las necesidades de interés público.

requisición *s. f.* Recuelo y embargo que se suele hacer, en tiempo de guerra, de caballos, bagajes, alimentos, etc., para el servicio militar.

requisito *s. m.* Condición necesaria para una cosa.

requisitorio, ria *adj.* Se dice del despacho en que un juez requiere a otro para que ejecute un mandamiento del recurrente. También s. f.

res *s. f.* Cualquier animal cuadrúpedo de ciertas especies domésticas o de los salvajes.

resabiar *v. tr.* **1.** Hacer tomar un vicio o mala costumbre. || *v. prnl.* **2.** Disgustarse. **3.** Saborear lo que se come o se bebe.

resabido, da *adj.* Se dice de la persona redicha y que alardea de saber de todo.

resabio *s. m.* **1.** Sabor desagradable que deja una cosa. **2.** Mala costumbre o inclinación que se toma o adquiere.

resaca *s. f.* **1.** Movimiento en retroceso de las olas después que han llegado a la orilla. **2.** Molestia que se siente por la mañana a consecuencia de haber ingerido con exceso bebidas alcohólicas la noche precedente.

resalado, da *adj., fig. y fam.* Que tiene mucha sal, gracia y donaire.

resaltar *v. intr.* **1.** Botar repetidamente. **2.** Saltar, sobresalir mucho una cosa. **3.** *fig.* Distinguirse mucho una cosa entre otras.

resalto *s. m.* Parte que sobresale de la superficie de una cosa.

resarcible *adj.* Que se puede o se debe resarcir.

resarcimiento *s. m.* Acción y efecto de resarcir o resarcirse.

resarcir *v. tr.* **1.** Reparar un daño o agravio. **2.** Se dice del paraje en que hay peligro de resbalar. **3.** Se dice de lo que expone a incurrir en algún desliz.

resbaladero *s. m.* Lugar resbaladizo.

resbaladizo, za *adj.* Se dice de lo que resbala fácilmente.

resbalador, ra *adj.* Que resbala.

resbaladura *s. f.* Señal o huella de haber resbalado.

resbalar *v. intr.* **1.** Escurrirse, perder el equilibrio. **2.** Incurrir en un desliz.

resbalón *s. m.* Acción y efecto de resbalar o resbalarse.

resbaloso, sa *adj.* Resbaladizo.

rescatar *v. tr.* Recobrar por precio o por fuerza una persona o cosa, particularmente lo que el enemigo ha cogido.

rescate *s. m.* **1.** Acción y efecto de rescatar. **2.** Dinero con que se rescata, o que se pide para ello.

rescatista *com.* Persona que se dedica a rescatar y salvar vidas de víctimas de accidentes y catástrofes.

rescindible *adj.* Que se puede rescindir.

rescindir *v. tr.* Dejar sin efecto un contrato, obligación, etc.

rescisión *s. f.* Acción y efecto de rescindir.

rescisorio, ria *adj.* Se dice de lo que rescinde, sirve para rescindir o dimana de la rescisión.

rescoldo *s. m.* **1.** Brasa menuda resguardada por la ceniza. **2.** *fig.* Escozor, recelo.

rescripto *s. m.* Decisión del Papa, de un emperador o de cualquier soberano para resolver una consulta o responder a una petición.

resecar *v. tr.* Secar mucho una cosa.

resección *s. f.* Operación que consiste en separar el todo o parte de uno o más órganos.

reseco, ca *adj.* Muy seco.

reseda *s. f.* Planta herbácea anual, resedácea, de jardín, de tallos ramosos, hojas alternas y flores amarillentas y olorosas.

resedáceo, a *adj.* Se dice de plantas dicotiledóneas herbáceas, de hojas alternas, enteras o más o menos hendidas, con estípulas glandulosas, flores zigomorfas en racimo o espiga y fruto capsular y semillas en albumen. También s. f.

resegar *v. tr.* Volver a segar lo que dejaron los segadores de heno.

resellar *v. tr.* **1.** Volver a sellar la moneda u otra cosa. || *v. tr.* **2.** *fig.* Pasarse de uno a otro partido.

resembrar *v. tr.* Volver a sembrar un terreno o parte de él por haberse malogrado la primera siembra.

resentido, da *adj.* Se dice de la persona que muestra o tiene algún resentimiento, particularmente cuando ello influye en el conjunto de su vida moral. También s. m. y s. f.

resentimiento *s. m.* Acción y efecto de resentirse.

resentirse *v. prnl.* **1.** Empezar a flaquear o sentirse una cosa. **2.** *fig.* Tener sentimiento, pesar o enojo por una cosa.

reseña *s. f.* **1.** Revista que se hace de la tropa. **2.** Noticia y examen somero de una obra literaria o científica.

reseñar *v. tr.* Hacer la reseña de una cosa.

resequido, da *adj.* Se dice de una cosa que, siendo húmeda por su naturaleza, se ha vuelto seca por accidente.

reserva *s. f.* **1.** Guarda o custodia que se hace de alguna cosa, o prevención que se hace para que sirva a su tiempo. **2.** Reservación o excepción. **3.** Prevención o cautela para no descubrir algo. **4.** Actitud comedida en palabras y actos. **5.** Acción de destinar un lugar o cosa para uso exclusivo de una persona o grupo. **6.** Parte del Ejército o Armada de una nación que no está en servicio activo, sino en sus hogares. **7.** Vino o licor con una crianza mínima de tres años. **8.** Jugador que no es titular en su equipo y sale al terreno de juego como sustituto. || *s. f. pl.* **9.** Recursos para resolver una necesidad o emprender un negocio.

reservación *s. f.* **1.** Acción y efecto de reservar. **2.** *amer.* Reserva de localidades para un espectáculo.

reservado, da *adj.* **1.** Cauteloso, reacio en manifestar su interior. || *s. m.* **2.** Estancia de un edificio, etc., destinada a distintos usos.

reservar *v. tr.* **1.** Guardar algo para más adelante, o para cuando sea necesario. **2.** Separar una cosa de las que se distribuyen, reteniéndola para sí o para entregarla a otra persona.

reservón, na *adj., fam.* Se dice de la persona que guarda excesiva reserva por cautela o con malicia.

resfriado *s. m.* **1.** Destemple general del cuerpo ocasionado por interrumpirse la transpiración. **2.** Catarro.

resfriamiento *s. m.* Indisposición que se caracteriza por síntomas catarrales.

resfriar *v. tr.* **1.** Enfriar. **2.** *fig.* Entibiar, templar el ardor o fervor. También prnl.

resguardar *v. tr.* **1.** Defender o reparar algo. ‖ *v. prnl.* **2.** Prevenirse contra un daño.

resguardo *s. m.* **1.** Guardia, seguridad que se pone en una cosa. **2.** Documento donde consta esta seguridad.

residencia *s. f.* Lugar en que se reside.

residencial *adj.* Se dice del barrio en que abundan las residencias o casas lujosas.

residente *adj.* **1.** Que reside. **2.** Se dice de ciertos funcionarios empleados que viven en el lugar donde desarrollan su empleo o cargo.

residir *v. intr.* **1.** Estar de asiento en un lugar. **2.** *fig.* Radicar en un punto determinado el interés de una cuestión.

residual *adj.* Perteneciente o relativo al residuo.

residuo *s. m.* **1.** Parte que queda de un todo. **2.** Resultado de la operación de restar.

resiembra *s. f.* Siembra que se hace en un terreno sin dejarlo descansar.

resignación *s. f.* **1.** Entrega voluntaria que uno hace de sí poniéndose en las manos y voluntad de otro. **2.** Conformidad, paciencia.

resignarse *v. prnl.* Conformarse con las adversidades.

resina *s. f.* Sustancia orgánica de origen vegetal, sólida o de consistencia pastosa, transparente, soluble en alcohol y en aceites esenciales.

resinar *v. tr.* Sacar resina a ciertos árboles haciendo incisiones en el tronco.

resinoso, sa *adj.* **1.** Que tiene o destila resina. **2.** Que participa de alguna de las cualidades de la resina.

resistencia *s. f.* **1.** Acción y efecto de resistir o resistirse. **2.** Capacidad para resistir. **3.** *fig.* Renuncia en hacer alguna cosa.

resistente *adj.* Que resiste o se resiste.

resistir *v. intr.* **1.** Oponerse un cuerpo o una fuerza a la acción de otra. **2.** Sentir rechazo ante un hecho o una idea. ‖ *v. tr.* **3.** Combatir las pasiones, deseos, etc.

resobar *v. tr.* Sobar mucho.

resobrino, na *s. m. y s. f.* Hijo de sobrino carnal.

resol *s. m.* Reverberación del sol.

resolano, na *adj.* Se dice del lugar donde se toma el sol sin que ofenda el viento. También s. f.

resollar *v. intr.* **1.** Respirar el ser humano y el animal. **2.** Descansar de un trabajo, salir de un apuro. **3.** Respirar fuertemente y con algún ruido. **4.** Proferir palabras.

resolución *s. f.* **1.** Valor para acometer una acción. **2.** Actividad, prontitud de ánimo.

resolutivo, va *adj.* **1.** Se dice del método en que se procede analíticamente. **2.** Que tiene virtud de resolver.

resoluto, ta *adj.* **1.** Resuelto. **2.** Versado en alguna materia. **3.** Se dice de lo abreviado.

resolutorio, ria *adj.* Que tiene, motiva o denota resolución.

resolver *v. tr.* **1.** Tomar una determinación. ‖ *v. prnl.* **2.** Solucionar, aclarar algo.

resonador, ra *adj.* **1.** Que resuena. ‖ *s. m.* **2.** Cuerpo sonoro dispuesto para entrar en vibración cuando recibe ondas acústicas de determinada frecuencia y amplitud. Se usa generalmente para aislar los sonidos secundarios que acompañan al fundamental. **3.** En el aparato fonador humano, cada una de las cavidades que se producen en el canal vocal según la disposición que adoptan los distintos órganos en el momento de la articulación.

resonancia *s. f.* **1.** Prolongación del sonido, que se va disminuyendo por grados. **2.** *fig.* Gran divulgación que adquiere un hecho o las cualidades de una persona.

resonante *adj.* Que resuena.

resonar *v. intr.* Hacer sonido por repercusión o sonar mucho.

resoplar *v. intr.* Dar fuertes resuellos.

resoplido *s. f.* Resuello fuerte.

resorber *v. tr.* Recoger dentro de sí una persona o cosa un líquido que ha salido de ella misma.

resorción *s. f.* Acción y efecto de resorber.

resorte *s. m.* **1.** Muelle. **2.** Fuerza elástica de una cosa. **3.** *fig.* Medio del cual alguien se vale para lograr algún fin.

respaldar *v. tr.* **1.** Prestar apoyo a alguien en un asunto. ‖ *v. prnl.* **2.** Inclinarse de espaldas o arrimarse al respaldo de un asiento.

respaldo *s. m.* Parte de la silla o banco en que descansa la espalda.

respe *s. m.* **1.** Lengua de la serpiente. **2.** Aguijón de la abeja o avispa.

respectar *v. tr.* **1.** Respetar, tener consideración con una persona. **2.** Tocar, decir relación a una cosa o persona.

respectivamente *adv. m.* Con relación, proporción o consideración a una cosa.

respectivo, va *adj.* **1.** Relativo a persona o cosa determinada. **2.** En los miembros de una serie, indica correspondencia por unidades o grupos.

respecto *s. m.* Proporción de una cosa a otra.

résped *s. m.* **1.** Lengua de la culebra o de la víbora. **2.** Aguijón de la abeja o de la avispa. **3.** *fig.* Intención malévola en las palabras.

respetabilidad *s. f.* Calidad de respetable.

respetable *adj.* **1.** Digno de respeto. **2.** Considerable en número, en tamaño, etc.

respetar *v. tr.* Tener respeto.

respeto *s. m.* **1.** Acatamiento que se hace a alguien. **2.** Miramiento, atención que se tiene con alguien.

respetuosidad *s. f.* Calidad de respetuoso.

respetuoso, sa *adj.* Que causa o mueve a veneración y respeto.

réspice *s. m.* **1.** Respuesta seca y desabrida. **2.** Reprensión corta, pero fuerte.

respigar *v. tr.* Espigar en los sembrados.

respingar *v. intr.* **1.** Sacudirse la bestia y gruñir. **2.** *fam.* Elevarse el borde de la chaqueta o de la falda por estar mal hecha o mal colocada la prenda. **3.** *fig. y fam.* Hacer gruñendo lo que se manda.

respingo *s. m.* **1.** Acción y efecto de respingar. **2.** Sacudida violenta del cuerpo. **3.** *fig. y fam.* Movimiento o expresión con que alguien muestra repugnancia a ejecutar lo que se le manda.

respingón, na *adj.* **1.** *fam.* Que se levanta por su extremo. **2.** Se dice de la nariz cuya punta tira hacia arriba.

respirable *adj.* Que se puede respirar sin daño de la salud.

respiración *s. f.* **1.** Acción y efecto de respirar. **2.** Aire que se respira.

respiradero *s. m.* **1.** Abertura por donde entra y sale el aire. **2.** Lumbrera, tronera. **3.** Ventosa de una cañería. **4.** *fig.* Respiro, descanso.

respirar *v. intr.* **1.** Absorber el aire los seres vivos, tomando parte de las sustancias que lo componen, y expelerlo sucesivamente para mantener las funciones vitales de la sangre. **2.** *fam.* Hablar, chistar.

respiratorio, ria *adj.* Que sirve para la respiración o la facilita.

respiro *s. m.* **1.** Respiración, acción y efecto de respirar. **2.** *fig.* Rato de descanso en el trabajo. **3.** *fig.* Alivio de una fatiga, pena o dolor.

resplandecer *v. intr.* **1.** Despedir rayos de luz una cosa. **2.** Sobresalir en algo.

resplandeciente *adj.* Que resplandece.

resplandina *s. f., fam.* Represión fuerte, regaño.

resplandor *s. m.* **1.** Luz clara que despide un cuerpo luminoso. **2.** Luminosisdad.

respondedor, ra *adj.* Que responde. También s. m. y s. f.

responder *v. tr.* **1.** Contestar a lo que se pregunta. **2.** Contestar alguien al que le llama o al que toca a la puerta. **3.** Replicar a un alegato. ‖ *v. intr.* **4.** Corresponder.

respondón, na *adj., fam.* Que tiene el vicio de replicar irrespetuosamente.

responsabilidad *s. f.* Capacidad de todo sujeto activo para reconocer y aceptar las consecuencias de un hecho realizado.

responsabilizar *v. tr.* Hacer a una persona responsable de una cosa.

responsable *adj.* Obligado a responder de alguna cosa o por alguna persona.

responso *s. m.* **1.** Responsorio que se dice por los difuntos. **2.** *fam.* Reprimenda.

responsorio *s. m.* Ciertos versículos y preces que se dicen en el rezo.

respuesta *s. f.* **1.** Satisfacción a una pregunta o duda. **2.** Contestación a una carta.

resquebradura *s. f.* Hendedura, grieta.

resquebrajadizo, za *adj.* Resquebrajoso.

resquebrajadura *s. f.* Resquebradura.

resquebrajar *v. tr.* Hender ligeramente algunos cuerpos duros, producir grietas.

resquebrajoso, sa *adj.* Que se resquebraja o puede resquebrajarse con facilidad.

resquemar *v. tr.* **1.** Causar algunas sustancias en la boca calor picante y mordaz. También intr. **2.** Requemar, tostar con exceso. También prnl. **3.** *fig.* Escocer, producir en el ánimo una impresión molesta.

resquemo *s. m.* **1.** Acción y efecto de resquemar o resquemarse. **2.** Calor mordicante que producen en la lengua y paladar algunos manjares o bebidas. **3.** Sabor y olor desagradables que adquieren los alimentos por la acción del fuego.

resquemor *s. m.* **1.** Escozor, desazón, pesadumbre. **2.** *Ast., Cant. y Rioja* Resquemo de los alimentos en la boca.

resquicio *s. m.* **1.** Abertura comprendida entre el quicio y la puerta. **2.** *fig.* Coyuntura u ocasión que se proporciona para un fin.

resta *s. f.* **1.** Operación de restar. **2.** Residuo de dicha operación.

restablecer *v. tr.* **1.** Volver a establecer una cosa. ‖ *v. prnl.* **2.** Recobrar la salud, repararse de una dolencia u otro daño.

restablecimiento *s. m.* Acción y efecto de restablecer.

restallar *v. intr.* **1.** Chasquear la honda o el látigo. **2.** Crujir, hacer fuerte ruido.

restante *adj.* **1.** Que resta. **2.** Residuo de una operación matemática.

restañar *v. tr.* Estancar el curso de un líquido, en especial la sangre. También intr.

restaño *s. m.* **1.** Acción y efecto de restañar un líquido. **2.** Remanso o estancamiento de las aguas.

restar *v. tr.* **1.** Separar una parte de un todo y hallar el residuo que queda. **2.** Hallar la diferencia entre dos cantidades.

restauración *s. f.* **1.** Acción y efecto de restaurar. **2.** Restablecimiento en un país del régimen político que existía y que había sido sustituido por otro.

restaurador, ra *s. m. y s. f.* Persona cuyo oficio consiste en restaurar obras de arte.

restaurante *s. m.* Establecimiento donde se sirven comidas.

restaurar *v. tr.* **1.** Recuperar o recobrar. **2.** Reparar, volver a poner una cosa en aquel estado o estimación que antes tenía. **3.** Reparar una pintura, escultura, etc. del deterioro que haya sufrido.

restaurativo, va *adj.* Se dice de lo que restaura o tiene virtud de restaurar. También s. m. y s. f.

restinga *s. f.* Banco de arena o piedra debajo del agua y a poca profundidad, que en algunos casos emerge formando islotes.

restitución *s. f.* Acción y efecto de restituir.

restituible *adj.* Que se puede restituir.

restituir *v. tr.* Volver una cosa a quien la tenía antes.

restitutorio, ria *adj.* **1.** Que restituye, o se da, o se recibe, por vía de restitución. **2.** Se dice de lo que incluye o dispone la restitución.

resto *s. m.* Residuo, parte que queda.

restregar *v. tr.* Frotar mucho una cosa.

restregón *s. m.* **1.** Acción de restregar. **2.** Señal que queda después de restregar algo.

restribar *v. intr.* Estribar, apoyarse con fuerza.

restricción *s. f.* Limitación en una actividad.

restrictivo, va *adj.* Se dice de lo que tiene virtud o fuerza para restringir y apretar.

restricto, ta *adj.* Limitado, ceñido o preciso.

restringente *adj.* Que restringe. También com.

restringible *adj.* Que se puede restringir.

restringir *v. tr.* Ceñir a menores límites.

restriñir *v. tr.* Astringir.

resucitar *v. tr.* **1.** Volver la vida a un muerto. ‖ *v. intr.* **2.** Volver alguien a la vida.

resudación *s. f.* Acción de resudar.

resudar *v. intr.* Sudar ligeramente.

resuello *s. m.* Respiración, especialmente la violenta.

resuelto, ta *adj.* Demasiado arrojado y libre.

resulta *s. f.* **1.** Efecto de una acción. **2.** Lo que últimamente se resuelve en una deliberación o conferencia.

resultado *s. m.* Efecto y consecuencia de un hecho, operación o deliberación.

resultante *adj.* Se dice de una fuerza que equivale al conjunto de otras varias.

resultar *v. intr.* **1.** Redundar, venir a parar una cosa en provecho o daño de una persona o de algún fin. **2.** Nacer, producirse o ser efecto una cosa de otra.

resultón, na *adj.* Que gusta por su aspecto o simpatía.

resumen *s. m.* **1.** Acción y efecto de resumir. **2.** Exposición resumida de un asunto o materia.

resumir *v. tr.* Reducir a términos breves y precisos lo esencial de un asunto o materia.

resurgimiento *s. m.* Acción y efecto de resurgir.

resurgir *v. intr.* **1.** Surgir de nuevo, volver a aparecer. **2.** Resucitar.

resurrección *s. f.* **1.** Acción y efecto de resucitar. **2.** (ORT.: may. inicial) Por antonom., la de Jesucristo.

retablo *s. m.* Conjunto o colección de figuras pintadas o de talla, que representan en serie una historia o suceso.

retacar *v. tr.* **1.** Herir dos veces la bola con el taco en el juego de trucos y billar. **2.** Hacer más compacta una cosa apretando su contenido.

retacería *s. f.* Conjunto de retazos.

retaco, ca *adj.* **1.** Se dice de la persona rechoncha. ‖ *s. m.* **2.** Escopeta corta reforzada en la recámara.

retador, ra *adj.* Que reta o desafía. También s. m.

retaguardia *s. f.* Postrer cuerpo de tropa que cubre las marchas y movimientos de un ejército en marcha o en operaciones.

retahíla *s. f.* Serie de muchas cosas que van ordenadas una tras otra.

retajar *v. tr.* Cortar en redondo una cosa.

retal *s. m.* Pedazo sobrante de una tela, piel, chapa, etc.

retallecer *v. intr.* Volver a echar tallos las plantas.

retama *s. f.* Mata leguminosa papilionácea, con muchas ramas delgadas, flores amarillas en racimos y fruto de vaina.

retamo *s. m., Arg., Col. y Chil.* Árbol de la familia de las cigofiláceas, de 6 a 8 m de altura y medio de diámetro en el tronco, cuya madera es dura y tiene aplicaciones en tintorería.

retar *v. tr.* Provocar a duelo o contienda.

retardación *s. f.* Acción y efecto de retardar.

retardar *v. tr.* Diferir, detener la ejecución de una cosa. También prnl.

retardo *s. m.* Retardación.

retasar *v. tr.* Tasar por segunda vez alguna cosa.

retazar *v. tr.* Hacer piezas o pedazos una cosa.

retazo *s. m.* **1.** Retal de una tela. **2.** Pedazo de cualquier cosa. **3.** *fig.* Trozo o fragmento de un razonamiento o discurso.

retejador, ra *s. m. y s. f.* Persona cuyo oficio es retejar.

retejar *v. tr.* Recorrer los tejados, poniendo las tejas que les faltan.

retejer *v. tr.* Tejer unida y apretadamente.

retejo *s. m.* Acción y efecto de retejar.

retel *s. m.* Arte usado para la pesca de cangrejos de río.

retemblar *v. intr.* Temblar con movimiento repetido.

retén *s. m.* **1.** Prevención que se tiene de una cosa. **2.** Tropa dispuesta para reforzar un puesto militar cuando se requiera.

retención *s. f.* **1.** Acción y efecto de retener. **2.** Parte o totalidad retenida de un sueldo u otro haber. **3.** Detención en el cuerpo humano de un humor que debiera expelerse.

retener *v. tr.* No devolver una cosa.

retenimiento *s. m.* Retención.

retentiva *s. f.* Facultad de retener datos en la mente.

retentivo, va *adj.* Que tiene virtud de retener. También s. m. y s. f.

reteñir *v. tr.* Volver a teñir una cosa.

retesar *v. tr.* Endurecer una cosa, ponerla tirante.

reticencia *s. f.* **1.** Efecto de no decir sino en parte, o de dar a entender que se oculta algo que pudiera decirse. **2.** Desconfianza. **3.** Figura que consiste en dejar incompleta una frase, dando, sin embargo, a entender el sentido de lo que se calla.

reticente *adj.* **1.** Que usa reticencias. **2.** Que envuelve o incluye reticencia. **3.** Se dice de la persona desconfiada.

retícula *s. f.* Conjunto de líneas que se ponen en un instrumento óptico para precisar la visual.

reticular *adj.* De figura de redecilla o red.

retículo *s. m.* **1.** Tejido en forma de red. **2.** Conjunto de dos o más hilos cruzados o paralelos que se pone en el foco de algunos instrumentos ópticos y sirve para precisar la visual o efectuar medidas muy delicadas.

retienta *s. f.* Repetición de la tienta en las reses bravas.

retina *s. f.* Membrana interior del ojo, formada por expansiones del nervio óptico y en la que se reciben las impresiones luminosas y se representan las imágenes de los objetos.

retinar *v. tr.* Manipular con la lana en las fábricas de paños.

retintín *s. m.* **1.** Sensación persistente en el oído del sonido de una campana u otro cuerpo sonoro. **2.** *fig. y fam.* Tonillo y modo de hablar, por lo general para zaherir a alguien o dar a entender más de lo que se dice.

retiración *s. f.* Molde para imprimir por la segunda cara el papel que está ya impreso por la primera.

retirada *s. f.* Acción y efecto de retirarse.

retirado, da *adj.* **1.** Que se encuentra distante, apartado. **2.** Se dice del militar que deja oficialmente el servicio, conservando algunos derechos. **3.** Por ext., se dice también de funcionarios y otros trabajadores que alcanzan la situación de retiro.

retirar *v. tr.* **1.** Apartar o separar una persona o cosa de otra o de un sitio. **2.** Apartar de la vista una cosa. **3.** Expulsar.

retiro *s. m.* **1.** Lugar apartado del concurso de la gente. **2.** Recogimiento, apartamiento. **3.** Situación del trabajador jubilado.

reto *s. m.* **1.** Citación al duelo o desafío. **2.** Amenaza. **3.** *Bol. y Chil.* Insulto, injuria. **4.** Regañina. **5.** Objetivo difícil de alcanzar y que constituye un estímulo en sí mismo.

retobado, da *adj.* **1.** *Amér. C., Ec. y Méx.* Se dice de la persona que responde con malos modos. **2.** *Amér. C., Chil. y Ec.* Se aplica a la persona de carácter rebelde.

retocador, ra *s. m. y s. f.* Persona que retoca, en especial las fotografías.

retocar *v. tr.* **1.** Volver a tocar o tocar repetidas veces una cosa. **2.** Restaurar las pinturas deterioradas.

retomar *v. tr.* **1.** Volver a tomar algo que se había perdido. **2.** Reanudar algo que se había interrumpido.

retoñar *v. intr.* Volver a echar vástagos la planta.

retoño *s. m.* **1.** Vástago, tallo que echa de nuevo la planta. **2.** *fig. y fam.* Referido a personas, hijo de corta edad.

retoque *s. m.* Última mano que se da a cualquier obra.

retor *s. m.* Tela de algodón fuerte y ordinaria, con la trama y urdimbre muy torcidas.

retorcedura *s. f.* Retorcimiento.

retorcer *v. tr.* **1.** Torcer mucho una cosa, dándole vueltas alrededor. También prnl. **2.** *fig.* Dirigir un argumento o raciocinio contra el mismo que lo hace.

retorcimiento *s. m.* Acción y efecto de retorcer o retorcerse.

retórica *s. f.* Arte de bien decir, de dar al lenguaje eficacia para deleitar, persuadir, etc.

retórico, ca *adj.* **1.** Perteneciente a la retórica. **2.** Versado en retórica. También s. m. y s. f.

retornable *adj.* Se dice de los envases que pueden volver a ser utilizados.

retornar *v. tr.* **1.** Devolver, restituir. **2.** Volver a torcer una cosa. **3.** Hacer que una cosa vuelva atrás. **4.** Volver al lugar o a la situación en que se estuvo. También prnl.

retornelo *s. m.* Frase que servía de preludio a una composición, que después se repetía en medio de esta o al final y que se usa en algunos villancicos y otras canciones.

retorno *s. m.* **1.** Acción y efecto de retornar. **2.** Compra o trueque. **3.** Paga o recompensa del beneficio recibido.

retorsión *s. f.* **1.** Acción y efecto de retorcer. **2.** *fig.* Acción de devolver o inferir a alguien el mismo daño o agravio que de él se ha recibido.

retorta *s. f.* Vasija de cuello largo encorvado.

retortero *s. m.* Vuelta alrededor.

retortijón *s. m.* Ensortijamiento de una cosa.

retostar *v. tr.* Volver a tostar o tostar demasiado una cosa.

retozar *v. intr.* **1.** Saltar y brincar alegremente. **2.** Travesear unos con otros, personas o animales.

retozón, na *adj.* Inclinado a retozar o que retoza con frecuencia.

retracción *s. f.* **1.** Acción y efecto de retraer. **2.** Reducción persistente de volumen en ciertos tejidos orgánicos.

retractación *s. f.* Acción de retractarse.

retractar *v. tr.* Revocar expresamente lo que se ha dicho, desdecirse de ello. También *prnl.*

retráctil *adj.* Se dice de los órganos que pueden encogerse o retroceder quedando ocultos al exterior.

retractilar *v. tr.* Envolver algo, protegiéndolo con una película plástica que se adapta a su forma.

retractilidad *s. f.* Calidad de retráctil.

retracto *s. m.* Derecho que compete a ciertas personas para quedarse por el tanto de su precio, con la cosa vendida a otro.

retraer *v. tr.* **1.** Volver a traer alguna cosa. **2.** Disuadir de un propósito. También *prnl.*

retraído, da *adj.* Que gusta de la soledad.

retraimiento *s. m.* Reserva, poca comunicación con los demás.

retranca *s. f.* Correa ancha.

retrancar *v. tr.* Frenar la caballería al carruaje a que está enganchada, hacerlo retroceder.

retransmisión *s. f.* Acción y efecto de retransmitir.

retransmitir *v. tr.* **1.** Volver a transmitir. **2.** Transmitir desde una emisora de radiodifusión lo que se ha transmitido a ella desde otro lugar.

retrasado, da *adj.* **1.** Se aplica a la persona, planta o animal que no ha llegado al desarrollo normal que le corresponde por su tiempo. **2.** Se aplica a la persona que no tiene un desarrollo mental completo. También s. m. y s. f.

retrasar *v. tr.* **1.** Diferir o suspender la ejecución de algo. También *prnl.* ‖ *v. intr.* **2.** Ir atrás o a menos en alguna cosa. **3.** Particularmente, hablando del reloj, quedarse atrás las agujas, hacer que indique un tiempo ya pasado. ‖ *v. prnl.* **4.** Andar menos aprisa que lo que debe.

retraso *s. m.* Acción y efecto de retrasar.

retratar *v. tr.* Hacer el retrato de una persona o cosa dibujando su figura o por medio de la fotografía, escultura, etc.

retratista *com.* Persona cuyo oficio es hacer retratos.

retrato *s. m.* **1.** Pintura o efigie que representa a alguna persona o cosa. **2.** Descripción de la figura o carácter de una persona. **3.** *fig.* Lo que se asemeja mucho a una persona o cosa.

retrechar *v. intr.* Retroceder, recular el caballo.

retrechero, ra *adj.* **1.** *fam.* Que con artificios disimulados y mañosos trata de eludir algo. **2.** *fam.* Que tiene mucho atractivo. **3.** *amer.* Tacaño, cicatero.

retreparse *v. prnl.* **1.** Echar hacia atrás la parte superior del cuerpo. **2.** Recostarse en la silla de tal modo que esta se incline hacia atrás.

retreta *s. f.* Toque militar que se usa para marchar en retirada, y para avisar a la tropa que se recoja por la noche al cuartel.

retrete *s. m.* Cuarto retirado y acondicionado para satisfacer algunas necesidades corporales.

retribución *s. f.* Recompensa o pago de una cosa.

retribuir *v. tr.* Recompensar o pagar un servicio o favor.

retributivo, va *adj.* Se dice de lo que tiene virtud de retribuir.

retroacción *s. f.* **1.** Regresión. **2.** Acción que el resultado de un proceso ejerce sobre el sistema del que procede.

retroactividad *s. f.* Calidad de retroactivo.

retroactivo, va *adj.* Que obra o tiene fuerza sobre lo pasado.

retroalimentación *s. f.* Mecanismo que permite que un organismo o un sistema mecánico o electrónico controle sus propios procesos.

retroceder *v. intr.* Volver hacia atrás.

retroceso *s. m.* **1.** Acción y efecto de retroceder. **2.** Recrudescencia de una enfermedad.

retrógrado, da *adj.* Partidario de instituciones políticas o sociales propias de tiempos pasados.

retronar *v. intr.* Producir un estruendo retumbante.

retropilastra *s. f.* Pilastra que se pone detrás de una columna.

retropropulsión *s. f.* Procedimiento de propulsión de un móvil basado en la proyección de un chorro de gas hacia atrás que parte del propio móvil.

retrospección *s. f.* Mirada retrospectiva.

retrospectivo, va *adj.* Que se refiere a tiempo pasado.

retrotraer *v. tr.* Fingir que una cosa sucedió en un tiempo anterior a aquel en que realmente ocurrió. También *prnl.*

retrovender *v. tr.* Volver el comprador una cosa al mismo de quien la compró, devolviéndole este el precio.

retroventa *s. f.* Acción de retrovender.

retroversión *s. f.* Desviación hacia atrás de algún órgano del cuerpo.

retrovertido, da *adj.* Que se halla en estado de retroversión.

retrovisor *s. m.* Espejo pequeño que llevan algunos vehículos, en especial los automóviles, para ver lo que viene detrás.

retruécano *s. m.* Inversión de los términos de una cláusula en otra subsiguiente para que el sentido de esta última forme contraste o antítesis con el de la anterior.

retumbar *v. intr.* Resonar mucho o hacer gran estruendo una cosa.

retumbo *s. m.* Acción y efecto de retumbar.

reuma o reúma *s. amb.* **1.** Reumatismo. Se usa más como s. m. ‖ *s. m.* **2.** Fluxión de humores.

reumático, ca *adj.* **1.** Que padece reuma. También s. m. y s. f. **2.** Perteneciente a este mal.

reumatismo *s. m.* Enfermedad que se manifiesta por dolores en las articulaciones, o en las partes musculares y fibrosas del cuerpo.

reunificar *v. tr.* Volver a unir.

reunión *s. f.* Conjunto de personas reunidas.

reunir *v. tr.* **1.** Volver a unir. **2.** Juntar, congregar varias cosas o personas dispersas.

revacunación *s. f.* Acción y efecto de revacunar.

revacunar *v. tr.* Volver a vacunar al que ya está vacunado.

reválida *s. f.* **1.** Acción y efecto de revalidarse. **2.** Examen final para obtener un grado académico.

revalidación *s. f.* Acción y efecto de revalidar.

revalidar *v. tr.* **1.** Ratificar, dar nuevo valor y firmeza a algo. ‖ *v. prnl.* **2.** Hacer el examen para obtener un grado académico.

revalorización *s. f.* Acción y efecto de revalorizar.

revalorizar *v. tr.* **1.** Dar a una cosa el valor que había perdido. **2.** Aumentar el valor de una cosa. También prnl.

revancha *s. f.* Venganza, represalia.

revelación *s. f.* **1.** Acción y efecto de revelar. **2.** Manifestación de una verdad oculta.

revelado *s. m.* Conjunto de operaciones que se necesitan para revelar una fotografía.

revelador *s. m.* Líquido que se utiliza para revelar la placa fotográfica.

revelar *v. tr.* Descubrir lo secreto o ignorado.

revender *v. tr.* Vender uno lo que otra persona le ha vendido.

revenirse *v. prnl.* Ponerse una masa blanda y correosa debido al calor o a la humedad.

reventa *s. f.* Acción y efecto de revender.

reventar *v. intr.* Abrirse una cosa por impulso interior. También prnl.

reventón *s. m.* Acción y efecto de reventar una cosa.

reverberación *s. f.* **1.** Acción y efecto de reverberar. **2.** Prolongación del sonido tras haber cesado la fuente sonora.

reverberar *v. intr.* Hacer reflexión la luz de un cuerpo luminoso en otro bruñido.

reverbero *s. m.* **1.** Reverberación. **2.** Cuerpo de superficie bruñida en que la luz reverbera. **3.** Farol que hace reverberar la luz. **4.** *Arg., Cub., Ec. y Hond.* Cocinilla, infernillo.

reverdecer *v. intr.* Cobrar nuevo verdor los campos. También tr.

reverencia *s. f.* **1.** Respeto o veneración que una persona tiene a otra. **2.** Inclinación del cuerpo en señal de respeto.

reverencial *adj.* Que incluye reverencia.

reverenciar *v. tr.* Respetar o venerar a Dios, a los santos, cosas sagradas, etc.

reverendo, da *adj.* **1.** Digno de reverencia. **2.** Como tratamiento, se aplica a las dignidades eclesiásticas y a los prelados y superiores de las órdenes religiosas.

reverente *adj.* Que muestra reverencia.

reversa *s. f., amer.* Marcha atrás de un vehículo.

reversibilidad *s. f.* Calidad de reversible.

reversible *adj.* Se aplica a la prenda, etc. a la que se puede dar la vuelta para su uso.

reversión *s. f.* Restitución de una cosa al estado que tenía.

reverso, sa *s. m.* **1.** Revés. **2.** En las monedas y medallas, haz opuesto al anverso.

reverter *v. intr.* Rebosar o salir una cosa de sus términos o límites.

revertir *v. intr.* Volver una cosa a la propiedad del dueño que tuvo antes.

revés *s. m.* **1.** Espalda o parte opuesta de una cosa. **2.** *fig.* Infortunio, contratiempo.

revesado, da *adj.* Intrincado, enrevesado o difícil de entender.

revesar *v. tr.* Vomitar lo contenido en el estómago.

revestido *s. m.* Revestimiento.

revestimiento *s. m.* Capa o cubierta con que se resguarda o adorna una superficie.

revestir *v. tr.* **1.** Vestir una ropa sobre otra. **2.** Disfrazar una realidad con artificios.

revezar *v. intr.* Reemplazar, sustituir a otro.

revigorizar *v. tr.* Dar nuevo vigor.

revindicación *s. f.* Reivindicación.

revindicar *v. tr.* Reivindicar.

revirado, da *adj.* Se dice de las fibras de los árboles que están retorcidas.

revirar *v. tr.* **1.** Desviar una cosa de su posición normal. ‖ *v. intr.* **2.** Volver a virar.

revisada *s. f.* Revisión.

revisar *v. tr.* **1.** Ver con atención una cosa. **2.** Someter algo a examen para corregirlo.

revisión *s. f.* Acción de revisar.

revisor, ra *adj.* **1.** Que revisa o examina con cuidado una cosa. ‖ *s. m. y s. f.* **2.** Persona que tiene por oficio revisar o reconocer una cosa. **3.** En los ferrocarriles, persona que comprueba que el viajero va provisto de billete.

revista *s. f.* **1.** Inspección que un jefe hace de las personas o cosas sometidas a su cuidado o autoridad. **2.** Publicación periódica por cuadernos, con escritos sobre varias materias, o sobre una sola.

revistar *v. tr.* Pasar revista una autoridad ante las tropas.

revistero *s. m.* Mueble para colocar y guardar las revistas.

revitalización *s. f.* Acción y efecto de revitalizar.

revitalizar *v. tr.* Dar más fuerza y vitalidad a una cosa.

revivir *v. intr.* **1.** Volver la vida. **2.** Volver en sí la persona que parecía muerta.

reviviscencia *s. f.* Acción y efecto de revivir.

revocabilidad *s. f.* Calidad de revocable.

revocable *adj.* Que se puede o debe revocar.

revocación *s. f.* **1.** Acción y efecto de revocar. **2.** Anulación, casación de un acto, mandato, o de un fallo o decreto.

revocar *v. tr.* **1.** Dejar sin efecto una concesión, mandato o resolución. **2.** Enlucir de nuevo las paredes exteriores de un edificio.

revoco *s. m.* Acción y efecto de revocar.

revolcar *v. tr.* Derribar a alguien y maltratarle, dándole vueltas por el suelo.

revolcón *s. m., fam.* Revuelco.

revolotear *v. intr.* Volar haciendo tornos o giros en poco espacio.

revoloteo *s. m.* Acción y efecto de revolotear.

revoltijo *s. m.* Revoltillo.

revoltillo *s. m.* **1.** Conjunto de cosas sin orden ni método. **2.** *fig.* Confusión, enredo.

revoltoso, sa *adj.* **1.** Sedicioso, alborotador. **2.** Travieso, enredador, revuelto.

revolución *s. f.* **1.** Alboroto, sedición. **2.** Cambio violento en las instituciones políticas de la nación. **3.** *fig.* Mudanza o nueva forma en el estado o gobierno de las cosas. **4.** Movimiento de un astro en todo el curso de su órbita. **5.** Giro que da una pieza sobre su eje.

revolucionar *v. tr.* **1.** Sublevar, soliviantar, en especial, alterar, perturbar el orden de un país como consecuencia de una subversión de las ideas. **2.** Producir una alteración en las ideas. **3.** Imprimir revoluciones a un cuerpo que gira o al mecanismo que produce dicho movimiento.

revolucionario, ria *adj.* **1.** Perteneciente o relativo a la revolución. **2.** Partidario de ella. **3.** Alborotador, turbulento.

revolvedor, ra *adj.* Que revuelve. También s. m. y s. f.

revolver *v. tr.* **1.** Agitar una cosa de un lado a otro o de arriba abajo. **2.** Enredar, inquietar, promover alborotos.

revólver *s. m.* Pistola de cilindro giratorio con varias recámaras.

revoque *s. m.* **1.** Acción y efecto de revocar las paredes. **2.** Mezcla de cal y arena, u otro material análogo, con que se revoca.

revuelco *s. m.* Acción y efecto de revolcar o revolcarse.

revuelo *s. m.* Turbación de algunas cosas o agitación e inquietud entre las personas.

revuelta *s. f.* Alboroto, sedición.

revulsión *s. f.* Medio curativo que consiste en congestionar, o inflamar la piel o la mucosa para mitigar o suprimir la originada en otra parte del cuerpo.

revulsivo, va *adj.* Se aplica al medicamento que produce revulsión. También s. m.

revulsorio, ria *adj.* Se dice del medicamento que produce la revulsión. También s. m.

rey *s. m.* **1.** Monarca o príncipe soberano de un reino. **2.** Pieza principal del juego de ajedrez. **3.** Carta duodécima de cada palo de la baraja, que tiene dibujada la figura de un rey.

reyerta *s. f.* Contienda, disputa violenta.

reyezuelo *s. m.* Pájaro cantor, de plumaje vistoso por la variedad de sus colores.

rezagar *v. tr.* Dejar atrás una cosa.

rezar *v. tr.* Orar vocalmente pronunciando oraciones aprobadas por la Iglesia.

rezo *s. m.* **1.** Acción de rezar. **2.** Cosa que se reza. **3.** Oficio eclesiástico que se reza diariamente.

rezongar *v. intr.* Gruñir, protestar.

rezongón, na *adj., fam.* Que rezonga habitualmente. También s. m. y s. f.

rezumadero *s. m.* Lugar por donde se rezuma una cosa.

rezumar *v. tr.* Transpirar un líquido por los poros de un recipiente. También prnl.

ría *s. f.* Parte del río próxima a su entrada en el mar, hasta donde llegan las mareas y se mezcla el agua dulce con la salada.

riacho *s. m.* Riachuelo.

riachuelo *s. m.* Río pequeño de poco caudal.

riada *s. f.* Avenida, crecida de las aguas.

ribaldo, da *adj.* **1.** Pícaro. **2.** Rufián.

ribazo *s. m.* Porción de tierra con alguna elevación y declive.

ribeiro *s. m.* Vino que se produce en la comarca gallega del mismo nombre.

ribera *s. f.* Margen y orilla del mar o río.

ribereño, ña *adj.* Perteneciente a la ribera o propio de ella.

ribete *s. m.* **1.** Cinta o cosa análoga con que se guarnece la orilla del vestido, calzado, etc. ‖ *s. m. pl.* **2.** Asomo de una cosa.

ribeteado, da *adj., fig.* Se dice de los ojos cuando los párpados están irritados.

ribetear *v. tr.* Echar ribetes.

ricacho, cha *s. m. y s. f., fam.* Ricachón.

ricachón, na *s. m. y s. f., fam.* Persona acaudalada, vulgar en su trato.

ricino *s. m.* Planta euforbiácea, de cuyas semillas se extrae un aceite purgante.

rico, ca *adj.* **1.** Se dice de la persona de alto linaje, o de conocida bondad. **2.** Se dice de la persona que tiene mucho dinero. **3.** Se dice de lo abundante. **4.** Se dice de las cosas que presentan un gusto agradable al paladar. **5.** Muy bueno en su línea. **6.** Se aplica a las personas, especialmente a los niños, como expresión de cariño.

rictus *s. m.* Contracción de los labios.

ricura *s. f., fam.* Calidad de rico, gustoso o bueno.

ridiculez *s. f.* Dicho o hecho extravagante.

ridiculizar *v. tr.* Burlarse de alguien o algo por las extravagancias o defectos que tiene.

ridículo, la *adj.* **1.** Que por su rareza mueve a risa. **2.** Escaso, de poca estimación.

riego *s. m.* Agua disponible para regar.

riel *s. m.* **1.** Barra pequeña de metal en bruto. **2.** Carril, de una vía férrea.

rielar *v. intr., poét.* Brillar con luz trémula.

rienda *s. f.* Cada una de las correas o cuerdas que sirven para gobernar las caballerías.

riesgo *s. m.* Contingencia de un daño.

rifa *s. f.* Juego que consiste en sortear una cosa entre varios.

rifar *v. tr.* **1.** Sortear una cosa en rifa. || *v. prnl.* **2.** Romperse una vela.

rifirrafe *s. m., fam.* Contienda, bulla ligera.

rifle *s. m.* Fusil rayado de procedencia norteamericana.

rigidez *s. f.* Calidad de rígido.

rígido, da *adj.* **1.** Inflexible. **2.** *fig.* Riguroso, severo.

rigodón *s. m.* Cierta especie de contradanza.

rigor *s. m.* **1.** Severidad escrupulosa. **2.** Propiedad, exactitud.

rigorismo *s. m.* Exceso de severidad, especialmente en materias morales o legales.

rigurosidad *s. f.* Rigor.

riguroso, sa *adj.* **1.** Áspero y acre. **2.** Gobernado por la austeridad.

rija *s. f.* Fístula debajo del lagrimal.

rijoso, sa *adj.* Pronto, dispuesto para reñir o contender.

rilar *v. intr.* **1.** Temblar, tiritar. || *v. prnl.* **2.** Estremecerse.

rima *s. f.* Semejanza entre los sonidos finales de un verso.

rimador, ra *adj.* Que se distingue en sus composiciones poéticas más por la rima que por otras cualidades.

rimar *v. intr.* Componer en verso con rima.

rimbombancia *v. intr.* Calidad de rimbombante.

rimbombante *adj., fig.* Se dice de lo que se hace o conlleva ostentación.

rimero *s. m.* Pila o montón de cosas puestas unas sobre otras.

rincón *s. m.* Ángulo entrante que se forma en el encuentro de dos superficies.

rinconada *s. f.* Ángulo entrante que se forma en la unión de dos casas, calles, etc.

rinconera *s. f.* Mesa o estante pequeños comúnmente de figura triangular, que se colocan en un rincón de una habitación.

ringlera *s. f.* Fila de cosas puestas unas tras otras.

ringorrango *s. m.* **1.** *fam.* Rasgo de pluma exagerado e inútil, en la escritura. **2.** *fig. y fam.* Cualquier adorno superfluo o de mal gusto.

rinitis *s. f.* Inflamación de las mucosas de la nariz.

rinoceronte *s. m.* Mamífero perisodáctilo, corpulento, de patas cortas, cabeza estrecha con el hocico puntiagudo y uno o dos cuernos sobre la línea media de la nariz.

rinología *s. f.* Parte de la patología, que estudia las enfermedades de las fosas nasales.

rinólogo, ga *s. m. y s. f.* Médico que se dedica especialmente al estudio y tratamiento de las enfermedades de las fosas nasales.

riña *s. f.* Pendencia, disputa.

riñón *s. m.* Cada una de las dos glándulas secretorias de la orina situadas una a cada lado de la columna vertebral.

riñonada *s. f.* Tejido adiposo que envuelve los riñones.

riñonera *s. f.* Bolsa de pequeño tamaño que se lleva atada a la cintura.

río *s. m.* Corriente de agua que se origina en la tierra y fluye continuamente hasta desembocar en otra o en el mar.

rioja *s. m.* Vino procedente de la región de este nombre.

riostra *s. f.* Pieza que, puesta oblicuamente, asegura la rigidez de una armadura, andamio u otra armazón.

ripio *s. m.* **1.** Residuo que queda de una cosa. **2.** Palabra superficial que se emplea con el único objeto de completar el verso. **3.** Desecho de materiales de una obra de albañilería usados para rellenar huecos.

riqueza *s. f.* Abundancia de bienes.

risa *s. f.* **1.** Acción de reír. **2.** Lo que mueve a reír.

risco *s. m.* **1.** Corte, hendedura. **2.** Peñasco alto o escarpado.

risibilidad *s. f.* Facultad de reír.

risible *adj.* **1.** Capaz de reírse. **2.** Que causa risa.

risotada *s. f.* Carcajada, risa estrepitosa.

ristra *s. f.* Trenza hecha de los tallos de ajos o cebollas con un número de ellos o de ellas.

ristre *s. m.* Hierro del peto de la armadura antigua.

risueño, ña *adj.* **1.** Que muestra risa en el semblante. **2.** Que con facilidad se ríe.

rítmico, ca *adj.* Perteneciente al ritmo o al metro.

ritmo *s. m.* Armoniosa combinación y sucesión de sílabas, notas musicales, movimientos, etc., que se logra combinando acertadamente pausas, acentos, voces, etc.

rito *s. m.* **1.** Costumbre o ceremonia. **2.** Conjunto de reglas establecidas para el culto.

ritual *s. m.* Conjunto de ritos de una iglesia o de una religión.

rival *com.* Persona que compite con otra por la consecución de una cosa.

rivalidad *s. f.* **1.** Oposición entre dos o más personas que aspiran a obtener una misma cosa. **2.** Enemistad.

rivalizar *v. tr.* Competir.

rivera *s. f.* Arroyo, riachuelo.

riza *s. f.* Estrago hecho en una cosa.

rizado *s. m.* Acción y efecto de rizar o rizarse.

rizador *s. m.* Instrumento para rizar el pelo.

rizar *v. tr.* **1.** Formar artificialmente en el pelo sortijillas, bucles, etc. **2.** Mover el viento la mar formando olas pequeñas. También *prnl.* ‖ *v. prnl.* **3.** Ensortijarse naturalmente el cabello.

rizo *s. m.* Mechón de pelo que tiene forma de sortija o bucle.

rizófago, ga *adj.* Se dice de los animales que se alimentan de raíces. También *s. m.*

rizofito, ta *s. f.* Se aplica a la planta que tiene raíces. También *s. f.*

rizoforáceo, a *adj.* Rizofóreo.

rizofóreo, a *adj.* Se dice de árboles o arbustos dicotiledóneos, con muchas raíces en partes visibles, como el mangle. También *s. f.*

rizoma *s. m.* Tallo horizontal y subterráneo.

rizópodo *s. m.* Protozoarios cuyo protoplasma emite prolongaciones o seudópodos.

rizoso, sa *adj.* Se dice del pelo que tiende a rizarse naturalmente.

ro *expr.* que se usa repetida para arrullar a los niños. ‖ *s. f.* Letra del alfabeto griego, que equivale a la erre.

robaliza *s. f.* Hembra del róbalo.

róbalo *s. m.* Pez marino, acantopterigio, con vientre blanco y dorso azul oscuro, dos aletas en el lomo y cola recta.

robar *v. tr.* **1.** Tomar para sí con violencia lo ajeno. **2.** Hurtar, de cualquier modo. **3.** Redondear una punta o achaflanar una esquina. **4.** *fig.* Captar la voluntad o el afecto.

roblar *v. tr.* Remachar un clavo, perno, etc.

roble *s. m.* Árbol fagáceo, de madera dura y muy apreciada, cuyo fruto es la bellota.

robleda *s. f.* Robledal.

robledal *s. m.* Robledo de gran extensión.

robledo *s. m.* Sitio poblado de robles.

roblón *s. m.* Especie de clavo de hierro que después de pasado por los taladros de las piezas que ha de asegurar se remacha por el extremo opuesto.

robo *s. m.* **1.** Acción y efecto de robar. **2.** Cosa robada.

roborar *v. tr.* Dar fuerza y firmeza a una cosa.

robot *s. m.* Máquina electrónica que puede ejecutar automáticamente una serie de movimientos y operaciones de precisión antes exclusivas de seres inteligentes.

robótica *s. f.* Técnica que aplica la informática al diseño y empleo de aparatos que realizan operaciones y trabajos en sustitución de las personas.

robustecer *v. tr.* Dar robustez.

robustez *s. f.* Calidad de robusto.

robusto, ta *adj.* Fuerte y vigoroso.

roca *s. f.* Sustancia mineral que forma parte importante de la masa terrestre.

rocadero *s. m.* Armazón en figura de piña que en la rueca sirve para poner el copo que se va a hilar.

rocalla *s. f.* Conjunto de piedras desprendidas de las rocas por efecto de la erosión o de haber sido labradas.

rocambolesco, ca *adj.* Se dice de la serie de hechos o circunstancias exageradas o inverosímiles.

rocanrol *s. m.* Género musical que surgió en Estados Unidos en los años cincuenta del siglo XX y que ha dado lugar a numerosos subgéneros.

roce *s. m., fig.* Trato frecuente entre las personas.

rociada *s. f.* Acción y efecto de rociar.

rociador *s. m.* Pulverizador.

rociadura *s. f.* Acción y efecto de rociar.

rociar *v. intr.* **1.** Caer sobre la tierra el rocío. ‖ *v. tr.* **2.** Esparcir un líquido en gotas muy pequeñas. **3.** *fig.* Arrojar algunas cosas de manera que caigan diseminadas.

rocín *s. m.* Caballo de poca alzada y mal aspecto en general.

rocinante *s. m., fig.* Rocín.

rocío *s. m.* Vapor que en el frío de la noche se condensa en la atmósfera en gotas pequeñas y cae sobre la tierra o las plantas.

rock *s. m.* Rocanrol.

rocódromo *s. m.* Instalación deportiva que se utiliza para practicar la escalada.

rocoso, sa *adj.* Se dice del lugar lleno de rocas.

roda *s. f.* Pieza gruesa y curva, de madera o de hierro, que forma la proa de la nave.

rodaballo *s. m.* Pez teleósteo, anacanto, con el cuerpo aplanado y blanquecino en el vientre y azulado en el dorso.

rodada *s. f.* Señal que deja impresa la rueda de un vehículo en el suelo.

rodado, da *adj.* Se dice de los pedazos de mineral desprendidos de la veta y esparcidos por el suelo.

rodaja *s. f.* **1.** Pieza circular y plana. **2.** Tajada circular o rueda de algunos alimentos. **3.** *fam.* Rosca, carnosidad.

rodaje *s. m.* **1.** Conjunto de ruedas. **2.** Impuesto sobre los vehículos. **3.** Acción de impresionar una película cinematográfica. **4.** Situación en que se halla un vehículo mientras no ha rodado la distancia prescrita por el constructor.

rodamiento *s. m.* Cojinete formado por dos cilindros concéntricos, entre los que existe una corona de rodillos que pueden girar libremente.

rodapié *s. m.* **1.** Paramento que cubre los pies da camas, mesas y otros muebles. **2.** Zócalo de una pared.

rodar *v. intr.* **1.** Dar vueltas un cuerpo alrededor de su eje, con o sin desplazamiento. **2.** Moverse una cosa por medio de ruedas. **3.** Caer dando vueltas o resbalando. ‖ *v. tr.* **4.** Filmar una película.

rodear *v. intr.* **1.** Andar alrededor. **2.** Ir por camino más largo que el ordinario.

rodela *s. f.* Escudo redondo y delgado que cubría el pecho al que se servía de él.

rodeno, na *adj.* Rojo. Se dice de tierras, rocas, etc.

rodeo *s. m.* Camino más largo o desviación del camino derecho.

rodera *s. f.* **1.** Carril, rodada. **2.** Camino abierto por el paso de los carros a través de los campos.

rodete *s. m.* **1.** Rosca de lienzo u otra materia que se pone en la cabeza para cargar y llevar sobre ella un peso. **2.** Chapa circular de la cerradura, que permite girar únicamente la llave cuyas guardas se ajustan a ella.

rodezno *s. m.* Rueda hidráulica con paletas curvas y eje vertical.

rodilla *s. f.* Conjunto de partes que forman la unión del muslo con la pierna, y especialmente la parte anterior de dicha región.

rodillazo *s. m.* Golpe dado con la rodilla.

rodillera *s. f.* Lo que se pone para comodidad, defensa o adorno de la rodilla.

rodillo *s. m.* **1.** Madero redondo y fuerte sobre el cual se coloca una cosa de mucho peso para arrastrarla con más facilidad. **2.** Cilindro muy pesado que se hace rodar sobre la tierra para allanarla o para consolidar el firme de las carreteras. **3.** Cilindro que se emplea para dar tinta en las imprentas, litografías, etc.

rodio *s. m.* Metal raro de color blanco de plata, que es difícilmente fusible.

rododendro *s. m.* Arbolillo o arbusto ericáceo que se cultiva como planta de adorno por la hermosura de sus flores.

rodrigar *v. tr.* Poner rodrigones a las plantas.

rodrigón *s. m.* Vara que se clava al pie de una planta para sostener sus tallos y ramas.

roedor, ra *adj.* Se dice del mamífero unguiculado con los incisivos dispuestos para roer, como el ratón, el conejo, etc.

roedura *s. f.* **1.** Acción de roer. **2.** Porción que se corta royendo. **3.** Señal que queda en la parte roída.

roel *s. m.* Pieza redonda en los escudos de armas.

roela *s. f.* Disco de oro o de plata en bruto.

roer *v. tr.* Cortar o desmenuzar con los dientes la superficie de una cosa dura.

rogación *s. f.* Acción de rogar.

rogar *v. tr.* Pedir por gracia una cosa.

rogativa *s. f.* Oración pública hecha a Dios para conseguir el remedio de una necesidad grave. Se usa más en pl.

rojez *s. f.* Calidad de rojo.

rojizo, za *adj.* Que tira a rojo.

rojo, ja *adj.* Se dice del color encarnado muy vivo.

rol[1] *s. m.* Función que cumple alguien o algo.

rol[2] *s. m.* **1.** Lista, nómina o catálogo. **2.** Licencia que lleva el capitán de un buque en la cual consta la lista de la marinería.

rolar *v. intr.* **1.** Rodar, dar vueltas. **2.** Dar vueltas en círculo. **3.** Variar la dirección del viento. **4.** *Chil. y Per.* Alternar, relacionarse.

roldana *s. f.* Polea de un motón o garrucha.

rolde *s. m.* **1.** Rueda o corro. **2.** *Albac. y Ar.* Círculo.

rollizo, za *adj.* Robusto y grueso.

rollo *s. m.* Cualquier materia que toma forma cilíndrica por rodar o dar vueltas.

romadizo *s. m.* Catarro de la membrana pituitaria.

romana *s. f.* Instrumento para pesar formado por una palanca de brazos desiguales.

romance *adj.* **1.** Se dice de cada una de las lenguas modernas derivadas del latín. ‖ *s. m.* **2.** Combinación métrica cuya rima se reduce a la asonancia de los versos pares.

romancear *v. tr.* **1.** Traducir al romance. **2.** Explicar con otras voces la oración castellana para facilitar el ponerla en latín.

romancero *s. m.* Colección de romances.

romanear *v. tr.* **1.** Pesar con la romana. **2.** Levantar en vilo a alguien o algo.

romanero *s. m.* Fiel de romana.

románico, ca *adj.* **1.** Se aplica al estilo arquitectónico que dominó en Europa desde los siglos XI al XIII. Se llama así porque en su forma y espíritu recordaba al romano, puesto al servicio de la nueva mentalidad cristiana. Se da gran importancia a la columna y al arco. Las paredes son enormes, con pocas luces, y se estriban con sólidos contrafuertes. Los arcos, puertas y aberturas adoptan de ordinario el medio punto. También s. m. **2.** Se aplica a las lenguas derivadas del latín. **3.** Perteneciente o relativo a estas lenguas.

romanización *s. f.* Acción y efecto de romanizar.

romanizar *v. tr.* Difundir la civilización, leyes y costumbres romanas, o la lengua latina.

romántico, ca *adj.* Sentimental y fantástico.

romanza *s. f.* Aria generalmente de carácter sencillo y tierno.

romaza *s. f.* Hierba perennepoligonácea, cuyas hojas se comen en potaje y la raíz, en cocimiento, se usa como tónico y laxante.

rombo *s. m.* Paralelogramo de lados iguales y dos de sus ángulos mayores que los otros dos.

romboedro *s. m.* Prisma oblicuo de bases y caras rombales.

romboidal *adj.* De figura de romboide.

romboide *s. m.* Paralelogramo cuyos lados contiguos son desiguales y dos de sus ángulos mayores que los otros dos.

romería *s. f.* Peregrinación, especialmente la que se hace por devoción a un santuario.

romero *s. m.* Planta labiada, con tallos ramosos, hojas lineales y flores en racimos axilares de color azulado. Es aromática y se usa en medicina y perfumería.

romo, ma *adj.* **1.** Obtuso y sin punta. **2.** De nariz pequeña y poco puntiaguda.

rompecabezas *s. m., fig. y fam.* Problema o acertijo de difícil solución.

rompehielos *s. m.* Buque acondicionado para navegar por mares en los que abunda el hielo.

rompeolas *s. m.* Dique avanzado en el mar para procurar abrigo a un puerto o rada.

romper *v. tr.* **1.** Separar con más o menos violencia las partes de un todo. **2.** Hacer pedazos una cosa. **3.** Desgastar, destrozar.

rompible *adj.* Que se puede romper.

rompiente *s. m.* Bajo o costa donde, cortado el curso de la corriente de un río o el de las olas, rompe y se levanta el agua.

rompimiento *s. m.* **1.** Acción y efecto de romper. **2.** Abertura o quiebra en un cuerpo sólido.

ron *s. m.* Licor alcohólico que se saca de una mezcla fermentada de melazas y zumo de caña de azúcar.

ronca *s. f.* **1.** Grito del gamo en época de celo. **2.** Tiempo en que está en celo. **3.** *fam.* Amenaza con jactancia de valor. También pl.

roncar *v. intr.* **1.** Hacer ruido bronco con la respiración cuando se duerme. **2.** Llamar el gamo a la hembra cuando está en celo. **3.** *fig.* Hacer un ruido sordo o bronco ciertas cosas, como el mar, el viento, etc. **4.** *fig. y fam.* Echar roncas amenazando.

roncear *v. intr.* Retardar la ejecución de una cosa por hacerla de mala gana.

roncería *s. f.* **1.** Tardanza o lentitud en hacer lo que se manda. **2.** *fam.* Expresión de halago para conseguir un fin.

roncha[1] *s. f.* Cardenal.

roncha[2] *s. f.* Tajada delgada de cualquier cosa, cortada en redondo.

ronchar *v. tr.* **1.** Ronzar, mascar cosas duras. **2.** Crujir un manjar cuando se masca por estar falto de sazón.

ronchón *s. m.* Bulto de pequeño tamaño que se forma en el cuerpo del animal.

ronco, ca *adj.* **1.** Que tiene ronquera. **2.** Se aplica también a la voz o sonido áspero.

roncón *adj., Col. y Ven.* Que echa roncas, fanfarrón.

rondador, ra *s. m. y s. f.* Persona que ronda. También adj.

rondalla *s. f.* **1.** Cuento, patraña. **2.** Conjunto musical de instrumentos de cuerda.

rondar *v. intr.* **1.** Recorrer de noche una población, campamento, etc., para vigilar ciertos servicios o impedir desórdenes, la persona que tiene este ministerio. **2.** Andar de noche paseando las calles. **3.** Pasear los mozos las calles donde viven las mozas a quienes galantean.

rondó *s. m.* Composición musical cuyo tema se repite o insinúa varias veces.

rondón, de *adv. m.* Intrépidamente y sin reparo.

ronquear *v. intr.* Estar ronco.

ronquera *s. f.* Afección de la laringe, que cambia el timbre de la voz echándola bronca y poco sonoro.

ronquido *s. m.* Ruido que se hace roncando.

ronronear *v. intr.* Producir el gato, cuando está satisfecho, una especie de ronquido.

ronroneo *s. m.* Acción y efecto de ronronear.

ronzal *s. m.* Cuerda que se ata al pescuezo o a la cabeza de las caballerías con el fin de sujetarlas o conducirlas caminando.

ronzar *v. tr.* Mascar las cosas duras, quebrantándolas con algún ruido.

roña *s. f.* **1.** Sarna del ganado lanar. **2.** Porquería pegada fuertemente.

roñería *s. f., fam.* Miseria, tacañería.

roñica *com., fam.* Persona roñosa.

roñoso, sa *adj.* **1.** Que tiene o padece roña. **2.** Que está muy sucio.

ropa *s. f.* Todo género de tela que sirve para el uso o adorno de las personas o cosas.

ropaje *s. m.* **1.** Vestidura larga, vistosa y de autoridad. **2.** Conjunto de ropas.

ropavejero, ra *s. m. y s. f.* Persona que vende ropas y vestidos viejos, y baratijas usadas.

ropero *s. m.* Armario o cuarto donde se guarda ropa.

ropilla *s. f.* Vestidura corta con mangas y brahones que se ponía sobre el jubón.

ropón *s. m.* Ropa larga que se pone suelta sobre los demás vestidos.

roque *s. m.* Torre del ajedrez.

roqueda *s. f.* Lugar abundante en rocas.

roquedal *s. m.* Roqueda.

roqueño, ña *adj.* **1.** Se aplica al sitio o paraje lleno de rocas. **2.** Duro como roca.

roquero, ra *s. m. y s. f.* Persona que se dedica profesionalmente al *rock* o que es aficionada a este tipo de música o baile.

roquete *s. m.* Especie de sobrepelliz de mangas cortas.

rorcual *s. m.* Ballena de los mares del norte que llega a pesar 150 toneladas.

rorro *s. m., fam.* Niño pequeño.

rosa *s. f.* **1.** Flor del rosal. **2.** Color parecido al de la rosa común. ‖ *adj.* **3.** Se aplica a lo que tiene este color.

rosáceo, a *adj.* **1.** De color parecido al de la rosa. **2.** Se aplica a árboles, arbustos, hierbas dicotiledóneos, de hojas alternas, compuestas y con estípulas; flores completas actinomorfas y fruto muy variable con semillas sin albumen, como el almendro, la fresa, etc.

rosado, da *adj.* Se aplica al color de la rosa.

rosal *s. m.* Arbusto rosáceo, con tallos ramosos, hojas alternas; flores terminales, solitarias o en panoja, blancas, amarillas o rojas en diversos matices según las variedades.

rosaleda *s. f.* Lugar donde hay muchos rosales.

rosario *s. m.* **1.** Rezo de la Iglesia en que se conmemoran los quince misterios de la Virgen. **2.** Sarta de cuentas que sirve para rezar ordenadamente el Rosario.

rosbif *s. m.* Carne de vaca poco asada.

rosca *s. f.* **1.** Máquina que se compone de tornillo y tuerca. **2.** Pan o bollo de esta forma.

rosco *s. m.* Roscón o rosca de pan.

roscón *s. m.* Bollo en forma de rosca grande.

rosear *v. intr.* Mostrar color parecido al de la rosa.

róseo, a *adj.* De color de rosa.

roséola *s. f.* Enfermedad caracterizada por la aparición de pequeñas manchas rosáceas en la piel.

roseta *s. f.* Joya adornada con una piedra preciosa a la que rodean otras pequeñas.

rosetón *s. m.* Ventana circular calada, con adornos.

rosicler *s. m.* **1.** Color rosado, claro y suave, de la aurora. **2.** Plata roja.

roso, sa *adj.* Rojo.

rosoli *s. m.* Licor compuesto de aguardiente mezclado con azúcar, canela, anís, etc.

rosquilla *s. f.* Masa dulce y delicada formada en figura de roscas pequeñas.

rosticería *s. f., amer.* Establecimiento donde se asan y venden carnes.

rostir *v. tr.* Asar o tostar.

rostrado, da *adj.* Que remata en una punta semejante al pico del pájaro o al espolón de la nave.

rostro *s. m.* **1.** Pico del ave. **2.** Cara, parte anterior de la cabeza.

rota[1] *s. f.* **1.** Derrota, rumbo que lleva una embarcación. **2.** Derrota, fuga de un ejército vencido.

rota[2] *s. f.* Planta vivaz, de la familia de las palmas, de cuyo tallo se hacen bastones. Vive en los bosques de la India y otros países de Oriente.

rotación *s. f.* Acción y efecto de rodar.

rotar *v. intr.* Rodar.

rotativo, va *adj.* Se dice de la máquina de imprimir que imprime los ejemplares de un periódico a gran velocidad.

rotatorio, ria *adj.* Que tiene movimiento circular.

roten *s. m.* **1.** Rota. **2.** Bastón hecho del tallo de esta planta.

roto, ta *adj.* Andrajoso, desastrado.

rotograbado *s. m.* Sistema de impresión por huecograbado mediante el empleo de rotativa.

rotonda *s. f.* Templo, edificio o sala de planta circular.

rotor *s. m.* Parte móvil de una máquina dinamoeléctrica.

rotoso, sa *adj., Arg. y Chil.* Roto, desharrapado.

rótula *s. f.* Hueso en la parte anterior de la articulación de la tibia con el fémur.

rotulación *s. f.* Acción y efecto de rotular.

rotulado *s. m.* Rotulación.

rotulador *s. m.* Instrumento de escritura semejante a un bolígrafo que tiene un trazo generalmente más grueso y cuya punta está formada por una especie de pincel de fieltro.

rotular *v. tr.* Poner un rótulo.

rótulo *s. m.* Título, encabezamiento, letrero.

rotundidad *s. f.* Calidad de rotundo.

rotundo, da *adj.* **1.** *fig.* Aplicado al lenguaje, lleno y sonoro. **2.** *fig.* Terminante.

rotura *s. f.* Acción y efecto de romper.

roturación *s. f.* **1.** Acción y efecto de roturar. **2.** Terreno recién roturado.

roturadora *s. f.* Máquina que sirve para roturar las tierras.

roturar *v. tr.* Arar por primera vez las tierras para ponerlas en cultivo.

router *s. m.* Dispositivo que permite conectar varios equipos a internet de forma simultánea.

roya *s. f.* Hongo parásito que se cría en varios cereales y en otras plantas.

roza *s. f.* **1.** Acción y efecto de rozar. **2.** Tierra rozada para sembrar en ella. **3.** Surco abierto en una pared para empotrar tuberías.

rozadura *s. f.* Herida superficial de la piel.

rozagante *adj.* **1.** Se aplica a la vestidura vistosa y muy larga. **2.** Se dice de lo vistoso y llamativo.

rozamiento *s. m.* **1.** Roce. **2.** Disgusto leve entre dos personas o entidades.

rozar *v. tr.* **1.** Limpiar las tierras de las hierbas inútiles. ‖ *v. intr.* **2.** Pasar una cosa tocando ligeramente la superficie de otra. ‖ *v. prnl.* **3.** Tener trato entre sí dos o más personas.

roznar[1] *v. tr.* **1.** Ronzar. **2.** Mover una cosa pesada con palancas.

roznar[2] *v. intr.* Rebuznar.

roznido *s. m.* Ruido que al roznar se hace con los dientes.

rozno *s. m.* Borrico pequeño.

rozo *s. m.* **1.** Roza, acción y efecto de rozar. **2.** Leña menuda que se hace en la roza.

rozón *s. m.* Especie de guadaña, corta y gruesa, que sirve para rozar árgoma, zarzas, etc.

rúa *s. f.* **1.** Calle de un pueblo. **2.** Camino carretero.

ruana *s. f.* **1.** Cierta tela de lana. **2.** *Col. y Ven.* Especie de capote de monte o poncho.

rubefacción *s. f.* Rubicundez producida en la piel por algún tipo de alteración circulatoria.

rúbeo, a *adj.* Que tira a rojo.

rubeola o rubéola *s. f.* Enfermedad infecciosa que se caracteriza por infartos ganglionares y una erupción semejante a la del sarampión.

rubescente *adj.* Que tira a rojo.

rubí *s. m.* Mineral cristalizado, más duro que el acero, de color rojo y brillo intenso.

rubia[1] *s. f.* Planta vivaz rubiácea cuya raíz, seca y pulverizada, sirve para preparar una sustancia colorante roja usada en tintorería.

rubia[2] *s. f.* Pececillo malacopterigio, común en los ríos y arroyos de España, donde se pesca a flor de agua.

rubiáceo, a *adj.* Se dice de plantas dicotiledóneas, que tienen hojas simples y enterísimas, opuestas o verticiladas y con estípulas, flores con el cáliz adherente al ovario y fruto en cápsula, baya o drupa, como la rubia y el café.

rubiales *adj.* Se aplica a la persona rubia y generalmente joven. También com.

rubicán, na *adj.* Se aplica al caballo o yegua que tiene el pelo mezclado de blanco y rojo.

rubicundez *s. f.* Color rojo que se presenta, a veces, en la piel y en las mucosas.

rubicundo, da *adj.* **1.** De color rubio que tira a rojo. **2.** Se aplica a la persona de buen color y aspecto sano.

rubidio *s. m.* Metal raro, semejante al potasio, aunque más blando y más pesado.

rubio, bia *adj.* De color rojo claro parecido al del oro.

rubor *s. m.* **1.** Color encarnado o rojo muy encendido. **2.** Color que la vergüenza saca al rostro y que lo pone encendido.

ruborizar *v. tr.* Causar rubor o vergüenza.

ruboroso, sa *adj.* Que tiene rubor.

rúbrica *s. f.* Rasgo o rasgos de figura determinada que, como parte de la firma, pone cada cual después de su nombre o título. A veces se pone la rúbrica sola.

rubricar *v. tr.* Suscribir, firmar un despacho o papel y ponerle el sello.

rucio, cia *adj.* De color pardo claro, blanquecino o canoso. Se aplica a las bestias.

ruco, ca *adj., Amér. C.* Viejo, inútil. Aplicado especialmente a las caballerías, matalón.

rucre *s. m., amer.* Terreno que se gana para el cultivo roturando un cerro o tomándolo de las márgenes de un río.

ruda *s. f.* Planta perenne, rutácea, de olor fuerte y desagradable, usada en medicina.

rudeza *s. f.* Calidad de rudo.

rudimental *adj.* Rudimentario.

rudimentario, ria *adj.* Perteneciente o relativo al rudimento o a los rudimentos.

rudimento *s. m.* **1.** Embrión o estado primordial e informe de un ser orgánico. **2.** Parte de un ser orgánico imperfectamente desarrollada. ‖ *s. m. pl.* **3.** Primeros estudios de cualquier ciencia o profesión.

rudo, da *adj.* **1.** Tosco, sin pulimento. **2.** Necio, de inteligencia torpe.

rueca *s. f.* Instrumento que sirve para hilar.

rueda *s. f.* Pieza circular poca gruesa respecto a su radio, que puede girar sobre un eje.

ruedo *s. m.* **1.** Acción de rodar. **2.** Parte puesta alrededor de una cosa. **3.** Círculo o circunferencia de una cosa. **4.** Contorno, límite. **5.** Redondel de la plaza de toros.

ruego *s. m.* Acción y efecto de rogar.

ruezno *s. m.* Corteza exterior del fruto del nogal.

rufián *s. m.* Hombre sin honor, perverso.

rufianería *s. f.* Dichos o hechos propios de rufián.

rufianesco, ca *adj.* Perteneciente o relativo a los rufianes.

rufo, fa *adj.* Rubio, rojo o bermejo.

rugby *s. m.* Juego que se practica con un balón ovalado entre dos equipos de 15 jugadores cuyo objetivo es puntuar, bien colocando el balón detrás de la línea de ensayo del campo contrario, o bien lanzando el balón por encima de la portería contraria.

rugido *s. m.* **1.** Voz del león. **2.** Bramido.

rugir *v. intr.* **1.** Bramar el león. **2.** *fig.* Bramar una persona enojada. **3.** Crujir o rechinar y hacer ruido fuerte.

rugosidad *s. f.* Calidad de rugoso.

rugoso, sa *adj.* Que tiene arrugas.

ruibarbo *s. m.* Planta vivaz herbácea, poligonácea, cuya raíz se usa como purgante.

ruido *s. m.* **1.** Sonido inarticulado y confuso. **2.** *fig.* Pendencia, alboroto.

ruidoso, sa *adj.* **1.** Que causa mucho ruido. **2.** Se aplica a la acción o lance notable de la que se habla mucho.

ruin *adj.* **1.** Despreciable, bajo. **2.** De pequeño tamaño o entidad.

ruina *s. f.* **1.** Pérdida grande de los bienes de fortuna. **2.** Decadencia de una persona, familia, etc.

ruindad *s. f.* **1.** Calidad de ruin. **2.** Acción ruin.

ruinoso, sa *adj.* **1.** Que se empieza a arruinar o amenaza ruina. **2.** Pequeño, desmedrado y que no puede aprovecharse. **3.** Que arruina y destruye.

ruipóntico *s. m.* Planta vivaz de la familia de las poligonáceas, con una raíz semejante y propiedades análogas a las del ruibarbo.

ruiseñor *s. m.* Pájaro dentirrostro, con plumaje pardo rojizo y notable por su canto melodioso.

rular *v. intr.* Rodar. También tr.

ruleta *s. f.* Juego de azar para el que se usa una rueda horizontal giratoria dividida en 36 casillas radiales, numeradas y pintadas alternativamente de negro y rojo.

rulo *s. m.* **1.** Bola gruesa u otra cosa redonda que rueda fácilmente. **2.** Cilindro de pequeño tamaño al que se enrolla el pelo para rizarlo. **3.** *Arg., Bol. y Chil.* Rizo de pelo.

rumba *s. f.* **1.** Cierta danza popular de Cuba, de origen africano. **2.** Baile y música popular de origen gitano-andaluz. **3.** *Cub. y P. Ric.* Juerga, baile desordenado, parranda.

rumbear *v. intr.* **1.** *Cub. y Per.* Andar de rumba o parranda. **2.** Bailar la rumba.

rumbo *s. m.* **1.** Dirección en el plano del horizonte. **2.** Camino o método que se propone seguir una persona.

rumboso, sa *adj.* **1.** *fam.* Que tiene pompa. **2.** *fam.* Desprendido, generoso.

rumí *s. m.* Nombre dado por los musulmanes a los cristianos.

rumiador, ra *adj.* Que rumia. También s. m. y s. f.

rumiante *adj.* Se aplica a los mamíferos vivíparos, que carecen de dientes incisivos en la mandíbula superior y tienen el estómago compuesto de cuatro cavidades. También s. m.

rumiar *v. tr.* Masticar por segunda vez, volviéndolo a la boca, el alimento que ya estuvo en el depósito que a este efecto tienen algunos animales.

rumor *s. m.* **1.** Voz que corre entre el público. **2.** Ruido confuso de voces.

rumorear *v. tr.* **1.** Circular un rumor. ‖ *v. intr.* **2.** Producir rumor.

rumoroso, sa *adj.* Que causa rumor.

runfla *s. f.* **1.** Cierto juego de naipes. **2.** Triunfo en este juego de naipes. **3.** *fam.* Serie de varias cosas de una misma especie. **4.** *fig.* Muchedumbre de personas o cosas.

rungo *s. m., Cant.* Cerdo de menos de un año.

runrún *s. m., fam.* Rumor.

runrunear *v. intr.* **1.** Correr el rumor o runrún, susurrarse. También prnl. **2.** Hacer correr un murmullo.

rupestre *adj.* Se dice de las pinturas y dibujos prehistóricos existentes en algunas rocas y cavernas.

rupia *s. f.* Enfermedad de la piel, caracterizada por la aparición de ampollas grandes que contienen un líquido oscuro.

rupícola *adj.* Que se cría en las rocas.

ruptura *s. f.* Desavenencia en una relación.

rural *adj.* **1.** Perteneciente o relativo al campo y a las labores de él. **2.** *fig.* Tosco, apegado a cosas lugareñas.

rusentar *v. tr.* Poner rusiente.

rusiente *adj.* Que se pone rojo o candente con el fuego.

rusticar *v. intr.* Salir al campo o habitar en él.

rusticidad *s. f.* Calidad de rústico.

rústico, ca *adj.* **1.** Perteneciente o relativo al campo. **2.** *fig.* Tosco, grosero.

rustiquez *s. f.* Rusticidad.

ruta *s. f.* **1.** Rumbo de un viaje. **2.** Itinerario para él.

rutáceo, a *adj.* Se dice de plantas dicotiledóneas, hierbas por lo común perennes o arbustos y árboles casi todos glandulosos con hojas alternas u opuestas; flores amarillas o blancas y frutos con semillas menudas y albuminosas. También s. f.

rutenio *s. m.* Metal parecido al osmio, del que se distingue por tener óxidos de color rojo.

rutilación *s. f.* Acción y efecto de rutilar.

rutilancia *s. f.* Brillo rutilante.

rutilante *adj.* Que rutila.

rutilar *v. intr., poét.* Brillar como oro, o resplandecer y despedir rayos de luz.

rutina *s. f.* Costumbre inveterada, hábito adquirido de hacer las cosas por mera práctica y sin razonarlas.

rutinario, ria *adj.* Que se hace o practica por rutina.

ruzafa *s. f.* Jardín, parque.

s *s. f.* Vigésima letra del abecedario español y decimosexta de sus consonantes.

sábado *s. m.* Día de la semana comprendido entre el viernes y el domingo.

sábalo *s. m.* Pez marino malacopterigio abdominal, con el cuerpo en forma de lanzadera.

sabana *s. f.* Llanura extensa sin vegetación arbórea.

sábana *s. f.* Cada una de las dos piezas de lienzo, de tamaño suficiente para cubrir la cama y colocar el cuerpo entre ambas.

sabandija *s. f.* **1.** Cualquier reptil pequeño o insecto, especialmente de los perjudiciales y molestos. **2.** *fig.* Persona despreciable.

sabanear *v. intr.* Recorrer la sabana donde se ha establecido un hato, para buscar y reunir el ganado, o para vigilarlo.

sabanero, ra *adj.* **1.** Habitante de una sabana. También s. m. y s. f. **2.** Perteneciente o relativo a la sabana. ‖ *s. m.* y s. f. **3.** *amer.* Persona encargada de sabanear. ‖ *s. m.* **4.** *amer.* Pájaro, semejante al estornino y de carne muy apreciada, que vive en América del Norte y las Antillas.

sabanilla *s. f.* **1.** Cualquier pieza de lienzo pequeña. **2.** Cubierta exterior de lienzo con que se cubre el altar.

sabañón *s. m.* Rubicundez, hinchazón o ulceración de la piel, principalmente de las manos, pies y orejas.

sabático, ca *adj.* **1.** Perteneciente o relativo al sábado. **2.** Se aplica al séptimo año, en que los hebreos dejaban descansar sus tierras. **3.** Se aplica al año de licencia con sueldo que conceden algunas universidades a su personal docente.

sabatino, na *adj.* Perteneciente al sábado o ejecutado en él.

sabatismo *s. m.* **1.** Acción de sabatizar. **2.** Descanso tomado después de un trabajo asiduo.

sabatizar *v. intr.* Guardar el sábado, cesando en las obras o trabajos serviles.

sabbat *s. m.* Día sagrado de descanso entre los judíos.

sabedor, ra *adj.* Conocedor de una cosa.

sabela *s. f.* Género de gusanos anélidos marítimos con las branquias colocadas en semicírculo.

sabelotodo *com.* Persona que presume de sabio sin serlo.

saber[1] *s. m.* Conocimiento de una materia.

saber[2] *v. tr.* **1.** Tener noticia de una cosa. **2.** Ser docto en alguna materia. **3.** Tener habilidad para una cosa. ‖ *v. intr.* **4.** Estar informado de la existencia o estado de una persona o cosa. **5.** Tener sabor una cosa. **6.** Tener una cosa eficacia para un fin.

sabiduría *s. f.* Conocimiento profundo en ciencias, letras o artes.

sabiendas, a *adv. m.* **1.** De un modo cierto. **2.** Con conocimiento y deliberación.

sabihondo, da *adj., fam.* Sabiondo. También s. m. y s. f.

sabina *s. f.* Arbusto de la familia de las cupresáceas, de hojas casi cilíndricas, fruto redondo de color negro azulado, y madera encarnada y olorosa.

sabinar *s. m.* Terreno poblado de sabinas.

sabio, bia *adj.* Se dice de la persona que posee sabiduría.

sabiondo, da *adj., fam.* Que presume de sabio sin serlo.

sablazo *s. m.* **1.** Golpe dado con un sable. **2.** Herida hecha con él. **3.** *fig. y fam.* Acto de sablear a alguien, o de comer, vivir o divertirse a su costa. Se usa generalmente con el verbo *dar*.

sable *s. m.* Arma blanca algo corva y generalmente de un solo corte.

sableador, ra *s. m. y s. f.* Persona hábil en manejar el sable.

sablear *v. intr., fam.* Sacar dinero con maña.

sablista *adj.* Que tiene por hábito sablear. Se usa más como s. m. y s. f.

sablón *s. m.* Arena gruesa.

saboneta *s. f.* Reloj de bolsillo cuya tapa se abre apretando un muelle.

sabor *s. m.* **1.** Sensación que ciertos cuerpos producen en el órgano del gusto. **2.** *fig.* Impresión que una cosa produce en el ánimo.

saborear *v. tr.* **1.** Dar sabor y gusto a las cosas. **2.** Percibir detenidamente y con deleite el sabor de una cosa.

sabotaje *s. m.* **1.** Destrucción intencionada que para perjudicar a los patronos hacen los obreros en la maquinaria, productos, etc. **2.** *fig.* Oposición y obstaculización de proyectos, órdenes, decisiones, etc.

saboteador, ra *adj.* Que sabotea. También s. m. y s. f.

sabotear *v. tr.* Realizar actos de sabotaje.

saboyana *s. f.* **1.** Ropa exterior que usaban las mujeres, a modo de basquiña abierta por delante. **2.** Pastel, especie de bizcocho empapado en almíbar y rociado con ron.

sabroso, sa *adj.* **1.** Sazonado y grato al sentido del gusto. **2.** Deleitable al ánimo.

sabrosón, na *adj.* **1.** *amer.* Se dice de la persona muy habladora, de charla simpática. **2.** *amer.* Se dice también de la persona murmuradora.

sabrosura *s. f., And., Cub., P. Ric. y Rep. Dom.* Dulzura, deleite.

sabueso, sa *s. m.* **1.** Perro poco ladrador y muy sagaz y ágil para la caza, por su gran vista, olfato y resistencia. ‖ *s. m. y s. f.* **2.** *fig.* Persona que sabe investigar y descubrir las cosas.

sábulo *s. m.* Arena gruesa y pesada.

saburra *s. f.* **1.** Secreción mucosa espesa que se acumula en las paredes del estómago. **2.** Capa blanquecina que cubre la lengua por efecto de dicha secreción.

saburroso, sa *adj.* Que tiene saburra.

saca[1] *s. f.* Acción y efecto de sacar.

saca[2] *s. f.* Costal muy grande de tela fuerte.

sacabalas *s. m.* Instrumento de hierro para extraer los proyectiles ojivales del ánima de los cañones rayados.

sacabocados *s. m.* Instrumento de hierro que sirve para taladrar.

sacabuche *s. m.* Trompeta que se alarga y acorta para que haga la diferencia de voces.

sacacorchos *s. m.* Instrumento para quitar los tapones de corcho a las botellas.

sacacuartos *s. m., fam.* Sacadineros. También com.

sacadineros *com., fam.* Persona que tiene arte para sacar dinero a otras con cualquier engaño.

sacafaltas *adj.* Se dice de la persona aficionada a encontrar defectos en los demás o en las cosas. También com.

sacamantecas *s. m. y s. f., fam.* Criminal que despanzurra a sus víctimas.

sacamuelas *com.* **1.** Persona que tiene por oficio sacar muelas. **2.** *fig.* Charlatán. **3.** *fig.* Embaucador.

sacanete *s. m.* Juego de envite y azar, en que se juntan y mezclan hasta seis barajas.

sacapuntas *s. m.* Instrumento para afilar la mina de los lapiceros.

sacar *v. tr.* **1.** Quitar una cosa del interior de otra. **2.** Quitar a una persona o cosa del sitio en que se halla. **3.** Aprender, averiguar, resolver. **4.** Descubrir por indicios. **5.** Hacer con fuerza o con maña que alguien diga o dé una cosa. **6.** Extraer de alguna cosa alguno de los principios o partes que la componen. **7.** Elegir por sorteo o por votos. **8.** Conseguir una cosa.

sacarífero, ra *adj.* Que produce o contiene azúcar. Se dice principalmente de las plantas.

sacarificación *s. f.* Acción y efecto de sacarificar.

sacarificar *v. tr.* Convertir por hidratación las sustancias sacarígenas en azúcar.

sacarígeno, na *adj.* Se dice de la sustancia capaz de convertirse en azúcar mediante la hidratación, como las féculas.

sacarimetría *s. f.* Procedimiento para determinar la proporción de azúcar contenido en un líquido.

sacarímetro *s. m.* Instrumento con que se determina la proporción de azúcar contenido en un líquido.

sacarina *s. f.* Sustancia blanca pulverulenta, que se extrae de la brea de hulla y que endulza mucho más que el azúcar.

sacarino, na *adj.* **1.** Que tiene azúcar. **2.** Que se asemeja al azúcar.

sacaroideo, a *adj.* Semejante en la estructura al azúcar de pilón.

sacarosa *s. f.* Azúcar.

sacatrapos *s. m.* Espiral de hierro que se atornilla en el extremo de la baqueta, y sirve para sacar los tacos del ánima de las armas de fuego.

sacciforme *adj.* Que tiene forma de saco.

sacerdocio *s. m.* **1.** Dignidad y estado de sacerdote. **2.** Ejercicio y ministerio propio del sacerdote. **3.** *fig.* Consagración activa y celosa al desempeño de una profesión.

sacerdotal *adj.* Perteneciente al sacerdote.

sacerdote *com.* **1.** Persona dedicada y consagrada a hacer, celebrar y ofrecer sacrificios. ‖ *s. m.* **2.** En la Iglesia católica, hombre consagrado a Dios, ungido y ordenado para celebrar y ofrecer el sacrificio de la misa.

sacerdotisa *s. f.* Mujer dedicada a ofrecer sacrificios a ciertas deidades gentílicas y cuidar de sus templos.

sachar *v. tr.* Escardar la tierra sembrada.

sacho *s. m.* Instrumento de hierro en figura de azadón pequeño que sirve para sachar.

saciable *adj.* Que se puede saciar.

saciar *v. tr.* **1.** Hartar y satisfacer de bebida o de comida. **2.** *fig.* Hartar y satisfacer en las cosas del ánimo.

saciedad *s. f.* Hartura producida por satisfacer con exceso el deseo de una cosa.

saco *s. m.* Receptáculo de tela, cuero, papel, etc., generalmente de forma rectangular, abierto por uno de los lados.

sacra *s. f.* Cada una de las tres hojas, impresas o manuscritas, que en sus correspondientes cuadros se suelen poner en el altar para que el sacerdote pueda leer algunas partes de la misa sin necesidad del misal.

sacralización *s. f.* Acción y efecto de sacralizar.

sacralizar *v. tr.* Atribuir carácter sagrado a lo que no lo tenía.

sacramentación *s. f.* Acción y efecto de sacramentar o administrar el viático.

sacramental *adj.* Perteneciente o relativo a los sacramentos.

sacramentar *v. tr.* **1.** Convertir el pan en el cuerpo de Jesucristo en el sacramento de la eucaristía. **2.** Administrar a un enfermo el viático y la extremaunción. **3.** *fig.* Ocultar, disimular, esconder.

sacramento *s. m.* **1.** Signo sensible de un efecto interior y espiritual que Dios obra en nuestras almas. **2.** Cristo sacramentado en la hostia.

sacrificar *v. tr.* **1.** Ofrecer o dar una cosa en reconocimiento de la divinidad. **2.** Matar las reses para el consumo. **3.** Poner a una persona o cosa en algún riesgo o trabajo en provecho de un interés. **4.** Renunciar a una cosa para conseguir otra.

sacrificio *s. m.* **1.** Ofrenda a una deidad en señal de homenaje o expiación. **2.** Acto del sacerdote al ofrecer en la misa el cuerpo de Cristo bajo las especies de pan y vino. **3.** *fig.* Peligro o trabajo grande a que se somete a una persona. **4.** *fig.* Acción a que alguien se sujeta con gran repugnancia. **5.** *fig.* Acto de abnegación inspirado por la vehemencia del cariño.

sacrilegio *s. m.* Profanación de una cosa, persona o lugar sagrados.

sacrílego, ga *adj.* **1.** Que comete o contiene sacrilegio. **2.** Relativo al sacrilegio.

sacristán *s. m.* Hombre que en las iglesias ayuda al sacerdote y cuida de los ornamentos y de la limpieza de la iglesia y sacristía.

sacristana *s. f.* Religiosa que en un convento cuida de las cosas de la sacristía.

sacristía *s. f.* Lugar, en las iglesias, donde se revisten los sacerdotes y están guardados los ornamentos y otras cosas pertenecientes al culto.

sacro, cra *adj.* **1.** Sagrado. **2.** Referente a la región en que está situado el hueso sacro, desde el lomo hasta el cóccix.

sacrosanto, ta *adj.* Sagrado y santo.

sacudida *s. f.* Sacudimiento.

sacudido, da *adj., fig.* Se dice de la persona indócil e intratable.

sacudidor, ra *adj.* Que sacude. También s. m. y s. f.

sacudimiento *s. m.* Acción y efecto de sacudir.

sacudir *v. tr.* **1.** Mover violentamente una cosa a una y otra parte. **2.** Golpear una cosa o agitarla con violencia en el aire con el fin de quitarle el polvo, enjugarla, etc. **3.** Golpear, dar golpes. **4.** Arrojar una cosa o apartarla violentamente de sí. ‖ *v. prnl.* **5.** Rechazar violentamente o con astucia un trabajo, molestia, etc.

sádico, ca *adj.* Relativo o concerniente al sadismo. También s. m. y s. f., aplicado a personas.

sadismo *s. m.* Perversión sexual que se satisface con las humillaciones y torturas inferidas a otra persona.

sadomasoquismo *s. m.* Perversión sexual que se satisface infiriendo torturas y humillaciones a otra persona y recibiéndolas de la misma.

saeta *s. f.* **1.** Arma arrojadiza que se dispara con el arco. **2.** Manecilla del reloj. **3.** Copla breve que se canta al paso de las imágenes en algunas procesiones religiosas.

saetada *s. f.* Saetazo.

saetar *v. tr.* Saetear.

saetazo *s. m.* **1.** Acción de tirar o herir con la saeta. **2.** Herida hecha con ella.

saetear *v. tr.* Herir con saetas.

saetera *s. f.* **1.** Aspillera para disparar saetas. **2.** *fig.* Ventanilla estrecha.

saetero, ra *s. m. y s. f.* Persona que pelea con arco y saetas.

saetín *s. m.* **1.** Clavito delgado y sin cabeza. **2.** En los molinos, canal por donde se conduce el agua hasta la rueda hidráulica.

safari *s. m.* **1.** Expedición de caza mayor que se hace en algunos lugares de África. **2.** Por ext., cualquier expedición de caza.

safena *s. f.* Nombre de dos venas de los miembros inferiores.

sáfico, ca *adj.* Se dice de un verso griego o latino de once sílabas. También s. m.

safismo *s. m.* Práctica sexual entre mujeres.

saga *s. f.* **1.** Leyenda poética escandinava. **2.** Relato novelesco que abarca las vivencias de una familia y su entorno a través de dos o más generaciones.

sagacidad *s. f.* Calidad de sagaz o astuto.

sagaz *adj.* **1.** Se dice de la persona avispada y astuta. **2.** Precavido, que prevé las cosas.

sagita *s. f.* Porción de recta comprendida entre el punto medio de un arco de círculo y el de su cuerda.

sagitado, da *adj.* Se dice de la hoja que tiene forma de saeta o flecha.

sagital *adj.* De figura de saeta.

sagitaria *s. f.* Planta herbácea, de la familia de las alismatáceas, con hojas en figura de saeta, que vive en los terrenos encharcados.

ságoma *s. f.* Patrón para trazar líneas y fijar la medida al trabajar una pieza.

sagrado, da *adj.* **1.** Que según rito está dedicado a Dios y al culto divino. **2.** Que por alguna relación con lo divino es venerable. **3.** *fig.* Que por su destino o uso es digno de respeto.

sagrario *s. m.* Tabernáculo o lugar en que se deposita a Cristo sacramentado.

sagú *s. m.* Planta tropical cicadácea, cuyo tronco tiene una médula abundante en fécula.

sah *s. m.* Antiguo soberano de los persas e iraníes.

sahína *s. f.* Zahína.

sahinar *s. m.* Zahinar.

sahornarse *v. prnl.* Escocerse o excoriarse una parte del cuerpo, debido al roce con otra.

sahorno *s. m.* Efecto de sahornarse.

sahumado, da *adj.* **1.** Se dice de cualquier cosa que, siendo buena por sí, resulta más estimada por la adición de otra que la mejora. **2.** *amer.* Ahumado, achispado.

sahumador *s. m.* Perfumador, vaso para quemar perfumes.

sahumar *v. tr.* Dar humo aromático a algo.

sahumerio *s. m.* **1.** Humo que produce una materia aromática que se echa en el fuego. **2.** Esta misma materia.

saín *s. m.* **1.** Grasa de un animal. **2.** Grasa de pescado, que se usa como aceite para el alumbrado. **3.** Grasa que con el uso suele salir en los paños, sombreros, etc.

sainar *v. tr.* Engordar a los animales.

sainete *s. m.* **1.** Salsa que se pone a ciertos manjares para hacerlos más apetitosos. **2.** Pieza dramática jocosa en un acto, de carácter popular. **3.** Obra teatral, de carácter cómico o serio, con ambiente y personajes populares, representada como función independiente.

sainetear *v. intr.* Representar sainetes.

sainetero, ra *s. m. y s. f.* Escritor de sainetes.

sainetesco, ca *adj.* Perteneciente al sainete o propio de él, cómico.

sainetista *s. m. y s. f.* Sainetero.

saíno *s. m., Amér. del S.* Mamífero paquidermo de carne apreciada, sin cola y con una glándula en lo alto del lomo, por donde segrega un humor fétido.

saja *s. f.* Pecíolo del abacá, del cual se extrae el filamento textil.

sajador *s. m.* Instrumento con varias puntas aceradas que se emplea en medicina para hacer pequeñas incisiones.

sajadura *s. f.* Cortadura hecha en la carne.

sajar *v. tr.* Hacer cortaduras en la carne.

sake *s. m.* Bebida alcohólica japonesa obtenida mediante la fermentación del arroz.

sal *s. f.* **1.** Sustancia blanca, cristalina, muy soluble en agua, que se emplea para sazonar los manjares y conservar las carnes. Es un compuesto de cloro y sodio. **2.** Agudeza, donaire. **3.** Garbo, gallardía.

sala *s. f.* **1.** Pieza principal de la casa. **2.** Aposento de grandes dimensiones. **3.** Pieza donde se constituye un tribunal de justicia para celebrar audiencia. **4.** Conjunto de los jueces que forman un tribunal de alzada.

salabardear *v. intr.* Sacar la pesca de las redes con el salabardo.

salabardo *s. m.* Saco o manga de red, que se emplea para sacar la pesca de las redes grandes.

salabre *s. m.* Arte de pesca menor, que consiste en un bolso de red sujeto a una armadura con mango.

salacidad *s. f.* Calidad de salaz o lujurioso.

salacot *s. m.* Sombrero muy ligero, a veces ceñido a la cabeza con un aro distante de los bordes para dejar circular el aire. Se usa principalmente en los países cálidos.

saladar *s. m.* Lagunajo en que se cuela sal en las marismas.

saladero *s. m.* Casa o lugar destinado para salar carnes o pescados.

saladilla *s. f.* Planta de la familia de las salsoláceas, que crece en terrenos salobreños.

salado, da *adj.* **1.** Se dice del terreno estéril por demasiado salitroso. **2.** Se aplica a los manjares que tienen más sal de la necesaria. **3.** *fig.* Se aplica a lo gracioso o agudo.

saladura *s. f.* Acción y efecto de salar.

salagón *s. m., Ar. y Rioja* Piedra arcillosa, caliza e hidráulica.

salamandra *s. f.* Batracio insectívoro de piel lisa, de color negro intenso con manchas amarillas simétricas.

salamanquesa *s. f.* Saurio con cuerpo comprimido y ceniciento, y piel tuberculosa.

salami *s. m.* Embutido de carne vacuna y carne muy grasa de cerdo picadas que, prensado y curado, se come crudo.

salar *v. tr.* **1.** Echar en sal carnes, pescados y otras sustancias para su conservación. **2.** Sazonar con sal un manjar. **3.** Echar más sal de la necesaria.

salariado *s. m.* Organización del pago del trabajo del obrero por medio del salario exclusivamente.

salarial *adj.* Perteneciente o relativo al salario.

salariar *v. tr.* Asalariar.

salario *s. m.* Estipendio, paga.

salaz *adj.* Muy inclinado a la lujuria.

salazón *s. f.* **1.** Acción y efecto de salar carnes o pescados. **2.** Acopio de carnes o pescados salados. **3.** Industria y tráfico que se hace con estas conservas.

salce *s. m.* Sauce.

salceda *s. f.* Sitio poblado de salces.

salcedo *s. m.* Salceda.

salchicha *s. f.* Embutido, en tripa delgada, de carne de cerdo picada, que se sazona con sal, pimentón y otras especias, y que se consume en fresco.

salchichería *s. f.* Tienda donde se venden embutidos.

salchichero, ra *s. m. y s. f.* Persona que hace o vende embutidos.

salchichón *s. m.* Embutido de jamón, tocino y pimienta en grano, prensado y curado.

salcochar *v. tr.* Cocer carnes u otras viandas solo con agua y sal.

salcocho *s. m., amer.* Preparación de un alimento cociéndolo en agua y sal para después condimentarlo.

saldar *v. tr.* **1.** Liquidar enteramente una cuenta. **2.** Vender a bajo precio una mercancía para salir pronto de ella. **3.** *fig.* Liquidar rápidamente un asunto, negocio, etc.

saldo *s. m.* **1.** Pago o finiquito de deuda. **2.** Cantidad que de una cuenta resulta en favor o en contra de alguien. **3.** Resto de mercancías que el fabricante o el comerciante venden con depreciación para salir pronto de ellas.

saledizo *adj.* Saliente, que sobresale.

salega *s. f.* Piedra en que se da sal a los ganados en el campo.

salegar[1] *s. m.* Sitio en que se da sal a los ganados en el campo.

salegar[2] *v. tr.* Tomar el ganado la sal que se le da.

salero *s. m.* **1.** Recipiente en que se sirve la sal en la mesa. **2.** *fam.* Gracia, donaire.

saleroso, sa *adj., fig. y fam.* Que tiene salero o gracia.

salesa *adj.* Se dice de la religiosa que pertenece a la Orden de la visitación de Nuestra Señora, fundada en el s. XVII por san Francisco de Sales.

salesiano, na *adj.* Se dice de la persona perteneciente a la congregación de san Francisco de Sales, fundada en el s. XIX por san Juan Bosco para la educación de la juventud.

saleta *s. f.* Habitación que antecede a la antecámara del rey o de las personas reales.

salgar *v. tr.* Dar sal a los ganados.

salguera *s. f.* Salguero.

salguero *s. m.* Sauce.

salicáceo, a *adj.* Se dice de los árboles y arbustos angiospermos dicotiledóneos que tienen hojas sencillas, con estípulas, flores dioicas en espiga, y fruto en cápsula con semillas sin albumen, como el sauce, álamo o chopo. También s. f.

salicaria *s. f.* Planta herbácea anual, común en España, de la familia de las litráceas, que se usa en medicina como astringente.

salicilato *s. m.* Sal formada por el ácido salicílico y una base.

salicílico, ca *adj.* Se dice de un ácido que se obtiene de la salicina.

salicina *s. f.* Glucósido cristalizable que se extrae de la corteza del sauce.

salicíneo, a *adj.* Salicáceo.

salida *s. f.* **1.** Acción y efecto de salir. **2.** Parte por donde se sale fuera de un sitio o lugar. **3.** Lugar donde se sitúan los participantes para comenzar una competición de velocidad. **4.** Acción de aparecer un astro en el firmamento. **5.** *fig.* Evasiva, pretexto. **6.** *fig.* Medio con que se vence un argumento, peligro, etc. **7.** *fig. y fam.* Ocurrencia, dicho ingenioso.

salido, da *adj.* Que sobresale mucho.

saliente *s. m.* Parte que sobresale de algo.

salífero, ra *adj.* Salino.

salificable *adj.* Se dice del cuerpo capaz de combinarse con un ácido o una base para formar una sal.

salificación *s. f.* Acción y efecto de salificar.

salificar *v. tr.* Convertir en sal una sustancia.

salina *s. f.* **1.** Mina de sal. **2.** Establecimiento donde se beneficia la sal de las aguas.

salinero, ra *adj.* Perteneciente o relativo a la salina.

salinidad *s. f.* **1.** Calidad de salino. **2.** En oceanografía, cantidad proporcional de sales que contiene el agua del mar. Se determina por el peso de las sales que contiene un kilo de agua.

salino, na *adj.* Que naturalmente contiene sal o participa de sus caracteres.

salir *v. intr.* **1.** Pasar de la parte de adentro a la de afuera. **2.** Partir de un lugar a otro. **3.** Manifestarse, aparecer. **4.** Surgir, nacer, brotar. **5.** Sobresalir, destacar una cosa. **6.** Expresar determinadas cualidades. **7.** Provenir una cosa de otra. **8.** Decir o hacer algo inesperado o inoportuno. **9.** Costar, importar una cosa un precio determinado. **10.** Resultar bien hechas las cuentas.

salita *s. f.* Habitación pequeña donde se recibe a las visitas, se come o se organiza el tiempo de ocio en la casa.

salitral *s. m.* Paraje donde se cría y halla el salitre.

salitre *s. m.* **1.** Nitro. **2.** Cualquier sustancia salina, especialmente la que aflora en tierras y paredes.

salitrera *s. f.* Salitral.

salitrería *s. f.* Casa o lugar donde se fabrica o beneficia el salitre.

salitroso, sa *adj.* Que tiene salitre.

saliva *s. f.* Humor alcalino, acuoso, segregado por glándulas cuyos conductos excretorios se abren en la cavidad de la boca; prepara los alimentos para la digestión.

salivación *s. f.* Acción de salivar.

salivar *v. intr.* Arrojar saliva.

salivazo *s. m.* Porción de saliva escupida de una vez.

salivoso, sa *adj.* Que expele mucha saliva.

sallar *v. tr.* Sachar.

salmear *v. intr.* Rezar o cantar los salmos.

salmista *com.* Persona que compone salmos.

salmo *s. m.* Composición o cántico que contiene alabanzas a Dios.

salmodia *s. f.* **1.** Canto usado en la Iglesia para los salmos. **2.** *fig. y fam.* Canto monótono e inexpresivo.

salmodiar *v. intr.* Salmear.

salmón *s. m.* **1.** Pez teleósteo fluvial y marino, de carne muy estimada, que vive cerca de las costas y remonta los ríos en la época de la cría. **2.** Color rojizo, similar a la carne de este pez. También adj.

salmonado, da *adj.* **1.** Que se parece en la carne al salmón. **2.** De color semejante al del salmón.

salmonella *s. f.* Género de bacilos gramnegativos, generalmente móviles.

salmonelosis *s. f.* Nombre genérico que reciben las enfermedades producidas por especies del género *Salmonella*.

salmonete *s. m.* Pez marino acantopterigio, comestible, de color rojizo.

salmónido, da *adj.* Se dice de los peces malacopterigios abdominales, que tienen como tipo el salmón, y se caracterizan por tener una aleta de tejido adiposo. Efectúan importantes migraciones en ciertas épocas del año. También s. m.

salmorejo *s. m.* **1.** Salsa compuesta de agua, vinagre, aceite, sal y pimienta. **2.** *And.* Gazpacho que se hace con pan, huevo, tomate, pimiento, ajo, sal y agua, todo ello en puré. **3.** *fig.* Reprimenda, escarmiento.

salmuera *s. f.* Agua cargada de sal.

salobre *adj.* Que por su naturaleza tiene sabor de sal.

salobreño, ña *adj.* Se dice de la tierra que es salobre o tiene mezcla de alguna sal.

salobridad *s. f.* Calidad de salobre.

saloma *s. f.* Canto cadencioso con que acompañan los marineros su faena.

salomón *s. m., fig.* Hombre de gran sabiduría.

salón *s. m.* **1.** Pieza de grandes dimensiones para visitas y fiestas en las casas particulares. **2.** Lugar destinado a la exposición comercial de determinados productos.

salpa *s. f.* Pez marino acantopterigio, semejante a la boga marina.

salpicadero *s. m.* Tablero situado delante del asiento del conductor y del copiloto, en el que se encuentran algunos mandos y apartos indicadores de los vehículos.

salpicadura *s. f.* Acción y efecto de salpicar.

salpicar *v. tr.* **1.** Hacer que salte un líquido esparcido en gotas menudas por choque o movimiento brusco. **2.** Caer gotas de un líquido en una persona o cosa.

salpicón *s. m.* Guiso de carne, pescado o marisco desmenuzado y aderezado con pimienta, sal, aceite, vinagre y cebolla.

salpimentar *v. tr.* Adobar una cosa con sal y pimienta.

salpullido *s. m.* Erupción leve y pasajera en el cutis.

salsa *s. f.* Mezcla de varias sustancias comestibles desleídas, que se hace para aderezar o condimentar la comida.

salsera *s. f.* Vasija en que se sirve salsa.

salserilla *s. f.* Taza pequeña y de poco fondo.

salsoláceo, a *adj.* Se dice de las plantas dicotiledóneas herbáceas o fruticosas, con flores generalmente en racimo, y fruto de una sola semilla y con pericarpio de consistencia muy variada, como la acelga. También s. f.

saltador, ra *adj.* **1.** Que salta. ‖ *s. m. y s. f.* **2.** Persona que tiene por oficio saltar. ‖ *s. m.* **3.** Comba, cuerda para saltar.

saltamontes *s. m.* Insecto ortóptero, especie de langosta, con las patas anteriores cortas y largas las posteriores, con las cuales da grandes saltos.

saltar *v. intr.* **1.** Levantarse del suelo con impulso y ligereza, ya para dejarse caer en el mismo sitio, ya para pasar a otro. **2.** Arrojarse desde una altura para caer de pie. **3.** Arrojarse al agua desde un trampolín. **4.** Lanzarse con paracaídas desde un avión, helicóptero, etc. **5.** Moverse una cosa de un sitio a otro, levantándose violentamente. **6.** Desprenderse una cosa de otra. **7.** Salir con ímpetu un líquido hacia arriba. **8.** Romperse o quebrantarse una cosa por demasiada dilatación, tirantez u otras causas.

saltarín, na *adj.* **1.** Que danza o baila. **2.** Se dice de la persona inquieta.

salteador, ra *s. m. y s. f.* Persona que saltea y roba en los despoblados o caminos.

saltear *v. tr.* **1.** Salir a los caminos y robar a los pasajeros. **2.** Asaltar, acometer. **3.** Empezar a hacer una cosa y dejarla comenzada, pasando a otra. **4.** *fig.* Sofreír un manjar a fuego vivo en manteca o aceite hirviendo.

salterio *s. m.* **1.** Libro canónico del Antiguo Testamento, que consta de 150 salmos. **2.** Libro de coro con los salmos. **3.** Instrumento musical de cuerda formado por una caja prismática de madera más estrecha por la parte superior, encima de la cual hay varias series de cuerdas metálicas que se hacen sonar pulsándolas con diversos instrumentos.

saltimbanqui *s. m., fam.* Titiritero.

salto *s. m.* **1.** Acción y efecto de saltar. **2.** Lugar que se ha de pasar saltando. **3.** Precipicio muy hondo. **4.** Espacio entre el punto de donde se salta y aquel a que se llega. **5.** Palpitación fuerte del corazón. **6.** *fig.* Tránsito o cambio brusco. **7.** *fig.* Ascenso a jerarquía superior, omitiendo los puestos intermedios. **8.** *fig.* Supresión de una parte de un escrito voluntariamente o por error.

saltón, na *adj.* **1.** Que anda a saltos o salta mucho. **2.** Se dice de algunas cosas que sobresalen más de lo regular.

saltuario *adj.* Se dice del mayorazgo que, sin atender a la línea, busca para la sucesión al sujeto que tiene las calidades prevenidas en los llamamientos.

salubérrimo, ma *adj. sup.* de salubre.

salubre *adj.* Saludable, bueno para la salud.

salubridad *s. f.* Calidad de salubre.

salud *s. f.* **1.** Estado en que el ser orgánico ejerce normalmente todas las funciones. **2.** Condiciones físicas de un organismo en un momento determinado. **3.** Libertad o bien público o particular de cada uno.

saludable *adj.* **1.** Que sirve para conservar o restablecer la salud corporal. **2.** Que tiene aspecto sano. **3.** Provechoso para un fin.

saludar *v. tr.* Dirigir a alguien palabras de cortesía deseándole salud, o mostrándole respeto, generalmente aceptada por la costumbre.

saludo *s. m.* **1.** Acción y efecto de saludar. **2.** Palabra o gesto que sirve para saludar.

salutación *s. f.* **1.** Saludo. **2.** Parte del sermón en el cual se saluda a la Virgen.

salva *s. f.* **1.** Prueba que se hace de los manjares servidos a los reyes y grandes señores. **2.** Saludo, bienvenida. **3.** Saludo hecho con armas de fuego.

salvabarros *s. m.* Pieza de un vehículo destinada a impedir que salpique el barro al ocupante.

salvable *adj.* Que se puede salvar.

salvación *s. f.* **1.** Acción y efecto de salvar o salvarse. **2.** Consecución de la gloria y bienaventuranza eternas.

salvadera *s. f.* Vaso en que se tiene la arenilla para enjugar lo escrito.

salvado *s. m.* Cáscara del grano desmenuzada por la molienda.

salvadoreñismo *s. m.* Giro o modo de hablar propio de los salvadoreños.

salvaguarda *s. f.* Salvaguardia.

salvaguardar *v. tr.* Salvar, defender.

salvaguardia *s. m.* **1.** Guarda que se pone para la custodia de una cosa. ‖ *s. f.* **2.** *fig.* Custodia, amparo, garantía.

salvajada *s. f.* Dicho o hecho propio de un salvaje.

salvaje *adj.* **1.** Se dice de las plantas silvestres y sin cultivo. **2.** Se dice del animal que no es doméstico. **3.** Se dice del terreno montuoso, inculto. **4.** Se dice de los pueblos no civilizados, que mantiene formas de vida primitivas. **5.** Se dice de los individuos de estos pueblos. También com. **6.** *fig.* Sumamente necio o rudo. También s. m. y s. f.

salvajina *s. f.* **1.** Conjunto de fieras monteses. **2.** Animal montaraz.

salvajismo *s. m.* **1.** Modo de ser o de obrar propio de los salvajes. **2.** Cualidad de salvaje.

salvamanteles *s. m.* Pieza de cristal, loza, madera o tela que se pone en la mesa debajo de las fuentes, botellas, vasos, etc.

salvamento *s. m.* **1.** Acción y efecto de salvar o salvarse. **2.** Lugar en que alguien se asegura de un peligro.

salvar *v. tr.* **1.** Librar de un riesgo o peligro, poner en seguro. **2.** Eludir una dificultad, inconveniente, etc. **3.** Excluir, exceptuar, apartar. **4.** Dar Dios la gloria y bienaventuranza eternas. **5.** Superar un obstáculo, pasando por encima o a través de él.

salvavidas *s. m.* Objeto de corcho, goma, etc. que permite a alguien mantenerse a flote en el agua.

salve *s. f.* Una de las oraciones que se rezan a la Virgen.

salvedad *s. f.* Advertencia que excusa o limita el alcance de lo que se va a decir o hacer.

salvia *s. f.* Mata labiada, de hojas oblongas o lanceoladas, cuyo cocimiento se usa como sudorífico y astringente.

salvilla *s. f.* Bandeja con una o varias encajaduras para asegurar las copas o tazas.

salvo *prep.* Fuera de, con excepción de.

salvo, va *adj.* **1.** Ileso, librado de un peligro. **2.** Exceptuado, omitido. ‖ *adv. m.* **3.** Excepto, fuera de.

salvoconducto *s. m.* Documento expedido por una autoridad para que quien lo lleva pueda transitar sin riesgo por donde aquella es reconocida.

sámago *s. m.* Parte más blanda de las maderas.

samanta *s. f., Nav.* Haz de leña.

samba *s. m.* **1.** *amer.* Canción y baile de Brasil. **2.** *amer.* Danza carnavalesca originaria de África Central que se hizo popular en Brasil y Estados Unidos, y luego fue introducida en Europa.

sambenitar *v. tr.* **1.** Poner a alguien el sambenito de los penitentes. **2.** *fig.* Infamar, poner mala nota.

sambenito *s. m.* **1.** Capotillo o escapulario que se ponía a los penitentes reconciliados por el tribunal de la Inquisición. **2.** *fig.* Mala nota que queda de una acción.

samovar *s. m.* Recipiente provisto de un tubo interior donde se colocan carbones, utilizado para calentar el agua del té.

sampán s. m. Embarcación pequeña de remos o de vela, que se emplea en China para la pesca o la navegación fluvial.

samurái s. m. **1.** En la antigua organización feudal de Japón, clase noble y militar. **2.** Cada uno de los individuos de esta clase.

san adj. Apócope de santo.

sanable adj. Que puede ser sanado.

sanar v. tr. **1.** Restituir a alguien la salud. || v. intr. **2.** Recobrar la salud el enfermo.

sanatorio s. m. Establecimiento convenientemente dispuesto para la estancia de enfermos que necesitan someterse a distintos tratamientos médicos.

sancho s. m., Ar. y C. Real Puerco, cerdo.

sanción s. f. **1.** Estatuto o ley. **2.** Pena que la ley establece para quien la infringe.

sancionable adj. Que merece sanción.

sancionador, ra adj. Que sanciona. También s. m. y s. f.

sancionar v. tr. **1.** Dar fuerza de ley a una disposición. **2.** Aprobar cualquier acto, uso o costumbre. **3.** Aplicar un castigo.

sancochado, da s. m., amer. Nombre dado a una bebida especie de chicha.

sancochar v. tr. **1.** Cocer a medias una vianda. **2.** Realizar definitivamente cualquier trabajo.

sancocho s. m. **1.** Vianda a medio cocer. **2.** Amér. C. y Amér. del S. Cocido hecho con carne, yuca, plátano y otros ingredientes.

sanctasanctórum s. m. **1.** Parte interior y más sagrada del tabernáculo de los judíos. **2.** fig. Lo que para una persona es de singularísimo aprecio. **3.** fig. Lo muy reservado y misterioso.

sanctus s. m. Parte de la misa, después del prefacio y antes del canon.

sandalia s. f. **1.** Calzado compuesto de una suela que se asegura con correas o cintas. **2.** Por ext., zapato ligero y abierto que se usa en tiempo de calor.

sándalo s. m. Planta herbácea olorosa, labiada, con tallo ramoso, hojas pecioladas y flores rosadas, originaria de la antigua Persia.

sandáraca s. f. Resina amarillenta que se saca del enebro y de otras coníferas y se usa para hacer barnices.

sandez s. f. Dicho o hecho necio y vacío.

sandía s. f. Planta herbácea anual, cucurbitácea, de tallo tendido, flores amarillas y fruto grande, casi esférico, con la pulpa encarnada comestible.

sandio, dia adj. Necio o simple.

sandunga s. f., fam. Gracia, donaire.

sándwich s. m. Emparedado hecho de jamón, queso, vegetales u otros ingredientes entre dos rebanadas de pan de molde.

saneado, da adj. Se dice de los bienes o la renta libres de cargas y descuentos.

saneamiento s. m. Conjunto de elementos destinados a favorecer las condiciones higiénicas de un edificio, comunidad, etc.

sanear v. tr. **1.** Afianzar o asegurar el reparo de un daño que puede sobrevenir. **2.** Remediar una cosa. **3.** Dar condiciones de salubridad a una cosa.

sanedrín s. m. Consejo supremo judío.

sangradera s. f. **1.** Vasija que se utiliza para recoger la sangre de una sangría. **2.** Acequia de riego que se deriva de otra corriente de agua. **3.** Compuerta por donde se da salida al agua sobrante de una acequia.

sangrado s. m. Acción y efecto de sangrar.

sangrador, ra s. m. y s. f. **1.** Persona que tiene por oficio sangrar. || s. m. **2.** fig. Abertura hecha para dar salida a los líquidos contenidos en un depósito.

sangradura s. f. **1.** Corte de la vena para sacar sangre. **2.** fig. Salida que se da a las aguas de un río o canal.

sangrar v. tr. **1.** Abrir una vena a un enfermo y dejar salir determinada cantidad de sangre. **2.** fig. Dar salida a un líquido abriendo un conducto por donde corra. **3.** fig. y fam. Sisar, hurtar. **4.** Comenzar un renglón más adentro que los demás de la plana. || v. intr. **5.** Arrojar sangre. || v. prnl. **6.** Practicarse una sangría.

sangre s. f. **1.** Líquido coagulable que lleva en suspensión células de distintas formas y funciones, y circula por las arterias y las venas del cuerpo de los animales vertebrados. **2.** fig. Linaje o parentesco.

sangría s. f. **1.** Acción y efecto de sangrar. **2.** Parte de la articulación del brazo opuesta al codo. **3.** Bebida refrescante compuesta de agua y vino con azúcar y limón.

sangriento, ta adj. **1.** Que echa sangre. **2.** Manchado de sangre o mezclado con ella. **3.** Que disfruta derramando sangre. **4.** Que causa derramamiento de sangre.

sanguífero, ra adj. Que contiene sangre.

sanguificación s. f. Conversión de la sangre negra o venosa en roja o arterial.

sanguificar v. tr. Hacer que se críe sangre en un organismo.

sanguijuela s. f. **1.** Anélido de boca chupadora que vive en las aguas dulces. **2.** fig. y fam. Persona que va poco a poco sacando a alguien el caudal.

sanguina s. f. **1.** Lápiz rojo oscuro fabricado con hematites. **2.** Dibujo hecho con este lápiz.

sanguinaria s. f. Piedra semejante al ágata, de color de sangre.

sanguinario, ria adj. Que se goza en derramar sangre.

sanguíneo, a adj. **1.** De sangre. **2.** Que contiene sangre. **3.** De color de sangre.

sanguino, na adj. **1.** Sanguíneo. **2.** De color parecido al de la sangre. Se dice particularmente de las naranjas, cuya pulpa es de ese color. También s. f.

sanguinolencia s. f. Calidad de sanguinolento.

sanguinolento, ta adj. Sangriento, que echa sangre, o mezclado con ella.

sanguis s. m. La sangre de Cristo bajo los accidentes del vino.

sanidad s. f. **1.** Calidad de sano. **2.** Salubridad. **3.** Conjunto de servicios gubernativos, ordenados para preservar la salud del común de los habitantes de un país.

sanitario, ria adj. **1.** Relativo a la sanidad o a las instalaciones sanitarias de una casa, edificio, etc. ‖ s. m. y s. f. **2.** Persona que trabaja en la sanidad. ‖ s. m. pl. **3.** Conjunto de aparatos dedicados a la higiene, instalados en los cuartos de baño. También adj.

sanjaco s. m. Gobernador de un territorio del Imperio turco.

sanjuanero, ra adj. Se dice de algunas frutas que maduran por san Juan y del árbol que las produce.

sano, na adj. **1.** Que goza de perfecta salud. **2.** fig. Sin daño o corrupción. **3.** fig. Sincero, de buena intención. **4.** fig. y fam. Entero, no roto ni estropeado.

sansa s. f., Ar. Orujo de aceituna.

sánscrito, ta adj. Se dice de la antigua lengua de los brahmanes, que sigue siendo la sagrada del Indostán. También s. m.

sansón s. m., fig. Hombre muy forzudo.

santabárbara s. f. **1.** Pañol o paraje destinado en las embarcaciones para custodiar la pólvora y municiones. **2.** Cámara por donde se comunica o baja a este pañol.

santaláceo, a adj. Se dice de las plantas dicotiledóneas, herbáceas o leñosas, de hojas verdes, gruesas, sin estípulas, y generalmente alternas; flores pequeñas, apétalas, sin cáliz colorido y fruto drupáceo con una semilla de albumen carnoso, como el guardalobo y el sándalo de la India. También s. f.

santería s. f. **1.** Calidad de santo. **2.** amer. Tienda donde se venden objetos religiosos. **3.** Cub. Prácticas de brujería.

santero, ra adj. Que tributa a las imágenes un culto supersticioso.

santiamén, en un fra., fam. En un instante.

santidad s. f. **1.** Calidad de santo. **2.** Tratamiento honorífico que se da al Papa.

santificable adj. Que merece o puede santificarse.

santificación s. f. Acción y efecto de santificar.

santificar v. tr. Hacer a alguien santo por medio de la gracia.

santificativo, va adj. Que tiene virtud o facultad de santificar.

santiguar v. tr. Hacer con la mano la señal de la cruz desde la frente al pecho y desde el hombro izquierdo al derecho. Se usa más como prnl.

santimonia s. f. **1.** Santidad, calidad de santo. **2.** Planta herbácea de las compuestas, que se cultiva en los jardines por sus flores.

santo, ta adj. **1.** Perfecto y libre de toda culpa. **2.** Se dice de la persona a quien la Iglesia declara como tal. **3.** Se dice de la persona de especial virtud y ejemplo.

santón, na s. m. y s. f. **1.** Persona que profesa vida austera y penitencia fuera de la religión cristiana, particularmente la mahometana. **2.** fig. y fam. Persona hipócrita o que aparenta santidad. **3.** fig. y fam. Persona muy autorizada e influyente en una colectividad determinada.

santónico s. m. **1.** Planta compuesta, perenne, olorosa y amarga, con flores en cabezuelas que tienen propiedades vermífugas. **2.** Cabezuela de esta planta y de otras del mismo género, de las que se extrae la santonina.

santonina s. f. Sustancia amarga que se emplea para matar lombrices intestinales.

santoral s. m. **1.** Libro que contiene vidas de santos. **2.** Lista de los santos cuya festividad se conmemora en cada uno de los días del año.

santuario s. m. Templo en que se venera la imagen o reliquia de un santo.

santurrón, na adj. Nimio y exagerado en los actos de devoción.

santurronería s. f. Calidad de santurrón.

saña s. f. **1.** Furor. **2.** Intención rencorosa.

sañudo, da adj. Propenso a la saña o que tiene saña.

sapada s. f., Le. y Sal. Caída de bruces.

sapidez s. f. Calidad de sápido.

sápido, da adj. Que tiene sabor.

sapiencia s. f. Sabiduría.

sapiencial adj. Perteneciente a la sabiduría.

sapina s. f. Planta fruticosa, vivaz, de la familia de las salsoláceas.

sapindáceo, a adj. Se dice de las plantas dicotiledóneas exóticas, arbóreas o sarmentosas, de hojas casi siempre alternas, agrupadas de tres en tres flores en espiga con un anillo nectarífero entre los estambres de la corola, y fruto capsular. También s. f.

sapo s. m. **1.** Anfibio anuro, parecido a la rana, pero de cuerpo más grueso, y con la piel llena de verrugas, ojos saltones y extremidades cortas. **2.** fig. Persona torpe.

saponáceo, a adj. Jabonoso.

saponaria s. f. Jabonera, planta.

saponificación s. f. Acción y efecto de saponificar.

saponificar v. tr. Convertir en jabón un cuerpo graso. También prnl.

saporífero, ra adj. Que causa sabor.

sapotáceo, a *adj.* Se dice de arbustos y árboles dicotiledóneos, tropicales, provistos de tubos laticíferos, con hojas alternas, enteras y coriáceas, flores axilares y por frutos drupas o bayas con semillas de albumen carnoso y oleoso o sin albumen, como el zapote. También s. f.

saprofito, ta *adj.* Se dice de las plantas que viven sobre materias orgánicas en descomposición.

saque *s. m.* **1.** Acción de sacar. **2.** Raya o sitio desde el cual se saca la pelota.

saqueador, ra *adj.* Que saquea. También s. m. y s. f.

saqueamiento *s. m.* Saqueo.

saquear *v. tr.* Apoderarse violentamente de algo los soldados u otras gentes.

saqueo *s. m.* Acción y efecto de saquear.

saquería *s. f.* **1.** Fabricación de sacos. **2.** Conjunto de ellos.

saquero, ra *s. m. y s. f.* Persona cuyo oficio es hacer o vender sacos.

sarampión *s. m.* Enfermedad febril contagiosa que produce multitud de manchitas pequeñas y rojas en la piel.

sarao *s. m.* Reunión nocturna con baile.

sarape *s. m., Méx.* Manta de lana tejida en forma de cordoncillo, de colores muy vivos, que generalmente tiene una abertura en el centro, para la cabeza, llevándola como capa contra el frío.

sarasa *s. m., fam.* Hombre afeminado.

sarcasmo *s. m.* **1.** Burla sangrienta, ironía mordaz. **2.** Figura que consiste en emplear una ironía o burla.

sarcástico, ca *adj.* **1.** Que denota sarcasmo o es concerniente a él. **2.** Se dice de la persona propensa a emplearle.

sarcocele *s. m.* Tumor crónico del testículo.

sarcófago *s. m.* Obra de piedra u otro material en que se da sepultura a un cadáver.

sarcoma *s. m.* Tumor maligno constituido por tejido embrionario.

sardana *s. f.* Danza tradicional de Cataluña.

sardina *s. f.* Pez marino malacopterigio abdominal, comestible, parecido al arenque.

sardinal *s. m.* Red para pescar sardinas.

sardinero, ra *adj.* Perteneciente a las sardinas.

sardineta *s. f.* Adorno formado por dos galones apareados y terminando en punta.

sardónice *s. f.* Ágata de color amarillento con zonas más o menos oscuras.

sarga[1] *s. f.* Tela de lana o estambre, cuyo tejido forma unas líneas diagonales.

sarga[2] *s. f.* Arbusto de la familia de las salicáceas, de ramas mimbreras, común en España a orillas de los ríos.

sargal *s. m.* Terreno poblado de sargas.

sargazo *s. m.* Algas marinas feofíceas que flotan en los mares cálidos.

sargento *com.* Persona de la clase de tropa, que tiene empleo superior al de cabo, y, que bajo la inmediata dependencia de los oficiales, cuida del orden, administración y disciplina de una compañía o parte de ella.

sargo *s. m.* Pez marino acantopterigio de color plateado, cruzado con fajas transversales negras.

sarmentar *v. intr.* Coger los sarmientos podados.

sarmentera *s. f.* **1.** Lugar donde se guardan los sarmientos. **2.** Acción de sarmentar.

sarmentoso, sa *adj.* Que tiene semejanza con los sarmientos.

sarmiento *s. m.* Vástago de la vid, largo, delgado, flexible y nudoso.

sarna *s. f.* Enfermedad cutánea, contagiosa, que consiste en multitud de vesículas y póstulas diseminadas por el cuerpo, producidas por el ácaro o arador, las cuales producen una viva picazón.

sarnoso, sa *adj.* Que tiene sarna.

sarpullido *s. m.* **1.** Erupción leve y pasajera en el cutis. **2.** Señales que dejan en el cutis las picaduras de las pulgas.

sarpullir *v. tr.* **1.** Levantar sarpullido. ‖ *v. prnl.* **2.** Llenarse de sarpullido.

sarracina *s. f.* Pelea entre muchos.

sarria *s. f.* Red basta para transportar paja.

sarrieta *s. f.* Espuerta honda y alargada en que se echa de comer a las bestias.

sarro *s. m.* **1.** Sedimento que dejan en las vasijas algunos líquidos. **2.** Sustancia amarillenta que se adhiere al esmalte de los dientes.

sarta *s. f.* **1.** Serie de cosas metidas por orden en un hilo, cuerda, etc. **2.** *fig.* Grupo de personas o de otras cosas que van en fila unas tras otras. **3.** *fig.* Serie de sucesos o cosas no materiales, iguales o análogas.

sartén *s. f.* Vasija de hierro, circular, más ancha que honda, de fondo plano y con mango largo.

sartenazo *s. m.* **1.** Golpe dado con la sartén. **2.** *fig. y fam.* Golpe recio dado con una cosa.

sartorio *s. m.* Músculo del muslo que se extiende oblicuamente a lo largo de sus caras anterior e interna.

sastre, tra *s. m. y s. f.* Persona que tiene por oficio cortar y coser trajes.

sastrería *s. f.* **1.** Oficio de sastre. **2.** Taller y tienda de sastre.

satán *s. m.* Hombre diabólico.

Satanás *n. p.* El demonio, Lucifer, Luzbel.

satánico, ca *adj.* **1.** Perteneciente a Satanás. **2.** *fig.* Extremadamente perverso.

satanismo *s. m., fig.* Perversidad, maldad satánica.

satélite *s. m.* **1.** Cuerpo celeste opaco que solo brilla por la luz refleja del Sol y gira alrededor de un planeta primario. **2.** *fig.* Persona o cosa que depende de otra y la sigue o acompaña de continuo. **3.** Rueda de un engranaje que gira sobre un eje y transmite su movimiento a otra u otras ruedas. **4.** Se usa en aposición para designar despectivamente a un Estado subordinado, política y económicamente, a la influencia de otro de mayor poder. **5.** Se aplica en aposición a la ciudad o villa ubicada a cierta distancia de una capital importante, provista de organización propia pero vinculada a dicha capital para fines en que salen beneficiadas las dos poblaciones.

satén *s. m.* Tela de seda o algodón semejante al raso en brillo pero de inferior calidad.

satinado, da *adj.* **1.** Semejante al satén. **2.** Se aplica al papel que tiene este brillo.

satinador, ra *adj.* Que satina.

satinar *v. tr.* Dar al papel o a la tela tersura y lustre por medio de la presión.

sátira *s. f.* **1.** Composición poética o en prosa cuyo objeto es censurar acremente o poner en ridículo a alguien o algo. **2.** Dicho agudo y mordaz para censurar o poner en ridículo a alguien o algo.

satírico, ca *adj.* Perteneciente a la sátira.

satirizar *v. intr.* **1.** Escribir sátiras. ‖ *v. tr.* **2.** Zaherir y motejar a alguien.

sátiro, ra *s. m.* **1.** Monstruo de la mitología grecorromana, medio hombre y medio cabra, con el cuerpo velludo y cuernos y patas de macho cabrío. **2.** *fig.* Hombre lascivo.

satisfacción *s. f.* **1.** Acción y efecto de satisfacer. **2.** Presunción, vanagloria. **3.** Confianza o seguridad del ánimo. **4.** Cumplimiento del deseo o del gusto.

satisfacer *v. tr.* **1.** Pagar enteramente lo que se debe. **2.** Solucionar una dificultad o una duda. **3.** Deshacer un agravio. **4.** Saciar un apetito.

satisfactorio, ria *adj.* **1.** Que puede satisfacer. **2.** Se dice de lo grato, próspero.

satisfecho, cha *adj.* **1.** Presumido o pagado de sí mismo. **2.** Complacido, contento.

sátrapa *s. m.* **1.** Antiguo gobernador persa. **2.** *com.* Persona que gobierna despótica y arbitrariamente. También adj.

satrapía *s. f.* **1.** Dignidad de sátrapa. **2.** Territorio gobernado por un sátrapa.

saturable *adj.* Que puede saturarse.

saturación *s. f.* Acción y efecto de saturar o saturarse.

saturado, da *adj.* Se dice de los compuestos químicos orgánicos cuyos enlaces covalentes son de tipo sencillo.

saturar *v. tr.* **1.** Saciar. **2.** Llenar algo completamente. También prnl. **3.** Combinar dos o más cuerpos en las proporciones atómicas máximas en que pueden unirse.

saturnino, na *adj.* Se dice de la persona de genio triste y taciturno.

saturnismo *s. m.* Enfermedad crónica producida por la intoxicación con las sales de plomo.

sauce *s. m.* Árbol salicáceo, de ramas erectas, hojas angostas y flores en amento.

sauceda *s. f.* Salceda.

saúco *s. m.* Arbusto caprifoliáceo, de hojas aserradas y flores olorosas blancas.

saudade *s. f.* Añoranza, nostalgia.

sauna *s. f.* **1.** Baño de vapor a altas temperaturas que produce una rápida sudoración con fines beneficiosos para el organismo. **2.** Local en el que se toman estos baños.

saurio, ria *adj.* Se dice de los reptiles con cuatro extremidades cortas, mandíbula dotada de dientes, cuerpo y cola largos y piel escamosa. También s. m.

sauzgatillo *s. m.* Arbusto verbenáceo, de ramas abundantes y pequeñas flores azules.

savia *s. f.* **1.** Líquido que circula por el tejido celular de las plantas y las nutre. **2.** *fig.* Energía, elemento vivificador.

saxafrax *s. f.* Saxífraga.

saxátil *adj.* Que se cría entre peñas o adherido a ellas.

sáxeo, a *adj.* De piedra.

saxífraga *s. f.* Planta herbácea, vivaz, saxifragácea, de flores blancas en corimbo.

saxifragáceo, a *adj.* Se dice de las plantas dicotiledóneas, herbáceas o leñosas, de hojas alternas u opuestas, flores hermafroditas de cinco pétalos y fruto capsular o baya de dos divisiones con muchas semillas de albumen carnoso, como la saxífraga o la hortensia. También s. f.

saxifragia *s. f.* Saxífraga.

saxo *s. m.* Saxófono.

saxofón *s. m.* Saxófono.

saxófono *s. m.* Instrumento musical de viento, integrado por un tubo cónico de metal encorvado en forma de U de palos desiguales, varias llaves y una boquilla.

saya *s. f.* Falda que usan las mujeres.

sayal *s. m.* Tela de lana burda.

sayo *s. m.* **1.** Casaca hueca, larga y sin botones. **2.** *fam.* Cualquier vestido.

sayón *s. m.* **1.** En la Edad Media, ministro de Justicia que hacía las citaciones y ejecutaba los embargos. **2.** Verdugo.

saz *s. m.* Sauce.

sazón *s. f.* **1.** Madurez de las cosas o estado de perfección en su línea. **2.** Ocasión, tiempo oportuno para hacer algo. **3.** Gusto y sabor que se percibe en los manjares.

sazonado, da *adj.* Se dice del dicho sustancioso y expresivo.

sazonar *v. tr.* **1.** Dar sazón al manjar. **2.** Poner algo en su punto.

scanner *s. m.* Escáner.

scooter *s. m.* Vespa.

script *com.* En el mundo del cine, persona encargada de tomar nota de todo lo concerniente a las escenas que se filman.

se[1] *pron. pers.* **1.** Forma reflexiva átona del pronombre personal de tercera persona, género masculino o femenino y número singular y plural, que puede funcionar como complemento directo o indirecto. **2.** Se usa además para formar oraciones impersonales y de pasiva refleja.

se[2] *pron. pers.* Forma del pronombre personal de tercera persona, género masculino o femenino y número singular y plural, que funciona como complemento indirecto en combinación con los pronombres de complemento directo *lo*, *la* y sus respectivos plurales.

sebáceo, a *adj.* **1.** Que participa de la naturaleza del sebo. **2.** Se dice de ciertas glándulas que segregan la grasa que lubrica el pelo y el cutis.

sebe *s. f.* Cercado de estacas altas entretejidas con ramas largas.

sebestén *s. m.* Arbolito de la familia de las borragináceas, con flores blancas y fruto amarillento parecido a una ciruela, de cuya pulpa se obtiene un mucílago que se ha usado como emoliente y pectoral. Es originario de Asia Menor.

sebo *s. m.* **1.** Grasa sólida de los animales herbívoros. **2.** Cualquier tipo de gordura.

seborrea *s. f.* Aumento patológico de la secreción de las glándulas sebáceas de la piel.

seborreico, ca *adj.* **1.** Perteneciente o relativo a la seborrea. **2.** Que padece seborrea.

seboso, sa *adj.* **1.** Que tiene sebo. **2.** Untado de sebo o de otra cosa mantecosa o grasa.

sebucán *s. m.* **1.** *Cub. y Ven.* Colador cilíndrico en el cual se aprensa o exprime la yuca rallada, en la preparación del cazabe. **2.** *P. Ric.* Nombre de una planta de estructura carnosa y un árbol de hojas brillantes. **3.** *amer.* Baile popular de cintas trenzadas.

secadal *s. m.* **1.** Sequedal. **2.** Terreno muy seco. **3.** Secano. **4.** Cosa muy seca.

secadero *s. m.* Lugar destinado para poner a secar una cosa.

secadío, a *adj.* Que puede secarse o agotarse.

secado *s. m.* Secamiento.

secador *s. m.* Aparato que sirve para secar algunas cosas, especialmente el cabello.

secamiento *s. m.* Acción y efecto de secar.

secano *s. m.* Terreno que no tiene riego.

secante *adj.* Se dice de las líneas o superficies que cortan a otras. También s. f.

secar *v. tr.* **1.** Extraer la humedad o hacer que se exhale de un cuerpo mojado. **2.** Enjugar con un trapo el líquido de

una superficie. **3.** Cicatrizar una herida. ‖ *v. prnl.* **4.** Quedarse sin agua un río, fuente, etc. **5.** Perder un vegetal su verdor.

sección *s. f.* **1.** Cortadura hecha en un cuerpo por un instrumento cortante. **2.** Cada una de las partes en que se divide un todo. **3.** Dibujo de perfil o figura que resultaría si se cortara un terreno, edificio, máquina, etc. por un plano.

seccionar *v. tr.* Cortar, dividir en secciones.

secesión *s. f.* Acto de separarse de una nación parte de su pueblo y territorio.

seco, ca *adj.* **1.** Que carece de jugo o humedad. **2.** Falto de agua. **3.** Se dice de las frutas, en especial de las que tienen la cáscara dura. **4.** Se aplica también al tiempo en que no llueve.

secoya *s. f.* Árbol gigantesco de las coníferas.

secreción *s. f.* **1.** Apartamiento, separación. **2.** Sustancia secretada.

secretar *v. tr.* Elaborar y despedir las glándulas, membranas y células una sustancia.

secretaría *s. f.* Sección de un organismo público o privado que se ocupa de las tareas administrativas.

secretariado *s. m.* **1.** Secretaría. **2.** Carrera o profesión de secretario. **3.** Cuerpo de secretarios.

secretario, ria *s. m. y s. f.* Persona encargada de escribir la correspondencia, extender actas, custodiar los documentos, etc. en una oficina, asamblea o corporación.

secretear *v. intr., fam.* Hablar en secreto una persona con otra.

secreteo *s. m., fam.* Acción de secretear.

secreter *s. m.* Mueble con tablero para escribir y cajones para guardar papeles.

secreto *s. m.* **1.** Lo que cuidadosamente se tiene reservado y oculto. **2.** Reserva, sigilo. **3.** Conocimiento que exclusivamente alguien posee de la virtud o propiedades de una cosa. **4.** Cosa que no se puede comprender. **5.** Asunto muy reservado.

secreto, ta *adj.* **1.** Se dice de lo que se mantiene oculto. **2.** Se dice de lo que se mantiene callado o reservado.

secretor, ra *adj.* Secretorio.

secretorio, ria *adj.* Que secreta. Se aplica a los órganos del cuerpo que tienen tal facultad.

secta *s. f.* Conjunto de personas que siguen una doctrina.

sectario, ria *adj.* **1.** Que profesa y sigue una secta. **2.** Secuaz, fanático de un partido o de una idea.

sectarismo *s. m.* Celo propio de sectario.

sector *s. m.* **1.** Porción de círculo comprendida entre un arco y los dos radios que pasan por sus extremidades. **2.** *fig.* Parte de una clase o colectividad que presenta caracteres peculiares.

sectorial *adj.* **1.** Perteneciente o relativo a un sector de un grupo que presenta rasgos peculiares. **2.** Que se refiere o pertenece al sector.

secuaz *adj.* Que sigue el partido, doctrina u opinión de otro.

secuela *s. f.* **1.** Consecuencia o resulta de una cosa. **2.** Lesión que queda después de una enfermedad.

secuencia *s. f.* **1.** Prosa o verso que se dice en algunas misas después del gradual. **2.** Sucesión ordenada de cosas o seres. **3.** Serie de cosas relacionadas entre sí. **4.** En cinematografía, serie de imágenes o escenas que forman un conjunto. **5.** En música, progresión armónica. **6.** Conjunto de operaciones matemáticas encadenadas.

secuencial *adj.* Perteneciente a la secuencia.

secuenciar *v. tr.* Establecer una sucesión de cosas relacionadas entre sí.

secuestración *s. f.* Secuestro, acción de secuestrar.

secuestrador, ra *adj.* Que secuestra. También s. m. y s. f.

secuestrar *v. tr.* **1.** Embargar judicialmente. **2.** Retener contra su voluntad a una persona, exigiendo dinero por su rescate.

secuestro *s. m.* Acción y efecto de secuestrar.

secular *adj.* **1.** Seglar. **2.** Que sucede o se repite cada siglo.

secularización *s. f.* Acción y efecto de secularizar.

secularizar *v. tr.* **1.** Hacer secular lo que era eclesiástico. **2.** Autorizar a un religioso o a una religiosa para que pueda vivir fuera de la clausura.

sécula seculórum, in *expr.* Para siempre.

secundar *v. tr.* Ayudar, favorecer a alguien en una causa.

secundario, ria *adj.* Segundo en orden y no principal.

secundinas *s. f. pl.* Placenta y membranas que envuelven el feto.

secuoya *s. f.* Secoya.

sed *s. f.* **1.** Gana y necesidad de beber. **2.** *fig.* Necesidad de agua. **3.** *fig.* Apetito o deseo ardiente de una cosa.

seda *s. f.* **1.** Líquido viscoso segregado por algunos artrópodos y que al contacto con el aire se solidifica en forma de hebra muy flexible y de gran resistencia, con que hacen sus capullos ciertas larvas. **2.** Hilo fino, suave y lustroso, hecho de varias de estas hebras producidas por el gusano de seda y a propósito para coser o tejer.

sedación *s. f.* Acción y efecto de sedar.

sedal *s. m.* Hilo que se ata por un extremo al anzuelo y por el otro a la caña de pescar.

sedante *adj.* Se aplica al medicamento que tiene virtud de calmar o sosegar.

sedar *v. tr.* Apaciguar, sosegar el ánimo o el cuerpo.

sede *s. f.* **1.** Asiento de un prelado que ejerce jurisdicción. **2.** Capital de una diócesis. **3.** Territorio bajo la jurisdicción de un prelado. **4.** Jurisdicción y potestad del Papa, también Santa Sede. **5.** Lugar donde tiene su domicilio una entidad económica, política, etc.

sedentario, ria *adj.* **1.** Se aplicaba al oficio o vida de poco movimiento. **2.** Se dice del pueblo que se dedica a la agricultura y se encuentra asentado en un lugar.

sedeño, ña *adj.* De seda.

sedería *s. f.* Tienda donde se venden géneros de seda.

sedero, ra *adj.* Perteneciente a la seda.

sedicente *adj.* Se aplica a la persona que se atribuye vanamente un título sin convenirle.

sedición *s. f.* Tumulto, levantamiento popular contra la autoridad.

sedicioso, sa *adj.* Que promueve una sedición o toma parte en ella.

sediento, ta *adj.* Que tiene sed.

sedimentación *s. f.* Acción y efecto de sedimentar.

sedimentar *v. tr.* **1.** Depositar sedimento un líquido. ‖ *v. prnl.* **2.** Formar sedimento las materias suspendidas en un líquido.

sedimentario, ria *adj.* **1.** Perteneciente o relativo al sedimento. **2.** Se dice del terreno formado por sedimentación.

sedimento *s. m.* Materia que, habiendo estado suspensa en un líquido, se posa en el fondo.

sedoso, sa *adj.* Parecido a la seda.

seducción *s. f.* Acción y efecto de seducir.

seducir *v. tr.* **1.** Engañar con maña. **2.** Cautivar el ánimo.

seductor, ra *adj.* Que seduce.

sefardí *adj.* **1.** Se dice del judío oriundo de España. También com. **2.** Relativo a ellos.

sefardita *adj.* Sefardí. También com.

segador, ra *s. m. y s. f.* **1.** Persona que siega. ‖ *adj.* **2.** Se dice de la máquina que se utiliza para segar. También s. f.

segar *v. tr.* **1.** Cortar mieses o hierba con la hoz, guadaña, máquina, etc. a propósito. **2.** Cortar de cualquier manera, y particularmente lo que está más alto o que sobresale. **3.** *fig.* Cortar, impedir desconsiderada y bruscamente el desarrollo de algo.

seglar *adj.* **1.** Perteneciente a la vida o costumbres del siglo o mundo. **2.** Lego.

segmentación *s. f.* **1.** Acción y efecto de segmentar. **2.** División de la célula huevo de animales y plantas en virtud de la cual se constituye la primera fase del embrión.

segmentar *v. tr.* Cortar en segmentos.

segmento *s. m.* **1.** Pedazo o parte cortada de una cosa. **2.** Parte de una recta comprendida entre dos puntos. **3.** Parte de círculo comprendida entre un arco y su cuerda. **4.** Cada una de las partes seriadas y hendidas que integran el cuerpo de los gusanos y artrópodos. **5.** Signo o conjunto de signos que pueden aislarse en la cadena hablada mediante análisis.

segregación *s. f.* Acción y efecto de segregar.

segregacionismo *s. m.* Doctrina del segregacionista y práctica de dicha doctrina.

segregacionista *adj.* **1.** Perteneciente o relativo a la segregación racial. ‖ *s. m. y s. f.* **2.** Partidario de dicha segregación.

segregar *v. tr.* Separar, secretar.

segregativo, va *adj.* Que segrega o tiene virtud de segregar.

segrí *s. m.* Antigua tela de seda.

segueta *s. f.* Sierra de marquetería.

seguetear *v. intr.* Trabajar con la segueta.

seguidilla *s. f.* Estrofa formada por versos heptasílabos y pentasílabos, corriente en la poesía popular y en el género festivo.

seguido, da *adj.* Continuo, sin interrupción.

seguimiento *s. m.* Acción y efecto de seguir.

seguir *v. tr.* **1.** Ir después o detrás de alguien. **2.** Ir en busca de una persona o cosa. **3.** Continuar en lo comenzado. **4.** Profesar una ciencia, arte o estado. **5.** Dirigir la vista hacia un objeto en movimiento sin apartarla de él. **6.** Perseguir, acosar, importunar. **7.** Suceder una cosa a otra por orden, turno o número. **8.** Dirigir una cosa por camino o método adecuados. ‖ *v. prnl.* **9.** Deducirse una cosa de otra. **10.** Originarse una cosa de otra.

según *prep.* **1.** Conforme o con arreglo a. **2.** Con proporción o correspondencia a. **3.** De la misma manera que.

segundar *v. intr.* Ser segundo o seguirse al primero.

segundero *s. m.* Manecilla que señala los segundos en el reloj.

segundo, da *adj.* **1.** Que sigue inmediatamente en orden al o a lo primero. ‖ *s. m.* **2.** Cada una de las 60 partes iguales en que se divide un minuto de tiempo.

segundón, na *s. m. y s. f., fig. y fam.* Persona que ocupa un cargo de menor dignidad con respecto a su inmediato superior.

segur *s. f.* **1.** Hacha grande para cortar. **2.** Hoz o guadaña.

seguridad *s. f.* **1.** Cualidad de seguro. **2.** Fianza u obligación de indemnidad a favor de alguien.

seguro, ra *adj.* **1.** Libre y exento de todo peligro o riesgo. **2.** Cierto, indubitable. **3.** Firme, que no está en peligro de faltar o caerse. **4.** Desprevenido, ajeno de sospecha. ‖ *s. m.* **5.** Lugar o sitio exento de todo peligro. **6.** Contrato por el cual una persona se obliga a resarcir daños o pérdidas que ocurran en las cosas que corren un riesgo. **7.** Muelle o mecanismo en algunas armas de fuego para evitar que se disparen por el juego de la llave. **8.** Cualquier mecanismo que impide el funcionamiento no deseado de un aparato o utensilio. ‖ *adv. m.* **9.** Seguramente.

seis *adj. num.* Cinco y uno. También pron. y s. m.

seisavo, va *adj. num.* Se dice de cada una de las seis partes iguales en que se divide un todo. También s. m.

seiscientos, tas *adj. num.* Seis veces cien. También pron. y s. m.

seise *s. m.* Cada uno de los niños de coro que, vestidos con traje de seda azul y blanca, bailan y cantan en la catedral de Sevilla y en algunas otras, en determinadas festividades.

seisillo *s. m.* Conjunto de seis notas iguales que se deben cantar o tocar en el tiempo correspondiente a cuatro de ellas.

seísmo *s. m.* Movimiento de tierra.

selacio, cia *adj.* Se dice de los peces cartilagíneos que tienen las branquias fijas por sus dos bordes y móvil la mandíbula inferior, como el tiburón. También s. m.

selección *s. f.* **1.** Elección de una persona o cosa entre otras. **2.** Elección de los animales destinados a la reproducción para conseguir mejoras en la raza. **3.** Conjunto de cosas escogidas. **4.** Conjunto de deportistas de distintos clubs reunidos para participar en una competición de carácter internacional.

seleccionador, ra *adj.* **1.** Que selecciona, escoge o elige. ‖ *s. m. y s. f.* **2.** En las agrupaciones deportivas, el encargado de escoger a los jugadores que van a formar un equipo.

seleccionar *v. tr.* Elegir, escoger entre varias posibilidades.

selectividad *s. f.* **1.** Cualidad de selectivo. **2.** Función de seleccionar o elegir. **3.** Examen previo a la entrada en la universidad.

selectivo, va *adj.* **1.** Que implica selección. **2.** Se dice del aparato radiorreceptor que permite escoger una onda de longitud determinada sin interferencias de otras ondas próximas que perturben la audición.

selecto, ta *adj.* Lo mejor entre otras cosas de su especie.

selector, ra *adj.* **1.** Que selecciona. ‖ *s. m.* **2.** Mecanismo que en ciertos aparatos sirve para escoger la función deseada.

selénico, ca *adj.* Perteneciente o relativo a la Luna.

selenio *s. m.* Metaloide de color pardo rojizo y brillo metálico, que tiene propiedades semejantes a las del azufre.

selenita *s. f.* Yeso.

selenitoso, sa *adj.* Que contiene yeso.

selenografía *s. f.* Parte de la astronomía que trata de la descripción de la Luna.

selenosis *s. f.* Manchita blanca que suele aparecer en las uñas.

self-service *s. m.* Autoservicio.

selladura *s. f.* Acción y efecto de sellar.

sellar *v. tr.* **1.** Imprimir el sello a una cosa. **2.** *fig.* Dejar señalada una cosa en otra o comunicarle determinado carácter. **3.** *fig.* Concluir una cosa. **4.** *fig.* Cerrar, tapar, cubrir.

sello *s. m.* **1.** Utensilio que sirve para estampar las armas, divisas o cifras en él grabadas. **2.** Lo que queda estampado, impreso y señalado con el mismo sello. **3.** Trozo pequeño de papel, con timbre oficial, que se pega a ciertos documentos para darle valor. **4.** Timbre oficial que se usa en el franqueo de cartas y otros paquetes postales. **5.** Carácter distintivo comunicado a una cosa para distinguirla de las demás. **6.** Anillo ancho que lleva grabadas las iniciales de su dueño en la parte superior.

Seltz *s. m.* Agua carbónica.

selva *s. f.* **1.** Terreno extenso, inculto y muy poblado de árboles. **2.** *fig.* Abundancia desordenada de algo.

selvático, ca *adj.* Perteneciente o relativo a las selvas.

selvicultura *s. f.* Silvicultura.

selvoso, sa *adj.* Se dice del territorio en que hay muchas selvas.

semáforo *s. m.* **1.** Telégrafo óptico de las costas, para comunicarse con los buques. **2.** Aparato eléctrico de señales luminosas para regular la circulación.

semana *s. f.* Serie de siete días naturales consecutivos.

semanal *adj.* **1.** Que sucede o se repite cada semana. **2.** Que dura una semana o a ella corresponde.

semanario, ria *adj.* **1.** Semanal. ‖ *s. m.* **2.** Periódico que se publica cada semana. **3.** Conjunto de siete cosas iguales o relacionadas.

semántica *s. f.* Parte de la lingüística que estudia la significación de las palabras.

semántico, ca *adj.* Que se refiere a la significación de las palabras.

semblante *s. m.* Cara, rostro.

semblanza *s. f.* Bosquejo biográfico.

sembradío, a *adj.* Se dice del terreno que está en condiciones de ser sembrado.

sembrado *s. m.* Tierra sembrada.

sembrador, ra *adj.* Que siembra. También s. m. y s. f.

sembrar *v. tr.* **1.** Esparcir las semillas en la tierra preparada para este fin. **2.** Desparramar algo. **3.** Ser causa o principio de algo.

semejante *adj.* **1.** Parecido, análogo a otro ser. ‖ *s. m.* **2.** Prójimo.

semejanza *s. f.* Calidad de semejante.

semejar *v. intr.* Parecerse una persona o cosa a otra. También prnl.

semen *s. m.* **1.** Líquido que segregan las glándulas genitales masculinas y que contiene los espermatozoos. **2.** Semilla.

semental *adj.* **1.** Relativo a la siembra o sementera. **2.** Se dice del animal macho que se destina a padrear. También s. m.

sementar *v. tr.* Sembrar la semilla.

sementera *s. f.* Tierra sembrada.

sementero *s. m.* Saco en que se llevan los granos para sembrar.

semestral *adj.* **1.** Que sucede o se repite cada semestre. **2.** Que dura un semestre o a él corresponde.

semestre *s. m.* Espacio de seis meses.

semibreve *s. f.* Nota musical que equivale a un compás menor entero.

semicilíndrico, ca *adj.* **1.** Perteneciente o relativo al semicilindro. **2.** De figura de semicilindro o semejante a ella.

semicilindro *s. m.* Cada una de las dos mitades del cilindro separadas por un plano que pasa por su eje.

semicircular *adj.* **1.** Perteneciente o relativo al semicírculo. **2.** De figura de semicírculo o semejante a ella.

semicírculo *s. m.* Cada una de las dos mitades del círculo separadas por un diámetro.

semicircunferencia *s. f.* Cada una de las dos mitades de la circunferencia.

semiconductor, ra *adj.* **1.** Se aplica al cuerpo que no es ni buen conductor ni buen aislante de la electricidad. También s. m. ‖ *s. m.* **2.** Cuerpo aislante cuya resistencia eléctrica sube mucho cuando contiene alguna impureza.

semiconserva *s. f.* Alimentos de origen vegetal o animal, envasados en recipientes sin previa esterilización, que se conservan por tiempo limitado en sal, vinagre, aceite, almíbar, etc.

semiconsonante *adj.* Se dice del sonido o letra que participa de los caracteres de vocal y de consonante, como la *i* y la *u* en principio de diptongo o triptongo. También s. f.

semicorchea *s. f.* Nota musical cuyo valor equivale a la mitad de la corchea.

semicultismo *s. m.* Palabra del latín o del griego que no ha completado su evolución fonética normal en el paso a otra lengua y conserva características de la lengua de origen.

semidiós, sa *s. m.* y *s. f.* Héroe a quien los gentiles colocaban entre sus deidades.

semidormido, da *adj.* Casi dormido.

semiesfera *s. f.* Hemisferio.

semiesférico, ca *adj.* **1.** Perteneciente o relativo a la semiesfera. **2.** De forma de semiesfera.

semifinal *s. f.* Cada una de las dos penúltimas competiciones de un campeonato que se ganan por eleminación del contrario. Se usa más en pl.

semifinalista *adj.* Que participa en la semifinal de una competición. También com.

semifusa *s. f.* Nota musical equivalente a la mitad de la fusa.

semilla *s. f.* **1.** Parte del fruto de las plantas fanerógamas que contiene el embrión de la futura planta. **2.** *fig.* Cosa que es causa u origen de que procedan otras.

semillero *s. m.* Lugar o sitio donde se siembran los vegetales que después han de trasplantarse.

seminal *adj.* Relativo al semen o a la semilla.

seminario *s. m.* **1.** Organismo docente en que, mediante el trabajo de maestros y discípulos en común, se adiestran estos en la investigación de cierta disciplina. **2.** Casa destinada para la educación de los jóvenes que se dedican al estado eclesiástico.

seminarista *s. m.* Alumno de un seminario.

seminífero, ra *adj.* Que produce o contiene semen.

semiología *s. f.* **1.** Semiótica. **2.** Denominación que el lingüista F. de Saussure da a una ciencia que estudia los signos en la vida social.

semiótica *s. f.* **1.** Parte de la medicina que trata de los síntomas de las enfermedades. **2.** Teoría general de los signos.

semiperíodo *s. m.* Mitad de periodo correspondiente a un sistema de corrientes bifásicas.

semiplano *s. m.* Cada una de las dos porciones de plano limitadas por una recta.

semirrecta *s. f.* Cada una de las dos porciones en que puede quedar dividida una recta por uno de sus puntos.

semita *adj.* Descendiente de Sem, se aplica al individuo de una familia etnográfica y lingüística que abarca los distintos pueblos que hablan o hablaron lenguas de flexión de caracteres especiales: arameo, siríaco, caldeo, etc. También com.

semítico, ca *adj.* Perteneciente o relativo a los semitas.

semitono *s. m.* Cada una de las dos partes en que se divide el intervalo de un tono.

semitransparente *adj.* Casi transparente.

semivocal *adj.* **1.** Se aplica a las vocales *i* y *u*, formando diptongo con una vocal precedente. Su articulación es en este caso más cerrada que la que les corresponde siendo vocales plenas. También s. f. **2.** Se dice de la consonante que puede ser pronunciada sin el apoyo directo de una vocal. También s. f.

sémola *s. f.* **1.** Trigo candeal desnudo de su corteza. **2.** Pasta de harina de flor reducida a granos muy menudos y que se emplea para sopa.

sempiterna *s. f.* **1.** Tela de lana, basta y muy tupida. **2.** Planta herbácea de la familia de las amarantáceas, anual, de tallo derecho y ramoso, hojas vellosas, flores en cabezuela, con tres brácteas, y fruto en forma de caja que encierra una sola semilla. Las flores son pequeñas, moradas o anacaradas y, cogidas poco antes de granar la simiente, persisten meses enteros sin padecer alteración, por lo cual sirven para hacer guirnaldas, coronas, etc. Se cultiva también en nuestros jardines, pero se cría en la India.

sen *s. m.* Arbusto oriental, de la familia de las papilonáceas, cuyas hojas se usan en infusión como purgantes.

sena *s. f.* Conjunto de seis puntos señalados en una de las caras del dado.

senado *s. m.* **1.** Asamblea de patricios que formaba el Consejo supremo de la antigua Roma. **2.** Cuerpo legislativo formado por personas cualificadas, elegidas para dicho cargo.

senador, ra *s. m. y s. f.* Miembro del senado.

senatorial *adj.* Perteneciente o relativo al senador o al senado.

sencillez *s. f.* Calidad de sencillo.

sencillo, lla *adj.* **1.** Que no tiene artificio ni composición. **2.** Que carece de ostentación y adornos. **3.** Que no presenta dificultades para su realización o comprensión.

senda *s. f.* Camino estrecho.

sendero *s. m.* Senda, camino.

sendos, das *adj. distrib.* Uno o una para cada cual de dos o más personas o cosas.

senectud *s. f.* Edad senil, que comúnmente empieza a los sesenta años.

senescal *s. m.* **1.** En algunos países, mayordomo mayor de la casa real. **2.** Jefe o cabeza principal de la nobleza, a la que gobernaba especialmente en la guerra.

senescencia *s. f.* Calidad de senescente.

senescente *adj.* Que empieza a envejecer.

senil *adj.* Perteneciente a la vejez.

senilidad *s. f.* **1.** Condición de senil. **2.** Edad senil. **3.** Degeneración de las facultades físicas y mentales por alteración de los tejidos.

sénior *adj.* **1.** Profesional más antiguo o más adelantado. **2.** Deportista de la categoría y edad superiores. **3.** Que es mayor que otra persona, generalmente su hijo, y comparte con él el mismo nombre.

seno *s. m.* **1.** Concavidad o hueco. **2.** Pecho humano. **3.** Cualquiera de las concavidades interiores del cuerpo del animal. **4.** *fig.* Regazo, amparo. **5.** *fig.* Parte interna de alguna cosa.

sensación *s. f.* **1.** Impresión que las cosas producen en el alma por medio de los sentidos. **2.** Emoción producida en el ánimo por un suceso o noticia de importancia.

sensacional *adj.* Que causa sensación o emoción.

sensacionalismo *s. m.* Tendencia a producir fuerte impresión con noticias, sucesos, etc.

sensacionalista *adj.* Perteneciente o relativo al sensacionalismo. También com.

sensatez *s. f.* Calidad de sensato.

sensato, ta *adj.* Prudente, de buen juicio.

sensibilidad *s. f.* Facultad de sentir.

sensibilización *s. f.* Acción y efecto de sensibilizar.

sensibilizar *v. tr.* **1.** Hacer sensibles a la acción de la luz ciertas materias fotográficas. **2.** Aumentar o excitar la sensibilidad física o moral. **3.** Representar de forma sensible, hacer sensible.

sensible *adj.* **1.** Capaz de sentir. **2.** Que puede ser percibido por los sentidos.

sensiblería *s. f.* Sentimentalismo exagerado, trivial o fingido.

sensiblero, ra *adj.* Se dice de la persona que muestra sensiblería.

sensitiva *s. f.* Planta mimosácea cuyas hojas se pliegan al ser tocadas.

sensitivo, va *adj.* Perteneciente a los sentidos corporales.

sensor *s. m.* Dispositivo que puede registrar una acción externa, como la temperatura o la presión, y la transmite.

sensorial *adj.* Perteneciente o relativo a los sentidos.

sensorio, ria *adj.* **1.** Perteneciente o relativo a los sentidos. ‖ *s. m.* **2.** Centro común de todas las sensaciones.

sensual *adj.* **1.** Perteneciente a los sentidos. **2.** Perteneciente al deseo sexual.

sensualidad *s. f.* Calidad de sensual.

sensualismo *s. m.* Propensión excesiva a los placeres de los sentidos.

sensualista *adj.* Que profesa la doctrina del sensualismo.

sentada *s. f.* **1.** Tiempo durante el cual una persona permanece sentada. **2.** Protesta que realizan un grupo de personas sentándose durante largo tiempo en el suelo.

sentado, da *adj.* **1.** Juicioso, quieto. **2.** Se dice de las partes de una planta que carecen de pedúnculo.

sentar *v. tr.* **1.** Colocar a alguien sobre una silla o un mueble similar de modo que quede apoyado sobre las nalgas. También *prnl.* **2.** Dar por supuesta alguna cosa. ‖ *v. intr.* **3.** *fig. y fam.* Tratándose de la comida o la bebida, recibirla bien el estómago y digerirla sin molestia. **4.** *fig. y fam.* Con relación a algo que puede influir en la salud del cuerpo, hacer provecho.

sentencia *s. f.* **1.** Dictamen, opinión. **2.** Resolución del juez.

sentenciar *v. tr.* **1.** Dar sentencia. **2.** Expresar el dictamen sobre una cuestión.

sentencioso, sa *adj.* **1.** Que encierra moralidad o doctrina. **2.** Se dice del tono de la persona que habla con gravedad.

sentido, da *adj.* **1.** Que incluye o explica un sentimiento. **2.** Que se ofende con facilidad. ‖ *s. m.* **3.** Aptitud que tiene el alma de percibir, por medio de determinados órganos, las impresiones de los objetos externos. **4.** Entendimiento o razón, en cuanto discierne las cosas. **5.** Modo particular de entender una cosa. **6.** Razón de ser, finalidad. **7.** Significación cabal de una proposición o cláusula. **8.** Cada una de las diferentes interpretaciones que puede admitir un escrito.

sentimental *adj.* **1.** Que expresa o excita sentimientos tiernos. **2.** Propenso a ellos.

sentimentalismo *s. m.* Calidad de sentimental.

sentimiento *s. m.* Impresión que causan en el ánimo las cosas espirituales.

sentina *s. f.* **1.** Cavidad inferior de la nave. **2.** *fig.* Lugar lleno de inmundicias.

sentir¹ *s. m.* **1.** Sentimiento del ánimo. **2.** Parecer de alguien sobre una materia.

sentir² *v. tr.* **1.** Experimentar sensaciones. **2.** Percibir con el sentido del oído, oír. **3.** Experimentar aflicción por una cosa o por un acontecimiento. **4.** Experimentar una impresión espiritual. **5.** Tener por dolorosa o mala una cosa. **6.** Opinar, juzgar, criticar.

seña *s. f.* **1.** Nota, indicio. **2.** Signo que se emplea para acordarse de algo. **3.** Vestigio que queda de una cosa.

señal *s. f.* **1.** Marca para distinguir una cosa. **2.** Signo. **3.** Vestigio.

señalado, da *adj.* Insigne, famoso.

señalamiento *s. m.* **1.** Acción de señalar o determinar lugar, hora, etc. para un fin. **2.** Designación de día para un juicio oral o una vista.

señalar *v. tr.* **1.** Poner una marca o señal. **2.** Llamar la atención hacia una persona o cosa. **3.** Hacer una herida en el cuerpo, especialmente en la cara.

señalización *s. f.* **1.** Acción y efecto de señalizar. **2.** Sistema de señales que se emplea en las vías de comunicación.

señalizar *v. tr.* Señalar, hacer o poner señales en las vías de comunicación.

señero, ra *adj.* Único, sin par.

señor, ra *s. m. y s. f.* **1.** Dueño de una cosa. **2.** Tratamiento de respeto.

señorear *v. tr.* **1.** Mandar como dueño de algo. **2.** Apropiarse de una cosa.

señoría *s. f.* Tratamiento que se da a las personas a quienes compete por su dignidad.

señorial *adj.* **1.** Perteneciente o relativo al señorío. **2.** Majestuoso, noble.

señorío *s. m.* **1.** Dominio sobre una cosa. **2.** Gravedad en el porte o en las acciones.

señorita *s. f.* **1.** Término de cortesía que se aplica a la mujer soltera. **2.** *fam.* Ama, con respecto a los criados. **3.** Tratamiento de cortesía que reciben las maestras de escuela, profesoras y en general secretarias y cualquier mujer que desempeña un puesto en la administración o el comercio.

señorito *s. m.* **1.** *fam.* Amo, con respecto a los criados. **2.** *fam.* Joven acomodado y ocioso.

señuelo *s. m.* Cualquier cosa que sirve para atraer a las aves.

seo *s. f., Ar.* Catedral.

sépalo *s. m.* Cada una de las divisiones del cáliz de la flor.

separable *adj.* Capaz de separarse o de ser separado.

separación *s. f.* **1.** Acción y efecto de separar. **2.** Interrupción de la vida conyugal por conformidad de las partes o fallo judicial, sin quedar extinguido el vínculo matrimonial.

separador, ra *adj.* Que separa. También *s. m. y s. f.*

separar *v. tr.* **1.** Poner dos personas o cosas fuera de contacto. También *prnl.* **2.** Distinguir. **3.** Destituir de un empleo. ‖ *v. prnl.* **4.** Retirarse alguien de algún ejercicio u ocupación. **5.** Interrumpir los cónyuges su vida en común.

separata *s. f.* Tirada aparte de un artículo o capítulo publicado en una revista u otra obra.

separatismo *s. m.* Doctrina política que pretende la separación de un territorio para declararse independiente o anexionarse a otro país.

separatista *adj.* **1.** Que trabaja y conspira para que un territorio o colonia se separe de la soberanía actual. También *com.* **2.** Perteneciente relativo al separatismo.

separativo, va *adj.* Que separa o tiene virtud de separar.

sepelio *s. m.* Acción de inhumar la Iglesia a los fieles.

sepia *s. f.* **1.** Jibia, molusco. **2.** Materia colorante sacada de esta.

septena *s. f.* Conjunto de siete cosas.

septenario, ria *adj.* **1.** Que consta de siete elementos, unidades, etc. **2.** Se dice, en general, de todo lo que consta de siete elementos. **3.** Tiempo de siete días.

septenio *s. m.* Periodo de siete años.

Septentrión *n. p.* Norte, punto cardinal.

septentrional *adj.* Perteneciente o relativo al Septentrión.

septeto *s. m.* Conjunto de siete instrumentos o voces.

septicemia *s. f.* Alteración de la sangre por la presencia de gérmenes patógenos.

séptico, ca *adj.* Que produce putrefacción.

septiembre *s. m.* Noveno mes del año.

séptimo, ma *adj. num.* **1.** Se dice de cada una de las siete partes iguales en que se divide un todo. **2.** Que ocupa el último lugar en una serie ordenada de siete.

septingentésimo, ma *adj. num.* **1.** Se dice de cada una de las 700 partes iguales en que se divide un todo. También *s. m.* **2.** Que ocupa el último lugar en una serie ordenada de 700. También *pron.*

septisílabo, ba *adj.* Heptasílabo.

septuagenario, ria *adj.* Que tiene setenta años de edad.

septuagésimo, ma *adj. num.* **1.** Se dice de cada una de las 70 partes iguales en que se divide un todo. También *s. m.* **2.** Que ocupa el último lugar en una serie ordenada de 70. También *pron.*

septuplicación *s. f.* Acción y efecto de septuplicar.

septuplicar *v. tr.* Multiplicar por siete una cantidad. También *prnl.*

séptuplo, pla *adj.* Que contiene un número exactamente siete veces. También *s. m.*

sepulcral *adj.* Perteneciente o relativo al sepulcro.

sepulcro *s. m.* Obra que se construye levantando del suelo, para dar en ella sepultura al cadáver de una persona.

sepultar *v. tr.* **1.** Enterrar a un difunto. **2.** Ocultar alguna cosa como enterrándola.

sepultura *s. f.* Lugar en que está enterrado un cadáver.

sepulturero, ra *s. m. y s. f.* Persona que tiene por oficio abrir las sepulturas y enterrar los cadáveres.

sequedad *s. f.* Calidad de seco.

sequedal *s. m.* Sequeral.

sequeral *s. m.* Terreno muy seco.

sequía *s. f.* Tiempo seco de larga duración.

sequillo *s. m.* Rosquilla de masa azucarada.

séquito *s. m.* Grupo de personas que acompaña y sigue a alguien.

ser[1] *s. m.* **1.** Esencia o naturaleza. **2.** Ente, lo que es o existe.

ser[2] *v. cop.* **1.** Afirma del sujeto lo que significa el atributo. ‖ *v. aux.* **2.** Sirve para la conjugación de los verbos en la voz pasiva. ‖ *v. intr.* **3.** Haber o existir.

sera *s. f.* Espuerta grande sin asas.

seráfico, ca *adj.* **1.** Perteneciente o parecido al serafín. **2.** *fig.* y *fam.* Pobre, humilde.

serafín *s. m.* Cada uno de los espíritus bienaventurados que forman el primer coro.

serba *s. f.* Fruto del serbal, con figura de pera pequeña y color rojizo y amarillento.

serbal *s. m.* Árbol rosáceo, de flores blancas en corimbo y fruto en pomo.

serenar *v. tr.* Aclarar, sosegar una cosa.

serenata *s. f.* Música al aire libre y durante la noche, para festejar a una persona.

serenidad *s. f.* Calidad de sereno.

sereno, na *adj.* **1.** Claro, despejado de nubes o nieblas. **2.** Se dice de lo apacible, sosegado. ‖ *s. m.* **3.** Humedad de la que está impregnada la atmósfera durante la noche. **4.** Guarda encargado de rondar de noche para velar por la seguridad del vecindario.

sergas *s. f. pl.* Proezas, hazañas.

serial *s. m.* Programa radiofónico o televisivo cuyo argumento se desarrolla en emisiones sucesivas.

seriar *v. tr.* Poner en serie, formar series.

sericícola *adj.* Perteneciente o relativo a la sericicultura.

sericicultor, ra *s. m. y s. f.* Persona que se dedica a la sericicultura.

sericicultura *s. f.* Industria que tiene por objeto la producción de la seda.

sericultor, ra *s. m. y s. f.* Sericicultor.

sericultura *s. f.* Sericicultura.

serie *s. f.* **1.** Conjunto de cosas relacionadas entre sí y que suceden unas a otras. **2.** En filatelia, conjunto de sellos que forman parte de una misma emisión. **3.** En lotería, cada uno de los conjuntos de números emitidos para un mismo sorteo.

seriedad *s. f.* Calidad de serio.

serio, ria *adj.* **1.** Grave, formal en las acciones y el proceder. **2.** Que obra reflexiva y concienzudamente, sin bromear ni tratar de engañar. **3.** Severo en el semblante, en el modo de mirar o hablar. **4.** Real y sincero. **5.** Grave, importante.

sermón *s. m.* **1.** Discurso pronunciado por un sacerdote. **2.** *fig.* Amonestación.

sermoneador, ra *adj.* Que sermonea.

sermonear *v. intr.* Amonestar o reprender a alguien.

serón *s. m.* Sera más larga que ancha.

serosidad *s. f.* Líquido albuminoideo que segregan ciertas membranas.

seroso, sa *adj.* **1.** Perteneciente o semejante al suero o a la serosidad. **2.** Que produce serosidad.

seroterapia *s. f.* Tratamiento de las enfermedades a través de sueros medicinales.

serpentear *v. intr.* Moverse formando vueltas y tornos como las serpientes.

serpentín *s. m.* Tubo largo en espiral para facilitar el enfriamiento de la destilación en los alambiques.

serpentina *s. f.* **1.** Piedra de color verdoso, con manchas más o menos oscuras. **2.** Tira de papel enrollada que en ciertas fiestas se arrojan unas personas a otras.

serpentino, na *adj.* Perteneciente o relativo a la serpiente.

serpentón *s. m.* Instrumento musical de viento, de gran tamaño y tonos graves.

serpiente *s. f.* Culebra, por lo general de gran tamaño.

serpigo *s. m.* Llaga que se cicatriza por un extremo y se extiende por el otro.

serpollo *s. m.* Cada una de las ramas nuevas que brotan al pie de un árbol.

serraduras *s. f. pl.* Serrín.

serranía *s. f.* Terreno compuesto de montañas y sierras.

serranilla *s. f.* Composición lírica de asunto rústico y amoroso, generalmente escrita en metros cortos.

serrano, na *adj.* **1.** Que habita en una sierra, o nacido en ella. También s. m. y s. f. **2.** Perteneciente a las sierras o a sus moradores.

serrar *v. tr.* Cortar con una sierra.

serrátil *adj.* **1.** Se dice del pulso frecuente y desigual. **2.** Se dice de la juntura de los huesos que tienen figura de dientes de sierra.

serrato, ta *adj.* Se aplica al músculo que tiene dientes a modo de sierra. También s. m.

serrería *s. f.* Taller mecánico para serrar madera.

serreta *s. f.* Medida de hierro con dentecillos, que se pone sujeta al cabezón sobre la nariz de las caballerías.

serrín *s. m.* Conjunto de partículas desprendidas al serrar madera.

serruchar *v. tr., Arg., Chil. y P. Ric.* Aserrar con el serrucho.

serrucho *s. m.* Sierra de hoja ancha y con una sola manija.

servato *s. m.* Planta de la familia de las umbelíferas, común en España, cuyos frutos se han usado como carminativos.

serventesio *s. m.* Estrofa endecasílaba en la que riman en consonante el primer verso con el tercero y el segundo con el cuarto.

servible *adj.* Que puede servir.

servicial *adj.* **1.** Que sirve con diligencia. **2.** Pronto a complacer y servir a otros.

servicio *s. m.* **1.** Acción y efecto de servir. **2.** Estado de criado o sirviente. **3.** Cubierto que se pone a cada comensal. **4.** Conjunto de vajilla y otras cosas para servir la comida, el té, etc. **5.** Letrina, lugar común.

servidor, ra *s. m. y s. f.* Persona que sirve como criado.

servidumbre *s. f.* **1.** Trabajo o ejercicio propio del siervo. **2.** Conjunto de criados de una casa.

servil *adj.* **1.** Perteneciente a los siervos y criados. **2.** Humilde y de poca estimación. **3.** Rastrero.

servilismo *s. m.* Ciega y baja adhesión a la autoridad de alguien.

servilleta *s. f.* Pedazo de tela que sirve en la mesa para limpiarse la boca.

servilletero *s. m.* **1.** Aro en que se pone enrollada la servilleta. **2.** Utensilio que sirve para poner las servilletas de papel.

servir *v. intr.* **1.** Estar al servicio de otro o sujeto a él. También tr. **2.** Ser de utilidad una cosa. **3.** Estar empleado en la realización de una cosa por delegación de otro. **4.** Estar subordinado a otro. **5.** Desempeñar un cargo propio o en sustitución de otro. **6.** Ser soldado en activo.

servo *s. m.* Abreviatura de servomecanismo o de servomotor.

servofreno *s. m.* Freno cuya acción es reforzada por un dispositivo eléctrico.

servomecanismo *s. m.* Sistema electromecánico que se regula por sí mismo al detectar un error.

servomotor *s. m.* **1.** Aparato que sirve para dar movimiento al timón. **2.** Motor auxiliar para aumentar la energía en un momento dado, disponible cuando conviene.

sesada *s. f.* Sesos de un animal.

sésamo *s. m.* **1.** Planta pedaliácea, de la especie de la alegría y el ajonjolí. **2.** Dulce hecho con pasta de nueces u otro fruto seco y ajonjolí.

sesear *v. intr.* Pronunciar la *c* o la *z* delante de *e, i* como *s*. Se da sobre todo en Andalucía, Canarias y América, y en las variantes vulgares de Cataluña y Valencia, con distintas articulaciones.

sesenta *adj. num.* Seis veces diez. También pron. y s. m.

sesentavo, va *adj. num.* Se dice de cada una de las 60 partes iguales en que se divide un todo. También s. m.

sesentón, na *adj., fam.* Sexagenario. También s. m. y s. f.

seseo *s. m.* Acción y efecto de sesear.

sesera *s. f.* Parte de la cabeza en que están los sesos.

sesga *s. f.* Nesga de la tela.

sesgadura *s. f.* Acción y efecto de sesgar.

sesgar *v. tr.* Cortar o partir en sesgo.

sesgo, ga *adj.* **1.** Cortado oblicuamente. **2.** *fig.* Grave o torcido en el semblante. ‖ *s. m.* **3.** Oblicuidad de una cosa hacia un lado. **4.** *fig.* Medio término tomado en los negocios dudosos. **5.** *fig.* Por ext., curso que toma un negocio.

sésil *adj.* Se dice de los organismos que carecen de pedúnculo.

sesión *s. f.* **1.** Conferencia o consulta entre varios para determinar una cosa. **2.** Cada una de las funciones de teatro o cine que se celebran el mismo día en distintas horas.

seso *s. m.* **1.** Masa nerviosa contenida en la cavidad del cráneo. **2.** Prudencia, madurez.

sesteadero *s. m.* Lugar donde sestea el ganado.

sestear *v. intr.* **1.** Pasar la siesta durmiendo o descansando. **2.** Recogerse el ganado durante el día en un paraje sombrío.

sestercio *s. m.* Antigua moneda de plata de los romanos.

sesudo, da *adj.* Prudente y sensato.

set *s. m.* **1.** Conjunto de elementos que comparten una propiedad o tienen un fin común. **2.** Cada una de las partes en que se divide un partido en algunos deportes. **3.** Plató.

seta *s. f.* Cualquier especie de hongos de forma de sombrero o casquete sostenido por un pedicelo.

setecientos, tas *adj. num.* Siete veces cien. También pron. y s. m.

setenta *adj. num.* Siete veces diez. También pron. y s. m.

setentavo, va *adj.* Se dice de cada una de las 70 partes iguales en que se divide un todo. También s. m.

setentón, na *adj.* Septuagenario. También s. m. y s. f.

setiembre *s. m.* Septiembre.

seto *s. m.* Cercado de varas entretejidas.

seudónimo, ma *adj.* Se dice del autor que oculta con un nombre falso el suyo verdadero.

seudópodo *s. m.* Cualquiera de las prolongaciones de protoplasma que emiten muchos seres unicelulares y mediante los cuales efectúan su locomoción.

severidad *s. f.* **1.** Rigor y aspereza en el trato o en el castigo. **2.** Exactitud en la observancia de una ley, precepto o regla. **3.** Gravedad, seriedad.

severo, ra *adj.* **1.** Que no tiene indulgencia por las faltas o por las debilidades. **2.** Grave, serio.

seviche *s. m.* Cebiche.

sevicia *s. f.* Crueldad excesiva.

sevillanas *s. f. pl.* Aire musical propio de Sevilla, bailable, y con el cual se cantan seguidillas.

sexagenario, ria *adj.* Que tiene sesenta años de edad.

sexagesimal *adj.* Se dice del sistema de contar o de subdividir de 60 en 60.

sexagésimo, ma *adj. num.* **1.** Se dice de cada una de las 60 partes iguales en que se divide un todo. También s. m. **2.** Que ocupa el último lugar en una serie ordenada de 60. También pron.

sexagonal *adj.* Hexagonal.

sex-appeal *s. m.* Atractivo sexual.

sexenio *s. m.* Periodo de seis años.

sexi *adj.* Erótico.

sexismo *s. m.* Discriminación de las personas en razón de su sexo por considerarlo inferior al otro.

sexista *adj.* Perteneciente o relativo al sexismo. *adj.* Se aplica a la persona partidaria del sexismo. También com.

sexo *s. m.* Condición orgánica que distingue al macho de la hembra.

sexología *s. f.* Estudio del sexo y de diversas cuestiones relacionadas con él.

sexólogo, ga *s. m. y s. f.* Especialista en sexología.

sex-shop *s. m.* Establecimiento en el que se pueden comprar todo tipo de artículos eróticos.

sex symbol *com.* Persona considerada como un símbolo sexual.

sextante *s. m.* Instrumento astronómico para las observaciones marítimas, que consiste en un sector de círculo, graduado, de 60 grados, provisto de dos reflectores y un anteojo.

sexteto *s. m.* Composición para seis instrumentos o seis voces.

sexto, ta *adj. num.* Que ocupa el último lugar en una serie ordenada de seis.

sextuplicar *v. tr.* Aumentar seis veces el número, la cantidad, etc., de una cosa.

séxtuplo, pla *adj. num.* Que contiene un número exactamente seis veces. También s. m.

sexuado, da *adj.* Se dice de la planta o animal que tiene órganos sexuales bien desarrollados.

sexual *adj.* Perteneciente o relativo al sexo.

sexualidad *s. f.* **1.** Conjunto de condiciones anatómicas y fisiológicas que caracterizan a cada sexo. **2.** Deseo sexual.

sexy *adj.* Sexi.

sha *s. m.* Sah.

shampoo *s. m.* Champú.

sheriff *s. m.* Funcionario que realiza cometidos de juez y policía en un distrito en Estados Unidos y en algunos condados británicos.

sherpa *adj.* **1.** Se dice del individuo de cierto pueblo del Nepal habituado a la altura. Algunos de sus habitantes son guías especializados en las expediciones al Himalaya. También com. **2.** Por ext., se dice del individuo, perteneciente o no a este pueblo, que actúa como guía en las expediciones al Himalaya. También s. m. y s. f.

shock *s. m.* Choque.

show *s. m.* Espectáculo, función.

si[1] *conj.* Denota condición o suposición necesaria para que se verifique algo.

si[2] *s. m.* Séptima voz de la escala musical.

sí[3] *pron. pers.* Forma reflexiva tónica del pronombre personal de tercera persona, género masculino o femenino y número singular y plural, que, precedida siempre de preposición, funciona como complemento.

sí[4] *adv. afirm.* **1.** Se usa como sustantivo para consentimiento o permiso. **2.** Se usa como énfasis para avivar la afirmación expresada por el verbo con que se une.

sialismo *s. m.* Salivación excesiva y continua.

siamés, sa *adj.* Se dice de los hermanos mellizos que nacen unidos por alguna parte del cuerpo. Se usa más como s. m. y s. f., y en pl.

sibarita *adj., fig.* Se dice de la persona muy dada a los lujos y placeres.

sibaritismo *s. m.* Género de vida lujosa y sensual, como la de los antiguos sibaritas.

sibila *s. f.* Mujer sabia a quien los antiguos atribuyeron espíritu profético.

sibilante *adj.* Que silba o suena a manera de silbido.

sibilino, na *adj.* **1.** Perteneciente o relativo a la sibila. **2.** *fig.* Misterioso, oscuro.

sibilítico, ca *adj.* Sibilino.

sicalipsis *s. f.* Picardía erótica.

sicalíptico, ca *adj.* Perteneciente o relativo a la sicalipsis.

sicario *s. m.* Asesino asalariado.

siclo *s. m.* Moneda hebrea de plata.

sicofanta *s. m.* Impostor, calumniador.

sicología *s. f.* Psicología.

sicológico, ca *adj.* Psicológico.

sicólogo, ga *s. m. y s. f.* Psicólogo.

sicómoro *s. m.* Higuera propia de Egipto, con fruto pequeño de color amarillento y madera incorruptible.

sicópata *s. m. y s. f.* Psicópata.

sicosis *s. f.* Psicosis.

sida *s. m.* Enfermedad viral que consiste en la total ausencia de respuesta inmunitaria en el individuo.

sidecar *s. m.* Cochecillo que algunas motocicletas llevan unido en un lateral.

sideral *adj.* Perteneciente o relativo a los astros.

sidéreo, a *adj.* Sideral.

siderita *s. f.* **1.** Siderosa, mineral. **2.** Planta labiada, con flores amarillas con el labio superior blanco y fruto seco.

siderosa *s. f.* Mineral de color pardo amarillento. Es un carbonato ferroso.

siderurgia *s. f.* Arte de extraer el hierro y de trabajarlo.

siderúrgico, ca *adj.* Perteneciente o relativo a la siderurgia.

sidra *s. f.* Bebida alcohólica obtenida por la fermentación del zumo de las manzanas.

sidrería *s. f.* Establecimiento en que se vende sidra.

siega *s. f.* Tiempo en que se siega.

siembra *s. f.* Sembrado, tierra sembrada.

siempre *adv. t.* **1.** En todo o en cualquier tiempo. **2.** En todo caso o cuando menos.

siempreviva *s. f.* Perpetua amarilla.

sien *s. f.* Cada una de las dos partes laterales de la cabeza comprendidas entre la frente, la oreja y la mejilla.

siena *s. m.* Color castaño, con diferentes matices. También adj.

sierpe *s. f.* **1.** Serpiente, culebra. **2.** *fig.* Persona muy fea o muy feroz.

sierra *s. f.* **1.** Herramienta para fragmentar. **2.** Cordillera de montes.

siervo, va *s. m. y s. f.* Esclavo.

sieso *s. m.* Parte inferior y terminal del intestino recto.

siesta *s. f.* Sueño que se echa después de comer.

siete *adj. num.* Seis y uno. También pron. y s. m.

sietemesino, na *adj.* Se dice del bebé que nace a los siete meses de engendrado.

sífilis *s. f.* Enfermedad venérea, infecciosa.

sifilítico, ca *adj.* **1.** Perteneciente o relativo a la sífilis. **2.** Que la padece.

sifilografía *s. f.* Parte de la medicina que trata de las enfermedades sifilíticas.

sifón *s. m.* **1.** Tubo para trasvasar líquidos. **2.** Botella cerrada herméticamente que contiene agua cargada de ácido carbónico.

sigilar *v. tr.* **1.** Sellar, imprimir con sello. **2.** Callar u ocultar una cosa.

sigilo *s. m.* Silencio cauteloso.

sigiloso, sa *adj.* Que guarda sigilo.

sigla *s. f.* Letra inicial que se usa como abreviatura.

siglo *s. m.* Espacio de cien años.

sigma *s. f.* Decimoctava letra del alfabeto griego, que equivale a nuestra s.

signar *v. tr.* **1.** Sellar, poner o imprimir el signo. **2.** Firmar.

signatario, ria *adj.* Firmante. También s. m. y s. f.

signatura *s. f.* **1.** Señal que se pone en las cosas para distinguirlas unas de otras. **2.** Cierto tribunal de la corte romana.

significación *s. f.* **1.** Sentido de una palabra o frase. **2.** Importancia en cualquier orden.

significado, da *adj.* **1.** Conocido, importante. ‖ *s. m.* **2.** Significación de una palabra o de otra cosa.

significante *s. m.* Imagen acústica que va asociada a un concepto y conforma el signo lingüístico.

significar *v. tr.* **1.** Ser una cosa por naturaleza signo, representación o indicio de otra. **2.** Ser una palabra o frase expresión o signo de una idea o de una cosa material. ‖ *v. intr.* **3.** Representar, importar, valer.

significativo, va *adj.* **1.** Que da a entender algo. **2.** Que tiene importancia por representar o significar algún valor.

signo *s. m.* **1.** Cosa que evoca en el entendimiento la idea de otra. **2.** Señal de una cosa. **3.** Carácter empleado en la escritura y en la imprenta. **4.** Figura que los notarios añaden a su firma en los documentos públicos. **5.** Cada una de las doce partes del Zodíaco. **6.** Señal usada en los cálculos para indicar la naturaleza de las cantidades o las operaciones que se han de ejecutar con ellas. **7.** Cualquiera de los caracteres con que se escribe la música, particularmente el que indica el tono natural de un sonido.

siguiente *adj.* Ulterior, posterior.

sílaba *s. f.* Sonido o sonidos que constituyen un solo núcleo fónico entre dos depresiones sucesivas de la emisión de voz.

silabario *s. m.* Libro para enseñar a deletrear a los niños.

silabear *v. intr.* Ir pronunciando separadamente cada sílaba. También tr.

silabeo *s. m.* Acción y efecto de silabear.

silábico, ca *adj.* Perteneciente a la sílaba.

silba *s. f.* Acción y efecto de silbar, principalmente en señal de desaprobación.

silbante *adj.* Que silba.

silbar *v. intr.* Dar silbidos.

silbato *s. m.* Instrumento pequeño y hueco que produce un silbo agudo.

silbido *s. m.* **1.** Sonido agudo que hace el aire. **2.** Sonido agudo que resulta de hacer pasar con fuerza el aire por la boca con los labios fruncidos.

silbo *s. m.* Silbido.

silenciador *s. m.* Dispositivo que acoplado al tubo de salida de gases de los motores de explosión, o al cañón de un arma, amortigua el ruido.

silenciar *v. tr.* **1.** Callar, guardar silencio. **2.** Acallar, imponer silencio.

silencio *s. m.* **1.** Abstención de hablar. **2.** Pausa.

silencioso, sa *adj.* **1.** Que calla. **2.** Que no hace ruido. **3.** Se aplica al lugar o tiempo en que hay o se guarda silencio.

silente *adj., poét.* Silencioso, tranquilo, sosegado.

silepsis *s. f.* Figura que consiste en quebrantar la concordancia gramatical.

sílex *s. m.* Pedernal opaco.

sílfide *s. f.* Ninfa del aire.

silfo *s. m.* Espíritu elemental del aire.

silicato *s. m.* Sal compuesta de ácido silícico y una base.

sílice *s. f.* Combinación del silicio con el oxígeno.

silíceo, a *adj.* De sílice o semejante a ella.

silícico *adj.* Se dice del ácido compuesto de silicio, oxígeno e hidrógeno.

silicio *s. m.* Metaloide que se extrae de la sílice por reducción del cuarzo.

silicosis *s. f.* Enfermedad respiratoria, producida por el polvo de sílice.

silla *s. f.* **1.** Asiento individual, generalmente con respaldo y con cuatro patas. **2.** Sede de un prelado.

sillar *s. m.* Cada una de las piedras labradas de una construcción.

sillería *s. f.* Fábrica hecha de sillares.

silleta *s. f.* Recipiente de forma plana para excretar en la cama los enfermos.

sillín *s. m.* **1.** Silla de montar más ligera que la común. **2.** Asiento de la bicicleta.

sillón *s. m.* Silla de brazos mayor y más cómoda que la ordinaria.

silo *s. m.* Lugar seco en donde se guarda el trigo, las semillas o forrajes.

silogismo *s. m.* Razonamiento que consta de tres proposiciones.

silogístico, ca *adj.* Perteneciente al silogismo.

silueta *s. f.* **1.** Dibujo del contorno de la sombra de un objeto. **2.** Perfil.

siluetear *v. tr.* Realizar un dibujo en silueta.

silúrico, ca *adj.* **1.** Se dice del periodo geológico de la era primaria que sigue al cámbrico y del terreno correspondiente a él, siendo considerado como uno de los más antiguos. También s. m. **2.** Perteneciente a este terreno.

siluro *s. m.* Pez malacopterigio de agua dulce parecido a la anguila.

silva *s. f.* **1.** Combinación métrica de versos endecasílabos y heptasílabos. **2.** Colección de varias materias o temas, escritos sin método ni orden.

silvestre *adj.* Que se cría naturalmente sin cultivo en selvas o campos.

silvícola *adj.* Que habita en las selvas.

silvicultor, ra *s. m. y s. f.* Persona que profesa la silvicultura.

silvicultura *s. f.* Cultivo de los bosques y montes.

sima *s. f.* Cavidad grande y muy profunda en la tierra.

simarubáceo, a *adj.* Se dice de árboles o arbustos angiospermos dicotiledóneos, propios de países cálidos, y que suelen contener principios amargos en su corteza. También s. f.

simbiosis *s. f.* Asociación de organismos de especies diferentes que se favorecen mutuamente en su desarrollo.

simbiótico, ca *adj.* Perteneciente o relativo a la simbiosis.

simbólico, ca *adj.* Perteneciente o relativo al símbolo o expresado por medio de él.

simbolismo *s. m.* Sistema de símbolos que se destinan a representar alguna cosa.

simbolista *adj.* **1.** Perteneciente o relativo a la corriente del simbolismo poético decimonónico. **2.** Partidario o cultivador del simbolismo decimonónico. Apl. a pers., u. t. c. com.

simbolizar *v. tr.* Servir una cosa como símbolo de otra.

símbolo s. m. Figura con que es representado un concepto, por alguna semejanza que el entendimiento percibe entre ambos.

simbología s. f. Ciencia que trata de los símbolos.

simetría s. f. **1.** Proporción adecuada de las partes de un todo. **2.** Armonía de posición, forma y dimensiones de las partes o puntos similares unos respecto de otros, y referente a punto, línea o plano determinado.

simétrico, ca adj. **1.** Perteneciente a la simetría. **2.** Que la tiene.

simiente s. f. **1.** Semilla. **2.** Semen.

simiesco, ca adj. Que se asemeja al simio o es propio de él.

símil s. m. **1.** Semejanza entre dos cosas. **2.** Figura que consiste en comparar expresamente una cosa con otra, para dar idea viva y eficaz de una de ellas.

similar adj. Que tiene semejanza con algo.

similitud s. f. Semejanza de una cosa con otra.

similor s. m. Aleación de cinc y cobre, que tiene el color y el brillo del oro.

simio s. m. Mono.

simonía s. f. Compra o venta ilícita de cosas espirituales.

simoníaco, ca adj. **1.** Perteneciente a la simonía. **2.** Se dice de la persona que la comete. También s. m. y s. f.

simpatía s. f. Inclinación instintiva que ejerce una persona sobre otra.

simpático, ca adj. Que inspira simpatía.

simpatizante adj. Que simpatiza. También com.

simpatizar v. intr. Sentir simpatía.

simple adj. **1.** Sin composición. **2.** Sin complicaciones o dificultades. **3.** fig. Desabrido. **4.** fig. Apacible e incauto. **5.** fig. Mentecato y de poco discurso. También com.

simpleza s. f. **1.** Bobería, necedad. **2.** Dicho o hecho simple.

simplicidad s. f. **1.** Sencillez, candor. **2.** Cualidad de simple o sencillo.

simplificación s. f. Acción y efecto de simplificar.

simplificar v. tr. Hacer más sencilla o más fácil una cosa.

simposio s. m. Reunión de especialistas para dilucidar cuestiones y temas de su peculiar incumbencia.

simulación s. f. **1.** Acción de simular. **2.** Alteración aparente de la causa, la índole o el objeto verdadero de un acto o contrato.

simulacro s. m. Imagen hecha a semejanza de una cosa o persona.

simulador, ra adj. Que simula. También s. m. y s. f.

simular v. tr. Representar una cosa, fingiendo lo que no es.

simultanear v. tr. Realizar en el mismo espacio de tiempo dos operaciones.

simultaneidad s. f. Calidad de simultáneo.

simultáneo, a adj. Que se hace u ocurre al mismo tiempo que otra cosa.

simún s. m. Viento que sopla en el desierto.

sin prep. **1.** Denota carencia o falta. **2.** Fuera de o además de.

sinagoga s. f. **1.** Congregación religiosa de los judíos. **2.** Templo de los judíos.

sinalefa s. f. Enlace de la última vocal de una palabra y la primera de la palabra siguiente, pronunciándola en una sola sílaba.

sinapismo s. m. Tópico hecho con polvo de mostaza.

sinartrosis s. f. Articulación no movible, como la de los huesos del cráneo.

sincerar v. tr. Justificar la inculpabilidad o culpabilidad de alguien. También prnl.

sinceridad s. f. Veracidad, modo de expresarse libre de fingimiento.

sincero, ra adj. Ingenuo, exento de hipocresía o simulación.

sinclinal adj. Se dice del plegamiento de las capas del terreno en forma de uve. También s. m.

síncopa s. f. **1.** Supresión de una o más letras en medio de una palabra. **2.** Enlace de dos sonidos iguales.

sincopado, da adj. Se dice del ritmo o canto que tiene notas sincopadas.

sincopar v. tr. Hacer síncopa.

síncope s. m. Pérdida repentina del conocimiento y de la sensibilidad.

sincrético, ca adj. Perteneciente o relativo al sincretismo.

sincretismo s. m. Sistema filosófico que trata de conciliar doctrinas diferentes.

sincronía s. f. Estudio de la lengua, haciendo abstracción del aspecto cronológico, fuera del tiempo.

sincrónico, ca adj. Que ocurre a un mismo tiempo.

sincronismo s. m. Circunstancia de ocurrir, suceder o realizarse dos o más cosas simultáneamente.

sincronización s. f. Acción y efecto de sincronizar.

sincronizar v. tr. Hacer que coincidan al mismo tiempo dos o más movimientos o fenómenos.

sindéresis s. f. Capacidad natural para juzgar rectamente.

sindicado, da adj. Que pertenece a un sindicato.

sindical adj. Perteneciente o relativo al sindicato.

sindicalismo s. m. Sistema de organización obrera por medio del sindicato.

sindicalista adj. **1.** Perteneciente o relativo al sindicalismo. **2.** Partidario del sindicalismo.

sindicar v. tr. **1.** Acusar o delatar. **2.** Asociar varios individuos de una misma profesión, o de intereses comunes, para constituir un sindicato. También prnl.

sindicato s. m. Asociación formada para la defensa de intereses económicos o políticos comunes a todos los asociados.

síndico s. m. Encargado de liquidar el activo y el pasivo del deudor en un concurso de acreedores o en una quiebra.

síndrome *s. m.* **1.** Conjunto de síntomas característicos de una enfermedad. **2.** Por ext., conjunto de fenómenos que caracteriza a una situación.

sinécdoque *s. f.* Tropo que consiste en extender, restringir o alterar la significación de las palabras, para designar el todo por la parte, o viceversa, el género por la especie, etc.

sinecura *s. f.* Empleo o cargo retribuido que ocasiona poco o ningún trabajo.

sine díe *loc. lat.* que significa «sin fecha».

sine qua non *expr. lat.* que se aplica a la condición sin la cual no se hará una cosa o se tendrá por no hecha.

sinéresis *s. f.* Pronunciación en una sola sílaba de dos vocales de una palabra que de ordinario se pronuncian separadas.

sinergia *s. f.* Acción activa y concertada de varios órganos para realizar una función.

sinfín *s. m.* Infinidad, sin número.

sínfisis *s. f.* Conjunto de partes orgánicas que aseguran y afirman las relaciones de determinados huesos entre sí.

sinfonía *s. f.* **1.** Conjunto de voces, de instrumentos, o de ambas cosas, que suenan a la vez. **2.** Armonía de los colores.

sinfónico, ca *adj.* Perteneciente o relativo a la sinfonía.

singladura *s. f.* Distancia recorrida por una nave en 24 horas.

singlar *v. intr.* Navegar la nave con rumbo determinado.

singular *adj.* **1.** Único. **2.** *fig.* Se dice de lo extraordinario, raro.

singularidad *s. f.* Particularidad, separación de lo común.

singularizar *v. tr.* Distinguir o particularizar una cosa entre otras.

singulto *s. m.* Sollozo.

sinhueso *s. m., fam.* Lengua, en cuanto es órgano de la palabra.

siniestra *s. f.* Izquierda.

siniestralidad *s. f.* Frecuencia de siniestros.

siniestro, tra *adj.* **1.** Que está a la mano izquierda. **2.** *fig.* Avieso, mal intencionado. ‖ *s. m.* **3.** Avería grave, o pérdida importante que sufren las personas o la propiedad.

sinnúmero *s. m.* Número incalculable.

sino[1] *s. m.* Signo, hado, destino.

sino[2] *conj. advers.* Contrapone a un concepto negativo otro afirmativo.

sinodal *adj.* Perteneciente al sínodo.

sinódico, ca *adj.* Perteneciente o relativo al sínodo.

sínodo *s. m.* Concilio de los obispos.

sinonimia *s. f.* Circunstancia de ser sinónimos dos o más vocablos.

sinónimo, ma *adj.* Se dice de los vocablos y expresiones que tienen una misma o muy parecida significación, o alguna acepción equivalente. También s. m.

sinople *adj.* Color verde. También s. m.

sinopsis *s. f.* Compendio de una materia que la explica más fácilmente.

sinóptico, ca *adj.* Que presenta con claridad las partes principales de un todo.

sinovia *s. f.* Humor líquido transparente y viscoso que lubrica las articulaciones de los huesos.

sinovial *adj.* **1.** Perteneciente o relativo a la sinovia. **2.** Se dice de las glándulas que secretan la sinovia.

sinrazón *s. f.* Acción hecha contra justicia y fuera de lo razonable o debido.

sinsabor *s. m., fig.* Pesar, desazón.

sinsustancia *com., fam.* Persona insustancial o frívola.

sintáctico, ca *adj.* Perteneciente o relativo a la sintaxis.

sintagma *s. m.* En lingüística, combinación de elementos significativos alineados uno tras otro y que funcionan unitariamente en la oración.

sintaxis *s. f.* Parte de la gramática que enseña a coordinar y unir palabras para formar las oraciones, y el enlace de unas oraciones con otras.

síntesis *s. f.* Compendio de una materia.

sintético, ca *adj.* **1.** Perteneciente o relativo a la síntesis. **2.** Se dice de productos obtenidos por procedimientos industriales, principalmente una síntesis química que reproducen la composición y propiedades de algunos cuerpos naturales.

sintetizador *s. m.* Instrumento musical electrónico que puede producir y combinar sonidos de cualquier instrumento conocido y otros efectos sonoros.

sintetizar *v. tr.* Hacer síntesis.

sintoísmo *s. m.* Religión primitiva y popular de los japoneses.

síntoma *s. m.* Fenómeno revelador de una enfermedad.

sintomático, ca *adj.* Perteneciente al síntoma.

sintonía *s. f.* **1.** Cualidad de sintónico. **2.** Circunstancia de estar el aparato receptor acomodado a la misma longitud de onda que la estación emisora. **3.** Melodía que actúa como señal sonora para indicar el comienzo o el fin de un programa televisivo o radiofónico, o de la propia emisión.

sintónico, ca *adj.* Que está sintonizado.

sintonización *s. f.* Acción y efecto de sintonizar.

sintonizador *s. m.* Sistema que permite aumentar o disminuir la longitud de onda propia del aparato receptor, acomodándole a la longitud de las ondas que se trata de recibir.

sintonizar *v. intr.* **1.** En radiotelegrafía y radiotelefonía, poner el aparato receptor en sintonía con el emisor. **2.** *fig.* Coincidir en lo que se piensa o se siente con otras personas.

sinuosidad *s. f.* Calidad de sinuoso.

sinuoso, sa *adj.* Que tiene senos, ondulaciones o recodos.

sinusitis *s. f.* Inflamación de los senos del cráneo.

sinvergüenza *adj.* Que comete actos ilegales o inmorales.

siquiera *conj. advers. y conces.* Equivale a *bien que* o *aunque*.

sirena *s. f.* Ninfa marina con busto de mujer y cuerpo de pez.

sirenio, nia *adj.* Se aplica a los mamíferos marinos pisciformes, con las aberturas nasales en el extremo del hocico, mamas en posición pectoral, sin extremidades posteriores y con las extremidades anteriores en forma de aleta, como el manatí. También s. m.

sirga *s. f.* Maroma para tirar las redes.

sirle *s. m.* Excremento del ganado lanar y cabrío.

siroco *s. m.* Viento del sudeste.

sirte *s. f.* Bajo de arena.

sirviente, ta *s. m. y s. f.* Persona que se dedica al servicio doméstico.

sisa *s. f.* **1.** Parte que se hurta en la compra diaria. **2.** Sesgadura hecha en la tela de las prendas de vestir para que ajusten bien al cuerpo y, especialmente, corte curvo correspondiente a la parte de las axilas.

sisar *v. tr.* **1.** Cometer el hurto llamado sisa. **2.** Hacer sisas en las prendas de vestir.

sisear *v. intr.* Emitir repetidamente el sonido inarticulado de s y ch para manifestar desagrado o para llamar a alguien.

siseo *s. m.* Acción y efecto de sisear.

sísmico, ca *adj.* Perteneciente o relativo al terremoto.

sismógrafo *s. m.* Instrumento para registrar, durante un terremoto, la dirección de las oscilaciones y sacudimientos de la tierra.

sismología *s. f.* Parte de la geología que trata de los terremotos.

sismómetro *s. m.* Instrumento para medir la fuerza de oscilaciones sísmicas.

sisón *s. m.* Ave zancuda, común en España, con el plumaje blanco en el vientre y pardo rayado de negro en el resto del cuerpo, que se alimenta de insectos y cuya carne es comestible.

sistema *s. m.* **1.** Conjunto de reglas, principios o medidas, enlazados entre sí. **2.** Norma de conducta.

sistemático, ca *adj.* **1.** Que sigue o se ajusta a un sistema. **2.** Se dice de la persona que procede por principios.

sistematizar *v. tr.* Reducir a sistema.

sístole *s. f.* Movimiento de contracción rítmica del corazón y de las arterias.

sitial *s. m.* Asiento de ceremonia.

sitiar *v. tr.* **1.** Cercar una plaza o fortaleza para apoderarse de ella. **2.** *fig.* Cercar a alguien cerrándole todas las salidas.

sitio[1] *s. m.* **1.** Lugar, espacio. **2.** Paraje o terreno a propósito para alguna cosa.

sitio[2] *s. m.* Acción y efecto de sitiar.

sito, ta *adj.* Situado o fundado.

situación *s. f.* **1.** Disposición de una cosa respecto del lugar que ocupa. **2.** Estado de las cosas y personas.

situar *v. tr.* **1.** Poner a una persona o cosa en determinado sitio o situación. **2.** Asignar fondos para algún pago o inversión.

slogan *s. m.* Eslogan.

smoking *s. m.* Esmoquin.

snob *s. m. y s. f.* Esnob.

snobismo *s. m.* Esnobismo.

so *prep.* Bajo, debajo de.

¡so! *interj.* que se emplea para hacer que se paren las caballerías.

soasar *v. tr.* Medio asar o asar ligeramente.

soba *s. f., fig.* Aporreamiento o zurra.

sobacal *adj.* Perteneciente o relativo al sobaco.

sobaco *s. m.* Concavidad que forma el arranque del brazo con el cuerpo.

sobado, da *adj.* **1.** Se dice del bollo a cuya masa se le ha agregado aceite o manteca. También s. m. **2.** *fig.* Se dice de lo manido, muy usado.

sobajar *v. tr.* Manosear una cosa ajándola.

sobaquera *s. f.* Abertura que se deja en algunos vestidos, en la parte de la axila.

sobar *v. tr.* Manejar y oprimir una cosa repetidamente a fin de que se ablande.

soberanía *s. f.* **1.** Calidad de soberano, dominio. **2.** Orgullo, soberbia.

soberano, na *adj.* **1.** Que ejerce o posee la autoridad suprema e independiente. También s. m. y s. f. **2.** Elevado, excelente y no superado.

soberbia *s. f.* Estimación excesiva de sí mismo menospreciando a los demás.

soberbio, bia *adj.* **1.** Altivo, arrogante. **2.** *fig.* Orgullosa y violento.

sobina *s. f.* Clavo de madera.

sobo *s. m.* Soba.

sobón, na *adj., fam.* Que por sus excesivas caricias se hace fastidioso.

sobornable *adj.* Que se puede sobornar.

sobornador, ra *adj.* Que soborna. También s. m. y s. f.

sobornar *v. tr.* Corromper a alguien con dádivas.

soborno *s. m.* **1.** Acción y efecto de sobornar. **2.** Dádiva con que se soborna.

sobra *s. f.* **1.** Demasía y exceso en cualquier cosa sobre su justo ser, peso o valor. ‖ *s. f. pl.* **2.** Desperdicios o desechos.

sobradar *v. tr.* Poner sobrado a los edificios.

sobrado, da *adj.* **1.** Demasiado. **2.** Audaz y licencioso. **3.** Rico. ‖ *s. m.* **4.** Desván.

sobrar *v. tr.* **1.** Exceder o sobrepujar. ‖ *v. intr.* **2.** Haber más de lo que se necesita.

sobrasada *s. f.* Embuchado grueso de carne de cerdo, muy picada y sazonada con sal, pimienta y pimiento molido.

sobrasar *v. tr.* Poner brasas al pie de la olla para que cueza mejor o más pronto.

sobre[1] *prep.* **1.** Encima. **2.** Acerca de.

sobre² *s. m.* Cubierta de papel en que se incluye una carta, documento, etc.

sobreabundancia *s. f.* Acción y efecto de sobreabundar.

sobreabundar *v. intr.* Abundar mucho.

sobreagudo, da *adj.* Se dice de los sonidos más agudos del sistema musical.

sobrealiento *s. m.* Respiración difícil y fatigosa.

sobrealimentación *s. f.* Acción y efecto de sobrealimentar.

sobrealimentar *v. tr.* Dar a un individuo más alimento del que ordinariamente toma o necesita para alimentarse.

sobrealzar *v. tr.* Alzar demasiado una cosa o aumentar su elevación.

sobreasar *v. tr.* Volver a poner al fuego lo que ya está asado o cocido.

sobrecalentamiento *s. m.* Excesivo calentamiento de un motor o similar que puede producir su deterioro o avería.

sobrecama *s. f.* Colcha.

sobrecarga *s. f.* **1.** Lo que se añade a una carga regular. **2.** *fig.* Molestia.

sobrecargar *v. tr.* Cargar algo con exceso.

sobrecargo *com.* Persona que en los buques mercantes lleva a su cuidado el cargamento.

sobreceja *s. f.* Parte de la frente inmediata a las cejas.

sobrecejo *s. m.* Ceño del rostro.

sobrecenar *v. intr.* Cenar por segunda vez. También tr.

sobrecincho *s. m.* Faja o correa que pasa por debajo de la barriga de la cabalgadura y por encima del aparejo.

sobrecogedor, ra *adj.* Que sobrecoge.

sobrecoger *v. tr.* **1.** Coger de repente y desprevenido a alguien. ‖ *v. prnl.* **2.** Sorprenderse, intimidarse.

sobrecubierta *s. f.* Segunda cubierta que se pone a una cosa para resguardarla.

sobredicho, cha *adj.* Dicho antes o arriba.

sobredorar *v. tr.* Dorar los metales, y especialmente la plata.

sobredosis *s. f.* Dosis excesiva de una droga u otra sustancia que puede llegar a causar la muerte.

sobreedificar *v. tr.* Construir sobre otra edificación.

sobreentender *v. tr.* Sobrentender.

sobreestimar *v. tr.* Sobrestimar.

sobrefalda *s. f.* Falda corta que se coloca como adorno sobre otra.

sobrefaz *s. f.* Superficie o cara exterior de las cosas.

sobrehumano, na *adj.* Que excede a lo humano.

sobreimpresión *s. f.* Acción y efecto de sobreimprimir.

sobreimprimir *v. tr.* Imprimir algo sobre un texto o imagen.

sobrellevar *v. tr.* **1.** *fig.* Ayudar a sufrir los trabajos o molestias de la vida. **2.** *fig.* Resignarse a algo con paciencia.

sobremanera *adv. m.* En extremo.

sobremesa *s. f.* **1.** Tapete que se pone sobre la mesa. **2.** Tiempo que se está a la mesa después de haber comido.

sobrenadar *v. intr.* Mantenerse encima de un líquido sin hundirse.

sobrenatural *adj.* Que excede los términos de la naturaleza.

sobrenombre *s. m.* Nombre que se añade a veces al apellido para distinguir a dos personas que tienen el mismo.

sobrentender *v. tr.* Entender una cosa que no está expresa, pero que se deduce.

sobrentendido *s. m.* Lo que no está expresado y se da por supuesto en una conversación, escrito, etc.

sobrepaga *s. f.* Aumento de paga.

sobrepaño *s. m.* Lienzo o paño que se pone encima de otro paño.

sobreparto *s. m.* **1.** Tiempo que inmediatamente sigue al parto. **2.** Estado delicado de salud que suele ser consiguiente al parto.

sobrepasar *v. tr.* **1.** Exceder, aventajar. **2.** Rebasar un límite.

sobrepelliz *s. f.* Vestidura blanca, de lienzo fino con mangas, que se pone sobre la sotana.

sobreponer *v. tr.* Añadir una cosa o ponerla encima de otra.

sobreprecio *s. m.* Recargo en el precio ordinario.

sobreproducción *s. f.* Exceso de producción.

sobrepujar *v. tr.* Exceder una cosa o persona a otra en cualquier línea.

sobresaliente *s. m.* En la calificación de exámenes, nota superior, la más alta de todas.

sobresalir *v. intr.* Exceder una persona o cosa a otras en figura, tamaño, etc.

sobresaltar *v. tr.* **1.** Saltar, venir y acometer de repente. **2.** Asustar, alterar a alguien repentinamente. También prnl.

sobresalto *s. m.* Temor o susto repentino.

sobresdrújulo, la *adj.* Se aplica a las voces que llevan un acento en la sílaba anterior a la antepenúltima.

sobreseer *v. intr.* **1.** Desistir de la pretensión que se tenía. **2.** Cesar en el cumplimiento de una obligación.

sobreseimiento *s. m.* Acción y efecto de sobreseer.

sobrestante *s. m.* Capataz de una obra.

sobrestimar *v. tr.* Estimar una cosa por encima de su valor.

sobresueldo *s. m.* Salario que se añade al sueldo fijo.

sobretodo *s. m.* Prenda de vestir, ancha, larga y con mangas, que se lleva sobre el traje ordinario.

sobrevalorar *v. tr.* Estimar una cosa por encima de su valor.

sobrevenir *v. intr.* Suceder una cosa además o después de otra.

sobrevivir *v. intr.* Vivir alguien después de la muerte de otro o después de un determinado suceso o plazo.

sobrevolar *v. tr.* Volar por encima de un lugar.

sobrexceder *v. tr.* Exceder, aventajar a otro.

sobriedad *s. f.* Calidad de sobrio.

sobrino, na *s. m. y s. f.* Respecto de una persona, hijo o hija de su hermano o hermana, o de su primo o prima.

sobrio, bria *adj.* **1.** Moderado en comer y beber. **2.** Que carece de aditamentos superfluos.

socaire *s. m.* Abrigo que ofrece una cosa en su lado opuesto a aquel de donde sopla el viento.

socaliña *s. f.* Artificio con que se saca a alguien lo que no está obligado a dar.

socarra *s. f.* Acción y efecto de socarrar.

socarrar *v. tr.* Tostar superficialmente algo.

socarrén *s. m.* Parte del alero del tejado que sobresale de la pared.

socarrena *s. f.* Hueco.

socarrón, na *adj.* Se dice de la persona que obra con socarronería.

socarronería *s. f.* Astucia con burla encubierta.

socavar *v. tr.* Excavar por debajo alguna cosa dejándola en falso.

socavón *s. m.* Cueva que se excava en un monte.

sochantre *s. m.* Director del coro en los oficios divinos.

sociabilidad *s. f.* Calidad de sociable.

sociable *adj.* Naturalmente inclinado a la sociedad.

social *adj.* **1.** Perteneciente o relativo a la sociedad y a las distintas clases que la componen. **2.** Perteneciente o relativo a una compañía o sociedad.

socialdemocracia *s. f.* Movimiento político socialista de carácter reformista que propugna una reforma de las estructuras político-sociales del capitalismo.

socialdemócrata *s. m. y s. f.* Partidario de la socialdemocracia.

socialismo *s. m.* **1.** Sistema social y económico, opuesto al capitalismo, que propugna una organización económica de la sociedad sobre la base de la propiedad en común de los medios de producción; en su desarrollo histórico presenta diferencias notables en cuanto a métodos e ideología. **2.** Movimiento político que intenta establecer este sistema.

socialista *adj.* **1.** Que profesa la doctrina del socialismo. También com. **2.** Perteneciente o relativo al socialismo.

socialización *s. f.* Acción y efecto de socializar.

socializar *v. tr.* **1.** Transferir al Estado u otro organismo colectivo las propiedades, industrias, etc., particulares. **2.** Promover las condiciones sociales que favorezcan el desarrollo integral de la persona en su medio.

sociedad *s. f.* **1.** Conjunto organizado de personas, familias, pueblos o naciones. **2.** Agrupación de individuos con el fin de cumplir, mediante la mutua cooperación, todos o alguno de los fines de la vida. **3.** La de comerciantes, personas de negocios o accionistas de alguna empresa.

socio, cia *s. m. y s. f.* **1.** Persona asociada con otra para algún fin. Individuo de una sociedad. **2.** *fam.* Amigo, compañero, compinche.

sociocultural *adj.* Perteneciente o relativo al estado cultural de una sociedad o grupo cultural.

sociología *s. f.* Disciplina filosófica que estudia las condiciones de existencia y desenvolvimiento de las sociedades humanas.

sociólogo, ga *s. m. y s. f.* Persona que profesa la sociología o tiene en ella conocimientos especiales.

socollada *s. f.* Sacudida que dan las velas.

socorrer *v. tr.* Ayudar a alguien en un peligro o necesidad.

socorrismo *s. m.* Organización destinada a prestar ayuda en caso de accidente.

socorrista *com.* Persona adiestrada para prestar ayuda en caso de accidente.

socorro *s. m.* Acción y efecto de socorrer.

socrocio *s. m.* Emplasto en que entra el azafrán.

soda *s. f.* Bebida de agua gaseosa, que contiene ácido carbónico y está aromatizada con un jarabe o esencia de alguna fruta.

sodio *s. m.* Metal blando, de color y brillo similar al de la plata, muy ligero.

sodomía *s. f.* Coito anal, especialmente entre personas del mismo sexo.

sodomita *s. f.* Que comete sodomía. También com.

sodomizar *v. tr.* Someter a sodomía a alguien.

soez *adj.* Se dice de lo bajo y grosero.

sofá *s. m.* Asiento cómodo con respaldo y brazos para dos o más personas.

sofaldar *v. tr.* **1.** Alzar las faldas. **2.** *fig.* Levantar cualquier cosa para descubrir otra.

sofión *s. m.* Bufido, demostración de enfado.

sofisma *s. m.* Argumento correcto en apariencia con que se quiere defender lo que es falso.

sofista *adj.* Que se vale de sofismas. También com.

sofisticación *s. f.* Acción y efecto de sofisticar.

sofisticado, da *adj.* **1.** Falto de naturalidad. **2.** *fig.* Elegante, refinado. **3.** *fig.* Se dice de aparatos, mecanismos, etc., muy complicados.

sofisticar *v. tr.* Adulterar con sofismas.

sofístico, ca *adj.* Relativo al sofisma, o que incluye sofismas.

sofito *s. m.* Plano inferior del saliente de una cornisa o de otro cuerpo semejante.

soflama *s. f.* **1.** Llama tenue. **2.** Bochorno o ardor que suele subir al rostro.

soflamar *v. tr.* **1.** Usar palabras afectadas para engañar a alguien. || *v. prnl.* **2.** Tostarse, requemarse con la llama.

sofocación *s. f.* Acción y efecto de sofocar.

sofocador, ra *adj.* Que sofoca.

sofocante *adj.* Que sofoca.

sofocar *v. tr.* **1.** Ahogar, impedir la respiración. **2.** Apagar, dominar, extinguir.

sofoco *s. m., fig.* Disgusto grave.

sofocón *s. m., fam.* Desazón, disgusto que sofoca o aturde.

sofoquina *s. f., fam.* Sofoco, generalmente intenso.

sofreír *v. tr.* Freír ligeramente una cosa.

sofrenada *s. f.* Acción y efecto de sofrenar.

sofrenar *v. tr.* Reprimir el jinete a la caballería tirando violentamente de las riendas.

sofrito *s. m.* Condimento que se añade a un guiso compuesto por cebolla y ajo fritos en aceite.

soga *s. f.* Cuerda gruesa de esparto.

soguilla *s. f.* **1.** Trenza delgada hecha con el pelo. **2.** Trenza delgada de esparto.

soja *s. f.* **1.** Planta leguminosa procedente de Asia, con fruto comestible parecido a la judía. **2.** Fruto de esta misma planta.

sojuzgar *v. tr.* Mandar con violencia.

sol[1] *n. p.* **1.** (ORT.: may. inicial) Astro luminoso, centro de nuestro sistema planetario. ‖ *s. m.* **2.** Unidad monetaria del Perú (nuevo sol).

sol[2] *s. m.* Quinta voz de la escala fundamental.

solado *s. m.* Revestimiento de un piso con ladrillos, losas u otro material.

soladura *s. f.* **1.** Acción y efecto de solar pisos. **2.** Material que sirve para solar.

solana *s. f.* Paraje donde el sol da de lleno.

solanáceo, a *adj.* Se dice de las plantas dicotiledóneas que tienen hojas simples y alternas, flores acampanadas y baya con muchas semillas provistas de albumen carnoso, como la tomatera y el tabaco.

solano *s. m.* Viento que sopla de donde nace el Sol.

solapa *s. f.* **1.** Parte del vestido, correspondiente al pecho, y que suele ir doblada hacia fuera sobre la misma prenda de vestir. **2.** *fig.* Ficción para disimular algo.

solapado, da *adj., fig.* Se dice de la persona que por costumbre oculta maliciosa y cautelosamente sus pensamientos.

solapar *v. tr.* **1.** Poner solapas a los vestidos. **2.** *fig.* Ocultar maliciosa y cautelosamente la verdad o la intención.

solar[1] *s. m.* Terreno donde se ha edificado o que se destina a edificar en él.

solar[2] *adj.* Perteneciente al Sol.

solar[3] *v. tr.* Revestir el suelo con ladrillos, losas, etc.

solar[4] *v. tr.* Poner suelas al calzado.

solariego, ga *adj.* Antiguo y noble.

solario *s. m.* Terraza o lugar reservado para tomar el sol.

solárium *s. m.* Solario.

solaz *s. m.* Esparcimiento, alivio de los trabajos.

solazar *v. tr.* Dar solaz.

soldada *s. f.* Sueldo, salario que se paga por un trabajo.

soldadesca *s. f.* Ejercicio y profesión de soldado.

soldadesco, ca *adj.* Perteneciente a los soldados.

soldado *com.* Persona que sirve en la milicia.

soldador, ra *s. m. y s. f.* **1.** Persona que tiene por oficio soldar. ‖ *s. m.* **2.** Instrumento con que se suelda.

soldadura *s. f.* **1.** Acción y efecto de soldar. **2.** Material que sirve y está preparado para soldar.

soldar *v. tr.* Pegar sólidamente dos cosas o partes de una misma cosa.

soleá *s. f., And.* Forma popular de soledad, copla y danza andaluzas.

solear *v. tr.* Asolear, tener alguna cosa al sol por algún tiempo. También prnl.

solecismo *s. m.* Vicio de dicción consistente en alterar la sintaxis normal de un idioma.

soledad *s. f.* **1.** Carencia de compañía. **2.** Lugar desierto o tierra no habitada.

solemne *adj.* **1.** Celebrado o hecho públicamente, con pompa o ceremonias extraordinarias. **2.** Formal, válido.

solemnidad *s. f.* Calidad de solemne.

solemnizar *v. tr.* **1.** Celebrar de manera solemne un suceso. **2.** Engrandecer, autorizar o encarecer una cosa.

soler *v. intr.* **1.** Con referencia a seres vivos, acostumbrar. **2.** Tratándose de hechos o cosas, ser frecuentes.

solera *s. f.* **1.** Una de las piedras del molino. **2.** Suelo del horno. **3.** Madre del vino. **4.** Carácter antiguo, tradicional o prestigioso que poseen algunas cosas, personas, costumbres, etc.

soleta *s. f.* Pieza de lienzo u otra cosa análoga con que se remienda la planta del pie de la media o calcetín.

solevantar *v. tr.* Levantar una cosa empujando de abajo arriba. También prnl.

solfa *s. f.* Arte que enseñar a leer y entonar las diversas voces de la música.

solfatara *s. f.* Abertura en los terrenos volcánicos.

solfear *v. tr.* Cantar marcando el compás y pronunciando los nombres de las notas.

solfeo *s. m.* Acción y efecto de solfear.

solfista *com.* Persona que practica el solfeo.

solicitación *s. f.* Acción de solicitar.

solicitante *adj.* Que solicita. También com.

solicitar *v. tr.* Decir o buscar una cosa con diligencia y cuidado.

solícito, ta *adj.* Afanoso por servir o atender a una persona o cosa.

solicitud *s. f.* **1.** Diligencia cuidadosa. **2.** Documento oficial en que se solicita algo.

solidaridad *s. f.* Entera comunidad de intereses, sentimientos y aspiraciones.

solidario, ria *adj.* Asociado circunstancialmente a la causa, empresa u opinión de otro.

solidarizar *v. tr.* Hacer a una persona o cosa solidaria con otra. También prnl.

solideo *s. m.* Casquete que usan los eclesiásticos para cubrirse la corona.

solidez *s. f.* **1.** Calidad de sólido. **2.** Volumen de un cuerpo.

solidificación *s. f.* Acción y efecto de solidificar.

solidificar *v. tr.* Hacer sólido un fluido.

sólido, da *adj.* Se dice de los cuerpos cuyas moléculas tienen entre sí mayor cohesión que las de los líquidos. También s. m.

soliloquio *s. m.* Lo que habla una persona consigo misma.

solio *s. m.* Trono, silla real con dosel.

solípedo, da *adj.* Se dice de los mamíferos ungulados, con las extremidades terminadas en una sola pieza, como el caballo.

solista *com.* Persona que ejecuta un solo de una pieza musical o vocal.

solitaria *s. f.* Tenia, gusano intestinal.

solitario, ria *adj.* **1.** Desamparado, desierto. **2.** Solo, sin compañía.

sólito, ta *adj.* Acostumbrado, que se suele hacer ordinariamente.

soliviantar *v. tr.* Inducir a una persona a adoptar una actitud rebelde.

soliviar *v. tr.* Ayudar a levantar una cosa por debajo.

sollado *s. m.* Una de las cubiertas inferiores del buque.

sollo *s. m.* Esturión.

sollozar *v. intr.* Llorar interrumpiendo el llanto con gemidos.

sollozo *s. m.* Acción y efecto de sollozar.

solo, la *adj.* **1.** Único en su especie. **2.** Dicho de personas, sin compañía. **3.** Que no tiene quien le ampare o consuele. **4.** Composición o parte de ella que canta o toca una sola persona.

solo *adv. m.* De un solo modo, en una sola cosa o sin otra cosa.

solomillo *s. m.* En los animales de matadero, capa muscular que se extiende por entre las costillas y el lomo.

solsticial *adj.* Perteneciente o relativo al solsticio.

solsticio *s. m.* **1.** Época en que el Sol se halla en uno de los dos trópicos. **2.** Cada uno de los dos puntos de la Eclíptica más alejados del ecuador.

soltar *v. tr.* **1.** Desceñir lo que está sujeto. **2.** Dar libertad a lo que estaba detenido o preso. **3.** Desasir lo que se tenía sujeto.

soltería *s. f.* Estado de soltero.

soltero, ra *adj.* Se dice de la persona que no ha contraído matrimonio.

solterón, na *adj.* Se dice de la persona soltera ya entrada en años. También s. m. y s. f.

soltura *s. f.* **1.** Agilidad, prontitud, expedición. **2.** Facilidad y lucidez de dicción.

solubilidad *s. f.* Calidad de soluble.

soluble *adj.* Que se puede disolver o desleír.

solución *s. f.* **1.** Desenlace o término de un proceso, negocio, etc. **2.** Resultado de disolver una sustancia.

solucionar *v. tr.* Resolver un asunto, hallar solución o término a un negocio.

solutivo, va *adj.* Se dice del medicamento que tiene virtud para soltar o laxar.

solvencia *s. f.* **1.** Acción y efecto de solventar. **2.** Carencia de deudas. **3.** Capacidad para satisfacerlas. **4.** Calidad de solvente.

solventar *v. tr.* Arreglar cuentas, pagando la deuda a que se refieren.

solvente *adj.* Capaz de cumplir debidamente una obligación, cargo, etc.

somanta *s. f., fam.* Tunda, zurra.

somático, ca *adj.* **1.** Perteneciente o relativo al cuerpo. **2.** Se aplica a lo que es material y corpóreo en un ser vivo, en oposición a psíquico.

sombra *s. f.* **1.** Falta de luz. **2.** Imagen oscura que, sobre una superficie cualquiera, proyecta un cuerpo opaco, al interceptar los rayos directos de la luz.

sombrajo *s. m.* Resguardo de ramas, mimbres, etc., para hacer sombra.

sombreado *s. m.* Acción y efecto de sombrear una pintura.

sombrear *v. tr.* **1.** Dar o producir sombra. **2.** Poner sombra en una pintura o dibujo.

sombrerería *s. f.* **1.** Oficio de hacer sombreros. **2.** Fábrica donde se hacen.

sombrerero, ra *s. m. y s. f.* **1.** Persona que tiene por oficio hacer o vender sombreros. ‖ *s. f.* **2.** Caja para guardar el sombrero.

sombrerete *s. m.* **1.** Caperuza de una chimenea. **2.** Sombrero de los hongos.

sombrerillo *s. m.* Parte abombada de las setas sostenida por el pedicelo. En su cara interna se producen las esporas.

sombrero *s. m.* **1.** Prenda de vestir que sirve para cubrir la cabeza. **2.** Parte superior y redondeada de los hongos.

sombría *s. f.* Umbría.

sombrilla *s. f.* Especie de paraguas que se usa para resguardarse del sol.

sombrío, a *adj.* **1.** Se dice del lugar en que frecuentemente hay sombra. **2.** *fig.* Tétrico, melancólico.

somero, ra *adj., fig.* Ligero, superficial.

someter *v. tr.* Subordinar la voluntad de uno a la de otra persona. También prnl.

sometimiento *s. m.* Acción y efecto de someter.

somier *s. m.* Soporte de tela metálica, láminas de madera, etc., sobre el cual se coloca el colchón.

somnambulismo *s. m.* Sonambulismo.

somnámbulo, la *adj.* Sonámbulo. También s. m. y s. f.

somnífero, ra *adj.* Que causa o da sueño.

somnílocuo, cua *adj.* Que habla durante el sueño. También s. m. y s. f.

somnolencia *s. f.* Pesadez y torpeza de los sentidos motivada por el sueño.

somnoliento, ta *adj.* Que tiene sueño.

somorgujar *v. tr.* Sumergir, chapuzar. También prnl.

somorgujo *s. m.* Ave palmípeda, de pico recto y agudo y alas cortas, que puede mantener durante mucho tiempo sumergida la cabeza bajo el agua.

somormujo *s. m.* Somorgujo.

son *s. m.* **1.** Sonido que afecta agradablemente al oído. **2.** *fig.* Noticia, fama. **3.** *Cub.* Ritmo musical popular de origen africano.

sonadera *s. f.* Acción de sonarse las narices.

sonado, da *adj.* **1.** Famoso. **2.** Divulgado con mucho ruido y admiración.

sonaja *s. f.* Juguete que hace ruido cuando se agita y que sirve para entretener a los bebés.

sonajero *s. m.* Juguete con sonajas o cascabeles que sirve para entretener a los bebés.

sonambulismo *s. m.* Estado de sonámbulo.

sonámbulo, la *adj.* Se dice de la persona que durante el sueño realiza actos de forma automática, sin que pueda recordarlos una vez despierta. También s. m. y s. f.

sonar *v. intr.* **1.** Hacer ruido una cosa. **2.** *fam.* Ofrecerse débilmente el recuerdo de alguna cosa oída con anterioridad. ‖ *v. tr.* **3.** Quitar los mocos de la nariz. ‖ *s. m.* **4.** Aparato que detecta la presencia y situación de objetos sumergidos.

sonata *s. f.* Composición de música instrumental.

sonatina *s. f.* Sonata corta.

sonda *s. f.* Cuerda con un peso de plomo que sirve para medir la profundidad de las aguas y explorar el fondo.

sondable *adj.* Que se puede sondar.

sondaleza *s. f.* **1.** Maroma que se cruza de una orilla a otra de un río, dividida con señales para determinar los lugares en que se han verificado los diferentes sondeos. **2.** Cuerda larga y delgada que, junto con el escandallo, sirve para sondar.

sondar *v. tr.* **1.** Medir con la sonda. **2.** Inquirir con cautela la intención de alguien.

sondear *v. tr., fig.* Hacer las primeras averiguaciones sobre alguien o algo.

sondeo *s. m.* Acción y efecto de sondear.

sonetillo *s. m.* Soneto de versos de ocho o menos sílabas.

sonetista *s. m. y s. f.* Autor de sonetos.

sonetizar *v. intr.* Escribir sonetos.

soneto *s. m.* Composición poética que consta de catorce versos generalmente endecasílabos, distribuidos en dos cuartetos y dos tercetos, que repiten sus rimas.

sonido *s. m.* **1.** Sensación producida en el órgano del oído. **2.** Pronunciación peculiar de cada letra. **3.** Movimiento vibratorio de los cuerpos, transmitido por un medio elástico, como el aire.

soniquete *s. m.* Despectivo de son.

sonoridad *s. f.* **1.** Calidad de sonoro. **2.** Cualidad de la sensación auditiva que permite calificar los sonidos como fuertes o débiles.

sonorizar *v. tr.* **1.** Incorporar sonidos a una banda de imágenes. **2.** Instalar equipos de sonido, en un lugar cerrado o no, para obtener una buena audición. **3.** Ambientar una escena mediante efectos sonoros adecuados.

sonoro, ra *adj.* **1.** Que suena. **2.** Que refleja bien el sonido. **3.** Se dice de las letras que durante su pronunciación van acompañadas de una vibración de las cuerdas vocales.

sonreír *v. intr.* Reírse levemente.

sonriente *adj.* Que sonríe. También com.

sonrisa *s. f.* Acción de sonreír.

sonrojar *v. tr.* Hacer que a alguien le salgan los colores en el rostro por vergüenza. También prnl.

sonrojo *s. m.* Acción y efecto de sonrojar o sonrojarse.

sonrosado, da *adj.* De color rosa. Se aplica al color de la cara o la piel en general.

sonsacador, ra *adj.* Que sonsaca. También s. m. y s. f.

sonsacar *v. tr., fig.* Procurar con maña que alguien diga lo que sabe y reserva.

sonso, sa *adj.* Zonzo.

sonsonete *s. m.* **1.** *fig.* Ruido poco intenso y continuado. **2.** *fig.* Tono de la persona que habla o lee sin expresión, que denota desprecio o ironía.

soñador, ra *adj.* **1.** Que sueña mucho. **2.** Que se aparta de la realidad.

soñar *v. tr.* **1.** Representarse en la fantasía imágenes o sucesos durante el sueño. ‖ *v. intr.* **2.** *fig.* Anhelar alguna cosa.

soñolencia *s. f.* Somnolencia.

soñoliento, ta *adj.* **1.** Acometido de sueño. **2.** Que está dormitando.

sopa *s. f.* **1.** Pedazo de pan empapado en cualquier líquido. **2.** Plato compuesto caldo y de rebanadas de pan, fideos, arroz, etc.

sopapear *v. tr., fam.* Dar sopapos.

sopapo *s. m., fam.* Golpe que se da con la mano en la cara.

sope *s. m.* Tortilla gruesa de maíz con un borde en la orilla, generalmente frita, en cuya parte superior se ponen frijoles molidos y refritos; carne, pollo o chorizo desmenuzado, salsa con chile, y algunos otros ingredientes como queso, crema y lechuga.

sopera *s. f.* Vasija en que se sirve la sopa.

sopero, ra *adj.* Se dice del plato hondo en que se come la sopa.

sopesar *v. tr.* Levantar una cosa como para tantear el peso que tiene.

sopetear[1] *v. tr., fig.* Maltratar o ultrajar a alguien.

sopetear[2] *v. tr.* Mojar repetidas veces el pan en el caldo.

sopeteo *s. m.* Acción de sopetear.

sopetón[1] *s. m.* Pan tostado que se moja en aceite.

sopetón[2] *s. m.* Golpe fuerte y repentino dado con la mano.

sopicaldo *s. m.* Caldo con muy pocas sopas.

soplado, da *adj.* **1.** *fig. y fam.* Demasiado pulido y compuesto. **2.** *fig. y fam.* Estirado, engreído, entonado. ‖ *s. m.* **3.** Acción y efecto de soplar el vidrio.

soplador, ra *adj.* **1.** Que sopla. **2.** *fig.* Se dice de la persona que excita, mueve o enciende una cosa.

soplamocos *s. m., fam.* Golpe que se da a alguien en la cara.

soplar *v. intr.* **1.** Despedir aire con violencia por la boca, estrechando los labios. **2.** Despedir los fuelles u otros artificios adecuados el aire que han recibido. **3.** Correr el viento, dejándose sentir. **4.** Llenar algo con aire. **5.** Trabajar la pasta de vidrio. **6.** Sugerir a alguien algo que debe decir. **7.** *fig.* Delatar, acusar. **8.** *fig. y fam.* Beber con exceso.

soplete *s. m.* Instrumento constituido esencialmente por un tubo que aplica una corriente gaseosa a una llama para dirigirla sobre determinados objetos.

soplido *s. m.* Soplo.

soplillo *s. m.* **1.** Aventador para avivar el fuego. **2.** Cualquier cosa muy delicada o leve. **3.** Especie de tela de seda muy ligera. **4.** Bizcocho de pasta muy esponjosa.

soplo *s. m.* **1.** Acción y efecto de soplar. **2.** *fig.* Instante. **3.** *fig. y fam.* Aviso dado en secreto y con cautela.

soplón, na *adj., fam.* Se dice de la persona que acusa en secreto y cautelosamente.

soplonear *v. tr., fam.* Soplar, acusar, delatar.

soponcio *s. m., fam.* Desmayo, congoja.

sopor *s. m.* Modorra morbosa parecida a un sueño profundo.

soporífero, ra *adj.* Que inclina al sueño o que lo produce.

soportable *adj.* Que se puede soportar.

soportal *s. m.* **1.** Espacio cubierto que precede a la entrada principal. **2.** Pórtico a manera de claustro.

soportar *v. tr.* **1.** Sostener o llevar sobre sí una carga o peso. **2.** *fig.* Sufrir, tolerar una cosa molesta.

soporte *s. m.* Apoyo o sostén.

soprano *s. m.* **1.** La más aguda de las voces humanas. **2.** *com.* Persona que tiene esta voz.

sopuntar *v. tr.* Poner uno o varios puntos debajo de una letra, palabra o frase para llamar la atención sobre ella con un determinado fin.

sor *s. f.* Precediendo al nombre de ciertas religiosas, hermana.

sorber *v. tr.* **1.** Beber aspirando. **2.** *fig.* Atraer hacia dentro de sí algo.

sorbete *s. m.* Refresco azucarado de zumo de frutas, agua, leche, yemas de huevo, etc., al que se da cierto grado de congelación.

sorbible *adj.* Que se puede sorber.

sorbo *s. m.* Porción de líquido que se puede tomar de una vez.

sorda *s. f.* Guindaleza sujeta en la roda de un barco para facilitar su botadura.

sordera *s. f.* Privación o disminución de la facultad de oír.

sordidez *s. f.* Calidad de sórdido.

sórdido, da *adj.* **1.** Se dice de lo sucio. **2.** *fig.* Se dice de la persona mezquina.

sordina *s. f.* Pieza que puesta en un instrumento musical sirve para disminuir el timbre del sonido.

sordo, da *adj.* **1.** Que no oye o no oye bien. **2.** Callado, silencioso. **3.** Insensible o indócil a las persuasiones o consejos. **4.** Que suena poco o sin timbre claro. **5.** Se dice del sonido que se produce sin vibración de las cuerdas vocales; se opone a sonoro. **6.** Se dice de la mar o marejada que se experimenta en dirección diversa de la del viento reinante.

sordomudez *s. f.* Calidad de sordomudo.

sordomudo, da *adj.* Se dice de la persona que está privada del sentido del oído y de la facultad de hablar.

sorgo *s. m.* Planta gramínea anual, que se usa para alimento de las aves.

sorites *s. m.* Serie de proposiciones encadenadas, de modo que el predicado de la antecedente pasa a ser sujeto de la siguiente, hasta que en la conclusión se une al sujeto de la primera con el predicado de la última.

sorna *s. f.* **1.** Espacio o lentitud con que se hace una cosa. **2.** Disimulo y burla con que se hace o se dice una cosa.

soro[1] *adj.* Se dice del halcón cogido antes de la primera muda.

soro[2] *s. m.* Cada uno de los pequeños grupos de esporangios que se forman en los helechos.

soroche *s. m., Amér. del S.* Angustia que se siente en las grandes alturas por disminución de la presión atmosférica.

sorocho, cha *adj., amer.* Se dice del fruto que no está maduro.

sorprendente *adj.* Raro, extraordinario.

sorprender *v. tr.* **1.** Coger desprevenido a alguien. **2.** Descubrir lo que otro ocultaba o disimulaba.

sorpresa *s. f.* Cosa que da motivo para que alguien se sorprenda.

sorpresivo, va *s. f., amer.* Que sorprende o se produce por sorpresa.

sorra *s. f.* Arena gruesa que sirve de lastre.

sorregar *v. tr.* Regar accidentalmente un bancal el agua que pasa del inmediato que se está regando.

sorrostrada *s. f.* Insolencia.

sorteable *adj.* Que se puede o se debe sortear.

sorteador, ra *adj.* Que sortea. También s. m. y s. f.

sortear *v. tr.* **1.** Someter a personas o cosas a la decisión de la suerte. **2.** *fig.* Evitar con maña un compromiso o riesgo.

sorteo *s. m.* Acción de sortear.

sortija *s. f.* **1.** Aro pequeño que se ajusta a los dedos. **2.** Rizo del cabello, en figura de anillo.

sortilegio *s. m.* Adivinación que se hace por suertes supersticiosas.

SOS *s. m.* En el código internacional de señales por telegrafía sin hilos, petición de socorro que emiten barcos o aviones en peligro.

sosa *s. f.* Óxido de sodio, base salificable muy cáustica.

sosaina *com.* Persona sosa, sin gracia.

sosañar *v. tr.* Denostar, reprender.

sosegado, da *adj.* Se dice de la persona o cosa que está en calma.

sosegar *v. tr.* Aplacar, tranquilizar.

sosería *s. f.* Falta de gracia y viveza.

sosiego *s. m.* Estado de tranquilidad.

soslayar *v. tr.* **1.** Poner una cosa ladeada para pasar una estrechez. **2.** Pasar de largo, evitando con un rodeo una dificultad.

soslayo, ya *adj.* Soslayado, oblicuo.

soso, sa *adj.* **1.** Que no tiene sal, o tiene poca. **2.** Se dice de la persona, acción o palabra que carecen de gracia y viveza.

sospecha *s. f.* Acción y efecto de sospechar.

sospechar *v. tr.* **1.** Aprehender o imaginar una cosa por conjeturas fundadas en apariencias o visos de verdad. ‖ *v. intr.* **2.** Desconfiar, dudar. También tr.

sospechoso, sa *adj.* **1.** Que da motivo para sospechar. **2.** Que sospecha.

sosquín *s. m.* Golpe que se da a traición.

sostén *s. m.* **1.** *fig.* Apoyo moral, protección. **2.** Prenda de vestir interior que usan las mujeres para ceñir el pecho.

sostener *v. tr.* **1.** Sustentar, mantener firme una cosa. También prnl. **2.** Sustentar una proposición. **3.** *fig.* Sufrir, soportar algo ingrato. **4.** *fig.* Proteger a alguien. **5.** *fig.* Dar a alguien lo que necesita para mantenerse. **6.** *fig.* Mantener, proseguir. ‖ *v. prnl.* **7.** Mantenerse un cuerpo en un lugar sin caer.

sostenido, da *adj.* Se dice de la nota cuya entonación es un tono más alta que la que corresponde a su sonido natural.

sostenimiento *s. m.* **1.** Acción y efecto de sostener. **2.** Mantenimiento o sustento de algo o alguien.

sota *s. f.* Carta décima de cada palo de la baraja española.

sotabanco *s. m.* Piso habitable colocado por encima de la cornisa general de la casa.

sotabarba *s. f.* Barba que se deja crecer por debajo de la barbilla.

sotalugo *s. m.* Segundo arco con que se aprietan los extremos o tiestas de los toneles.

sotana *s. f.* Vestido talar que usan los eclesiásticos y los legos que sirven en las funciones de iglesia.

sótano *s. m.* Pieza subterránea, entre los cimientos de un edificio.

sotaventarse *v. prnl.* Irse o caer el buque a sotavento.

sotavento *s. m.* **1.** Costado de la nave opuesto al barlovento. **2.** Parte que cae hacia aquel lado.

sotechado *s. m.* Cobertizo, techado.

sotehuela *s. f.* Patio interior, techado o no, de una casa o departamento, azotehuela.

soterrar *v. tr.* **1.** Poner una cosa debajo de tierra. **2.** *fig.* Esconder o guardar una cosa de modo que no aparezca.

sotil *adj.* Sutil.

soto *s. m.* Terreno poblado de árboles y arbustos en las riberas o vegas.

sotobosque *s. m.* Vegetación formada por matas y arbustos que crece al pie de los árboles en un bosque.

sotuer *s. m.* Pieza del escudo cuya forma es como si se compusiera de la banda y de la barra cruzadas.

souvenir *s. m.* Recuerdo.

soya *s. f.* Soja.

sport *adj.* Se dice de las prendas de vestir informales.

statu quo *loc. lat.* que se usa como sustantivo para designar el estado de cosas en un determinado momento.

su *adj. pos.* Forma apocopada de *suyo, ya*.

suasorio, ria *adj.* Perteneciente a la persuasión, o propio para persuadir.

suave *adj.* **1.** Liso y blando al tacto. **2.** Dulce, grato a los sentidos. **3.** *fig.* Tranquilo, manso.

suavidad *s. f.* Calidad de suave.

suavizador, ra *adj.* **1.** Que suaviza. ‖ *s. m.* **2.** Pedazo de cuero para suavizar el filo de las navajas de afeitar.

suavizante *adj.* Que sirve para suavizar. También s. m., hablando de productos de limpieza y cosmética.

suavizar *v. tr.* Hacer suave una cosa.

subacuático, ca *adj.* Que está o se realiza debajo del agua.

subafluente *s. m.* Río, arroyo que desemboca en un afluente.

subalterno, na *adj.* **1.** Inferior, o que está debajo de una persona o cosa. ‖ *s. m. y s. f.* **2.** Empleado de categoría inferior.

subarrendamiento *s. m.* Subarriendo.

subarrendar *v. tr.* Dar o tomar en arriendo una cosa, no de su dueño sino de otro arrendador de la misma.

subarrendatario, ria *s. m. y s. f.* Persona que toma en subarriendo alguna cosa.

subarriendo *s. m.* **1.** Acción de subarrendar. **2.** Contrato por el cual se subarrienda una cosa. **3.** Precio en que se subarrienda.

subasta *s. f.* **1.** Venta pública de bienes o alhajas que se hace al mejor postor. **2.** Procedimiento similar para adjudicar la ejecución de una obra o servicio.

subastar *v. tr.* Vender efectos o contratar servicios, arriendos, etc. en pública subasta.

subclase *s. f.* Cada uno de los grupos en que se dividen los animales o las plantas que forman una categoría de clasificación entre la clase y el orden.

subclavio, via *adj.* Se dice de lo que está situado debajo de la clavícula en el cuerpo del animal.

subcomisión *s. f.* Grupo de individuos de una comisión que tiene cometido aparte.

subconsciencia *s. f.* Estado inferior de la conciencia psicológica en el que, por la poca intensidad o duración de las percepciones, no se da cuenta de estas el sujeto.

subconsciente *adj.* Que se refiere a la subconsciencia, o que no llega a ser consciente.

subcostal *adj.* Que está debajo de las costillas.

subcutáneo, a *adj.* Que está inmediatamente debajo de la piel.

subdelegación *s. f.* **1.** Acción y efecto de subdelegar. **2.** Distrito, oficina y empleo del subdelegado.

subdelegado, da *adj.* Se dice de la persona que sirve a las órdenes del delegado o le sustituye en sus funciones.

subdelegar *v. tr.* Trasladar o dar el delegado su jurisdicción o potestad a otro.

subdesarrollado, da *adj.* Que no ha llegado a un desarrollo normal. Se dice generalmente de los países de economía pobre y atrasada, organización primitiva y bajo nivel de vida en todos los órdenes.

subdesarrollo *s. m.* Estado de atraso en la situación económica, social y cultural de un país.

subdiaconado *s. m.* Orden de subdiácono.

subdiácono *s. m.* Clérigo ordenado de epístola.

subdirección *s. f.* Cargo y oficina del subdirector.

subdirector, ra *s. m. y s. f.* Persona que sirve a las órdenes del director o le sustituye en sus funciones.

subdistinguir *v. tr.* Distinguir en lo ya distinguido.

súbdito, ta *adj.* **1.** Sujeto a la autoridad de un superior con obligación de obedecerle. ‖ *s. m. y s. f.* **2.** Persona natural de un país que, como tal, está sujeta a las autoridades políticas de este.

subdividir *v. tr.* Dividir una parte que ya había sido dividida anteriormente.

subdivisión *s. f.* Acción y efecto de subdividir.

subducción *s. f.* Deslizamiento del borde de una placa de la corteza terrestre por debajo del borde de otra.

subduplo, pla *adj.* Se dice del número o cantidad que es mitad exacta de otro u otra.

suberina *s. f.* Sustancia orgánica impermeable y elástica, de naturaleza grasa, que constituye la membrana de las células integrantes del corcho.

suberoso, sa *adj.* Parecido al corcho.

subespecie *s. f.* Cada uno de los grupos en que se divide una especie.

subestimar *v. tr.* Estimar a un ser menos de lo justo.

subfamilia *s. f.* Cada uno de los grupos en que se divide una familia.

subfebril *adj.* Se dice de la persona que tiene una temperatura anormal, comprendida entre 37.5 y 38 °C.

subgénero *s. m.* Grupo de animales o plantas que, en orden a su clasificación, forman una categoría entre el género y la especie.

subida *s. f.* **1.** Acción y efecto de subir. **2.** Lugar en declive. **3.** Lugar por donde se sube.

subíndice *s. m.* Letra o número que se añade a un símbolo para distinguirlo de otro. Se coloca en la parte derecha, abajo y es de menor tamaño.

subinspección *s. f.* Cargo y oficina del subinspector.

subinspector, ra *s. m. y s. f.* Jefe inmediato después del inspector.

subintendencia *s. f.* Cargo y oficina de subintendente.

subintendente *com.* Persona que sirve inmediatamente a las órdenes del intendente o le sustituye en sus funciones.

subintración *s. f.* Acción y efecto de subintrar.

subintrar *v. intr.* **1.** Entrar alguien después o en lugar de otro. **2.** Colocarse un hueso o fragmento de él debajo de otro. **3.** Comenzar una ascensión febril antes de terminar la anterior.

subir *v. intr.* **1.** Pasar de un sitio o lugar a otro superior o más alto. **2.** Cabalgar, montar. **3.** Crecer en alto ciertas cosas. **4.** Importar una cuenta. **5.** *fig.* Ascender en dignidad o empleo, o mejorar en patrimonio. **6.** Elevar la voz o el sonido de un instrumento desde un tono determinado a otro más agudo. ‖ *v. tr.* **7.** Recorrer en dirección hacia arriba. **8.** Trasladar a una persona o cosa de un lugar a otro más alto. **9.** Hacer más alta una cosa o irla aumentando hacia arriba. **10.** Poner vertical una cosa que estaba inclinada hacia abajo. **11.** Encarecer una cosa.

subitáneo, a *adj.* Que sucede súbitamente.

súbito, ta *adj.* **1.** Improviso, repentino. **2.** Precipitado, violento en obras o palabras.

subjefe, fa *s. m. y s. f.* Persona que hace las veces de jefe y sirve a sus órdenes. También *com.*

subjetividad *s. f.* Calidad de subjetivo.

subjetivismo *s. m.* **1.** Predominio de lo subjetivo. **2.** Sistema ético que defiende como fin de la acción moral la realización de un estado subjetivo, del placer o de la felicidad.

subjetivista *com.* Persona partidaria del subjetivismo y de lo subjetivo.

subjetivo, va *adj.* Relativo a nuestro modo de pensar o de sentir.

sub júdice *expr. lat.* con que se denota que una cuestión es opinable o está pendiente de una resolución.

subjuntivo, va *adj.* Se dice del modo del verbo que expresa el hecho como un deseo, o como dependiente y subordinado a otro hecho. También s. m.

sublevación *s. f.* Acción y efecto de sublevar o sublevarse.

sublevamiento *s. m.* Sublevación.

sublevar *v. tr.* Alzar en sedición o motín. También prnl.

sublimación *s. f.* Acción y efecto de sublimar.

sublimado *s. m.* Sustancia obtenida por sublimación.

sublimar *v. tr.* **1.** Engrandecer, ensalzar a una persona o cosa. **2.** Volatilizar un cuerpo sólido y hacerlo sólido de nuevo sin pasar aparentemente por el estado líquido. **3.** En el psicoanálisis, dirigir un estado o sedimento morboso hacia una actividad moral o intelectualmente generosa o superior.

sublimatorio, ria *adj.* Perteneciente o relativo a la sublimación.

sublime *adj.* **1.** Excelso, eminente, de elevación extrema. **2.** Modalidad de lo bello cuando va acompañado de grandiosidad o elevación extraordinaria.

sublimidad *s. f.* Calidad de sublime.

subliminal *adj.* Se aplica a la idea, emoción o sensación que por ser demasiado débil no llega a ser percibida por la conciencia.

sublingual *adj.* Situado debajo de la lengua.

submarinismo *s. m.* Conjunto de las actividades realizadas bajo la superficie del mar con diferentes fines.

submarinista *com.* Persona que practica el submarinismo.

submarino, na *adj.* **1.** Que está bajo la superficie del mar. **2.** Perteneciente o relativo a lo que se efectúa bajo la superficie del mar. ‖ *s. m.* **3.** Barco de guerra que se cierra herméticamente y es adecuado para navegar sumergido.

submaxilar *adj.* Se dice de lo que está debajo de la mandíbula inferior.

submúltiplo, pla *adj.* Se dice del número o cantidad que otro u otra contiene exactamente dos o más veces.

subnormal *adj.* **1.** Inferior a lo normal. **2.** Se dice de la persona que padece alguna deficiencia mental. También com.

subnormalidad *s. f.* Deficiencia mental.

suboficial *s. m.* Categoría militar comprendida entre las de oficial y sargento.

suborden *s. m.* Cada uno de los grupos en que se dividen algunos órdenes de animales y plantas.

subordinación *s. f.* **1.** Sujeción a la orden o dominio de alguien. **2.** Relación de dependencia que se establece entre dos proposiciones que conforman una oración compleja en la que una es la principal y la otra la subordinada.

subordinado, da *adj.* **1.** Se dice de la persona sujeta a otra. **2.** Se dice del elemento gramatical gobernado por otro. ‖ *s. f.* **3.** Oración que depende de otra. También adj.

subordinante *adj.* **1.** Se dice de las conjunciones que unen la oración principal con la subordinada, e indican el carácter de esta subordinada. **2.** Se aplica también a la oración principal de un periodo por contraposición con la oración dependiente o subordinada.

subordinar *v. tr.* **1.** Sujetar personas o cosas a la dependencia de otras. **2.** Clasificar algunas cosas inferiores en orden respecto de otras. **3.** Regir un elemento gramatical a otro de categoría distinta. ‖ *v. prnl.* **4.** Estar una oración en dependencia de otra.

subprefecto, ta *s. m. y s. f.* Jefe o magistrado inmediatamente inferior al prefecto.

subprefectura *s. f.* Cargo y oficina del subprefecto.

subproducto *s. m.* En una operación, producto que se obtiene además del principal, de menor calidad que este.

subranquial *adj.* Situado debajo de las branquias.

subrayado *s. m.* Acción y efecto de subrayar.

subrayar *v. tr.* **1.** Señalar por debajo con una raya una letra, palabra o frase escritaa. **2.** *fig.* Recalcar las palabras.

subreino *s. m.* Cada uno de los dos grupos en que se divide el reino animal.

subrepción *s. f.* **1.** Acción oculta y a escondidas. **2.** Ocultación de un hecho para obtener lo que de otro modo no se conseguiría.

subrepticio, cia *adj.* **1.** Que se pretende u obtiene con subrepción. **2.** Que se hace o toma ocultamente y a escondidas.

subrogación *s. f.* Acción y efecto de subrogar.

subrogar *v. tr.* Subsistir o poner una persona o cosa en lugar de otra.

subsanable *adj.* Que se puede subsanar.

subsanar *v. tr.* **1.** Disculpar un desacierto o delito. **2.** Paliar un defecto o resarcir un daño.

subscribir *v. tr.* Suscribir.

subscripción *s. f.* Suscripción.

subscriptor, ra *s. m. y s. f.* Suscriptor.

subsecretaría *s. f.* Empleo y oficina del subsecretario.

subsecretario, ria *s. m. y s. f.* **1.** Persona que hace las veces del secretario. **2.** Secretario general de un ministro.

subsecuente *adj.* Subsiguiente.

subseguir *v. intr.* Seguir una cosa inmediatamente a otra.

subsidiar *v. tr.* Conceder un subsidio a una persona o entidad.

subsidiario, ria *adj.* Que se da en socorro o subsidio de alguien.

subsidio *s. m.* Socorro extraordinario.

subsiguiente *adj.* Que sigue inmediatamente a aquello que se expresa.

subsistencia *s. f.* **1.** Estabilidad y conservación de las cosas. **2.** Conjunto de medios necesarios para el sustento de la vida humana.

subsistir *v. intr.* **1.** Conservarse una cosa o durar. **2.** Vivir, mantener la vida. **3.** Existir con todas las condiciones propias de su ser o de su naturaleza.

substancia *s. f.* Sustancia.

substancial *adj.* Sustancial.

substancioso, sa *adj.* Sustancioso.

substantivación *s. f.* Sustantivación.

substantivar *v. tr.* Sustantivar.

substantivo, va *adj.* Sustantivo.

substitución *s. f.* Sustitución.

substituible *adj.* Sustituible.

substituir *v. tr.* Sustituir.

substituto, ta *adj.* Sustituto.

substracción *s. f.* Sustracción.

substraendo *s. m.* Sustraendo.

substraer *v. tr.* Sustraer.

subsuelo *s. m.* Terreno que está debajo de la capa laborable o, en general, debajo de una capa de tierra.

subtender *v. tr.* Unir una línea recta los extremos de un arco de curva o de una línea quebrada.

subteniente *com.* Oficial de categoría inmediatamente inferior a la teniente.

subterfugio *s. m.* Pretexto que se utiliza para eludir algo.

subterráneo, a *adj.* **1.** Que está debajo de tierra. ‖ *s. m.* **2.** Cualquier lugar o espacio que está debajo de tierra.

subtipo *s. m.* Cada uno de los grupos en que se dividen los tipos de plantas y animales.

subtitular *v. tr.* **1.** Escribir subtítulos. **2.** Poner subtítulos a una película cinematográfica.

subtítulo *s. m.* **1.** Título secundario que se pone a veces después del principal. **2.** Letrero que aparece en la imagen inferior de una película con la traducción del texto hablado.

suburbano, na *adj.* Se dice del edificio, terreno o campo próximo a la ciudad.

suburbial *adj.* Perteneciente o relativo a los suburbios.

suburbio *s. m.* Barrio o aldea cerca de la ciudad, especialmente el habitado por personas de baja condición social.

subvención *s. f.* Cantidad con que se subviene.

subvencionar *v. tr.* Favorecer con una subvención.

subvenir *v. tr.* Auxiliar en sus necesidades a alguien o a algo.

subversión *s. f.* Acción y efecto de subvenir.

subversivo, va *adj.* Capaz de subvertir, o que tiende a ello.

subvertir *v. tr.* Trastornar, revolver, destruir.

subyacente *adj.* Que yace o está debajo de otra cosa.

subyacer *v. intr.* **1.** Yacer o estar debajo de algo. **2.** Estar algo oculto tras una cosa.

subyugación *s. f.* Acción y efecto de subyugar.

subyugador, ra *adj.* Que subyuga. También s. m. y s. f.

subyugar *v. tr.* Dominar poderosa o violentamente. También prnl.

succión *s. f.* Acción de chupar con los labios.

succionar *v. tr.* Extraer un jugo o similar con los labios.

sucedáneo, a *adj.* Se dice de la sustancia que por tener propiedades parecidas a las de otra, puede reemplazarla.

suceder *v. intr.* **1.** Entrar una persona o cosa en lugar de otra o seguirse a ella. **2.** Entrar como heredero en la posesión de los bienes de un difunto. **3.** Descender, proceder. ‖ *v. impers.* **4.** Efectuarse un hecho.

sucedido *s. m., fam.* Suceso, acontecimiento.

sucesión *s. f.* **1.** Acción y efecto de suceder. **2.** Entrada o continuación de una persona en lugar de otra. **3.** Continuación ordenada de cosas, personas o sucesos. **4.** Entrada como heredero en la posesión de los bienes de un difunto. **5.** Conjunto de bienes, derechos y obligaciones que, al morir una persona, son transmisibles a sus herederos o a sus legatarios. **6.** Procedencia de un progenitor. **7.** Prole, descendencia directa. **8.** Conjunto ordenado de términos asociados por una ley determinada.

sucesivo, va *adj.* Que sucede a otra cosa.

suceso *s. m.* **1.** Cosa que sucede, especialmente cuando es de alguna importancia. **2.** Transcurso del tiempo. **3.** Éxito, resultado de un negocio.

sucesor, ra *adj.* Que sucede a alguien o sobreviene en su lugar.

suciedad *s. f.* Cosa sucia.

sucintarse *v. prnl.* Ceñirse, ser sucinto.

sucinto, ta *adj.* Breve.

sucio, cia *adj.* **1.** Que tiene manchas o impurezas. **2.** *fig.* Deshonesto, obsceno.

sucucho *s. m.* Rincón, ángulo entrante que forman dos paredes.

suculento, ta *adj.* Que tiene sustancia.

sucumbir *v. intr.* **1.** Someterse ante algo o alguien. **2.** Morir, perecer.

sucursal *adj.* Se dice del establecimiento que sirve de ampliación a otro del cual depende. También s. f.

sudación *s. f.* **1.** Exudación. **2.** Exhalación de sudor, especialmente la provocada con fines terapéuticos.

sudadera *s. f., fam.* Parte superior del chándal o jersey utilizado para hacer deporte.

sudar *v. intr.* **1.** Exhalar el sudor. **2.** Trabajar fatigosamente. ‖ *v. tr.* **3.** Empapar en sudor.

sudario *s. m.* Lienzo que se ponía sobre el rostro de los difuntos o en que se envolvía el cadáver.

sudeste *s. m.* Punto del horizonte entre el Sur y el Este, a igual distancia de ambos.

sudoeste *s. m.* Punto del horizonte entre el Sur y el Oeste, a igual distancia de ambos.

sudor *s. m.* **1.** Serosidad transparente que sale por los orificios de las glándulas sudoríparas de la piel. **2.** Trabajo y fatiga.

sudoración *s. f.* Acción y efecto de sudar.

sudorífero, ra *adj.* Sudorífico.

sudorífico, ca *adj.* Se dice del medicamento que hace sudar.

sudoríparo, ra *adj.* Se dice de la glándula o folículo que segrega el sudor.

sudoroso, sa *adj.* **1.** Que está sudando mucho. **2.** Muy propenso a sudar.

suegro, gra *s. m. y s. f.* Padre o madre de un cónyuge, respecto del otro.

suela *s. f.* Parte del calzado que toca al suelo.

sueldo *s. m.* Remuneración asignada a una persona por desempeñar un cargo o servicio profesional.

suelo *s. m.* **1.** Superficie de la tierra. **2.** Piso de un cuarto o vivienda.

suelta *s. f.* **1.** Acción y efecto de soltar. **2.** Grupo de bueyes que se llevan desuncidos para remudar a los que van tirando.

suelto, ta *adj.* **1.** Veloz. **2.** Ágil en la ejecución de las cosas.

sueño *s. m.* **1.** Acto de dormir. **2.** Acto de representarse en la fantasía de alguien, mientras duerme, sucesos o imágenes. **3.** Ganas de dormir. **4.** *fig.* Cosa fantástica, sin fundamento, ni razón.

suero *s. m.* Parte líquida de la sangre del quilo o de la linfa que se separa del coágulo de estos humores cuando salen del organismo.

suerte *s. f.* **1.** Encadenamiento de los sucesos, considerado como fortuito o casual. **2.** Circunstancia de ser, por mera casualidad, favorable o adverso lo que sucede.

suficiencia *s. f.* **1.** Capacidad, aptitud. **2.** *fig.* Presunción, pedantería.

suficiente *adj.* **1.** Bastante para lo que se necesita. **2.** Apto o idóneo para algo. **3.** En la calificación de exámenes, nota que equivale a aprobado.

sufijación *s. f.* Procedimiento de formación de palabras por medio de sufijos.

sufijo, ja *adj.* Se dice de los afijos que se sitúan a continuación de las palabras para formar derivados. También s. m.

suflé *s. m.* Especialidad gastronómica preparada con claras de huevo montadas.

sufragáneo, a *adj.* Que depende de la jurisdicción y autoridad de alguien.

sufragar *v. tr.* **1.** Ayudar. **2.** Costear.

sufragio *s. m.* **1.** Ayuda, socorro. **2.** Voto, parecer de la voluntad de alguien.

sufragismo *s. m.* Movimiento de los sufragistas.

sufragista *com.* **1.** Persona partidaria del sufragio femenino. ‖ *adj.* **2.** Se dice de la persona que, en Inglaterra a principios de siglo, se manifestaba en favor del sufragio femenino.

sufrible *adj.* Que se puede sufrir.

sufrido, da *adj.* **1.** Que sufre con resignación. **2.** Se dice del color que disimula lo sucio.

sufrimiento *s. m.* Paciencia, conformidad con que se sufre una cosa.

sufrir *v. tr.* **1.** Padecer. **2.** Aguantar una carga. **3.** Recibir con resignación un daño moral o físico. **4.** Tolerar un hecho con el que no se está de acuerdo. **5.** Pagar, en sentido de expiar.

sugerencia *s. f.* Inspiración, idea sugerida.

sugerente *adj.* Que sugiere.

sugerir *v. tr.* Hacer entrar o despertar en el ánimo de alguien una idea o imagen.

sugestión *s. f.* **1.** Acción de sugerir. **2.** Especie sugerida. **3.** Acción y efecto de sugestionar.

sugestionable *adj.* Fácil de ser sugestionado.

sugestionar *v. tr.* **1.** Inspirar una persona a otra hipnotizada palabras o actos involuntarios. **2.** Dominar la voluntad de una persona, llevándola a obrar en determinado sentido. **3.** Fascinar a alguien, provocar su admiración.

sugestivo, va *adj.* **1.** Que sugiere. **2.** Que resulta atrayente.

suicida *com.* **1.** Persona que se suicida. ‖ *adj.* **2.** Perteneciente o relativo al suicidio. **3.** *fig.* Se dice del acto o la conducta que daña o destruye al propio agente.

suicidarse *v. prnl.* Quitarse voluntariamente la vida.

suicidio *s. m.* **1.** Acción y efecto de suicidarse. **2.** *fig.* Acción que perjudica a la persona que la realiza.

suidos *s. m. pl.* Familia de mamíferos artiodáctilos y paquidermos, como el cerdo y el jabalí.

sui géneris *expr. lat.* que se usa en español para denotar que la cosa a que se aplica es de un género excepcional.

sujeción *s. f.* **1.** Acción de sujetar. **2.** Unión con que una cosa está sujeta.

sujetador *s. m.* Sostén, prenda interior femenina.

sujetapapeles *s. m.* Pinza para sujetar papeles.

sujetar *v. tr.* **1.** Someter al dominio de alguien. **2.** Afirmar una cosa con la fuerza.

sujeto *s. m.* **1.** Asunto sobre el que se habla o escribe. **2.** Persona innominada. **3.** Función oracional desempeñada por un sustantivo, palabra análoga, o sintagma sustantivado, caracterizada por la concordancia en número y persona con el verbo.

sulfamidas *s. f. pl.* Nombre que se da a un grupo de productos farmacéuticos usados contra algunas enfermedades microbianas.

sulfatar *v. tr.* Impregnar o bañar con un sulfato alguna cosa, particularmente las vides y otras plantas.

sulfato *s. m.* Cualquier combinación del ácido sulfúrico con un radical mineral u orgánico.

sulfhídrico, ca adj. Perteneciente o relativo a las combinaciones del azufre con el hidrógeno.

sulfurar v. tr. **1.** Combinar un cuerpo con el azufre. **2.** fig. Causar enfado o irritación, encolerizar. Se usa más como prnl.

sulfúrico, ca adj. **1.** Perteneciente o relativo al azufre. **2.** Que tiene azufre.

sulfuro s. m. Cuerpo que resulta de la combinación del azufre con un metal.

sulfuroso, sa adj. Que participa de las propiedades o características del azufre.

sultán s. m. **1.** Emperador de los turcos. **2.** Príncipe o gobernador mahometano.

sultana s. f. **1.** Mujer del sultán. **2.** Embarcación de guerra turca.

suma s. f. **1.** Agregado de muchas cosas. **2.** Acción y resultado de sumar.

sumando s. m. Cada una de las cantidades parciales que han de añadirse unas a otras para formar la suma.

sumar v. tr. **1.** Recopilar una materia. **2.** Reunir en una sola varias cantidades homogéneas.

sumaria s. f. **1.** Proceso escrito. **2.** En el procedimiento criminal militar, sumario, conjunto de actuaciones para preparar el inicio.

sumarial adj. Perteneciente o relativo al sumario o a la sumaria.

sumario, ria adj. **1.** Se dice de lo resumido, breve. ‖ s. m. **2.** Resumen, compendio de una cosa.

sumarísimo, ma adj. Se dice de cierta clase de juicios a los que señala la ley una tramitación brevísima.

sumergible adj. Que se puede sumergir.

sumergir v. tr. Meter una cosa debajo del agua o de otro líquido.

sumersión s. f. Acción y efecto de sumergir.

sumidad s. f. Extremo más alto de una cosa.

sumidero s. m. Conducto o canal por donde se sumen las aguas.

sumiller com. En los hoteles y restaurantes, persona encargada del servicio de licores.

suministrar v. tr. Proveer a alguien de algo que necesita.

suministro s. m. Provisión de víveres o utensilios para las tropas, prisioneros, etc.

sumir v. tr. **1.** Hundir debajo de la tierra o del agua. **2.** Sumergir.

sumisión s. f. **1.** Acción y efecto de someter. **2.** Excesiva docilidad con palabras o acciones. **3.** Acto por el cual alguien se somete a otra jurisdicción renunciando o perdiendo su domicilio y fuero.

sumiso, sa adj. **1.** Obediente. **2.** Rendido, subyugado.

súmmum s. m. El colmo, lo sumo.

sumo, ma adj. **1.** Supremo, altísimo o que no tiene superior. **2.** Muy grande, enorme.

súmulas s. f. pl. Compendio de los principios elementales de la lógica.

sunción s. f. Acción de sumir o consumir el sacerdote.

suntuario, ria adj. Perteneciente o relativo al lujo.

suntuosidad s. f. Calidad de suntuoso.

suntuoso, sa adj. Magnífico.

supeditar v. tr. Sujetar, oprimir con rigor.

súper¹ adj., fam. **1.** Gasolina de octanaje superior al normal. **2.** Muy bueno. **3.** Estupendamente.

súper² acort. Supermercado.

superable adj. Que se puede superar o vencer.

superabundancia s. f. Abundancia muy grande.

superabundante adj. Que abunda en exceso.

superabundar v. intr. Abundar con extremo o rebosar.

superación s. f. Acción y efecto de superar.

superar v. tr. **1.** Ser superior a otro. **2.** Vencer obstáculos y dificultades.

superávit s. m. En las cuentas, exceso del haber o caudal sobre el debe o sobre las obligaciones.

superchería s. f. Engaño, dolo, fraude.

superdotado, da adj. Se dice de la persona que posee cualidades que exceden de lo normal, especialmente refiriéndose a la inteligencia.

superfetación s. f. Concepción de un segundo feto durante el embarazo.

superficial adj., fig. Aparente, sin solidez.

superficialidad s. f. Calidad de superficial, frivolidad, futilidad.

superficie s. f. **1.** Límite exterior de un cuerpo que lo separa y distingue del resto del espacio. **2.** Aspecto externo de algo.

superfino, na adj. Muy fino.

superfluidad s. f. **1.** Calidad de superfluo. **2.** Cosa superflua.

superfluo, flua adj. No necesario, que está de sobra.

superfosfato s. m. Fosfato ácido de cal, que se emplea como abono.

superhombre s. m. Hombre dotado de cualidades excepcionales.

superintendente com. Persona a cuyo cargo está la dirección superior de una cosa.

superior adj. Que está más alto y en lugar preeminente con relación a otra cosa.

superior, ra s. m. y s. f. Persona que manda o dirige una congregación o comunidad.

superioridad s. f. Preeminencia en una persona o cosa respecto de otra.

superlativo, va adj. Muy grande y excelente en su línea.

supermercado s. m. Establecimiento comercial de venta al por menor en el que el cliente se sirve a sí mismo y paga a la salida.

supernova s. f. Aumento considerable del brillo de una estrella, como resultado de su muerte violenta.

supernumerario, ria *adj.* **1.** Que excede del número establecido. **2.** Se aplica a los militares, funcionarios, etc., en situación similar a la excedencia. ‖ *s. m. y s. f.* **3.** Empleado que trabaja en una oficina pública sin figurar en la plantilla.

superponer *v. tr.* Poner una cosa encima de otra. También prnl.

superposición *s. f.* Acción y efecto de superponer.

superpotencia *s. f.* Nación que ocupa un lugar destacado económica y militarmente.

superproducción *s. f.* **1.** Exceso de producción. **2.** Obra cinematográfica o teatral de elevado presupuesto. **3.** Proceso económico en el que se obtiene un producto en cantidades superiores a las necesarias.

superrealismo *s. m.* Tendencia artística y literaria que trata de expresar, de forma inmediata, la intimidad del subconsciente y las fuerzas instintivas que superan los cauces de la razón.

supersónico, ca *adj.* En aviación, se dice de la velocidad superior a la del sonido y de los aparatos que la alcanzan.

superstición *s. f.* Creencia extraña a la fe religiosa y contraria a la razón.

supersticioso, sa *adj.* **1.** Perteneciente o relativo a la superstición. **2.** Se dice de la persona que cree en ella.

supérstite *adj.* Superviviente.

supervisar *v. tr.* Ejercer alta inspección la persona individual o colectiva que está en la cima jerárquica.

supervisión *s. f.* Acción y efecto de supervisar.

supervisor, ra *adj.* Que supervisa. También s. m. y s. f.

supervivencia *s. f.* **1.** Acción y efecto de sobrevivir. **2.** Gracia concedida a alguien para gozar una renta o pensión después de haber fallecido la persona que la obtenga.

superviviente *adj.* Sobreviviente.

supino, na *adj.* **1.** Que está tendido sobre el dorso. **2.** Necio, tonto. **3.** Se dice de la ignorancia que procede del total desconocimiento del sujeto. ‖ *s. m.* **4.** En la gramática latina, una de las formas nominales del verbo.

suplantación *s. f.* Acción y efecto de suplantar.

suplantador, ra *adj.* Que suplanta. También s. m. y s. f.

suplantar *v. tr.* **1.** Falsificar un escrito con palabras o cláusulas que modifiquen sustancialmente su sentido. **2.** Ocupar ilegalmente el puesto de otro, usurpar su personalidad o los derechos inherentes a ella.

suplementario, ria *adj.* Que sirve para suplir o sustituir una cosa o completarla.

suplemento *s. m.* Cosa que se añade a otra para perfeccionarla.

suplencia *s. f.* Acción y efecto de suplir una persona a otra, y también el tiempo que dura esta acción.

suplente *adj.* Que suple. También com.

supletorio, ria *adj.* Que suple una falta.

súplica *s. f.* **1.** Acción y efecto de suplicar. **2.** Memoria o escrito en que se suplica. **3.** Cláusula final de un escrito que se dirige a la autoridad administrativa o judicial para solicitar una resolución.

suplicación *s. f.* Súplica.

suplicar *v. tr.* Pedir con sumisión y humildad una cosa.

suplicatoria *s. f.* Carta u oficio que pasa un tribunal o juez a otro superior.

suplicatorio, ria *adj.* **1.** Que contiene súplica. ‖ *s. m.* **2.** Instancia que un juez o tribunal eleva a las Cortes, pidiendo permiso para proceder en justicia contra algún miembro de ellas.

suplicio *s. m.* **1.** Lesión corporal, o muerte infligida como castigo. **2.** *fig.* Grave dolor físico o moral.

suplir *v. tr.* Completar lo que falta en una cosa o remediar la carencia de ella.

suponer *v. tr.* **1.** Dar por sentada y existente una cosa. **2.** Fingir una cosa. **3.** Traer consigo, incluir, importar. **4.** Conjeturar algo a través de los indicios que se poseen.

suposición *s. f.* **1.** Acción y efecto de suponer. **2.** Lo que se supone o da por sentado. **3.** Autoridad distinción. **4.** Impostura o falsedad. **5.** Acepción de un término en lugar de otro.

supositorio *s. m.* Preparado de pasta en forma cónica, para ser introducido en el recto, en la vagina, uretra, etc.

suprarrenal *adj.* Situado encima de los riñones.

supremacía *s. f.* **1.** Grado supremo en cualquier línea. **2.** Preeminencia, superioridad jerárquica.

supremo, ma *adj.* **1.** Sumo, altísimo. **2.** Que no tiene superior en su línea.

supresión *s. f.* Acción y efecto de suprimir.

suprimir *v. tr.* **1.** Hacer cesar, hacer desaparecer. **2.** Omitir, pasar por alto.

supuesto *s. m.* Hipótesis.

supuración *s. f.* Acción y efecto de supurar.

supurar *v. intr.* Formar o echar pus.

supurativo, va *adj.* Que tiene virtud de hacer supurar.

Sur *n. p.* Punto cardinal del horizonte, diametralmente opuesto al Norte.

surcar *v. tr.* Hacer surcos en la tierra.

surco *s. m.* **1.** Hendidura que se hace en la tierra con el arado. **2.** Arruga en el rostro o en otra parte del cuerpo.

surf *s. m.* Deporte náutico que se practica con una tabla y que consiste en deslizarse sobre las olas.

surgir *v. intr.* **1.** Surtir, brotar el agua. **2.** *fig.* Alzarse, manifestarse.

surrealismo *s. m.* Superrealismo.

surrealista *adj.* Que practica o defiende el surrealismo. También com.

surtido, da *adj.* Se aplica al artículo de comercio que se ofrece como mezcla de diversas clases. También s. m.

surtidor *s. m.* Chorro de agua que brota especialmente hacia arriba.

surtir *v. tr.* **1.** Proveer a alguien de alguna cosa. || *v. intr.* **2.** Brotar, salir el agua.

surto, ta *adj., fig.* Tranquilo, en reposo.

susceptibilidad *s. f.* Calidad de susceptible.

susceptible *adj.* Capaz de padecer o recibir modificación o impresión.

suscitar *v. tr.* Levantar, promover.

suscribir *v. tr.* **1.** Firmar al final de un escrito. || *v. prnl.* **2.** Obligarse alguien a contribuir como otros al pago de una cantidad para cualquier obra.

suscripción *s. f.* Acción y efecto de suscribir o suscribirse.

suscriptor, ra *s. m. y s. f.* Persona que suscribe o se suscribe.

susodicho, cha *adj.* Sobredicho.

suspender *v. tr.* **1.** Levantar, sostener algo en alto o en el aire. || *v. intr.* **2.** *fig.* Producir admiración. **3.** No pasar el examen por no obtener la puntuación necesaria.

suspensión *s. f.* **1.** Acción y efecto de suspender. **2.** En los automóviles, conjunto de piezas y mecanismos destinados a amortiguar el apoyo de la carrocería sobre los ejes de las ruedas. **3.** Prolongación de una nota que forma parte de un acorde, sobre el siguiente, produciendo disonancia.

suspensivo, va *adj.* Que tiene virtud o fuerza de suspender.

suspenso *s. m.* Nota de haber sido suspendido en un examen.

suspensorio, ria *adj.* Que sirve para suspender o levantar en alto.

suspicacia *s. f.* **1.** Calidad de suspicaz. **2.** Especie de idea sugerida por la sospecha o desconfianza.

suspicaz *adj.* Propenso a concebir sospechas.

suspirar *v. tr.* Dar suspiros.

suspiro *s. m.* Aspiración fuerte y prolongada, seguida de una espiración y que suele denotar queja, aflicción o deseo.

sustancia *s. f.* **1.** Parte nutritiva de los alimentos. **2.** Ser, esencia de las cosas.

sustancial *adj.* **1.** Perteneciente o relativo a la sustancia. **2.** Se dice de lo esencial y más importante de una cosa.

sustancioso, sa *adj.* **1.** De mucho valor o importancia. **2.** De gran valor nutritivo.

sustantivación *s. f.* Acción y efecto de sustantivar.

sustantivar *v. tr.* Dar valor y significación de nombre sustantivo a palabras y frases que normalmente tienen otro valor. También prnl.

sustantivo, va *adj.* **1.** Que tiene existencia real, independiente, individual. **2.** Importante, esencial. || *s. m.* **3.** Parte de la oración con que se designan los seres por su naturaleza, y no por los atributos o propiedades variables.

sustentable *adj.* Que se puede sustentar o defender con razones.

sustentación *s. f.* Acción y efecto de sustentar.

sustentar *v. tr.* **1.** Proporcionar el alimento necesario. **2.** Sostener una cosa para que no se caiga. **3.** Defender una opinión.

sustento *s. m.* **1.** Mantenimiento, alimento. **2.** Lo que sirve para dar vigor y permanencia a una cosa. **3.** Sostén o apoyo.

sustitución *s. f.* **1.** Acción y efecto de sustituir. **2.** Nombramiento de heredero o legatario hecho en reemplazo de otro nombramiento de la misma índole.

sustituible *adj.* Que se puede o debe sustituir.

sustituir *v. tr.* Poner a una persona o cosa en lugar de otra.

sustitutivo, va *adj.* Se dice de la sustancia que puede reemplazar a otra en el uso.

sustituto, ta *s. m. y s. f.* **1.** Persona que hace las veces de otra en empleo o servicio. **2.** Heredero o legatario designado para cuando falta la sucesión del nombrado con prioridad a él, o para suplir con causa legítima el nombramiento.

susto *s. m.* Impresión repentina de miedo.

sustracción *s. f.* Acción y efecto de sustraer o sustraerse.

sustractivo *adj.* Se dice de los términos de un polinomio que van precedidos de signo negativo.

sustraendo *s. m.* Cantidad que ha de restarse de otra.

sustraer *v. tr.* **1.** Apartar, separar, extraer. **2.** Hurtar. **3.** Restar.

sustrato *s. m.* **1.** Lugar que sirve de asiento a un ser vivo. **2.** Terreno situado debajo del que se toma como referencia. **3.** Lengua hablada en un territorio sobre la cual se impone otra lengua que hace que la primera se extinga pero deje en ella determinados rasgos semánticos, fonológicos, etc. **4.** Acción de legar una lengua extinguida determinados rasgos a la lengua implantada sobre ella.

susurrar *v. intr.* **1.** Hablar quedo, produciendo un murmullo. **2.** Empezarse a divulgar una cosa secreta. **3.** *fig.* Moverse con ruido suave el aire, el agua, etc.

susurro *s. m.* Rumor suave que resulta de hablar quedo.

sutil *adj.* **1.** Delgado, delicado, tenue. **2.** Agudo, perspicaz, ingenioso.

sutileza *s. f.* Dicho o concepto excesivamente agudo, pero falso o superficial.

sutilizar *v. tr.* **1.** Adelgazar, atenuar. **2.** *fig.* Limar, perfeccionar cosas no materiales. **3.** *fig.* Discurrir ingeniosamente y, a veces, con argucia.

sutura *s. f.* Costura que unen los labios de una herida.

suyo, ya *adj. pos.* Forma del posesivo masculino y femenino de la tercera persona del singular o del plural. Indica posesión o pertenencia a la persona o personas de que se habla. También pron. *s. f.* Vigésimo primera letra del abecedario español y decimoséptima de sus consonantes.

taba *s. f.* **1.** Hueso del pie. **2.** Juego en que se tira al aire una taba de carnero y se gana o se pierde según la cara que queda hacia arriba. ‖ *s. f. pl.* **3.** *amer.* Zapatos.

tabacal *s. m.* Lugar sembrado de tabaco.

tabacalero, ra *adj.* **1.** Perteneciente o relativo al cultivo, fabricación o venta del tabaco. **2.** Se dice de la persona que cultiva tabaco.

tabaco *s. m.* **1.** Planta solanácea, narcótica, de olor fuerte, hojas alternas, grandes, lanceoladas y glutinosas, que se usan para fumar. **2.** Hoja de esta planta, curada y preparada para sus diversos usos. **3.** Polvo a que se reducen las hojas secas para aspirarlo. **4.** Cigarro puro. **5.** Enfermedad de algunos árboles.

tabal *s. m.* **1.** Instrumento de percusión. **2.** *Ast., Cant. y Cub.* Barril en que se conservan las sardinas arenques y también el boquerón descabezado o anchoa.

tabalada *s. f.* **1.** *fam.* Golpe que se da con la mano. **2.** *fam.* Golpe que se recibe al caer al suelo.

tabalario *s. m., fam.* Parte posterior del cuerpo humano.

tabalear *v. tr.* **1.** Menear o mecer una cosa a una parte y a otra. También *prnl.* ‖ *v. intr.* **2.** Golpear con los dedos en una tabla o cosa semejante, imitando el toque del tambor.

tabanazo *s. m., fam.* Golpe que se da con la mano en la cara.

tabanco *s. m.* **1.** Puesto o cajón para la venta de comestibles. **2.** *Amér. C.* Parte más alta de la casa, inmediatamente debajo del tejado.

tabanera *s. f.* Sitio donde hay gran cantidad tábanos.

tábano *s. m.* Insecto díptero, de 2 a 3 cm de longitud y de color pardo, que molesta con sus picaduras, principalmente a las caballerías.

tabanque *s. m.* Rueda de madera que mueven con el pie los alfareros para hacer girar el torno.

tabaola *s. f.* Ruido grande.

tabaque[1] *s. m.* Cestillo de mimbres en el que se pone la fruta o los útiles de costura.

tabaque[2] *s. m.* Clavo poco mayor que la tachuela común.

tabaquera *s. f.* **1.** Caja para el tabaco en polvo. **2.** Caja o pomo con agujeros en su parte superior, para sorber el tabaco en polvo. **3.** Receptáculo del tabaco en la pipa de fumar. **4.** Petaca para llevar en el bolsillo tabaco picado.

tabaquismo *s. m.* Intoxicación crónica producida por el abuso del tabaco.

tabardillo *s. m.* **1.** Fiebre grave y endémica con síntomas nerviosos y alteración de la sangre. **2.** *fam.* Insolación. **3.** *fig. y fam.* Persona alocada y bulliciosa.

tabardo *s. m.* **1.** Prenda de abrigo ancha y larga, de paño tosco. **2.** Especie de gabán sin mangas, usado antiguamente. **3.** Chaquetón militar que forma parte del uniforme de invierno del soldado.

tabarra *s. f.* Cosa impertinente y molesta.

tabarrera *s. f.* **1.** *fam.* Tabarra grande. **2.** *fam.* Persona o cosa molesta. **3.** *And.* Avispero, nido de avispas.

tabasco *s. m.* Cacao especial que se produce en la región mexicana de Tabasco.

tabelión *s. m.* Hombre que tenía por oficio dar fe de escrituras y de actos que pasan ante él.

tabellar *v. tr.* **1.** Doblar las piezas de paño y demás tejidos de modo que queden sueltos los orillos. **2.** Marcar las telas o ponerles los sellos de fábrica.

taberna *s. f.* Tienda donde se vende al por menor vino y otras bebidas alcohólicas.

tabernáculo *s. m.* **1.** Lugar donde los hebreos tenían colocada el arca del Testamento. **2.** Sagrario donde se guarda el Santísimo Sacramento. **3.** Tienda en que habitàban los antiguos hebreos.

tabernario, ria *adj.* **1.** Propio de la taberna o de las personas que la frecuentan. **2.** *fig.* Bajo, grosero.

tabernero, ra *s. m. y s. f.* Persona que vende vino en la taberna.

tabes *s. f.* Consunción.

tabicar *v. tr.* **1.** Cerrar con tabique una cosa. **2.** *fig.* Cerrar o tapar una cosa que debía estar abierta. También *prnl.*

tabido, da *adj.* **1.** Podrido o corrompido. **2.** Extenuado por consunción.

tabífico, ca *adj.* Que produce la consunción.

tabinete *s. m.* Tela parecida al raso, con trama de algodón y urdimbre de seda, usada para el calzado femenino.

tabique *s. m.* **1.** Pared delgada que se hace principalmente para la división de los cuartos o aposentos de las casas. **2.** Por ext., cosa plana y delgada que separa dos huecos.

tabiquería *s. f.* Conjunto o serie de tabiques.

tabla *s. f.* **1.** Pieza de madera plana, más larga que ancha, de caras paralelas y de poco grosor respecto del resto de sus dimensiones. **2.** Pieza plana y de poco espesor de alguna otra materia rígida. **3.** Parte que se deja sin plegar en un vestido. Doble pliegue ancho y plano. **4.** Tablilla en que se anuncia algo. **5.** Índice por orden alfabético que se pone en los libros. **6.** Lista o catálogo de cosas puestas por orden. **7.** Serie ordenada de valores numéricos de cualquier clase. Particularmente serie ordenada para cada operación aritmética de las realizadas con los números comprendidos entre el cero y el diez. **8.** Superficie del cuadro donde deben representarse los objetos y que se considera siempre como vertical. **9.** Pintura hecha en tabla. ‖ *s. f. pl.* **10.** Estado en el juego de damas o en el de ajedrez, en el cual ninguno de los jugadores puede ganar la partida. **11.** Empate. **12.** *fig.* El escenario del teatro. **13.** *fig.* Barrera de la plaza de toros.

tablado *s. m.* **1.** Suelo plano formado de tablas unidas por el canto. **2.** Suelo de tablas realizado en alto sobre una armazón. **3.** Pavimento del escenario de un teatro. **4.** Conjunto de tablas de la cama sobre el que se tiende el colchón. **5.** Armazón de madera algo elevado sobre el cual se ejecutaba a los reos.

tablaje *s. m.* **1.** Conjunto de tablas. **2.** Casa de juego.

tablajería *s. f.* **1.** Vicio o costumbre de jugar en los tablajes. **2.** Ganancia que se saca del garito. **3.** Puesto o despacho en el que se vende carne.

tablajero, ra *s. m. y s. f.* **1.** Carpintero que hace tablados para las fiestas de toros o para otros regocijos. ‖ *s. m.* **2.** Carnicero. **3.** *desp., Ar.* Practicante del hospital. **4.** Persona a cuyo cargo estaba cobrar los derechos reales. **5.** Persona aficionada al juego del tablaje.

tablao *s. m.* **1.** Tablado, escenario dedicado al cante y al baile flamencos. **2.** Local dedicado a espectáculos de baile y cante flamencos.

tablar *s. m.* Remanso grande de un río cuya corriente no se aprecia.

tablazón *s. f.* **1.** Agregado de tablas. **2.** Conjunto o compuesto de tablas con que se hacen las cubiertas de las embarcaciones y otras obras.

tableado *s. m.* **1.** Acción y efecto de tablear. **2.** Conjunto de tablas que se hacen en una tela.

tablear *v. tr.* **1.** Dividir un madero en tablas. **2.** Hacer tablas en la tela.

tablero *adj.* **1.** Se dice del madero a propósito para cortarlo en tablas. ‖ *s. m.* **2.** Tabla o conjunto de tablas unidas por el canto, con una superficie plana y alisada, y barrotes atravesados por la cara opuesta. **3.** Tabla de mármol, metal, etc. **4.** Tabla cuadrada con casillas para jugar al ajedrez, a las damas, al chaquete, al asalto, etc. **5.** Mostrador, en las tiendas. **6.** Cuadro de madera pintado de negro que se usa en las escuelas en lugar del encerado. **7.** Plano resaltado, liso o con molduras, para ornamentación de algunas partes del edificio. **8.** Tabique que divide en compartimentos.

tableta *s. f.* **1.** Madera de sierra de distintas medidas, según la región. Se llama así especialmente a la usada para entarimar. **2.** Astilla. **3.** Lámina de chocolate, normalmente dividida en porciones, que solía tener el peso de una libra. ‖ *s. f.* **4.** *fam.* Porción de sustancia medicamentosa sólida de cualquier forma.

tabletear *v. intr.* **1.** Hacer chocar tabletas o tablas con el fin de producir ruido. **2.** Sonar algún ruido similar.

tablilla *s. f.* Tabla pequeña en la cual se expone al público una lista o un anuncio.

tablón *s. m.* **1.** Tabla gruesa. **2.** *fig.* Borrachera.

tabloncillo *s. m.* **1.** Madera de sierra de diferentes dimensiones, según la región. **2.** Asiento de la fila más alta de las gradas y tendidos de las plazas de toros. **3.** Tabla que forma el asiento del retrete.

tabú *s. m.* **1.** Prohibición de comer o tocar algún objeto, impuesta a sus adeptos por algunas religiones de la Polinesia. **2.** Prohibición supersticiosa fundada en prejuicios o preocupaciones irracionales. **3.** Por ext., la condición de las personas, instituciones y cosas a las que no es lícito censurar o mencionar.

tabuco *s. m.* **1.** Aposento pequeño. **2.** *amer.* Maleza, matorral.

tabular *v. tr.* Expresar valores o magnitudes por medio de tablas.

taburete *s. m.* **1.** Asiento sin brazos ni respaldo para una persona. **2.** Silla con el respaldo muy estrecho, guarnecida de vaqueta, terciopelo, etc. ‖ *s. m. pl.* **3.** Media luna que había en el patio de los teatros, cerca del escenario.

taca *s. f.* Alacena pequeña.

tacada *s. f.* **1.** Golpe dado con el taco a la bola de billar o de trucos. **2.** Serie de carambolas hecha sin perder golpe.

tacañería *s. f.* **1.** Calidad de tacaño. **2.** Acción propia del tacaño.

tacaño, ña *adj.* **1.** Que engaña con sus ardides y embustes. **2.** Que escatima exageradamente en lo que gasta o da.

tacar[1] *v. tr.* Señalar, haciendo un hoyo, mancha u otro daño.

tacar[2] *v. tr.* **1.** *amer.* Atacar un arma de fuego. **2.** *amer.* Apretar, rellenar. **3.** *amer.* Hartarse, ahitarse.

tacatá *s. m.* **1.** Andador con forma de pirámide de base cuadrada y patas que terminan en ruedecillas que se mueven en cualquier dirección. **2.** Golpe dado con el taco a la bola de billar. **3.** *amer.* Trago grande de licor.

tacha *s. f.* **1.** Falta o defecto que se halla en una persona o cosa. **2.** Motivo legal para desestimar la declaración de un testigo. **3.** Especie de clavo pequeño.

tachadura *s. f.* **1.** Acción y efecto de tachar. **2.** Tachón sobre lo escrito.

tachar *v. tr.* **1.** Poner en una cosa falta o tacha. **2.** Borrar lo escrito. **3.** Alegar contra un testigo algún motivo legal para que no sea creído en el pleito. **4.** *fig.* Acusar, notar.

tachón[1] *s. m.* **1.** Cada una de las rayas que se hacen sobre lo escrito para borrarlo. **2.** Golpe de galón, cinta, etc., sobrepuesto en ropa o tela para adornarla.

tachón[2] *s. m.* Tachuela grande de cabeza dorada o plateada.

tachonado, da *adj.* Se aplica a aquello que está salpicado de ciertas cosas como tachas.

tachonar *v. tr.* **1.** Adornar una cosa sobreponiéndole tachones. **2.** Clavetear los cofres y otras cosas con tachones.

tachuela *s. f.* Clavo corto y de cabeza grande.

tácito, ta *adj.* **1.** Callado, silencioso. **2.** Que no se oye o dice formalmente, sino que se supone.

taciturno, na *adj.* **1.** Callado, que le molesta hablar. **2.** *fig.* Triste, melancólico.

taco *s. m.* **1.** Pedazo de madera, metal u otra materia, corto y grueso, con que se tapa o llena algún hueco. **2.** Tarugo de madera. **3.** Vara de madera dura pulimentada, como de metro y medio de largo, con la cual se impelen las bolas del billar y de los trucos. **4.** Volumen de papel formado por las hojas del calendario de pared. **5.** *fam.* Bocado que se toma fuera de las horas de comer. **6.** *fig. y fam.* Embrollo, lío. **7.** *fig. y fam.* Expresión tosca empleada para mostrar enfado, contradicción, etc. **8.** *Amér. del S.* Tacón del calzado. **9.** *Méx.* Tortilla de maíz.

tacón *s. m.* Pieza semicircular que va exteriormente unida a la suela del calzado en la parte correspondiente al talón.

taconear *v. intr.* **1.** Pisar causando ruido con el tacón. **2.** *fig.* Andar con valentía y arrogancia. **3.** *amer.* Ir de un sitio a otro para realizar una gestión. **4.** *amer.* Rellenar algo con un taco para taponarlo.

taconeo *s. m.* Acción y efecto de taconear.

táctica *s. f.* **1.** Arte que enseña a poner en orden las cosas. **2.** Conjunto de reglas para la instrucción y ejercicio de la tropa y para la ejecución de las operaciones militares. **3.** *fig.* Habilidad y disimulo para conseguir un fin.

táctico, ca *adj.* **1.** Perteneciente o relativo a la táctica. ‖ *s. m. y s. f.* **2.** Persona que sabe o practica la táctica.

táctil *adj.* Referente al tacto.

tacto *s. m.* **1.** Uno de los cinco sentidos corporales con el cual se percibe la presión ejercida sobre la piel o una mucosa, y conocemos la forma y extensión de los objetos, su aspereza o suavidad, su dureza o blandura, etc. **2.** Ejercicio de este sentido. **3.** *fig.* Habilidad para obrar o hablar con acierto, según la oportunidad, conveniencias, circunstancias, etc.

tael *s. m.* Peso que se usa en Filipinas, equivalente a 39 g y 537 mg aproximadamente.

tafanario *s. m., fam.* Parte posterior del cuerpo humano o asentaderas.

tafetán *s. m.* **1.** Tela delgada de seda, muy tupida. ‖ *s. m. pl.* **2.** *fig.* Las banderas. **3.** *fig.* Galas de mujer.

tafilete *s. m.* Cuero bruñido y lustroso, mucho más delgado que el cordobán, empleado en la fabricación de zapatos finos, encuadernación de lujo, etc.

tafiletear *v. tr.* Adornar o componer con tafilete.

tafiletería *s. f.* **1.** Arte de adobar el tafilete. **2.** Lugar donde se adoba. **3.** Tienda donde se vende.

tagarnina *s. f., fam.* Cigarro puro muy malo.

tagarote *s. m.* **1.** *fig.* Escribiente de notario. **2.** *fam.* Hidalgo pobre que se arrimaba a alguien para comer de gorra. **3.** *fam.* Persona alta y desgarbada.

tagarotear *v. intr.* Formar los caracteres y letras con velocidad y garbo.

tahalí *s. m.* **1.** Tira de cuero u otra materia, para llevar colgada del hombro la espada. **2.** Caja de cuero pequeña para llevar reliquias.

taheño, ña *adj.* Se dice del pelo rojizo.

tahona *s. f.* **1.** Molino de harina cuya rueda se mueve con caballería. **2.** Casa en la que se hace pan y se vende.

tahúr *adj.* **1.** Jugador, que tiene el vicio de jugar. También com. ‖ *s. m. y s. f.* **2.** Persona que frecuenta las casas de juego. **3.** Jugador que hace habitualmente trampas en el juego de los naipes y otros.

taifa *s. f.* **1.** Parcialidad, partido político. **2.** *fig. y fam.* Reunión de pícaros o gente despreciable.

taiga *s. f.* Selva propia del norte de Rusia y Siberia, de subsuelo helado y poblada por coníferas.

taima *s. f.* Astucia para llevar algo a cabo.

taimado, da *adj.* Bellaco, astuto, disimulado. También s. m. y s. f.

taita *s. m.* **1.** Nombre infantil con que se designa al padre. **2.** Tratamiento que suele darse a las personas ancianas de raza negra. **3.** *Ven.* Tratamiento que se da al padre o jefe de familia. **4.** *Arg. y Chil.* Se aplica como voz infantil a personas que merecen respeto.

tajada *s. f.* **1.** Porción cortada de una cosa. **2.** *fam.* Ronquera o tos ocasionada por un resfriado. **3.** *fam.* Borrachera.

tajadera *s. f.* **1.** Cuchilla a modo de media luna para cortar queso o turrón. **2.** Trozo de madera sobre el que se coloca la carne que se ha de cortar. ‖ *s. f. pl.* **3.** *And.* Compuerta que se pone para detener la corriente de agua.

tajamar *s. m.* **1.** Tablón recortado en forma curva y ensamblado en la parte posterior de la roda que hiende el agua cuando el buque marcha. **2.** Parte de una fábrica, de forma angular, que se adiciona a los pilares de los puentes, de manera que pueda cortar el agua de la corriente. **3.** *Chil.* Malecón, dique. **4.** *Arg.* Embalse de agua.

tajante *adj.* **1.** Se aplica al ademán con el que se corta cualquier posibilidad de réplica. ‖ *s. m.* **2.** En algunas partes, cortador, carnicero.

tajar *v. tr.* **1.** Dividir una cosa en dos o más partes con un instrumento cortante. **2.** Cortar la pluma de ave para poder escribir.

tajo *s. m.* **1.** Corte hecho con un instrumento adecuado. **2.** Sitio hasta donde llega en su faena la cuadrilla de operarios que trabaja avanzando sobre el terreno. **3.** Trabajo que se realiza en un tiempo determinado. **4.** Precipicio o escarpa alta y cortada casi vertical. **5.** Filo de un instrumento cortante u otro objeto. **6.** Asiento bajo. **7.** Corte que se da con la espada u otra arma blanca.

tal *adj.* **1.** Igual, semejante o de la misma forma. **2.** Se aplica a las cosas, como antecedente de *cual*, *como*, etc., para establecer una comparación con otras. **3.** Tanto o tan grande. Se usa para ponderar o exagerar. **4.** Se usa para indicar de manera indeterminada algo que no está especificado o distinguido. **5.** Se usa a veces como pronombre demostrativo. **6.** Se emplea también como pronombre indeterminado. **7.** Aplicado a un nombre de persona, indica que esta es poco conocida de la persona que habla o de las que escuchan. ‖ *adv.* **8.** Así, de esta manera. **9.** Precedido de los adverbios *sí* o *no* en la réplica, refuerza la significación de los mismos.

tala *s. f.* Acción y efecto de talar.

talabarte *s. m.* Cinturón que lleva pendientes los tiros de que cuelga la espada.

talabartero, ra *s. m. y s. f.* Persona que hace talabartes y otros correajes.

taladradora *s. f.* Máquina provista de barrena para perforar.

taladrar *v. tr.* **1.** Horadar una cosa con taladro u otro instrumento semejante. **2.** *fig.* Herir los oídos fuerte y desagradablemente algún sonido agudo. **3.** Penetrar o alcanzar con el discurso una materia oscura o dudosa.

taladro *s. m.* Instrumento agudo o cortante con que se agujerea la madera u otro material.

talamiflora *adj.* Se dice de aquella planta de la familia de las dicotiledóneas que tiene perigonio doble y los pétalos distintos e insertos en su receptáculo, como las ranunculáceas y las rutáceas. También s. f.

tálamo *s. m.* **1.** Lugar preeminente donde los novios celebraban sus bodas. **2.** Cama de los desposados, lecho conyugal. **3.** Extremo ensanchado del pedúnculo donde se insertan las flores.

talanquera *s. f.* **1.** Valla o pared que sirve de defensa o reparo. **2.** *fig.* Cualquier sitio o paraje que sirve de defensa o reparo. **3.** *fig.* Seguridad y defensa.

talante *s. m.* **1.** Modo de ejecutar una cosa. **2.** Semblante o disposición personal, o estado y calidad de las cosas. **3.** Voluntad, deseo, gusto.

talar[1] *adj.* Se dice del traje o vestido que llega hasta los talones.

talar[2] *v. tr.* **1.** Cortar por la base masas de árboles para dejar la tierra devastada. **2.** Destruir o quemar campos, edificios o poblaciones.

talasocracia *s. f.* Dominio de los mares, poder naval.

talasoterapia *s. f.* Uso terapéutico de los baños o del aire de mar.

talayote[1] *s. m.* Monumento megalítico de las Baleares, semejante a una torre de poca altura.

talayote[2] *s. m.* *Méx.* Fruto de algunas plantas de la familia de las Asclepiadáceas.

talco *s. m.* **1.** Silicato de magnesia, blando, suave al tacto, de textura hojosa que, reducido a polvo, se usa en farmacia. **2.** Lámina delgada que se emplea en bordados.

talega *s. f.* **1.** Bolsa de tela, ancha y corta, que sirve para llevar o guardar cosas. **2.** Lo que se guarda o se lleva en ella. **3.** Bolsa que usaban las mujeres para preservar el peinado. **4.** *Le.* Cesto de mimbre usado en las vendimias. **5.** *fam.* Caudal monetario, dinero. Se usa más en pl. **6.** *fig. y fam.* Pecados que tiene alguien que confesar.

talego *s. m.* **1.** Saco largo y estrecho, de lienzo basto. **2.** *fam.* Persona muy ancha de cintura.

talento *s. m.* **1.** Moneda imaginaria de los griegos. **2.** *fig.* Conjunto de dones naturales o sobrenaturales con que Dios enriquece a los hombres. **3.** *fig.* Dotes intelectuales que resplandecen en una persona. **4.** *fig.* Entendimiento.

talgo *s. m.* Tren articulado que alcanza gran velocidad.

talio *s. m.* Metal poco común parecido al plomo.

talión *s. m.* Pena que consiste en hacer sufrir al delincuente un daño igual al que causó.

talismán *s. m.* **1.** Cualquier objeto o dibujo con relación a los signos zodiacales con atribuciones mágicas. **2.** Objeto, signo o figura a que se atribuyen virtudes portentosas.

talla[1] *s. f.* **1.** Obra de escultura, especialmente en madera. **2.** Cantidad que se ofrece por el rescate de un cautivo o la prisión de un delincuente. **3.** Cantidad de moneda que ha de ser producida por cierta unidad de peso del metal que se acuñe. **4.** Estatura o altura de una persona. **5.** Marca, altura. **6.** Tara. **7.** Operación para extraer los cálculos de la vejiga.

talla[2] *s. f.* Polea o aparejo que sirve para ayudar ciertas faenas.

tallado, da *adj.* **1.** Con los adverbios *bien* o *mal*, de buen, o mal, talle. ‖ *s. m.* **2.** Acción y efecto de tallar.

talladura *s. f.* **1.** Corte hecho en las maderas para que ensamblen. **2.** Corte hecho en los árboles para sangrarlos.

tallar[1] *adj.* **1.** Que puede ser talado o cortado. **2.** Se aplica a una clase de peines pequeños. También *s. m.* ‖ *s. m.* **3.** Monte que se está renovando. **4.** Monte o bosque nuevo en que se puede hacer la primera corta.

tallar[2] *v. tr.* **1.** Hacer obras de talla. **2.** Labrar piedras preciosas. **3.** Abrir metales, grabar en hueco. **4.** Tasar una cosa en su justo valor. **5.** Medir la estatura de una persona. ‖ *v. intr.* **6.** Llevar la parte principal en una conversación o debate.

tallarín *s. m.* Cinta de pasta alimenticia hecha con harina de trigo, agua y huevo, que se suele servir enrollada formando una especie de nido. Se usa más en pl.

talle *s. m.* **1.** Disposición o aspecto proporcionado del cuerpo humano. **2.** Cintura. **3.** Forma que se da al vestido para ajustarlo al cuerpo. **4.** Parte del vestido que corresponde a la cintura. **5.** Tallo o tronco en las plantas. **6.** *fig.* Traza, aspecto.

tallecer *v. intr.* **1.** Entallecer. **2.** Echar tallo las semillas, bulbos o tubérculos de las plantas. También *prnl.*

taller *s. m.* **1.** Oficina en que se trabaja una obra manual. **2.** Lugar en el que se imparte enseñanza de determinadas materias de ciencias. **3.** Conjunto de colaboradores de un maestro.

tallista *com.* Persona que hace obras de talla.

tallo *s. m.* **1.** Órgano de las plantas que se prolonga en sentido contrario al de la raíz y sirve como sujeción a las hojas, flores y frutos. **2.** Renuevo. **3.** Germen que ha brotado de una semilla, bulbo o tubérculo. **4.** Trozo confitado de calabaza, melón, etc.

talludo, da *adj.* **1.** Que ha echado tallo grande. **2.** *fig.* Se dice de las personas altas o crecidas. **3.** *fig.* Se aplica al que, por estar acostumbrado o viciado a una cosa mucho tiempo, tiene dificultad en dejarla. **4.** *fig.* Se dice de una persona cuando va pasando de la juventud.

talma *s. f.* Especie de esclavina o capa corta.

Talmud *n. p.* Libro de los judíos que contiene la tradición, doctrina, ceremonias, etc., que deben observar.

talo *s. m.* Cuerpo de las talofitas equivalente al conjunto de tallo, raíz y hojas de otras plantas.

talofita *adj.* Se aplica a las plantas cuyo cuerpo vegetativo es el talo, compuesto por una sola célula o por un conjunto de ellas. También *s. f.*

talón[1] *s. m.* **1.** Parte posterior del pie humano. **2.** Parte del calzado que cubre el calcañar. **3.** Pulpejo del casco de una caballería. **4.** Parte del arco del violín y de otros instrumentos semejantes, inmediata al mango. **5.** Moldura sinuosa cuyo perfil se compone de dos arcos de círculo contrapuestos y unidos entre sí. **6.** Cada uno de los bordes reforzados de la cubierta del neumático que encajan en la llanta de hierro de la rueda.

talón[2] *s. m.* Patrón monetario.

talonario, ria *adj.* **1.** Se dice del documento que se corta de un libro, quedando en él una parte de cada hoja para acreditar con ella su legitimidad. ‖ *s. m.* **2.** Bloque de hojas impresas en las que constan determinados datos que en ocasiones han de ser completados por quien las expide y que pueden ser separadas de una matriz para entregarlas.

talud *s. m.* Inclinación del paramento de un muro o de un terreno.

tamal *s. m.* **1.** *amer.* Especie de empanada de harina de maíz, envuelta en hojas de plátano o de mazorca del maíz. **2.** *fig. y amer.* Lío, embrollo, intriga. **3.** *fig. y amer.* Bulto grande, malformado que carga una persona.

tamaño *s. m.* Mayor o menor volumen o dimensiones de una cosa.

támara[1] *s. f.* **1.** Rama de árbol. **2.** Leña muy delgada o astillas resultantes del trabajo en madera.

támara[2] *s. f.* **1.** Palmera de Canarias. **2.** Terreno poblado de palmas. ‖ *s. f. pl.* **3.** Dátiles en racimo.

tamarindo *s. m.* **1.** Árbol de las leguminosas, originario de Asia, de tronco grueso, hojas elípticas y fruto comestible que se usa en medicina como laxante. **2.** Fruto de este árbol.

tamariscíneo, a *adj.* Se dice de las plantas dicotiledóneas, árboles o matas, con hojas alternas, escamosas y enteras; flores blancas o rosáceas, pequeñas, en racimos o espiga, y fruto capsular con muchas semillas. También s. f.

tambal *s. f.* Palma que produce cera.

tambalear *v. intr.* Menearse una cosa a uno y otro lado, como si fuera a caerse. Se usa más como prnl.

tambanillo *s. m.* Frontón sobrepuesto a una puerta o ventana.

tambarillo *s. m.* Arquilla o caja con tapa redonda y combada.

también *adv. m.* **1.** Se usa para afirmar la igualdad o semejanza de una cosa con otra ya nombrada. **2.** Tanto o así. **3.** Además.

tambo *s. m.* **1.** *Bol., Col., Chil., Ec. y Per.* Venta, posada, parador. **2.** *Arg.* Cuadra de vacas.

tambor *s. m.* **1.** Instrumento musical de percusión, de forma cilíndrica, hueco, cubierto por sus dos bases con piel estirada. **2.** Soldado que toca el tambor. **3.** Cedazo fino por donde pasan el azúcar los reposteros. **4.** Cilindro de hierro, cerrado y lleno de agujeritos, para tostar café, castañas, etc. **5.** Aro de madera sobre el cual se tiende una tela para bordarla. **6.** Muro cilíndrico que sirve de base a una cúpula. **7.** Tímpano del oído. **8.** Nombre dado a varias especies de peces de la familia de los plectógrados que pueden inflar el cuerpo introduciendo aire en una dilatación del esófago.

tamboril *s. m.* Tambor pequeño que se toca con un solo palillo en las fiestas populares.

tamborilada *s. f.* **1.** *fig. y fam.* Golpe que se da con fuerza cayendo sentado en el suelo. **2.** *fig. y fam.* Golpe dado con la mano en la cabeza o en las espaldas.

tamborilear *v. intr.* **1.** Tocar el tamboril. ‖ *v. tr.* **2.** Celebrar mucho a alguien ponderando su habilidad. **3.** Hacer sonar los dedos imitando el ruido del tambor.

tamborilete *s. m.* Tablilla cuadrada para nivelar las letras de un molde.

tamiz *s. m.* Cedazo muy tupido.

tamizar *v. tr.* Pasar una cosa por tamiz.

tamo *s. m.* **1.** Pelusa que se desprende del lino, algodón o lana. **2.** Polvo o paja muy menuda de varias semillas trilladas. **3.** Pelusilla que se cría debajo de los muebles.

tampoco *adv. neg.* Adverbio con que se niega una cosa después de haberse negado otra.

tampón *s. m.* **1.** Almohadilla, encerrada por lo común en una pequeña caja metálica, que sirve para entintar sellos, estampillas, etc. **2.** Rollo de celulosa que, introducido en la vagina de la mujer, absorbe el flujo menstrual.

tamujo *s. m.* Mata euforbiácea que se cría en las márgenes sombrías de los arroyos, con cuyas ramas se hacen escobas para barrer las calles.

tan *adv. c.* **1.** Apócope de tanto. Se usa precediendo al adjetivo, adverbio y participio. **2.** Correspondiéndose con *como* o *cuan* en comparación expresa, denota idea de equivalencia o igualdad.

tanatorio *s. m.* Edificio o dependencias donde se vela a las personas fallecidas y donde a veces se ofrecen otros servicios funerarios.

tanda *s. f.* **1.** Alternativa, turno. **2.** Tarea, trabajo que ha de hacerse en un tiempo determinado. **3.** Cada uno de los grupos en que se dividen las personas o las bestias empleadas en un trabajo. **4.** Cada uno de los grupos de personas o de bestias que se turnan en algún trabajo. **5.** Partida de billar. **6.** Número determinado de ciertas cosas de un mismo género. **7.** *Áv.* Avío que se da a los jornaleros para su comida. **8.** *amer.* Sección de una representación teatral. **9.** *amer.* Broma, chanza, escena cómica en el teatro. **10.** *Arg.* Vicio o mala costumbre.

tandear *v. tr.* **1.** Distribuir una cosa por tandas. ‖ *v. intr.* **2.** *amer.* Bromear, chancear.

tándem *s. m.* Bicicleta para dos personas provista de pedales para ambos.

tandeo *s. m.* **1.** Distribución del agua de riego alternativamente o por tandas. **2.** *amer.* Acción y efecto de tandear o bromear.

tanga *s. f.* **1.** Juego en el que se tira con chapas o tejos a una pieza con monedas que se pone sobre la tierra. **2.** Pieza sobre la que se ponen las monedas. **3.** *amer.* Zurra, paliza.

tangalear *v. tr.* **1.** *amer.* Retardar una cosa, demorarse en algo. **2.** *amer.* Demorar, embrollar.

tángana o tangana *s. f.* **1.** Tanga, juego. **2.** Remo largo para impulsar las canoas en los ríos. **3.** *amer.* Embrollo, discusión, en especial cuando es multitudinaria.

tanganillas, en *adv. m.* Con poca seguridad o firmeza; en peligro de caerse.

tanganillo *s. m.* **1.** Palo, piedra o cosa semejante que se pone para sostener y apoyar algo provisionalmente. **2.** *Pal. y Seg.* Longaniza.

tángano, na *s. m.* **1.** *Burg. y Sal.* Rama seca de un árbol. ‖ *adj.* **2.** *amer.* Bajo, achaparrado.

tangencial *adj.* Perteneciente o relativo a la tangente.

tangente *adj.* **1.** Que toca. **2.** Se dice de las líneas y superficies que se tocan o tienen puntos comunes sin cortarse. ‖ *s. f.* **3.** Recta que toca en un punto a una curva o a una superficie.

tangible *adj.* Que se puede tocar o percibir de manera precisa.

tango *s. m.* **1.** Fiesta y baile de los habitantes de raza negra o de gente del pueblo, en determinados países de América. **2.** Baile de sociedad importado de América en los primeros años del s. XX. **3.** Música de estos bailes.

tánico, ca *adj.* Que contiene tanino.

tanino *s. m.* Sustancia ácida, muy astringente, contenida en algunos vegetales y que sirve para curtir las pieles.

tanoría *s. f.* Servicio doméstico que los indígenas de Filipinas tenían obligación de prestar a los españoles.

tanque[1] *s. m.* Sustancia cérea con que las abejas recubren las celdas del panal.

tanque[2] *s. m.* **1.** Automóvil de guerra blindado y armado que, moviéndose sobre una llanta flexible, puede andar por terreno muy escabroso. **2.** Depósito de agua u otro líquido, transportado en un vehículo. **3.** Aljibe. **4.** *Cant. y Rioja* Vasija pequeña con un asa para sacar un líquido contenido en otra vasija mayor. **5.** *amer.* Estanque, depósito de agua.

tanqueta *s. f.* Automóvil blindado y armado de poco tonelaje.

tantalio *s. m.* Metal poco común, inflamable e inatacable por los ácidos, excepto el fluorhídrico.

tántalo *s. m.* Ave zancuda de plumaje blanco con las remeras negras, la cabeza y el cuello desnudos, y el pico encorvado. Vive en el trópico americano y emigra a zonas más templadas.

tantán *s. m.* Batintín, especie de campana.

tantear *v. tr.* **1.** Medir una cosa con otra para ver si viene bien. **2.** Señalar o apuntar los tantos en el juego. También *intr.* **3.** *fig.* Considerar y reconocer prudentemente las cosas antes de tomar una determinación. **4.** *fig.* Examinar cuidadosamente a una persona o cosa. **5.** *fig.* Especular sobre la intención de alguien, tratando de averiguar lo que ha proyectado. **6.** Calcular con aproximación. **7.** Comenzar a dibujar, trazar las primeras líneas. **8.** Convenirse a pagar aquella misma cantidad en que una renta o alhaja se ha rematado en venta o subasta.

tanteo *s. m.* **1.** Acción y efecto de tantear. **2.** Número determinado de tantos que se ganan en el juego.

tanto, ta *adj.* **1.** Se dice de la cantidad de una cosa indeterminada o indefinida. **2.** Tan grande o muy grande. **3.** Desempeña también el oficio de pronombre demostrativo, en cuyo supuesto equivale a *eso*, pero incluyendo idea de ponderación. ‖ *s. m.* **4.** Cantidad cierta de una cosa. **5.** Copia de un escrito. **6.** Ficha, moneda u objeto a propósito con que se señalan los puntos ganados en ciertos juegos. **7.** Unidad de cuenta en muchos pueblos. **8.** Cantidad que se paga o cobra en la proporción que se haya estipulado con relación a otra. ‖ *s. m. pl.* **9.** Número que se ignora o que no se quiere expresar. ‖ *adv. m.* **10.** De tal manera o en tal grado. ‖ *adv. c.* **11.** Hasta tal punto; tal cantidad. **12.** En sentido comparativo se corresponde con *cuanto* o *como*, expresando idea de igualdad o equivalencia. **13.** Colocado después de un numeral, sirve para formar múltiplos.

tañedor, ra *s. m. y s. f.* Persona que tañe un instrumento musical.

tañer *v. tr.* **1.** Tocar un instrumento musical. **2.** Tocar las campanas. ‖ *v. intr.* **3.** Tabalear con los dedos.

tañido *s. m.* **1.** Son particular que se toca en cualquier instrumento. **2.** Sonido de la cosa tocada, como el de la campana, etc.

taño *s. m.* Cáscara, corteza de árbol que se usa para curtir.

tao *s. m.* Principio de orden que realiza la unidad del universo, en la antigua filosofía china.

taoísmo *s. m.* Doctrina teológica de la antigua filosofía china, inspirada en el libro *Tao Tê-king*, del filósofo Lao-Tsê (s. VI a. C.). Se basa en una concepción panteísta del mundo, estimulando entre sus adeptos el desarrollo personal mediante una simbiosis con la naturaleza.

tapa *s. f.* **1.** Pieza que cierra por la parte superior las cajas, cofres, etc. **2.** Cubierta córnea que rodea el casco de las caballerías. **3.** Cada una de las capas de suela que tiene el tacón de la bota. **4.** Cada una de las dos cubiertas de un libro encuadernado. **5.** En la ternera de matadero, carne que corresponde al medio de la pierna trasera. **6.** Pedazo de jamón, salchichón u otro fiambre que se sirve con el vino. **7.** *Filip.* Cecina.

tapaboca *s. m.* **1.** Golpe dado en la boca. **2.** Bufanda. **3.** *fig. y fam.* Dicho o hecho con que a alguien se le corta la conversación.

tapabocas *s. m.* Tapaboca, bufanda.

tapacubos *s. m.* Tapa metálica que se adapta exteriormente al cubo de la rueda para cubrir el buje de la misma.

tapaculo *s. m.* Fruto del escaramujo.

tapadera *s. f.* **1.** Parte movible que cubre la boca de alguna cavidad. **2.** *fig.* Persona que encubre lo que otra desea que se ignore.

tapadura *s. f.* **1.** Acción y efecto de tapar. **2.** *amer.* Acción y efecto de empastar las muelas.

tapar *v. tr.* **1.** Poner algo para cubrir o llenar un agujero o algo que está abierto. **2.** Abrigar o cubrir. También *prnl.* **3.** Cerrar con tapa. **4.** *fig.* Encubrir u ocultar un defecto. **5.** *amer.* Empastar las muelas.

taparrabo *s. m.* **1.** Trozo de tela u otro material, a modo de falda, con que se cubren algunos pueblos en estado primitivo, las partes pudendas. **2.** Calzón muy corto que se usa como traje de baño.

tapera *s. f.* **1.** *Amér. del S.* Ruinas de un pueblo. **2.** *Amér. del S.* Habitación en ruinas y abandonada.

tapetado, da *adj.* Se dice del color oscuro y de lo que tiene este color.

tapete *s. m.* **1.** Alfombra pequeña. **2.** Paño que se suele poner como adorno encima de las mesas y otros muebles.

tapia *s. f.* **1.** Cada uno de los trozos de pared que de una sola vez se hacen con tierra amasada y apisonada en una horma y secada al aire. **2.** Esta misma tierra amasada y apisonada. **3.** Pared formada de tapias. **4.** Muro de cerca.

tapial *s. m.* **1.** Molde compuesto de dos tableros, en que se hacen las tapias. **2.** Tapia, pared.

tapiar *v. tr.* **1.** Cerrar con tapias. **2.** *fig.* Cerrar un hueco por medio de un muro o tabique.

tapicería *s. f.* **1.** Juego de tapices. **2.** Lugar donde se guardan y recogen los tapices. **3.** Arte del tapicero. **4.** Obra de tapicero. **5.** Tienda del tapicero.

tapicero, ra *s. m. y s. f.* **1.** Persona que teje tapices, alfombras o cortinajes. **2.** Persona que tiene por oficio guarnecer butacas, sofás, etc.

tapido, da *adj.* Se dice de la tela tupida.

tapioca *s. f.* Fécula blanca y granillosa que se saca de la raíz de la mandioca o yuca, y se usa para sopa.

tapir *s. m.* Mamífero paquidermo semejante al jabalí, típico de la India y de América del Sur, con cuatro dedos en las patas anteriores, tres en las posteriores, cola muy rudimentaria y el hocico prolongado en forma de pequeña trompa.

tapiz *s. m.* **1.** Paño grande, tejido, con que se adornan generalmente las paredes de las habitaciones. **2.** *fig.* Alfombra.

tapizar *v. tr.* **1.** Entapizar. **2.** Forrar con tela los muebles o las paredes. **3.** *fig.* Forrar. **4.** Cubrir las paredes o el suelo con algo como un tapiz.

tapón *s. m.* **1.** Pieza de corcho, cristal, madera, etc., con que se tapan botellas, toneles y otras vasijas, introduciéndola en el orificio por donde ha entrado o ha de salir su contenido. **2.** Masa de hilas o de algodón en rama con que se obstruye una herida o una cavidad del cuerpo. **3.** Acumulación de cerumen en el oído medio que puede dificultar la audición y producir varios trastornos. **4.** Embotellamiento de vehículos. **5.** *amer.* Trampa enrejillada para cazar pájaros.

taponar *v. tr.* **1.** Cerrar con tapón un orificio, una herida o una cavidad del cuerpo. **2.** Obstruir un paso.

taponazo *s. m.* **1.** Golpe dado con el tapón de una botella al destaparla. **2.** Estampido que produce.

tapsia *s. f.* Planta de la familia de las umbelíferas, de cuya raíz se saca un jugo de consistencia de miel, muy usado como revulsivo.

tapujarse *v. prnl., fam.* Taparse de rebozo o embozarse.

tapujo *s. m.* **1.** Embozo con que una persona se tapa para no ser conocida. **2.** *fig. y fam.* Reserva o disimulo con que se disfraza la verdad. **3.** *fig. y fam.* Asunto poco claro, enredo.

taque *s. m.* **1.** Golpe o ruido de una puerta al cerrarse con llave. **2.** Ruido del golpe con que se llama a una puerta.

taquear *v. tr.* **1.** Henchir una cosa hueca. **2.** Jugar al billar. **3.** Comer tacos o tortitas. **4.** Insultar. ‖ *v. intr.* **5.** *Arg. y Chil.* Taconear. **6.** *fam., Cub.* Vestir con afectada elegancia.

taquera *s. f.* Estante donde se colocan los tacos de billar.

taquicardia *s. f.* Frecuencia excesiva del ritmo de las contracciones cardiacas.

taquigrafía *s. f.* Arte de escribir tan deprisa como se habla, por medio de signos especiales.

taquigrafiar *v. tr.* Escribir taquigráficamente.

taquigráfico, ca *adj.* Perteneciente o relativo a la taquigrafía.

taquígrafo, fa *s. m. y s. f.* Persona que por profesión se dedica a la taquigrafía.

taquilla *s. f.* **1.** Armario para guardar papeles. **2.** Casillero para los billetes de teatro, ferrocarril, etc. **3.** Por ext., despacho de billetes, y también lo que en él se recauda. **4.** Recaudación obtenida en cada representación de un espectáculo.

taquillero, ra *s. m. y s. f.* **1.** Persona encargada de un despacho de billetes o taquilla. ‖ *adj.* **2.** Se dice del espectáculo que atrae a gran público y proporciona buena taquilla.

taquimetría *s. f.* Parte de la topografía que enseña a levantar planos por medio del taquímetro.

taquímetro *s. m.* Instrumento que sirve para medir rápidamente distancias y ángulos.

taquín *s. m.* Taba y juego de la taba.

taquiza *s. f.* **1.** Reunión de personas para comer tacos. **2.** Atracón de tacos.

tara *s. f.* **1.** Parte de peso que se rebaja en las mercancías por razón de los embalajes en que están incluidos. **2.** Estigma de degeneración o enfermedad.

tarabilla *s. f.* **1.** Pedazo de madera corto y grueso, que sirve para cerrar las puertas o ventanas, de manera que las asegure al girar. **2.** *fig. y fam.* Persona que habla mucho y atropelladamente. **3.** *fig. y fam.* Tropel de palabras dichas de este modo.

tarabita *s. f.* **1.** *Amér. del S.* Maroma por la cual corre la cesta, en la que van personas o carga para atravesar un río. **2.** *Ec. y Per.* Andarivel para pasar ríos y hondonadas que no tienen puente.

taracea *s. f.* **1.** Embutido hecho con pedazos menudos de madera, concha, nácar, etc. **2.** Entarimado hecho con maderas finas de diversos colores formando dibujo.

taracear *v. tr.* Adornar con taracea.

tarado, da *adj.* Que padece tara física o psíquica.

tarambana *com.* **1.** *fam.* Persona alocada, de poco juicio. También adj. ‖ *s. f.* **2.** Tarabilla de una puerta.

tarantela *s. f.* **1.** Antigua danza de origen italiano, de movimiento muy vivo. **2.** Aire musical con que se ejecuta este baile.

tarántula *s. f.* Araña grande de picadura venenosa, pero no mortal, muy común en el sur de Europa.

tarar *v. tr.* Equilibrar en la balanza el peso del envase en las mercancías transportadas.

tararear *v. tr.* Cantar una canción entre dientes y sin articular palabras.

tarasca *s. f.* **1.** Figura de sierpe monstruosa, que en algunas partes se saca en la procesión del Corpus. **2.** *fig. y fam.* Mujer fea y desenvuelta. **3.** *C. Ric. y Chil.* Boca grande.

tarascada *s. f.* **1.** Herida hecha con los dientes. **2.** *fig. y fam.* Respuesta áspera o grosera.

tarascar *v. tr.* Morder o herir con los dientes.

taray *s. m.* **1.** Arbusto tamariscáceo que crece a orillas de los ríos, con flores pequeñas, en espigas, de cáliz encarnado y pétalos blancos. **2.** Fruto de este arbusto.

taraza *s. m.* Mariposa que roe la tela y la madera, polilla.

tarazar *v. tr., fig.* Molestar, mortificar a alguien.

tarazón *s. m.* Trozo, tajada que se parte o corta de una cosa.

tarbea *s. f.* Sala grande.

tardanza *s. f.* Detención, demora en la realización de algo.

tardar *v. intr.* **1.** Detenerse, retrasar la ejecución de una cosa. También prnl. **2.** Emplear un tiempo determinado en hacer las cosas.

tarde *s. f.* **1.** Parte del día comprendida entre el mediodía y el anochecer. **2.** Últimas horas del día. ‖ *adv. t.* **3.** A hora avanzada del día o de la noche. **4.** Después de haber pasado el tiempo oportuno, o en tiempo futuro relativamente lejano.

tardeada *s. f., Méx.* Diversión o fiesta que se hace por la tarde.

tardear *v. intr.* Detenerse más de lo debido en la realización de algo por mera complacencia.

tardecer *v. intr.* Empezar a caer la tarde.

tardígrado, da *adj.* Se dice de los animales mamíferos del orden de los desdentados, que se distinguen por la lentitud de sus movimientos.

tardío, a *adj.* **1.** Que tarda en venir algún tiempo más del regular. **2.** Que sucede fuera de tiempo. **3.** Pausado, lento. ‖ *s. m.* **4.** Sembrado o plantío de fruto tardío. Se usa más en pl.

tardo, da *adj.* **1.** Lento, perezoso. **2.** Que sucede después del tiempo oportuno. **3.** Torpe en la comprensión o explicación.

tardón, na *adj.* **1.** *fam.* Que tarda mucho y gasta mucha flema. **2.** *fam.* Que comprende tarde las cosas.

tarea *s. f.* **1.** Cualquier obra o trabajo. **2.** El que debe hacerse en tiempo limitado. **3.** *fig.* Penalidad causada por un trabajo continuo.

tarifa *s. f.* Tabla de los precios, derechos o impuestos que se han de pagar por algo.

tarifar *v. tr.* **1.** Señalar o aplicar una tarifa a una cosa o trabajo. ‖ *v. intr.* **2.** *fam.* Reñir con alguien, enemistarse.

tarima *s. f.* Entablado móvil de varias dimensiones según su uso.

tarja *s. f.* **1.** Escudo grande que cubría todo el cuerpo. **2.** Caña o palo partido longitudinalmente por el medio, donde se marca lo que se vende fiado, haciendo una muesca en ambas mitades y llevándose una el comprador y otra el vendedor. **3.** *fam.* Golpe o azote. **4.** *C. Ric., Hond. y Méx.* Tarjeta de visita.

tarjar *v. tr.* Señalar en la tarja lo que se compra fiado.

tarjeta *s. f.* **1.** Adorno plano y oblongo que se encuentra sobrepuesto a un miembro arquitectónico. **2.** Membrete de los mapas y cartas. **3.** Pedazo de cartulina, pequeño y rectangular, con el nombre, título o cargo y dirección de una persona, con una invitación o con cualquier aviso.

tarjetero *s. m.* Cartera para llevar tarjetas de visita.

tarlatana *s. f.* Tejido de algodón, ligero, ralo y consistente.

tarot *s. m.* **1.** Baraja con 78 naipes con diversas figuras representadas y que se emplea en cartomancia. **2.** Juego en el que se emplea esta baraja.

tarquín *s. m.* Barro que las riadas depositan en los campos que los ríos inundan.

tarquina *adj.* Se aplica a la vela trapezoidal que es muy alta de baluma y baja de caída.

tarquinada *s. f., fig. y fam.* Violencia contra la honestidad de alguien.

tarrajazo *s. m.* **1.** *amer.* Desgracia imprevista. **2.** *amer.* Tajo o herida grande. **3.** *amer.* Golpe o herida.

tarreña *s. f.* Cada una de las dos tejuelas que, metidas entre los dedos y batiendo una con otra, hacen un ruido como el de las castañuelas.

tarro *s. m.* **1.** Vasija cilíndrica, por lo común más alta que ancha, de porcelana, vidrio u otra materia. **2.** *Cub.* Asta o cuerno de algunos cuadrúpedos. **3.** *fam., Chil.* Sombrero de copa. **4.** *Sal.* Borra de los panales de miel.

tarso *s. m.* **1.** Parte posterior del pie, entre el metatarso y la pierna. **2.** La parte más delgada de las patas de las aves, que une los dedos con la tibia. **3.** Corvejón de los cuadrúpedos.

tarta *s. f.* Pastel hecho con cualquier tipo de masa homogénea y rellena con dulces de frutas, crema, nata, etc.

tártago *s. m.* **1.** Planta de la familia las euforbiáceas de propiedades purgantes y eméticas, muy común en España. **2.** *fig. y fam.* Suceso desagradable. **3.** *fig. y fam.* Chasco pesado.

tartajear *v. intr.* Tartamudear.

tartalear *v. intr.* **1.** *fam.* Moverse sin orden o con movimiento trémulo. También prnl. **2.** *fam.* Turbarse alguien, de modo que no acierte a hablar.

tartaleta *s. f.* Pastelillo de hojaldre parecido a una cazoleta, relleno de diversos ingredientes, dulces o salados.

tartamudear *v. intr.* Hablar con pronunciación entrecortada y repitiendo sílabas o sonidos.

tartamudeo *s. m.* Acción y efecto de tartamudear.

tartamudo, da *adj.* Que tartamudea.

tartán *s. m.* **1.** Tela de lana con cuadros o listas cruzadas de diferentes colores. **2.** Mezcla de amianto, caucho y plástico utilizada en la pistas de atletismo por su gran resistencia al agua.

tartana *s. f.* **1.** Embarcación menor de vela latina y con un solo palo. **2.** Carruaje de dos ruedas con cubierta abovedada y asientos laterales.

tartáreo, a *adj., poét.* Perteneciente o relativo al tártaro o infierno.

tártaro[1] *s. m.* Sarro de los dientes.

tártaro[2] *s. m., poét.* El infierno.

tartera *s. f.* Recipiente con cierre hermético que sirve para conservar los alimentos.

tartufo *s. m.* Hombre hipócrita y falso.

tarugo *s. m.* **1.** Clavija gruesa de madera. **2.** Zoquete de madera o de pan. **3.** Trozo grueso de madera, en forma generalmente de paralelepípedo, que se usa para pavimentar calles. **4.** Persona de mala traza, baja y gruesa. **5.** *fig. y fam.* Persona de corto entendimiento. **6.** *amer.* Persona tramposa. **7.** *amer. y fam.* Adulador, servil. **8.** *amer. y fam.* Mozo que sirve en teatros y circos. **9.** *amer. y fam.* Atolondramiento, susto grande.

tarumba *adj., fam.* Aturdido, atolondrado.

tas *s. m.* Yunque pequeño de los plateros.

tasa *s. f.* **1.** Acción y efecto de tasar. **2.** Documento en que consta la tasa. **3.** Precio fijo puesto por la autoridad a las cosas vendibles. **4.** Medida, regla.

tasación *s. f.* **1.** Acción y efecto de tasar. **2.** Valoración del activo de una empresa.

tasajo *s. m.* **1.** Pedazo de carne acecinado. **2.** Por ext., tajada de carne. **3.** *amer.* Persona alta y flaca.

tasar *v. tr.* **1.** Poner precio a las cosas vendibles. **2.** Graduar el valor de las cosas. **3.** Regular la remuneración que corresponde a un trabajo. **4.** *fig.* Sistematizar una cosa para que haya moderación y regularidad en la misma. **5.** *fig.* Rebajar mezquinamente lo que se da o se gasta.

tasca *s. f.* **1.** Garito o casa de juego de mala fama. **2.** Taberna.

tasquear *v. intr.* **1.** Frecuentar tascas. **2.** *amer.* Trabajar en la tasca.

tasquil *s. m.* Fragmento que salta de la piedra al labrarla.

tastana *s. f.* **1.** Costra producida por la sequía en las tierras de cultivo. **2.** Membrana que separa los gajos de algunas frutas, como la nuez, la naranja, la granada, etc.

tasto *s. m.* Sabor desagradable que dan algunas viandas revenidas.

tata *s. f.* **1.** *fam.* Nombre infantil con que se designa a la niñera. **2.** *fam.* En algunas regiones, nombre cariñoso que se da a la hermana. **3.** *Murc.* Padre, papá. En algunas partes de América se usa como tratamiento de respeto.

tatami *s. m.* Tapiz acolchado sobre el que se ejecutan algunos deportes como el yudo y el kárate.

tatarabuelo, la *s. m. y s. f.* Tercer abuelo.

tataradeudo, da *s. m. y s. f.* Pariente muy antiguo; antepasado.

tataranieto, ta *s. m. y s. f.* Tercer nieto.

¡tate! *interj.* **1.** Equivale a ¡cuidado! o poco a poco. **2.** Denota sorpresa por haber conseguido entender algo que antes no se había comprendido.

tato, ta *adj.* Tartamudo, que vuelve la *c* y *s* en *t*.

tatuaje *s. m.* Acción y efecto de tatuar o tatuarse.

tatuar *v. tr.* **1.** Grabar dibujos indelebles en la piel, introduciendo materias colorantes bajo la epidermis. También prnl. **2.** *fig.* Marcar, dejar huella en alguien o algo.

tatuca *s. f.* **1.** *amer.* Vasija grande. **2.** *amer. y fig.* Cabeza.

tau *s. m.* **1.** Última letra del alfabeto hebreo. **2.** *fig.* Divisa, distintivo. ‖ *s. f.* **3.** Decimonovena letra del alfabeto griego, equivalente a la *t* castellana.

tauca *s. f.* **1.** *Chil.* Bolsa grande para guardar dinero. **2.** *Per. y Ec.* Cantidad de cosas agrupadas.

taujel *s. m.* Listón de madera.

taula *s. f.* Monumento megalítico constituido por una piedra vertical clavada en el suelo que soporta otra piedra sobre ella en sentido horizontal en forma de te.

taumaturgia *s. f.* Facultad de realizar prodigios.

taumaturgo, ga *s. m. y s. f.* Persona que realiza prodigios.

taurino, na *adj.* **1.** Perteneciente o relativo al toro, o a las corridas de toros. **2.** Aficionado a los toros. También s. m. y s. f.

taurios *adj. pl.* Se dice de unos juegos de la antigüedad en que luchaban los hombres con los toros.

tauromaquia *s. f.* **1.** Arte de lidiar toros. **2.** Obra que trata sobre dicho arte.

tautología *s. f.* Repetición inútil de un mismo pensamiento expresado de distintas maneras.

taxáceo, a *adj.* Planta arbórea gimnosperma de la clase de las coníferas, con hojas aciculares aplastadas y persistentes, y flores dioicas y desnudas. También s. f.

taxativo, va *adj.* **1.** Que limita y reduce un caso a determinadas circunstancias. **2.** Que no admite discusión.

taxi *s. m.* Automóvil de alquiler con conductor, cuya tarifa va especificada en un taxímetro.

taxidermia *s. f.* Arte de disecar los animales muertos para conservarlos con apariencia de vivos.

taxidermista *s. m. y s. f.* Disecador, persona que se dedica a practicar la taxidermia.

taxímetro *s. m.* Aparato que en los automóviles marca automáticamente la distancia recorrida y la cantidad devengada.

taxista *com.* Conductor de taxi.

taxodiáceo, a *adj.* Se dice de las plantas gimnospermas de la clase de las coníferas. Comprende árboles de hojas esparcidas, con los estróbilos lignificados. También s. f.

taxón *s. m.* **1.** Nivel de las subdivisiones de la sistemática biológica, desde la especie hasta el tronco o tipo de organización. **2.** Cada uno de los grupos de la clasificación de los seres vivientes.

taxonomía *s. f.* **1.** Ciencia que trata de los principios de la clasificación. **2.** Aplicación de estos principios a las ciencias particulares en especial a la botánica y la zoología. **3.** Por ext. clasificación.

taxonómico, ca *adj.* Perteneciente o relativo a la taxonomía.

taza *s. f.* **1.** Vasija pequeña, con asa, para tomar líquidos. **2.** Lo que cabe en ella. **3.** Receptáculo redondo donde vacían el agua las fuentes. **4.** Receptáculo del retrete. **5.** Pieza de metal cóncava, que forma parte de la guarnición de algunas espadas.

tazar *v. tr.* **1.** Estropear algo con cortes o mordiscos. **2.** Rozar la ropa por los dobleces. Se usa más como prnl.

tazmía *s. f.* Distribución de los diezmos y pliego en que se anotaba.

tazón *s. m.* **1.** Taza grande de desayuno. **2.** Receptáculo donde cae el agua en las fuentes. **3.** *And.* Jofaina.

te *pron. pers.* Forma átona del pronombre personal de segunda persona, género masculino o femenino y número singular, que puede funcionar como complemento directo o como complemento indirecto. No lleva nunca preposición y se puede usar como enclítica.

té *s. m.* **1.** Arbusto de las camelias, propio de Asia, de hojas coriáceas, flores blancas axilares y fruto capsular. **2.** Hoja de esta planta desecada, arrollada y tostada ligeramente. **3.** Infusión que se hace con esta hoja en agua hirviendo.

tea *s. f.* **1.** Astilla o raja de madera muy impregnada en resina, que sirve para dar luz. **2.** *fig.* Borrachera.

teáceo, a *adj.* Se aplica a las plantas de la misma familia que el té y las camelias que tienen las hojas esparcidas y el fruto capsular. También s. f.

teame *s. f.* Piedra a la que en la antigüedad se atribuían propiedades contrarias a las del imán.

teatral *adj.* **1.** Perteneciente o relativo al teatro. **2.** Se dice de las cosas de la vida real en que se descubre deliberado propósito de llamar la atención.

teatralizar *v. tr.* **1.** Dar forma teatral a un tema o asunto. **2.** Dar carácter espectacular o efectista a una actitud.

teatro *s. m.* **1.** Edificio destinado a la representación de obras dramáticas. **2.** Sitio o lugar en que se ejecuta una cosa a vista de numeroso concurso. **3.** Escenario o escena. **4.** Práctica en el arte de representar comedias. **5.** Conjunto de obras dramáticas de un pueblo, época o autor. **6.** Profesión de actor. **7.** Arte de componer o representar obras dramáticas. **8.** *fig.* Literatura dramática. **9.** *fig.* Lugar en que ocurren acontecimientos notables y dignos de atención. **10.** *fig.* Lugar donde una cosa está expuesta al elogio o crítica de la gente.

tebeo *s. m.* **1.** Revista infantil de historietas cuyo asunto se desarrolla en series de dibujos. **2.** Sección de un periódico en el cual se publican historietas de esta clase. **3.** Por ext., cualquier revista infantil de historietas, chistes, etc.

teca[1] *s. f.* Árbol de la familia de las verbenáceas, que se cría en las Indias Orientales, cuyas hojas, grandes y enteras, dan un colorante encarnado a su madera muy dura, usada en la construcción de naves.

teca[2] *s. f.* **1.** Cajita donde se guarda una reliquia. **2.** Cada una de las dos mitades de una antera, en que están encerradas las esporas de algunos hongos.

techar *v. tr.* Cubrir un edificio formando el techo.

techo *s. m.* **1.** Parte interior y superior de una habitación o edificio, que lo cubre y cierra. **2.** *fig.* Casa, habitación o domicilio.

techumbre *s. f.* **1.** Techo, cubierta de un edificio. **2.** Conjunto de elementos del cierre de los techos.

tecla *s. f.* **1.** Cada una de las piezas que, por la presión de los dedos, ponen en movimiento las palancas que hacen sonar los cañones del órgano o las cuerdas del piano y otros instrumentos semejantes. **2.** Pieza móvil que ha de pulsarse para poner en funcionamiento un mecanismo. **3.** Cualquiera de las piezas que tienen algunos aparatos como las máquinas de escribir, de calcular, etc. **4.** *fig.* Materia delicada que debe tratarse con cuidado.

teclado *s. m.* Conjunto ordenado de teclas de un instrumento u otro aparato.

tecle *s. m.* Piso desde donde se maniobran las máquinas.

teclear *v. intr.* **1.** Mover las teclas. **2.** *fig. y fam.* Menear los dedos como quien toca las teclas. ‖ *v. tr.* **3.** *fig. y fam.* Intentar o probar diversos caminos y medios para la consecución de algún fin.

tecleo *s. m.* Acción y efecto de teclear.

técnica *s. f.* **1.** Conjunto de procedimientos utilizados por una ciencia o arte. **2.** Habilidad para usar estos procedimientos.

tecnicidad *s. f.* Carácter técnico de una cosa.

tecnicismo *s. m.* **1.** Calidad de técnico. **2.** Conjunto de voces técnicas empleadas en el lenguaje de una ciencia, arte, oficio, etc. **3.** Cada una de estas voces.

técnico, ca *adj.* **1.** Perteneciente o relativo a las aplicaciones de las ciencias y las artes. **2.** Se dice en particular de las palabras o expresiones empleadas en el lenguaje propio de una ciencia, arte, oficio, etc. ‖ *s. m. y s. f.* **3.** Persona que está versada en una ciencia, arte u oficio.

tecnicolor *s. m.* Nombre comercial de un procedimiento que permite reproducir en la pantalla cinematográfica los colores de los objetos.

tecnificar *v. tr.* **1.** Introducir procedimientos técnicos donde antes no se empleaban. **2.** Hacer algo más eficiente desde el punto de vista tecnológico. También intr.

tecnocracia *s. f.* **1.** Sistema político que propone que los puestos dirigentes en el Gobierno de un país estén ocupados por especialistas en las materias correspondientes. **2.** Clase social formada por estos técnicos.

tecnócrata *adj.* **1.** Partidario de la tecnocracia. También *s. m. y s. f.* ‖ *com.* **2.** Persona especializada en alguna materia que ejerce un cargo público y basa su actuación en el conocimiento técnico de dicha materia.

tecnografía *s. f.* Descripción de las artes industriales y sus procedimientos.

tecnología *s. f.* **1.** Conjunto de los conocimientos propios de un oficio mecánico o arte industrial. **2.** Tratado de los términos técnicos. **3.** Lenguaje propio de una ciencia o arte.

tectónico, ca *adj.* **1.** Perteneciente o relativo a los edificios u obras de arquitectura. **2.** Perteneciente o relativo a la estructura de la corteza terrestre. ‖ *s. f.* **3.** Parte de la geología que trata de dicha estructura.

tedero, ra *s. m.* **1.** Pieza de hierro en que se ponen teas para alumbrar. ‖ *s. m. y s. f.* **2.** *Sor.* Persona que vende las teas.

tedéum *s. m.* Cántico que usa la Iglesia para dar gracias a Dios por algún beneficio.

tediar *v. tr.* Aborrecer una cosa o tener de ella tedio.

tedio *s. m.* **1.** Repugnancia, fastidio o molestia. **2.** Aburrimiento extremo.

tedioso, sa *adj.* Que produce tedio.

teflón *s. m.* Material aislante, muy resistente al calor, empleado en revestimientos, sobre todo en sartenes y ollas.

tegumentario, ria *adj.* Perteneciente o relativo al tegumento.

tegumento *s. m.* **1.** Tejido orgánico que recubre ciertas partes de las plantas. **2.** Membrana que cubre el cuerpo del animal o alguna de sus partes internas.

teína *s. f.* Principio activo del té.

teja *s. f.* Pieza de barro cocido en forma de canal, para cubrir exteriormente los techos.

tejadillo *s. m.* Tejado de una sola vertiente adosado a una casa.

tejado *s. m.* Cubierta hecha generalmente con tejas.

tejar[1] *s. m.* Fábrica o lugar donde se fabrican tejas, ladrillos y adobes.

tejar[2] *v. tr.* Cubrir de tejas un edificio.

tejedor, ra *adj.* **1.** Que teje. **2.** *fig. y fam., Chil. y Per.* Intrigante, enredador. También *s. m. y s. f.* ‖ *s. m. y s. f.* **3.** Persona que tiene por oficio tejer. ‖ *s. m.* **4.** Insecto hemíptero que corre con mucha agilidad por la superficie del agua. ‖ *s. f.* **5.** Máquina de hacer punto.

tejedura *s. f.* **1.** Acción y efecto de tejer. **2.** Textura de una tela.

tejemaneje *s. m.* **1.** *fam.* Afán y destreza con que se hace una cosa. **2.** *fam.* Manejos enredosos para algún asunto turbio.

tejer *v. tr.* **1.** Formar en el telar la tela con la trama y la urdimbre. **2.** Entrelazar hilos de seda lana, algodón, etc., o los nudos o anillos de un solo hilo para formar telas, esteras, etc. **3.** Hacer punto a mano o a máquina. **4.** Formar ciertos animales articulados sus telas y capullos. **5.** *fig.* Componer, sistematizar una cosa. **6.** *fig.* Discurrir, inventar.

tejido *s. m.* **1.** Textura de una tela. **2.** Cosa tejida. **3.** *fig.* Cosa formada al entrelazarse diversos elementos. **4.** Cada uno de los diversos agregados de elementos anatómicos que forman las partes sólidas de los cuerpos organizados.

tejo[1] *s. m.* **1.** Pedazo redondo de teja que sirve para jugar. **2.** Juego. **3.** Disco metálico grueso. **4.** Trozo de oro en pasta.

tejo[2] *s. m.* Árbol siempre verde, de la familia de las taxáceas; sus hojas y semillas son venenosas, aunque estas tienen un arilo carnoso y comestible.

tejoleta *s. f.* **1.** Pedazo de tela. **2.** Cualquier pedazo de barro cocido. **3.** Especie de castañuelas.

tejón *s. m.* Mamífero carnívoro mustélido de unos siete dm de longitud, patas y cola cortas, orejas pequeñas y pelaje espeso. Es común en España y habita en madrigueras profundas.

tejuela *s. f.* Tejoleta, pedazo de teja o de barro cocido.

tejuelo *s. m.* **1.** Cuadrito de piel o de papel que se pega al lomo de un libro para poner el rótulo. **2.** El rótulo mismo, aunque no sea sobrepuesto. **3.** Hueso corto y muy resistente, que sirve de base al casco de las caballerías.

tela *s. f.* **1.** Obra hecha de muchos hilos que, entrecruzados en toda su longitud, forman una hoja o lámina. **2.** Obra hecha de muchos hilos, pero formada por series alineadas de puntos hechos con un mismo hilo. **3.** Lo que se pone de una vez en el telar. **4.** Tejido de consistencia blanda. **5.** Nata que se cría en la superficie de un líquido. **6.** Túnica, en algunas frutas, después de la cáscara que las cubre. **7.** Tejido que forman algunos animales, como la araña. **8.** Especie de nube que se empieza a formar sobre la niña del ojo. **9.** *fig.* Enredo, maraña. **10.** *fig.* Asunto que se trata. **11.** Lienzo pintado. **12.** *fig. y fam.* Dinero.

telar *s. m.* **1.** Máquina para tejer. **2.** Parte superior del escenario, de donde bajan las bambalinas. **3.** Aparato en que cosen los encuadernadores. **4.** Parte del espesor del vano de una puerta o ventana, más próxima al paramento exterior de la pared.

telaraña *s. f.* **1.** Tela que forma la araña. **2.** *fig.* Cosa sutil de poca entidad. **3.** *fig.* Nubosidad, real o imaginada, delante de los ojos.

tele *s. f.* **1.** *fam.* Apócope de televisión. ‖ *s. m.* **2.** *fam.* Apócope de televisor.

teleclub *s. m.* Lugar de reunión para ver programas de televisión.

telecomunicación *s. f.* Sistema de comunicación telegráfica, telefónica o radiotelegráfica y demás análogos.

telecontrol *s. m.* Mando de cualquier aparato o sistema ejercido a distancia.

telediario *s. m.* Información televisada de las noticias más importantes del día.

teledifusión *s. f.* Transmisión de imágenes por televisión mediante ondas electromagnéticas.

teledirigido, da *adj.* Se dice del aparato o vehículo guiado por medio de un mando a distancia.

teledirigir *v. tr.* Conducir un aparato o vehículo mediante un mando a distancia.

telefax *s. m.* **1.** Sistema telefónico que permite reproducir a distancia cualquier tipo de escrito o imagen. **2.** Documento recibido mediante este sistema.

teleférico *s. m.* Sistema de transporte en que los vehículos van suspendidos de un cable de tracción, utilizado principalmente para salvar diferencias de nivel.

telefilme *s. m.* Filme de televisión.

telefonazo *s. m., vulg.* Llamada telefónica.

telefonear *v. tr.* **1.** Comunicar algo por medio del teléfono. **2.** Llamar a alguien por teléfono.

telefonía *s. f.* **1.** Arte de construir, instalar y manejar teléfonos. **2.** Servicio público de comunicaciones telefónicas. **3.** Transmisión a distancia de sonidos mediante corriente eléctrica u ondas electromagnéticas.

telefonillo *s. m.* Dispositivo para la comunicación dentro de un edificio.

telefonista *com.* Persona ocupada en el servicio de los aparatos telefónicos.

teléfono *s. m.* **1.** Conjunto de aparatos e hilos conductores con que se transmite a distancia el sonido por la acción de la electricidad. **2.** Cualquiera de los aparatos para comunicarse según ese sistema. **3.** Número que se asigna a cada uno de esos aparatos.

telefoto *s. f.* Abreviatura de telefotografía.

telefotografía *s. f.* **1.** Arte de tomar fotografías de objetos lejanos. **2.** Sistema de transmisión telegráfica de las imá-

genes fotográficas por medio de la electricidad. **3.** Fotografía transmitida a distancia mediante sistemas electromagnéticos.

telega *s. f.* Carro de cuatro ruedas usado en Rusia para transportar mercancías.

telegrafía *s. f.* **1.** Arte de construir, instalar y manejar los telégrafos. **2.** Servicio de comunicaciones telegráficas.

telegrafiar *v. tr.* **1.** Manejar el telégrafo. **2.** Dictar comunicaciones para su expedición telegráfica.

telegráfico, ca *adj.* Perteneciente o relativo al telégrafo o a la telegrafía.

telégrafo *s. m.* **1.** Conjunto de aparatos que sirven para transmitir despachos con rapidez y a larga distancia mediante señales convenidas. ‖ *s. m. pl.* **2.** Administración de la que depende este sistema de comunicación.

telegrama *s. m.* Despacho telegráfico.

teleindicador *s. m.* Instrumento que indica a distancia magnitudes eléctricas como potencias, tensiones, intensidades, etc.

telele *s. m., fam.* Patatús, soponcio.

telemática *s. f.* Técnicas y servicios que se sirven de la combinación de la telecomunicación y la informática.

telemetría *s. f.* Arte de medir distancias entre objetos lejanos por medio del telémetro.

telémetro *s. m.* Anteojo para averiguar, sin moverse de un lugar, la distancia que hay desde él a otro donde se ha colocado una mira.

telendo, da *adj.* Vivo, airoso, gallardo.

telenovela *s. f.* Novela filmada, destinada a ser retransmitida en capítulos por televisión.

telenque *adj.* **1.** *fam., Arg.* Bobo, memo. **2.** *fam., Chil.* Enclenque.

teleobjetivo *s. m.* Objetivo de distancia focal superior a la normal, que se emplea en fotografía, cine y televisión, para la toma a distancia.

teleología *s. f.* Parte de la metafísica que estudia las causas finales.

teleósteo *adj.* Denominación que se da a los peces de esqueleto completamente osificado.

telepatía *s. f.* Percepción extraordinaria de un fenómeno que tiene lugar fuera del alcance de los sentidos.

telequinesia o telequinesis *s. f.* En parapsicología, movimiento de objetos sin causa física aparente, por lo general en presencia de un médium.

telera *s. f.* **1.** Parte del arado. **2.** Redil formado por tablas. **3.** Cada uno de los dos maderos paralelos de las prensas de carpinteros, encuadernadores, etc. **4.** Travesaño de madera con que se enlaza cada lado del pértigo con los largueros de la escalera del carro. **5.** Cada una de las secciones móviles del vallado con que se forma el redil.

6. *And. y Chil.* Pan grande que suelen comer los trabajadores. **7.** *Cub.* Galleta delgada y cuadrilonga.

telerruta *s. f.* Servicio oficial de información del estado de las carreteras.

telescópico, ca *adj.* **1.** Perteneciente o relativo al telescopio. **2.** Que solo se puede ver con el telescopio. **3.** Hecho con auxilio del telescopio. **4.** Se dice de ciertos instrumentos construidos de manera semejante al telescopio de mano, con segmentos longitudinales que se pueden encajar unos en otros reduciendo o aumentando su tamaño.

telescopio *s. m.* Anteojo de gran alcance que se destina a observar objetos lejanos, especialmente los cuerpos celestes.

telesilla *s. m.* Asiento suspendido de un cable de tracción para el transporte de personas a la cumbre de una montaña o un lugar elevado.

telespectador, ra *s. m. y s. f.* Persona que ve la televisión.

telesquí *s. m.* Aparato que en los lugares donde se practican deportes de nieve arrastra a los esquiadores, tirando de ellos, mediante un cable, a la parte alta de la pista.

teleteatro *s. m.* Teatro transmitido por televisión.

teletexto *s. m.* Sistema de transmisión de textos escritos mediante ondas hertzianas.

teletipo *s. m.* **1.** Aparato telegráfico que sirve para transmitir y recibir mensajes en tipos comunes mediante un teclado parecido al de la máquina de escribir. **2.** Mensaje recibido mediante dicho sistema telegráfico.

televisar *v. tr.* **1.** Transmitir imágenes por la televisión. **2.** Observar y vigilar mediante un receptor de televisión.

televisión *s. f.* **1.** Transmisión de imágenes a distancia a través de ondas eléctricas. **2.** Televisor. **3.** Empresa dedicada a transmitir por medio de televisión.

televisivo, va *adj.* **1.** Perteneciente o relativo a la televisión. **2.** Que tiene buenas condiciones para ser televisado. **3.** Que aparece con frecuencia en televisión.

televisor *s. m.* Aparato receptor de televisión. También adj.

télex *s. m.* **1.** Sistema telegráfico internacional en el cual los usuarios se comunican con un transmisor semejante a una máquina de escribir y un receptor que imprime el mensaje recibido. **2.** Mensaje transmitido por este sistema.

telilla *s. f.* **1.** Diminutivo de tela. **2.** Tejido de lana más delgado que el camelote. **3.** Nata que crían algunos líquidos.

telina *s. f.* Molusco lamelibranquio marino, abundante en España, parecido a la almeja.

telliz *s. m.* Caparazón que se pone al caballo.

telliza *s. f.* Sobrecama, colcha.

telón *s. m.* Lienzo grande que puede subirse y bajarse en el escenario de un teatro.

telonero, ra *adj.* **1.** Se dice del artista que en un espectáculo actúa en primer lugar, como menos importante.

También s. m. y s. f. **2.** Por ext., el primero de los oradores que interviene en un acto público y comienza en orden creciente de importancia. También s. m. y s. f. ‖ *s. m. y s. f.* **3.** Persona que hace telones y también quien se encarga de manejarlos en un espectáculo.

telonio *s. m.* Oficina pública donde se pagaban los tributos.

telúrico, ca *adj.* **1.** Perteneciente o relativo a la Tierra como planeta. **2.** Perteneciente o relativo al telurismo.

telurio *s. m.* Metaloide cristalino muy escaso.

telurismo *s. m.* Influencia del suelo de una comarca sobre sus habitantes.

tema *s. m.* **1.** Proposición, texto o asunto sobre que versa un discurso, discusión, escrito, etc. **2.** Este mismo asunto. **3.** Parte esencial, invariable, de un vocablo, a diferencia de la terminación del sufijo o del prefijo. **4.** Idea principal de una composición. ‖ *s. f.* **5.** Actitud no razonada de alguien que se obstina contra algo o alguien. **6.** Idea fija que suelen tener los dementes.

temario *s. m.* Conjunto de temas que se proponen para su estudio en una conferencia, congreso, etc.

temática *s. f.* Conjunto de temas parciales contenidos en un asunto general.

temático, ca *adj.* **1.** Perteneciente o relativo al tema de una palabra. **2.** Que se ejecuta o dispone según el tema o asunto de cualquier materia. **3.** Se dice de cualquier elemento que, para la flexión, modifica la raíz de un vocablo. **4.** Se aplica al que sostiene obstinadamente una idea.

tembladera *s. f.* **1.** Acción y efecto de temblar. **2.** Planta de la familia de las gramíneas, con panoja terminal compuesta de ramitos capilares y flexuosos, de los cuales penden unas espigas aovadas. **3.** *amer.* Tremedal.

temblar *v. intr.* **1.** Agitarse una persona con movimientos frecuentes e involuntarios. **2.** Vacilar, moverse rápidamente una cosa a uno y otro lado. **3.** *fig.* Tener mucho miedo.

tembleque *s. m.* Persona o cosa que tiembla mucho.

temblequear *v. intr.* **1.** *fam.* Temblar con frecuencia. **2.** *fam.* Afectar temblor.

temblequera *s. f., fam.* Temblor, acción y efecto de temblar.

temblor *s. m.* **1.** Movimiento involuntario, repetido y continuado. **2.** *amer.* Terremoto de escasa intensidad.

tembloroso, sa *adj.* Que tiembla.

temblotear *v. intr.* Temblar suave y prolongadamente.

temer *v. tr.* **1.** Tener a una persona o cosa por objeto de temor. **2.** Recelar un daño. **3.** Sospechar, creer. También prnl. ‖ *v. intr.* **4.** Sentir temor.

temerario, ria *adj.* **1.** Imprudente, que se expone a los peligros sin meditado examen de ellos. **2.** Que se piensa, dice o hace sin fundamento.

temeridad *s. f.* **1.** Calidad de temerario. **2.** Acción temeraria. **3.** Juicio temerario.

temeroso, sa *adj.* **1.** Medroso, irresoluto. **2.** Que recela un daño.

temor *s. m.* **1.** Pasión del ánimo que incita a rehusar las cosas que se consideran dañinas o arriesgadas. **2.** Presunción o sospecha. **3.** Recelo, especialmente de un daño futuro.

temoso, sa *adj.* Tenaz, porfiado en una idea.

tempanador *s. m.* Instrumento para abrir las colmenas quitando los témpanos.

tempanar *v. tr.* Poner témpanos en las colmenas, cubas, etc.

témpano *s. m.* **1.** Timbal, instrumento musical. **2.** Piel extendida del pandero, tambor, etc. **3.** Pedazo de cualquier cosa dura y plana. **4.** Hoja de tocino, quitados los perniles. **5.** Tapa de cuba o tonel. **6.** Corcho redondo que tapa la colmena. **7.** Tímpano de un frontón.

temperado, da *adj.* **1.** *amer.* Templado. **2.** Se dice de la escala musical ajustada a los doce sonidos.

temperamental *adj.* **1.** Se dice de lo que es propio del temperamento o producido por él. **2.** Se aplica a la persona de genio vivo que cambia con frecuencia de humor.

temperamento *s. m.* **1.** Temperie. **2.** Arbitrio para terminar las contiendas o para obviar dificultades. **3.** Carácter físico y mental peculiar de cada individuo, que resulta del predominio fisiológico de un sistema orgánico o de un humor. **4.** Manera de ser de las personas impulsivas. **5.** Ligera modificación que se hace en los sonidos rigurosamente exactos de algunos instrumentos al templarlos, para que se puedan acomodar a la práctica del arte.

temperar *v. tr.* **1.** Atemperar. También *prnl.* **2.** Templar o calmar el exceso de acción o de excitación orgánica.

temperatura *s. f.* **1.** Grado mayor o menor de calor de los cuerpos. **2.** Grado de calor del cuerpo humano y de los animales. **3.** Grado de calor de la atmósfera.

temperie *s. f.* Estado de la atmósfera, según los diversos grados de calor o humedad.

tempero *s. m.* Buena disposición que adquiere la tierra con la lluvia.

tempestad *s. f.* **1.** Fuerte perturbación de la atmósfera acompañada de lluvia, nieve o granizo, y frecuentemente de rayos y relámpagos. **2.** Perturbación de las aguas del mar, causada por la violencia del viento. **3.** *fig.* Conjunto de palabras ásperas o injuriosas. **4.** *fig.* Tormenta, agitación de los ánimos.

tempestear *v. intr.* **1.** Descargar la tempestad. **2.** *fig. y fam.* Echar pestes, manifestar un enojo grande.

tempestivo, va *adj.* Oportuno, que aparece a tiempo.

tempestuoso, sa *adj.* **1.** Que causa o constituye una tempestad. **2.** Expuesto o propenso a tempestades.

templa *s. f.* **1.** Agua con cola fuerte para desleír los colores de la pintura al temple y darles fijeza. **2.** Mezcla de agua caliente y malta molida que se utiliza en la fabricación de la cerveza.

templadero *s. m.* Paraje o sitio destinado para templar. Se utiliza principalmente en las fábricas de cristales.

templado, da *adj.* **1.** Moderado en sus apetitos. **2.** Que no está frío ni caliente, sino en un término medio. **3.** Tratándose del estilo, medio. **4.** *fam.* Valiente con serenidad. **5.** *fam.* Listo, competente.

templador *s. m.* Llave o martillo con que se templan o afinan algunos instrumentos de cuerda, como arpas, pianos, etc. También se usa para regular la tensión de alambres, cables, etc.

templanza *s. f.* **1.** Una de las cuatro virtudes cardinales, que nos induce a refrenar la sensualidad y a usar de todas las cosas con moderación. **2.** Sobriedad y continencia. **3.** Benignidad del aire o clima de un país. **4.** Armonía y buena disposición de los colores.

templar *v. tr.* **1.** Moderar o suavizar la fuerza de una cosa. **2.** Quitar el frío de una cosa, calentarla ligeramente, especialmente hablando de líquidos. **3.** Enfriar bruscamente un metal calentado por encima de cierta temperatura, con el fin de mejorar alguna propiedad suya. **4.** Poner en tensión o presión moderada una cuerda, un freno, etc. **5.** *fig.* Mezclar una cosa con otra para corregir o suavizar su actividad. **6.** Adaptar las velas a la fuerza del viento. **7.** Afinar un instrumento para que produzca con exactitud los sonidos. **8.** Armonizar los colores entre sí, dándoles las debidas proporciones. **9.** Ajustar el movimiento de la capa o la muleta a la embestida del toro, para moderarla o alegrarla. ‖ *v. intr.* **10.** Perder el frío una cosa, comenzar a calentarse. ‖ *v. prnl.* **11.** *fig.* Moderarse, contenerse eludir los excesos. **12.** *fig.* Embriagarse.

temple *s. m.* **1.** Temperie. **2.** Temperatura de los cuerpos. **3.** Punto de dureza o elasticidad que se da a un metal y al cristal, templándolos. **4.** Acción de templar el metal, el cristal, etc. **5.** *fig.* Calidad o estado del genio. **6.** *fig.* Arrojo, valentía serena para afrontar las dificultades. **7.** *fig.* Medio término o partido que se toma entre dos cosas. **8.** Disposición y acuerdo armónico de los instrumentos. **9.** Procedimiento pictórico en el que los colores se diluyen en líquidos glutinosos o calientes. **10.** Colores preparados según este procedimiento. **11.** Acción y efecto de templar.

templete *s. m.* **1.** Armazón pequeño con forma de templo, que sirve para cobijar una imagen. **2.** Pabellón o quiosco cubierto con una cúpula sostenida por columnas.

templo *s. m.* **1.** Edificio destinado públicamente a un culto. **2.** *fig.* Lugar real o imaginario en que se rinde culto al saber, la justicia, etc.

tempo *s. m.* **1.** Ritmo, compás. **2.** Ritmo de una acción.

témpora s. f. Tiempo de ayuno en el comienzo de cada una de las cuatro estaciones del año. Se usa más en pl.

temporada s. f. **1.** Espacio de varios días, meses o años que se consideran aparte formando un conjunto. **2.** Tiempo durante el cual se realiza habitualmente alguna cosa.

temporal adj. **1.** Perteneciente o relativo al tiempo, en oposición a perpetuo, eterno. **2.** Que dura por algún tiempo. **3.** Secular, profano. **4.** Que pasa con el tiempo. ‖ s. m. **5.** Tempestad, perturbación atmosférica. **6.** Tiempo de lluvia persistente.

temporalidad s. f. Calidad de temporal o secular.

temporalizar v. tr. Convertir lo eterno en temporal.

temporero, ra adj. Se dice de la persona encargada temporalmente del ejercicio de un oficio o de un trabajo.

temporizador s. m. Sistema de control de tiempo que se utiliza para abrir o cerrar un circuito en uno o varios momentos determinados.

temporizar v. intr. **1.** Acomodarse al gusto o parecer de otros por respeto o conveniencia. **2.** Ocuparse en algo por mero pasatiempo.

tempranal adj. Se dice de la tierra y plantío de fruto temprano. También s. m.

temprano, na adj. **1.** Adelantado, que es o está antes del tiempo ordinario. ‖ s. m. **2.** Sembrado o plantío de fruto temprano. ‖ adv. t. **3.** En las primeras horas del día o de la noche. **4.** En tiempo anterior al señalado o convenido.

tena s. f. **1.** Cobertizo para el ganado. **2.** Conjunto de útiles de pesca.

tenacear v. intr. Insistir en algo con pertinacia.

tenacidad s. f. Calidad de tenaz.

tenacillas s. f. pl. Nombre de diversos instrumentos a modo de tenazas pequeñas, como las utilizadas para coger los terrones de azúcar, rizar el pelo o depilar.

tenáculo s. m. Instrumento en forma de aguja que sirve para sostener las arterias que deben ligarse.

tenada s. f. **1.** Cobertizo. **2.** Ast. y Le. Lugar cubierto donde se guarda el heno.

tenante s. m. Cada una de las figuras que sostienen un escudo.

tenaz adj. **1.** Que se pega o prende con fuerza a una cosa y es difícil de separar. **2.** Que opone mucha resistencia a romperse o deformarse. **3.** fig. Firme, terco en un propósito.

tenaza s. f. **1.** Instrumento de metal, compuesto de dos brazos movibles trabados por un eje o enlazados por un muelle semicircular. Se usa para coger o sujetar fuertemente una cosa, o arrancarla, o cortarla. Se usa más en pl. **2.** Pinza de las patas de algunos artrópodos.

tenca s. f. Pez teleósteo comestible de agua dulce, de unos tres dm de longitud y cuerpo fusiforme.

tendal s. m. **1.** Toldo o cubierta. **2.** Trozo largo y ancho de lienzo en que se recogen las aceitunas al caer de los olivos. **3.** En algunas partes, tendedero. **4.** Conjunto de cosas extendidas para que se sequen. **5.** Arg. Lugar cubierto en donde se esquila el ganado. **6.** Arg., Chil. y Per. Tendalera. **7.** Chil. Tienda en que se venden tejidos ordinarios, arreos, etc. **8.** Cub. y Ec. Espacio soleado donde se pone el café para que se seque al sol. **9.** Ec. Armazón o barbacoa usada en las haciendas para asolear las almendras de cacao.

tendalera s. f., fam. Desorden de cosas tendidas por el suelo.

tendedero s. m. **1.** Sitio donde se tiende algo, como la ropa. **2.** Conjunto de cuerdas destinadas a tender la ropa.

tendejón s. m. Tienda pequeña o barraca mal construida.

tendel s. m. Capa de mortero o de yeso que se extiende sobre cada hilada de ladrillos.

tendencia s. f. **1.** Inclinación o propensión de orden físico o espiritual hacia determinados fines. **2.** Fuerza por la cual un cuerpo se inclina hacia otro u otra cosa. **3.** Idea religiosa, política, artística, etc., que se orienta en determinada dirección.

tendencioso, sa adj. Que manifiesta o incluye tendencias hacia determinados fines o doctrinas.

tender v. tr. **1.** Desdoblar, extender lo que está doblado o amontonado, especialmente la ropa mojada para que se seque. **2.** Echar por el suelo una cosa, esparciéndola. **3.** Poner al aire, al sol o al fuego la ropa mojada, para que se seque. **4.** Extender, alargar, prolongar. **5.** Suspender o colocar una cosa apoyándola en dos o más puntos. **6.** Propender, dirigirse a algún fin una cosa. **7.** Alargar una cosa aproximándola a alguien o algo. **8.** Tener alguien o algo una cualidad no bien definida pero próxima a otra semejante. **9.** Aproximarse progresivamente una variable o función a un valor determinado sin llegar a alcanzarlo. ‖ v. intr. **10.** Manifestar tendencia hacia un fin. ‖ v. prnl. **11.** Echarse, tumbarse a la larga.

ténder s. m. Vagón enganchado a la locomotora, que lleva el combustible y agua para alimentarla durante el viaje.

tenderete s. m. **1.** Cierto juego de naipes. **2.** fam. Tendalera. **3.** Puesto de venta al por menor, instalado al aire libre.

tendero, ra s. m. y s. f. **1.** Persona que tiene tienda. **2.** Persona que vende al por menor. **3.** Persona que por oficio hace tiendas de campaña o cuida de ellas.

tendido, da adj. **1.** Se dice del galope del caballo o de la carrera violenta de una persona o de cualquier animal. ‖ s. m. **2.** Acción de tender. **3.** Gradería descubierta y próxima a la barrera en las plazas de toros. **4.** Capa delgada de cal o yeso que se da en paredes o techos. **5.** Rioja Cielo despejado.

tendinitis *s. f.* Inflamación de un tendón.

tendinoso, sa *adj.* **1.** Que tiene tendones o se compone de ellos. **2.** Perteneciente o relativo a los tendones.

tendón *s. m.* Haz de fibras conjuntivas que une los músculos a los huesos.

tenebrario *s. m.* Candelabro triangular, con quince velas, que se enciende en los oficios de tinieblas de la Semana Santa.

tenebrismo *s. m.* Tendencia pictórica que emplea la luz y la sombra en contrastes violentos que las hagan destacar.

tenebroso, sa *adj.* **1.** Oscuro, cubierto de tinieblas. **2.** Hecho con intenciones ocultas y perversas. ‖ *s. m.* **3.** *amer.* Persona que vive como tahúr o rufián.

tenedero *s. m.* Paraje del mar donde puede afirmarse el ancla.

tenedor, ra *s. m. y s. f.* **1.** Persona que posee o tiene una cosa. **2.** Persona que posee legítimamente una letra de cambio u otro valor endosable. ‖ *s. m.* **3.** Utensilio de mesa que consiste en un astil con tres o cuatro púas iguales para pinchar los alimentos sólidos y llevarlos a la boca. **4.** Signo con la forma de dicho utensilio que en España indica la categoría de un restaurante según el número de tenedores representados. **5.** *amer.* Marca que se hace en la oreja a los animales de una ganadería para distinguirlos.

teneduría *s. f.* Cargo y oficina del tenedor de libros.

tenencia *s. f.* **1.** Ocupación y posesión de una cosa. **2.** Cargo u oficio de teniente. **3.** Oficina en que lo ejerce.

tener *v. tr.* **1.** Asir o mantener asida una cosa. **2.** Detener, parar. También *prnl.* **3.** Poseer y gozar de alguna cosa. **4.** Sostener, mantener. También *prnl.* **5.** Contener o incluir dentro de sí. **6.** Cumplir el voto, juramento o promesa. **7.** Hospedar o acoger a alguien en casa. **8.** Estar obligado a hacer una cosa o preocuparse de ella. **9.** Unido a las preposiciones *a*, *por* y *en*, tiene el significado de juzgar y reputar. También *prnl.* **10.** Con los sustantivos que significan tiempo, expresa la duración o edad de los seres. **11.** Cuando hace las veces de verbo auxiliar, es equivalente del verbo *haber*. **12.** Si se construye con la conjunción *que* y el infinitivo de otro verbo, expresa la necesidad u obligación de hacer lo que el verbo significa. **13.** Construido con algunos sustantivos, hacer o padecer lo que el sustantivo significa. ‖ *v. intr.* **14.** Ser rico o acaudalado. ‖ *v. prnl.* **15.** Asegurarse o apoyarse alguien para no caer. **16.** Asentar un cuerpo sobre otro. **17.** Ofrecer resistencia a alguien en una riña o pelea. **18.** Ser partidario de alguien o de algo.

tenería *s. f.* Lugar donde se curten o trabajan las pieles.

tenesmo *s. m.* Deseo doloroso e ineficaz de orinar o defecar.

tenia *s. f.* Gusano platelminto, de cabeza pequeña y cuerpo largo y segmentado. Es parásito del intestino del ser humano y de algunos animales. Tiene forma de cinta y puede llegar a medir varios metros de longitud.

teniente *adj.* **1.** Se dice de la fruta no madura. **2.** *fam.* Algo sordo y tardo en el sentido del oído. **3.** *com.* Persona que ejerce el cargo o ministerio de otra, y es sustituta suya. ‖ *s. m.* **4.** Persona que ejerce el cargo de otra. **5.** *com.* Oficial inmediatamente inferior al capitán.

tenífugo, ga *adj.* Se dice del medicamento eficaz para la expulsión de la tenia. También s. m.

tenis *s. m.* **1.** Juego en que los jugadores, separados en dos bandos por una red, se lanzan una pelota por medio de raquetas. **2.** Espacio dispuesto para este juego. ‖ *s. m. pl.* **3.** Calzado de tipo deportivo.

tenor[1] *s. m.* **1.** Constitución de una cosa. **2.** Contenido literal de un escrito.

tenor[2] *s. m.* **1.** Voz media entre la de contralto y la de barítono. **2.** Persona que tiene esta voz.

tenorio *s. m., fig.* Galanteador audaz y pendenciero.

tensar *v. tr.* Poner tensa una cosa.

tensión *s. f.* **1.** Estado de un cuerpo sometido a la acción de fuerzas que lo estiran. **2.** Fuerza que impide separarse unas de otras a las partes de un mismo cuerpo cuando se halla en dicho estado. **3.** Intensidad de la fuerza con que los gases tienden a dilatarse. **4.** Tendencia de una carga eléctrica a pasar de un cuerpo a otro de menor potencial. Se dice alta o baja según sea o no muy elevado su voltaje. **5.** Estado de oposición u hostilidad latente entre personas o grupos humanos. **6.** Estado anímico de excitación o esfuerzo producido por circunstancias o actividades como la espera, la concentración, la creación intelectual, etc.

tenso, sa *adj.* **1.** Se dice del cuerpo que se halla en tensión. **2.** *fig.* En estado de tensión espiritual.

tensor, ra *adj.* **1.** Que tensa u origina tensión. También s. m. y s. f. ‖ *s. m.* **2.** Mecanismo empleado para tensar.

tentación *s. f.* **1.** Instigación que induce a una cosa mala. **2.** Estado de la persona que se siente impulsada a hacer una cosa. **3.** *fig.* Persona que induce o persuade.

tentáculo *s. m.* Cualquiera de los apéndices móviles y blandos que tienen algunos animales invertebrados, que les sirven como órganos del tacto o para hacer presas.

tentadero *s. m.* Corral o sitio cerrado en que se hace la tienta de becerros.

tentar *v. tr.* **1.** Palpar o tocar una cosa, reconocerla por medio del tacto. **2.** Instigar, inducir a alguien a hacer algo. **3.** Intentar, ensayar. **4.** Examinar, experimentar. **5.** Procurar, probar.

tentativa *s. f.* **1.** Acción con que se intenta o tantea una cosa. **2.** Principio de ejecución de un delito que no llega a realizarse.

tentativo, va *adj.* Que sirve para tantear una cosa.

tentemozo *s. m.* **1.** Puntal que se aplica a una cosa expuesta a caerse. **2.** Palo que cuelga del pértigo del carro y, puesto de punta contra el suelo, impide que aquel caiga hacia delante. **3.** Muñeco que movido en cualquier dirección vuelve a quedar recto. **4.** Correa de la cabeza del caballo.

tentempié *s. m.* **1.** *fam.* Comida ligera que se toma entre horas. **2.** *fam.* Tentemozo.

tentetieso *s. m.* Muñeco que movido en cualquier dirección vuelve a quedar recto.

tenue *adj.* **1.** Se dice de las acosas delicadas. **2.** De poca importancia o sustancia. **3.** Dicho del estilo, sencillo.

tenuidad *s. f.* **1.** Calidad de tenue. **2.** Cualquier cosa de poco valor o estimación.

tenuirrostro, tra *adj.* Se dice de las aves que tienen el pico alargado y tenue.

teñir *v. tr.* **1.** Dar a una cosa un color distinto de su color natural o del que pueda tener accidentalmente. También prnl. **2.** *fig.* Imbuir de una opinión o afecto a alguien. **3.** Rebajar un color con otros más oscuros.

teobromina *s. f.* Principio activo del cacao.

teocali *s. m.* Templo de los antiguos aztecas.

teocracia *s. f.* Gobierno ejercido directamente por Dios o por los sacerdotes, como representantes suyos.

teocrático, ca *adj.* Perteneciente o relativo a la teocracia.

teodicea *s. f.* Teología natural.

teodolito *s. m.* Instrumento topográfico de precisión para medir ángulos en sus planos respectivos.

teogonía *s. f.* Tratado sobre el origen y descendencia de los dioses de los gentiles.

teologal *adj.* Perteneciente o relativo a la teología.

teología *s. f.* Ciencia que trata de la existencia, naturaleza, perfecciones y atributos de Dios.

teologizar *v. intr.* Discurrir sobre principios o razones teológicas.

teomanía *s. f.* Manía consistente en creerse Dios la persona que la padece.

teorema *s. m.* Proposición que afirma una verdad demostrable, partiendo de axiomas, por medio de reglas de inferencia establecidas.

teorético, ca *adj.* **1.** Teórico. **2.** Se aplica a lo que hace referencia al conocimiento, por oposición a la práctica. **3.** Relativo al teorema.

teoría *s. f.* **1.** Conocimiento abstracto independiente de su aplicación. **2.** Síntesis comprensiva de los conocimientos que una ciencia ha obtenido en el estudio de un determinado orden de hechos. **3.** Conjunto de razonamientos ideados para explicar provisionalmente un determinado orden de fenómenos.

teórica *s. f.* Teoría, conocimiento especulativo.

teórico, ca *adj.* **1.** Perteneciente o relativo a la teoría. **2.** Versado en el conocimiento de la teoría de algún arte o ciencia. También s. m. y s. f.

teorizar *v. tr.* Tratar un asunto solo en teoría. Se usa más como intr.

teosofía *s. f.* **1.** Doctrina de los que presumen estar iluminados por la divinidad e íntimamente unidos con ella. **2.** Movimiento religioso moderno fundado en la doctrina oriental de la evolución panteísta y la transmigración, y en la práctica del ocultismo.

teósofo, fa *s. m. y s. f.* Persona que profesa la teosofía.

tepe *s. m.* Trozo de tierra cubierto de césped y muy trabado por las raíces de esta hierba, el cual, cortado casi siempre en forma prismática, se utiliza para construir paredes.

terapeuta *com.* Persona que por profesión o estudio se dedica a la terapéutica.

terapéutica *s. f.* Parte de la medicina, que enseña el tratamiento y remedio de las enfermedades.

teratología *s. f.* Estudio de las anomalías del organismo animal o vegetal.

terbio *s. m.* Metal raro, trivalente, que se ha hallado en algunos minerales de Suecia.

tercelete *adj.* Se dice del arco que en las bóvedas de crucería sube por un lado del arco diagonal hasta la línea media.

tercena *s. f.* Almacén del Estado para vender al por mayor tabaco y otros efectos estancados.

tercer *adj.* Apócope de tercero. Se usa antepuesto al sustantivo.

tercera *s. f.* **1.** Intervalo que, cuando es mayor, comprende dos tonos. **2.** En algunos instrumentos de cuerda, la que ocupa el tercer lugar a partir de la primera. **3.** Marcha del motor de un vehículo que tiene mayor velocidad que la segunda y menor que la cuarta.

tercerilla *s. f.* **1.** Composición métrica de tres versos de arte menor. **2.** Cáscara del grano, salvado.

tercero, ra *adj. num.* **1.** Que ocupa el último lugar en una serie ordenada de tres. También s. m. y s. f. **2.** Se dice de cada una de las tres partes iguales en que se divide un todo. ‖ *adj.* **3.** Que media entre dos o más personas. También s. m. y s. f.

tercerola *s. f.* **1.** Arma de fuego un tercio más corta que la carabina. **2.** Especie de barril de mediana cabida. **3.** Flauta más pequeña que la ordinaria.

terceto *s. m.* **1.** Combinación métrica de tres versos endecasílabos. **2.** Tercerilla. **3.** Composición para tres intrumentos o tres voces. **4.** Conjunto de estas tres voces o instrumentos.

tercia *s. f.* **1.** Tercera parte de una vara. **2.** Cada una de las tres partes iguales en que se divide un todo.

terciado, da *adj.* **1.** Se dice del azúcar un poco moreno. **2.** Se dice del pan elaborado con dos tercios de harina de trigo y uno de centeno o cebada. **3.** Se dice del toro que tiene un tamaño menor que el normal para su edad. ‖ *s. m.* **4.** Espada de hoja ancha y corta.

terciana *s. f.* Calentura intermitente que repite al tercer día.

terciar *v. tr.* **1.** Poner una cosa atravesada diagonalmente. **2.** Dividir una cosa en tres partes. **3.** Equilibrar la carga, distribuyendo la carga por igual a los dos lados de la acémila. ‖ *v. prnl.* **4.** Caer bien una cosa, suceder oportunamente. ‖ *v. intr.* **5.** Interponerse y mediar para resolver un litigio. **6.** Completar el número necesario de individuos para algo.

terciario, ria *adj.* **1.** Tercero en orden o grado. **2.** Se dice de cierta especie de arco hecho en las bóvedas formadas con cruceros. **3.** (ORT.: may. inicial) Se dice de una de las épocas más antiguas de la era cenozoica, en la cual ya existían algunas especies de animales que viven hoy en día. También s. m. **4.** Perteneciente o relativo a dicho periodo.

tercio, cia *adj. num.* **1.** Tercero. ‖ *s. m.* **2.** Cada una de las tres partes iguales en que se divide un todo. **3.** Cada una de las dos mitades de la carga de una acémila, cuando va en fardos. **4.** Cualquiera de las tres partes que se consideran en la altura de una caballería. **5.** Cada una de las tres partes en que se divide la lidia de toros. **6.** Cada una de las tres partes del rosario. **7.** Porción más ancha de la media que cubre la pantorrilla. **8.** Asociación de los marineros y propietarios de lanchas en orden al ejercicio de la pesca. **9.** *And.* Cada uno de los versos de una copla de cante flamenco. **10.** *And.* Porción de tierra de labranza que se siembra un año y se deja descansar al siguiente. **11.** Tropas de infantería equivalentes en España a un regimiento. **12.** Nombre que alguna vez se da a los cuerpos o batallones de infantería en la milicia actual. **13.** Cualquiera de las divisiones del cuerpo de la Guardia Civil. **14.** Cada una de las tres partes concéntricas en que se considera dividido el ruedo. ‖ *s. m. pl.* **15.** Miembros fuertes y vigorosos del hombre.

terciodócuplo, pla *adj.* Que contiene un número trece veces exactamente. También s. m. y s. f.

terciopelo *s. m.* Tela velluda y tupida, de seda o algodón, formada por dos urdimbres y una trama.

terco, ca *adj.* Se dice de la persona obstinada en sus acciones o ideas.

terebintáceo, a *adj.* Se dice de las plantas dicotiledóneas, de corteza resinosa, hojas alternas y sin estípulas, flores pequeñas, por lo común en racimos, y fruto drupáceo o seco, con una sola semilla, casi siempre sin albumen. También s. f.

terebinto *s. m.* Arbolito de la familia de las anacardiáceas, de tres a 6 m de longitud, muy común en España, de madera dura y compacta, que exuda una trementina blanca y olorosa.

terebrante *adj.* Se dice del dolor que produce sensación semejante a la que resultaría de taladrar la parte dolorida.

teredo *s. m.* Molusco que perfora la madera.

teresiana *s. f.* Especie de quepis usado como prenda de uniforme militar.

tergal *s. m.* Tejido muy resistente elaborado con una fibra sintética.

tergiversar *v. tr.* Equivocar o forzar la interpretación de un texto, un argumento o un suceso.

teristro *s. m.* Velo o manto delgado que usaban las mujeres de Palestina durante el verano.

termal *adj.* Perteneciente o relativo a las termas o caldas.

termas *s. f. pl.* **1.** Caldas, baños calientes. **2.** Baños públicos de los antiguos romanos.

termes *s. m.* Insecto masticador, lucífugo, que corroe la madera.

térmico, ca *adj.* Relativo al calor o la temperatura.

termidor *s. m.* Undécimo mes del año según el calendario republicano francés.

terminación *s. f.* **1.** Acción y efecto de terminar. **2.** Parte final de una obra o cosa. **3.** Letra o letras que determinan la asonancia o consonancia de unos vocablos con otros. **4.** Letra o letras que forman la desinencia de los vocablos.

terminal *adj.* **1.** Que pone término a una cosa. ‖ *s. m.* **2.** Extremo de un conductor, preparado para conectarlo a un aparato. **3.** Máquina con teclado y pantalla que proporciona información de una computadora con unos datos previos. También s. f. **4.** Extremo de una línea de transporte público.

terminante *adj.* Claro, concluyente.

terminar *v. tr.* **1.** Poner término a una cosa, acabarla. **2.** Acabar, rematar con esmero. ‖ *v. intr.* **3.** Tener fin una cosa. También prnl. **4.** Entrar una enfermedad en su periodo final.

término *s. m.* **1.** Último punto hasta donde llega una cosa. **2.** Último momento de la existencia de una cosa. **3.** Límite, línea divisoria. **4.** Extensión de territorio que se encuentra bajo la autoridad de un ayuntamiento. **5.** Tiempo o plazo concreto. **6.** Fecha, hora, punto preciso de realizar algo. **7.** Finalidad, objeto. **8.** Conjunto de sonidos articulados que expresan una idea. **9.** Situación en que se encuentra un ser determinado. **10.** Modo de comportarse o hablar. Se usa más en pl. **11.** Cualquiera de las cantidades que constituyen un polinomio o forman una razón, una proporción o un quebrado. **12.** Plano en el cual se representa un objeto en un cuadro. **13.** En teatro y cine, cada uno de los planos en que se considera dividida la escena con relación al espectador. ‖ *s. m. pl.* **14.** Condiciones en que se plantea un asunto o se acuerda un contrato, etc.

terminología *s. f.* Conjunto de términos o vocablos característicos de determinada profesión, ciencia o materia o de un autor o libro concretos.

termita[1] *s. f.* Mezcla de limaduras de aluminio y de óxidos de diferentes metales, que por inflamación produce elevadísima temperatura.

termita[2] *s. f.* Termes.

termo *s. m.* Vasija para conservar la temperatura de las sustancias que en ella se ponen aislándolas de la temperatura exterior.

termodinámica *s. f.* Parte de la física que trata de la fuerza mecánica del calor.

termoelectricidad *s. f.* **1.** Electricidad producida por la acción del calor. **2.** Parte de la física que trata de ella.

termoeléctrico, ca *adj.* Se dice del aparato en que se desarrolla electricidad por la acción del calor.

termoestable *adj.* **1.** Que no se altera fácilmente por la acción del calor y de la presión. **2.** Se aplica al plástico que no se deforma por la acción del calor y la presión.

termógeno, na *adj.* Que produce o engendra calor.

termolábil *adj.* Que se altera fácilmente por la acción del calor.

termología *s. f.* Parte de la física que estudia los fenómenos relacionados con el calor.

termometría *s. f.* Medición de la temperatura.

termómetro *s. m.* Instrumento para medir la temperatura, consistente en un tubo capilar de vidrio cerrado y terminado en un pequeño depósito, que contiene una cierta cantidad de mercurio o alcohol, cuyas variaciones de volumen acusadas por el nivel que el líquido alcanza en el tubo, se leen en una escala graduada.

termonuclear *adj.* Se dice de las transmutaciones del núcleo atómico, las cuales se producen con espontaneidad a una temperatura muy alta.

termopar *s. m.* Dispositivo para medir temperaturas mediante las fuerzas electromotrices originadas en las soldaduras de dos metales diferentes.

termosifón *s. m.* **1.** Aparato anejo a una cocina y que sirve para calentar agua que luego se distribuye mediante tuberías a los baños, lavabos, etc., de la casa. **2.** Aparato de calefacción por medio del agua caliente.

termostato *s. m.* Aparato que se aconecta a una fuente de calor y que mediante un mecanismo automático impide que la temperatura suba o baje del grado que se desea o se necesita.

termotecnia *s. f.* Técnica del calor.

terna *s. f.* Conjunto de tres personas propuestas para que se designe de entre ellas la que haya de desempeñar un cargo o empleo.

ternario, ria *adj.* **1.** Compuesto de tres elementos, unidades o guarismos. ‖ *s. m.* **2.** Espacio de tres días dedicados a una devoción.

terne *adj.* **1.** *fam.* Que presume de valiente. **2.** *fam.* Obstinado en sus acciones o ideas. **3.** *fam.* Fuerte, robusto de salud.

ternejal *adj., fam.* Terne, valentón. También com.

ternera *s. f.* **1.** Cría hembra de la vaca. **2.** Carne de ternera o de ternero.

ternero *s. m.* Cría macho de la vaca.

terneza *s. f.* **1.** Ternura. **2.** Requiebro, dicho lisonjero. Se usa más en pl.

ternilla *s. f.* Cartílago, especialmente el que forma lámina en el cuerpo de los animales vertebrados.

terno *s. m.* **1.** Conjunto de tres cosas de una misma especie. **2.** Pantalón, chaleco y chaqueta de la misma tela. **3.** Conjunto del oficiante y sus dos ministros en una misa mayor. **4.** Vestuario exterior del terno eclesiástico. **5.** Palabra airada y malsonante. **6.** *Cub. y P. Ric.* Aderezo de joyas compuesto de pendientes, collar y alfiler.

ternura *s. f.* **1.** Calidad de tierno. **2.** Requiebro, dicho lisonjero. **3.** Amor, afecto, cariño.

terpeno *s. m.* Nombre común a ciertos hidrocarburos que se encuentran en los aceites volátiles obtenidos de las plantas, principalmente de las coníferas y los frutos cítricos.

terpina *s. f.* Hidrato de trementina.

terpinol *s. m.* Sustancia que resulta de la acción de un ácido sobre la terpina.

terquear *v. intr.* Mostrarse terco.

terquedad *s. f.* **1.** Calidad de terco. **2.** Porfía molesta y cansada.

terracota *s. f.* **1.** Arcilla modelada y endurecida al horno. **2.** Escultura de barro cocido.

terrada *s. f.* Especie de betún compuesto de almagre, ajos, blanquimiento y cola cocida.

terrado *s. m.* Sitio de una casa, descubierto y generalmente elevado.

terraja *s. f.* **1.** Tabla guarnecida con una chapa de metal recortada con arreglo al perfil de una moldura. **2.** Barra de acero con un agujero en medio, donde se ajustan las piezas que labran las roscas de los tornillos.

terral *adj.* **1.** Se dice del viento que sopla de tierra. También s. m. ‖ *s. m.* **2.** *amer.* Nube de polvo que se levanta del suelo a impulsos del viento o por otra causa.

terraplén *s. m.* **1.** Macizo de tierra con que se rellena un hueco, o que se levanta con algún fin. **2.** Por ext., desnivel con una cierta pendiente.

terráqueo, a *adj.* Que está compuesto de tierra y agua. Se aplica únicamente a la esfera o globo terrestre.

terrateniente *com.* Persona poseedora de tierra o hacienda.

terraza *s. f.* **1.** Jarra vidriada de dos asas. **2.** Espacio de terreno llano que forma escalón en un jardín o a la orilla de un río, lago, etc. **3.** Sitio abierto de una casa. **4.** Terreno situado delante de un café, bar, etc., en el que se puede tomar algo al aire libre.

terrazgo *s. m.* **1.** Pedazo de tierra para sembrar. **2.** Renta que paga el labrador al dueño de una tierra.

terrazguero, ra *s. m. y s. f.* Labrador que paga terrazgo.

terrazo *s. m.* **1.** Pavimento formado por pequeñas piedras y trozos de mármol aglomerados con cemento y cuya superficie se pulimenta. **2.** Terreno representado en un paisaje.

terrear *v. intr.* **1.** Dejarse ver la tierra en los sembrados. **2.** *amer.* Lamer el ganado la tierra salitrosa. **3.** *amer.* Andar arrastrando los pies.

terrecer *v. tr.* Aterrar, causar terror. También prnl.

terregoso, sa *adj.* Se dice del campo lleno de terrones.

terremoto *s. m.* Sacudida de la superficie terrestre debida a fuerzas que actúan en el interior del globo.

terrenal *adj.* Perteneciente o relativo a la tierra, en contraposición de lo que pertenece al cielo.

terreno, na *adj.* **1.** Terrestre o terrenal, perteneciente a la tierra. || *s. m.* **2.** Espacio de tierra. **3.** *fig.* Campo o esfera de acción en que con mayor eficacia pueden mostrarse la índole o las cualidades de personas o cosas. **4.** *fig.* Orden de materias o de ideas de que se trata. **5.** Espacio acotado y preparado para la práctica de determinados deportes.

térreo, a *adj.* **1.** De tierra. **2.** Parecido a ella.

terrera *s. f.* **1.** Trozo de tierra escarpado y desprovisto de vegetación. **2.** Alondra, ave.

terrero, ra *adj.* **1.** Perteneciente o relativo a la tierra. **2.** Se dice del vuelo rastrero de algunas aves. **3.** Se dice de la caballería que levanta poco los brazos caminando. **4.** Se dice de las espuertas o cestas de mimbre que se emplean para llevar tierra. También s. m. y s. f. **5.** *fig.* Persona o cosa de baja condición. **6.** *Can. y P. Ric.* Se dice de la casa de un solo piso. || *s. m.* **7.** Terrado de una casa. **8.** Depósito de tierras acumuladas por la acción de las aguas. **9.** Especie de plaza pública. **10.** *Hond. y Nic.* Terreno salitroso que el ganado lame para comer la sal.

terrestre *adj.* Perteneciente o relativo a la Tierra.

terrible *adj.* **1.** Digno de ser temido, que causa terror. **2.** Áspero y duro de genio. **3.** De proporciones desmesuradas y extraordinarias.

terrícola *s. m. y s. f.* **1.** Habitante de la Tierra. || *adj.* **2.** Terrestre.

terrífico, ca *adj.* Terrorífico.

terrígeno, na *adj.* **1.** Nacido o engendrado de la tierra. **2.** Se aplica al material derivado por erosión de un área fuera de la cuenca de sedimentación.

terrina *s. f.* **1.** Vasija pequeña de forma cónica para conservar o servir algunos alimentos. **2.** Tiesto de forma similar destinado a ciertos cultivos.

territorial *adj.* Perteneciente o relativo al territorio.

territorialidad *s. f.* **1.** Calidad de territorial. **2.** Consideración especial en que se toman las cosas que, estando fuera del territorio de una nación, se consideran como si formasen parte de él.

territorio *s. m.* **1.** Extensión de superficie terrestre perteneciente a una nación, región, provincia, etc. **2.** Término que comprende una jurisdicción. **3.** Terreno donde vive un animal o un grupo de animales de la misma especie y que es defendido por estos frente a las invasiones de otros animales.

terrizo, za *adj.* **1.** Hecho o fabricado de tierra. || *s. f.* **2.** *And.* Era sin pavimentar.

terrón *s. m.* **1.** Pequeña masa de tierra compacta. **2.** Masa pequeña y suelta de otras sustancias. || *s. m. pl.* **3.** Hacienda rústica, tierras labrantías.

terror *s. m.* **1.** Miedo extremo, pavor de un mal que amenaza. **2.** Época durante la Revolución francesa en que eran frecuentes las ejecuciones por motivos políticos. **3.** Persona o cosa que lo infunde.

terrorífico, ca *adj.* Que infunde terror.

terrorismo *s. m.* **1.** Dominación por el terror. **2.** Actos de violencia ejecutados para infundir terror.

terrorista *adj.* **1.** Partidario del terrorismo o que lo practica. También com. || *s. m.* **2.** Perteneciente o relativo al terrorismo. **3.** Se aplica al gobierno, partido, etc., que practica el terrorismo.

terroso, sa *adj.* **1.** Que participa de la naturaleza y propiedades de la tierra. **2.** Que tiene mezcla de tierra.

terruño *s. m.* **1.** Terrón, pequeña masa de tierra. **2.** Comarca o tierra, especialmente el país natal. **3.** Terreno, especialmente hablando de su calidad.

tersar *v. tr.* Poner tersa una cosa.

terso, sa *adj.* **1.** Limpio, bruñido. **2.** Sin arrugas. **3.** *fig.* Se aplica al lenguaje, estilo, etc., puro, limado.

tersura *s. f.* Calidad de terso.

tertulia *s. f.* **1.** Conjunto o reunión de personas que se juntan habitualmente para conversar o recrearse. **2.** Corredor de la parte más alta de los antiguos teatros de España. **3.** Lugar en los cafés destinado a mesas de juego.

terzuelo *s. m.* **1.** Tercio o tercera parte de una cosa. **2.** Halcón macho.

tesar[1] *v. tr.* Poner tirantes los cabos, velas y cosas parecidas.

tesar² *v. intr.* Andar hacia atrás los bueyes uncidos.

tesela *s. f.* Cada una de las piezas cúbicas con que se formaban los pavimentos de mosaicos.

tésera *s. f.* Pieza cúbica con inscripciones que usaron los romanos como contraseña, distinción honorífica o prenda de un pacto.

tesina *s. f.* Trabajo de investigación escrito, exigido por ciertos grados inferiores al de doctor.

tesis *s. f.* **1.** Proposición que se mantiene con razonamientos. **2.** Disertación escrita presentada en la universidad por el aspirante al título de doctor.

tesitura *s. f.* **1.** Conjunto de sonidos propios de cada voz o de cada instrumento. **2.** *fig.* Actitud, o disposición del ánimo.

tesla *s. m.* Unidad de inducción magnética en el sistema basado en el metro, el kilogramo, el segundo y el amperio.

teso *s. m.* **1.** Cima de un cerro. **2.** Pequeña salida de una superficie lisa.

tesón *s. m.* Firmeza, perseverancia que se pone en la ejecución de algo.

tesonería *s. f.* Terquedad o pertinacia.

tesorería *s. f.* **1.** Cargo de tesorero. **2.** Oficina del tesorero. **3.** Parte del activo de un comerciante disponible en metálico.

tesorero, ra *s. m. y s. f.* **1.** Persona encargada de custodiar y distribuir los caudales de una colectividad. ‖ *s. m.* **2.** Canónigo a cuyo cargo está la custodia de las reliquias y alhajas de una catedral.

tesoro *s. m.* **1.** Cantidad de dinero, alhajas, etc., reunida y guardada. **2.** Erario de la nación. **3.** Abundancia de caudal guardado y conservado. **4.** *fig.* Persona o cosa de mucho precio, o digna de estimación. **5.** *fig.* Nombre dado por sus autores a ciertos diccionarios o catálogos científicos o literarios de gran erudición. **6.** Conjunto escondido de monedas o cosas preciosas, de cuyo dueño no queda memoria.

tespíades *s. f. pl.* Las musas.

test *s. m.* **1.** Examen, prueba. **2.** Prueba psicológica que pretende estudiar alguna función o capacidad.

testa *s. f.* **1.** Cabeza del ser humano y de los animales. **2.** Parte anterior o frente de algunas cosas materiales. **3.** *fig. y fam.* Entendimiento, capacidad y prudencia para obrar.

testáceo, a *adj.* Se dice de los animales que tienen concha. También s. m.

testación *s. f.* Acción y efecto de testar o tachar.

testado, da *adj.* Se dice de la persona que ha muerto habiendo hecho testamento, y de la sucesión por este regida.

testador, ra *s. m. y s. f.* Persona que hace testamento.

testaferro *s. m.* Persona que presta su nombre en un contrato, pretensión o negocio ajeno.

testamentaría *s. f.* **1.** Ejecución de lo dispuesto en un testamento. **2.** Sucesión y caudal de ella durante el tiempo que transcurre desde la muerte del testador hasta que termina la liquidación. **3.** Junta de los testamentarios. **4.** Conjunto de documentos que atañen a esta ejecución. **5.** Juicio para inventariar, conservar, liquidar y partir la herencia.

testamentario, ria *adj.* **1.** Relativo al testamento. ‖ *s. m. y s. f.* **2.** Persona encargada por el testador de cumplir su última voluntad.

testamentifacción *s. f.* Facultad de testar.

testamento *s. m.* **1.** Negocio jurídico, unilateral y solemne, mediante el cual una persona dicta disposiciones, respecto de sus bienes y asuntos, para después de su muerte. **2.** Documento legal en que consta este negocio jurídico.

testar *v. intr.* **1.** Hacer testamento. ‖ *v. tr.* **2.** Tachar, borrar.

testarudez *s. f.* **1.** Calidad de testarudo. **2.** Acción propia del testarudo.

testarudo, da *adj.* Porfiado, terco. También s. m. y s. f.

testera *s. f.* Frente o principal fachada de una cosa.

testero *s. m.* **1.** Testera. **2.** Macizo de mineral con dos caras descubiertas, una horizontal inferior y otra vertical.

testículo *s. m.* Cada uno de los órganos sexuales masculinos productores de espermatozoos.

testificación *s. f.* Acción y efecto de testificar.

testifical *adj.* Referente a los testigos.

testificar *v. tr.* **1.** Firmar o probar de oficio una cosa con referencia a testigos o documentos auténticos. **2.** Deponer como testigo en algún acto judicial. **3.** *fig.* Declarar con seguridad y verdad una cosa.

testigo *com.* **1.** Persona que da testimonio de una cosa o la presencia. ‖ *s. m.* **2.** Cualquier cosa por la cual se infiere la verdad de un hecho. **3.** Hito de tierra que se deja a trechos en las excavaciones. **4.** Extremo de una cuerda, que para indicar que está entera, se deja sin torcer. **5.** Testículo. **6.** Pieza de escayola y otro material que se coloca en las grietas de un edificio para comprobar su evolución. **7.** Parte del material vivo destinado a la experimentación y que después se contrasta con otra parte del material sometido a distintas manipulaciones. **8.** En las carreras de relevos, objeto que intercambian los corredores de un mismo equipo en un lugar señalado.

testimonial *adj.* Que hace fe y verdadero testimonio.

testimoniar *v. tr.* Atestiguar, o servir de testigo.

testimonio *s. m.* **1.** Atestación o aseveración de una cosa. **2.** Instrumento legalizado en que se da fe de un hecho. **3.** Prueba de la certeza de una cosa. **4.** Falsa atribución de una culpa.

testudíneo, a *adj.* Propio de la tortuga, parecido a ella.

testudo *s. m.* Cubierta que formaban antiguamente los soldados alzando y uniendo los escudos sobre sus cabezas.

testuz *s. f.* En algunos animales, frente, y en otros, nuca.

teta *s. f.* **1.** Cada uno de los órganos glandulosos y salientes que tienen los mamíferos y sirven en las hembras para la secreción de la leche. **2.** Pezón del pecho. **3.** *fig.* Montículo cónico.

tetania *s. f.* Enfermedad producida por insuficiencia de la secreción de las glándulas paratiroides, que se caracteriza por contracciones dolorosas de los músculos y por diversos trastornos del metabolismo, principalmente la disminución del calcio en la sangre.

tetánico, ca *adj.* Perteneciente o relativo al tétanos.

tétanos *s. m.* **1.** Enfermedad infecciosa que se caracteriza por la rigidez y tensión convulsiva de los músculos. **2.** Enfermedad muy grave producida por un bacilo que penetra en general a través de las heridas y ataca al sistema nervioso. Sus síntomas principales son la contracción dolorosa y permanente de los músculos y la fiebre.

tetera *s. f.* **1.** Vasija con tapadera y un pitorro que sirve para preparar o servir el té. **2.** *Cub., Méx. y P. Ric.* Tetilla, especie de pezón.

tetilla *s. f.* **1.** Cada una de las tetas de los machos en los mamíferos, menos desarrolladas que en las hembras. **2.** Especie de pezón de goma que se pone al biberón para que chupe el niño.

tetina *s. f.* Tetilla, especie de pezón que se pone en los biberones.

tetraedro *s. m.* Sólido terminado por cuatro caras o planos.

tetragonal *adj.* Que tiene cuatro ángulos.

tetrágono *s. m.* Figura que tiene cuatro ángulos.

tetragrama *s. m.* Conjunto de cuatro líneas paralelas y equidistantes, usado en la escritura del canto gregoriano.

tetragrámaton *s. m.* **1.** Palabra compuesta de cuatro letras. **2.** Por excelencia, nombre de Dios.

tetralogía *s. f.* Conjunto de cuatro obras literarias que tienen entre sí enlace histórico o unidad de pensamiento.

tetrámero, ra *adj.* **1.** Se dice del verticilo formado por cuatro piezas. **2.** Se dice de los insectos coleópteros que tienen cuatro artejos en cada tarso. También *s. m.*

tetrápodo, da *adj.* Se dice de los animales vertebrados que tienen dos pares de extremidades con cinco dedos o cinco divisiones en forma de dedos.s. También *s. m.*

tetrarca *s. m.* **1.** Señor de la cuarta parte de un reino o provincia. **2.** Gobernador de una provincia o territorio.

tetrarquía *s. f.* **1.** Dignidad de tetrarca. **2.** Territorio de su jurisdicción. **3.** Tiempo de su gobierno.

tetrasílabo, ba *adj.* Cuatrisílabo, que tiene cuatro sílabas.

tetrástico, ca *adj.* Se aplica a la combinación métrica que consta de cuatro versos.

tetrástrofo, fa *adj.* Se aplica a la composición métrica que consta de cuatro estrofas y también de la estrofa tetrástica.

tetravalente *adj.* Que tiene cuatro valencias.

tétrico, ca *adj.* De tristeza deprimente, grave y melancólico.

teucrio *s. m.* Arbusto labiado, de flores solitarias, azuladas, con venas más oscuras, y por fruto nuececillas pardas algo rugosas.

teúrgia *s. f.* Magia de los antiguos gentiles mediante la cual pretendían ejercer comunicación con los espíritus celestes.

teúrgo, ga *s. m. y s. f.* Mago dedicado a la teúrgia.

textil *adj.* **1.** Se dice de la materia que puede tejerse. También *s. m.* **2.** Referente al arte de tejer o a los tejidos.

texto *s. m.* **1.** Lo dicho o escrito por un autor o en una ley, a distinción de las glosas, notas o comentarios que sobre ello se hacen. **2.** Pasaje citado de una obra literaria. **3.** Todo lo que se dice en el cuerpo de la obra manuscrita o impresa, a diferencia de las portadas, índices, etc. **4.** Enunciado o conjunto de enunciados orales o escritos que el lingüista somete a estudio.

textorio, ria *adj.* Perteneciente o relativo al arte de tejer.

textual *adj.* **1.** Propio del texto o conforme a él. **2.** Se aplica al que autoriza sus pensamientos con lo literal de los textos. **3.** *fig.* Se dice de lo que es igual o se atiene con precisión a lo dicho en otro lugar.

textura *s. f.* **1.** Disposición y orden de los hilos en una tela. **2.** Operación de tejer. **3.** *fig.* Estructura de una obra de ingenio. **4.** Disposición que tienen las partículas de un cuerpo o sustancia entre sí.

tez *s. f.* Superficie, especialmente la del rostro humano.

tezado, da *adj.* Que tiene la tez oscurecida por el sol.

ti *pron. pers.* Forma tónica del pronombre personal de segunda persona, género masculino o femenino y número singular, que, precedida siempre de preposición, funciona como complemento.

tía *s. f.* **1.** Respecto de una persona, hermana o prima de su padre o madre. **2.** Tratamiento de respeto que se da en algunos lugares a la mujer casada o entrada en edad. **3.** *fam.* Mujer rústica y grosera. **4.** *fam.* Ramera. **5.** *fam. y desp., Ar., Extr. y Cast.* Madrastra, y, a veces, suegra. **6.** *fam. y vulg.* Tratamiento familiar entre amigas y también se aplica cuando no se sabe o no se quiere decir el nombre de una persona.

tialina *s. f.* Fermento de la saliva que actúa sobre el almidón de los alimentos, transformándolo en azúcar.

tialismo *s. m.* Secreción excesiva de saliva.

tianguis *s. m., Méx.* Mercado que se instala periódicamente en un lugar.

tiara *s. f.* **1.** Gorro alto que usaban los antiguos persas cristianos. **2.** Mitra alta, ceñida por tres coronas, usada por el papa como insignia de su autoridad suprema. **3.** Dignidad de Sumo Pontífice.

tiberio *s. m., fam.* Ruido, confusión.

tibia *s. f.* **1.** Flauta. **2.** Hueso principal y anterior de la pierna de un ser racional y de la extremidad posterior de un animal, entre el tarso y la rodilla.

tibial *adj.* Perteneciente o relativo a la tibia.

tibieza *s. f.* Calidad de tibio.

tibio, bia *adj.* **1.** Templado, que no está ni caliente ni frío. **2.** *fig.* Se dice de las personas poco afectuosas o indiferentes. **3.** *amer.* Colérico, enojado.

tibor *s. m.* **1.** Vaso grande de barro, de China o de Japón, decorado exteriormente. **2.** *Cub.* Orinal. **3.** *Méx.* Jícara.

tiburón *s. m.* **1.** Pez marino selacio, de gran tamaño, muy voraz, con el dorso gris azulado y el vientre blanco. ‖ *s. f.* **2.** *fig.* Persona que adquiere acciones de una empresa o banco con el fin de hacerse con su control.

tic *s. m.* Movimiento inconsciente habitual ocasionado por la contracción de un músculo.

tichela *s. f.* Vasija en que se recoge el caucho según mana del árbol.

ticket *s. m.* Tique.

tiempo *s. m.* **1.** Duración de las cosas sujetas a mudanza. **2.** Época durante la cual vive una persona o sucede una cosa. **3.** Tratándose del año, estación. **4.** Edad. **5.** Edad de las cosas desde el comienzo de su existencia. **6.** Oportunidad de realizar algo. **7.** Espacio libre de que alguien dispone para dedicarse a determinada ocupación. **8.** Vacación, ocio, holganza. **9.** Cualquiera de los actos o movimientos sucesivos en que se divide la realización de una cosa. **10.** Estado atmosférico. **11.** Aspecto de la conjugación correspondiente a la época relativa en que se ejecuta la acción verbal. **12.** Temporal o tempestad en el mar. **13.** Cada una de las partes que tienen igual duración al dividir el compás. **14.** Cada uno de los actos sucesivos en que se divide la ejecución de una cosa. **15.** Fase de un motor.

tienda *s. f.* **1.** Armazón de palos hincados en tierra y cubierta con telas o pieles, que sirven de alojamiento en el campo. **2.** Toldo que se pone en los carros y en algunas embarcaciones. **3.** Establecimiento donde se vende al público artículos de comercio al por menor. **4.** Por antonom., la de mercería o la de comestibles.

tienta *s. f.* **1.** Operación en que se prueba la bravura de los becerros. **2.** Sagacidad o arte con que se pretende averiguar una cosa. **3.** Instrumento destinado para explorar cavidades y conductos naturales, o la profundidad y dirección de las heridas.

tientaguja *s. f.* Barra de hierro para explorar la calidad del terreno en que se va a edificar.

tiento *s. m.* **1.** Ejercicio del sentido del tacto. **2.** Palo que sirve a los ciegos de guía. **3.** Contrapeso que usan los equilibristas. **4.** Firmeza en la mano. **5.** *fig.* Consideración, miramiento al hacer algo o tratar a alguien. **6.** *fig. y fam.* Golpe dado a alguien. **7.** *Arg. y Chil.* Tira delgada de cuero sin curtir. **8.** Ejercicio o prueba que hace el músico para saber si está bien templado el instrumento. **9.** Bastoncillo que el pintor toma en la mano izquierda, y que, descansando en el lienzo por uno de sus extremos, le sirve para apoyar en él la mano derecha con la cual pinta. **10.** Tentáculo de algunos animales.

tientos *s. m. pl.* **1.** Cante andaluz con letra de tres versos octosílabos. **2.** Baile al compás de este cante.

tierno, na *adj.* **1.** Blando, delicado, flexible. **2.** *fig.* Reciente, de poco tiempo. **3.** *fig.* Se dice de la edad de la niñez. **4.** *fig.* Propenso al llanto. **5.** *fig.* Se dice de las personas afectuosas. **6.** *Chil. y Ec.* Se dice de las hortalizas que no han llegado a sazón. ‖ *s. m. y s. f.* **7.** *Guat. y Nic.* Niño o niña recién nacidos. **8.** *Nic.* Niño o niña de menos edad entre los miembros de una familia.

tierra *n. p.* **1.** Planeta que habitamos. ‖ *s. f.* **2.** Parte sólida o superficial de este planeta no ocupada por el mar. **3.** Materia inorgánica que puede descomponerse. Es el principal componente del suelo natural. **4.** Mantillo producido con los despojos del brezo y mezclado con arena. **5.** Terreno adecuado para el cultivo. **6.** Patria. **7.** País, región, zona donde se ha nacido. **8.** Distrito o territorio. **9.** Suelo o piso.

tieso, sa *adj.* **1.** Duro, que cede con dificultad, se dobla o rompe. **2.** Robusto de salud. **3.** Tenso, tirante. **4.** *fig.* Valiente, animoso. **5.** *fig.* Afectadamente grave y circunspecto. **6.** *fig.* Terco en sus ideas o acciones. ‖ *adv. m.* **7.** Recia o fuertemente.

tiesta *s. f.* Canto de las tablas que sirven de fondos o tapas de los toneles.

tiesto *s. m.* **1.** Pedazo de cualquier vasija de barro. **2.** Maceta para plantas.

tiesura *s. f.* **1.** Dureza o rigidez de alguna cosa. **2.** *fig.* Gravedad excesiva y afectada.

tifáceo, a *adj.* Se dice de las plantas monocotiledóneas, acuáticas, de tallos cilíndricos, hojas alternas y lineares, reunidas en la base de cada tallo, flores desnudas en espiga, y por frutos drupas con semillas de albumen carnoso. También s. f.

tiflología *s. f.* Parte de la medicina que estudia la ceguera y sus remedios.

tifo, fa *adj., fam.* Harto, repleto.

tifoideo, a *adj.* Perteneciente o relativo al tifus, o parecido a este mal.

tifón s. m. **1.** Manga, tromba marina. **2.** Huracán propio del mar de la China.

tifus s. m. Enfermedad infecciosa muy grave, febril, que se caracteriza por desórdenes cerebrales y erupción de manchas rojas en algunas partes del cuerpo.

tigre s. m. **1.** Mamífero carnívoro muy feroz, propio de Asia, de gran tamaño y con el pelaje amarillento y rayado de negro en el lomo y la cola. **2.** fig. Persona cruel. **3.** amer. Jaguar.

tijera s. f. **1.** Instrumento para cortar compuesto de dos hojas de acero, que pueden girar alrededor de un eje que las traba. Se usa más en pl. **2.** fig. Nombre de ciertas cosas compuestas de dos piezas cruzadas que giran alrededor de un eje, como la tijera.

tijereta s. f. **1.** Insecto ortóptero, muy dañoso para las plantas, que tiene el abdomen terminado por dos piezas córneas móviles. **2.** Amér. del S. Nombre de algunas aves palmípedas.

tijeretear v. tr. **1.** Dar varios cortes con las tijeras, especialmente sin arte ni tino. **2.** fig. y fam. Disponer alguien según su arbitrio en negocios ajenos. **3.** amer. y fig. Criticar, murmurar.

tijereteo s. m. **1.** Acción y efecto de tijeretear. **2.** Ruido que hacen las tijeras movidas repetidamente.

tila s. f. **1.** Tilo. **2.** Flor del tilo. **3.** Bebida antiespasmódica hecha de flores de tilo en infusión.

tilacino s. m. Mamífero marsupial, de aspecto similar al lobo, que prolifera mucho en Tasmania.

tílburi s. m. Especie de coche de dos ruedas grandes, ligero y sin cubierta, y tirado por una sola caballería.

tildar v. tr. **1.** Poner tilde a las letras que lo necesitan. **2.** Tachar lo escrito. **3.** fig. Señalar con alguna nota denigrativa a una persona.

tilde amb. **1.** Rasgo que se pone sobre algunas abreviaturas, el que lleva la ñ y cualquier otro signo análogo. Se usa más como s. f. || s. f. **2.** fig. Tacha, nota denigrativa. **3.** Cosa mínima.

tildón s. m. Tachón para borrar lo escrito.

tiliáceo, a adj. Se dice de plantas dicotiledóneas, con hojas alternas, sencillas y de nervios muy señalados, estípulas dentadas y caedizas, flores axilares de jugo mucilaginoso, y fruto capsular con muchas semillas de albumen carnoso, como el tilo. También s. f.

tilín s. m. Sonido de la campanilla.

tilla s. f. Entablado que cubre una parte de las embarcaciones menores.

tillado s. m. Entablado, suelo de tablas.

tillar v. tr. Construir los suelos de madera.

tilo s. m. Árbol de la familia de las tiliáceas, de flores blanquecinas, olorosas y medicinales. Su madera es muy usada en escultura y carpintería.

timador, ra s. m. y s. f. Persona que tima.

tímalo s. m. Pez malacopterigio abdominal, muy parecido al salmón.

timar v. tr. **1.** Quitar o hurtar algo con engaño. **2.** Engañar a alguien con promesas. || v. prnl. **3.** fam. Entenderse con la mirada, hacerse guiños los enamorados.

timba s. f. **1.** fam. Partida de juego de azar. **2.** fam. Casa de juego. **3.** Filip. Cubo para sacar agua del pozo. **4.** Guat., Hond. y Méx. Barriga, vientre.

timbal s. m. **1.** Especie de tambor, con caja metálica hemisférica cubierta por una piel tirante. **2.** Masa de harina y manteca que se rellena de macarrones u otros manjares. **3.** amer. Trozo de tela u otra cosa colgada de la cometa para enredar la del contrario en el ataque. || s. m. pl. **4.** amer. Valentía, arrojo, y también pocos escrúpulos.

timbrar v. tr. **1.** Poner el timbre en el escudo de armas. **2.** Estampar un timbre, sello o membrete en un papel, documento, etc.

timbre s. m. **1.** Insignia colocada encima del escudo de armas, para distinguir los grados de nobleza. **2.** Sello, especialmente el que se estampa en seco. **3.** Sello que en el papel donde se extienden algunos documentos públicos estampa el Estado, indicando la cantidad que debe pagarse al fisco en concepto de derechos. **4.** Aparato de llamada compuesto de un macito que, al ser movido por un resorte, la electricidad, etc., hace sonar una campana. **5.** Modo característico de sonar una voz o instrumento musical. **6.** Cualidad del sonido resultante de la unión del tono fundamental con los hipertonos o armónicos. **7.** Renta del Tesoro constituida por el importe de los sellos, papel sellado y otras imposiciones, algunas cobradas en metálico, que gravan la emisión, uso o circulación de documentos. **8.** Amér. C. y Méx. Sello postal.

timbrófilo, la adj. Coleccionista de timbres impresos en papel sellado del Estado. También s. m. y s. f.

timbrología s. f. Conjunto de conocimientos concernientes a los timbres del papel sellado del Estado.

timeleáceo, a adj. Se dice de plantas dicotiledóneas, con hojas alternas u opuestas, sencillas, enteras y sin estípulas, flores en inflorescencias racimosas, terminales o axilares, con el receptáculo y el cáliz petaloideos, y fruto en baya o cápsula. También s. f.

timiama s. m. Confección olorosa, reservada al culto divino entre los judíos.

timidez s. f. Calidad de tímido.

tímido, da adj. Temeroso, encogido y corto de ánimo.

timo[1] s. m., fam. Acción y efecto de timar.

timo[2] s. m. Glándula situada detrás del esternón, muy desarrollada en los niños y que se atrofia o desaparece en la edad adulta. Su secreción actúa sobre el crecimiento de los huesos y el desarrollo de las glándulas genitales.

timocracia *s. f.* Gobierno en que ejercen el poder los ciudadanos más adinerados.

timócrata *adj.* Partidario de la timocracia. También com.

timol *s. m.* Cierta sustancia de carácter ácido, blanca, cristalina, aromática, que existe en el aceite de algunas plantas, especialmente del tomillo. Se usa como desinfectante.

timón *s. m.* **1.** Palo derecho que sale de la cama del arado en su extremidad. **2.** Pértiga del carro. **3.** Varilla que da dirección y sirve de contrapeso al cohete. **4.** *fig.* Dirección o gobierno de un negocio. **5.** *fig.* Pieza de madera o de hierro que sirve para gobernar la nave. **6.** *amer.* Contrapeso o tiento de los acróbatas.

timonear *v. intr.* Gobernar el timón.

timonel *com.* Persona que gobierna el timón de la nave.

timonera *adj.* Se dice de las plumas grandes que tienen las aves en la cola. También s. f.

timonero, ra *adj.* **1.** Perteneciente o relativo al timón. **2.** Se dice del arado común o de timón. ‖ *s. m.* **3.** Timonel.

timorato, ta *adj.* **1.** Que tiene temor de Dios. **2.** Tímido, indeciso. **3.** Se dice de la persona que se escandaliza con facilidad.

timpánico, ca *adj.* **1.** Perteneciente o relativo al tímpano del oído. **2.** Se dice del sonido, similar al del tambor, que producen por la percusión ciertas cavidades del cuerpo cuando están llenas de gases.

timpanitis *s. f.* Hinchazón de alguna cavidad del cuerpo, y en especial del vientre, producida por gases.

timpanizarse *v. prnl.* Ponerse tenso el vientre con timpanitis.

tímpano *s. m.* **1.** Tambor pequeño. **2.** Instrumento musical compuesto de varias tiras sonoras de vidrio colocadas de mayor a menor sobre dos cuerdas o cintas, y que se tocan con baquetas de corcho. **3.** Membrana que separa el conducto auditivo externo del oído medio. **4.** Espacio triangular que queda entre las dos cornisas inclinadas de un frontón y la horizontal de su base.

tina *s. f.* **1.** Tinaja de barro. **2.** Vasija de madera de forma de media cuba. **3.** Vasija grande, de forma de caldera, que sirve para varios usos. **4.** Baño, bañera.

tinaco *s. m.* **1.** Tina pequeña de madera. **2.** *amer.* Depósito donde se almacena el agua en las casas, situado cerca de la azotea.

tinada *s. f.* **1.** Montón de leña. **2.** Cobertizo para recoger el ganado, especialmente el destinado a los bueyes.

tinado *s. m.* Tinada, cobertizo para el ganado.

tinaja *s. f.* **1.** Vasija grande de barro cocido, mucho más ancha por el medio que por el fondo y por la boca. **2.** Líquido que cabe en una tinaja. **3.** *Filip.* Medida de capacidad para líquidos.

tinelo *s. m.* Comedor de la servidumbre en las casas de los grandes señores.

tinge *s. m.* Búho de mayor tamaño y más fuerte que el común.

tingible *adj.* Teñible.

tinglado *s. m.* **1.** Cobertizo. **2.** Tablado armado a la ligera. **3.** *fig.* Artificio, enredo, maquinación.

tiniebla *s. f.* **1.** Falta de luz. Se usa más en pl. ‖ *s. f. pl.* **2.** *fig.* Suma ignorancia. **3.** Falta de luz en lo abstracto o en lo moral.

tino *s. m.* **1.** Hábito o facilidad de acertar a tientas con las cosas que se buscan. **2.** Destreza para dar en el blanco. **3.** *fig.* Juicio y cordura.

tinta *s. f.* **1.** Sustancia de color, fluida o viscosa, para escribir, dibujar o imprimir. **2.** Color con que se tiñe. **3.** Líquido que segregan los calamares para protegerse tiñendo el agua. ‖ *s. f. pl.* **4.** Matices, degradaciones de color. **5.** Mezcla de colores que se hace para pintar.

tintar *v. tr.* Dar a una cosa un color diferente del que antes tenía. También prnl.

tinte *s. m.* **1.** Acción y efecto de teñir. **2.** Color con que se tiñe. **3.** Lugar o establecimiento donde se tiñe. **4.** *fig.* Artificio mañoso con que se desfiguran cosas no materiales. **5.** *fig.* Noción superficial sobre una materia.

tintero *s. m.* Vaso o frasco de boca ancha, en que se pone la tinta de escribir.

tintín *s. m.* Onomatopeya del sonido de la campanilla, timbre, y el que hacen al chocar los vasos, copas, etc.

tintinar *v. intr.* Producir el sonido del tintín. También tr.

tintineo *s. m.* Acción y efecto de tintinar.

tinto, ta *adj.* Se dice de la uva que tiene negro el zumo y del vino que de ella se obtiene.

tintóreo, a *adj.* Se dice de las plantas u otras sustancias colorantes.

tintorería *s. f.* **1.** Oficio de tintorero. **2.** Tinte, taller o tienda donde se tiñe.

tintorero, ra *s. m. y s. f.* Persona que tiene por oficio teñir o dar tintes.

tintura *s. f.* **1.** Tinte, acción y efecto de teñir y sustancia con que se tiñe. **2.** Afeite en el rostro. **3.** Líquido en que se ha hecho disolver una sustancia colorante. **4.** Disolución de una sustancia medicinal en agua, alcohol o éter. **5.** *fig.* Noción superficial de una facultad o ciencia.

tinturar *v. tr.* **1.** Teñir. **2.** *fig.* Informar sumariamente de una cosa a alguien. También prnl.

tiña *s. f.* **1.** Cualquiera de las enfermedades contagiosas de la piel, producidas por diversos parásitos vegetales, que produce escamas, costras o la caída del cabello. **2.** *fig. y fam.* Miseria, mezquindad.

tiñería *s. f., fam.* Tiña, mezquindad.

tiñoso, sa *adj.* **1.** Que padece tiña. También s. m. y s. f. **2.** *fig. y fam.* Se aplica a la persona tacaña. También s. m. y s. f.

tío *s. m.* **1.** Respecto de una persona, hermano o primo de su padre o madre. **2.** Tratamiento de respeto que se da en algunos lugares al hombre casado o entrado en edad. **3.** *fam.* Hombre rústico y grosero. **4.** *fam.* Persona de quien se pondera algo bueno o malo. **5.** *fam.* Persona cuyo nombre se ignora o no se quiere decir. **6.** *fam., Ar. y Extr.* Padrastro, y algunas veces suegro.

tiorba *s. f.* **1.** Antiguo instrumento musical de cuerda, semejante al laúd. **2.** Bacín plano para los enfermos.

tiovivo *s. m.* Plataforma giratoria sobre la cual se instalan caballitos de madera, coches, etc., y sirve de diversión en las ferias.

tipejo *s. m., desp.* Persona ridícula y despreciable.

tipi *s. m.* Tienda cónica construida a base de pieles sobre una estructura de madera, propia de los primeros pobladores de América del Norte.

tipiadora *s. f.* **1.** Máquina de escribir. **2.** Mecanógrafa, mujer que se dedica a escribir a máquina.

tipicidad *s. f.* **1.** Calidad de típico. **2.** Elemento constitutivo de delito que consiste en la adecuación de un hecho delictivo al tipo descrito por la ley.

típico, ca *adj.* **1.** Peculiar de la persona o cosa de que se trata. **2.** Se aplica a las costumbres, productos, etc., de un país o región.

tipificar *v. tr.* **1.** Ajustar varias cosas semejantes a una norma común. **2.** Representar una cosa o persona la clase a que pertenece.

tipismo *s. m.* **1.** Calidad de típico. **2.** Conjunto de caracteres típicos.

tiple *s. m.* **1.** La más aguda de las voces humanas. ‖ *s. m. y s. f.* **2.** Persona que tiene voz de tiple.

tipo *s. m.* **1.** Modelo ideal que reúne los caracteres esenciales de todos los seres de igual naturaleza. **2.** Símbolo representativo de cosa figurada. **3.** Letra de imprenta, y cada una de las clases de esta letra. **4.** Figura de una persona. **5.** Naturaleza de las cosas. **6.** Persona extraña y singular. **7.** Individuo, frecuentemente con sentido despectivo. **8.** Categoría de clasificación entre el reino animal y vegetal. **9.** Figura principal de una moneda o medalla.

tipografía *s. f.* **1.** Imprenta, arte de imprimir. **2.** Imprenta, lugar donde se imprime.

tipógrafo, fa *s. m. y s. f.* Operario que profesa la tipografía.

tipolitografía *s. f.* Procedimiento de reproducir litográficamente composiciones tipográficas, trasladándolas a la piedra.

tipología *s. f.* **1.** Estudio y clasificación de tipos que se utiliza en diversas ciencias. **2.** Ciencia que estudia los distintos tipos raciales de la especie humana. **3.** Ciencia que estudia los distintos tipos de la morfología humana en relación con sus funciones vegetativas y psíquicas.

tipómetro *s. m.* Instrumento que sirve para medir los puntos tipográficos o tamaño de las letras usadas en imprenta.

típula *s. f.* Insecto díptero, parecido al mosquito, que se alimenta del jugo de las flores.

tique *s. m.* **1.** Cédula, recibo. **2.** *Amér. C., Col., Per., Rep. Dom. y Ven.* Billete, boleto.

tiquismiquis *s. m. pl.* **1.** Escrúpulos o reparos vanos o nimios. **2.** *fam.* Expresiones ridículamente afectadas. ‖ *com.* **3.** Persona que hace o dice tiquismiquis.

tira *s. f.* **1.** Pedazo largo y angosto de tela, papel u otra cosa delgada. **2.** *vulg.* Con el artículo *la*, significa gran cantidad de una cosa. ‖ *s. f. pl.* **3.** *desp., Chil.* Trapos, ropas de vestir. ‖ *s. f.* **4.** *amer.* Agente de policía.

tirabuzón *s. m.* **1.** Sacacorchos. **2.** *fig.* Rizo de cabello, largo y pendiente en espiral.

tirada *s. f.* **1.** Acción de tirar. **2.** Distancia que hay de un lugar a otro, o de un tiempo a otro. **3.** Serie de cosas que se dicen o escriben de un tirón. **4.** Acción y efecto de imprimir. **5.** Número de ejemplares de una edición.

tiradero *s. m.* Paraje donde el cazador acecha para tirar.

tirado, da *adj.* **1.** Se dice de las cosas que son muy baratas. **2.** *fam.* Se dice de aquello que es muy sencillo de hacer. **3.** *fam.* Se dice de la persona que ha perdido la vergüenza.

tirador, ra *s. m. y s. f.* **1.** Persona que tira, en especial si es hábil. ‖ *s. m.* **2.** Asidero, cadenilla, etc., del cual se tira para cerrar una puerta, abrir un cajón, etc. **3.** Cordón, cadenilla, etc., del que se tira para hacer sonar la campanilla o el timbre.

tirafondo *s. m.* **1.** Tornillo para asegurar en la madera algunas piezas de hierro. **2.** Instrumento que sirve para extraer del fondo de las heridas los cuerpos extraños.

tiralíneas *s. m.* Instrumento de metal que sirve para trazar líneas de tinta.

tiranía *s. f.* **1.** Gobierno ejercido por un tirano. **2.** *fig.* Abuso de cualquier poder o fuerza. **3.** *fig.* Dominio excesivo de una pasión sobre la voluntad.

tiranicida *adj.* Que da muerte a un tirano. También com.

tiranicidio *s. m.* Muerte dada a un tirano.

tiránico, ca *adj.* **1.** Perteneciente o relativo a la tiranía. **2.** Tirano.

tiranizar *v. tr.* **1.** Gobernar como tirano algún Estado. **2.** *fig.* Dominar tiránicamente.

tirano, na *adj.* **1.** Se dice de la persona que se apropia del poder supremo ilegítimamente, o que rige un Estado sin justicia. **2.** Se dice de la persona que abusa de su poder, superioridad o fuerza.

tiranosaurio *s. m.* Dinosaurio carnívoro que vivió en el periodo cretácico y que se sostenía sobre las patas posteriores, mayores y de más fuerza que las anteriores. Llegó a medir hasta 16 m de longitud y 6 m de altura.

tirante *adj.* **1.** Tenso. **2.** *fig.* Se dice de las relaciones de amistad próximas a romperse. ‖ *s. m.* **3.** Cada una de las dos tiras elásticas o de tela que suspenden de los hombros el pantalón y otras prendas de vestir. Se usa más en pl. **4.** Pieza que sirve para soportar un esfuerzo de tensión.

tirantear *v. tr.* **1.** *amer.* Tirar y alargar el hilo de la cometa para que esta tome vuelo y remonte. **2.** *amer.* Estirar. **3.** *amer., fig. y fam.* Tratar a las personas alternativamente con rigor y suavidad.

tirantez *s. f.* **1.** Calidad de tirante. **2.** Distancia en línea recta o mínima entre los extremos de una cosa. **3.** Dirección de los planos de hilada de un arco o bóveda. **4.** *fig.* Estado de las relaciones entre personas cuando no son cordiales.

tirapé *s. m.* Correa con que sujetan los zapateros el zapato con su horma para coserlo.

tirar *v. tr.* **1.** Despedir de la mano una cosa. **2.** Arrojar, lanzar en alguna dirección determinada. **3.** Derribar, echar abajo algo. **4.** Disparar un arma de fuego, o un artefacto de pólvora. También intr. **5.** Estirar o extender. **6.** Respecto de líneas o rayas, hacerlas. **7.** *fig.* Malgastar una cosa. **8.** Imprimir. ‖ *v. intr.* **9.** Atraer por virtud natural. **10.** Hacer fuerza para traer hacia sí o para llevar tras sí. **11.** Acompañado de la preposición *de* y con nombre de arma o instrumento, disponerse a utilizarlo. **12.** Producir el tiro o corriente de aire de un hogar. **13.** *fig.* Atraer el afecto o voluntad. **14.** *fig.* Durar o mantenerse a duras penas una persona o cosa. **15.** *fig.* Tender hacia algo. **16.** *fig.* Parecerse a otra cosa; se dice sobre todo de los colores y algunas cualidades. ‖ *v. prnl.* **17.** Abalanzarse sobre algo o alguien. **18.** Arrojarse desde una altura. **19.** Echarse o tenderse en la cama u otra superficie horizontal.

tirilla *s. f.* Tira de lienzo que se pone en el cuello de las camisas y sirve para fijar en ellas el cuello postizo.

tiritar *v. intr.* Temblar o estremecerse de frío.

tiritón *s. m.* Estremecimiento de la persona que tirita.

tiritona *s. f., fam.* Temblor que causa la fiebre.

tiro *s. m.* **1.** Acción y efecto de tirar. **2.** Señal o impresión que hace lo que se tira. **3.** Disparo de un arma de fuego. **4.** Conjunto de caballerías que tiran de un carruaje. **5.** Cuerda que se pone en una polea o máquina con el fin de subir alguna cosa. **6.** Corriente de aire, y en especial la que origina el fuego de un hogar, llevando consigo los humos de la combustión. **7.** Longitud que tiene una pieza de cualquier tejido. **8.** Amplitud del vestido, de hombro a hombro, en la porción pectoral. **9.** Holgura que hay entre las perneras del pantalón. **10.** Tramo de una escalera. **11.** *Cant.* Tratándose del juego de bolos, sitio señalado para tirar. ‖ *s. m. pl.* **12.** Correas de las que cuelga la espada.

tiroideo, a *adj.* Perteneciente o relativo al tiroides.

tiroides *adj.* **1.** Se aplica a la glándula que está en la parte superior y delantera de la tráquea, cuyas hormonas influyen en el metabolismo y en el crecimiento. También s. m. **2.** Se aplica al cartílago principal de la laringe.

tirón *s. m.* **1.** Acción y efecto de tirar con violencia. **2.** Acción y efecto de estirar o aumentar de tamaño en breve tiempo. **3.** Robo que consiste en apropiarse de un objeto tirando violentamente de él.

tironear *v. tr.* Dar tirones.

tirotear *v. tr.* Disparar repetidamente de una parte a otra contra el enemigo. Se usa más como prnl.

tiroxina *s. f.* Hormona del tiroides que regula el metabolismo. Se prepara también sintéticamente.

tirria *s. f., fam.* Manía, odio contra algo o alguien.

tisana *s. f.* Bebida medicinal que resulta de cocer en agua ciertas hierbas.

tisanuro *adj.* Se dice de los insectos que no tienen alas y tienen varios apéndices en la punta del abdomen. También s. m.

tísico, ca *adj.* **1.** Que padece de tisis. **2.** Relativo a la tisis.

tisis *s. f.* **1.** Enfermedad en que hay consunción gradual y lenta, fiebre y ulceración en algún órgano, especialmente tuberculosis pulmonar. **2.** Tuberculosis pulmonar.

tisú *s. m.* Tela de seda entretejida con hilos de oro y plata que pasan desde el haz al envés.

tisular *adj.* Relativo a los tejidos de los organismos.

tisuria *s. f.* Debilidad causada por la excesiva secreción de orina.

titán *s. m.* **1.** Cada uno de los gigantes que según la mitología habían querido asaltar el cielo. **2.** *fig.* Persona de excepcional poder, que destaca en algún aspecto. **3.** *fig.* Grúa gigantesca.

titánico, ca *adj.* **1.** Perteneciente o relativo a los titanes. **2.** *fig.* Desmesurado, excesivo, como de titanes.

titanio *s. m.* Metal pulverulento, infusible, de color gris de acero, casi tan pesado como el hierro y fácil de combinar con el nitrógeno.

titear *v. intr.* Llamar la perdiz a sus polluelos.

titeo *s. m.* Llamada de la perdiz.

títere *s. m.* **1.** Figurilla de pasta u otra materia, movida con algún artificio, que imita los movimientos humanos. **2.** *fig. y fam.* Persona ridícula, presumida o informal y casquivana. **3.** *fig.* Idea fija que preocupa mucho. ‖ *s. m. pl. fam.* Diversión pública de acrobacias, o cosas análogas.

tití *s. m.* Mamífero cuadrumano, pequeño, de color ceniciento, cara blanca y nariz negra, tímido y fácil de domesticar. Es propio de América del Sur.

titilación *s. f.* Acción y efecto de titilar.

titilar *v. intr.* **1.** Agitarse con ligero temblor alguna parte del organismo animal. **2.** Por ext., centellear con temblor ligero un cuerpo luminoso o brillante.

titiritaina *s. f.* **1.** *fam.* Ruido confuso de flautas u otros instrumentos. **2.** *fam.* Por ext., cualquier bulla alegre sin orden.

titiritar *v. intr.* Temblar de frío o de miedo.

titiritero, ra *s. m. y s. f.* **1.** Persona que trae o gobierna los títeres. **2.** Volatinero.

titubear *v. intr.* **1.** Oscilar, tambalearse al andar perdiendo la estabilidad. **2.** Vacilar o tropezar en la elección o pronunciación de las palabras. **3.** *fig.* Sentir perplejidad en algún punto o materia.

titubeo *s. f.* Acción y efecto de titubear.

titulación *s. f.* **1.** Acción de titular. **2.** Conjunto de títulos de propiedad que afectan a una finca. **3.** Obtención de un título académico.

titulado, da *s. m. y s. f.* **1.** Persona que tiene un título académico o nobiliario. ‖ *s. m.* **2.** Título, persona que tiene derecho a una dignidad nobiliaria.

titular¹ *adj.* **1.** Que tiene algún título, por el cual se denomina. **2.** Que da su propio nombre por título a otra cosa. **3.** Se dice de la persona que ejerce profesión con cometido especial y propio. **4.** Títulos de una revista, periódico o cualquier otra publicación destacados en tipos de mayor tamaño. Se usa más en pl.

titular² *v. tr.* **1.** Poner título o nombre a una cosa. ‖ *v. intr.* **2.** Obtener un título nobiliario. ‖ *v. prnl.* **3.** Obtener un título académico.

titulillo *s. m.* Renglón que se pone en la parte superior de la página impresa, para indicar la materia de que se trata.

título *s. m.* **1.** Denominación de una obra escrita o impresa, o de cada una de las partes que la integran. **2.** Subdivisión de las leyes, reglamentos, etc. **3.** Inscripción que sirve para indicar el contenido, objeto o finalidad de otras cosas. **4.** Distintivo con que se denomina a una persona. **5.** Causa, motivo, razón. **6.** Capacidad, merecimientos, servicios prestados, que dan derecho a algo. Se usa más en pl. **7.** Origen o fundamento jurídico de derechos y obligaciones. **8.** Demostración documental. **9.** Instrumento otorgado con el fin de ejercer una profesión, dignidad o empleo. **10.** Dignidad nobiliaria. **11.** Persona que tiene esta dignidad. **12.** Documento requerido jurídicamente para el ejercicio del derecho que va expresado en el mismo.

tiza *s. f.* **1.** Arcilla blanca que se usa para escribir en los encerados y para limpiar metales. **2.** Compuesto de yeso y greda que se usa en el juego de billar para untar la suela de los tacos.

tizna *s. f.* Cualquier materia preparada para tiznar.

tiznajo *s. m.* **1.** *fam.* Mancha hecha con tizne. **2.** *fam.* Mancha hecha con otras sustancias.

tiznar *v. tr.* **1.** Manchar con tizne, hollín u otra materia semejante. También prnl. **2.** Por ext., manchar a manera de tizne con cualquier sustancia de cualquier color. También prnl. **3.** *fig.* Deslustrar o manchar la fama de alguien.

tizne *s. amb.* **1.** Humo, hollín, etc., que se pega a las sartenes y otras vasijas que han estado a la lumbre. Se usa más como s. m. ‖ *s. m.* **2.** Tizón, tizo.

tiznón *s. m.* Mancha de tizne u otra materia parecida.

tizo *s. m.* Pedazo de leña mal carbonizado.

tizón *s. m.* **1.** Palo a medio quemar. **2.** Honguillo basidiomiceto, de color negruzco, parásito del trigo y de otros cereales. **3.** Parte de un sillar o ladrillo, que entra en la fábrica. **4.** *fig.* Mancha o deshonra en la fama.

tizona *s. f., fig. y fam.* Espada, arma.

tizonear *v. intr.* Componer los tizones, atizarse la lumbre.

tizonera *s. f.* Carbonera que se hace con los tizos para acabar de carbonizarlos.

tlapalería *s. f.* Tienda donde se venden materiales eléctricos, herramientas y pinturas.

toa *s. f.* Maroma o sirga.

toalla *s. f.* **1.** Lienzo para limpiarse y secarse las manos y la cara, después de lavarse. **2.** Cubierta que se tiende en las camas sobre las almohadas.

toallero *s. m.* Mueble para colgar toallas.

toba *s. f.* **1.** Piedra caliza muy porosa y ligera. **2.** Sarro de los dientes. **3.** Cardo borriquero. **4.** *fig.* Capa que se cría en algunas cosas por diversas causas.

tobera *s. f.* Abertura tubular por donde entra el aire que se introduce en un horno o forja.

tobillera *s. f.* Venda elástica con que se sujeta el tobillo.

tobillo *s. m.* Protuberancia de cada uno de los dos huesos de la pierna llamados tibia y peroné, en el lugar donde la pierna se une con el pie.

tobogán *s. m.* **1.** Especie de trineo bajo que descansa sobre patines, cubierto por una tabla curvada en uno de sus extremos. Sirve para deslizarse en la nieve o en planos inclinados. **2.** Pista hecha en la nieve para el uso de estos trineos. **3.** Deslizadero con altibajos que suele armarse en ferias, verbenas y parques infantiles.

toboso, sa *adj.* Formado de piedra toba.

toca *s. f.* **1.** Prenda de tela con que se cubría la cabeza. **2.** Prenda de lienzo blanco que, ceñida al rostro, usan las monjas para cubrir la cabeza. **3.** Casquete o sombrero con ala pequeña que usan las señoras.

tocadiscos *s. m.* Aparato que lleva un aparato que reproduce eléctricamente las vibraciones inscritas en el disco y un altavoz que permite escuchar estos sonidos.

tocado *s. m.* **1.** Peinado y adorno de la cabeza, en las mujeres. **2.** Juego de cintas de color, encajes y otros adornos, para tocarse una mujer.

tocado, da *adj.* **1.** *fig.* Algo perturbado, medio loco. **2.** *fig.* Se aplica a la fruta que ya ha comenzado a dañarse. **3.** *fig.* Se dice del deportista afectado por alguna lesión.

tocador *s. m.* **1.** Paño que servía para cubrir y adornar la cabeza. **2.** Mueble con espejo, para el peinado y aseo de una persona. **3.** Aposento destinado a este fin. **4.** Neceser.

tocadura *s. f.* Tocado para cubrir la cabeza.

tocar[1] *v. tr.* **1.** Entrar en contacto una parte del cuerpo, particularmente la mano, con una cosa de manera que este impresione el sentido del tacto. **2.** Llegar a una cosa con la mano, sin asirla. **3.** Hacer sonar, según arte, cualquier instrumento. **4.** Avisar mediante la campana u otro instrumento. **5.** Tropezar ligeramente dos cosas. **6.** Aproximar una cosa a otra de forma que queden en contacto. **7.** *fig.* Tratar superficialmente de una materia. ‖ *v. intr.* **8.** Importar o interesar alguna cosa. **9.** Corresponder a alguien una porción de una cosa que se distribuye entre varios. **10.** Caer en suerte una cosa. **11.** Haber llegado el momento oportuno para realizar algo. **12.** Estar uno emparentado con otro, o tener alianza con él. **13.** *Ál. y Ar.* Encontrar el galgo el rastro de la caza.

tocar[2] *v. tr.* **1.** Peinar y componer a alguien el cabello. Se usa más como prnl. ‖ *v. prnl.* **2.** Cubrirse la cabeza con una gorra, sombrero, etc.

tocata *s. f.* **1.** Breve composición musical generalmente para órgano, piano, etc. **2.** *fig. y fam.* Zurra, paliza.

tocayo, ya *s. m. y s. f.* Respecto de una persona, otra que tiene su mismo nombre.

tocho, cha *adj.* **1.** Se dice de la persona inculta y grosera. ‖ *s. m.* **2.** Lingote de hierro. **3.** Ladrillo de unos 5 cm de grueso.

tocino *s. m.* Carne gorda del cerdo, especialmente la salada.

tocología *s. f.* Rama de la cirugía que se ocupa de la asistencia a partos.

tocólogo, ga *s. m. y s. f.* Persona que por profesión o estudio ejerce especialmente la tocología.

tocomocho *s. m.* Timo que consiste en vender a alguien un supuesto billete de lotería premiado por un valor inferior al del premio.

tocón *s. m.* **1.** Parte del tronco que queda unida a la raíz cuando cortan el árbol. **2.** Parte de un miembro cortado adherida al cuerpo.

todavía *adv. t.* **1.** Hasta un momento determinado desde tiempo anterior. ‖ *adv. m.* **2.** Con todo eso, a pesar de ello, sin embargo. **3.** Denota encarecimiento o ponderacion.

todo, da *adj.* **1.** Se dice de lo que se toma o se comprende enteramente en la cantidad. **2.** Se usa también para ponderar el exceso de alguna calidad o circunstancia. **3.** Seguido de un sustantivo en singular y sin artículo, confiere a aquel un significado general y un valor pluriforme. **4.** En plural adquiere en ciertas construcciones valor distributivo y equivale a *cada*. ‖ *s. m.* **5.** Cosa completa. ‖ *adv. m.* **6.** Enteramente.

todopoderoso, sa *adj.* **1.** Que todo lo puede. ‖ *n. p.* **2.** (ORT.: may. inicial) Por antonom., Dios.

todoterreno *adj.* **1.** Se dice del vehículo que puede circular por todo tipo de terrenos. También s. m. **2.** *fig. y fam.* Se dice de la persona que se adapta a todo tipo de trabajo. También com.

toga *s. f.* **1.** Prenda principal exterior del traje nacional romano, en forma de manto amplio y largo. **2.** Ropa talar exterior con mangas y esclavina, que, como insignia de su función, se ponen los magistrados, catedráticos, abogados, etc., encima del traje ordinario.

togado, da *adj.* Que viste toga. Se aplica sobre todo a los magistrados. También s. m. y s. f.

tojal *s. m.* Terreno poblado de tojos.

tojo *s. m.* Planta leguminosa, variedad de aulaga.

tolano *s. m.* Cada uno de los pelillos cortos que nacen en el cogote. Se usa más en pl.

toldilla *s. f.* Cubierta parcial que tienen algunos buques a la altura de la borda desde el palo mesana al coronamiento de popa.

toldo *s. m.* **1.** Pabellón o cubierta de tela que se tiende para hacer sombra en alguna parte. **2.** Entalamadura con que se cubren los carros. **3.** *And.* Tienda donde se vendía la sal. **4.** *fig.* Engreimiento o vanidad.

tole *s. m.* **1.** *fig.* Confusión y griterío popular. Se usa generalmente repetido. **2.** *fig.* Desaprobación general contra una persona o cosa.

tolerancia *s. f.* **1.** Acción de tolerar. **2.** Disposición a admitir en los demás una manera de ser, de obrar o de pensar distinta de la propia. **3.** Permiso. **4.** Diferencia que se consiente en la calidad o cantidad de las cosas o las obras contratadas o convenidas.

tolerar *v. tr.* **1.** Sufrir, llevar con paciencia una cosa que se desaprueba. **2.** Permitir una cosa ilícita sin consentirla expresamente. **3.** Resistir sin daño la acción de una medicina, de un alimento, etc.

tolla *s. f.* Tremedal encharcado por las aguas subterráneas.

tollina *s. f., fam.* Zurra, paliza.

tollo *s. m.* **1.** Hoyo o enramada donde se ocultan los cazadores en espera de la caza. **2.** Tolla, tremedal. **3.** *Le. y Sal.* Lodo, fango.

tolmera *s. f.* Lugar donde abundan los tolmos.

tolmo *s. m.* Peñasco aislado que tiene semejanza con un gran mojón.

tolondro, dra *adj.* **1.** Aturdido, desatinado. También s. m. y s. f. ‖ *s. m.* **2.** Bulto que se levanta a causa de un golpe.

tolondrón, na *adj.* **1.** Tolondro, aturdido. ‖ *s. m.* **2.** Tolondro, chichón.

tolú *s. m.* **1.** Árbol resinoso de la familia de las terebintáceas, del cual se saca el bálsamo de su nombre. **2.** Bálsamo de tolú.

tolueno *s. m.* Hidrocarburo líquido, volátil e insoluble en agua. Se obtiene a partir de alquitrán y se emplea en la fabricación de la trilita y algunas materias colorantes.

tolva *s. f.* **1.** Caja en forma de tronco de pirámide o de cono invertido y abierta por debajo en la que se echa el grano en los molinos, para que vaya cayendo entre las muelas. **2.** Parte superior en algunos cepillos y urnas, con una abertura para dejar pasar las monedas, papeletas, etc.

tolvanera *s. f.* Remolino de polvo.

toma *s. f.* **1.** Acción de tomar o recibir una cosa. **2.** Conquista, asalto por armas de una plaza o ciudad. **3.** Porción de una cosa que se recibe de una vez. **4.** Abertura para dar salida a parte del agua de una corriente o de un embalse. **5.** Lugar por donde se deriva una corriente de fluido o electricidad. **6.** Acción y efecto de fotografiar o filmar. **7.** Cada una de las veces que se administra un medicamento por vía oral. **8.** *Col.* Acequia, cauce. **9.** *Chil.* Presa, muro para desviar el agua de un cauce. **10.** *amer.* Cantidad de licor que se bebe de una vez.

tomacorriente *s. m.* **1.** *amer.* Toma de la corriente eléctrica. **2.** *Arg.* Enchufe.

tomado, da *adj.* Se dice de la voz empañada.

tomaína *s. f.* Cada uno de ciertos alcaloides venenosos que resultan de la putrefacción de las sustancias animales.

tomajón, na *adj.* **1.** *fam.* Que toma con frecuencia o descaro. También s. m. y s. f. ‖ *s. m.* **2.** *vulg.* Oficial de Justicia.

tomar *v. tr.* **1.** Coger con la mano una cosa. **2.** Ocupar o adquirir alguna cosa por la fuerza. **3.** Coger algo con un instrumento. **4.** Aceptar una cosa. **5.** Comer o beber. **6.** Adoptar, emplear, ejecutar, poner por obra. **7.** Contraer, adquirir. **8.** Entender una cosa en un sentido determinado. **9.** Quitar, hurtar, robar. **10.** Adquirir una cosa. **11.** Imitar o recibir uno las costumbres o cualidades de otro. **12.** Sufrir los efectos de algunas cosas. **13.** Emprender un asunto o negocio, o encargarse de él. **14.** Fotografiar o filmar. **15.** Fecundar el macho a la hembra. **16.** Adoptar una determinación. ‖ *v. intr.* **17.** Comenzar a seguir cierta dirección. ‖ *v. prnl.* **18.** Enmohecerse.

tomatada *s. f.* Fritada de tomate.

tomate *s. m.* **1.** Fruto de la tomatera, que es casi rojo, blando y reluciente, compuesto en su interior de varias celdillas llenas de simientes. **2.** Tomatera, planta que da tomates. **3.** *fam.* Rotura hecha en una prenda de punto.

tomatera *s. f.* Planta hortense, de la familia de las solanáceas, originaria de América, cuyo fruto es una baya globosa, encarnada y jugosa.

tomavistas *com.* **1.** Operador de cinematografía. ‖ **2.** *s. m.* Cámara cinematográfica portátil.

tómbola *s. f.* **1.** Rifa o lotería generalmente organizada con fines benéficos, y en la que los premios son objetos y no dinero. **2.** Local destinado a esta rifa.

tómbolo *s. m.* Banco de tierra que une una isla con la costa.

tomento *s. m.* **1.** Estopa basta que queda del lino después de rastrillado. **2.** Vello suave y entrelazado que cubre la superficie de los órganos de algunas plantas.

tomillo *s. m.* Planta perenne, de la familia de las labiadas, muy olorosa, con flores blancas o róseas en cabezuelas.

tomiza *s. f.* Soguilla de esparto.

tomo *s. m.* **1.** Cada una de las partes, con paginación propia y encuadernadas separadamente, en que suelen dividirse las obras impresas o manuscritas de cierta extensión. **2.** *fig.* Importancia, valor de una cosa o persona.

tonada *s. f.* **1.** Composición métrica para cantarse. **2.** Música de esta canción. **3.** *Arg. y Chil.* Tonillo.

tonadilla *s. f.* **1.** Tonada alegre y ligera. **2.** Comedia, sainete o acción con fragmentos cantados, que tuvo vigencia en el s. XVIII y que dio origen a la zarzuela.

tonadillero, ra *s. m. y s. f.* **1.** Autor de tonadillas. **2.** Persona que las canta.

tonalidad *s. f.* **1.** Sistema de sonidos que sirve de fundamento a una composición musical. **2.** Relación de tonos y colores. **3.** Entonación.

tonar *v. intr., poét.* Tronar o arrojar rayos.

tonel *s. m.* Cuba grande.

tonelada *s. f.* Peso de 1000 kg.

tonelaje *s. m.* Cabida de una embarcación.

tonelería *s. f.* **1.** Oficio o arte de tonelero. **2.** Taller de tonelero. **3.** Conjunto o provisión de toneles.

tonelero, ra *adj.* **1.** Perteneciente o relativo al tonel. ‖ *s. m. y s. f.* **2.** Persona que por oficio hace toneles.

tonelete *s. m.* Falda o traje que solo cubre hasta las rodillas.

tongo *s. m.* Trampa que se hace en competiciones deportivas, en la que uno de los jugadores o equipos acepta dinero para dejarse ganar.

tonicidad *s. f.* Grado de tensión de los órganos del cuerpo vivo.

tónico, ca *adj.* **1.** Que entona o vigoriza. **2.** Se dice de la nota primera de una escala musical. También s. f. **3.** Se dice de la vocal o sílaba de una palabra, en que carga la pronunciación. ‖ *s. m.* **4.** Cierta loción cosmética, que sirve para limpiar y refrescar el cutis.

tonificar *v. tr.* Dar vigor o tensión al organismo.

tonillo *s. m.* **1.** Tono monótono y desagradable al leer o al hablar. **2.** Dejo, modo particular de acentuar los finales de las palabras algunas personas. **3.** Entonación burlona con que se dice algo.

tonina *s. f.* **1.** Atún, pez. **2.** Delfín, cetáceo.

tono *s. m.* **1.** Grado de elevación de un sonido. **2.** Carácter del estilo y de la expresión de una obra literaria. **3.** Inflexión de la voz y manera especial de decir una cosa, según la intención o el estado de ánimo de la persona que habla. **4.** Tonada. **5.** Energía, fuerza para realizar algo. **6.** Aptitud y energía del organismo animal, o alguna de sus partes, para ejercer las correspondientes funciones. **7.** Modo, disposición de los sonidos de la escala. **8.** Cada una de las escalas que se constituyen, formando como nota básica cada uno de los diferentes grados de la escala normal. **9.** Diapasón normal. **10.** Intervalo o distancia que existe entre una nota y su inmediata, excepto del mi al fa y del si al do. **11.** Relieve y vigor de las distintas partes de una pintura.

tonsura *s. f.* **1.** Acción y efecto de tonsurar. **2.** Acción y efecto de conferir el grado preparatorio para recibir órdenes menores, con diferentes cortes de pelo.

tonsurar *v. tr.* **1.** Cortar el pelo o la lana a personas o animales. **2.** Dar a alguien la tonsura clerical.

tontaina *com.* Persona tonta. También adj.

tontear *v. intr.* **1.** Hacer o decir tonterías, bobadas. **2.** *fig. y fam.* Coquetear.

tontedad *s. f.* Tontería, simpleza.

tontera *s. f.* **1.** *fam.* Tontedad. ‖ *s. m.* **2.** Tonto, simple.

tontería *s. f.* **1.** Calidad de tonto. **2.** Dicho o hecho de tonto. **3.** *fig.* Dicho o hecho sin importancia.

tontillo *s. m.* **1.** Faldellín con aros de ballena que usaban las mujeres para ahuecar las faldas. **2.** Pieza tejida de cerda o de algodón engomado, que ponían los sastres en los pliegues de las casacas para ahuecarlas.

tontina *s. f.* Operación de lucro, que consiste en poner un fondo entre varias personas para repartirlo en una época dada, con los intereses acumulados, entre los socios supervivientes.

tonto, ta *adj.* **1.** Falto o escaso de entendimiento. También s. m. y s. f. **2.** Se dice del hecho o dicho propio de un tonto. ‖ *s. m.* **3.** *Nav. y Sev.* Especie de mantón femenino. **4.** *Col., C. Ric. y Chil.* Juego de naipes, llamado en España juego de la mona. **5.** *Chil.* Boleadoras.

tontuna *s. f.* Tontería, necedad.

top *s. m.* **1.** Prenda de vestir ajustada que cubre el pecho y llega como mucho hasta la cintura. ‖ *adj.* **2.** Máximo, principal, puntero.

topacio *s. m.* Piedra fina de color amarillo, muy dura; es el silicato fluorado de alumina.

topada *s. f.* Golpe que se dan con la cabeza las bestias.

topadizo, za *adj.* Que se encuentra con otra cosa o persona.

topar *v. tr.* **1.** Tropezar una cosa con otra. **2.** Hallar casualmente a una persona o cosa. También intr. y prnl. **3.** Encontrar lo que se estaba buscando. También intr. **4.** *amer.* Echar a pelear los gallos a modo de prueba o ensayo. ‖ *v. intr.* **5.** Topetar. **6.** *fig.* Apoyarse una cosa en otra y ocasionar impedimento. **7.** *fig.* Hallar algún tropiezo o dificultad.

tope *s. m.* **1.** Parte por la que dos cosas pueden topar. **2.** Pieza que sirve para detener o limitar el movimiento de un mecanismo.

topera *s. f.* Madriguera del topo.

topetada *s. f.* **1.** Golpe que dan con la cabeza los toros, carneros, etc. **2.** *fig. y fam.* Golpe que da alguien con la cabeza a una cosa.

topetar *v. tr.* **1.** Dar con la cabeza en alguna cosa con golpe e impulso, especialmente dar golpes con la cabeza los toros, carneros, etc. También intr. **2.** Topar, chocar.

topetazo *s. m.* Topetada.

topetón *s. m.* **1.** Golpe o encuentro de una cosa con otra. **2.** Topetada.

topetudo, da *adj.* Se dice del animal que acostumbra a dar topetadas.

tópico, ca *adj.* **1.** Que pertenece a determinado lugar. **2.** Perteneciente o relativo a la expresión trivial o muy empleada. ‖ *s. m.* **3.** Medicamento externo. **4.** Expresión vulgar o trivial. ‖ *s. m. pl.* **5.** Lugares comunes, principios generales.

topinada *s. f.* **1.** *fam.* Acción propia de un topo, persona que tropieza fácilmente. **2.** *fam.* Acción propia de un topo, persona de corto entendimiento.

topo *s. m.* **1.** Mamífero insectívoro, de pelaje muy fino, ojos pequeños y casi ocultos por el pelo, brazos recios, manos anchas y cinco dedos armados de fuertes uñas con las cuales hace galerías subterráneas donde vive. **2.** *fig. y fam.* Persona que tropieza con cualquier cosa, por cortedad de vista o por desatiento natural. También adj. **3.** *fig. y fam.* Persona de cortos alcances, o que en todo se equivoca. También adj.

topografía *s. f.* **1.** Arte de describir y declinar detalladamente la superficie de un terreno. **2.** Conjunto de particularidades que presenta la superficie de un terreno.

topógrafo, fa *s. m. y s. f.* Persona que se dedica a la topografía por profesión o estudio.

topología *s. f.* Rama de las matemáticas que trata de la continuidad y otros fenómenos relacionados con ella, como las propiedades de las figuras, independientemente de su tamaño o forma.

topometría *s. f.* Parte de la topografía relativa a las mediciones de un terreno.

toponimia *s. f.* Estudio del origen y significación de los nombres propios de lugar.

topónimo *s. m.* Nombre propio de lugar.

toque *s. m.* **1.** Acción de tocar una cosa. **2.** Tañido de las campanas o de algunos instrumentos, con los que se anuncia alguna cosa. **3.** *fig.* Punto esencial de una cosa. **4.** *fig.* Llamamiento, advertencia. **5.** *fig. y fam.* Golpe dado a alguien. **6.** Pincelada ligera.

toquetear *v. tr.* Tocar reiteradamente algo, sin tino ni orden.

toquilla *s. f.* **1.** Adorno que se ponía alrededor de la copa del sombrero. **2.** Pañuelo, generalmente triangular, que se ponen las mujeres en la cabeza o al cuello, o el de punto que usaban para abrigo las mujeres y los niños.

tora[1] *s. f.* **1.** Tributo que pagaban los judíos por familias. **2.** Libro de la ley de los judíos.

tora[2] *s. f.* **1.** Armazón en figura de toro que revestido de cohetes sirve de diversión en las fiestas populares. **2.** *Sal.* Agalla de roble.

torácico, ca *adj.* Perteneciente o relativo al tórax.

toral *adj.* **1.** Principal o que tiene más fuerza y vigor. ‖ *s. m.* **2.** Molde donde se da forma a las barras de cobre, y barra formada en él.

tórax *s. m.* **1.** Pecho del ser humano y de los animales. **2.** Cavidad del pecho. **3.** Porción del cuerpo de un insecto situada entre la cabeza y el abdomen.

torbellino *s. m.* **1.** Remolino de viento. **2.** *fig.* Abundancia de cosas que ocurren y concurren a la vez. **3.** *fig. y fam.* Persona demasiado viva e inquieta.

torca *s. f.* Depresión circular de un terreno, con bordes bastante escarpados, originada por el hundimiento de una caverna.

torcaz *adj.* Se dice de una variedad de paloma de cuello verdoso cortado por un collar incompleto muy blanco.

torce *s. f.* Cada una de las vueltas que da alrededor del cuello una cadena o collar.

torcecuello *s. m.* Ave trepadora e insectívora, de paso en España, que suele anidar en los huecos de los árboles frutales.

torcedura *s. f.* **1.** Acción y efecto de torcer. **2.** Distensión de las partes blandas que rodean las articulaciones. **3.** Desviación de un miembro u órgano de su dirección normal.

torcer *v. tr.* **1.** Dar vueltas a una cosa sobre sí misma de manera que tome forma helicoidal y se apriete. También prnl. **2.** Encorvar o doblar una cosa recta y, en general, hacer que una cosa cambie de dirección o su posición normal. También prnl. **3.** Inclinar una cosa o desviarla de su dirección o posición normal. **4.** Con relación al gesto,

semblante, etc., dar al rostro una impresión de desagrado. **5.** *fig.* Tergiversar o interpretar mal una cuestión. ‖ *v. prnl.* **6.** *fig.* Malograrse un negocio que iba bien encaminado. **7.** *fig.* Apartarse del camino de la virtud.

torcho *s. m.* Lingote de hierro.

torcida *s. f.* Mecha de los velones, candiles, etc., que suele ser de algodón o trapo torcido.

torcido, da *adj.* **1.** Que no está recto o derecho. **2.** *fig.* Se dice de la persona que no obra con rectitud.

torcijón *s. m.* **1.** Acción y efecto de torcer. **2.** Retorcimiento de tripas en las personas. **3.** Dolor de tripas en los animales.

torculado, da *adj.* Que tiene forma de tornillo.

tórculo *s. m.* Prensa, y particularmente la que se usa para estampar grabados en cobre, acero, etc.

tordo, da[1] *adj.* **1.** Se dice de las caballerías que tienen el pelo mezclado de negro y blanco. También s. m. y s. f. ‖ *s. m.* **2.** Pájaro dentirrostro, de cuerpo grueso, pico delgado y negro, lomo gris aceitunado, vientre blanco amarillento, con manchas pardas y las cobijas de color amarillo rojizo. Es común en España y se alimenta de insectos y de frutos. **3.** *Amér. C., Arg. y Chil.* Estornino.

tordo, da[2] *adj.* Torpe, tonto.

torear *v. intr.* **1.** Lidiar los toros en la plaza. También tr. **2.** Echar los toros a las vacas. ‖ *v. tr.* **3.** *fig.* Entretener las esperanzas de alguien engañándole. **4.** *fig.* Fatigar, molestar a alguien llamando su atención a diversas partes u objetos. **5.** *fig.* Burlarse de alguien. **6.** *fig.* Conducir hábilmente un asunto difícil. **7.** *Arg. y Bol.* Ladrar un perro repetidamente. **8.** *fig., Arg.* Provocar a alguien con palabras hirientes.

toreo *s. m.* **1.** Acción de torear. **2.** Arte de lidiar los toros.

torero, ra *adj.* **1.** *fam.* Perteneciente o relativo al toreo. **2.** *fam.* Capa para torear. ‖ *s. m. y s. f.* **3.** Persona que por oficio o afición acostumbra a torear en las plazas. ‖ *s. f.* **4.** Chaquetilla ceñida al cuerpo y que no pasa de la cintura.

torete *s. m.* **1.** Toro pequeño. **2.** *fig. y fam.* Grave dificultad, asunto difícil de resolver. **3.** *fig. y fam.* Asunto o novedad del que se trata en una conversación.

toril *s. m.* Lugar donde están encerrados los toros que han de lidiarse.

torillo *s. m.* **1.** Rugosidad entre el perineo y el escroto. **2.** *And.* Pájaro semejante a la codorniz pero más pequeño.

torio *s. m.* Metal radiactivo, de color plomizo e infusible.

toriondo, da *adj.* Se dice del ganado vacuno cuando está en celo.

tormenta *s. f.* **1.** Tempestad en la atmósfera. **2.** *fig.* Adversidad, desgracia. **3.** *fig.* Violenta manifestación del estado de los ánimos enardecidos.

tormento *s. m.* **1.** Acción y efecto de atormentar o atormentarse. **2.** Dolor corporal que se causaba al reo para obligarle a declarar. **3.** *fig.* Congoja o aflicción del ánimo. **4.** *fig.* Especie o sujeto que la ocasiona.

tormentoso, sa *adj.* **1.** Que ocasiona tormenta. **2.** Se dice del tiempo en que hay tormenta.

tormo *s. m.* **1.** Tolmo. **2.** Pequeña masa suelta de tierra. **3.** Pequeña masa suelta de otras sustancias.

torna *s. f.* **1.** Acción de tornar o volver. **2.** Obstáculo que se pone en una reguera para cambiar el curso del agua. **3.** *Pal.* Cada dos o tres surcos de terreno sembrado. **4.** *Sal. y Zam.* Cajón de madera que recibe el grano en la aceña. **5.** *Ar.* Remanso en un río.

tornaboda *s. f.* **1.** Día después de la boda. **2.** Celebridad de este día.

tornada *s. f.* Acción de tornar o regresar.

tornadizo, za *adj.* Que se torna fácilmente. Se dice sobre todo de quien abandona su creencia. También s. m. y s. f.

tornado *s. m.* Viento giratorio de gran fuerza.

tornadura *s. f.* **1.** Devolución de algo que pertenece a otro. **2.** Regreso al lugar de donde se partió. **3.** Repetición de la ida a un lugar. **4.** Medida agraria de 2 m y 70 centímetros.

tornapunta *s. f.* **1.** Madero ensamblado en uno horizontal, para apear otro vertical o inclinado. **2.** Puntal, sostén.

tornar *v. tr.* **1.** Devolver lo que no es propio a su dueño. **2.** Mudar a una persona o cosa su naturaleza o estado. También prnl. ‖ *v. intr.* **3.** Regresar al lugar del que se salió. **4.** Seguido de la preposición *a* más infinitivo, volver a hacer. **5.** Recobrar el sentido.

tornasol *s. m.* **1.** Planta herbácea anual, euforbiácea, que se emplea para preparar la tintura de tornasol. **2.** Reflejo o viso que hace la luz en algunas telas o en otras cosas muy tersas. **3.** Materia colorante azul que sirve de reactivo para reconocer los ácidos, que la tornan roja.

tornasolado, da *adj.* Que tiene o hace visos y tornasoles.

tornasolar *v. tr.* **1.** Hacer o causar tornasoles. ‖ *v. prnl.* **2.** Poner tornasolado.

tornátil *adj.* **1.** Hecho a torno. **2.** *poét.* Que gira con facilidad. **3.** *fig.* Tornadizo.

tornatrás *s. m. y s. f.* **1.** Descendiente de mestizos y con caracteres propios de una sola de las razas originarias. **2.** Especialmente, hijo de albina y europeo o de europea y albino.

tornaviaje *s. m.* **1.** Viaje de regreso al lugar de donde se salió. **2.** Lo que se trae al regresar de un viaje.

tornavoz *s. m.* **1.** Aparato preparado para que el sonido repercuta y se oiga mejor. **2.** Sombrero del púlpito, concha del apuntador en los teatros, o cualquier cosa que recoge y refleja el sonido. **3.** Eco, resonancia.

torneadura *s. f.* Viruta que se saca de lo que se tornea.

tornear *v. tr.* **1.** Labrar o redondear una cosa al torno. **2.** *Rioja* Dar vueltas a la parva. **3.** *Cant.* En el juego de bolos, imprimir un movimiento de rotación al arrojar la bola. ‖ *v. intr.* **4.** Combatir o pelear en el torneo.

torneo *s. m.* **1.** Combate a caballo entre varias personas, unidas en cuadrillas, y fiesta pública en que se imita un combate a caballo. **2.** Competición entre varios participantes que se van eliminando en sucesivos encuentros.

tornería *s. f.* **1.** Taller o tienda de tornero. **2.** Oficio de tornero.

tornero, ra *s. m. y s. f.* **1.** Persona que hace obras al torno. **2.** Persona que tiene por oficio hacer tornos. ‖ *s. f.* **3.** Monja que sirve en el torno de los conventos.

tornillo *s. m.* **1.** Cilindro de metal, madera, etc., con resalto helicoidal, que entra en la tuerca. **2.** Clavo con resalto en hélice. **3.** *fig. y fam.* Fuga o deserción del soldado. **4.** *Amér. C. y Ven.* Planta de la familia de las esterculiáceas de flores rojas. **5.** Instrumento con que se mantienen fijas las piezas en las que se está trabajando.

torniquete *s. m.* **1.** Palanca angular de hierro que se utiliza para comunicar el movimiento del tirador a la campanilla. **2.** Especie de torno con cuatro brazos iguales que gira horizontalmente, y se sitúa en las entradas donde han de pasar una a una las personas. **3.** Instrumento quirúrgico empleado para contener una hemorragia.

torniscón *s. m.* **1.** *fam.* Golpe dado con la mano a alguien. **2.** *fam.* Pellizco retorcido.

torno *s. m.* **1.** Máquina simple que consiste en un cilindro dispuesto para girar alrededor de su eje y que actúa sobre la resistencia por medio de una cuerda que se va enrollando al mismo. **2.** Armazón giratoria que se ajusta al hueco de una pared y sirve para pasar objetos de una parte a otra, sin verse las personas que los dan o reciben. **3.** Máquina en que, mediante una rueda de cigüeña, etc., se hace que alguna cosa dé vueltas sobre sí misma. **4.** Freno de manubrio de los carruajes. **5.** Instrumento eléctrico en forma de barra, con una pieza en forma de punta que gira a gran velocidad y que utilizan los dentistas para limar o limpiar las piezas dentales.

toro[1] *s. m.* **1.** Mamífero rumiante bóvido, de un metro y medio de alto y dos y medio de largo, cabeza gruesa armada de cuernos, piel dura con pelo corto, y cola larga, cerdosa hacia el remate. **2.** *fig.* Persona muy robusta y fuerte. ‖ *s. m. pl.* **3.** Fiesta o corrida de toros.

toro[2] *s. m.* **1.** Moldura cilíndrica. **2.** Superficie de revolución engendrada por una circunferencia.

toronja *s. f.* Fruto comestible de una especie de cidro espinoso, parecido a la naranja, aunque de tamaño bastante mayor y de corteza amarillenta. Su zumo es agridulce y muy abundante.

toronjil *s. m.* Planta común en España, de la familia de las labiadas, de flores blancas en verticilos, las cuales, al igual que las hojas, se emplean como tónico y antiespasmódico.

toronjo *s. m.* Variedad de cidro que produce un fruto globoso.

torozón *s. m.* **1.** Movimiento violento que hacen los animales cuando padecen enteritis. **2.** Inquietud, desazón. **3.** Enteritis de algunos animales, con dolores cólicos.

torpe *adj.* **1.** Que no tiene movimiento libre o es tardo. **2.** Desmañado, falto de habilidad. **3.** Rudo, tardo en comprender. **4.** Se dice de la persona, hecho o idea lasciva. **5.** Ignominioso, infame. **6.** Se dice de lo tosco o falto de adorno.

torpedear *v. tr.* **1.** Lanzar torpedos. **2.** *fig.* Hacer fracasar un asunto.

torpedero *adj.* Se dice del buque de vapor de poco calado, destinado a lanzar torpedos. También s. m.

torpedo *s. m.* **1.** Pez marino seláceo batoideo, dotado de un par de órganos eléctricos capaces de producir una conmoción a la persona o animal que lo toca. Su cuerpo es aplanado y orbicular, y vive en los fondos arenosos. **2.** Máquina de guerra, fusiforme, submarina y dirigible, que tiene por objeto echar a pique, mediante su explosión, al buque que choca con ella o se sitúa dentro de su radio de acción.

torpeza *s. f.* **1.** Calidad de torpe. **2.** Acción o dicho torpe.

tórpido, da *adj.* Que reacciona con dificultad.

torrado *s. m.* Garbanzo tostado.

torrar *v. tr.* Tostar al fuego.

torre *s. f.* **1.** Edificio fuerte, más alto que ancho, y que servía para defensa. **2.** Construcción más alta que ancha, aislada o que sobresale de un edificio. **3.** Pieza grande del juego de ajedrez, en figura de torre, que camina en cualquier dirección paralela a los lados del tablero. **4.** Armazón de madera que se empleaba antiguamente para atacar las fortalezas.

torrefacción *s. f.* Acción y efecto de tostar al fuego.

torrefacto, ta *adj.* Tostado.

torrejón *s. m.* Torre pequeña.

torrencial *adj.* Parecido al torrente.

torrente *s. m.* **1.** Corriente de agua rápida, impetuosa, que sobreviene en tiempos de muchas lluvias. **2.** *fig.* Muchedumbre que afluye a un lugar. **3.** *fig.* Curso de sangre en el aparato circulatorio.

torrentera *s. f.* Cauce de un torrente.

torreón *s. m.* Torre grande para defensa de una plaza o castillo.

torreta *s. f.* Torre acorazada de buques de guerra y tanques.

torrezno *s. m.* Pedazo de tocino frito.

tórrido, da *adj.* Muy ardiente o quemado.

torrija *s. f.* Rebanada de pan empapada en vino o leche, frita y endulzada con miel o azúcar.

torrontero *s. m.* Montón de tierra que dejan los cursos de agua a su paso.

torsión *s. f.* Acción y efecto de torcer o torcerse.

torso *s. m.* **1.** Tronco del cuerpo humano. **2.** Estatua falta de cabeza, brazos y piernas.

torta *s. f.* **1.** Masa de harina, de figura redonda, que se cuece a fuego lento. **2.** *fig.* Cualquier masa reducida a figura de torta. **3.** Panecillo partido longitudinalmente que se rellena con diversos alimentos. **4.** *fig. y fam.* Golpe dado con la mano en la cara. **5.** *fig. y fam.* Caída, accidente.

tortada *s. f.* **1.** Especie de torta grande, rellena de carne, dulce, etc. **2.** Capa de mezcla que se extiende sobre cada hilada de ladrillos.

tortazo *s. m., fig. y fam.* Golpe dado en la cara con la mano.

tortícolis *s. m.* Dolor del cuello que obliga a tener este torcido.

tortilla *s. f.* **1.** Diminutivo de torta. **2.** Fritada de huevo batido en forma de torta, y en la cual se incluye generalmente algún otro manjar. **3.** *Amér. C., Ant. y Méx.* Alimento hecho de masa de maíz cocida en agua con cal, en forma circular y plana, para acompañar a la comida. **4.** *Chil.* Torta de masa en harina cocida al rescoldo.

tortitas *s. f. pl.* Juego del niño pequeño, que consiste en dar palmadas.

tórtola *s. f.* **1.** Ave del orden de las palomas, de plumaje vistoso. Es común en España, donde pasa la primavera. **2.** Ave domesticada de la misma especie que la anterior, de plumaje ceniciento rojizo.

tórtolo *s. m.* **1.** Macho de la tórtola. **2.** *fig. y fam.* Hombre amartelado. || *s. m. pl.* **3.** *fig. y fam.* Pareja de enamorados.

tortuga *s. f.* **1.** Reptil marino perteneciente al orden de los quelonios, con las extremidades en forma de paletas que no pueden ocultarse, y coraza, cuyas láminas, más fuertes en el espaldar que en el peto, tienen manchas verdosas y rojizas. **2.** Reptil terrestre perteneciente al orden de los quelonios, con los dedos reunidos en forma de muñón, espaldar muy convexo, y láminas granujientas en el centro y manchadas de negro y amarillo en los bordes.

tortuosidad *s. f.* Calidad de tortuoso.

tortuoso, sa *adj.* **1.** Que tiene vueltas y rodeos. **2.** *fig.* Se dice de lo ejecutado con cautela o a escondidas y de la persona que así actúa.

tortura *s. f.* **1.** Calidad de tuerto o torcido. **2.** Grave dolor físico o psicológico infligido a una persona con el fin de castigarla u obtener de ella una confesión. **3.** *fig.* Dolor o aflicción grande y también cosa que lo produce.

torturar *v. tr.* **1.** Dar tortura, atormentar. También prnl. **2.** Someter a tortura.

torva *s. f.* Remolino de lluvia o nieve.

torvisco *s. m.* Mata timeleácea, de flores blanquecinas en racimillos terminales, fruto en baya redonda, y cuya corteza sirve para cauterios.

torvo, va *adj.* Fiero, airado y terrible a la vista.

torzal *s. m.* **1.** Cordoncillo delgado de seda, hecho de varias hebras torcidas, para coser o bordar. **2.** *fig.* Unión de varias cosas que hacen como hebra. **3.** *Arg. y Chil.* Lazo hecho con una trenza de cuero.

tos *s. f.* Expulsión brusca y ruidosa del aire contenido en los pulmones, producida por la irritación de las vías respiratorias o por la acción refleja de algún trastorno nervioso, gástrico, etc.

tosca *s. f.* **1.** Toba, piedra caliza. **2.** Sarro de los dientes.

tosco, ca *adj.* **1.** Grosero, basto, sin pulimento. **2.** *fig.* Inculto, sin doctrina, ni enseñanza. También s. m. y s. f.

toser *v. intr.* Tener y padecer la tos.

tosigar[1] *v. tr.* Envenenar con tósigo.

tosigar[2] *v. tr., fig.* Presionar insistentemente a alguien para que se de prisa en hacer algo.

tósigo *s. m.* **1.** Sustancia venenosa. **2.** *fig.* Angustia o pena grande.

tosigoso, sa[1] *adj.* Se dice de lo que está envenenado con tósigo.

tosigoso, sa[2] *adj.* Que padece tos, fatiga y opresión de pecho.

tosquedad *s. f.* Calidad de tosco.

tostada *s. f.* **1.** Rebanada de pan, que después de tostada se come untada de miel, mermelada, etc. **2.** *fig.* Lata, tabarra.

tostadero, ra *adj.* Se dice del aparato utilizado para tostar.

tostado, da *adj.* Se dice del color subido y oscuro.

tostador, ra *adj.* **1.** Que tuesta. También s. m. y s. f. ‖ *s. m.* **2.** Instrumento o vasija para tostar alguna cosa.

tostadura *s. f.* Acción y efecto de tostar.

tostar *v. tr.* **1.** Secar una cosa a la lumbre sin quemarla, hasta que tome color. También prnl. **2.** *fig.* Calentar demasiado. También prnl. **3.** *fig.* Atezar el sol o el viento la piel del cuerpo. También prnl.

tostón *s. m.* **1.** Garbanzo tostado. **2.** Cosa demasiado tostada. **3.** Cochinillo asado. **4.** Trozo de pan frito que se añade a las sopas, purés, etc. **5.** *fig.* Discurso o relato molesto, latoso.

total *adj.* **1.** General, que lo comprende todo en su especie. ‖ *s. m.* **2.** Cantidad equivalente a dos o más homogéneas. ‖ *adv. m.* **3.** En suma, en resumen.

totalidad *s. f.* **1.** Calidad de total. **2.** Todo, cosa íntegra. **3.** Conjunto de todas las cosas o personas que forman una clase o especie.

totalitario, ria *adj.* **1.** Se dice de lo que incluye la totalidad de las partes o atributos de una cosa, sin merma ninguna. **2.** Perteneciente o relativo al totalitarismo.

totalitarismo *s. m.* Régimen de gobierno que ejerce fuerte intervención en todos los aspectos de la vida nacional y controla todos los poderes estatales.

totalizar *v. tr.* Determinar el total de varias cantidades.

tótem *s. m.* **1.** Persona u objeto que poseen un valor protector simbólico. **2.** Símbolo o representación de un tótem.

toxemia *s. f.* Conjunto de trastornos producidos en la sangre por toxinas.

toxicidad *s. f.* Calidad de tóxico.

tóxico, ca *adj.* Se dice de las sustancias venenosas. También s. m.

toxicología *s. f.* Parte de la medicina que trata de los venenos.

toxicólogo, ga *s. m. y s. f.* Persona muy entendida en toxicología.

toxicomanía *s. f.* Hábito patológico de intoxicarse con sustancias que procuran sensaciones agradables o que suprimen el dolor.

toxicómano, na *adj.* Se dice de la persona que padece toxicomanía.

toxígeno, na *adj.* Que produce toxinas.

toxina *s. f.* Sustancia tóxica producida en el cuerpo de los seres vivos, en especial por los microbios, y que obra como veneno.

tozo, za *adj.* Enano o de baja estatura.

tozudo, da *adj.* Se dice de la persona que no cede fácilmente en sus actitudes o ideas.

tozuelo *s. m.* Cerviz gruesa de un animal.

traba *s. f.* **1.** Acción y efecto de trabar. **2.** Instrumento con que se unen y sujetan dos cosas. **3.** Ligadura con que se atan los pies a las caballerías. **4.** Cuña con que se calzan las ruedas de un carro. **5.** *fig.* Impedimento para la ejecución de algo.

trabacuenta *s. f.* **1.** Error en una cuenta, que la complica o dificulta. **2.** *fig.* Discusión, controversia o disputa.

trabadero *s. m.* Parte de las patas de las caballerías situada entre la corona del casco y las articulaciones que tienen junto a la caña.

trabado, da *adj.* **1.** Se dice de la caballería que tiene blancas las dos manos, o que tiene blancos la mano derecha y el pie izquierdo, o viceversa. **2.** Se dice del discurso, obra, etc., que tiene bien dispuestas sus partes. **3.** *fig.* Se dice de la persona robusta.

trabajador, ra *adj.* **1.** Que trabaja. ‖ *s. m. y s. f.* **2.** Jornalero, obrero.

trabajar *v. intr.* **1.** Ocuparse en un ejercicio, obra o ministerio. **2.** Solicitar e intentar alguna cosa con eficacia. **3.** Aplicarse alguien asiduamente a la realización de una cosa. **4.** *fig.* Desarrollarse las plantas en la tierra. **5.** *fig.* Resistir una cosa la acción de las fuerzas a que está sometida. **6.** *fig.* Poner fuerza para vencer algo. ‖ *v. tr.* **7.** Realizar una cosa, de acuerdo con un método. **8.** *fig.* Molestar, causar perturbación. **9.** *fig.* Hacer soportar trabajos a una persona. ‖ *v. prnl.* **10.** Ocuparse con interés en algo.

trabajo *s. m.* **1.** Acción y efecto de trabajar. **2.** Obra, producción del entendimiento. **3.** Operación de la máquina o herramienta que se emplea para algún fin. **4.** Esfuerzo humano aplicado a la producción de riqueza. **5.** *fig.* Dificultad o perjuicio. **6.** *fig.* Penalidad, molestia, tormento. **7.** Producto del valor de una fuerza por la distancia que recorre su punto de aplicación. ‖ *s. m. pl.* **8.** *fig.* Estrechez, miseria.

trabajoso, sa *adj.* **1.** Que cuesta o exige mucho trabajo. **2.** Que padece trabajo o miseria. **3.** Que está falto de espontaneidad por ser fruto de mucho trabajo.

trabalenguas *s. m.* Palabra o frase difícil de pronunciar, especialmente cuando sirve de juego para hacer a alguien equivocarse.

trabanco *s. m.* Trangallo que se pone al cuello de los perros.

trabar *v. tr.* **1.** Echar trabas para unir alguna cosa y, particularmente, juntar, unir. **2.** Prender, asir algo. También intr. **3.** Dar mayor consistencia. **4.** *fig.* Enlazar o conciliar. ‖ *v. prnl.* **5.** Quedar alguien retenido por una cosa. **6.** *amer.* Obstaculizársele a alguien la lengua en la pronunciación.

trabazón *s. f.* **1.** Enlace de dos o más cosas. **2.** Espesor o consistencia dada a un líquido o masa. **3.** *fig.* Conexión de una cosa con otra. **4.** *fig.* Coherencia en las partes de un discurso o una exposición.

trabe *s. f.* Viga, madero largo y grueso.

trabilla *s. f.* **1.** Tira pequeña de tela o de cuero que pasa por debajo del pie para sujetar los bordes del pantalón, polaina, etc. **2.** Tira de tela que por la espalda ciñe a la cintura una prenda de vestir. **3.** Punto que queda suelto al hacer media.

trabón *s. m.* **1.** Argolla fija de hierro, a la cual se atan por un pie los caballos. **2.** Pieza de los lagares de aceite.

trabucación *s. f.* Acción y efecto de trabucar o trabucarse.

trabucar *v. tr.* **1.** Trastornar el buen orden de una cosa. También prnl. **2.** *fig.* Ofuscar el entendimiento. También prnl. **3.** *fig.* Confundir o tergiversar especies o noticias. **4.** *fig.* Pronunciar o escribir equivocadamente unas palabras por otras. También prnl.

trabuco *s. m.* **1.** Máquina antigua de guerra que se usaba para batir las murallas, disparando piedras muy gruesas contra ellas. **2.** Arma de fuego más corta y de mayor calibre que la escopeta ordinaria. **3.** *And.* Taco, juguete consistente en un canuto para disparar tacos.

traca *s. f.* Serie de petardos o cohetes colocados a lo largo de una cuerda y que estallan sucesivamente.

tracamundana *s. f.* **1.** *fam.* Trueque de cosas de poco valor. **2.** *fam.* Alboroto, confusión, lío.

tracción *s. f.* **1.** Acción y efecto de tirar de alguna cosa hacia el punto de donde procede el esfuerzo. **2.** Acción y efecto de arrastrar carruajes sobre una vía. **3.** Acción de poner tirante un cable, una cuerda, etc.

tracería *s. f.* Decoración arquitectónica formada por combinaciones de figuras geométricas.

tracto *s. m.* **1.** Espacio que media entre dos lugares. **2.** Lapso de tiempo. **3.** Nombre dado a diversos órganos con forma de tubo.

tractocarril *s. m.* Tren de locomoción que puede andar sobre carriles o sin ellos.

tractor *s. m.* Máquina que produce tracción.

tractorista *com.* Persona que conduce un tractor.

tradición *s. f.* **1.** Transmisión oral de noticias, composiciones literarias, doctrinas, costumbres, etc., hecha de generación en generación. **2.** Noticia de un hecho antiguo transmitido de este modo. **3.** Doctrina, costumbre, etc., que prevalece de generación en generación.

tradicional *adj.* Perteneciente o relativo a la tradición.

tradicionalismo *s. m.* Sistema político que consiste en mantener o restablecer las instituciones antiguas en la organización del Estado y la sociedad.

traducción *s. f.* **1.** Acción y efecto de traducir. **2.** Obra del traductor. **3.** Interpretación que se da a un texto.

traducir *v. tr.* **1.** Expresar en una lengua lo que está expresado antes en otra. **2.** Convertir una cosa en otra. **3.** *fig.* Explicar con palabras una idea o un sentimiento. **4.** *fig.* Interpretar un texto o una expresión.

traductor, ra *adj.* Que traduce una obra o escrito. También s. m. y s. f.

traer *v. tr.* **1.** Transportar una cosa al lugar en donde se habla. **2.** Atraer hacia sí. **3.** Ser causa de algo, ocasionar. **4.** Tener a alguien en la situación que indica el adjetivo que se une al verbo. **5.** Vestir, usar una prenda, alhaja, etc. **6.** *fig.* Aducir razones o autoridades para demostrar una aseveración. **7.** *fig.* Persuadir a alguien a que continúe en una determinada opinión o partido. **8.** *fig.* Tratar, andar realizando una cosa, tenerla pendiente. **9.** *fig.* Tratándose de escritos, contener. ‖ *v. prnl.* **10.** Estar planeando algo. **11.** Acompañando a los adverbios *mal* o *bien*, llevar la ropa con elegancia o sin ella.

trafagar *v. intr.* **1.** Traficar, negociar. **2.** Andar por varios países, recorrer muchos sitios. También tr. **3.** Moverse trabajando.

tráfago *s. m.* **1.** Tráfico. **2.** Conjunto de negocios o faenas que ocasiona mucha fatiga.

trafagón, na *adj., fam.* Se dice de la persona que negocia con demasiada solicitud. También s. m. y s. f.

trafallón, na *adj.* Se aplica a la persona que hace las cosas mal o las complica.

traficar *v. intr.* **1.** Comerciar, negociar. **2.** Trafagar, correr mundo. **3.** Andar en negocios ilegales.

tráfico *s. m.* **1.** Acción de traficar. **2.** Circulación de vehículos por carreteras, calles, etc. **3.** Tránsito, movimiento de personas, mercancías, etc., por cualquier medio de transporte.

tragacanto *s. m.* **1.** Nombre de varios arbustos leguminosos, que crecen en Asia, de cuyo tronco y ramas fluye una goma blanquecina muy usada en farmacia y en la industria. **2.** Esta misma goma.

tragaderas *s. f. pl.* **1.** Tragadero, faringe. **2.** *fig. y fam.* Poco escrúpulo, facilidad para admitir o tolerar cosas inconvenientes. **3.** *fig. y fam.* Facilidad de creer cualquier cosa.

tragadero *s. m.* **1.** Faringe. **2.** Agujero que traga o sorbe algo.

tragador, ra *adj.* **1.** Que traga. **2.** Que come mucho.

tragaldabas *com., fam.* Persona muy tragona.

tragaleguas *com., fam.* Persona que anda mucho y de prisa.

tragaluz *s. m.* Ventana abierta en un techo o en la parte superior de una pared.

tragantada *s. f.* El mayor trago que se puede tragar de una vez.

tragantona *s. f.* **1.** *fam.* Comilona. **2.** *fam.* Acción de tragar haciendo fuerza. **3.** *fig. y fam.* Violencia que hace lguien a su razón para creer una cosa extraordinaria.

tragaperras *s. amb., fam.* Aparato que, al echarle una moneda, automáticamente marca el peso, da premios en dinero como en los juegos de azar, etc.

tragar *v. tr.* **1.** Hacer que una cosa pase por el tragadero. **2.** Hacer pasar un alimento o similar de la boca al aparato digestivo. **3.** *fig.* Comer mucho. **4.** *fig.* Absorber las aguas o la tierra lo que está en su superficie. También prnl. **5.** *fig.* Creer con facilidad cuestiones inverosímiles. También prnl. **6.** *fig.* Disimular, no darse por enterado de una cosa. También prnl. **7.** *fig.* Consumir, gastar; se dice del dinero, el tiempo, etc. También prnl.

tragedia *s. f.* **1.** Obra dramática seria en que intervienen principalmente personajes ilustres o heroicos y en la que el protagonista se ve conducido por una pasión o por la fatalidad a un desenlace funesto. **2.** Obra literaria

de cualquier género que tiene rasgos propios de la tragedia. **3.** *fig.* Cualquier suceso de la vida real, que puede infundir terror y lástima.

trágico, ca *adj.* **1.** Relativo a la tragedia. **2.** Se dice del autor de tragedias. **3.** Se dice del actor que representa papeles trágicos. **4.** *fig.* Infausto, muy desgraciado.

tragicomedia *s. f.* **1.** Obra dramática que tiene a la vez características propias de los géneros trágico y cómico. **2.** *fig.* Suceso que mueve a risa y a piedad.

tragicómico, ca *adj.* **1.** Perteneciente o relativo a la tragicomedia. **2.** Que tiene características propias de lo cómico y de lo serio.

trago[1] *s. m.* **1.** Porción de líquido que se bebe o se puede beber de una vez. **2.** *fig. y fam.* Suceso infortunado.

trago[2] *s. m.* Prominencia de la oreja, situada delante del conducto auditivo.

tragón, na *adj., fam.* Que traga o come mucho. También s. m. y s. f.

tragonear *v. tr., fam.* Tragar mucho y con frecuencia.

traición *s. f.* **1.** Delito que se comete contra la seguridad de la patria por los ciudadanos o por los militares. **2.** Comportamiento de la persona que engaña o falta a la lealtad de alguien que ha confiado en ella.

traicionero, ra *adj.* Traidor.

traicionar *v. tr.* **1.** Hacer traición o engañar a una persona. **2.** *fig.* Descubrir una cosa o alguna circunstancia que se quería ocultar.

traído, da *adj.* Gastado, que se va haciendo viejo. Se dice especialmente de la ropa.

traidor, ra *adj.* **1.** Que comete traición. **2.** Se dice de los animales que faltan a la obediencia y lealtad. **3.** Que implica y denota traición. **4.** Se dice de las cosas dañinas y que aparentan no serlo.

tráiler *s. m.* **1.** Remolque de un camión. **2.** Rollo corto con fragmentos de película, que se proyecta en el cine o la televisión para su publicidad.

traílla *s. f.* **1.** Cuerda o correa con que los cazadores llevan atado el perro a las cacerías. **2.** Tralla. **3.** Aparato agrícola que, arrastrado por una o dos caballerías, sirve para igualar los terrenos. **4.** Un par de perros atraillados. **5.** Conjunto de traíllas unidas por una cuerda.

traillar *v. tr.* Allanar un terreno con la traílla.

traína *s. f.* Denominación que se da a varias redes de fondo, especialmente la de pescar sardina.

trainera *adj.* Se dice de la barca que pesca con traína. También s. f.

traíña *s. f.* Red muy extensa que se cala rodeando un banco de sardinas para llevarlas así a la costa.

traja *s. f.* Carga que se lleva sobre la cubierta en los barcos.

traje *s. m.* **1.** Vestido completo de una persona. **2.** Vestido peculiar de una clase de personas o de los naturales de un país. **3.** *Ec.* Máscara, enmascarado.

trajear *v. tr.* Proveer de trajes a una persona. También prnl.

trajín *s. m.* **1.** Acción de trajinar. **2.** Ajetreo, jaleo.

trajinante *adj.* **1.** Persona que trajina, o acarrea mercaderías. También com. **2.** Persona que se mueve mucho de un lado a otro. También com.

trajinar *v. tr.* **1.** Acarrear mercaderías de un lugar a otro. ‖ *v. intr.* **2.** Andar de un sitio a otro; moverse mucho. ‖ *v. tr.* **3.** *vulg.* Tener relaciones sexuales con alguien. Se usa más como prnl. **4.** *amer.* Hurgar, registrar. **5.** *amer.* Fastidiar a alguien.

trajinera *v. tr.* **1.** Acarrear mercaderías de un lugar a otro. ‖ *v. intr.* **2.** Andar de un sitio a otro; moverse mucho. ‖ *v. tr.* **3.** *vulg.* Tener relaciones sexuales con alguien. Se usa más como prnl. **4.** *amer.* Hurgar, registrar. **5.** *amer.* Fastidiar a alguien. ‖ *s. f., Méx.* **6.** En los canales de Xochimilco, embarcación desde la que se vende comida, flores y recuerdos a los pasajeros de otras embarcaciones. **7.** *Méx.* Embarcación para pasajeros o carga.

tralla *s. f.* **1.** Cuerda más gruesa que el bramante. **2.** Trencilla del extremo del látigo para que restalle. **3.** El látigo mismo.

trallazo *s. m.* **1.** Golpe dado con la tralla. **2.** Chasquido de la tralla. **3.** *fig.* Latigazo, represión áspera.

trama *s. f.* **1.** Conjunto de hilos que, cruzados y enlazados con los de la urdimbre, forman una tela. **2.** *fig.* Artificio, confabulación con que se perjudica a alguien. **3.** *fig.* Disposición interna, contextura, especialmente el enredo de una obra dramática o novelesca.

tramar *v. tr.* **1.** Atravesar los hilos de la trama por entre los de la urdimbre. **2.** *fig.* Disponer o preparar con astucia o dolo un enredo o traición. **3.** *fig.* Disponer hábilmente la realización de una cosa difícil.

tramitación *s. f.* **1.** Acción y efecto de tramitar. **2.** Serie de trámites prescritos para un asunto.

tramitar *v. tr.* Hacer pasar un negocio por los trámites debidos.

trámite *s. m.* **1.** Paso de una parte a otra o de una cosa y otra. **2.** Cada uno de los estados y diligencias que hay que recorrer en un negocio hasta su conclusión. **3.** Vía legal de un asunto.

tramo *s. m.* **1.** Trozo de terreno contiguo a otros y separado de los demás por una señal cualquiera. **2.** Parte de una escalera, comprendida entre dos descansillos. **3.** Cada una de las partes en que está dividido un andamio, esclusa, camino, etc.

tramojo *s. m.* **1.** Ligadura hecha con mies para atar los haces. **2.** Parte de la mies por donde el segador la coge y pone el tramojo. **3.** *fam.* Trabajo, apuro. Se usa más en pl.

tramontana *s. f.* **1.** Norte o septentrión. **2.** Viento del norte. **3.** *fig.* Vanidad.

tramontano, na *adj.* Se dice de lo que está del otro lado de los montes.

tramontar *v. intr.* **1.** Pasar al otro lado de los montes. Se dice sobre todo del sol. ‖ *v. tr.* **2.** Disponer que alguien huya de un peligro que le amenaza. Se usa más como prnl.

tramoya *s. f.* **1.** Máquina o conjunto de ellas para efectuar transformaciones en el teatro. **2.** *fig.* Enredo dispuesto con ingenio. **3.** *fig.* Parte que queda oculta en una gestión de la que otra parte se hace pública.

tramoyista *com.* **1.** Persona que inventa, construye o hace funcionar las tramoyas de teatro. **2.** *fig.* Persona que usa de ficciones o engaños. También adj.

trampa *s. f.* **1.** Artificio de caza compuesto generalmente de una excavación y una tabla que la cubre. **2.** Puerta abierta en el suelo, para poner en comunicación cualquier parte de un edificio con otra inferior. **3.** Tablero horizontal y levadizo en los mostradores de algunas tiendas. **4.** *fig.* Ardid para burlar o perjudicar a alguien. **5.** *fig.* Engaño en el juego.

trampal *s. m.* Atolladero, lugar donde se atascan fácilmente los vehículos.

trampantojo *s. m., fam.* Trampa, ilusión con que se engaña a alguien haciéndole ver lo que no es.

trampear *v. intr.* **1.** *fam.* Petardear, pedir prestado o fiado sin intención de pagar. **2.** *fam.* Arbitrar medios para hacer más llevadera la penuria. ‖ *v. tr.* **3.** *fam.* Emplear una persona artimañas o cautela para engañar o defraudar a otra.

trampero, ra *s. m. y s. f.* Persona que pone trampas para cazar.

trampilla *s. f.* Ventanilla en el suelo de las habitaciones altas.

trampolín *s. m.* **1.** Plano inclinado u horizontal que presta impulso al gimnasta para dar grandes saltos. **2.** *fig.* Persona o cosa de la que alguien se aprovecha para conseguir fines ulteriores.

tramposo, sa *adj.* **1.** Persona que contrae deudas que no piensa pagar. **2.** Que hace trampas en el juego.

tranca *s. f.* **1.** Palo grueso y fuerte. **2.** Palo grueso y fuerte que se pone para asegurar puertas y ventanas cerradas. **3.** *fam. y amer.* Borrachera. **4.** *fam. y amer.* Puerta tosca de un cercado o vallado.

trancar *v. tr.* Atrancar, cerrar asegurando la puerta con una tranca o con otro cierre.

trancazo *s. m.* **1.** Golpe dado con la tranca. **2.** *fig. y fam.* Gripe, enfermedad.

trance *s. m.* **1.** Momento crítico. **2.** Apremio judicial contra los bienes de un deudor, para pagar con ellos al acreedor. **3.** Estado durante el cual los sentidos quedan en suspenso, mientras dura el éxtasis místico o por efecto de la hipnosis. **4.** Estado en que cae el médium y durante el cual se manifiestan fenómenos paranormales.

tranchete *s. m.* Cuchilla de zapatero.

tranco *s. m.* **1.** Paso largo. **2.** Umbral de la puerta. **3.** *fam.* Puntadas largas, especialmente al repasar la ropa.

trangallo *s. m.* Palo que en el tiempo de la cría de la caza se pone pendiente del collar de los perros, para que no puedan bajar la cabeza hasta el suelo.

tranquear *v. intr.* **1.** *fam.* Dar pasos largos. **2.** *fam.* Remover, empujando y apalancando con trancas o palos.

tranquera *s. f.* Empalizada de trancas.

tranquil *s. m.* Línea vertical o del plomo.

tranquilar *v. tr.* Señalar con dos rayitas cada una de las partidas de cargo y data de un libro de comercio, hasta donde iguala la cuenta.

tranquilidad *s. f.* Calidad de tranquilo.

tranquilizante *adj.* Se dice de los fármacos de efecto sedante. También s. m.

tranquilizar *v. tr.* Poner tranquilo, hacer desaparecer la agitación. También prnl.

tranquilla *s. f.* **1.** *fig.* Comentario o insinuación que se suelta artificiosamente en la conversación para desorientar a alguien. **2.** Pasador que se pone en una barra.

tranquillo *s. m.* **1.** *fig.* Hábito o modo especial mediante el cual se hace una cosa con más destreza. **2.** *Albac., And. y Ar.* Umbral de la puerta.

tranquilo, la *adj.* **1.** Quieto, en reposo. **2.** Se dice de las personas poco propensas a alterarse por preocupaciones como el trabajo, compromisos, etc.

transacción *s. f.* **1.** Acción y efecto de transigir. **2.** Por ext., trato, convenio, negocio.

transalpino, na *adj.* **1.** Se dice de las regiones que desde Italia aparecen situadas al otro lado de los Alpes. **2.** Relativo a estas regiones.

transandino, na *adj.* **1.** Se dice de las regiones situadas al otro lado de la cordillera de los Andes. **2.** Perteneciente o relativo a ellas. **3.** Se dice del tráfico y de los medios de transporte que atraviesan los Andes.

transatlántico, ca *adj.* **1.** Se dice de las regiones situadas al otro lado del Atlántico. **2.** Perteneciente o relativo a estas regiones. **3.** Se dice del tráfico y de los medios de transporte que atraviesan el Atlántico. ‖ *s. m.* **4.** Buque de grandes proporciones que hace la travesía del Atlántico o de otro mar de grandes dimensiones.

transbordador, ra *adj.* **1.** Que transborda. ‖ *s. m.* **2.** Barquilla que circula entre dos puntos, marchando en ambos sentidos alternativamente. **3.** Plataforma provista de un tramo de vía que, por medio de motores, traslada lateramente los vagones y locomotoras de una vía a otra.

transbordar *v. tr.* **1.** Trasladar efectos o personas de un buque a otro. También prnl. **2.** Transportar personas o cosas de un vehículo a otro. También prnl.

transbordo *s. m.* Acción o efecto de transbordar o transbordarse.

transcendental *adj.* **1.** Trascendental. **2.** Se dice de lo que traspasa los límites de la ciencia experimental.

transcontinental *adj.* Que atraviesa un continente.

transcribir *v. tr.* **1.** Copiar un escrito. **2.** Escribir con un sistema de caracteres lo que está escrito en otro. **3.** Representar la fonética de una lengua mediante un sistema de escritura convenido. **4.** Arreglar para un instrumento la música escrita para otro.

transcripción *s. f.* **1.** Acción y efecto de transcribir. **2.** Pieza musical transcrita.

transculturación *s. f.* Proceso mediante el cual un pueblo o un grupo social adopta formas culturales propias de otro.

transcurrir *v. intr.* Pasar, correr el tiempo.

transcurso *s. m.* Paso o carrera del tiempo.

transductor *s. m.* **1.** Dispositivo que convierte una forma de energía en otra. **2.** Entidad biológica que lleva a cabo la transformación de una acción hormonal en una actividad enzimática.

transepto *s. m.* Nave transversal de un templo que forma el brazo corto de una cruz latina.

transeúnte *adj.* **1.** Que transita o pasa de un lugar a otro. **2.** Que no reside sino transitoriamente en un sitio. **3.** Transitorio, que no es definitivo.

transexual *adj.* Se dice de la persona que mediante tratamiento hormonal y quirúrgico adquiere los caracteres sexuales del sexo opuesto. También com.

transferencia *s. f.* **1.** Acción y efecto de transferir. **2.** Operación bancaria consistente en imponer una cantidad para ser abonada en la cuenta corriente de una persona residente en población distinta. **3.** Documento que acredita esta operación.

transferible *adj.* Que puede ser transferido o traspasado a otro.

transferir *v. tr.* **1.** Pasar o llevar una cosa desde un lugar a otro, para darle nueva estancia o trasladar la estancia de alguien. **2.** Retardar un asunto. **3.** Extender o trasladar el significado de una palabra para que el sentido figurado designe otra cosa diferente. **4.** Ceder a otra persona el derecho que se tiene sobre una cosa.

transfiguración *s. f.* Acción y efecto de transfigurar o transfigurarse.

transfigurar *v. tr.* Hacer cambiar de figura a una persona o cosa, mejorándola. También prnl.

transfijo, ja *adj.* Atravesado con un arma o cosa puntiaguda.

transfixión *s. f.* Acción de herir pasando de parte a parte.

transflor *s. m.* Pintura que se da sobre plata, oro, estaño, etc., y que generalmente es de color verde.

transflorar *v. intr.* **1.** Transflorear. **2.** Copiar un dibujo al trasluz. **3.** Aparecer una cosa por debajo de otra.

transflorear *v. tr.* Adornar con transflor.

transfluencia *s. f.* **1.** Cambio en el curso de un río por alcanzar el de otro, o por modificaciones en su cauce. **2.** Desbordamiento de un glaciar pasando de un valle a otro.

transfocador *s. m.* Teleobjetivo especial a través del cual el tomavistas fijo puede conseguir un avance o retroceso rápido de la imagen.

transformación *s. f.* Acción y efecto de transformar o transformarse.

transformador, ra *adj.* **1.** Que transforma. También s. m. y s. f. ‖ *s. m.* **2.** Aparato eléctrico para convertir la corriente eléctrica en otra de mayor tensión y menor intensidad, o al contrario.

transformar *v. tr.* **1.** Hacer cambiar a una cosa de forma, o a una persona. También prnl. **2.** Transmutar una cosa en otra. También prnl. **3.** *fig.* Hacer mudar de porte o de costumbres a una persona. También prnl.

transformativo, va *adj.* Que tiene virtud para transformar.

transformismo *s. m.* Doctrina biológica según la cual las especies animales y vegetales se transforman en otras.

transformista *adj.* **1.** Perteneciente o relativo al transformismo. ‖ *s. m.* y s. f. **2.** Partidario de esta doctrina. **3.** Actor que hace mutaciones rapidísimas en sus trajes y en los tipos que representa.

transfregar *v. tr.* Restregar una cosa con otra, manoseándola.

transfretano, na *adj.* Que está al otro lado de un estrecho o brazo de mar.

transfretar *v. tr.* **1.** Pasar el mar. ‖ *v. intr.* **2.** Extenderse, dilatarse.

tránsfuga *com.* **1.** Persona que huye de una parte a otra. **2.** *fig.* Persona que pasa de un partido a otro.

transfuguismo *s. m.* Acción de abandonar una persona un partido político para pasar a otro.

transfundir *v. tr.* **1.** Echar un líquido poco a poco de un recipiente a otro. **2.** *fig.* Comunicar una cosa sucesivamente entre diversos objetos. También prnl.

transfusión *s. f.* **1.** Acción y efecto de transfundir. **2.** Operación cuyo objeto es hacer pasar cierta cantidad de sangre de un individuo a otro.

transgredir *v. tr.* Violar un precepto o ley. MORF. Utilizado antes como defect., el uso ha extendido su empleo a todas las formas de la conjug.

transgresión *s. f.* **1.** Acción y efecto de transgredir. **2.** Fenómeno geológico de avance de un medio, que produce depósitos sedimentarios sobre territorios no alcanzados hasta ese momento. Se aplica generalmente al avance del mar.

transgresor, ra *adj.* Que comete transgresión. También s. m. y s. f.

transición *s. f.* **1.** Acción y efecto de pasar de un estado o situación a otro. **2.** Modo de pasar de una materia a otra. **3.** Cambio repentino de tono y expresión.

transido, da *adj., fig.* Angustiado por alguna causa.

transigencia *s. f.* **1.** Condición de transigente. **2.** Lo que se hace o consiente transigiendo.

transigir *v. intr.* Consentir en parte con lo que repugna, a fin de llegar a una concordia. Se usa a veces como tr.

transistor *s. m.* **1.** Aparato basado en las propiedades semiconductoras del germanio y el silicio que, entre otros usos, posee el de reemplazar a los tubos electrónicos. **2.** Por ext., aparato receptor de radio en el que se utilizan transistores.

transitable *adj.* Se dice del sitio por donde se puede transitar.

transitar *v. intr.* **1.** Pasar por vías o parajes públicos. **2.** Viajar haciendo tránsitos.

transitivo, va *adj.* **1.** Se dice del verbo o forma verbal que se construye acompañado del complemento directo. **2.** Se dice de la oración que tiene como núcleo un verbo transitivo.

tránsito *s. m.* **1.** Acción de transitar, particularmente las personas y vehículos, por la vía pública. **2.** Sitio por donde se pasa de un lugar a otro. **3.** Lugar de parada y descanso en un viaje. **4.** Paso de un estado o empleo a otro. **5.** Muerte de las personas santas y justas, o de vida virtuosa. Se dice especialmente de la muerte de la Santísima Virgen. **6.** Tratándose de un claustro, corredor o galería.

transitorio, ria *adj.* **1.** Pasajero, temporal. **2.** Caduco, perecedero.

translimitación *s. f.* Acción y efecto de translimitar.

translimitar *v. tr.* **1.** Traspasar los límites morales o materiales. **2.** Pasar inadvertidamente o mediante autorización previa la frontera de un Estado sin ánimo de violar el territorio. **3.** En general, traspasar los límites de cualquier cosa o cuestión.

transliteración *s. f.* Representación de los sonidos de una lengua con el alfabeto de otra.

transliterar *v. tr.* Representar los sonidos de una lengua con el alfabeto de otra.

translúcido, da *adj.* Se dice del cuerpo a través del cual pasa la luz, pero que no permite ver lo que hay detrás de él.

transmarino, na *adj.* **1.** Se dice de las regiones situadas al otro lado del mar. **2.** Perteneciente o relativo a estas regiones.

transmediterráneo, a *adj.* Se dice del comercio y de los medios de transporte que atraviensan el Mediterráneo.

transmigración *s. m.* **1.** Acción y efecto de transmigrar, pasar a otro país. **2.** Acción y efecto de pasar un alma de un cuerpo a otro.

transmigrar *v. intr.* **1.** Pasar a otro país para vivir en él. **2.** Según ciertas creencias, pasar un alma de un cuerpo a otro.

transmisible *adj.* Que se puede transmitir.

transmisión *s. f.* Acción y efecto de transmitir.

transmisor *adj.* **1.** Que transmite o puede transmitir. También s. m. ‖ *s. m.* **2.** Aparato que sirve para transmitir las señales eléctricas, telegráficas o telefónicas. **3.** Aparato telegráfico o telefónico que sirve para producir las hondas hertzianas que han de actuar en el receptor.

transmitir *v. tr.* **1.** Trasladar, transferir. **2.** Difundir noticias, programas de música, etc. la radio o la televisión. **3.** Hacer llegar a alguien una noticia. **4.** Comunicar el movimiento de una pieza a otra en una máquina. También prnl. **5.** Enajenar, ceder.

transmudar *v. tr.* **1.** Trasladar, mudar de una parte a otra. También prnl. **2.** Convertir una cosa en otra. También prnl. **3.** *fig.* Reducir o trocar los afectos con persuasiones.

transmundano, na *adj.* Que está fuera del mundo.

transmutable *adj.* Que se puede transmutar.

transmutación *s. f.* Acción y efecto de transmutar o transmutarse.

transmutar *v. tr.* Convertir, mudar una cosa en otra. También prnl.

transoceánico, ca *adj.* Perteneciente o relativo a las regiones situadas al otro lado del océano.

transpacífico, ca *adj.* **1.** Perteneciente o relativo a las regiones situadas al otro lado del Pacífico. **2.** Se dice de los grandes buques que hacen sus viajes a través del Pacífico.

transparencia *s. f.* **1.** Calidad de transparente. **2.** Diapositiva. **3.** Fondo proyectado sobre una pantalla que se usa para rodar en el estudio las escenas de exteriores. **4.** Procedimiento pictórico que consiste en una ligera pincelada que permite apreciar lo que está debajo de ella.

transparentar *v. tr.* **1.** Dejarse ver la luz u otra cosa a través de un cuerpo transparente. ‖ *v. intr.* **2.** Ser transparente un cuerpo. También prnl. ‖ *v. prnl.* **3.** *fig.* Dejarse adivinar lo patente o declarado otra cosa que no es manifiesta. También tr. **4.** *fam.* Estar una prenda muy gastada por el uso. **5.** *fam.* Estar una persona excesivamente delgada.

transparente *adj.* **1.** Se dice del cuerpo a través del cual pueden verse los objetos distintamente. **2.** Translúcido. **3.** *fig.* Que se deja adivinar sin manifestarse. ‖ *s. m.* **4.** Tela o papel que, colocado delante del hueco de ventanas o balcones, sirve para templar la luz, o, ante una luz artificial, sirve para mitigar o para hacer aparecer en él figuras o letreros.

transpiración *s. f.* Acción y efecto de transpirar o transpirarse.

transpirar *v. intr.* **1.** Pasar los humores de la parte inferior a la exterior del cuerpo a través de los poros de la piel. También prnl. **2.** *fig.* Destilar líquido una cosa a través de sus poros. **3.** *fig.* Dejarse adivinar y conocer una cosa secreta.

transpirenaico, ca *adj.* **1.** Se dice de las regiones situadas al otro lado de los Pirineos. **2.** Perteneciente o relativo a ellas. **3.** Se dice del comercio y de los medios de transporte que atraviesan los Pirineos.

transpolar *adj.* Se dice del recorrido o trayectoria que pasa por un polo terrestre o sus proximidades.

transponer *v. tr.* **1.** Poner a una persona o cosa en lugar diferente del que ocupaba. También prnl. **2.** Trasplantar. ‖ *v. prnl.* **3.** Ocultarse uno a la vista de otro, desapareciendo detrás de un objeto. También tr. **4.** Ocultarse de nuestro horizonte el sol u otro astro. **5.** Quedarse alguien medio dormido.

transportador *s. m.* Círculo graduado que sirve para medir o trazar ángulos de un dibujo geométrico.

transportar *v. tr.* **1.** Llevar una cosa de un lugar a otro. **2.** Portear. **3.** Trasladar una composición de un tono a otro. ‖ *v. prnl.* **4.** *fig.* Enajenarse de la razón o del sentido.

transporte *s. m.* **1.** Acción y efecto de transportar. **2.** Buque de transporte. **3.** Acción y efecto de transportarse.

transportista *com.* **1.** Persona que tiene por oficio transportar personas o mercancías. **2.** Dueño de una empresa de transportes.

transposición *s. f.* **1.** Acción y efecto de transponer o transponerse. **2.** Figura que consiste en alterar el orden normal de las voces en la oración. **3.** Alteración de régimen que consiste en aplicar a otra parte de la oración el que le corresponde al pronombre relativo. **4.** Cambio de categoría gramatical de un elemento en virtud de ciertos mecanismos.

transubstanciación *s. f.* Conversión total de una sustancia en otra, particularmente hablando de la del pan y del vino en cuerpo y sangre de Jesucristo en la eucaristía.

transubstanciar *v. tr.* Convertir totalmente una sustancia en otra. También prnl.

transvasar *v. tr.* Pasar un líquido de una vasija a otra.

transversal *adj.* **1.** Que se halla atravesado de un lado a otro. **2.** Que se aparta o desvía de la dirección principal o recta. **3.** Se dice del pariente que no lo es por línea recta. También com.

transverso, sa *adj.* Colocado o dirigido al través.

tranvía *s. m.* **1.** Ferrocarril establecido en una calle o camino carretero. **2.** *fig.* Coche de tranvía.

tranzar *v. tr.* **1.** Cortar, tronchar. **2.** Trenzar.

tranzón *s. m.* Cada una de las partes en que para su aprovechamiento se divide un monte o un pago de tierras.

trapa *s. f.* **1.** Cabo provisional para cargar una vela. ‖ *s. f. pl.* **2.** Trincas con que se asegura la lancha dentro del buque.

trapacear *v. intr.* Utilizar trapazas o engaños.

trapacería *s. f.* Trapaza.

trapacero, ra *adj.* Trapacista. También s. m. y s. f.

trapacete *s. m.* Libro en que el comerciante sienta las partidas de los géneros que vende.

trapacista *adj.* **1.** Que utiliza trapazas. También com. **2.** *fig.* Que con astucias y mentiras pretende engañar a otro. También com.

trapajo *s. m., desp.* Despectivo de trapo.

trapajoso, sa *adj.* **1.** Roto, desaseado. **2.** Estropajoso, que pronuncia mal.

trápala *s. f.* **1.** Ruido, movimiento y confusión de gente. **2.** Ruido acompasado del trote o galopar de un caballo. **3.** *fam.* Embuste, engaño. ‖ *s. m.* **4.** *fam.* Prurito de hablar mucho y sin sustancia. ‖ *com.* **5.** *fig. y fam.* Persona que habla mucho y sin sustancia. También adj. **6.** *fig. y fam.* Persona falsa y embustera. También adj.

trapalear *v. intr.* **1.** Meter ruido con los pies andando de un lado para otro. **2.** *fam.* Decir o hacer cosas propias de un trápala. **3.** *fam.* Trapacear.

trapaza *s. f.* Artificio engañoso, con que se defrauda a una persona en algún negocio.

trapeador *s. m. Col., Cuba, Ec., El Salv., Hond., Méx. y Nic.* Utensilio para limpiar el suelo.

trapecial *adj.* **1.** Perteneciente o relativo al trapecio. **2.** De figura de trapecio.

trapecio *s. m.* **1.** Palo horizontal suspendido en sus extremos por dos cuerdas paralelas, y que sirve para ejercicios gimnásticos. **2.** Cuadrilátero irregular que tiene paralelos solamente dos de sus lados. **3.** Hueso de la muñeca. **4.** Cada uno de los músculos planos y triangulares situados en la parte posterior del cuello y superior de la espalda del ser humano.

trapecista *adj.* Se dice del artista de circo que realiza ejercicios en el trapecio. También com.

trapería *s. f.* **1.** Conjunto de muchos trapos. **2.** Establecimiento del trapero, en el cual se venden trapos y otros objetos usados.

trapero, ra *s. m. y s. f.* Persona cuyo oficio consiste en recoger o comprar y vender trapos y otros objetos usados.

trapezoedro *s. m.* Cristal formado por veinticuatro caras trapezoidales.

trapezoidal *adj.* De figura de trapezoide.

trapezoide *s. m.* **1.** Cuadrilátero irregular que no tiene ningún lado paralelo a otro. **2.** Hueso de la segunda fila del carpo.

trapiche *s. m.* **1.** Molino para extraer el jugo de algunos frutos o productos de la tierra, particularmente la caña de azúcar. **2.** *Arg. y Chil.* Molino para pulverizar minerales.

trapichear *v. intr.* **1.** *fam.* Buscar medios o recursos, no siempre lícitos, para lograr algún objeto. **2.** *fam.* Comerciar al menudeo.

trapichero, ra *s. m. y s. f.* Persona que por oficio trabaja en los trapiches.

trapillo *s. m.* **1.** Galán o dama de baja suerte. **2.** *fam.* Caudal pequeño.

trapío *s. m.* **1.** *fig. y fam.* Aire garboso que suelen tener algunas personas. **2.** *fig. y fam.* Buena planta y gallardía del toro de lidia. **3.** *fig. y fam.* Codicia con que acomete.

trapisonda *s. f.* **1.** *fam.* Bulla o riña con voces o acciones. **2.** *fig.* Embrollo, enredo.

trapisondear *v. intr., fam.* Armar con frecuencia trapisondas o embrollos.

trapo *s. m.* **1.** Pedazo de tela desechado por viejo y roto. **2.** Velamen. **3.** *fam.* Capote que usa el torero en la lidia. **4.** *fam.* Tela de la muleta del espada. **5.** Telón de un escenario de teatro. ‖ *s. m. pl.* **6.** *fam.* Prendas de vestir, especialmente de la mujer.

traque *s. m.* **1.** Estallido del cohete. **2.** Guía de pólvora que ponen los coheteros entre los cañones de luz, para que se enciendan con rapidez. **3.** *fig. y fam.* Ventosidad con ruido.

tráquea *s. f.* **1.** Conducto cilíndrico, compuesto de anillos cartilaginosos unidos por tejido fibroso, que empieza en la laringe y desciende por delante del esófago hasta la mitad del pecho, donde se bifurca formando los bronquios. **2.** Cada uno de los pequeños conductos aéreos ramificados, que forman el aparato respiratorio de la mayor parte de los animales artrópodos.

traqueal *adj.* **1.** Perteneciente o relativo a la tráquea. **2.** Se dice del animal que respira por medio de tráqueas.

traqueotomía *s. f.* Incisión de la tráquea que se practica en determinados casos para impedir la sofocación de los enfermos.

traquetear *v. intr.* **1.** Hacer ruido o estrépito. ‖ *v. tr.* **2.** Agitar una cosa de una parte a otra. **3.** *fam.* Frecuentar, manejar mucho una cosa.

traqueteo s. m. **1.** Ruido continuo del disparo de los cohetes en los fuegos artificiales. **2.** Movimiento de una persona o cosa que se golpea al transportarla.

traquido s. m. **1.** Estruendo causado por disparo el de un arma de fuego. **2.** Chasquido de la madera.

tras prep. **1.** Después de, a continuación de, aplicado al espacio o al tiempo. **2.** fig. En busca, en seguimiento de. **3.** Detrás de, en situación posterior. **4.** Fuera de esto, además. ‖ s. m. **5.** fam. Trasero.

trasanteanoche adv. t. En la noche de trasanteayer.

trasanteayer adv. t. El día que precedió inmediatamente al de anteayer.

trasca s. f. **1.** Anilla de madera o de cuero con la que se sujeta el timón del arado al yugo. **2.** Correa fuerte de piel de toro, curtida y muy sobada, para hacer arreos.

trascendencia s. f. **1.** Penetración, perspicacia. **2.** Resultado, consecuencia de carácter grave. **3.** Cualidad de trascendente.

trascendental adj. **1.** Que se comunica o extiende a otras cosas. **2.** fig. Que es de mucha importancia o gravedad.

trascendente adj. Que se eleva por encima de un nivel o de un límite dados.

trascender v. intr. **1.** Exhalar olor vivo y penetrante. **2.** Empezar a ser conocido algo que estaba oculto. **3.** Extenderse o propagarse los efectos de unas cosas a otras. **4.** Pasar una cosa de cierto ámbito limitado. Se usa seguido de la preposición de. ‖ v. tr. **5.** Comprender lo que está oculto.

trascendido, da adj. Se dice de la persona que trasciende o averigua con prontitud.

trascolar v. tr. **1.** Colar a través de alguna cosa como tela, piel, etc. También prnl. **2.** fig. Pasar desde un lado al otro.

trascordarse v. prnl. Perder la noticia puntual de una cosa o confundirla con otra.

trascoro s. m. Espacio situado detrás del coro en las iglesias.

trasdoblo s. m. Número triple.

trasdós s. m. **1.** Superficie exterior de un arco o bóveda. **2.** Pilastra que está inmediatamente detrás de una columna.

trasdosear v. tr. Reforzar una obra por la parte posterior.

trasegar v. tr. **1.** Trastornar, revolver. **2.** Pasar las cosas de un lugar a otro, y especialmente un líquido de una vasija a otra. **3.** fig. Beber mucho vino, licores, etc.

traseñalar v. tr. Poner a una cosa distinta señal de la que tenía.

trasero, ra adj. **1.** Que está o viene detrás. ‖ s. m. **2.** Parte posterior del animal. **3.** fig. Nalgas. ‖ s. f. **4.** Parte de atrás o posterior de un coche, casa, etc.

trasgo s. m. **1.** Duende, espíritu travieso. **2.** fig. Niño vivo y enredador.

trasguear v. intr. Fingir las travesuras que se atribuyen a los trasgos.

trasguero, ra s. m. y s. f. Persona que trasguea.

trashojar v. tr. Hojear un libro.

trashumar v. intr. Pasar el ganado con sus conductores desde las dehesas de invierno a las de verano, y viceversa.

trasiego s. m. Acción y efecto de trasegar.

trasijado, da adj. **1.** Que tiene los ijares hundidos por hacer mucho tiempo que no ha comido. **2.** fig. Extremadamente flaco.

traslación s. f. **1.** Acción y efecto de trasladar o trasladarse. Se usa sobre todo refiriéndose al movimiento de la Tierra alrededor de Sol. **2.** Figura de construcción, que consiste en usar un tiempo del verbo fuera de su significación habitual. **3.** Metáfora.

trasladar v. tr. **1.** Llevar o mudar una cosa de un lugar. También prnl. **2.** Hacer pasar a una persona de un puesto o cargo a otro de la misma categoría. **3.** Cambiar de fecha un acto o una celebración. **4.** Expresar de otra forma el contenido de un escrito.

traslado s. m. Acción y efecto de trasladar.

traslapar v. tr. Cubrir total o parcialmente una cosa a otra, como las tejas de un tejado.

traslapo s. m. Parte de una cosa cubierta por otra.

traslaticio, cia adj. Se dice del sentido en que se usa un vocablo para que signifique una cosa distinta de la que con él se expresa en su acepción corriente.

traslativo, va adj. Que transfiere.

trasloar v. tr. Encarecer a una persona o cosa, exagerando.

traslucirse v. prnl. **1.** Ser traslúcido un cuerpo. **2.** fig. Conjeturarse una cosa, en virtud de algún antecedente o indicio. También tr.

traslumbrar v. tr. **1.** Deslumbrar a alguien una luz viva. También prnl. **2.** Pasar o desaparecer repentinamente una cosa.

trasluz s. m. **1.** Luz que pasa a través de un cuerpo traslúcido. **2.** Luz reflejada de soslayo por la superficie de un cuerpo.

trasmallo s. m. Arte de pesca formado por tres redes.

trasmano s. m. y s. f. Segundo en orden de ciertos juegos.

trasmañana adv. t. Pasado mañana.

trasmañanar v. tr. Diferir una cosa de un día para otro.

trasminar v. tr. **1.** Minar la tierra abriendo camino. **2.** Penetrar a través de una cosa un olor, un líquido, etc. También intr. y prnl.

trasnochada *s. f.* **1.** Noche que ha precedido al día actual. **2.** Vela, vigilia. **3.** Sorpresa o embestida hecha de noche.

trasnochado, da *adj.* **1.** Se dice de lo que por haber pasado una noche por ello, se echa a perder. **2.** *fig.* Se dice de la persona desmejorada y macilenta. **3.** *fig.* Falto de novedad y de oportunidad.

trasnochar *v. intr.* **1.** Pasar alguien la noche, o gran parte de ella, velando o sin dormir. **2.** Pernoctar. ‖ *v. tr.* **3.** Dejar pasar la noche sobre una cosa cualquiera.

trasnombrar *v. tr.* Trastocar, invertir los nombres de las cosas.

trasoír *v. tr.* Oír con error o equivocación lo que se dice.

trasojado, da *adj.* Caído, ojeroso, macilento.

trasojar *v. tr.* Imaginar erróneamente, o como un ensueño, alguna cosa.

trasovada *adj.* Se dice de la hoja aovada más ancha por la punta que por la base.

traspalear *v. tr.* **1.** Mover con la pala una cosa de un lugar a otro. **2.** *fig.* Mover una cosa de un lugar a otro.

traspapelar *v. tr.* Confundirse, desaparecer un papel entre otros. También tr.

trasparecer *v. tr.* Transparentarse una cosa a través de otra.

traspasar *v. tr.* **1.** Pasar a la otra parte de alguna cosa. **2.** Pasar o llevar una cosa de un sitio a otro. **3.** Pasar adelante. **4.** Transferir a una persona un derecho u obligación. **5.** Atravesar de parte a parte. **6.** Transgredir una ley o una norma.

traspaso *s. m.* **1.** Acción y efecto de traspasar. **2.** Acción y efecto de traspasar un alquiler o un negocio. **3.** Conjunto de géneros traspasados. **4.** Precio de la cesión de estos géneros o del local donde se ejerce un comercio o industria.

traspellar *v. tr.* Cerrar una puerta, una ventana, las tijeras, etc.

traspié *s. m.* **1.** Tropezón al caminar. **2.** Zancadilla que se le pone a alguien para hacerle caer.

traspillar *v. tr.* **1.** Traspellar. **2.** Desfallecer, extenuarse.

traspintarse¹ *v. prnl., fig. y fam.* Salir una cosa al contrario de como se esperaba.

traspintarse² *v. prnl.* Clarearse por el revés del papel, tela, etc., lo escrito o dibujado por el derecho.

trasplantar *v. tr.* **1.** Mudar un vegetal del sitio donde está plantado a otro. **2.** Injertar. ‖ *v. prnl.* **3.** *fig.* Trasladarse alguien de un país a otro.

trasplante *s. m.* Acción y efecto de trasplantar o trasplantarse.

traspunte *s. m.* Apuntador que previene a cada actor lo que ha de hacer al salir a escena.

trasquiladura *s. f.* Acción y efecto de trasquilar o trasquilarse.

trasquilar *v. tr.* **1.** Cortar el pelo a alguien sin orden ni arte. También prnl. **2.** Esquilar a los animales. **3.** *fig. y fam.* Menoscabar una cosa.

trasquilón *s. m.* **1.** *fam.* Trasquiladura. **2.** *fig. y fam.* Parte del caudal quitado a alguien con arte.

trastada *s. f.* **1.** *fam.* Acción propia de un trasto, mala pasada. **2.** *fam.* Artimaña con la que se perjudica a alguien.

trastazo *s. m., fam.* Porrazo.

traste *s. m.* **1.** Cada uno de los resaltos de metal o hueso que se colocan a trechos en el mástil de la guitarra u otros instrumentos parecidos, para dejar a las cuerdas la longitud libre correspondiente a los diversos sonidos. **2.** *And.* Vaso pequeño con el que prueban el vino los catadores. **3.** *And.* Trebejo. Se usa más en pl.

trastear¹ *v. tr.* **1.** Poner los trastes a la guitarra u otro instrumento. **2.** Pisar las cuerdas de los instrumentos de trastes.

trastear² *v. tr.* **1.** Dar el espada al toro pases de muleta. **2.** *fig. y fam.* Manejar con habilidad a una persona o negocio. ‖ *v. intr.* **3.** Revolver o mudar trastos de una parte a otra.

trasteo *s. m.* Acción de trastear al toro o a una persona.

trastero, ra *adj.* Se dice de la pieza destinada para guardar los trastos inútiles. También s. m.

trastesado, da *adj.* Endurecido, tieso.

trastesón *s. m.* Abundancia de leche que tiene la ubre de una res.

trastienda *s. f.* **1.** Aposento o pieza situado detrás de la tienda. **2.** *fig. y fam.* Cautela, astucia.

trasto *s. m.* **1.** Cualquiera de los muebles o utensilios de una casa. **2.** Mueble o utensilio doméstico, especialmente si es inútil. **3.** Cada uno de los bastidores que foman parte de la decoración teatral. **4.** *fig. y fam.* Persona inútil o informal. ‖ *s. m. pl.* **5.** Espada, daga y otras armas de uso. **6.** Utensilios de un arte o ejercicio. **7.** Muleta y estoque del matador.

trastocar *v. tr.* **1.** Revolver, cambiar de lugar. ‖ *v. prnl.* **2.** Trastornarse, perturbarse la razón.

trastornar *v. tr.* **1.** Volver una cosa de abajo arriba o de un lado a otro. **2.** Invertir el orden regular de una cosa. **3.** *fig.* Inquietar, perturbar. **4.** *fig.* Perturbar el sentido los olores, vapores u otro accidente. También prnl. **5.** *fig.* Disuadir a una persona de su opinión. **6.** *fig.* Volver a alguien loco. También prnl. ‖ *v. intr.* **7.** Dar vueltas alrededor de una cosa.

trastorno *s. m.* Acción y efecto de trastornar o trastornarse.

trastrabillar *v. intr.* **1.** Dar traspiés o tropezones. **2.** Tambalear, vacilar, titubear. **3.** Tartamudear.

trastrocar *v. tr.* Mudar el ser o estado de una cosa. También prnl.

trasudación *s. f.* Acción y efecto de trasudar.

trasudar *v. tr.* **1.** Exhalar trasudor. **2.** Empapar de trasudor.

trasudor *s. m.* Sudor tenue.

trasuntar *v. tr.* **1.** Sacar copia de un escrito. **2.** Compendiar o epilogar una cosa.

trasunto *s. m.* **1.** Copia de un documento. **2.** Figura que imita con propiedad una cosa.

trasvenarse *v. prnl.* **1.** Extravenarse. **2.** *fig.* Derramarse una cosa.

trasver *v. tr.* **1.** Ver alguna cosa a través de otra. **2.** Ver mal y equivocadamente alguna cosa.

trasverter *v. intr.* Rebosar un líquido del recipiente que lo contiene.

trasvinarse *v. prnl.* **1.** Rezumarse o verterse paulatinamente el vino de las vasijas. También tr. **2.** *fig. y fam.* Traslucirse, inferirse una cosa. **3.** *fig. y fam.* Traspasar, trascender.

trasvolar *v. tr.* Pasar volando de una parte a otra alguna cosa.

trata *s. f.* Tráfico o comercio, en ocasiones ilegal.

tratable *adj.* **1.** Que se puede tratar. **2.** Se dice de la persona cortés y accesible.

tratadista *s. m. y s. f.* Autor que escribe tratados sobre una materia determinada.

tratado *s. m.* **1.** Ajuste, convenio, especialmente entre naciones, después de haber hablado sobre ello. **2.** Escrito o discurso sobre una materia determinada.

tratamiento *s. m.* **1.** Trato, acción y efecto de tratar. **2.** Título de cortesía que se da a una persona, como merced, señoría, etc. **3.** Sistema que se emplea para curar enfermos. **4.** Procedimiento empleado en una experiencia o en la elaboración de un producto.

tratante *com.* Persona que se dedica a comprar géneros para revenderlos.

tratar *v. tr.* **1.** Manejar una cosa, usar materialmente de ella. **2.** Manejar o gestionar negocios. **3.** Comunicar, o tener relación amistosa con una persona. También intr. y prnl. **4.** Tener relaciones amorosas. **5.** Actuar bien, o mal, con una persona, de obra o de palabra. **6.** Con la preposición *de*, conversar, discutir sobre una cuestión. También intr. **7.** Con la preposición *de* y un tratamiento de cortesía, dar este título a alguien. **8.** Someter una sustancia a la acción de otra. ‖ *v. intr.* **9.** Con la preposición *de*, procurar la consecución de algún fin.

trato *s. m.* **1.** Acción y efecto de tratar o tratarse. **2.** Manera de tratar a alguien. **3.** Tratado, ajuste entre dos partes. **4.** Tratamiento, título de cortesía. **5.** *fam.* Contrato, especialmente el relativo a ganados celebrado en feria o mercado.

trauma *s. m.* **1.** Traumatismo. **2.** Impresión afectiva que deja una huella profunda en el subconsciente y es causa de trastornos muy diversos.

traumático, ca *adj.* Perteneciente o relativo al traumatismo.

traumatismo *s. m.* Lesión de los tejidos por agentes mecánicos.

traumatizar *v. tr.* Causar trauma.

traumatología *s. f.* Parte de la medicina que estudia las afecciones de naturaleza traumática.

travelín *s. m.* **1.** Procedimiento técnico del cinematógrafo que consiste en desplazar la cámara tomavistas, montada sobre ruedas, para aproximarla al objeto, alejarla de él o seguirlo en sus movimientos. **2.** Plataforma móvil sobre la que se monta una cámara.

traversa *s. f.* Cabo que sujeta la cabeza de un mástil al pie del más próximo.

través *s. m.* **1.** Inclinación o torcimiento. **2.** *fig.* Desgracia, fatalidad. **3.** Obra exterior para estorbar el paso en parajes angostos. **4.** Parapeto para defenderse de los fuegos enfilados, de flanco, de revés o de rebote. **5.** Dirección perpendicular a la de la quilla.

travesaño *s. m.* **1.** Pieza que atraviesa de una parte a otra. **2.** Almohada larga que ocupa toda la cabecera de la cama. **3.** Pieza corta colocada formando cruz con otra.

travesear *v. intr.* **1.** Andar inquieto y revoltoso de una parte a otra. **2.** *fig.* Discurrir con ingenio y viveza. **3.** *fig.* Vivir desenvueltamente y con viciosas costumbres.

travesía *s. f.* **1.** Camino transversal. **2.** Callejuela que atraviesa entre calles principales. **3.** Parte de la carretera que está comprendida dentro del casco de la población. **4.** Distancia entre dos puntos de tierra o de mar. **5.** Viaje por mar. **6.** *Arg.* Región vasta, desierta y sin agua. **7.** *Chil.* Viento del oeste que sopla del mar. **8.** Conjunto de traveses de una obra de fortificación. **9.** Viento perpendicular a la costa.

travestido, da *adj.* **1.** Disfrazado o encubierto. ‖ *s. m. y s. f.* **2.** Persona inclinada al travestismo.

travestir *v. tr.* **1.** Vestir a una persona con la indumentaria que corresponde al sexo contrario. También prnl. **2.** *fig.* Simular el propio aspecto o las intenciones.

travestismo *s. m.* Acción y efecto de vestirse una persona con la indumentaria que corresponde al sexo contrario.

travesura *s. f.* **1.** Acción y efecto de travesear. **2.** *fig.* Viveza y sutileza de ingenio. **3.** *fig.* Acción culpable verificada con destreza e ingenio.

travieso, sa *adj.* **1.** Atravesado o puesto al través. **2.** *fig.* Sutil, sagaz. **3.** *fig.* Se dice de las personas inquietas y revoltosas. **4.** *fig.* Se dice de las cosas bulliciosas e inquietas. **5.** *fig.* Que vive distraído en vicios. ‖ *s. f.* **6.** Travesía, distancia comprendida entre dos puntos o lugares. **7.** Madero que se atraviesa en una vía férrea para asentar los rieles. **8.** Cualquiera de las piezas de hierro o madera que forman la armadura para sostener un tejado. **9.** Pared maestra que no está en fachada ni en medianería. **10.** Galería transversal al filón o capa.

trayecto *s. m.* **1.** Espacio que se recorre de un punto a otro. **2.** Trozo de un camino, una línea de ferrocarril o una carretera. **3.** Camino previsto para un recorrido. **4.** Acción de recorrerlo.

trayectoria *s. f.* **1.** Línea descrita en el espacio por un punto que se mueve, y especialmente parábola de un proyectil. **2.** Orientación en la personalidad o la manera de actuar de una persona.

traza *s. f.* **1.** Diseño para la fábrica de un edificio u otra obra. **2.** *fig.* Plan para realizar un fin. **3.** *fig.* Invención para solucionar un asunto. **4.** *fig.* Modo o figura de una cosa. **5.** Huella que deja impresa una cosa. **6.** Habilidad para hacer una cosa.

trazado *s. m.* **1.** Acción y efecto de trazar. **2.** Traza, diseño. **3.** Recorrido o dirección de un camino, canal, etc., sobre el terreno.

trazar *v. tr.* **1.** Hacer trazos o dibujar líneas. **2.** Diseñar la traza que se ha de seguir en un edificio u otra obra. **3.** *fig.* Disponer los medios adecuados para conseguir un intento. **4.** *fig.* Describir mediante el lenguaje.

trazo *s. m.* **1.** Delineación de la traza de una obra. **2.** Línea, raya. **3.** Cada una de las partes en que se considera dividida la letra de mano. **4.** Pliegue del ropaje.

trébede *s. f.* **1.** Habitación o parte de ella que, a modo de hipocausto, se calienta con paja. ‖ *s. f. pl.* **2.** Aro o triángulo de hierro con tres pies que sirve para poner al fuego sartenes, perolas, etc.

trebejo *s. m.* **1.** Nombre general que se da a un instrumento o utensilio de cualquier clase de trabajo. Se usa más en pl. **2.** Juguete o trasto con que alguien se divierte. **3.** Cada una de las piezas del juego de ajedrez.

trébol *s. m.* **1.** Planta leguminosa papilionácea, de hojas casi redondas, pecioladas de tres en tres, que se usa como forraje, y de flores blancas o moradas en cabezuelas apretadas. **2.** Palo de la baraja francesa.

trece *adj. num.* Diez y tres. También pron. y s. m.

treceavo, va *adj. num.* Se dice de cada una de las 13 partes iguales en que se divide un todo. También s. m.

trecenario *s. m.* Número de trece días dedicados a un mismo objeto.

trecha *s. f.* Treta para conseguir un objeto.

trechear *v. tr.* Transportar de trecho en trecho una carga.

trecho *s. m.* **1.** Espacio de lugar o tiempo. **2.** Campo, trozo de terreno. **3.** Pedazo de una cosa que se hace progresivamente.

trechor *s. m.* Orla estrecha.

trefe *adj.* **1.** Ligero, flojo. **2.** Falso, falto de ley.

trefilado *s. m.* Operación de trefilar.

trefilar *v. tr.* Tirar, reducir a hilos de mayor o menor calibre una barra de metal dúctil, haciéndola pasar por un molde calibrado de distinto diámetro, que la reduce al grueso que se desea, según el orificio utilizado.

trefilería *s. f.* **1.** Técnica de trefilar o tirar los metales. **2.** Taller en que se trefilan los metales.

tregua *s. f.* **1.** Cesación de hostilidades, por determinado tiempo, entre los beligerantes. **2.** *fig.* Intermisión, descanso en alguna labor.

treguar *v. intr.* Dar treguas.

treinta *adj. num.* Tres veces diez. También pron. y s. m.

treintanario *s. m.* Número de treinta días, dedicado a un mismo objeto.

treintañal *adj.* Se dice de lo que es de treinta años o los tiene.

treintavo, va *adj. num.* Se dice de cada una de las 30 partes iguales en que se divide un todo. También s. m.

treintena *s. f.* **1.** Conjunto de treinta unidades. **2.** Cada una de las treinta partes de un todo.

tremante *adj.* Se aplica a lo que tiembla.

tremebundo, da *adj.* Espeluznante, que hace temblar.

tremedal *s. m.* Terreno pantanoso abundante en turba, cubierto de césped, y que retiembla cuando se anda sobre él.

tremendismo *s. m.* Tendencia a describir o tratar temas crudos, sin escatimar detalles.

tremendista *adj.* **1.** Se dice de la persona que practica el tremendismo. **2.** Se aplica a la obra escrita con las características del tremendismo. **3.** Se dice de la persona aficionada a los hechos alarmantes y extremados.

tremendo, da *adj.* **1.** Terrible, digno de ser temido. **2.** Digno de respeto. **3.** *fig. y fam.* Muy grande.

trementina *s. f.* Resina semifluida que exudan los pinos, abetos, alerces y terebintos.

tremesino, na *adj.* De tres meses.

tremolar *v. tr.* **1.** Temblar las banderas u otra cosa de tela a impulsos del viento. **2.** Enarbolar los pendones, banderas, etc., batiéndolos en el aire. También intr.

tremolina *s. f.* **1.** Movimiento ruidoso del aire. **2.** *fig. y fam.* Bulla, confusión de voces.

tremor *s. m.* **1.** Temblor. **2.** Comienzo o principio del temblor.

trémulo, la *adj.* **1.** Que tiembla. **2.** Se dice de las cosas que tienen un movimiento semejante al temblor, como la luz, etc.

tren *s. m.* **1.** Aparato de las cosas necesarias para un viaje o expedición. **2.** Conjunto de utensilios o máquinas dispuestos en serie que se emplean para una misma operación. **3.** Ostentación o pompa en lo perteneciente a la persona o cosa. **4.** Conjunto de engranajes de un reloj. **5.** Serie de vagones enlazados unos con otros que, arrastrados por una locomotora, circulan por las vías. **6.** *fig.* Modo de vivir con mayor o menor lujo.

trena *s. f.* **1.** *Ar.* Pan en forma de trenza. **2.** *vulg.* Cárcel de presos.

trenado, da *adj.* Dispuesto en forma de redecilla, enrejado o trenza.

trenca *s. f.* **1.** Cada uno de los palos atravesados en el vaso de la colmena para sostener los panales. **2.** Cada una de las raíces principales de una cepa. **3.** Abrigo con capucha y piezas alargadas que se ensartan en presillas en lugar de botones.

treno *s. m.* Canto fúnebre, lamentación.

treno, na *adj., vulg.* Se dice del que está preso en la cárcel.

trenza *s. f.* **1.** Enlace de tres o más ramales que se entretejen, cruzándolos alternativamente. **2.** La que se hace entretejiendo el cabello largo.

trenzado, da *s. m.* **1.** Trenza. **2.** En la danza, salto ligero cruzando los pies.

trenzar *v. tr.* **1.** Hacer trenzas. ‖ *v. intr.* **2.** Hacer trenzados.

trepa *s. f.* **1.** Acción y efecto de trepar. **2.** *fam.* Media volereta dada apoyando la coronilla en el suelo. ‖ *s. m. y s. f.* **3.** *fam.* Arribista.

trepador, ra *adj.* **1.** Que trepa. **2.** Se dice de las plantas que trepan. **3.** Se dice de las aves del orden de las trepadoras. También s. f.

trepanación *s. f.* Acción y efecto de trepanar.

trepanar *v. tr.* Horadar el cráneo u otro hueso con el trépano.

trépano *s. m.* Instrumento que se usa para trepanar.

trepar[1] *v. intr.* **1.** Subir a un lugar valiéndose de los pies y las manos. También tr. **2.** Crecer las plantas agarrándose a los árboles u otros objetos.

trepar[2] *v. tr.* Taladrar, horadar.

trepidación *s. f.* Acción de trepidar.

trepidar *v. intr.* Temblar, estremecerse.

tres *adj. num.* Dos y uno. También pron. y s. m.

tresalbo, ba *adj.* Se dice de la caballería que tiene tres pies blancos.

tresañejo, ja *adj.* Que tiene tres años.

trescientos, tas *adj. num.* Tres veces cien. También pron. y s. m.

tresdoblar *v. tr.* **1.** Triplicar, hacer triple una cosa. **2.** Dar a una cosa tres dobleces, uno sobre otro.

tresillo *s. m.* **1.** Juego de naipes que se juega entre tres personas. **2.** Conjunto de un sofá y dos butacas. **3.** Sortija con tres piedras que hacen juego.

tresnal *s. m.* Conjunto de haces de mies, apilados en el campo para que se sequen antes de llevarlos a la era.

treta *s. f.* **1.** Artificio ingenioso para conseguir algún intento. **2.** Engaño que traza y ejecuta el diestro para herir o desarmar a su contrario, o para defenderse.

tretero, ra *adj.* Astuto, taimado.

trezavo, va *adj. num.* Treceavo.

tría *s. f.* Acción y efecto de triar.

triaca *s. f.* **1.** Remedio farmacéutico, compuesto de muchos ingredientes, principalmente el opio, contra las mordeduras de animales venenosos. **2.** *fig.* Remedio de un mal.

triacal *adj.* De triaca, o que tiene algunas de sus propiedades.

tríada *s. f.* Conjunto de tres.

trial *s. m.* Prueba motociclista de habilidad y velocidad realizada sobre terreno accidentado.

triangular *adj.* De figura de triángulo o semejante a él.

triángulo *s. m.* **1.** Figura formada por tres líneas que se cortan mutuamente, formando tres ángulos. **2.** Instrumento que consiste en una varilla metálica de forma triangular, que se hace sonar suspendida de un cordón y golpeándola con otra varilla.

triar *v. tr.* **1.** Escoger algo entre varias posibilidades. ‖ *v. intr.* **2.** Entrar y salir con frecuencia las abejas de una colmena muy poblada y fuerte. ‖ *v. prnl.* **3.** Clarearse una tela.

triásico, ca *adj.* **1.** Se dice del primer periodo de la era secundaria y del terreno a él correspondiente. También s. m. **2.** Perteneciente o relativo a este terreno.

triatlón *s. m.* Disciplina deportiva que consta de tres pruebas: marcha atlética, natación y ciclismo.

triboelectricidad *s. f.* Electricidad que aparece por frotamiento entre dos cuerpos.

tribología *s. f.* Técnica que estudia el rozamiento entre los cuerpos sólidos para producir menos desgaste en ellos.

triboluminiscencia *s. f.* Luminiscencia que aparece por frotamiento de dos cuerpos.

tribraquio *s. m.* Pie de la poesía griega y latina, compuesto de tres sílabas breves.

tribu *s. f.* **1.** Cada una de las agrupaciones en que se dividían algunos pueblos antiguos. **2.** Conjunto de familias nómadas que obedecen a un jefe. **3.** Cada uno de los grupos en que muchas familias se dividen y los cuales se subdividen en géneros.

tribulación *s. f.* **1.** Congoja, aflicción que atormenta el espíritu. **2.** Adversidad que padece la persona.

tríbulo *s. m.* Nombre genérico de varias plantas espinosas.

tribuna *s. f.* **1.** Plataforma elevada desde la cual se lee o perora en las asambleas. **2.** Galería destinada a los espectadores en estas mismas asambleas o en otros lugares públicos. **3.** Ventana o balcón que hay en el interior de algunas iglesias, y desde donde se puede asistir a los oficios divinos. **4.** *fig.* Conjunto de oradores políticos de un país, de una época, etc.

tribunado *s. m.* **1.** Dignidad de tribuno. **2.** Tiempo que duraba.

tribunal *s. m.* **1.** Lugar destinado a los jueces para administrar justicia. **2.** Ministro o ministros que administran justicia y pronuncian la sentencia. **3.** Conjunto de jueces ante el cual se verifican exámenes, oposiciones y otros certámenes.

tribuno *s. m.* **1.** Cada uno de los magistrados elegidos por el pueblo romano para defender sus derechos frente a las magistraturas patricias. **2.** *fig.* Orador político muy elocuente.

tributación *s. f.* **1.** Acción de tributar. **2.** Tributo. **3.** Régimen o sistema tributario.

tributar *v. tr.* **1.** Entregar el vasallo al señor o el súbdito al Estado, para las cargas públicas, cierta cantidad en dinero o especie. **2.** *fig.* Dar muestras de veneración, gratitud, etc.

tributario, ria *adj.* **1.** Perteneciente o relativo al tributo. **2.** Que paga tributo. También s. m. y s. f.

tributo *s. m.* **1.** Lo que se tributa. **2.** Carga u obligación de tributar. **3.** Censo sobre un inmueble. **4.** Cualquier carga continua.

tricenal *adj.* **1.** Que dura treinta años. **2.** Que se repite cada treinta años.

tricentésimo, ma *adj. num.* **1.** Que ocupa el último lugar en una serie ordenada de 300. También pron. **2.** Se dice de cada una de las 300 partes iguales en que se divide un todo. También s. m.

tríceps *adj.* Se dice del músculo que tiene tres porciones o cabezas. También s. m.

triciclo *s. m.* Vehículo de tres ruedas.

tricípite *adj.* Que tiene tres cabezas.

triclinio *s. m.* **1.** Lecho en que los griegos y romanos se reclinaban para comer. **2.** Comedor de los antiguos griegos y romanos.

tricolor *adj.* De tres colores.

tricomatopsia *s. f.* Correcta visión del color.

tricomicosis *s. f.* Nombre dado a las enfermedades del cuero cabelludo producidas por hongos.

tricorne *adj., poét.* Que tiene tres cuernos.

tricornio *adj.* Tricorne.

tricot *s. m.* **1.** Género de punto. **2.** Se da este nombre especialmente a un tejido de punto fabricado con rayón, que se usa para vestidos y prendas de señora.

tricotar *v. tr.* Hacer punto a mano o a máquina.

tricotomía *s. f.* **1.** División en tres partes. **2.** Método de clasificación en que las divisiones y subdivisiones tienen tres partes.

tricótomo, ma *adj.* Que se divide en tres partes.

tricotosa *s. f.* **1.** Máquina para hacer tejido de punto. **2.** Persona que trabaja en dicha máquina.

tricromía *s. f.* Impresión tipográfica hecha mediante la combinación de tres tintas diferentes.

tricúspide *adj.* De tres cúspides o puntas.

tridacio *s. m.* Medicamento calmante que se obtiene del zumo de los tallos de la lechuga.

tridente *adj.* De tres dientes.

triduano, na *adj.* De tres días.

triduo *s. m.* Ejercicio devoto que se practica durante tres días.

triedro *adj.* Se dice del ángulo formado por tres planos que concurren en un punto.

trienal *adj.* **1.** Que se repite cada trienio. **2.** Que dura un trienio.

trienio *s. m.* Espacio de tres años.

trifásico, ca *adj.* De tres fases; se dice de un sistema de tres corrientes eléctricas alternas iguales, procedentes del mismo generador, y desplazadas en el tiempo, cada una respecto de las otras dos, en un tercio de periodo.

trífido, da *adj.* Partido por tres partes.

trifinio *s. m.* Punto donde confluyen los términos de tres divisiones territoriales.

trifloro, ra *adj.* Que tiene tres flores.

trifoliado, da *adj.* Que tiene hojas compuestas de tres folíolos.

triforio *s. m.* Galería que rodea el interior de una iglesia sobre los arcos de las naves y que suele tener ventana de tres huecos.

triforme *adj.* De tres formas o figuras. Se aplica a la diosa Diana.

trifulca *s. f.* **1.** Aparato para dar movimiento a los fuelles de los hornos metalúrgicos. **2.** *fig. y fam.* Disputa con grandes voces.

trifurcado, da *adj.* De tres ramales, brazos o puntas.

trifurcarse *v. prnl.* Dividirse una cosa en tres ramales o puntas.

triga *s. f.* **1.** Carro de tres caballerías. **2.** Conjunto de tres caballos de frente que tiran de un carro.

trigal *s. m.* Lugar sembrado de trigo.

trigémino, na *adj.* **1.** Se aplica a cada uno de tres que han nacido juntos. **2.** Perteneciente o concerniente al trigémino. || *s. m.* **3.** Nervio sensitivo de la cara.

trigésimo, ma *adj. num.* **1.** Que ocupa el último lugar en una serie ordenada de treinta. También pron. **2.** Se dice de cada una de las 30 partes iguales en que se divide un todo. También s. m.

triglifo *s. m.* Miembro arquitectónico en forma de rectángulo saliente y surcado por tres canales.

trigo *s. m.* **1.** Género de plantas de la familia de las gramíeas, con espigas terminales de cuatro o más carreras de granos, de los cuales, triturados, se saca la harina con que se hace el pan. Hay muchas especies y en ellas innumerables variedades. **2.** Grano de esta planta.

trigonometría *s. f.* Parte de las matemáticas que estudia la resolución de los triángulos planos y esféricos por medio del cálculo.

trigueño, ña *adj.* De color del trigo, entre moreno y rubio.

triguero, ra *adj.* **1.** Perteneciente o relativo al trigo. **2.** Que se cría entre el trigo.

trilátero, ra *adj.* De tres lados.

trilingüe *adj.* **1.** Que tiene tres lenguas. **2.** Que habla tres lenguas. **3.** Escrito en tres lenguas.

trilítero, ra *adj.* De tres letras.

trilita *s. f.* Trinitrotolueno.

trilito *s. m.* Dolmen compuesto de tres grandes piedras, dos verticales que sostienen la tercera horizontal.

trilla *s. f.* **1.** Trillo. **2.** Acción de trillar. **3.** Tiempo en que se trilla.

trillado, da *adj.* **1.** Se dice del camino muy frecuentado. **2.** *fig.* Común y sabido, sin novedades.

trilladora *s. f.* Máquina para trillar.

trillar *v. tr.* **1.** Quebrantar la mies tendida en la era y separar el grano de la paja. **2.** *fig. y fam.* Frecuentar una cosa continuamente o de ordinario. **3.** *fig.* Maltratar, quebrantar.

trillizo, za *adj.* Nacido de un parto triple. También s. m. y s. f.

trillo *s. m.* **1.** Instrumento para trillar que consiste en un tablón guarnecido por abajo con cuchillas de acero y tirado por animales. **2.** *C. Ric., Cub. y P. Ric.* Senda, vereda.

trillón *s. m.* Un millón de billones.

trilobites *s. m.* Fósil marino del Paleozoico, de cuerpo oval y dividido longitudinalmente por dos surcos.

trilocular *adj.* Dividido en tres celdas o cavidades.

trilogía *s. f.* Conjunto de tres obras dramáticas que tienen entre sí cierto enlace.

trimembre *adj.* De tres miembros.

trimensual *adj.* Que se repite tres veces un mes.

trímero *adj.* Se dice de los insectos coleópteros que tienen en cada tarso tres artejos desarrollados y uno rudimentario.

trimestral *adj.* **1.** Que sucede o se repite cada trimestre. **2.** Que dura un trimestre.

trimestre *s. m.* **1.** Espacio de tres meses. **2.** Cantidad que se cobra o paga cada trimestre.

trimotor *s. m.* Avión provisto de tres motores y tres hélices.

trinado *s. m.* **1.** Trino musical. **2.** Gorjeo de las aves.

trinar *v. intr.* **1.** Hacer trinos. **2.** Hacer trino los pájaros. **3.** *fig. y fam.* Rabiar, impacientarse.

trinca *s. f.* **1.** Junta de tres cosas de una misma clase. **2.** Conjunto de tres personas designadas para argüir recíprocamente en las oposiciones. **3.** Cabo para trincar una cosa. **4.** Ligadura que se da a una cosa para asegurarla de los balanceos de la nave.

trincar[1] *v. tr.* **1.** Atar fuertemente alguna cosa. **2.** Asegurar con fuerza mediante trincas los efectos de abordo. **3.** Sujetar a una persona por los brazos. **4.** *Cant.* Hurtar una cosa. || *v. intr.* **5.** Mantenerse quieto el barco con las velas tendidas.

trincar[2] *v. tr.* Partir o desmenuzar en trozos alguna cosa.

trincar[3] *v. tr.* Beber una bebida alcohólica.

trincha *s. f.* Ajustador de ciertas prendas que sirve para ceñirlas al cuerpo por medio de hebillas o botones.

trinchar *v. tr.* **1.** Partir en trozos la vianda para servirla. **2.** *fig. y fam.* Disponer de una cosa, mangonear.

trinchera *s. f.* **1.** Defensa hecha de tierra que cubre el cuerpo del soldado. **2.** Desmonte hecho en el terreno para un camino y con taludes por ambos lados. **3.** Cierto sobretodo o abrigo impermeable. **4.** *Le.* Cada una de las piezas curvas que sujetan el eje al tablero de la carreta.

trinchete *s. m.* Cuchilla de zapatero.

trineo *s. m.* Vehículo sin ruedas que se desliza sobre el hielo.

trinidad *s. f.* **1.** Distinción de tres personas divinas en una sola y única esencia. **2.** *fig.* Unión de tres personas en un negocio.

trinitaria *s. f.* **1.** Planta violácea, con flores de corola irregular en largos pedúnculos y con cinco pétalos redondeados de tres colores, cuatro superiores, imbricados y dirigidos hacia arriba, y el inferior, dirigido hacia abajo. Se llama vulgarmente pensamiento y se cultiva en los jardines. **2.** Flor de esta planta.

trinitrotolueno *s. m.* Producto derivado del tolueno en forma de sólido cristalino. Es un potente explosivo empleado en la fabricación de armas.

trino *s. m.* **1.** Adorno musical que consiste en la sucesión rápida y alternada de dos notas conjuntas de igual duración, entre las cuales media la distancia de un tono o un semitono. **2.** Sonido emitido por los pájaros al trinar.

trino, na *adj.* **1.** Que contiene en sí tres cosas distintas. **2.** Ternario.

trinomio *s. m.* Expresión algebraica que consta de tres términos.

trinquete[1] *s. m.* **1.** Garfio que resbala sobre los dientes oblicuos de una rueda para impedir que esta se vuelva hacia atrás. **2.** Aldaba con que se sujeta una puerta o ventana.

trinquete[2] *s. m.* **1.** Juego de pelota cubierto y cerrado. **2.** Verga mayor que se cruza sobre el palo de proa. **3.** Vela que se pone en ella. **4.** Palo inmediato a la proa.

trío *s. m.* **1.** Conjunto musical de tres voces o tres instrumentos. **2.** Conjunto de tres personas.

trióxido *s. m.* Cuerpo resultante de la combinación de un radical con tres átomos de oxígeno.

tripa *s. f.* **1.** Intestino. **2.** Vientre. **3.** Panza de una vasija. **4.** Relleno del cigarro puro. **5.** Hoja de tabaco que por su poco tamaño se destina al relleno del cigarro puro. **6.** *fig.* Lo interior de ciertas cosas.

tripartir *v. tr.* Dividir una cosa en tres partes.

tripartito, ta *adj.* Dividido en tres partes, órdenes o clases.

tripe *s. m.* Tejido fuerte de lana o esparto parecido al terciopelo que se usa para hacer alfombras.

tripicallero, ra *s. m. y s. f.* Persona cuyo oficio es vender tripicallos.

tripicallos *s. m. pl.* Callos, guiso hecho con pedazos de estómago de algunos animales.

triplano *s. m.* Aeroplano cuyas alas están formadas por tres planos rígidos superpuestos.

triple *adj. num.* Que contiene un número exactamente tres veces. También s. m.

triplete *s. m.* Objetivo fotográfico formado por tres lentes que permite corregir las aberraciones cromáticas.

triplicación *s. f.* Acción y efecto de triplicar o triplicarse.

triplicado, da *adj.* **1.** Hecho tres veces. ‖ *s. m.* **2.** Tercer ejemplar de un documento.

triplicar *v. tr.* **1.** Multiplicar por tres. **2.** Hacer tres veces una misma cosa.

triplo, pla *adj.* Triple.

trípode *s. amb.* **1.** Mesa, banquillo, etc., de tres pies. Se usa más como s. m. ‖ *s. m.* **2.** Armazón de tres pies, para sostener ciertos instrumentos.

tríptico *s. m.* **1.** Tablilla para escribir dividida en tres hojas, de las cuales las laterales se doblan sobre la del centro. **2.** Libro o tratado que consta de tres partes. **3.** Pintura, grabado o relieve distribuido en tres hojas unidas.

triptongar *v. tr.* Pronunciar tres vocales formando un triptongo.

triptongo *s. m.* Conjunto de tres vocales, dos débiles y una fuerte entre ambas, que forman una sola sílaba.

tripudiar *v. intr.* Danzar, bailar.

tripudio *s. m.* Danza, baile.

tripulación *s. f.* Conjunto de personas que van en una embarcación o en un aparato de transporte aéreo dedicadas a la maniobra y servicio.

tripulante *com.* Persona que forma parte de la tripulación.

tripular *v. tr.* **1.** Dotar de tripulación a un barco o a un vehículo aéreo. **2.** Conducir la tripulación el barco o vehículo aéreo.

trique *s. m.* **1.** Estallido leve. **2.** *Chil.* Bebida refrescante que se hace con cebada tostada y triturada. **3.** *Col. y Cub.* Juego de tres en raya.

triquina *s. f.* Gusano nematelminto que vive en el interior de los músculos de los animales vertebrados, especialmente en el cerdo, de donde puede pasar al intestino del ser humano y desarrollarse en él.

triquinosis *s. f.* Enfermedad ocasionada por la presencia de triquinas en los organismos.

triquiñuela *s. f., fam.* Medio con el que se consigue algún fin, normalmente empleando el engaño y la astucia.

triquitraque *s. m.* **1.** Ruido como de golpes desordenados y repetidos. **2.** Los mismos golpes. **3.** Rollo de papel con pólvora y atado en varios dobleces, de cada uno de los cuales resulta una pequeña detonación.

trirreme *s. m.* Embarcación antigua de tres órdenes de remos.

tris *s. m.* **1.** Leve sonido de una cosa delicada al quebrarse, como el vidrio. **2.** Golpe ligero que produce este sonido. **3.** *fig. y fam.* Porción muy pequeña, causa u ocasión levísima.

trisar *v. intr.* Cantar o chirriar la golondrina y otros pájaros.

trisca *s. f.* **1.** Ruido que se hace con los pies en una cosa que se quebranta. **2.** Por ext., cualquier otra bulla o estruendo.

triscar *v. intr.* **1.** Hacer ruido con los pies. **2.** *fig.* Retozar, travesear. **3.** *Ál.* Producir ruido entrechocando el dedo medio con el pulgar. ‖ *v. tr.* **4.** *fig.* Mezclar una cosa con otra. También prnl. **5.** *fig.* Torcer alternativamente y a uno y otro lado los dientes de la sierra. ‖ *v. intr.* **6.** Crujir.

trisecar *v. tr.* Cortar o dividir una cosa en tres partes iguales. Se aplica a los ángulos.

trisección *s. f.* Acción y efecto de trisecar.

trisemanal *adj.* Que se repite tres veces por semana, o cada tres semanas.

trisílabo, ba *adj.* De tres sílabas. También s. m. y s. f.

trismo *s. m.* Rigidez espasmódica de los músculos de la mandíbula inferior.

triste *adj.* **1.** Se dice de la persona apesadumbrada por algo. **2.** De carácter o genio melancólico. **3.** *fig.* Que denota u ocasiona pesadumbre. **4.** *fig.* Se aplica a los hechos funestos. **5.** *fig.* Pasado o hecho con pesadumbre. **6.** *fig.* Doloroso, difícil de soportar. **7.** *fig.* Se dice de las cosas insignificantes.

tristeza *s. f.* **1.** Calidad de triste. ‖ *s. f. pl.* **2.** Sucesos tristes.

tristón, na *adj.* Un poco triste.

trisulco, ca *adj.* **1.** *poét.* De tres púas o puntas. **2.** De tres surcos, canales o hendiduras.

tritíceo, a *adj.* De trigo, o que participa de sus cualidades.

tritón *s. m.* Cada una de ciertas deidades marinas a que se atribuía figura de hombre desde la cabeza hasta la cintura, y de pez el resto.

trituración *s. f.* Acción y efecto de triturar.

triturar *v. tr.* **1.** Moler, desmenuzar una materia sólida, sin reducirla a polvo. **2.** Mascar, ronzar. **3.** *fig.* Maltratar, fastidiar gravemente. **4.** *fig.* Criticar una cosa severamente.

triunfal *adj.* Perteneciente o relativo al triunfo.

triunfar *v. intr.* Quedar victorioso en la guerra o en cualquier contienda.

triunfo *s. m.* **1.** Victoria. **2.** Carta del palo preferido en ciertos juegos de naipes. **3.** *fig.* Lo que sirve de trofeo, que acredita el triunfo. **4.** *fig.* Éxito feliz en una gestión dificultosa. **5.** *Arg. y Per.* Cierta danza popular.

triunvirato *s. m.* **1.** Magistratura de la antigua Roma en que intervenían tres personas. **2.** Junta de tres personas.

triunviro *s. m.* Cada uno de los tres magistrados romanos que en ciertas ocasiones gobernaron la república.

trivalente *adj.* Que tiene tres valencias.

trivial *adj.* **1.** Perteneciente o relativo al trivio de un camino. **2.** *fig.* Vulgarizado, sabido de todos. **3.** *fig.* Que carece de toda importancia y novedad.

trivialidad *s. f.* **1.** Calidad de trivial. **2.** Expresión o pensamiento trivial.

trivializar *v. tr.* Quitar importancia a un asunto.

triza *s. f.* Pedazo pequeño o partícula de un cuerpo.

trocaico, ca *adj.* **1.** Perteneciente o concerniente al troqueo. **2.** Se dice de cierto verso de la métrica clásica.

trocánter *s. m.* Prominencia que algunos huesos largos tienen en su extremidad superior para inserción de los músculos.

trocar *v. tr.* **1.** Cambiar o permutar una cosa por otra. **2.** Cambiar, variar. **3.** Equivocar el sentido de algo. ‖ *v. prnl.* **4.** Portarse de otra forma. **5.** Mudarse una cosa por completo.

trocear *v. tr.* Dividir una cosa en trozos.

trocha *s. f.* **1.** Vereda, camino angosto y excusado. **2.** Camino abierto en la maleza.

troche y moche, a *adv. m., fam.* Disparatada e inconsideradamente.

trocisco *s. m.* Cada uno de los trozos de masa que forman ciertas preparaciones medicinales.

tróclea *s. f.* Nombre de algunos órganos o parte de ellos que, por su forma, se asemejan a una polea.

trofeo *s. m.* **1.** Monumento, insignia o señal de una victoria. **2.** Despojo o botín de guerra. **3.** Por ext., cabeza disecada de un animal que se ha cazado. **4.** *fig.* Victoria o triunfo.

trófico, ca *adj.* Perteneciente o relativo a la nutrición de los tejidos.

trofología *s. f.* Tratado de la alimentación.

troglodita *adj.* **1.** Se dice de la persona que habita en cavernas. **2.** *fig.* Se dice de la persona bárbara y cruel, o de la que come mucho. ‖ *s. m.* **3.** Género de pájaros dentirrostros.

troica o troika *s. f.* **1.** Especie de trineo ruso de grandes dimensiones, tirado por tres caballos. **2.** En la extinta Unión Soviética, equipo político dirigente formado por el presidente de la República, el jefe de Gobierno y el secretario general del Partido Comunista. **3.** Especialmente en el ámbito político, triunvirato dirigente o con labores de representación.

troj *s. f.* Espacio limitado por tabiques, para guardar frutos o cereales.

troje *s. f.* Troj.

trol *s. m.* En la mitología escandinava, monstruo maligno que habitaba en los bosques.

trola *s. f., fam.* Engaño, mentira, falsedad.

trole *s. m.* Pértiga de hierro que sirve para transmitir a los carruajes de los tranvías eléctricos la corriente del cable conductor.

trolebús *s. m.* Vehículo urbano de tracción eléctrica, sin raíles, que cierra circuito por medio de un doble trole.

tromba *s. f.* Columna de agua que tiene un movimiento giratorio por efecto de un torbellino.

trombo *s. m.* Coágulo formado en la sangre.

trombocito *s. m.* Cada una de las células minúsculas que carecen de núcleo y de hemoglobina y que existen en la sangre coagulándola cuando se extravasa.

tromboflebitis *s. f.* Inflamación venosa acompañada de formación de trombos.

trombón *s. m.* Instrumento musical de viento de gran flexibilidad sonora, especie de trompeta grande.

trombosis *s. f.* Formación de un trombo o coágulo en los vasos sanguíneos de un animal vivo.

trompa *s. f.* **1.** Instrumento musical de viento, que consiste en un tubo de latón enroscado circularmente y que va ensanchándose desde la boquilla, y cuyos sonidos se producen mediante el juego combinado de tres cilindros. **2.** Prolongación muscular de la nariz en algunos animales, como el elefante, adecuada para absorber fluidos. **3.** Aparato chupador, contráctil y dilatable, propio de algunos insectos. **4.** Tromba. **5.** *fam.* Borrachera. **6.** *fam.* Bóveda voladiza fuera del paramento de un muro.

trompada *s. f.* **1.** Golpe dado con la trompa. **2.** *fam.* Trompazo, porrazo. **3.** *fig. y fam.* Encontronazo de dos personas cara a cara. **4.** *fig. y fam.* Golpe dado con la mano. **5.** Embestida de un buque contra otro o contra tierra.

trompazo *s. m.* **1.** Golpe dado con el trompo. **2.** Golpe dado con la trompa. ‖ *s. f.* **3.** *fig.* Cualquier golpe recio que se recibe al caer o chocar con algo.

trompeta *s. f.* **1.** Instrumento musical de viento que produce diversidad de sonidos según la fuerza con que la boca impele el aire. **2.** Clarín, instrumento de sonidos agudos. ‖ *s. m.* **3.** Músico que toca la trompeta en las bandas militares. **4.** *fam.* Persona despreciable e insignificante.

trompetazo *s. m.* **1.** Sonido destemplado o excesivamente fuerte de la trompeta o instrumento análogo. **2.** Trompazo.

trompetear *v. intr., fam.* Tocar la trompeta.

trompetilla *s. f.* **1.** Aparato en forma de trompeta que sirve para que los personas sordas perciban los sonidos. **2.** Cigarro puro filipino, de forma cónica.

trompicar *v. tr.* **1.** Hacer a alguien tropezar repetidamente. **2.** *fig. y fam.* Promover a alguien sin derecho a un cargo u oficio. ‖ *v. intr.* **3.** Tropezar repetidamente.

trompicón *s. m.* Cada uno de los tropezones que da la persona que trompica.

trompo *s. m.* **1.** Peón, juguete. **2.** Peonza. **3.** Molusco gasterópodo marino de concha cónica y gruesa con tentáculos cónicos en la cabeza.

trona *s. f.* Carbonato de sodio cristalizado, que se halla formando incrustaciones en las orillas de ciertos lagos y ríos.

tronada *s. f.* Tempestad de truenos.

tronado, da *adj.* **1.** Deteriorado por efecto del uso. **2.** Falto de recursos, empobrecido. **3.** *fig.* Chalado.

tronar *v. intr.* **1.** Sonar truenos. **2.** Despedir o causar ruido o estampido. **3.** *fig. y fam.* Perder alguien su patrimonio hasta el punto de arruinarse. **4.** *fig. y fam.* Impugnar con violencia mediante discursos o escritos.

troncal *adj.* Perteneciente o relativo al tronco o procedente de él.

troncalidad *s. f.* Principio jurídico, de tradición española, según el cual los bienes deben pasar, en la herencia por ley de una persona, a favor de la línea de parientes de que aquellos procedían.

tronchar *v. tr.* **1.** Partir o romper con violencia el tronco, tallo o ramas de un vegetal. También prnl. **2.** Partir o romper con violencia cualquier cosa de figura parecida a la de un tronco o tallo. También prnl. **3.** *fig.* Truncar. ‖ *v. prnl.* **4.** Cansarse en un esfuerzo. **5.** Reírse.

troncho *s. m.* Tallo de las hortalizas que queda envuelto por las hojas.

tronco *s. m.* **1.** Tallo fuerte y macizo de los árboles y arbustos. **2.** Cuerpo humano o de cualquier animal prescindiendo de la cabeza y las extremidades. **3.** Cuerpo truncado, particularmente parte de una pirámide o un cono, la cual está comprendida entre la base y una sección transversal. **4.** Pastel recubierto de chocolate que imita la figura de un tronco de árbol. **5.** Par de caballerías que tiran de un carruaje. **6.** Conducto o canal principal del que salen o al que concurren otros menores. **7.** *fig.* Ascendiente común de dos o más ramas, líneas o familias. **8.** *fig.* Persona insensible o inútil.

tronera *s. f.* **1.** Abertura en el costado de un buque, en el parapeto de una muralla o en el espaldón de una batería, para disparar con acierto y seguridad los cañones. **2.** Ventana pequeña y angosta. **3.** Cada uno de los agujeros de las mesas de billar. **4.** *fig. y fam.* Persona desbaratada y de poco juicio en sus acciones y palabras.

tronío *s. m., vulg.* Ostentación de dinero, lujo, etc.

trono *s. m.* **1.** Asiento con gradas y dosel utilizado por los monarcas y otras personas de alta dignidad, especialmente en actos de ceremonia. **2.** Tabernáculo colocado encima de la mesa del altar y en el que se expone el Santísimo Sacramento. **3.** Lugar en que se coloca la efigie de un santo cuando se le honra con culto solemne. **4.** *fig.* Dignidad de rey o soberano.

tronzador *s. m.* Sierra que sirve para partir al través las piezas enterizas.

tronzar *v. tr.* **1.** Dividir alguna cosa o hacerla trozos. **2.** Hacer en las faldas o vestidos unos pliegues iguales y muy menudos. **3.** *fig.* Rendir de fatiga corporal. También prnl.

tronzo, za *adj.* Se dice de la caballería que tiene cortadas una o ambas orejas como señal de haber sido desechada por inútil.

tropa *s. f.* **1.** Turba, muchedumbre de gente. **2.** *desp.* Gentecilla, gente despreciable. **3.** Gente militar. ‖ *s. f. pl.* **4.** Conjunto de cuerpos que componen un ejército, división, guarnición, etc. **5.** Cierto toque militar.

tropel *s. m.* **1.** Movimiento acelerado, ruidoso y desordenado de varias personas o cosas. **2.** Prisa, aceleramiento confuso. **3.** Conjunto de cosas desordenadas.

tropelía *s. f.* **1.** Aceleración desordenada y confusa. **2.** Atropellamiento o violencia en las acciones. **3.** Hecho ilegal. **4.** Vejación, atropello. **5.** Arte mágica que muda las apariencias de las cosas. **6.** Engaño, embaucamiento.

tropeoláceo, a *adj.* Se dice de las plantas dicotiledóneas, herbáceas, con hojas pecioladas y flores zigomorfas, con el receptáculo alargado por detrás y formando con los sépalos posteriores una especie de espolón; fruto carnoso o seco, semillas sin albumen y raíz tuberculosa de gluten abundante.

tropezador, ra *adj.* Que tropieza con frecuencia. También s. m. y s. f.

tropezar *v. intr.* **1.** Dar con los pies en un estorbo que pone en peligro de caer. **2.** Detenerse una cosa por encontrar un estorbo que le impide avanzar. **3.** *fig.* Deslizarse, caer en alguna culpa. **4.** *fig.* Reñir con alguien, disentir de su opinión u oponerse a lo que dictamina. **5.** *fig.* Advertir el defecto de una cosa o la dificultad que entraña su ejecución. **6.** *fig. y fam.* Encontrar por casualidad una persona a otra donde no la buscaba.

tropezón *s. m.* **1.** Tropiezo. **2.** *fig. y fam.* Pedazo pequeño de jamón u otra vianda que se mezcla con las sopas o las legumbres. Se usa más en pl.

tropical *adj.* Perteneciente o relativo a los trópicos.

trópico, ca *adj.* **1.** Perteneciente o relativo al tropo. || *s. m.* **2.** Cada uno de los dos círculos menores que se consideran en la esfera celeste, paralelos al ecuador y que tocan a la Eclíptica en los puntos de intersección de la misma con el coluro de los solsticios. **3.** Cada uno de los dos círculos menores que se consideran en la Tierra en correspondencia con los trópicos de la esfera celeste.

tropiezo *s. m.* **1.** Aquello en que se tropieza. **2.** Lo que sirve de estorbo o impedimento. **3.** *fig.* Error en que se incurre moralmente. **4.** *fig.* Causa de la culpa cometida. **5.** *fig.* Persona con quien se comete. **6.** *fig.* Dificultad o impedimento en un negocio. **7.** *fig.* Riña o quimera.

tropismo *s. m.* Movimiento de los organismos, determinado por el estímulo de agentes físicos o químicos; especialmente los que experimentan en su crecimiento los órganos vegetales.

tropo *s. m.* Figura que consiste en modificar el sentido propio de una palabra para emplearla en sentido figurado. El tropo comprende la metáfora, la metonimia y la sinécdoque.

tropología *s. f.* **1.** Lenguaje figurado, sentido alegórico. **2.** Mezcla de moralidad y doctrina en el discurso u oración.

tropológico, ca *adj.* **1.** Figurado, expresado por tropos. **2.** Doctrinal, moral.

troposfera *s. f.* Zona inferior de la atmósfera, hasta la altura de 12 km, donde tienen lugar los fenómenos atmosféricos.

troquel *s. m.* Molde empleado en la acuñación de monedas, medallas, etc.

troqueo *s. m.* **1.** Pie de la versificación clásica, compuesto por una sílaba larga seguida de una breve. **2.** En la poesía española, se llama así al pie compuesto de una sílaba acentuada y otra átona.

trotaconventos *s. f., fam.* Alcahueta.

trotamundos *com.* Persona aficionada a viajar y recorrer países.

trotar *v. intr.* **1.** Ir el caballo al trote. **2.** Ir una persona en caballo que va al trote. **3.** *fig. y fam.* Andar mucho o deprisa.

trote *s. m.* **1.** Modo de caminar acelerado natural a todas las caballerías, que consiste en mover a un tiempo pie y mano contrapuestos arrojando sobre ellos el cuerpo con ímpetu. **2.** *fig.* Faena apresurada y fatigosa.

trova *s. f.* **1.** Verso. **2.** Composición métrica formada a imitación de otra, en su método, estilo o consonancia. **3.** Composición métrica escrita generalmente para canto. **4.** Canción amorosa compuesta o cantada por los trovadores.

trovador, ra *adj.* **1.** Que trova. También s. m. y s. f. || *s. m.* y s. f. **2.** Poeta.

trovadoresco, ca *adj.* Perteneciente o relativo a los trovadores.

trovar *v. intr.* **1.** Hacer versos. **2.** Componer trovas. || *v. tr.* **3.** Imitar una composición métrica, aplicándola a otro asunto. **4.** *fig.* Dar a una cosa diverso sentido del que era.

trozo *s. m.* Pedazo de una cosa considerado aparte del resto.

truca *s. f.* Máquina de efectos especiales, sonoros y ópticos, usada en cine y televisión.

trucado, da *adj.* Se dice de lo que ha sido alterado para producir algún efecto.

trucaje *s. m.* Acción y efecto de trucar.

trucar *v. tr.* Preparar algo con trampas que produzcan un efecto no esperado.

trucha *s. f.* Pez malacopterigio abdominal, de carne muy sabrosa, de agua dulce, con cuerpo fusiforme de color pardo y lleno de pintas rojizas o negras.

truchimán, na *s. m. y s. f.* **1.** *fam.* Trujamán. **2.** *fig. y fam.* Persona astuta, poco escrupulosa. También adj.

truco *s. m.* Apariencia engañosa hecha con arte.

truculencia *s. f.* Calidad de truculento.

truculento, ta *adj.* Se dice de las acciones o hechos crueles.

trueno *s. m.* Ruido que sigue al rayo debido a la expansión del aire al paso de la descarga eléctrica.

trueque *s. m.* **1.** Acción y efecto de trocar o trocarse. **2.** Intercambio de bienes o servicios sin mediación de dinero.

trufa *s. f.* **1.** Variedad muy aromática de un hongo carnoso de figura redondeada, de 3 a 4 cm de diámetro, blanquecino o pardo rojizo por dentro y negruzco por fuera. Es comestible y se cría bajo tierra. **2.** Pasta hecha con chocolate y mantequilla. **3.** Dulce de esta pasta, en forma de bola, rebozado en virutas de chocolate. **4.** *fig.* Mentira, patraña.

trufar *v. tr.* **1.** Rellenar de trufas las aves y otros manjares. || *v. intr.* **2.** Inventar trufas o mentiras.

truhan, na *adj.* **1.** Se dice de la persona sin vergüenza, que vive de engaños y estafas. También s. m. y s. f. **2.** Se dice de quien con bufonadas, gestos o cuentos procura hacer reír. También s. m. y s. f.

truhanear *v. intr.* **1.** Petardear, engañar. **2.** Decir chanzas, burlas y chocarrerías propias de un truhan.

truja *s. f.* Algorín donde se almacena la aceituna.

trujal *s. m.* Prensa para estrujar las uvas o la aceituna.

trujamán, na *s. m. y s. f.* Persona que, por experiencia que tiene de una cosa, sirve de consejera a otra.

trulla[1] *s. f.* **1.** Ruido, confusión de voces. **2.** Multitud de gente.

trulla[2] *s. f.* Llana, herramienta de albañil.

trullo[1] *s. m.* Ave palmípeda, de cabeza negra y con moño, que se alimenta de peces.

trullo[2] *s. m.* Lagar con depósito inferior donde cae directamente el mosto cuando se pisa la uva.

truncamiento *s. f.* Acción y efecto de truncar.

truncar *v. tr.* **1.** Cortar una parte a alguna cosa. **2.** *fig.* Omitir algunas palabras a lo largo de un escrito. **3.** *fig.* Interrumpir una actividad.

trunco, ca *adj.* Mutilado, incompleto.

truque *s. m.* Cierto juego de envite en el que gana quien echa la carta de mayor valor.

trust *s. m.* Unión de empresas formada por los principales productores o acaparadores de un producto que tratan de monopolizar una determinada industria.

tu *adj. pos.* Forma apocopada de *tuyo, ya* cuando precede al sustantivo.

tú *pron. pers.* Forma del pronombre personal de segunda persona, género masculino o femenino y número singular, que funciona como sujeto.

tuba *s. f.* Instrumento de viento de metal de grandes proporciones y sonoridad voluminosa y grave.

tuberculina *s. f.* Preparación hecha con gérmenes tuberculosos y utilizada en el tratamiento de la tuberculosis.

tubérculo *s. m.* **1.** Rizoma engrosado y convertido en órgano de reserva, como la patata. **2.** Producto morboso en la sustancia de un órgano, redondeado, duro al principio y que adquiere luego el aspecto y la consistencia del pus.

tuberculosis *s. f.* Enfermedad que consiste en el desarrollo de tubérculos en los tejidos u órganos, producida por el bacilo de Koch. Presenta diferentes formas según el órgano afectado.

tuberculoso, sa *adj.* **1.** Perteneciente o relativo al tubérculo. **2.** De figura de tubérculo. **3.** Que tiene tubérculos. También s. m. y s. f. **4.** Que padece tuberculosis. También s. m. y s. f.

tubería *s. f.* **1.** Conducto formado de tubos para llevar líquidos o gases. **2.** Fábrica, taller o comercio de tubos.

tuberosidad *s. f.* Tumor, hinchazón.

tubo *s. m.* **1.** Pieza hueca, cilíndrica y generalmente abierta por ambos extremos. **2.** Pieza hueca de cristal, cilíndrica o abombada, colocada en ciertas lámparas para activar la llama con una corriente de aire. **3.** Parte del organismo animal o vegetal constituido a modo de tubo. **4.** *amer.* Teléfono.

tubular *adj.* Perteneciente o relativo al tubo, que tiene su figura o está formado de tubos.

tucán *s. m.* Ave trepadora americana, de pico arqueado, grueso, pico ligero y casi tan largo como su cuerpo.

tueco *s. m.* **1.** Tocón de un árbol. **2.** Oquedad producida por la carcoma en las maderas.

tuerca *s. f.* Pieza con un hueco helicoidal, que ajusta exactamente en la rosca de un tornillo.

tuerto, ta *adj.* **1.** Falto de la vista en un ojo. También s. m. y s. f. ‖ s. m. **2.** Agravio que se hace a alguien. ‖ s. m. pl. **3.** Dolores después del parto.

tuétano *s. m.* Sustancia blanca que se encuentra en el interior de los huesos.

tufarada *s. f.* Olor vivo y fuerte que se percibe de pronto.

tufillas *com., fam.* Persona irritable que se enoja fácilmente.

tufo *s. m.* **1.** Emanación gaseosa que se desprende de las fermentaciones y combustibles imperfectos. **2.** *fam.* Olor molesto. **3.** *fig.* Sospecha de algo que va a suceder.

tugurio *s. m.* **1.** Choza de pastores. **2.** *fig.* Habitación, vivienda o local pequeño y mezquino.

tui *s. m.* Loro pequeño, de color verde claro, con una mancha anaranjada y azul en la cabeza.

tuición *s. f.* Acción y efecto de guardar o defender.

tuitivo, va *adj.* Que guarda y defiende.

tul *s. m.* Tejido delgado de algodón o hilo que forma malla generalmente en octágonos.

tulio *s. m.* Elemento metálico que lleva sales coloreadas de verde.

tulipa *s. f.* **1.** Tulipán pequeño. **2.** Pantalla de vidrio con forma algo parecida a la del tulipán.

tulipán *s. m.* **1.** Planta de la familia de las liliáceas, bulbosa, vivaz y flor única en lo alto del escapo, grande, globosa, de seis pétalos en hermosos colores; se cultiva en los jardines. **2.** Flor de esta planta.

tullido, da *adj.* Que ha perdido el movimiento del cuerpo o de alguno de sus miembros. También s. m. y s. f.

tullidura *s. f.* Excremento de las aves de rapiña.

tullir *v. intr.* **1.** Arrojar el excremento las aves de rapiña. ‖ *v. tr.* **2.** Hacer que alguien quede tullido por haberle maltratado. ‖ *v. prnl.* **3.** Perder alguien el uso y movimiento del cuerpo o de parte de él.

tumba *s. f.* **1.** Lugar, excavado o construido, donde está enterrado un cadáver. **2.** Armazón en forma de ataúd, que se coloca sobre el túmulo o en el suelo, para la celebración de las exequias.

tumbaga *s. f.* **1.** Aleación muy quebradiza de oro y cobre. **2.** Sortija hecha de esta aleación. **3.** Anillo de la mano.

tumbar *v. tr.* **1.** Hacer caer o derribar. **2.** Inclinar una cosa sin que llegue a caer. **3.** *fig. y fam.* Quitar a alguien el sentido una cosa fuerte. ‖ *v. intr.* **4.** Caer, rodar por tierra. **5.** Dar de quilla. ‖ *v. prnl.* **6.** *fam.* Tenderse, especialmente echarse a dormir. **7.** *fig.* Aflojar en un trabajo o desistir de él.

tumbilla *s. f.* Armazón con un braserillo para calentar la cama.

tumbo *s. m.* **1.** Vaivén violento. **2.** Ondulación de la ola del mar. **3.** Ondulación del terreno.

tumbón, na *adj.* **1.** *fam.* Socarrón. También s. m. y s. f. **2.** *fam.* Persona poco dada al trabajo. También s. m. y s. f. ‖ *s. f.* **3.** Silla abatible con respaldo muy largo.

tumefacción *s. f.* Hinchazón, efecto de hincharse.

tumefacto, ta *adj.* Túmido, hinchado.

túmido, da *adj.* **1.** *fig.* Hinchado. **2.** *fig.* Se dice del arco o bóveda que es más ancho hacia la mitad de la altura que en los arranques.

tumor *s. m.* **1.** Hinchazón, producción o acumulación de tejidos que se forma anormalmente en alguna parte del cuerpo del animal. **2.** Alteración patológica de un órgano producida por la proliferación de las células que lo componen.

tumoroso, sa *adj.* Que tiene varios tumores.

tumulario, ria *adj.* Perteneciente o relativo al túmulo.

túmulo *s. m.* **1.** Sepulcro levantado de la tierra. **2.** Montecillo artificial con que, en algunos pueblos antiguos, era costumbre cubrir una sepultura. **3.** Armazón de madera, vestida de paños fúnebres, que se erige para la celebración de las honras de un difunto.

tumulto *s. m.* **1.** Motín, alboroto producido por una multitud. **2.** Confusión agitada o desorden ruidoso.

tumultuario, ria *adj.* Tumultuoso.

tumultuoso, sa *adj.* Que causa o levanta tumultos.

tuna *s. f.* **1.** Vida holgazana, libre y vagabunda. **2.** Grupo musical formado exclusivamente por estudiantes.

tunante *adj.* Persona taimada. También com.

tunar *v. intr.* Andar vagando de un lugar a otro en vida holgazana y libre.

tunda *s. f.* Castigo riguroso de palos, azotes, etc.

tundente *adj.* Contundente, que produce contusión.

tundir[1] *v. tr.* Cortar o igualar con tijera el pelo de los paños.

tundir[2] *v. tr., fig. y fam.* Castigar con golpes palos o azotes.

tundra *s. f.* Pradera casi esteparia, de subsuelo helado y falto de vegetación arbórea, suelo cubierto de musgo y líquenes, y pantanoso en muchos sitios.

tunear *v. intr.* Hacer vida de tuno o pícaro.

túnel *s. m.* Paso subterráneo que se abre para el tránsito de un ferrocarril o de una carretera, para establecer una comunicación a través de un monte, por debajo de un río, etc.

tungsteno *s. m.* Cuerpo simple, metálico, de color gris, muy duro, denso y de difícil fusión.

túnica *s. f.* **1.** Vestidura sin mangas, que usaban los antiguos a modo de camisa. **2.** Vestidura de lana que usaban los frailes debajo de los hábitos. **3.** Vestidura exterior amplia y larga.

tuno, na *adj.* **1.** Tunante. También s. m. y s. f. **2.** Componente de una tuna, conjunto musical de estudiantes.

tuntún, al *adv. m.* **1.** *fam.* Sin reflexión ni previsión. **2.** *fam.* Sin certidumbre, sin conocimiento del asunto.

tupé *s. m.* **1.** Copete, pelo. **2.** *fam.* Atrevimiento al obrar o hablar.

tupido, da *adj.* **1.** Espeso, que tiene los elementos que lo componen muy apretados. **2.** Dicho del entendimiento y los sentidos, obtuso, torpe.

tupir *v. tr.* **1.** Apretar mucho una cosa cerrando sus poros o intersticios. También prnl. ‖ *v. prnl.* **2.** *fig.* Hartarse de un manjar o bebida.

turba[1] *s. f.* **1.** Combustible fósil, de poco peso, formado de residuos vegetales acumulados en sitios pantanosos. **2.** Estiércol mezclado con carbón mineral que se emplea como combustible en los hornos de ladrillos.

turba[2] *s. f.* Muchedumbre de gente confusa y desordenada.

turbación *s. f.* **1.** Acción y efecto de turbar o turbarse. **2.** Confusión, desorden.

turbamulta *s. f., fam.* Muchedumbre confusa y desordenada.

turbante *s. m.* Tocado que, en lugar de sombrero, se usa en los pueblos orientales, y que consiste en una faja larga de tela rodeada a la cabeza.

turbar *v. tr.* **1.** Alterar o conmover el estado o curso natural de una cosa. **2.** Aturdir a alguien, hacerle perder la serenidad o el libre uso de sus facultades. También prnl. **3.** Enturbiar. También prnl. **4.** *fig.* Sorprender a alguien, de forma que no acierte a hablar. También prnl. **5.** *fig.* Interrumpir la quietud, el silencio, etc. También prnl.

turbina *s. f.* **1.** Máquina hidráulica, consistente en una rueda encerrada en un tambor y provista de paletas curvas, sobre las que actúa la presión del agua, que llega con bastante velocidad desde un nivel superior. **2.** Máquina que transforma en movimiento giratorio de una rueda la fuerza viva o la presión de un fluido.

turbio, bia *adj.* **1.** Mezclado o alterado por una cosa que oscurece o quita transparencia. **2.** *fig.* Se aplica a las cosas revueltas y dudosas. **3.** *fig.* Confuso, poco claro. ‖ *s. m. pl.* **4.** Heces, especialmente las del aceite.

turbión *s. m.* **1.** Aguacero con viento fuerte y de poca duración. **2.** Multitud de cosas que caen de golpe o que vienen juntas y violentamente.

turbo *s. m.* **1.** Turbocompresor. ‖ *adj.* **2.** Genéricamente, se dice de los vehículos dotados de turbocompresor.

turbocompresor *s. m.* Sistema de sobrealimentación consistente en dos turbinas conectadas por un eje, utilizado para inyectar combustible a presión en los cilindros de un motor.

turbonada *s. f.* Fuerte chubasco acompañado de truenos.

turborreactor *s. m.* Motor de reacción cuya parte fundamental es una turbina de gas.

turbulencia *s. f.* **1.** Alteración de las cosas claras y transparentes. **2.** *fig.* Confusión o alboroto de personas o cosas.

turbulento, ta *adj.* **1.** Turbio. **2.** *fig.* Se aplica a las situaciones confusas. **3.** *fig.* Se dice de la persona que promueve disturbios, etc. **4.** *fig.* Se dice de la corriente fluida cuya velocidad varía rápidamente en dirección y magnitud, y cuya característica más significativa es la formación de remolinos.

túrdiga *s. f.* Tira o lista de piel.

turgencia *s. f.* Cualidad de turgente.

turgente *adj.* **1.** *poét.* Se dice de lo que está abultado, elevado. **2.** Se aplica al humor que produce hinchazón.

túrgido, da *adj., poét.* Turgente, abultado.

turiferario *s. m.* Hombre que lleva el incensario.

turífero, ra *adj.* Que produce o lleva incienso.

turismo *s. m.* **1.** Afición a viajar por gusto de recorrer países. **2.** Organización de los medios conducentes a facilitar estos viajes.

turista *com.* Persona que recorre un país por recreo.

turma *s. f.* Testículo o criadilla.

turmalina *s. f.* Mineral formado por un silicato de alúmina con ácido bórico, magnesia, cal, óxido de hierro y otras sustancias en proporciones pequeñas. Es tan duro como el cuarzo. Sus variedades verde y encarnada suelen emplearse en joyería.

turnar *v. intr.* Alternar con una o más personas en el ejercicio o disfrute de alguna cosa siguiendo determinado orden. También prnl.

turnio, nia *adj.* **1.** Se dice de los ojos torcidos. **2.** Que tiene ojos turnios. También s. m. y s. f. **3.** Que mira con ceño o demasiada severidad. También s. m. y s. f.

turno *s. m.* **1.** Orden o alternativa que se observa entre varias personas, para la ejecución de una cosa, o en la sucesión de éstas. **2.** Tiempo de hacer una cosa por orden.

turquesa *s. f.* Fosfato amorfo de alúmina con algo de cobre y hierro, de color azul verdoso y casi tan duro como el vidrio que se emplea en joyería.

turrar *v. tr.* Tostar en las brasas.

turrón *s. m.* Masa de almendras, piñones avellanas o nueces, tostado todo y mezclado con miel y otros ingredientes.

turulato, ta *adj.* Se aplica a la persona que se queda pasmada.

turullo *s. m.* Cuerno que usan los pastores para llamar y reunir el ganado.

tusa *s. f.* Esfuerzo excesivo y penoso.

tusar *v. tr.* **1.** *amer.* Atusar. **2.** *Arg.* Trasquilar.

tusígeno, na *adj.* Que produce tos.

tuso, sa *s. m. y s. f., fam.* Perro. Se usa como interj. para llamarlo o espantarlo.

tusón *s. m.* **1.** Vellón del carnero o de la oveja. **2.** Cuero de la oveja, ya curtido.

tusón, na *s. m. y s. f.* **1.** Potro o potranca de menos de dos años. ‖ *s. f.* **2.** *fam.* Ramera.

tute *s. m.* **1.** Juego de naipes en que gana la partida quien reúne los cuatro reyes o los cuatro caballos. **2.** Reunión, en este juego, de los cuatro reyes o los cuatro caballos. **3.** Trabajo afanoso.

tutear *v. tr.* Hablar a alguien empleando el pronombre de segunda persona. También prnl.

tutela *s. f.* **1.** Autoridad que, en defecto de la paterna o materna, se confiere a alguien para que cuide de la persona y los bienes de un menor o de otra persona que no tiene completa capacidad civil. **2.** Cargo de tutor. **3.** *fig.* Protección o defensa.

tutelar[1] *adj.* **1.** Que guía, ampara o defiende. También s. m. y s. f. **2.** Perteneciente o relativo a la tutela de los incapaces.

tutelar[2] *v. tr.* Ejercer la tutela.

tuteo *s. m.* Acción de tutear.

tutiplén, a *adv. m., fam.* En abundancia, a porrillo.

tutor, ra *s. m. y s. f.* **1.** Persona que ejerce una tutela. **2.** Persona que ejerce las funciones asignadas en otro tiempo al curador. **3.** Persona encargada de orientar a los alumnos de un curso. **4.** Profesor privado que se encargaba de la educación de los hijos de una familia. ‖ *s. m.* **5.** Rodrigón, vara. **6.** *fig.* Defensor, protector.

tutoría *s. f.* Tutela.

tutti-frutti *s. m.* Helado de frutas variadas.

tutú *s. m.* Falda corta usada por las bailarinas de ballet.

tuyo, ya *adj. pos.* Forma del posesivo masculino y femenino de la segunda persona del singular. Indica posesión o pertenencia a la persona a quien se habla. También pron.

TV *s. f.* Siglas que significan «televisión».

tweed *s. m.* Tejido fuerte e impermeable de lana.

twist *s. m.* Baile surgido en Estados Unidos en la década de los años sesenta del siglo XX y que se caracteriza por el rítmico movimiento de caderas y hombros.

u¹ *s. f.* Vigésimo segunda letra del abecedario español y última de sus vocales.

u² *conj. disy.* Conjunción que, para evitar el hiato, se emplea en vez de *o* ante palabras que empiezan por esta última letra o por *ho-*.

uácari *s. m., Amér. del S.* Mono platirrino, de la familia de los cébidos, que vive en los países septentrionales de América del Sur.

ubajay *s. m.* Árbol mirtáceo, de ramaje abundante y fruto comestible algo ácido.

ubérrimo, ma *adj. sup.* Muy abundante y fértil.

ubicación *s. f.* Lugar en que se encuentra ubicada una cosa.

ubicar *v. intr.* Estar en determinado espacio o lugar. También prnl.

ubicuidad *s. f.* Calidad de ubicuo.

ubicuo, cua *adj.* Que está presente a un mismo tiempo en todas partes.

ubiquidad *s. f.* Ubicuidad.

ubre *s. f.* En los mamíferos, cada una de las tetas de la hembra.

ubrera *s. f.* Excoriación que suelen padecer en la boca los niños de teta.

ucase *s. m.* Decreto del zar.

ucronía *s. f.* Reconstrucción lógica, aplicada a la historia, en la que se dan por supuestos acontecimientos que no sucedieron, pero que hubieran podido suceder.

udómetro *s. m.* Pluviómetro.

¡uf! *interj.* con que se denota cansancio, fastidio, asco, etc.

ufanarse *v. prnl.* Jactarse de algo con excesivo orgullo.

ufanía *s. f.* Calidad de ufano.

ufano, na *adj.* Orgulloso, arrogante.

¡uh! *interj.* que se emplea para expresar desilusión o desdén.

ujier *s. m.* Portero de estrados de un palacio o tribunal.

ulala *s. f.* Especie de cacto.

ulano *s. m.* Soldado de caballería ligera en los ejércitos austríaco, alemán y ruso.

úlcera *s. f.* Solución de continuidad con pérdida de sustancia en los tejidos orgánicos acompañada ordinariamente de secreción de pus.

ulceración *s. f.* Acción y efecto de ulcerar.

ulcerar *v. tr.* Causar úlcera. También prnl.

ulcerativo, va *adj.* Que causa o puede causar úlceras.

ulceroso, sa *adj.* Que tiene úlceras.

ulema *s. m.* Doctor de la ley mahometana, entre los turcos.

uliginoso, sa *adj.* Se aplica a los terrenos húmedos y a las plantas que crecen en ellos.

ulmáceo, a *adj.* Se dice de árboles o arbustos dicotiledóneos, con ramas alternas, hojas nervudas y aserradas, flores en hacecillos y fruto seco con una sola semilla, aplastada y sin albumen, como el olmo. También s. f.

ulmaria *s. f.* Hierba perenne de la familia de las rosáceas, que se cultiva como planta de adorno.

ulterior *adj.* **1.** Que está en la parte de allá de un sitio o territorio. **2.** Que se dice, sucede o se hace después de otra cosa.

ultílogo *s. m.* Discurso puesto en un libro después de terminada la obra.

ultimación *s. f.* Acción y efecto de ultimar.

ultimar *v. tr.* Poner fin a una cosa.

ultimátum *s. m.* **1.** En el lenguaje diplomático, resolución terminante y definitiva. **2.** *fam.* Decisión definitiva.

último, ma *adj.* **1.** Se dice de lo que en su línea no tiene otro detrás de sí. **2.** Se dice de lo que en una serie de cosas está o se considera en el lugar postrero. **3.** Se dice de lo más lejano, retirado o escondido.

ultra *adv. lat.* **1.** Además de. ‖ *adj.* **2.** Se aplica a los partidos políticos o las ideologías de extrema derecha. También com. **3.** Se aplica a las ideologías que extreman sus ideas.

ultracorrección *s. f.* Deformación de una palabra por erróneo prurito de corrección, asimilado al modelo de otras.

ultrajar *v. tr.* Injuriar de obra o de palabra.

ultraje *s. m.* Injuria o desprecio de palabra o de obra.

ultrajoso, sa *adj.* Que causa o incluye ultraje.

ultraligero, ra *adj.* Se dice de la nave de poco peso y escaso consumo. También s. m.

ultramar *s. m.* País que está en la otra parte del mar.

ultramarino, na *adj.* **1.** Que está o se considera del otro lado o a la otra parte del mar. ‖ *adj. pl.* **2.** Se aplica a las tiendas de comestibles.

ultramicroscopio *s. m.* Aparato óptico que sirve para ver objetos de dimensiones tan pequeñas que no se perciben con el microscopio ordinario.

ultramontano, na *adj.* Que está de la otra parte de los montes.

ultramundano, na *adj.* Que excede a lo mundano o está más allá.

ultramundo *s. m.* La vida eterna.

ultranza, a *adv. m.* A muerte, a todo trance, resueltamente.

ultrapuertos *s. m.* Lo que está más allá o a la otra parte de los puertos.

ultrarrojo *adj.* Infrarrojo.

ultrasónico, ca *adj.* Perteneciente o relativo al utrasonido.

ultrasonido *s. m.* Vibración superior a las perceptibles por el oído humano.

ultratumba *s. f.* Aquello que se cree o se supone que existe después de la muerte.

ultravioleta *adj.* Perteneciente o relativo a la parte invisible del espectro luminoso, a continuación del color violado.

ultravirus *s. m.* Virus que contiene gérmenes patógenos invisibles, los cuales pasan a través de los filtros.

úlula *s. f.* Autillo.

ulular *v. intr.* **1.** Dar gritos o alaridos. **2.** Producir el sonido del viento.

ululato *s. m.* Clamor, lamento, alarido.

umbela *s. f.* Grupo de flores o frutos que nacen en un mismo punto del tallo y se elevan a igual altura.

umbelífero, ra *adj.* Se dice de plantas angiospermas dicotiledóneas, de fruto compuesto de dos aquenios.

umbilicado, da *adj.* De figura de ombligo.

umbilical *adj.* Relativo al ombligo.

umbráculo *s. m.* Cobertizo para resguardar las plantas de la fuerza del sol.

umbral *s. m.* **1.** Parte inferior y contrapuesta al dintel de la puerta. **2.** *fig.* Paso primero o entrada de cualquier cosa.

umbralar *v. tr.* Poner umbral al vano de un muro.

umbrático, ca *adj.* **1.** Relativo a la sombra. **2.** Que la causa.

umbrátil *adj.* Umbroso.

umbrela *s. f.* Parte de la medusa que tiene forma acampanada.

umbrío, a *adj.* **1.** Sombrío, que está en sombra. ‖ *s. f.* **2.** Parte de terreno que casi siempre hace sombra.

umbroso, sa *adj.* Que tiene sombra o la causa.

un, una *art. indet.* **1.** Artículo indeterminado en género masculino y femenino y número singular. ‖ *adj.* **2.** Uno.

unalbo, ba *adj.* Se dice de la caballería que tiene calzado un pie o una mano.

unánime *adj.* Se dice del conjunto de las personas que tienen un mismo parecer.

unanimidad *s. f.* Calidad de unánime.

uncia *s. f.* Moneda romana de cobre.

uncial *adj.* Se dice de ciertas letras, todas mayúsculas y del tamaño de una pulgada, que se usaron hasta el siglo VII.

uncidor, ra *adj.* Que unce o sirve para uncir. También s. m. y s. f.

unciforme *adj.* Se dice de uno de los huesos de la segunda fila del carpo. También s. m.

unción *s. f.* **1.** Acción de ungir. **2.** Extremaunción. **3.** Gracia y comunicación especial del Espíritu Santo que mueve a la virtud y la perfección. **4.** Devoción con que el ánimo se entrega a alguna cosa.

uncionario, ria *adj.* **1.** Que está tomando las unciones o unturas mercuriales. También s. m. y s. f. ‖ *s. m.* **2.** Pieza o aposento en que se toman.

uncir *v. tr.* Atar al yugo bueyes, mulas u otras bestias.

undecágono *s. m.* Polígono de 11 ángulos y 11 lados.

undécimo, ma *adj. num.* **1.** Que ocupa el último lugar en una serie ordenada de 11. También pron. **2.** Se dice de cada una de las 11 partes iguales en que se divide un todo. También s. m.

undécuplo, pla *adj. num.* Que contiene un número exactamente 11 veces.

underground *adj.* Se dice de las manifestaciones culturales marginales.

undísono, na *adj., poét.* Se aplica a las aguas que causan ruido con el movimiento de las ondas.

undívago, ga *adj., poét.* Que ondea o se mueve como las olas.

undoso, sa *adj.* Que se mueve haciendo olas.

undulación *s. f.* Acción y efecto de undular.

undular *v. intr.* Ondular.

ungido *s. m.* Rey o sacerdote signado con el óleo santo.

ungimiento *s. m.* Acción y efecto de ungir o ungirse.

ungir *v. tr.* **1.** Aplicar a una cosa aceite u otra materia pingüe, extendiéndola superficialmente. **2.** Signar con óleo sagrado a una persona.

ungüentario, ria *adj.* **1.** Perteneciente o relativo a los ungüentos o que los contiene. ‖ *s. m. y s. f.* **2.** Persona que hace los ungüentos. ‖ *s. m.* **3.** Paraje o sitio en que se guardan los ungüentos.

ungüento *s. m.* **1.** Todo aquello que sirve para ungir o untar. **2.** Medicamento que se aplica al exterior compuesto de diversas sustancias grasas. **3.** Compuesto de simples olorosos que se usaba para embalsamar cadáveres.

unguiculado, da *adj.* Se dice del animal cuyos dedos terminan en uñas.

unguis *s. m.* Hueso muy pequeño de la parte anterior e interna de cada una de las órbitas.

ungulado, da *adj.* Se dice del animal que tiene casco o pezuña. También *s. m.*

ungular *adj.* Que pertenece o se refiere a la uña.

uniata *adj.* Se dice de los cristianos orientales que reconocen la supremacía del Papa, conservando a la vez su liturgia nacional.

unicameral *adj.* Se aplica al poder legislativo formado por una sola cámara de representantes.

unicaule *adj.* Se dice de la planta que tiene un solo tallo.

unicelular *adj.* Que consta de una sola célula.

único, ca *adj.* **1.** Solo y sin otro de su propia especie. **2.** *fig.* Se dice de lo singular y extraordinario.

unicolor *adj.* De un solo color.

unicornio *s. m.* Animal quimérico de figura de caballo y con un cuerno recto en mitad de la frente.

unidad *s. f.* **1.** Propiedad de todo ser, en virtud de la cual no puede dividirse sin que su esencia se destruya o altere. **2.** Singularidad en número o calidad. **3.** Conformidad entre dos o más partes.

unido, da *adj.* Se dice de las cosas que presentan una superficie lisa, tersa.

unifamiliar *adj.* Que corresponde a una sola familia.

unificación *s. f.* Acción y efecto de unificar.

unificar *v. tr.* Hacer de muchas cosas una, o reducirlas a una misma especie. También prnl.

unifoliado, da *adj.* Que tiene una sola hoja.

uniformar *v. tr.* **1.** Hacer uniforme una cosa o varias entre sí. También prnl. **2.** Hacer que alguien lleve uniforme.

uniforme *adj.* **1.** Se dice de dos o más cosas que tienen la misma forma. ‖ *s. m.* **2.** Traje especial y distintivo que usan los militares y otros empleados o las personas pertenecientes a un mismo cuerpo o colegio.

uniformidad *s. f.* Calidad de uniforme.

unigénito, ta *adj.* Se aplica al hijo único.

unilateral *adj.* Se dice de lo que se refiere a una parte o un aspecto de alguna cosa.

unilateralidad *s. f.* Cualidad de unilateral.

unimismar *v. tr.* Identificar.

unión *s. f.* **1.** Acción y efecto de unir. **2.** Correspondencia y conformidad de una cosa con otra. **3.** Conformidad y concordia de los ánimos o voluntades. **4.** Acción y efecto de contraer matrimonio. **5.** Semejanza de dos perlas en el tamaño, color y demás cualidades. **6.** Composición que resulta de la mezcla de algunas cosas entre sí. **7.** Entre los místicos, grado de perfección espiritual en que el alma se une con su Creador por la caridad. **8.** Acuerdo de cooperación entre dos o más partes. **9.** Agregación o incorporación de un beneficio o prebenda eclesiástica a otra. **10.** Contigüidad de una cosa a otra. **11.** Sortija compuesta de dos, enlazadas o eslabonadas entre sí. **12.** Consolidación de los labios de la herida.

unípede *adj.* De un solo pie.

unipersonal *adj.* Que consta de una sola persona.

unir *v. tr.* **1.** Juntar, mezclar dos o más cosas entre sí. **2.** Atar o juntar una cosa con otra, física o moralmente. ‖ *v. prnl.* **3.** Asociarse varios para el logro de algún intento. **4.** Agregarse uno a la compañía de otro.

unisex *adj.* Se dice de lo que sirve para ambos sexos.

unisexual *adj.* De un solo sexo.

unisón *adj.* Unísono.

unisonancia *s. m.* Concurrencia de dos o más voces o instrumentos en un mismo tono de música.

unisonar *v. intr.* Sonar al unísono o en el mismo tono dos voces o instrumentos.

unísono, na *adj.* Se dice de lo que tiene el mismo tono que otra cosa.

unitario, ria *adj.* Perteneciente o relativo a la unidad.

unitivo, va *adj.* Que tiene virtud de unir.

univalvo, va *adj.* **1.** Se dice de la concha de una sola pieza. **2.** Se aplica al molusco que tiene concha de esta clase.

universal *adj.* **1.** Que comprende o es común a todos en su especie, sin excepción de ninguno. **2.** Que pertenece o se extiende a todo el mundo, a todos los países, a todos los tiempos.

universalidad *s. f.* **1.** Cualidad de universal. **2.** Comprensión en la herencia de todos los bienes, derechos o responsabilidades del difunto.

universalizar *v. tr.* Hacer universal una cosa, generalizarla a muchos.

universidad *s. f.* Institución de enseñanza superior que comprende diversas facultades y escuelas, y que confiere los grados académicos correspondientes.

universitario, ria *adj.* **1.** Perteneciente o relativo a la universidad, institución de enseñanza superior. **2.** Perteneciente o relativo a la universidad, instituto público de enseñanza. **3.** Perteneciente o relativo a la universidad, conjunto de edificios. ‖ *s. m. y s. f.* **4.** Profesor, graduado o estudiante de universidad.

universo *s. m.* Mundo, conjunto de todo lo creado.

univocarse *v. prnl.* Convenir en una misma razón dos o más cosas.

univocidad *s. f.* Cualidad de unívoco.

unívoco, ca *adj.* Se dice de lo que tiene igual naturaleza o valor que otra cosa.

uno, na *adj.* **1.** Se dice de la persona o cosa idéntica o unida, física o moralmente, con otra. **2.** Idéntico, lo mismo. **3.** Único. ‖ *s. m.* **4.** Unidad, cantidad que sirve de medida. **5.** Número o guarismo con que se expresa la unidad sola.

untadura *s. f.* Materia con que se unta.

untar *v. tr.* **1.** Ungir con una materia grasa. **2.** *fam.* Sobornar a alguien con dones o dinero. ‖ *v. prnl.* **3.** Mancharse con una materia untosa o sucia.

untaza *s. f.* Unto, gordura del animal.

unto *s. m.* Craso o gordura del cuerpo del animal.

untuosidad *s. f.* Cualidad de untuoso.

untuoso, sa *adj.* Se dice de la materia pingüe y pegajosa.

uña *s. f.* **1.** Parte del cuerpo, de naturaleza córnea, que nace y crece en las extremidades de los dedos. **2.** Casco o pezuña de los animales.

uñada *s. f.* Impresión que se hace en una cosa apretando sobre ella con el filo de la uña.

uñarada *s. f.* Arañazo.

uñero *s. m.* Inflamación en la raíz de la uña.

uñeta *s. f.* Cincel de boca ancha que usan los canteros.

uñoso, sa *adj.* Que tiene largas las uñas.

¡upa! *interj.* que se usa para esforzar a levantar algún peso o a levantarse.

upar *v. tr.* Levantar, aupar.

upupa *s. f.* Abubilla.

uralita *s. f.* Denominación registrada de una mezcla de cemento y amianto con la cual se fabrican placas planas y onduladas, tubos, canalones, etc.

uranio *s. m.* Metal muy denso, duro, de color parecido al del níquel y fusible a elevadísima temperatura.

uranografía *s. f.* Cosmografía.

uranógrafo, fa *s. m. y s. f.* Persona que profesa la uranografía o tiene en ella especiales conocimientos.

uranometría *s. f.* Parte de la astronomía que trata de la medición de las distancias celestes.

urato *s. m.* Compuesto salino correspondiente al ácido úrico.

urbanidad *s. f.* Cortesía, buen trato y buenos modales.

urbanismo *s. m.* Conjunto de los conocimientos referentes al desarrollo y progreso de las poblaciones.

urbanista *adj.* **1.** Referente al urbanismo. ‖ *com.* **2.** Persona que profesa o que está versada en el urbanismo.

urbanización *s. f.* **1.** Acción y efecto de urbanizar. **2.** Núcleo residencial urbanizado.

urbanizar *v. tr.* **1.** Hacer urbano y sociable a alguien. También prnl. **2.** Convertir en poblado un terreno, o prepararlo para ello, abriendo calles y dotándolas de luz, empedrado y servicios municipales.

urbano, na *adj.* **1.** Perteneciente o relativo a la ciudad. **2.** *fig.* Cortés, atento y de buen modo. ‖ *s. m. y s. f.* **3.** Individuo de la milicia urbana.

urbe *s. f.* Ciudad, especialmente la muy populosa.

urca *s. f.* Embarcación grande para el transporte de granos y otros géneros.

urce *s. m.* Brezo.

urchilla *s. f.* Liquen que vive en las rocas bañadas por el agua del mar.

urdidera *s. f.* Instrumento donde se preparan los hilos para las urdimbres.

urdidor, ra *adj.* **1.** Que urde. También s. m. y s. f. ‖ *s. m.* **2.** Urdidera donde se preparan los hilos para las urdimbres.

urdidura *s. f.* Acción y efecto de urdir.

urdimbre *s. f.* **1.** Estambre después de urdido para tejerlo. **2.** Conjunto de hilos que se colocan en el telar paralelamente unos a otros para formar una tela.

urdir *v. tr.* **1.** Arrollar los hilos en la urdidera que ha de pasar después al telar. **2.** Maquinar cautelosamente una cosa.

urea *s. f.* Sustancia nitrogenada, cristalina, que constituye la mayor parte de la materia orgánica contenida en la orina.

uremia *s. f.* Enfermedad ocasionada por la acumulación en la sangre de las sustancias que normalmente son eliminadas con la orina.

urémico, ca *adj.* Perteneciente o relativo a la uremia.

urente *adj.* Que escuece, ardiente.

uréter *s. m.* Cada uno de los conductos por donde desciende la orina a la vejiga desde los riñones.

urético, ca *adj.* Perteneciente o relativo a la uretra.

uretra *s. f.* Conducto por donde se expele la orina.

uretral *adj.* Urético.

uretritis *s. f.* Inflamación de la membrana mucosa que tapiza el conducto de la uretra.

urgencia *s. f.* **1.** Cualidad de urgente. **2.** Falta apremiante de lo que es menester para algún negocio. **3.** Actual obligación de cumplir con una ley o precepto. ‖ *s. f. pl.* **4.** Sección de un hospital en la que se atiende a los enfermos y heridos que necesitan cuidados médicos inmediatos.

urgir *v. intr.* Instar una cosa a su pronta ejecución.

urinario *s. m.* Lugar destinado para orinar.

urna *s. f.* **1.** Vaso o caja que entre los antiguos servía para guardar dinero, las cenizas de los cadáveres, etc. **2.** Arquita que sirve para depositar números o papeletas en los sorteos, elecciones, etc.

uro *s. m.* Animal salvaje muy parecido al bisonte, extinguido en 1627.

urodelo, la *adj.* Se aplica a los anfibios provistos de cuatro extremidades y larga cola, que suelen conservar las branquias en edad adulta. También s. m.

urogallo *s. m.* Ave gallinácea, con plumaje negruzco jaspeado de gris, patas y pico negros, que vive en los bosques.

urología *s. f.* Parte de la medicina que trata de las enfermedades del aparato urinario.

urólogo, ga *s. m. y s. f.* Persona que profesa la urología.

uromancia *s. f.* Adivinación supersticiosa por el examen de la orina.

uroscopia *s. f.* Inspección metódica de la orina que se usaba antiguamente para establecer el diagnóstico de una enfermedad.

urraca *s. f.* Ave de plumaje blanco en el vientre y negro con reflejos metálicos en el resto del cuerpo.

ursulina *adj.* Se dice de la religiosa que pertenece a la congregación agustiniana fundada por santa Ángela de Brescia, en el s. XVI.

urticáceo, a *adj.* **1.** Se aplica a plantas angiospermas dicotiledóneas, arbustos o hierbas, de hojas sencillas y provistas de pelos que segregan un jugo urente, como la ortiga. También s. f. ‖ *s. f. pl.* **2.** Familia de estas plantas.

urticación *s. f.* Antiguo tratamiento de ciertas enfermedades que consistía en azotar al paciente con un ramo de ortigas.

urticante *adj.* Se dice del órgano de un animal o de una planta que produce en la piel comezón semejante a las picaduras de ortiga.

urticaria *s. f.* Enfermedad eruptiva de la piel, caracterizada por una comezón parecida a la que producen las picaduras de la ortiga.

usado, da *adj.* Gastado, deslucido.

usagre *s. m.* **1.** Erupción pustulosa que ataca a algunos niños durante la primera dentición. **2.** Sarna en el cuello del perro y otros animales domésticos.

usanza *s. f.* **1.** Ejercicio de una cosa. **2.** Costumbre que está de actualidad.

usar *v. tr.* **1.** Hacer servir una cosa para algo. También intr. **2.** Disfrutar alguien cierta cosa, utilizarla, sea o no su dueño.

USB *s. m.* Pequeño dispositivo portátil dotado de una memoria informática de gran capacidad y velocidad que se utiliza para guardar información.

usgo *s. m.* Asco.

usina *s. f.* **1.** *Arg., Bol., Col., Chil., Nic., Par. y Ur.* Instalación industrial importante, en especial la destinada a producción de energía. **2.** *Arg., Bol., Col., Chil., Nic., Par. y Ur.* Estación de tranvía.

uso *s. m.* **1.** Ejercicio o práctica general de una cosa. **2.** Eficacia o modo determinado de obrar que tiene una persona o cosa.

usted *pron. pers.* **1.** Forma del pronombre personal de segunda persona, género masculino o femenino y número singular, que se usa como tratamiento de respeto o de cortesía. Puede funcionar como sujeto o como complemento con preposición y, gramaticalmente, se comporta siempre como tercera persona. **2.** En algunas regiones de Andalucía, Canarias y América, el plural *ustedes* equivale a *vosotros*.

ustible *adj.* Que puede quemarse fácilmente.

ustión *s. f.* Acción de quemar o quemarse.

ustorio *s. m.* Espejo.

usual *adj.* **1.** Que común o frecuentemente se usa o se practica. **2.** Se dice de las cosas que se pueden usar con facilidad.

usuario, ria *adj.* Que usa ordinariamente una cosa o se sirve de ella. Se usa más como s. m. y s. f.

usucapión *s. f.* Adquisición de un derecho mediante su ejercicio en las condiciones y durante el tiempo que la ley señala.

usucapir *v. tr.* Adquirir una cosa por usucapión.

usufructo *s. m.* Derecho de usar de la cosa ajena y aprovecharse de todos sus frutos sin deteriorarla.

usufructuar *v. tr.* Tener o gozar el usufructo de una cosa.

usufructuario, ria *s. m.* Se dice de la persona que posee y disfruta una cosa. También s. m. y s. f.

usura *s. f.* Interés que se lleva por el dinero o el género en el contrato de préstamo.

usurar *v. intr.* Usurear.

usurario, ria *adj.* Se aplica a los tratos y contratos en que hay usura.

usurear *v. intr.* Dar o tomar a usura.

usurero, ra *s. m. y s. f.* Persona que presta con usura o con interés excesivo.

usurpación *s. f.* Acción y efecto de usurpar.

usurpar *v. tr.* Quitar a alguien lo que es suyo o quedarse con ello, generalmente con violencia.

utensilio *s. m.* Lo que sirve para el uso manual y frecuente. Se usa más en pl.

uterino, na *adj.* Relativo al útero.

útero *s. m.* Matriz de las hembras en los mamíferos.

útil[1] *adj.* Que produce o procura algún provecho, conveniencia o ventaja.

útil[2] *s. m.* Utensilio o herramienta.

utilería *s. f.* Conjunto de instrumentos que se emplean en un oficio o arte.

utilidad *s. f.* **1.** Calidad de útil. **2.** Ganancia o fruto que se saca de una cosa.

utilitario, ria *adj.* **1.** Que es de utilidad; que solo propende a conseguir lo útil. ‖ *s. m.* **2.** Coche.

utilitarismo *s. m.* Doctrina filosófica moderna que considera la utilidad como principio de la moral; entiende por útil lo que aumenta la dicha o preserva de un dolor.

utilitarista *adj.* Partidario y defensor del utilitarismo. También com.

utilizable *adj.* Que puede o debe utilizarse.

utilización *s. f.* Acción de utilizar o circunstancia de ser utilizado.

utilizar *v. tr.* Aprovecharse de una cosa. También prnl.

utillaje *s. m.* Conjunto de útiles necesarios para un oficio o un arte.

utopía *s. f.* **1.** Plan ideal de gobierno en el que todo está perfectamente determinado. **2.** *fig.* Plan o sistema halagüeño, pero irrealizable.

utópico, ca *adj.* Perteneciente o relativo a la utopía.

utopista *adj.* Que traza utopías o es dado a ellas. También com.

utrero, ra *s. m. y s. f.* Novillo o ternera desde los dos años hasta cumplir los tres.

ut retro *adv. lat.* Se emplea en un escrito para no repetir la misma fecha expresada anteriormente.

utrículo *s. m.* Pequeña cavidad, celdilla.

ut supra *adv. lat.* Se emplea en documentos determinados para referirse a una fecha, frase o cláusula escrita más arriba.

uva *s. f.* **1.** Fruto de la vid en forma de baya o grano redondo y jugoso. **2.** Cada uno de los granos que produce el berberís o arlo, los cuales son semejantes a los de la granada. **3.** Enfermedad de la garganta, que consiste en un tumorcillo de la figura de una uva. **4.** Especie de verruga o verrugas pequeñas que suelen formarse en los párpados. **5.** *Ar., C. Real, Nav. y Rioja* Racimo de uvas.

uvada *s. f.* Abundancia de uva.

uval *adj.* Parecido a la uva.

uvada *s. f.* Abundancia de uva.

uvate *s. m.* Conserva hecha de uvas.

uvayema *s. f.* Especie de vid silvestre trepadora.

uvero, ra *adj.* Perteneciente o relativo a las uvas.

úvula *s. f.* Parte media del velo palatino, de forma cónica y textura membranosa y muscular, la cual divide la garganta en dos mitades a modo de arcos.

uvular *adj.* Se dice del sonido en cuya articulación interviene la úvula.

uxoricida *adj.* Hombre que mata a su mujer. También s. m.

uxoricidio *s. m.* Muerte causada a la mujer por su marido.

¡uy! *interj.* para evidenciar dolor físico o asombro.

v *s. f.* Vigésimo tercera letra del abecedario español y decimoctava de sus consonantes, de nombre *uve.*

vaca *s. f.* **1.** Hembra del toro. **2.** Dinero que juegan en común varias personas.

vacación *s. f.* Suspensión del trabajo o del estudio durante algún tiempo.

vacada *s. f.* Manada o conjunto de ganado vacuno.

vacante *adj.* Se dice del cargo, empleo o dignidad que está sin proveer.

vacar *v. intr.* Cesar alguien por algún tiempo en sus habituales negocios o trabajos.

vacarí *adj.* De cuero de vaca o cubierto de este cuero.

vaccinieo, a *adj.* Se dice de arbustos de la familia de las ericáceas, con hojas perennes y fruto en bayas jugosas, como el arándano. También s. f.

vaciadero *s. m.* **1.** Sitio en que se vacía una cosa. **2.** Conducto por donde se vacía.

vaciadizo, za *adj.* Se dice, entre los vaciadores de metales, de la obra vaciada.

vaciado *s. m.* Acción de vaciar en un molde un objeto de metal, yeso, etc.

vaciador, ra *s. m. y s. f.* Persona que vacía.

vaciamiento *s. m.* Acción y efecto de vaciar o vaciarse.

vaciar *v. tr.* **1.** Dejar vacía alguna vasija, algún local, etc. También prnl. **2.** Sacar o verter el contenido de una vasija u otra cosa semejante. También prnl. **3.** Formar un objeto echando en un molde hueco una materia blanda que después se endurece. **4.** Formar un hueco en alguna cosa. **5.** Sacar filo muy agudo a los instrumentos cortantes. **6.** *fig.* Exponer con amplitud una doctrina. **7.** *fig.* Traspasarla de un escrito a otro. ‖ *v. intr.* **8.** Disminuir el agua en los ríos, lagos, etc.

vaciedad *s. f., fig.* Idea o dicho necio.

vaciero, ra *s. m. y s. f.* Pastor del ganado vacío.

vacilación *s. f., fig.* Irresolución.

vacilada *s. f.* Juerga, francachela.

vacilar *v. intr.* **1.** Moverse indeterminadamente una cosa. **2.** Estar poco firme una cosa en su sitio o estado.

vacilón, na *adj.* Se dice de la persona parrandera y juerguista.

vacío, a **1.** Falto de contenido. **2.** Se aplica, en los ganados, a la hembra que no tiene cría. **3.** Que está sin gente. **4.** Falto de la perfección debida en su línea. **5.** Hueco o sin la solidez correspondiente. **6.** *fig.* Se dice de la persona presuntuosa. ‖ *s. m.* **7.** Concavidad o hueco de algunas cosas. **8.** Ijada. **9.** Abismo, precipicio. **10.** *fig.* Falta de una persona o cosa que se echa de menos. **11.** Espacio que no contiene aire ni otra materia perceptible por medios físicos ni químicos. **12.** Enrarecimiento, hasta el mayor grado posible, del aire u otro gas contenido en un recipiente cerrado.

vacuidad *s. f.* Calidad de vacuo.

vacuna *s. f.* Cualquier virus o principio orgánico que, convenientemente preparado, se inocula a una persona o animal para preservarlos de una enfermedad determinada.

vacunación *s. f.* Acción y efecto de vacunar.

vacunar *v. tr.* Aplicar una vacuna a una persona o animal. También prnl.

vacuno, na *adj.* **1.** Perteneciente o relativo al ganado bovino. ‖ *s. m.* **2.** Animal bovino.

vacuo, cua *adj.* Vacío, sin contenido.

vacuola *s. f.* Pequeña cavidad o espacio en una célula o en el tejido de un organismo, llena de aire o de un jugo.

vadeable *adj.* **1.** Se dice del río, o de cualquier corriente de agua, que se puede vadear. **2.** *fig.* Superable con el ingenio cuando se ofrece alguna dificultad.

vadear *v. tr.* Pasar una corriente de agua por un sitio donde se pueda hacer pie.

vademécum *s. m.* Libro que puede alguien llevar consigo para consultarlo con frecuencia.

vadera *s. f.* Vado, especialmente el ancho por donde pueden pasar ganados y carruajes.

vado *s. m.* **1.** Paraje de un río con fondo firme y poco profundo por donde se puede pasar andando, cabalgando o en carruaje. **2.** *fig.* Expediente, remedio o alivio en las cosas que ocurren. **3.** Modificación de las aceras y bordillos de las vías públicas para facilitar el acceso de los vehículos a los locales y viviendas.

vadoso, sa *adj.* Se dice del paraje del mar, río o lago que tiene vados.

vaga *s. f.* **1.** Hilo que queda flojo formando lazada en un tejido. **2.** Hilo que ha quedado sin coger en un tejido de punto.

vagabundear *v. intr.* Andar vagabundo.

vagabundo, da *adj.* Que anda errante de un lado para otro.

vagación *s. f.* Movimiento de una pieza que debería estar ajustada en un hueco de otra, por quedar demasiado espacio entre ambas.

vagancia *s. f.* Falta de ganas de trabajar.

vagar[1] *s. m.* Tiempo desembarazado y libre para hacer una cosa.

vagar[2] *v. intr.* Estar ocioso.

vagar[3] *v. intr.* Andar una persona de un lado a otro sin hallar lo que busca.

vagaroso, sa *adj., poét.* Que vaga o que continuamente se mueve de una a otra parte.

vagido *s. m.* Llanto del recién nacido.

vagina *s. f.* Conducto que, en las hembras de los mamíferos, se extiende desde la vulva hasta la matriz.

vaginal *adj.* Perteneciente o relativo a la vagina.

vaginitis *s. f.* Inflamación de la vagina.

vago, ga[1] *adj.* **1.** Vacío, desocupado, sin oficio. También *s. m. y s. f.* **2.** Se dice de la persona poco trabajadora.

vago, ga[2] *adj.* **1.** Que anda de una parte a otra sin detenerse en ningún lugar. **2.** Se dice de las cosas sin objeto o fin determinado. **3.** Indeciso, indeterminado. **4.** Vaporoso, ligero, indefinido.

vagón *s. m.* Carruaje de viajeros o de mercancías y equipajes, en los ferrocarriles.

vagoneta *s. f.* Vagón pequeño y descubierto, para transporte.

vaguada *s. f.* Línea que marca la parte más honda de un valle.

vagueación *s. f.* Inquietud de la imaginación.

vaguear[1] *v. intr.* Holgazanear.

vaguear[2] *v. intr.* Vagar.

vaguedad[1] *s. f.* Calidad de vago, vacío, desocupado.

vaguedad[2] *s. f.* **1.** Calidad de vago, que va de una parte a otra. **2.** Expresión o frase vaga.

vaguemaestre *s. m.* Oficial militar que en el Ejército cuidaba de la marcha de los equipajes.

vaguido, da *adj.* Turbado.

vahar *v. intr.* Vahear.

vaharada *s. f.* Acción y efecto de echar el vaho o respiración.

vaharera *s. f.* Excoriación que se forma en la comisura de los labios.

vaharina *s. f., fam.* Vapor o niebla.

vahear *v. intr.* Echar de sí vaho o vapor.

vahído *s. m.* Desvanecimiento, turbación breve por alguna indisposición.

vaho *s. m.* **1.** Vapor que despiden los cuerpos en determinadas condiciones. **2.** Aliento de personas o animales. **3.** Tufo. ‖ *s. m. pl.* **4.** Método curativo que consiste en inhalar los vapores de una sustancia balsámica.

vaída *adj.* Se dice de la bóveda formada por un hemisferio cortado por cuatro planos verticales, paralelos dos a dos.

vaina *s. f.* **1.** Funda en que se guardan algunas armas o instrumentos de metal, como espadas, puñales, etc. **2.** Cáscara tierna y larga en que están encerradas algunas simientes, como las de la col, las judías, las habas, etc. **3.** *fig. y fam.* Persona despreciable. **4.** *Col. y C. Ric.* Cosa fastidiosa. **5.** *Hond.* Jareta hecha en la ropa, por donde se puede pasar una cinta. **6.** Ensanchamiento en el pecíolo de ciertas hojas, expansión laminar que abraza el tallo.

vainazas *s. m. y s. f., fam.* Persona floja, descuidada y desvaída.

vainero *s. m.* Oficial que se dedica a hacer vainas para las armas.

vainica *s. f.* Deshilado menudo que por adorno se hace en la tela.

vainilla *s. f.* **1.** Planta orquidácea, propia de América, de tallos muy largos, verdes, sarmentosos y trepadores, y fruto capsular muy aromático, usado como condimento y en perfumería. **2.** Fruto de esta planta.

vaivén *s. m.* Movimiento alternativo de un cuerpo en dos sentidos opuestos.

vajilla *s. f.* Conjunto de utensilios y vasijas para el servicio de mesa.

val *s. m.* Apócope de valle.

valar *adj.* Perteneciente o relativo al vallado, muro o cerca.

vale *s. m.* **1.** Papel en que uno se obliga a pagar a otro cierta cantidad de dinero. **2.** Nota firmada que se da al que ha de entregar algo, para que acredite la entrega.

valedero, ra *adj.* Que debe valer, ser firme y subsistente.

valedor, ra *s. m. y s. f.* Persona que vale o ampara a otra.

valencia *s. f.* **1.** Capacidad de saturación de los radicales, que se determina por el número de átomos de hidrógeno con que aquellos pueden combinarse directa o indirectamente. **2.** Poder de un anticuerpo para combinarse con uno o más antígenos, o sustancias que estimulan la formación de anticuerpos.

valencianismo *s. m.* Giro o modo de hablar propio de la lengua valenciana.

valentía *s. f.* **1.** Esfuerzo, aliento. **2.** Hecho o hazaña heroica. **3.** Gallardía, arrojo.

valentón, na *adj.* Arrogante o que se jacta de guapo y valiente. También s. m. y s. f.

valentonada *s. f.* Jactancia o exageración del propio valor.

valer[1] *v. tr.* **1.** Proteger a una persona. **2.** Fructificar, redituar. **3.** Tener las cosas un precio determinado para el comercio. **4.** Con relación a las monedas, ser equivalentes unas a otras en determinada proporción. ‖ *v. intr.* **5.** Equivaler. **6.** Poseer alguna cualidad que merezca estimación o aprecio. **7.** Tener una persona poder, autoridad o fuerza. **8.** Ser una cosa útil o importante. **9.** Prevalecer, aventajar. **10.** Servir de amparo o defensa. **11.** Tener la fuerza o eficacia necesaria para la validez o firmeza de un acto. **12.** *fig.* Tener autoridad o aceptación con alguien. ‖ *v. prnl.* **13.** Utilizar una cosa. **14.** Recurrir a la ayuda de otro.

valer[2] *s. m.* Valor, valía.

valeriana *s. f.* Planta de las valerianáceas, con fruto seco y rizoma aromático, que se usa como antiespasmódico.

valerianáceo, a *adj.* Se dice de las plantas dicotiledóneas, hierbas o matas, con hojas opuestas y sin estípulas, flores pequeñas en corimbo, con el cáliz persistente y la corola zigomorfa, tubular o acampanada, y fruto indehiscente con una sola semilla sin albumen, como la valeriana. También s. f.

valeriánico *adj.* Se dice de un ácido que existe en la raíz de la valeriana, que se usa en farmacia.

valeroso, sa *adj.* **1.** Eficaz. **2.** Valiente. **3.** Valioso.

valetudinario, ria *adj.* Enfermizo, de salud quebrada. También s. m. y s. f.

valí *s. m.* Gobernador de una provincia en un Estado musulmán.

valía *s. f.* Valor, aprecio de una cosa.

valiato *s. m.* Gobierno de un valí.

validación *s. f.* Firmeza de un acto.

validar *v. tr.* Dar fuerza y validez a una cosa.

validez *s. f.* Calidad de válido.

valido, da *adj.* **1.** Recibido, apreciado o estimado generalmente. ‖ *s. m.* **2.** Hombre que tenía el primer lugar en la gracia de un príncipe o alto personaje. **3.** Primer ministro.

válido, da *adj.* **1.** Firme y que vale legalmente. **2.** Robusto, fuerte.

valiente *adj.* **1.** Fuerte, robusto en su línea. **2.** Esforzado, que tiene valor. **3.** Eficaz y activo. **4.** Grande, excesivo.

valija *s. f.* **1.** Maleta. **2.** Saco de cuero, cerrado con llave, donde llevan la correspondencia los correos.

valijero, ra *s. m. y s. f.* Persona que conduce las cartas desde una caja o administración de correos a pueblos que de ella dependen.

valimiento *s. m.* Privanza o aceptación particular que una persona tiene con otra.

valioso, sa *adj.* Rico, que tiene buen caudal.

valla *s. f.* **1.** Vallado o estacada para defensa o para cerrar algún sitio. **2.** Línea o término formado de estacas hincadas en el suelo o de tablas unidas, para cerrar algún sitio o señalarlo.

valladar *s. m.* **1.** Vallado. ‖ *s. f.* **2.** *fig.* Obstáculo.

valladear *v. tr.* Vallar.

vallado *s. m.* Cerco que se levanta para defender un lugar e impedir la entrada en él.

vallar[1] *adj.* Valar.

vallar[2] *v. tr.* Cercar un sitio con vallado.

valle *s. m.* **1.** Espacio de tierra entre montes o alturas. **2.** Cuenca de un río.

vallico *s. m.* Planta de la familia de las gramíneas, buena para pasto y para formar céspedes.

valón *s. m.* Idioma que es un dialecto del antiguo francés.

valona *s. f.* Cuello grande y vuelto sobre la espalda, hombros y pechos, que se usó antiguamente.

valor *s. m.* **1.** Grado de utilidad de las cosas, para satisfacer las necesidades o proporcionar bienestar o deleite. **2.** Cualidad o conjunto de cualidades de una persona o cosa, en cuya virtud es apreciada. **3.** Alcance y trascendencia de una cosa. **4.** Cualidad moral que mueve a realizar con energía grandes empresas y peligros. **5.** Se usa también en sentido peyorativo significando insolencia y desvergüenza. **6.** Validez y firmeza de una actividad. **7.** Energía, eficacia o virtud de las cosas para producir sus efectos. **8.** Renta, fruto o producto de un patrimonio. **9.** Equivalencia de una cosa a otra, en especial tratándose de monedas. **10.** Cualidad que poseen algunas realidades llamadas bienes por lo cual son estimables. ‖ *s. m. pl.* **11.** Documentos que versan sobre derechos privados, cuyo ejercicio requiere la posesión de tales documentos.

valorar *v. tr.* **1.** Determinar el valor correspondiente de una cosa, ponerle precio. **2.** Reconocer el valor de una persona. **3.** Aumentar el valor de una cosa. **4.** Determinar la composición exacta de una composición.

valoría *s. f.* Valía, estimación.

valorizar *v. tr.* Valorar, poner valor a algo.

valquiria *s. f.* Cada una de ciertas divinidades de la mitología nórdica que en los combates designaban los héroes que habían de morir, y en el cielo les servían.

vals *s. m.* **1.** Danza, de origen alemán, que ejecutan las parejas con un movimiento giratorio. **2.** Música de este baile.

valsar *v. intr.* Bailar el vals.

valuación *s. f.* Acción y efecto de valuar.

valuar *v. tr.* Señalar el valor de una cosa.

valva *s. f.* Cada una de las piezas duras y movibles que constituyen la concha de los moluscos lamelibranquios, de algunos cirrípedos y de los gusanos branquiópodos.

valvasor *s. m.* Hidalgo, infanzón.

válvula *s. f.* Pieza que, colocada en una abertura de máquinas o instrumentos, sirve para interrumpir la comunicación entre dos de sus órganos o entre estos y el medio exterior, moviéndose a impulso de fuerzas contrarias.

¡vamos! *interj.* usada con varios valores, principalmente exhortativo.

vampiresa *s. f.* Mujer que utiliza su capacidad de seducción para lucrarse.

vampiro *s. m.* Espectro o cadáver que, según la creencia popular, va por las noches a chupar la sangre de los vivos.

vanadio *s. m.* Elemento de color y brillo parecido al de la plata, pero de menor peso específico.

vanagloria *s. f.* Jactancia del propio valer.

vanagloriarse *v. prnl.* Jactarse de su propio valer u obrar.

vanaglorioso, sa *adj.* Se dice del modo de obrar ufano y envanecido.

vandálico, ca *adj.* Perteneciente o relativo a los vándalos o al vandalismo.

vandalismo *s. m.* **1.** Devastación propia de los antiguos vándalos. **2.** *fig.* Espíritu de destrucción que no respeta ninguna cosa.

vándalo, la *adj.* **1.** Se dice del individuo perteneciente a un pueblo de la antigua Germania. ‖ *s. m. y s. f.* **2.** *fig.* Persona que comete acciones propias de gente inculta.

vanear *v. intr.* Hablar vanamente.

vanguardia *s. f.* **1.** Parte de una fuerza armada que va delante del cuerpo principal. **2.** Conjunto de ideas, personas, etc., que se adelantan a su tiempo en cualquier actividad.

vanguardismo *s. m.* Nombre con que se designan ciertas tendencias artísticas y culturales nacidas en el s. XX, con un espíritu esencialmente renovador y experimental.

vanidad *s. f.* Pompa vana, ostentación.

vanidoso, sa *adj.* Que tiene vanidad y la da a conocer. También s. m. y s. f.

vanilocuencia *s. f.* Verbosidad inútil e insustancial.

vanílocuo, cua *adj.* Hablador u orador insustancial.

vaniloquio *s. m.* Discurso inútil e insustancial.

vanistorio *s. m.* **1.** *fam.* Vanidad ridícula y afectada. **2.** *fam.* Persona vanidosa.

vano, na *adj.* **1.** Falto de realidad, sustancia o entidad. **2.** Vacío y falto de solidez. **3.** Se dice de las frutas de cáscara faltas del meollo por haberse podrido o secado. **4.** Se dice de lo inútil o infructuoso. **5.** Se dice de la persona arrogante y presuntuosa. **6.** Poco durable. **7.** Sin fundamento, razón o prueba. ‖ *s. m.* **8.** Parte del muro o fábrica en que no hay apoyo para el techo o bóveda.

vapor *s. m.* **1.** Gas en que se transforma un líquido o sólido absorbiendo calor. Por antonom., el de agua. **2.** *fig.* Buque de vapor.

vapora *s. f., fam.* Lancha de vapor.

vaporable *adj.* Capaz de arrojar vapores o evaporarse.

vaporación *s. f.* Evaporación.

vaporar *v. tr.* Evaporar. También prnl.

vaporario *s. m.* Aparato para producir vapor, que se usa en los baños rusos.

vaporear *v. tr.* **1.** Convertir en vapor. También prnl. ‖ *v. intr.* **2.** Exhalar vapores.

vaporización *s. f.* **1.** Acción y efecto de vaporizar o vaporizarse. **2.** Uso medicinal de vapores.

vaporizador *s. m.* Aparato para vaporizar.

vaporizar *v. tr.* Hacer pasar un cuerpo del estado líquido al de vapor, por la acción del fuego. También prnl.

vaporoso, sa *adj.* **1.** Que despide vapores de sí, o los ocasiona. **2.** *fig.* Tenue, ligero, se dice sobre todo de los tejidos.

vapulación *s. f.* Acción y efecto de vapular o vapularse.

vapulamiento *s. m.* Acción y efecto de vapular.

vapular *v. tr.* Vapulear. También prnl.

vapulear *v. tr.* **1.** Zarandear a una persona o cosa. **2.** *fig.* Golpear repetidamente a una persona o cosa. También prnl.

vapuleo *s. m.* Acción y efecto de vapulear.

vaquería *s. f.* **1.** Rebaño de ganado vacuno. **2.** Lugar donde hay vacas o se vende su leche.

vaqueriza *s. f.* Estancia donde se recoge el ganado mayor en el invierno.

vaquerizo, za *s. m. y s. f.* Vaquero.

vaquero, ra *s. m. y s. f.* **1.** Pastor de reses vacunas. ‖ *s. m.* **2.** Pantalón vaquero.

vaqueta *s. f.* Cuero de ternera curtido.

vara *s. f.* **1.** Rama delgada, larga y sin hojas. **2.** Palo largo y delgado. **3.** Bastón que, como símbolo de autoridad, usaban los ministros de Justicia. **4.** La que llevan los alcaldes y sus tenientes. **5.** Medida de longitud equivalente a 835 mm y nueve décimas. **6.** Barra de esa longitud que se utiliza para medir. **7.** Porción de tela que tiene la medida de la vara.

varada *s. f.* Acción y efecto de varar un barco.

varadera *s. f.* Cualquiera de los palos que se ponen en el costado de un buque para que sirvan de resguardo a la tablazón.

varadero *s. m.* Lugar donde varan las embarcaciones para resguardarlas o componerlas.

varado, da *adj.* **1.** Se dice de los barcos que están encallados o fuera del agua. **2.** *amer.* Se dice de la persona que no tiene recursos económicos.

varadura *s. f.* Varada.

varal *s. m.* Vara muy larga y gruesa.

varapalo *s. m., fig. y fam.* Daño o quebranto recibido en los intereses.

varar *v. intr.* **1.** Encallar la embarcación. **2.** *fig.* Quedar detenido un negocio.

varaseto *s. m.* Cerramiento, enrejado de cañas y varas.

varazo *s. m.* Golpe dado con una vara.

varbasco *s. m.* Verbasco.

vardasca *s. f.* Verdasca.

varea *s. f.* Acción de varear los frutos de ciertos árboles.

vareador, ra *s. m. y s. f.* Persona que varea.

vareaje *s. m.* Acción y efecto de varear, medir o vender por varas.

varear *v. tr.* **1.** Golpear algo o alguien con una vara; particularmente derribar con una vara los frutos de algunos árboles. **2.** Medir con la vara.

varejón *s. m.* Vara larga y gruesa.

varenga *s. f.* Pieza curva que va atravesada sobre la quilla para formar la cuaderna.

vareo *s. m.* Vareaje.

vareta *s. f.* **1.** Palito delgado que, untado con liga, se emplea para cazar pájaros. **2.** Lista de color diferente del fondo de un tejido.

varetazo *s. m.* Golpe de lado que da el toro con el asta.

varetear *v. tr.* Formar varetas en un tejido.

varetón *s. m.* Ciervo joven.

varga *s. f.* Parte más pendiente de una cuesta.

várgano *s. m.* Cada uno de los palos dispuestos para construir una empalizada.

vargueño *s. m.* Bargueño.

variabilidad *s. f.* Calidad de variable.

variable *adj.* Se dice de lo inestable y fácilmente mudable.

variación *s. f.* Cada una de las imitaciones melódicas de un mismo tema.

variado, da *adj.* De varios colores.

variante *s. f.* **1.** Variedad o diferencia de lección que hay en los ejemplares o copias de un códice o libro. **2.** Cada una de las diversas formas que presenta una voz, un fonema, etc. **3.** Diferencia entre distintas clases de una misma forma. **4.** Desviación en una carretera o camino. **5.** Cada uno de los signos posibles en una quiniela de fútbol. || *s. m.* **6.** Fruto o verdura, encurtida en vinagre. Se usa más en pl.

variar *v. tr.* **1.** Dar variedad. || *v. intr.* **2.** Cambiar alguna cosa de forma, propiedad o estado.

varice *s. f.* Dilatación permanente de una vena.

varicela *s. f.* Enfermedad contagiosa, caracterizada por una erupción parecida a la de la viruela benigna.

varicocele *s. m.* Tumor formado por la dilatación de las venas del escroto y del cordón espermático.

varicoso, sa *adj.* Perteneciente o relativo a las varices.

variedad *s. f.* **1.** Calidad de vario. **2.** Diferencia dentro de la unidad, conjunto de cosas diversas. **3.** Inconstancia, inestabilidad. **4.** Mudanza o alteración. **5.** Variación. **6.** Cada uno de los grupos en que se dividen algunas especies y que se distinguen entre sí por ciertos caracteres muy secundarios, aunque permanentes. || *s. f. pl.* **7.** Espectáculo en el que se alternan números musicales, circenses, coreográficos, etc.

variegación *s. f.* Aspecto de la planta que tiene tejidos de varios colores o de distinta constitución.

variegado, da *adj.* **1.** De distintos colores. **2.** Se dice de la planta cuando presenta variegación.

varilarguero *s. m., fam.* Picador de toros.

varilla *s. f.* **1.** Barra larga y delgada. || *s. f. pl.* **2.** Bastidor rectangular en que se mueven los cedazos para cerner.

varillaje *s. m.* Conjunto de varillas de un utensilio, como abanico, paraguas, etc.

vario, ria *adj.* **1.** Se dice de lo diverso o diferente. **2.** Inconstante, mudable.

varioloide *s. f.* Viruela atenuada y benigna.

varioloso, sa *adj.* Perteneciente o relativo a la viruela.

variopinto, ta *adj.* Se aplica a las cosas de diversa naturaleza que se encuentran mezcladas.

variz *s. f.* Varice.

varón *s. m.* **1.** Criatura racional del sexo masculino. **2.** Hombre de respeto, autoridad u otras cualidades.

varona *s. f.* Persona de sexo femenino.

varonesa *s. f.* Persona de sexo femenino.

varonía *s. f.* Calidad de descendiente de varón en varón.

varonil *adj.* Se dice del hombre esforzado, valeroso y firme.

varraco *s. m.* Verraco.

vasa *s. f.* Nombre que recibe en varias comarcas el conjunto de piezas para el servicio de mesa.

vasallaje *s. m.* **1.** Vínculo de dependencia y fidelidad que una persona tenía respecto de otra. **2.** Tributo pagado por el vasallo.

vasallo, lla *adj.* **1.** Sujeto a algún señor con vínculo de dependencia y fidelidad a causa de un feudo. ‖ *s. m. y s. f.* **2.** Súbdito de un soberano.

vasar *s. m.* Poyo o anaquelería que, sobresaliendo en la pared, sirve para poner vasos, platos, etc.

vasco *s. m.* Euskera.

vascuence *s. m.* Euskera. También adj.

vascular *adj.* Perteneciente o relativo a los vasos de las plantas y los animales.

vaselina *s. f.* Sustancia crasa, amarillenta y translúcida, que se utiliza como lubricante y para hacer ungüentos.

vasera *s. f.* Vasar.

vasija *s. f.* Recipiente para contener líquidos o cosas destinadas a la alimentación.

vaso *s. m.* Recipiente, por lo común de forma cilíndrica, destinado a contener un líquido, especialmente el que sirve para beber.

vasomotor, ra *adj.* Concerniente al movimiento que regula los vasos sanguíneos.

vástago *s. m.* **1.** Ramo tierno de un árbol. **2.** *fig.* Persona descendiente de otra.

vastedad *s. f.* Dilatación, anchura.

vasto, ta *adj.* Dilatado, muy extendido.

vataje *s. f.* Cantidad de vatios de un sistema eléctrico.

vate *s. m.* **1.** Adivino. **2.** Poeta.

váter *s. m.* **1.** Lavabo, cuarto de aseo. **2.** Aparato que se coloca en los retretes para evitar el mal olor.

vaticinador, ra *adj.* Que vaticina. También s. m. y s. f.

vaticinar *v. tr.* Pronosticar lo que está por venir.

vaticinio *s. m.* Predicción del futuro.

vatídico, ca *adj.* Perteneciente o relativo al vaticinio.

vatímetro *s. m.* Aparato que sirve para medir los vatios de una corriente eléctrica.

vatio *s. m.* Unidad de potencia eléctrica igual a la potencia capaz de hacer trabajo de un julio por segundo.

vaya[1] *s. f.* Burla, chasco que se le da a alguien. Se usa más con el *dar.*

vaya[2] *interj.* que se utiliza para mostrar que algo satisface o por el contrario disgusta.

vecera *s. f.* Manada de ganado, por lo común porcino, perteneciente a un vecindario.

vecería *s. f.* Vecera.

vecero, ra *adj.* Se dice de las plantas que en un año dan mucho fruto y poco o ninguno en otro.

vecinal *adj.* Perteneciente o relativo al vecindario o a los vecinos.

vecindad *s. f.* **1.** Conjunto de las personas que viven en los distintos pisos de una misma casa, en varias inmediatas o en un mismo barrio. **2.** Cercanías de un sitio.

vecindario *s. m.* Conjunto de los vecinos de una población.

vecino, na *adj.* **1.** Se dice de la persona que habita con otros en un mismo pueblo, barrio o casa, en habitación independiente. También s. m. y s. f. **2.** *fig.* Se dice de lo cercano, próximo. **3.** *fig.* Se dice de lo parecido o coincidente.

vectación *s. f.* Acción de caminar en un vehículo.

vector *s. m.* Representación geométrica de la magnitud vectorial; por abstracción se define como todo segmento rectilíneo, contado desde un punto del espacio, en una dirección determinada y en uno de sus sentidos.

vectorial *adj.* **1.** Perteneciente o concerniente al vector. **2.** Se aplica a la magnitud que actúa en un sentido y dirección determinados, como peso, movimiento, etc.

veda *s. f.* Espacio de tiempo en que está vedado cazar y pescar.

vedado, da *s. m.* Campo o sitio acotado por ley, donde está prohibido entrar o cazar.

vedamiento *s. m.* Veda.

vedar *v. tr.* **1.** Prohibir una cosa por ley, estatuto o mandato. **2.** Impedir la ejecución de algo.

vedeja *s. f.* Cabello largo.

vedette *s. f.* Artista principal en un espectáculo de revista o variedades.

vedija[1] *s. f.* **1.** Mechón de lana. **2.** Pelo enredado en cualquier parte del cuerpo del animal. **3.** Mata de pelo enredada y ensortijada. **4.** *amer.* Espiral que forma el humo del tabaco.

vedija[2] *s. f.* Región genital.

vedijero, ra *s. m. y s. f.* Persona que recoge la lana de inferior calidad cuando se esquila el ganado.

vedijudo, da *adj.* Que tiene la lana o el pelo enredado o en vedijas.

vedismo *s. m.* Religión más antigua de la India contenida en los libros llamados *Vedas.*

veedor, ra *s. m. y s. f.* Persona que tiene oficio, en las ciudades o villas, de reconocer si se realizan conforme a la ley determinadas obras.

veeduría *s. f.* Cargo u oficio de veedor.

vega *s. f.* Tierra baja, bien regada y fértil.

vegetación *s. f.* Conjunto de vegetales propios o existentes en un paraje o terreno.

vegetal *s. m.* Ser orgánico viviente, que no muda de lugar por impulso voluntario.

vegetar *v. intr.* Germinar, crecer y desarrollarse las plantas. También prnl.

vegetariano, na *adj.* Se dice de la persona que se alimenta exclusivamente de vegetales.

vegetativo, va *adj.* Se dice de los órganos y funciones que concurren a la conservación y desarrollo del organismo.

veguer *s. m.* Magistrado que, en Aragón, Cataluña y Mallorca, ejercía la misma jurisdicción que el corregidor en Castilla.

veguero, ra *s. m. y s. f.* Labrador que cultiva una vega.

vehemencia *s. f.* Calidad de vehemente.

vehemente *adj.* Se dice de lo que se siente o se expone con viveza.

vehículo *s. m.* Artefacto para transportar personas o cosas.

veinte *adj. num.* **1.** Dos veces diez. También pron. y s. m. **2.** Vigésimo. También pron.

veinteañero, ra *adj.* Se dice de la persona cuya edad está comprendida entre los 20 y los 29 años. También s. m. y s. f.

veinteavo, va *adj. num.* Se dice de cada una de las 20 partes iguales en que se divide un todo. También s. m.

veintén *s. m.* Moneda española de oro de valor de 20 reales.

veintena *s. f.* Conjunto de veinte unidades.

veintenar *s. m.* Veintena.

veintenario, ria *adj.* Se dice de lo que tiene veinte años.

veintenero *s. m.* Director del coro en los oficios divinos.

veinteno, na *adj. num.* Vigésimo.

veinteñal *adj.* Que dura veinte años.

veinticinco *adj. num.* **1.** Veinte y cinco. **2.** Vigésimo quinto.

veintitantos, tas *adj.* Veinte y algunos más. También pron.

vejación *s. f.* Acto de vejar.

vejamen *s. m.* Vejación.

vejar *v. tr.* **1.** Molestar, maltratar a alguien. **2.** Dar vejamen.

vejatorio, ria *adj.* Se dice de lo que veja o puede vejar.

vejestorio *s. m., desp.* Persona vieja.

vejez *s. f.* Calidad de viejo.

vejiga *s. f.* **1.** Órgano, especie de saco membranoso, que tienen los vertebrados y en el cual va depositándose la orina segregada por los riñones. **2.** Ampolla de la epidermis.

vejigatorio, ria *adj.* Se dice del emplasto o parche de sustancia irritante, puesto para levantar vejigas.

vejigoso, sa *adj.* Lleno de vejigas.

vejiguilla *s. f.* Vesícula en la epidermis.

vela[1] *s. f.* **1.** Tiempo destinado a trabajar durante la noche. **2.** Cilindro de cera u otra materia crasa con pabilo en el eje, para alumbrar.

vela[2] *s. f.* Lona formada por diversos trozos cosidos, que se amarra a las vergas para recibir el viento que impulsa la nave.

velación *s. f.* Ceremonia nupcial en la que se cubre con un velo a los cónyuges y que se celebra después del casamiento.

velada *s. f.* Reunión nocturna de varias personas, para recrearse de algún modo.

velado, da *s. m. y s. f.* Marido o mujer legítimos.

velador, ra *adj.* Se dice de la persona que cuida de alguna cosa.

veladura *s. f.* Tinta transparente que se da para suavizar el tono de lo pintado.

velaje *s. m.* Conjunto de velas de un barco.

velamen *s. m.* Conjunto de velas de un barco.

velar[1] *v. intr.* **1.** Estar sin dormir el tiempo destinado para el sueño. **2.** Continuar trabajando después de la jornada ordinaria. **3.** Asistir por horas o turnos delante del Santísimo Sacramento. También tr. **4.** *fig.* Cuidar con solicitud de una cosa. ‖ *v. tr.* **5.** Hacer de centinela o estar de guardia por la noche. **6.** Asistir de noche a un enfermo o a un difunto.

velar[2] *v. tr.* **1.** Cubrir con un velo. También prnl. **2.** Celebrar la ceremonia nupcial de las velaciones. También prnl. **3.** Dar veladuras. **4.** Tratándose de fotografía, borrarse del todo o en parte la imagen por la acción indebida de la luz. También prnl.

velar[3] *adj.* **1.** Que vela u oscurece. **2.** Perteneciente o relativo al velo del paladar. **3.** Se dice de los sonidos que se articulan hacia la parte posterior de la cavidad bucal. **4.** Se dice de la vocal o consonante que se articula en la parte posterior de la cavidad bucal, como la *u* y la *k*. También s. f.

velarización *s. f.* Desplazamiento del punto de articulación hacia la zona del paladar.

velarizar *v. tr.* Pronunciar con articulación velar vocales o consonantes no velares. También prnl.

velarte *s. m.* Paño negro, enfurtido y lustroso, que se usaba para prendas de abrigo.

velatorio *s. m.* **1.** Acto de velar a un difunto. **2.** Lugar destinado para velar a los difuntos.

veleidad *s. f.* **1.** Voluntad antojadiza o deseo vano. **2.** Inconstancia, ligereza.

veleidoso, sa *adj.* Se dice de lo mudable.

velería *s. f.* Tienda donde se venden velas de alumbrar.

velero, ra *adj.* **1.** Se dice de la embarcación muy ligera. ‖ *s. m.* **2.** Buque de vela.

veleta *s. f.* **1.** Pieza de metal giratoria que, colocada en lo alto de un edificio, señala la dirección del viento. ‖ *com., fig.* **2.** Persona inconstante y mudable.

velete *s. m.* Velo delgado.

velicación *s. f.* Acción y efecto de velicar.

velicar *v. tr.* Punzar en alguna parte del cuerpo para dar salida a los humores.

velillo *s. m.* Tela muy sutil, tejida con hilo de plata.

velintonia *s. f.* Secuoya endémica de los Estados Unidos de América, de hojas escamiformes.

velís o veliz *s. m.* Maleta de mano.

velis nolis *voz lat.* que se emplea en estilo familiar con la significación de «quieras o no quieras».

vélite *s. m.* Soldado de la antigua infantería ligera romana.

velívolo, la *adj., poét.* Velero, que navega a toda vela.

vellera *s. f.* Mujer que quita el vello a otras.

vellido, da *adj.* Velloso.

vello *s. m.* Pelo corto y suave que nace en algunas partes del cuerpo humano y que es más corto que el de la cabeza.

vellocino *s. m.* Vellón que resulta de esquilar las ovejas.

vellón[1] *s. m.* Toda la lana de un carnero u oveja que, esquilada, sale junta.

vellón[2] *s. m.* Antigua moneda de cobre.

véllora *s. f.* Mota o granillo en el revés de algunos paños.

vellorí *s. m.* Paño entrefino, de color pardo o de lana sin teñir.

vellorín *s. m.* Vellorí.

vellorio, ria *adj.* Pardusco. Se dice de la caballerías.

vellosidad *s. f.* Abundancia de vello.

velloso, sa *adj.* Que tiene vello.

velludillo *s. m.* Felpa o terciopelo de algodón, de pelo muy corto.

velludo, da *s. m.* Felpa o terciopelo.

vellutero, ra *s. m. y s. f.* Persona que por oficio trabaja en seda o felpa.

velmez *s. m.* Vestidura que antiguamente se usaba debajo de la armadura.

velo *s. m.* **1.** Cortina o tela que cubre una cosa. **2.** Prenda de tul, gasa u otra tela delgada y con la cual las mujeres se cubren la cabeza o el rostro. **3.** Trozo de tul, gasa, etc., con que se guarnecen algunas mantillas por la parte superior. **4.** El que, siendo de uno u otro color, va sujeto al sombrero y suelen llevar las señoras para cubrir el rostro. **5.** Manto que usan las religiosas. **6.** Banda de tela blanca que en la misa de velaciones se ponía al marido por los hombros y a la mujer sobre la cabeza, como símbolo del matrimonio. **7.** *fig.* Cualquier cosa delgada y ligera, flotante y más o menos transparente que encubre la vista de otra. **8.** *fig.* Pretexto utilizado para encubrir algo. **9.** *fig.* Confusión u ofuscación de la inteligencia. **10.** *fig.* Cualquier cosa que encubre o disimula el conocimiento de otra.

velocidad *s. f.* Ligereza o prontitud en el movimiento.

velocímetro *s. m.* Aparato que indica la velocidad de traslación de un vehículo.

velocipedista *com.* Persona que anda o sabe andar en velocípedo.

velocípedo *s. m.* Vehículo formado por una especie de caballete, con dos o tres ruedas, que se desplaza por medio de unos pedales.

velocista *s. m. y s. f.* Deportista que participa en carreras cortas.

velódromo *s. m.* Lugar destinado para carreras en bicicleta.

velón *s. m.* Lámpara de metal para aceite, con uno o varios picos o mecheros y un eje en que puede girar.

velonero, ra *s. m. y s. f.* Repisa en que se coloca el velón u otra luz cualquiera.

velorio *s. m.* Velatorio, especialmente cuando el difunto es un niño.

velorta *s. f.* Vilorta.

veloz *adj.* **1.** Acelerado y pronto en el movimiento. **2.** Ágil y pronto en el movimiento o en lo que se ejecuta o discurre.

vena *s. f.* **1.** Cualquiera de los vasos sanguíneos por donde vuelve al corazón la sangre que ha corrido por las arterias. **2.** Filón metálico. **3.** Cada uno de los hacecillos de fibras que sobresalen en el envés de las hojas de las plantas. **4.** Faja de tierra o piedra interpuesta entre masas de distinta naturaleza. **5.** Conducto natural por donde circula el agua en las entrañas de la tierra. **6.** Cada una de las listas o rayas de distintos colores que tienen ciertas piedras o maderas. **7.** *fig.* Inspiración poética, facilidad para componer versos. **8.** *fig.* Disposición favorable.

venablo *s. m.* Lanza corta y arrojadiza.

venadero *s. m.* Paraje en que los venados tienen su querencia.

venado *s. m.* Ciervo.

venaje *s. m.* Conjunto de venas de agua y manantiales que dan origen a un río.

venal *adj.* Vendible o expuesto a la venta.

venalidad *s. f.* Calidad de venal, vendible o sobornable.

venático, ca *adj., fam.* Que tiene vena de loco o ideas extravagantes. También s. m. y s. f.

venatorio, ria *adj.* Perteneciente o relativo a la montería.

vencedor, ra *adj.* Que vence. También s. m. y s. f.

vencejo[1] *s. m.* Lazo o ligadura con que se ata una cosa, especialmente los haces de las mieses.

vencejo[2] *s. m.* Pájaro fisirrostro, insectívoro, parecido a la golondrina.

vencer *v. tr.* **1.** Rendir o sujetar al enemigo o contrario. **2.** Rendir a alguien aquellas cosas físicas o morales a cuya fuerza resiste difícilmente la naturaleza. También prnl. **3.** Superar a otro en alguna competición. **4.** Dominar las pasiones y sentimientos. **5.** Sobreponerse a las dificultades. **6.** Incitar a una persona a que siga una opinión determinada. **7.** Soportar resignadamente un dolor, contrariedad, etc. **8.** Superar la altura o escabrosidad de un lugar. **9.** Ladear, inclinar o torcer una cosa. Se usa más como prnl. || *v. intr.* **10.** Finalizar un plazo. **11.** Terminar un contrato por cumplirse el plazo o la condición estipulada en él. **12.** Hacerse exigible una obligación una vez cumplido el plazo o la condición requerida al efecto. **13.** Salir alguien con su propósito en una pugna, disputa o pleito. **14.** Reprimir las pasiones o el genio. También prnl.

vencetósigo *s. m.* Planta perenne asclepiadácea, de raíz medicinal, con flores pequeñas y blancas y olor parecido al del alcanfor.

vencida *s. f.* Vencimiento, acto de vencer o ser vencido.

vencimiento *s. m.* **1.** Acción de vencer o su efecto, es decir, ser vencido. **2.** *fig.* Inclinación o torcimiento. **3.** *fig.* Cumplimiento del plazo de una deuda, obligación, etc.

venda *s. f.* Tira de lienzo que sirve para ligar un miembro o para sujetar los apósitos.

vendaje *s. m.* Ligadura que se hace con vendas.

vendar *v. tr.* Atar o cubrir una parte del cuerpo con una o varias vendas.

vendaval *s. m.* Viento fuerte que sopla del Sur, con tendencia al Oeste.

vendedor, ra *s. m. y s. f.* Persona que tiene por oficio vender.

vendehúmos *com., fam.* Persona que ostenta privanza con un poderoso, para vender con esto su favor a los pretendientes.

vendeja *s. f.* **1.** Venta pública y común, como en feria. **2.** Mercancías destinadas a la venta.

vender *v. tr.* **1.** Traspasar a otro la propiedad de lo que alguien posee a cambio de una cantidad de dinero convenida. **2.** Tener a disposición del público mercaderías, propias o ajenas, para quien las quiera comprar. **3.** Sacrificar al interés cosas que carecen de valor material. **4.** *fig.* Traicionar a una persona, faltar a la fe o amistad debida. || *v. prnl.* **5.** Dejarse sobornar. **6.** *fig.* Exponerse a todo riesgo en favor de alguien. **7.** *fig.* Revelar alguien sin darse cuenta una cosa que desea tener oculta.

vendí *s. m.* Certificado de venta, extendido por el vendedor, que acredita la procedencia y precio de lo comprado.

vendimia *s. f.* **1.** Recolección de la uva. **2.** Tiempo en que se hace.

vendimiador, ra *s. m. y s. f.* Persona que vendimia.

vendimiar *v. tr.* **1.** Recoger el fruto de las viñas. **2.** *fig. y fam.* Matar o quitar la vida. También prnl.

vendimiario *s. m.* Primer mes del año según el calendario republicano francés, cuyos días primero y último coincidían, respectivamente, con el 22 de septiembre y el 21 de octubre.

vendo *s. m.* Orillo del paño.

venéfico, ca *s. m. y s. f.* Persona que emplea artes mágicas.

venencia *s. f.* Utensilio compuesto de un recipiente cilíndrico y de una varilla terminada en gancho, que se usa para probar los vinos.

venenífero, ra *adj., poét.* Que contiene veneno.

veneno *s. m.* Cualquier sustancia que, introducida en el organismo animal, ocasiona la muerte o graves trastornos.

venenosidad *s. f.* Calidad de venenoso.

venenoso, sa *adj.* Que incluye veneno.

venera *s. f.* **1.** Concha de ciertos moluscos. **2.** Insignia que los caballeros de las órdenes militares llevaban colgada al pecho.

venerable *adj.* Digno de culto, de homenaje, de respeto.

veneración *s. f.* Acción y efecto de venerar.

venerar *v. tr.* **1.** Respetar en sumo grado a una persona o cosa. **2.** Dar culto a Dios, a los santos o a las cosas sagradas.

venéreo, a *adj.* Se dice de las enfermedades contagiosas que ordinariamente se contraen por el contacto sexual.

venereología *s. f.* Parte de la medicina que se ocupa de las enfermedades venéreas.

venereológico, ca *adj.* Perteneciente o relativo a la venereología.

venereólogo, ga *s. m. y s. f.* Especialista en venereología.

venero *s. m.* Manantial de agua.

venezolanismo *s. m.* Giro o modo de hablar propio de los venezolanos.

vengable *adj.* Que puede o debe ser vengado.

venganza *s. f.* Satisfacción que se toma del agravio o daño recibidos, especialmente por medio de otro daño.

vengar *v. tr.* Tomar satisfacción de un agravio o daño. También prnl.

vengativo, va *adj.* Inclinado a tomar venganza de cualquier agravio o daño.

venia *s. f.* **1.** Perdón de la ofensa o culpa. **2.** Licencia para ejecutar una cosa.

venial *adj.* Se dice de lo que se opone levemente a la ley o precepto, y por eso es de fácil remisión.

venialidad *s. f.* Calidad de venial.

venida *s. f.* Acción de venir.

venidero, ra *adj.* Que ha de venir o suceder.

venir *v. intr.* **1.** Caminar una persona o moverse una cosa de allá para acá. **2.** Llegar una persona o cosa a donde está quien habla. **3.** Presentarse uno ante otro. **4.** Ajustarse o encajar bien o mal una cosa a otra o con otra. **5.** Llegar alguien a avenirse o conformarse. También prnl. **6.** Inferirse, ser una cosa consecuencia de otra. **7.** Originarse una cosa de otra. **8.** Presentarse una cosa a la imaginación o a la memoria. **9.** Figurar en un libro o publicación. ‖ *v. prnl.* **10.** Perfeccionarse ciertas cosas mediante la fermentación.

venoso, sa *adj.* Perteneciente o relativo a la vena.

venta *s. f.* **1.** Cesión en virtud de la cual se transfiere a dominio ajeno una cosa propia por el precio pactado. **2.** Posada en los caminos.

ventada *s. f.* Golpe de viento.

ventaja *s. f.* Lo que da superioridad.

ventajoso, sa *adj.* Que tiene ventaja o la reporta.

ventalla *s. f.* Cada una de las partes de la cáscara de un fruto, que, juntas por una o más suturas, encierran las semillas, como en el haba.

ventalle *s. m.* Pieza movible del casco, que en unión con la visera cerrada la parte delantera del mismo.

ventana *s. f.* Abertura más o menos elevada sobre el suelo, que se deja en una pared para dar luz y ventilación.

ventanaje *s. m.* Conjunto de ventanas.

ventanal *s. m.* Ventana grande.

ventanear *v. tr., fam.* Asomarse a la ventana con frecuencia.

ventanero, ra *adj.* Se dice de la persona que mira con poco recato a las ventanas en que hay asomado alguien. También s. m. y s. f.

ventanilla *s. f.* Abertura pequeña que hay en la pared o tabique de los despachos de billetes, bancos y otras oficinas para despachar, cobrar, pagar, etc.

ventanillo *s. m.* **1.** Postigo pequeño de puerta o ventana. **2.** Ventana pequeña o abertura hecha en la puerta exterior de las casas y resguardada generalmente con rejillas para ver quién llama sin franquear la entrada.

ventar *v. intr.* Ventear, soplar el viento.

ventarrón *s. m.* Viento muy fuerte.

ventear *v. intr.* Soplar el viento o hacer aire fuerte.

ventero, ra *s. m. y s. f.* Persona que tiene a su cuidado y cargo una venta.

ventilación *s. f.* Instalación con que se ventila un lugar.

ventilador *s. m.* Instrumento que remueve el aire confinado en una habitación.

ventilar *v. tr.* **1.** Hacer penetrar el aire en algún sitio. Se usa más como prnl. **2.** Agitar una cosa en el aire. **3.** *fig.* Examinar una cuestión hasta que quede solucionada.

ventisca *s. f.* Borrasca de viento y nieve.

ventiscar *v. intr.* **1.** Nevar con viento fuerte. **2.** Levantarse la nieve por la violencia del viento.

ventisco *s. m.* Ventisca.

ventiscoso, sa *adj.* Se dice del tiempo y lugar en que son frecuentes las ventiscas.

ventisquear *v. intr.* Ventiscar.

ventisquero *s. m.* **1.** Ventisca. **2.** Altura de los montes más expuesta a las ventiscas.

ventola *s. f.* Esfuerzo que hace el viento contra un obstáculo.

ventolera *s. f.* **1.** Golpe de viento recio y poco durable. **2.** *fig. y fam.* Vanidad. **3.** Determinación inesperada.

ventolina *s. f.* Viento leve y variable.

ventor, ra *adj.* Se dice del animal que, guiado por su olfato y el viento, busca un rastro o huye del cazador.

ventorrero *s. m.* Sitio alto y despejado, muy expuesto a los vientos.

ventorrillo *s. m.* Bodegón en las afueras de una población.

ventorro *s. m., desp.* Venta de hospedaje pequeña o mala.

ventosa *s. f.* **1.** Órgano de ciertos animales que les permite adherirse a los objetos mediante el vacío. **2.** Abertura que se hace en algunas cosas para dar paso al viento. **3.** Pieza cóncava de material plástico, que al ser oprimida contra una superficie crea el vacío en su interior y permanece adherida a dicha superficie.

ventosear *v. intr.* Expeler del cuerpo los gases intestinales. También prnl.

ventosidad *s. f.* Gases intestinales, especialmente cuando se expelen.

ventoso, sa *adj.* Se dice del día, tiempo o sitio en que hace aire fuerte.

ventral *adj.* Perteneciente o relativo al vientre.

ventrecha *s. f.* Vientre de los pescados.

ventregada *s. f.* Conjunto de animalitos que han nacido de un parto.

ventrera *s. f.* Faja que se pone para apretar el vientre.

ventricular *adj.* Perteneciente o relativo al ventrículo.

ventrículo *s. m.* Nombre que reciben las cavidades inferiores del corazón, que envían la sangre procedente de las aurículas a las arterias.

ventril *s. m.* Pieza de madera que equilibra la viga en los molinos de aceite.

ventrílocuo, cua *adj.* Se dice de la persona que tiene el arte de modificar su voz, imitando las de otras personas o diversos sonidos.

ventriloquía *s. f.* Arte de ventrílocuo.

ventrisca *s. f.* Vientre de los pescados.

ventrón *s. m.* Envoltura muscular que recubre el estómago de algunos rumiantes.

ventroso, sa *adj.* Ventrudo.

ventrudo, da *adj.* Que tiene abultado el vientre.

ventura *s. f.* **1.** Felicidad. **2.** Contingencia o casualidad.

venturanza *s. f.* Ventura, felicidad.

venturero, ra *adj.* Que anda sin ocupación u oficio, pero dispuesto a trabajar en cualquier cosa.

venturina *s. f.* Variedad de cuarzo que lleva en su masa laminillas de mica.

venturo, ra *adj.* Que ha de venir o suceder.

venturoso, sa *adj.* Afortunado.

vénula *s. f.* Vena minúscula.

venus *s. f., fig.* Mujer muy hermosa.

venustidad *s. f.* Hermosura perfecta o muy agraciada.

venusto, ta *adj.* Hermoso y agraciado.

ver[1] *s. m.* **1.** Sentido de la vista. **2.** Apariencia de las cosas.

ver[2] *v. tr.* **1.** Percibir por los ojos la forma y color de los objetos mediante la acción de la luz. **2.** Por ext., percibir algo con la inteligencia. **3.** Observar con detenimiento alguna cosa. **4.** Visitar a una persona o estar con ella para tratar alguna cuestión. **5.** Andar con precaución en las cosas que se realizan. **6.** Meditar sobre un asunto. **7.** Predecir las cosas futuras. **8.** Conocer, juzgar, criticar. **9.** Asistir los jueces a la discusión oral de una causa sobre la que han de dictar sentencia. **10.** *fig.* Ser un lugar escenario de algún acontecimiento. ‖ *v. prnl.* **11.** Estar en un lugar o en postura adecuada para ser visto. **12.** Avistarse una persona con otra para tratar alguna cuestión. **13.** Darse a conocer, o conocerse con claridad y perfección. **14.** Estar o encontrarse en un sitio o lance. **15.** Representarse, materialmente o no, la imagen de una cosa.

vera *s. f.* Orilla.

veracidad *s. f.* Calidad de veraz.

veragua *s. f., vulg.* Billete de banco de mil de las extintas pesetas.

veranada *s. f.* Temporada de verano respecto de los ganados.

veranadero *s. m.* Sitio donde en verano pastan los ganados.

veranda *s. f.* Terrado, terraza, pórtico, galería, mirador según el caso.

veranear *v. intr.* Pasar el verano en algún lugar distinto de aquel donde se reside habitualmente.

veraneo *s. m.* Acción y efecto de veranear.

veranero *s. m.* Sitio o paraje donde algunos animales pasan el verano.

veraniego, ga *adj.* Perteneciente o relativo al verano.

veranillo *s. m.* Tiempo breve de calor en otoño.

verano *s. m.* La época más calurosa del año, que en el hemisferio septentrional comprende los meses de junio, julio y agosto, y en el austral corresponde a diciembre, enero y febrero.

veras *s. f. pl.* **1.** Realidad, verdad en las cosas que se dicen o hacen. **2.** Eficacia, fervor con que se ejecutan o desean las cosas.

verascopio *s. m.* Estereoscopio dispuesto para ver por transparencia fotografías en cristal.

veratrina *s. f.* Alcaloide cristalino y tóxico contenido en la raíz del vedegambre.

veraz *adj.* Que dice o profesa siempre la verdad.

verba *s. f.* Labia, locuacidad.

verbal *adj.* Referente a la palabra o que se sirve de ella.

verbalismo *s. m.* **1.** Propensión a fundar el razonamiento más en las palabras que en los conceptos. **2.** Procedimiento de enseñanza en que se cultiva con preferencia la memoria verbal.

verbalista *adj.* Perteneciente o relativo al verbalismo. También com.

verbasco *s. m.* Gordolobo.

verbena *s. f.* **1.** Planta herbácea anual, de las verbenáceas, de flores terminales en espigas de varios colores. **2.** Velada de regocijo popular.

verbenáceo, a *adj.* Se dice de las plantas dicotiledóneas de tallos y ramas cuadrangulares, de hojas opuestas y verticiladas, y flores en racimo, espiga, etc.

verbenear *v. intr.* **1.** *fig.* Bullir, moverse las cosas en un sitio como los gusanos. **2.** Abundar, multiplicarse en un paraje personas o cosas.

verbenero, ra *adj.* Se dice de la persona de ánimo festivo. También s. m. y s. f.

verberación *s. f.* Acción y efecto de verberar.

verberar *v. tr.* **1.** Fustigar. También prnl. **2.** *fig.* Azotar el viento o el agua en alguna parte.

verbigracia *expr.* que se usa con el significado de *por ejemplo.*

verbo *n. p.* **1.** Segunda persona de la Santísima Trinidad. ‖ *s. m.* **2.** Palabra, representación oral de una idea. **3.** Terno, juramento. **4.** Parte más flexible de la oración que admite variaciones para indicar el modo, tiempo, número, persona, aspecto y voz.

verborrea *s. f., fam.* Verbosidad excesiva.

verbosidad *s. f.* Abundancia de palabras en la locución.

verboso, sa *adj.* Abundante de palabras.

verdacho *s. m.* Arcilla teñida naturalmente de verde claro por el silicato de hierro.

verdad *s. f.* **1.** Conformidad del entendimiento con las cosas. **2.** Conformidad de lo que se dice con lo que se siente o se piensa.

verdadero, ra *adj.* Ingenuo, sincero.

verdal *adj.* Se dice de las frutas que tienen color verde aun después de maduras.

verdasca *s. f.* Vara o ramo delgado, ordinariamente verde.

verde *adj.* **1.** Se dice del color simple que se encuentra en el espectro de luz blanca entre el amarillo y el azul. Es un color parecido al de la hierba fresca, la esmeralda, etc. También s. m. **2.** En contraposición de seco, se dice de los árboles y las plantas que aun conservan alguna savia. **3.** Se aplica a la leña recién cortada del árbol vivo. **4.** Con relación a las legumbres, las que se consumen frescas. **5.** Se dice de lo que aun no ha alcanzado la madurez. **6.** Se dice del vino de sabor áspero por haberse mezclado uva agraz y madura. **7.** *fig.* Se dice de los primeros años de la vida y de la juventud. **8.** *fig.* Se aplica a las cosas que están en los comienzos y aun imperfectas. **9.** *fig.* Se dice de la persona poco experta. **10.** *fig.* Se dice de lo libre y obsceno. **11.** *fig.* Se aplica al que mantiene tendencias obscenas o deseos sexuales que no son propios de su edad. **12.** *fig.* Aplicado a sustantivos como zona o espacio, zona no urbanizable cuyo uso se destina a parques o jardines. **13.** *fig.* Se dice de ciertos partidos ecologistas y sus miembros. ‖ *s. m.* **14.** Follaje. ‖ *s. m. pl.* **15.** Hierbas, pastos para el ganado.

verdea *s. f.* Vino de color verdoso.

verdear *v. prnl.* **1.** Mostrar una cosa el color verde que en sí tiene. **2.** Comenzar a brotar las plantas.

verdeceladón *s. m.* Color verde claro que se da a algunas telas.

verdecer *v. intr.* Revestirse de verde la tierra o los árboles.

verdecillo *s. m.* Verderón.

verdegal *s. m.* Sitio donde verdea un sembrado.

verdegay *adj.* De color verde claro.

verdeguear *v. intr.* Verdear.

verdejo *adj.* Verdal.

verdel *s. m.* Pez de manchas verdosas, caballa.

verdemar *s. m.* Color parecido al verdoso que suele tomar el mar. También adj.

verdemontaña *s. m.* **1.** Carbonato de cobre terroso y de color claro. **2.** Color verde claro que se hace de este mineral.

verdeo *s. m.* Recolección de las aceitunas antes de que maduren para encurtirlas.

verderol[1] *s. m.* Verderón.

verderol[2] *s. m.* Berberecho.

verderón *s. m.* Ave cantora con el plumaje verdoso.

verdete *s. m.* Color verde claro hecho con el acetato o el carbonato de cobre.

verdevejiga *s. m.* Compuesto de hiel y sulfato de hierro, de color verde oscuro.

verdezuelo *s. m.* Verderón.

verdín *s. m.* Primer color verde de las plantas que no han llegado a la sazón.

verdina *s. f.* Verdín.

verdinal *s. m.* Parte que en una pradera agostada se conserva verde por la humedad natural del terreno.

verdinegro, gra *adj.* De color verde oscuro.

verdiñal *adj.* Se dice de una clase de pera verdal.

verdiseco, ca *adj.* Medio seco.

verdolaga *s. f.* Planta herbácea anual, de las portulacáceas, de hojas carnosas pequeñas y ovaladas, que se comen en ensalada.

verdor *s. m.* **1.** Color verde vivo de las plantas. **2.** *fig.* Edad de la juventud.

verdoso, sa *adj.* Que tira a verde.

verdoyo *s. m.* Verdín.

verdugado *s. m.* Vestidura que usan las mujeres bajo las faldas para ahuecarlas.

verdugal *s. m.* Monte bajo que, después de quemado o cortado, se cubre de renuevos.

verdugazo *s. m.* Golpe dado con el verdugo.

verdugo *s. m.* **1.** Renuevo o vástago del árbol. **2.** Estoque muy delgado. **3.** Azote hecho de materia flexible, como cuero, mimbre, etc. **4.** Roncha o señal que levanta el golpe del azote. **5.** Ministro de Justicia que ejecuta las penas de muerte. **6.** Aro de sortija. **7.** Alcaudón, ave. **8.** Verdugado. **9.** Hilada horizontal de ladrillo en una fábrica de otro material. **10.** Moldura de perfil semicircular. **11.** Gorro de lana que tapa la cabeza y el cuello dejando descubierto el rostro. **12.** *fig.* Persona cruel o cosa que atormenta mucho. **13.** *fig.* Cualquier cosa que molesta mucho.

verdugón *s. m.* Roncha que levanta un golpe dado con el verdugo.

verduguillo *s. m.* Navaja pequeña y estrecha para afeitar.

verdulería *s. f.* Tienda de verduras.

verdulero, ra *s. m. y s. f.* **1.** Persona que por oficio vende verduras. **2.** *fig. y fam.* Persona desvergonzada y malhablada.

verdura *s. f.* **1.** Verdor, color verde. **2.** Hortaliza, especialmente la que se come cocida.

verdusco, ca *adj.* Que tira a verde oscuro.

verecundia *s. f.* Vergüenza.

verecundo, da *adj.* Vergonzoso.

vereda *s. f.* Camino angosto, formado comúnmente por el tránsito de peatones y ganados.

veredero *s. m.* Persona que va enviada con despachos para notificarlos a uno o varios lugares de un mismo camino.

veredicto *s. m.* Definición sobre un hecho dictada por el jurado.

verga *s. f.* **1.** Miembro genital de los mamíferos. **2.** Percha labrada, a la cual se asegura el grátil de una vela.

vergajo *s. m.* Verga del toro que, seca y retorcida, se usa como látigo.

vergel *s. m.* Huerto con variedad de flores y árboles frutales.

vergeta *s. f.* Palo más estrecho que el ordinario.

vergeteado *adj.* Se dice del escudo compuesto de diez o más palos.

vergonzante *adj.* **1.** Que tiene vergüenza. **2.** Se dice de la persona que por vergüenza procede de modo encubierto.

vergonzoso, sa *adj.* **1.** Que causa vergüenza. **2.** Que se avergüenza con facilidad. También s. m. y s. f.

verguear *v. tr.* Varear o sacudir una persona o cosa con una verga o vara.

vergüenza *s. f.* **1.** Turbación del ánimo, causada por una falta cometida, por una humillación recibida o por sentirse objeto de la atención de alguien. **2.** Decencia.

vergueta *s. f.* Varita delgada.

verguío, a *adj.* Se dice de las maderas flexibles y correosas.

vericueto *s. m.* Lugar áspero, alto y quebrado, por donde se camina con gran dificultad.

verídico, ca *adj.* **1.** Que dice la verdad. **2.** Se aplica también al que la incluye.

verificación *s. f.* **1.** Acción de probar si una cosa es verdadera o no. **2.** Acción de examinar la verdad de algo. **3.** Acción de salir cierto lo que se había pronosticado.

verificador, ra *adj.* Se aplica en particular a la persona que comprueba los contadores de gas, agua, electricidad, etc.

verificar *v. tr.* **1.** Probar que una cosa que se dudaba es verdadera. **2.** Comprobar o examinar la verdad de una cosa.

verificativo, va *adj.* Se dice de lo que sirve para verificar una cosa.

verigüeto *s. m.* Molusco lamelibranquio bivalvo, comestible.

verija *s. f.* Región de los órganos genitales.

veril *s. m.* Orilla o borde de un bajo, sonda, placer, etc.

verilear *v. intr.* Navegar por un veril.

verisímil *adj.* Verosímil.

verisimilitud *s. f.* Verosimilitud.

verismo *s. m.* Sistema estético en el que predomina con exceso la representación directa de la realidad, sin excluir lo feo ni lo desagradable. Se dice especialmente de la novela realista italiana del s. XIX.

verja *s. f.* Enrejado que sirve de puerta, ventana o cerca.

verme *s. m.* Lombriz intestinal.

vermicular *adj.* **1.** Que tiene gusanos o vermes. **2.** Que se parece a los gusanos o participa de sus cualidades.

vermiforme *adj.* De figura de gusano.

vermífugo, ga *adj.* Que mata las lombrices intestinales. También s. m.

verminoso, sa *adj.* Se dice de las úlceras que crían gusanos y de las enfermedades acompañadas de la presencia de gusanos.

vermis *s. m.* Parte media del cerebelo.

vermú o vermut *s. m.* Licor compuesto de vino blanco, ajenjo y otras sustancias amargas y tónicas.

vernáculo, la *adj.* Doméstico, nativo, de nuestra casa o país.

vernal *adj.* Perteneciente o relativo a la primavera.

vernier *s. m.* Nonio.

vero *s. m.* **1.** Piel de marta cebellina. ‖ *s. m. pl.* **2.** Esmaltes que cubren el escudo en figura de campanillas alternadas, unas de plata y otras de azur, y con las bocas opuestas.

veronal *s. m.* Derivado del ácido barbitúrico, usado como tranquilizante.

verónica *s. f.* **1.** Planta de las escrofulariáceas, de flores azules en espigas axilares. **2.** Lance que consiste en esperar el lidiador la acometida del toro teniendo la capa extendida o abierta con ambas manos enfrente de la res.

verosímil *adj.* **1.** Que tiene apariencia de verdadero y puede creerse. **2.** Creíble por no ofrecer carácter de falsedad.

verosimilitud *s. f.* Calidad de verosímil.

verraco *s. m.* Cerdo padre.

verraquear *v. intr., fig. y fam.* Gruñir.

verraquera *s. f., fam.* Lloro con rabia.

verriondez *s. f.* Calidad de verriondo.

verriondo, da *adj.* Se dice del puerco y otros animales cuando están en celo.

verrón *s. m.* Verraco.

verruga *s. f.* Excrecencia cutánea, generalmente redonda, formada por la dilatación de las papilas vasculares y el endurecimiento de la epidermis que la cubre.

verrugo *s. m., fam.* Persona tacaña y avara.

verrugoso, sa *adj.* Que tiene muchas verrugas.

verrugueta *s. f., vulg.* Trampa en el juego que consiste en marcar los naipes con verruguillas.

verruguetear *v. tr., fam.* Marcar los naipes con verruguetas.

verruguilla *s. f., vulg.* Pequeña señal que se hace en los naipes para jugar con ventaja.

versado, da *adj.* Se dice de la persona que tiene experiencia en alguna actividad.

versal *adj.* Se dice de la letra mayúscula.

versalita *adj.* Se dice de la letra mayúscula de igual tamaño que la minúscula.

versar *v. intr.* Tratar de cierta materia un libro, discurso, conversación, etc.

versátil *adj., fig.* De carácter voluble e inconstante.

versatilidad *s. f.* Calidad de versátil.

versear *v. intr., fam.* Hacer versos, versificar.

versería *s. f.* Conjunto de versos o piezas de artillería.

versícula *s. f.* Lugar donde se ponen los libros de coro.

versiculario, ria *s. m. y s. f.* **1.** Persona que canta los versículos. **2.** Persona que cuida de los libros del coro.

versículo *s. m.* Cada una de las breves divisiones de los capítulos de ciertos libros, especialmente de la Sagrada Escritura.

versificación *s. f.* Arte de versificar.

versificador, ra *adj.* Que hace o compone versos. También s. m. y s. f.

versificar *v. intr.* **1.** Hacer o componer versos. ‖ *v. tr.* **2.** Poner en verso.

versión *s. f.* **1.** Traducción, acción y efecto de traducir. **2.** Modo que tiene cada uno de referir un mismo suceso. **3.** Cada una de las formas que puede tomar el texto de una obra o la interpretación de un tema. **4.** Operación para cambiar la postura del feto que se presenta mal para el parto.

versista *com.* Persona que tiene prurito de hacer versos.

verso *s. m.* **1.** Cada una de las porciones de una obra sometidas a ritmo; sus leyes cambian a través del tiempo y de la variedad idiomática. **2.** Empleado en sentido colectivo, se contrapone a prosa. **3.** Versículo. **4.** *fam.* Composición en verso. Se usa más en pl.

versta *s. f.* Medida itineraria rusa, equivalente a 1067 m.

versus *prep.* **1.** Hacia. **2.** Por influencia anglosajona, contra, frente a.

vértebra *s. f.* Cada uno de los huesos cortos articulados entre sí que forman la columna vertebral.

vertebración *s. f.* Acción y efecto de vertebrar.

vertebrado, da *adj.* **1.** Que tiene vértebras. **2.** Se dice de los animales cordados dotados de un esqueleto interno, óseo o cartilaginoso, con columna vertebral. También s. m. **3.** *fig.* Se aplica a lo que está bien organizado y es coherente.

vertebral *adj.* Perteneciente o relativo a las vértebras.

vertebrar *v. tr., fig.* Dar cohesión y estructura interna a algo.

vertedera *s. f.* Especie de orejera que sirve para voltear y extender la tierra levantada por el arado.

vertedero *s. m.* Sitio adonde o por donde se vierte algo, escombros, basuras, etc.

vertedor, ra *s. m.* Canal o conducto para dar salida al agua.

vertello *s. m.* Cada una de las bolas de madera que, ensartadas en un cabo, forman el racamento.

verter *v. tr.* **1.** Derramar o vaciar líquidos y también cosas menudas, como sal, harina, etc. También prnl. **2.** Inclinar

un recipiente o volverlo boca abajo para que salga su contenido. También prnl. **3.** Traducir. **4.** *fig.* Respecto de dichos, conceptos, etc., emitirlos para sugerir algo desagradable. ‖ *v. intr.* **5.** Fluir un líquido por una pendiente. **6.** Desembocar una corriente de agua en otra.

vertibilidad *s. f.* Calidad de vertible.

vertible *adj.* Que puede volverse o mudarse.

vertical *adj.* **1.** Se dice de la recta o plano perpendicular al horizonte. **2.** En figuras, dibujos, etc., se dice de la línea que va de la cabeza a los pies.

verticalidad *s. f.* Calidad de vertical.

vértice *s. m.* Punto en que concurren los dos lados de un ángulo o las caras de un ángulo poliedro.

verticidad *s. f.* Capacidad o potencia de moverse a varias partes o alrededor.

verticilado, da *adj.* Que forma o está dispuesto en verticilos.

verticilo *s. m.* Conjunto de tres o más ramos, hojas, inflorescencias u órganos florales dispuestos en un mismo plano alrededor de un tallo.

vertidos *s. m. pl.* Conjunto de materias de desecho que las instalaciones industriales arrojan a los vertederos.

vertiente *s. amb.* Declive por donde corre o puede correr el agua.

vertiginosidad *s. f.* Calidad de vertiginoso.

vertiginoso, sa *adj.* **1.** Perteneciente o relativo al vértigo. **2.** Que causa vértigo. **3.** Que padece vértigos. **4.** Se dice de la velocidad muy grande y del movimiento muy acelerado.

vértigo *s. m.* **1.** Trastorno del sentido del equilibrio, cuya principal característica es la sensación de movimiento rotatorio de las cosas o del propio cuerpo. **2.** Turbación del juicio, generalmente pasajera. **3.** *fig.* Apresuramiento anormal de la actividad de una persona o colectividad.

vertimiento *s. m.* Acción y efecto de verter o verterse.

vesania *s. f.* Enajenación del juicio.

vesánico, ca *adj.* Perteneciente o relativo a la vesania.

vesical *adj.* Perteneciente o relativo a la vejiga.

vesicante *adj.* Se dice de la sustancia que produce ampollas en la piel.

vesícula *s. f.* Vejiga pequeña en la epidermis, llena generalmente de líquido seroso.

vesicular *adj.* De forma de vesícula.

vesiculoso, sa *adj.* Lleno de vesículas.

vesiculoso, sa *adj.* Lleno de vesículas.

vespa *s. f.* Ciclomotor con ruedas pequeñas y que se acompaña con una plataforma para apoyar los pies.

vesperal *s. m.* Libro de canto llano, que contiene el de vísperas y completas.

véspero *s. m.* Las últimas horas de la tarde.

vespertino, na *adj.* **1.** Perteneciente o relativo a las últimas horas de la tarde. **2.** Se dice de los astros que transponen el horizonte después del ocaso del Sol. **3.** En periodismo, diario que sale por la tarde.

vestal Se dice de las doncellas romanas consagradas a la diosa Vesta.

vestíbulo *s. m.* Atrio o portal en la entrada de un edificio.

vestido *s. m.* Conjunto de prendas que sirven para cubrir el cuerpo humano.

vestidura *s. f.* **1.** Vestido. **2.** Vestido que, sobrepuesto al ordinario, usan los sacerdotes y sus ministros para el culto divino.

vestigio *s. m.* **1.** Huella, señal que deja el pie por donde ha pisado. **2.** Memoria o noticia que se tiene de las acciones de los antiguos.

vestiglo *s. m.* Monstruo fantástico.

vestimenta *s. f.* Vestido.

vestir *v. tr.* **1.** Cubrir o adornar el cuerpo propio o el de otra persona con el vestido. **2.** Guarnecer o cubrir una cosa con otra para defensa o adorno. **3.** Proveer de vestidos. **4.** Entregar a una persona la cantidad que necesita para que se haga vestidos. **5.** *fig.* Adornar mediante los recursos del lenguaje figurado. **6.** *fig.* Desfigurar o fingir con artificio la realidad. **7.** *fig.* Cubrir la hierba los campos; la hoja, los árboles; la piel, el pelo o la pluma, los animales, etc. También prnl. **8.** *fig.* Hacer los vestidos para otra persona. ‖ *v. intr.* **9.** Ser una prenda adecuada para el cuerpo de una persona.

vestuario *s. m.* **1.** Conjunto de trajes necesarios para una representación escénica. **2.** Parte del teatro donde se visten los actores.

vestugo *s. m.* Renuevo del olivo.

veta *s. f.* **1.** Yacimiento de mineral con foma alargada. **2.** Vena, lista de ciertas piedras y maderas.

vetar *v. tr.* Poner veto a una persona o cosa.

veteado, da *s. m.* Conjunto de las vetas de un material.

vetear *v. tr.* Señalar o pintar vetas en alguna cosa, a imitación de las naturales de la madera o el mármol.

veteranía *s. f.* Calidad de veterano.

veterano, na *adj., fig.* Antiguo y experimentado en cualquier profesión.

veterinaria *s. f.* Ciencia y arte de prevenir y curar las enfermedades de los animales.

veterinario, ria *s. m. y s. f.* Persona que se dedica a la veterinaria por profesión o estudio.

vetisesgado, da *adj.* Que tiene las vetas al sesgo.

vetiver *s. m.* Raíz olorosa que se emplea para perfumar la ropa y para preservarla de la polilla.

veto *s. m.* Derecho de una persona o corporación para vedar o impedir una cosa.

vetustez *s. f.* Calidad de vetusto.

vetusto, ta *adj.* Muy antiguo.

vexilología *s. f.* Disciplina que estudia las banderas, pendones y estandartes.

vez *s. f.* **1.** Cada uno de los casos en que tiene lugar un acto o acontecimiento susceptible de repetición. **2.** Tiempo u ocasión determinada. **3.** Tiempo u ocasión de hacer una cosa por turno u orden. **4.** Vecera. ‖ *s. f. pl.* **5.** Ministerio, autoridad o jurisdicción que una persona ejerce supliendo a otra o representándola. Se usa con el verbo *hacer*.

veza *s. f.* Arveja.

vezar *v. tr.* Avezar. También prnl.

vía *s. f.* **1.** Camino por donde se transita. **2.** Espacio que hay entre los carriles que señalan las ruedas de los carruajes. **3.** Carril. **4.** Porción del suelo explanado en donde se asientan los carriles. **5.** Conducto por el que pasan en el cuerpo los humores, los alimentos, el aire, etc. **6.** En ascética, forma de vida espiritual dirigida a la perfección. **7.** Calidad del estado u ocupación, o facultad que se toma para la vida. **8.** *fig.* Conducto o persona por la que se tramita un asunto. **9.** *fig.* Camino o instrumento para realizar una cosa.

viabilidad *s. f.* Calidad de viable.

viable *adj., fig.* Se dice del asunto que por sus circunstancias tiene probabilidades de llevarse a cabo.

viacrucis *s.m.* Término con que se denomina el camino que recorrió Jesucristo caminando al Calvario.

viada *s. f.* Movimiento brusco que hace el barco al empezar a moverse o aumentar de velocidad.

viadera *s. f.* Pieza de madera de los telares antiguos para colgar los hilos y gobernar el tejido.

viador, ra *s. m. y s. f.* Criatura racional que está en esta vida y aspira y camina a la eternidad.

viaducto *s. m.* Obra a manera de puente, para el paso de un camino sobre una hondonada.

viajador, ra *s. m. y s. f.* Viajero, que viaja.

viajante *s. m. y s. f.* Dependiente comercial que hace viajes para negociar.

viajar *v. intr.* **1.** Hacer viaje. **2.** Ser transportada una cosa de una parte a otra.

viajata *s. f., fam.* Caminata.

viaje *s. m.* **1.** Jornada que se hace de una parte a otra. **2.** Camino por donde se hace. **3.** Ida de una parte a otra, en especial cuando se va a un lugar notablemente distante.

viajero, ra *s. m. y s. f.* Persona que hace un viaje, especialmente largo.

vial *s. m.* Calle formada de dos filas paralelas de árboles u otras plantas.

vialidad *s. f.* **1.** Calidad de vial. **2.** Conjunto de servicios pertenecientes a las vías públicas.

vianda *s. f.* **1.** Sustento y comida de los racionales. **2.** Comida que se sirve a la mesa.

viandante *com.* Persona que hace viaje o anda camino.

viaraza *s. f., fig.* Acción inconsiderada y repentina.

viaticar *v. tr.* Administrar el viático a un enfermo.

viático *s. m.* **1.** Prevención de lo necesario para un viaje. **2.** Comunión que se administra a los enfermos en peligro de muerte.

víbora *s. f.* **1.** Serpiente venenosa de cabeza en forma de corazón. **2.** *fig.* Persona maldiciente.

viborezno, na *adj.* **1.** Perteneciente o relativo a la víbora. ‖ *s. m.* **2.** Cría de la víbora.

vibración *s. f.* Movimiento de una partícula de un cuerpo que oscila durante un periodo.

vibrador, ra *adj.* **1.** Que vibra. ‖ *s. m.* **2.** Aparato que transmite las vibraciones eléctricas.

vibrante *adj.* Se dice del sonido o letra cuya pronunciación se caracteriza por un rápido contacto oclusivo, simple o múltiple, entre los órganos de la articulación.

vibrar *v. tr.* **1.** Dar un movimiento trémulo a cualquier cosa delgada y elástica. **2.** Por ext. se dice del sonido trémulo de la voz y de otras cosas no materiales. **3.** Lanzar con energía y violencia una cosa, sobre todo haciéndola vibrar. ‖ *v. intr.* **4.** Moverse con celeridad las moléculas de un cuerpo elástico alrededor de sus posiciones naturales de equilibrio, y también la totalidad del cuerpo.

vibrátil *adj.* Capaz de vibrar.

vibratorio, ria *adj.* Que vibra o es capaz de vibrar.

vibrión *s. m.* Especie de bacteria.

viburno *s. m.* Arbusto de las caprifoliáceas, ramoso y de raíz rastrera.

vicaría *s. f.* Oficio o dignidad de vicario.

vicariato *s. m.* Tiempo que dura el oficio de vicario.

vicario, ria *s. m. y s. f.* Persona que en las órdenes religiosas tiene las veces y autoridad de alguno de sus superiores.

vicealmiranta *s. f.* Galera de una escuadra que montaba el segundo jefe.

vicealmirantazgo *s. m.* Dignidad de vicealmirante.

vicealmirante *s. m.* Oficial general de la Armada, inmediatamente inferior al almirante.

vicecanciller *com.* Persona que hace las veces de canciller, a falta de este, en orden al sello de los despachos.

vicecancillería *s. f.* **1.** Grado de vicecanciller. **2.** Oficina de vicecanciller.

viceconsiliario, ria *s. m. y s. f.* Persona que hace las veces de consiliario o de consiliaria.

vicecónsul *com.* Funcionario de la carrera consular, inferior al cónsul.

viceconsulado *s. m.* **1.** Empleo o cargo de vicecónsul. **2.** Oficina de este funcionario.

vicediós *s. m.* Título honorífico y respetuoso que dan los católicos al Sumo Pontífice como representante de Dios en la tierra.

vicegerencia *s. f.* Cargo de vicegerente.

vicegerente *com.* Persona que hace las veces de gerente.

vicegobernador, ra *s. m. y s. f.* Persona que hace las veces de gobernador.

vicenal *adj.* **1.** Que sucede o se repite cada veinte años. **2.** Que dura veinte años.

vicepresidencia *s. f.* Cargo de vicepresidente o vicepresidenta.

vicepresidente, ta *s. m. y s. f.* Persona que está facultada para hacer las veces de presidente o presidenta.

vicerrector, ra *s. m. y s. f.* Persona que hace las veces de rector.

vicerrectorado *s. m.* Cargo de vicerrector.

vicesecretario, ria *s. m. y s. f.* Persona que hace o está facultada para hacer las veces del secretario o secretaria.

vicesimal *adj.* Se dice del sistema de contar de veinte en veinte.

vicésimo, ma *adj.* Vigésimo. También s. m. y s. f.

vicetesorero, ra *s. m. y s. f.* Persona que hace las veces de tesorero o tesorera.

vicetiple *s. f., fam.* En zarzuela y revista, cada una de las cantantes del coro.

viceversa *adv. m.* Al contrario o por lo contrario.

vicia *s. f.* **1.** Arveja, algarroba, planta. **2.** Semilla de esta planta.

viciar *v. tr.* **1.** Dañar o corromper física o moralmente. También prnl. **2.** Falsear o adulterar los géneros. **3.** Falsificar o interpretar mal un escrito. **4.** Anular, invalidar. **5.** Corromper las buenas costumbres. También prnl. **6.** *fig.* Tergiversar o torcer el sentido de una proposición. ‖ *v. prnl.* **7.** Entregarse alguien a los vicios. **8.** Aficionarse a algo con exceso.

vicio *s. m.* **1.** Mala calidad o daño físico, especialmente la que altera algo en su esencia. **2.** Falsedad en lo que se escribe o se propone. **3.** Hábito de obrar mal. **4.** Defecto o exceso que como propiedad o costumbre tienen algunas personas, o que es común a una colectividad. **5.** Demasiado apetito de una cosa, que incita a usar de ella con exceso. **6.** Desviación que presenta una superficie apartándose de su forma habitual. **7.** Libertad excesiva en la crianza. **8.** Mala costumbre que adquiere a veces un animal. **9.** Mimo, cariño excesivo.

vicioso, sa *adj.* Entregado a los vicios.

vicisitud *s. f.* Orden sucesivo o alternativo de una cosa.

vicisitudinario, ria *adj.* Que acontece por orden sucesivo o alternativo.

víctima *s. f.* **1.** Persona o animal destinado al sacrificio. **2.** *fig.* Persona que se expone a un grave riesgo en obsequio de otra.

victimario *s. m.* Sirviente de los antiguos sacerdotes gentiles, que encendía el fuego y ataba o sujetaba las víctimas.

victo *s. m.* Sustento diario.

victoria[1] *s. f.* Superioridad que se obtiene del contrario en una disputa o lid.

victoria[2] *s. f.* Coche de dos asientos, abierto y con capota.

victorioso, sa *adj.* **1.** Que ha conseguido una victoria. También *s. m.* y *s. f.* **2.** Se dice de las acciones en que se consigue.

vicuña *s. f.* Mamífero rumiante camélido, parecido a la llama, de pelo largo y fino.

vid *s. f.* Arbusto de las vitáceas, sarmentoso y trepador, cuyo fruto es la uva.

vida *s. f.* **1.** Fuerza interna sustancial, mediante la que obra el ser que la posee. **2.** Estado de actividad de los seres orgánicos. **3.** Unión del alma y el cuerpo. **4.** Espacio de tiempo comprendido entre el nacimiento de un ser orgánico y su muerte. **5.** Duración de las cosas. **6.** Modo de vivir en lo que se refiere a la suerte de una persona. **7.** Modo de vivir respecto de la profesión u ocupación. **8.** Conducta de los seres racionales. **9.** Persona o ser humano. **10.** Relación o historia de los hechos notables realizados por una persona. **11.** *fig.* Viveza, expresión. **12.** *fig.* Animación de una persona o cosa.

videncia *s. f.* Facultad de ver o adivinar lo que va a suceder.

vidente *com.* Persona que tiene la facultad de adivinar lo que aún no ha sucedido.

video *s. m.* **1.** Sistema de grabación y reproducción de imágenes, acompañadas o no de sonidos, mediante cinta magnética u otros medios electrónicos. **2.** Grabación hecha en video. **3.** Aparato que graba y reproduce imágenes y sonidos.

vídeo *s. m.* Video.

videocámara *s. f.* Cámara de vídeo.

videocasete *s. f.* Cinta magnética en la que se graban imágenes y sonidos.

videoclip *s. m.* Vídeo musical.

videoclub *s. m.* Establecimiento comercial en el que se pueden alquilar o comprar cintas de vídeo.

videoconsola *s. f.* Aparato electrónico de tamaño reducido que permite jugar, con ayuda de un monitor de televisión y unos mandos, a diferentes videojuegos.

videodisco *s. m.* Disco en el que se graban imágenes y sonidos, y que pueden ser reproducidos en un televisor mediante rayo láser.

videofrecuencia *s. f.* Frecuencia de onda empleada para la transmisión de imágenes.

videojuego *s. m.* Juego electrónico contenido en un disquete, casete o cartucho, con el que se puede jugar a través de un ordenador o videoconsola.

vidorra *s. f., fam.* Vida regalada.

vidriado, da *adj.* Fácil de quebrarse.

vidriar *v. tr.* Dar a las piezas de barro o loza un barniz que, fundido al horno, toma la transparencia y lustre del vidrio.

vidriera *s. f.* Bastidor con vidrios con que se cierran puertas y ventanas.

vidriería *s. f.* Taller donde se labra y corta el vidrio.

vidriero, ra *s. m.* y *s. f.* Persona que por oficio trabaja en vidrio o lo vende.

vidrio *s. m.* Sustancia transparente o translúcida, dura, frágil, formada por la combinación de sílice, potasa y sosa.

vidriosidad *s. f.* Calidad de vidrioso, propensión a enojarse.

vidrioso, sa *adj.* **1.** Que se quiebra con facilidad, como el vidrio. **2.** *fig.* Se dice de los ojos que se vidrian por la cólera, enfermedad grave o muerte.

vidual *adj.* Perteneciente o relativo a la viudez.

vidueño *s. m.* Viduño.

viduño *s. m.* Casta o variedad de vid.

vieira *s. f.* Molusco comestible cuya concha es la venera, insigna que llevan los peregrinos a Santiago.

viejo, ja *adj.* **1.** Se dice de la persona de mucha edad. **2.** Antiguo o del tiempo pasado. **3.** Deslucido, estropeado por el uso.

viento *s. m.* Corriente de aire producida en la atmósfera por causas naturales.

vientre *s. m.* Cavidad del cuerpo del animal, que contiene el estómago y los intestinos.

viernes *s. m.* Día de la semana comprendido entre el jueves y el sábado.

vierteaguas *s. m.* Resguardo hecho de piedra, azulejos, cinc, madera, etc., que, para escurrir las aguas llovedizas, se pone cubriendo los salientes de los paramentos.

viga *s. f.* Madero largo y grueso que sirve generalmente para formar los techos y sostener las fábricas.

vigencia *s. f.* Calidad de vigente.

vigente *adj.* Se dice de las leyes, costumbres, etc. que están en vigor y observancia.

vigesimal *adj.* Se dice del sistema para contar de veinte en veinte.

vigésimo, ma *adj. num.* **1.** Se dice de cada una de las 20 partes iguales en que se divide un todo. **2.** Que ocupa el último lugar en una serie ordenada de 20.

vigía *com.* Persona destinada a vigiar.

vigiar *v. tr.* Velar o cuidar de hacer descubiertas desde un lugar adecuado.

vigilancia *s. f.* Servicio ordenado y dispuesto para vigilar.

vigilante *com.* Persona encargada de velar por algo.

vigilar *v. intr.* Velar sobre una persona o cosa, o atender cuidadosamente a ella. También v. tr.

vigilia *s. f.* **1.** Trabajo intelectual. **2.** Víspera de una festividad religiosa. **3.** Falta de sueño.

vigolero *s. m., vulg.* Ayudante del verdugo.

vigor *s. m.* **1.** Fuerza o actividad notable de las cosas animadas o inanimadas. **2.** Fuerza de obligar en las leyes.

vigorizador, ra *adj.* Que da vigor.

vigorizar *v. tr.* **1.** Dar vigor a una persona o cosa. También prnl. **2.** *fig.* Animar, esforzar. También prnl.

vigorosidad *s. f.* Calidad de vigoroso.

vigoroso, sa *adj.* Que tiene vigor.

vigota *s. f.* Especie de motón.

viguería *s. f.* Conjunto de vigas.

vigueta *s. f.* Barra de hierro laminado, destinada a la edificación.

vihuela *s. f.* Antiguo instrumento de cuerda, semejante a la guitarra.

vihuelista *com.* Persona que toca la vihuela.

vil *adj.* **1.** Se dice de lo bajo y despreciable. **2.** Se dice de lo indigno.

vilano *s. m.* Apéndice de filamentos que corona el fruto de muchas plantas compuestas.

vileza *s. f.* **1.** Calidad de vil. **2.** Acción o expresión indigna o infame.

vílico *s. m.* Capataz de una granja, entre los romanos.

vilipendiar *v. tr.* Despreciar o tratar con vilipendio.

vilipendio *s. m.* Desprecio, denigración.

vilipendioso, sa *adj.* Que causa vilipendio.

villa *s. f.* **1.** Casa de recreo, generalmente situada en el campo. **2.** Población que tiene algunos privilegios. **3.** Corporación municipal. **4.** Casa consistorial.

villaje *s. m.* Pueblo pequeño.

villanada *s. f.* Acción propia de villano.

villanaje *s. m.* Gente del estado llano en los lugares.

villancejo *s. f.* Villancico.

villancico *s. m.* Composición poética popular con estribillo, que se canta en las iglesias en Navidad y otras festividades.

villanería *s. f.* Villanía.

villanesca *s. f.* Cancioncilla rústica antigua.

villanía *s. f.* Bajeza de condición.

villano, na *adj.* **1.** Vecino del estado llano en una villa. **2.** *fig.* Se dice de la persona rústica o descortés.

villar *s. m.* Villaje.

villazgo *s. m.* **1.** Calidad o privilegio de villa. **2.** Tributo que se imponía a las villas como tales.

villoría *s. f.* Caseta o casa de campo.

villorín *s. m.* Paño entrefino de color pardo o de lana sin teñir.

villorrio *s. m., desp.* Población pequeña poco urbanizada.

vilo, en *adv. m.* Suspendido, sin el fundamento o apoyo necesario; sin estabilidad.

vilordo, da *adj.* Se dice de la persona tarda y perezosa.

vilorta *s. f.* **1.** Aro hecho con una vara de madera flexible y que sirve para anilla. **2.** Arandela para evitar el roce entre dos piezas.

vilorto *s. m.* Especie de clemátide.

vilos *s. m.* Embarcación filipina de dos palos.

viltrotear *v. intr., fam.* Corretear, callejear.

vinagrada *s. f.* Refresco compuesto de agua, vinagre y azúcar.

vinagre *s. m.* Líquido agrio y astringente.

vinagrera *s. f.* Vasija destinada a contener vinagre para el uso diario.

vinagrero, ra *s. m. y s. f.* Persona cuyo oficio es hacer o vender vinagre.

vinagreta *s. f.* Salsa compuesta de aceite, cebolla y vinagre.

vinagrillo *s. m.* Vinagre de poca fuerza.

vinagroso, sa *adj.* **1.** De gusto agrio, semejante al del vinagre. **2.** *fig. y fam.* De genio áspero y desapacible.

vinajera *s. f.* Cada uno de los dos jarrillos con que se sirven en la misa el vino y el agua.

vinariego, ga *s. m. y s. f.* Persona que tiene hacienda de viñas y es práctico en su cultivo.

vinario, ria *adj.* Perteneciente o relativo al vino.

vinatera *s. f.* Cordel con una gaza en un extremo y una muletilla en el otro, que sirve para mantener amadrinados dos cabos o dos perchas.

vinatería *s. f.* Tienda en que se vende vino.

vinatero, ra *s. m. y s. f.* Persona que comercia con el vino.

vinaza *s. f.* Vino que se saca de las heces.

vinazo *s. m.* Vino muy fuerte y espeso.

vincapervinca *s. f.* Planta apocinácea, de hojas siempre verdes, flores azules y frutos formados por dos folículos divergentes.

vinculable *adj.* Que se puede vincular.

vinculación *s. f.* Acción y efecto de vincular o vincularse.

vincular *v. tr.* **1.** Sujetar los bienes a vínculo para perpetuarlos en empleo o familia determinados por el fundador. **2.** *fig.* Atar o fundar una cosa en otra. **3.** *fig.* Perpetuar o continuar una cosa o el ejercicio de ella. También prnl.

vínculo *s. m.* **1.** Unión o atadura de una cosa con otra. **2.** Sujeción de los bienes a que sucedan en ellos los parientes por el orden que señala el fundador o al sustento de obras pías.

vindicación *s. f.* Acción y efecto de vindicar o vindicarse.

vindicar *v. tr.* Vengar. También prnl.

vindicativo, va *adj.* Vengativo.

vindicatorio, ria *adj.* Que sirve para vindicar.

vindicta *s. f.* Venganza.

vínico, ca *adj.* Perteneciente o relativo al vino.

vinícola *adj.* Relativo a la fabricación del vino.

vinicultor, ra *s. m. y s. f.* Persona que se dedica a la vinicultura.

vinicultura *s. f.* Elaboración de vinos.

vinífero, ra *adj.* Que produce vino.

vinificación *s. f.* Fermentación del mosto de la uva, o transformación del zumo de esta en vino.

vino *s. m.* Licor alcohólico que se hace del zumo de las uvas, fermentado.

vinolencia *s. f.* Exceso en el beber vino.

vinolento, ta *adj.* Que acostumbra a beber vino con exceso.

vinosidad *s. f.* Calidad de vinoso.

vinoso, sa *adj.* Que tiene la calidad o apariencia del vino.

vinote *s. m.* Residuo que queda en la caldera del alambique después de destilado el vino y hecho el aguardiente.

viña *s. f.* Terreno plantado de vides.

viñadero, ra *s. m. y s. f.* Viñador.

viñador, ra *s. m. y s. f.* Persona que cultiva las viñas.

viñedo *s. m.* Terreno plantado de vides.

viñero, ra *s. m. y s. f.* Persona que tiene heredades de viñas.

viñeta *s. f.* **1.** Dibujo que se pone para adorno en el principio o el fin de los libros o capítulos. **2.** Cada uno de los recuadros que componen un cómic.

viñetero *s. m.* Armario que sirve para guardar los moldes de las viñetas.

viola *s. f.* Instrumento de la misma figura que el violín, pero de mayor tamaño y de sonoridad melancólica y penetrante.

violáceo, a *adj.* **1.** Violado. También s. m. **2.** Se dice de las plantas dicotiledóneas, de hojas generalmente alternas y festoneadas, flores axilares de cinco pétalos y con pedúnculos simples o ramosos, y fruto en cápsula con tres divisiones y muchas semillas de albumen carnoso, como la violeta. También s. f.

violación *s. f.* Delito consistente en mantener relaciones sexuales con alguien en contra de su voluntad.

violado, da *adj.* De color de violeta.

violador, ra *adj.* Que viola. También s. m. y s. f.

violar *v. tr.* **1.** Quebrantar una ley o precepto. **2.** Cometer un acto de violación.

violencia *s. f.* Calidad de violento.

violentar *v. tr.* Aplicar medios violentos a cosas o personas para vencer su resistencia.

violento, ta *adj.* **1.** Que está fuera de su natural estado, situación o modo. **2.** Que obra con ímpetu y fuerza. **3.** *fig.* Se dice del genio impetuoso y que se deja llevar de la ira.

violeta *s. f.* **1.** Planta de las violáceas, de tallos rastreros y flores casi siempre de color morado claro. ‖ *s. m.* **2.** Color morado claro.

violín *s. m.* Instrumento musical de cuerda y arco, compuesto de una caja de madera y un mástil al que va superpuesto el diapasón.

violinista *com.* Persona que profesa el arte de tocar el violín.

violle *s. m.* Unidad de intensidad luminosa que equivale a la que da en dirección normal un centímetro cuadrado de platino a la temperatura de fusión.

violón *s. m.* Contrabajo, instrumento de cuerda.

violonchelista *com.* Persona que profesa el arte de tocar el violonchelo.

violonchelo *s. m.* Instrumento musical de cuerda y arco, más pequeño que el violón y de la misma forma.

viperino, na *adj.* Perteneciente o relativo a la víbora.

vira[1] *s. f.* Saeta delgada y de punta aguda.

vira[2] *s. f.* Tira que para dar fuerza al calzado se cose entre la suela y la pala.

virada *s. f.* Acción y efecto de virar, cambiar de rumbo.

virador *s. m.* Líquido empleado en fotografía para virar.

virago *s. f.* Mujer varonil.

viraje *s. m.* **1.** Acción y efecto de cambiar de dirección un automóvil. **2.** *fig.* Acción y efecto de cambiar de opinión, actitud o conducta una persona.

virar *v. tr.* **1.** En fotografía, sustituir la sal de plata del papel impresionado por otra que produzca un color determinado. **2.** Cambiar de rumbo. También prnl.

viratón *s. m.* Virote o vira grande.

virazón *s. f.* Viento que en las costas sopla de la parte del mar durante el día, y en sentido contrario por la noche.

virgen *com.* **1.** Persona que no ha tenido relaciones sexuales. ‖ *s. f.* **2.** Imagen que representa a María Santísima.

virginal *adj., fig.* Se dice de lo puro.

virgíneo, a *adj.* Virginal.

virginidad *s. f.* **1.** Estado de la persona que no ha tenido relaciones sexuales. **2.** *fig.* Pureza, candor.

virgo *adj.* Virgen. También com.

virguería *s. f.* **1.** Adorno añadido a un trabajo. **2.** Objeto, conversación poco importante.

vírgula *s. f.* **1.** Vara pequeña. **2.** Rayita o línea muy delgada.

virgulilla *s. f.* Cualquier signo ortográfico con forma de coma o rasguillo.

viril *adj.* **1.** Relativo al varón. **2.** Edad viril.

virilidad *s. f.* Edad viril.

virio *s. m.* Oropéndola.

virol *s. m.* Perfil circular de la boca de la bocina y de otros instrumentos semejantes.

virola *s. f.* **1.** Abrazadera de metal. **2.** Anillo de hierro que se coloca en la extremidad de las garrochas.

virolento, ta *adj.* Que tiene viruelas. También s. m. y s. f.

virología *s. f.* Tratado de los virus.

virosis *s. f.* Nombre de las enfermedades cuyo origen se atribuye a virus patógenos.

virotazo *s. m.* Golpe dado con el virote.

virote *s. m.* **1.** Saeta guarnecida con un casquillo. **2.** *fig. y fam.* Hombre erguido y excesivamente serio.

virotillo *s. m.* Madero corto vertical y sin zapata, que se apoya en uno horizontal y sostiene otro horizontal o inclinado.

virotismo *s. m.* Entono, presunción.

virreina *s. f.* **1.** Mujer del virrey. **2.** La que gobierna como virrey.

virreinato *s. m.* **1.** Dignidad o cargo de virrey. **2.** Tiempo que dura este empleo o cargo.

virreino *s. m.* Virreinato.

virrey *s. m.* Hombre que con este título gobierna en nombre y con autoridad del rey.

virtual *adj.* Se dice de lo implícito.

virtualidad *s. f.* Calidad de virtual.

virtud *s. f.* Actividad o fuerza de las cosas para producir un efecto determinado.

virtuosismo *s. m.* Afán de hacer alarde de técnica o habilidad de un arte, en particular de la música.

virtuoso, sa *s. m. y s. f.* Persona dotada de talento natural en la técnica de su arte.

viruela *s. f.* Enfermedad aguda, contagiosa, febril, que se caracteriza por una erupción de pústulas con costras que, cuando se caen, suelen dejar un hoyo en la piel.

virulé, a la *loc. adv.* **1.** Locución que expresa la forma de llevar la media enrollada en la parte superior. **2.** Desordenado, de cualquier manera. **3.** Estropeado, en mal estado. **4.** Chiflado.

virulencia *s. f.* Calidad de virulento.

virulento, ta *adj.* Ponzoñoso, maligno, ocasionado por un virus.

virus *s. m.* **1.** Humor maligno. **2.** Agente infeccioso, comúnmente invisible y filtrable, que se atribuye al desarrollo de microbios.

viruta *s. f.* Hoja delgada que se saca con el cepillo al labrar la madera o los metales.

vis *s. f.* Fuerza, vigor, comodidad.

visado *s. m.* Acción de visar y diligencia que se pone en el documento que se visa; especialmente la que los cónsules estampan en los pasaportes.

visaje *s. m.* Expresión del rostro.

visar *v. tr.* Autorizar un documento, certificado, etc.

vis a vis *loc. adv.* **1.** Frente a frente. **2.** *loc. sust. m.* En las prisiones, encuentro autorizado del recluso a solas con un visitante.

víscera *s. f.* Entraña del ser humano o de los animales.

visceral *adj.* Perteneciente o relativo a las vísceras.

visco *s. m.* Liga para cazar pájaros.

vis cómica *s. f.* Fuerza cómica, comicidad.

viscosa *s. f.* Producto obtenido mediante el tratamiento de la celulosa, y que se usa para la fabricación de fibras textiles.

viscosidad *s. f.* Materia viscosa.

viscosilla *s. f.* Material textil que se mezcla con otras materias textiles para fabricar distintos tejidos.

viscoso, sa *adj.* Se dice de lo pegajoso.

visera *s. f.* **1.** Parte movible del yelmo que cubría el rostro y tenía agujeros para poder ver. **2.** Ala pequeña que tienen en la parte delantera las gorras y otras prendas semejantes para resguardar la vista.

visibilidad *s. f.* Grado de la atmósfera, que permite ver con más o menos claridad los objetos distantes.

visibilizar *v. tr.* Hacer visible por medios artificiales lo que no puede verse a simple vista.

visible *adj.* Manifiesto, que no admite duda.

visigodo, da *adj.* Se aplica al individuo de una rama del pueblo godo, que invadió España y fundó en ella un reino autónomo.

visigótico, ca *adj.* Relativo a los visigodos.

visillo *s. m.* Cortina.

visión *s. f.* **1.** Acción y efecto de ver. **2.** Objeto de la vista, especialmente cuando es ridículo o espantoso. **3.** Ilusión que nos representa como reales cosas que solo existen en nuestra imaginación. **4.** Punto de vista particular sobre un asunto. **5.** *fig. y fam.* Persona fea y ridícula.

visionar *v. tr.* **1.** Creer que son reales las cosas imaginadas. **2.** Ver imágenes cinematográficas o televisivas, sobre todo desde el punto de vista técnico.

visionario, ria *adj.* Se dice de la persona que se figura y cree con facilidad cosas quiméricas.

visir *s. m.* Ministro de un soberano musulmán.

visita *s. f.* Inspección, examen.

visitación *s. f.* **1.** Visita, acción de visitar. **2.** Por antonom., visita que hizo la Virgen María a su prima santa Isabel, y que la Iglesia celebra como fiesta.

visitador, ra *s. m. y s. f.* Empleado encargado de hacer visitas o reconocimientos.

visitar *v. tr.* **1.** Ir a ver a alguien a su casa por cortesía u otro motivo. **2.** Ir a un templo por devoción. **3.** Ir el médico a casa del enfermo para asistirle. **4.** Acudir con frecuencia a un lugar. **5.** Viajar a un lugar para conocerlo.

visiteo *s. m.* Acción de hacer o recibir muchas visitas.

visivo, va *adj.* Que sirve para ver.

vislumbrar *v. tr.* **1.** Ver un objeto confusamente por la distancia o falta de luz. **2.** *fig.* Conjeturar.

vislumbre *s. f.* Reflejo o tenue resplandor por la distancia de la luz.

viso *s. m.* **1.** Reflejo de alguna cosa que parece de distinto color. **2.** Destello luminoso que despiden algunas cosas heridas por la luz.

visón *s. m.* **1.** Mamífero carnívoro mustélido semejante a la marta, de piel muy apreciada. **2.** Piel de este animal.

visorio *s. m.* Examen pericial.

víspera *s. f.* **1.** Día que precede inmediatamente a otro determinado. ‖ *s. f. pl.* **2.** Una de las divisiones del día entre los antiguos romanos.

vista *s. f.* **1.** Sentido corporal con el cual se ven los colores y formas de las cosas. **2.** Visión, acción y efecto de ver. **3.** Disposición de las cosas con relación al sentido de ver. **4.** Campo que se descubre desde un lugar, especialmente cuando ofrece extensión, variedad y agrado. También en pl. **5.** Conjunto de ambos ojos. **6.** Encuentro en que uno se ve con otro. **7.** Visión o aparición. **8.** Pintura o estampa que representa un lugar, un monumento etc. **9.** Vistazo. **10.** Actuación en que se relaciona ante un tribunal, con citación de las partes, un juicio o pleito, para dictar el fallo. **11.** Sagacidad para descubrir algo que los demás no ven. **12.** Ventana, puerta. **13.** Cualquier abertura en los edificios por donde entra la luz. **14.** Parte de una cosa que no se oculta a la vista.

vistazo *s. m.* Mirada superficial o ligera.

vistillas *s. f. pl.* Lugar alto desde el cual se descubre mucho terreno.

visto, ta *adj.* Fórmula con que se da por terminada la vista pública de un negocio, o se anuncia el pronunciamiento del fallo.

vistosidad *s. f.* Calidad de vistoso.

vistoso, sa *adj.* Que atrae mucho la atención por su brillantez, viveza de colores o apariencia ostentosa.

visual *adj.* Perteneciente o relativo a la vista como medio para ver.

visualidad *s. f.* Efecto agradable producido por el conjunto de objetos vistosos.

visualizar *v. tr.* **1.** Visibilizar. **2.** Representar mediante imágenes fenómenos de distinto carácter. **3.** Formar en la mente la imagen de un concepto abstracto. **4.** Imaginar con rasgos visibles algo que no se tiene a la vista.

visura *s. f.* **1.** Examen visual de una cosa. **2.** Examen pericial.

vitáceo, a *adj.* Se aplica a las plantas dicotiledóneas, generalmente leñosas, trepadoras, de hojas palmeadas, flores pequeñas y fruto en baya, como la vid. También s. f.

vital *adj.* **1.** Perteneciente o relativo a la vida. **2.** *fig.* De suma importancia o trascendencia.

vitalicio, cia *adj.* Que dura desde que se obtiene hasta el fin de la vida.

vitalicista *com.* Persona que disfruta de una renta vitalicia.

vitalidad *s. f.* Actividad, eficacia de las facultades vitales.

vitalismo *s. m.* Doctrina biológica y filosófica que explica los fenómenos que se realizan en el organismo por la acción de las fuerzas vitales, propias de los seres vivos, y no exclusivamente por la acción de las fuerzas generales de la materia.

vitalista *adj.* Partidario del vitalismo. También com.

vitalizar *v. tr.* Infundir fuerza o vigor a un organismo, corporación, sistema, etc.

vitamina *s. f.* Cada una de las sustancias que existen en la leche, grasas, verduras, frutas, cereales, etc., y que son indispensables para el crecimiento y para el equilibrio normal de las principales funciones vitales.

vitaminado, da *adj.* Se aplica a preparados farmacéuticos o alimentos a los que se han unido ciertas vitaminas.

vitamínico, ca *adj.* **1.** Perteneciente o relativo a las vitaminas. **2.** Que contiene vitaminas.

vitando, da *adj.* Odioso, execrable.

vitela *s. f.* Piel de vaca o ternera adobada y muy pulida.

vitelina *adj.* Se dice de la membrana que envuelve el óvulo humano y el de algunos animales.

vitelino, na *adj.* **1.** Perteneciente o relativo al vitelo. **2.** Se dice de la membrana que envuelve el óvulo humano y el de algunos animales.

vitelo *s. m.* Conjunto de sustancias almacenadas en un huevo para la nutrición de un embrión.

vitícola *adj.* Perteneciente o relativo a la viticultura.

viticultor, ra *s. m. y s. f.* Persona especialista en la viticultura.

viticultura *s. f.* Arte de cultivar la vid.

vitivinícola *adj.* Perteneciente o relativo a la vitivinicultura.

vitivinicultura *s. f.* Arte de cultivar las vides y elaborar el vino.

vito *s. m.* Baile andaluz muy animado.

vitola *s. f.* Plantilla para calibrar balas de cañón o de fusil.

vitolfilia *s. f.* Afición a coleccionar vitolas de cigarros puros.

¡vítor! *interj.* **1.** Se utiliza para aplaudir a una persona o una acción. ‖ *s. m.* **2.** Cartel público en que se elogia a una persona por alguna hazaña.

vitorear *v. tr.* Aplaudir o aclamar con vítores a una persona o acción.

vitral *s. m.* Vidriera de colores.

vitre *s. m.* Lona muy delgada.

vítreo, a *adj.* De vidrio o parecido a él.

vitrificación *s. f.* Acción y efecto de vitrificar o vitrificarse.

vitrificar *v. tr.* Convertir en vidrio una sustancia. También prnl.

vitrina *s. f.* Armario o caja con puertas, o tapas de cristales, para tener objetos expuextos a la vista y sin deterioro.

vitriólico, ca *adj.* Perteneciente o relativo al vitriolo o que tiene sus propiedades.

vitriolo *s. m.* Nombre que se da a algunos sulfatos.

vitualla *s. f.* Conjunto de cosas necesarias para la comida.

vituallar *v. tr.* Avituallar.

vituperable *adj.* Que merece vituperio.

vituperación *s. f.* Acción y efecto de vituperar.

vituperar *v. tr.* Decir mal de una persona o cosa, tachándola de viciosa o indigna.

vituperio *s. m.* **1.** Baldón u oprobio que se dice a alguien. **2.** Acción o circunstancia que causa afrenta o deshonra.

vituperioso, sa *adj.* Que incluye vituperio.

viuda *s. f.* Planta de jardín, de la familia de las dipsacáceas, con flores en ramos axilares de color morado que tira a negro, con las anteras blancas y fruto capsular.

viudal *adj.* Perteneciente o relativo al viudo o a la viuda.

viudedad *s. f.* Pensión o haber pasivo que percibe la viuda de un empleado mientras permanezca en tal estado.

viudez *s. f.* Estado de viudo o viuda.

viudo, da *adj.* Se dice de la persona a quien se le ha muerto su cónyuge y no ha vuelto a casarse.

vivac *s. m.* Vivaque.

vivacidad *s. f.* **1.** Calidad de vivaz. **2.** Viveza, esplendor de algunas cosas.

vivales *com., vulg.* Persona vividora.

vivandero, ra *s. m. y s. f.* Persona que vende víveres a los militares en marcha o en campaña.

vivaque *s. m.* **1.** Campamento militar. **2.** Forma de acampada en en la que se duerme de noche al raso.

vivaquear *v. intr.* Acampar las tropas de noche al raso.

vivar *s. m.* **1.** Paraje donde crían los conejos. **2.** Vivero de peces.

vivaracho, cha *adj., fam.* Muy vivo de genio; jovial, travieso y alegre.

vivaz *adj.* **1.** Se dice de lo eficaz y vigoroso. **2.** Agudo, de pronta comprensión e ingenio.

vivencia *s. f.* Nombre que se le da al hecho de vivir o experimentar algo.

viveral *s. m.* Vivero de árboles.

víveres *s. m. pl.* **1.** Provisiones de alimentos de un ejército, plaza o buque. **2.** Comestibles necesarios para el alimento de las personas.

viverista *com.* **1.** Persona que se dedica a la industria y comercio de semillas. **2.** Persona que cuida de un vivero.

vivero *s. m.* **1.** Terreno donde se transplantan los arbollitos para recriarlos. **2.** Lugar donde se mantienen o se crían dentro del agua peces u otros animales.

viveza *s. f.* Prontitud en las acciones, o agilidad en la ejecución.

vividero, ra *adj.* Se aplica al lugar que puede habitarse.

vivido, da *adj.* Se dice de lo que en las obras literarias parece producto de la inmediata experiencia del autor.

vívido, da *adj., poét.* Vivaz, eficaz.

vividor, ra *adj.* **1.** Vivaz. **2.** Se aplica a la persona que busca modos de vivir.

vivienda *s. f.* Lugar donde se habita.

vivificación *s. f.* Acción y efecto de vivificar.

vivificar *v. tr.* Dar vida.

vivificativo, va *adj.* Capaz de vivificar.

vivífico, ca *adj.* Que incluye vida o nace de ella.

vivíparo, ra *adj.* Se aplica a los animales que paren vivos los hijos.

vivir¹ *s. m.* Conjunto de los medios de vida y subsistencia.

vivir² *v. intr.* **1.** Tener vida. **2.** Durar con vida. **3.** Durar las cosas. **4.** Pasar y mantener la vida. **5.** Habitar en un lugar o país. También tr. **6.** *fig.* Tener determinada conducta en lo moral. **7.** *fig.* Mantenerse o durar con la fama en la memoria. **8.** *fig.* Acomodarse alguien a las circunstancias. **9.** *fig.* Estar presente una cosa en la memoria. **10.** *fig.* Existir en un lugar o condición. ‖ *v. tr.* **11.** Experimentar la impresión producida por un hecho o circunstancia.

vivisección *s. f.* Disección de los animales vivos.

vivo, va *adj.* **1.** Que tiene vida. También s. m. y s. f. **2.** Intenso, fuerte. **3.** Que está en actual ejercicio de un empleo. **4.** Se dice de lo sutil e ingenioso. **5.** Excesivamente pronto en las expresiones o acciones. **6.** *fig.* Que subsiste en todo su vigor. **7.** *fig.* Perseverante en la memoria. **8.** *fig.* Diligente, pronto y ágil. **9.** *fig.* Muy expresivo.

vizcacha *s. f.* Roedor de la familia de los lagostómidos, parecido a la liebre y con cola larga.

vizcondado *s. m.* Título o dignidad de vizconde.

vizconde *s. m.* Sujeto que antiguamente el conde dejaba o ponía como sustituto.

vizcondesa *s. f.* **1.** Mujer del vizconde. **2.** La que por sí goza este título.

vocablo *s. m.* Sonidos articulados que expresan una idea.

vocabulario *s. m.* **1.** Diccionario. **2.** Conjunto de las palabras de un idioma o dialecto. **3.** Conjunto de vocablos que se usan especialmente en una materia determinada. **4.** Catálogo especial de las palabras usadas por un autor o en determinada región, que se ponen por orden alfabético.

vocabulista *com.* Persona dedicada al estudio de los vocablos.

vocación *s. f.* Inspiración con que Dios llama a algún estado.

vocacional *adj.* Perteneciente o relativo a la vocación.

vocal *adj.* **1.** Perteneciente o relativo a la voz. **2.** Se dice de lo que se expresa materialmente con la voz. ‖ *s. m. y s. f.* **3.** Persona que tiene voz en un consejo, reunión o junta, por derecho, por elección o por nombramiento. ‖ *s. f.* **4.** Sonido producido por la aspiración del aire, con vibración laríngea y modificado por las distintas posiciones que adoptan los órganos de la boca.

vocalista *s. m. y s. f.* **1.** Artista que canta acompañado de orquestina. **2.** Cantante de un grupo musical.

vocalización *s. f.* Transformación de una consonante en vocal.

vocalizar *v. intr.* **1.** Articular claramente vocales y consonantes para hacer más inteligible el mensaje. **2.** Transformarse en vocal una consonante. También prnl.

vocativo *s. m.* Caso de la declinación, que sirve únicamente para invocar o nombrar a una persona o cosa personificada.

voceador, ra *adj.* **1.** Que vocea o da muchas voces. También s. m. y s. f. **2.** Pregonero.

vocear *v. intr.* **1.** Dar voces o gritos. ‖ *v. tr.* **2.** Manifestar con voces una cosa.

vocejón *s. m.* Voz muy áspera y bronca.

vocería[1] *s. f.* Cargo de vocero.

vocería[2] *s. f.* Vocerío.

vocerío *s. m.* Confusión de gritos y voces.

vocero, ra *s. m. y s. f.* Persona que habla en nombre de otra, llevando su voz y representación.

vociferación *s. f.* Acción y efecto de vociferar.

vociferar *v. intr.* Vocear.

vinglería *s. f.* Ruido de muchas voces.

vocinglero, ra *adj.* **1.** Que da muchas voces o habla muy recio. También s. m. y s. f. **2.** Que habla mucho y vanamente. También s. m. y s. f.

vodevil *s. m.* Comedia ligera y picante, con argumento basado en el equívoco. Puede incluir números musicales y de variedades.

vodevilesco, ca *adj.* **1.** Perteneciente o relativo al vodevil. **2.** Se dice de las situaciones semejantes a las del vodevil.

vodka *s. amb.* Especie de aguardiente de centeno que se consume mucho en Rusia.

volada *adj.* **1.** Se dice del tipo de menor tamaño que se coloca en la parte superior del renglón y que se usa en las abreviaturas. **2.** Persona que está bajo los efectos de una droga.

voladera *s. f.* Paleta de la rueda hidráulica.

voladero, ra *adj., fig.* Que pasa ligeramente, fugaz.

voladizo, za *adj.* Que vuela o sale de lo macizo en las paredes o edificios.

volado, da *adj.* Se dice del tipo de menor tamaño que se coloca en la parte superior del renglón.

volador, ra *adj.* **1.** Se dice de lo que está pendiente de manera que el aire lo pueda mover. ‖ *s. m.* **2.** Cohete.

voladura *s. f.* Acción y efecto de hacer saltar alguna cosa con violencia.

volandas, en *adv. m.* Por el aire o levantado del suelo.

volandero, ra *adj., fig.* Se dice de lo casual.

volante *adj.* **1.** Que va o se lleva de un lugar a otro sin asiento ni lugar fijo. ‖ *s. m.* **2.** Clase de adorno que usaban las mujeres para la cabeza. **3.** Guarnición rizada, plegada o fruncida con que se adornan prendas de vestir o de tapicería. **4.** Pantalla movible y ligera. **5.** Rueda grande y pesada de una máquina motora, que sirve para regularizar su movimiento. **6.** En los automóviles, pieza con figura de aro situada a la altura del pecho del conductor, que forma parte de la dirección y permite modificar la misma girando en un sentido o en otro. **7.** Anillo provisto de dos topes que, movido por la espiral, detiene y deja libres alternativamente los dientes de la rueda de escape de un reloj. **8.** Máquina donde se colocan los troqueles para acuñar. **9.** Hoja de papel, estrecha y larga, que se utiliza para notas sucintas.

volantín *s. m.* Especie de cordel con uno o más anzuelos, que se utiliza para pescar.

volantón, na *adj.* Se dice del pájaro que está preparado para salir a volar.

volapié *s. m.* Suerte que consiste en herir de corrida el espada al toro cuando este se halla parado.

volapuk *s. m.* Lengua universal, anterior al esperanto.

volar *v. intr.* **1.** Ir o moverse por el aire las aves, los insectos, etc., sosteniéndose con las alas. **2.** *fig.* Elevarse en el aire y moverse de un punto a otro en una aeronave. **3.** *fig.* Levantarse una cosa en el aire y moverse durante algún tiempo por él. También prnl. **4.** *fig.* Caminar o correr con gran prisa y aceleración. **5.** *fig.* Desaparecer rápida e inesperadamente una cosa. **6.** *fig.* Sobresalir o formar saliente en el paramento de un edificio. **7.** *fig.* Ir por el aire una cosa arrojada con violencia. **8.** *fig.* Hacer las cosas con mucha prontitud. **9.** *fig.* Difundirse con celeridad una especie entre muchos. ‖ *v. tr.* **10.** *fig.* Hacer estallar o saltar con violencia en el aire alguna cosa, especialmente por medio de una sustancia explosiva. **11.** *fig.* Irritar, enfadar a alguien. **12.** Hacer que el ave se levante y vuele para tirar a ella. **13.** Soltar el halcón para que persiga el ave de presa.

volateo, al *adv. m.* Persiguiendo y tirando el cazador a las aves cuando van volando.

volatería *s. f.* **1.** Caza de aves hecha con otras enseñadas. **2.** Conjunto de aves diversas.

volatero *s. m. y s. f.* Cazador de volatería.

volátil *adj.* **1.** Que vuela o puede volar. **2.** Se aplica a las cosas que se mueven ligeramente y andan por el aire.

volatilidad *s. f.* Calidad de volátil.

volatizable *adj.* Que se volatiliza.

volatilización *s. f.* Acción y efecto de volatilizar.

volatilizar *v. tr.* **1.** Transformar un cuerpo sólido o líquido en vapor o gas. ‖ *v. prnl.* **2.** Exhalarse, disiparse una sustancia o cuerpo.

volatín *s. m. y s. f.* **1.** Volatinero. ‖ *s. m.* **2.** Cada uno de los ejercicios del volatinero.

volatinero, ra *s. m. y s. f.* Persona que con habilidad anda y voltea por el aire sobre una cuerda o alambre y hace otras acrobacias.

volcán *s. m.* Abertura en la tierra, y más comúnmente en una montaña, por donde salen del interior llamas, materias ígneas y vapores.

volcánico, ca *adj.* Perteneciente o relativo al volcán.

volcar *v. tr.* Torcer o trastornar una cosa de modo que caiga o se vierta lo contenido en ella. También intr., tratándose de vehículos.

volea *s. f.* Voleo, golpe dado en el aire a una cosa.

volear *v. tr.* Golpear una cosa en el aire para impulsarla.

voleibol *s. m.* Balonvolea.

voleo *s. m.* Golpe dado en el aire a una cosa antes de que caiga al suelo.

volframio *s. m.* Wolframio.

volición *s. f.* Acto de la voluntad.

volitar *v. intr.* Revolotear.

volitivo, va *adj.* Se dice de los actos y fenómenos de la voluntad.

volquearse *v. prnl.* Revolcarse.

volquetazo *s. m.* Vuelco violento.

volquete *s. m.* Carro muy usado en obras de explanación, derribos, etc., cuyo cuerpo consiste en un cajón que se puede volcar girando sobre un eje.

volquetero *s. m.* Conductor de un volquete.

volt *s. m.* Nombre del voltio en la nomenclatura internacional.

voltaje *s. m.* Potencial eléctrico o conjunto de voltios que actúan en un aparato o sistema eléctrico.

voltámetro *s. f.* Aparato destinado a la demostración de la descomposición electrolítica del agua, consistente en un vaso de vidrio, atravesado en su fondo por dos alambres de platino que están en comunicación con dos electrodos.

voltario, ria *adj.* Versátil, de carácter inconstante.

volteador, ra *adj.* Que voltea.

voltear *v. tr.* **1.** Dar vueltas a una persona o cosa. **2.** Invertir una cosa.

voltejear *v. tr.* Voltear, volver.

voltereta *s. f.* Vuelta ligera dada en el aire.

volterianismo *s. m.* Espíritu de incredulidad o impiedad, manifestado con burla o cinismo.

volteriano, na *adj.* Se dice de la persona que manifiesta irreligión cínica y burlona. También s. m. y s. f.

voltímetro *s. m.* Aparato que se emplea para medir potenciales eléctricos.

voltio *s. m.* Unidad de fuerza electromotriz que, aplicada a un conductor cuya resistencia sea de un ohmio, produce una corriente eléctrica de un amperio.

volubilidad *s. f.* Calidad de voluble.

voluble *adj.* **1.** Que fácilmente se puede volver alrededor. **2.** *fig.* Versátil.

volumen *s. m.* Corpulencia o bulto de una cosa.

volumetría *s. f.* Ciencia que se ocupa de la medida de los volúmenes.

voluminoso, sa *adj.* Que tiene mucho volumen o bulto.

voluntad *s. f.* **1.** Facultad de los seres racionales de gobernar libre y conscientemente sus actos externos e internos. **2.** Acto con que la potencia volitiva admite o rehúye una cosa. **3.** Decreto o disposición de Dios. **4.** Libre albedrío. **5.** Elección de una cosa sin precepto o impulso externo que a ello obligue. **6.** Intención o resolución de ejecutar una cosa. **7.** Disposición o mandato de una persona. **8.** Consentimiento, asentimiento. **9.** Amor, afecto que se siente hacia una persona. **10.** Deseo de hacer una cosa.

voluntariado *s. m.* **1.** Alistamiento voluntario para el servicio militar. **2.** Conjunto de soldados voluntarios. **3.** Por ext., conjunto de personas que se ofrecen voluntarias para algo.

voluntariedad *s. f.* Determinación de la propia voluntad por mero antojo.

voluntario, ria *adj.* **1.** Se dice del acto que tiene su origen en la voluntad. **2.** Voluntarioso.

voluntarioso, sa *adj.* Que hace alguna cosa con voluntad y deseo de agradar.

voluptuosidad *s. f.* Complacencia en los placeres sensuales.

voluptuoso, sa *adj.* Dado a los placeres o deleites sensuales.

voluta *s. f.* Adorno en figura de espiral o caracol, que se coloca en los capiteles de los órdenes jónico y compuesto.

volver *v. tr.* **1.** Dar vuelta o vueltas a una cosa. **2.** Corresponder, pagar. **3.** Encaminar una cosa a otra. **4.** Traducir. **5.** Devolver. **6.** Restablecer o poner nuevamente una persona o cosa en el estado que antes tenía. **7.** Hacer que cambie una cosa o persona de un estado o aspecto a otro. También prnl. **8.** Mudar la haz de las cosas. **9.** Modificar una prenda de vestir, de manera que el revés del paño quede por el lado derecho. **10.** Tratándose de una puerta, ventana, etc., hacerla girar para cerrarla o entornarla. **11.** Despedir o rechazar, o enviar por repercusión o reflexión. ǁ *v. intr.* **12.** Regresar del lugar adonde se había ido. **13.** Repetir o reiterar. **14.** Recobrar el sentido la persona que lo perdió por algún motivo. ǁ *v. prnl.* **15.** Inclinar el cuerpo o el rostro en señal de dirigir la palabra a determinados individuos. **16.** Girar la cabeza, el torso o el cuerpo para mirar algo.

volvible *adj.* Que se puede volver.

volvo *s. m.* Especie de cólico.

vólvulo *s. m.* Volvo.

vómer *s. m.* Huesecillo impar que forma la parte posterior del tabique de las fosas nasales.

vómica *s. f.* Absceso formado en el interior del pecho y en que el pus se evacúa como por vómito.

vómico, ca *adj.* Que motiva o causa vómito.

vomipurgante *adj.* Se dice del medicamento que promueve el vómito y las evacuaciones del vientre.

vomitado, da *adj., fig. y fam.* Se dice de una persona desgarbada o descolorida.

vomitar *v. tr.* **1.** Arrojar con violencia por la boca lo contenido en el estómago. **2.** *fig.* Tratándose de injurias, maldiciones, etc., proferirlas.

vomitera *s. f.* Vómito grande y continuado.

vomitina *s. f.* Acción de vomitar en uno o varios accesos.

vomitivo, va *adj.* Se aplica a la medicina que mueve o excita el vómito.

vómito *s. m.* Lo que se vomita.

vomitón, na *adj., fam.* Se aplica al lactante que vomita mucho.

vomitona *s. f., fam.* Vómito muy abundante.

vomitorio, ria *adj.* **1.** Vomitivo. ǁ *s. m.* **2.** Puerta o abertura de los circos o teatros antiguos, por donde entraba el público a las gradas.

voqui *s. m.* **1.** *amer.* Toda planta cuyos tallos flexibles pueden servir como cordeles. **2.** *amer.* Cordel hecho con estas plantas.

voquible *s. m., fam.* Vocablo.

voracidad *s. f.* Calidad de voraz.

vorágine *s. f.* Remolino impetuoso que hacen en algunos parajes las aguas.

voraginoso, sa *adj.* Se aplica al sitio en que hay vorágines.

voraz *adj.* Se aplica al animal muy comedor y a las personas que comen con ansia.

vormela *s. f.* Mamífero carnívoro parecido al hurón, que vive en el norte de Europa.

vórtice *s. m.* **1.** Torbellino, remolino. **2.** Centro de un ciclón.

vorticela *s. f.* Género de protozoos infusorios, de la familia de los vorticélidos.

vortiginoso, sa *adj.* Se dice del movimiento o remolino que hacen el agua o el viento en forma circular o espiral.

vos *pron. pers.* Cualquiera de los casos de segunda persona en género masculino o femenino y número singular o plural, cuando esta voz se emplea como tratamiento.

vosear *v. tr.* Dar a alguien el tratamiento de vos.

voseo *s. m.* Empleo del tratamiento de vos donde correspondía tú. Se aplica especialmente al empleo hispanoamericano del vos por el tú.

vosotros, tras *pron. pers.* Forma del pronombre personal de segunda persona, género masculino y femenino y número plural, que puede funcionar como sujeto o como complemento con preposición.

votación *s. f.* Conjunto de votos emitidos.

votar *v. intr.* **1.** Hacer voto a Dios o a los santos. También tr. **2.** Dar alguien su voto o decir su dictamen en una reunión o cuerpo deliberante. También tr.

votivo, va *adj.* Ofrecido por voto o relativo a él.

voto *s. m.* **1.** Promesa hecha a Dios, o la Virgen o a un santo. **2.** Cualquiera de los prometimientos que constituyen el estado sacerdotal o de religión. **3.** Parecer o dictamen en orden a la decisión de un punto o elección de un sujeto; y en especial el que se da a una junta o asamblea, ya sea razonándolo o por medio de una señal convenida. **4.** Dictamen sobre una materia. **5.** Persona que da o puede dar su voto. **6.** Oración con que se pide a Dios una gracia determinada. **7.** Juramento o maldición en demostración de ira. **8.** Deseo. **9.** Ofrenda dedicada a Dios o a un santo.

vox pópuli *expr. lat.* De dominio público.

voz *s. f.* **1.** Sonido que produce el aire cuando al salir de los pulmones hace vibrar las cuerdas de la laringe. **2.** Calidad, timbre o intensidad de este sonido. **3.** Sonido que producen algunas cosas inanimadas en contacto con el viento. **4.** Grito. Se usa más en pl. **5.** Vocablo. **6.** *fig.* Músico que canta. **7.** *fig.* Autoridad que reciben las cosas por el dicho u opinión común. **8.** *fig.* Poder, facultad para hacer una cosa en nombre propio o por delegación de otro. **9.** *fig.* Facultad de hablar, aunque no de votar, en una asamblea. **10.** *fig.* Parecer que alguien emite en una junta sobre una cuestión determinada. **11.** *fig.* Opinión, fama. **12.** Accidente gramatical que expresa si el sujeto del verbo es agente o paciente.

vozarrón *s. m.* Voz muy fuerte y gruesa.

voznar *v. intr.* Graznar.

vudú *s. m.* Creencias y prácticas religiosas procedentes de África muy extendidas entre la población de raza negra de las Indias occidentales y sur de Estados Unidos.

vuecelencia *s. m. y s. f.* Metaplasmo de *vuestra excelencia.*

vuecencia *s. m. y s. f.* Síncopa de *vuecelencia.*

vuelapluma, a *adv. m.* A vuela pluma.

vuelco *s. m.* Movimiento con que una cosa se vuelve o trastorna enteramente.

vuelillo *s. m.* Adorno de encaje u otro tejido ligero que se pone en la bocamanga de algunos trajes.

vuelo *s. m.* **1.** Acción de volar. **2.** Espacio que se recorre volando sin posarse. **3.** Conjunto de plumas que en el ala del ave sirven principalmente para volar. Se usa más en pl. **4.** Por ext., toda el ala. **5.** Trayecto que recorre un avión, haciendo o no escalas. **6.** Anchura de una prenda de vestir en la parte que no se ajusta al cuerpo. **7.** Vuelillo. **8.** Tramoya de teatro en que va por el aire una persona o cosa. **9.** Parte saliente de una fábrica. **10.** Extensión de esa misma parte contada en dirección perpendicular al paramento. **11.** Arbolado de un monte.

vuelta *s. f.* **1.** Movimiento de una cosa alrededor de un punto, o girando sobre sí misma. **2.** Curvatura en una línea, o apartamiento del camino directo. **3.** Regreso. **4.** En algunos deportes, como el ciclismo, carrera por etapas. **5.** Restitución de una cosa a su anterior poseedor o dueño. **6.** Repetición de una cosa. **7.** Repaso que se da a una materia leyéndola. **8.** Vez. **9.** Parte de una cosa opuesta a la que está a la vista. **10.** Zurra, tunda o paliza. **11.** Adorno que se superpone al puño de las camisas y en otras prendas. **12.** Tela superpuesta en el extremo de las mangas en determinadas prendas de vestir. **13.** Embozo de la capa. **14.** Serie circular de puntos que se tejen en las medias y calcetas. **15.** Mudanza de las cosas de un estado a otro. **16.** Dinero sobrante que el vendedor entrega al comprador. **17.** Labor que se practica en la tierra, en orden a su cultivo. **18.** En las composiciones poéticas que glosan un villancico y otras similares, versos que en cada una de las estrofas riman con el estribillo y le sirven de introducción para su repetición. **19.** Bóveda y, por ext., techo.

vuelto *s. m., amer.* Vuelta del dinero entregado de sobra al hacer un pago.

vueludo, da *adj.* Se dice de la prenda de vestir que tiene mucho vuelo.

vuestro, tra *adj. pos.* Forma del posesivo masculino y femenino de la segunda persona del plural. Indica posesión o pertenencia a dos o más personas. También pron.

vulcanio, nia *adj.* Perteneciente o relativo a Vulcano o al fuego.

vulcanita *s. f.* Ebonita.

vulcanización *s. f.* Acción y efecto de vulcanizar.

vulcanizar *v. tr.* **1.** Combinar azufre con la goma elástica para que adquiera ciertas propiedades. **2.** *Cuba y Nic.* Reparar neumáticos.

vulcanología *s. f.* Parte de la geología que estudia los fenómenos volcánicos.

vulgar *adj.* **1.** Común o general. **2.** Se aplica a las lenguas que se hablan actualmente.

vulgaridad *s. f.* Especie, dicho o hecho vulgar, que carece de novedad e importancia.

vulgarismo *s. m.* Dicho o frase especialmente usada por el vulgo.

vulgarización *s. f.* Acción y efecto de vulgarizar.

vulgarizar *v. tr.* **1.** Convertir una cosa en vulgar. **2.** Traducir un escrito de otra lengua a la común o vulgar.

Vulgata *n. p.* Versión latina de la Biblia, declarada auténtica por la Iglesia.

vulgo *s. m.* **1.** Plebe, el conjunto de la gente popular. **2.** Conjunto de personas que en cada materia no conocen más que la parte superficial.

vulnerabilidad *s. f.* Calidad de vulnerable.

vulnerable *adj.* Que puede ser herido o recibir lesión, física o moralmente.

vulneración *s. f.* Acción y efecto de vulnerar.

vulnerar *v. tr.* Dañar, perjudicar.

vulnerario, ria *adj.* Se aplica al clérigo que ha herido o matado a otra persona.

vulpécula *s. f.* Vulpeja.

vulpeja *s. f.* Zorra.

vulpino, na *adj.* **1.** Perteneciente o relativo a la zorra. **2.** *fig.* Que tiene sus propiedades.

vultuoso, sa *adj.* Se dice del rostro hinchado y abultado por congestión.

vultúrido, da *adj.* Se dice de las aves rapaces diurnas y grandes, como el buitre.

vulturno *s. m.* Bochorno, aire caliente.

vulva *s. f.* Partes que rodean y constituyen la abertura externa de la vagina.

vulvitis *s. f.* Inflamación de la vulva.

w *s. f.* Vigésimo cuarta letra del abecedario español y decimonovena de sus consonantes, de nombre *uve doble*.

wadi *s. m.* Curso de agua intermitente, característico de África del Norte y Arabia.

wagneriano, na *adj.* **1.** Perteneciente o relativo al músico alemán R. Wagner o a su escuela. **2.** Partidario de su música. También s. m. y s. f.

wagon-lit *s. m.* Coche cama.

walkie-talkie *s. m.* Aparato radiofónico portátil que sirve de emisor y receptor en comunicaciones a corta distancia.

walkiria *s. f.* Valquiria.

walkman *s. m.* Aparato eléctrico musical portátil, dotado de auriculares que permiten escuchar casetes de forma individual.

walon *adj.* Valón.

wáter *s. m.* Váter.

waterpolo *s. m.* Juego acuático de pelota entre dos equipos de siete nadadores.

watt *s. m.* Vatio.

wau *s. amb.* Nombre que recibe el sonido *u* semiconsonántico o semivocálico.

web *s. f.* Red informática mundial.

weber *s. m.* Weberio.

weberio *s. m.* Unidad de flujo de inducción magnética en el sistema internacional.

weimarés, sa *adj.* **1.** Natural de Sajonia-Weimar o de su capital Weimar. También s. m. y s. f. **2.** Perteneciente o relativo a aquel Estado o a esta ciudad de Alemania.

wellingtonia *s. f.* Nombre científico de la velintonia.

wélter *s. m.* Categoría del boxeo a la que pertenecen los púgiles cuyo peso está entre 63.503 y 66.678 kg.

wéstern *s. m.* Género cinematográfico al que pertenecen las películas ambientadas en el oeste de América del Norte, durante la colonización.

westfaliano, na *adj.* Natural de Westfalia.

whisky *s. m.* Güisqui o wiski.

windsurf *s. m.* Deporte que se practica en el agua sobre una tabla con una vela.

windsurfing *s. m.* Windsurf.

wiski *s. m.* Bebida alcohólica obtenida por la fermentación de la cebada y otros cereales.

wolframio *s. m.* Cuerpo simple, metálico, de color gris de acero, muy duro, denso y difícilmente fusible.

won *s. m.* Unidad monetaria de Corea del Norte y Corea del Sur.

x *s. f.* **1.** Vigésimo quinta letra del abecedario español y vigésima de sus consonantes. **2.** Suple el nombre de una persona o lugar que no se quiere dar a conocer. **3.** Letra numeral que tiene el valor de diez en la numeración romana.

xantofila *s. f.* Pigmento oxigenado que impregna matices variables, desde el amarillo al rojo, a los cromoplastos de las plantas.

xenofobia *s. f.* Odio u hostilidad hacia los extranjeros.

xenófobo, ba *adj.* Que siente xenofobia.

xenón *s. m.* Gas noble que se encuentra en el aire en pequeñas cantidades.

xerocopia *s. f.* Copia fotográfica que se obtiene por medio de la xerografía.

xerocopiar *v. tr.* Reproducir en copia xerográfica.

xerófilo, la *adj.* Se aplica a las plantas que almacenan agua en su parénquima, por lo que pueden subsistir en climas muy secos.

xerofítico, ca *adj.* Xerófilo.

xerófito *adj.* Xerófilo.

xeroftalmia *s. f.* Enfermedad de los ojos caracterizada por la sequedad de la conjuntiva u opacidad de la córnea. Se produce por falta de determinadas vitaminas en la alimentación.

xerografía *s. f.* Procedimiento de impresión sin contacto, fijándose las imágenes mediante un sistema electrostático.

xerografiar *v. tr.* Reproducir textos o imágenes por medio de la xerografía.

xerográfico, ca *adj.* **1.** Perteneciente o relativo a la xerografía. **2.** Obtenido mediante la xerografía.

xerógrafo, fa *s. m. y s. f.* Persona que tiene por oficio la xerografía.

xi *s. f.* Decimocuarta letra del alfabeto griego.

xifoideo, a *adj.* Perteneciente o relativo al apéndice xifoides.

xifoides *adj.* Se dice del cartílago en que termina el esternón humano, parecido a la punta de una espada. También *s. m.*

xilófago, ga *adj.* Se dice de los insectos que se alimentan de madera.

xilófono *s. m.* Instrumento de percusión compuesto de láminas de madera o metal que se golpean con dos macillos.

xilografía *s. f.* Arte de grabar en madera.

xilográfico, ca *adj.* Perteneciente o relativo a la xilografía.

xilógrafo, fa *s. m. y s. f.* Persona que graba en madera.

xiloprotector *adj.* Se dice de la sustancia o producto que sirve para proteger la madera.

xilórgano *s. m.* Instrumento de percusión de los s. XVIII y XIX, parecido al xilófono.

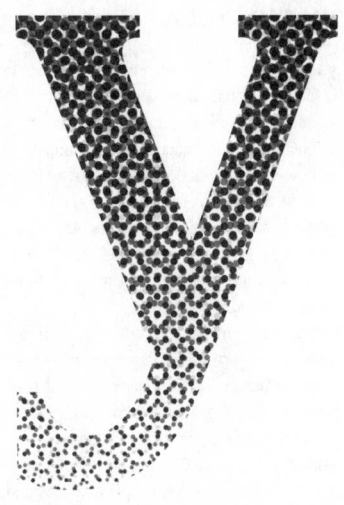

y¹ *s. f.* Vigésimo sexta letra del abecedario español y vigésimo primera de sus consonantes, cuyo nombre es *ye*.

y² *conj. cop.* Enlace coordinante cuyo oficio es unir palabras o cláusulas en concepto afirmativo.

ya *adv. t.* **1.** Denota tiempo pasado. **2.** En el tiempo presente, haciendo relación al pasado. **3.** En tiempo u ocasión futura. **4.** Finalmente o últimamente. **5.** Luego, inmediatamente, pronto. ‖ *adv. afirm.* **6.** Sirve para conceder o apoyar lo que nos dicen. ‖ *conj. distrib.* **7.** Enlace coordinante cuyo oficio es unir palabras o cláusulas que se alternan. ‖ *interj.* **8.** *fam.* Expresa que se ha recordado una cosa. **9.** *fam.* Denota que no se hace caso de lo que otro dice. Se usa repetida.

yaacabó *s. m., Amér. del S.* Pájaro insectívoro con pico y uñas fuertes.

yaba *s. f., Cub.* Árbol papilionáceo con flores violáceas.

yabuna *s. f., Cub.* Hierba gramínea que abunda en las sabanas.

yacal *s. m., Filip.* Árbol dipterocarpáceo de gran altura. Su madera es muy apreciada en la construcción y en la fabricación de muebles.

yacaré *s. m., Amér. del S.* Caimán.

yacedor, ra *s. m. y s. f.* Persona que se encarga de llevar las caballerías a yacer.

yacente *adj.* Que yace.

yacer *v. intr.* **1.** Estar alguien tendido. **2.** Estar enterrado un cadáver.

yacija *s. f.* **1.** Lecho o camastro que sirve para acostarse en él. **2.** Sepultura.

yacimiento *s. m.* Sitio donde se halla una roca, un mineral o un fósil.

yactura *s. f.* Quiebra, pérdida o daño recibido.

yagruma *s. f., Cub.* Nombre común a dos árboles silvestres de distintas familias que se distinguen respectivamente con las denominaciones de yagruma hembra y yagruma macho.

yagua *s. f.* **1.** *Col., Méx. y Ven.* Palma que sirve de hortaliza, y con la cual se techan chozas y se hacen cestos y sombreros. **2.** *Col., Méx., Per. y Ven.* Tejido fibroso que rodea la parte más tierna y elevada de la palma.

yagual *s. m., Amér. C. y Méx.* Rodete para llevar pesos sobre la cabeza.

yaguané *adj., Arg.* Se dice del ganado que tiene el pescuezo y los costillares de color diferente al resto del cuerpo.

yaguar *s. m., amer.* Jaguar.

yaguré *s. m., amer.* Mofeta.

yaití *s. m., Cub.* Árbol euforbiáceo, de madera dura, usada para fabricar vigas y horcones.

yak *s. m.* Bóvido que habita en las altas montañas tibetanas.

yamao *s. m., Cub.* Árbol meliáceo, cuyas hojas tienen folíolos oblongos y sirven de pasto al ganado.

yámbico, ca *adj.* Perteneciente o relativo al yambo.

yambo¹ *s. m.* Pie de la poesía clásica formado por dos sílabas, la primera breve y la segunda larga.

yambo² *s. m., amer.* Árbol de las mirtáceas muy cultivado en las Antillas.

yang *s. m.* Fuerza activa y masculina que, en síntesis con el yin, constituye el Gran Principio del orden universal de la filosofía china.

yantar *s. m.* **1.** Cierto tributo que pagaban los habitantes de los pueblos para el mantenimiento del soberano y del señor cuando transitaban por ellos. **2.** Prestación enfitéutica que antiguamente se pagaba en especie y hoy en dinero, al poseedor del dominio directo de una finca. **3.** *ant.* Manjar, vianda.

yapa *s. f.* **1.** *Arg., Chil., Ec. y Per.* Añadidura, adehala, refacción. **2.** *amer.* Azogue que en las minas argentíferas de América se añade al mineral para facilitar el término de su trabajo en el buitrón.

yapar *v. tr., Arg., Bol., Ec. y Per.* Añadir la yapa.

yapú *s. m., Arg.* Especie de tordo, notable por su canto y por la facilidad con que imita a las otras aves.

yararà *s. m., Arg.* Serpiente muy venenosa, que puede alcanzar hasta un metro de longitud.

yaraví *s. m., amer.* Canción de carácter dulce y melancólico que entonan los indígenas de algunos países de América.

yarda *s. f.* Medida inglesa de longitud que equivale a 91 cm.

yare *s. m., amer.* Jugo venenoso que se extrae de la yuca amarga.

yatagán *s. m.* Sable o alfanje curvo, usado por los pueblos orientales.

yataí *s. m., Arg., Par. y Ur.* Palmera cuyo fruto se usa para la fabricación de aguardiente y la fibra de las hojas, para tejer sombreros.

yate *s. m.* Embarcación de lujo o de recreo.

yaya[1] *s. f.* Abuela.

yaya[2] *s. f.* **1.** *Cub.* Árbol de la familia de las anonáceas, de madera flexible y fuerte, que se usa para hacer bastones, horcones, etc. **2.** *Per.* Insecto, especie de ácaro.

yayo *s. m.* Abuelo.

ye *s. f.* Nombre de la letra *y.*

yeco *s. m., Chil.* Cuervo marino.

yedra *s. f.* Hiedra.

yegua *s. f.* Hembra del caballo.

yeguada *s. f.* Rebaño de ganado caballar.

yegüería *s. f.* Yeguada.

yegüero, ra *s. m. y s. f.* Persona que guarda o cuida las yeguas.

yeísmo *s. m.* Pronunciación de *ll* con el sonido consonántico, palatal, fricativo y sonoro de *y.*

yeísta *adj.* Se dice de la persona que incurre en el fenómeno fonético llamado *yeísmo.* También com.

yelmo *s. m.* Parte de la armadura antigua que protegía la cabeza y el rostro.

yema *s. f.* **1.** Brote con forma de botón escamoso, que nace en el tallo de los vegetales. **2.** Parte central del huevo de las aves y otros vertebrados ovíparos.

yeral *s. m.* Terreno sembrado de yeros.

yerba *s. f.* Hierba.

yerbatero, ra *s. m. y s. f.* Se dice del curandero o del médico que receta principalmente hierbas.

yermar *v. tr.* Despoblar un lugar, campo, etc.

yermo, ma *adj.* **1.** Inhabitado. También s. m. **2.** Incultivado, estéril.

yerno *s. m.* Respecto de una persona, marido de su hija.

yero *s. m.* Planta herbácea leguminosa usada como alimento para el ganado.

yerro *s. m.* **1.** Falta cometida por ignorancia o malicia. **2.** Equivocación por descuido o inadvertencia.

yerto, ta *adj.* Tieso o rígido, principalmente a causa del frío o la muerte.

yesca *s. f.* Materia seca y muy inflamable.

yesería *s. f.* Lugar donde se hace o vende yeso.

yesero, ra *adj.* Perteneciente o relativo al yeso.

yeso *s. m.* Sulfato de cal hidratado generalmente blanco.

yesón *s. m.* Cascote de yeso.

yesoso, sa *adj.* De yeso o parecido a él.

yesquero, ra *adj.* **1.** Se dice de una variedad de cardo y de otra clase de hongo. ‖ *s. m. y s. f.* **2.** Persona que por oficio fabrica o vende yesca.

yeyuno *s. m.* Segunda porción del intestino delgado que comienza en el duodeno y acaba en el íleon.

yezgo *s.* Planta herbácea caprifoliácea, semejante al saúco, de olor fétido.

yin *s. m.* Fuerza pasiva y femenina del universo, opuesta al yang.

yincana *s. f.* Conjunto de varias pruebas por equipos que se hacen al aire libre con el fin de divertirse.

yo *pron. pers.* **1.** Forma del pronombre personal de primera persona, género masculino o femenino y número singular, que funciona como sujeto. ‖ *s. m.* **2.** El sujeto pensante y consciente de las propias modificaciones, en oposición al mundo o naturaleza exterior en general.

yod *s. f.* Nombre que recibe el sonido *i* semiconsonántico y semivocálico.

yodado, da *adj.* Que contiene yodo.

yodo *s. m.* Metaloide halógeno, sólido, cristalino y brillante, que se volatiliza a una temperatura poco elevada, desprendiendo vapores de color azul violeta.

yodoformo *s. m.* Compuesto de yodo, hidrógeno y carbono, en forma de polvo amarillento que se usa como antiséptico en medicina.

yodurar *v. tr.* **1.** Convertir en yoduro. **2.** Preparar con yoduro.

yoduro *s. m.* Cualquier compuesto de yodo y otro elemento o radical simple o compuesto.

yoga *s. m.* Conjunto de técnicas físico-mentales hindúes cuyo fin es conseguir la perfección espiritual.

yogur *s. m.* Variedad de leche cuajada, sometida a la acción de un fermento llamado maya.

yogurtera *s. f.* Aparato empleado para hacer yogur.

yola *s. f.* Embarcación estrecha y ligera movida a remo y vela.

yóquey o joqui *com.* Jinete por oficio de carreras de caballos.

yoyó *s. m.* Juguete que consiste en dos pequeños discos unidos por un eje, que suben o bajan a lo largo de una cuerda enrollada a ese mismo eje.

yubarta *s. f.* Animal parecido a la ballena.

yuca *s. f.* **1.** *amer.* Planta americana de la familia de las liliáceas, con hojas ensiformes, flores blancas y glotosas y gruesa raíz, de la que se obtiene harina alimenticia. **2.** *amer.* Nombre vulgar de algunas especies de mandioca.

yudo *s. m.* Deporte y sistema de lucha japonés, cuyo objetivo es defenderse sin armas mediante llaves.

yudoca *com.* Persona que practica el yudo.

yugo *s. m.* Instrumento de madera utilizado para uncir las mulas o bueyes que tiran de un carro, arado, etc.

yugular¹ *adj.* **1.** Relativo a la garganta. **2.** Se dice de cada una de las dos venas situadas a uno y otro lado del cuello. También s. f.

yugular² *v. tr.* **1.** Degollar. **2.** *fig.* Detener rápidamente una enfermedad aplicando medidas terapéuticas. **3.** *fig.* Hablando de determinadas actividades, acabar pronto con ellas.

yunque *s. m.* Prisma de hierro acerado encajado en un tajo de madera fuerte, sobre el que se trabaja a martillo los metales.

yunta *s. f.* Par de bueyes, mulas u otros animales que sirven en la labor del campo o en los acarreos.

yuntero, ra *s. m. y s. f.* Persona que labra la tierra con un par de bueyes, mulos u otros animales.

yupi *com.* Persona profesional que trabaja en la ciudad, tiene estudios universitarios y una posición económica elevada.

yusera *s. f.* Piedra circular o conjunto de dovelas que sirve de suelo en el alfarje de los molinos de aceite.

yusión *s. f.* Mandato.

yute *s. m.* **1.** Materia textil que se extrae de una planta de la familia de las tiliáceas. **2.** Tejido que se fabrica con esta materia.

yuxtalineal *adj.* Se dice de la traducción que acompaña a su original, o del cotejo de textos cuando se disponen a dos columnas.

yuxtaponer *v. tr.* Poner una cosa junto a otra. También prnl.

yuxtaposición *s. f.* Acción y efecto de yuxtaponer o yuxtaponerse.

yuyuba *s. f.* Fruto del azufaifo.

z *s. f.* Vigésimo séptima y última letra del abecedario español y vigésimo segunda de sus consonantes.

¡za! *interj.* para ahuyentar a los perros y otros animales.

zabarcero, ra *s. m. y s. f.* Persona que revende frutos y otros comestibles.

zabatán *s. m.* Mastranzo.

zabazala *s. m.* Encargado de dirigir la oración pública en la mezquita.

zabila *s. f.* Áloe.

zaborda *s. f.* Acción y efecto de zabordar.

zabordar *v. intr.* Encallar un barco.

zabra *s. f.* Buque de dos palos de cruz.

zabro *s. m.* Escarabajo de los carábidos, que ataca los trigales.

zabucar *v. tr.* Bazucar.

zabuqueo *s. m.* Acción y efecto de zabucar.

zaca *s. f.* Odre que se emplea en el desagüe de los pozos de las minas.

zacapela *s. f.* Riña o contienda con gritos.

zacate *s. m., Amér. C. y Méx.* **1.** Hierba, pasto, forraje. **2.** Estropajo para fregar o esponja para el baño.

zacatín *s. m.* Calle o plaza de algunos pueblos donde se vende ropa.

zacatón *s. m.* **1.** *Amér. C. y Méx.* Hierba alta de pasto. **2.** *Méx.* Planta con cuya raíz se fabrican cepillos para fregar.

zacear *v. tr.* Espantar y hacer huir a los perros u otros animales con la voz *za*.

zafa *s. f.* Jofaina.

zafada *s. f.* Acción de zafar.

zafadura *s. f.* **1.** Acción o efecto de zafar o zafarse. **2.** *amer.* Dislocación, luxación.

zafar[1] *v. tr.* Adornar o cubrir una cosa.

zafar[2] *v. tr.* **1.** Quitar los estorbos de una cosa. También prnl. ‖ *v. prnl.* **2.** Escaparse u ocultarse para evitar un encuentro o un riesgo. **3.** Librarse de hacer algo. **4.** Salirse del canto de la rueda la correa de una máquina. **5.** *amer.* Trastornarse. **6.** *amer.* Dislocarse un hueso.

zafarse *v. prnl.* **1.** Escaparse, ocultarse. **2.** Librarse de hacer algo.

zafarí *adj.* Se dice de una variedad de higo que es muy tierno y dulce.

zafarrancho *s. m.* **1.** Acción y efecto de quitar los estorbos de una parte de la embarcación, y dejarla dispuesta para una determinada actividad. **2.** *fig. y fam.* Limpieza general. **3.** *fig. y fam.* Destrozo. **4.** *fig. y fam.* Riña.

zafiedad *s. f.* Calidad de zafio.

zafio, fia *adj.* Tosco, grosero en sus modales o en su comportamiento.

zafirino, na *adj.* De color de zafiro.

zafiro *s. m.* Corindón cristalizado de color azul.

zafo, fa *adj.* Libre y desembarazado.

zafra[1] *s. f.* **1.** Vasija de metal ancha y poco profunda, con agujeros en el fondo para escurrir las medidas del aceite. **2.** Vasija grande de metal en que se guarda aceite.

zafra[2] *s. f.* **1.** Cosecha de la caña de azúcar. **2.** Fabricación del azúcar de caña, y por ext., del de remolacha. **3.** Tiempo que dura esta fabricación.

zafra[3] *s. f.* Escombro de una mina o cantera.

zafre *s. m.* Óxido de cobalto mezclado con cuarzo.

zaga *s. f.* Parte trasera o posterior de una cosa.

zagal, la *s. m. y s. f.* **1.** Muchacho o muchacha adolescente. **2.** Pastor o pastora joven.

zagalón *s. m. y s. f.* Adolescente que está muy crecido.

zagua *s. f.* Arbusto quenopodiáceo que se cría en el sur de Europa y en el norte de África.

zagual *s. m., amer.* Remo corto con palo redondo y pala de forma acorazonada.

zaguán *s. m.* Espacio cubierto, contiguo a la puerta de la calle, que sirve de entrada a una casa.

zaguero, ra *adj.* **1.** Que va, se queda o está atrás. ‖ *s. m.* **2.** Jugador que se sitúa en la parte de atrás de la cancha en los partidos de pelota por parejas.

zagüía *s. f.* En Marruecos, construcción semejante a una ermita, en que se halla la tumba de un santón.

zahareño, ña *adj.* **1.** Se dice del ave difícil de amansar. **2.** *fig.* Intratable.

zaheridor, ra *adj.* Que zahiere.

zaherimiento *s. m.* Acción de zaherir.

zaherir *v. tr.* Decir o hacer algo a alguien para humillarlo o maltratarlo.

zahína *s. f.* Sorgo.

zahinar *s. m.* Terreno sembrado de zahína.

zahón *s. m.* Calzón de cuero o paño, con perniles abiertos por detrás que se atan a los muslos, usado por los cazadores y gente del campo para proteger la ropa.

zahonado, da *adj.* Se dice de las patas y manos que en algunas reses tienen distinto color por delante que por detrás.

zahondar *v. tr.* **1.** Ahondar la tierra. ‖ *v. intr.* **2.** Hundirse los pies en ella.

zahorí *com.* **1.** Persona a quien se atribuye la facultad de ver lo que está oculto, especialmente veneros de agua subterránea. **2.** Persona perspicaz e intuitiva.

zahorra *s. f.* Lastre de una embarcación.

zahúrda *s. f.* Pocilga.

zaida *s. f.* Grulla.

zaino, na[1] *adj.* Traidor, falso.

zaino, na[2] *adj.* Se dice del caballo o yegua de color castaño oscuro.

zalagarda *s. f.* **1.** Emboscada. **2.** Escaramuza. **3.** Lazo usado para cazar animales. **4.** *fig. y fam.* Alboroto, bullicio.

zalama *s. f.* Zalamerías.

zalamería *s. f.* Demostración de cariño afectada y empalagosa.

zalamero, ra *adj.* Que hace zalamerías.

zalea *s. f.* Cuero de oveja o carnero curtido.

zalear *v. tr.* **1.** Arrastrar o mover algo con facilidad. **2.** Espantar a los perros.

zalema *s. f.* **1.** *fam.* Reverencia realizada como muestra de sumisión. **2.** Zalamería.

zallar *v. tr.* Hacer rodar o resbalar algo en el sentido de su longitud y hacia la parte exterior de la nave.

zamacuco, ca *s. m. y s. f.* **1.** *fam.* Persona tonta y bruta. ‖ *s. m.* **2.** *fam.* Embriaguez.

zamarra *s. f.* **1.** Prenda de vestir en forma de chaqueta, hecha de piel con su pelo o lana. **2.** Chaqueta de abrigo.

zamarrear *v. tr.* **1.** Sacudir a un lado y otro la presa que el lobo, el perro u otro animal, tiene cogida entre los dientes. **2.** *fam.* Zarandear a alguien.

zamarreo *s. m.* Acción de zamarrear.

zamarrilla *s. f.* Planta aromática labiada, con hojas muy estrechas y flores blancas o rojas.

zamarro *s. m.* **1.** Piel de cordero. **2.** *fig. y fam.* Persona tosca, lerda, pesada.

zambaigo, ga *adj.* Se dice del hijo de madre de raza negra y padre de raza india, o al revés.

zambapalo *s. m.* Danza grotesca española de los siglos XVI y XVII.

zambarco *s. m.* Correa ancha que ciñe el pecho de las caballerías de tiro.

zambo, ba *adj.* Se dice de la persona que tiene las rodillas juntas y separadas las piernas hacia fuera.

zambomba *s. f.* Instrumento musical formado por un cilindro hueco de madera, abierto por un extremo y cerrado por el otro con una piel muy tirante, que tiene en el centro un carrizo, que, al frotarlo con la mano, produce un sonido fuerte y monótono.

zambombazo *s. m.* Explosión ruidosa.

zambra[1] *s. f.* **1.** Fiesta que celebran los moriscos con baile y mucho alboroto. **2.** *fam.* Algazara, bulla producida por un grupo de personas que se divierten.

zambra[2] *s. f.* Especie de barco que usaban los musulmanes.

zambucar *v. tr., fam.* Esconder una cosa entre otras para que no pueda ser vista o reconocida.

zambuco *s. m., fam.* Acción de zambucar.

zambullida *s. f.* Zambullidura.

zambullidura *s. f.* Acción o efecto de zambullir o zambullirse.

zambullir *v. tr.* **1.** Meter algo debajo del agua con ímpetu o de golpe. También prnl. ‖ *v. prnl.* **2.** *fig.* Esconderse o meterse en alguna parte, o cubrirse con algo.

zambullo *s. m.* Bacín grande.

zampa *s. f.* Cada una de las estacas que se clavan en un terreno para hacer el firme sobre el cual se va a edificar.

zampabodigos *s. m. y s. f.* Zampatortas.

zampalimosnas *com., fam.* Persona pobre que anda pidiendo comida o dinero.

zampapalo *s. m. y s. f.* Zampatortas.

zampar *v. tr.* **1.** Meter rápidamente una cosa en un sitio para que no se vea. **2.** Comer mucho apresuradamente.

zampatortas *com.* **1.** Persona que come con exceso. **2.** *fig. y fam.* Persona patosa y desgarbada.

zampeado *s. m.* Obra que se hace con cadenas de madera y macizos de mampostería para construir sobre terrenos falsos o invadidos por el agua.

zampear *v. tr.* Afirmar el terreno con zampeados.

zampón, na *adj., fam.* Comilón, tragón.

zampoña *s. f.* Instrumento rústico parecido a una flauta, o compuesto por varias flautas.

zampuzar *v. tr.* **1.** Meter de golpe en el agua. **2.** Meter rápidamente una cosa en un sitio.

zampuzo *s. m.* Acción y efecto de zampuzar.

zanahoria *s. f.* Planta herbácea, umbelífera, con flores blancas y raíz fusiforme, de color amarillento o rojiza, jugosa y comestible.

zanca *s. f.* **1.** Parte más larga de las patas de las aves. **2.** Madera inclinada que sirve de apoyo a los peldaños de una escalera.

zancada *s. f.* Paso largo.

zancadilla *s. f.* Acción de cruzar uno su pierna por delante de la de otro para derribarle.

zancadillear *v. tr.* Poner la zancadilla a alguien.

zancajear *v. intr.* Andar mucho y aceleradamente de una parte a otra.

zancajera *s. f.* Parte del estribo de un coche de caballos donde se pone el pie para entrar o apearse de él.

zancajo *s. m.* **1.** Hueso del pie que forma el talón. **2.** *fig.* Parte del zapato, media, etc., que cubre el talón.

zancajoso, sa *adj.* Que tiene los pies torcidos y vueltos hacia fuera.

zancarrón *s. m.* **1.** *fam.* Cualquiera de los huesos de la pierna, despojado de carne. **2.** *fig. y fam.* Persona flaca, vieja y poco aseada.

zanco *s. m.* Cada uno de los dos palos largos, con salientes para apoyar los pies, que se usan para andar por terrenos pantanosos, o en juegos de equilibrio.

zancón, na *adj., fam.* **1.** Zancudo. **2.** Prenda de vestir demasiado corta.

zancudo, da *adj.* **1.** Que tiene las zancas largas. **2.** Se aplica a las aves que tienen los tarsos muy largos y desprovistos de plumas, por ejemplo la cigüeña y la grulla. También *s. f.* ‖ *s. f. pl.* **3.** Orden de estas aves, sin valor taxonómico en la actualidad. ‖ *s. m.* **4.** *amer.* Mosquito.

zanfonía *s. f.* Antiguo instrumento músical de cuerda, que se tocaba haciendo dar vueltas con un manubrio a un cilindro provisto de púas.

zanga *s. f.* Juego de naipes parecido al cuatrillo, en el que el último toma las ocho cartas sobrantes.

zangala *s. f.* Tela de hilo muy engomada.

zangamanga *s. f., fam.* Treta, ardid.

zanganada *s. f., fam.* Hecho o dicho impertinente o inoportuno.

zangandungo, ga *s. m. y s. f., fam.* Persona torpe, desmañada y holgazana.

zanganear *v. intr., fam.* Hacer el vago.

zángano, na *s. m.* **1.** Macho de la abeja reina. ‖ *s. m. y s. f.* **2.** *fam.* Persona holgazana que vive de lo ajeno. También *adj.*

zangarilleja *s. f., fam.* Persona desaseada y vagabunda.

zangarrear *v. intr.* Tocar o rasguear sin arte en la guitarra.

zangarriana *s. f.* **1.** Especie de hidropesía de los animales. **2.** *fam.* Dolencia leve y pasajera que se repite con frecuencia.

zangolotear *v. tr.* **1.** *fam.* Mover continua y violentamente una cosa. También *prnl.* ‖ *v. intr.* **2.** *fig. y fam.* Moverse una persona de una parte a otra sin intención de hacer nada. ‖ *v. prnl.* **3.** *fam.* Moverse una cosa por estar floja o mal encajada.

zangoloteo *s. m., fam.* Acción de zangolotear.

zangolotino, na *adj., fam.* Muchacho que quiere pasar por niño.

zangón *s. m.* Joven alto y desgarbado.

zangotear *v. tr., fam.* Zangolotear.

zangoteo *s. m., fam.* Acción y efecto de zangotear.

zanguanga *s. f., fam.* Simulación de una enfermedad para no trabajar.

zanguango, ga *adj., fam.* Indolente, perezoso, holgazán.

zanguayo *s. m., fam.* Hombre alto, desvaído, ocioso y que se hace el simple.

zanja *s. f.* Excavación larga y estrecha que se hace en la tierra para echar los cimientos, conducir las aguas, etc.

zanjar *v. tr.* **1.** Abrir zanjas en un terreno para construir un edificio o para otro fin. **2.** *fig.* Resolver un asunto o negocio.

zanqueador, ra *adj.* Se dice de la persona que anda mucho.

zanqueamiento *s. m.* Acción de zanquear.

zanquear *v. intr.* Torcer las piernas al andar.

zanquilargo, ga *adj., fam.* Se dice de la persona que tiene las piernas muy largas.

zanquituerto, ta *adj., fam.* Se dice de la persona que tiene torcidas las piernas.

zanquivano, na *adj., fam.* Se dice de la persona que tiene las piernas largas y muy delgadas.

zapa[1] *s. f.* **1.** Especie de pala que usan los zapateros o gastadores. **2.** Excavación de una galería subterránea o de una zanja al descubierto.

zapa^2 *s. f.* Piel áspera de algunos selacios.

zapador *s. m.* Soldado que trabaja con la zapa.

zapallo *s. m.* Cierta calabaza comestible.

zapapico *s. m.* Herramienta con mango de madera, con un extremo en punta y otro estrecho y afilado.

zapar *v. intr.* Trabajar con la zapa.

zaparrastrar *v. intr.* Llevar arrastrando los vestidos de modo que se ensucien.

zaparrastroso, sa *adj.* Zarrapastroso.

zaparrazo *s. m.* Zarpazo.

zapata *s. f.* **1.** Calzado que llega a media pierna. **2.** Pedazo de cuero que a veces se pone debajo del quicio de la puerta para que no rechine. **3.** Pieza del freno de ciertos vehículos que actúa por fricción en las ruedas o sobre el eje para moderar o impedir su movimiento.

zapateado *s. m.* Antiguo baile español que se ejecuta en compás ternario y con zapateo.

zapatear *v. tr.* **1.** Golpear con el zapato. **2.** Dar golpes en el suelo con los pies calzados. **3.** En ciertos bailes, golpear el suelo con los pies siguiendo el compás de la música. **4.** Golpear el conejo rápimente la tierra con las manos, cuando siente al cazador o al perro. **5.** Alcanzarse las caballerías cuando corren. **6.** *fig. y fam.* Maltratar a una persona con dichos o hechos. **7.** Dar alguien muchos golpes a su contrario con el botón o zapatilla sin recibir ninguno. ‖ *v. intr.* **8.** Moverse el caballo con rapidez y sin cambiar de sitio. **9.** Dar zapatazos las velas. ‖ *v. prnl.* **10.** *fig.* Hacer frente a alguien valientemente en una riña o discusión.

zapateo *s. m.* Acción y efecto de zapatear.

zapatería *s. f.* **1.** Taller donde se fabrican zapatos. **2.** Tienda donde se venden.

zapatero, ra *adj.* **1.** Se aplica a las legumbres y otros alimentos que se encrudecen al echar agua fría en la olla cuando se están cociendo. ‖ *s. m. y s. f.* **2.** Persona que tiene por oficio hacer zapatos, arreglarlos o venderlos.

zapateta *s. f.* Golpe que da un pie contra otro al brincar en señal de regocijo.

zapatilla *s. f.* **1.** Zapato ligero y de suela muy delgada. **2.** Zapato cómodo, generalmente de abrigo, para estar en casa.

zapato *s. m.* Calzado que no pasa del tobillo, con la suela de cuero y lo demás de piel, fieltro, etc.

zapatudo, da^1 *adj.* Que tiene los zapatos demasiado grandes o de cuero fuerte.

zapatudo, da^2 *adj.* Asegurado o reforzado con una zapata.

¡zape! *interj., fam.* Se emplea para ahuyentar a los gatos.

zapear *v. tr.* **1.** Espantar al gato con la interjección *¡zape!* **2.** Practicar el zapeo.

zapeo *s. m.* Cambio constante de canal de televisión usando el mando a distancia.

zapote *s. m.* Árbol americano sapotáceo, de unos 10 m de altura, con hojas alternas y fruto comestible de carne amarilla oscura.

zapping *s. m.* Zapeo.

zaque *s. m.* Odre pequeño.

zaquear *v. tr.* Trasegar líquidos de unos zaques a otros.

zaquizamí *s. m.* **1.** Desván a teja vana. **2.** Cuarto pequeño, sucio y poco cómodo.

zar *s. m.* Título que se daba al emperador de Rusia y al soberano de Bulgaria.

zara *s. f.* Maíz.

zarabanda *s. f.* Danza popular española de los siglos XVI y XVII, frecuentemente censurada por los moralistas debido a sus movimientos.

zarabandista *adj.* Que baila, canta o tañe la zarabanda.

zarabutear *v. tr., fam.* Zaragutear.

zarabutero, ra *adj.* Zaragutero.

zaragalla *s. f.* Carbón vegetal menudo.

zaragata *s. f., fam.* Riña, alboroto.

zaragatero, ra *adj., fam.* Bullicioso, aficionado a zaragatas.

zaragotona *s. f.* Planta herbácea plantaginácea, con tallo ramificado y hojas lanceoladas, que se emplea en medicina y para aprestar telas.

zaragüelles *s. m. pl.* Especie de calzones anchos y con pliegues, usados por la gente del campo de Valencia y Murcia.

zaragutear *v. tr.* Embrollar, hacer las cosas atropelladamente.

zaragutero, ra *adj., fam.* Que zaragutea.

zaramagullón *s. m.* Somorgujo, somormujo.

zarambeque *s. m.* Tañido y danza africana, alegre y bulliciosa.

zaranda *s. f.* **1.** Criba. **2.** Cedazo rectangular con fondo de red de tomiza, usado en los lagares. **3.** Pasador metálico que se usa para colar jalea.

zarandajas *s. f. pl., fam.* Cosa menuda, sin valor o de poca importancia.

zarandar *v. tr.* Limpiar el grano o la uva, pasándolos por la zaranda.

zarandear *v. tr.* Ajetrear.

zarandero, ra *s. m. y s. f.* Zarandador.

zarandillo *s. m.* Zaranda pequeña.

zarapatel *s. m.* Especie de alboronía.

zarapito *s. m.* Ave zancuda, del tamaño de un gallo, con pico largo, delgado y encorvado por la punta.

zaratán *s. m.* Cáncer de pecho.

zaraza *s. f.* Tela de algodón, ancha y fina, y con listas de colores o flores estampadas.

zarazas s. f. pl. Veneno para matar perros, ratones u otros animales.

zarcear v. tr. Limpiar los conductos y cañerías usando unas zarzas largas.

zarceño, ña adj. Perteneciente o relativo a la zarza.

zarcero, ra adj. Se dice del perro corto de patas.

zarcillo s. m. Pendiente, arete.

zarco, ca adj. De color azul claro.

zarevich s. m. **1.** Hijo del zar. **2.** En particular, príncipe primogénito del zar reinante.

zariano, na adj. Relativo al zar.

zarigüeya s. f. Mamífero marsupial de América, nocturno y omnívoro.

zarina s. f. **1.** Esposa del zar. **2.** Emperatriz de Rusia.

zarja s. f. Azarja, instrumento para coger la seda cruda.

zarpa s. f. Acción de zarpar. **2.** Mano de ciertos animales, como el león y el tigre, con dedos y uñas.

zarpada s. f. Golpe dado con la zarpa.

zarpanel adj. Se dice del arco que consta de varias porciones de circunferencias tangentes entre sí y trazadas desde distintos centros.

zarpar v. tr. Salir un barco del lugar en el que estaba fondeado.

zarpazo s. m. **1.** Golpe dado con la zarpa. **2.** Batacazo, porrazo.

zarposo, sa adj. Que tiene zarpas o cascarrias.

zarracatería s. f. Halago fingido y engañoso.

zarracatín s. m., fam. Persona que procura comprar barato para vender caro.

zarramplín s. m., fam. Persona chapucera y de poca habilidad en una profesión u oficio.

zarrapastra s. f., fam. Cascarria.

zarrapastrón, na adj., fam. Que anda muy zarrapastroso.

zarrapastroso, sa adj., fam. Desaliñado, andrajoso, desaseado.

zarria[1] s. f. Pingajo, harapo.

zarria[2] s. f. Tira de cuero que se mete entre los ojales de la abarca, para asegurarla bien con la calzadera.

zarriento, ta adj. Que tiene zarrias o cascarrias.

zarza s. f. Arbusto rosáceo, de tallos sarmentosos provistos de aguijones, flores blancas o róseas y fruto en eterio de drupas.

zarzagán s. m. Cierzo no muy fuerte, pero muy frío.

zarzaganillo s. m. Viento cierzo que causa tempestades.

zarzahán s. m. Especie de tela de seda, delgada como el tafetán y con listas de colores.

zarzal s. m. Lugar poblado de zarzas.

zarzaleño, ña adj. Relativo al zarzal.

zarzamora s. f. Fruto de la zarza.

zarzaparrilla s. f. **1.** Arbusto liliáceo, de tallos delgados y volubles, hojas acorazonadas, flores verdosas en racimos, fruto en bayas y raíces cilíndricas y fibrosas. **2.** Bebida refrescante preparada con esta planta.

zarzaparrillar s. m. Campo poblado de zarzaparrillas.

zarzaperruna s. f. Escaramujo, planta y fruto.

zarzarrosa s. f. Flor del escaramujo, muy parecida a la rosa castellana.

zarzo s. m. Tejido hecho con cañas, varas o mimbres, que forma una superficie plana.

zarzuela s. f. **1.** Obra dramática y musical de origen español que alterna el canto y la declamación. **2.** Plato con varias clases de pescados y marisco acompañado por una salsa.

zarzuelero, ra adj. Perteneciente o relativo a la zarzuela.

zarzuelista s. m. y s. f. **1.** Poeta que escribe zarzuelas. **2.** Maestro que compone música de zarzuela.

¡zas! interj. usada para representar el sonido que hace un golpe o el golpe mismo.

zascandil s. m., fam. Hombre muy inquieto y revoltoso.

zascandilear v. intr. Andar de un lado a otro sin hacer nada útil.

zascandileo s. m. Acción y efecto de zascandilear.

zata s. f. Zatara.

zatara s. f. Especie de balsa para transportes fluviales.

zatico o zatillo s. m. **1.** Hombre que antiguamente tenía en palacio el cargo de cuidar del pan y alzar las mesas. **2.** Mendrugo o pedazo de pan.

zazo, za adj. Tartajoso.

zedilla s. f. Cedilla.

zéjel s. m. Composición poética popular de origen árabe. Está formada por un estribillo inicial temático y un número variable de estrofas compuestas de tres versos monorrimos seguidos de otro verso de rima constante igual a la del estribillo.

zen s. m. Doctrina japonesa del budismo, que se basa en el profundo conocimiento y control del espíritu para alcanzar el estado de iluminación.

zepelín s. m. Globo dirigible.

zeugma s. f. Figura de construcción consistente en sobrentender un verbo o un adjetivo, cuando se repite en construcciones homogéneas y sucesivas.

zigomorfo, fa adj. Se aplica a un organismo u órgano de un solo plano de simetría.

zigurat s. m. Torre escalonada y piramidal, característica de la arquitectura religiosa asiria y caldea.

zigzag s. m. Serie de líneas que forman alternativamente ángulos entrantes y salientes.

zigzaguear v. intr. Serpentear, andar, moverse o extenderse en zigzag.

zinc *s. m.* Cinc.

zinguizarra *s. f.* Alboroto, riña.

zinnia *s. f.* Nombre común a diversas plantas ornamentales de la familia de las compuestas, herbáceas, de hojas opuestas y de grandes flores de color variable según la especie.

zíper *s. m.* Cremallera.

zipizape *s. m., fam.* Riña ruidosa o con golpes.

¡zis, zas! *interj., fam.* con que se expresa repetición de un golpe.

zoantropía *s. f.* Monomanía en la cual el enfermo se cree convertido en un animal.

zoca *s. f.* Plaza, lugar espacioso en un poblado.

zócalo *s. m.* **1.** Cuerpo inferior de un edificio, que sirve para elevar los basamentos a un mismo nivel. **2.** Friso. **3.** Miembro inferior del pedestal, debajo del neto. **4.** Especie de pedestal. **5.** Rodapié que se coloca en la pared. **6.** *Méx.* Plaza principal de una ciudad.

zocatearse *v. prnl.* Ponerse zocato un fruto.

zocato, ta *adj., fam.* Se dice del fruto que se pone acorchado y amarillo sin madurar.

zoclo *s. m.* Zueco, chanclo.

zoco[1] *s. m.* En Marruecos, mercado, lugar en que se celebra.

zoco[2] *s. m.* **1.** Zueco. **2.** Zócalo, miembro inferior del pedestal.

zoco, ca *adj., fam.* Zocato, zurdo. También s. m. y s. f.

zodiacal *adj.* Relativo al Zodíaco.

Zodiaco o Zodíaco *n. p.* Zona de la esfera celeste, de 16 a 18 grados de ancho, por el centro de la cual pasa la Eclíptica.

zofra *s. f.* Especie de tapete morisco.

zoilo *s. m., fig.* Crítico presumido, maligno censurador o murmurador de las obras ajenas.

zollipar *v. intr.* Dar zollipos o sollozar.

zollipo *s. m., fam.* Sollozo con hipo.

zolocho, cha *adj., fam.* Mentecato, aturdido o poco expédito.

zombi *s. m.* Según la religión vudú, cuerpo inanimado que ha sido revivido por arte de brujería y actúa sin tener conciencia de sus actos.

zompo, pa *adj.* **1.** Se dice del pie torcido. **2.** Se dice de la persona que lo tiene. **3.** Torpe.

zompopo *s. m.* Hormiga de cabeza grande.

zona *s. f.* **1.** Lista o faja. **2.** Extensión considerable de terreno que tiene forma de franja. **3.** Extensión considerable de terreno cuyos límites están determinados por razones administrativas, políticas, etc. **4.** Cada una de las cinco partes en que se considera dividida la superficie de la Tierra por los trópicos y los círculos polares.

5. Parte de la superficie de la esfera, comprendida entre dos planos paralelos. **6.** En baloncesto, la parte del campo, señalada por una línea trapezoidal, que está más cerca de la cesta.

zonación *s. f.* Disposición de un grupo de organismos en zonas paralelas según factores climáticos.

zonal *adj.* Perteneciente o relativo a la zona.

zoncera *s. f.* Simpleza, tontería.

zonificación *s. f.* Acción y efecto de zonificar.

zonificar *v. tr.* Dividir un terreno en zonas.

zonote *s. m.* Cenote.

zonzo, za *adj.* Soso, insulso.

zonzorrión, na *adj., fam.* Muy zonzo.

zoo *s. m.* Abreviación de parque o jardín zoológico.

zoófago, ga *adj.* Que se alimenta de materias animales.

zoófito *s. m.* Animal que tiene aspecto de planta.

zooftirio *s. m.* Anopluro.

zoogeografía *s. f.* Rama de la zoología que estudia la distribución de los animales en la tierra.

zoogeográfico, ca *adj.* Perteneciente o relativo a la zoogeografía.

zoografía *s. f.* Parte de la zoología que tiene por objeto la descripción de los animales.

zoográfico, ca *adj.* Perteneciente o relativo a la zoografía.

zooide *s. m.* Cada uno de los individuos que forma parte de un grupo con estructura colonial.

zoólatra *adj.* Que adora a los animales.

zoolatría *s. f.* Adoración, culto a los animales.

zoología *s. f.* Rama de la biología que estudia los animales.

zoológico, ca *adj.* **1.** Perteneciente o relativo a la zoología. ‖ *s. m.* **2.** Parque en el que se conservan, cuidan y exhiben fieras y otros animales no comunes, para el conocimiento de la zoología.

zoólogo, ga *s. m. y s. f.* Persona que profesa o tiene especiales conocimientos en zoología.

zoom *s. m.* Zum.

zoomorfo, fa *adj.* Que tiene forma o apariencia de animal.

zoonosis *s. f.* Enfermedad propia de los animales, que a veces se transmite a las personas.

zooplancton *s. m.* Plancton marino formado básicamente por crustáceos y formas larvarias.

zoopsicología *s. f.* Psicología animal.

zoospermo *s. m.* Espermatozoide.

zootecnia *s. f.* Arte de la cría de los animales domésticos.

zootécnico, ca *adj.* Perteneciente o relativo a la zootecnia.

zootomía *s. f.* Parte de la zoología que estudia la anatomía de los animales.

zoótropo *s. m.* Aparato consistente en una serie de figuras colocadas en el interior de una caja cilíndrica giratoria, las cuales, vistas a través de unas rendijas del aparato, al girar este producen la ilusión óptica de una sola figura en movimiento.

zopas *com., fig. y fam.* Persona que cecea mucho.

zopenco, ca *adj., fam.* Tonto, bruto.

zopetero *s. m.* Ribazo.

zopisa *s. f.* Brea.

zopo, pa *adj.* Se dice del pie o mano torcidos o contrahechos.

zoquete, ta *s. m.* **1.** *fig.* Pedazo de pan grueso e irregular. **2.** *fig. y fam.* Persona de mala traza, pequeña y gorda.

zoquetero, ra *adj.* Que recoge zoquetes de pan y se mantiene de ellos.

zoquetudo, da *adj.* Basto o mal hecho.

zorcico *s. m.* Baile popular en las provincias vascongadas.

zorollo, lla *adj.* **1.** Blando, tierno. **2.** Se dice del trigo que no ha llegado por completo a su madurez.

zorongo *s. m.* Pañuelo doblado en forma de venda, que llevan a la cabeza los aragoneses y algunos navarros

zorra *s. f.* **1.** Mamífero cánido, de larga cola, hocico estrecho y orejas empinadas; abunda en España. **2.** Hembra de esta especie. **3.** *fig. y fam.* Mujer astuta y solapada. También adj. **4.** *fig. y fam.* Ramera. También adj. **5.** *fig. y fam.* Borrachera. embriaguez.

zorrastrón, na *adj., fam.* Pícaro, astuto.

zorrera *s. f.* Cueva de zorros.

zorrería *s. f., fig. y fam.* Astucia y cautela de la persona que busca su utilidad.

zorrero, ra *adj.* **1.** Perro zorrero. **2.** *fig.* Astuto, capcioso.

zorrillo *s. m.* Mofeta, mamífero.

zorro *s. m.* **1.** Macho de la zorra. **2.** *fig. y fam.* Persona que afecta simpleza o insulsez, especialmente para no trabajar. **3.** *fig. y fam.* Persona muy taimada y astuta.

zorrocloco *s. m., fam.* **1.** Hombre tardo en sus acciones y que parece bobo, pero que no se descuida en su provecho. **2.** *fam.* Arrumaco.

zorronglón, na *adj., fam.* Se dice de la persona que hace refunfuñando las cosas que le mandan.

zorruno, na *adj.* Perteneciente o relativo a la zorra o raposa.

zorzal *s. m.* Pájaro del mismo género que el tordo, de cabeza diminuta, que vive en España durante el invierno.

zorzaleño, ña *adj.* Se dice de la aceituna pequeña.

zote *adj.* Ignorante, torpe.

zozobra *s. f.* **1.** Acción y efecto de zozobrar. **2.** Irregularidad y contraste de los vientos, que ponen al barco en riesgo de naufragar. **3.** Inquietud, aflicción y congoja del ánimo.

zozobrar *v. intr.* **1.** Peligrar la embarcación por la fuerza de los vientos. **2.** Perderse o irse a pique. **3.** Estar en gran riesgo de perderse la consecución de una cosa. **4.** Acongojarse en la duda de lo que se debe hacer para eludir un peligro grave o para conseguir una cosa. ‖ *v. tr.* **5.** Hacer zozobrar.

zuavo *s. m.* Soldado argelino de infantería, al servicio de Francia.

zubia *s. f.* Lugar por donde corre, o adonde afluye, mucha agua.

zueco *s. m.* **1.** Zapato de madera de una pieza que usan en varios países los campesinos. **2.** Zapato de cuero con suela de corcho o de madera.

zulacar *v. tr.* Untar o cubrir con zulaque.

zulaque *s. m.* Betún en pasta para tapar las juntas de los arcaduces y para otras obras hidráulicas.

zulla *s. f.* Hierba leguminosa que sirve de pasto para el ganado, común en los campos del mediodía de España.

zullarse *v. prnl., fam.* Ventosear.

zullenco, ca *adj., fam.* Que ventosea con frecuencia e involuntariamente.

zulo *s. m.* Escondite pequeño y generalmente debajo de tierra, preparado para esconder cosas o personas secuestradas.

zum *s. m.* Objetivo de distancia de enfoque variable de una cámara, que permite la aproximación o alejamiento ópticos de aquello que se pretende filmar o fotografiar.

zumacal *s. m.* Terreno plantado de zumaque.

zumacar *v. tr.* Adobar las pieles con zumaque.

zumaque *s. m.* **1.** Arbusto terebintáceo, cuya corteza contiene mucho tanino y se emplea como curtiente. **2.** *fam.* Vino de uva.

zumaya *s. f.* **1.** Autillo. **2.** Ave zancuda de paso, que se alimenta de peces y moluscos.

zumba *s. f.* **1.** Cencerro grande. **2.** Bramadera, juguete.

zumbar *v. intr.* Hacer una cosa ruido continuado y bronco.

zumbel *s. m.* Cuerda que se enrolla al peón o trompo para hacerle bailar.

zumbido *s. m.* **1.** Acción y efecto de zumbar. **2.** *fam.* Golpe dado a alguien.

zumbo *s. m.* Zumbido.

zumbón, na *adj.* **1.** Se dice del cencerro que lleva el cabestro y que suena más fuerte que los demás. **2.** *fig. y fam.* Se dice de la persona que frecuentemente anda burlándose.

zumiento, ta *adj.* Que arroja zumo.

zumillo *s. m.* Dragontea, planta.

zumo *s. m.* **1.** Líquido que se extrae de las hierbas, flores, frutas u otras cosas parecidas. **2.** *fig.* Utilidad y provecho que se saca de una cosa.

zumoso, sa *adj.* Que tiene zumo.

zuna *s. f.* Ley tradicional mahometana, extraída de los dichos y sentencias de Mahoma.

zunchar *v. tr.* Reforzar con zunchos alguna cosa.

zuncho *s. m.* Abrazadera de hierro o de otra materia resistente, usada como refuerzo.

zuñir[1] *v. tr.* Eliminar los plateros las desigualdades de las filigranas, frotando con una pizarra.

zuñir[2] *v. intr.* Zumbar los oídos.

zuño *s. m.* Ceño, sobrecejo.

zupia *s. f.* **1.** Poso de vino. **2.** Vino turbio por estar revuelto con el poso.

zurano, na *adj.* Zuro, se dice de las palomas silvestres.

zurcido *s. m.* Costura de las cosas zurcidas.

zurcidor, ra *adj.* Que zurce.

zurcidura *s. f.* Zurcido.

zurcir *v. tr.* **1.** Coser la rotura de una tela, juntando los pedazos con puntadas, de manera que la unión resulte disimulada. **2.** Suplir con puntadas entrecruzadas lo que falta en el agujero de un tejido. **3.** *fig.* Unir y juntar sutilmente una cosa con otra. **4.** *fig. y fam.* Combinar varias mentiras para dar apariencia de verdad a lo que se relata.

zurdería *s. f.* Calidad de zurdo.

zurdo, da *adj.* Que utiliza la mano izquierda del modo y para lo que las demás personas utilizan la derecha.

zurear *v. intr.* Hacer arrullos la paloma.

zureo *s. m.* Acción y efecto de zurear.

zurito, ta *adj.* Zuro, dicho de las palomas.

zuro, ra *adj.* Se dice de las palomas y palomos silvestres.

zurra *s. f.* **1.** Acción de zurrar las pieles. **2.** *fig. y fam.* Castigo, paliza, tunda.

zurrapa *s. f.* **1.** Brizna o sedimento que se halla en el poso de los líquidos. **2.** *fam.* Cosa vil y despreciable. **3.** *fam.* Muchacho desmedrado y feo.

zurrapelo *s. m., fam.* Reprimenda.

zurrapiento, ta *adj.* Que tiene zurrapas.

zurraposo, sa *adj.* Zurrapiento.

zurrar *v. tr.* **1.** Curtir y adobar las pieles quitándoles el pelo. **2.** *fig. y fam.* Castigar a alguien, especialmente con azo-

tes o golpes. También *prnl.* **3.** *fig. y fam.* Vencer a alguien en una disputa o contienda. **4.** *fig. y fam.* Censurar a alguien con dureza y especialmente en público.

zurrarse *v. prnl.* **1.** Irse de vientre alguien involuntariamente. **2.** *fig. y fam.* Estar poseído de un gran temor o miedo.

zurraspa *s. f.* Mancha de excremento en la ropa interior.

zurriaga *s. f.* Zurriago.

zurriagar *v. tr.* Dar con el zurriago.

zurriagazo *s. m.* Golpe dado con el zurriago o con una cosa flexible.

zurriago *s. m.* **1.** Látigo con que se castiga o zurra. **2.** Correa larga y flexible con que se hace bailar el trompo.

zurriar *v. intr.* Zurrir.

zurribanda *s. f.* **1.** *fam.* Zurra o castigo con muchos golpes. **2.** *fam.* Pendencia ruidosa en quehay golpes.

zurriburri *s. m.* **1.** Barullo, confusión. **2.** *fam.* Sujeto vil y despreciable. **3.** *fam.* Conjunto de personas de la ínfima plebe o de malos procederes.

zurrido *s. m.* Sonido bronco.

zurrir *v. intr.* Sonar broncamente algo.

zurrón *s. m.* **1.** Bolsa grande de pellejo, usada generalmente por los pastores. **2.** Cualquier bolsa de cuero. **3.** Cáscara primera y más tierna en que están encerrados algunos frutos. **4.** Bolsa formada por las membranas que envuelven el feto y el líquido que le rodea. **5.** Quiste. **6.** Capullo en que se encierra la larva de la lagarta.

zurrona *s. f., fam.* Mujer vil y estafadora.

zurronada *s. f.* Lo que cabe en un zurrón.

zurrusco *s. m., fam.* Churrusco.

zurullo *s. m.* **1.** *fam.* Pedazo rollizo de materia blanda. **2.** *fam.* Mojón, excremento.

zurumbático, ca *adj.* Lelo, pasmado, aturdido.

zurupeto, ta *s. m. y s. f., fam.* Corredor de bolsa no matriculado.

zutano, na *s. m. y s. f., fam.* Vocablos usados como fulano y mengano, cuando se alude a tercera persona indeterminada.

zuzar *v. tr.* Azuzar, provocar.

¡zuzo! *interj.* usada para contener o espantar al perro.

zuzón *s. m.* Hierba cana.

Apéndice gramatical

Normas de acentuación

EL ACENTO	Tónico, prosódico, fonético: mayor intensidad con que se pronuncia una sílaba.
	Ortográfico, gráfico, tilde: signo escrito sobre determinadas vocales tónicas.

PALABRAS	CON TILDE	SIN TILDE
Agudas = = = ´=	Si acaban en vocal, -*n* o -*s.* A-**mó**, ra-**zón**, cor-**tés**	Si no acaban en vocal, -*n* o -*s.* Re-**loj**, pa-**red**, ca-**sual**
Llanas = = ´= =	Si no acaban en vocal, -*n* o -*s.* **Cés**-ped, **tó**-tem, **Pé**-rez	Si acaban en vocal, -*n* o -*s.* **ce**-lo, **le**-gua, **cie**-lo
Esdrújulas = ´= = =	Todas. So-**vié**-ti-co, **ár**-bi-tro	Ninguna.
Sobresdrújulas ´= = = = =	Todas. **pién**-sa-te-lo, a-**rré**-gle-se-lo	Ninguna.

Partes de la oración

Las oraciones son las unidades mínimas que ponen en relación un sujeto con un predicado. En la formación de la oración intervienen dos sintagmas o grupos (grupo nominal sujeto y grupo verbal predicado). Para que una oración esté bien construida no hace falta que aparezcan todos sus elementos (determinante, sustantivo, adjetivo, verbo, adverbio). En español no hace falta que aparezca el sujeto ya que por la flexión verbal la información se recupera.

ARTÍCULO					
	DETERMINADO		INDETERMINADO		CONTRACCIÓN
	Singular	Plural	Singular	Plural	
Masculino	*el*	*los*	*un*	*unos*	*del*
Femenino	*la*	*las*	*una*	*unas*	*al*

Partes de la oración

		SUSTANTIVO		
		Es la parte variable de la oración que sirve para designar a los seres, tanto materiales como inmateriales.		
	PROPIOS. Se emplean para distinguir a un ser de los demás de su especie, sin hacer referencia a sus cualidades.			
	ANTROPÓNIMOS	Nombres propios de persona: *Juan*		
	TOPÓNIMOS	Nombres propios de lugar: *León*		
	PATRONÍMICOS	Apellidos, nombres de familia: *Álvarez*		
	COMUNES. Se emplean para nombrar a todos los seres de la misma especie, haciendo referencia a sus cualidades.			
POR SU ORIGEN	**PRIMITIVOS**	No contienen ningún morfema derivativo: *pan, rosa.*		
	DERIVADOS Contienen morfemas derivativos.	**Aumentativos**	Contienen sufijos que sirven para aumentar el tamaño del primitivo: *perr-azo, cas-ona.*	
		Diminutivos	Contienen sufijos que sirven para disminuir el tamaño del primitivo: *perr-ito, cas-ita.*	
		Despectivos	Contienen sufijos que dan al primitivo una idea de desprecio: *perr-ucho, cas-ucha.*	
		Gentilicios	Indican el lugar de origen: *español, soriano; mexicano, guanajuatense.*	
POR SU SIGNIFICADO	**ABSTRACTOS**	Los que se refieren a cualidades que no pueden existir independientemente: *belleza.*		
	CONCRETOS Los que se refieren a seres que existen en la realidad, de forma independiente.	**COLECTIVOS**	Los que, estando en singular, designan una pluralidad de objetos: *caserío, pinar.*	
		INDIVIDUALES Los que, en singular, se refieren a un solo objeto.	**Contables**	Los que designan objetos que pueden contarse: *mesa, libro, carpeta.*
			No contables	Los que no se pueden contar: *arena, agua, hierba.*
POR SU COMPOSICIÓN	**SIMPLES**	Los formados por un solo lexema: *boca, carro.*		
	COMPUESTOS	Aquellos en cuya constitución entren dos o más lexemas: *bocacalle, carricoche.*		

GÉNERO

Es el accidente gramatical que indica el sexo de las personas y de los animales. En los nombres de cosas el género no tiene significado específico, considerándose como masculinos los nombres que pueden ir precedidos de *este*, y como femeninos los que pueden ir precedidos de *esta*.

MASCULINO	Pertenecen al masculino los nombres de varones, animales machos y todas las cosas que pueden llevar delante el determinante *este*: *Juan, caballo, reloj...*
FEMENINO	Son de género femenino los nombres de mujeres, animales hembras y todas las cosas que pueden llevar delante el determinante *esta*: *María, gallina, memoria...*

FORMACIÓN DEL FEMENINO

Si el masculino termina en vocal, se cambia esta vocal por *-a*:
sobrino - sobrina

Si el masculino termina en consonante, se le agrega la vocal *-a*:
león - leona

Otros nombres añaden terminaciones especiales (*-triz, -ica, -esa, -isa, -ta*):
actor - actriz

Hay nombres que forman el femenino con palabra distinta a la del masculino:
hombre - mujer

NEUTRO	Pertenecen a este género los adjetivos sustantivados que pueden llevar delante el artículo *lo*: *lo bueno - lo necesario*
EPICENO	Son de género epiceno los nombres de animales que, con la misma palabra y el mismo artículo, nombran a los dos sexos: *la lombriz - la mosca*
COMÚN	Son de género común aquellos nombres de personas que sirven para masculino y femenino usando la misma palabra pero cambiando el artículo: *el estudiante - la estudiante*
AMBIGUO	Pertenecen al género ambiguo los nombres de cosas que en unas ocasiones se consideran masculinos y otras, femeninos: *el dote - la dote*

NÚMERO

Accidente gramatical que nos indica si nos referimos a un solo ser o a más de uno.

SINGULAR	Un solo ser: *mesa.*
PLURAL	Más de un ser: *mesas.*

FORMACIÓN DEL PLURAL

1. Si el singular termina en cualquier vocal no acentuada o en *-é* acentuada, el plural se forma añadiendo una *-s*:

pato-patos

2. Si el singular termina en una vocal que no sea *-é* acentuada, se añade *-es*, aunque algunos sustantivos pueden hacer el plural con *-s*:

papá-papás; jabalí-jabalís o *jabalíes*

3. Si el singular termina en consonante, se añade *-es*:

árbol-árboles

4. Los nombres terminados en *-z* la cambian por *-c* y luego añaden *-es*:

cruz-cruces

5. En nombres terminados en *-y*, esta se convierte en *-i* y se le añade la *-s* del plural:

pony-poni-ponis

6. Si el singular termina en *-s*, al formar el plural, los nombres llanos y esdrújulos no cambian, y los agudos añaden *-es*:

el martes-los martes
el compás-los compases

7. Los nombres acabados en cualquier consonante distinta a *-l, -n, -r, -d, -z* o en *-s* y *-x* en las palabras agudas hacen el plural en *-s*:

chip-chips; web-webs; chat-chats

8. Los sustantivos y adjetivos acabados en *-s*, o *-x* que sean llanos o esdrújulos permanecen invariables en plural:

la dosis-las dosis; el tórax-los tórax

9. Los apellidos acabados en *-z* no cambian, pero se pone el artículo en plural:

los López

ADJETIVOS CALIFICATIVOS

Palabra que acompaña al sustantivo indicando una cualidad del mismo.

| CLASIFICACIÓN | EXPLICATIVOS O EPÍTETOS | Indican una cualidad que tiene necesariamente el sustantivo, y se suelen colocar delante del mismo: **negro** carbón - **blanca** nieve |
| | ESPECIFICATIVOS | Indican una cualidad que puede tener o no el sustantivo, y se suelen colocar detrás: niño **alto** - rosa **roja** |

| GRADOS DE SIGNIFICACIÓN | POSITIVO | El adjetivo indica simplemente una cualidad del sustantivo: La casa es **alta**. |
| | COMPARATIVO | Cuando compara la cualidad de un ser con la de otro. |

DE SUPERIORIDAD	DE IGUALDAD	DE INFERIORIDAD
más... que El coche es más rápido que la bicicleta.	*tan... como* Juan es tan alto como Luis.	*menos... que* El cuaderno es menos grueso que el libro.

| SUPERLATIVO | Cuando indica la cualidad con gran intensidad. |

ABSOLUTO (no compara)	RELATIVO (sí compara)
Se forma añadiendo *-ísimo/*-érrimo* o anteponiendo *muy*. Este niño es **muy alto** o **altísimo**.	Se forma anteponiendo *el más, el menos, los más, los menos*. Este niño es **el más** alto de la clase.

COMPARATIVOS Y SUPERLATIVOS IRREGULARES

Positivo	Comparativo	Superlativo
bueno	mejor	bonísimo, óptimo
malo	peor	pésimo
grande	mayor	máximo
pequeño	menor	mínimo
alto	superior	supremo
bajo	inferior	ínfimo

ADJETIVOS DETERMINATIVOS

Parte de la oración que acompaña al sustantivo sin decir de él ninguna cualidad.

DEMOSTRATIVOS. Indican una idea de lugar.

		Cerca del hablante	Cerca del oyente	Lejos de los dos
Singular	Masculino	*este*	*ese*	*aquel*
	Femenino	*esta*	*esa*	*aquella*
Plural	Masculino	*estos*	*esos*	*aquellos*
	Femenino	*estas*	*esas*	*aquellas*

POSESIVOS. Indican una idea de posesión.

		Un solo poseedor	Varios poseedores
Singular	Masculino	*mío - tuyo - suyo*	*nuestro - vuestro - suyo*
	Femenino	*mía - tuya - suya*	*nuestra - vuestra - suya*
Plural	Masculino	*míos - tuyos - suyos*	*nuestros - vuestros - suyos*
	Femenino	*mías - tuyas - suyas*	*nuestras - vuestras - suyas*

NUMERALES. Indican una idea de número.

CARDINALES	Indican simplemente cantidad: *cinco*, *tres*…
ORDINALES	Indican orden: *quinto*, *tercero*…
MÚLTIPLES	Indican multiplicación: *doble*, *triple*…
PARTITIVOS	Indican división: *tercio*…
DISTRIBUTIVOS	Indican que la cantidad se distribuye entre varios: *cada*, *sendos*…

INDEFINIDOS. Indican la cantidad de una manera imprecisa.

alguno, ninguno, algo, poco, varios, ciertos, cualquiera, bastante

INTERROGATIVOS Y EXCLAMATIVOS. Acompañan al sustantivo en frases interrogativas y exclamativas.

qué, cuánto, cuánta, cuántos, cuántas, cuál, cuáles

Pronombres

FORMAS DE LOS PRONOMBRES PERSONALES ÁTONOS				
PERSONA GRAMATICAL			Singular	Plural
1.ª persona			me	nos
2.ª persona			te	os
3.ª persona	complemento directo	masc.	lo (también **le**)	los
		fem.	la	las
	complemento directo o atributo	neutro	lo	–
	complemento indirecto		le (o **se** ante otro pron. átono; → **se, la**)	le (o **se** ante otro pron. átono; → **se, la**)
	forma reflexiva		se	

FORMAS DE LOS PRONOMBRES PERSONALES TÓNICOS						
PERSONA GRAMATICAL			Singular		Plural	
1.ª persona	sujeto o atributo		yo		nosotros / as	
	término de preposición		mí (conmigo)			
2.ª persona	sujeto o atributo		tú, vos		vosotros / as	
	término de preposición		ti (contigo), vos			
3.ª persona	sujeto o atributo	masc.	él	usted	ellos	ustedes
		fem.	ella		ellas	
	sujeto	neutro	ello		–	
	término de preposición	masc.	él	usted	ellos	ustedes
		fem.	ella		ellas	
		neutro	ello		–	
	término de preposición exclusivamente reflexivo		sí (consigo)			

PRONOMBRES DEMOSTRATIVOS. Indican lugar				
		Cerca del hablante	Cerca del oyente	Lejos de los dos
Singular	Masculino	este	ese	aquel
	Femenino	esta	esa	aquella
Plural	Masculino	estos	esos	aquellos
	Femenino	estas	esas	aquellas
PRONOMBRES POSESIVOS. Indican posesión				
		Un solo poseedor		Varios poseedores
Singular	Masculino	mío-tuyo-suyo		nuestro-vuestro-suyo
	Femenino	mía-tuya-suya		nuestra-vuestra-suya
Plural	Masculino	míos-tuyos-suyos		nuestros-vuestros-suyos
	Femenino	mías-tuyas-suyas		nuestras-vuestras-suyas

VERBO

Palabra que indica la acción, la existencia o el estado de los seres. Admite variaciones para indicar el modo, tiempo, número, persona, aspecto y voz. Estas variaciones son los accidentes del verbo.

C L A S I F I C A C I Ó N D E L O S V E R B O S	POR SU NATURALEZA	COPULATIVOS	Sirven de unión entre el sujeto y el predicativo: *ser*, *estar*, *parecer*.	
		PREDICATIVOS (todos los demás)	**Transitivos**	Admiten OD: *regalar*.
			Intransitivos	No admiten OD: *llegar*.
			Reflexivos	La acción recae sobre el mismo ser que la ejecuta: *lavarse*.
			Recíprocos	La acción la realizan dos o más sujetos que se corresponden: *Pedro y Juan se insultan*.
			Impersonales	Solo se conjugan en tercera persona del singular: *llueve*.
	POR SU CONJUGACIÓN	REGULARES	Los que se conjugan como los modelos *amar*, *temer* y *partir*: *cantar*.	
		IRREGULARES	Los que no se conjugan como los modelos *amar*, *temer* y *partir*, porque cambian el lexema, la desinencia o las dos cosas a la vez: *sentir*.	
		DEFECTIVOS	Los que carecen de algunos tiempos o personas: *acostumbrar*, *soler*, *abolir*.	
	POR EL MODO DE LA ACCIÓN	IMPERFECTIVOS	Los que no necesitan llegar a un término para que la acción se pueda considerar completada: *querer*.	
		PERFECTIVOS	Los que necesitan llegar a un término para que la acción se pueda considerar completada: *nacer*.	
		INCOATIVOS	Los que expresan el comienzo de una acción: *anochecer*.	
		FRECUENTATIVOS	Los que expresan una acción frecuente o que está compuesta de momentos repetidos: *golpear*.	

ADVERBIO

Palabra que modifica el significado del verbo, del adjetivo o de otro adverbio:
estudió **bastante**, **poco** alto, **muy** lejos

CLASIFICACIÓN DE LOS ADVERBIOS

POR SU FORMA	**SIMPLES**	Formados por una sola palabra: *bien, luego, mucho.*
	COMPUESTOS	Formados por un adjetivo con terminación femenina y el sufijo *-mente*; si el adjetivo tiene una sola terminación para los dos géneros, añadiendo al adjetivo el sufijo *-mente*: *buenamente, felizmente.*
POR SU SIGNIFICACIÓN	**LUGAR**	*Aquí, allí, allá, ahí, lejos*, etc.
	TIEMPO	*Ahora, luego, ayer, nunca*, etc.
	MODO	*Bien, así*, etc., y la mayoría de los adverbios terminados en *-mente*.
	CANTIDAD	*Mucho, tanto, nada, demasiado*, etc.
	AFIRMACIÓN	*Sí, ciertamente, verdaderamente, cierto, también.*
	NEGACIÓN	*No, nunca, jamás, tampoco, nada*, etc.
	DUDA	*Acaso, quizá, quizás, probablemente*, etc.
	ORDEN	*Primeramente, últimamente*, etc.

PREPOSICIONES

a	con	durante	hasta	según	
					tras
ante	contra	en	mediante	sin	
					versus
bajo	de	entre	para	so	
					vía
cabe	desde	hacia	por	sobre	

ACCIDENTES DEL VERBO

MODO. Accidente del verbo que nos indica cómo se realiza la acción.

Indicativo	Subjuntivo	Imperativo
Acción real: *yo como*	Deseo o duda: *yo coma*	Mandato: *come tú*

TIEMPO. Accidente del verbo que nos indica cuándo se realiza la acción.

Presente	Pretérito	Futuro
La acción se está realizando: *yo como*	La acción se ha realizado: *yo comí*	La acción se realizará: *yo comeré*

NÚMERO. Accidente del verbo que nos indica cuántos realizan la acción.

Singular	Plural
La acción la realiza un solo ser: *yo corro*	La acción la realizan dos o más: *nosotros vamos*

PERSONA. Accidente del verbo que nos indica quién realiza la acción.

Primera	Segunda	Tercera
Las que hablan: *yo, nosotros*	Las que escuchan: *tú, vosotros*	De quienes se habla: *él, ella, usted; ellos, ellas, ustedes*

VOZ. Accidente del verbo que nos indica si el sujeto realiza la acción o la recibe.

Activa	Pasiva
El sujeto es agente (hace la acción): *yo escribo*	El sujeto es paciente (recibe la acción): *yo soy amado*

ASPECTO. Accidente del verbo que nos indica si la acción está terminada o sin terminar.

Perfectivo	Imperfectivo
Acción terminada: *yo comí*	Acción sin terminar: *yo comía*

FORMAS NO PERSONALES DEL VERBO

INFINITIVO. Es un sustantivo verbal masculino.

Terminaciones	amar (1.ª conj.)	temer (2.ª conj.)	partir (3.ª conj.)

Forma	Simple	*amar / temer / partir*
	Compuesto	*haber amado / haber temido / haber partido*

Función	Verbo	Al **salir** de casa… (núcleo del predicado)
	Sustantivo	Quiero **cantar** (objeto directo).

GERUNDIO. Es un adverbio verbal.

Terminaciones	am**ando** (1.ª conj.)	tem**iendo** (2.ª conj.)	part**iendo** (3.ª conj.)

Forma	Simple	*amando / temiendo / partiendo*
	Compuesto	*habiendo amado / habiendo temido / habiendo partido*

Función	Verbo	**Haciendo** eso, no lo conseguirás (núcleo del predicado).
	Sustantivo	Se marchó **llorando** (circunstancial).

PARTICIPIO. Es un adjetivo verbal. Tiene un significado pasivo.

Terminaciones	am**ado** (1.ª conj.)	tem**ido** (2.ª conj.)	part**ido** (3.ª conj.)

Función	Verbo	*Terminado* el programa, abandonó el salón (núcleo del predicado).
	Adjetivo	Luis es *agradecido* (predicativo).

LA CONJUGACIÓN

Conjugar un verbo es ponerlo en sus diferentes modos, tiempos, números, personas y voces. En español hay tres conjugaciones.

1.ª CONJUGACIÓN	Verbos cuyo infinitivo termina en **-ar.**
2.ª CONJUGACIÓN	Verbos cuyo infinitivo termina en **-er.**
3.ª CONJUGACIÓN	Verbos cuyo infinitivo termina en **-ir.**

VERBOS IRREGULARES QUE SE CONJUGAN COMO LOS MODELOS ANTERIORES

ACERTAR	*cerrar, comenzar, confesar, despertar, empezar, encerrar, encomendar, enterrar, gobernar, manifestar, negar, pensar, quebrar, regar, sembrar, sentar*
CONTAR	*acordarse, acostar, aprobar, costar, demostrar, encontrar, mostrar, probar, recordar, rodar, rogar, soltar, sonar, soñar, volar*
ENTENDER	*atender, descender, extender, perder*
MOVER	*desenvolver, envolver, escocer, morder, resolver, revolver, soler, torcer, volver*
PARECER	*agradecer, amanecer, aparecer, carecer, complacer, conocer, crecer, desaparecer, desconocer, desobedecer, fallecer, merecer, nacer, obedecer, pacer, padecer, permanecer, pertenecer, reconocer, resplandecer*
DISCERNIR	*adquirir*
LUCIR	*reducir, relucir*
SENTIR	*convertir, divertir, hervir, preferir, referir*
DORMIR	*morir*
PEDIR	*conseguir, derretir, despedir, elegir, impedir, medir, perseguir, proseguir, regir, rendir, repetir, seguir, servir, vestir*
REÍR	*freír*
CEÑIR	*reñir*
HUIR	*constituir, construir, contribuir, destruir, incluir, influir, sustituir*

VERBOS QUE PRESENTAN IRREGULARIDADES ORTOGRÁFICAS

Los terminados en	cambian	por	seguidos de	
-car (*abarcar*)	*-c-*	*-qu-*	*-e*	Presente de subjuntivo (*abarque, abarques...*) y 1.ª s. del pret. perfecto simple (*abarqué*)
-gar (*ahogar*)	*-g-*	*-gu-*	*-e*	Presente de subjuntivo (*ahogue, ahogues...*) y 1.ª s. del pret. perfecto simple (*ahogué*)
-zar (*abrazar*)	*-z-*	*-c-*	*-e*	Presente de subjuntivo (*abrace, abraces...*) y 1ª s. del pret. perfecto simple (*abracé*)
-cer, -cir (*convencer, esparcir*)	*-c-*	*-z-*	*-a, -o*	Presente de subjuntivo (*convenza, convenzas...;* *esparza, esparzas...*) y 1.ª s. del presente de indicativo (*convenzo, esparzo*)
-ger, -gir (*proteger, elegir*)	*-g-*	*-j-*	*-a, -o*	Presente de subjuntivo (*proteja, protejas...;* *elija, elijas...*) y 1.ª s. del presente de indicativo (*recojo, elijo*)

Verbo auxiliar
haber

MODO INDICATIVO		MODO SUBJUNTIVO	
Tiempos simples	Tiempos compuestos	Tiempos simples	Tiempos compuestos

Presente	**Pret. perf. compuesto / Antepresente**	**Presente**	**Pret. perf. compuesto / Antepresente**
he	he habido	haya	haya habido
has	has habido	hayas	hayas habido
ha (*impersonal:* hay)	ha habido	haya	haya habido
hemos	hemos habido	hayamos	hayamos habido
habéis / han	habéis habido	hayáis / hayan	hayáis habido
han	han habido	hayan	hayan habido

Pret. imperfecto / Copretérito	**Pret. pluscuamperf. / Antecopretérito**	**Pret. imperfecto / Pretérito**	**Pret. pluscuamperf. / Antepretérito**
		hubiera o hubiese	hubiera o hubiese habido
había	había habido	hubieras o hubieses	hubieras o hubieses habido
habías	habías habido	hubiera o hubiese	hubiera o hubiese habido
había	había habido	hubiéramos o hubiésemos	hubiéramos o hubiésemos habido
habíamos	habíamos habido	hubierais o hubieseis / hubieran o hubiesen	hubierais o hubieseis habido
habíais / habían	habíais habido	hubieran o hubiesen	hubieran o hubiesen habido
habían	habían habido		

Pret. perf. simple / Pretérito	**Pret. anterior / Antepretérito**	**Futuro simple / Futuro**	**Futuro compuesto / Antefuturo**
hube	hube habido	hubiere	hubiere habido
hubiste	hubiste habido	hubieres	hubieres habido
hubo	hubo habido	hubiere	hubiere habido
hubimos	hubimos habido	hubiéremos	hubiéremos habido
hubisteis / hubieron	hubisteis habido	hubiereis / hubieren	hubiereis habido
hubieron	hubieron habido	hubieren	hubieren habido

Futuro simple / Futuro	**Futuro compuesto / Antefuturo**		
habré	habré habido		
habrás	habrás habido		
habrá	habrá habido		
habremos	habremos habido		
habréis / habrán	habréis habido		
habrán	habrán habido		

MODO IMPERATIVO

he (tú / vos), habe*/ haya (usted)
habed* (vosotros)
hayan (ustedes)

Las formas con * son formas de imperativo arcaicas.

Condicional simple / Pospretérito	**Cond. compuesto / Antepospretérito**
habría	habría habido
habrías	habrías habido
habría	habría habido
habríamos	habríamos habido
habríais / habrían	habríais habido
habrían	habrían habido

FORMAS NO PERSONALES

Infinitivo	**Infinitivo compuesto**
haber	haber habido
Gerundio	**Gerundio compuesto**
habiendo	habiendo habido
Participio	
habido	

Verbos auxiliar

ser

MODO INDICATIVO		MODO SUBJUNTIVO	
Tiempos simples	Tiempos compuestos	Tiempos simples	Tiempos compuestos
Presente	**Pret. perf. compuesto / Antepresente**	**Presente**	**Pret. perf. compuesto / Antepresente**
soy	he sido	sea	haya sido
eres / sos	has sido	seas	hayas sido
es	ha sido	sea	haya sido
somos	hemos sido	seamos	hayamos sido
sois / son	habéis sido	seáis / sean	hayáis sido
son	han sido	sean	hayan sido
Pret. imperfecto / Copretérito	**Pret. pluscuamperfecto / Antecopretérito**	**Pret. imperfecto / Pretérito**	**Pret. pluscuamperfecto / Antepretérito**
era	había sido	fuera o fuese	hubiera o hubiese sido
eras	habías sido	fueras o fueses	hubieras o hubieses sido
era	había sido	fuera o fuese	hubiera o hubiese sido
éramos	habíamos sido	fuéramos o fuésemos	hubiéramos o hubiésemos sido
erais / eran	habíais sido	fuerais o fueseis / fueran o fuesen	hubierais o hubieseis sido
eran	habían sido	fueran o fuesen	hubieran o hubiesen sido
Pret. perf. simple / Pretérito	**Pret. anterior / Antepretérito**		
fui	hube sido		
fuiste	hubiste sido		
fue	hubo sido	**Futuro simple / Futuro**	**Futuro compuesto / Antefuturo**
fuimos	hubimos sido	fuere	hubiere sido
fuisteis / fueron	hubisteis sido	fueres	hubieres sido
fueron	hubieron sido	fuere	hubiere sido
		fuéremos	hubiéremos sido
		fuereis / fueren	hubiereis sido
Futuro simple / Futuro	**Futuro compuesto / Antefuturo**	fueren	hubieren sido
seré	habré sido		
serás	habrás sido	**MODO IMPERATIVO**	
será	habrá sido		
seremos	habremos sido	sé (tú / vos) / sea (usted)	
seréis / serán	habréis sido	sed (vosotros)	
serán	habrán sido	sean (ustedes)	
Condicional simple / Pospretérito	**Condicional compuesto / Antepospretérito**	**FORMAS NO PERSONALES**	
sería	habría sido	**Infinitivo** ser	**Infinitivo compuesto** haber sido
serías	habrías sido		
sería	habría sido	**Gerundio** siendo	**Gerundio compuesto** habiendo sido
seríamos	habríamos sido		
seríais / serían	habríais sido	**Participio** sido	
serían	habrían sido		

Verbos regulares
amar

MODO INDICATIVO		MODO SUBJUNTIVO	
Tiempos simples	Tiempos compuestos	Tiempos simples	Tiempos compuestos

Presente	**Pret. perf. compuesto / Antepresente**	**Presente**	**Pret. perf. compuesto / Antepresente**
amo	he amado	ame	haya amado
amas / amás	has amado	ames	hayas amado
ama	ha amado	ame	haya amado
amamos	hemos amado	amemos	hayamos amado
amáis / aman	habéis amado	améis / amen	hayáis amado
aman	han amado	amen	hayan amado

Pret. imperfecto / Copretérito	**Pret. pluscuamperfecto / Antecopretérito**	**Pret. imperfecto / Pretérito**	**Pret. pluscuamperfecto / Antepretérito**
amaba	había amado	amara o amase	hubiera o hubiese amado
amabas	habías amado	amaras o amases	hubieras o hubieses amado
amaba	había amado	amara o amase	hubiera o hubiese amado
amábamos	habíamos amado	amáramos o amásemos	hubiéramos o hubiésemos amado
amabais / amaban	habíais amado	amarais o amaseis	hubierais o hubieseis amado
amaban	habían amado	/ amaran o amasen	hubieran o hubiesen amado
		amaran o amasen	

Pret. perf. simple / Pretérito	**Pret. anterior / Antepretérito**		
amé	hube amado		
amaste	hubiste amado		
amó	hubo amado		
amamos	hubimos amado		
amasteis / amaron	hubisteis amado		
amaron	hubieron amado		

Futuro simple / Futuro	**Futuro compuesto / Antefuturo**
amare	hubiere amado
amares	hubieres amado
amare	hubiere amado
amáremos	hubiéremos amado
amareis / amaren	hubiereis amado
amaren	hubieren amado

Futuro simple / Futuro	**Futuro compuesto / Antefuturo**
amaré	habré amado
amarás	habrás amado
amará	habrá amado
amaremos	habremos amado
amaréis / amarán	habréis amado
amarán	habrán amado

MODO IMPERATIVO

ama (tú) / amá (vos) / ame (usted)
amad (vosotros)
amen (ustedes)

Condicional simple / Pospretérito	**Condicional compuesto / Antepospretérito**
amaría	habría amado
amarías	habrías amado
amaría	habría amado
amaríamos	habríamos amado
amaríais / amarían	habríais amado
amarían	habrían amado

FORMAS NO PERSONALES

Infinitivo	**Infinitivo compuesto**
amar	haber amado
Gerundio	**Gerundio compuesto**
amando	habiendo amado
Participio	
amado	

temer

MODO INDICATIVO		MODO SUBJUNTIVO	
Tiempos simples	Tiempos compuestos	Tiempos simples	Tiempos compuestos

Presente	**Pret. perf. compuesto / Antepresente**	**Presente**	**Pret. perf. compuesto / Antepresente**
temo	he temido	tema	haya temido
temes / temés	has temido	temas	hayas temido
teme	ha temido	tema	haya temido
tememos	hemos temido	temamos	hayamos temido
teméis / temen	habéis temido	temáis / teman	hayáis temido
temen	han temido	teman	hayan temido

Pret. imperfecto / Copretérito	**Pret. pluscuamperfecto / Antecopretérito**	**Pret. imperfecto / Pretérito**	**Pret. pluscuamperfecto / Antepretérito**
		temiera o	hubiera o
temía	había temido	temiese	hubiese temido
temías	habías temido	temieras o	hubieras o
temía	había temido	temieses	hubieses temido
temíamos	habíamos temido	temiera o	hubiera o
temíais / temían	habíais temido	temiese	hubiese temido
temían	habían temido	temiéramos o	hubiéramos o
		temiésemos	hubiésemos temido
		temierais o	hubierais o

Pret. perf. simple / Pretérito	**Pret. anterior / Antepretérito**	temieseis / temieran o	hubieseis temido
		temiesen	hubieran o
		temieran o	hubiesen temido
temí	hube temido	temiesen	
temiste	hubiste temido		
temió	hubo temido	**Futuro simple / Futuro**	**Futuro compuesto / Antefuturo**
temimos	hubimos temido		
temisteis / temieron	hubisteis temido	temiere	hubiere temido
temieron	hubieron temido	temieres	hubieres temido
		temiere	hubiere temido
		temiéremos	hubiéremos temido
Futuro simple / Futuro	**Futuro compuesto / Antefuturo**	temiereis / temieren	hubiereis temido
		temieren	hubieren temido
temeré	habré temido		
temerás	habrás temido	**MODO IMPERATIVO**	
temerá	habrá temido		
temeremos	habremos temido	teme (tú) / temé (vos) / tema (usted)	
temeréis / temerán	habréis temido	temed (vosotros)	
temerán	habrán temido	teman (ustedes)	

Condicional simple / Pospretérito	**Condicional compuesto / Antepospretérito**	**FORMAS NO PERSONALES**	
		Infinitivo temer	**Infinitivo compuesto** haber temido
temería	habría temido		
temerías	habrías temido		
temeríamos	habría temido	**Gerundio** temiendo	**Gerundio compuesto** habiendo temido
temerían	habríamos temido		
temeríais / temerían	habríais temido		
temerían	habrían temido	**Participio** temido	

Verbos regulares
partir

MODO INDICATIVO		MODO SUBJUNTIVO	
Tiempos simples	Tiempos compuestos	Tiempos simples	Tiempos compuestos

Presente	**Pret. perf. compuesto / Antepresente**	**Presente**	**Pret. perf. compuesto / Antepresente**
parto	he partido	parta	haya partido
partes / partís	has partido	partas	hayas partido
parte	ha partido	parta	haya partido
partimos	hemos partido	partamos	hayamos partido
partís/ parten	habéis partido	partáis / partan	hayáis partido
parten	han partido	partan	hayan partido

Pret. imperfecto / Copretérito	**Pret. pluscuamperfecto / Antecopretérito**	**Pret. imperfecto / Pretérito**	**Pret. pluscuamperfecto / Antepretérito**
partía	había partido	partiera o partiese	hubiera o hubiese partido
partías	habías partido	partieras o partieses	hubieras o hubieses partido
partía	había partido	partiera o partiese	hubiera o hubiese partido
partíamos	habíamos partido	partiéramos o partiésemos	hubiéramos o hubiésemos partido
partíais / partían	habíais partido	partierais o partieseis / partieran o partiesen	hubierais o hubieseis partido
partían	habían partido	partieran o partiesen	hubieran o hubiesen partido

Pret. perf. simple / Pretérito	**Pret. anterior / Antepretérito**		
partí	hube partido		
partiste	hubiste partido		
partió	hubo partido	**Futuro simple / Futuro**	**Futuro compuesto / Antefuturo**
partimos	hubimos partido	partiere	hubiere partido
partisteis / partieron	hubisteis partido	partieres	hubieres partido
partieron	hubieron partido	partiere	hubiere partido
		partiéremos	hubiéremos partido
		partiereis / partieren	hubiereis partido
		partieren	hubieren partido

Futuro simple / Futuro	**Futuro compuesto / Antefuturo**		
partiré	habré partido		
partirás	habrás partido		
partirá	habrá partido		
partiremos	habremos partido		
partiréis / partirán	habréis partido		
partirán	habrán partido		

		MODO IMPERATIVO	
		parte (tú) / partí (vos) / parta (usted) partid (vosotros) partan (ustedes)	

Condicional simple / Pospretérito	**Condicional compuesto / Antepospretérito**	FORMAS NO PERSONALES	
partiría	habría partido	**Infinitivo** partir	**Infinitivo compuesto** haber partido
partirías	habrías partido		
partiría	habría partido	**Gerundio** partiendo	**Gerundio compuesto** habiendo partido
partiríamos	habríamos partido		
partiríais / partirían	habríais partido	**Participio** partido	
partirían	habrían partido		

Modelos de verbos irregulares

acertar

INDICATIVO	SUBJUNTIVO	IMPERATIVO	
Presente	Presente		* La -e- de la raíz
acierto aciertas / acertás acierta acertamos acertáis / aciertan aciertan	acierte aciertes acierte acertemos acertéis / acierten acierten	acierta (tú) / acertá (vos) / acierte (usted) acertad (vosotros) acierten (ustedes)	diptonga en -ie- cuando es tónica (acentuada). Las demás formas son las regulares de la primera conjugación.

actuar

INDICATIVO	SUBJUNTIVO	IMPERATIVO	
Presente	Presente		* La -u de la base actu- es
actúo actúas / actuás actúa actuamos actuáis / actúan actúan	actúe actúes actúe actuemos actuéis / actúen actúen	actúa (tú) / actuá (vos) / actúe (usted) actuad (vosotros) actúen (ustedes)	tónica en las personas *yo, tú, él o usted* y *ellos* o *ustedes*, del presente de indicativo, subjuntivo e imperativo. En todas las demás formas del verbo esa -u es átona a pesar de lo cual nunca se une formando diptongo con la vocal que la sigue.

andar

INDICATIVO	SUBJUNTIVO	
Presente	Pret. imperfecto / Pretérito	Futuro simple / Futuro/ Pretérito
ando andas / andás anda andamos andáis / andan andan	anduviera o anduviese anduvieras o anduvieses anduviera o anduviese anduviéramos o anduviésemos anduvierais o anduvieseis / anduvieran o anduviesen anduvieran o anduviesen	anduviere anduvieres anduviere anduviéremos anduviereis / anduvieren anduvieren

averiguar

INDICATIVO	SUBJUNTIVO	IMPERATIVO	
Presente	Presente		* La -u final de la base
averiguo averiguas / averiguás averigua averiguamos averiguáis / averiguan averiguan	averigüe averigües averigüe averigüemos averigüéis /averigüen averigüen	averigua (tú) / averiguá (vos) / averigüe (usted) averiguad (vosotros) averigüen (ustedes)	*averigu-* es átona en todas las formas de este verbo. La -u- siempre se combina formando diptongo con la vocal que la sigue.

aullar

INDICATIVO	SUBJUNTIVO	IMPERATIVO	
Presente	Presente		* La segunda vocal del grupo -au- es tónica en las personas *yo, tú, él* o *usted* y *ellos* o *ustedes*, de los presentes de indicativo, subjuntivo e imperativo. En todas las demás formas del verbo esa segunda vocal -u- es átona y constituye diptongo con la vocal precedente.
aúllo	aúlle	aúlla (tú) / aúlla (vos) /	
aúllas / aullás	aúlles	aúlle (usted)	
aúlla	aúlle	aullad (vosotros)	
aullamos	aullemos	aúllen (ustedes)	
aulláis	aulléis		
aúllan	aúllen		

cambiar

INDICATIVO	SUBJUNTIVO	IMPERATIVO	
Presente	Presente		
cambio	cambie	cambia (tú) / cambiá (vos) /	* La -i final de la base *cambi-* es átona en todas las formas del verbo. Esa -i siempre se combina formando diptongo con la vocal que le sigue.
cambias / cambiás	cambies	cambie (usted)	
cambia	cambie	cambiad (vosotros)	
cambiamos	cambiemos	cambien (ustedes)	
cambiáis / cambian	cambiéis / cambien		
cambian	cambien		

contar

INDICATIVO	SUBJUNTIVO	IMPERATIVO
Presente	Presente	
cuento	cuente	cuenta (tú) / contá (vos) /
cuentas / contás	cuentes	cuente (usted)
cuenta	cuente	contad (vosotros)
contamos	contemos	cuenten (ustedes)
contáis / cuentan	contéis / cuenten	
cuentan	cuenten	

dar

INDICATIVO		SUBJUNTIVO		
Presente	Pret. perf. simple / Pretérito	Presente	Pret. imperfecto / Pretérito	Futuro simple / Futuro
doy	di	dé	diera o diese	diere
das	diste	des	dieras o dieses	dieres
da	dio	dé	diera o diese	diere
damos	dimos	demos	diéramos o diésemos	diéremos
dais / dan	disteis / dieron	deis / den	dierais o dieseis / dieran o diesen	diereis / dieren
dan	dieron	den	dieran o diesen	dieren

desviar

INDICATIVO	SUBJUNTIVO	IMPERATIVO
Presente	Presente	
desvío	desvíe	desvía (tú) / desviá (vos) /
desvías / desviás	desvíes	desvíe (usted)
desvía	desvíe	desviad (vosotros)
desviamos	desviemos	desvíen (ustedes)
desviáis / desvían	desviéis / desvíen	
desvían	desvíen	

* La -i final de la base *desvi-* es tónica en las personas *yo, tú, él* o *usted* y *ellos* o *ustedes*, de los presentes de indicativo, subjuntivo e imperativo. En todas las demás formas del verbo esa **-i-** es átona, a pesar de lo cual nunca se une formando diptongo con la vocal que le sigue, es decir, ambas se articulan siempre en dos sílabas distintas.

enraizar

INDICATIVO	SUBJUNTIVO	IMPERATIVO
Presente	Presente	
enraízo	enraíce	enraíza (tú) / enraizá (vos)
enraízas / enraizás	enraíces	/ enraice (usted)
enraíza	enraíce	enraizad (vosotros)
enraizamos	enraicemos	enraícen (ustedes)
enraizáis / enraízan	enraicéis / enraícen	
enraízan	enraícen	

* La segunda vocal del grupo **-ai-** es tónica en las personas *yo, tú, él* o *usted* y *ellos* o *ustedes*, de los presentes de indicativo, subjuntivo e imperativo. En todas las demás formas del verbo esa segunda vocal **-i-** es átona y constituye diptongo con la vocal precedente.

errar

INDICATIVO	SUBJUNTIVO	IMPERATIVO
Presente	Presente	
yerro o erro	yerre o erre	yerra o erra (tú) / errá
yerras o erras / errás	yerres o erres	(vos) / yerre (usted)
yerra o erra	yerre o erre	errad (vosotros)
erramos	erremos	yerren o erren (ustedes)
erráis / yerran o erran	erréis / yerren o erren	
yerran o erran	yerren o erren	

estar

INDICATIVO		SUBJUNTIVO		
Presente	Pret. perf. simple / Pretérito	Presente	Pret. imperfecto / Pretérito	Futuro simple / Futuro
estoy	estuve	esté	estuviera o estuviese	estuviere
estás	estuviste	estés	estuvieras o estuvieses	estuvieres
está	estuvo	esté	estuviera o estuviese	estuviere
estamos	estuvimos	estemos	estuviéramos o estuviésemos	estuviéremos
estáis / están	estuvisteis / estuvieron	estéis / estén	estuvierais o estuvieseis	estuviereis /
están	estuvieron	estén	estuvieran o estuviesen	estuvieren
			estuvieran o estuviesen	estuvieren

jugar

INDICATIVO	SUBJUNTIVO	IMPERATIVO
Presente	Presente	
juego	juegue	juega (tú) / jugá (vos) /
juegas / jugás	juegues	juegue (usted)
juega	juegue	jugad (vosotros)
jugamos	juguemos	jueguen (ustedes)
jugáis / juegan	juguéis / jueguen	
juegan	jueguen	

acaecer

INDICATIVO		SUBJUNTIVO		
Presente	Pret. perf. simple / Pretérito	Presente	Pret. imperfecto / Pretérito	Futuro simple / Futuro
acaece	acaeció	acaezca	acaeciera o acaeciese	acaeciere
acaecen	acaecieron	acaezcan	acaecieran o acaeciesen	acaecieren

FORMAS NO PERSONALES Infinitivo: acaecer; **Gerundio:** acaeciendo; **Participio:** acaecido

caber

INDICATIVO				SUBJUNTIVO		
Presente	Pret. perf. simp. / Pretérito	Fut. simp. / Futuro	Condic. simp. / Pospret.	Presente	Pret. imperfecto / Pretérito	Fut. simple / Futuro
quepo	cupe	cabré	cabría	quepa	cupiera o cupiese	cupiere
cabes / cabés	cupiste	cabrás	cabrías	quepas	cupieras o cupieses	cupieres
cabe	cupo	cabrá	cabría	quepa	cupiera o cupiese	cupiere
cabemos	cupimos	cabremos	cabríamos	quepamos	cupiéramos o cupiésemos	cupiéremos
cabéis / caben	cupisteis / cupieron	cabréis / cabrán	cabríais / cabrían	quepáis /	cupierais o cupieseis /	cupiereis /
caben	cupieron	cabrán	cabrían	quepan	cupieran o cupiesen	cupieren
				quepan	cupieran o cupiesen	cupieren

IMPERATIVO: cabe (tú) / cabé (vos) / quepa (usted), cabed (vosotros), quepan (ustedes)

caer

INDICATIVO		SUBJUNTIVO		
Presente	Pret. perf. simple / Pretérito	Presente	Pret. imperfecto / Pretérito	Futuro simple / Futuro
caigo	caí	caiga	cayera o cayese	cayere
caes / caés	caíste	caigas	cayeras o cayeses	cayeres
cae	cayó	caiga	cayera o cayese	cayere
caemos	caímos	caigamos	cayéramos o cayésemos	cayéremos
caéis / caen	caísteis / cayeron	caigáis /	cayerais o cayeseis /	cayereis /
caen	cayeron	caigan	cayeran o cayesen	cayeren
		caigan	cayeran o cayesen	cayeren

IMPERATIVO: cae (tú) / caé (vos) / caiga (usted), caed (vosotros), caigan (ustedes)

creer

INDICATIVO	SUBJUNTIVO	
Pret. perf. simple / Pretérito	Pret. imperfecto / Pretérito	Futuro simple / Futuro
creí	creyera o creyese	creyere
creíste	creyeras o creyeses	creyeres
creyó	creyera o creyese	creyere
creímos	creyéramos o creyésemos	creyéremos
creísteis / creyeron	creyerais o creyeseis /	creyereis / creyeren
creyeron	creyeran o creyesen	creyeren
	creyeran o creyesen	

entender

INDICATIVO	SUBJUNTIVO	IMPERATIVO
Presente	Presente	
entiendo	entienda	entiende (tú) / entendé
entiendes / entendés	entiendas	(vos) / entienda (usted)
entiende	entienda	entended (vosotros)
entendemos	entendamos	entiendan (ustedes)
entendéis / entienden	entendáis / entiendan	
entienden	entiendan	

hacer

INDICATIVO				SUBJUNTIVO		
Presente	Pret. perf. simp. / Pretérito	Fut. simp. / Futuro	Condic. simp. / Pospret.	Presente	Pret. imperfecto / Pretérito	Fut. simple / Futuro
hago	hice	haré	haría	haga	hiciera o hiciese	hiciere
haces / hacés	hiciste	harás	harías	hagas	hicieras o hicieses	hicieres
hace	hizo	hará	haría	haga	hiciera o hiciese	hiciere
hacemos	hicimos	haremos	haríamos	hagamos	hiciéramos o hiciésemos	hiciéremos
hacéis /	hicisteis / hicieron	haréis / harán	haríais / harían	hagáis /	hicierais o hicieseis /	hiciereis /
hacen	hicieron	harán	harían	hagan	hicieran o hiciesen	hicieren
hacen				hagan	hicieran o hiciesen	hicieren

IMPERATIVO: haz (tú) / hacé (vos) / haga (usted), haced (vosotros), hagan (ustedes)

FORMAS NO PERSONALES | **Infinitivo:** hacer; **Gerundio:** haciendo; **Participio:** hecho

mover

INDICATIVO	SUBJUNTIVO	IMPERATIVO
Presente	Presente	
muevo	mueva	mueve (tú) / mové (vos) /
mueves / movés	muevas	mueva (usted)
mueve	mueva	moved (vosotros)
movemos	movamos	muevan (ustedes)
movéis / mueven	mováis / muevan	
mueven	muevan	

oler

INDICATIVO	SUBJUNTIVO	IMPERATIVO
Presente	Presente	
huelo	huela	huele (tú) / olé (vos) /
hueles / olés	huelas	huela (usted)
huele	huela	oled (vosotros)
olemos	olamos	huelan (ustedes)
oléis / huelen	oláis / huelan	
huelen	huelan	

parecer

INDICATIVO	SUBJUNTIVO	IMPERATIVO
Presente	Presente	
parezco	parezca	parece (tú) / parecé (vos)
pareces / parecés	parezcas	/ parezca (usted)
parece	parezca	pareced (vosotros)
parecemos	parezcamos	parezcan (ustedes)
parecéis / parecen	parezcáis / parezcan	
parecen	parezcan	

poder

	INDICATIVO				SUBJUNTIVO		
Presente	Pret. perf. simp. / Pretérito	Fut. simp. / Futuro	Condic. simp. / Pospret.	Presente	Pret. imperfecto / Pretérito	Fut. simple / Futuro
puedo	pude	podré	podría	pueda	pudiera o pudiese	pudiere
puedes / podés	pudiste	podrás	podrías	puedas	pudieras o pudieses	pudieres
puede	pudo	podrá	podría	pueda	pudiera o pudiese	pudiere
podemos	pudimos	podremos	podríamos	podamos	pudiéramos o pudiésemos	pudiéremos
podéis / pueden	pudisteis / pudieron	podréis / podrán	podríais / podrían	podáis / puedan	pudierais o pudieseis / pudieran o pudiesen	pudiereis / pudieren
pueden	pudieron	podrán	podrían	puedan	pudieran o pudiesen	pudieren

IMPERATIVO: puede (tú) / podé (vos) / pueda (usted), poded (vosotros), puedan (ustedes)

FORMAS NO PERSONALES | Infinitivo: poder; **Gerundio:** pudiendo; **Participio:** pude

poner

	INDICATIVO				SUBJUNTIVO		
Presente	Pret. perf. simp. / Pretérito	Fut. simp. / Futuro	Condic. simp. / Pospret.	Presente	Pret. imperfecto / Pretérito	Fut. simple / Futuro
pongo	puse	pondré	pondría	ponga	pusiera o pusiese	pusiere
pones / ponés	pusiste	pondrás	pondrías	pongas	pusieras o pusieses	pusieres
pone	puso	pondrá	pondría	ponga	pusiera o pusiese	pusiere
ponemos	pusimos	pondremos	pondríamos	pongamos	pusiéramos o pusiésemos	pusiéremos
ponéis / ponen	pusisteis / pusieron	pondréis / pondrán	pondríais / pondrían	pongáis / pongan	pusierais o pusieseis / pusieran o pusiesen	pusiereis / pusieren
ponen	pusieron	pondrán	pondrían	pongan	pusieran o pusiesen	pusieren

IMPERATIVO: pon (tú) / poné (vos) / ponga (usted), poned (vosotros), pongan (ustedes)

FORMAS NO PERSONALES | Infinitivo: poner; **Gerundio:** poniendo; **Participio:** puesto

raer

INDICATIVO		SUBJUNTIVO		
Presente	Pret. perf. simple / Pretérito	Presente	Pret. imperfecto / Pretérito	Futuro simple / Futuro
raigo o rayo	raí	raiga o raya	rayera o rayese	rayere
raes / raés	raíste	raigas o rayas	rayeras o rayeses	rayeres
rae	rayó	raiga o raya	rayera o rayese	rayere
raemos	raímos	raigamos o rayamos	rayéramos o rayésemos	rayéremos
raéis / raen	raísteis / rayeron	raigáis o rayáis /	rayerais o rayeseis /	rayereis /
raen	rayeron	raigan o rayan	rayeran o rayesen	rayeren
		raigan o rayan	rayeran o rayesen	rayeren

IMPERATIVO: rae (tú) / raé (vos) / raiga o raya (usted), raed (vosotros), raigan o rayan (ustedes)

roer

INDICATIVO		SUBJUNTIVO		
Presente	Pret. perf. simple / Pretérito	Presente	Pret. imperfecto / Pretérito	Futuro simple / Futuro
roo, roigo o royo	roí	roa, roiga o roya	royera o royese	royere
roes / roés	roíste	roas, roigas o royas	royeras o royeses	royeres
roe	royó	roa, roiga o roya	royera o royese	royere
roemos	roímos	roamos, roigamos o royamos	royéramos o royésemos	royéremos
roéis / roen	roísteis / royeron	roáis, roigáis o royáis / roan,	royerais o royeseis /	royereis /
roen	royeron	roigan o royan	royeran o royesen	royeren
		roan, roigan o royan	royeran o royesen	royeren

IMPERATIVO: roe (tú) / roé (vos) / roa, roiga o roya (usted), roed (vosotros), roan, roigan o royan (ustedes)

saber

INDICATIVO				SUBJUNTIVO		
Presente	Pret. perf. simp. / Pretérito	Fut. simp. / Futuro	Condic. simp. / Pospret.	Presente	Pret. imperfecto / Pretérito	Fut. simple / Futuro
sé	supe	sabré	sabría	sepa	supiera o supiese	supiere
sabes / sabés	supiste	sabrás	sabrías	sepas	supieras o supieses	supieres
sabe	supo	sabrá	sabría	sepa	supiera o supiese	supiere
sabemos	supimos	sabremos	sabríamos	sepamos	supiéramos o supiésemos	supiéremos
sabéis / saben	supisteis / supieron	sabréis / sabrán	sabríais / sabrían	sepáis /	supierais o supieseis /	supiereis /
saben	supieron	sabrán	sabrían	sepan	supieran o supiesen	supieren
				sepan	supieran o supiesen	supieren

IMPERATIVO: sabe (tú) / sabé (vos) / sepa (usted), sabed (vosotros), sepan (ustedes)

soler

INDICATIVO			SUBJUNTIVO		
Presente	Pret. imperf. / Copretérito	Pret. perf. comp. / Antepresente	Presente	Pret. imperfecto / Pretérito	
suelo	solía	he solido	suela	soliera o soliese	* Solo se usan algunos tiempos. De las formas compuestas, solo se utiliza el pretérito perfecto. Las formas no personales se usan todas normalmente, aunque el infinitivo, según la Real Academia Española únicamente sirve para nombrar el verbo.
sueles / solés	solías	has solido	suelas	solieras o solieses	
suele	solía	ha solido	suela	soliera o soliese	
solemos	solíamos	hemos solido	solamos	soliéramos o soliésemos	
soléis / suelen	solíais / solían	habéis solido	soláis/ suelan	solierais o solieseis /	
suelen	solían	han solido	suelan	solieran o soliesen	
				solieran o soliesen	

FORMAS NO PERSONALES | Infinitivo: soler; **Gerundio:** solido; **Participio:** soliendo

tañer

INDICATIVO	SUBJUNTIVO	
Pret. perf. simple / Pretérito	Pret. imperfecto / Pretérito	Futuro simple / Futuro/ Pretérito
tañí	tañera o tañese	tañere
tañiste	tañeras o tañeses	tañeres
tañó	tañera o tañese	tañere
tañimos	tañéramos o tañésemos	tañéremos
tañisteis / tañeron	tañerais o tañeseis /	tañereis / tañeren
tañeron	tañeran o tañesen	tañeren
	tañeran o tañesen	

tener

	INDICATIVO				SUBJUNTIVO		
Presente	Pret. perf. simp. / Pretérito	Fut. simp. / Futuro	Condic. simp. / Pospret.	Presente	Pret. imperfecto / Pretérito	Fut. simple / Futuro
tengo	tuve	tendré	tendría	tenga	tuviera o tuviese	tuviere
tienes / tenés	tuviste	tendrás	tendrías	tengas	tuvieras o tuvieses	tuvieres
tiene	tuvo	tendrá	tendría	tenga	tuviera o tuviese	tuviere
tenemos	tuvimos	tendremos	tendríamos	tengamos	tuviéramos o tuviésemos	tuviéremos
tenéis / tienen	tuvisteis / tuvieron	tendréis /	tendríais /	tengáis /	tuvierais o tuvieseis /	tuviereis /
tienen	tuvieron	tendrán	tendrían	tengan	tuvieran o tuviesen	tuvieren
		tendrán	tendrían	tengan	tuvieran o tuviesen	tuvieren

IMPERATIVO: ten (tú) / tené (vos) / tenga (usted), tened (vosotros), tengan (ustedes)

traer

INDICATIVO		SUBJUNTIVO		
Presente	Pret. perf. simple / Pretérito	Presente	Pret. imperfecto / Pretérito	Futuro simple / Futuro
traigo	traje	traiga	trajera o trajese	trajere
traes / traés	trajiste	traigas	trajeras o trajeses	trajeres
trae	trajo	traiga	trajera o trajese	trajere
traemos	trajimos	traigamos	trajéramos o trajésemos	trajéremos
traéis / traen	trajisteis / trajeron	traigáis / traigan	trajerais o trajeseis /	trajereis /
traen	trajeron	traigan	trajeran o trajesen	trajeren
			trajeran o trajesen	trajeren

IMPERATIVO: trae (tú) / traé (vos) / traiga (usted), traed (vosotros), traigan (ustedes)

valer

	INDICATIVO		SUBJUNTIVO
Presente	Futuro simple / Futuro	Condicional simple / Pospretérito	Presente
valgo	valdré	valdría	valga
vales / valés	valdrás	valdrías	valgas
vale	valdrá	valdría	valga
valemos	valdremos	valdríamos	valgamos
valéis / valen	valdréis / valdrán	valdríais / valdrían	valgáis / valgan
valen	valdrán	valdrían	valgan

IMPERATIVO: vale (tú) / valé (vos) / valga (usted), valed (vosotros), valgan (ustedes)

INDICATIVO		SUBJUNTIVO		
Presente	Pret. perf. simple / Pretérito	Presente	Pret. imperfecto / Pretérito	Futuro simple / Futuro
veo	vi	vea	viera o viese	viere
ves / ves	viste	veas	vieras o vieses	vieres
ve	vio	vea	viera o viese	viere
vemos	vimos	veamos	viéramos o viésemos	viéremos
veis / ven	visteis / vieron	veáis / vean	vierais o vieseis /	viereis / vieren
ven	vieron	vean	vieran o viesen	vieren
			vieran o viesen	

IMPERATIVO: ve (tú / vos) / vea (usted), ved (vosotros), vean (ustedes)

yacer

INDICATIVO	SUBJUNTIVO	IMPERATIVO
Presente	Presente	
yazco, yazgo o yago	yazca, yazga o yaga	yace o yaz (tú) / yacé
yaces / yacés	yazcas, yazgas o yagas	(vos) / yazca, yazga
yace	yazca, yazga o yaga	o yaga (usted) yaced
yacemos	yazcamos, yazgamos o yagamos	(vosotros)
yacéis / yacen	yazcáis, yazgáis o yagáis /	yazcan, yazgan o yagan
yacen	yazcan, yazgan o yagan	(ustedes)
	yazcan, yazgan o yagan	

abolir

INDICATIVO				SUBJUNTIVO		
Presente	Pret. perf. simp. / Pretérito	Fut. simp. / Futuro	Condic. simp. / Pospret.	Presente	Pret. imperfecto / Pretérito	Fut. simple / Futuro
abolo	abolí	aboliré	aboliría	abola	aboliera o aboliese	aboliere
aboles /	aboliste	abolirás	abolirías	abolas	abolieras o abolieses	abolieres
abolís	abolió	abolirá	aboliría	abola	aboliera o aboliese	aboliere
abole	abolimos	aboliremos	aboliríamos	abolamos	aboliéramos o aboliésemos	aboliéremos
abolimos	abolisteis /	aboliréis /	aboliríais /	aboláis /	abolierais o abolieseis /	aboliereis
abolís	abolieron	abolirán	abolirían	abolan	abolieran o aboliesen	abolieren
abolen	abolieron	abolirán	abolirían	abolan	abolieran o aboliesen	

IMPERATIVO: abole (tu) / abolí (vos) / abola (usted), abolid (vosotros), abolan (ustedes)

adquirir

INDICATIVO	SUBJUNTIVO	IMPERATIVO
Presente	Presente	
adquiero	adquiera	adquiere (tú) / adquirí
adquieres / adquirís	adquieras	(vos) / adquiera (usted)
adquiere	adquiera	adquirid (vosotros)
adquirimos	adquiramos	adquieran (ustedes)
adquirís /adquieren	adquiráis / adquieran	
adquieren	adquieran	

INDICATIVO	SUBJUNTIVO	IMPERATIVO
Presente	Presente	
asgo	asga	ase (tú) / así (vos) / asga (usted)
ases / asís	asgas	asid (vosotros)
ase	asga	asgan (ustedes)
asimos	asgamos	
asís / asen	asgáis / asgan	
asen	asgan	

aterir(se)

	INDICATIVO				SUBJUNTIVO		
Presente	Pret. perf. simp. / Pretérito	Fut. simp. / Futuro	Condic. simp. / Pospret.	Presente	Pret. imperfecto / Pretérito	Fut. simple / Futuro
aterís	aterí	ateriré	ateriría	no se usa	ateriera o ateriese	ateriere
aterimos /	ateriste	aterirás	aterirías		aterieras o aterieses	aterieres
aterís	aterió	aterirá	ateriría		ateriera o ateriese	ateriere
aterís	aterimos	ateriremos	ateriríamos		ateriéramos o ateriésemos	ateriéremos
	ateristeis / aterieron	ateriréis /	ateriríais /		aterierais o aterieseis /	ateriereis /
	aterieron	aterirán	aterirían		aterieran o teriesen	aterieren
		aterirán	aterirían		aterieran o ateriesen	aterieren

IMPERATIVO: aterí (vos), aterid (vosotros)

balbucir

	INDICATIVO				SUBJUNTIVO		
Presente	Pret. perf. simp. / Pretérito	Fut. simp. / Futuro	Condic. simp. / Pospret.	Presente	Pret. imperfecto / Pretérito	Fut. simple / Futuro
balbuceo	balbucí	balbuciré	balbuciría	balbucee	balbuciera o balbuciese	balbuciere
balbuces /	balbuciste	balbucirás	balbucirías	balbucees	balbucieras o balbucieses	balbucieres
balbucís	balbució	balbucirá	balbuciría	balbucee	balbuciera o balbuciese	balbuciere
balbucea	balbucimos	balbuciremos	balbuciríamos	balbuceemos	balbuciéramos o balbuciésemos	balbuciéremos
balbucimos	balbucisteis /	balbuciréis /	balbuciríais /	balbuceéis /	balbucierais o balbucieseis / balbucieran o albuciesen o balbuciesen	balbuciereis /
balbucís /	balbucieron	balbucirán	balbucirían	balbuceen		balbucieren
balbucen	balbucieron	balbucirán	balbucirían	balbuceen		balbucieren
balbucen						

IMPERATIVO: balbuce (tú) / balbucí (vos) / balbuzca (usted), balbucid (vosotros), balbuzcan (ustedes)

decir

	INDICATIVO				SUBJUNTIVO		
Presente	Pret. perf. simp. / Pretérito	Fut. simp. / Futuro	Condic. simp. / Pospret.	Presente	Pret. imperfecto / Pretérito	Fut. simple / Futuro
digo	dije	diré	diría	diga	dijera o dijese	dijere
dices / decís	dijiste	dirás	dirías	digas	dijeras o dijeses	dijeres
dice	dijo	dirá	diría	diga	dijera o dijese	dijere
decimos	dijimos	diremos	diríamos	digamos	dijéramos o dijésemos	dijéremos
decís / dicen	dijisteis / dijeron	diréis / dirán	diríais / dirían	digáis /	dijerais o dijeseis /	dijereis /
dicen	dijeron	dirán	dirían	digan	dijeran o dijesen	dijeren
				digan	dijeran o dijesen	dijeren

IMPERATIVO: di (tú) / decí (vos) / diga (usted), decid (vosotros), digan (ustedes)

discernir

INDICATIVO	SUBJUNTIVO	IMPERATIVO
Presente	Presente	
discierno	discierna	discierne (tú) / discerní
disciernes / discernís	disciernas	(vos) / discierna (usted)
discierne	discierna	discernid (vosotros)
discernimos	discernamos	disciernan (ustedes)
discernís / disciernen	discernáis / disciernan	
disciernen	disciernan	

erguir

INDICATIVO		SUBJUNTIVO		
Presente	Pret. perf. simple / Pretérito	Presente	Pret. imperfecto / Pretérito	Futuro simple / Futuro
yergo o irgo	erguí	yerga o irga	irguiera o irguiese	irguiere
yergues o irgues / erguís	erguiste	yergas o irgas	irguieras o irguieses	irguieres
yergue o irgue	irguió	yerga o irga	irguiera o irguiese	irguiere
erguimos	erguimos	irgamos	irguiéramos o irguiésemos	irguiéremos
erguís / yerguen o irguen	erguisteis / irguieron	irgáis / yergan o irgan	irguierais o irguieseis / irguieran o irguiesen	irguiereis / irguieren
yerguen o irguen	irguieron	yergan o irgan	irguieran o irguiesen	irguieren

IMPERATIVO: yergue o irgue (tú) / erguí (vos) / yerga (usted), erguid (vosotros), yergan o irgan (ustedes)

ir

INDICATIVO				SUBJUNTIVO		
Presente	Pret. perf. simp. / Pretérito	Fut. simp. / Futuro	Condic. simp. / Pospret.	Presente	Pret. imperfecto / Pretérito	Fut. simple / Futuro
voy	fui	iré	iría	vaya	fuera o fuese	fuere
vas	fuiste	irás	irías	vayas	fueras o fueses	fueres
va	fue	irá	iría	vaya	fuera o fuese	fuere
vamos	fuimos	iremos	iríamos	vayamos	fuéramos o fuésemos	fuéremos
vais / van	fuisteis / fueron	iréis / irán	iríais / irían	vayáis /	fuerais o fueseis /	fuereis /
van	fueron	irán	irían	vayan	fueran o fuesen	fueren
				vayan	fueran o fuesen	fueren

IMPERATIVO: ve (tú) / andá (vos) / vaya (usted), id (vosotros), vayan (ustedes)

lucir

INDICATIVO	SUBJUNTIVO	IMPERATIVO
Presente	Presente	
luzco	luzca	luce (tú) / lucí (vos) /
luces / lucís	luzcas	luzca (usted)
luce	luzca	lucid (vosotros)
lucimos	luzcamos	luzcan (ustedes)
lucís / lucen	luzcáis / luzcan	
lucen	luzcan	

oír

INDICATIVO		SUBJUNTIVO		
Presente	**Pret. perf. simple / Pretérito**	**Presente**	**Pret. imperfecto / Pretérito**	**Futuro simple / Futuro**
oigo	oí	oiga	oyera u oyese	oyere
oyes / oís	oíste	oigas	oyeras u oyeses	oyeres
oye	oyó	oiga	oyera u oyese	oyere
oímos	oímos	oigamos	oyéramos u oyésemos	oyéremos
oís / oyen	oísteis / oyeron	oigáis / oigan	oyerais u oyeseis /	oyereis / oyeren
oyen	oyeron	oigan	oyeran u oyesen	oyeren
			oyeran u oyesen	

IMPERATIVO: oye (tú) / oí (vos) / oiga (usted), oíd (vosotros), oigan (ustedes)

salir

INDICATIVO		SUBJUNTIVO		
Presente	**Pret. perf. simple / Pretérito**	**Presente**	**Pret. imperfecto / Pretérito**	**Futuro simple / Futuro**
salgo	salí	salga	saliera o saliese	saliere
sales / salís	saliste	salgas	salieras o salieses	salieres
sale	salió	salga	saliera o saliese	saliere
salimos	salimos	salgamos	saliéramos o saliésemos	saliéremos
salís / salen	salisteis / salieron	salgáis / salgan	salierais o salieseis /	saliereis /
salen	salieron	salgan	salieran o saliesen	salieren
			salieran o saliesen	salieren

IMPERATIVO: sal (tú) / salí (vos) / salga (usted), salid (vosotros), salgan (ustedes)

sentir

INDICATIVO		SUBJUNTIVO		
Presente	**Pret. perf. simple / Pretérito**	**Presente**	**Pret. imperfecto / Pretérito**	**Futuro simple / Futuro**
siento	sentí	sienta	sintiera o sintiese	sintiere
sientes / sentís	sentiste	sientas	sintieras o sintieses	sintieres
siente	sintió	sienta	sintiera o sintiese	sintiere
sentimos	sentimos	sintamos	sintiéramos o sintiésemos	sintiéremos
sentís / sienten	sentisteis / sintieron	sintáis / sientan	sintierais o sintieseis /	sintiereis /
sienten	sintieron	sientan	sintieran o sintiesen	sintieren
			sintieran o sintiesen	sintieren

IMPERATIVO: siente (tú) / sentí (vos) / sienta (usted), sentid (vosotros), sientan (ustedes)

venir

INDICATIVO					SUBJUNTIVO		
Presente	**Pret. perf. simp. / Pretérito**	**Fut. simp. / Futuro**	**Condic. simp. / Pospret.**	**Presente**	**Pret. imperfecto / Pretérito**	**Fut. simple / Futuro**
vengo	vine	vendré	vendría	venga	viniera o viniese	viniere
vienes / venís	viniste	vendrás	vendrías	vengas	vinieras o vinieses	vinieres
viene	vino	vendrá	vendría	venga	viniera o viniese	viniere
venimos	vinimos	vendremos	vendríamos	vengamos	viniéramos o viniésemos	viniéremos
venís / vienen	vinisteis / vinieron	vendréis /	vendríais /	vengáis /	vinierais o vinieseis /	viniereis /
vienen	vinieron	vendrán	vendrían	vengan	vinieran o viniesen	vinieren
		vendrán	vendrían	vengan	vinieran o viniesen	vinieren

IMPERATIVO: ven (tú) / vení (vos) / venga (usted), venid (vosotros), vengan (ustedes)